Diccionario
Primaria
Lengua española

Diccionario Primaria
Lengua española

ANAYA

VOX

Esta obra ha sido realizada bajo la iniciativa y coordinación general del Editor.

Dirección editorial: Jordi Induráin Pons

Coordinación de la obra: Sofía Acebo García

Directora científica de la obra: Paz Battaner Arias, Catedrática de Filología Española de la Universitat Pompeu Fabra

Coordinación de la redacción: David Morán Pérez

Colaboradores: María Ángeles Arregui Sierra, Laura Borrás Dalmau, Isabel Brosa Sádaba, María Bueno Mateos, Inmaculada Caro Gallarín, Marta Esber, Andrew Hastings, Aurora Luceri, Roser Martínez Sánchez, David Morán Pérez, Fernando Nápoles Tapia, Juan Pérez Robles, Ana Peris Moreno, Mercé Pujol Vila, Laura Trias Ferri, María Villalba Gómez y Edurne Zunzunegui Lasa

Asesores pedagógicos: Josep María Domingo Tella, Profesor de Enseñanza Primaria (Didáctica); y Teresa Mauri Majos, Catedrática de Escuela Universitaria (Psicología Evolutiva)

Ilustración: Silvia Ortega Ruiz, Bartomeu Seguí y Marcel Socias Campuzano
Fotografías: pág. 536 (© Age Fotostock/Photo Researchers)

Informatización: Marc Escarmís Arasa

Composición: FOINSA Foto Informática, S. A.

Diseño de cubierta: Francesc Sala

Diccionario adaptado a la normativa ortográfica.

Quinta edición: 2011 (edición ampliada)
Primera reimpresión: marzo de 2012

Mallorca, 45, 3ª planta
08029 Barcelona
vox@vox.es
www.vox.es

ISBN: 978-84-7153-972-4
Depósito legal: TO-0031-2012
3E2I
Imprime:
ROTABOOK
CM-4001, Km 26,6
45250 Añover de Tajo (Barcelona)

PRÓLOGO

Tienes en la mano un diccionario que ha sido pensado y producido para estudiantes de enseñanza primaria: un primer diccionario.

Para realizarlo hemos pensado en las necesidades de sus usuarios y nos hemos impuesto tres objetivos principales:

1. Que con él se aprenda a usar un diccionario, este u otro cualquiera.
2. Que a través de él se aprenda a preguntar las cosas que los diccionarios solucionan y a sacar provecho de la información que se encuentra en ellos.
3. Que ayude a quien lo use a ampliar su vocabulario en cantidad y en calidad.

1. Aprender a usar un diccionario

La forma de manejar los libros que llamamos diccionarios es diferente a cómo usamos los otros libros.

Una historia se lee de corrido y en orden sucesivo. No ocurre lo mismo con los diccionarios. Los diccionarios se leen yendo atrás y adelante, o abajo y arriba, porque su información aparece fraccionada en capitulillos aparentemente independientes: cada palabra es una historia o un capítulo cuyo título es la misma palabra y, como son muchas, la palabras aparecen colocadas en orden alfabético. Hay que aprender a encontrar la palabra que se busca y a entender lo que se explica en ella aisladamente.

También hay que aprender cómo encontrar las voces, es decir, el título de cada capitulillo. En la puerta de muchas viviendas hay una placa con los apellidos de la familia que vive en ella, pero no ofrece los nombres de todos los habitantes. En el diccionario, las palabras de las entradas son como los apellidos de esas placas: dentro de la palabra de la entrada se esconden otras formas que viven con ella, que son la misma aunque tengan distinta forma. *Ofrecimos* se esconde bajo *ofrecer* y es ahí donde hay que buscarla; *hechiceras* bajo *hechicero, hechicera*; *bigotito* bajo *bigote*.

Como ves, hay que entrenarse para encontrar en los diccionarios las palabras que buscamos. Para ayudarte, este diccionario da muchas pistas: las entradas se reconocen fácilmente (van escritas en letra azul para reclamar atención), los nombres y los adjetivos presentan las formas masculina y femenina, si las tienen; la categoría gramatical se ve en la columna de la izquierda; los verbos irregulares llevan una nota que indica qué modelo de conjugación siguen y aquellos verbos que son modelo llevan, al lado, su conjugación completa; cada acepción está en un párrafo aparte y la letra es grande y clara. Todo ello hace que este diccionario sea de fácil manejo.

2. Aprender a preguntar cosas y a aprovechar la información encontrada

Este es el objetivo central, el más importante. Un diccionario es un libro de consulta. Nos acercamos a los libros de consulta para buscar respuesta a las preguntas que nos hacemos.

El *Diccionario de Primaria Anaya-Vox* ofrece una respuesta rápida y clara a las distintas preguntas que las palabras plantean. ¿Qué significará la palabra *finolis* que he oído cuando hablaban de la gente que va a un viaje organizado? ¿Se dice *lindar* cuando dos parcelas se tocan, comparten un muro? ¿Qué significa *política* cuando va con *madre*: «Su madre política vive con el matrimonio.»? El diccionario sirve también cuando dudamos de cómo se escribe el plural de una palabra, ¿de *capaz, capaces*?; o de alguna forma ortográfica, ¿*maullar*, pero *maúlla*?; o de una forma irregular de un verbo, ¿*conducir*, pero *condujo*?; o también ¿cómo se pronuncian voces como *hámster* o *hobby*?

Este diccionario resuelve este tipo de preguntas porque, como todos los diccionarios, informa sobre los significados de las palabras y sobre otras cuestiones que surgen cuando las vamos a usar y queremos usarlas correctamente. Estas dudas nacen tanto de las palabras que no conocemos como de las que conocemos.

El *Diccionario de Primaria Anaya-Vox* explica las voces que un escolar suele usar, necesita, lee u oye. Esas voces son las palabras más frecuentes en la lengua española, las palabras que se consideran básicas, las que se han encontrado en los libros de estudio y en los de lectura infantil. Y estas voces las explica con claridad, con orden y en profundidad.

Porque las palabras tienen profundidad y esto las hace interesantes. Por ejemplo, la palabra *gracia*. ¿Qué pensamos que significa esta palabra, que puede parecer muy familiar? Este diccionario da cinco significados en la entrada de *gracia*, relacionados pero diferentes. ¿Se nos ocurren todos estos significados sin consultar el diccionario? ¿O solo se nos ocurren uno o dos de los que ofrece el diccionario? Pues si es así, conocemos la palabra *gracia* superficialmente, la palabra no es del todo nuestra. Conocemos el significado más común, pero junto a este significado hay otros que también cuentan. Leyendo lo que dice el diccionario de estos otros significados ahondamos en el conocimiento de las palabras. El diccionario los explica ordenadamente y muestra la palabra en profundidad.

Este diccionario ofrece primero el significado más conocido y, después, los que son menos conocidos. Son estos los que quizá nos interesen más y los que dan profundidad a la palabras como venimos diciendo. Las definiciones que los explican están redactadas sencillamente y hacen referencia a la realidad mejor conocida por los alumnos de Primaria; se acompañan en casi todos los casos de explicaciones para situar la palabra y facilitar su comprensión y su uso. ¿Qué son estas explicaciones? Son como extensiones de las definición que ayudan a la colocación de la voz. *Marchitar,* por ejemplo, tiene una primera acepción «Secarse una planta o una flor.», que no necesita ayuda para ser comprendida y usada; sin embargo la segunda «Quitar la fuerza, la energía o la belleza a una persona o cosa.» puede resultar difícil saber cómo y para qué se usa. La explicación que sigue: «Un rostro se marchita por el paso de los años.», sin ser propiamente un ejemplo, indica en qué temas o asuntos viene bien usar esta voz, además de con flores o plantas. También el diccionario pone muchas veces ejemplos. Los ejemplos aparecen cuando la voz es complicada por su sintaxis, por ejemplo con las locuciones, las palabras gramaticales, etc. Cuando el significado lo requiere, el diccionario incluye sinónimos y antónimos y muchas observaciones gramaticales para resolver dudas.

Precisamente, los que usamos el diccionario, sabemos que acudir a él servirá para aclarar y resolver las dudas. En un primer momento los trabajos escolares plantean cuestiones que hemos de resolver. El segundo paso es que las dudas sobre cuestiones de lengua nos surjan a nosotros, sin que sea trabajo de clase y sin que nadie nos las plantee; también en estas ocasiones el diccionario nos dará indicaciones para resolver lo que busquemos.

3. Enriquecer el vocabulario de sus usuarios en cantidad y en calidad

Hay dos aspectos de las palabras que en la elaboración de este diccionario se han cuidado especialmente: la profundidad de las palabras y la relaciones que se establecen entre ellas.

Ya hemos hablado de la profundidad, veamos qué queremos decir con 'relaciones entre palabras'.

El vocabulario de una lengua es como una telaraña que se extiende entre las palabras, ordenándolas y relacionándolas. Por ejemplo, la palabra *sentido. Sentido* forma parte de la misma familia de *sentir, sentimental, sentimiento, sensacional, sensato, sensatez, sensible, sensiblería, sensibilidad,* y esta última es a su vez parecida a *delicadeza* y está también relacionada con *insensibilidad* o *frialdad,* como *sentimental* lo está con *racional*, porque significan cosas contrapuestas; *sensacional* se relaciona por el significado con *impresionante; sensato, sensatez* con *prudencia,* etc. Para explicar *sentido* y *sentimiento* hemos utilizado en el diccionario la palabra *capacidad,* palabra que se ha utilizado también al definir otras como *elocuencia, inteligencia* o *habilidad.*

El *Diccionario de Primaria Anaya-Vox* está redactado teniendo muy presentes todas estas relaciones; se han definido las palabras por grupos según sus significados y se han definido con expresiones parecidas, precisamente para marcar estas relaciones. La intención es que puedan verse estos hilos finísimos que, como los de una telaraña, unen las distintas voces del español y facilitan el enriquecimiento del vocabulario.

Poco a poco, con la consulta frecuente del diccionario y aplicando la información que nos ofrece a los textos que se leen o que se escriben, el que consulta va logrando tener un vocabulario amplio, ordenado y relacionado; es decir, un vocabulario de calidad. A partir de este uso individual, propio, se enlaza lo que se va encontrando aquí y allá en las explicaciones aisladas de las palabras y todo ello se va guardando en la memoria sin esfuerzo.

Hay, pues, dos razones para consultar un diccionario: la necesidad y la curiosidad. La necesidad nos hace ir directamente a la palabra que resuelve la cuestión. Queremos una respuesta y la queremos ya. Para ello el diccionario ofrece todas las ayudas posibles: disposición clara, definiciones sencillas e información útil.

La curiosidad no tiene prisa, nos lleva de una palabra a otra, como si nos paseáramos entre ellas y disfrutáramos del paisaje. Es una forma de consultar el diccionario por gusto, por el placer de ir de una a otra palabra, confrontándolas, observándolas, percibiendo entre ellas la telaraña sutil que enlaza unas con otras. Para ello, el diccionario ofrece explicaciones y ejemplos apropiados, textos de fácil lectura, ilustraciones que sirven para entender bien voces usuales pero difíciles.

Nuestro deseo es que tú encuentres estas dos razones para consultar y para pasar ratos con el diccionario entre tus manos.

PAZ BATTANER ARIAS

ESTA NUEVA EDICIÓN...

Esta nueva edición del *Diccionario Primaria Vox* de la lengua española presenta algunas novedades que seguro serán muy interesantes para ti:

- el acceso en línea a través de internet, y
- las traducciones al inglés.

El acceso en línea
Hoy en día Internet tiene mucha presencia en la vida cotidiana tanto para jugar, ver películas, escuchar música o contactar con los amigos, como para encontrar información y resolver dudas de lo más variado: la ruta para llegar a otra ciudad, el pronóstico del tiempo, las noticias del día, la dirección y el teléfono de alguien, etc.

En las escuelas, por un lado, los libros de texto llevan enlaces a páginas web para ampliar los contenidos y, por otro, los maestros piden que los estudiantes busquen información en Internet para después realizar algunas tareas.

En sintonía con estas nuevas formas de trabajar, el *Diccionario de Primaria Vox* que acabas de comprar ofrece gratuitamente el acceso a todo el contenido del diccionario. Es una sola herramienta de consulta que te da dos posibilidades:

- con el diccionario en papel puedes aprender el orden alfabético, qué significan las palabras, cómo se usan y cómo se escriben; y,
- con el acceso en línea, podrás realizar esas mismas consultas en situaciones distintas a las de la clase: en el aula de informática o en casa desde tu ordenador.

Para conectar con la versión en línea solo tienes que seguir las instrucciones del interior de la cubierta.

Las traducciones al inglés
Otra de las novedades de esta nueva edición está relacionada con la necesidad de tener un buen dominio de lenguas extranjeras, en especial del inglés. Incluso hay escuelas en que se dan algunas asignaturas en esta lengua (Conocimiento del Medio, Educación Física, Música o Plástica).

Sea o no este tu caso, es necesario que acabes la Primaria con un conocimiento suficiente para poder expresarte correctamente en español y suficientemente en inglés. A medida que vas mejorando el dominio de tu propia lengua, podrás ir integrando el vocabulario de la lengua extranjera, con lo que llegarás a la ESO con un inglés más fluido.

Para cumplir con este objetivo, en este diccionario, al lado de cada definición en español se ha incluido su equivalente en inglés.

Mira los ejemplos:

rápido, rápida
adjetivo **1** Que se mueve o se hace muy deprisa, a mucha velocidad. También son rápidas las personas y los animales que emplean poco tiempo en hacer algo. ANTÓNIMO lento. INGLÉS quick, fast.
nombre masculino **2** Parte de un río o de una corriente donde el agua corre a gran velocidad y con mucha fuerza. INGLÉS rapids.

¿Qué traducciones has encontrado? Son: **fast** y **quick.**

En clase de lengua, aparte de los sinónimos también habrás aprendido qué son los contrarios o sinónimos. En este caso, el contrario de **rápido** o **veloz** es **lento.** ¿Quieres saber cómo se dice en inglés?

lento, lenta
adjetivo **1** Se dice de las cosas que van o suceden muy despacio También son lentas las personas que utilizan mucho tiempo en hacer algo. ANTÓNIMO rápido. INGLÉS slow.

Habrás visto que se dice **slow**. Y si el caballo se mueve con **lentitud,** en la misma página tropezarás con su equivalente: **slowness.**

¡Fíjate con qué facilidad habrás podido integrar cinco palabras a tu vocabulario!

Esperamos que, con estos dos elementos innovadores, puedas entender mejor lo que lees y escuchas, puedas perfeccionar tu expresión escrita y oral y puedas obtener información con más facilidad. En definitiva, confiamos que vayas siendo más autónomo y que esta herramienta te ayude a completar la Primaria con éxito.

LOS EDITORES

GUÍA VISUAL DE LA OBRA

El *Diccionario de Primaria Anaya-Vox* hace que sea muy fácil consultar los significados de las palabras. Si abres este libro por cualquier página podrás comprobar a simple vista que su lectura es muy sencilla y agradable: las palabras están bien destacadas, los significados bien marcados, el tamaño de letra adecuado para primeros lectores, los dibujos y los cuadros bien ubicados, etc.

Además, las definiciones son perfectamente comprensibles por alumnos de Primaria, como puedes comprobar por ti mismo, sin dejar de lado los conceptos que se tienen que aprender en esta etapa escolar, no solamente en el área de lengua, sino también en otras áreas, como matemáticas, el conocimiento del medio, plástica u otras materias.

Para que la consulta del diccionario sea aún más clara y puedas resolver las posibles dudas que se te presenten, te ofrecemos aquí algunas explicaciones sobre toda la información que vas a encontrar.

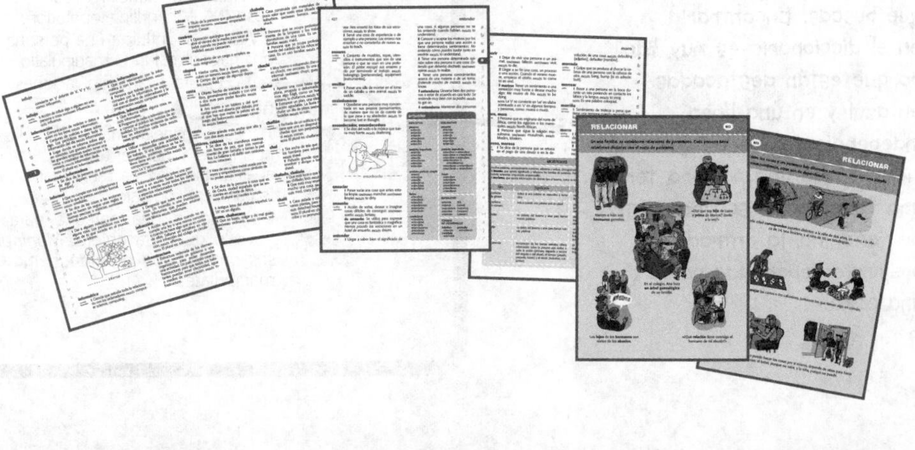

El número de página aparece en la parte superior.

En ocasiones, una entrada cambia un poco su forma al variar su significado, porque se usa en plural o en su forma pronominal. La nueva forma de la palabra aparece a la derecha del número de acepción.

La entrada es la palabra que buscas. Encontrarla en el diccionario es muy fácil porque están destacadas en azul y en una línea independiente. Verás que siempre que una palabra tenga una forma de masculino y otra de femenino, la entrada las presenta separadas por una coma.

697

manifestante

nombre masculino y femenino

1 Persona que participa en una manifestación. A veces, los manifestantes llevan pancartas. INGLÉS demonstrator.

manifestar

verbo

1 Expresar o dar a conocer un sentimiento, un pensamiento o una opinión. Sonreír es una forma de manifestar alegría. INGLÉS to express, to show.

2 manifestarse Participar en una manifestación: *Se han manifestado para protestar por los atentados.* INGLÉS to demonstrate.

NOTA Se conjuga como: acertar; la 'e' se convierte en 'ie' en sílaba acentuada, como: manifieste.

manillar

nombre masculino

1 Pieza de una bicicleta o de una motocicleta que está formada por una barra unida a la rueda delantera y que sirve para hacer girar el vehículo. Suele llevar las palancas que accionan los frenos. INGLÉS handlebars.

maniobra

nombre femenino

1 Cada uno de los movimientos que se hacen para mover o manejar una cosa, como un vehículo, una máquina o un instrumento. INGLÉS manoeuvre.

2 Aquello que se hace de forma oculta para conseguir algún fin determinado, normalmente negativo: *Todas sus maniobras iban dirigidas a desprestigiarle.* SINÓNIMO manejo. INGLÉS machination.

maniobrar

verbo

1 Hacer maniobras o movimientos para mover o manejar algo. INGLÉS to manoeuvre.

manipulación

nombre femenino

1 Acción de manejar o controlar una cosa. INGLÉS handling, operation.

2 Acción de influir a una persona para que haga algo. INGLÉS manipulation.

NOTA El plural es: manipulaciones.

manipular

verbo

1 Tocar o manejar una cosa con las manos. Hacer funcionar una máquina o un aparato también es manipularlo. INGLÉS to handle, to operate.

2 Influir en una persona para que haga lo que otra quiere: *Manipula a sus amigos con artimañas.* INGLÉS to manipulate.

mano

naniquí
ombre masculino
1 Muñeco con forma y tamaño de persona que se viste para mostrar prendas de ropa en las tiendas o para confeccionarlas. INGLÉS dummy.
2 Persona que se dedica a hacer pases de ropa en público. SINÓNIMO modelo. INGLÉS model.
NOTA El plural puede ser: maniquís o maniquíes.

nanitas
ombre masculino femenino
1 Se dice de la persona que tiene habilidad para hacer cosas en las que se emplean las manos y todo lo que está estropeado lo arregla. SINÓNIMO mañoso. ANTÓNIMO manazas. INGLÉS handyman [hombre], handy woman [mujer].
hacer manitas Acariciarse mutuamente las manos dos personas como muestra de amor y cariño. INGLÉS to cuddle.
NOTA El plural es: manitas.

nanivela
ombre femenino
1 Pieza que tienen algunos motores o mecanismos y que sirve para hacer girar un eje y poner en funcionamiento dicho motor o mecanismo. Es una barra de hierro doblada en ángulo recto. INGLÉS crank.

nanjar
ombre masculino
1 Alimento muy bueno y apetitoso. Es una palabra formal. INGLÉS delicacy.

nano
ombre femenino
1 Parte del cuerpo humano que va desde la muñeca hasta la punta de los dedos. Con las manos cogemos y manejamos cosas. INGLÉS hand.
2 Cada una de las dos patas delanteras de algunos animales, como los caballos o los cerdos. INGLÉS forefoot.
3 Habilidad que tienen algunas personas para hacer bien ciertas cosas: *Tiene mucha mano para cocinar.* INGLÉS skill.
4 Capa de pintura, barniz o esmalte que se le da a una superficie. INGLÉS coat.
5 Objeto alargado, generalmente de madera, con el que se machacan algunos alimentos en el mortero. INGLÉS pestle.
6 Cada una de las veces en que se reparten las cartas en una partida. También es la persona a la que le toca repartir: *Vamos a jugar otra mano.* INGLÉS hand.

a b c d e f g h i j k l **m** n ñ o p q r s t u v w x y z

En la parte superior de cada página encontrarás la palabra que te va a servir de guía para saber en qué parte del diccionario estás. Te ayudará a hacer las búsquedas alfabéticas más rápidamente.

El diccionario recoge locuciones y expresiones que incluyen la palabra de la entrada y que tienen un significado especial. Van al final.

En los márgenes exteriores de cada página aparece el abecedario completo, en el cual destacamos la letra inicial de las palabras que están en esa página.

Al final de cada acepción encontrarás la traducción en inglés para que, mientras aprendes más vocabulario de tu lengua materna puedas ir descubriendo cómo se dicen en inglés. Sin hacer mucho esfuerzo, amplliarás tu léxico.

Las acepciones son los diferentes significados que puede tener una palabra. En este diccionario cada acepción está en un párrafo independiente y lleva un número delante que permite ordenarlas.

Las definiciones son los textos que explican el significado de la palabra que has buscado. Verás que están escritas con un leguaje claro, sencillo y fácil de entender.

También puedes encontrar ejemplos después de algunas definiciones y explicaciones, que te van a ayudar a entender mejor el significado de la palabra.

ingratitud
nombre femenino
1 Comportamiento de la persona que no agradece un favor o beneficio recibidos. ANTÓNIMO gratitud. INGLÉS ingratitude.

ingrato, ingrata
adjetivo y nombre
1 Se dice de la persona que no reconoce el valor de los favores recibidos y no da las gracias por ellos. SINÓNIMO desagradecido. ANTÓNIMO agradecido. INGLÉS ungrateful.
adjetivo
2 Se dice del trabajo que cuesta realizar por ser desagradable, molesto o porque los demás no lo valoran lo suficiente. INGLÉS thankless.

ingrávido, ingrávida
adjetivo
1 Se dice de un cuerpo que no está sometido a la fuerza de gravedad terrestre. Los satélites ingrávidos flotan en el espacio. INGLÉS weightless.
2 Que es suave, ligero y no pesa, como la gasa o la niebla. INGLÉS very light.

ingrediente
nombre masculino
1 Cada una de las cosas o sustancias que forman una comida o un alimento preparado. INGLÉS ingredient.

ingresar
verbo
1 Entrar a formar parte de un conjunto de personas o de una asociación: *Ingresó en un convento.* SINÓNIMO entrar. INGLÉS to join.
2 Quedarse en un hospital para ser operado o recibir un tratamiento médico. INGLÉS to be admitted.
3 Meter dinero en una cuenta de un banco. INGLÉS to pay in.

ingresar

ingreso
nombre masculino
1 Acción de ingresar o entrar una persona en un grupo, una asociación o un hospital. INGLÉS joining [si es en un hospital: admission].

592

2 Acción que consiste en meter una cantidad de dinero en una cuenta de un banco. INGLÉS deposit.

nombre masculino plural **3 ingresos** Cantidad de dinero que gana una persona o una empresa o se recibe como sueldo. INGLÉS income.

inhalar

verbo **1** Aspirar un gas, un vapor o un líquido muy pulverizado. Inhalar vapores de eucalipto es bueno para la congestión nasal. INGLÉS to inhale, to breathe in.

inhumano, inhumana

adjetivo **1** Que hace sufrir o deja sufrir sin sentir compasión: *Es inhumano no ayudar a la gente que lo necesita.* INGLÉS inhuman.

inicial

adjetivo **1** Se dice de las cosas que están al inicio o comienzo. INGLÉS initial.

adjetivo y nombre femenino **2** Se dice de la primera letra de una palabra. INGLÉS initial.

iniciar

verbo **1** Hacer que una acción o un proceso comience o esté en sus primeros momentos. Al iniciar la clase, los profesores piden silencio. SINÓNIMO empezar. INGLÉS to start, to begin.

2 Enseñar a una persona algunas cosas sobre algo de lo que no sabía nada hasta ese momento. INGLÉS to initiate.

NOTA Se conjuga como: cambiar; la 'i' no lleva nunca acento de intensidad.

iniciativa

nombre femenino **1** Capacidad de tener ideas originales o empezar a hacer cosas nuevas: *Es una persona con iniciativa.* INGLÉS initiative.

2 Proposición o idea que da origen o está en el comienzo de una acción o de un proyecto. INGLÉS initiative.

tomar la iniciativa Ser la primera persona en hacer o decir algo. INGLÉS to take the initiative.

inicio

nombre masculino **1** Primera parte o primer momento de las cosas o las acciones. El inicio del curso escolar suele ser en septiembre. ANTÓNIMO fin. INGLÉS beginning, start.

inigualable

adjetivo **1** Se dice de las cosas que no se pueden igualar a otras por ser extraordinarias o muy buenas. INGLÉS unrivalled.

inimaginable

adjetivo **1** Que no puede ser imaginado. Para

Debajo de la entrada, y a la izquierda de las definiciones, indicamos la categoría gramatical de las palabras. A veces una palabra puede tener varias categorías gramaticales, porque cambian según su significado.

Algunas palabras llevan al final unas notas, que informan sobre algún aspecto gramatical, como: verbos irregulares, plurales irregulares, otras formas de escribir la palabra, cómo se pronuncia una palabra de origen extranjero...

Al final de algunas definiciones vas a encontrar tanto sinónimos, como antónimos o contrarios.

283 conexión

razo de la mujer y el contagio de algunas enfermedades. SINÓNIMO preservativo. INGLÉS condom.

NOTA El plural es: condones.

cóndor

nombre masculino **1** Ave rapaz muy grande de color negro, con manchas blancas en las alas y la cabeza, y el cuello sin plumas, que se parece al buitre. Vive en la cordillera de los Andes, en América del Sur. INGLÉS condor.

conducir

verbo **1** Llevar el control de un vehículo. En las autoescuelas enseñan a conducir un automóvil. INGLÉS to drive.

conducir

INDICATIVO	SUBJUNTIVO
presente conduzco conduces conduce conducimos conducís conducen	**presente** conduzca conduzcas conduzca conduzcamos conduzcáis conduzcan
pretérito imperfecto conducía conducías conducía conducíamos conducíais conducían	**pretérito imperfecto** condujera o condujese condujeras o condujeses condujera o condujese condujéramos o condujésemos condujerais o condujeseis condujeran o condujesen
pretérito perfecto simple conduje condujiste condujo condujimos condujisteis condujeron	**futuro** condujere condujeres condujere condujéremos condujereis condujeren
futuro conduciré conducirás conducirá conduciremos conduciréis conducirán	**IMPERATIVO** conduce (tú) conduzca (usted) conduzcamos (nosotros) conducid (vosotros) conduzcan (ustedes)
condicional conduciría conducirías conduciría conduciríamos conduciríais conducirían	**FORMAS NO PERSONALES** **infinitivo** conducir **gerundio** conduciendo **participio** conducido

2 Dirigir o llevar una cosa hacia un lugar determinado. Las tuberías conducen el agua hasta las casas. INGLÉS to take.

3 Ser la causa o el origen de algo. Las guerras siempre conducen a la miseria. SINÓNIMO llevar. INGLÉS to lead.

4 **conducirse** Tener un comportamiento determinado. INGLÉS to behave.

conducta

nombre femenino **1** Modo en que se comporta una persona. SINÓNIMO comportamiento. INGLÉS conduct, behaviour.

conducto

nombre masculino **1** Tubo por el que circula un líquido o un gas que va de un sitio a otro. Las venas son conductos por donde circula la sangre. INGLÉS pipe, tube.

2 Medio o vía que sigue una noticia o un documento oficial para llegar a una persona o grupo de personas: *El periodista conoció la noticia por un conducto oficial.* INGLÉS channel.

conductor, conductora

nombre **1** Persona que conduce un vehículo. INGLÉS driver.

conectar

verbo **1** Poner un aparato eléctrico en contacto con la corriente para que funcione. SINÓNIMO enchufar. ANTÓNIMO desconectar. INGLÉS to connect, to plug in.

2 Unir o establecer una relación entre dos o más cosas o personas. Las redes informáticas conectan a mucha gente entre sí. INGLÉS to connect.

conejo, coneja

nombre **1** Animal mamífero de pelo suave, orejas largas, cola corta y patas traseras más largas y fuertes que las delanteras. INGLÉS rabbit.

conexión

nombre femenino **1** Relación que se establece entre dos o más cosas o personas. Los satélites permiten establecer una conexión entre lugares muy lejanos. INGLÉS connection.

2 Punto en que se unen los aparatos a la red eléctrica. INGLÉS connection.

NOTA El plural es: conexiones.

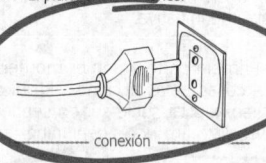

conexión

a b c d e f g h i j k l m n ñ o p q r s t u v w x y z

Algunos verbos irregulares van acompañados de sus modelos de conjugación con todos los tiempos simples.

En ocasiones vas a encontrar ilustraciones que acompañan a algunas definiciones.

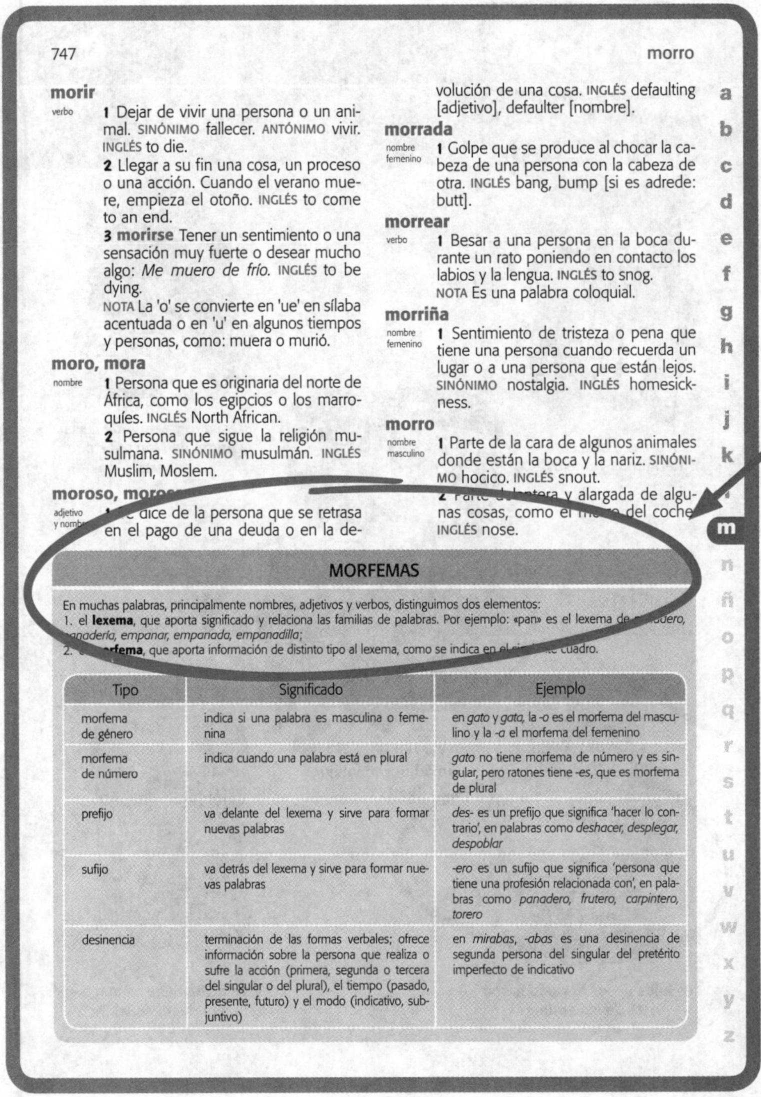

morir
verbo
1 Dejar de vivir una persona o un animal. SINÓNIMO fallecer. ANTÓNIMO vivir. INGLÉS to die.
2 Llegar a su fin una cosa, un proceso o una acción. Cuando el verano muere, empieza el otoño. INGLÉS to come to an end.
3 morirse Tener un sentimiento o una sensación muy fuerte o desear mucho algo: *Me muero de frío.* INGLÉS to be dying.
NOTA La 'o' se convierte en 'ue' en sílaba acentuada o en 'u' en algunos tiempos y personas, como: muera o murió.

moro, mora
nombre
1 Persona que es originaria del norte de África, como los egipcios o los marroquíes. INGLÉS North African.
2 Persona que sigue la religión musulmana. SINÓNIMO musulmán. INGLÉS Muslim, Moslem.

moroso, morosa
adjetivo y nombre
1 Se dice de la persona que se retrasa en el pago de una deuda o en la devolución de una cosa. INGLÉS defaulting [adjetivo], defaulter [nombre].

morrada
nombre femenino
1 Golpe que se produce al chocar la cabeza de una persona con la cabeza de otra. INGLÉS bang, bump [si es adrede: butt].

morrear
verbo
1 Besar a una persona en la boca durante un rato poniendo en contacto los labios y la lengua. INGLÉS to snog.
NOTA Es una palabra coloquial.

morriña
nombre femenino
1 Sentimiento de tristeza o pena que tiene una persona cuando recuerda un lugar o a una persona que están lejos. SINÓNIMO nostalgia. INGLÉS homesickness.

morro
nombre masculino
1 Parte de la cara de algunos animales donde están la boca y la nariz. SINÓNIMO hocico. INGLÉS snout.
2 Parte delantera y alargada de algunas cosas, como el morro del coche. INGLÉS nose.

MORFEMAS

En muchas palabras, principalmente nombres, adjetivos y verbos, distinguimos dos elementos:
1. el **lexema**, que aporta significado y relaciona las familias de palabras. Por ejemplo: «pan» es el lexema de *panadero, panadería, empanar, empanada, empanadilla*;
2. el **morfema**, que aporta información de distinto tipo al lexema, como se indica en el siguiente cuadro.

Tipo	Significado	Ejemplo
morfema de género	indica si una palabra es masculina o femenina	en *gato* y *gata*, la *-o* es el morfema del masculino y la *-a* el morfema del femenino
morfema de número	indica cuando una palabra está en plural	*gato* no tiene morfema de número y es singular, pero ratones tiene *-es*, que es morfema de plural
prefijo	va delante del lexema y sirve para formar nuevas palabras	*des-* es un prefijo que significa 'hacer lo contrario', en palabras como *deshacer, desplegar, despoblar*
sufijo	va detrás del lexema y sirve para formar nuevas palabras	*-ero* es un sufijo que significa 'persona que tiene una profesión relacionada con', en palabras como *panadero, frutero, carpintero, torero*
desinencia	terminación de las formas verbales; ofrece información sobre la persona que realiza o sufre la acción (primera, segunda o tercera del singular o del plural), el tiempo (pasado, presente, futuro) y el modo (indicativo, subjuntivo)	en *mirabas*, *-abas* es una desinencia de segunda persona del singular del pretérito imperfecto de indicativo

El diccionario contiene cuadros gramaticales en los que se pueden encontrar aclaraciones sobre reglas gramaticales.

En la parte superior de cada página del cuadernillo de láminas encontrarás el concepto que se trata en ella.

Los dibujos sugieren qué significan las palabras, cómo se utilizan y qué otras palabras tienen significados cercanos. Verás qué fácil es mejorar tu vocabulario.

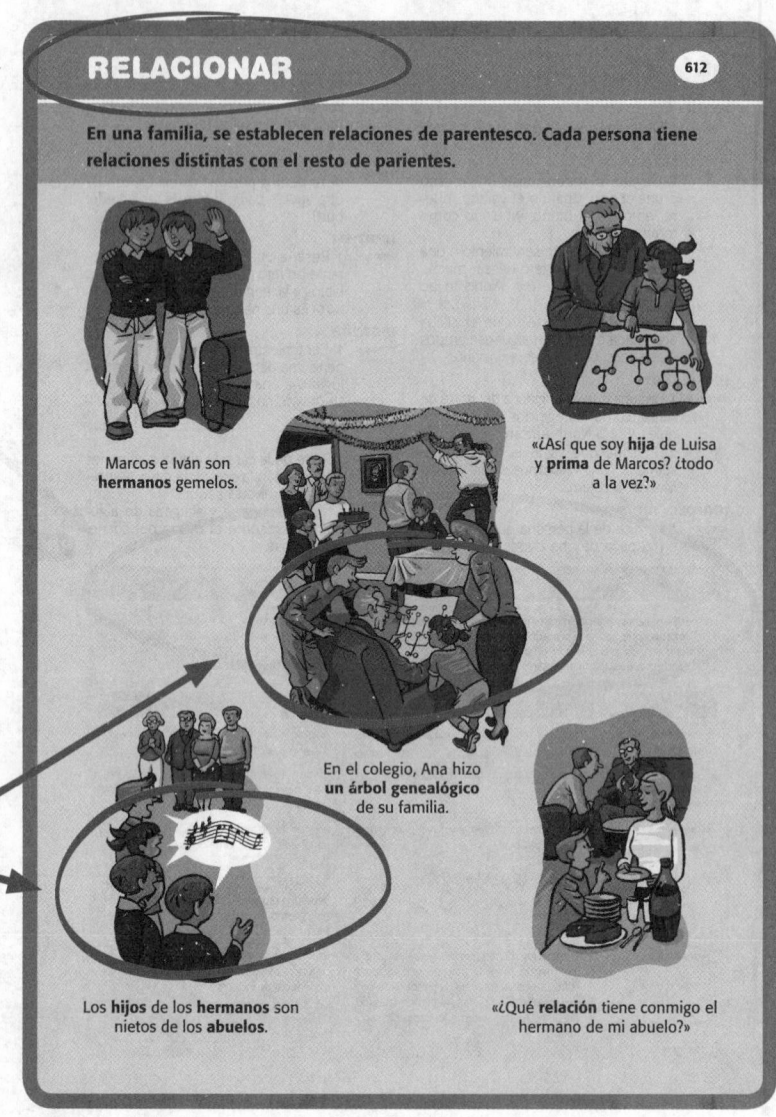

RELACIONAR

612

En una familia, se establecen relaciones de parentesco. Cada persona tiene relaciones distintas con el resto de parientes.

Marcos e Iván son **hermanos** gemelos.

«¿Así que soy **hija** de Luisa y **prima** de Marcos? ¿todo a la vez?»

En el colegio, Ana hizo **un árbol genealógico** de su familia.

Los **hijos** de los **hermanos** son nietos de los **abuelos**.

«¿Qué **relación** tiene conmigo el hermano de mi abuelo?»

613

RELACIONAR

Entre las cosas y las personas hay diferentes relaciones: unas son una simple correspondencia, otras son de dependencia, ...

A cada edad **corresponden** juguetes distintos: a la niña de dos años, un osito; a la chica de 14, una bicicleta; y al niño de 10, un teledirigido.

Para **emparejar** las cartas o los calcetines, juntamos los que tienen algo en común.

Cuando alguien no puede hacer las cosas por sí mismo, depende de otros para hacer ciertas cosas: el bebé, porque no sabe, y la niña, porque no puede.

La entradilla es un texto que te servirá para entender mejor cómo aprovechar el contenido de los dibujos y los textos y te orientará sobre las informaciones que se presentan en estas páginas.

Los textos que aparecen al pie de cada dibujo sirven de ejemplo de cómo se utilizan las palabras que tienen relación con el concepto que aparece en la parte superior de la página.

CUADROS DE LA OBRA

CUADROS GRAMATICALES

CUADROS DE CONJUGACIÓN

DICCIONARIO

Abcdefghijklmnñopqrstuvwxyz

a

nombre femenino **1** Primera letra del alfabeto español. La 'a' es una vocal. El plural es: aes.

preposición **2** Introduce el complemento directo de persona y a veces también de ciertos objetos que podemos considerar animados: *He visto a su hermano esta mañana. No conviene mirar al Sol directamente.*

3 Introduce el complemento indirecto, que siempre se refiere a personas: *Dile a Pedro que no.* INGLÉS to.

4 Indica la dirección en que se mueve una cosa o una persona: *Este tren va al Sur.* SINÓNIMO hacia. INGLÉS to, towards.

5 Indica el lugar o la posición de algo o alguien: *Los servicios están al fondo a la derecha.* INGLÉS at, on.

6 Indica la distancia entre dos puntos. También indica el tiempo que se tarda en recorrer esa distancia: *Está a dos pasos de aquí. Vivimos a un kilómetro.* INGLÉS away.

7 Indica la hora en que ocurre algo: *Te llamo a las ocho.* INGLÉS at.

8 Indica el precio de las cosas, normalmente las que se venden por su peso o medida: *Venden la tela a 18 euros el metro.* INGLÉS at.

9 Indica la velocidad: *Está prohibido circular por ciudad a más de 60 kilómetros por hora.* INGLÉS at.

10 Indica el modo en que se hace o se dice una cosa: *Está hecho a mano. Todo lo pide a gritos.*

11 Se utiliza en la perífrasis verbal 'ir a', seguida de infinitivo. También se utiliza detrás de otros verbos: *¿Vamos a tomar un café? Quédate a dormir en casa.* INGLÉS to.

12 Se utiliza seguida de un infinitivo para avisar u ordenar algo a alguien: *¡A comer! A callar, no quiero volver a oírte.*
NOTA Al escribir, no la confundas con la forma 'ha' del verbo 'haber' (por ejemplo: ha comido) ni con la interjección 'ah'. Recuerda que cuando la sigue el determinante 'el', la preposición se une al determinante y forman 'al'.

ábaco

nombre masculino **1** Marco de madera con cuerdas o alambres paralelos por los que corren unas bolas. El ábaco sirve para contar y calcular o para marcar los puntos que ganan los jugadores de ciertos juegos. INGLÉS abacus.

abad, abadesa

nombre **1** Religioso superior que gobierna en algunos monasterios o comunidades religiosas. INGLÉS abbot.

abadía

nombre femenino **1** Monasterio donde vive una comunidad religiosa gobernada por un abad o una abadesa. INGLÉS abbey.

abajo

adverbio **1** Indica una posición más baja que la de la persona que habla o que algo determinado: *Estaré abajo. Mira ahí abajo, ¿lo ves?* INGLÉS below.

2 Expresa movimiento hacia un lugar más bajo que el punto de partida: *Vamos abajo. Salió corriendo escaleras abajo.* INGLÉS down.

interjección **3** **¡abajo!** Expresa rechazo hacia algo e indica el deseo de que se acabe una determinada situación: *¡Abajo el invasor!* INGLÉS down with...!

abalanzarse

verbo **1** Ir o tirarse hacia una persona, un animal o una cosa de modo violento o brusco. Una persona puede abalanzarse sobre otra para asustarla o para

a b c d e f g h i j k l m n ñ o p q r s t u v w x y z

impedir que se mueva. INGLÉS to rush at, to pounce on.

NOTA Se escribe 'c' delante de 'e', como: me abalancé.

abandonar

verbo

1 Dejar una persona voluntariamente de cuidar, de atender o de hacer compañía a otra persona, a un animal o a una cosa. INGLÉS to abandon.

2 Irse una persona de un sitio y no volver en mucho tiempo. Muchas personas abandonan el campo para ir a vivir a la ciudad. INGLÉS to leave.

3 Dejar una persona voluntariamente de hacer una actividad o desempeñar una función, especialmente cuando se había estado haciendo durante tiempo. Si se abandonan los estudios, no se acaban. INGLÉS to give up.

4 Dejar una persona de tener una idea, un propósito o una intención. Si se abandona la idea de hacer una cosa, se renuncia a hacerla. INGLÉS to give up.

5 abandonarse Dejar una persona de cuidar su aseo personal o su aspecto. Una persona se abandona cuando no se lava o lleva ropa estropeada o sucia. INGLÉS to let oneself go.

abandono

nombre masculino

1 Acción o situación creada por una persona cuando abandona el cuidado o la atención de alguien o algo. INGLÉS neglect.

2 Acción de dejar un lugar o una actividad definitivamente. INGLÉS leaving [de un lugar], giving up [de una actividad].

3 Acción que consiste en dejar una persona de cuidar su aspecto exterior o su aseo personal. INGLÉS neglect.

abanico

nombre masculino

1 Instrumento que se mueve con una mano y sirve para dar o darse aire. Se puede plegar y abrir en forma de semicírculo. INGLÉS fan.

2 Conjunto de posibilidades entre las que se puede elegir. Las tiendas de alimentación ofrecen un amplio abanico de productos. INGLÉS range.

abaratar

verbo

1 Bajar el precio de una mercancía. En rebajas, las tiendas abaratan sus productos. SINÓNIMO rebajar. ANTÓNIMO subir. INGLÉS to reduce the price of.

abarcar

verbo

1 Rodear una persona con sus brazos a otra persona o una cosa. INGLÉS to embrace.

2 Alcanzar a ver una persona con la mirada toda una superficie o una extensión de terreno. Desde un lugar alto se puede abarcar mejor el paisaje que se quiere contemplar. INGLÉS to take in.

3 Incluir o contener una cosa dentro de sus límites otra cosa, ya sea en el espacio o en el tiempo. Algunas novelas históricas abarcan varios siglos. INGLÉS to cover.

NOTA Se escribe 'qu' delante de 'e', como: abarqué.

abarrotar

verbo

1 Ocupar un lugar completamente una gran cantidad de personas o de cosas. Cuando la gente abarrota un cine o un estadio ya no cabe nadie más. INGLÉS to pack.

abastecer

verbo

1 Dar o poner al alcance de una persona una cosa que necesita. Muchas ciudades se abastecen con agua de embalses. SINÓNIMO proveer; suministrar. INGLÉS to supply, to provide.

NOTA Se conjuga como: agradecer; la 'c' se convierte en 'zc' delante de 'a' y 'o', como: abastezcan.

abasto

no dar abasto No poder realizar el trabajo que hay que hacer o no poder acabar lo que se está haciendo por falta de tiempo o exceso de trabajo. INGLÉS not to be able to cope.

abatido, abatida

adjetivo

1 Se dice de la persona que está muy triste o deprimida. INGLÉS depressed.

abatir

verbo

1 Tirar o hacer caer al suelo a una persona o una cosa. SINÓNIMO derribar. INGLÉS to knock down.

2 Inclinar o bajar algo que estaba erguido o elevado. Algunas mesas tienen un ala que se puede abatir para hacerlas más pequeñas. INGLÉS to fold.

3 Matar a una persona o un animal con un arma de fuego, como una pistola o una escopeta. INGLÉS to kill.

4 Hacer que una persona esté muy triste o muy desanimada. INGLÉS to depress.

abdicar
verbo
1 Renunciar a un cargo o a un derecho. Un rey puede abdicar la corona o el trono en su hijo. **INGLÉS** to abdicate.
NOTA Se escribe 'qu' delante de 'e', como: abdique.

abdomen
nombre masculino
1 Parte del cuerpo de los animales vertebrados que contiene el estómago, los intestinos, el hígado y otros órganos. En el hombre, el abdomen es la parte que hay entre el pecho y la cadera. **INGLÉS** abdomen.
NOTA El plural es: abdómenes.

abdominal
adjetivo
1 Del abdomen o que está relacionado con él. **INGLÉS** abdominal.
nombre masculino
2 Ejercicio de gimnasia que se hace para poner fuertes los músculos del abdomen. **INGLÉS** sit-up.

abecedario
nombre masculino
1 Serie de todas las letras de un idioma colocadas en orden alfabético. **SINÓNIMO** alfabeto. **INGLÉS** alphabet.

abedul
nombre masculino
1 Árbol de corteza lisa y clara y hojas pequeñas caducas con el borde en forma de sierra. Su madera se usa mucho en carpintería. **INGLÉS** birch tree.

abeja
nombre femenino
1 Insecto volador con el cuerpo de color oscuro recubierto de un vello amarillento. Tiene un aguijón y su picadura es dolorosa. Produce cera y miel. **INGLÉS** bee.

abejorro
nombre masculino
1 Insecto parecido a la abeja, pero más grande. Produce un fuerte zumbido al volar. **INGLÉS** bumblebee.

aberración
nombre femenino
1 Acción, comportamiento u otra cosa que se aparta claramente de lo que se considera normal, natural o correcto. El asesinato de niños en una guerra es una aberración. **INGLÉS** aberration.
NOTA El plural es: aberraciones.

abertura
nombre femenino
1 Hueco o espacio abierto en una superficie. Las ventanas son aberturas que hay en las paredes y los ojales son aberturas en las prendas de ropa. **INGLÉS** opening.

abeto
nombre masculino
1 Árbol de tronco alto y recto, copa en forma de cono, hojas perennes en forma de aguja y piñas redondeadas. En Navidad se adornan abetos. **INGLÉS** fir tree.

abierto, abierta
participio
1 Participio irregular de: abrir. También se usa como adjetivo: *¿Has abierto la ventana? Hay una botella abierta de gaseosa.* **INGLÉS** opened [participio], open [adjetivo].
adjetivo
2 Se dice de los lugares amplios y que no están limitados. Un jardín abierto no tiene vallas. Cuando una barca se aleja de la costa o del puerto va hacia mar abierto. **INGLÉS** open.
3 Se dice de la persona que tiene facilidad para relacionarse con los demás. Las personas abiertas suelen ser muy simpáticas. **ANTÓNIMO** cerrado. **INGLÉS** open.
4 Se dice de la persona que está dispuesta a aceptar las ideas y las opiniones de los demás si son mejores que las suyas. **ANTÓNIMO** cerrado. **INGLÉS** open-minded.

abismo
nombre masculino
1 Lugar muy profundo, como un acantilado, un barranco o un precipicio. **INGLÉS** abyss.
2 Diferencia o distancia muy grande entre personas, cosas o ideas: *Hay un abismo entre lo que dice y lo que hace.* **INGLÉS** vast difference.

abismo

ablandar
verbo
1 Hacer una persona o una cosa que algo se ponga blando o más blando de lo que estaba. La cera se ablanda con el calor. **INGLÉS** to soften up.
2 Hacer que una persona deje de estar enfadada, se muestre menos seria, o deje de oponerse rotundamente a algo.

Con demostraciones de cariño, podemos conseguir que alguien se ablande. INGLÉS to soothe.

abochornar
verbo
1 Hacer sentir vergüenza a una persona. Nos puede abochornar el comportamiento ridículo de otra persona. SINÓNIMO avergonzar. INGLÉS to embarrass.

abofetear
verbo
1 Dar una o más bofetadas a alguien. INGLÉS to slap.

abogado, abogada
nombre
1 Persona que se dedica a ayudar a otras en asuntos legales y a defenderlas en los juicios. Los abogados han estudiado la carrera de derecho. INGLÉS lawyer.

abolición
nombre femenino
1 Acción que consiste en abolir una ley, norma o costumbre: *Lucharon por la abolición de la esclavitud.* INGLÉS abolition.
NOTA El plural es: aboliciones.

abolir
verbo
1 Hacer que una ley, una norma o una costumbre deje de ser válida en un lugar. El Parlamento puede abolir una ley mediante otra ley. INGLÉS to abolish.

abolladura
nombre femenino
1 Hundimiento de una superficie al dar un golpe o hacer presión sobre ella. Si nos sentamos en el capó de un coche, le podemos hacer una abolladura. INGLÉS dent.

abollar
verbo
1 Hundir una parte de una superficie dando un golpe o haciendo presión. Las latas de conserva se pueden abollar si caen al suelo. INGLÉS to dent [abollar], to get dented [abollarse].

abombar
verbo
1 Hacer que una superficie quede redondeada o curvada hacia afuera. La humedad abomba las paredes. INGLÉS to cause to bulge.

abominable
adjetivo
1 Que es tan malo y terrible que merece ser rechazado, odiado o temido. Un asesino es una persona abominable y los asesinatos también lo son. INGLÉS abominable.

abonar
verbo
1 Echar abono en la tierra para que las plantas crezcan más sanas, más rápidamente o en mayor cantidad. INGLÉS to fertilize.
2 Pagar lo que se debe. Abonamos la cuota de un gimnasio o lo que cuesta la reparación de un electrodoméstico. SINÓNIMO pagar. ANTÓNIMO deber. INGLÉS to pay.
3 **abonarse** Apuntarse para recibir o disfrutar periódicamente un servicio, comprometiéndose a pagar las cuotas que correspondan. Nos abonamos a una revista o a un canal de televisión. INGLÉS to subscribe.

abono
nombre masculino
1 Sustancia mineral, vegetal o animal que se echa en la tierra para que las plantas crezcan mejor y en mayor cantidad. El estiércol es un buen abono. SINÓNIMO fertilizante. INGLÉS fertilizer.
2 Pago de una cosa que se debe. INGLÉS subscription.
3 Entrada o billete que permite usar un servicio varias veces. Con un abono para el autobús, los viajes salen más baratos. SINÓNIMO bono. INGLÉS season ticket.

abordaje
al abordaje Pasando de un barco a otro al que se está atacando. Los piratas tomaban los barcos al abordaje. INGLÉS [tomar al abordaje: to board].

abordar
verbo
1 Acercarse un barco a otro hasta tocarlo o chocar con él de modo voluntario o por accidente. INGLÉS to collide with.
2 Acercarse a una persona, con la que no se había quedado, para hablar con ella: *Los fans abordaron al cantante tras el concierto para pedirle autógrafos.* INGLÉS to approach.
3 Empezar un trabajo o cualquier asunto difícil y tratar de resolverlo. Cuanto antes se abordan los problemas, antes se solucionan. INGLÉS to tackle.

aborigen
adjetivo y nombre masculino y femenino
1 Se dice de la persona o del pueblo o comunidad que es habitante originario de una región o país. Suele aplicarse a pueblos considerados primitivos y en oposición a los colonos. Los incas y aztecas son algunos de los pueblos abo-

rígenes de América. SINÓNIMO indígena. INGLÉS native.

adjetivo **2** Se dice de los animales o las plantas que son originarios y propios de la zona en la que viven, y no llegados de otro lugar. La fauna aborigen de la península Ibérica es muy variada. INGLÉS native.

NOTA El plural es: aborígenes.

aborrecer

verbo **1** Experimentar un sentimiento de rechazo o desagrado hacia algo o alguien que no nos gusta nada. Si una persona come cada día carne, puede acabar aborreciéndola. SINÓNIMO detestar. INGLÉS to loathe.

NOTA Se conjuga como: agradecer; en algunas formas la 'c' pasa a 'zc' delante de 'a' y 'o', como: aborrezco.

abortar

verbo **1** Interrumpir un embarazo antes de tiempo, cuando el feto todavía no está desarrollado. Se puede abortar por causas naturales, como un accidente o enfermedad, o de forma voluntaria. INGLÉS to have an abortion [voluntariamente], to have a miscarriage [involuntariamente].

2 Impedir que se realice o se acabe una acción: *El piloto abortó el despegue por problemas técnicos.* INGLÉS to abort.

aborto

nombre masculino **1** Interrupción voluntaria o involuntaria de un embarazo antes de tiempo, cuando el feto todavía no está desarrollado. INGLÉS abortion [voluntaria], miscarriage [involuntaria].

abotonar

verbo **1** Abrochar los botones de una prenda de vestir. INGLÉS to button up.

abrasar

verbo **1** Quemar una cosa hasta que queda hecha brasas. Un incendio en un bosque puede llegar a abrasar todos los árboles. INGLÉS to burn down, to reduce to ashes.

2 Producir demasiado calor. El sol abrasa en verano. SINÓNIMO quemar. INGLÉS to be scorching.

3 Estar una cosa muy caliente. La sopa recién sacada del fuego abrasa. SINÓNIMO quemar. INGLÉS to be boiling hot.

abrazar

verbo **1** Estrechar entre los brazos a una persona o cosa en señal de cariño. Dos amigos se abrazan cuando se vuelven a ver después de mucho tiempo. INGLÉS to embrace, to hug.

2 Adoptar una religión, una idea o actitud que antes no se tenía. ANTÓNIMO renegar. INGLÉS to embrace.

NOTA Se escribe 'c' delante de 'e', como: abracé.

abrazo

nombre masculino **1** Muestra de cariño que consiste en estrechar entre los brazos a una persona o cosa. Es normal ver a los viajeros despedirse de sus familiares con un abrazo. INGLÉS hug, embrace.

abrebotellas

nombre masculino **1** Utensilio de metal que sirve para quitar las chapas que tapan las botellas. INGLÉS bottle opener.

NOTA El plural es: abrebotellas.

abrecartas

nombre masculino **1** Utensilio que sirve para abrir los sobres de las cartas; tiene la forma parecida a un cuchillo, con una hoja plana afilada y un mango. INGLÉS letter opener, paperknife.

NOTA El plural es: abrecartas.

abrelatas

nombre masculino **1** Utensilio de metal con una pieza cortante y afilada que sirve para abrir latas de conserva. INGLÉS tin-opener.

NOTA El plural es: abrelatas.

abrevadero

nombre masculino **1** Fuente natural o estanque lleno de agua en donde beben ciertos animales. Los caballos beben en los abrevaderos. INGLÉS watering place [natural], drinking trough [construido].

abreviar

verbo **1** Hacer que una cosa sea más corta. Podemos abreviar una redacción si suprimimos un párrafo o escribimos frases más breves. SINÓNIMO acortar. ANTÓNIMO alargar. INGLÉS to shorten.

2 Hacer que una cosa dure menos tiempo. Le pedimos a un amigo que abrevie cuando nos explica algo y se extiende mucho en los detalles. ANTÓNIMO alargar. INGLÉS to shorten [una cosa], to be brief [una persona].

NOTA Se conjuga como: cambiar; la 'i' no lleva nunca acento de intensidad.

a b c d e f g h i j k l m n ñ o p q r s t u v w x y z

abreviatura
nombre femenino **1** Letra o grupo de letras, seguidas de un punto, que se escriben para representar una palabra entera. 'P. ej.' es la abreviatura de 'por ejemplo'. INGLÉS abbreviation.

abridor
nombre masculino **1** Utensilio de metal que sirve para abrir botellas o latas de conserva. INGLÉS opener, tin opener.

abrigar
verbo **1** Proteger del frío, normalmente con ropas o telas gruesas. En invierno la gente se abriga antes de salir a la calle. INGLÉS to wrap up.
NOTA Se escribe 'gu' delante de 'e', como: abrigué.

abrigo
nombre masculino **1** Prenda de vestir de manga larga que llega hasta debajo de la rodilla, va abierta por delante y se pone sobre otras prendas para abrigar. INGLÉS coat.
2 Lugar protegido o cubierto en el que uno puede refugiarse del frío, del viento o de la lluvia: *Cuando empezó la tormenta, la cueva sirvió de abrigo a los excursionistas.* INGLÉS shelter.
de abrigo Se dice de la prenda, tela u otra cosa que protege del frío: *Ponte algo de abrigo para salir.* INGLÉS warm.

abril
nombre masculino **1** Cuarto mes del año. Abril tiene 30 días. INGLÉS April.
nombre masculino plural **2 abriles** Años de una persona. Alguien tiene 15 abriles cuando tiene 15 años. INGLÉS summer.

abrillantar
verbo **1** Dar o sacar brillo a una cosa o a una superficie frotándola con un trapo, bayeta u otro utensilio. Los objetos de metal se abrillantan con productos especiales. INGLÉS to polish.

abrir
verbo **1** Mover el mecanismo o quitar la tapa que mantiene cerrada una cosa o un lugar. Para abrir una botella hay que descorcharla o quitarle la chapa. ANTÓNIMO cerrar. INGLÉS to open.
2 Separar las partes movibles o articuladas de algo, como los labios, los ojos o las páginas de un libro. ANTÓNIMO cerrar. INGLÉS to open.
3 Hacer un corte o un agujero en una superficie o una cosa. Se puede abrir un melón o un hueco en la pared. INGLÉS to cut into.
4 Permitir el paso libre de una persona o una cosa por un lugar. Si se abre la llave del gas, el gas llega a la cocina. ANTÓNIMO cerrar. INGLÉS to open, [si es gas o agua: to turn on].
5 Ocupar la primera posición en una serie o una sucesión. En los pases de moda, los trajes de calle suelen abrir el desfile. ANTÓNIMO cerrar. INGLÉS to come first.
6 abrirse Irse de un lugar. Es un uso informal. INGLÉS to be off. NOTA El participio es: abierto.

abrochar
verbo **1** Cerrar una prenda de vestir o sujetar una parte de la prenda con otra

ABREVIATURAS Y SÍMBOLOS
Algunas abreviaturas y símbolos corrientes

a	área	E	este	n.º	número
a. C./a. de C.	antes de Cristo	€	euro	O	oeste
adj.	adjetivo	etc.	etcétera	p. ej.	por ejemplo
adv.	adverbio	Fdo.	firmado	P. D.	posdata
art.	artículo	fem.	femenino	pág.	página
avda.	avenida	interj.	interjección	pl.	plural
c/	calle	izda.	izquierda	pl.	plaza
cap.	capítulo	kg	kilogramo	S	sur
Cía.	compañía	km	kilómetro	sing.	singular
cm	centímetro	l	litro	Sr./Sra.	señor/señora
conj.	conjunción	masc.	masculino	sust.	sustantivo
d. C./d. de C.	después de Cristo	min	minuto	tel. o teléf.	teléfono
D./D.ª	don/doña	mm	milímetro	Ud./Uds.	usted/ustedes
dcha.	derecha	N	norte	v.	verbo
Dr./Dra.	doctor/doctora	n.	nombre		

con ayuda del cierre que lleve. Para abrochar la ropa utilizamos botones, corchetes o cremalleras. Para abrochar los zapatos, cordones. ANTÓNIMO desabrochar. INGLÉS to do up.

abrupto, abrupta

adjetivo **1** Se dice del terreno que tiene muchas rocas, desniveles y pendientes muy fuertes. Es muy difícil pasar o transitar por caminos abruptos. SINÓNIMO accidentado; escabroso. INGLÉS rough [terreno], steep [camino].

ábside

nombre masculino **1** Parte de una iglesia en forma de medio círculo que sobresale por la parte posterior del altar mayor. INGLÉS apse.

absolución

nombre femenino **1** Acto que consiste en reconocer un tribunal o un juez que una persona que estaba acusada de un delito es inocente. INGLÉS acquittal.

2 Acto en el que un sacerdote católico perdona sus pecados a la persona que se confiesa. INGLÉS absolution.

NOTA El plural es: absoluciones.

absolutismo

nombre masculino **1** Sistema de gobierno en el que el rey tiene todo el poder del estado, sin estar limitado por una constitución o por leyes. El absolutismo fue el régimen político que predominó en los países europeos en los siglos XVII y XVIII. INGLÉS absolutism.

absoluto, absoluta

adjetivo **1** Que no tiene límites ni condiciones de ningún tipo, que es total, como el poder de un dictador. INGLÉS absolute.

2 Se dice de la característica de una cosa considerada en sí misma, sin compararla con otras cosas. En ocasiones, el arte pretende captar y representar la belleza absoluta. ANTÓNIMO relativo. INGLÉS absolute.

en absoluto De ninguna manera: *No lo haré, en absoluto.* INGLÉS not... at all.

absolver

verbo **1** Decir un tribunal o un juez que una persona que estaba acusada de haber cometido un delito es inocente. Cuando se absuelve a un acusado, este queda en libertad. INGLÉS to acquit.

2 Decir un sacerdote católico a una persona que se acaba de confesar que le quedan perdonados sus pecados. INGLÉS to absolve.

NOTA Se conjuga como: mover; la 'o' se convierte en 'ue' en sílaba acentuada, como: absuelvo.

absorber

verbo **1** Atraer hacia dentro una sustancia y retenerla, como un líquido o un gas. Las esponjas absorben el agua; las aspiradoras absorben el polvo. INGLÉS to absorb [una esponja], to suck up [una aspiradora].

2 Ocupar el tiempo de una persona por completo: *Este trabajo me absorbe tanto que no tengo tiempo para salir.* INGLÉS to take up.

absorto, absorta

adjetivo **1** Que tiene totalmente concentrada su atención en la cosa que está haciendo, pensando o mirando, de manera que no es capaz de atender a nada más. INGLÉS absorbed.

abstemio, abstemia

adjetivo y nombre **1** Que nunca toma bebidas alcohólicas. ANTÓNIMO bebedor. INGLÉS teetotal [adjetivo], teetotaller [nombre].

abstención

nombre femenino **1** Acción que consiste en renunciar voluntariamente una persona a participar en una votación. INGLÉS abstention.

NOTA El plural es: abstenciones.

abstenerse

verbo **1** Renunciar una persona de manera voluntaria a hacer una acción o a intervenir en una cosa. Abstenerse en una votación es no votar. INGLÉS to abstain.

NOTA Se conjuga como: tener.

abstinencia

nombre femenino **1** Lo que hace una persona cuando se queda sin hacer algo o sin comer alguna cosa por motivos religiosos, morales o de salud, durante un tiempo determinado. Los viernes de Cuaresma, los católicos guardan abstinencia y no comen carne. INGLÉS abstinence.

abstracto, abstracta

adjetivo **1** Se dice de lo que hace referencia a una idea y no tiene existencia material o palpable. La bondad, la justicia o la belleza son conceptos abstractos. INGLÉS abstract.

2 Se dice del nombre o sustantivo que representa cosas abstractas. 'Verdad', 'ternura' y 'firmeza' son nombres abstractos. **INGLÉS** abstract.

abstraer

verbo

1 Separar una cualidad de una cosa y examinarla por sí misma, dejando aparte el resto de sus características. Si abstraemos la idea central de un libro, pensamos solo en esa idea y no en otros elementos del libro. **INGLÉS** to abstract.

2 abstraerse Centrar una persona toda su atención en una actividad o pensamiento, sin darse cuenta de nada más: *Cuando hace crucigramas se abstrae tanto que no me oye si lo llamo.* **INGLÉS** to become lost in thought.

NOTA Se conjuga como: traer.

absuelto, absuelta

participio

1 Participio irregular de: absolver. También se usa como adjetivo: *El jurado ha absuelto al acusado por ser inocente. La acusada ha quedado absuelta por falta de pruebas.* **INGLÉS** acquitted [de un delito], absolved [de un pecado].

absurdo, absurda

adjetivo

1 Se dice de la acción, el hecho o la expresión que no tiene sentido ni lógica, que va en contra de lo que se considera razonable. Sería absurdo comer sopa con un tenedor. **INGLÉS** absurd.

2 Cosa que se dice, ocurre o se hace sin sentido ni lógica alguna o de manera contraria a lo que se considera razonable. Decir un absurdo es decir una tontería muy grande. **INGLÉS** piece of nonsense.

abubilla

nombre femenino

1 Ave de color marrón rojizo, con las alas y la cola blancas y negras, un penacho de plumas sobre la cabeza y el pico largo y fino. **INGLÉS** hoopoe.

abuchear

verbo

1 Protestar o mostrar enfado ante quien habla o actúa mediante silbidos, gritos u otros ruidos. La gente abuchea a un actor que lo hace muy mal. **SINÓNIMO** abroncar. **INGLÉS** to boo.

abuelo, abuela

nombre

1 Padre o madre del padre o la madre de una persona. Los abuelos paternos son los padres del padre, y los abuelos maternos, los padres de la madre. **INGLÉS** grandparent, [si es hombre: grandfather; si es mujer: grandmother].

2 Persona que tiene muchos años. Es un uso informal. **SINÓNIMO** anciano; viejo. **INGLÉS** old man.

abulense

adjetivo y nombre masculino y femenino

1 Se dice de la persona o cosa que es de Ávila, ciudad y provincia de Castilla y León. **SINÓNIMO** avilés.

abultar

verbo

1 Ocupar una cosa más espacio del normal o del adecuado: *La maleta abulta mucho y no cabe.* **INGLÉS** to be bulky.

2 Aumentar la importancia, la cantidad o la intensidad de una cosa. **SINÓNIMO** inflar. **INGLÉS** to exaggerate.

abundancia

nombre femenino

1 Gran cantidad o número de cualquier cosa. En primavera hay abundancia de flores. **ANTÓNIMO** escasez. **INGLÉS** abundance.

nadar en la abundancia Tener mucho dinero o una situación económica muy buena. **INGLÉS** to be rolling in money.

nadar en la abundancia

abundante

adjetivo

1 Que hay gran cantidad o número de alguna cosa. En las zonas montañosas suele haber abundantes lluvias. En algunos restaurantes sirven platos abundantes de comida. **ANTÓNIMO** escaso. **INGLÉS** abundant, plentiful.

abundar

verbo

1 Haber gran cantidad o número de una cosa. En las zonas pantanosas abundan las aves. **ANTÓNIMO** escasear. **INGLÉS** to abound.

aburrido, aburrida

adjetivo

1 Se dice de la persona o la cosa que causa aburrimiento porque no tiene interés. Si un juego no nos divierte, es aburrido. **ANTÓNIMO** divertido. **INGLÉS** boring.

2 Se dice de la persona que no se distrae o no se divierte. Cuando estamos solos y aburridos llamamos a un amigo. **INGLÉS** bored.

aburrimiento

nombre masculino **1** Sensación de desgana o cansancio provocada por la falta de diversión. **SINÓNIMO** tedio. **INGLÉS** boredom.

aburrir

verbo **1** Resultar algo o alguien pesado, cansado o falto de interés. Algunos programas de televisión aburren. **ANTÓNIMO** divertir. **INGLÉS** to bore.

abusar

verbo **1** Usar algo en exceso o de manera indebida. Es malo para la salud abusar de las grasas, el alcohol o los medicamentos. **INGLÉS** to misuse.

2 Aprovecharse de la confianza o amistad de una persona. Una cosa es pedir un favor y otra abusar de los amigos: *Abusa de ti porque sabe que harás todo lo que te pida.* **INGLÉS** to take advantage of.

3 Obligar una persona a otra a mantener relaciones sexuales contra su voluntad. Abusar sexualmente de alguien es un delito. **INGLÉS** to abuse.

abusivo, abusiva

adjetivo **1** Que es excesivo o que sobrepasa los límites que se consideran normales. Un precio abusivo es un precio mucho más alto de lo que se considera lógico o normal. **INGLÉS** excessive, exorbitant.

abuso

nombre masculino **1** Acción que consiste en abusar de algo o de alguien. Es un abuso cobrar por una cosa más de lo que vale. **INGLÉS** abuse [de una persona], outrage [una cosa].

abusón, abusona

adjetivo y nombre **1** Se dice de la persona que abusa habitualmente y con exceso de los demás. Los abusones se aprovechan de la generosidad de los demás para conseguir cosas. **INGLÉS** selfish [adjetivo], selfish person [nombre].

NOTA El plural de abusón es: abusones. Es una palabra informal.

acá

adverbio **1** Indica el lugar donde está el hablante o un lugar que está muy cerca de él: *Ven acá, que quiero que veas esto.* **SINÓNIMO** aquí. **INGLÉS** here.

acabado, acabada

adjetivo **1** Se dice de la persona que ha fracasado y no tiene oportunidad de mejorar o de comenzar de nuevo. Es un uso informal. **INGLÉS** finished.

nombre masculino **2** Calidad de la terminación de una obra o de un producto. Una mesa tiene un buen acabado si está bien hecha, bien pintada y bien barnizada. **INGLÉS** finish.

acabar

verbo **1** Hacer que lo que se está haciendo llegue al final. **SINÓNIMO** terminar. **INGLÉS** to finish.

2 Dejar de hacer una cosa o terminarla totalmente. Si nos acabamos la sopa dejaremos el plato vacío. **INGLÉS** to finish, to finish off.

3 Llegar una cosa a su fin. El año acaba el 31 de diciembre. **INGLÉS** to end.

acabar con Destrozar una cosa o matar a una persona o un animal. Los insecticidas acaban con los insectos. **INGLÉS** to destroy [destrozar], to kill [matar].

acabar de Indica que una acción se ha producido poco tiempo antes. Si alguien acaba de irse de un lugar, todavía estará cerca. **INGLÉS** to have just.

acacia

nombre femenino **1** Árbol o arbusto de hoja caduca con flores olorosas en racimos y fruto en forma de vaina. **INGLÉS** acacia.

academia

nombre femenino **1** Centro de enseñanza donde se pueden estudiar ciertas carreras, profesiones o idiomas. Para ser coronel del ejército hay que estudiar en la academia militar. Algunas academias están especializadas en la enseñanza de lenguas. **INGLÉS** academy, school.

2 Sociedad formada por personas que destacan en las letras, las artes o las ciencias y que se dedica al estudio y a otros fines. La Real Academia Española estudia el español y nos indica los usos adecuados de la lengua. Con este significado suele escribirse con mayúscula. **INGLÉS** academy.

académico, académica

adjetivo **1** Que tiene relación con un centro oficial de enseñanza. El curso académico comienza en septiembre y acaba en junio. **INGLÉS** academic.

nombre **2** Persona que forma parte de una academia o sociedad dedicada al estudio de las letras, las artes o las ciencias. **INGLÉS** academician, member of an academy.

acalorar
verbo
1 Producir calor. Andar bajo el sol durante un rato acalora mucho. INGLÉS to make hot.
2 acalorarse Enfadarse o ponerse nerviosa una persona durante una conversación o una discusión. SINÓNIMO irritarse. INGLÉS to get excited, to get worked up.

acampada
nombre femenino
1 Instalación de una tienda de campaña en un lugar al aire libre para pasar unos días. INGLÉS camping.

acampanado, acampanada
adjetivo
1 Se dice del objeto que tiene forma de campana, más ancho o abierto por abajo que por arriba. Algunas faldas son acampanadas. INGLÉS bell-shaped, flared [falda, pantalón].

acampar
verbo
1 Instalarse en tiendas de campaña al aire libre para pasar un tiempo. Los excursionistas suelen acampar cerca de un río o una fuente. INGLÉS to camp.

acantilado
nombre masculino
1 Parte de la costa donde las rocas están cortadas casi verticalmente. INGLÉS cliff.

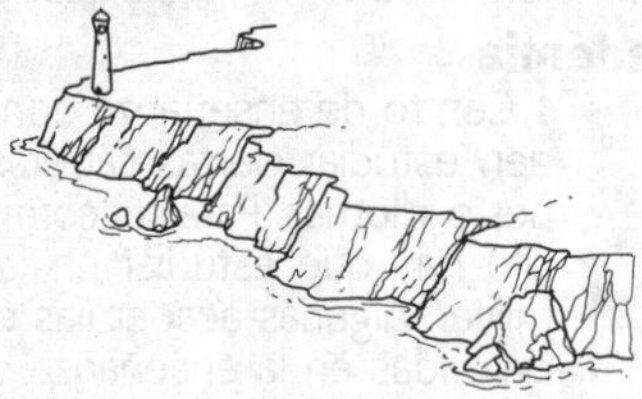

acantilado

acaparar
verbo
1 Acumular cosas que también los demás quieren o necesitan. Si se anuncia un huracán o una guerra, la gente suele acaparar alimentos. INGLÉS to hoard.
2 Atraer completamente una cosa la atención, la energía o el tiempo de alguien: *La llegada del hombre a la luna acaparó las portadas de los periódicos.* INGLÉS to monopolize.

acariciar
verbo
1 Pasar la mano por encima de una persona o animal con suavidad y cariño. A los perros les gusta que los acaricien. INGLÉS to stroke.
2 Tocar o rozar algo con mucha suavidad. Es agradable sentir cómo la brisa del mar nos acaricia la cara. INGLÉS to caress.
3 Pensar en una cosa con la esperanza o el deseo de que se realice. Algunas personas acarician la idea de viajar por todo el mundo. INGLÉS to have in mind.
NOTA Se conjuga como: cambiar; la 'i' no lleva nunca acento de intensidad.

ácaro
nombre masculino
1 Animal arácnido muy pequeño que suele vivir como parásito de un animal o de una planta. Los ácaros no se pueden ver a simple vista y causan alergias a muchas personas. INGLÉS mite.

acarrear
verbo
1 Cargar con una cosa y transportarla de un sitio a otro. Generalmente se acarrean mercancías o materias pesadas. INGLÉS to carry, to transport.
2 Ser una cosa la causa de un resultado negativo. Una mala decisión puede acarrear problemas. INGLÉS to bring, to cause.

acaso
adverbio
1 Se utiliza para reforzar una pregunta cuando se cree que el oyente va a contestar lo mismo que cree el hablante: *¿Acaso no te dije que el partido era hoy?* SINÓNIMO pero. INGLÉS perhaps, maybe.
por si acaso Indica que algo se hace pensando en la posibilidad de que ocurra algo que se dice, normalmente negativo: *Haz una copia de seguridad en este disquete, por si acaso.* INGLÉS just in case.

acatar
verbo
1 Obedecer y seguir una orden, una norma o una decisión aunque no se esté de acuerdo con ella. Los ciudadanos acatan las leyes de su país. INGLÉS to obey.

acatarrarse
verbo
1 Coger una persona un catarro. SINÓNIMO constiparse; resfriarse. INGLÉS to catch a cold.

acceder
verbo
1 Tener entrada o paso a un lugar. A un edificio se accede por la puerta principal. INGLÉS to gain access to.
2 Dar la conformidad o el consentimiento a algo que se pide. Si una persona accede a que su hijo salga de

noche, lo deja salir de noche. SINÓNIMO aceptar. INGLÉS to consent.

accesible

adjetivo **1** Se dice del lugar al que se puede entrar o llegar o aquel por el que se puede pasar. Una ciudad con puerto es accesible por mar. INGLÉS accessible.

2 Se dice de la persona con la que es fácil hablar y tratar aunque sea importante o esté muy ocupada. Un artista poco accesible no suele conceder entrevistas. INGLÉS approachable.

3 Que es fácil de entender. Los profesores tratan de hacer accesible a sus alumnos la materia que enseñan. INGLÉS easily comprehensible.

acceso

nombre masculino **1** Puerta, camino o parte por donde se entra a un lugar. En las instalaciones deportivas suele haber más de un acceso. INGLÉS way in.

2 Posibilidad de acercarse o de llegar hasta una persona o una cosa para obtener información. Los periodistas tienen acceso a muchos políticos y a otras personas famosas. INGLÉS access.

3 Aparición repentina y brusca de un estado de ánimo o de un estado físico determinado, como la tos, la alegría o los nervios. INGLÉS fit.

accesorio, accesoria

adjetivo **1** Se dice de la cosa que no es la más importante ni la más necesaria para cierto fin. De las características accesorias de algo se puede prescindir. INGLÉS incidental.

nombre masculino **2** Cosa que no es básica o principal, pero tiene utilidad. Algunos coches llevan diversos accesorios, como llantas de aluminio. INGLÉS accessory.

accidentado, accidentada

adjetivo **1** Que presenta muchos problemas o dificultades. Si en un viaje nos quedamos sin gasolina y además se pincha una rueda, decimos que es un viaje accidentado. INGLÉS eventful.

adjetivo y nombre **2** Se dice de la persona que ha sufrido un accidente. En vacaciones suele haber muchos accidentados en las carreteras. INGLÉS injured [adjetivo], injured person [nombre].

adjetivo **3** Se dice del terreno que tiene muchos desniveles. INGLÉS rough, rugged.

accidental

adjetivo **1** Se dice de la cosa que se produce o sucede por casualidad, sin estar prevista. En la calle podemos tener un encuentro accidental con un conocido. INGLÉS accidental.

accidentarse

verbo **1** Sufrir una persona un accidente. INGLÉS to have an accident.

accidente

nombre masculino **1** Suceso inesperado que causa alguna desgracia a personas o cosas. El exceso de velocidad es causa de accidentes en las carreteras. En una obra de construcción siempre hay que llevar casco para evitar accidentes. Algunas cosas se rompen por accidente. INGLÉS accident.

2 Suceso inesperado que ocurre por casualidad. Dos amigos se pueden encontrar en la calle por accidente. INGLÉS accident.

3 En geografía, parte del terreno que se distingue de lo que la rodea por la altura, la forma, la pendiente o el tipo de suelo. Un cabo, un golfo, un acantilado o una montaña son accidentes geográficos. INGLÉS geographical feature.

acción

nombre femenino **1** Lo que una persona, animal o cosa hacen. Cuando una persona ríe o salta, cuando un animal ladra o come o cuando una máquina cose o lava están realizando acciones. SINÓNIMO acto. INGLÉS action.

2 Mucha actividad o movimiento. En las películas de acción ocurren muchas cosas; una persona de acción necesita mucha actividad física; un deporte de acción exige mucho movimiento y rapidez. INGLÉS action.

3 Efecto o influencia producidos por una cosa y que provocan un cambio. La acción de un medicamento suele ser beneficiosa. La acción excesiva del sol sobre la piel puede ser perjudicial. INGLÉS action.

4 Lo que pasa en una narración, una película o una obra de teatro: *La acción de la novela se sitúa en Francia en el siglo XIX.* INGLÉS action.

5 Cada una de las partes iguales en que se divide el capital de ciertas empresas. Si una persona tiene acciones de una empresa, tiene una parte. INGLÉS share.

NOTA El plural es: acciones.

accionar
verbo
1 Hacer funcionar una máquina o un mecanismo. Las puertas de los garajes se accionan a distancia con un mando. INGLÉS to actuate.

accionista
nombre masculino y femenino
1 Persona que tiene acciones de una empresa. Los accionistas tienen derecho a recibir beneficios según las acciones que poseen. INGLÉS shareholder.

acechar
verbo
1 Vigilar u observar con mucha atención y a escondidas a una persona o una cosa con algún propósito. INGLÉS to watch, to spy on.

acecho
nombre masculino
1 Acción de vigilar con mucha atención y a escondidas a una persona o una cosa con algún propósito. Cuando los animales se preparan para cazar se ponen al acecho. INGLÉS surveillance.

aceite
nombre masculino
1 Líquido graso y menos denso que el agua que puede ser de origen animal, vegetal o mineral. Para cocinar usamos aceite de oliva, de girasol o de maíz. INGLÉS oil.

aceitera
nombre femenino
1 Recipiente que sirve para guardar el aceite o servirlo en la mesa. INGLÉS oil bottle [botella], oil can [lata].

aceitoso, aceitosa
adjetivo
1 Que tiene mucho aceite y está grasiento: *Estas croquetas están muy aceitosas.* INGLÉS oily, greasy.

aceituna
nombre femenino
1 Fruto del olivo, pequeño, redondeado, de color verde o negro y con un hueso en el centro. Las aceitunas se comen o se usan para extraer el aceite. SINÓNIMO oliva. INGLÉS olive.

aceleración
nombre femenino
1 Aumento de la velocidad en algo que se mueve, como un coche. INGLÉS acceleration.
NOTA El plural es: aceleraciones.

acelerador
nombre masculino
1 Mecanismo que hace que un motor pueda ir más deprisa. Los coches, las motos y otros vehículos de motor tienen acelerador. INGLÉS accelerator.

acelerar
verbo
1 Aumentar la velocidad de un vehículo. INGLÉS to accelerate.
2 Hacer que un movimiento o un proceso sea más rápido. Se puede acelerar el paso o el ritmo de una canción. INGLÉS to accelerate.
3 **acelerarse** Ponerse muy nervioso: *Cuando tiene muchas cosas que hacer se acelera.* NOTA Es un uso informal. INGLÉS to get over-excited.

acelga
nombre femenino
1 Planta comestible de hojas grandes y verdes, con un nervio central blanco bastante grueso. Las acelgas son una verdura. INGLÉS chard.

acento
nombre masculino
1 Mayor fuerza o intensidad con que se pronuncia una sílaba de una palabra. La palabra 'amor' lleva el acento en 'mor'. INGLÉS stress.
2 Signo que se pone sobre la vocal de la sílaba que se pronuncia más fuerte, siguiendo unas normas de acentuación. El acento permite leer correctamente las palabras. SINÓNIMO tilde. INGLÉS accent.
3 Manera especial de pronunciar una lengua que tienen las personas de diferentes lugares. INGLÉS accent.

acentuación
nombre femenino
1 Colocación de los acentos gráficos o tildes al escribir o pronunciación más fuerte de las sílabas acentuadas al hablar. INGLÉS accentuation.
NOTA El plural es: acentuaciones.

acentuar
verbo
1 Pronunciar más fuerte las sílabas acentuadas al hablar o poner el acento ortográfico al escribir. INGLÉS to stress [al hablar], to accentuate [al escribir].
2 Hacer que algo sea más claro, más fuerte o más intenso. Si la gravedad de una enfermedad se acentúa, esta se hace más grave. INGLÉS to increase.
NOTA Se conjuga como: actuar; la 'u' se acentúa en algunos tiempos y personas, como: acentúan.

acepción
nombre femenino
1 Cada uno de los diferentes significados que puede tener una palabra. Fíjate que 'acentuar' tiene dos acepciones. INGLÉS meaning, sense.
NOTA El plural es: acepciones.

EL ACENTO

En casi todas las palabras hay una sílaba que se pronuncia con mayor intensidad. Esa sílaba se llama sílaba tónica y la intensidad con que se pronuncia se llama acento. En «mochila», «chi» es la sílaba tónica.
En español a veces escribimos el acento de intensidad. El acento escrito se llama tilde (aunque también se dice solo acento). La tilde nos ayuda a leer mejor, porque indica cuál es la sílaba tónica.
¿Cuándo se escribe el acento?

Posición del acento	Tipo de palabra	Se escribe acento	Ejemplo
última sílaba	aguda	acaba en vocal, vocal + n o vocal + s	sofá acción compás
penúltima sílaba	llana	acaba en consonante, excepto vocal + n o vocal + s	cárcel lápiz mártir
antepenúltima sílaba	esdrújula	siempre	médico América mírame
antes de la antepenúltima sílaba	sobresdrújula	siempre	asegúraselo confírmamelo

Los monosílabos, como norma general, no llevan tilde: *di, ven, sol, fui.*
Sin embargo, algunos monosílabos tienen dos funciones distintas; para distinguirlos se utiliza la tilde:

Sin tilde	Con tilde
aun ('hasta'; 'incluso') Ni aun así se lo creyó	**aún ('todavía')** Aún es de noche
de (preposición) Me alegro de verte	**dé (verbo *dar*)** Dé esto a su madre
el (determinante) No vi el bache	**él (pronombre)** Lo ha dicho él
mas (conjunción) Lo esperaba, mas no ha llegado	**más (adverbio de cantidad)** Dame más, por favor
se (pronombre) Se hace así	**sé (verbo *ser* o *saber*)** Lo sé. Sé amable
si (condicional) Si te decides, llámame	**sí (adverbio de afirmación; pronombre)** Sí quiero. Lo guarda para sí
te (pronombre) ¿Te gusta?	**té ('planta'; 'bebida')** Me gusta beber té
tu (posesivo) ¿Es esa tu hermana?	**tú (pronombre)** Seguro que tú lo sabes

a

aceptable
adjetivo **1** Se dice de lo que se puede aceptar porque tiene las características mínimas que se le pueden exigir. Un trabajo aceptable está bien, sin ser demasiado bueno. INGLÉS acceptable.

aceptación
nombre femenino **1** Éxito o respuesta favorable que tiene algo, como un producto o una propuesta. Si una idea tiene poca aceptación, poca gente cree que es buena. INGLÉS success.
NOTA El plural es: aceptaciones.

aceptar
verbo **1** Estar de acuerdo en recibir algo que alguien nos ofrece. Una persona puede aceptar un regalo, una propuesta de un puesto de trabajo o las disculpas de otra persona. INGLÉS to accept.
2 Estar de acuerdo con lo que otra persona dice o decir que sí. En las bodas civiles, el juez pregunta a los novios si aceptan a la otra persona como esposo o esposa. INGLÉS to accept.

acequia
nombre femenino **1** Zanja o canal que conduce el agua para regar. En algunas huertas hay acequias. INGLÉS irrigation channel, ditch.

acera
nombre femenino **1** Parte de la calle, más alta que la calzada, por donde pasa la gente que va andando. INGLÉS pavement.

acerca
acerca de Introduce un tema o un asunto sobre el que se va a hablar o escribir: *El profesor habló acerca del medio ambiente.* INGLÉS about.

acercar
verbo **1** Poner una cosa o a una persona más cerca, a menos distancia de otra persona o de un lugar. SINÓNIMO aproximar. ANTÓNIMO separar. INGLÉS to bring near, to bring nearer.
2 Llevar a una persona a un lugar determinado en coche u otro vehículo. Si una persona tiene que pasar con su coche por el lugar adonde va otra, la puede acercar. INGLÉS to take.
3 acercarse Faltar cada vez menos tiempo para que ocurra algo. Cuando se acercan los exámenes, hay que estudiar mucho. INGLÉS to get near, to get nearer.
NOTA Se escribe 'qu' delante de 'e', como: acerqué.

acero
nombre masculino **1** Metal duro y resistente que está hecho de hierro mezclado con carbono. El acero se utiliza para fabricar herramientas y otros objetos, como cubiertos. INGLÉS steel.
acero inoxidable El que no se oxida; se usa mucho para fabricar utensilios de cocina. INGLÉS stainless steel.

acertar
verbo **1** Encontrar la solución o la mejor manera de hacer algo. Si se contesta bien a una pregunta, se acierta. ANTÓNIMO fallar. INGLÉS to be right.
2 Dar con algo en el lugar que se quiere. En el juego de los dardos, se trata de acertar en el centro de la diana. SINÓNIMO atinar. ANTÓNIMO fallar. INGLÉS to hit.

acertar

INDICATIVO	SUBJUNTIVO
presente	**presente**
acierto	acierte
aciertas	aciertes
acierta	acierte
acertamos	acertemos
acertáis	acertéis
aciertan	acierten
pretérito imperfecto	**pretérito imperfecto**
acertaba	acertara o acertase
acertabas	acertaras o acertases
acertaba	acertara o acertase
acertábamos	acertáramos o acertásemos
acertabais	acertarais o acertaseis
acertaban	acertaran o acertasen
pretérito perfecto simple	**futuro**
acerté	acertare
acertaste	acertares
acertó	acertare
acertamos	acertáremos
acertasteis	acertareis
acertaron	acertaren
futuro	**IMPERATIVO**
acertaré	acierta (tú)
acertarás	acierte (usted)
acertará	acertemos (nosotros)
acertaremos	acertad (vosotros)
acertaréis	acierten (ustedes)
acertarán	
condicional	**FORMAS NO PERSONALES**
acertaría	**infinitivo** acertar
acertarías	**gerundio** acertando
acertaría	**participio** acertado
acertaríamos	
acertaríais	
acertarían	

acertijo

nombre masculino

1 Frase que da unas pistas para adivinar la respuesta al problema que se plantea: *La respuesta al acertijo 'Soy pequeño como un ratón y guardo la casa como un león' es 'llave'.* SINÓNIMO adivinanza. INGLÉS riddle.

achacar

verbo

1 Afirmar que algo negativo, como un error o una falta, es culpa de una persona o cosa: *Achacaron la derrota al árbitro.* INGLÉS to attribute.

NOTA Se escribe 'qu' delante de 'e', como: achaqué.

achatar

verbo

1 Hacer más plana una cosa que sobresale. Podemos limar un borde puntiagudo para achatarlo. SINÓNIMO aplanar. INGLÉS to flatten.

achicar

verbo

1 Sacar el agua que entra en un barco para que no se hunda. INGLÉS to bale out.

2 Hacer algo más estrecho o pequeño de lo que es. Si el sol nos molesta, achicamos los ojos. INGLÉS to make smaller.

NOTA Se escribe 'qu' delante de 'e', como: achiquen.

achicharrar

verbo

1 Freír, asar o tostar un alimento hasta que se quema. Si freímos un trozo de carne durante mucho tiempo, se achicharra. SINÓNIMO abrasar; quemar. INGLÉS to burn.

2 **achicharrarse** Sentir una persona mucho calor. En los días más calurosos del verano, nos achicharramos. SINÓNIMO asarse; freírse. INGLÉS to be boiling hot.

achuchar

verbo

1 Rodear y apretar a alguien con los brazos en señal de cariño. Algunos niños pequeños se duermen achuchando un muñeco de peluche. INGLÉS to hug.

2 Decirle a una persona que se dé prisa en algo que está haciendo. A veces hay que achuchar a las personas lentas para que acaben lo que hacen. Es un uso informal. INGLÉS to hurry up.

acicalar

verbo

1 Arreglar mucho a una persona para que tenga un aspecto bueno o adecuado para algo. Las personas que van a una celebración, como una boda, se acicalan mucho, peinándose, arreglándose y vistiendo de manera elegante. INGLÉS to spruce up [acicalar], to spruce oneself up [acicalarse].

acidez

nombre femenino

1 Característica del sabor de las cosas ácidas. Los limones tienen mucha acidez. INGLÉS acidity.

2 Sensación fuerte y molesta que se tiene en el estómago cuando no se digiere bien algún alimento. La comida picante produce acidez a algunas personas. INGLÉS heartburn.

NOTA El plural es: acideces.

ácido, ácida

adjetivo

1 Que tiene un sabor fuerte parecido al del limón o al del vinagre: *El zumo de naranja estaba ácido.* SINÓNIMO agrio. INGLÉS acidic, sour.

2 Que es muy desagradable y poco amable. Las personas que tienen un carácter ácido no son cariñosas. INGLÉS sharp, caustic.

nombre masculino

3 Sustancia química que puede destruir metales. Es muy peligroso tocar ácidos sin protección. INGLÉS acid.

acierto

nombre masculino

1 Solución correcta de algo que se desconoce o que aún no ha pasado, como los aciertos en los resultados de las quinielas o en las predicciones meteorológicas. INGLÉS right answer [respuesta], correct prediction [predicción].

2 Aquello que una persona hace con mucha habilidad y buenos resultados. Una persona actúa con acierto cuando resuelve una situación muy difícil. INGLÉS good judgement.

aclamar

verbo

1 Mostrar una multitud su entusiasmo mediante aplausos o voces. Se aclama a políticos, artistas y deportistas. INGLÉS to acclaim.

aclaración

nombre femenino

1 Explicación o comentario que se hace para que una cosa quede más clara o se entienda mejor. INGLÉS explanation.

NOTA El plural es: aclaraciones.

aclarar

verbo

1 Hacer que algo sea más claro de color. Hay productos para aclarar el pelo

a b c d e f g h i j k l m n ñ o p q r s t u v w x y z

sin teñirlo. ANTÓNIMO oscurecer. INGLÉS to make lighter.
2 Hacer que algo esté menos espeso. Para aclarar el chocolate se le añade leche. INGLÉS to thin down.
3 Dar explicaciones para que algo se entienda mejor: *El profesor me aclaró las dudas antes del examen.* SINÓNIMO clarificar. ANTÓNIMO liar. INGLÉS to clarify.
4 Quitarle el jabón a una cosa echándole abundante agua. Se aclaran la ropa, los platos o el pelo. SINÓNIMO enjuagar. INGLÉS to rinse.
5 Desaparecer las nubes del cielo o la niebla. SINÓNIMO despejarse. INGLÉS to brighten up.
6 aclararse Poner uno en claro sus propias ideas: *Necesito tiempo para aclararme y decidir qué voy a estudiar.* INGLÉS to get one's ideas straight.

aclimatarse
verbo
1 Adaptarse una persona, un animal o una planta a un nuevo clima, situación o ambiente. Las aves tropicales no se aclimatan a los climas fríos. En ocasiones, cuesta aclimatarse a un nuevo colegio. SINÓNIMO acostumbrarse; habituarse. INGLÉS to acclimatize.

acné
nombre masculino
1 Enfermedad de la piel que se caracteriza por la aparición de granos en la cara y, a veces, en el pecho y en la espalda. El acné es común entre los adolescentes. INGLÉS acne.

acobardar
verbo
1 Hacer que alguien tenga miedo o no se atreva a hacer algo. Una amenaza puede acobardarnos. SINÓNIMO asustar. INGLÉS to intimidate.

acogedor, acogedora
adjetivo
1 Se dice de los lugares que están decorados de forma que resultan muy agradables y cómodos. Una casa puede ser muy acogedora aunque no sea lujosa. INGLÉS cosy.
2 Se dice de la persona que recibe a las visitas o a la gente de fuera con amabilidad y ofreciéndole lo que tiene. SINÓNIMO hospitalario. INGLÉS welcoming, friendly.

acoger
verbo
1 Aceptar a una persona que está sola o no tiene hogar en una familia o una casa durante un tiempo o de manera definitiva. Algunos países acogen a los refugiados que huyen de una guerra. También se puede acoger a un animal desamparado. INGLÉS to welcome, to take in.
2 Recibir a una persona o una cosa de cierta manera. Los seguidores acogen con entusiasmo a su equipo cuando ha ganado. Los ciudadanos suelen acoger mal las subidas de precios. INGLÉS to receive.
3 Recibir bien a una persona o una cosa, aceptarla como buena o aprobarla. Una asamblea acoge una propuesta cuando es votada favorablemente por la mayoría. INGLÉS to accept, to admit.
NOTA Se escribe 'j' delante de 'a' y 'o', como: acoja o acojo.

acogida
nombre femenino
1 Acción que consiste en recibir a una persona o una cosa de cierta manera. Su música tiene muy buena acogida entre los jóvenes. INGLÉS reception.

acojonar
verbo
1 Hacer que una persona sienta miedo o no se atreva a hacer algo. SINÓNIMO acobardar; asustar; atemorizar. INGLÉS to scare.
NOTA Es una palabra vulgar.

acometer
verbo
1 Comenzar a hacer algo difícil o complejo, como un proyecto, un trabajo o una investigación. INGLÉS to tackle.
2 Atacar con energía o lanzarse contra algo: *El rinoceronte acometió a su presa con fuerza.* INGLÉS to attack.

acomodado, acomodada
adjetivo
1 Se dice de la persona que tiene bastante dinero y vive sin problemas económicos. SINÓNIMO adinerado. INGLÉS well-to-do, well off.

acomodador, acomodadora
nombre
1 Persona que indica a las personas que van a un espectáculo dónde pueden sentarse. Hay acomodadores en cines, circos y teatros. INGLÉS usher [hombre], usherette [mujer].

acomodar
verbo
1 Colocar a personas o cosas en un lugar conveniente de forma que estén cómodos o colocados de la mejor forma posible. Cuando se reciben visitas, se procura acomodar a los invitados lo

mejor posible. INGLÉS to seat [una persona], to put [una cosa].
2 acomodarse Acostumbrarse a algo y sentirse cómodo en la nueva situación: *Tardó un tiempo en acomodarse a su nuevo hogar.* INGLÉS to settle in.

acompañamiento
nombre masculino
1 Conjunto de notas musicales que suenan junto a la melodía principal de una composición musical. INGLÉS accompaniment.

acompañante
adjetivo y nombre masculino y femenino
1 Se dice de la persona que está junto a otra persona o la acompaña a un lugar. INGLÉS accompanying [adjetivo], companion [nombre].

acompañar
verbo
1 Estar o ir con otra persona a algún sitio para hacerle compañía o ayudarle o para hacer lo mismo que ella. Los padres acompañan a sus hijos al médico. INGLÉS to accompany, to go with.
2 Añadir o juntar una cosa a otra más importante o principal, como un documento a una carta o unas patatas fritas a un filete. INGLÉS to accompany, to go with.
3 Cantar o tocar una música junto a la melodía principal de una canción. INGLÉS to accompany.

acompasar
verbo
1 Hacer que algo vaya al mismo ritmo o compás que otra cosa. Los bailarines deben acompasar sus movimientos a la música. INGLÉS to synchronize.

acomplejado, acomplejada
adjetivo y nombre
1 Se dice de la persona que tiene alguna idea u opinión negativa sobre sí misma: *Está acomplejado porque tiene la nariz muy grande.* INGLÉS with a complex [adjetivo], person with a complex [nombre].

acondicionar
verbo
1 Preparar una cosa o ponerla en las condiciones adecuadas para un fin determinado: *Han acondicionado el gimnasio para hacer la fiesta de fin de curso.* INGLÉS to prepare.
2 Regular la temperatura y la humedad de un lugar cerrado para que reúna las condiciones adecuadas para su uso. INGLÉS to regulate the temperature and humidity of.

aconsejable
adjetivo
1 Que se puede aconsejar porque es bueno o conveniente para algo. Es aconsejable mudarse de ropa después de hacer deporte porque así se previene un resfriado. INGLÉS advisable.

aconsejar
verbo
1 Decir a una persona lo que se cree que debe o no debe hacer. Cuando tenemos un problema y no sabemos qué hacer, podemos pedir a una persona de confianza que nos aconseje. INGLÉS to advise.

acontecimiento
nombre masculino
1 Aquello que ocurre; normalmente es algo importante. La visita de gente distinguida a un lugar suele ser un acontecimiento. INGLÉS event.

acoplar
verbo
1 Unir o ajustar una pieza a un sitio o dos piezas entre sí. Algunos objetos, como las maquetas o algunos muebles, van desmontados y hay que acoplar las piezas. INGLÉS to put together.

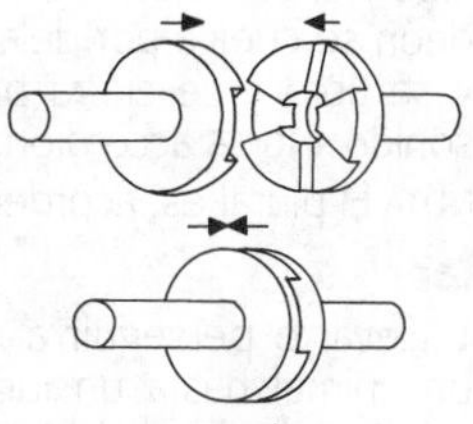
acoplar

2 Adaptar algo o adaptarse alguien a una nueva situación o ambiente: *Se ha acoplado enseguida a sus nuevos amigos.* INGLÉS to adapt.

acorazado
nombre masculino
1 Barco de guerra de gran tamaño, construido con materiales muy resistentes, y con potentes cañones. INGLÉS battleship.

acordar
verbo
1 Llegar varias personas a un acuerdo: *Acordamos ir de excursión el día 25.* INGLÉS to agree.
2 Tomar una persona una decisión determinada: *El presidente acordó reunirse con los manifestantes.* INGLÉS to agree.
3 acordarse Traer o venir algo a la

a b c d e f g h i j k l m n ñ o p q r s t u v w x y z

memoria. Una persona puede acordarse de cosas que le han ocurrido en el pasado, de cosas que sabe o de cosas que ha pensado que tenía que hacer. SINÓNIMO recordar. ANTÓNIMO olvidar. INGLÉS to remember.

NOTA Se conjuga como: contar; la 'o' se convierte en 'ue' en sílaba acentuada, como: acuerdan.

acorde

adjetivo **1** Se dice de la persona o la cosa que está de acuerdo con otra u otras, o que no se contradicen con ella. Son acordes dos opiniones parecidas o dos colores que combinan bien. INGLÉS in agreement.

nombre masculino **2** Conjunto de tres o más sonidos diferentes combinados para que suenen con armonía y tocados a la vez. INGLÉS chord.

acordeón

nombre masculino **1** Instrumento musical de viento formado por una especie de caja con un fuelle en el centro y con un teclado en un lado y unos botones en el otro. El acordeón se cuelga por delante del cuerpo y se abre y se cierra para producir el sonido. INGLÉS accordion.

NOTA El plural es: acordeones.

acorralar

verbo **1** Llevar o perseguir a una persona o un animal hasta un lugar del que no puede salir. También se acorrala a una persona cuando otras personas la rodean y no la dejan escapar. INGLÉS to corner, to pen in.

2 Dejar a una persona confundida o sin saber qué responder en una discusión o en un interrogatorio. INGLÉS to trap.

acortar

verbo **1** Hacer que una cosa sea corta, o más corta de lo que era. Cuando se acorta una cosa se hace más pequeña su longitud, su tamaño o su duración. También se puede acortar por un atajo para llegar antes a un sitio. INGLÉS to shorten, make shorter [hacer más corto], to take a short cut [tomar un atajo].

acosar

verbo **1** Perseguir o molestar a una persona de forma repetida. INGLÉS to harass, to hound.

acoso

nombre masculino **1** Persecución constante de una persona o animal. Los criminales fugados sufren el acoso de la policía. INGLÉS pursuit.

2 Presión o molestia continua que sufre una persona en una situación o en un lugar, como el trabajo o la escuela. El acoso lo hacen los jefes o los compañeros que no tratan de manera justa a la persona que lo sufre. INGLÉS harassment.

acostar

verbo **1** Tumbar a una persona en la cama para que duerma o descanse. INGLÉS to put to bed [acostar], to go to bed [acostarse].

2 acostarse Tener relaciones sexuales con una persona. INGLÉS to go to bed with.

NOTA Se conjuga como: contar; la 'o' se convierte en 'ue' en sílaba acentuada, como: acuestan.

acostumbrar

verbo **1** Conseguir que una persona o animal adquiera una costumbre o se adapte a una situación nueva. Los padres van acostumbrando poco a poco a los bebés a los sabores nuevos. Cuando una persona cambia de trabajo, necesita tiempo para acostumbrarse. SINÓNIMO adaptar. INGLÉS to accustom [acostumbrar], to become accustomed [acostumbrarse].

2 Hacer una cosa habitualmente: *Acostumbran a veranear en la playa.* SINÓNIMO soler. INGLÉS to be in the habit of.

acotación

nombre femenino **1** En una obra de teatro o en un guion, nota aclaratoria o descripción sobre diferentes aspectos de la escena (luz, decorado, etc.) o sobre lo que tiene que hacer un personaje. La acotación se escribe generalmente en letra cursiva y entre paréntesis. INGLÉS stage direction.

NOTA El plural es: acotaciones.

acre

adjetivo **1** Se dice del sabor o del olor que es fuerte y desagradable. El sabor de las comidas picantes es acre; también es acre el olor del sudor. INGLÉS acrid.

acreditar

verbo **1** Ser una acción o el comportamiento de una persona la prueba que demuestra que se la puede considerar de determinada manera: *Las sucesivas victorias del tenista lo acreditaban como favorito en la final.* **INGLÉS** to confirm.

2 Demostrar un documento que una persona es quien es o está autorizada para hacer algo. Para acreditar una persona su identidad debe mostrar un carné con su foto. **INGLÉS** to prove.

3 Dar algo fama o buen nombre a una persona o a una cosa. Un buen producto se acredita por su calidad. **INGLÉS** to make famous.

acreedor, acreedora

nombre

1 Persona a la que otra debe dinero y tiene derecho a exigir que se le pague esa deuda. A veces una empresa tiene que cerrar porque no puede pagar a los acreedores. **INGLÉS** creditor.

acribillar

verbo

1 Llenar a una persona de picaduras o heridas. También es hacer muchos agujeros a una cosa: *Acribillaron al soldado a balazos.* **INGLÉS** to riddle.

acrobacia

nombre femenino

1 Ejercicio físico que consiste en mantener el equilibrio sobre una cuerda o en hacer saltos y otros ejercicios difíciles. En los circos siempre hay números de acrobacia. **INGLÉS** acrobatics.

acróbata

nombre masculino y femenino

1 Persona que hace ejercicios de equilibrio y habilidad, como andar por una cuerda, sostener muchos objetos a la vez sin que se le caigan o dar saltos para caer en los hombros de otra persona. **INGLÉS** acrobat.

acróstico

adjetivo y nombre masculino

1 Se dice del poema en el que las primeras letras de cada verso, las del medio o las últimas, forman una palabra o una frase. **INGLÉS** acrostic.

acta

nombre femenino

1 Papel en el que están escritos los temas que se han tratado en una reunión. **INGLÉS** minutes.

2 Documento que rellena un árbitro o juez de una competición con las incidencias y el resultado. **INGLÉS** referee's report.

NOTA Es un nombre femenino, pero se utilizan los determinantes 'el' y 'un' cuando entre el determinante y el nombre no hay otras palabras: el acta.

actinia

nombre femenino

1 Animal marino con forma de tubo, de colores vivos, que vive pegado a las rocas, al fondo del mar o a otro animal y tiene una boca rodeada de numerosos tentáculos que hacen que parezca una flor: *La actinia se alimenta de pequeños peces.* **SINÓNIMO** anémona. **INGLÉS** sea anemone.

actitud

nombre femenino

1 Forma de comportarse o estado de ánimo que tiene una persona. Si una persona está enfadada, tiene una actitud poco amable. **INGLÉS** attitude.

2 Postura del cuerpo que expresa un estado de ánimo o unas intenciones determinadas. Podemos adoptar una actitud amenazadora, una actitud pensativa o una actitud despectiva. **INGLÉS** attitude, pose.

activar

verbo

1 Hacer funcionar un mecanismo o hacer que esté activo para que funcione en el momento oportuno. Una alarma que se activa empieza a sonar. **INGLÉS** to activate.

2 Hacer que algo funcione o vaya más rápidamente. Algunos medicamentos activan la circulación de la sangre. **INGLÉS** to activate.

actividad

nombre femenino

1 Estado de las cosas, las personas o los animales cuando están haciendo algo. Cuando en el trabajo estamos en plena actividad estamos trabajando. Un volcán está en actividad cuando expulsa lava de su interior. **INGLÉS** activity.

2 Acción o conjunto de acciones que se consideran propias de una profesión o de una persona. Los trabajos o las cosas que hacemos cada día constituyen nuestra actividad diaria. Los colegios ofrecen actividades extraescolares, como idiomas, dibujo o atletismo. **INGLÉS** activity.

activo, activa

adjetivo

1 Se dice de lo que está en actividad o tiene capacidad para entrar en funcionamiento en el momento preciso. **INGLÉS** active.

2 Que produce un efecto o realiza una función. **INGLÉS** active.

3 Se dice de la persona que realiza muchas actividades y las hace con energía y rapidez. **ANTÓNIMO** pasivo. **INGLÉS** active.

en activo Se dice de la persona que está trabajando y no está jubilada ni en el paro. INGLÉS in employment.

acto

nombre masculino

1 Cualquier cosa que hace una persona. Planchar, dormir o pasear son actos; la gente debe ser responsable de sus actos. SINÓNIMO acción. INGLÉS act, action.

2 Reunión de gente en un lugar público para hacer algo o para celebrar una fiesta. Los actos públicos suelen ser bastante formales. INGLÉS function.

3 Cada una de las partes principales en que se divide una obra de teatro. Los actos se marcan con la caída del telón cuando se representa la obra. INGLÉS act.

acto seguido Inmediatamente después: *Apagó la tele y acto seguido se fue a la cama.* INGLÉS straightaway.

en el acto En el mismo momento: *Se hacen llaves en el acto.* INGLÉS instantly [instantáneamente], immediately [sin demora], while you wait [mientras esperas].

actor, actriz

nombre

1 Persona que actúa en una obra de cine, teatro, radio o televisión y representa un personaje. INGLÉS actor.

NOTA El plural de actriz es: actrices.

actuación

nombre femenino

1 Acción que consiste en actuar o hacer algo una persona. La representación del trabajo de un cantante o un actor es una actuación. INGLÉS performance.

NOTA El plural es: actuaciones.

actual

adjetivo

1 Se dice de lo que ocurre o existe en el momento presente. Las costumbres actuales son distintas de las del siglo pasado. INGLÉS current.

2 Se dice de las cosas o las formas de actuar que están de moda. INGLÉS fashionable.

actualidad

nombre femenino

1 Momento o tiempo presente y todo lo que ocurre en ese momento o tiempo. Los informativos de televisión reflejan la actualidad. INGLÉS current time [tiempo presente], current affairs [lo que ocurre ahora].

2 Característica de lo que resulta interesante en el momento presente. Los libros que pierden actualidad se dejan de vender. INGLÉS topicality.

actualizar

verbo

1 Hacer que una cosa tenga elementos o características propias del momento actual. Cuando se actualiza un diccionario se le añaden palabras nuevas. INGLÉS to bring up to date, to update.

NOTA Se escribe 'c' delante de 'e', como: actualicen.

actuar

verbo

1 Hacer alguna cosa o producir un efecto. En situaciones de peligro conviene actuar con serenidad; algunos medicamentos actúan rápidamente. INGLÉS to act.

2 Comportarse de una manera determinada. Ante una misma situación, diferentes personas actúan de distinta forma. INGLÉS to act.

3 Representar un papel en una obra de teatro o en una película. INGLÉS to act.

actuar

INDICATIVO	SUBJUNTIVO
presente	**presente**
actúo	actúe
actúas	actúes
actúa	actúe
actuamos	actuemos
actuáis	actuéis
actúan	actúen
pretérito imperfecto	**pretérito imperfecto**
actuaba	actuara o actuase
actuabas	actuaras o actuases
actuaba	actuara o actuase
actuábamos	actuáramos o actuásemos
actuabais	actuarais o actuaseis
actuaban	actuaran o actuasen
pretérito perfecto simple	**futuro**
actué	actuare
actuaste	actuares
actuó	actuare
actuamos	actuáremos
actuasteis	actuareis
actuaron	actuaren
futuro	**IMPERATIVO**
actuaré	actúa (tú)
actuarás	actúe (usted)
actuará	actuemos (nosotros)
actuaremos	actuad (vosotros)
actuaréis	actúen (ustedes)
actuarán	
condicional	**FORMAS NO PERSONALES**
actuaría	**infinitivo** actuar
actuarías	**gerundio** actuando
actuaría	**participio** actuado
actuaríamos	
actuaríais	
actuarían	

acuarela
nombre femenino
1 Tipo de pintura hecha con colores mezclados con agua. También se llama acuarela el cuadro que se pinta. INGLÉS watercolour.

acuario
nombre masculino
1 Recipiente transparente lleno de agua para peces y otros animales acuáticos. INGLÉS aquarium.
2 Edificio o lugar en donde se muestran al público varios tipos de peces y de otros animales acuáticos. En muchos zoos hay acuarios. INGLÉS aquarium.
3 Undécimo signo del zodiaco. Con este significado se escribe en mayúscula.
nombre masculino y femenino
4 Persona nacida bajo el signo de Acuario, entre el 21 de enero y el 18 de febrero. Con este significado, el plural es: los acuario, las acuario. INGLÉS Aquarius.

acuático, acuática
adjetivo
1 Se dice del organismo que vive en el agua, como los peces o algunas plantas. INGLÉS aquatic.
2 Se dice de las cosas que tienen que ver con el agua, como los deportes acuáticos. INGLÉS water.

acudir
verbo
1 Ir a un lugar por alguna razón determinada. Cuando una persona tiene una cita con otra, acude al lugar donde se han citado. INGLÉS to go, to come.
2 Dirigirse a una persona para pedirle ayuda o consejo. Acudimos al médico cuando estamos enfermos, o a un abogado cuando necesitamos consejo legal. INGLÉS to turn to.

acueducto
nombre masculino
1 Construcción que sirve para transportar agua de un lugar a otro. El acueducto de Segovia fue construido por los romanos. INGLÉS aqueduct.

acuerdo
nombre masculino
1 Decisión que toman en común dos o más personas y que deben cumplir. Empresarios y trabajadores llegan a acuerdos sobre las condiciones de trabajo. INGLÉS agreement.
2 Documento donde están las decisiones que toman dos o más personas o países. Los acuerdos incluyen los derechos y las obligaciones de los que los firman. INGLÉS agreement.
de acuerdo Se utiliza cuando una persona quiere decir que tiene la misma opinión que otra o que está conforme con lo que dice: *De acuerdo, nos vemos a las dos.* INGLÉS all right!, OK!

acuífero
nombre masculino
1 Depósito natural de agua subterránea. El agua de la lluvia o la nieve derretida se filtran en la tierra y forman acuíferos. INGLÉS aquifer.

acumular
verbo
1 Juntar muchas cosas del mismo o de distinto tipo. Si no se limpian los lugares públicos, la basura se acumula. INGLÉS to accumulate.
2 Tener una persona cada vez más de cierta cosa, como dinero o sabiduría. INGLÉS to accumulate.

acunar
verbo
1 Mover de manera suave y constante la cuna o la cama donde está un niño para que se duerma. INGLÉS to rock.

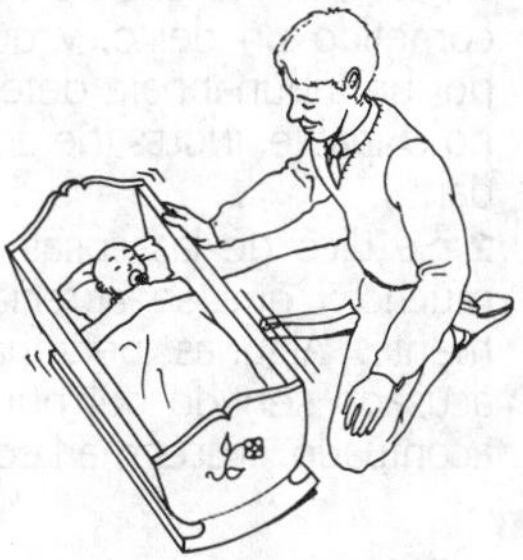
acunar

acuñar
verbo
1 Fabricar monedas y billetes. Las monedas españolas se acuñan en la Fábrica Nacional de Moneda y Timbre. INGLÉS to mint.
2 Inventar una palabra o una frase y convertirla en algo normal o conocido. La publicidad y los humoristas a veces acuñan palabras nuevas que luego la gente utiliza. INGLÉS to coin.

acuoso, acuosa
adjetivo
1 Que es de agua o como de agua. El mar es un medio acuoso. INGLÉS watery.

acupuntura
nombre femenino
1 Técnica de medicina que consiste en clavar agujas en puntos del cuerpo humano para curar ciertas enfermedades o para calmar el dolor o anestesiar. La

a

acupuntura tiene su origen en China. INGLÉS acupuncture.

acurrucarse

verbo **1** Doblar el cuerpo juntando los brazos con las piernas. Algunas personas se acurrucan para dormir o cuando tienen frío. INGLÉS to curl up.

NOTA Se escribe 'qu' delante de 'e', como: acurruquen.

acusación

nombre femenino **1** Cosa que se dice cuando se acusa a una persona de haber hecho algo malo. Una acusación de robo es algo muy grave. INGLÉS accusation.

2 Conjunto de los fiscales y abogados que acusan a alguien en un juicio. La acusación debe probar los hechos que se atribuyen al acusado. INGLÉS prosecution.

NOTA El plural es: acusaciones.

acusado, acusada

nombre **1** Persona a la que se acusa de haber cometido un delito, y que es juzgada por un tribunal para determinar si es o no culpable. INGLÉS the accused, defendant.

adjetivo **2** Se dice de las cosas que destacan mucho y que se aprecian muy claramente. Algunas personas tienen un acusado sentido del humor. SINÓNIMO acentuado. INGLÉS marked.

acusar

verbo **1** Señalar a una persona como la culpable de cometer un delito o una falta grave: *Todas las pruebas del juicio lo acusaban.* SINÓNIMO culpar. INGLÉS to point to.

2 Echar la culpa a una persona de una mala acción. SINÓNIMO culpar. INGLÉS to accuse.

3 Dejar ver las consecuencias negativas de algo, como el cansancio o el paso del tiempo: *Sus manos acusaban el nerviosismo.* INGLÉS to give away.

acusica

adjetivo **1** Se dice de la persona que acusa o dice las faltas de los demás. SINÓNIMO chivato. INGLÉS telltale.

NOTA Es una palabra informal.

acústica

nombre femenino **1** Manera de propagarse y percibirse el sonido en un local. Los teatros deberían tener buena acústica. INGLÉS acoustics.

2 Parte de la física que estudia la formación y propagación del sonido. INGLÉS acoustics.

acústico, acústica

adjetivo **1** Que está relacionado con el oído o con el sonido: *La contaminación acústica se produce por los sonidos que emiten las máquinas al funcionar.* INGLÉS acoustic.

acutángulo

adjetivo **1** Se dice del triángulo que tiene los tres ángulos agudos o de menos de 90 grados. INGLÉS acute-angled.

adaptación

nombre femenino **1** Acción de modificar una cosa para hacerla adecuada a algo o para usarla de una forma distinta de la original: *El edificio ha sufrido numerosas adaptaciones: primero fue un hospital, luego un centro educativo y ahora un museo.* INGLÉS adaptation.

2 Cosa que se ha modificado para hacerla adecuada a un uso distinto del original. Algunas películas son adaptaciónes de novelas. INGLÉS adaptation.

3 Proceso por el que una persona o un ser vivo se adapta o acostumbra a un cambio o a una novedad. Cuando una persona se pone lentillas por primera vez o cambia de país suele ser necesario un período de adaptación. INGLÉS adaptation.

NOTA El plural es: adaptaciones.

adaptar

verbo **1** Modificar una cosa para hacerla adecuada a algo o para usarla de una forma distinta de la original. Algunos cantantes adaptan canciones de otros a su estilo musical. INGLÉS to adapt.

2 adaptarse Llegar a sentirse cómoda o a estar bien una persona o una cosa en una nueva situación o en unas condiciones distintas de las habituales. INGLÉS to adapt.

adecuado, adecuada

adjetivo **1** Que es bueno para una situación, actividad o fin determinado. La leche es adecuada para el crecimiento de un niño: *De todos los candidatos, él es el más adecuado al puesto.* SINÓNIMO apropiado. INGLÉS suitable.

adecuar

verbo **1** Hacer cambios para que una cosa se

adapte a otra o a una situación nueva. Tenemos que adecuar nuestro lenguaje a la situación: no es lo mismo hablar con un amigo que con un desconocido. INGLÉS to adapt.

adecuar

INDICATIVO	SUBJUNTIVO
presente adecuo o adecúo adecuas o adecúas adecua o adecúa adecuamos adecuáis adecuan o adecúan	**presente** adecue o adecúe adecues o adecúes adecue o adecúe adecuemos adecuéis adecuen o adecúen
pretérito imperfecto adecuaba adecuabas adecuaba adecuábamos adecuabais adecuaban	**pretérito imperfecto** adecuara o adecuase adecuaras o adecuases adecuara o adecuase adecuáramos o adecuásemos adecuarais o adecuaseis adecuaran o adecuasen
pretérito perfecto simple adecué adecuaste adecuó adecuamos adecuasteis adecuaron	**futuro** adecuare adecuares adecuare adecuáremos adecuareis adecuaren
futuro adecuaré adecuarás adecuará adecuaremos adecuaréis adecuarán	**IMPERATIVO** adecua o adecúa (tú) adecue o adecúe (usted) adecuemos (nosotros) adecuad (vosotros) adecuen o adecúen (ustedes)
condicional adecuaría adecuarías adecuaría adecuaríamos adecuaríais adecuarían	**FORMAS NO PERSONALES** **infinitivo** adecuar **gerundio** adecuando **participio** adecuado

adefesio

nombre masculino **1** Persona o cosa muy fea, extraña y ridícula. INGLÉS freak, monstrosity.
NOTA Es una palabra informal.

adelantado, adelantada

adjetivo **1** Se dice de la persona joven que demuestra tener unas cualidades físicas o intelectuales propias de personas de más edad. INGLÉS precocious.
2 Se dice de la persona que hace cosas o tiene ideas propias que no son propias de su tiempo y se consideran de un tiempo futuro. Galileo Galilei fue un adelantado a su tiempo al afirmar que la Tierra giraba alrededor del Sol. INGLÉS ahead of one's time.

adelantamiento

nombre masculino **1** Movimiento o maniobra que consiste en que un vehículo que está detrás de otro pase a estar delante. INGLÉS overtaking manoeuvre.

adelantar

verbo **1** Mover una cosa hacia adelante: *Los peones del ajedrez pueden adelantarse una o dos casillas.* INGLÉS to move forward.
2 Ponerse delante de una persona o cosa a la que se deja atrás. En la autopista, los coches se adelantan unos a otros. INGLÉS to overtake.
3 Hacer que una cosa ocurra antes del tiempo normal o del tiempo previsto. Adelantaron el inicio de curso. INGLÉS to bring forward.
4 Dar una cantidad de dinero u otra cosa antes del día que se había fijado para ello. Las empresas pueden adelantar una parte del sueldo a los trabajadores. SINÓNIMO anticipar. INGLÉS to advance.
5 Hacer que un reloj marque una o varias horas o minutos más de la hora que realmente es. ANTÓNIMO retrasar. INGLÉS to put forward.
6 Progresar o conseguir que alguien o algo mejore: *Si no pone interés, no adelantará en sus estudios.* INGLÉS to progress.
7 adelantarse Llegar una persona o una cosa antes del tiempo previsto. Si un parto se adelanta, ocurre antes de los nueve meses. ANTÓNIMO retrasar. INGLÉS to be early.

adelante

adverbio **1** Hacia el frente o más allá de donde uno se encuentra. ANTÓNIMO atrás. INGLÉS forward.
interjección **2** Se usa para indicar que se puede pasar a un lugar o se puede o debe seguir haciendo algo: *¡Adelante, ya te falta poco, venga!* INGLÉS come in! [se puede pasar], come on! [para dar ánimos].
de aquí en adelante Después de este momento, en el futuro: *De aquí en adelante se cambia el horario de la clase de matemáticas.* INGLÉS from now on.
más adelante Más lejos o más allá en

el tiempo o en el espacio. Cuando dejamos una lectura para más adelante la retomamos al cabo de un tiempo. INGLÉS later [en el tiempo], further on [en el espacio].

adelanto

nombre masculino

1 Cosa o invento que supone una mejora de las condiciones de vida de las personas. El ordenador personal fue un gran adelanto tecnológico. INGLÉS advance.

2 Cantidad de dinero que se paga antes del momento en el que se tenía que pagar. INGLÉS advance.

3 Acción que consiste en adelantar una cosa en el tiempo o hacerla antes de lo previsto: *Llegaron con media hora de adelanto.*

adelfa

nombre femenino

1 Arbusto de hojas largas, perennes, y flores blancas, amarillas, rojas o rosas. Su fruto es venenoso. INGLÉS oleander.

adelgazar

verbo

1 Perder peso una persona. ANTÓNIMO engordar. INGLÉS to slim, lose weight.

NOTA Se escribe 'c' delante de 'e', como: adelgacé.

ademán

nombre masculino

1 Gesto con que una persona muestra la intención de hacer algo, pero sin llegar a hacerlo: *Cuando entramos en su despacho hizo ademán de levantarse pero le pedimos que no lo hiciera.* INGLÉS gesture.

NOTA El plural es: ademanes.

además

adverbio

1 Se utiliza para añadir más información del mismo tipo, como cuando se dan más razones o más explicaciones: *No tengo ganas de salir; además, mañana tengo un examen. Además de español, habla otros tres idiomas.* INGLÉS also, too.

adentrarse

verbo

1 Ir hacia la parte interior de un lugar o más hacia el interior de lo que estaba: *Las olas se adentraban cada vez más en la playa.* INGLÉS to penetrate, to go into.

adentro

adverbio

1 Indica el movimiento hacia el interior de un lugar o de algo determinado: *Vamos adentro que hace más calor.* ANTÓNIMO afuera. INGLÉS in, inside.

2 Indica que algo o alguien está en el interior de un lugar o dentro de algo determinado: *Adentro tengo mis libros.* SINÓNIMO dentro. ANTÓNIMO fuera. INGLÉS inside.

adepto, adepta

adjetivo y nombre

1 Que cree y está a favor de otra persona o de unas determinadas ideas políticas, religiosas o de cualquier tipo. INGLÉS supporter [nombre - de política, de fútbol], follower [nombre - de religión, de filosofía].

aderezar

verbo

1 Echarle a una comida fría especias o salsas para darle más sabor. SINÓNIMO aliñar. INGLÉS to dress.

NOTA Se escribe 'c' delante de 'e', como: aderecé.

adeudar

verbo

1 Deber una cantidad de dinero a alguien: *Pedí un crédito y todavía le adeudo dinero al banco.* ANTÓNIMO pagar. INGLÉS to owe.

adherir

verbo

1 Unir o pegar una cosa a otra de forma que resulte difícil separarlas. Las enredaderas se adhieren a la pared con sus raíces. INGLÉS to stick.

2 adherirse Aceptar una opinión, una creencia o una ideología y unirse a la gente que la defiende. Una persona puede adherirse a una organización o a un partido político. INGLÉS to join.

NOTA Se conjuga como: preferir; la 'e' se convierte en 'ie' en sílaba acentuada o en 'i' en algunos tiempos y personas, como: adhiero, adhirió.

adhesión

nombre femenino

1 Hecho de aceptar y defender una opinión, una creencia o una ideología. La adhesión de un país a un acuerdo supone que acepta ese acuerdo y lo apoya para que se cumpla. INGLÉS support, [a un tratado: accession].

NOTA El plural es: adhesiones.

adhesivo, adhesiva

adjetivo

1 Que se pega en una superficie. Con cinta adhesiva se pegan carteles en la pared. INGLÉS adhesive.

nombre masculino

2 Sustancia que sirve para unir o pegar

dos superficies. Algunos adhesivos son tóxicos. **INGLÉS** adhesive.

3 Trozo de papel o de plástico que se pega por una cara y tiene dibujos o fotos en la otra. **SINÓNIMO** pegatina. **INGLÉS** sticker.

adicción

nombre femenino **1** Costumbre que tiene una persona de consumir una droga o de jugar a juegos de azar y de la que acaba dependiendo mental o físicamente. Una persona que tiene una adicción no puede dejarla o le resulta muy difícil hacerlo. **INGLÉS** addiction.

NOTA El plural es: adicciones.

adición

nombre femenino **1** Acción que consiste en añadir una cosa a otra. **INGLÉS** addition.

2 Operación matemática que consiste en reunir varias cantidades en una sola. También es la cantidad que resulta de esta operación: 10 es la adición de 5 + 5. **SINÓNIMO** suma. **ANTÓNIMO** resta. **INGLÉS** addition.

NOTA El plural es: adiciones.

adicto, adicta

adjetivo y nombre **1** Se dice de la persona que tiene el hábito de consumir sustancias perjudiciales y no puede prescindir de ellas o le resulta muy difícil. Algunos adictos al tabaco, a la cocaína o al alcohol necesitan tratamiento médico para abandonar su consumo. **INGLÉS** addicted [adjetivo], addict [nombre].

2 Se dice de la persona que está dominada por la necesidad de hacer algo y que no sabe vivir sin esa actividad. Hay adictos al trabajo, a la televisión o al ordenador. **INGLÉS** addicted [adjetivo], addict [nombre].

adiestrar

verbo **1** Enseñar a una persona una determinada habilidad y hacer que la practique para que consiga dominio en ella. También se puede adiestrar a un animal. **INGLÉS** to train.

adinerado, adinerada

adjetivo **1** Se dice de la persona que tiene mucho dinero. **INGLÉS** rich, wealthy.

adiós

interjección **1** Expresión que se usa para despedirse. A veces, cuando decimos '¡adiós!' a alguien que se aleja, acompañamos esta palabra con un gesto de la mano. **INGLÉS** goodbye!

nombre masculino **2** Despedida. Cuando llega el momento del adiós, a veces la gente se abraza y se besa antes de marcharse. **INGLÉS** goodbye.

aditivo

nombre masculino **1** Sustancia que se añade a otra para aumentar o mejorar sus cualidades. Normalmente, un aditivo se añade en pequeñas cantidades a un alimento para que tenga mejor olor, sabor o color, o para que se conserve mejor. **INGLÉS** additive.

adivinanza

nombre femenino **1** Frase o problema con un significado que se tiene que adivinar y que sirve como entretenimiento. **SINÓNIMO** acertijo. **INGLÉS** riddle.

adivinar

verbo **1** Conocer o descubrir una cosa del pasado, del presente o del futuro mediante técnicas de magia. **INGLÉS** to foretell.

2 Acertar la respuesta a una pregunta o la solución de una adivinanza. **INGLÉS** to guess.

3 adivinarse Verse una cosa con poca claridad debido a la distancia, a que hay poca luz o a cualquier otra causa: *En el oscuro callejón se adivinaba la presencia de una persona.* **INGLÉS** to be faintly visible.

adivino, adivina

nombre **1** Persona que adivina hechos del pasado, del presente y del futuro mediante técnicas de magia. **SINÓNIMO** vidente. **INGLÉS** fortune teller.

adjetivo

nombre masculino **1** Palabra que acompaña a un nombre al que complementa o del que dice alguna característica; los adjetivos cambian de género y número según el nombre al que acompañan. 'Guapo' y 'amable' son adjetivos; algunas palabras unas veces son adjetivos y otras nombres, como 'campeón'. **INGLÉS** adjective.

adjudicar

verbo **1** Dar a una persona algo por lo que compiten varias personas. En los concursos, el jurado adjudica el premio al mejor. **INGLÉS** to award.

2 adjudicarse Conseguir el premio o la victoria de un concurso. **INGLÉS** to win.

a b c d e f g h i j k l m n ñ o p q r s t u v w x y z

NOTA Se escribe 'qu' delante de 'e', como: adjudiquemos.

adjunto, adjunta

adjetivo **1** Que está unido a otra cosa o va con ella: *Me envió un mensaje de correo electrónico con un archivo adjunto.* INGLÉS enclosed.

adjetivo y nombre **2** Se dice de la persona que acompaña o ayuda a otra en un cargo o trabajo: *A la reunión vendrá la directora adjunta.* INGLÉS assistant.

administración

nombre femenino **1** Conjunto de todos los organismos del Estado que aplican las leyes y cuidan de los intereses y servicios públicos. INGLÉS government.

2 Acción que consiste en organizar una economía y cuidar de unos bienes o intereses. Hay personas especializadas en la administración de fincas. INGLÉS administration, management.

3 Acción de aplicar o hacer tomar una medicina. En los hospitales, los enfermeros se encargan de la administración de los medicamentos. INGLÉS administering.

NOTA El plural es: administraciones.

administrador, administradora

nombre **1** Persona que se dedica a administrar el dinero o los bienes de una empresa o entidad. El administrador lleva las cuentas y se encarga de los pagos y los cobros. INGLÉS administrator.

administrar

verbo **1** Dirigir u organizar la economía de una empresa, de una oficina, de una casa o de una persona. Para administrarse bien, hay que controlar lo que se gana y lo que se gasta. INGLÉS to administer, to manage.

2 Gobernar o cuidar de los intereses de una comunidad, como hacen el gobierno, las comunidades autónomas o el ayuntamiento. INGLÉS to govern.

3 Aplicar o hacer tomar a un enfermo un medicamento: *En el hospital le administraron un calmante para el dolor.* INGLÉS to administer.

4 Medir u organizar el uso de alguna cosa para que el resultado sea el mejor posible. Si administramos nuestro tiempo, podemos aprovecharlo mejor. SINÓNIMO dosificar. INGLÉS to administer.

administrativo, administrativa

nombre **1** Persona que se encarga del trabajo de oficina de una empresa o entidad. INGLÉS office worker.

adjetivo **2** Que está relacionado con la administración. A principio de curso los colegios tienen mucho trabajo administrativo. INGLÉS administrative.

admirable

adjetivo **1** Se dice de las personas o las cosas que son tan buenas que merecen ser admiradas o tomadas como modelo: *Su bondad y sinceridad eran admirables.* INGLÉS admirable.

admiración

nombre femenino **1** Sentimiento positivo que se tiene hacia una persona o cosa por sus buenas cualidades o acciones. INGLÉS admiration.

2 Signo de ortografía que se coloca al principio y final de una frase para indicar admiración, sorpresa o emoción. La palabra '¡olé!' está escrita entre signos de admiración. SINÓNIMO exclamación. INGLÉS exclamation mark.

NOTA El plural es: admiraciones.

admirador, admiradora

adjetivo y nombre **1** Que admira a una persona o cosa. Algunos artistas y cantantes tienen admiradores en todo el mundo. INGLÉS admiring [adjetivo], admirer [nombre].

admirar

verbo **1** Tener gran respeto y estima por una persona o cosa, debido a sus buenas cualidades o acciones. Los niños suelen admirar a los héroes de los cómics. INGLÉS to admire.

2 Provocar una persona o cosa mucha sorpresa o entusiasmo. Picasso admiró al mundo con su pintura. Cuando la gente visita Nueva York se admira de la altura de los rascacielos. SINÓNIMO asombrar. INGLÉS to amaze, to astonish.

3 Mirar algo con gran interés y placer, como un bonito paisaje o una puesta de sol. SINÓNIMO contemplar. INGLÉS to admire.

admisión

nombre femenino **1** Acción de permitir que una persona o cosa entre en un lugar o grupo. En muchos locales públicos la admisión está limitada a ciertas personas. INGLÉS admission.

2 Acción de aceptar que una cosa es

cierta o válida, como una respuesta o una excusa. INGLÉS acceptance.

NOTA El plural es: admisiones.

admitir

verbo

1 Permitir la entrada de una persona o cosa en un lugar o en un grupo. Te admiten en un club cuando hay plazas y reúnes los requisitos necesarios. INGLÉS to admit.

2 Aceptar como cierta o válida una cosa, como una excusa, una explicación o una equivocación: *Admito que he sido yo, pero lo he hecho sin querer.* SINÓNIMO reconocer. INGLÉS to accept, to admit.

3 Tener una cosa una cabida o capacidad determinada. Un ascensor admite un número máximo de personas o de peso. INGLÉS to take, to carry.

adobe

nombre masculino

1 Pasta hecha de barro y paja a la que se da forma de ladrillo y se deja secar al sol. El adobe se utiliza para construir casas, sobre todo en los pueblos. INGLÉS adobe.

adoctrinar

verbo

1 Enseñar los principios de una ideología para que se aprendan muy bien. INGLÉS to indoctrinate.

adolescencia

nombre femenino

1 Período de la vida de las personas que va desde el final de la infancia hasta el inicio de la juventud. En la adolescencia se producen unos cambios físicos en el cuerpo de las personas: a las niñas les crecen los pechos y tienen su primera regla y a los niños les cambia la voz y les aparece pelo en la cara y el cuerpo. INGLÉS adolescence.

adolescente

adjetivo y nombre masculino y femenino

1 Se dice de las personas que están en el período de la adolescencia. INGLÉS adolescent.

adonde

adverbio relativo

1 Indica el lugar hacia el que se dirige la persona o cosa de la que se habla: *Podemos ir adonde quieras.* INGLÉS where.

NOTA Como adverbio relativo nunca se escribe con acento; no lo confundas con el adverbio interrogativo 'adónde', que siempre se escribe con acento.

adónde

adverbio interrogativo

1 Pregunta por el lugar hacia el que se dirige la persona o cosa de la que se habla: *¿Podría decirme adónde va este tren?* INGLÉS where.

NOTA Cuando es adverbio interrogativo siempre se escribe con acento; no lo confundas con el adverbio 'adonde', que nunca se escribe con acento.

adoptar

verbo

1 Tomar legalmente como a un hijo propio a una persona que ha nacido de otros padres. Algunas parejas que no pueden tener hijos adoptan niños huérfanos. INGLÉS to adopt.

2 Aceptar como si fuera propia una costumbre, una idea o una forma de comportamiento de otros. Cuando se vive en otro país se adoptan nuevas costumbres. INGLÉS to adopt.

3 Tomar una decisión para resolver una situación o evitar un problema. La policía adopta medidas de seguridad si cree que puede haber problemas; los partidos políticos se reúnen para adoptar acuerdos. INGLÉS to adopt.

4 Comportarse de un modo determinado ante una situación o una persona: *Adopta una actitud muy positiva ante los problemas.* INGLÉS to adopt.

adoptivo, adoptiva

adjetivo

1 Se dice de la persona que ha sido adoptada por otra. INGLÉS adopted.

2 Se dice de la persona que adopta como hijo propio a alguien que no lo es: *Ese es el padre adoptivo de Ana.* INGLÉS adoptive.

adoquín

nombre masculino

1 Piedra de forma rectangular que se usa para pavimentar las calles o carreteras. INGLÉS cobblestone.

NOTA El plural es: adoquines.

adorable

adjetivo

1 Que provoca cariño y simpatía en la gente por su forma de ser o de comportarse. INGLÉS adorable.

adoración

nombre femenino

1 Acción que consiste en adorar a una persona o a un dios. Los católicos celebran la adoración de los Reyes Magos al Niño Jesús el día 6 de enero. INGLÉS adoration [a una persona], worship [a un dios].

NOTA El plural es: adoraciones.

adorar

verbo **1** Dar muestras de respeto, amor y obediencia a un dios por medio de oraciones y ceremonias religiosas. INGLÉS to worship.

2 Querer con pasión a una persona. SINÓNIMO amar. ANTÓNIMO odiar. INGLÉS to adore.

3 Gustar muchísimo una cosa: *Adoro ir en barco.* SINÓNIMO encantar. INGLÉS to adore.

adormecer

verbo **1** Hacer que una persona sienta sueño. Una música suave o un balanceo continuo nos pueden adormecer. INGLÉS to make sleepy.

2 adormecerse Quedarse dormido. Algunas personas, después de comer, se sientan en un sofá y se adormecen. INGLÉS to fall asleep.

3 adormecerse Tener una parte del cuerpo durante un momento sin sentido ni movilidad. INGLÉS to go numb.

NOTA La 'c' se convierte en 'zc' delante de 'a' y 'o', como: adormezco.

adormilarse

verbo **1** Quedarse medio dormido sin llegar a dormirse completamente. INGLÉS to doze, to drowse.

adornar

verbo **1** Poner adornos a una cosa o en un lugar para que sea más bonito o más vistoso. Cuando preparamos una fiesta adornamos la sala con globos y serpentinas. INGLÉS to decorate.

adorno

nombre masculino **1** Objeto que sirve para que una cosa, un lugar o una persona estén más bonitos y arreglados. Las bolas de colores y los lazos son los adornos típicos de los árboles de Navidad. INGLÉS decoration.

adosado, adosada

adjetivo **1** Se dice del edificio que está construido tocando a otro por los lados o por la parte de atrás. Ahora hay muchas urbanizaciones de casas adosadas. INGLÉS semidetached.

adquirir

verbo **1** Llegar a tener o conseguir una cualidad, conocimiento o habilidad. Leyendo se adquieren muchos conocimientos. SINÓNIMO alcanzar; lograr. INGLÉS to acquire.

2 Comprar una cosa, en especial si es grande o valiosa, como un ordenador o un cuadro. ANTÓNIMO vender. INGLÉS to acquire, to buy.

adquirir

INDICATIVO	SUBJUNTIVO
presente	**presente**
adquiero	adquiera
adquieres	adquieras
adquiere	adquiera
adquirimos	adquiramos
adquirís	adquiráis
adquieren	adquieran
pretérito imperfecto	**pretérito imperfecto**
adquiría	adquiriera o adquiriese
adquirías	adquirieras o adquirieses
adquiría	adquiriera o adquiriese
adquiríamos	adquiriéramos o adquiriésemos
adquiríais	adquirierais o adquirieseis
adquirían	adquirieran o adquiriesen
pretérito perfecto simple	**futuro**
adquirí	adquiriere
adquiriste	adquirieres
adquirió	adquiriere
adquirimos	adquiriéremos
adquiristeis	adquiriereis
adquirieron	adquirieren

INDICATIVO	IMPERATIVO	
futuro		
adquiriré	adquiere	(tú)
adquirirás	adquiera	(usted)
adquirirá	adquiramos	(nosotros)
adquiriremos	adquirid	(vosotros)
adquiriréis	adquieran	(ustedes)
adquirirán		

INDICATIVO	FORMAS NO PERSONALES	
condicional	**infinitivo**	**gerundio**
adquiriría	adquirir	adquiriendo
adquirirías	**participio**	
adquiriría	adquirido	
adquiriríamos		
adquiriríais		
adquirirían		

adquisición

nombre femenino **1** Cosa de valor que se compra o se consigue: *Un coche muy bueno y muy barato es una buena adquisición.* INGLÉS acquisition [si se consigue], purchase [si se compra].

2 Compra de alguna cosa, como una vivienda o un coche. INGLÉS purchase.

NOTA El plural es: adquisiciones.

adrede

adverbio **1** Se usa para expresar que una cosa se hace teniendo la voluntad y la intención de hacerla. Una cosa hecha adrede no se hace por casualidad o por distracción. INGLÉS deliberately, on purpose.

aduana
nombre femenino **1** Oficina pública, normalmente situada en la frontera, donde se controla el comercio y el tráfico de viajeros entre países. En la aduana se vigila que no entren en el país personas o productos de forma ilegal; existen aduanas en puertos, aeropuertos y estaciones. INGLÉS customs.

adueñarse
verbo **1** Utilizar una cosa como si se fuera el dueño de ella sin serlo: *Le presté un día de lluvia el paraguas y se ha adueñado de él.* INGLÉS to take possession.
2 Dominar un sentimiento o un estado de ánimo totalmente a alguien: *Al ver que se acercaban los perros, el miedo se adueñó de él y no supo qué hacer.* INGLÉS to seize.

adulador, aduladora
adjetivo **1** Se dice de la persona que alaba a los demás de forma exagerada para conseguir algo de ellos. INGLÉS flattering.

adular
verbo **1** Decir cosas agradables a una persona y alabarla de forma exagerada para conseguir algo de ella. INGLÉS to flatter.

adulterar
verbo **1** Hacer que una sustancia o un producto pierda alguna de sus características al mezclarla con otras sustancias de menor calidad. INGLÉS to adulterate.

adulterio
nombre masculino **1** Relación sexual que una persona casada tiene con otra que no es su pareja. INGLÉS adultery.

adulto, adulta
adjetivo y nombre **1** Se dice de las personas que han pasado la adolescencia y están maduras desde un punto de vista intelectual y emocional. Se suele considerar que una persona es adulta a partir de los 18 años. INGLÉS adult.
adjetivo **2** Se dice del animal que ha llegado a la edad en que puede reproducirse. INGLÉS adult.
3 Se dice de la acción que es responsable y sensata, como se considera que son las acciones de los adultos. SINÓNIMO maduro. INGLÉS adult.

adverbial
adjetivo **1** Del adverbio o que tiene alguna de sus características. En la frase 'lo haría de buena gana', 'de buena gana' es una locución adverbial. INGLÉS adverbial.

adverbio
nombre masculino **1** Palabra que acompaña y modifica a un verbo, un adjetivo u otro adverbio; los adverbios no cambian de género ni de número. 'Bien', 'aquí' y 'ahora' son adverbios. INGLÉS adverb.

adversario, adversaria
adjetivo y nombre **1** Se dice de la persona o grupo de personas que lucha o compite contra otra o contra otro grupo. En la guerra el adversario es el enemigo. INGLÉS opposing [adjetivo], adversary, opponent [nombre].

adversidad
nombre femenino **1** Situación o suceso negativo o desfavorable que no se espera. Una vida llena de adversidades es una vida con problemas y dificultades. INGLÉS adversity.

adverso, adversa
adjetivo **1** Se dice de las situaciones y los sucesos que son desfavorables o negativos porque causan algún daño o perjudican la buena marcha de algo. Cuando la suerte es adversa, no salen bien las cosas que queremos hacer. INGLÉS adverse.

advertencia
nombre femenino **1** Palabra, señal o escrito que avisa sobre un riesgo o peligro o aconseja lo que se debe hacer: *Desde que me hizo una serie de advertencias no he tenido más problemas.* INGLÉS warning.

advertir
verbo **1** Darse cuenta de algo. Advertimos una cosa cuando la comprendemos o la sabemos porque la hemos pensado o sentido. SINÓNIMO observar. INGLÉS to notice.
2 Llamar la atención de alguien sobre una cosa que puede ser molesta o peligrosa. En verano las autoridades advierten del peligro de incendios. SINÓNIMO prevenir. INGLÉS to warn.
3 Decir algo como consejo o amenaza: *Te lo advierto por última vez: o haces los deberes o no sales.* INGLÉS to warn.
NOTA Se conjuga como: preferir; la 'e' se convierte en 'ie' en sílaba acentuada o en 'i' en algunos tiempos y personas, como: advierto, advirtió.

a
b
c
d
e
f
g
h
i
j
k
l
m
n
ñ
o
p
q
r
s
t
u
v
w
x
y
z

adviento
nombre masculino
1 Período de tiempo en el que los cristianos se preparan para el nacimiento de Jesucristo. El adviento comprende las cuatro semanas anteriores al día de Navidad. INGLÉS Advent.

adyacente
adjetivo
1 Que está muy próximo o unido a otra cosa. Un edificio es adyacente a otro cuando está pegado a él o muy cerca. INGLÉS adjacent.

aéreo, aérea
adjetivo
1 Que está relacionado con el aire o que se desarrolla en él. Una fotografía aérea está tomada desde un avión u otro transporte aéreo. ANTÓNIMO terrestre. INGLÉS aerial, air.

aerobic
nombre masculino
1 Serie de ejercicios de gimnasia que se hacen siguiendo el ritmo de una música. INGLÉS aerobics.

aerogenerador
nombre masculino
1 Generador de energía formado por un poste con unas aspas y un alternador. El aerogenerador convierte la energía mecánica del aire en movimiento en energía eléctrica. Varios aerogeneradores juntos forman un parque eólico. INGLÉS wind turbine.

aeromodelismo
nombre masculino
1 Actividad que consiste en fabricar y hacer volar maquetas de aviones y helicópteros. INGLÉS aeroplane modelling.

aeronáutica
nombre femenino
1 Ciencia que se dedica al diseño, la construcción y el manejo de las aeronaves. INGLÉS aeronautics.

aeronáutico, aeronáutica
adjetivo
1 Se dice de lo que tiene que ver con la aeronáutica. Un ingeniero aeronáutico diseña aviones y vehículos espaciales. INGLÉS aeronautical.

aeronave
nombre femenino
1 Cualquier vehículo que viaja por el aire o por el espacio. Los globos, los aviones y los cohetes espaciales son aeronaves. INGLÉS aircraft [por el aire], spaceship [por el espacio].

aeroplano
nombre masculino
1 Vehículo con motor y alas que sirve para viajar por el aire. SINÓNIMO avión. INGLÉS aeroplane.

aeropuerto
nombre masculino
1 Lugar preparado para la llegada y salida de aviones que transportan mercancías o pasajeros. INGLÉS airport.

aerosol
nombre masculino
1 Recipiente que tiene en su interior un líquido a presión, y un mecanismo para que el líquido salga convertido en gotas pequeñísimas, casi como el polvo. SINÓNIMO spray. INGLÉS aerosol.
2 Líquido contenido a presión en un recipiente y que sale en gotas muy pequeñas. Hay insecticidas y productos de limpieza que son aerosoles. INGLÉS aerosol.

afable
adjetivo
1 Se dice de la persona que es muy agradable y cariñosa en el trato con los demás. SINÓNIMO amable. INGLÉS affable.

afán
nombre masculino
1 Actitud de una persona que se entrega a una actividad con todas sus fuerzas e interés. Si estudiamos o trabajamos con afán, siempre obtendremos una recompensa. SINÓNIMO ahínco; empeño. INGLÉS keenness.
2 Deseo intenso que mueve a hacer una cosa. Las personas con afán de superación suelen conseguir lo que se proponen. INGLÉS desire, urge.
NOTA El plural es: afanes.

afanar
verbo
1 Robar algo a una persona con habilidad, sin usar la violencia. Es un uso informal. INGLÉS to nick, to pinch.
2 afanarse Poner mucho esfuerzo e interés en hacer algo. Los profesores se afanan en enseñar a sus alumnos. INGLÉS to work hard.

afear
verbo
1 Hacer que una persona o una cosa parezca fea. Una ropa determinada nos puede afear; las plantas se afean si se les caen algunas hojas. ANTÓNIMO embellecer. INGLÉS to make ugly.

afección
nombre femenino
1 Enfermedad o alteración de la salud. Una persona con afección de estómago no puede comer determinados alimentos. INGLÉS complaint.
NOTA El plural es: afecciones.

afectado, afectada

adjetivo

1 Se dice de la persona que está muy impresionada o emocionada por algo. Una mala noticia nos deja muy afectados. INGLÉS affected.

2 Se dice de la persona que ha sufrido un accidente o un daño. Los afectados por una epidemia son las personas que están enfermas a causa de ella. INGLÉS affected [adjetivo], victim [nombre].

afectar

verbo

1 Producir una cosa una impresión o sensación fuerte en una persona, normalmente negativa. Las desgracias nos afectan a todos. SINÓNIMO impresionar; emocionar. INGLÉS to affect.

2 Producir una cosa cambios en otra, en especial negativos. El sarampión afecta sobre todo a los niños. Las grandes tormentas afectan a las cosechas. INGLÉS to affect.

3 Interesar un asunto a una persona o grupo. La protección de la capa de ozono nos afecta a todos. INGLÉS to affect.

afectivo, afectiva

adjetivo

1 Que está relacionado con el cariño, los sentimientos y las emociones. Una buena relación afectiva entre el niño y sus padres es muy importante para su desarrollo emocional. INGLÉS emotional.

afecto

nombre masculino

1 Sentimiento de amor o simpatía que se siente hacia alguien. Las personas de buen corazón se ganan con facilidad el afecto de todo el mundo. SINÓNIMO cariño; estima. ANTÓNIMO odio. INGLÉS affection.

afectuoso, afectuosa

adjetivo

1 Que siente o muestra amor y es agradable en el trato: *Es muy afectuosa con sus amigos. Le dio un afectuoso apretón de manos.* SINÓNIMO amistoso; cordial. INGLÉS affectionate.

afeitado

nombre masculino

1 Corte del pelo de cualquier parte del cuerpo hasta la piel utilizando una cuchilla o maquinilla. Después del afeitado el pelo no sobresale. INGLÉS shave, shaving.

afeitar

verbo

1 Cortar el pelo hasta la piel con una máquina de afeitar o con cuchilla. Algunos hombres se suelen afeitar la barba y el bigote casi todos los días. INGLÉS to shave.

afeminado, afeminada

adjetivo y nombre masculino

1 Se dice del hombre que hace gestos o movimientos que se consideran propios de las mujeres. SINÓNIMO amanerado. INGLÉS effeminate [adjetivo], effeminate man [nombre].

afianzar

verbo

1 Poner una cosa bien sujeta y segura, de modo que no se mueva. Los muebles se afianzan en el suelo o contra la pared. INGLÉS to fix.

2 Hacer más firme o más segura una idea, un conocimiento o una opinión. Si una persona se afianza en una opinión, posiblemente tiene buenos motivos para ello. INGLÉS to strengthen [afianzar], to become more convinced [afianzarse].

NOTA Se escribe 'c' delante de 'e', como: afiancen.

afición

nombre femenino

1 Interés grande o gusto que siente una persona por alguna cosa o actividad. Mucha gente siente afición por la música. También es afición la cosa o actividad que interesa mucho a alguien. El deporte y la lectura son aficiones muy comunes. SINÓNIMO hobby. INGLÉS liking.

2 Conjunto de personas que van con regularidad a ver un espectáculo o un deporte, como los toros o el fútbol. INGLÉS fans.

NOTA El plural es: aficiones.

aficionado, aficionada

adjetivo y nombre

1 Se dice de la persona que tiene mucho interés por algo y disfruta mucho con ello. Los aficionados al esquí aprovechan los meses de invierno para esquiar. INGLÉS keen [adjetivo]; fan, enthusiast [nombre].

2 Se dice de la persona que practica alguna actividad solo porque le gusta hacerlo y no para cobrar por ello. Las personas que tocan en las charangas suelen ser músicos aficionados. ANTÓNIMO profesional. INGLÉS amateur.

aficionar

verbo

1 Tomar o hacer que una persona tome gusto o afición por alguna actividad: *Sus amigos lo aficionaron al montañismo. Tardamos en aficionarnos al té.*

a b c d e f g h i j k l m n ñ o p q r s t u v w x y z

INGLÉS to make fond [aficionar], to become fond [aficionarse].

afijo

nombre masculino **1** Grupo de letras que se añaden a una palabra para formar una palabra nueva. Los afijos pueden aparecer al principio, en medio o al final de la palabra. INGLÉS affix.

afilado, afilada

adjetivo **1** Se dice de lo que tiene filo y puede cortar bien. Los cuchillos y las navajas son objetos afilados. INGLÉS sharp.

2 Se dice de algunas partes del cuerpo cuando son alargadas, delgadas y acaban en punta, como la barbilla, la nariz o los dedos. INGLÉS pointed.

afilar

verbo **1** Sacar punta a un objeto o hacer que corte mejor. Afilamos los lápices para sacarles punta o los cuchillos cuando no cortan. INGLÉS to sharpen.

afiliarse

verbo **1** Hacerse miembro de un grupo o asociación. Mucha gente se afilia a clubes deportivos, asociaciones, sindicatos o partidos políticos. SINÓNIMO asociarse. INGLÉS to join.

NOTA Se conjuga como: cambiar; la 'i' no lleva nunca acento de intensidad.

afín

adjetivo **1** Que es parecido o tiene algún punto en común con otra cosa o persona: *Se llevan muy bien porque tienen ideas afines.* INGLÉS similar.

NOTA El plural es: afines.

afinar

verbo **1** Hacer que un instrumento musical suene en el tono correcto. Los músicos afinan sus instrumentos antes de empezar a tocar. INGLÉS to tune.

2 Cantar o tocar bien un instrumento, dando bien las notas. Si un cantante afina bien, es muy agradable oírle. ANTÓNIMO desafinar. INGLÉS to play in tune [un instrumento], to sing in tune [un cantante].

3 Hacer que algo sea lo más cercano posible al fin que se busca. Si afinamos mucho la puntería jugando a los dardos, podemos clavar el dardo en el centro de la diana. SINÓNIMO precisar. INGLÉS to perfect.

afirmación

nombre femenino **1** Expresión, palabra o gesto que se utiliza para decir que sí a una pregunta o una petición. Cuando decimos 'sí' estamos haciendo una afirmación. SINÓNIMO asentimiento. ANTÓNIMO negación. INGLÉS statement, assertion.

NOTA El plural es: afirmaciones.

afirmar

verbo **1** Decir que algo es verdad o se cree que es verdad. Los científicos afirman que si no se cuida el medioambiente, las consecuencias serán terribles. ANTÓNIMO negar. INGLÉS to state.

2 Responder que sí a una pregunta o una petición. SINÓNIMO asentir. ANTÓNIMO negar. INGLÉS to agree.

3 Sujetar bien una cosa, de modo que no se mueva. Las paredes y los techos de las casas se afirman con vigas. INGLÉS to strengthen.

afirmativo, afirmativa

adjetivo **1** Que afirma o sirve para decir sí. Mover la cabeza de arriba abajo es un gesto afirmativo. ANTÓNIMO negativo. INGLÉS affirmative.

aflautado, aflautada

adjetivo **1** De sonido dulce y melodioso como el de una flauta. Al soplar por el borde de un vaso se produce un sonido aflautado. INGLÉS flute-like.

afligir

verbo **1** Hacer que alguien esté muy triste o que sienta mucha pena. Una discusión con un amigo puede afligirnos. INGLÉS to distress.

NOTA Se escribe 'j' delante de 'a' y 'o', como: aflijamos o aflijo.

aflojar

verbo **1** Hacer que una cosa que está apretada o que ejerce mucha fuerza esté menos apretada o haga menos fuerza. Podemos aflojar un tornillo, la fuerza que hacemos al coger algo o el nudo de las zapatillas. INGLÉS to loosen.

2 Perder fuerza una cosa o disminuir su intensidad. Aflojan cosas como el viento, el calor o la fiebre. INGLÉS to abate.

afluencia

nombre femenino **1** Llegada de un gran número personas o cosas a un lugar. En verano se produce una gran afluencia de personas a la playa. INGLÉS influx.

afluente
nombre masculino
1 Río que desemboca en otro río: *El Sil es afluente del Miño.* INGLÉS tributary.

afluente

afonía
nombre femenino
1 Pérdida total o parcial de la voz a causa de algún problema en las cuerdas vocales. INGLÉS loss of voice.

afónico, afónica
adjetivo
1 Se dice de la persona que tiene afonía. Si gritamos mucho durante una excursión, nos quedaremos afónicos. INGLÉS hoarse.

aforismo
nombre masculino
1 Frase breve que es educativa o enseña alguna verdad. El aforismo 'Rectificar es de sabios' nos indica que si nos equivocamos en algo es bueno reconocerlo. INGLÉS aphorism.

aforo
nombre masculino
1 Número total de plazas que tiene un local de espectáculos, como un teatro o un cine: *El aforo total de la sala es de 200 personas.* INGLÉS seating capacity.

afortunado, afortunada
adjetivo
1 Que tiene buena suerte y se siente feliz por ello. El ganador de una quiniela es una persona afortunada. SINÓNIMO agraciado. ANTÓNIMO desafortunado. INGLÉS lucky, fortunate.

africano, africana
adjetivo y nombre
1 Se dice de la persona o cosa que es de África, uno de los seis continentes del mundo. INGLÉS African.

afrontar
verbo
1 Hacer todo lo posible para solucionar un problema o una situación difícil. INGLÉS to face up to.

afrutado, afrutada
adjetivo
1 Que tiene un sabor o un olor parecido al de una fruta: *Mastica un chicle de gusto afrutado.* INGLÉS fruity.

afuera
adverbio
1 Indica movimiento hacia una posición exterior de un lugar o de algo determinado: *Salgamos afuera, aquí hace mucho calor.* ANTÓNIMO adentro. INGLÉS outside, out.
2 Indica que algo o alguien está en el exterior o fuera de un lugar determinado: *Quedaron en el bar, pero no dentro, sino afuera.* SINÓNIMO fuera. ANTÓNIMO dentro. INGLÉS outside.
nombre femenino plural
3 afueras Zona que rodea una ciudad o población y que está alejada del centro. Los hipermercados están situados con frecuencia en las afueras de las ciudades. INGLÉS outskirts.
NOTA También se dice: fuera.

agachar
verbo
1 Inclinar o doblar hacia abajo una parte del cuerpo. Nos agachamos para coger cosas que han caído al suelo. Si una puerta es baja, agachamos la cabeza. INGLÉS to lower [agachar], to bend down [agacharse].

agalla
nombre femenino
1 Cada uno de los dos órganos que tienen los peces a los lados de la cabeza y que les sirven para respirar. Las agallas están formadas por varias capas de un tejido blando y esponjoso. SINÓNIMO branquia. INGLÉS gill.
nombre femenino plural
2 agallas Valentía y decisión que se necesita para hacer una cosa difícil o peligrosa: *No tiene agallas para tirarse en paracaídas.* INGLÉS guts.

agarrar
verbo
1 Coger o sujetar una cosa o a una persona con las manos o con algún instrumento. Los bastones se agarran por el mango: *Me agarró para que no cayera al suelo.* INGLÉS to grab.
2 Empezar a tener una enfermedad, como un catarro, o algún estado negativo, como un enfado. SINÓNIMO coger. INGLÉS to catch [una enfermedad].
3 Echar raíces una planta en la tierra. INGLÉS to take.
4 agarrarse Quedarse la comida pegada en el fondo del recipiente en el que se está cocinando porque se quema. INGLÉS to stick.
¡agárrate! Se usa para indicar al oyente que lo que se le va a decir le va a sorprender. INGLÉS guess what!

agarrotar
verbo
1 Ponerse dura o poco flexible una parte del cuerpo debido al frío, el miedo o por estar mucho tiempo en una postura incómoda. INGLÉS to stiffen, to seize up.

ágata
nombre femenino
1 Piedra translúcida que tiene diferentes capas de varios colores y que se usa en joyería. Es una variedad del cuarzo. INGLÉS agate.
NOTA Es un nombre femenino, pero se utilizan los determinantes 'el' y 'un', cuando entre el determinante y el nombre no hay otras palabras: el ágata.

agazaparse
verbo
1 Agacharse con la intención de no ser visto. INGLÉS to crouch.

agencia
nombre femenino
1 Oficina en la que se realizan gestiones por encargo de los clientes. Se pueden reservar billetes en cualquier agencia de viajes. Para alquilar un piso acudimos a una agencia inmobiliaria. INGLÉS agency.

agenda
nombre femenino
1 Cuaderno donde se apuntan las cosas que se tienen que hacer cada día, las direcciones y los números de teléfono para no olvidarlos. INGLÉS diary.

agente
nombre masculino y femenino
1 Persona que trabaja representando a otra y lleva la organización de sus asuntos profesionales. Los actores y cantantes suelen tener agentes que les buscan los contratos. INGLÉS agent.
2 Persona que trabaja para el Estado y se encarga de mantener el orden, la seguridad de los ciudadanos y el cumplimiento de las leyes: *Un agente de paisano vigilaba la puerta de su casa.* INGLÉS policeman [hombre], policewoman [mujer].
nombre masculino
3 Sustancia, fuerza u otra cosa que es la causa de algo o que hace algo determinado. Los agentes atmosféricos, como el sol, la lluvia o el viento, pueden afectar a las plantas o a la piel. INGLÉS agent.

ágil
adjetivo
1 Que se mueve con facilidad y rapidez. El león y el leopardo son animales muy ágiles. ANTÓNIMO torpe. INGLÉS agile.

agilidad
nombre femenino
1 Capacidad que tienen las personas y los animales para moverse con facilidad y rapidez. Las personas suelen perder agilidad con el paso de los años. INGLÉS agility.

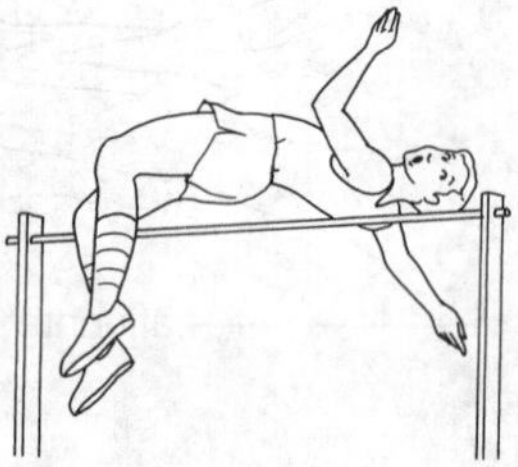
agilidad

agitación
nombre femenino
1 Preocupación o estado de nervios o intranquilidad de una persona: *El exceso de trabajo le causó gran agitación.* INGLÉS restlessness.
2 Movimiento rápido y repetido de algo: *Con una agitación de manos extraña, sacó una cartera del bolsillo.* INGLÉS shaking.
NOTA El plural es: agitaciones.

agitar
verbo
1 Mover una cosa de un lado a otro o de arriba abajo con rapidez y fuerza. Ciertos medicamentos líquidos se tienen que agitar antes de tomarlos. INGLÉS to shake.
2 Hacer que una persona se inquiete o se ponga nerviosa: *Las malas noticias agitaron los ánimos de la gente.* INGLÉS to agitate, to excite.

aglomeración
nombre femenino
1 Conjunto de muchas personas o cosas que están muy juntas en un lugar. En las horas punta suele haber aglomeraciones de tráfico en las grandes ciudades. INGLÉS crowd [de personas], build-up [de cosas].
NOTA El plural es: aglomeraciones.

aglomerarse
verbo
1 Reunirse o juntarse sin orden cosas o personas en un lugar. INGLÉS to gather [personas], to build up [cosas].

agobiar
verbo
1 Hacer que una persona tenga una sensación de cansancio o de no poder

aguantar una situación, por tener muchas cosas que hacer o muchos problemas que resolver. INGLÉS to overwhelm.
2 Producir una sensación de no poder respirar o no poder moverse. Nos podemos agobiar en un lugar pequeño, caluroso y lleno de gente. INGLÉS to oppress [agobiar], to feel oppressed [agobiarse].
NOTA Se conjuga como: cambiar; la 'i' no lleva nunca acento de intensidad.

agobio
nombre masculino
1 Sentimiento de malestar causado por no poder ocuparnos de todo lo que nos deberíamos ocupar o por no poder resolver un problema que tenemos. Sentimos agobio cuando nos meten prisa para acabar algo. INGLÉS feeling of not being able to cope.
2 Sensación de no poder soportar algo que nos molesta mucho. El calor húmedo es un agobio. INGLÉS oppressive [adjetivo].

agolparse
verbo
1 Reunirse o juntarse de repente muchas cosas o personas en un lugar. En la entrada de los festivales de cine la gente se agolpa para intentar ver a algún actor. INGLÉS to crowd.

agonía
nombre femenino
1 Estado de dolor y sufrimiento en que se encuentran las personas y animales que están a punto de morir. INGLÉS death throes.
2 Angustia o preocupación muy grandes: *Para aprobar todo el curso, pasó unos días de auténtica agonía.* INGLÉS agony.

agonizar
verbo
1 Estar muriéndose una persona o un animal. INGLÉS to be dying.
NOTA Se escribe 'c' delante de 'e', como: agonicen.

agosto
nombre masculino
1 Octavo mes del año. INGLÉS August.
hacer su agosto Aprovechar una ocasión determinada para hacer un buen negocio y obtener muchas ganancias. Los fabricantes de juguetes hacen su agosto en Navidad. INGLÉS to make a killing.

agotamiento
nombre masculino
1 Estado en el que se encuentra la persona que está sin fuerzas y sin energía a consecuencia de un gran cansancio o de una enfermedad. El agotamiento puede ser físico o intelectual. INGLÉS exhaustion.

agotar
verbo
1 Cansar mucho y dejar casi sin fuerzas. Los esfuerzos grandes agotan. Cuando una persona trabaja demasiado se agota. INGLÉS to exhaust.
2 Acabar completamente una cosa. Si no cuidamos nuestros recursos naturales, corremos el riesgo de que se agoten pronto. INGLÉS to exhaust.

agraciado, agraciada
adjetivo
1 Se dice de la persona que es guapa o atractiva. INGLÉS attractive.
adjetivo y nombre
2 Se dice de la persona a la que le ha tocado un premio en un juego o en un concurso. SINÓNIMO afortunado. INGLÉS winning [adjetivo], winner [nombre].

agradable
adjetivo
1 Que causa placer o satisfacción: *Dimos un paseo muy agradable por el parque.* ANTÓNIMO desagradable. INGLÉS pleasant.
2 Que es amable y simpático con los demás. ANTÓNIMO desagradable. INGLÉS nice, pleasant.

agradar
verbo
1 Producir una persona o una cosa gusto, placer o satisfacción a una persona. A todos nos agrada estar en compañía de los amigos. SINÓNIMO gustar. ANTÓNIMO desagradar. INGLÉS to please, to like.

agradecer
verbo
1 Dar las gracias o mostrar gratitud por algún favor o beneficio recibido. Cuando estamos enfermos, agradecemos la visita de un amigo. INGLÉS to be thankful for. CUADRO página siguiente.
2 Mostrar una cosa el efecto beneficioso de algo. Después de una sequía, las tierras agradecen las lluvias. INGLÉS to benefit from.

agradecido, agradecida
adjetivo
1 Se dice de la persona que reconoce el valor de los favores recibidos y suele dar las gracias por ellos. ANTÓNIMO desagradecido; ingrato. INGLÉS grateful, thankful.

agradecimiento
nombre masculino
1 Acción que consiste en dar las gracias

agradecer

INDICATIVO

presente
agradezco
agradeces
agradece
agradecemos
agradecéis
agradecen

pretérito imperfecto
agradecía
agradecías
agradecía
agradecíamos
agradecíais
agradecían

pretérito perfecto simple
agradecí
agradeciste
agradeció
agradecimos
agradecisteis
agradecieron

futuro
agradeceré
agradecerás
agradecerá
agradeceremos
agradeceréis
agradecerán

condicional
agradecería
agradecerías
agradecería
agradeceríamos
agradeceríais
agradecerían

SUBJUNTIVO

presente
agradezca
agradezcas
agradezca
agradezcamos
agradezcáis
agradezcan

pretérito imperfecto
agradeciera o agradeciese
agradecieras o agradecieses
agradeciera o agradeciese
agradeciéramos o agradeciésemos
agradecierais o agradecieseis
agradecieran o agradeciesen

futuro
agradeciere
agradecieres
agradeciere
agradeciéremos
agradeciereis
agradecieren

IMPERATIVO

agradece (tú)
agradezca (usted)
agradezcamos (nosotros)
agradeced (vosotros)
agradezcan (ustedes)

FORMAS NO PERSONALES

infinitivo agradecer
gerundio agradeciendo
participio agradecido

o mostrar gratitud. Algunas personas envían regalos en señal de agradecimiento por algún favor. SINÓNIMO gratitud. INGLÉS gratitude.

agrado
nombre masculino
1 Gusto o satisfacción que produce algo. Las buenas noticias se reciben con agrado. ANTÓNIMO desagrado. INGLÉS pleasure.

agramatical
adjetivo
1 Que no es correcto según las reglas de la gramática. La frase 'Ella son altos' es agramatical porque las palabras no concuerdan en género y número, según las reglas de la gramática. ANTÓNIMO gramatical. INGLÉS ungrammatical.

agrandar
verbo
1 Hacer que algo sea más grande o que parezca más grande. La lupa agranda los objetos. INGLÉS to enlarge.

agrario, agraria
adjetivo
1 Se dice de las cosas que tienen que ver con el campo. La agricultura y la ganadería son actividades agrarias. INGLÉS agrarian.

agravar
verbo
1 Hacer más grave o peor el estado de una persona o cosa. Algunas enfermedades respiratorias, como el asma, se agravan cuando hay mucha contaminación. SINÓNIMO empeorar. ANTÓNIMO mejorar. INGLÉS to aggravate.

agravio
nombre masculino
1 Hecho o insulto que ofende o humilla a una persona. Las personas que sufren un agravio piensan que las tratan mal y que eso es injusto. INGLÉS offence, insult.

agredir
verbo
1 Atacar a una persona con violencia para causarle algún daño físico o moral. Agredir verbalmente a una persona es insultarla. INGLÉS to attack.

agregar
verbo
1 Añadir una cosa a otra para formar una sola cosa: *Agrega los huevos a la masa y bátela.* INGLÉS to add.
2 Añadir algo nuevo a lo que ya se ha dicho o escrito: *Agregó un nuevo capítulo a su libro.* INGLÉS to add.
NOTA Se escribe 'gu' delante de 'e', como: agreguemos.

agresión
nombre femenino
1 Acción que consiste en atacar a una persona con violencia golpeándola o causándole un daño físico o moral. Los malos tratos son agresiones castigadas por la ley. INGLÉS act of aggression.
2 Acción que va contra los derechos de una persona o de una nación. INGLÉS act of aggression.
NOTA El plural es: agresiones.

agresivo, agresiva
adjetivo
1 Se dice de la persona que tiene tendencia a atacar a otras personas causándoles algún daño físico o moral o que se comporta normalmente con violencia. También son agresivas las personas que gritan o insultan a los demás. INGLÉS aggressive.
2 Se dice de la persona que tiene mucha capacidad de trabajo y que resuelve problemas con decisión. Algunas

empresas buscan ejecutivos agresivos para mejorar sus negocios. INGLÉS aggressive.

agresor, agresora

adjetivo y nombre **1** Se dice de la persona que agrede o ataca a otra. También se dice de la nación que ataca a otra. INGLÉS attacking [adjetivo], aggressor, attacker [nombre].

agreste

adjetivo **1** Se dice del terreno que está sin cultivar y está lleno de maleza y piedras. INGLÉS wild.

agriar

verbo **1** Hacer que una sustancia se ponga agria o ácida. La leche fuera de la nevera se puede agriar. INGLÉS to turn sour.

2 Hacer que una persona se vuelva antipática: *Su trabajo pesado y aburrido le agrió el carácter.* INGLÉS to embitter.

agrícola

adjetivo **1** De la agricultura o que tiene relación con ella. Las verduras y las legumbres son productos agrícolas. INGLÉS agricultural.

agricultor, agricultora

nombre **1** Persona que tiene por oficio cultivar la tierra. INGLÉS farmer.

agricultura

nombre **1** Cultivo de la tierra. Cualquier técnica o actividad dedicada a que la tierra produzca frutos forma parte de la agricultura. INGLÉS agriculture, farming.

agridulce

adjetivo **1** Que tiene un sabor medio ácido y medio dulce. La cocina china tiene muchos platos agridulces. INGLÉS sweet and sour.

agrietar

verbo **1** Hacer grietas o aberturas largas y estrechas en una superficie. INGLÉS to crack.

agrio, agria

adjetivo **1** Que tiene un olor y un sabor ácidos, parecidos al del limón o al del vinagre. El yogur se pone agrio si no se guarda en un sitio fresco. SINÓNIMO ácido. INGLÉS sour.

adjetivo **2** Que es poco simpático o agradable. Una persona de carácter agrio no es amable ni cariñosa. INGLÉS sour.

agrónomo, agrónoma

adjetivo y nombre **1** Se dice de la persona que se dedica al estudio y aplicación de las técnicas para cultivar la tierra. Los ingenieros agrónomos saben qué hacer para aumentar la producción o combatir una plaga. INGLÉS agronomic [adjetivo], agronomist [nombre].

agrupación

nombre femenino **1** Acción que consiste en reunir cosas o personas en grupos siguiendo algún criterio. En un ejercicio escolar se puede pedir la agrupación de palabras de un texto según su categoría gramatical. INGLÉS grouping.

2 Conjunto de personas que se unen porque comparten ideas o aficiones o tienen objetivos comunes. Las agrupaciones de vecinos solucionan los problemas del barrio o de los edificios de viviendas. SINÓNIMO asociación. INGLÉS group, association.

NOTA El plural es: agrupaciones.

agrupar

verbo **1** Reunir cosas, personas o animales en uno o más grupos siguiendo un criterio determinado. INGLÉS to group.

agua

nombre femenino **1** Líquido transparente que no tiene olor ni sabor y se encuentra en los ríos, en los lagos y en el mar. Los seres humanos y los animales bebemos agua. INGLÉS water.

nombre femenino plural **2 aguas** Zona del mar que está cerca de la costa de un país: *Ese barco pesca en aguas gallegas.* INGLÉS waters.

agua corriente Agua que sale por los grifos de las casas. INGLÉS running water.

agua mineral Agua que sale de la tierra y tiene sustancias minerales. El agua mineral puede comprarse en botellas. INGLÉS mineral water.

agua oxigenada Agua que lleva más oxígeno de lo normal y se utiliza para limpiar y curar heridas. INGLÉS hydrogen peroxide.

como agua de mayo Con muchas ganas o de forma muy oportuna: *Esperaba su visita como agua de mayo.* INGLÉS anxiously [con muchas ganas], like a godsend [de forma oportuna].

más claro que el agua Ser una cosa muy clara, simple y fácil de entender o de ver: *Sé que estás enamorado de Carmen, está más claro que el agua.* INGLÉS as clear as day.

a b c d e f g h i j k l m n ñ o p q r s t u v w x y z

ser agua pasada No tener importancia en el presente algo que ocurrió hace un tiempo: *No te preocupes por nuestra discusión del lunes, ya es agua pasada.* INGLÉS to be water under the bridge.

NOTA Es un nombre femenino, pero se utilizan los determinantes 'el' y 'un' cuando entre el determinante y el nombre no hay otras palabras: el agua del mar; un agua fría.

aguacate

nombre masculino

1 Fruto comestible con forma de pera, color verde, carne muy suave y un hueso grande en el centro. El aguacate tiene la piel rugosa y dura. INGLÉS avocado, avocado pear.

2 Árbol tropical que da este fruto. INGLÉS avocado tree.

aguacero

nombre masculino

1 Lluvia muy intensa y de corta duración que cae de forma repentina. SINÓNIMO chaparrón. INGLÉS heavy shower, downpour.

aguado, aguada

adjetivo

1 Se dice de los alimentos o las bebidas que tienen más agua de la necesaria. A una sopa aguada le falta sustancia y no sabe a nada. INGLÉS watered down.

aguafiestas

nombre masculino y femenino

1 Persona que estropea una situación divertida. Si una persona nos recuerda algo que nos preocupa en medio de una fiesta, es una aguafiestas. INGLÉS killjoy, wet blanket.

NOTA El plural es: aguafiestas.

aguanieve

nombre femenino

1 Lluvia fina mezclada con nieve. El aguanieve no llega a cuajar en la tierra. INGLÉS sleet.

NOTA Aunque es femenino, es frecuente encontrar los determinantes 'el' y 'un' porque la primera palabra es *agua*.

aguantar

verbo

1 Mantener o sostener con fuerza una cosa de modo que no se caiga o no se mueva: *La estantería no aguantó el peso de los libros y se cayó.* SINÓNIMO resistir; soportar. INGLÉS to take, to stand.

2 Sufrir con paciencia una cosa desagradable, como el hambre, el dolor, el aburrimiento o el calor. SINÓNIMO soportar. INGLÉS to stand.

3 aguantarse No hacer algo que se tienen muchas ganas de hacer. A veces hay que aguantarse la risa o las ganas de ir al baño. INGLÉS to restrain oneself, [si es la risa o las ganas: to suppress].

4 aguantarse Conformarse con algo que no es bueno o que no gusta. INGLÉS to grin and bear it.

aguante

nombre masculino

1 Capacidad de soportar algo que resulta desagradable o difícil de soportar. Algunas personas tienen mucho aguante y tardan en enfadarse. INGLÉS patience.

aguar

verbo

1 Mezclar un líquido con agua. Si el café está muy fuerte, se puede aguar. INGLÉS to water down.

2 Hacer o decir alguna cosa que estropea una diversión. Cuando alguien nos da una mala noticia en mitad de una fiesta nos la agua. SINÓNIMO chafar. INGLÉS to spoil.

NOTA Se conjuga como: averiguar; la 'u' no se acentúa y se escribe 'gü' delante de 'e', como: agüe.

aguardar

verbo

1 Estar esperando a que llegue alguien o suceda algo: *Pregunté y aguardé su respuesta.* INGLÉS to wait for.

2 Estar algo pendiente de que suceda en el futuro. Sabemos que en época de exámenes nos aguardan días de mucho trabajo. INGLÉS to await.

aguardiente

nombre masculino

1 Bebida alcohólica de muchos grados. INGLÉS eau de vie.

aguarrás

nombre masculino

1 Líquido de olor muy fuerte que se usa para disolver y quitar la pintura de una superficie. INGLÉS turpentine.

NOTA El plural es: aguarrases.

agudeza

nombre femenino

1 Rapidez y habilidad para comprender las cosas difíciles y para exponerlas con claridad. INGLÉS wit.

2 Capacidad de percibir las sensaciones mediante la vista, el oído o el olfato con mucho detalle. INGLÉS keenness, acuteness.

3 Dicho inteligente e ingenioso que se pronuncia en medio de una conversación y que intenta mostrar el lado gracioso de una cosa para producir un efecto divertido. INGLÉS witticism.

agudo, aguda
adjetivo
1 Se dice del sonido que es muy fino y fuerte, como el de un silbato o un chirrido. INGLÉS shrill.
2 Se dice de la punta de un objeto que está muy afilada o corta. INGLÉS sharp.
3 Se dice de la persona que entiende las cosas muy rápidamente y que dice cosas muy acertadas y graciosas. También son agudas las cosas que dice o escribe esta persona. INGLÉS sharp.
4 Se dice de la palabra que lleva el acento en la última sílaba. 'Dolor' y 'rincón' son palabras agudas.
5 Se dice del sentido que está muy desarrollado o que percibe muy bien. Los músicos suelen tener un oído muy agudo. INGLÉS acute.
6 Se dice de la enfermedad que es grave o del dolor que es muy fuerte. INGLÉS acute.
7 Se dice del ángulo que tiene menos de 90 grados. INGLÉS acute.

aguerrido, aguerrida
adjetivo
1 Que tiene mucha experiencia en la lucha o en el trabajo: *Esa misión hubiera sido imposible hasta para los héroes más aguerridos.* INGLÉS hardened.

aguijón
nombre masculino
1 Órgano puntiagudo que tienen algunos insectos con el que pican e inyectan un veneno. Las abejas y las avispas tienen aguijón. INGLÉS sting.
NOTA El plural es: aguijones.

águila
nombre femenino
1 Ave rapaz con el pico fuerte, en forma de gancho, y unas garras muy desarrolladas. El águila tiene una vista muy aguda. INGLÉS eagle.
2 Persona que es muy lista y reacciona con rapidez ante las situaciones que se le presentan. INGLÉS genius.
NOTA Es un nombre femenino, pero se utilizan los determinantes 'el' y 'un' cuando entre el determinante y el nombre no hay otras palabras: el águila.

aguileño, aguileña
adjetivo
1 Se dice de la cara o la nariz que es curva y alargada, como el pico de un águila. INGLÉS aquiline.

aguilucho
nombre masculino
1 Cría del águila. INGLÉS eaglet.
2 Ave rapaz de menor tamaño que el águila. El aguilucho tiene también el pico fuerte en forma de gancho y unas garras potentes y afiladas. INGLÉS harrier.

aguinaldo
nombre masculino
1 Pequeña cantidad de dinero o regalo de poco valor que se da en las fiestas de Navidad. Damos un aguinaldo al portero, al cartero o a la gente que canta villancicos. INGLÉS Christmas bonus, Christmas box.

aguja
nombre femenino
1 Barrita de metal que en un extremo tiene punta y en el otro un agujero por donde se pasa un hilo para coser, bordar o zurcir. INGLÉS needle.
2 Barrita de metal o de otro material duro acabada en punta. Algunas agujas están huecas para que pueda pasar un líquido, como las que se utilizan con las jeringuillas. Otras agujas tienen una bola en un extremo, como las de tejer. Las agujas del reloj marcan las horas y los minutos. INGLÉS needle.
3 Hoja fina y alargada de algunos árboles, como las de los pinos o los abetos. INGLÉS needle.

agujerear
verbo
1 Hacer uno o más agujeros en una superficie. INGLÉS to make a hole in.

agujero
nombre masculino
1 Abertura más o menos redondeada que atraviesa algo de un lado a otro. SINÓNIMO orificio. INGLÉS hole.

agujetas
nombre femenino plural
1 Dolor parecido a un pinchazo que se siente en alguna parte del cuerpo después de haber realizado un ejercicio físico muy intenso y seguido, cuando no se tiene costumbre. INGLÉS stiffness.

¡ah!
interjección
1 Expresa, normalmente, pena, asombro o indiferencia. También se usa para indicar que hemos recordado algo: *¡Ah!, pero ¿ya estás de vuelta?* INGLÉS ah!, oh!

ahí
adverbio
1 Indica un lugar determinado que no está muy alejado de la persona que habla o escribe: *Ahí está tu hermano.* INGLÉS there.

a b c d e f g h i j k l m n ñ o p q r s t u v w x y z

ahijado, ahijada
nombre
1 Persona a la que los padrinos apadrinan en el bautismo. Una persona es ahijada de su padrino y de su madrina. INGLÉS godson [chico], goddaughter [chica].

ahínco
nombre masculino
1 Esfuerzo o empeño muy grande con que una persona hace una cosa: *Trabajó con ahínco para aprobar.* INGLÉS eagerness, enthusiasm.

ahogadilla
nombre femenino
1 Acción que consiste en sumergir la cabeza de una persona dentro del agua durante unos instantes. La ahogadilla se hace como broma y sin intención de causar daño. INGLÉS ducking.

ahogado, ahogada
adjetivo
1 Se dice de la persona que siente agobio por el exceso de trabajo. INGLÉS overwhelmed by work.
adjetivo y nombre
2 Se dice de la persona que ha muerto por no poder respirar. INGLÉS suffocated, [si es en el agua: drowned].

ahogar
verbo
1 Impedir la respiración a una persona o animal causándole la muerte. La boa ahoga a sus presas enroscándose en su cuerpo. INGLÉS to suffocate, [si es en el agua: to drown].
2 Causar alguna cosa sensación de no poder respirar. Cuando hace calor, la ropa de abrigo nos ahoga. INGLÉS to smother.
3 Apagar el fuego colocándole algo encima. Podemos ahogar el fuego de una chimenea cuando ponemos demasiada leña. INGLÉS to smother.
NOTA Se escribe 'gu' delante de 'e', como: ahogue.

ahogo
nombre masculino
1 Sensación de presión en el pecho, que impide respirar bien. Esta sensación es síntoma de algunas enfermedades. INGLÉS breathlessness, shortness of breath.
2 Sensación de gran angustia o tristeza. Si una persona está muy preocupada o muy nerviosa puede sentir ahogo. INGLÉS distress.
3 Acción de impedir a una persona o animal que respire. INGLÉS suffocation, [si es en el agua: drowning; si es por un esfuerzo físico: breathlessness].

ahondar
verbo
1 Hacer que una cosa sea más honda o más profunda de lo que era, especialmente un hoyo o una cavidad que se está excavando. INGLÉS to deepen.
2 Penetrar una cosa hasta muy dentro de otra, como las raíces de un árbol que ahondan en la tierra. INGLÉS to go deep.
3 Profundizar mucho en el conocimiento de una cosa. Se ahonda en un tema cuando se investiga y se estudia a fondo. INGLÉS to go into.

ahora
adverbio
1 Indica el momento en el que se está hablando. Puede tener un sentido más o menos amplio e indicar un momento corto y preciso o un momento largo en el que se incluye el presente. También puede indicar justo un momento antes o un momento después: *Un momento, ahora salgo.* INGLÉS now.
ahora mismo Indica el momento preciso en que se está hablando. También puede indicar justo un momento antes o un momento después: *Ahora mismo no lo recuerdo. Ahora mismo acaba de salir.* INGLÉS right now [en este instante], just a moment ago [hace nada].
por ahora Indica que lo que se dice es así hasta el momento en que se está hablando, pero que puede haber cambios: *Por ahora no tengo trabajo.* SINÓNIMO de momento. INGLÉS for the moment.

ahorcar
verbo
1 Matar a una persona haciéndole pasar la cabeza por un lazo corredizo hecho con una cuerda y dejándola colgada por el cuello. INGLÉS to hang.
NOTA Se escribe 'qu' delante de 'e', como: ahorquen.

ahorrador, ahorradora
adjetivo y nombre
1 Se dice de la persona que guarda parte del dinero para el futuro. INGLÉS thrifty [adjetivo], thrifty person [nombre].

ahorrar
verbo
1 No gastar y reservar una parte del dinero de que se dispone. También es gastar o consumir con cuidado para evitar gastos innecesarios. Si ahorramos papel, ayudamos a proteger los bosques. ANTÓNIMO derrochar. INGLÉS to save.
2 Evitar inconvenientes, trabajos o molestias. A veces no damos una mala noticia a alguien por ahorrarle un disgusto. INGLÉS to save.

ahorro

nombre masculino **1** Cantidad de dinero que no se gasta y se guarda. Podemos guardar los ahorros en una hucha o en el banco. INGLÉS savings.

2 Acción que consiste en no gastar más de lo necesario. Muchos gobiernos han tomado medidas para fomentar el ahorro de energía. ANTÓNIMO derroche. INGLÉS saving.

ahuecar

verbo **1** Poner hueca una cosa. Ahuecamos las manos para beber agua con ellas: *Se ahuecó el pelo en la peluquería para darle más volumen.* INGLÉS to hollow out, [si son las manos: to cup; si es el pelo: to fluff up].

2 Darle un tono más grave a la voz: *Ahuecó la voz para imitar a su padre.* INGLÉS to deepen.

3 Marcharse de un lugar: *Ahueca de mi sitio.* Es un uso informal. INGLÉS to clear off.

ahuecar el ala Marcharse de un lugar: *Ahuecó el ala en cuanto lo vio entrar.* Es una expresión informal. INGLÉS to clear off.

NOTA Se escribe 'qu' delante de 'e', como: ahueque.

ahumado, ahumada

adjetivo **1** Se dice del cristal que está oscurecido para evitar el paso directo de la luz o para impedir que se vea lo que hay detrás de él. Hay gafas de cristales ahumados. INGLÉS smoked.

2 Se dice del alimento que ha sido preparado con humo para conservarlo o darle un sabor especial. INGLÉS smoked.

ahumar

verbo **1** Poner una cosa o un alimento en contacto con humo para conservarlo o darle un sabor especial. INGLÉS to smoke.

2 Llenar una cosa de humo. Una chimenea que no tira bien puede ahumar toda la habitación. INGLÉS to fill with smoke.

NOTA Se conjuga como: aupar; la 'u' se acentúa en algunos tiempos y personas, como: ahúma.

ahuyentar

verbo **1** Hacer que se vaya o impedir que se acerque una persona o un animal. Los espantapájaros sirven para ahuyentar a los pájaros de las cosechas. INGLÉS to drive away.

airbag

nombre masculino **1** Bolsa que va colocada frente al conductor o los pasajeros de un automóvil y que se infla cuando el vehículo choca con fuerza contra algo. El airbag evita que las personas que van dentro de un coche reciban golpes fuertes al tener un accidente. INGLÉS airbag.

NOTA El plural es: airbags.

aire

nombre masculino **1** Mezcla de gases que envuelve la Tierra y que respiramos. El aire está formado por nitrógeno y oxígeno. INGLÉS air.

2 Viento o aire en movimiento. Si hace calor, podemos abrir la ventana para que entre aire. INGLÉS wind.

3 Aspecto o apariencia de una persona o cosa. Después de una reforma, el piso tiene un aire nuevo: *Llegó a casa con aire cansado.* INGLÉS appearance.

4 Parecido que hay entre dos personas o cosas. A veces pensamos que dos personas son hermanas porque tienen cierto aire. INGLÉS likeness.

al aire libre En un espacio abierto. El deporte al aire libre es muy sano. INGLÉS in the open air.

darse aires Creerse superior o más importante que los demás. INGLÉS to give oneself airs.

en el aire Sin una solución. Una pregunta en el aire es una pregunta sin respuesta. INGLÉS up in the air.

tomar el aire Salir una persona al exterior para airearse. Cuando alguien se marea al viajar en coche necesita salir un rato a tomar el aire. INGLÉS to get some fresh air.

airear

verbo **1** Sacar una cosa al aire o hacer que le dé el aire a una persona o cosa. Después de pasar muchas horas encerrados necesitamos airearnos un poco. Las habitaciones se airean para renovar el aire. SINÓNIMO ventilar. INGLÉS to air.

2 Contar o divulgar una noticia para que la sepa la gente. Algunas revistas se encargan de airear la vida de los famosos. INGLÉS to air.

airoso, airosa

adjetivo **1** Se dice de alguien que resuelve una situación complicada con éxito: *No pensé que saliéramos airosos de la última prueba.* INGLÉS successful.

aislante

adjetivo y nombre masculino **1** Se dice del material u objeto que aísla algo, especialmente del frío, del calor, de la electricidad o del ruido. Los frigoríficos se fabrican con materiales aislantes para mantener una temperatura fría en su interior. INGLÉS insulating [adjetivo], insulator [nombre].

aislar

verbo **1** Dejar a una persona o una cosa sola o alejada de otras. INGLÉS to isolate.

2 No dejar pasar la electricidad, el calor, el ruido u otras cosas. Las ventanas dobles aíslan el interior de una casa del frío y el calor de la calle. INGLÉS to insulate.

aislar

INDICATIVO	SUBJUNTIVO
presente	**presente**
aíslo	aísle
aíslas	aísles
aísla	aísle
aislamos	aislemos
aisláis	aisléis
aíslan	aíslen
pretérito imperfecto	**pretérito imperfecto**
aislaba	aislara o aislase
aislabas	aislaras o aislases
aislaba	aislara o aislase
aislábamos	aisláramos o aislásemos
aislabais	aislarais o aislaseis
aislaban	aislaran o aislasen
pretérito perfecto simple	**futuro**
aislé	aislare
aislaste	aislares
aisló	aislare
aislamos	aisláremos
aislasteis	aislareis
aislaron	aislaren

INDICATIVO	
futuro	**condicional**
aislaré	aislaría
aislarás	aislarías
aislará	aislaría
aislaremos	aislaríamos
aislaréis	aislaríais
aislarán	aislarían

IMPERATIVO	
aísla	(tú)
aísle	(usted)
aislemos	(nosotros)
aislad	(vosotros)
aíslen	(ustedes)

FORMAS NO PERSONALES	
infinitivo	**gerundio**
aislar	aislando
participio	
aislado	

¡ajá!

interjección **1** Expresa, normalmente, asombro, agrado o acuerdo: *¡Ajá! ¿Este era todo el trabajo que tenías que hacer?* INGLÉS aha!

ajedrez

nombre masculino **1** Juego entre dos personas que se juega sobre un tablero dividido en sesenta y cuatro cuadros blancos y negros; cada jugador tiene dieciséis piezas que puede mover según las reglas del juego. También se llama ajedrez el conjunto de piezas y tablero que se usan para este juego. INGLÉS chess.

NOTA El plural es: ajedreces.

ajeno, ajena

adjetivo **1** Que es de otra persona, que no es propio. INGLÉS belonging to someone else.

2 Que no tiene relación con una persona o una cosa. Una persona es ajena a una familia cuando no forma parte de ella. INGLÉS not belonging.

3 Se dice de la persona que no tiene conocimiento de algo porque no está informada o no se ha preocupado. Algunas personas viven ajenas a los problemas de quienes las rodean. INGLÉS unaware.

ajetreado, ajetreada

adjetivo **1** Se dice de una actividad o un período de tiempo en el que hay mucho trabajo o muchas cosas que hacer y mucho movimiento. Podemos tener un día ajetreado, un trabajo ajetreado o una vida ajetreada. INGLÉS busy, hectic.

ajetreo

nombre masculino **1** Actividad o movimiento intensos y constantes que se producen en un lugar. En una tienda grande llena de clientes se nota mucho ajetreo. INGLÉS activity, bustle.

ajo

nombre masculino **1** Bulbo comestible de color blanco, envuelto en varias capas de piel seca, que tiene olor y sabor fuertes. Una cabeza de ajos tiene forma redondeada y contiene varios dientes de ajo. El ajo se usa en cocina como condimento. INGLÉS garlic.

en el ajo Se dice que está en el ajo la persona que sabe o forma parte de algo que se oculta a otras personas. INGLÉS to be involved.

ajuntar

verbo **1** Ser amigo de otra persona: *No se ajuntan.* INGLÉS to be friends.

NOTA Es una palabra informal.

ajustado, ajustada
adjetivo
1 Que es adecuado para un objetivo o una situación. Si damos una respuesta ajustada a una pregunta, contestamos de forma adecuada a la cuestión. INGLÉS appropriate.

ajustar
verbo
1 Hacer que una cosa encaje perfectamente con otra o ponerla a su alrededor y que no quede espacio entre ellas o solo el espacio justo. Si una ventana o una puerta no ajustan bien, puede entrar aire. INGLÉS to fit, to fit tight.
2 ajustarse Ser una cosa adecuada para una situación. Algo se ajusta a nuestras necesidades cuando sirve perfectamente para una cosa que tenemos que hacer. INGLÉS to be right.

ajusticiar
verbo
1 Hacer que muera una persona que ha sido condenada a muerte. SINÓNIMO ejecutar. INGLÉS to execute.
NOTA Se conjuga como: cambiar; la 'i' no lleva nunca acento de intensidad.

al
1 Unión de la preposición 'a' y del determinante artículo 'el': *Todavía no conozco al nuevo vecino. ¿Has ido a El Escorial?*
2 Delante de un infinitivo, indica que la acción se produce al mismo tiempo que otra o inmediatamente después: *Al salir me encontré con unos amigos. El agua se evapora al alcanzar los 100 grados.* INGLÉS on, when.
NOTA No se produce esta contracción cuando el determinante que le sigue forma parte de un nombre propio; por ejemplo: *¿Has ido a El Escorial?*

ala
nombre femenino
1 Extremidad que tienen algunos animales que sirve para volar. Los pájaros tienen alas. El murciélago es el único mamífero que tiene alas. INGLÉS wing.
2 Parte plana a los lados de un avión que le da estabilidad. INGLÉS wing.
3 Parte plana y horizontal que sobresale de algunas cosas, como el ala de un tejado o de un sombrero. INGLÉS brim.
ala delta Aparato formado por una estructura metálica ligera y un triángulo de tejido resistente que permite planear si la persona se lanza desde cierta altura. INGLÉS hang-glider.
NOTA Es un nombre femenino, pero se utilizan los determinantes 'el' y 'un' cuando entre el determinante y el nombre no hay otras palabras: el ala.

alabanza
nombre femenino
1 Aquello que se dice para resaltar los méritos o cualidades de una persona o cosa. SINÓNIMO elogio. INGLÉS praise.

alabar
verbo
1 Hablar bien de personas o cosas resaltando sus méritos o cualidades. Al alabar a alguien se muestra admiración y reconocimiento por lo que es o lo que hace. INGLÉS to praise.

alacena
nombre femenino
1 Especie de armario hecho en el hueco de una pared, que se cierra con puertas y que tiene estantes para poner alimentos, conservas, botellas y objetos de cocina. INGLÉS cupboard.

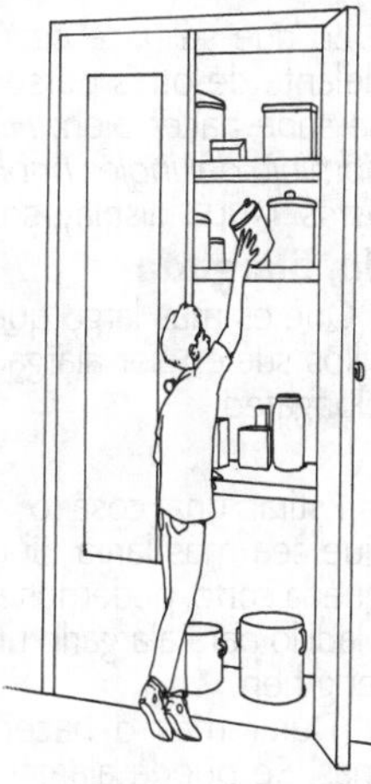
alacena

alacrán
nombre masculino
1 Animal del grupo de los arácnidos que tiene un cuerpo largo y acabado en un aguijón venenoso en forma de gancho. Su picadura es muy peligrosa. SINÓNIMO escorpión. INGLÉS scorpion.
NOTA El plural es: alacranes.

alado, alada
adjetivo
1 Se dice de la persona, el animal o la cosa que tiene alas, o que está representado con alas. INGLÉS winged.

a b c d e f g h i j k l m n ñ o p q r s t u v w x y z

alambrada
nombre femenino
1 Valla hecha con alambre. Las alambradas intentan evitar el paso de personas o animales por un lugar. INGLÉS wire fence.

alambre
nombre masculino
1 Hilo delgado y flexible hecho de metal. El alambre se usa para sujetar cosas o formar alambradas. INGLÉS wire.

alameda
nombre femenino
1 Terreno con muchos álamos. INGLÉS poplar grove.
2 Paseo de una ciudad con álamos o árboles parecidos. INGLÉS promenade, boulevard.

álamo
nombre masculino
1 Árbol de tronco alto y hojas en forma ovalada o de corazón que crece en terrenos húmedos. Su madera es blanca y ligera y se usa para fabricar papel. SINÓNIMO chopo. INGLÉS poplar.

alarde
nombre masculino
1 Lo que se hace cuando se presume delante de otras personas de algo que se sabe hacer bien: *Hizo alarde de su dominio del inglés hablando con los turistas.* INGLÉS display, show.

alargado, alargada
adjetivo
1 Que es más largo que ancho. Los pasillos suelen ser alargados. INGLÉS long, elongated.

alargar
verbo
1 Estirar una cosa o añadir algo para que sea más larga. Si un pantalón nos queda corto, podemos aprovechar el dobladillo para alargarlo un poco. INGLÉS to lengthen.
2 Durar más o hacer que algo dure más. Se puede alargar demasiado una explicación, o bien unas vacaciones unos días más de lo previsto. INGLÉS to lengthen [alargar], to go on [alargarse].
NOTA Se escribe 'gu' delante de 'e', como: alargué.

alarido
nombre masculino
1 Grito muy fuerte y agudo que expresa generalmente dolor, miedo o ira: *Tenías que haber oído sus alaridos cuando se rompió el pie.* SINÓNIMO aullido. INGLÉS yell, shriek.

alarma
nombre femenino
1 Señal o voz con que se avisa de un peligro. En caso de incendio, hay que dar la alarma y actuar con calma. INGLÉS alarm.
2 Mecanismo o aparato que suena o se enciende para avisar de algo, normalmente de un peligro. La alarma del despertador nos despierta por las mañanas; en los edificios públicos hay alarmas de incendio; los bancos tienen sus alarmas antirrobo. INGLÉS alarm.
3 Estado de preocupación muy grande a causa de un posible peligro, que hace que la gente se mantenga muy alerta para evitar una consecuencia desagradable. El aumento de la violencia crea alarma entre la población. INGLÉS alarm.

alarmante
adjetivo
1 Se dice de las cosas que producen alarma porque suponen un riesgo o peligro. Una noticia alarmante hace que la gente esté preocupada. INGLÉS alarming.

alarmar
verbo
1 Hacer que una persona o un grupo tengan una preocupación y miedo muy grandes a causa de un posible peligro: *La madre se alarmó al ver que su hijo tenía sangre.* INGLÉS to alarm [alarmar], to be alarmed [alarmarse].

alavés, alavesa
adjetivo y nombre
1 Se dice de la persona o cosa que es de Álava, una provincia del País Vasco.
NOTA El plural es: alaveses.

alba
nombre femenino
1 Momento del día durante el cual sale el Sol. Los pescadores se levantan al alba para salir a pescar. SINÓNIMO amanecer. INGLÉS dawn.
NOTA Es un nombre femenino, pero se utilizan los determinantes 'el' y 'un' cuando entre el determinante y el nombre no hay otras palabras: el alba.

albacetense
adjetivo y nombre masculino y femenino
1 Se dice de la persona o cosa que es de Albacete, ciudad y provincia de Castilla-La Mancha. SINÓNIMO albaceteño.

albaceteño, albaceteña
adjetivo y nombre
1 Significa lo mismo que: albacetense.

albahaca
nombre femenino
1 Planta olorosa de hojas pequeñas muy verdes y flores blancas. Las hojas de la albahaca se utilizan como condimento de muchos platos. INGLÉS basil.

albanés, albanesa
adjetivo y nombre
1 Se dice de la persona o cosa que es

de Albania, país del sudeste de Europa. SINÓNIMO albano. INGLÉS Albanian.

nombre masculino **2** Lengua hablada en Albania. INGLÉS Albanian.

NOTA El plural de albanés es: albaneses.

albañil

nombre masculino y femenino **1** Persona que trabaja en la construcción de edificios. Los albañiles levantan pisos y paredes, ponen suelos y tejados y realizan otros trabajos similares. INGLÉS bricklayer.

albañilería

nombre femenino **1** Actividad que consiste en construir casas y otras obras en las que se usan materiales como la piedra, el ladrillo o el cemento. INGLÉS bricklaying.

albaricoque

nombre masculino **1** Fruta casi redonda de color amarillento y con un hueso liso en el centro que nace de un árbol del mismo nombre. INGLÉS apricot.

albatros

nombre masculino **1** Ave de color blanco y alas oscuras y muy largas, que tiene el pico muy grande. Vive en océanos de climas templados y fríos. INGLÉS albatross.

NOTA El plural es: albatros.

alberca

nombre femenino **1** Depósito construido con piedra o ladrillo que sirve para almacenar el agua destinada a regar y que suele encontrarse en las huertas. INGLÉS water tank.

albergar

verbo **1** Dar alojamiento a alguien o quedarse alojado en un lugar: *Nos albergarán en su casa hasta que hayan terminado las obras.* SINÓNIMO alojar; hospedar. INGLÉS to put up.

2 Tener una idea, un deseo o sentimiento en la mente o en el corazón: *Su actitud solo demostró que albergaba buenas intenciones.* INGLÉS to have.

NOTA Se escribe 'gu' delante de 'e', como: albergué.

albergue

nombre masculino **1** Lugar o pequeña construcción en la montaña o en el campo que sirve como refugio o para alojar a la gente durante un tiempo, en especial si llueve, nieva o hace mal tiempo. INGLÉS shelter.

2 Residencia de vacaciones para gente joven. INGLÉS hostel.

albino, albina

adjetivo y nombre **1** Que tiene, de nacimiento, falta de pigmentación en la piel, las cejas y el pelo. INGLÉS albino.

albóndiga

nombre femenino **1** Bola pequeña hecha de carne picada, pan rallado, huevo y especias que se reboza en harina, se fríe y luego se guisa con una salsa. INGLÉS meatball.

albornoz

nombre masculino **1** Bata de tela de toalla que se abrocha con un cinturón y que nos ponemos al salir del baño o de la ducha. INGLÉS bathrobe.

NOTA El plural es: albornoces.

alborotar

verbo **1** Causar mucho ruido o bullicio. No se debe alborotar durante la noche para no molestar a los que descansan. INGLÉS to make a racket.

2 Hacer que alguien que está tranquilo empiece a moverse, hacer ruido y molestar. A veces, los hermanos mayores alborotan a los pequeños. INGLÉS to stir up.

alboroto

nombre masculino **1** Ruido y falta de orden producido por voces, risas, gritos o peleas. Cuando un árbitro expulsa a un jugador se suele armar un gran alboroto en el campo. SINÓNIMO bronca; bullicio; jaleo. ANTÓNIMO calma. INGLÉS din, racket.

albufera

nombre femenino **1** Extensión de agua salada cercana a la costa formada por la entrada del mar en la tierra y separada por una franja estrecha de arena. En las albuferas de Valencia se cultiva arroz. INGLÉS lagoon.

álbum

nombre masculino **1** Libro en blanco que sirve para colocar fotografías, sellos, postales u otras cosas. Mucha gente tiene álbumes de cromos. INGLÉS album.

2 Disco o conjunto de discos que se presentan en un mismo estuche. INGLÉS album.

NOTA El plural es: álbumes.

albumen

nombre masculino **1** Sustancia en el interior de algunas semillas y les sirve de alimento hasta que el germen crece y se desarrolla y se puede alimentar por medio de la tierra, el aire y el agua. INGLÉS albumen.

NOTA El plural es: albúmenes.

a b c d e f g h i j k l m n ñ o p q r s t u v w x y z

alcachofa
nombre femenino
1 Hortaliza que tiene numerosas hojas verdes, pequeñas y duras y un tronco de hojas alargadas y espinosas. Las alcachofas se comen cocidas o asadas y su parte más jugosa es el corazón. INGLÉS artichoke.
2 Pieza de base redonda con pequeños agujeros por los que sale el agua en las duchas, fregaderos y regaderas. INGLÉS rose [de regadera], shower head [de ducha].

alcahuete, alcahueta
nombre
1 Persona que hace de intermediaria en las relaciones amorosas o sexuales entre dos personas. El principal personaje de *La Celestina* es una alcahueta. INGLÉS go-between.
2 Persona que se entera de las cosas íntimas de la gente y se las va contando a los demás. SINÓNIMO chismoso. INGLÉS gossiper.

alcaide
nombre masculino
1 Director de una cárcel o prisión. En España hay directores de prisiones, pero no se llaman alcaides. INGLÉS prison governor.

alcalde, alcaldesa
nombre
1 Persona que tiene la máxima autoridad en un ayuntamiento y gobierna un pueblo o ciudad. INGLÉS mayor [hombre], mayoress [mujer].

alcaldía
nombre femenino
1 Cargo de la persona que gobierna en el ayuntamiento de una población. INGLÉS mayoralty.

alcance
nombre masculino
1 Distancia a la que llega una cosa o la influencia de una acción determinada. Las televisiones autonómicas tienen un alcance limitado, no llegan a toda España. INGLÉS range.
2 Importancia que tiene una noticia, un acontecimiento u otra cosa. Las noticias de mucho alcance suelen aparecer en la primera página de los periódicos. INGLÉS importance.
al alcance De modo que se puede alcanzar. Si una cosa está al alcance de la mano de una persona, esta la puede coger o alcanzar sin moverse o levantarse. INGLÉS within reach.
fuera del alcance De modo que no puede ser alcanzado. Las medicinas tienen que guardarse fuera del alcance de los niños. INGLÉS out of reach.

alcantarilla
nombre femenino
1 Conducto que hay bajo las calles de una población y que sirve para recoger el agua de la lluvia y las aguas sucias de las viviendas. Una vez depurada, el agua de las alcantarillas desemboca en los ríos o en el mar. SINÓNIMO cloaca. INGLÉS sewer.
2 Hueco o agujero en el suelo de las calles, al borde de las aceras, que sirve para recoger el agua de la lluvia. INGLÉS drain.

alcantarillado
nombre masculino
1 Conjunto de alcantarillas de un lugar o población. INGLÉS sewerage system.

alcanzar
verbo
1 Llegar hasta donde está una persona que va delante: *Si no corres más, nos alcanzarán.* INGLÉS to catch up.
2 Llegar a tocar o a coger una cosa con las manos: *No alcanzo, está muy alto.* INGLÉS to reach.
3 Coger una cosa para pasársela a alguien que no llega: *¿Me alcanzas la sal, por favor?* INGLÉS to pass.
4 Llegar a un lugar o conseguir algo que se tiene como objetivo: *El escalador alcanzó la cima. Alcanzó su meta profesional.* INGLÉS to reach.
5 Ser bastante o suficiente para algo. Algunos sueldos son tan bajos que justo alcanzan para vivir. INGLÉS to be sufficient.
NOTA Se escribe 'c' delante de 'e', como: alcancemos.

alcayata
nombre femenino
1 Clavo con un extremo acabado en punta y otro doblado en ángulo recto. La alcayata sirve para colgar cosas de ella, como un cuadro o una estantería. INGLÉS hook.

alcázar
nombre masculino
1 Palacio o castillo protegido con muros donde vivían los reyes o personas importantes. El alcázar era una construcción típica de los árabes. INGLÉS fortress.

alce
nombre masculino
1 Mamífero parecido al ciervo, pero de mayor tamaño, que habita en bosques de clima frío. El alce macho tiene unos cuernos grandes y en forma de pala

con los bordes irregulares. **INGLÉS** elk, moose.

alcoba

nombre femenino **1** Habitación de una casa con una o más camas donde se duerme. **SINÓNIMO** dormitorio. **INGLÉS** bedroom.

alcohol

nombre masculino **1** Líquido transparente que arde con facilidad. Usamos alcohol para desinfectar heridas. **INGLÉS** alcohol.

2 Bebida que contiene alcohol. No debe beberse alcohol si se va a conducir. **INGLÉS** alcohol.

alcoholemia

nombre femenino **1** Presencia de alcohol en la sangre de una persona. En muchos países, la policía controla el nivel de alcoholemia de los conductores de vehículos para evitar que sobrepase unos límites. **INGLÉS** blood alcohol level.

alcohólico, alcohólica

adjetivo **1** Se dice de la bebida que contiene alcohol. El vino, la cerveza y la ginebra son bebidas alcohólicas. **INGLÉS** alcoholic.

nombre y adjetivo **2** Se dice de la persona que es adicta a las bebidas alcohólicas. **INGLÉS** alcoholic.

alcoholismo

nombre masculino **1** Enfermedad causada por el consumo excesivo de bebidas alcohólicas. El alcoholismo puede curarse. **INGLÉS** alcoholism.

alcornoque

nombre masculino **1** Árbol de hoja perenne y copa muy ancha, con una corteza gruesa de la que se saca el corcho. **INGLÉS** cork oak.

2 Persona torpe y tonta. Lo utilizamos para referirnos a alguien que no entiende una cosa que resulta muy fácil para los demás. **INGLÉS** blockhead.

aldaba

nombre femenino **1** Pieza de metal que está colocada en la parte exterior de una puerta y que sirve para llamar dando golpes con ella. Las casas antiguas tienen aldabas en la puerta. **INGLÉS** door knocker.

aldea

nombre femenino **1** Población pequeña en la que vive poca gente y que a veces depende de otra población mayor. Las aldeas no suelen tener ayuntamiento. **INGLÉS** small village.

aldeano, aldeana

nombre **1** Persona que es originaria de una aldea o vive en una aldea. **INGLÉS** villager.

aleación

nombre femenino **1** Mezcla de un metal con otro o con una sustancia que se obtiene por la fusión de sus elementos. El latón es una aleación de cobre y cinc. **INGLÉS** alloy.
NOTA El plural es: aleaciones.

aleatorio, aleatoria

adjetivo **1** Que depende del azar o de la suerte. En una selección aleatoria se eligen los elementos sin atender a un orden o criterio determinados. **INGLÉS** random.

alegar

verbo **1** Exponer una persona argumentos o razones para demostrar algo que se dice o para defender algo que se ha hecho. En un juicio la defensa alega una serie de pruebas para demostrar la inocencia del acusado. **INGLÉS** to put forward.
NOTA Se escribe 'gu' delante de 'e', como: alegué.

alegoría

nombre femenino **1** Representación u obra artística en la que las cosas tienen un significado simbólico. Hacemos una alegoría cuando comparamos la vida con un río, porque su nacimiento, recorrido y desembocadura simbolizan momentos de la vida y la muerte. **INGLÉS** allegory.

alegrar

verbo **1** Poner o ponerse alegre o contento por algún motivo determinado. Cuando nos alegramos por alguien es que compartimos su alegría. **INGLÉS** to make happy.

2 Hacer que una cosa tenga un aspecto mejor, más alegre. Unas cortinas de colores vivos alegran mucho una habitación. **INGLÉS** to brighten up.

alegre

adjetivo **1** Se dice de la persona que siente o muestra alegría. También se dice de la persona o la cosa que causa alegría. **ANTÓNIMO** triste. **INGLÉS** happy.

2 Se dice de la cosa o el lugar que causa alegría en las personas porque tienen colores vivos o mucha luz. Una casa con grandes ventanas y con colores agradables puede ser muy alegre. **INGLÉS** cheerful.

3 Se dice de la persona que está más excitada de lo normal por haber bebido algo de alcohol, pero no llega a estar borracha. INGLÉS tipsy.

alegría

nombre femenino **1** Sentimiento agradable de satisfacción y de placer que nos produce algo que consideramos que es bueno o que nos hace ilusión. Cuando sentimos alegría generalmente reímos o sonreímos. ANTÓNIMO tristeza. INGLÉS happiness.

2 Falta de responsabilidad al hacer las cosas. Si gastamos el dinero con alegría, gastamos mucho y sin pensar en ahorrar. INGLÉS thoughtlessness.

alejamiento

nombre masculino **1** Distancia o separación entre personas o cosas. El clima de un lugar depende, entre otras cosas, del alejamiento de los polos y del ecuador. INGLÉS distance.

alejar

verbo **1** Poner o llevar lejos o más lejos: *Por favor, aleja al perro, que me da mucho miedo. El coche se alejó y lo perdí de vista.* SINÓNIMO distanciar. INGLÉS to move away.

2 Quitar una cosa negativa del pensamiento. Para relajarse hay que alejar los malos pensamientos. INGLÉS to put away.

aleluya

nombre **1** Voz de alegría que se utiliza en ciertos cantos de la religión católica, cantados en época de Pascua. Con este significado tiene doble género, se dice: el aleluya o la aleluya. INGLÉS hallelujah.

interjección **2 ¡aleluya!** Exclamación que se utiliza para expresar alegría: *¡Aleluya!, ya hemos llegado.* INGLÉS hallelujah!

alemán, alemana

adjetivo y nombre **1** Se dice de la persona o cosa que es de Alemania, país del centro de Europa. INGLÉS German.

nombre masculino **2** Lengua hablada en Alemania, Austria y parte de Suiza. INGLÉS German.

alergia

nombre femenino **1** Conjunto de cambios o reacciones que algunas sustancias pueden provocar en una persona, sobre todo en la respiración o en la piel. Hay gente que tiene alergia al polen, al polvo o a ciertos medicamentos o alimentos. INGLÉS allergy.

alérgico, alérgica

adjetivo y nombre **1** Se dice de la persona que tiene alergia a algo. También se dice de las cosas que están relacionadas con la alergia. INGLÉS allergic [adjetivo].

alero

nombre masculino **1** Parte de un tejado que sobresale de la pared e impide que el agua de la lluvia resbale por ella. INGLÉS eaves.

2 Jugador de baloncesto que en un partido suele jugar y atacar por el lateral. INGLÉS forward.

alerón

nombre masculino **1** Pieza móvil en el borde posterior de las alas de los aviones que sirve para hacer ascender o descender el avión. INGLÉS aileron.

2 Pieza parecida a una aleta que se pone en los coches para hacerlos más rápidos. INGLÉS spoiler.

NOTA El plural es: alerones.

alerta

adjetivo **1** Con atención y vigilancia. Los soldados de guardia deben estar alerta en sus puestos. INGLÉS alert.

nombre femenino **2** Señal o voz que avisa de un peligro. Cuando oímos una señal de alerta debemos reaccionar rápidamente. SINÓNIMO alarma. INGLÉS alarm, warning.

3 Situación que necesita de una especial atención y vigilancia. Cuando existe la amenaza de un peligro extremo, se habla de alerta roja. SINÓNIMO alarma. INGLÉS alert.

aleta

nombre femenino **1** Parte del cuerpo de los peces y otros animales acuáticos que les sirve para nadar y controlar el movimiento. INGLÉS fin.

2 Calzado de goma para bucear que tiene la parte de delante larga, ancha y plana, y sirve para darse impulso con los pies debajo del agua. INGLÉS flipper.

3 Cada una de las dos partes blandas que rodean los agujeros de la nariz. INGLÉS wing.

aletargar

verbo **1** Hacer que una persona entre en un estado de sueño profundo durante un tiempo. Algunas enfermedades aletargan a quien las padece. INGLÉS to send to sleep.

2 aletargarse Entrar un animal en un estado de sueño profundo y completa

inactividad. Algunos animales, como los reptiles, se aletargan durante el invierno. **INGLÉS** to hibernate.
NOTA Se escribe 'gu' delante de 'e', como: aletargué.

aletear
verbo **1** Mover un animal las alas de forma muy rápida y repetidas veces. **INGLÉS** to flap its wings.

alevín
nombre masculino **1** Cría de algunos peces, y en especial de peces de agua dulce. La pesca de alevines está prohibida en ciertas épocas para favorecer la recuperación de las especies. **INGLÉS** fry.
adjetivo y nombre masculino y femenino **2** Se dice del deportista que juega en la categoría deportiva que está entre los benjamines y los infantiles. **INGLÉS** colt.
NOTA El plural es: alevines.

alevosía
nombre femenino **1** Característica del delito que una persona comete asegurándose de que no puede salirle mal y de que su víctima no se puede defender. Una agresión por la espalda está hecha con alevosía. **INGLÉS** premeditation.

alfabético, alfabética
adjetivo **1** Del alfabeto o que tiene relación con él. En una guía telefónica los apellidos aparecen en orden alfabético. **INGLÉS** alphabetic, alphabetical.

alfabetizar
verbo **1** Enseñar a leer y a escribir. **INGLÉS** to teach to read and write.
NOTA Se escribe 'c' delante de 'e', como: alfabeticen.

alfabeto
nombre masculino **1** Serie de todas las letras de un idioma según un orden establecido. El alfabeto español empieza con la 'a' y termina con la 'z'. **SINÓNIMO** abecedario. **INGLÉS** alphabet.
2 Sistema de signos que representa las letras. Los ciegos pueden leer gracias al alfabeto braille. **INGLÉS** alphabet.

alfalfa
nombre femenino **1** Planta que se cultiva para dar de comer al ganado. **INGLÉS** alfalfa, lucerne.

alfarería
nombre femenino **1** Actividad que consiste en fabricar objetos de barro. **INGLÉS** pottery.

alfarero, alfarera
nombre **1** Persona que se dedica a hacer artesanalmente objetos de barro, como platos, jarrones o botijos. **INGLÉS** potter.

alféizar
nombre masculino **1** Parte inferior y generalmente saliente sobre la que se asienta una ventana. **INGLÉS** windowsill.

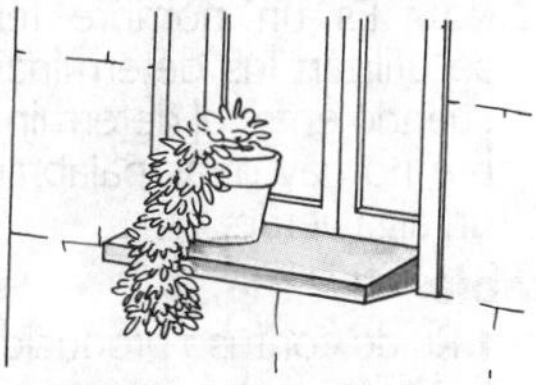

alféizar

alférez
nombre masculino y femenino **1** Persona que tiene un grado militar entre el de subteniente y el de teniente; es el grado más bajo de los oficiales. **INGLÉS** second lieutenant.
NOTA El plural es: alféreces.

alfil
nombre masculino **1** Pieza del ajedrez que se mueve en diagonal y puede recorrer en un solo movimiento todos los cuadros que estén libres en una dirección. Cada jugador tiene dos alfiles. **INGLÉS** bishop.

alfiler
nombre masculino **1** Aguja que en un extremo tiene punta y en el otro una pequeña bola o cabeza. Se usa para unir telas o sujetar algo a una tela. **INGLÉS** pin.
2 Joya alargada con una aguja o pasador en la parte trasera para sujetarla a una prenda de vestir. **INGLÉS** brooch. **DIBUJO** página 648.

alfombra
nombre femenino **1** Tejido grueso que se pone en el suelo. Las alfombras pueden servir para adornar, proteger del frío, limpiarse la suela de los zapatos o proteger el suelo de las pisadas. **INGLÉS** carpet [grande], rug [pequeña], mat [en la puerta].
2 Conjunto de cosas del mismo tipo que cubren el suelo: *En algunas localidades, un día al año cubren las calles con alfombras de flores.* **INGLÉS** carpet.

alforja
nombre femenino **1** Objeto formado por una tira de tela fuerte con una bolsa en cada lado que sirve para guardar y llevar cosas. La al-

a b c d e f g h i j k l m n ñ o p q r s t u v w x y z

forja se lleva colgada al hombro o se coloca sobre el lomo de un caballo o una mula. INGLÉS knapsack.

alga
nombre femenino
1 Planta acuática. Las algas son un alimento habitual en Japón. INGLÉS seaweed.
NOTA Es un nombre femenino, pero se utilizan los determinantes 'el' y 'un' cuando entre el determinante y el nombre no hay otras palabras: el alga roja; un alga verde.

algarabía
nombre femenino
1 Ruido confuso producido por las risas, los gritos o las voces de muchas personas a la vez. SINÓNIMO bulla; bullicio. INGLÉS din, racket.

algarroba
nombre femenino
1 Fruto del algarrobo que tiene forma de vaina; es comestible y de sabor dulce. La algarroba se utiliza como alimento para el ganado. INGLÉS carob bean.

algarrobo
nombre masculino
1 Árbol de gran tamaño, de hojas perennes y fruto en forma de vaina, la algarroba. INGLÉS carob tree.

álgebra
nombre femenino
1 Parte de las matemáticas que estudia la cantidad en general, y la representa por medio de letras, números y otros signos. En álgebra, se utilizan ecuaciones, como $3 + x = 8$. INGLÉS algebra.
NOTA Es un nombre femenino, pero se utilizan los determinantes 'el' y 'un' cuando entre el determinante y el nombre no hay otras palabras: el álgebra.

álgido, álgida
adjetivo
1 Se dice del momento o situación en que se ha llegado al punto de mayor interés o importancia: *Fue una pena que sufriera el accidente en el momento álgido de su carrera profesional.* SINÓNIMO culminante. INGLÉS culminating.

algo
pronombre indefinido
1 Hace referencia a una idea o un objeto de manera imprecisa. Suele indicar normalmente una sola cosa o una cantidad no muy grande: *Le dijo algo al oído. Dame algo más de dinero, que esto es muy poco.* INGLÉS something.

algodón
nombre masculino
1 Fibra vegetal de color blanco y tacto suave que cubre la semilla de una planta del mismo nombre. El algodón se usa para hacer tejidos. Para limpiar y desinfectar una pequeña herida se utiliza un poco de algodón con alcohol. INGLÉS cotton.
NOTA El plural es: algodones.

alguacil
nombre masculino y femenino
1 Persona que realiza ciertas tareas en un ayuntamiento o juzgado. El alguacil está a las órdenes del alcalde, del juez o del tribunal. INGLÉS bailiff.

alguien
pronombre indefinido
1 Lo utilizamos al referirnos a una persona que no conocemos o de la que hablamos sin decir concretamente quién es: *¿Conoces a alguien que hable japonés? Alguien olvidó el paraguas aquí.* INGLÉS somebody, someone.

algún
determinante indefinido
1 Forma apocopada de 'alguno'; se utiliza delante de un nombre masculino en singular: *Algún día repetiremos este viaje.* INGLÉS some, any.

alguno, alguna
determinante indefinido
1 Indica una cantidad de manera poco precisa y sin referirse a ningún número, pero se entiende que es una cantidad menor que 'mucho': *Algunos chicos llegaron tarde. ¿Has estado alguna vez en Granada?* INGLÉS some, any.
pronombre demostrativo
2 Sustituye a un nombre que ya se ha dicho e indica una cantidad pequeña dentro de un grupo: *Algunos nos fuimos a casa, pero la mayoría se quedó jugando.* INGLÉS some.

alhaja
nombre femenino
1 Joya o adorno de oro o plata y piedras preciosas. INGLÉS jewel.
2 Persona, animal o cosa que vale mucho y tiene excelentes cualidades. SINÓNIMO joya. INGLÉS gem.

alhelí
nombre masculino
1 Planta de jardín con flores de olor agradable y de distintos colores según la variedad. INGLÉS wallflower.
NOTA El plural puede ser: alhelíes o alhelís.

aliado, aliada
adjetivo y nombre
1 Se dice de la persona o el país que se une mediante un pacto o un tratado con otro para defender una causa o una idea común. INGLÉS allied [adjetivo], ally [nombre].

alianza

nombre femenino **1** Acuerdo o unión que se hace entre varias personas, partidos políticos o países con un objetivo determinado. SINÓNIMO coalición; liga. INGLÉS alliance.

2 Anillo que los novios se intercambian el día de la boda como símbolo de su unión. INGLÉS wedding ring.

aliar

verbo **1** Hacer una alianza o un acuerdo varias personas o países con un fin determinado. En tiempos de guerra algunos países se alían para luchar juntos. INGLÉS to ally [aliar], to become allies [aliarse].

NOTA Se conjuga como: desviar; la 'i' se acentúa en algunos tiempos y personas, como: alíen.

alias

nombre masculino **1** Nombre, que no es el propio, por el que se conoce a una persona o se la suele nombrar: *Nadie sabía cómo se llamaba el contrabandista, solo su alias: El Tempranillo.* SINÓNIMO apodo. INGLÉS alias.

adverbio **2** Se pone detrás del nombre de una persona para indicar otro nombre por el que también se le conoce o se le suele nombrar: *José Martínez Ruiz, alias Azorín, escribió ensayos y novelas.* INGLÉS alias.

NOTA El plural es: alias.

alicantino, alicantina

adjetivo y nombre **1** Se dice de la persona o cosa que es de Alicante, ciudad y provincia de la Comunidad Valenciana.

alicatar

verbo **1** Cubrir una pared con baldosines o azulejos. En una casa, suelen alicatarse el baño y la cocina. INGLÉS to tile.

alicate

nombre masculino **1** Herramienta que sirve para apretar o sujetar cosas, doblar o cortar alambres y para otros usos; está formada por dos piezas unidas a modo de tijera y que terminan en dos pinzas con las puntas planas o redondeadas. INGLÉS pliers.

NOTA También se usa el plural para indicar solo una unidad.

aliciente

nombre masculino **1** Cosa que da a una persona ilusión o impulso para hacer una acción determinada. Un premio es un aliciente para hacer algo bien. INGLÉS incentive.

alienígena

adjetivo y nombre masculino y femenino **1** Se dice del ser vivo que es de otro planeta. En las novelas y películas de ciencia ficción suelen aparecer alienígenas. INGLÉS alien.

aliento

nombre masculino **1** Aire que sale o se echa por la boca al respirar. Fumar hace que el aliento huela a tabaco. INGLÉS breath.

2 Ánimo que alguien tiene o que se infunde a alguien para hacer o continuar haciendo una cosa. Los aficionados de un equipo dan aliento a sus jugadores. INGLÉS encouragement.

aligerar

verbo **1** Hacer que una cosa sea más ligera o menos pesada quitándole parte del peso que tiene o que soporta. INGLÉS to lighten.

2 Hacer algo más rápido de lo que se estaba haciendo. Si se aligera el paso, se anda más deprisa. INGLÉS to quicken.

alijo

nombre masculino **1** Conjunto de mercancías o géneros que han sido fabricados, vendidos o introducidos en un país de forma ilegal. INGLÉS consignment.

alimaña

nombre femenino **1** Animal que resulta peligroso o perjudicial para la caza o la ganadería, como el zorro, el lobo o la comadreja. INGLÉS pest, vermin.

alimentación

nombre femenino **1** Conjunto de sustancias que se toman para alimentarse. Para estar sanos es importante cuidar la alimentación. INGLÉS food.

NOTA El plural es: alimentaciones.

alimentar

verbo **1** Dar o tomar los alimentos necesarios para vivir. Los animales herbívoros se alimentan de plantas. INGLÉS to feed.

2 Dar la energía o la fuerza necesaria que una cosa necesita para funcionar. La madera alimenta el fuego. INGLÉS to fuel.

alimentario, alimentaria

adjetivo **1** De los alimentos o la alimentación, o relacionado con ellos. La industria alimentaria se encarga de preparar, envasar y conservar los alimentos para que puedan ser consumidos. INGLÉS food.

a b c d e f g h i j k l m n ñ o p q r s t u v w x y z

alimenticio, alimenticia
adjetivo **1** Se dice de lo que le da al organismo las sustancias necesarias para su funcionamiento. Las verduras, la carne o el pescado son productos alimenticios muy sanos. INGLÉS food.

alimento
nombre masculino **1** Cualquiera de las sustancias que un ser vivo toma para alimentarse. INGLÉS food.

alineación
nombre femenino **1** Modo en que se colocan los jugadores de un equipo deportivo según la función de cada uno. El entrenador decide la alineación del equipo. INGLÉS line-up.
NOTA El plural es: alineaciones.

aliñar
verbo **1** Echarle a una comida fría especias o salsas para darle más sabor. Normalmente aliñamos la ensalada con aceite, vinagre y sal. SINÓNIMO aderezar. INGLÉS to dress.

aliño
nombre masculino **1** Conjunto de especias o salsas que se le echan a una comida fría para darle sabor. INGLÉS seasoning, dressing.

alioli
nombre masculino **1** Salsa de sabor fuerte que se hace con ajo y aceite o con mahonesa y ajo. INGLÉS garlic mayonnaise.

alisar
verbo **1** Poner lisa una cosa. Las planchas alisan la ropa: *Tenía el pelo rizado y se lo alisó.* INGLÉS to smooth.

alistarse
verbo **1** Inscribirse una persona voluntariamente en el ejército. INGLÉS to enlist.

aliviar
verbo **1** Hacer que el dolor físico o la pena que siente una persona sea menos fuerte o menos intenso o que sea más fácil de soportar. Algunas pomadas alivian el dolor muscular. SINÓNIMO calmar. INGLÉS to relieve.
NOTA Se conjuga como: cambiar; la 'i' no lleva nunca acento de intensidad.

alivio
nombre masculino **1** Disminución del dolor físico o la pena que siente una persona. Produce un gran alivio solucionar un problema que nos preocupa mucho. INGLÉS relief.

allá
adverbio **1** Indica un lugar determinado que está alejado de la persona que habla: *Vamos para allá.* SINÓNIMO allí. INGLÉS there, over there.
2 Indica tiempo lejano e indeterminado en el pasado: *Nos compramos el ordenador allá por el mes de enero.* INGLÉS back.
3 Se utiliza delante de un pronombre personal para indicar que no importa lo que va a hacer esa persona, pero que se cree que la decisión es incorrecta: *Allá tú, haz lo que quieras, pero te equivocas.* INGLÉS that's your problem [allá tú], that's his problem [allá él]...

allanar
verbo **1** Poner llana una cosa o una superficie que no está lisa: *Antes de montar la tienda de campaña se allana el terreno.* SINÓNIMO alisar; aplanar. INGLÉS to level, to flatten.
2 Hacer más fácil una situación difícil o dejar una cosa libre de problemas: *Mi hermano mayor me allanó el camino y ahora mis padres me dan más libertad que a él.* INGLÉS to clear.
3 Entrar a la fuerza en una casa sin permiso del dueño. Los ladrones allanan las casas para robar. INGLÉS to break into.

allí
adverbio **1** Indica un lugar determinado que está alejado de la persona que habla: *Nos vemos allí a las dos, ¿de acuerdo?* SINÓNIMO allá. INGLÉS there.

alma
nombre femenino **1** Parte no material del ser humano donde está la capacidad de sentir, querer y comprender. Cuando se dice que una persona no tiene alma queremos decir que no tiene sentimientos. SINÓNIMO espíritu. INGLÉS soul.
2 Persona que da fuerza, vida y animación a una reunión. Las personas simpáticas y bromistas suelen ser el alma de una fiesta. INGLÉS life and soul.
3 Persona, ser humano: *No había ni un alma por la calle.* Se usa sobre todo en frases negativas. INGLÉS soul.
caerse el alma a los pies Sufrir una persona una decepción muy grande, o sentirse muy triste porque una cosa no ha salido como se esperaba: *Cuando vi lo egoísta que era, se me cayó el alma*

a los pies. INGLÉS my heart sank, his heart sank...

como alma que lleva el diablo Muy deprisa o de forma muy violenta: *Al enterarse, salió corriendo como alma que lleva el diablo.* INGLÉS like a bat out of hell.

no poder con el alma Estar una persona muy cansada después de haber trabajado mucho o haber realizado un gran esfuerzo. INGLÉS to be utterly exhausted.

NOTA Es un nombre femenino, pero se utilizan los determinantes 'el' y 'un' cuando entre el determinante y el nombre no hay otras palabras: el alma.

almacén

nombre masculino

1 Lugar donde se guardan mercancías. Cuando una tienda necesita género, lo pide al almacén. INGLÉS warehouse.

grandes almacenes Establecimiento comercial de grandes dimensiones y dividido en secciones o plantas donde se vende todo tipo de productos. INGLÉS department store.

NOTA El plural es: almacenes.

almacenar

verbo

1 Guardar mercancías en un almacén. Las fábricas almacenan sus productos hasta que los venden. INGLÉS to store.

2 Acumular algo en gran cantidad para cuando haga falta. Muchos animales almacenan comida para el invierno. INGLÉS to store up.

almanaque

nombre masculino

1 Calendario en el que además de los días y los meses se recogen otras informaciones, como el santoral o datos de astronomía. INGLÉS almanac.

almeja

nombre femenino

1 Molusco marino que vive en aguas poco profundas. Su concha es ovalada y consta de dos partes lisas, sin surcos. Es comestible y se consume fresco o en conserva. INGLÉS clam.

almena

nombre femenino

1 Cada uno de los bloques de piedra que se levantan sobre la parte alta de un muro, generalmente en los castillos. Las almenas están separadas unas de otras y servían de protección. INGLÉS battlement.

almendra

nombre femenino

1 Fruto del almendro que, cuando está maduro, pasa a ser un fruto seco de cáscara dura y marrón y semilla blanca en su interior. Se puede comer cruda o tostada. El turrón se hace con almendras. INGLÉS almond.

almendro

nombre masculino

1 Árbol de hojas alargadas, flores blancas o rosas y fruto comestible. Cuando los almendros están en flor es que llega la primavera. INGLÉS almond tree.

almeriense

adjetivo y nombre masculino y femenino

1 Se dice de la persona o cosa que es de Almería, ciudad y provincia de Andalucía.

almíbar

nombre masculino

1 Líquido que se hace mezclando azúcar con agua y calentándolo a fuego lento hasta que espesa. Se puede comer melocotón, piña o pera en almíbar. INGLÉS syrup.

almidón

nombre masculino

1 Sustancia blanca que se encuentra en algunos vegetales, como la patata o el arroz. Entre otras cosas, se utiliza para poner rígidas o tiesas las telas. INGLÉS starch.

NOTA El plural es: almidones.

almirante

nombre masculino y femenino

1 Militar que tiene el grado superior de la marina, por encima del vicealmirante. INGLÉS admiral.

almirez

nombre masculino

1 Utensilio de cocina que se utiliza para moler o machacar en su interior semillas o condimentos. Está formado por un recipiente en forma de taza y un mazo con el que se machaca. INGLÉS mortar.

NOTA El plural es: almireces.

almohada

nombre femenino

1 Saco de tela fina relleno de un ma-

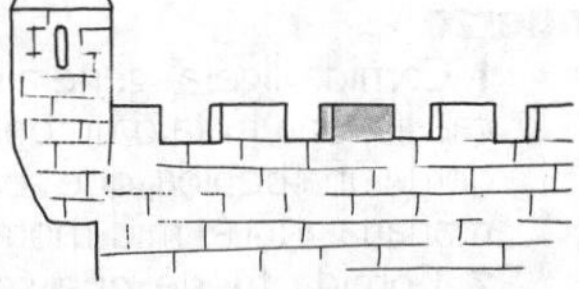

almena

terial blando que sirve para apoyar la cabeza cuando estamos tumbados en la cama. También es la funda de tela con que se cubre la almohada al hacer la cama. INGLÉS pillow.

consultar algo con la almohada No tomar una decisión hasta que no haya pasado un tiempo en el que se piensa la solución. INGLÉS to sleep on something.

almohade

adjetivo y nombre masculino y femenino

1 Se dice de la persona o cosa que pertenecía a una antigua dinastía musulmana que reinó en el norte de África y en España durante la segunda mitad del siglo XII y la primera del XIII: *Tras la derrota de los almohades, la expansión de los reinos cristianos fue mucho más rápida.* INGLÉS Almohad, Almohade.

almohadilla

nombre femenino

1 Cojín pequeño y plano que se pone sobre un asiento duro para estar más cómodo al sentarse. INGLÉS small cushion.

almohadón

nombre masculino

1 Especie de almohada que sirve para apoyar una parte del cuerpo cuando estamos sentados o tumbados. Los almohadones suelen ser cuadrados. INGLÉS cushion.

NOTA El plural es: almohadones.

almorzar

verbo

1 Tomar a media mañana un alimento ligero, como un bocadillo o un bollo, acompañado normalmente de una bebida. INGLÉS to have a mid-morning snack.

2 Tomar a mediodía o a primeras horas de la tarde una comida fuerte, normalmente dos platos y postre. Los españoles solemos almorzar entre la una y las tres de la tarde. SINÓNIMO comer. INGLÉS to have lunch.

NOTA Se conjuga como: forzar; la 'o' se convierte en 'ue' en sílaba acentuada (como en: almuerzo) y se escribe 'c' delante de 'e' (como en: almorcé).

almuerzo

nombre masculino

1 Comida ligera, generalmente un bocadillo, una fruta o un bollo acompañado de una bebida, que se toma a media mañana. INGLÉS mid-morning snack.

2 Comida fuerte que se toma a mediodía o a primeras horas de la tarde, y que suele consistir en dos platos y un postre. SINÓNIMO comida. INGLÉS lunch.

alocado, alocada

adjetivo

1 Se dice de la persona que se comporta como un loco o hace las cosas poniendo poca atención. Algunas personas conducen de forma alocada y es muy peligroso. INGLÉS crazy.

2 Se dice de una cosa que resulta muy movida y agitada. INGLÉS wild.

alojamiento

nombre masculino

1 Lugar donde se instala una persona durante un tiempo. En verano resulta difícil encontrar alojamiento en algunas zonas turísticas. INGLÉS accommodation.

alojar

verbo

1 Dar a una persona alojamiento: *En vacaciones, nos alojamos en casa de los abuelos.* SINÓNIMO hospedar. INGLÉS to put up [alojar], to stay [alojarse].

2 alojarse Meterse una cosa dentro de otra, en especial un objeto extraño dentro del cuerpo: *El médico extrajo la bala que se había alojado en la pierna del herido.* INGLÉS to lodge.

alondra

nombre femenino

1 Pájaro de canto muy agradable. Tiene la cola en forma de horquilla, las plumas de color pardo y el vientre blanco. Es frecuente en la Península, sobre todo en invierno. INGLÉS skylark.

alopecia

nombre femenino

1 Caída o pérdida del pelo de la cabeza por una enfermedad de la piel. INGLÉS alopecia.

alpaca

nombre femenino

1 Metal que se hace mezclando cobre, níquel y cinc. La alpaca se parece a la plata y se utiliza para fabricar cubiertos. INGLÉS alpaca.

alpargata

nombre femenino

1 Calzado de tela con suela de esparto o de goma que se ajusta al pie por presión o con cintas. En verano, la gente lleva alpargatas. INGLÉS rope-soled sandal, espadrille.

alpinismo

nombre masculino

1 Deporte que consiste en subir o escalar montañas muy altas. INGLÉS mountaineering.

alpinista

nombre masculino y femenino

1 Persona que escala montañas como deporte. Los alpinistas necesitan una buena preparación física. INGLÉS mountaineer.

alpiste

nombre masculino

1 Semilla muy pequeña y de forma alargada que se usa como alimento para pájaros. También se llama alpiste a la planta que da esta semilla. INGLÉS birdseed [comida], canary grass [planta].

alquilar

verbo

1 Dar o tomar una cosa durante un tiempo determinado a cambio de una cantidad de dinero. Se alquilan cosas que se necesita usar y no se quiere comprar, como una casa, una bicicleta o un disfraz. SINÓNIMO arrendar. INGLÉS to rent [una casa, un piso], to hire [una bicicleta, un coche].

alquiler

nombre masculino

1 Cantidad de dinero que se paga por el uso durante cierto tiempo de una cosa que pertenece a otra persona. SINÓNIMO renta. INGLÉS rent.

de alquiler Que se puede alquilar. Hay coches, patines, películas de vídeo o pisos de alquiler. INGLÉS for rent.

alquimia

nombre femenino

1 Disciplina que, mediante experimentos, investigaba las propiedades de la materia y las combinaciones de elementos químicos. La alquimia se desarrolló sobre todo desde la Antigüedad hasta el Renacimiento. INGLÉS alchemy.

alquitrán

nombre masculino

1 Sustancia espesa y pegajosa de color oscuro que se extrae del petróleo, de la madera y del carbón vegetal. El alquitrán se utiliza para asfaltar las carreteras. INGLÉS tar.

NOTA El plural es: alquitranes.

alrededor

adverbio

1 Indica que un movimiento se hace rodeando un lugar, una cosa o una persona. También indica que una cosa o un grupo de personas se encuentran rodeando un lugar, cosa o persona: *Miró alrededor. Alrededor del pueblo hay un bosque. Viajó alrededor del mundo.* INGLÉS round, around.

2 Se usa con números para indicar que puede ser un poco más o un poco menos de la cantidad que se dice: *Volveré alrededor de las nueve. Costó alrededor de 18 euros.* SINÓNIMO cerca de; sobre. INGLÉS around, about.

nombre masculino plural

3 alrededores Zona que rodea un lugar, como puede ser un barrio, una ciudad o un pueblo. Mucha gente prefiere vivir en los alrededores antes que en el centro de la ciudad. INGLÉS surrounding area.

alta

nombre femenino

1 Ingreso en un cuerpo, asociación, institución o carrera. Si queremos utilizar las instalaciones de un polideportivo, necesitamos darnos de alta como socios. ANTÓNIMO baja. INGLÉS membership.

2 Documento en el que se comunica que el enfermo recuperado puede abandonar un hospital o volver a su trabajo. ANTÓNIMO baja. INGLÉS discharge note.

NOTA Es un nombre femenino, pero se utilizan los determinantes 'el' y 'un' cuando entre el determinante y el nombre no hay otras palabras: el alta.

altanero, altanera

adjetivo

1 Que se comporta con mucho orgullo y cree que es más importante que los demás. SINÓNIMO altivo; soberbio. ANTÓNIMO humilde. INGLÉS arrogant, haughty.

altar

nombre masculino

1 Mesa de piedra o madera sobre la que se celebran ceremonias religiosas. INGLÉS altar.

altavoz

nombre femenino

1 Aparato por el que sale al exterior el sonido que produce algún aparato, como un equipo de música, una radio o un amplificador: *El altavoz suele tener una membrana que transforma la señal eléctrica en ondas sonoras.* INGLÉS loudspeaker.

NOTA El plural es: altavoces.

alteración

nombre femenino

1 Cambio o modificación que se da en una persona o cosa. Solemos referirnos a las alteraciones como algo malo o negativo: *No va a haber ninguna alteración en el plan de viaje.* INGLÉS change, alteration.

NOTA El plural es: alteraciones.

alterar

verbo

1 Cambiar las características, la forma o el orden de algo. En la multiplicación, el

a b c d e f g h i j k l m n ñ o p q r s t u v w x y z

orden de factores no altera el producto. INGLÉS to change, to alter.

2 Cambiar una persona su estado normal por otro de enfado, de nerviosismo, de preocupación o de emoción: *Hay gente que no se altera por nada.* INGLÉS to make angry [alterar], to lose one's temper [alterarse].

3 Estropear un alimento al cambiar sus características. La leche o la mahonesa se alteran por efecto del aire y el calor, por eso tienen que conservarse en la nevera. INGLÉS to make go off [alterar], to go off [alterarse].

altercado

nombre masculino **1** Riña o discusión violenta entre personas, llegando incluso a los golpes. INGLÉS quarrel.

alternador

nombre masculino **1** Aparato que sirve para convertir la energía mecánica del agua o del aire en energía eléctrica. Un alternador tiene unos imanes muy potentes que al girar producen corriente eléctrica: *La corriente eléctrica se puede generar mediante pilas, baterías, alternadores y dinamos.* INGLÉS alternator.

alternar

verbo **1** Estar seguidas cosas de dos o más tipos distintos, primero de un tipo y luego de otro y así sucesivamente. En otoño alternan días de sol y lluvia. En la emisora alternan distintos tipos de música. INGLÉS to alternate.

2 Tener trato con la gente: *Es agradable alternar con los vecinos.* INGLÉS to socialize.

alternativa

nombre femenino **1** Posibilidad de elegir una cosa entre otras: *La ciudad ofrece muchas alternativas para el ocio y el deporte.* INGLÉS alternative, option.

2 Opción o solución que se puede elegir entre varias: *Si no apruebo en junio, tengo la alternativa de presentarme en septiembre.* INGLÉS option.

alternativo, alternativa

adjetivo **1** Que ocurre o se hace de forma que se va repitiendo después de otra cosa que también se repite. En una conversación telefónica las personas hablan de forma alternativa, primero una y luego otra, hasta que se acaba la conversación. INGLÉS alternate.

2 Que se se presenta como una opción distinta y nueva, y se aparta de lo convencional, habitual o común: *Asistieron al festival de cine alternativo.* INGLÉS alternative.

alterno, alterna

adjetivo **1** Que se hace o se produce alternándose cosas que se repiten: *El péndulo tiene movimientos alternos de izquierda a derecha.* INGLÉS alternating.

2 Que se hace o se produce cada dos períodos de tiempo con la misma duración: *Cobrarán la factura en meses alternos. Voy al gimnasio días alternos: lunes, miércoles y viernes.* INGLÉS alternate.

alteza

nombre femenino **1** Palabra que se usa para dirigirse o nombrar a los príncipes o infantes en señal de respeto y cortesía. A los reyes se les llama majestades, y a los príncipes, altezas. INGLÉS highness.

altibajos

nombre masculino plural **1** Sucesión de acontecimientos o estados que van cambiando de forma alternativa, generalmente unos positivos y otros negativos: *La película tiene altibajos, a ratos es entretenida y a veces aburre.* INGLÉS ups and downs.

2 Desigualdades en la altura de un terreno. Un camino con muchos altibajos tiene constantes subidas y bajadas. INGLÉS ups and downs.

altiplano

nombre masculino **1** Terreno llano y de gran extensión que está situado a gran altitud. INGLÉS high plateau.

altitud

nombre **1** Altura de un punto de la tierra con relación al nivel del mar: *El Everest, la montaña más alta de la Tierra, tiene una altitud de 8 848 metros.* INGLÉS height, altitude.

altivo, altiva

adjetivo **1** Que se comporta con mucho orgullo y cree que es más importante que los demás. SINÓNIMO altanero; soberbio. ANTÓNIMO humilde. INGLÉS haughty, arrogant.

alto, alta

adjetivo **1** Que tiene más distancia de arriba abajo de lo normal. Para ser un jugador de baloncesto hay que ser muy alto.

Los rascacielos son edificios muy altos. **ANTÓNIMO** bajo. **INGLÉS** tall.

2 Que está situado a mucha distancia del suelo. Los nidos de las águilas están situados en la parte alta de las montañas. **SINÓNIMO** elevado. **ANTÓNIMO** bajo. **INGLÉS** high.

3 Que está situado en un lugar superior en relación con otras cosas: *Es un alto cargo en la empresa. Ese disco está en lo alto de la lista de éxitos.* **INGLÉS** high.

4 Que tiene más categoría, valor, fuerza o calidad de lo normal. En julio se registran temperaturas muy altas. Muchas personas no soportan la música alta. Los productos hechos a mano tienen un precio más alto que los hechos en serie. **ANTÓNIMO** bajo. **INGLÉS** high [temperaturas, precios], loud [música].

nombre masculino **5** Medida de una persona o cosa desde el suelo hasta su parte más elevada. La torre Eiffel tiene trescientos veintiún metros de alto. **SINÓNIMO** altura. **INGLÉS** height.

6 Parada o interrupción de algo que se está haciendo. Cuando llevamos mucho tiempo trabajando hacemos un alto para descansar. **INGLÉS** stop, halt.

7 Lugar que está arriba o se levanta sobre el nivel del suelo. Los ciclistas llegan cansados a los altos de montaña. **ANTÓNIMO** bajo. **INGLÉS** height.

adverbio **8 alto** En un lugar o parte superior. Los aviones vuelan muy alto. **INGLÉS** high.

9 alto Con voz muy fuerte. En los hospitales está prohibido hablar alto para no molestar a los enfermos. **INGLÉS** loudly.

altozano

nombre masculino **1** Monte de poca altura rodeado de terreno llano. **INGLÉS** hillock.

altruista

adjetivo y nombre masculino y femenino **1** Que ayuda y hace cosas por los demás sin esperar nada a cambio. La Cruz Roja es una organización altruista que ayuda a los necesitados. **ANTÓNIMO** egoísta. **INGLÉS** altruistic [adjetivo], altruist [nombre].

altura

nombre femenino **1** Medida de una persona o cosa desde el suelo hasta su parte más elevada. Algunas jirafas pueden llegar a medir hasta diez metros de altura. **INGLÉS** height.

2 Distancia vertical que hay desde la superficie de la tierra a un punto. Un avión suele volar por encima de los dos mil metros de altura. **INGLÉS** altitude.

3 En una figura geométrica, distancia desde un punto determinado hasta su base. El área de un cuadrado es la base por la altura. **INGLÉS** height.

4 Distancia de un punto de la tierra en relación al nivel del mar. La meseta castellana está situada a una altura máxima de 800 metros. **SINÓNIMO** altitud. **INGLÉS** altitude.

5 Grado o nivel en que está o al que llega una persona o cosa: *Su actuación dramática estuvo a la altura de la de sus compañeros.* **INGLÉS** level.

alubia

nombre femenino **1** Planta que da una legumbre en forma de vaina verde, larga y aplastada o redonda y fina con unas semillas en su interior que tienen forma de riñón o son redondeadas. También se llaman alubias las vainas y las semillas. **SINÓNIMO** judía. **INGLÉS** bean.

alucinación

nombre femenino **1** Imagen o sensación que una persona cree que es real, pero que no existe en la realidad. **INGLÉS** hallucination.

NOTA El plural es: alucinaciones.

alucinante

adjetivo **1** Que impresiona o entusiasma por ser muy bueno o estar muy bien hecho. **SINÓNIMO** impresionante. **INGLÉS** mind-blowing.

alucinar

verbo **1** Tener visiones o creer que se sienten o se ven cosas que no existen en la realidad. La fiebre o las drogas pueden hacer alucinar a una persona. **SINÓNIMO** delirar. **INGLÉS** to hallucinate.

2 Impresionar o gustar mucho alguna cosa. Hay personas que alucinan con los coches deportivos. Es un uso informal. **INGLÉS** to be gobsmacked.

alucine

nombre masculino **1** Todo aquello que causa asombro o gusta mucho: *¡Estos patines son un alucine!* **INGLÉS** amazing thing.

NOTA Es una palabra informal.

alud

nombre masculino **1** Gran masa de nieve que cae de una montaña con mucha fuerza y con ruido. **SINÓNIMO** avalancha. **INGLÉS** avalanche.

a b c d e f g h i j k l m n ñ o p q r s t u v w x y z

2 Cantidad grande de personas o cosas que llegan a la vez y de forma rápida: *Había un alud de admiradores frente a su hotel. Se ha recibido un alud de cartas.* SINÓNIMO avalancha. INGLÉS avalanche.

aludir
verbo
1 Hablar de una persona o cosa sin nombrarla. A veces, cuando se alude a lo que hace una persona, aunque no demos su nombre se puede saber de quién se trata. INGLÉS to allude.
2 Hablar de alguien o de algo de pasada. En una conversación se alude a un tema o un hecho cuando se menciona sin profundizar en él. SINÓNIMO mencionar. INGLÉS to allude.

alumbrado
nombre masculino
1 Conjunto de luces que iluminan un lugar. El alumbrado eléctrico sustituyó al antiguo de gas. INGLÉS lighting.

alumbrar
verbo
1 Dar luz o poner luces en un lugar. Las farolas sirven para alumbrar las calles. SINÓNIMO iluminar. INGLÉS to light.
2 Parir o dar a luz una mujer. Si una mujer alumbra dos hijos en un mismo parto, tiene gemelos. INGLÉS to give birth.

aluminio
nombre masculino
1 Metal de color claro, ligero y fácil de trabajar. El aluminio es inoxidable y se usa para fabricar recipientes de cocina. INGLÉS aluminium.

alumnado
nombre masculino
1 Conjunto de los alumnos de un centro de enseñanza. INGLÉS pupils, student body.

alumno, alumna
nombre
1 Persona que asiste a un curso para aprender. INGLÉS pupil, student.

alunizaje
nombre masculino
1 Descenso de una nave espacial hasta la superficie de la Luna. INGLÉS moon landing.

alunizar
verbo
1 Descender y posarse una nave sobre la superficie de la Luna. INGLÉS to land on the moon.
NOTA Se escribe 'c' delante de 'e', como: alunice.

alusión
nombre femenino
1 Referencia o comentario breve que se hace sobre algo o alguien, a veces sin nombrarlo directamente. Algunos periodistas, en sus artículos, hacen alusión a acontecimientos pasados. INGLÉS allusion, reference.
NOTA El plural es: alusiones.

aluvión
nombre masculino
1 Gran cantidad de cosas que llegan o aparecen a la vez y de forma rápida, como un aluvión de cartas, de preguntas o de llamadas telefónicas. INGLÉS flood.
2 Gran cantidad de agua que aparece de forma violenta como consecuencia de lluvias muy fuertes. INGLÉS flood.
NOTA El plural es: aluviones.

alveolo
nombre masculino
1 Es otra forma de escribir y pronunciar: alvéolo.

alvéolo
nombre masculino
1 Cada una de las cavidades de la boca de un ser humano o un animal en que están las raíces de los dientes. INGLÉS alveolus.
2 Zona hueca y redondeada situada al final de los bronquios, en la que se realiza el intercambio de oxígeno con la sangre. INGLÉS alveolus.
NOTA También se escribe y se pronuncia: alveolo.

alza
nombre femenino
1 Aumento o subida del precio, valor o intensidad de alguna cosa. Cuando se produce un alza de la temperatura hace más calor. SINÓNIMO subida. ANTÓNIMO bajada; descenso. INGLÉS rise, increase.
NOTA Es un nombre femenino, pero se utilizan los determinantes 'el' y 'un' cuando entre el determinante y el nombre no hay otras palabras: el alza; un alza.

alzamiento
nombre masculino
1 Rebelión del ejército contra el gobierno para cambiarlo. INGLÉS uprising, insurrection.

alzar
verbo
1 Poner una cosa o a una persona en un lugar alto o más alto que aquel en que está: *Alzó al niño sobre sus hombros.* SINÓNIMO levantar. INGLÉS to raise.
2 Levantar el volumen de la voz al hablar: *A mí no me alces la voz.* INGLÉS to raise.
3 alzarse Rebelarse contra una deter-

minada situación social o política. En las revoluciones, el pueblo se alza contra el poder político. INGLÉS to rise up.

alzarse con Conseguir algo por lo que se lucha o compite. El ganador de una competición se alza con la copa. INGLÉS to carry off, to win.

NOTA Se escribe 'c' delante de 'e', como: alcemos.

amabilidad
nombre femenino
1 Forma de comportarse que tienen las personas agradables y que tratan con respeto y buena educación a los demás. Es más fácil conseguir las cosas si se piden con amabilidad. INGLÉS kindness.

amable
adjetivo
1 Se dice de la persona que es agradable y se comporta con cortesía y buena educación con los demás. INGLÉS kind, nice.

amado, amada
nombre
1 Persona a la que se ama o se quiere. Se usa sobre todo en literatura. INGLÉS loved one.

amaestrar
verbo
1 Enseñar a un animal a que obedezca y realice determinadas actividades. SINÓNIMO adiestrar. INGLÉS to train.

amagar
verbo
1 Hacer un gesto que indica el inicio de un movimiento o una acción y no llegar a realizarlo completamente: *Amagó a la izquierda, pero giró a la derecha.* INGLÉS to make as if to.

NOTA Se escribe 'gu' delante de 'e', como: amaguen.

amainar
verbo
1 Perder fuerza o intensidad un fenómeno atmosférico, como pasa con el viento o la lluvia cuando empiezan a desaparecer. INGLÉS to abate.

amamantar
verbo
1 Dar de mamar la madre a sus crías o a sus bebés. INGLÉS to breast-feed [mujer], to suckle [animal hembra].

amanecer
verbo
1 Empezar a aparecer la luz del día. En verano amanece antes que en invierno. INGLÉS to dawn.

2 Estar en un lugar, en una situación o en un estado determinados al empezar el día. Si nieva de noche, los tejados amanecen blancos: *Cuando duerme mal amanece de mal humor.* INGLÉS to be at dawn.

nombre masculino
3 Momento del día en el que empieza a salir el sol. SINÓNIMO alba. INGLÉS dawn.

amanerado
adjetivo
1 Se dice del hombre que tiene movimientos y comportamientos de mujer. SINÓNIMO afeminado. INGLÉS affected.

amansar
verbo
1 Hacer que un animal salvaje se vuelva manso y obedezca las órdenes de las personas. Para montar un caballo salvaje primero hay que amansarlo. SINÓNIMO domesticar. INGLÉS to tame.

amante
adjetivo y nombre masculino y femenino
1 Que tiene gran afición por algo. Los ecologistas son amantes de la naturaleza. Hay amantes de los deportes, la música o el cine. INGLÉS lover [nombre].

nombre masculino y femenino
2 Persona que mantiene relaciones amorosas con otra con la que no está casada. INGLÉS lover.

amapola
nombre femenino
1 Flor de color rojo y con el centro negro. Suele crecer en primavera en las tierras cultivadas, en especial en los trigales. INGLÉS poppy.

amar
verbo
1 Sentir amor por una persona, animal o cosa. Se puede amar a una persona y también la vida, la aventura, el dinero, el arte y otras muchas cosas más. SINÓNIMO querer. ANTÓNIMO odiar. INGLÉS to love.

amargar
verbo
1 Hacer que una persona se ponga muy triste y de mal humor. Una enfermedad muy larga puede amargar a una persona. INGLÉS to make bitter.

2 Tener una sustancia un sabor amar-

amamantar

go. La almendra verde amarga. INGLÉS to taste bitter.

NOTA Se escribe 'gu' delante de 'e', como: amarguen.

amargo, amarga

adjetivo **1** Que tiene sabor fuerte y desagradable, como el café sin azúcar o las almendras verdes. ANTÓNIMO dulce. INGLÉS bitter.

2 Que produce mucha pena o disgusto. La muerte de un ser querido es una experiencia amarga. INGLÉS bitter.

amargura

nombre femenino **1** Sentimiento duradero de pena o tristeza muy grande ante algo malo o desagradable que no se puede solucionar: *Aquella injusticia le produjo una gran amargura.* INGLÉS bitterness.

amarillento, amarillenta

adjetivo **1** De color parecido al amarillo o con un tono amarillo. El papel blanco se vuelve amarillento con el paso del tiempo. INGLÉS yellowish.

amarillo, amarilla

nombre masculino y adjetivo **1** Color como el del limón, el sol o la yema del huevo cocido. Es el tercer color del arco iris. INGLÉS yellow.

adjetivo **2** Que está pálido y sin color en la cara. Hay gente que se marea en coche y se pone amarilla. INGLÉS sallow, pale.

amarra

nombre femenino **1** Cuerda o cadena de una embarcación que sirve para atarla a un muelle o que lleva en uno de sus extremos un ancla. INGLÉS mooring rope [cuerda], mooring chain [cadena].

NOTA Se usa más en plural.

amarrar

verbo **1** Atar algo con cuerdas; especialmente, sujetar una embarcación en un puerto. INGLÉS to tie up.

amasar

verbo **1** Mover una mezcla para conseguir una masa. Para hacer pan hay que amasar harina con agua y levadura. INGLÉS to knead.

2 Juntar una persona una gran cantidad de dinero: *Ha amasado una fortuna haciendo negocios.* INGLÉS to amass.

amasijo

nombre masculino **1** Mezcla desordenada de varias cosas distintas. En un despacho desordenado hay un amasijo de libros, papeles y revistas. INGLÉS jumble.

amateur

adjetivo y nombre masculino y femenino **1** Se dice de la persona que practica un deporte como aficionado. ANTÓNIMO profesional. INGLÉS amateur.

NOTA El plural es: amateurs. Es una palabra de origen francés y se pronuncia: amater; es preferible utilizar la palabra: 'aficionado'.

amatista

nombre femenino **1** Piedra de color violeta transparente que se usa en joyería. Es una variedad del cuarzo. INGLÉS amethyst.

amazona

nombre femenino **1** Mujer que monta a caballo. INGLÉS horsewoman.

NOTA El masculino es: jinete.

amazónico, amazónica

adjetivo **1** Del Amazonas o que tiene relación con este río de América del Sur o con los territorios situados a sus orillas. INGLÉS Amazonian.

ámbar

adjetivo y nombre masculino **1** De color amarillo fuerte, casi anaranjado. Un semáforo en ámbar indica precaución. INGLÉS amber.

nombre masculino **2** Material de color amarillo transparente que se obtiene de la resina de los árboles. El ámbar se usa mucho para hacer joyas. INGLÉS amber.

ambición

nombre femenino **1** Deseo muy fuerte de conseguir una cosa, frecuentemente dinero, fama o poder. Las personas con mucha ambición luchan para conseguir lo que quieren. INGLÉS ambition.

NOTA El plural es: ambiciones.

ambicionar

verbo **1** Desear una cosa con mucha fuerza. Muchos actores ambicionan el éxito y la fama. SINÓNIMO codiciar. INGLÉS to want.

ambicioso, ambiciosa

adjetivo **1** Que tiene ambición y un deseo muy fuerte de conseguir siempre algo más de lo que tiene. INGLÉS ambitious.

ambientador

adjetivo y nombre masculino **1** Se dice de la sustancia o el producto que se utiliza para eliminar o disimular el mal olor que hay en un sitio, o para hacer que un sitio huela bien. INGLÉS air freshener [nombre].

ambiental
adjetivo
1 Que tiene relación con el ambiente. La contaminación ambiental es un grave problema. INGLÉS environmental.

ambientar
verbo
1 Reproducir las características propias de una época, medio o lugar determinado. Muchas películas se ambientan en épocas pasadas. SINÓNIMO enmarcar. INGLÉS to set [ambientar], to be set [ambientarse].

ambiente
nombre masculino
1 Medio que rodea a las personas y a las cosas, en especial el aire o la atmósfera. Hay plantas que necesitan ambientes húmedos, y otras, soleados y secos. INGLÉS environment, atmosphere.
2 Conjunto de circunstancias físicas, humanas o sociales que rodean a una persona, animal o cosa. Es importante crear un buen ambiente para el estudio. SINÓNIMO medio. INGLÉS environment, atmosphere.
3 Entorno agradable donde se encuentra mucha gente o actividad. En las fiestas del barrio hay mucho ambiente. SINÓNIMO animación. INGLÉS life, atmosphere.

ambigüedad
nombre femenino
1 Posibilidad de ser entendido algo de diferentes modos. La ambigüedad de un texto puede ser causa de malentendidos. INGLÉS ambiguity.

ambiguo, ambigua
adjetivo
1 Que puede entenderse de varias maneras. La frase 'en la mano lleva un polo' es ambigua porque puede entenderse polo como helado o como prenda de vestir. INGLÉS ambiguous.

ámbito
nombre masculino
1 Conocimientos o actividades que pertenecen a una ciencia, profesión o actividad. Los médicos realizan su labor en el ámbito de la sanidad. SINÓNIMO área; campo. INGLÉS sphere, field.

ambos, ambas
determinante indefinido plural
1 Indica que se habla de las dos cosas o personas a las que acompaña. Cuando decimos 'soy amigo de ambos hermanos', queremos decir que somos amigos de los dos. INGLÉS both.

ambulancia
nombre femenino
1 Coche o furgoneta preparado con camilla y material de primeros auxilios para llevar heridos y enfermos. Si la ambulancia lleva la sirena activada, hay que dejarle paso. INGLÉS ambulance.

ambulante
adjetivo
1 Que va de un lugar a otro sin tener un sitio fijo. En los mercados al aire libre hay vendedores ambulantes. INGLÉS travelling.

ambulatorio
nombre masculino
1 Establecimiento sanitario donde se pasa consulta, pero no tiene camas para ingresar a los enfermos. Los especialistas visitan en el ambulatorio. INGLÉS clinic.

ameba
nombre femenino
1 Organismo de tamaño microscópico formado por una sola célula. Vive en aguas estancadas y zonas húmedas, o es parásito de otros animales. INGLÉS amoeba.

amén
nombre masculino
1 Palabra que significa 'así sea' y se utiliza para decir que se está de acuerdo. Los católicos dicen amén al finalizar las oraciones. Si una persona dice amén a todo es que está de acuerdo con todo. INGLÉS amen.

amenaza
nombre femenino
1 Advertencia que se hace a una persona de que se tiene la intención de hacerle algo malo. Las amenazas intentan asustar. INGLÉS threat.
2 Situación que puede tener malas consecuencias si se produce. La sequía es una amenaza para la agricultura. INGLÉS threat.

amenazador, amenazadora
adjetivo
1 Que indica que puede suceder algo malo o desagradable. Cuando una persona se enfada mucho con otra, le puede dirigir una mirada amenazadora. Unas nubes amenazadoras indican que puede llover. INGLÉS threatening.

amenazar
verbo
1 Decir o dar a entender a una persona que se le va a hacer algo malo: *El ladrón amenazó a sus víctimas con la pistola para que le dieran el dinero.* INGLÉS to threaten.
2 Indicar una cosa que algo malo o desagradable va a ocurrir. Las nubes grises amenazan lluvia. INGLÉS to threaten.

a b c d e f g h i j k l m n ñ o p q r s t u v w x y z

NOTA Se escribe 'c' delante de 'e', como: amenacemos.

ameno, amena

adjetivo **1** Que es entretenido y hace pasar el tiempo de manera agradable. Una persona o un juego amenos hacen que nos divirtamos con ellos. ANTÓNIMO aburrido. INGLÉS entertaining, enjoyable.

americana

nombre femenino **1** Chaqueta recta con mangas, solapa y botones que llega hasta más abajo de la cadera y suele tener bolsillos en el exterior. INGLÉS jacket.

americano, americana

adjetivo y nombre **1** Se dice de la persona o cosa que es de América, uno de los seis continentes del mundo. Se utiliza también para hablar solo de las personas o cosas de los Estados Unidos. INGLÉS American.

amerizar

verbo **1** Descender una nave aérea y posarse sobre la superficie del agua. Los hidroaviones pueden amerizar en el mar, en lagos o en ríos caudalosos. INGLÉS to splash down [nave espacial], to land on water [hidroavión].

NOTA Se escribe 'c' delante de 'e', como: americen.

ametralladora

nombre femenino **1** Arma de fuego que dispara balas de manera sucesiva e ininterrumpida mientras se aprieta el gatillo. La ametralladora es parecida a un fusil, pero más grande. INGLÉS machine gun.

amígdala

nombre femenino **1** Cada uno de los dos órganos, muy pequeños y de color rojo, que están situados a cada lado de la garganta de los seres humanos y de algunos animales. Las amígdalas sirven para protegernos de infecciones; si se inflaman, se tienen anginas. INGLÉS tonsil.

NOTA Se usa más en plural: amígdalas.

amigdalitis

nombre femenino **1** Inflamación de las amígdalas, que provoca dolor en la garganta y fiebre. SINÓNIMO anginas. INGLÉS tonsillitis.

NOTA El plural es: amigdalitis.

amigo, amiga

nombre **1** Persona con la que se mantiene una relación de amistad. Los buenos amigos se llevan bien, se tienen confianza y se ayudan. ANTÓNIMO enemigo. INGLÉS friend.

2 Persona que tiene afición o tendencia por alguna cosa: *Es poco amigo de madrugar.* INGLÉS fond of [adjetivo].

amistad

nombre femenino **1** Relación que une a dos o más personas que se tienen mucho afecto y confianza. Siempre podemos contar con la ayuda de una persona con la que mantenemos una buena amistad. ANTÓNIMO enemistad. INGLÉS friendship.

nombre femenino plural **2 amistades** Amigos de una persona. Cuando una familia celebra un acontecimiento importante, como una boda, invita a la familia y a las amistades. INGLÉS friends.

amistoso, amistosa

adjetivo **1** Que expresa o indica amistad: *Tras muchas discusiones, llegaron a un acuerdo amistoso.* SINÓNIMO afectuoso; cordial. ANTÓNIMO hostil. INGLÉS friendly.

2 Se dice de las competiciones deportivas que no forman parte de un campeonato oficial. INGLÉS friendly.

amnesia

nombre femenino **1** Pérdida de la memoria o de parte de ella. Un golpe muy fuerte en la cabeza puede provocar una amnesia temporal. INGLÉS amnesia.

amnios

nombre masculino **1** Membrana que envuelve el embrión de los mamíferos, aves y reptiles y que permite su desarrollo en un medio líquido. En el parto, el amnios se rompe y el líquido amniótico sale al exterior. INGLÉS amnion.

NOTA El plural es: amnios.

amniótico, amniótica

adjetivo **1** Del amnios o que tiene relación con esta membrana: *En la primera semana de gestación, en el útero se forma la bolsa amniótica.* INGLÉS amniotic.

líquido amniótico Líquido que está dentro del amnios en el que está sumergido el feto y que sirve para protegerlo de golpes y presiones. INGLÉS amniotic fluid.

amnistía

nombre femenino **1** Perdón que concede un gobierno a través de una ley para todos los presos que hayan cometido un tipo de delito concreto: *El nuevo gobierno concedió* *la amnistía a los presos políticos.* INGLÉS amnesty.

amo, ama

nombre

1 Persona que posee una cosa. El amo de una finca o un animal es su dueño. INGLÉS owner.

2 Persona que tiene mucha autoridad o mucha influencia en un lugar o en un grupo. Una persona se hace el amo cuando impone su autoridad sobre los demás. INGLÉS boss.

ama de casa Mujer que se ocupa del cuidado y trabajos de su casa y familia y no tiene otro trabajo. INGLÉS housewife.

amodorrarse

verbo

1 Entrar una persona en un estado de sueño por encontrarse muy cómoda en un sitio o por no poder vencer el sueño. Algunas personas se amodorran después de comer. SINÓNIMO adormilarse. INGLÉS to feel sleepy.

amoldar

verbo

1 Hacer que algo o alguien se ajuste o se adapte a otra cosa o persona. Unos zapatos cómodos se amoldan al pie perfectamente: *Tardó un poco en amoldarse a un nuevo colegio.* INGLÉS to adapt.

amonestar

verbo

1 Reñir a una persona que ha cometido alguna falta para que no la vuelva a cometer: *El profesor amonesta a los alumnos que llegan tarde a clase.* Es un uso formal. INGLÉS to reprimand.

2 Dar un aviso a una persona que no ha cumplido una norma y amenazarla con algo negativo si repite su acción. El árbitro amonesta a un jugador antes de echarlo del terreno de juego. INGLÉS to warn.

amoniaco

nombre masculino

1 Líquido de olor muy fuerte que se utiliza para limpiar algunas cosas muy sucias y en aplicaciones industriales. INGLÉS ammonia.

NOTA También se escribe y se pronuncia: amoníaco.

amoníaco

nombre masculino

1 Es otra forma de escribir y pronunciar: amoniaco.

amontonar

verbo

1 Poner unas cosas sobre otras sin orden ni cuidado. INGLÉS to pile up, to heap up.

2 Juntarse o reunirse muchas personas en un lugar de forma desordenada. A la salida del cine la gente se amontona en la puerta. INGLÉS to crowd together.

3 amontonarse Producirse muchas cosas iguales en poco tiempo. Se pueden amontonar las llamadas de teléfono en una centralita o las quejas en una oficina de atención al público. INGLÉS to pile up.

amor

nombre masculino

1 Sentimiento de afecto muy grande hacia una persona a la que se le desea todo lo bueno. Se siente amor por la familia, por los amigos y por la pareja. ANTÓNIMO odio. INGLÉS love.

2 Persona o cosa que es muy querida por alguien: *Conoció al amor de su vida cuando ya era muy mayor.* INGLÉS love.

3 Afición por algo que produce placer. Se puede sentir amor por el deporte, por la lectura o por la pintura. INGLÉS love.

4 Gusto y cuidado con que se realiza una cosa. Algunas personas hacen su trabajo con mucho amor y paciencia. SINÓNIMO esmero. ANTÓNIMO desinterés. INGLÉS devotion.

hacer el amor Realizar el acto sexual. INGLÉS to make love.

por amor al arte De forma gratuita y sin esperar ni recibir nada a cambio. Un trabajo lo hacemos por amor al arte si no pensamos en un beneficio económico. INGLÉS for the love of it.

amordazar

verbo

1 Tapar la boca a alguien con un trozo de tela o esparadrapo para que no pueda hablar ni gritar. INGLÉS to gag.

NOTA Se escribe 'c' delante de 'e', como: amordacé.

amorfo, amorfa

adjetivo

1 Que no tiene una forma clara o bien definida. Si aplastamos un bloque de algo blando, como plastilina o arcilla, queda una masa amorfa. INGLÉS amorphous.

amorío

nombre masculino

1 Relación amorosa que es generalmente poco seria y de corta duración. SINÓNIMO aventura. INGLÉS love affair.

a b c d e f g h i j k l m n ñ o p q r s t u v w x y z

amoroso, amorosa
adjetivo
1 Que demuestra o siente amor. Un gesto amoroso puede ser una caricia. SINÓNIMO cariñoso. INGLÉS loving.
2 Del amor o que tiene relación con el amor. Algunos escritores han dedicado parte importante de su obra a la poesía amorosa. INGLÉS love.

amortajar
verbo
1 Envolver a un muerto en una tela antes de enterrarlo. INGLÉS to wrap in a shroud.

amortiguar
verbo
1 Hacer que algo sea menos fuerte o se perciba con menos fuerza. Las ventanas de doble vidrio amortiguan el ruido de la calle. INGLÉS to cushion [un golpe], to muffle [un ruido].
NOTA Se conjuga como: averiguar; la 'u' no se acentúa y se escribe 'gü' delante de 'e', como: amortigüen.

amortizar
verbo
1 Sacar provecho del dinero que se ha gastado al comprar una cosa. Un ordenador se amortiza cuando se usa mucho, entonces parece que el dinero pagado no es tanto. INGLÉS to get one's money's worth out of [amortizar], to pay for itself [amortizarse].
2 Pagar lo que se debe de un préstamo u otra deuda. Algunos préstamos de bancos se pueden amortizar poco a poco. INGLÉS to repay.
NOTA Se escribe 'c' delante de 'e', como: amorticemos.

amotinar
verbo
1 Hacer que una multitud se vuelva contra una autoridad y proteste con violencia o con desobediencia: *En la cárcel, los prisioneros se amotinaron para pedir mejoras en su situación.* SINÓNIMO sublevar. INGLÉS to incite to mutiny [amotinar], to mutiny [amotinarse].

amparar
verbo
1 Proteger o defender. Algunos animales amparan a sus crías hasta que estas pueden buscarse alimentos y defenderse por sí solas. INGLÉS to protect.
2 ampararse Usar algo o a alguien como defensa o protección: *Se amparó de la lluvia bajo un portal.* INGLÉS to shelter.

amparo
nombre masculino
1 Protección, defensa o ayuda: *Como no tiene padres, se ha criado al amparo de sus tíos.* INGLÉS protection.

ampliación
nombre femenino
1 Aumento en la cantidad, tamaño o duración de una cosa. INGLÉS increase, expansion.
2 Copia de una imagen o un documento de tamaño mayor que el original. En las tiendas de revelado hacen ampliaciones de fotografías. INGLÉS enlargement.
NOTA El plural es: ampliaciones.

ampliar
verbo
1 Aumentar la cantidad, el tamaño o la duración de una cosa. Se puede ampliar el número de plazas en un colegio, el tamaño de una habitación o el plazo para presentarse a un concurso. INGLÉS to increase.
NOTA Se conjuga como: desviar; la 'i' se acentúa en algunos tiempos y personas, como: amplíen.

amplificar
verbo
1 Aumentar la intensidad o la amplitud de una cosa, principalmente de un sonido mediante un aparato: *Esta antena recoge la señal debilitada, la amplifica y la vuelve a enviar en la dirección adecuada.* INGLÉS to amplify.
NOTA Se escribe 'qu' delante de 'e', como: amplifiquen.

amplio, amplia
adjetivo
1 Que es extenso o que tiene mucha capacidad: *Se ha comprado una casa con un amplio comedor.* SINÓNIMO espacioso. ANTÓNIMO reducido. INGLÉS roomy, spacious.

ampolla
nombre femenino
1 Bolsa pequeña llena de líquido que se forma bajo la piel, como cuando caminamos mucho, un zapato aprieta o nos quemamos. INGLÉS blister.
2 Pequeño tubo de cristal cerrado y de forma estrecha por uno de los dos extremos. La ampolla normalmente contiene un medicamento. INGLÉS ampoule, phial.

amputar
verbo
1 Cortar una parte del cuerpo a una persona o un animal. Normalmente son los médicos quienes amputan una

parte del cuerpo mediante una operación quirúrgica. **INGLÉS** to amputate.

amueblar

verbo **1** Poner en una habitación, una casa o un espacio interior los muebles que son necesarios para un uso determinado. Un comedor suele amueblarse con una mesa, sillas y otros muebles. **INGLÉS** to furnish.

amuleto

nombre masculino **1** Objeto que una persona guarda o lleva encima porque cree que le da buena suerte o le ayuda a conseguir sus deseos. **INGLÉS** lucky charm.

anaconda

nombre femenino **1** Serpiente de unos 7 metros de largo que vive en los ríos sudamericanos. Es de color verde con manchas negras y no es venenosa. **INGLÉS** anaconda.

anacrónico, anacrónica

adjetivo **1** Se dice de lo que es un error porque se sitúa en una época o un período de tiempo al que no pertenece realmente. En una película de romanos sería anacrónico que apareciera alguien hablando por teléfono. **INGLÉS** anachronistic.

2 Que existe en el presente, pero que es más propio o característico del pasado. Utilizar hoy en día una máquina de escribir en vez de un ordenador se considera algo anacrónico. **INGLÉS** anachronistic.

anagrama

nombre masculino **1** Palabra o expresión que tiene las mismas letras que otra pero cambiadas de orden. La palabra 'loma' es un anagrama de 'malo'. **INGLÉS** anagram.

2 Imagen o símbolo que representa una determinada marca de un producto, una empresa o una institución. **SINÓNIMO** logotipo. **INGLÉS** logo.

anal

adjetivo **1** Del ano o relacionado con él. Los supositorios se introducen por vía anal. **INGLÉS** anal.

analfabeto, analfabeta

adjetivo y nombre **1** Se dice de la persona que no sabe leer ni escribir. **INGLÉS** illiterate [adjetivo], illiterate person [nombre].

2 Se dice de la persona muy ignorante y que no tiene cultura, aunque sepa leer y escribir. **INGLÉS** ignorant [adjetivo], ignoramus [nombre].

analgésico

nombre masculino **1** Medicamento que quita o disminuye el dolor. **INGLÉS** analgesic.

análisis

nombre masculino **1** Estudio detallado de una cosa o de una situación para conocer sus características o sacar conclusiones. El análisis de una cosa se hace examinando los elementos que la forman. En un laboratorio se hacen análisis de muestras de tejido, sangre y de otros fluidos orgánicos. **INGLÉS** analysis.

2 Examen gramatical que se hace de una oración o de un texto. Para hacer un análisis sintáctico se separan las palabras, los sintagmas y otros elementos y se determina su función. **INGLÉS** analysis.

NOTA El plural es: análisis.

analizar

verbo **1** Estudiar con detalle una cosa o una situación. Para analizar una situación hay que considerar por separado todos sus aspectos. **INGLÉS** to analyse.

2 Hacer el análisis de una muestra de tejido, sangre u otro fluido orgánico. **INGLÉS** to analyse.

3 Hacer un análisis gramatical de los componentes de una oración o un texto. **INGLÉS** to analyse.

NOTA Se escribe 'c' delante de 'e', como: analicen.

analogía

nombre femenino **1** Relación de semejanza o parecido que hay entre dos o más cosas. Entre el limón y la naranja hay una analogía: ambos son cítricos. **INGLÉS** analogy.

anaranjado, anaranjada

adjetivo **1** De color parecido al naranja o con un tono naranja. Los refrescos de naranja son anaranjados. **INGLÉS** orangey.

anarquía

nombre femenino **1** Movimiento político que está en contra de cualquier tipo de poder establecido. **INGLÉS** anarchy.

2 Ausencia o falta total de orden y de organización porque no hay nadie que dirija. **INGLÉS** anarchy.

anatomía

nombre femenino **1** Ciencia que estudia las distintas partes y órganos del cuerpo humano. Los estudiantes de medicina reciben clases de anatomía. **INGLÉS** anatomy.

a

anatómico, anatómica
adjetivo **1** Se dice de las cosas que se adaptan perfectamente al cuerpo humano. Existen sillas anatómicas muy cómodas. INGLÉS anatomical.

anca
nombre femenino **1** Cada una de las dos mitades en que se divide la parte trasera del cuerpo de algunos animales, como los caballos o las ranas. INGLÉS haunch.
NOTA Es un nombre femenino, pero se utilizan los determinantes 'el' y 'un' cuando entre el determinante y el nombre no hay otras palabras: el anca; un anca.

ancho, ancha
adjetivo **1** Que tiene una extensión de lado a lado mayor de lo normal. Las avenidas son calles muy anchas. SINÓNIMO amplio. ANTÓNIMO estrecho. INGLÉS wide.
2 Que no queda apretado o ajustado. Un abrigo o unos zapatos pueden quedarnos anchos. SINÓNIMO amplio. ANTÓNIMO estrecho. INGLÉS loose-fitting.
nombre masculino **3** Distancia que hay entre los lados izquierdo y derecho de una cosa. Las camas individuales suelen medir noventa centímetros de ancho. SINÓNIMO anchura. INGLÉS width.
4 Distancia más corta de las dos que tiene una superficie plana. Un campo de fútbol mide como mínimo cuarenta y cinco metros de ancho y noventa de largo. SINÓNIMO anchura. INGLÉS width.
quedarse tan ancho Quedarse tan tranquilo después de haber hecho algo que podría provocar intranquilidad: *Lo hizo todo mal y se quedó tan ancho.* INGLÉS not to bat an eyelid.

anchoa
nombre femenino **1** Pez marino de pequeño tamaño que como pescado se vende fresco o en conserva. En algunas partes de España se llama anchoa solo a este pescado conservado en sal. SINÓNIMO boquerón. INGLÉS anchovy.

anchura
nombre femenino **1** Longitud o extensión entre los lados izquierdo y derecho de una cosa. SINÓNIMO ancho. INGLÉS width.
2 Distancia más pequeña de las dos que tiene una superficie plana. Una piscina olímpica tiene 21 metros de anchura como mínimo. SINÓNIMO ancho. INGLÉS width.

anciano, anciana
nombre **1** Persona que tiene muchos años. SINÓNIMO viejo. ANTÓNIMO joven. INGLÉS elderly person.

ancla
nombre femenino **1** Objeto pesado de hierro que se echa al agua desde una embarcación para que se quede inmovilizada. INGLÉS anchor.
NOTA Es un nombre femenino, pero se utilizan los determinantes 'el' y 'un' cuando entre el determinante y el nombre no hay otras palabras: el ancla.

anclar
verbo **1** Fijar una embarcación en un lugar por medio de anclas que se posan en el fondo del agua. INGLÉS to anchor.

¡anda!
interjección **1** Se usa para indicar sorpresa o con la intención de animar o pedir algo a una persona: *¡Anda, qué alegría! ¡Anda, déjame tu bici!* INGLÉS Come on!

andaluz, andaluza
adjetivo y nombre **1** Se dice de la persona o cosa que es de Andalucía. INGLÉS Andalusian.
NOTA El plural de andaluz es: andaluces.

andamio
nombre masculino **1** Tablón o conjunto de tablones sobre caballetes donde se sube el albañil para trabajar en las partes altas de una construcción. INGLÉS scaffolding.
2 Estructura hecha con tablas y tubos que se construye frente a la fachada de un edificio cuando se construye, se arregla o se pinta. INGLÉS scaffolding.

andar
verbo **1** Trasladarse una persona de un lugar a otro dando pasos. SINÓNIMO caminar. INGLÉS to walk.
2 Trasladarse de un lugar a otro un vehículo, como un coche o un tren. INGLÉS to go.
3 Funcionar un mecanismo, una máquina o un aparato, como un reloj, una televisión o una radio. INGLÉS to work.
4 Estar una persona en una situación o un estado físico o de ánimo determinado: *Anda despistado últimamente.* INGLÉS to be.
5 Actuar una persona de una manera determinada: *Dile que no se ande con*

bobadas. Siempre anda fastidiando. INGLÉS to be.

6 Desarrollarse un asunto o un proceso de una determinada manera. Cuando las cosas andan mal, la gente se desanima. INGLÉS to go.

7 Acercarse una cosa o una persona a una determinada cantidad de algo. Si una persona anda por los cuarenta años, tiene más o menos esa edad. SINÓNIMO rondar. INGLÉS to be.

nombre masculino **8** Manera característica de andar. A algunas personas se las conoce por los andares, aunque no se les vea la cara.INGLÉS the way someone walks.

andariego, andariega

adjetivo **1** Se dice de la persona que es muy aficionada a andar. INGLÉS fond of walking.

andén

nombre masculino **1** Especie de acera junto a las vías del metro o del ferrocarril donde los pasajeros esperan a que llegue el tren. Es peligroso acercarse demasiado al borde del andén. INGLÉS platform.

NOTA El plural es: andenes.

andar

INDICATIVO	SUBJUNTIVO
presente	**presente**
ando	ande
andas	andes
anda	ande
andamos	andemos
andáis	andéis
andan	anden
pretérito imperfecto	**pretérito imperfecto**
andaba	anduviera o anduviese
andabas	anduvieras o anduvieses
andaba	anduviera o anduviese
andábamos	anduviéramos o anduviésemos
andabais	anduvierais o anduvieseis
andaban	anduvieran o anduviesen
pretérito perfecto simpie	**futuro**
anduve	anduviere
anduviste	anduvieres
anduvo	anduviere
anduvimos	anduviéremos
anduvisteis	anduviereis
anduvieron	anduvieren
futuro	**IMPERATIVO**
andaré	anda (tú)
andarás	ande (usted)
andará	andemos (nosotros)
andaremos	andad (vosotros)
andaréis	anden (ustedes)
andarán	
condicional	**FORMAS NO PERSONALES**
andaría	**infinitivo** andar
andarías	**gerundio** andando
andaría	**participio** andado
andaríamos	
andaríais	
andarían	

andorrano, andorrana

adjetivo y nombre **1** Se dice de la persona o cosa que es de Andorra, país del sudoeste de Europa. INGLÉS Andorran.

andrajoso, andrajosa

adjetivo y nombre **1** Se dice de la ropa rota o muy gastada y de la gente que lleva este tipo de ropa y va desarreglada. INGLÉS ragged.

andrajoso

androide

nombre masculino **1** Robot que tiene el aspecto de un ser humano y hace alguno de sus movimientos y funciones: *En la película aparecía un androide plateado que caminaba y hablaba como mi tío.* INGLÉS android.

anécdota

nombre femenino **1** Relato breve de un suceso que resulta raro o divertido: *Nos contó una anécdota de su época de estudiante.* INGLÉS anecdote.

2 Hecho o detalle poco importante o poco habitual en relación con algo que sí es importante o que sucede con frecuencia. Que una persona puntual llegue tarde a una cita es una anécdota. INGLÉS matter of no importance.

anejo, aneja

adjetivo y nombre masculino **1** Se dice de la cosa que está unida a otra de la que depende, de la que está muy próxima y con la cual tiene una estrecha relación: *Puedes encontrar el camino en el mapa anejo a esta car-*

ta. INGLÉS adjoining [adjetivo], annexe [nombre].

NOTA También se escribe y se pronuncia: anexo.

anemia

nombre femenino **1** Disminución de glóbulos rojos en la sangre, que hace que la persona se sienta débil. Una mala alimentación produce anemia. INGLÉS anaemia.

anemómetro

nombre masculino **1** Aparato que sirve para medir la velocidad del viento. INGLÉS anemometer.

anémona

nombre femenino **1** Animal marino con forma de tubo, de colores vivos, que vive pegado a las rocas, al fondo del mar o a otro animal y tiene una boca rodeada de numerosos tentáculos que hacen que parezca una flor. ANTÓNIMO actinia. INGLÉS anemone.

2 Planta de pequeño tamaño que se cultiva en jardines, que tiene pocas hojas y flores grandes. INGLÉS anemone.

anestesia

nombre femenino **1** Sustancia que hace perder temporalmente el conocimiento y la sensibilidad de una parte o de todo el cuerpo. La anestesia se usa en las operaciones para evitar el dolor al paciente. INGLÉS anaesthesia.

anexo, anexa

adjetivo y nombre masculino **1** Es otra forma de escribir y pronunciar: anejo.

anfetamina

nombre femenino **1** Droga que estimula el sistema nervioso, aumenta la resistencia física y hace disminuir la sensación de hambre. El consumo de anfetaminas es peligroso porque crea adicción. INGLÉS amphetamine.

anfibio, anfibia

adjetivo y nombre masculino **1** Se dice del animal que puede vivir dentro y fuera del agua, como la rana o el sapo. INGLÉS amphibious [adjetivo], amphibian [nombre].

adjetivo **2** Se dice del vehículo que está adaptado para moverse por agua y por tierra. INGLÉS amphibious.

anfiteatro

nombre masculino **1** Construcción circular con asientos alrededor de un espacio central, en la que los antiguos romanos celebraban espectáculos. En España hay algunos anfiteatros romanos, como el de Mérida. INGLÉS amphitheatre.

anfitrión, anfitriona

nombre **1** Persona que tiene invitados en su casa y se ocupa de ellos. Si un amigo te dice que vayas a comer a su casa, él es el anfitrión. INGLÉS host [hombre], hostess [mujer].

NOTA El plural de anfitrión es: anfitriones.

ánfora

nombre femenino **1** Recipiente de barro alto y estrecho que tiene una forma redondeada, dos asas y la base acabada en punta. Los griegos y romanos utilizaban las ánforas para guardar líquidos y alimentos. INGLÉS amphora.

NOTA Es un nombre femenino, pero se utilizan los determinantes 'el' y 'un', cuando entre el determinante y el nombre no hay otras palabras: el ánfora.

ángel

nombre masculino **1** En el cristianismo, espíritu bueno que es sirviente y mensajero de Dios y ayuda a solucionar los problemas de los vivos. Los ángeles se representan con alas y una túnica larga. INGLÉS angel.

2 Persona muy buena que se porta muy bien y ayuda a los demás siempre que puede. SINÓNIMO santo. ANTÓNIMO demonio. INGLÉS angel.

ángel de la guarda Según la religón cristiana, ángel que nos protege a cada uno de nosotros. INGLÉS guardian angel.

angina

nombre femenino **1** Inflamación de la parte interna de la garganta que provoca dolor y fiebre. INGLÉS sore throat.

NOTA Se usa más en plural: anginas.

anglicanismo

nombre masculino **1** Movimiento religioso que se produjo en Inglaterra en el siglo XVI al separarse el rey Enrique VIII de la Iglesia católica. INGLÉS Anglicanism.

angora

nombre femenino **1** Tejido suave del que sobresalen unos pelos largos y finos. Está elaborado con pelo de cabras, conejos o gatos que pertenecen a unas razas originarias de Turquía. INGLÉS angora.

angosto, angosta

adjetivo **1** Que es poco ancho o tiene menos anchura que otras cosas del mismo tipo.

SINÓNIMO estrecho. ANTÓNIMO ancho. INGLÉS narrow.
NOTA Es una palabra formal.

anguila
nombre femenino **1** Pez de cuerpo alargado, como el de las serpientes, que vive en el río y pone sus huevos en el mar. INGLÉS eel.

angula
nombre femenino **1** Cría de la anguila. Las angulas son un alimento muy apreciado. INGLÉS elver.

ángulo
nombre masculino **1** Figura o espacio formado entre dos líneas rectas que se cortan. Las esquinas de las habitaciones forman ángulos. INGLÉS angle.

angustia
nombre femenino **1** Sentimiento fuerte de intranquilidad, de preocupación y de miedo ante un problema muy grande, una desgracia que ha ocurrido o el peligro de que pase alguna cosa mala. La gente nerviosa suele pasar angustia antes de un examen. INGLÉS anguish, distress.

angustioso, angustiosa
adjetivo **1** Se dice de la cosa que nos causa angustia. INGLÉS distressing.

anhelar
verbo **1** Desear algo con mucha intensidad. Los deportistas anhelan conseguir una medalla. INGLÉS to long for.

anidar
verbo **1** Construir un nido un ave y quedarse a vivir en él. Las cigüeñas anidan en los campanarios de las iglesias. INGLÉS to nest.

anilla
nombre femenino **1** Objeto circular, de madera, metal u otro material, que tiene un uso determinado. Se utilizan anillas para colgar las cortinas. INGLÉS ring.
nombre femenino plural **2 anillas** Aparato para hacer ejercicios de gimnasia, formado por dos aros colgados mediante cuerdas a una altura de dos metros y medio del suelo. Los ejercicios se realizan cogiendo una anilla con cada mano. INGLÉS rings.

anillo
nombre masculino **1** Aro, generalmente de metal, que se pone en un dedo de la mano como adorno o como símbolo de algo. INGLÉS ring. DIBUJO página 648.
2 Aro o figura en forma de círculo, como los que se pueden ver en los troncos cortados de los árboles. INGLÉS ring.
3 Parte en que se divide el cuerpo de algunos animales redondos y alargados, como los gusanos o las lombrices. INGLÉS ring.

animación
nombre femenino **1** Ambiente de alegría y bullicio que se produce en un lugar donde hay mucha gente que se está divirtiendo. INGLÉS activity, liveliness.
2 Técnica de cine que consiste en hacer que los dibujos se puedan mover. Las películas de dibujos animados se crean mediante la animación. INGLÉS animation.

animado, animada
adjetivo **1** Se dice del ser vivo que tiene movimiento, como las personas y los animales. INGLÉS animate.
2 Se dice de aquellas personas que tienen alegría y ganas de hacer cosas. INGLÉS lively.
3 Se dice del lugar o la situación en los que hay alegría y animación. Una fiesta o una reunión pueden ser muy animadas. INGLÉS lively.

animal
nombre masculino **1** Ser vivo que se puede desplazar libremente de un lugar a otro, en especial el que no es humano. Los insectos, los peces o los caballos son animales. INGLÉS animal.
adjetivo y nombre masculino y femenino **2** Se dice de la persona que hace las cosas utilizando más energía o fuerza de la que es necesaria. También la que hace o dice cosas inadecuadas, exageradas o groseras. SINÓNIMO bruto. INGLÉS rough [adjetivo], brute [nombre].
animal protegido Todo animal cuya caza, captura o agresión están prohibidas por la ley. Las focas son animales protegidos. INGLÉS protected species.

animar
verbo **1** Dar ánimo a una persona para que se sienta mejor o para que haga algo. A veces es difícil animar a una persona que está triste. INGLÉS to cheer up.
2 Dar alegría o animación a una cosa, un lugar o una situación: *Consiguió animar el espectáculo con sus juegos malabares.* INGLÉS to liven up.
3 animarse Decidirse a hacer o decir una cosa que costaba mucho hacer o

a b c d e f g h i j k l m n ñ o p q r s t u v w x y z

decir: *Anímate y vete con ellos.* INGLÉS to make up one's mind.

ánimo
nombre masculino
1 Estado emocional o afectivo de una persona. Cuando alguien está contento y feliz su estado de ánimo es excelente. SINÓNIMO humor. INGLÉS spirits.
2 Fuerza o energía que tiene una persona para hacer algo. Cuando nos sentimos cansados no tenemos ánimos para salir de casa. INGLÉS energy.
3 Intención de hacer algo: *Lo dije sin ánimo de ofender.* INGLÉS intention.
interjección **4** **¡ánimo!** Exclamación que se usa para dar fuerza moral o para animar a alguien: *¡Ánimo, que solo te falta un kilómetro para la meta!* INGLÉS Come on!

animoso, animosa
adjetivo
1 Que tiene o muestra mucho ánimo, fuerza o energía: *Llegó animoso al examen de conducir. Sus animosas palabras me dieron esperanza.* ANTÓNIMO apático. INGLÉS brave, determined.

aniquilar
verbo
1 Destruir o hacer desaparecer a alguien o algo por completo. INGLÉS to annihilate.

anís
nombre masculino
1 Planta aromática cuya semilla se usa para hacer dulces y licores. INGLÉS anise.
2 Bebida alcohólica que se hace con estas semillas. El anís es transparente. INGLÉS anisette.
NOTA El plural es: anises.

aniversario
nombre masculino
1 Día en que se cumple uno o más años de algún acontecimiento, como un nacimiento o una boda. INGLÉS anniversary.

ano
nombre masculino
1 Orificio en el que termina el intestino. Los excrementos se expulsan por el ano. Los supositorios se introducen por el ano. SINÓNIMO culo. INGLÉS anus.

anoche
adverbio
1 En la noche de ayer. INGLÉS last night, yesterday evening.

anochecer
verbo
1 Empezar a llegar la noche y a desaparecer la luz del día. En verano anochece más tarde que en invierno. INGLÉS to get dark.
2 Estar un lugar en un estado determinado al empezar la noche. A veces anochece despejado y amanece lloviendo. INGLÉS to be at nightfall.
nombre masculino **3** Momento del día en el que se pone el Sol y se hace de noche. INGLÉS nightfall.

anomalía
nombre femenino
1 Rasgo en una persona o cosa que no se considera normal, regular o natural. Los médicos hacen análisis sanguíneos para saber si existe alguna anomalía en la sangre. INGLÉS anomaly.

anonadar
verbo
1 Hacer que una persona se quede muy sorprendida por una cosa, sin saber qué decir o qué hacer. INGLÉS to amaze, to astonish.

anónimo, anónima
adjetivo y nombre masculino
1 Se dice de la obra que está hecha por un autor que no se conoce. *El lazarillo de Tormes* es una obra anónima porque no se sabe quién la escribió. INGLÉS anonymous [adjetivo].
2 Carta sin firma que normalmente tiene amenazas o cuenta secretos: *Los secuestradores enviaron un anónimo.* INGLÉS anonymous letter.

anorak
nombre masculino
1 Chaqueta deportiva de una tela que no deja pasar el agua y protege del frío; suele abrocharse con cremallera y llevar capucha. INGLÉS anorak.
NOTA El plural es: anoraks.

anorexia
nombre femenino
1 Enfermedad que consiste en que la persona que la padece deja de comer voluntariamente porque se ve gorda, aunque en realidad no lo esté, y sufre una bajada brusca de peso, una gran debilidad y alteraciones en su organismo. SINÓNIMO anorexia nerviosa. INGLÉS anorexia.

anormal
adjetivo
1 Que no pasa a menudo o que es distinto a lo habitual. En verano es anormal que haga frío. SINÓNIMO raro; extraño. ANTÓNIMO corriente. INGLÉS abnormal.
adjetivo y nombre masculino y femenino **2** Se dice de la persona que tiene una capacidad mental inferior a la de la mayoría de las personas. SINÓNIMO retrasado. INGLÉS subnormal.

anotación
nombre femenino
1 Dato o información que se escribe en un papel. Hacemos anotaciones para

recordar cosas, estudiarlas o señalarlas. **SINÓNIMO** nota. **INGLÉS** note.

NOTA El plural es: anotaciones.

anotar

verbo

1 Escribir un dato o información en un papel. Anotamos las cosas que necesitaremos recordar, como teléfonos, recados y fechas de cumpleaños. **INGLÉS** to note down.

2 Marcar o conseguir puntos en algunos deportes. Anotas un gol cuando metes el balón en la portería. **INGLÉS** to score.

ansia

nombre femenino

1 Deseo muy fuerte que tiene una persona de conseguir una cosa o de que suceda algo que está esperando: *Desde niño mostró una gran ansia de conocimiento.* **INGLÉS** longing, yearning.

NOTA Es un nombre femenino, pero se utilizan los determinantes 'el' y 'un' cuando entre el determinante y el nombre no hay otras palabras: el ansia.

ansiar

verbo

1 Desear una cosa con mucha fuerza. Alguien que pasa mucho tiempo en un hospital ansía volver a casa. **SINÓNIMO** anhelar. **INGLÉS** to long for, to yearn for.

NOTA Se conjuga como: desviar; la 'i' se acentúa en algunos tiempos y personas, como: ansías.

ansiedad

nombre femenino

1 Estado de preocupación y nervios que siente una persona por algo que va a pasar. Los estudiantes esperan con ansiedad el resultado de los exámenes. **INGLÉS** anxiety.

ansioso, ansiosa

adjetivo

1 Se dice de la persona que tiene ansia de conseguir algo o de que suceda algo que está esperando. **INGLÉS** anxious.

antagonista

adjetivo y nombre masculino y femenino

1 Se dice de la persona o de la cosa que es contraria a otra o está en oposición con ella. Dos posturas antagonistas son las que están enfrentadas. El antagonista de un relato es el que intenta perjudicar al protagonista o personaje principal. **INGLÉS** antagonistic [adjetivo], antagonist [nombre].

antaño

adverbio

1 Indica un tiempo pasado que queda muy lejos del presente: *Antaño solo existían barcos de vela.* **INGLÉS** formerly, in olden times.

antártico, antártica

adjetivo

1 Del polo Sur o que tiene relación con él. En la zona antártica se registran las temperaturas más frías de la Tierra. **INGLÉS** Antarctic.

ante

nombre masculino

1 Piel suave y sin brillo que procede de algunos animales. Con el ante se hacen bolsos, zapatos y otras prendas de vestir. **INGLÉS** suede.

preposición

2 Indica que una cosa o una persona está delante de algo o alguien: *Los cantantes realizan conciertos ante cientos de personas.* **INGLÉS** before, in front of.

3 Se usa para introducir cuál es nuestra actitud u opinión en relación con un hecho o con lo dicho por alguien: *No sé qué decir ante tal desgracia.* **INGLÉS** in the face of.

anteanoche

adverbio

1 La noche de hace dos días. **INGLÉS** the night before last.

anteayer

adverbio

1 Dos días antes de hoy. Si hoy es miércoles, anteayer fue lunes. **INGLÉS** the day before yesterday.

antebrazo

nombre masculino

1 Parte del brazo que va desde el codo hasta la muñeca. **INGLÉS** forearm.

antecedente

adjetivo

1 Que va antes o es anterior en el tiempo o en el espacio a algo. Las páginas antecedentes a esta tienen números más bajos. **SINÓNIMO** precedente. **ANTÓNIMO** siguiente. **INGLÉS** previous, preceding.

nombre masculino

2 Palabra, hecho o circunstancia que se dice u ocurre antes que otros y que sirve para entender mejor estos. Los hechos históricos se comprenden mucho mejor si se conocen sus antecedentes. **INGLÉS** background.

anteceder

verbo

1 Estar o ir una cosa o una persona delante de otra en el espacio o en el tiempo. La primavera antecede al verano. Las personas que están delante de nosotros en una cola, nos anteceden. **INGLÉS** to come before.

antecesor, antecesora

adjetivo y nombre

1 Se dice de la persona que ocupó un

a

cargo o un trabajo antes que otra. INGLÉS predecessor [nombre].

nombre masculino plural **2 antecesores** Personas de nuestra familia que vivieron antes que nosotros y de las cuales descendemos, como nuestros bisabuelos o tatarabuelos. SINÓNIMO antepasados. INGLÉS ancestors.

antelación

nombre femenino **1** Adelanto con el que sucede o se realiza una cosa respecto al tiempo en que debía hacerse o suceder: *Te lo digo con antelación para que puedas prepararte.* ANTÓNIMO retraso.

NOTA El plural es: antelaciones.

antemano

de antemano Expresión que indica que una cosa que se cuenta ya se sabía antes de que ocurriese: *Sabías de antemano que esto podía pasar.* INGLÉS beforehand, in advance.

antena

nombre femenino **1** Órgano largo y fino que tienen algunos insectos a ambos lados de la cabeza. Las mariposas, los grillos y las hormigas tienen antenas. INGLÉS antenna.

2 Parte de un aparato, como una radio, un televisor o un radar, que permite emitir o recibir ondas. INGLÉS aerial.

poner la antena Tratar de escuchar y enterarse disimuladamente de lo que otras personas están hablando. Es una expresión informal. INGLÉS to prick up one's ears.

anteojos

nombre masculino plural **1** Objeto que sirve para corregir defectos de la vista de una persona o para ver mejor. SINÓNIMO gafas. INGLÉS glasses, spectacles.

2 Aparato que sirve para ver más cerca las cosas que están lejos; está formado por dos tubos unidos que contienen una serie de lentes para aumentar la imagen. SINÓNIMO prismáticos. INGLÉS binoculars.

antepasado, antepasada

nombre **1** Persona o conjunto de personas de nuestra familia de las que descendemos. INGLÉS ancestor.

antepenúltimo, antepenúltima

adjetivo y nombre **1** Que está en el lugar inmediatamente anterior al penúltimo en una serie o lista. El antepenúltimo es el tercero empezando por el final. INGLÉS antepenultimate.

anteponer

verbo **1** Dar más importancia a una cosa que a otras, poniéndola por delante en el orden de preferencia: *Antepuso los estudios a la diversión y logró acabar la carrera.* INGLÉS to put before.

NOTA Se conjuga como: poner. El participio es: antepuesto.

antepuesto, antepuesta

participio **1** Participio irregular de: anteponer. También se usa como adjetivo: *He antepuesto el estudio a la diversión. Escribid en el folio el nombre antepuesto al apellido.* INGLÉS put before.

anterior

adjetivo **1** Que ocurre o que existe antes que otra cosa. El lunes es el día anterior al martes. ANTÓNIMO posterior. INGLÉS previous.

2 Que está delante de otra cosa o en la parte delantera de una cosa. En los animales de cuatro patas las extremidades anteriores son las que están más cerca de la cabeza. ANTÓNIMO posterior. INGLÉS fore.

anterozoide

nombre masculino **1** Célula sexual masculina de algunos vegetales. Cuando un anterozoide se une con una célula sexual femenina se forma una nueva planta. INGLÉS antherozoid.

antes

adverbio **1** En un tiempo ya pasado: *Antes vivía en otra casa, pero luego se mudó.* INGLÉS before, formerly.

2 En un lugar más adelantado que otro o anterior en el espacio a otro: *La piscina está dos calles antes del colegio.* INGLÉS before.

antes de Introduce una acción que ocurre después de otra. Si el profesor dice: 'Antes de empezar a escribir, piensa qué quieres decir', primero tienes que pensar sobre lo que quieres escribir y luego empezar a hacerlo. INGLÉS before.

antesala

nombre femenino **1** Habitación situada antes de la sala más importante de una casa, en la que se espera para ser recibido. En las antesalas de las consultas de los médicos suele haber asientos para las visitas. SINÓNIMO recibidor. INGLÉS antechamber.

antiaéreo, antiaérea

adjetivo **1** Se dice del arma que se utiliza como defensa contra los ataques aéreos, como un proyectil antiaéreo o un cañón antiaéreo. INGLÉS anti-aircraft.

antibiótico

nombre masculino **1** Medicamento que destruye las bacterias que producen enfermedades. Las infecciones se curan con antibióticos. INGLÉS antibiotic.

anticiclón

nombre masculino **1** Situación atmósferica en la que no hay cambios bruscos de temperatura. En los días que hay un anticiclón no hay nubes ni lluvias. INGLÉS anticyclone, high pressure area.

NOTA El plural es: anticiclones.

anticipación

nombre femenino **1** Acción de hacer o decir una cosa antes que otra persona o antes del momento en que se tenía que hacer o decir. Los viajes largos se deben preparar con anticipación.

NOTA El plural es: anticipaciones.

anticipar

verbo **1** Hacer o decir una cosa antes del momento o el día en que se tenía que hacer o decir. Cuando el jefe paga el sueldo a un empleado antes del día que toca, le anticipa el sueldo. INGLÉS to bring forward, [si es el sueldo: to advance].

2 anticiparse Hacer o decir una cosa antes que otra persona. Si alguien se nos anticipa en una idea, la tiene antes que nosotros. SINÓNIMO adelantarse. INGLÉS to pre-empt.

3 anticiparse Ocurrir una cosa antes del tiempo en que tenía que ocurrir. A veces los partos se anticipan y nacen niños prematuros que necesitan cuidados especiales. INGLÉS to come early.

anticipo

nombre masculino **1** Parte del sueldo que recibe una persona antes del día en que tiene que cobrarlo completo. Cuando una persona encarga a otra un trabajo le puede pagar un anticipo. INGLÉS advance.

anticonceptivo, anticonceptiva

adjetivo y nombre masculino **1** Se dice del medicamento o método que impide que la mujer quede embarazada, como el preservativo o la píldora. INGLÉS contraceptive.

anticonstitucional

adjetivo **1** Se dice de la acción que va en contra de lo establecido por la constitución de un estado. Una ley anticonstitucional va contra alguna norma de la constitución. INGLÉS unconstitutional.

anticuado, anticuada

adjetivo **1** Se dice de las cosas que ya no están de moda. También son anticuadas las personas que tienen gustos o ideas de otra época o pasadas de moda. ANTÓNIMO moderno. INGLÉS old-fashioned.

anticuario, anticuaria

nombre **1** Persona que compra y vende objetos antiguos, especialmente cuando se consideran valiosos. INGLÉS antique dealer.

nombre masculino **2** Tienda donde se venden objetos antiguos. INGLÉS antique shop.

antideportivo, antideportiva

adjetivo **1** Que no cumple las normas de comportamiento que deben respetarse al practicar un deporte. Hacer trampas para ganar un partido es antideportivo. ANTÓNIMO deportivo. INGLÉS unsportsmanlike.

antidoping

adjetivo y nombre masculino **1** Se dice del análisis o control que sirve para descubrir sustancias prohibidas usadas por los deportistas para aumentar su capacidad física. INGLÉS drug [adjetivo], drug test [nombre].

NOTA Se pronuncia: 'antidopin'. Como adjetivo no varía en número.

antídoto

nombre masculino **1** Medicamento que detiene los efectos de un veneno en el organismo. Existen antídotos contra las mordeduras de serpientes. INGLÉS antidote.

2 Medio para evitar o prevenir un mal. Los mejores antídotos contra el aburrimiento son el juego y el deporte. INGLÉS antidote.

antidroga

adjetivo **1** Que está en contra del consumo o el tráfico de drogas, o que lucha contra ellos. La policía tiene un departamento antidroga para detener a los traficantes. INGLÉS anti-drug.

NOTA Es un adjetivo que no varía en número.

antiesclavista

adjetivo y nombre masculino y femenino **1** Se dice de la persona que está en contra de la esclavitud, especialmente de las que luchaban contra la esclavitud en los países en los que existía. **INGLÉS** anti-slavery [adjetivo], anti-slaver [nombre].

antifaz

nombre masculino **1** Tela, cartón u otro material que tapa la parte superior de la cara, desde media frente a media nariz, y tiene dos agujeros para poder ver. Se usa para que no nos reconozcan, por ejemplo en una fiesta de disfraces. **INGLÉS** mask.
2 Trozo de tela oscura y tupida que se pone sobre los ojos y se sujeta a la cara con una cinta o goma elástica. Se usa para que al ir a dormir no nos moleste la luz. **INGLÉS** mask.
NOTA El plural es: antifaces.

antigüedad

nombre femenino **1** Característica de las cosas que son antiguas. La antigüedad de un objeto de arte a veces no se puede apreciar a simple vista. **INGLÉS** age.
2 Período de la historia que va desde la prehistoria hasta el siglo V. **INGLÉS** antiquity.
3 Objeto antiguo y valioso. **INGLÉS** antique.

antiguo, antigua

adjetivo **1** Que existe desde hace mucho tiempo. También son antiguas las cosas o los hechos que existieron hace un tiempo y ya no existen, como la antigua Unión Soviética: *Nos une una antigua amistad.* **INGLÉS** old [viejo], former [anterior].
2 Que antes era lo que se dice. Un antiguo compañero de trabajo es una persona que ya no trabaja con uno. **INGLÉS** former.
nombre masculino plural **3 antiguos** Personas que vivieron en épocas pasadas. Los antiguos no conocían la electricidad. **INGLÉS** the ancients.
NOTA El superlativo es: antiquísimo.

antiinflamatorio, antiinflamatoria

adjetivo y nombre masculino **1** Se dice del medicamento que impide que salga o que aumente un bulto en una parte del cuerpo. Aplicar una compresa fría en un golpe es un remedio antiinflamatorio. **INGLÉS** anti-inflammatory.

antílope

nombre masculino **1** Mamífero que tiene dos cuernos largos y unas patas largas y delgadas que le permiten correr grandes distancias. El antílope vive en grandes espacios abiertos y se alimenta de vegetales. **INGLÉS** antelope.

antinatural

adjetivo **1** Que es contrario a lo que se considera natural o normal por ser muy forzado. La fecundación in vitro es un método antinatural de concepción. **INGLÉS** unnatural.

antiniebla

adjetivo **1** Que permite ver a través de la niebla. Algunos coches llevan faros antiniebla. **INGLÉS** fog.

antipático, antipática

adjetivo **1** Se dice de la persona que no es agradable con los demás. Las personas antipáticas tienen pocos amigos. **ANTÓNIMO** simpático. **INGLÉS** unfriendly, unpleasant.

antirreglamentario, antirreglamentaria

adjetivo **1** Se dice de las acciones o las cosas que son contrarias a lo que dice el reglamento de un juego, un deporte o un concurso. En fútbol es antirreglamentario tocar la pelota con la mano. **INGLÉS** against the rules.

antirrobo

adjetivo y nombre masculino **1** Se dice de un aparato o un conjunto de aparatos que se colocan en un lugar para impedir que alguien robe una cosa de un sitio. Una alarma es un dispositivo antirrobo. **INGLÉS** anti-theft [adjetivo], anti-theft device [nombre].
NOTA Como adjetivo, el plural es: antirrobo.

antítesis

nombre femenino **1** Persona o cosa que tiene cualidades opuestas de otra o representa lo contrario que otra. **INGLÉS** antithesis.
2 En literatura, forma de expresar algo

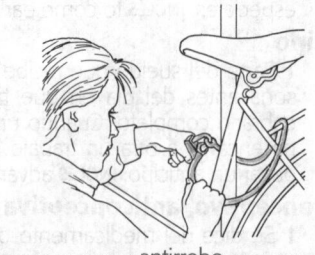

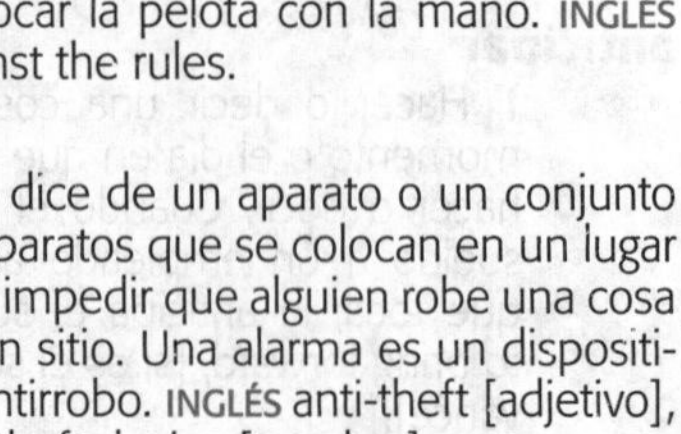

antirrobo

mediante la contraposición de palabras, frases o ideas. INGLÉS antithesis.
NOTA El plural es: antítesis.

antitetánica

adjetivo y nombre femenino **1** Se dice de la vacuna que se pone para evitar coger una enfermedad grave producida por la infección de algunas heridas. Si te cortas con una lata oxidada, te pondrán la vacuna antitetánica. INGLÉS tetanus injection [nombre].

antivirus

adjetivo **1** Se dice del medicamento que sirve para evitar o eliminar las infecciones provocadas por un virus. INGLÉS antivirus.

adjetivo y nombre masculino **2** Se dice del programa que detecta virus informáticos en un ordenador y los elimina. INGLÉS antivirus [adjetivo], antivirus program [nombre].
NOTA El plural es: antivirus.

antojarse

verbo **1** Desear mucho alguna cosa, en especial cuando lo que apetece es puro capricho: *Se le antojaba cualquier juguete que veía en un escaparate.* SINÓNIMO encapricharse. INGLÉS to feel like, to fancy.

antojo

nombre masculino **1** Deseo vivo de alguna cosa por puro capricho, pero que suele durar poco tiempo. Muchas personas tienen el antojo de comprar cosas que después no les gustan. SINÓNIMO capricho. INGLÉS whim, fancy.
2 Mancha oscura en la piel. INGLÉS birthmark.

antología

nombre femenino **1** Colección de fragmentos de obras literarias, musicales o científicas. Una antología de cuentos es un libro que contiene relatos de una época, un lugar, un tema o un autor. INGLÉS anthology.

antónimo, antónima

adjetivo y nombre masculino **1** Se dice de la palabra que tiene un significado contrario a otra. 'Abrir' y 'cerrar' son antónimos. INGLÉS antonymous [adjetivo], antonym [nombre].

antorcha

nombre femenino **1** Trozo de madera, cera u otro material combustible que se lleva en la mano y al que se prende fuego por la parte superior para dar luz. La inauguración de las Olimpiadas se realiza cuando se enciende la antorcha olímpica. INGLÉS torch.

antracita

nombre femenino **1** Carbón que arde con dificultad y da mucho calor. INGLÉS anthracite.

antropología

nombre femenino **1** Ciencia que estudia las características y los rasgos físicos, sociales y culturales del ser humano. INGLÉS anthropology.

anual

adjetivo **1** Que se hace o sucede cada año. INGLÉS annual.
2 Que dura un año. Las plantas anuales mueren al cabo de un año. INGLÉS annual.

anuario

nombre masculino **1** Libro o revista que se publica una vez al año. Algunos periódicos publican un anuario donde se resumen las noticias más importantes del año. INGLÉS yearbook.

anudar

verbo **1** Hacer uno o más nudos para sujetar o cerrar algo con cuerdas. INGLÉS to knot, to tie a knot in.

anular

verbo **1** No hacer una cosa que se tenía preparada: *Tuvo que anular la cita al ponerse enfermo.* INGLÉS to cancel.

adjetivo **2** Que tiene forma de anillo. INGLÉS annular.

adjetivo y nombre masculino **3** Se dice del segundo dedo de la mano si se empieza a contar por el meñique. Normalmente nos ponemos los anillos en el dedo anular. INGLÉS ring [adjetivo], ring finger [nombre]. DIBUJO página 339.

anunciar

verbo **1** Dar a conocer alguna noticia públicamente. Muchas parejas anuncian su boda enviando una invitación. INGLÉS to announce.
2 Dar a conocer un producto o servicio para que la gente lo compre o lo use. INGLÉS to advertise.
3 Señalar una cosa que algo sucederá en el futuro. Las nubes oscuras suelen anunciar lluvia. INGLÉS to herald.
NOTA Se conjuga como: cambiar; la 'i' no lleva nunca acento de intensidad.

anuncio

nombre masculino **1** Mensaje por medio del cual se da a conocer a los demás una cosa. INGLÉS announcement.

2 Mensaje en un medio de comunicación para hacer que la gente compre o use un producto o un servicio: *Pusieron un anuncio en el periódico y en Internet para vender el piso.* INGLÉS advertisement, advert.

anverso
nombre masculino
1 Cara o parte anterior o principal de una cosa plana. Cada país acuña en el anverso de la moneda de euro un motivo relacionado con el país en el que se ha fabricado. ANTÓNIMO reverso. INGLÉS obverse.

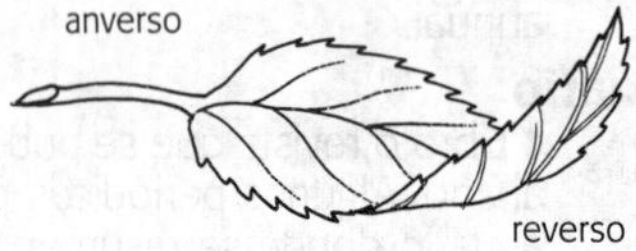

anverso

anzuelo
nombre masculino
1 Gancho pequeño de metal en el que se pone el cebo para pescar. El anzuelo tiene una punta especial para que el pez no pueda soltarse cuando pica. INGLÉS hook.
picar el anzuelo Caer una persona en una trampa que se le ha tendido. INGLÉS to swallow the bait.

añadir
verbo
1 Juntar o poner aigo a una cosa para que forme un conjunto. Añadimos sal cuando un guiso nos ha quedado soso. INGLÉS to add.
2 Poner a una cosa algo más de la misma materia o la misma cosa para hacerla más grande o más completa. Se puede añadir tela a un vestido o información a un mensaje. INGLÉS to add.

añicos
nombre masculino plural
1 Pedazos muy pequeños que se hacen de una cosa, como el cristal, al romperse. INGLÉS bits, pieces.

añil
nombre masculino y adjetivo
1 Color azul oscuro con un tono violeta. Al anochecer el cielo se pone añil. INGLÉS indigo.

año
nombre masculino
1 Tiempo que tarda la Tierra en dar una vuelta completa alrededor del Sol. Un año dura 365 días y cuarto. INGLÉS year.
2 Período de doce meses que va desde el 1 de enero hasta el 31 de diciembre o desde cualquier día hasta el mismo día de doce meses más tarde. INGLÉS year.
año bisiesto Año que dura 366 días. Cada cuatro años hay un año bisiesto, en el que el mes de febrero tiene 29 días. INGLÉS leap year.
año sabático Período de un año en el que una persona deja de trabajar para hacer otras cosas o descansar. INGLÉS sabbatical.
entrado en años Se dice de la persona que tiene bastantes años, pero que todavía no es anciana. INGLÉS getting on.

añoranza
nombre femenino
1 Sentimiento de tristeza o melancolía que tiene una persona cuando está lejos de un ser querido o de algún lugar determinado. Mucha gente que vive en el extranjero siente añoranza por su país. SINÓNIMO morriña; nostalgia. INGLÉS nostalgia [por el pasado, una persona], homesickness [por el hogar].

añorar
verbo
1 Sentir tristeza y echar de menos a un ser querido o a un lugar que está lejos. Las personas que viven lejos de su familia la añoran. INGLÉS to miss.

aorta
nombre femenino
1 Arteria que sale del corazón y lleva la sangre a todo el cuerpo menos a los pulmones. La aorta es la arteria más gruesa del cuerpo. INGLÉS aorta.

apabullar
verbo
1 Hacer una persona que otra se sienta confusa o inferior al demostrarle que es más fuerte o superior que ella. Un equipo apabulla a otro cuando le gana con mucha diferencia. INGLÉS to overwhelm.

apacentar
verbo
1 Llevar el ganado al campo para que se alimente de hierba y cuidarlo mientras come. INGLÉS to put out to pasture.
NOTA Se conjuga como: acertar; la 'e' se convierte en 'ie' en sílaba acentuada, como: apacienta.

apache
adjetivo y nombre masculino y femenino
1 Se dice de la persona o cosa que pertenece a un pueblo originario de América del Norte. Los apaches son del

sudoeste de los Estados Unidos. INGLÉS Apache.

apacible
adjetivo
1 Que es tranquilo y agradable. En un día apacible es agradable pasear por el campo. Las personas apacibles no suelen enfadarse. INGLÉS peaceful [día], placid [persona].

apaciguar
verbo
1 Hacer que dejen de pelearse o de discutir dos personas: *Solo su madre es capaz de apaciguarlos.* INGLÉS to calm down.
2 Hacer que una persona que está enfadada o muy nerviosa se tranquilice o que disminuya la violencia de una cosa. Los ánimos se van apaciguando en una discusión cuando se va dejando de gritar y de mostrar enfado. SINÓNIMO aplacar. INGLÉS to calm down.
NOTA Se conjuga como: averiguar; la 'u' no se acentúa y se escribe 'gü' delante de 'e', como: apacigüé.

apadrinar
verbo
1 Ser el padrino o los padrinos de un niño en un bautizo o de los novios en una boda. INGLÉS to act as godfather to [en un bautizo], to be the best man for [el novio].

apagado, apagada
adjetivo
1 Que no está encendido. Puede estar apagado un fuego, una lámpara o una estufa. INGLÉS out [un fuego], off [un aparato].
2 Se dice del color, brillo o luz que es de poca intensidad. El marrón y el gris son colores apagados. INGLÉS dull.
3 Se dice de la persona que está triste y sin ánimo ni entusiasmo. SINÓNIMO decaído. ANTÓNIMO animado. INGLÉS sad.

apagar
verbo
1 Hacer que deje de arder un fuego. SINÓNIMO extinguir. ANTÓNIMO prender. INGLÉS to put out.
2 Quitar la luz. En el cine, cuando empieza la película se apagan las luces de la sala. ANTÓNIMO encender. INGLÉS to turn out.
3 Desconectar un aparato, como un televisor, una alarma o un ordenador. ANTÓNIMO encender. INGLÉS to turn off.
4 Hacer que desaparezca o disminuya algo, como el amor, el odio o la sed. ANTÓNIMO encender. INGLÉS to extinguish [el amor], to quench [la sed].
NOTA Se escribe 'gu' delante de 'e', como: apaguemos.

apagón
nombre masculino
1 Corte inesperado de la luz eléctrica en una casa, edificio o población. Las fuertes lluvias pueden provocar apagones. INGLÉS power cut.
NOTA El plural es: apagones.

apaisado, apaisada
adjetivo
1 Se dice de una cosa (como un papel, un libro o un cuadro) que colocada en su posición normal es más ancha que alta. Las tarjetas de visita suelen ser apaisadas. INGLÉS landscape.

apalabrar
verbo
1 Acordar de palabra dos o más personas un trato como un alquiler, un contrato o una venta. INGLÉS to make a verbal agreement on.

apalear
verbo
1 Dar numerosos golpes a alguien con un palo o algo parecido. INGLÉS to beat, to thrash.

aparador
nombre masculino
1 Mueble con estanterías y cajones que se usa para guardar la vajilla, los manteles y todo lo necesario para poner la mesa. INGLÉS sideboard.
2 Espacio protegido por cristales que suele haber en una tienda, en la parte que da a la calle, donde se exponen los productos que se venden. SINÓNIMO escaparate. INGLÉS shop window.

aparato
nombre masculino
1 Utensilio formado por diversas piezas que están unidas para realizar una función determinada. Los aparatos suelen tener un mecanismo. La radio, el teléfono y el avión son aparatos. INGLÉS appliance, device.
2 Conjunto de órganos que forman parte del organismo de una persona, un animal o una planta, y que desarrollan conjuntamente una función determinada. En el aparato digestivo se digieren los alimentos y se absorben las sustancias nutritivas. INGLÉS system.

aparatoso, aparatosa
adjetivo
1 Que es exagerado, llama mucho la atención o es demasiado complicado. Una decoración con muchísimos ele-

a b c d e f g h i j k l m n ñ o p q r s t u v w x y z

mentos y detalles resulta aparatosa: *Ayer se produjo un aparatoso choque de trenes.* INGLÉS spectacular.

aparcamiento
nombre masculino
1 Edificio o lugar grande preparado para aparcar coches. SINÓNIMO estacionamiento; parking. INGLÉS car park.
2 Lugar en la calle donde se puede aparcar un coche. INGLÉS parking place.

aparcar
verbo
1 Dejar parado un vehículo en un lugar adecuado durante cierto tiempo: *En algunas calles está prohibido aparcar.* SINÓNIMO estacionar. INGLÉS to park.
2 Dejar a un lado un asunto mientras se resuelve otro más importante: *Tuvo que aparcar los estudios durante un tiempo para trabajar.* INGLÉS to put on one side.
NOTA Se escribe 'qu' delante de 'e', como: aparqué.

aparecer
verbo
1 Mostrarse o dejarse ver algo o alguien que antes no se veía. El sol aparece por el este. Una persona aparece en un lugar cuando llega de forma imprevista. INGLÉS to appear.
2 Empezar a existir una cosa, como un periódico o una enfermedad. El hombre apareció en la Tierra hace miles de años. INGLÉS to appear.
3 Encontrar algo o a alguien que estaba perdido o se está buscando: *¿Ha aparecido mi reloj? Su nombre no aparece en la lista.* INGLÉS to turn up.
NOTA Se conjuga como: agradecer; la 'c' se convierte en 'zc' delante de 'a' y 'o', como: aparezcamos, aparezco.

aparejador, aparejadora
nombre
1 Persona que trabaja en una construcción bajo las órdenes de un arquitecto. El aparejador dibuja planos o coordina los trabajos de construcción. INGLÉS quantity surveyor.

aparentar
verbo
1 Dar a entender algo que no es cierto o no existe: *Le gustaba aparentar que era rico.* INGLÉS to pretend.
2 Parecer una persona que tiene una edad distinta de la que en realidad tiene: *Aparentaba ser más joven de lo que era.* INGLÉS to look.

aparente
adjetivo
1 Que puede percibirse por la vista. Si un enfermo no sufre ningún cambio aparente, ni mejora ni empeora. INGLÉS apparent.
2 Que tiene buena apariencia y resulta atractivo o vistoso: *Su equipo de música es muy aparente, pero en realidad es mejor el mío.* INGLÉS smart.
sin motivo aparente Sin ninguna razón que se sepa o se vea claramente: *Carlos se enfadó sin motivo aparente.* INGLÉS for no apparent reason.

aparición
nombre femenino
1 Acción que consiste en aparecer o en mostrarse una persona o una cosa que antes no estaba. La aparición de canas no es señal de vejez. ANTÓNIMO desaparición. INGLÉS appearance.
2 Espíritu o imagen de una persona muerta que alguien cree ver. INGLÉS apparition.
NOTA El plural es: apariciones.

apariencia
nombre femenino
1 Conjunto de características que algo o alguien muestra exteriormente. A veces las apariencias engañan. SINÓNIMO aspecto. INGLÉS appearance.

apartado, apartada
adjetivo
1 Que está lejos o separado: *Vive en un pueblo bastante apartado de la ciudad.* SINÓNIMO retirado; alejado. INGLÉS remote, distant.
nombre masculino
2 Lugar de la oficina de correos donde se apartan y recogen las cartas dirigidas a una persona. En los concursos los participantes mandan sus cartas a un apartado de correos. INGLÉS post office box.
3 Parte de un escrito que trata de un determinado tema o asunto. Los apartados suelen ir numerados y ordenados. INGLÉS section.

apartamento
nombre masculino
1 Vivienda más pequeña que un piso que forma parte de un edificio, generalmente con una o dos habitaciones, cocina y baño. INGLÉS small flat, apartment.

apartar
verbo
1 Poner aparte a una persona o cosa, separándola o alejándola de otra u otras. Cuando una persona estorba en medio de una calle se tiene que apartar: *Si apartas los vasos, podré poner en la mesa la paellera.* INGLÉS to move out of the way.

2 Hacer que una persona abandone un trabajo, una actividad o un cargo: *Los escándalos lo apartaron de la presidencia.* **INGLÉS** to remove.

aparte

adverbio **1** Se usa para indicar que una cosa está en lugar diferente de aquel en que estaba o separada de otras cosas parecidas: *Ese libro déjalo aparte, que le quiero echar un vistazo.* **INGLÉS** on one side.

2 Indica que algo se hace separando una o varias cosas de otra u otras. Se envuelven aparte varios regalos cuando se envuelven por separado. **INGLÉS** separately.

3 Se usa para indicar que una cosa está en un sitio retirado o a distancia de otras cosas, donde no molesta o estorba. Una persona se mantiene aparte de algo cuando no interviene en ello. **INGLÉS** apart.

adjetivo **4** Se dice de la cosa que está apartada de la línea general o de lo que se considera normal. Es un caso aparte alguien que no se comporta como los demás, o que tiene características especiales y que no se puede considerar igual al resto de un grupo. **INGLÉS** special, separate.

nombre masculino **5** Discurso o palabras que en una representación de teatro dice un personaje a sí mismo o a otros de forma apartada, para hacer ver que solo lo oyen ellos y el público. **INGLÉS** aside.

aparte de Se usa para indicar que aquello que se expresa no está incluido en lo que se dice después: *Aparte de inteligencia, no tiene ninguna cualidad destacable.* **INGLÉS** apart from.

apasionante

adjetivo **1** Se dice de algunas cosas que apasionan, porque gustan o porque son muy interesantes. **SINÓNIMO** emocionante. **INGLÉS** exciting, fascinating.

apasionar

verbo **1** Hacer que una persona sienta una atracción muy fuerte por algo o se aficione mucho a una cosa. Cuando una película nos apasiona no podemos perdernos el final: *Le apasiona la lectura.* **INGLÉS** to excite, to fascinate.

apatía

nombre femenino **1** Estado de la persona que no tiene interés por nada o no tiene ganas de hacer nada. **INGLÉS** apathy.

apático, apática

adjetivo **1** Se dice de la persona que no tiene interés por las cosas y nunca se entusiasma por nada: *Me siento muy apático: no me apetece ni salir, ni leer, ni nada de nada.* **ANTÓNIMO** entusiasta. **INGLÉS** apathetic.

apeadero

nombre masculino **1** Estación poco importante en la que el tren solo se detiene para recoger y dejar viajeros. **INGLÉS** halt.

apear

verbo **1** Bajar de un medio de transporte o de una cosa que se mueve. Es peligroso apearse de un tren o autobús en marcha. **SINÓNIMO** bajar. **ANTÓNIMO** subir. **INGLÉS** to get off.

apechugar

verbo **1** Aceptar una cosa desagradable o difícil de hacer porque no queda otro remedio o solución. Cuando cometemos errores, nos toca apechugar con las consecuencias. **INGLÉS** to grin and bear it.

NOTA Es una palabra familiar. Se escribe 'gu' delante de 'e', como: apechuguen.

apedrear

verbo **1** Tirar piedras contra una persona o cosa. **INGLÉS** to throw stones at.

apego

nombre masculino **1** Sentimiento de amor o de afecto. Cuando se tiene mucho apego a la tierra en que se ha nacido, resulta muy difícil vivir en otro lugar. **SINÓNIMO** cariño; estima. **INGLÉS** attachment, affection.

apelación

nombre femenino **1** Acción que consiste en apelar ante un tribunal superior contra una sentencia, para que sea revisada. Cuando la defensa considera que no ha sido justa la sentencia, presenta una apelación. **INGLÉS** appeal.

NOTA El plural es: apelaciones.

apelar

verbo **1** Pedir a un tribunal superior que revise o anule la sentencia que ha dictado otro tribunal inferior y que se considera injusta. **INGLÉS** to appeal.

2 Pedir a una persona que nos ayude o recurrir a una cosa para salir de un apuro o una dificultad. Las naciones apelan a la inteligencia y los sentimientos para terminar con las guerras. **INGLÉS** to appeal.

apelativo
nombre masculino **1** Nombre distinto del propio, por el que se conoce a alguien o se le suele nombrar. El sobrenombre suele estar inspirado en una peculiaridad física o del carácter. SINÓNIMO apodo; sobrenombre. INGLÉS name.

apellidarse
verbo **1** Tener un apellido determinado. INGLÉS to be called.

apellido
nombre masculino **1** Nombre de familia. En España, las personas utilizamos dos apellidos: el primero es el de la familia de nuestro padre, y el segundo, el de nuestra madre. INGLÉS family name, surname.

apelotonar
verbo **1** Hacer que se acumulen en un lugar demasiadas cosas de manera desordenada: *Apelotonó la ropa en la maleta sin doblarla.* INGLÉS to bundle.
2 apelotonarse Acumularse en un lugar demasiadas personas o demasiadas cosas de manera desordenada. La gente suele apelotonarse a la salida de un concierto. INGLÉS to crowd [personas], to pile up [cosas].

apenar
verbo **1** Hacer una persona o una cosa que alguien sienta tristeza o pena. Nos puede apenar la marcha de una persona querida o ver a otra persona triste. INGLÉS to sadden.

apenas
adverbio **1** Indica que una acción se realiza con grandes dificultades, casi sin poder hacerla o acabarla: *Me levanté tan tarde que apenas pude desayunar.* SINÓNIMO casi. INGLÉS scarcely, hardly.
2 Se usa con números para indicar que por muy poco no se llega a la cantidad que se dice: *Apenas hace cinco minutos que se ha ido.* INGLÉS scarcely, barely.
conjunción **3** Indica que la acción que se dice a continuación se produce inmediatamente después que otra o casi al mismo tiempo: *Apenas se acostó, se quedó dormido.* INGLÉS hardly, only just.

apéndice
nombre masculino **1** Parte del cuerpo de las personas o de los animales que está unida a otra principal. La nariz es un apéndice de la cara. INGLÉS appendage.
2 Parte delgada y acabada en punta que sale del intestino grueso. A algunas personas se les inflama el apéndice y tienen que operarse. INGLÉS appendix.
3 Cosa que se añade a otra ya terminada para completarla. Las enciclopedias tienen unos apéndices que se publican cuando va apareciendo nueva información. INGLÉS appendix.

apendicitis
nombre femenino **1** Inflamación del apéndice del intestino. Un ataque de apendicitis suele ser muy doloroso. INGLÉS appendicitis.
NOTA El plural es: apendicitis.

aperitivo
nombre masculino **1** Bebida o comida ligera acompañada de bebida que se toma antes de comer o de cenar. En un bar podemos pedir como aperitivo un refresco y un pincho o una tapa. INGLÉS apéritif [bebida], appetizer [comida].

apero
nombre masculino **1** Instrumento o conjunto de instrumentos que sirven para cultivar la tierra. La azada, la hoz o el azadón son aperos. INGLÉS implement, equipment.

apertura
nombre femenino **1** Acción que consiste en abrir algo, como una puerta, una tienda o un agujero. ANTÓNIMO cierre. INGLÉS opening.
2 Acto o ceremonia formal en la que se celebra el comienzo de una actividad: *El presidente asistió a la apertura de los Juegos Olímpicos.* INGLÉS opening.

apestar
verbo **1** Oler muy mal una cosa, como una cloaca o el pescado podrido. INGLÉS to stink.

apestoso, apestosa
adjetivo **1** Que tiene un olor muy desagradable, como el de algunos productos químicos. INGLÉS stinking.

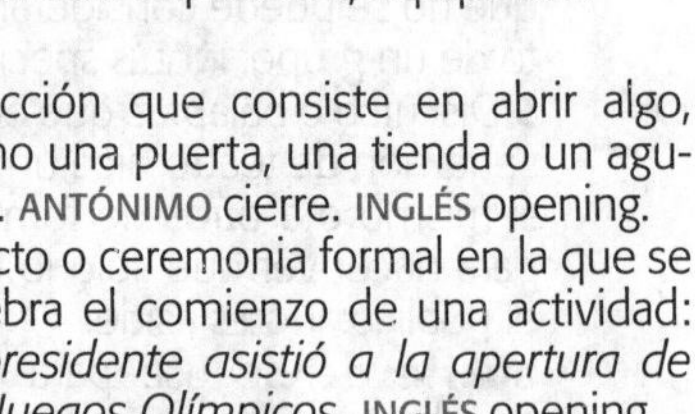

apestar

apetecer
verbo **1** Tener ganas o deseo de una cosa: *En verano, después de comer apetecía una siesta.* **INGLÉS** to feel like, to fancy.
NOTA Se conjuga como: agradecer; la 'c' se convierte en 'zc' delante de 'a' y 'o', como: apetezca.

apetito
nombre masculino **1** Sensación que se experimenta cuando se tienen ganas de comer. No tener apetito es no tener hambre. **SINÓNIMO** hambre. **INGLÉS** appetite.

apetitoso, apetitosa
adjetivo **1** Que abre el apetito o apetece comer. Algunos platos tienen un aspecto apetitoso. **INGLÉS** appetizing.

apiadarse
verbo **1** Sentir pena o compasión por alguien que sufre y querer ayudarlo. **INGLÉS** to take pity.

ápice
nombre masculino **1** Punta o extremo de una cosa. Para pronunciar la letra 'T' apoyamos el ápice de la lengua en los dientes superiores. **INGLÉS** tip.
2 Parte muy pequeña de una cosa: *No me interesa ni un ápice lo que dices.* **INGLÉS** tiny bit.

apicultor, apicultora
nombre **1** Persona que se dedica a criar abejas para aprovechar la miel y la cera que producen. **INGLÉS** beekeeper.

apicultura
nombre femenino **1** Actividad que consiste en criar abejas y aprovechar la miel y la cera. **INGLÉS** beekeeping.

apilar
verbo **1** Poner unas cosas sobre otras de manera que formen una pila: *En un almacén se apilan las cajas para aprovechar mejor el espacio.* **INGLÉS** to pile up.

apiñado, apiñada
adjetivo **1** Se dice de personas, animales o cosas que están en un lugar muy apretados, casi pegados unos a otros y generalmente alrededor de alguien o algo: *La gente estaba apiñada en la entrada esperando que abrieran las puertas.* **INGLÉS** crammed together.

apio
nombre masculino **1** Planta comestible de tallo grueso y hojas largas que se cultiva en las huertas. El apio se come crudo en ensaladas y también se utiliza en sopas y cocidos. **INGLÉS** celery.

apisonadora
nombre femenino **1** Máquina que sirve para allanar el suelo. Las apisonadoras tienen dos grandes cilindros en lugar de ruedas. **INGLÉS** steamroller.

aplacar
verbo **1** Hacer que disminuya la violencia de una cosa o que una persona que está enfadada se tranquilice: *Hasta que no le pidieron perdón no se aplacó.* **SINÓNIMO** apaciguar. **INGLÉS** to calm down.
NOTA Se escribe 'qu' delante de 'e', como: aplaqué.

aplanar
verbo **1** Dejar una cosa o una superficie llana o lisa. **SINÓNIMO** allanar. **INGLÉS** to smooth [dejar liso], to level [dejar llano].

aplastante
adjetivo **1** Que es total o completo y no deja lugar a dudas. Un razonamiento que tiene una lógica aplastante no puede contradecirse. **INGLÉS** overwhelming.
NOTA Es una palabra informal.

aplastar
verbo **1** Apretar algo hasta que quede plano, deformado o destruido. **SINÓNIMO** chafar. **INGLÉS** to squash, to crush.

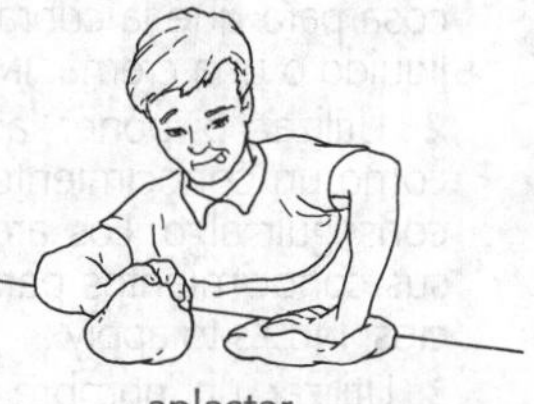

aplastar

aplaudir
verbo **1** Dar palmadas continuas durante un tiempo para mostrar acuerdo o aprobación con una persona o con lo que hace. **INGLÉS** to clap, to applaud.

aplauso
nombre masculino **1** Ruido que se hace al aplaudir o dar palmadas como muestra de acuerdo o aprobación. **INGLÉS** applause.

aplazamiento
nombre masculino **1** Acción que consiste en dejar para más tarde el inicio de una cosa: *El apla-*

a b c d e f g h i j k l m n ñ o p q r s t u v w x y z

zamiento del inicio del curso se debió a las obras. INGLÉS postponement.

aplazar

verbo

1 Dejar de hacer una cosa para hacerla en otro momento u otro día. Se aplaza un partido de tenis si llueve y no se puede jugar en el campo. INGLÉS to postpone.

NOTA Se escribe 'c' delante de 'e', como: aplacé.

aplicación

nombre femenino

1 Colocación de una cosa en contacto con otra de manera que la cubra. Es importante seguir las instrucciones de aplicación de sustancias como una crema o una pintura. INGLÉS application.

2 Empleo o uso que se hace de algo, como un material o un conocimiento, para conseguir un fin determinado. La informática tiene múltiples aplicaciones. INGLÉS application.

NOTA El plural es: aplicaciones.

aplicado, aplicada

adjetivo

1 Se dice de la persona que pone mucho esfuerzo e interés en realizar un trabajo y especialmente la que dedica mucha atención a los estudios. INGLÉS hard-working.

aplicar

verbo

1 Extender una sustancia sobre una cosa para que la cubra, en especial un líquido o una crema. INGLÉS to apply.

2 Utilizar o poner algo en práctica, como un conocimiento o una ley, para conseguir algo. Los arquitectos aplican sus conocimientos para construir edificios. INGLÉS to apply.

3 Utilizar un nombre para referirse a algo o a alguien: *'Pillo' es una palabra que se aplica sobre todo a los niños pequeños.* INGLÉS to apply.

4 aplicarse Esforzarse o poner interés en una actividad, especialmente en el estudio o en el trabajo. Cuando una persona se aplica en los estudios, consigue aprender mucho. INGLÉS to apply oneself.

NOTA Se escribe 'qu' delante de 'e', como: apliquemos.

aplique

nombre masculino

1 Lámpara que se coloca fija en la pared. INGLÉS wall light.

aplomo

nombre masculino

1 Cualidad de la persona que hace las cosas sin nervios y con mucha seguridad: *El bailarín se lució con el aplomo que da la experiencia.* INGLÉS composure, aplomb.

apocado, apocada

adjetivo

1 Se dice de la persona que es muy tímida, que tiene un carácter débil y no sabe cómo comportarse con la gente. A un chico apocado le es más difícil que a otros hacer amigos. INGLÉS timid.

apocalipsis

nombre masculino

1 Fin del mundo. Una guerra nuclear podría significar el apocalipsis. INGLÉS apocalypse.

NOTA El plural es: apocalipsis.

apócope

nombre femenino

1 Fenómeno que consiste en acortar una palabra, eliminando algunas letras de su parte final. 'Gran', 'cualquier', 'ningún' y 'san' son apócopes de 'grande', 'cualquiera', 'ninguno' y 'santo', respectivamente. INGLÉS apocopation.

apoderarse

verbo

1 Coger una cosa, generalmente de forma inadecuada, violenta o ilegal, y actuar como si se fuese el dueño de ella. Un ladrón se apodera de lo que no es suyo. INGLÉS to take.

2 Dominar un sentimiento o un estado de ánimo totalmente a una persona. En situaciones extremas, la rabia o el pánico pueden apoderarse de una persona. SINÓNIMO adueñarse. INGLÉS to seize.

apodo

nombre masculino

1 Nombre distinto del propio, por el que se conoce a alguien o se le suele nombrar. El apodo suele estar inspirado en una peculiaridad física o del carácter. INGLÉS nickname.

apogeo

nombre masculino

1 Punto culminante o de mayor esplendor de una situación o una acción. INGLÉS apogee.

2 Punto en el que un astro o un satélite que recorre una órbita se encuentra a mayor distancia de la Tierra. La Luna está en su apogeo cuando está en el punto más alejado de la Tierra. INGLÉS apogee.

apología

nombre femenino

1 Discurso o escrito en el que se alaba,

defiende o justifica a alguien o algo. La persona que hace una apología la debe hacer con convicción. INGLÉS defence.

aporrear
verbo
1 Dar varios golpes seguidos sobre una cosa con violencia: *Nos asustó que aporrearan la puerta.* INGLÉS to beat, to thrash.

aportación
nombre femenino
1 Cosa que se ofrece o cantidad de dinero que se da para lograr algún fin. Las instituciones benéficas aprovechan las aportaciones desinteresadas de la gente. SINÓNIMO contribución. INGLÉS contribution.
NOTA El plural es: aportaciones.

aportar
verbo
1 Dar o añadir algo con un fin determinado, sobre todo dinero o bienes. También se pueden aportar ideas, datos o argumentos: *Todos aportamos un poco de dinero para el regalo de despedida. En su análisis aporta nuevos datos para la investigación.* SINÓNIMO contribuir. INGLÉS to contribute.

aposento
nombre masculino
1 Habitación o cuarto de una casa. INGLÉS room.
NOTA Se usa sobre todo en literatura.

aposición
adverbio
1 Palabra o conjunto de palabras que siguen a otra palabra de la que dicen o explican algo. En 'María, la secretaria de Pilar', 'la secretaria de Pilar' es una aposición. INGLÉS apposition.
NOTA El plural es: aposiciones.

aposta
verbo
1 Se usa para expresar que una cosa se hace a propósito, con la voluntad y la intención de hacerla. Si hacemos o decimos algo aposta es que lo hemos pensado y estamos seguros de lo que hacemos o decimos. SINÓNIMO intencionadamente. ANTÓNIMO involuntariamente. INGLÉS on purpose.

apostar
verbo
1 Ponerse de acuerdo dos o más personas en que la que acierte una cosa o gane en un juego obtendrá lo que hayan acordado, como, por ejemplo, pagar una prenda o invitar a las demás a una comida. INGLÉS to bet.
2 Tener una persona mucha seguridad en que lo que dice es verdad aunque sea poco probable: *Apuesto a que llega tarde otra vez.* INGLÉS to bet.
NOTA Se conjuga como: contar; la 'o' se convierte en 'ue' en sílaba acentuada, como: apuestes.

apóstol
nombre masculino
1 Cada uno de los doce hombres que siguieron y acompañaron a Jesucristo y le ayudaron a difundir las enseñanzas de la religión cristiana. San Juan y san Pedro son dos de los apóstoles. INGLÉS apostle.

apóstrofo
nombre masculino
1 Signo de escritura (') que se emplea para indicar la desaparición de una vocal. En español no se utiliza el apóstrofo, pero su uso es habitual en lenguas como el inglés, el catalán, el italiano o el francés. INGLÉS apostrophe.

apotema
nombre femenino
1 Línea recta trazada desde el centro de un polígono regular al punto medio de cualquiera de sus lados. El área de un polígono regular se obtiene multiplicando la mitad del perímetro por la apotema. INGLÉS apothem.

apoteosis
nombre femenino
1 Momento final de mucha intensidad y gran espectacularidad con el que concluyen algunas cosas, especialmente los espectáculos. INGLÉS grand finale.
NOTA El plural es: apoteosis.

apoyar
verbo
1 Poner una cosa o una persona junto a otra de modo que la soporte o aguante. Podemos apoyarnos en la barandilla de un balcón y asomarnos a la calle sin peligro. INGLÉS to lean.
2 Ayudar a alguien. Los padres siempre apoyan a sus hijos. INGLÉS to support.
3 Tener una cosa su base o su fundamento en otra. Las teorías científicas se apoyan en datos de la realidad. INGLÉS to base [apoyar], to be based [apoyarse].

apoyo
nombre masculino
1 Cosa que sostiene algo o que sirve para sostener. El estribo es un apoyo para subir al caballo. INGLÉS support.
2 Ayuda o comprensión que se ofrece a alguien. Un amigo puede ser un apoyo en momentos difíciles. INGLÉS support.

a b c d e f g h i j k l m n ñ o p q r s t u v w x y z

apreciable
adjetivo **1** Se dice de algo que se puede notar por su importancia, tamaño o intensidad. Cuando llueve mucho, la cantidad de lluvia es apreciable. SINÓNIMO notable. ANTÓNIMO inapreciable. INGLÉS appreciable.

apreciar
verbo **1** Reconocer el mérito de una persona o cosa. Para apreciar la pintura no hay que ser un experto, sino tener cierta sensibilidad. SINÓNIMO estimar. ANTÓNIMO despreciar. INGLÉS to appreciate.
2 Sentir afecto o cariño por alguna persona. Cuando dos personas se aprecian evitan hacerse daño. SINÓNIMO estimar. INGLÉS to be fond of.
3 Conocer con los sentidos o la inteligencia el tamaño, el valor o la intensidad de las cosas. A distancia no se aprecian los detalles de un cuadro. INGLÉS to appreciate.
NOTA Se conjuga como: cambiar; la 'i' no lleva nunca acento de intensidad.

aprecio
nombre masculino **1** Cariño o afecto que se siente hacia alguien o algo. SINÓNIMO estima. ANTÓNIMO menosprecio. INGLÉS fondness.

apremiante
adjetivo **1** Que se tiene que hacer con rapidez. Una necesidad apremiante es una necesidad que no puede esperar más. SINÓNIMO urgente. INGLÉS urgent.

aprender
verbo **1** Adquirir o llegar a tener el conocimiento de una cosa o conocimientos en general. Para aprender una cosa hay que estudiarla o practicarla durante un tiempo. INGLÉS to learn.
2 Fijar una cosa en la memoria, de manera que pueda recordarse con facilidad. Aprendemos fechas, números de teléfono, información y otras cosas. INGLÉS to learn.

aprendiz, aprendiza
nombre **1** Persona que trabaja en un lugar para aprender el oficio. Los aprendices son jóvenes y trabajan en talleres o fábricas. INGLÉS apprentice.
NOTA El plural de aprendiz es: aprendices.

aprendizaje
nombre masculino **1** Proceso durante el que se aprende una cosa. En el aprendizaje de un oficio hay que empezar por lo más elemental. INGLÉS learning.

aprensión
nombre femenino **1** Temor a que ocurra algo que consideramos peligroso aunque no haya motivo. Hay gente a la que le produce aprensión viajar en avión. INGLÉS apprehension.
NOTA El plural es: aprensiones.

aprensivo, aprensiva
adjetivo **1** Se dice de la persona que exagera el peligro de cosas, como heridas o enfermedades, o la gravedad de los males. Las personas aprensivas tienen miedo a coger enfermedades. INGLÉS apprehensive.

apresar
verbo **1** Coger y detener a una persona o una cosa que va contra la ley. La policía tiene el deber de apresar a los ladrones. INGLÉS to capture.
2 Sujetar algo con fuerza impidiendo que se mueva o escape, especialmente como hacen algunos animales que apresan algo con garras y dientes. INGLÉS to catch.

apresurar
verbo **1** Hacer una cosa más deprisa de como se estaba haciendo. Apresurar el paso es andar más deprisa. INGLÉS to accelerate.
2 apresurarse Hacer una cosa con rapidez: *Tengo que apresurarme a matricularme o cerrarán el plazo de inscripción.* INGLÉS to hurry up.

apretar
verbo **1** Hacer fuerza o presión sobre algo. Para que suene un timbre hay que apretar el botón. INGLÉS to press.
2 Reducir el volumen de un grupo de cosas o personas, haciendo que haya menos espacio entre ellas. En el metro a veces hay que apretarse para que pueda entrar más gente. INGLÉS to squeeze.
3 Tratar a una persona con más dureza de lo normal para que haga algo. SINÓNIMO exigir. INGLÉS to push.
4 Hacer más intenso el esfuerzo que se pone en una cosa. Al final de la carrera el corredor apretó hasta superar a sus contrincantes. SINÓNIMO esforzarse. INGLÉS to make a special effort.

5 Hacerse muy intensa una cosa, como el calor o el frío, un dolor o el hambre. INGLÉS to get worse.

NOTA Se conjuga como: acertar; la 'e' se convierte en 'ie' en sílaba acentuada, como: aprieta.

apretón

nombre masculino **1** Presión o fuerza que se hace sobre una cosa o una persona, en especial cuando dos personas se dan la mano. INGLÉS squeeze, [de manos: handshake].

NOTA El plural es: apretones.

apretujar

verbo **1** Apretar una cosa con fuerza o repetidamente: *Apretujó toda la ropa al meterla en la maleta.* INGLÉS to squash.

2 apretujarse Juntarse mucho varias personas en un lugar muy pequeño. INGLÉS to squeeze together.

aprieto

nombre masculino **1** Situación difícil que una persona no sabe resolver o en la que no sabe cómo reaccionar: *Me pidió que apoyara su mentira y me puso en un aprieto.* SINÓNIMO apuro. INGLÉS fix.

aprisa

adverbio **1** Con mucha rapidez: *No vayas tan aprisa, que aún hay tiempo.* INGLÉS quickly.

aprisionar

verbo **1** Coger y sujetar con fuerza a una persona de manera que no pueda moverse con libertad. También se puede aprisionar una parte del cuerpo, como un pie, un brazo o las piernas. INGLÉS to hold tight.

2 Coger a alguien prisionero o meterlo en una prisión. INGLÉS to put in prison.

aprobado

nombre masculino **1** Calificación o nota obtenida en un examen que es inferior a la de notable y superior a la de suspenso. INGLÉS pass.

aprobar

verbo **1** Considerar una cosa como buena o apta para algo. El Parlamento aprueba una ley cuando la mayoría cree que es conveniente. INGLÉS to pass.

2 Expresar conformidad o estar de acuerdo con una opinión o una forma de actuar: *Los jugadores aprueban la decisión del árbitro.* INGLÉS to agree with.

3 Conceder un profesor o examinador la calificación de aprobado u obtenerla un alumno en una prueba o un examen. INGLÉS to pass.

NOTA Se conjuga como: contar; la 'o' se convierte en 'ue' en sílaba acentuada, como: aprueban.

apropiado, apropiada

adjetivo **1** Se dice de las cosas que se ajustan o van bien para un fin determinado. La ropa ligera es la más apropiada para el verano. INGLÉS suitable, appropriate.

apropiarse

verbo **1** Coger una cosa que pertenece a otra persona y hacerse dueño de ella: *Se apropió de mi idea.* INGLÉS to take, to steal.

NOTA Se conjuga como: cambiar; la 'i' no lleva nunca acento de intensidad.

aprovechado, aprovechada

adjetivo y nombre masculino y femenino **1** Se dice de la persona que se aprovecha con abuso de una situación o de otra persona para obtener un beneficio propio. A un aprovechado no le importa el daño que pueda hacer, solo le interesa el provecho que pueda sacar. INGLÉS opportunistic [adjetivo], opportunist [nombre].

aprovechar

verbo **1** Usar una cosa de forma útil sacando provecho de ella: *Quizá puedas aprovechar esta camisa que a mí me queda pequeña.* INGLÉS to make good use of.

2 aprovecharse Utilizar a una persona o cosa para sacar un beneficio propio: *Cuando trabaja en grupo se aprovecha de sus compañeros y él no hace nada.* INGLÉS to take advantage of.

que aproveche Expresión que se dirige a alguien que va a empezar a comer o está comiendo y que indica el deseo de que le siente bien la comida. INGLÉS enjoy your meal!

aprovisionar

verbo **1** Reunir o dar suficientes provisiones para un grupo de personas. Los excursionistas se aprovisionan antes de una expedición. INGLÉS to supply [aprovisionar], to stock up [aprovisionarse].

aproximación

nombre femenino **1** Acción que consiste en aproximarse

a b c d e f g h i j k l m n ñ o p q r s t u v w x y z

o acercarse a una persona o una cosa. INGLÉS approach.

2 Cantidad que se acerca mucho a otra, pero que no es esa exactamente. Sin una balanza solo se puede tener una aproximación del peso de una cosa. INGLÉS approximation.

NOTA El plural es: aproximaciones.

aproximado, aproximada

adjetivo

1 Que se acerca mucho a la cantidad exacta. Si se sabe la distancia aproximada a un lugar, se puede saber más o menos cuánto se tardará en llegar. INGLÉS approximate.

aproximar

verbo

1 Poner cerca o más cerca a una persona o cosa. Cuando los barcos se aproximan al puerto van reduciendo la velocidad para no chocar. SINÓNIMO acercar. ANTÓNIMO separar. INGLÉS to bring near [aproximar], to approach [aproximarse].

aptitud

nombre femenino

1 Capacidad, habilidad o conocimientos necesarios de una persona para hacer algo. Las personas hacen diferentes trabajos según las aptitudes que tengan. INGLÉS aptitude.

apto, apta

adjetivo

1 Que tiene capacidad o sirve para una determinada actividad o función. Solo debemos beber agua apta para el consumo. INGLÉS fit.

2 Que es adecuado o apropiado. Las películas de dibujos animados son aptas para todos los públicos. INGLÉS suitable.

nombre masculino

3 Calificación o nota equivalente a aprobado. INGLÉS pass.

apuesta

nombre femenino

1 Acuerdo entre dos o más personas según el cual la que acierte una cosa o gane en un juego ganará lo que se haya acordado. INGLÉS bet.

apuesto, apuesta

adjetivo

1 Se dice de una persona que es guapa, atractiva y tiene buena presencia. INGLÉS good-looking.

apuntar

verbo

1 Dirigir un arma, como una pistola o una escopeta, hacia una persona, animal o cosa, normalmente con intención de disparar. INGLÉS to point.

2 Señalar hacia una determinada persona, cosa o lugar. La aguja de una brújula apunta hacia el norte. INGLÉS to point.

3 Tomar nota de algo, escribiéndolo sobre un papel. La gente apunta cosas para no olvidarlas. SINÓNIMO anotar. INGLÉS to note down.

4 Incluir el nombre de una persona en una lista para que forme parte de una asociación o cualquier tipo de actividad. Las personas que no tienen trabajo se apuntan al paro. INGLÉS to put on a list.

5 apuntarse Conseguir algo positivo, en especial un éxito. Si una persona se apunta un tanto, es que ha hecho algo bien y se lo han reconocido. INGLÉS to achieve.

apunte

nombre masculino

1 Dato que se escribe rápidamente sobre lo que una persona dice o lo que se lee en un libro para recordarlo o estudiarlo después. Se toman apuntes de las explicaciones de los profesores. INGLÉS note.

NOTA Se usa más en plural: apuntes.

apuñalar

verbo

1 Clavar un cuchillo, un puñal o una navaja a alguien. INGLÉS to stab.

apurar

verbo

1 Terminar lo último que queda de una cosa, de manera que se agota o se acaba. Apurar un vaso es acabarse de beber lo que quedaba. SINÓNIMO agotar. INGLÉS to finish off [una substancia], to empty [un vaso, una copa...].

2 Hacer que una persona se dé prisa en hacer una cosa, o agobiar a una persona exigiéndole que haga más de lo que puede hacer. INGLÉS to hurry up [dar prisa], to put pressure on [agobiar].

3 apurarse Sentirse una persona muy angustiada, muy intranquila o muy preocupada: *No te apures, todo saldrá bien, ya verás.* INGLÉS to worry.

apuro

nombre masculino

1 Situación difícil en la que se encuentra una persona. Está en un apuro el que tiene que tomar una decisión y no sabe qué hacer: *Como no tenía trabajo pasó algunos apuros económicos.* INGLÉS fix, tight spot.

aquel, aquella

determinante demostrativo

1 Indica un objeto, persona o situación lejanos al hablante en el espacio o en el tiempo: *¿Sabes qué pasó aquel día?* **INGLÉS** that [singular], those [plural].

pronombre demostrativo **2** Sustituye a un nombre que ya se ha dicho e indica que el objeto, persona o situación sustituidos se encuentran lejanos al hablante: *Yo me quedaría con aquella.* **INGLÉS** that one [singular], those ones [plural].

NOTA Como pronombre admite la forma sin tilde o con ella, aunque es conveniente que utilices la forma sin tilde.

aquello

pronombre demostrativo **1** Se refiere a una situación u objeto que se encuentran lejanos al hablante y al oyente, pero sin especificar su nombre, porque no se quiere, porque se desconoce o porque ya se ha hablado antes: *Recoge aquello para que nadie tropiece.* **INGLÉS** that, it.

NOTA Nunca lleva tilde.

aquí

adverbio **1** Indica el lugar donde está el hablante o un lugar que está muy cerca de él. También indica un punto o una zona que se señala: *Esto de aquí no lo entiendo.* **SINÓNIMO** acá. **INGLÉS** here.

2 Indica el momento presente o un pasado muy reciente: *Hasta aquí nos ha ayudado, a partir de ahora ya veremos.* **INGLÉS** now.

árabe

adjetivo y nombre masculino y femenino **1** Se dice de un pueblo que tiene su origen en Arabia y en la actualidad se extiende por el norte de África, Oriente Próximo y Oriente Medio. Los árabes tienen una lengua, una cultura y una religión comunes. **INGLÉS** Arabic [adjetivo], Arab [nombre].

nombre masculino **2** Lengua hablada por los árabes. El árabe tiene un alfabeto distinto del latino y se lee y escribe de derecha a izquierda. **INGLÉS** Arabic.

arácnido, arácnida

adjetivo y nombre masculino **1** Se dice del animal invertebrado que tiene la cabeza y el cuerpo unidos, no posee antenas y tiene cuatro pares de patas. La araña y el escorpión son arácnidos. **INGLÉS** arachnid.

arado

nombre masculino **1** Instrumento usado en agricultura para abrir surcos y remover la tierra, preparándola para la siembra. **INGLÉS** plough.

aragonés, aragonesa

adjetivo y nombre **1** Se dice de la persona o cosa que es de Aragón. **INGLÉS** Aragonese.

NOTA El plural de aragonés es: aragoneses.

arándano

nombre masculino **1** Fruto pequeño y redondo, de color negro o azul oscuro, que tiene un sabor dulzón. También se llama arándano la planta silvestre que da este fruto. **INGLÉS** bilberry, blueberry.

arandela

nombre femenino **1** Objeto con forma de anillo o de aro, generalmente aplastado, que tiene diversos usos, como separar dos piezas para evitar que se toquen o se rocen o asegurar la fijación de un tornillo. **INGLÉS** washer.

araña

nombre femenino **1** Animal invertebrado del grupo de los arácnidos. Teje una tela para atrapar a sus presas. Hay más de 40 000 especies conocidas de araña. **INGLÉS** spider.

arañar

verbo **1** Hacer heridas poco profundas en la piel con las uñas o con un objeto con punta. Los gatos arañan. **INGLÉS** to scratch.

arañazo

nombre masculino **1** Herida poco profunda o marca hecha con las uñas en la piel. **INGLÉS** scratch.

arar

verbo **1** Hacer surcos en la tierra con el arado. Los campos se aran para poder plantar semillas o plantas. **SINÓNIMO** labrar. **INGLÉS** to plough.

árbitro, árbitra

nombre **1** Persona encargada de que se cumplan las normas o reglas en un juego. **INGLÉS** referee.

árbol

nombre masculino **1** Planta grande de tronco grueso, duro y alto, del que nacen ramas y hojas a cierta altura del suelo. **INGLÉS** tree.

árbol genealógico Cuadro o esquema en forma de árbol en el que figuran los nombres de los miembros de una misma familia a través de varias generaciones. **INGLÉS** family tree.

arbolado

nombre masculino **1** Conjunto de árboles de un lugar. Es necesario proteger el arbolado de las ciudades de los efectos de la contaminación. INGLÉS woodland.

arboleda
nombre femenino **1** Terreno donde crecen muchos árboles, en especial cuando está a orillas de un río. SINÓNIMO bosque. INGLÉS wood.

arbusto
nombre masculino **1** Planta más pequeña que un árbol que tiene ramas con hojas que crecen desde su base, muy cerca del suelo. INGLÉS shrub, bush.

arca
nombre femenino **1** Caja grande, generalmente de madera, que se utiliza para guardar objetos o ropa que no se usan. El arca suele tener una tapa y una cerradura. INGLÉS chest.
2 Caja pequeña con tapa y cerradura que sirve para guardar dinero u otras cosas de valor. INGLÉS strongbox.
NOTA Es un nombre femenino, pero se utilizan los determinantes 'un' y 'el' cuando entre el determinante y el nombre no hay otras palabras: el arca.

arcada
nombre femenino **1** Movimiento violento y rápido del estómago que se produce antes de vomitar. Un olor muy desagradable puede producir arcadas. SINÓNIMO náusea. INGLÉS retching.

arcaico, arcaica
adjetivo **1** Que es muy antiguo. La música y las danzas más arcaicas de un país forman parte de su folclore. INGLÉS archaic.

arcángel
nombre masculino **1** En el cristianismo, espíritu del cielo que tiene una categoría superior a la de los ángeles. Según la Biblia, el arcángel san Gabriel anunció a la Virgen que sería la madre de Dios. INGLÉS archangel.

arcén
nombre masculino **1** Parte estrecha que hay en los lados de la carretera para que circulen las personas a pie o en vehículos sin motor. Si un vehículo sufre una avería, puede parar en el arcén. INGLÉS hard shoulder.
NOTA El plural es: arcenes.

archipiélago
nombre masculino **1** Conjunto de islas en una extensión del mar. Las islas Canarias forman un archipiélago. INGLÉS archipelago.

archivador
nombre masculino **1** Carpeta, caja o mueble que sirve para guardar papeles o documentos de un modo ordenado y por separado. INGLÉS filing cabinet [mueble], file [carpeta].

archivar
verbo **1** Guardar papeles o documentos de un modo ordenado y por separado. INGLÉS to file.
2 Guardar un documento informático con un nombre que lo identifique. INGLÉS to save.

archivo
nombre masculino **1** Local, mueble o caja donde se guardan documentos ordenados y clasificados. En el archivo de los hospitales se conservan los historiales clínicos de los pacientes. SINÓNIMO archivador. INGLÉS archive [local], filing cabinet [mueble], file [caja].
2 Conjunto de datos guardados en el ordenador con un mismo nombre. INGLÉS file.

arcilla
nombre femenino **1** Tierra de color rojizo que al mezclarse con agua se convierte en una masa blanda y fácil de modelar. La arcilla se utiliza para hacer recipientes y otros objetos. INGLÉS clay.

arco
nombre masculino **1** Parte de una circunferencia. También se le da el nombre de arco a cualquier cosa que tenga esta forma curva. INGLÉS arc.
2 En arquitectura, construcción formada por dos columnas unidas por una pieza curva. INGLÉS arch.
3 Palo con forma curva que tiene unidos los extremos con una cuerda tensa y sirve para lanzar flechas. INGLÉS bow.

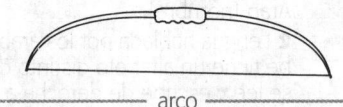

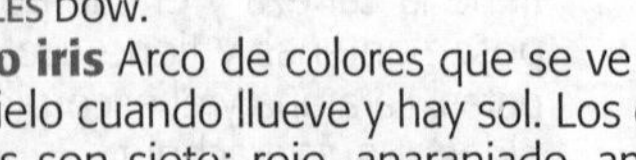

arco

4 Varilla que se utiliza para tocar el violín y otros instrumentos de cuerda. INGLÉS bow.
arco iris Arco de colores que se ve en el cielo cuando llueve y hay sol. Los colores son siete: rojo, anaranjado, amarillo, verde, azul, añil y violeta. INGLÉS rainbow.

arcón
nombre masculino **1** Caja de la misma forma y caracterís-

ticas que el arca, pero de gran tamaño. En los arcones se suelen guardar libros o ropa. **INGLÉS** large chest.
NOTA El plural es: arcones.

arder
verbo
1 Quemarse una cosa produciendo llamas. Los troncos arden hasta que se consumen. **INGLÉS** to burn.
2 Estar una cosa muy caliente: *La sopa estaba ardiendo y me quemé la lengua.* **SINÓNIMO** abrasar. **INGLÉS** to be very hot.

ardid
nombre masculino
1 Cosa que se hace de un modo hábil e inteligente para conseguir algo: *Con un ardid logró escapar.* **SINÓNIMO** artimaña; treta. **INGLÉS** trick.

ardiente
adjetivo
1 Que quema o produce mucho calor, como una comida muy caliente o el sol en verano. **INGLÉS** burning hot.

ardilla
nombre femenino
1 Mamífero roedor de cuerpo delgado, de color marrón, gris o rojo oscuro y con un cola muy larga y peluda. Es frecuente en los bosques de toda Europa. **INGLÉS** squirrel.

ardor
nombre masculino
1 Sensación de calor que se siente en una parte del cuerpo, en especial en el estómago. Una comida preparada con muchas especias o muy picante puede producir ardores. **INGLÉS** burning sensation.

arduo, ardua
adjetivo
1 Que cuesta mucho de hacer porque es muy difícil. **INGLÉS** arduous.

área
nombre femenino
1 Espacio de terreno con unas características determinadas, que se encuentra entre ciertos límites geográficos. España se encuentra en el área mediterránea de Europa. **SINÓNIMO** zona. **INGLÉS** area.
2 Unidad de medida de superficie. El área equivale a 100 m^2 y se usa para medir terrenos. **INGLÉS** area.
3 En matemáticas, superficie de una figura. El área de un rectángulo se halla multiplicando la base por la altura. **INGLÉS** area.
4 En algunos deportes, zona marcada del terreno de juego que se encuentra más próxima a la portería. Un penalti es la falta que se comete dentro del área. **INGLÉS** area.
área metropolitana Espacio que ocupa una gran ciudad y el conjunto de municipios que hay a su alrededor. El área metropolitana de Barcelona es muy extensa. **INGLÉS** metropolitan area.
NOTA Es un nombre femenino, pero se utilizan los determinantes 'un' y 'el' cuando entre el determinante y el nombre no hay otras palabras: el área.

arena
nombre femenino
1 Conjunto de pequeños granos de mineral en forma de cristal que se han desprendido de las rocas. La arena abunda en las playas y en los desiertos. **INGLÉS** sand.
2 Círculo de la plaza de toros que está cubierto de arena. **INGLÉS** bullring.

arenal
nombre masculino
1 Extensión grande de terreno cubierto de arena. Cerca del mar, las rías presentan extensos arenales. **INGLÉS** sands.

arenoso, arenosa
adjetivo
1 Que tiene o se parece a la arena. Los terrenos arenosos son poco aptos para la agricultura. **INGLÉS** sandy.

arenque
nombre masculino
1 Pez marino de color azul plateado que vive en grandes bancos en el norte de Europa y Asia; es comestible. **INGLÉS** herring.

argelino, argelina
adjetivo y nombre
1 Se dice de la persona o cosa que es de Argelia, país del norte de África. **INGLÉS** Algerian.

argentino, argentina
adjetivo y nombre
1 Se dice de la persona o cosa que es de Argentina, país de América del Sur. **INGLÉS** Argentinian.

argolla
nombre masculino
1 Objeto con forma de anilla gruesa y fuerte, generalmente de metal, que se usa para sujetar a él una cosa. Las argollas suelen estar fijas en un lugar, como una pared. **INGLÉS** ring.

argón
nombre masculino
1 Elemento químico que se encuentra en forma de gas en el aire. Se emplea para llenar tubos fluorescentes. **INGLÉS** argon.

argot
nombre masculino **1** Manera de hablar propia de un determinado grupo de personas cuando hablan entre sí. Los jóvenes, los médicos o los policías tienen su propio argot. SINÓNIMO jerga. INGLÉS jargon.
NOTA El plural es: argots.

argumentar
verbo **1** Dar argumentos en favor o en contra de una opinión, una idea o una propuesta. INGLÉS to argue.

argumento
nombre masculino **1** Explicación que se usa para convencer de algo o demostrar que algo está bien o mal o que se debe hacer o no. INGLÉS argument.
2 Tema de una obra literaria, teatral o cinematográfica. INGLÉS plot.

árido, árida
adjetivo **1** Que es seco y no produce frutos. Los desiertos son terrenos muy áridos. ANTÓNIMO fértil; húmedo. INGLÉS arid.
2 Se dice de la lectura, asignatura o explicación que resulta poco agradable o aburrida. ANTÓNIMO ameno. INGLÉS dry.

aries
nombre masculino **1** Primer signo del zodiaco. Con este significado se escribe con mayúscula. INGLÉS Aries.
nombre masculino y femenino **2** Persona nacida bajo el signo de Aries, entre el 21 de marzo y el 20 de abril. Con este significado, el plural es: los aries, las aries. INGLÉS Aries.

arisco, arisca
adjetivo **1** Se dice de la persona que es poco amable y no le gusta tratar con otras personas. ANTÓNIMO cariñoso. INGLÉS unfriendly.

arista
nombre femenino **1** Línea que se forma en la unión de dos superficies o de dos planos de una figura geométrica. El cubo tiene 12 aristas. Las mesas tienen aristas. INGLÉS edge.

aristocracia
nombre femenino **1** Clase social formada por personas que tienen títulos nobiliarios, como barones, condes, marqueses o duques. SINÓNIMO nobleza. INGLÉS aristocracy.

aristócrata
nombre masculino y femenino **1** Persona que pertenece a la aristocracia. SINÓNIMO noble. INGLÉS aristocrat.

aritmética
nombre femenino **1** Parte de las matemáticas que estudia los números y las operaciones que se pueden hacer con ellos, como la suma, la resta o la división. INGLÉS arithmetic.

aritmético, aritmética
adjetivo **1** Que está relacionado con la aritmética. INGLÉS arithmetical, arithmetic.

arma
nombre femenino **1** Objeto o instrumento que se utiliza para atacar a una persona o animal o para defenderse de ellos. La pistola, la escopeta y el puñal son armas. INGLÉS weapon.
2 Medio que utiliza una persona para conseguir una cosa o un fin determinado, sobre todo el que le sirve para atacar a otras personas o defenderse de ellas. Algunas personas utilizan su gracia como arma para hacer siempre lo que quieren. INGLÉS weapon.
arma blanca Arma que tiene una hoja cortante o una punta afilada para herir con ellas, como la navaja, el puñal o la espada. INGLÉS blade.
arma de fuego Arma que utiliza una carga explosiva para disparar un proyectil, como un fusil, una pistola o una escopeta. INGLÉS firearm.
de armas tomar Se dice de la persona que es muy decidida y atrevida y no se deja dominar por los demás. INGLÉS formidable.
NOTA Es un nombre femenino, pero se utilizan los determinantes 'el' y 'un' cuando entre el determinante y el nombre no hay otras palabras: el arma.

armada
nombre femenino **1** Conjunto de los barcos de guerra de un país. La armada también es el conjunto de los militares que trabajan en esos barcos. INGLÉS navy.

armadura
nombre femenino **1** Especie de traje hecho de piezas de metal que usaban los guerreros para protegerse de las armas de sus enemigos. A veces ponían también armaduras a los caballos. INGLÉS suit of armour.

armamento
nombre masculino **1** Conjunto de armas que tiene o que emplea una persona, un ejército o un país. INGLÉS armaments.

armar
verbo
1 Proporcionar armas a un ejército o un grupo de personas: *Esta fábrica arma a las tropas rebeldes.* INGLÉS to arm.
2 Preparar un arma para usarla: *Armó el fusil y disparó al animal.* INGLÉS to load.
3 Juntar las piezas que componen un aparato o un mueble y ajustarlas entre sí. Hay juguetes que se tienen que armar para disfrutarlos. SINÓNIMO montar. INGLÉS to assemble.
4 Hacer o provocar aquello que se expresa, como jaleo o un escándalo: *Al final de la fiesta armaron una buena.* Es un uso informal. INGLÉS to cause.
5 armarse Adoptar una actitud determinada para superar o resistir una contrariedad: *Se armó de valor y entró en la casa abandonada.* INGLÉS to summon up.

armario
nombre masculino
1 Mueble con puertas que se utiliza para guardar en su interior la ropa, la vajilla u otros objetos. Los armarios pueden ser de distintos tipos: roperos, de cocina o de baño. INGLÉS cupboard [para ropa: wardrobe].

armatoste
nombre masculino
1 Mueble, máquina u objeto de gran tamaño y peso y que tiene poca utilidad. INGLÉS monstrosity.
NOTA Es una palabra informal.

armazón
nombre
1 Estructura formada por barras, tubos u otros elementos, que sirve para colocar algo encima o sostener alguna cosa. El armazón de un edificio suele ser de hierro. INGLÉS framework.
NOTA El plural es: armazones. Tiene doble género, se dice: el armazón o la armazón.

armiño
nombre masculino
1 Mamífero pequeño y delgado, de color rojizo en verano y completamente blanco en invierno, que tiene una cola larga con la punta de color negro. Vive en zonas de montaña y tiene el pelo muy suave. INGLÉS ermine.

armonía
nombre femenino
1 Combinación de unas cosas con otras formando un conjunto que resulta agradable a la vista o al oído. Están en armonía los versos de un poema, las notas de una melodía o los colores de un cuadro. INGLÉS harmony.
2 Combinación de las notas musicales para que suenen de forma agradable. INGLÉS harmony.
3 Amistad o buena relación entre dos personas o grupos. Las naciones que están en armonía no tienen conflictos importantes. INGLÉS harmony.

armónica
nombre femenino
1 Instrumento musical de viento formado por una especie de cajita que tiene en su interior unas pequeñas láminas de metal; suena al soplar por los orificios que tiene en uno de sus lados. INGLÉS harmonica, mouth organ.

armónico, armónica
adjetivo
1 Que tiene armonía musical. Un sonido no es armónico cuando hay en él notas que no combinan bien. INGLÉS harmonic.

armonioso, armoniosa
adjetivo
1 Se dice de los sonidos que son agradables al oído. INGLÉS harmonious.
2 Se dice de la relación que existe entre personas o entre cosas que no se contradicen y tienen armonía. La decoración de una habitación es armoniosa si sus elementos combinan bien. INGLÉS harmonious.

aro
nombre masculino
1 Cualquier cosa u objeto con forma de circunferencia. Se puede cortar la cebolla en aros. Un anillo para el dedo es un aro. INGLÉS hoop, ring.
pasar por el aro Aceptar algo con lo que no se está de acuerdo. Cuando no hay más remedio que obedecer una orden, hay que pasar por el aro, nos guste o no. INGLÉS to knuckle under.
NOTA Es una expresión informal.

aroma
nombre masculino
1 Olor intenso y agradable como el del café o los perfumes. INGLÉS aroma, bouquet.

aromático, aromática
adjetivo
1 Que tiene aroma, como algunas hierbas y especias. INGLÉS aromatic, fragrant.

arpa
nombre femenino
1 Instrumento musical de cuerda compuesto por un armazón grande de forma triangular en el que hay fijadas unas cuerdas de distinta longitud; se toca

a b c d e f g h i j k l m n ñ o p q r s t u v w x y z

pulsando sus cuerdas con los dedos. INGLÉS harp. DIBUJO página 598.

NOTA Es un nombre femenino, pero se utilizan los determinantes 'el' y 'un' cuando entre el determinante y el nombre no hay otras palabras: el arpa.

arpón

nombre masculino

1 Instrumento de pesca que consiste en un palo con una punta de hierro en el extremo; la punta tiene un gancho vuelto hacia atrás para impedir que el pez escape una vez se ha clavado. INGLÉS harpoon.

NOTA El plural es: arpones.

arqueología

nombre femenino

1 Ciencia que estudia las culturas y las civilizaciones antiguas a través de los objetos, monumentos o documentos que nos han quedado de ellas. INGLÉS archaeology.

arqueólogo, arqueóloga

nombre

1 Persona que se dedica a la arqueología. INGLÉS archaeologist.

arquitecto, arquitecta

nombre

1 Persona que se dedica a la arquitectura. Los arquitectos hacen los planos para la construcción de edificios. INGLÉS architect.

arquitectura

nombre femenino

1 Técnica de la planificación y construcción de edificios. INGLÉS architecture.

2 Estilo que caracteriza a los edificios. La arquitectura gótica es diferente de la románica. INGLÉS architecture.

arraigar

verbo

1 Empezar a echar raíces una planta en la tierra. SINÓNIMO enraizar. INGLÉS to take root.

2 Hacerse firme y duradero en una persona un sentimiento, una costumbre o un vicio que resultan muy difíciles de eliminar: *Poco a poco se le fue arraigando la costumbre de la lectura.* INGLÉS to take root.

NOTA Se escribe 'gu' delante de 'e', como: arraigué.

arrancar

verbo

1 Sacar o separar una cosa del lugar en el que está sujeta tirando con fuerza. Se arrancan los clavos, las plantas o las muelas. SINÓNIMO sacar; extraer. ANTÓNIMO clavar. INGLÉS to pull out.

2 Quitar algo por la fuerza: *El ladrón le arrancó de las manos el monedero y huyó.* SINÓNIMO arrebatar. INGLÉS to snatch.

3 Conseguir algo de una persona. Utilizamos nuestra habilidad, esfuerzo o violencia para arrancarle a alguien algo que queremos, como una sonrisa o una promesa. INGLÉS to extract.

4 Empezar a funcionar o a moverse un vehículo o una máquina. También arrancan las personas cuando empiezan a moverse para irse a otro sitio o cuando comienzan una actividad. INGLÉS to start.

5 Tener una cosa un origen determinado o comenzar en algún sitio. Muchas amistades arrancan del colegio o de la infancia. SINÓNIMO nacer. INGLÉS to start.

NOTA Se escribe 'qu' delante de 'e', como: arranques.

arranque

nombre masculino

1 Acción que consiste en arrancar o iniciar una persona o una cosa un movimiento. También es la puesta en marcha o inicio de una cosa que no tiene movimiento real, como el arranque de un proyecto. INGLÉS start.

2 Mecanismo que sirve para poner en marcha un motor. El arranque de un coche se acciona con una llave. INGLÉS starting mechanism.

3 Manifestación brusca y repentina de un sentimiento o de un estado de ánimo. Una persona que tiene un arraque de ira se pone de repente violenta. INGLÉS fit, outburst.

4 Ocurrencia o cosa graciosa que dice una persona sin que nadie se lo espere. Las personas divertidas suelen tener arranques muy ingeniosos. INGLÉS witty remark.

arrasar

verbo

1 Destrozar completamente un lugar, dejándolo todo roto y desordenado: *La crecida del río arrasó los campos.* INGLÉS to destroy.

2 Triunfar con mucha diferencia sobre los demás participantes en un juego o deporte. INGLÉS to sweep to victory.

arrastrar

verbo

1 Mover a una persona o una cosa por el suelo tirando de ella. INGLÉS to drag.

2 Mover o llevar una cosa tocando el

suelo. Si un vestido arrastra, es demasiado largo. INGLÉS to drag.
3 Tener un estado mental o físico malo o alguna enfermedad durante mucho tiempo. Algunas personas arrastran el catarro todo el invierno. INGLÉS not to be able to shake off.
4 arrastrarse Moverse y avanzar una persona o un animal con el cuerpo pegado al suelo. Los reptiles se arrastran. INGLÉS to crawl.
5 arrastrarse Intentar una persona conseguir algo rogando o haciendo cosas humillantes, que van contra la propia dignidad. INGLÉS to crawl.

¡arre!
interjección **1** Expresión que se usa para hacer que un caballo eche a andar o para que vaya más deprisa. INGLÉS gee up!, giddy up!

arrear
verbo **1** Dar un golpe, como una bofetada o una patada: *Le arreó un tortazo y le dejó la cara roja.* Es un uso informal. INGLÉS to give.
2 Darse mucha prisa: *¡Arrea, que no llegamos!* INGLÉS to hurry up.
3 Animar a un animal mediante golpes o a gritos para que se mueva. Los ganaderos arrean a las vacas para meterlas en el establo. INGLÉS to urge on.
NOTA Es un uso informal.

arrebatar
verbo **1** Quitar algo con violencia o de forma rápida o repentina. Los jugadores de equipos contrarios se arrebatan el balón. INGLÉS to snatch.
2 arrebatarse Asarse, cocerse o freírse demasiado un alimento perdiendo parte de sus propiedades. Cuando se arrebata un filete de carne queda duro, sin jugo y casi sin sabor. INGLÉS to burn.

arrebato
nombre masculino **1** Manifestación violenta que hacemos de repente de algún sentimiento, como enfado u odio, perdiendo el dominio de nosotros mismos. Las personas tenemos arrebatos de alegría, de nervios, de celos y otros. INGLÉS fit, outburst.

arrechucho
nombre masculino **1** Indisposición o malestar pasajero y de poca importancia. Los ancianos suelen padecer algún que otro arrechucho. INGLÉS ailment.
NOTA Es una palabra informal.

arreciar
verbo **1** Hacerse algo más fuerte o más intenso: *Estaba en la calle cuando arreció la lluvia y me empapé.* INGLÉS to get worse.
NOTA Se conjuga como: cambiar; la 'i' no lleva nunca acento de intensidad.

arrecife
nombre masculino **1** Suelo submarino formado por rocas, corales u otros materiales, que llega a la superficie del mar. INGLÉS reef.

arreglar
verbo **1** Hacer que una cosa estropeada deje de estarlo o que una cosa que no funciona vuelva a funcionar. SINÓNIMO reparar. INGLÉS to repair.
2 Poner orden en un lugar que está desordenado. INGLÉS to tidy up.
3 Hacer que el aspecto físico de una persona quede agradable. Cuando nos arreglamos para salir a la calle nos lavamos, nos peinamos y nos vestimos bien. INGLÉS to get ready.
4 arreglarse Conformarse con poca cantidad de algo para hacer alguna cosa: *Con un puñado de sal me arreglo, gracias.* SINÓNIMO apañarse. INGLÉS to manage.
arreglárselas Encontrar la forma de solucionar un problema o de salir de una situación difícil: *Tiene muchos problemas, pero ya se las arreglará, es muy espabilado.* INGLÉS to manage.

arreglo
nombre masculino **1** Acción que consiste en arreglar una cosa o a una persona. Un juguete roto necesita un arreglo. INGLÉS repair.
2 Cosa que se hace para arreglar algo: *La casa era vieja y necesitaba algunos arreglos.* INGLÉS repair.
nombre masculino plural **3 arreglos** Melodías y otros efectos de sonido que se añaden a una pieza musical como acompañamiento de la melodía principal. INGLÉS arrangements.

arremangar
verbo **1** Subir las mangas de una prenda de vestir o el bajo de unos pantalones o de una falda: *Se arremangó los pantalones para cruzar el charco.* SINÓNIMO remangar. INGLÉS to roll up.
NOTA Se escribe 'gu' delante de 'e', como: arremangué.

arremeter
verbo **1** Atacar de una manera decidida y fuerte. Un toro bravo puede arremeter con-

tra cualquier cosa que se mueva. **INGLÉS** to attack.

arremolinarse

verbo **1** Agruparse muchas personas en un lugar de modo desordenado: *La gente se arremolinaba alrededor del artista.* **INGLÉS** to crowd together.

arrendar

verbo **1** Dar o tomar una cosa durante un tiempo determinado a cambio de una cantidad de dinero. Cuando no queremos comprar una casa, la arrendamos. **SINÓNIMO** alquilar. **INGLÉS** to rent.

arrepentimiento

nombre masculino **1** Sentimiento de tristeza o pena que tiene una persona cuando ha hecho algo que no está bien o que cree que no debía haber hecho. **INGLÉS** repentance.

arrepentirse

verbo **1** Desear una persona no haber hecho algo y sentirse triste y culpable por haberlo hecho. **INGLÉS** to repent.

2 Cambiar una persona de opinión o hacer una cosa diferente de la que había dicho en un principio: *Estuvo a punto de ir, pero en el último momento se arrepintió porque pensó que molestaría.* **INGLÉS** to change one's mind.

NOTA Se conjuga como: preferir; la 'e' se convierte en 'ie' en sílaba acentuada o en 'i' en algunos tiempos y personas, como: me arrepiento, se arrepintió.

arrestar

verbo **1** Detener o encarcelar la policía o un mando militar a una persona que ha cometido alguna falta. **INGLÉS** to arrest.

arrestar

arriar

verbo **1** Bajar una bandera o una vela de barco del palo donde se sujetan. **INGLÉS** to lower.

NOTA Se conjuga como: desviar; la 'i' se acentúa en algunos tiempos y personas, como: arrío.

arriba

adverbio **1** Indica un lugar o una parte superior o más alta que aquella en la que está el que habla, o la parte más alta de todas: *Vive ahí arriba.* **INGLÉS** up.

2 Indica hacia un lugar o una parte superior o más alta que aquella en la que está el que habla, o hacia la parte más alta de todas: *Voy arriba a bajar mis cosas.* **INGLÉS** up.

interjección **3 ¡arriba!** Se usa para dar ánimos a una persona para que se levante o siga haciendo algo con energía. También para manifestar con mucho entusiasmo el apoyo a una cosa: *¡Arriba la democracia!* **INGLÉS** Long live…!

de arriba abajo Completamente, del todo: *Tuvo que repasar el texto de arriba abajo por si había faltas de ortografía.* **INGLÉS** from top to bottom.

arribar

verbo **1** Llegar un barco a un puerto. **INGLÉS** to reach port.

arriesgado, arriesgada

adjetivo **1** Se dice de la persona que se expone a riesgos o peligros que se podrían evitar. **INGLÉS** daring.

2 Se dice de las cosas que conllevan algún riesgo o peligro: *Solo un deportista profesional podría hacer un salto tan arriesgado.* **INGLÉS** risky, dangerous.

arriesgar

verbo **1** Poner en peligro o exponer a una persona o cosa a un riesgo. Hay gente que arriesga su vida por salvar la vida de los demás, como los bomberos. **INGLÉS** to risk.

arrimar

verbo **1** Poner cerca o más cerca de una persona o una cosa. **SINÓNIMO** acercar; aproximar. **INGLÉS** to move closer.

arrinconar

verbo **1** Poner una cosa en un rincón o en un lugar apartado para que no moleste o para dejar de utilizarla. **INGLÉS** to put in a corner.

2 Perseguir o llevar a una persona o a un animal hasta un lugar del que no pueda salir o escapar. **SINÓNIMO** acorralar. **INGLÉS** to corner.

3 Dejar de lado o no hacer caso a una persona. **INGLÉS** to exclude.

arrodillarse
verbo
1 Ponerse de rodillas. En algunas religiones, la gente se arrodilla para rezar. **INGLÉS** to kneel down.

arrogante
adjetivo
1 Que se cree superior a los demás y los trata con menosprecio. **INGLÉS** arrogant.

arrojadizo, arrojadiza
adjetivo
1 Se dice de las armas que están hechas para ser arrojadas o lanzadas, como las flechas. **INGLÉS** for throwing.

arrojar
verbo
1 Tirar una cosa por el aire hacia un lugar con fuerza y violencia. **INGLÉS** to throw.

arrojo
nombre masculino
1 Falta de miedo o preocupación para hacer algo difícil. Las personas valientes tienen mucho arrojo. **SINÓNIMO** valor. **INGLÉS** boldness, dash.

arrollar
verbo
1 Pasar una cosa en movimiento por encima de algo, de alguien o por un lugar causando daños y destrozos. Los huracanes arrollan los lugares por donde pasan. No debemos cruzar la calle sin mirar porque un coche puede arrollarnos sin querer. **INGLÉS** to flatten [aplastar], to run over [atropellar].

2 Resultar ganador de una forma muy clara y rotunda en una competición o un concurso. **INGLÉS** to sweep the board.

arropar
verbo
1 Cubrir algo o abrigar a alguien con ropa. **INGLÉS** to wrap up.

2 Proteger y defender a una persona con cariño. **INGLÉS** to protect.

arroyo
nombre masculino
1 Río pequeño que lleva poca agua y suele secarse en verano. **INGLÉS** stream, brook.

arroz
nombre masculino
1 Cereal que se cultiva en terrenos húmedos o inundados de agua. Sus granos son blancos. La paella se hace con arroz. **INGLÉS** rice.

NOTA El plural es: arroces.

arrozal
nombre masculino
1 Terreno en el que se cultiva arroz. Los arrozales suelen estar en tierras pantanosas. **INGLÉS** rice field.

arruga
nombre femenino
1 Señal parecida a una raya que aparece en la piel con el paso de los años. **INGLÉS** wrinkle.

2 Señal que queda en una cosa flexible después de doblarla, apretarla o aplastarla. La ropa que se ha llevado en una maleta siempre tiene alguna arruga. **INGLÉS** crease.

arrugar
verbo
1 Hacer que una cosa tenga arrugas: *Si no cuelgas la chaqueta, se va a arrugar.* **INGLÉS** to wrinkle, to crease.

NOTA Se escribe 'gu' delante de 'e', como: arrugué.

arruinar
verbo
1 Hacer que alguien se quede sin la mayor parte o sin ninguna de las pertenencias o el dinero que tenía. **INGLÉS** to ruin.

2 Estropear o destruir completamente algo: *Con las heladas se ha arruinado toda la cosecha.* **INGLÉS** to ruin.

arrullar
verbo
1 Emitir una paloma su sonido característico para atraer a un palomo o al revés. **INGLÉS** to coo.

2 Hacer que un bebé o un niño pequeño se duerma o se calme cantándole en voz baja o haciendo ruidos suaves con la voz. **INGLÉS** to sing to sleep.

arrullo
nombre masculino
1 Sonido suave que produce sueño. Una nana cantada en voz baja es un arrullo para dormir a un bebé. **INGLÉS** lullaby [canción].

2 Sonido de las palomas para atraer a su pareja. **INGLÉS** cooing.

arsenal
nombre masculino
1 Lugar donde se guardan o están almacenadas las armas y otros materiales que se utilizan en la guerra, como munición o granadas. **INGLÉS** arsenal.

arte
nombre
1 Actividad humana que consiste en imitar la realidad o expresar las ideas del artista mediante la pintura, la escultura, la arquitectura, la literatura, el cine, el teatro, la música o la danza. También se llama arte la obra que resulta de esta

actividad. En los museos hay colecciones de arte. INGLÉS art.

2 Habilidad para hacer bien las cosas. Decimos que una persona tiene mucho arte para vestir cuando viste de forma adecuada, con gracia y buen gusto. INGLÉS skill.

3 Conjunto de las normas y los conocimientos que son propios de un oficio, una profesión o cualquier actividad. El arte de enseñar es propio de los maestros. INGLÉS art.

bellas artes Las que tienen como objetivo principal crear obras bellas. La pintura, la escultura, la arquitectura, la poesía, la danza y la música son bellas artes. INGLÉS fine arts.

séptimo arte El cine. INGLÉS the seventh art.

NOTA Suele utilizarse como masculino en singular y como femenino en plural.

artefacto

nombre masculino **1** Aparato o máquina, en especial si es grande o complicado de utilizar. INGLÉS device, appliance.

arteria

nombre femenino **1** Conducto en forma de tubo que lleva la sangre que sale del corazón. Hay dos arterias principales: la aorta y la pulmonar. INGLÉS artery.

artesanía

nombre femenino **1** Actividad de fabricar objetos a la manera tradicional y principalmente con las manos, sin utilizar máquinas. En las tiendas de artesanía se venden muchos objetos de barro o de madera. INGLÉS craft.

artesano, artesana

adjetivo **1** Se dice de las cosas que están hechas a mano y siguiendo un sistema tradicional. INGLÉS handmade.

nombre **2** Persona que hace objetos a mano y siguiendo un sistema tradicional. INGLÉS craftsman [hombre], craftswoman [mujer].

ártico, ártica

adjetivo **1** Del polo Norte o que tiene relación con él. El oso polar es un animal propio de las regiones árticas. INGLÉS Arctic.

articulación

nombre femenino **1** Unión de dos piezas de un objeto, o de dos huesos del cuerpo, que permite su movimiento. La rodilla o el codo son articulaciones. INGLÉS joint.

NOTA El plural es: articulaciones.

articular

verbo **1** Unir dos o más piezas de forma que pueda haber movimiento entre ellas. En algunos muñecos la pierna y el muslo se articulan. INGLÉS to articulate.

2 Pronunciar sonidos y palabras. A veces, el miedo o los nervios hacen que la gente no pueda articular ni una palabra. INGLÉS to articulate.

artículo

nombre masculino **1** Clase de palabras que va siempre delante del nombre e indica si el nombre al que acompaña es conocido por el hablante, por el oyente o por ambos o si han hablado antes de él. El artículo tiene el mismo número y género que el nombre al que acompaña. En español hay dos tipos de artículos: artículos determinados y artículos indeterminados: *'La' es un artículo determinado, 'unos' es un artículo indeterminado.* INGLÉS article.

2 Texto escrito sobre un tema determinado y que se publica en un periódico, una revista o un libro. INGLÉS article.

3 En un diccionario o una enciclopedia es toda la información que corresponde a una palabra. INGLÉS entry.

4 Producto que se compra y se vende. En los supermercados venden muchos tipos de artículos. INGLÉS article, item.

artífice

nombre masculino y femenino **1** Persona que hace una cosa o es la responsable de que se obtenga un resultado. Normalmente, se llama artífice a una persona cuando hace cosas muy buenas o muy malas. SINÓNIMO autor. INGLÉS architect.

artificial

adjetivo **1** Se dice de las cosas que ha creado o fabricado el hombre y que no se encuentran de esa forma en la naturaleza. La ropa, los muebles y los coches son productos artificiales. ANTÓNIMO natural. INGLÉS artificial.

2 Que finge lo que hace para aparentar algo distinto de lo que es o siente en realidad. Si alguien mueve los labios como si sonriera pero en realidad no quiere sonreír, tiene una sonrisa artificial. INGLÉS artificial.

artillería

nombre femenino **1** Conjunto de máquinas de guerra que sirven para disparar a gran distancia,

como los cañones o los misiles. INGLÉS artillery.
2 Conjunto de los militares que trabajan con este tipo de armas. INGLÉS artillery.

artilugio
nombre masculino
1 Máquina o instrumento, especialmente si resulta raro, ingenioso o complicado de usar. También es una forma de llamar a un objeto cuando se le quiere dar un nombre despectivo o cuando no se sabe qué es o qué nombre tiene. INGLÉS device, gadget.

artimaña
nombre femenino
1 Cosa muy hábil e inteligente que se hace o dice para conseguir algo. SINÓNIMO ardid; treta. INGLÉS trick, ruse.

artista
nombre masculino y femenino
1 Persona que realiza obras de arte o se dedica a una profesión artística. Un pintor, un bailarín, un escritor o un cantante son artistas. INGLÉS artist.
2 Persona que realiza extraordinariamente bien una actividad. Un artista de la cocina hace platos excelentes. INGLÉS artist.

artístico, artística
adjetivo
1 Se dice de las cosas propias del arte o de los artistas. INGLÉS artistic.

artritis
nombre femenino
1 Inflamación dolorosa de las articulaciones de los huesos que dificulta su movimiento. La artritis afecta sobre todo a los ancianos. INGLÉS arthritis.
NOTA El plural es: artritis.

arzobispo
nombre masculino
1 Sacerdote de categoría superior a la de obispo y que dirige a los obispos de una zona. INGLÉS archbishop.

as
nombre masculino
1 Carta de la baraja que tiene el número uno. En la baraja española y en la francesa hay cuatro ases. INGLÉS ace.
2 Persona que sobresale en una actividad o en una acción que requiere habilidad o destreza. Los ases de la aviación son los mejores pilotos. INGLÉS ace, wizard.

asa
nombre femenino
1 Parte de un objeto que sirve para poder cogerlo con la mano o con los dedos, como la que tienen las tazas, las cacerolas o una maleta. El asa sobresale del objeto y suele tener forma curva o redondeada. INGLÉS handle.
NOTA Es un nombre femenino, pero se utilizan los determinantes 'el' y 'un' cuando entre el determinante y el nombre no hay otras palabras: el asa.

asado, asada
adjetivo y nombre masculino
1 Se dice del alimento que ha sido cocinado en el horno, en la parrilla o en contacto directo con las brasas o el fuego. La carne, el pescado o los pimientos se pueden comer asados. INGLÉS roast.

asaltar
verbo
1 Entrar en un lugar por la fuerza y generalmente con armas, con la intención de quedarse en él o de robar. Se puede asaltar un banco para robar o una posición enemiga para conquistarla. INGLÉS to attack, [si es un banco: to raid].
2 Detener a una persona de modo violento o por sorpresa, con la intención de robarle algo que lleva encima. INGLÉS to rob.
3 Venir de repente a la mente un pensamiento que causa preocupación, como un temor o una duda. INGLÉS to assail.

asalto
nombre masculino
1 Acción que consiste en entrar en un lugar por la fuerza y generalmente con armas, con la intención de quedarse en él o de robar. INGLÉS attack, [si es un banco: raid, robbery].
2 Acción que consiste en detener a una persona para robarle. INGLÉS robbery.
3 Cada uno de los períodos en que se divide un combate de boxeo. INGLÉS round.

asamblea
nombre femenino
1 Reunión de muchas personas en un lugar para discutir sobre algo y tomar una decisión. En las asambleas de padres de alumnos se habla sobre temas del colegio. INGLÉS assembly, meeting.

asar
verbo
1 Cocinar un alimento en un horno en contacto directo con el fuego. INGLÉS to roast.
2 **asarse** Sentir una persona un calor insoportable. INGLÉS to be roasting.

ascendente
adjetivo
1 Que asciende o sube. El movimiento ascendente del aire caliente y el descendente del aire frío originan las corrientes de aire. ANTÓNIMO descendente. INGLÉS rising.

a b c d e f g h i j k l m n ñ o p q r s t u v w x y z

a b c d e f g h i j k l m n ñ o p q r s t u v w x y z

ascender
verbo
1 Ir de un lugar bajo a otro alto o más alto. Los montañeros ascienden a la cima de las montañas. SINÓNIMO subir. ANTÓNIMO descender. INGLÉS to climb.
2 Hacer más grande o más intensa una cosa. En verano asciende la temperatura. SINÓNIMO subir. ANTÓNIMO descender. INGLÉS to rise.
3 Poner a alguien en una categoría más alta. Las personas ascienden en el trabajo. ANTÓNIMO descender. INGLÉS to promote.
4 Alcanzar una cosa un precio determinado: *El precio de la casa asciende a 100 000 euros.* INGLÉS to amount.
NOTA Se conjuga como: entender; la 'e' se convierte en 'ie' en sílaba acentuada, como: asciendo.

ascendiente
nombre masculino y femenino
1 Individuo, como una persona o un animal, del cual desciende otro. ANTÓNIMO descendiente. INGLÉS ancestor.

ascenso
nombre masculino
1 Acción que consiste en pasar de un lugar, un valor, un precio o una categoría a otro más alto: *Ha habido un ascenso de la temperatura.* ANTÓNIMO descenso. INGLÉS rise.

ascensor
nombre masculino
1 Aparato de un edificio que sirve para que las personas puedan subir y bajar de una planta a otra. INGLÉS lift.

asco
nombre masculino
1 Sensación muy desagradable que causa el olor, el sabor o la visión de algo. Una habitación muy sucia puede dar asco. INGLÉS disgust, repugnance.
2 Rechazo que produce alguien o algo. También es la persona o la cosa que resultan muy desagradables y provocan rechazo. Tener que trabajar el fin de semana es un asco. INGLÉS disgusting thing.

aseado, aseada
adjetivo
1 Que está limpio o bien arreglado. Un chico aseado se ha duchado, peinado y vestido con ropa limpia. Una habitación aseada está limpia y ordenada. INGLÉS clean, tidy.

asear
verbo
1 Limpiar y arreglar a una persona. Cuando una madre asea a su niño, lo lava, lo peina y lo viste con ropa limpia. INGLÉS to clean [limpiar], to tidy up [ordenar].

asediar
verbo
1 Rodear un ejército un lugar enemigo para impedir que los que están en él puedan salir o puedan recibir ayuda. INGLÉS to besiege.
2 Molestar mucho y con insistencia a una persona, persiguiéndola y acosándola con preguntas, con peticiones o con molestias. Los fotógrafos asedian a los famosos. INGLÉS to harass.
NOTA Se conjuga como: cambiar; la 'i' no lleva nunca acento de intensidad.

asedio
nombre masculino
1 Acción que consiste en rodear un ejército un lugar para impedir que los que están en él puedan salir o puedan recibir ayuda. INGLÉS siege.

asegurar
verbo
1 Decir con seguridad que algo es cierto. Si alguien asegura algo, está seguro de que es cierto. INGLÉS to assure [a alguien], to state [algo].
2 Hacer un contrato con una agencia de seguros para cobrar algo de dinero en el caso de que lo que se asegura sufra algún daño o desperfecto. Los coches se aseguran por si hay accidentes. INGLÉS to insure.
3 **asegurarse** Comprobar que algo se ha hecho o se ha dicho bien: *Asegúrate de que has apagado el gas.* INGLÉS to make sure.

asemejarse
verbo
1 Parecerse una persona o una cosa a otra. INGLÉS to be like.

asentar
verbo
1 Poner una cosa en un lugar bien apoyada y segura de modo que no se mueva: *Algunos puentes se asientan sobre pilares.* INGLÉS to fix, to place.
2 **asentarse** Quedarse a vivir en un lugar. SINÓNIMO establecerse. INGLÉS to settle.
NOTA Se conjuga como: acertar; la 'e' se convierte en 'ie' en sílaba acentuada como: asienten.

asentimiento
nombre masculino
1 Acuerdo que expresa una persona sobre un asunto determinado. Para tomar una decisión entre varias personas,

hay que contar con el asentimiento de la mayoría. INGLÉS consent, agreement.

asentir

verbo **1** Decir con palabras o gestos que se está de acuerdo con lo que alguien dice o afirma. INGLÉS to agree.

NOTA Se conjuga como: preferir; la 'e' se convierte en 'ie' en sílaba acentuada o en 'i' en algunos tiempos y personas, como: asienten y asintió.

aseo

nombre masculino **1** Limpieza personal y esmero en el cuidado de una persona. El hábito del aseo debe empezar desde la infancia. INGLÉS cleanliness, tidiness.

2 Habitación donde se encuentran el retrete, el lavabo y otros elementos que sirven para la higiene y el arreglo de las personas. SINÓNIMO baño. INGLÉS bathroom.

asequible

adjetivo **1** Que es lo suficientemente barato o fácil de hacer como para conseguirlo. INGLÉS accessible.

aserrar

verbo **1** Cortar algo, como un tronco de árbol o una barra metálica, con una sierra. INGLÉS to saw.

NOTA Se conjuga como: acertar; la 'e' se convierte en 'ie' en sílaba acentuada, como: asierro.

asesinar

verbo **1** Cometer un asesinato. INGLÉS to murder.

asesinato

nombre masculino **1** Acción que consiste en matar una persona a otra de manera intencionada. El asesinato es un delito. INGLÉS murder.

asesino, asesina

nombre **1** Persona que asesina o mata de forma intencionada. INGLÉS murderer.

adjetivo **2** Que asesina o que parece que puede asesinar. El arma asesina es el arma con la que se comete un crimen. Hay instintos, intenciones y miradas asesinas. INGLÉS murder [arma], murderous [mirada].

asesor, asesora

nombre **1** Persona que tiene como trabajo asesorar o dar consejos sobre determinados asuntos. Los asesores legales dicen qué se puede hacer en un asunto según la ley. INGLÉS adviser.

asesorar

verbo **1** Dar consejo u opinión técnica sobre algo. Es imprescindible asesorarse antes de firmar un contrato importante. INGLÉS to advise.

asesoría

nombre femenino **1** Oficina donde se da información o consejo sobre un determinado asunto. Las asesorías financieras ayudan a invertir dinero. INGLÉS consultancy.

asexual

adjetivo **1** Se dice de la reproducción que se produce sin la intervención de los dos sexos. Algunos animales se reproducen por reproducción asexual, por ejemplo un brazo de una estrella de mar o un trozo de gusano pueden dar lugar a un nuevo individuo completo. La reproducción de muchas plantas es asexual y se realiza a partir de sus tallos, bulbos o tubérculos. INGLÉS asexual.

asfaltar

verbo **1** Cubrir una calle o una carretera con asfalto. Las calles se asfaltan para que se circule mejor. INGLÉS to asphalt.

asfalto

nombre masculino **1** Sustancia espesa y pegajosa de color oscuro que se usa para cubrir superficies, especialmente calles y carreteras. SINÓNIMO alquitrán. INGLÉS asphalt.

asfixia

nombre femenino **1** Dificultad o detención de la respiración a causa de la falta de aire. Mucho humo provoca asfixia. INGLÉS asphyxia.

asfixiar

verbo **1** Matar o morir una persona o animal al no poder respirar. Algunos animales, como la boa, asfixian a sus presas. SINÓNIMO ahogar. INGLÉS to asphyxiate.

NOTA Se conjuga como: cambiar; la 'i' no lleva nunca acento de intensidad.

así

adverbio **1** Indica que algo es o se realiza de una manera conocida, normalmente de la forma en que se está haciendo o que se pone como ejemplo al hablar: *Así se habla.* INGLÉS thus, in this way.

2 Indica que una cosa o persona es parecida a otra: *Me comí un helado así de grande. ¿Así de alto está tu hermano?* INGLÉS this.

a b c d e f g h i j k l m n ñ o p q r s t u v w x y z

3 Detrás de un nombre se refiere a personas o cosas que son iguales a ese nombre o tiene las mismas características: *Me gustan las personas así.* INGLÉS like that.

así así Se utiliza para indicar que algo es regular. Si una persona no está bien de salud o de ánimo pero tampoco está mal, está así así. INGLÉS so-so.

así como así Indica que algo se consigue con mucha facilidad y sin esfuerzo: *No creas que eso se aprende así como así.* INGLÉS just like that.

así como así Expresa que algo se ha hecho sin reflexionar y sin poner atención: *Ciertas cosas no se deben decir así como así.* INGLÉS any old how.

así mismo Es otra forma de escribir: asimismo.

así que Expresa que lo que se dice a continuación es consecuencia de lo que se ha dicho antes: *Ya no tiene solución, así que no te preocupes.* INGLÉS so.

asiático, asiática

adjetivo y nombre

1 Se dice de la persona o cosa que es de Asia, uno de los seis continentes del mundo. INGLÉS Asian.

asiento

nombre masculino

1 Cualquier mueble que sirve para sentarse. En los transportes públicos, debe cederse el asiento a las personas mayores. INGLÉS seat.

2 Parte de una silla, un taburete, una bicicleta o cualquier cosa, sobre la que nos sentamos. INGLÉS seat.

asignar

verbo

1 Señalar o indicar a una persona lo que le corresponde o lo que tiene que hacer. En algunos colegios a principio de curso se asigna un trabajo a cada alumno. INGLÉS to assign.

asignatura

nombre femenino

1 Materia que se enseña en un curso o en un plan de estudios, como las matemáticas o la lengua. INGLÉS subject.

asilo

nombre masculino

1 Establecimiento en el que viven personas ancianas que necesitan cuidado y atención. INGLÉS home.

2 Ayuda o protección que se da o que se recibe: *Al ser expulsado de su país, sus amigos extranjeros le ofrecieron asilo.* INGLÉS asylum.

asimilar

verbo

1 Aprender una cosa de manera que se comprenda bien. Para asimilar una lección hay que estudiarla con mucha atención. INGLÉS to assimilate.

2 Absorber el organismo determinadas sustancias por medio de la digestión. INGLÉS to assimilate.

asimismo

adverbio

1 Indica que se añade una información que es del mismo tipo que la información de la que se ha hablado: *Además de las instrucciones que aparecen en pantalla, puede consultarse asimismo la guía de uso del aparato.* SINÓNIMO además. INGLÉS also.

NOTA También se escribe: así mismo.

asir

verbo

1 Sujetar o coger algo con la mano. SINÓNIMO agarrar. INGLÉS to grab, to seize.

asir

INDICATIVO	SUBJUNTIVO
presente	**presente**
asgo	asga
ases	asgas
ase	asga
asimos	asgamos
asís	asgáis
asen	asgan
pretérito imperfecto	**pretérito imperfecto**
asía	asiera o asiese
asías	asieras o asieses
asía	asiera o asiese
asíamos	asiéramos o asiésemos
asíais	asierais o asieseis
asían	asieran o asiesen
pretérito perfecto simple	**futuro**
así	asiere
asiste	asieres
asió	asiere
asimos	asiéremos
asisteis	asiereis
asieron	asieren

INDICATIVO	IMPERATIVO	
futuro		
asiré	ase	(tú)
asirás	asga	(usted)
asirá	asgamos	(nosotros)
asiremos	asid	(vosotros)
asiréis	asgan	(ustedes)
asirán		

INDICATIVO	FORMAS NO PERSONALES	
condicional	**infinitivo**	**gerundio**
asiría	asir	asiendo
asirías	**participio**	
asiría	asido	
asiríamos		
asiríais		
asirían		

asistencia
nombre femenino
1 Acción que consiste en asistir o ir a un lugar y permanecer en él. Los maestros controlan la asistencia de los niños a la escuela. INGLÉS attendance.
2 Conjunto de personas que van a un acto público, como un mitin. INGLÉS those present.
3 Ayuda o cuidado que se da a una persona. Algunas personas prestan asistencia voluntaria a los mayores. INGLÉS assistance.

asistenta
nombre femenino
1 Mujer que a cambio de dinero se dedica a hacer los trabajos domésticos de una casa. INGLÉS cleaning lady.

asistente
adjetivo y nombre masculino y femenino
1 Se dice de la persona que está presente en un lugar o en un acto público: *Las asistentes a la reunión firmaron el acta.* INGLÉS present, attending [adjetivo].
2 Se dice de la persona que ayuda a otra en ciertos trabajos a cambio de dinero: *Viajó a Brasil como asistente del entrenador.* INGLÉS assistant.
asistente social Persona que tiene como profesión ayudar a otras personas que tienen problemas relacionados con su bienestar social, como problemas familiares, educativos o de vivienda. INGLÉS social worker.

asistir
verbo
1 Ir a un lugar y estar presente en él: *No pude asistir a su boda.* INGLÉS to attend.
2 Ayudar o cuidar a otra persona dándole o haciéndole lo que necesita. Los enfermeros asisten a los enfermos. INGLÉS to help.

asma
nombre femenino
1 Enfermedad del aparato respiratorio que consiste en tener muchas dificultades para respirar. El asma provoca tos y sensación de ahogo. INGLÉS asthma.
NOTA Es un nombre femenino, pero se utilizan los determinantes 'el' y 'un' cuando entre el determinante y el nombre no hay otras palabras: el asma.

asno
nombre masculino
1 Mamífero doméstico parecido al caballo, pero más pequeño y con las orejas más largas. Se utiliza como animal de carga. SINÓNIMO burro. INGLÉS ass, donkey.

asociación
nombre femenino
1 Acción que consiste en unir o relacionar dos o más personas o cosas. Una asociación de ideas nos permite recordar cosas. INGLÉS association.
2 Conjunto de personas que se unen para compartir unos bienes o unos fines determinados. En los colegios suele haber asociaciones de padres. INGLÉS association.
NOTA El plural es: asociaciones.

asociado, asociada
adjetivo y nombre
1 Persona o grupo que se ha unido o asociado con otra u otras para formar una asociación. INGLÉS partner [nombre].

asociar
verbo
1 Unir a personas o cosas para un fin determinado. Dos empresas pequeñas se pueden asociar para crear una más grande. INGLÉS to join together.
2 Encontrar una relación entre cosas o ideas diferentes. A veces la gente asocia una música con una época de su vida. INGLÉS to associate.
NOTA Se conjuga como: cambiar; la 'i' no lleva nunca acento de intensidad.

asolar
verbo
1 Destrozar completamente un lugar: *El terremoto asoló toda la zona.* SINÓNIMO arrasar. INGLÉS to lay waste to.

asomar
verbo
1 Sacar o mostrar algo por una abertura o por detrás de una cosa. Es muy peligroso asomar la cabeza por la ventanilla de un vehículo en marcha. INGLÉS to stick out [asomar], to stick one's head out [asomarse].
2 Empezar a verse o mostrarse: *Parece que ya asoma el sol. Vi que le asomaban las lágrimas.* INGLÉS to begin to appear.

asombrar
verbo
1 Producir o sentir mucha sorpresa, admiración o extrañeza: *Ese truco nos asombró a todos. Se asombró al verlo tan bien después del accidente.* INGLÉS to amaze.

asombro
nombre masculino
1 Lo que se siente cuando alguien o algo nos produce una gran sorpresa, admiración o extrañeza. INGLÉS amazement.

asombroso, asombrosa
adjetivo **1** Que es tan extraordinario o tan fuera de lo normal que causa asombro o sorpresa: *Es asombroso lo que ha crecido esta chica.* SINÓNIMO sorprendente. INGLÉS amazing.

asonante
adjetivo **1** Se dice de la rima que se caracteriza por coincidir solo las vocales de las palabras finales de los versos. ANTÓNIMO consonante. INGLÉS assonant.

aspa
nombre femenino **1** Cosa con forma de cruz o de 'X', bien sea dibujada o formada por dos palos cruzados. INGLÉS cross.
NOTA Es un nombre femenino, pero se utilizan los determinantes 'el' y 'un' cuando entre el determinante y el nombre no hay otras palabras: el aspa; un aspa.

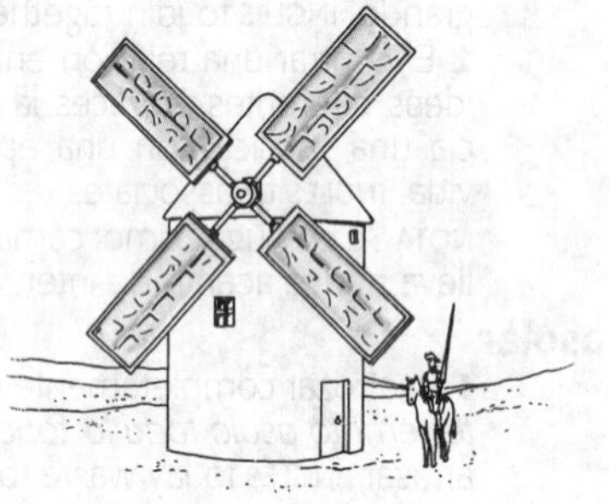

aspa

aspaviento
nombre masculino **1** Gesto exagerado que se hace para mostrar admiración, enfado, miedo o asombro. Algunos fans hacen muchos aspavientos cuando chillan, aplauden y se desmayan ante sus ídolos. INGLÉS wild gesticulation.
NOTA Se usa más en plural: aspavientos.

aspecto
nombre masculino **1** Modo en que algo o alguien se presenta exteriormente: *Tiene aspecto de cansada. Ese filete tiene mal aspecto.* SINÓNIMO apariencia. INGLÉS appearance.
2 Punto de vista desde el que se puede analizar o considerar algo. Un hecho social se puede analizar desde el aspecto económico o desde el aspecto político. INGLÉS angle.

áspero, áspera
adjetivo **1** Que tiene la superficie tan irregular o poco lisa que raspa al tocarla. La corteza de los árboles es áspera. La piel de las manos secas puede ser áspera. ANTÓNIMO liso; suave. INGLÉS rough.
2 Que es desagradable o poco educado en el trato: *Es buena persona, pero muy áspero.* INGLÉS surly.

aspersión
nombre femenino **1** Sistema que se utiliza para regar una superficie de terreno lanzando el agua a presión en forma de pequeñas gotas. El césped de un jardín se suele regar por aspersión. INGLÉS sprinkling.
NOTA El plural es: aspersiones.

aspiración
nombre femenino **1** Acción que consiste en aspirar aire, o polvo, suciedad o líquidos. INGLÉS sucking in, [si es al respirar: inhalation].
2 Cosa o situación que una persona desea conseguir o alcanzar: *Su mayor aspiración era conseguir que la empresa funcionara.* INGLÉS aspiration.
NOTA El plural es: aspiraciones.

aspiradora
nombre femenino **1** Máquina que aspira la suciedad y el polvo y sirve para limpiar superficies, como el suelo, las cortinas o los sofás. INGLÉS vacuum cleaner.

aspirante
nombre masculino y femenino **1** Persona que se presenta a un puesto de trabajo, un concurso o una competición y aspira a conseguir el puesto o el premio. En unas elecciones, los aspirantes son los políticos que se presentan. INGLÉS candidate.

aspirar
verbo **1** Hacer entrar aire en los pulmones al respirar. SINÓNIMO inspirar. ANTÓNIMO espirar. INGLÉS to inhale, to breathe in.
2 Atraer una máquina a su interior alguna sustancia, como polvo, suciedad o líquidos. INGLÉS to suck in.
3 Intentar o desear conseguir algo que se cree que se puede conseguir. Mucha gente aspira a un puesto mejor en su trabajo. INGLÉS to aspire.

aspirina
nombre femenino **1** Medicamento en forma de pastilla que sirve para quitar el dolor y bajar la fiebre. INGLÉS aspirin.
NOTA Es una marca registrada.

asquear
verbo
1 Producir rechazo una persona o una cosa por ser repugnante, asquerosa o fastidiosa: *Me asquea que sea grosero con la gente.* INGLÉS to disgust, to revolt.

asqueroso, asquerosa
adjetivo
1 Se dice de las personas o las cosas que causan asco o desagrado. Los humos de algunas fábricas tienen un olor asqueroso. SINÓNIMO repugnante. INGLÉS disgusting, revolting.
2 Se dice de la persona que siente o tiende a sentir asco por cualquier cosa. Hay personas muy asquerosas con la comida. ANTÓNIMO escrupuloso. INGLÉS squeamish.

asta
nombre femenino
1 Cada una de las dos piezas de hueso largas y duras que salen de la cabeza de algunos animales, como de los toros o de los ciervos. SINÓNIMO cuerno. INGLÉS horn.
2 Palo en el que se coloca una bandera. Para indicar que ha muerto alguien, la bandera se pone a media asta. INGLÉS staff, pole.
3 Parte larga y estrecha por donde se coge una herramienta o un instrumento, como una lanza o un martillo. INGLÉS shaft.
NOTA Es un nombre femenino, pero se utilizan los determinantes 'un' y 'el' cuando entre el determinante y el nombre no hay otras palabras: el asta.

asterisco
nombre masculino
1 Signo en forma de estrella (*) que se usa al escribir para indicar una nota u otra cosa. INGLÉS asterisk.

asteroide
nombre masculino
1 Cuerpo celeste pequeño que gira en el espacio entre las órbitas de Marte y Júpiter. INGLÉS asteroid.

astigmatismo
nombre masculino
1 Defecto de la vista que consiste en ver las cosas deformadas y poco claras. El astigmatismo se corrige con gafas. INGLÉS astigmatism.

astilla
nombre femenino
1 Trozo alargado y fino que se desprende o se arranca de un material, especialmente de la madera. Las astillas se clavan en la piel porque son pequeñas y afiladas. INGLÉS splinter, chip.

astillero
nombre masculino
1 Lugar en el que se construyen y reparan embarcaciones. INGLÉS shipyard, dockyard.

astro
nombre masculino
1 Cada uno de los cuerpos que forman el universo, como las estrellas, planetas o satélites. El Sol, la Tierra y la Luna son astros. INGLÉS heavenly body.
2 Persona que sobresale en su profesión o actividad, en especial en el cine o en el deporte. De un buen actor se dice que es un astro de la pantalla. INGLÉS star.

astrología
nombre femenino
1 Estudio de la influencia de la posición y el movimiento de las estrellas en el carácter y el comportamiento de las personas. INGLÉS astrology.

astronauta
nombre masculino y femenino
1 Persona que conduce una nave espacial o trabaja en ella. Los astronautas viajan al espacio. INGLÉS astronaut.

astronave
nombre femenino
1 Vehículo que se usa para navegar por el espacio. INGLÉS spaceship, spacecraft.

astronomía
nombre femenino
1 Ciencia que estudia los astros, su estructura y sus movimientos, y en general todo lo que hay en el universo. INGLÉS astronomy.

astucia
nombre femenino
1 Inteligencia y habilidad que tienen algunas personas para conseguir lo que quieren: *Con su astucia consiguió el permiso.* INGLÉS cunning [calidad], trick [truco].

astur
adjetivo y nombre masculino y femenino
1 Se dice de la persona o cosa que pertenecía a un antiguo pueblo que ocupaba gran parte de la actual provincia de León y casi toda la de Asturias: *Antes de la llegada de los romanos, al norte de la Península vivían los galaicos, astures, cántabros y vascos.*
2 Se dice de la persona o cosa que es de Asturias. SINÓNIMO asturiano. INGLÉS Asturian.

asturiano, asturiana
adjetivo y nombre
1 Se dice de la persona o cosa que es de Asturias. INGLÉS Asturian.

a

astuto, astuta
adjetivo **1** Que es muy listo y hábil para conseguir las cosas que quiere y para que no lo engañen. Los detectives tienen que ser muy astutos para buscar pruebas. SINÓNIMO sagaz. INGLÉS cunning, shrewd.

asumir
verbo **1** Hacerse cargo una persona de una cosa, especialmente de lo que supone una responsabilidad o un esfuerzo. Asumir una responsabilidad es hacerse responsable de algo. INGLÉS to take on.

asunto
nombre masculino **1** Aquello de lo que se trata o de lo que se habla: *Un momento, por favor, estamos tratando un asunto importante.* INGLÉS matter.
2 Negocio o actividad de alguien: *Tiene muchos asuntos que resolver antes de irse de vacaciones.* INGLÉS matter, business.

asustadizo, asustadiza
adjetivo **1** Que se asusta o siente miedo con facilidad. INGLÉS easily frightened.

asustado, asustada
adjetivo **1** Que siente miedo. INGLÉS frightened, scared.

asustar
verbo **1** Causar miedo o susto: *La asustó un ruido fuerte e inesperado.* SINÓNIMO atemorizar. INGLÉS to frighten, to scare.

atacar
verbo **1** Lanzarse sobre alguien con la intención de hacer daño. Cuando a una persona la atacan por la espalda no puede defenderse. INGLÉS to attack.
2 Criticar con dureza a una persona o una idea: *Quevedo y Góngora se atacaban mutuamente en sus escritos.* INGLÉS to attack.
3 En algunos deportes, dirigirse hacia el campo contrario para conseguir marcar puntos. INGLÉS to attack.
NOTA Se escribe 'qu' delante de 'e', como: ataquen.

atajar
verbo **1** Ir a un lugar por un camino más corto que el normal. SINÓNIMO acortar. INGLÉS to take a short cut.
2 Interrumpir una acción o un proceso. Atajar un incendio es conseguir que no se propague. SINÓNIMO detener. INGLÉS to stop.

atajo
nombre masculino **1** Camino más corto que otro para ir a un lugar. INGLÉS short cut.
2 Conjunto o grupo de personas a las que se les aplica una característica negativa, como un atajo de vagos o un atajo de ignorantes. INGLÉS bunch.

atajo

atalaya
nombre femenino **1** Torre construida sobre un lugar alto para vigilar una gran extensión de tierra o de mar, como las que se construían antiguamente en las ciudades para divisar al enemigo. También se llama atalaya el lugar alto con muy buenas vistas. INGLÉS watchtower [torre], vantage point [punto alto].

ataque
nombre masculino **1** Acción que se realiza al atacar a una persona o una cosa. En las guerras hay ataques militares. INGLÉS attack.
2 Manifestación muy fuerte de una enfermedad o de un sentimiento que ocurre de repente, como un ataque al corazón o un ataque de risa. INGLÉS attack.

atar
verbo **1** Unir o sujetar algo con cuerdas o cintas. Las zapatillas de deporte se atan con cordones. ANTÓNIMO desatar. INGLÉS to tie.
2 Dejar sin libertad de movimiento o capacidad de acción a una persona. INGLÉS to tie up [físicamente], to tie down [con responsabilidades].

atardecer
verbo **1** Empezar a terminar la tarde. INGLÉS to get dark.
nombre masculino **2** Momento del día que corresponde a la última parte de la tarde. Después

del atardecer llega el anochecer. INGLÉS dusk.

atareado, atareada

adjetivo

1 Se dice de la persona que tiene mucho trabajo o muchas cosas que hacer. INGLÉS busy.

atascar

verbo

1 Tapar o cerrar una vía o conducto alguna cosa que circula por él al quedarse detenida e impedir el paso. Al atascarse una cañería, el agua no puede pasar por ella. SINÓNIMO obstruir. INGLÉS to block.

2 atascarse Quedarse una persona detenida por un momento al hablar, al leer en voz alta o al razonar. INGLÉS to get stuck.

NOTA Se escribe 'qu' delante de 'e', como: atasquen.

atasco

nombre masculino

1 Situación del tráfico cuando está detenido o circula muy despacio por algún problema, como un accidente. INGLÉS traffic jam.

ataúd

nombre masculino

1 Caja en la que se coloca a una persona muerta para enterrarla. INGLÉS coffin.

ateísmo

nombre masculino

1 Doctrina que siguen las personas que no creen en la existencia de ningún dios. INGLÉS atheism.

atemorizar

verbo

1 Hacer que alguien sienta mucho miedo o no se atreva a hacer algo. Las historias de terror atemorizan a la gente. SINÓNIMO asustar. INGLÉS to frighten.

NOTA Se escribe 'c' delante de 'e', como: atemoricé.

atención

nombre femenino

1 Cuidado o interés que se pone para hacer bien algo o para poder enterarse bien de una cosa. Si no se presta mucha atención a una explicación, no se entenderá bien. INGLÉS attention.

2 Acto de cortesía, cariño o afecto hacia una persona, haciendo algo que le sea agradable. Algunas personas llenan de atenciones a otra de la que están enamoradas. INGLÉS kindness, attentiveness.

llamar la atención Hacer una persona o una cosa que la gente ponga en ellas su atención por provocar sorpresa o admiración: *Con ese sombrero vas a llamar la atención.* INGLÉS to attract attention.

llamar la atención Reñir a una persona por alguna falta que ha cometido. INGLÉS to tell off.

NOTA El plural es: atenciones.

atender

verbo

1 Dedicar atención y cuidado o prestar la ayuda necesaria, como hace el dependiente de una tienda. INGLÉS to serve, to attend to.

2 Poner una persona su atención para enterarse bien de algo que pasa a su alrededor. Se atiende a alguien que está hablando si se le escucha atentamente. INGLÉS to pay attention.

3 Ocuparse de una petición, un ruego o una súplica. Hay organismos que atienden las quejas de los consumidores. INGLÉS to deal with.

NOTA Se conjuga como: entender; la 'e' se convierte en 'ie' en sílaba acentuada, como: atienden.

atenerse

verbo

1 Aceptar algo sin protestar o cuestionarlo. INGLÉS to abide.

NOTA Se conjuga como: tener.

atentado

nombre masculino

1 Acción de los terroristas, como poner una bomba o matar a un político u otra persona. INGLÉS terrorist attack.

2 Acción que va en contra de algo que se considera bueno o justo para la sociedad. La destrucción de los bosques es un atentado contra la naturaleza. INGLÉS attack.

atentar

verbo

1 Cometer una acción violenta con la intención de causar un daño grave. Atentar contra la vida de una persona es intentar matarla. INGLÉS to attack.

2 Cometer una acción que va en contra de lo que se considera bueno o justo para la sociedad: *La película atentaba contra el buen gusto.* INGLÉS to threaten.

atento, atenta

adjetivo

1 Que presta atención a una cosa o a lo que otra persona hace o dice. Hay que estar atento a una explicación para poder comprenderla. INGLÉS attentive.

2 Se dice de la persona que se comporta de manera educada y está pendiente de los demás para que se encuentren a gusto y no les falte de nada. INGLÉS polite.

atenuar
verbo
1 Disminuir la intensidad, la fuerza o el valor de una cosa. Durante las puestas de sol, la luz se atenúa poco a poco. INGLÉS to attenuate, [si es la luz: to dim].
NOTA Se conjuga como: actuar; la 'u' se acentúa en algunos tiempos y personas, como: atenúen.

ateo, atea
adjetivo y nombre
1 Se dice de la persona que no cree en la existencia de ningún dios. ANTÓNIMO creyente. INGLÉS atheistic [adjetivo], atheist [nombre].

aterido, aterida
adjetivo
1 Que está paralizado o rígido a causa del frío. Si las manos se quedan ateridas, cuesta mover los dedos. INGLÉS stiff with cold.

aterrado, aterrada
adjetivo
1 Que siente mucho miedo o terror. INGLÉS terrified.

aterrizaje
nombre masculino
1 Acción de aterrizar un avión u otra nave aérea. ANTÓNIMO despegue. INGLÉS landing.

aterrizar
verbo
1 Bajar una nave aérea, como un avión, hasta posarse sobre el suelo. ANTÓNIMO despegar. INGLÉS to land.
2 Aparecer una persona de repente o de forma inesperada en un lugar: *Aterrizaron en casa a las cuatro de la madrugada.* INGLÉS to show up.
NOTA Se escribe 'c' delante de 'e', como: aterrice.

aterrorizar
verbo
1 Causar mucho miedo o terror. INGLÉS to terrify.
NOTA Se escribe 'c' delante de 'e', como: aterroricé.

atesorar
verbo
1 Guardar y reunir mucho dinero o muchas cosas de gran valor. INGLÉS to hoard.

atestiguar
verbo
1 Declarar un testigo lo que sabe sobre un asunto determinado o ser una cosa prueba de que algo es cierto: *Los yacimientos rupestres atestiguan la presencia de hombres en el Paleolítico.* INGLÉS to testify [un testigo], to bear witness to [una cosa].
NOTA Se escribe 'gü' delante de 'e', como: atestigüen.

ático
nombre masculino
1 Último piso de un edificio o una casa. Los áticos que tienen el techo inclinado se llaman buhardillas. INGLÉS top floor [último piso], attic flat [apartamento].

atinar
verbo
1 Acertar o dar con algo, como una respuesta, una solución, etcétera. INGLÉS to be right.
2 Acertar o dar en un punto concreto con algo: *A ver si atinas a darle a ese poste.* INGLÉS to manage to hit.

atisbar
verbo
1 Ver algo con dificultad por la distancia o las condiciones: *Sus padres atisban pocas esperanzas de que mejore.* INGLÉS to make out, to discern.

atizar
verbo
1 Remover el fuego o añadirle más combustible para que tenga más fuerza y arda mejor. INGLÉS to poke.
2 Dar una persona a otra una bofetada, una patada o cualquier tipo de golpe fuerte. SINÓNIMO pegar. INGLÉS to give.
NOTA Se escribe 'c' delante de 'e', como: aticen.

atlántico, atlántica
adjetivo
1 Del océano Atlántico o que tiene relación con él. Galicia y Portugal tienen costa atlántica. INGLÉS Atlantic.

atlas
nombre masculino
1 Libro que contiene un conjunto de mapas geográficos de una determinada zona o de todo el globo terrestre. INGLÉS atlas.
NOTA El plural es: atlas.

atleta
nombre masculino y femenino
1 Persona que practica el atletismo. INGLÉS athlete.

atlético, atlética
adjetivo
1 Del atletismo o que tiene relación con los atletas. El maratón y el salto de altura son algunas de las pruebas atléticas. INGLÉS athletic.
2 Se dice del cuerpo o la figura que son fuertes y musculosos como los de un atleta. Si una persona cuida su alimen-

tación y hace deporte tendrá un cuerpo atlético. INGLÉS athletic.

atletismo
nombre masculino
1 Conjunto de los deportes que se basan en correr, saltar o lanzar un peso o una jabalina. INGLÉS athletics.

atmósfera
nombre femenino
1 Capa de gases que rodea la Tierra u otros astros. Algunas empresas producen gases tóxicos que contaminan la atmósfera. SINÓNIMO aire. INGLÉS atmosphere.
2 Ambiente que rodea a personas y cosas. En una atmósfera de compañerismo y cordialidad da gusto trabajar. SINÓNIMO entorno. INGLÉS atmosphere.

atmosférico, atmosférica
adjetivo
1 De la atmósfera o que tiene relación con ella. Con el barómetro se mide la presión atmosférica. INGLÉS atmospheric.

atolladero
nombre masculino
1 Situación difícil o comprometida en la que se encuentra atrapada una persona y de la que le cuesta salir. INGLÉS fix, jam.

atolondrado, atolondrada
adjetivo y nombre
1 Se dice de la persona que hace las cosas deprisa y sin pensar. A una persona atolondrada le suelen salir mal las cosas por no fijarse en lo que hace. SINÓNIMO alocado. INGLÉS scatterbrained [adjetivo], scatterbrain [nombre].
2 Se dice de la persona que se queda momentáneamente en un estado en el que no puede pensar ni prestar atención a nada, debido a un golpe, a una impresión muy fuerte o a un nerviosismo muy grande. INGLÉS stunned [adjetivo].

atómico, atómica
adjetivo
1 Que usa la energía que hay dentro del núcleo de los átomos. Una central atómica produce electricidad. SINÓNIMO nuclear. INGLÉS atomic.

átomo
nombre masculino
1 Partícula más pequeña de un elemento químico que posee las propiedades que caracterizan a ese elemento. INGLÉS atom.

atónito, atónita
adjetivo
1 Que está muy asombrado y sorprendido por algo, sin comprender lo que pasa y sin saber qué decir ni qué hacer. Nos quedamos atónitos cuando alguien nos cuentan una cosa que parece increíble. SINÓNIMO estupefacto. INGLÉS astonished.

átono, átona
adjetivo
1 Se dice de la sílaba o la palabra que no se pronuncia con fuerza. En la palabra 'común', la sílaba 'co-' es átona. INGLÉS unstressed.

atontar
verbo
1 Hacer que una persona se vuelva tonta o se vuelva más tonta de lo que ya era. Algunos dicen que el amor o la edad atontan a la gente. INGLÉS to make silly.
2 Hacer que una persona no pueda pensar o actuar con normalidad: *Al final del día, le invade un cansancio que lo atonta.* INGLÉS to make dopey.

atontolinado, atontolinada
adjetivo y nombre
1 Que se ha quedado momentáneamente como tonto por alguna causa: *Está atontolinado viendo la tele.* INGLÉS in a daze [adjetivo].
NOTA Es una palabra informal.

atormentar
verbo
1 Causar una persona o una cosa a alguien un gran dolor o una pena muy grandes. Antiguamente se atormentaba a los acusados de un delito con torturas inhumanas. INGLÉS to torture.

atornillar
verbo
1 Introducir un tornillo en un lugar haciéndolo girar. INGLÉS to screw.
2 Sujetar algo con tornillos. INGLÉS to screw.

atosigar
verbo
1 Agobiar a alguien con prisas, preocupaciones o exigencias. INGLÉS to pester.
NOTA Se escribe 'gu' delante de 'e', como: atosigue.

atracador, atracadora
nombre
1 Persona que atraca a otra o un lugar para robar. INGLÉS robber.

atracar
verbo
1 Robar un banco o un comercio utilizando armas cuando hay gente. También se puede atracar a una persona en la calle. INGLÉS to rob [un banco], to mug [una persona].
2 Poner un barco junto a un muelle en un puerto o junto a otro barco y asegurarlo para que no se mueva. Los

a b c d e f g h i j k l m n ñ o p q r s t u v w x y z

barcos atracan para hacer subir y bajar mercancías o pasajeros. INGLÉS to tie up, to moor.

3 atracarse Comer mucho hasta no poder más. SINÓNIMO hartarse. INGLÉS to stuff oneself.

NOTA Se escribe 'qu' delante de 'e', como: atraque.

atracción

nombre femenino

1 Fuerza que tiene una cosa para atraer a otra o hacer que se le acerque. Entre la Tierra y los objetos hay atracción debido a la fuerza de la gravedad. INGLÉS attraction.

2 Interés que provoca una persona o una cosa y hace que alguien se sienta atraído hacia ella: *No puede resistir la atracción de su mirada.* INGLÉS attraction.

3 Persona, animal o cosa que atrae: *El nuevo oso panda es la atracción del zoo.* INGLÉS attraction.

4 Puesto o mecanismo de un lugar de diversión o número de un espectáculo o juego. En un circo suele haber muchas atracciones. INGLÉS attraction.

NOTA El plural es: atracciones.

atraco

nombre masculino

1 Acción que consiste en atracar un banco, un comercio o a una persona. INGLÉS robbery [en un banco, un comercio], mugging [a una persona].

atracón

nombre masculino

1 Gran cantidad de comida y bebida que se toma de una vez. Normalmente, después de un atracón cuesta hacer la digestión. INGLÉS blowout.

2 Exceso de algo: *Este fin de semana se ha dado un atracón de lectura.* INGLÉS overdose.

NOTA El plural es: atracones.

atractivo, atractiva

adjetivo

1 Que atrae, interesa y gusta a mucha gente. Un viaje al extranjero es un plan muy atractivo. INGLÉS attractive.

nombre masculino

2 Lo que atrae de una persona o cosa. Los actores principales suelen ser el mayor atractivo de una película. INGLÉS attractive feature, charm.

atraer

verbo

1 Hacer una cosa que otra se acerque a ella o se mantenga cerca de ella. En el mar son peligrosas las corrientes de agua que nos atraen hacia el interior. INGLÉS to draw.

2 Despertar el interés, la atención o la curiosidad de alguien: *Viajar no me atrae lo más mínimo.* INGLÉS to attract.

NOTA Se conjuga como: traer.

atragantarse

verbo

1 Sentir ahogo por algo que se queda en la garganta: *Si comes tan deprisa, te vas a atragantar.* INGLÉS to choke.

2 Resultar alguien o algo antipático, desagradable o difícil de aguantar. SINÓNIMO atravesarse. INGLÉS not to be able to stand.

atrancar

verbo

1 Hacer más estrecho el paso por un conducto. Cuando se atrancan los desagües, el agua no pasa por ellos. SINÓNIMO atascar. INGLÉS to block [atrancar], to get blocked [atrancarse].

2 Cerrar una puerta o una ventana con un palo grueso o alguna otra cosa para que quede bien cerrada y no se pueda abrir. En las casas de pueblo se atrancan puertas y ventanas cuando hace mucho viento. INGLÉS to bar.

3 atrancarse Quedarse un momento parado sin poder seguir leyendo o hablando. Cuando los niños están aprendiendo a leer, a veces se atrancan. INGLÉS to get stuck.

NOTA Se escribe 'qu' delante de 'e', como: atranquemos.

atrapar

verbo

1 Coger, normalmente con rapidez o habilidad, a una persona, animal o cosa que se mueve o se quiere escapar. Los pescadores utilizan redes para atrapar a los peces. INGLÉS to catch.

atrás

adverbio

1 Indica que el objeto, lugar o persona de que se habla se encuentra en una posición posterior respecto a otro objeto, lugar o persona, y a cierta distancia: *Puedes dejar tus cosas atrás.* INGLÉS behind, at the back.

2 Cuando hablamos de tiempo indica un período pasado, anterior: *No se hablaban desde mucho tiempo atrás.* INGLÉS ago.

atrasar

verbo

1 Hacer que algo suceda más tarde de lo que estaba previsto o se esperaba: *Atrasaron el comienzo de la obra de* *teatro porque faltaba un actor.* SINÓNIMO retrasar. INGLÉS to delay.

2 Poner un reloj en una hora ya pasada. En primavera atrasamos el reloj una hora para ganar claridad durante el día. SINÓNIMO retrasar. INGLÉS to put back.

3 Señalar un reloj una hora que ya ha pasado porque funciona más despacio de lo que debe. INGLÉS to be slow.

4 atrasarse Avanzar a un ritmo más lento que los demás y quedarse atrás: *No te atrases, que perderás de vista al guía.* SINÓNIMO retrasarse. INGLÉS to be late.

atraso

nombre masculino **1** Situación de la persona o cosa que está menos desarrollada o más atrasada de lo que debía. Una mala dieta provoca atrasos en el crecimiento. SINÓNIMO retraso. INGLÉS backwardness.

atravesar

verbo **1** Pasar de un lado a otro de un lugar o de una cosa. Antes de atravesar la calle hay que mirar bien a ambos lados. INGLÉS to cross.

2 Poner una cosa de modo que pase de una parte a otra, en especial para impedir el paso: *Los manifestantes atravesaron coches en la carretera.* INGLÉS to put across.

3 Pasar una persona por una determinada situación o etapa. Cuando una persona atraviesa un momento difícil hay que ayudarla. INGLÉS to go through.

4 atravesarse Resultar una persona o una cosa muy desagradable o antipática a alguien. Cuando a un chico se le atraviesan las matemáticas tiene dificultades para aprobar. SINÓNIMO atragantarse. INGLÉS not to be able to stand.

NOTA Se conjuga como: acertar; la 'e' se convierte en 'ie' en sílaba acentuada, como: atraviesen.

atrayente

adjetivo **1** Que atrae o resulta atractivo por sus cualidades o sus características. Puede ser atrayente la mirada de una persona o una propuesta interesante. SINÓNIMO atractivo. INGLÉS attractive.

atreverse

verbo **1** Decidirse a hacer algo que es difícil o peligroso, sin tener miedo. No todo el mundo se atreve a hacer deportes de aventura. SINÓNIMO osar. INGLÉS to dare.

atrevido, atrevida

adjetivo **1** Que se atreve a hacer cosas difíciles o peligrosas. SINÓNIMO audaz; osado. ANTÓNIMO cobarde. INGLÉS daring, bold.

2 Que llama mucho la atención por salirse de lo normal. Pintar las paredes de morado es muy atrevido. INGLÉS daring, bold.

atrevimiento

nombre masculino **1** Falta de respeto hacia una persona. Contestar de mala manera al jefe se considera un atrevimiento. INGLÉS insolence, impudence.

atribuir

verbo **1** Considerar a una persona o una cosa como autora o causa de algo: *Se atribuye el atentado a una banda terrorista.* INGLÉS to attribute.

2 Aplicar una cualidad a una persona o cosa: *A algunas plantas se les atribuyen propiedades medicinales.* INGLÉS to attribute.

3 Indicar a una persona una actividad o un deber que debe cumplir: *Al nuevo director le han atribuido más funciones que al anterior.* INGLÉS to assign.

NOTA Se conjuga como: huir; la 'i' se convierte en 'y' delante de 'a', 'e' y 'o', como: atribuyen.

atributo

nombre masculino **1** Cualidad o característica propia de una persona o una cosa. El color dorado es un atributo del oro. INGLÉS attribute.

2 Palabra o grupo de palabras que califican directamente a un nombre. En la frase 'el árbol grande me gusta', 'grande' es un atributo de 'árbol'. INGLÉS attribute.

3 Palabra o conjunto de palabras que califican al sujeto de las frases con verbo 'ser' o 'estar'. En la frase 'Juan es guapo', 'guapo' es el atributo. INGLÉS predicate.

atril

nombre masculino **1** Objeto que sirve para colocar en él un libro abierto o papeles y poderlos mirar con mayor comodidad. El atril es un soporte inclinado que se puede co-

a b c d e f g h i j k l m n ñ o p q r s t u v w x y z

locar encima de la mesa o que puede llevar un pie. INGLÉS lectern [con pie], bookrest [para libros], music stand [para partituras].

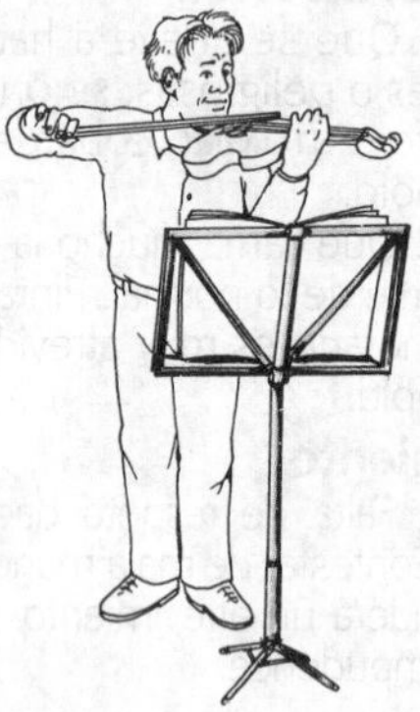

atril

atrio
nombre masculino
1 Espacio exterior cubierto que hay a la entrada de algunas iglesias. INGLÉS portico, vestibule.
2 Patio interior de algunos edificios. Las antiguas casas romanas tenían un atrio. INGLÉS atrium.

atrocidad
nombre femenino
1 Acción muy cruel y que provoca mucho rechazo o malestar. La guerra es una atrocidad. INGLÉS atrocity.

atrofiado, atrofiada
adjetivo
1 Se dice del órgano o de la parte del cuerpo de una persona o un animal que se ha quedado sin desarrollar por falta de nutrición o de actividad. Las alas del avestruz están atrofiadas y no le permiten volar. INGLÉS atrophied.

atrofiar
verbo
1 Causar o producir una falta de desarrollo, especialmente una parte del cuerpo cuando no se usa. INGLÉS to atrophy.
NOTA Se conjuga como: cambiar; la 'i' no lleva nunca acento de intensidad.

atronador, atronadora
adjetivo
1 Se dice de un sonido que es tan fuerte y grave que casi hace daño a los oídos. El ruido del despegue de un cohete es atronador. INGLÉS deafening.

atropellar
verbo
1 Pasar un vehículo sobre una persona o un animal, causándole heridas o daño. INGLÉS to knock down, to run over.
2 atropellarse Hablar o hacer algo demasiado deprisa. Cuando las personas se atropellan hablando, casi no se les entiende. INGLÉS to rush, [si es hablando: to gabble].

atropello
nombre masculino
1 Paso de un vehículo sobre una persona o un animal, causándole heridas o daño. INGLÉS accident, knocking down.
2 Abuso o acción injusta que se realiza sobre una persona más débil o con menos poder, al tomar una decisión que no respeta sus derechos. INGLÉS outrage.

atroz
adjetivo
1 Que es muy cruel y provoca rechazo y sufrimiento. El asesinato es un acto atroz. INGLÉS atrocious.
2 Que es muy grande o muy intenso y no se puede soportar. Podemos tener un sueño atroz, un dolor de muelas atroz o un hambre atroz. INGLÉS terrible.
NOTA El plural es: atroces.

atuendo
nombre masculino
1 Conjunto de prendas de vestir que lleva una persona. INGLÉS dress.

atufar
verbo
1 Oler muy mal, como una bolsa de basura. SINÓNIMO apestar. INGLÉS to stink.
2 Hacer que la respiración sea difícil o desagradable por el humo o un olor intenso: *El guiso quemado atufaba.* INGLÉS to be overpowering.

atún
nombre masculino
1 Pez marino comestible de gran tamaño, de color azulado por la parte superior del cuerpo y gris por la inferior. Vive en los océanos y mares templados de todo el mundo. INGLÉS tuna.
NOTA El plural es: atunes.

aturdir
verbo
1 Hacer que una persona entre por un momento en un estado en que no está del todo consciente o no puede pensar y actuar con normalidad. Nos podemos aturdir si nos habla mucha gente a la vez o si nos damos un golpe fuerte. INGLÉS to confuse.

aturullar
verbo
1 Hacer que una persona entre en un estado en el que no puede pensar, ac-

tuar o hablar con normalidad. Cuando tenemos mucha prisa y nos entretienen a veces nos ponemos nerviosos y nos aturullamos. INGLÉS to fluster [aturrullar], to get flustered [aturrullarse].

audacia
nombre femenino
1 Característica de la persona que se atreve a hacer cualquier cosa, aunque sea peligrosa o difícil. INGLÉS boldness, daring.

audaz
adjetivo
1 Que se atreve a hacer cualquier cosa, aunque sea muy difícil o peligrosa. SINÓNIMO atrevido; osado. ANTÓNIMO cobarde. INGLÉS bold, daring.
NOTA El plural es: audaces.

audición
nombre femenino
1 Capacidad para oír. El otorrinolaringólogo hace pruebas de audición. INGLÉS hearing.
NOTA El plural es: audiciones.

audiencia
nombre femenino
1 Conjunto de personas que oyen un programa de radio, ven un canal de televisión o están presentes en un acto público. SINÓNIMO público. INGLÉS audience.
2 Acto en el que una persona importante recibe a las personas que quieren hablar con él: *El rey concedió audiencia a los mejores deportistas del año.* INGLÉS audience.
3 Acto de escuchar un juez o un tribunal los argumentos de los acusados. Las audiencias se celebran en los juzgados. INGLÉS hearing.

audiovisual
adjetivo
1 Se dice de los métodos de aprendizaje y medios de comunicación que combinan imágenes y sonido. El cine, la televisión y el vídeo son medios audiovisuales. INGLÉS audio-visual.

auditivo, auditiva
adjetivo
1 Que tiene relación con el oído. Algunos animales carecen de sentido auditivo. INGLÉS auditory.

auditorio
nombre masculino
1 Conjunto de personas que están presentes en un espectáculo público. SINÓNIMO público. INGLÉS audience.
2 Lugar acondicionado para escuchar conciertos, conferencias y otros actos públicos. INGLÉS auditorium.

auge
nombre masculino
1 Momento en que una cosa o proceso tiene más calidad, intensidad o importancia. Cuando un actor tiene mucho éxito y hace muchas películas, está en el auge de su carrera. SINÓNIMO apogeo. ANTÓNIMO ocaso. INGLÉS peak.

augurar
verbo
1 Decir lo que le va a pasar en el futuro a una persona o a una cosa: *Mi horóscopo me auguraba una semana de buena suerte.* SINÓNIMO predecir; pronosticar. INGLÉS to augur.

augurio
nombre masculino
1 Señal que avisa de algo bueno o malo que va a pasar en el futuro: *Las últimas lluvias auguran una buena cosecha.* INGLÉS omen.

aula
nombre femenino
1 Sala de un centro de enseñanza donde se imparten las clases. SINÓNIMO clase. INGLÉS classroom.
NOTA Es un nombre femenino, pero se utilizan los determinantes 'el' y 'un' cuando entre el determinante y el nombre no hay otras palabras: el aula; un aula.

aullar
verbo
1 Dar aullidos. INGLÉS to howl.
NOTA Se conjuga como: aupar.

aullido
nombre masculino
1 Grito agudo y largo que emiten los lobos, los perros y otros animales. También se dice de los sonidos parecidos a esos gritos, por ejemplo los aullidos del viento o los aullidos de dolor de una persona. INGLÉS howl.

aumentar
verbo
1 Hacer o hacerse mejor, más grande, más fuerte o más intensa una cosa. Las temperaturas aumentan en verano. ANTÓNIMO disminuir. INGLÉS to increase.

aumentativo, aumentativa
adjetivo y nombre masculino
1 Se dice de las palabras o sufijos que indican aumento o intensidad. Con los sufijos '-azo' u '-ote' se forman aumentativos: cochazo, amigote. ANTÓNIMO diminutivo. INGLÉS augmentative [adjetivo], augmentative suffix [nombre].

aumento
nombre masculino
1 Subida de la calidad, cantidad o intensidad de una cosa: *Quiere un aumento de sueldo.* INGLÉS increase.

2 Capacidad que tienen algunos aparatos, como lupas o microscopios, de hacer que se vean las cosas más grandes. Para observar los astros necesitamos un telescopio de mucho aumento. INGLÉS magnification.

aun

conjunción **1** Introduce una dificultad real o posible que no impide que se haga o suceda lo que se dice: *Aun sabiendo que era peligroso, se lanzó corriendo escaleras abajo.* SINÓNIMO aunque. INGLÉS even.

adverbio **2** Indica que se incluye una cosa o a una persona en lo que se ha dicho o que también sucederá lo que se dice, aunque pueda resultar sorprendente o extraño: *Este programa es sencillo de aprender aun para gente que nunca ha tenido ordenador.* SINÓNIMO incluso. INGLÉS even.

NOTA No lo confundas con la forma acentuada 'aún', que significa 'todavía'.

aún

adverbio **1** Indica que algo sigue igual que como estaba antes, por lo menos hasta el momento de que se habla, pero que puede haber cambios: *Aún somos muy amigos.* SINÓNIMO todavía. INGLÉS still.

aún no Indica que no ha ocurrido una cosa, pero que estamos esperando que pase o creemos que va a ocurrir: *Aún no sé montar en moto.* INGLÉS not yet.

NOTA No lo confundas con 'aun', que significa 'aunque' o 'incluso' y no se acentúa.

aunque

conjunción **1** Une dos oraciones entre las que existe cierta oposición porque hay una dificultad real o posible para hacer algo, pero lo que se dice puede hacerse o suceder: *Pásate hoy por mi casa aunque sea tarde.* SINÓNIMO aun. INGLÉS although, even though.

¡aúpa!

interjección **1** Se utiliza con los niños para animarlos a levantarse cuando se han caído. También lo usan los niños cuando quieren que los cojan en brazos: *¡Aúpa, no llores!* INGLÉS ups-a-daisy!

de aúpa Que es muy grande, muy fuerte o muy intenso. Se puede agarrar un catarro de aúpa o darse una persona un golpe de aúpa. Es una expresión informal. INGLÉS terrific.

aupar

verbo **1** Levantar a una persona, especialmente a un niño, para sostenerla en brazos. INGLÉS to lift up.

aupar

INDICATIVO	SUBJUNTIVO
presente	**presente**
aúpo	aúpe
aúpas	aúpes
aúpa	aúpe
aupamos	aupemos
aupáis	aupéis
aúpan	aúpen
pretérito imperfecto	**pretérito imperfecto**
aupaba	aupara o aupase
aupabas	auparas o aupases
aupaba	aupara o aupase
aupábamos	aupáramos o aupásemos
aupabais	auparais o aupaseis
aupaban	auparan o aupasen
pretérito perfecto simple	**futuro**
aupé	aupare
aupaste	aupares
aupó	aupare
aupamos	aupáremos
aupasteis	aupareis
auparon	auparen
futuro	**IMPERATIVO**
auparé	aúpa (tú)
auparás	aúpe (usted)
aupará	aupemos (nosotros)
auparemos	aupad (vosotros)
auparéis	aúpen (ustedes)
auparán	
condicional	**FORMAS NO PERSONALES**
auparía	**infinitivo** aupar
auparías	**gerundio** aupando
auparía	**participio** aupado
auparíamos	
auparíais	
auparían	

aureola

nombre femenino **1** Círculo de luz que rodea el cuerpo o las cabezas de algunas imágenes religiosas. INGLÉS halo.

2 Fama que rodea a una persona o cosa. Algunos lugares tienen una aureola de misterio. INGLÉS aura.

aurícula

nombre femenino **1** Hueco o cavidad que hay en el corazón por donde entra la sangre. Hay cuatro cavidades dentro del corazón: dos aurículas en la parte de arriba y dos ventrículos en la parte de abajo. INGLÉS auricle.

auricular

nombre masculino **1** Parte de un aparato por la que sale un sonido y que debe ponerse cerca de la oreja. El teléfono tiene auricular. INGLÉS earpiece.

nombre masculino plural **2 auriculares** Aparato que consiste en dos altavoces pequeños que se colocan uno en cada oído; llevan una pieza que une los dos altavoces y que se pone por encima de la cabeza para sujetarlos. INGLÉS headphones.

aurora

nombre femenino **1** Luz de color rosa que aparece en el cielo antes de la salida del Sol. INGLÉS dawn.

auscultar

verbo **1** Escuchar el médico los sonidos del pecho y del abdomen con el oído o con instrumentos adecuados, como el fonendoscopio. INGLÉS to sound.

ausencia

nombre femenino **1** Falta de una persona o una cosa en un lugar donde podría o tendría que estar. La ausencia de lluvias provoca sequía. ANTÓNIMO presencia. INGLÉS absence.

ausentarse

verbo **1** Irse del lugar en el que se está habitualmente o debe estarse en ese momento: *Mañana me ausentaré para ir al dentista.* INGLÉS to be absent.

ausente

adjetivo **1** Se dice de la persona que no está en un sitio: *Sale de viaje y estará ausente toda la semana.* INGLÉS absent.

2 Se dice de la persona que está distraída o pensando en sus propias cosas: *Aunque le hables, permanece ausente y no atiende a nada de lo que le rodea.* INGLÉS lost in thought.

austeridad

nombre femenino **1** Forma de comportarse que tienen las personas que solo viven con lo imprescindible, sin lujos ni adornos. Algunas comunidades religiosas viven con mucha austeridad. INGLÉS austerity.

austero, austera

adjetivo **1** Se dice de la persona que vive con lo imprescindible, sin lujos ni cosas innecesarias. INGLÉS austere.

2 Que es sencillo y no tiene adornos ni comodidades. Los monasterios suelen ser edificios muy austeros. SINÓNIMO sobrio. INGLÉS austere.

australiano, australiana

adjetivo y nombre **1** Se dice de la persona o cosa que es de Australia, país de Oceanía. INGLÉS Australian.

austriaco, austriaca

adjetivo y nombre **1** Se dice de la persona o cosa que es de Austria, país del centro de Europa. INGLÉS Austrian.

NOTA También se escribe y se pronuncia: austríaco.

austríaco, austríaca

adjetivo y nombre **1** Es otra forma de escribir y pronunciar: austriaco.

auténtico, auténtica

adjetivo **1** Que es realmente lo que parece ser. Un Picasso auténtico es un cuadro que de verdad ha pintado Picasso, que no es una copia. ANTÓNIMO falso. INGLÉS authentic, genuine.

autismo

nombre masculino **1** Trastorno neurológico del desarrollo que se caracteriza, principalmente, por dificultades para hablar y para relacionarse con el entorno. Algunos tipos de autismo se pueden curar. INGLÉS autism.

auto

nombre masculino **1** Es la forma abreviada de: automóvil. INGLÉS car.

autobiografía

nombre femenino **1** Relato en el que el autor cuenta su propia vida. INGLÉS autobiography.

autobús

nombre masculino **1** Vehículo con asientos para muchas personas que lleva a la gente de un lugar a otro dentro de una ciudad o de una ciudad a otra por carretera. Los autobuses tienen un recorrido fijo. INGLÉS bus.

NOTA El plural es: autobuses. También se dice: 'bus'.

autocar

nombre masculino **1** Vehículo con asientos para muchas personas que lleva a la gente por carretera. Los autocares suelen salir y llegar a una estación o se alquilan para hacer cierto viaje. INGLÉS coach.

autóctono, autóctona

adjetivo **1** Se dice de la persona, animal o planta que ha nacido en el mismo lugar en que vive. El canguro es una especie autóctona de Oceanía. INGLÉS native.

autoescuela

nombre femenino **1** Escuela en la que se enseñan las normas de circulación y a conducir vehículos. INGLÉS driving school.

a b c d e f g h i j k l m n ñ o p q r s t u v w x y z

autógrafo

nombre masculino **1** Firma de una persona famosa o destacada. Los fans piden autógrafos a sus cantantes favoritos. INGLÉS autograph.

autómata

nombre masculino **1** Máquina que imita la figura y los movimientos de un ser animado. INGLÉS robot.

2 Máquina automática que puede realizar acciones de manera autónoma y sustituir a un ser humano en ciertas tareas, en especial en tareas que son pesadas, repetitivas o peligrosas. En muchas fábricas hay autómatas para hacer algunos trabajos. SINÓNIMO robot. INGLÉS robot.

nombre masculino y femenino **3** Persona que hace las cosas mecánicamente, sin pensarlas, o que se deja dirigir por los demás. SINÓNIMO robot. INGLÉS automaton.

automático, automática

adjetivo **1** Se dice de las cosas que funcionan por sí solas, mediante la mecánica o la electricidad, sin necesidad de que el hombre tenga que hacer nada. INGLÉS automatic.

2 Se dice de los actos que se hacen sin pensar o sin querer porque son muy habituales: *Por la mañana me lavo de forma automática.* SINÓNIMO involuntario. INGLÉS automatic.

nombre masculino **3** Cierre de metal compuesto de dos piezas que se utiliza en la ropa y otros objetos. Una de las piezas tiene una cabeza que entra por presión en la otra. SINÓNIMO corchete. INGLÉS automatic.

automatizar

verbo **1** Hacer que algo funcione de manera automática. INGLÉS to automate.

NOTA Se escribe 'c' delante de 'e', como: automatice.

automóvil

nombre masculino **1** Vehículo con motor que circula por la carretera, se desplaza sobre cuatro ruedas y se conduce por medio de un volante; suelen ser de uso particular y tener de 2 a 5 plazas. SINÓNIMO coche; auto. INGLÉS automobile, car.

automovilismo

nombre masculino **1** Deporte que consiste en hacer carreras con automóviles. INGLÉS motor racing.

automovilista

nombre masculino y femenino **1** Persona que conduce un automóvil. SINÓNIMO conductor. INGLÉS motorist, driver.

autonomía

nombre femenino **1** Capacidad de un pueblo o un territorio para tomar decisiones y elaborar leyes en determinados asuntos sin depender de otro organismo. Los ayuntamientos tienen autonomía en algunas cuestiones administrativas. INGLÉS autonomy.

2 Circunstancia de no depender una persona de la decisión de otra para hacer una cosa. Los jueces tienen autonomía para impartir la justicia. INGLÉS autonomy.

3 Territorio español que tiene poder para gobernarse en algunos aspectos de acuerdo con sus propias leyes. En España hay 17 autonomías. INGLÉS autonomous region.

4 Capacidad máxima que tiene un vehículo para recorrer una distancia sin reponer combustible. Algunos aviones tienen una autonomía de vuelo de más de 10 000 kilómetros. INGLÉS range.

autonómico, autonómica

adjetivo **1** De la autonomía o que tiene relación con ella. INGLÉS autonomous.

autónomo, autónoma

adjetivo **1** Se dice de la persona, grupo o territorio que tiene autonomía, que no depende de nadie para hacer determinadas cosas. INGLÉS autonomous.

adjetivo y nombre **2** Se dice del trabajador que no está ligado a un contrato y a un salario por parte de una empresa y que trabaja de manera independiente. INGLÉS self-employed [adjetivo], self-employed person [nombre].

autopista

nombre femenino **1** Carretera importante con dos o más vías para cada sentido de la circulación y sin cruces a nivel, donde los coches pueden circular a más velocidad. INGLÉS motorway [en el Reino Unido], freeway [en Estados Unidos].

autopsia

nombre femenino **1** Examen médico de un cuerpo sin vida para averiguar las causas de su muerte. INGLÉS autopsy, postmortem.

autor, autora
nombre **1** Persona que realiza algo, en especial una obra científica o artística. Una persona puede ser la autora de un libro, de una investigación, de un cuadro, de un crimen o de un gol. INGLÉS author [si es de un cuadro: painter; si es de un crimen: perpetrator].

autoridad
nombre femenino **1** Facultad que tiene una persona o un grupo de personas para mandar, gobernar, dictar normas o leyes y obligar a cumplirlas. INGLÉS authority.
2 Persona o grupo de personas que pueden gobernar, dictar leyes y obligar a cumplirlas. Las autoridades municipales son el alcalde y los concejales. INGLÉS authority.
3 Facultad que tiene una persona para hacerse obedecer. A un jefe sin autoridad no le hacen caso cuando manda. INGLÉS authority.
4 Capacidad que tiene una persona de influir en otras. Los científicos más importantes tienen una gran autoridad y prestigio y su opinión es muy tenida en cuenta por todos. INGLÉS authority.

autoritario, autoritaria
adjetivo **1** Se dice de la persona que impone constantemente su autoridad sobre los demás. Una persona autoritaria siempre quiere que se haga lo que ella dice. INGLÉS authoritarian.
2 Se dice del sistema político o del gobierno que se basa en la autoridad que impone una sola persona o grupo de personas, sin dejar participar a nadie en sus decisiones. INGLÉS authoritarian.

autorización
nombre femenino **1** Permiso que se da a alguien para hacer algo que pide. INGLÉS authorization.
2 Documento en el que se da permiso a alguien para hacer algo. INGLÉS authorization.
NOTA El plural es: autorizaciones.

autorizar
verbo **1** Dar permiso a alguien para hacer algo: *Ese permiso lo autoriza a vender en la calle.* INGLÉS to authorize.
NOTA Se escribe 'c' delante de 'e', como: autoricé.

autorretrato
nombre masculino **1** Retrato de una persona hecho por ella misma. INGLÉS self-portrait.

autoservicio
nombre masculino **1** Establecimiento donde los clientes se sirven o cogen ellos mismos lo que quieren comprar o consumir y lo pagan a la salida. INGLÉS self-service restaurant [restaurante], supermarket [supermercado].

autostop
nombre masculino **1** Forma de viajar por carretera que consiste en hacer una señal a un vehículo para que pare y nos lleve a algún lugar sin pagar. INGLÉS hitchhiking.

autovía
nombre femenino **1** Carretera importante con dos o más vías para cada sentido de la circulación que tiene cruces a nivel. INGLÉS dual carriageway.

auxiliar
verbo **1** Ayudar a una persona que está en peligro o tiene problemas. Los bomberos auxilian a personas que quedan atrapadas por el fuego. INGLÉS to help, to assist. CUADRO página siguiente.
adjetivo **2** Que sirve de ayuda o de complemento. Los diccionarios y enciclopedias son herramientas auxiliares imprescindibles para estudiar. INGLÉS aid [nombre].
nombre masculino y femenino **3** Persona que depende de otra de mayor categoría a la que ayuda a hacer su trabajo. Un auxiliar administrativo trabaja en una oficina a las órdenes del administrativo. SINÓNIMO ayudante; colaborador. INGLÉS assistant.
nombre masculino y adjetivo **4** Verbo que se usa unido a otro para indicar valores de tiempo, modo, aspecto o voz. El verbo 'haber' es auxiliar en los tiempos compuestos. INGLÉS auxiliary.
auxiliar de vuelo Persona que atiende a los pasajeros de un avión. INGLÉS flight attendant.

auxilio
nombre masculino **1** Acción de prestar ayuda a una persona que está en un peligro o tiene una necesidad muy grande. Los primeros auxilios son las curas que se hacen a un herido en el primer momento tras un accidente. INGLÉS help, aid.

aval
nombre masculino **1** Firma que una persona pone en un documento para asegurar que otra que ha pedido un préstamo devolverá el dinero. INGLÉS guarantee.

auxiliar

INDICATIVO	SUBJUNTIVO
presente	**presente**
auxilio	auxilie
auxilias	auxilies
auxilia	auxilie
auxiliamos	auxiliemos
auxiliáis	auxiliéis
auxilian	auxilien
pretérito imperfecto	**pretérito imperfecto**
auxiliaba	auxiliara o auxiliase
auxiliabas	auxiliaras o auxiliases
auxiliaba	auxiliara o auxiliase
auxiliábamos	auxiliáramos o auxiliásemos
auxiliabais	auxiliarais o auxiliaseis
auxiliaban	auxiliaran o auxiliasen
pretérito perfecto simple	**futuro**
auxilié	auxiliare
auxiliaste	auxiliares
auxilió	auxiliare
auxiliamos	auxiliáremos
auxiliasteis	auxiliareis
auxiliaron	auxiliaren
futuro	**IMPERATIVO**
auxiliaré	
auxiliarás	auxilia (tú)
auxiliará	auxilie (usted)
auxiliaremos	auxiliemos (nosotros)
auxiliaréis	auxiliad (vosotros)
auxiliarán	auxilien (ustedes)
condicional	**FORMAS NO PERSONALES**
auxiliaría	
auxiliarías	
auxiliaría	**infinitivo** auxiliar — **gerundio** auxiliando
auxiliaríamos	
auxiliaríais	**participio**
auxiliarían	auxiliado

avalancha

nombre femenino

1 Gran masa de nieve que cae de las montañas con mucha fuerza. SINÓNIMO alud. INGLÉS avalanche.

2 Cantidad grande de personas o cosas que llegan a la vez y de forma rápida. SINÓNIMO alud. INGLÉS avalanche.

avance

nombre masculino

1 Movimiento que se hace hacia delante. INGLÉS advance.

2 Parte de una noticia que una radio o una televisión ofrecen antes de un programa informativo para anunciarlas: *Les ofrecemos un avance informativo.* INGLÉS news preview.

3 Mejora de un proceso, una actividad o una situación. Los avances de la medicina sirven para curar cada vez a más gente. INGLÉS advance.

avanzada

nombre femenino

1 Grupo pequeño de soldados que se adelantan al resto del ejército para observar al enemigo o avisar de un peligro. INGLÉS advance guard.

avanzar

verbo

1 Ir o mover hacia delante: *Avanzó la ficha. Con este atasco no avanzamos.* INGLÉS to advance.

2 Pasar o transcurrir el tiempo: *A medida que avanzan las horas, se les iba notando el cansancio.* INGLÉS to go by.

3 Pasar a una situación o un estado mejor: *Si las conversaciones no avanzan, no habrá acuerdo.* SINÓNIMO progresar. INGLÉS to make progress.

NOTA Se conjuga como: realizar; se escribe 'c' delante de 'e', como: avancen.

avaricia

nombre femenino

1 Deseo muy fuerte de poseer mucho dinero y riquezas por el placer de tenerlas, no para gastarlo. SINÓNIMO codicia. INGLÉS avarice.

avaricioso, avariciosa

adjetivo

1 Que se preocupa mucho, incluso demasiado, por conseguir dinero y riquezas. Las personas avariciosas suelen ser muy egoístas y no comparten sus cosas con los demás. INGLÉS avaricious.

avaricioso

avaro, avara

adjetivo

1 Se dice de la persona que no gasta nada o gasta muy poco para tener más dinero. Los avaros suelen ser muy tacaños. INGLÉS avaricious.

avasallar

verbo

1 Tratar a los demás sin respeto ni consideración haciendo uso de una mayor fuerza o poder. INGLÉS to subjugate.

avatares

nombre masculino plural

1 Circunstancias nuevas que se van sucediendo en un proceso o en algo que va cambiando. Los avatares de la vida pueden hacer cambiar a las personas. INGLÉS vagary.

ave

nombre femenino **1** Animal vertebrado que tiene pico, alas, cuerpo recubierto de plumas y se reproduce por huevos. El pato y el águila son aves. INGLÉS bird.

NOTA Es un nombre femenino, pero se utilizan los determinantes 'un' y 'el' cuando entre el determinante y el nombre no hay otras palabras: el ave.

avecinarse

verbo **1** Hacerse una cosa o una situación cada vez más próxima o cercana. En octubre ya se avecina el invierno. SINÓNIMO acercarse. INGLÉS to approach.

avejentar

verbo **1** Dar o tener aspecto de viejo antes de tiempo. Las canas avejentan a muchas personas todavía jóvenes. INGLÉS to make look older [avejentar], to look older [avejentarse].

avellana

nombre femenino **1** Fruto del avellano; tiene una cáscara dura y una semilla que se come cruda o tostada. INGLÉS hazelnut.

avellano

nombre masculino **1** Arbusto de hojas caducas que da la avellana. INGLÉS hazel tree.

avemaría

nombre femenino **1** En la religión católica, oración dedicada a la Virgen María. INGLÉS Ave Maria, Hail Mary.

NOTA Es un nombre femenino, pero se utilizan los determinantes 'el' y 'un' cuando entre el determinante y el nombre no hay otras palabras: el avemaría.

avena

nombre femenino **1** Cereal que produce una semilla con la que se alimentan los animales y las personas. INGLÉS oats.

avenida

nombre femenino **1** Calle ancha de una población, a menudo con árboles a los lados. INGLÉS avenue.

aventajado, aventajada

adjetivo **1** Se dice de la persona que aventaja a otras porque aprende más deprisa y mejor. INGLÉS outstanding.

aventajar

verbo **1** Sacar ventaja o tener ventaja sobre otros: *En los últimos metros lo aventajó y ganó la medalla de oro.* INGLÉS to surpass.

aventar

verbo **1** Echar al aire el grano y la paja de los cereales para que el viento los separe y al caer lo hagan por separado. INGLÉS to winnow.

NOTA La 'e' se convierte en 'ie' en sílaba acentuada, como: avienten.

aventura

nombre femenino **1** Situación o suceso extraordinario y poco frecuente. Los niños disfrutan con las aventuras de los personajes de tebeos. INGLÉS adventure.

2 Relación amorosa de poca duración entre dos personas, sin que haya voluntad de alcanzar una relación estable. INGLÉS affair.

aventurar

verbo **1** Poner en peligro o hacer pasar por una situación arriesgada a una persona o una cosa. Aventurarse a realizar una acción es hacerla sabiendo que existe el riesgo de que fracase. INGLÉS to risk.

2 Decir una persona una cosa sin estar completamente segura de ella. Aventurar el resultado de una competición es darlo como posible antes de que ocurra. INGLÉS to venture.

3 aventurarse Hacer algo que puede suponer un peligro o un riesgo: *Se aventuró a entrar en la cueva.* INGLÉS to venture.

aventurero, aventurera

adjetivo y nombre **1** Se dice de la persona a la que le gustan las aventuras o el riesgo. INGLÉS adventurous [adjetivo], adventurer [hombre], adventuress [mujer].

avergonzado, avergonzada

adjetivo **1** Que tiene o siente vergüenza, generalmente por una falta cometida. INGLÉS embarrassed, ashamed.

avergonzar

verbo **1** Causar o sentir vergüenza: *Le avergüenza que lo vean en ropa interior. ¿No se avergüenza de lo que ha hecho?* INGLÉS to shame [avergonzar], to be ashamed [avergonzarse]. CUADRO página siguiente.

avería

nombre femenino **1** Rotura o fallo de alguna pieza de un aparato o vehículo que hace que no

avergonzar

INDICATIVO

presente
avergüenzo
avergüenzas
avergüenza
avergonzamos
avergonzáis
avergüenzan

pretérito imperfecto
avergonzaba
avergonzabas
avergonzaba
avergonzábamos
avergonzabais
avergonzaban

pretérito perfecto simple
avergoncé
avergonzaste
avergonzó
avergonzamos
avergonzasteis
avergonzaron

futuro
avergonzaré
avergonzarás
avergonzará
avergonzaremos
avergonzaréis
avergonzarán

condicional
avergonzaría
avergonzarías
avergonzaría
avergonzaríamos
avergonzaríais
avergonzarían

SUBJUNTIVO

presente
avergüence
avergüences
avergüence
avergoncemos
avergoncéis
avergüencen

pretérito imperfecto
avergonzara o avergonzase
avergonzaras o avergonzases
avergonzara o avergonzase
avergonzáramos o avergonzásemos
avergonzarais o avergonzaseis
avergonzaran o avergonzasen

futuro
avergonzare
avergonzares
avergonzare
avergonzáremos
avergonzareis
avergonzaren

IMPERATIVO

avergüenza	(tú)
avergüence	(usted)
avergoncemos	(nosotros)
avergonzad	(vosotros)
avergüencen	(ustedes)

FORMAS NO PERSONALES

infinitivo avergonzar
gerundio avergonzando
participio avergonzado

funcione o que funcione mal. INGLÉS breakdown.

averiarse

verbo

1 Romperse o producirse un fallo en una pieza o una parte del mecanismo de un aparato o de un vehículo. Si se avería el coche, hay que llevarlo al mecánico. INGLÉS to break down.

averiguar

verbo

1 Llegar a saber o a conocer una cosa después de haberla investigado o examinado detenidamente. Averiguar la solución de un problema es encontrar su resultado. INGLÉS to find out.

aversión

nombre femenino

1 Sentimiento de rechazo o asco que tiene alguien hacia una persona o cosa: *Siente aversión a los insectos.* INGLÉS aversion, dislike.

NOTA El plural es: aversiones.

avestruz

nombre masculino

1 Ave de gran tamaño que tiene dos patas largas y robustas con las que puede correr a gran velocidad. El avestruz no puede volar porque sus alas no aguantan su peso. INGLÉS ostrich.

NOTA El plural es: avestruces.

aviación

nombre femenino

1 Sistema de transporte que se efectúa por medio de aviones y helicópteros. INGLÉS aviation.

2 Conjunto de los aviones, instalaciones y otros medios que tiene un estado. INGLÉS air force.

aviador, aviadora

nombre

1 Persona que conduce un avión. SINÓNIMO piloto. INGLÉS airman [hombre], airwoman [mujer].

averiguar

INDICATIVO

presente
averiguo
averiguas
averigua
averiguamos
averiguáis
averiguan

pretérito imperfecto
averiguaba
averiguabas
averiguaba
averiguábamos
averiguabais
averiguaban

pretérito perfecto simple
averigüé
averiguaste
averiguó
averiguamos
averiguasteis
averiguaron

futuro
averiguaré
averiguarás
averiguará
averiguaremos
averiguaréis
averiguarán

condicional
averiguaría
averiguarías
averiguaría
averiguaríamos
averiguaríais
averiguarían

SUBJUNTIVO

presente
averigüe
averigües
averigüe
averigüemos
averigüéis
averigüen

pretérito imperfecto
averiguara o averiguase
averiguaras o averiguases
averiguara o averiguase
averiguáramos o averiguásemos
averiguarais o averiguaseis
averiguaran o averiguasen

futuro
averiguare
averiguares
averiguare
averiguáremos
averiguareis
averiguaren

IMPERATIVO

averigua	(tú)
averigüe	(usted)
averigüemos	(nosotros)
averiguad	(vosotros)
averigüen	(ustedes)

FORMAS NO PERSONALES

infinitivo averiguar
gerundio averiguando
participio averiguado

avícola
adjetivo **1** Que tiene relación con la avicultura. INGLÉS poultry.

avicultura
nombre femenino **1** Cría de aves para aprovechar su carne, plumas y huevos. INGLÉS poultry keeping, poultry farming.

ávido, ávida
adjetivo **1** Que siente deseos muy fuertes de hacer, tener o conseguir algo. Si se tiene mucha hambre, se está ávido de comida. SINÓNIMO ansioso. INGLÉS eager.

avilés, avilesa
adjetivo y nombre **1** Se dice de la persona o cosa que es de Ávila, ciudad y provincia de Castilia y León. SINÓNIMO abulense.
NOTA El plural de avilés es: avileses.

avión
nombre masculino **1** Aparato con alas que sirve para viajar por el aire. SINÓNIMO aeroplano. INGLÉS plane.
NOTA El plural es: aviones.

avioneta
nombre femenino **1** Avión pequeño con motor de poca potencia que se usa para hacer vuelos cortos y a poca altura. INGLÉS light aircraft.

avisar
verbo **1** Comunicar algo o dar una noticia. Las compañías de servicios, como las de la luz, el agua o el gas, suelen avisar al vecindario de las reparaciones que van a hacer. SINÓNIMO anunciar. INGLÉS to inform.
2 Dar un consejo para evitar un daño o peligro. Entre las señales de tráfico, hay muchas que avisan para que se tomen precauciones. SINÓNIMO prevenir. INGLÉS to warn.
3 Llamar a alguien para que preste un servicio. Avisamos al fontanero, al médico o a los bomberos cuando los necesitamos. INGLÉS to call for.

aviso
nombre masculino **1** Noticia o comunicación que se da sobre algo que va a ocurrir: *Hay un aviso de que cortarán la luz.* INGLÉS notice.

avispa
nombre femenino **1** Insecto parecido a la abeja que tiene el cuerpo alargado, de color negro y amarillo a rayas y no tiene pelos. El aguijón de la avispa produce picaduras muy dolorosas. INGLÉS wasp.

avispado, avispada
adjetivo **1** Se dice de la persona que tiene facilidad para darse cuenta de las cosas y entenderlas: *No podrás engañarla, es muy avispada.* INGLÉS sharp.

avispero
nombre masculino **1** Lugar donde viven las avispas. INGLÉS wasp's nest.
2 Conjunto de avispas. INGLÉS swarm of wasps.

avivar
verbo **1** Dar nuevas fuerzas o más intensidad a una cosa que las está perdiendo. Avivamos un fuego cuando se está apagando. INGLÉS to intensify, to liven up.

avutarda
nombre femenino **1** Ave rapaz de patas largas que tiene el cuerpo grueso de color rojizo con manchas negras, el cuello alargado y las alas pequeñas. La avutarda es rápida corriendo pero su vuelo es bajo y corto. INGLÉS great bustard.

axila
nombre femenino **1** Hueco que se forma debajo del brazo al unirse con el cuerpo. SINÓNIMO sobaco. INGLÉS armpit.

¡ay!
interjección **1** Expresa normalmente pena, dolor, sorpresa o susto: *¡Ay, no te había visto llegar!* INGLÉS oh!

ayer
adverbio **1** Día anterior a hoy. Si hoy es sábado, ayer fue viernes. INGLÉS yesterday.
2 Unos años atrás: *Ayer era una niña y hoy es una mujer.* INGLÉS not long ago.
nombre masculino **3** Tiempo o años pasados. Las personas nostálgicas recuerdan el ayer como un tiempo mejor que el actual. INGLÉS the past.

ayo, aya
nombre **1** Persona encargada de cuidar o criar a un niño sin ser de su familia: *Antiguamente, muchas familias con dinero tenían ayas para cuidar de sus hijos.* INGLÉS tutor.
NOTA En femenino se utilizan 'el' y 'un' cuando entre el determinante y el nombre no hay otras palabras: el aya.

ayuda
nombre femenino **1** Cosa que se hace al ayudar a una persona a evitar un peligro, a hacer algo o a obtener lo que quiere. INGLÉS help.
2 Persona o cosa que ayuda a una per-

sona. Los familiares siempre son una ayuda para superar un mal momento. INGLÉS help.

3 Cosa material que se da a una persona o a un grupo que tiene una gran necesidad de ella. Algunos países envían ayuda humanitaria a las zonas en guerra. INGLÉS aid.

ayudante
nombre masculino y femenino
1 Persona que depende de otra de mayor categoría a la que ayuda en su trabajo. SINÓNIMO auxiliar. INGLÉS assistant.

ayudar
verbo
1 Colaborar o hacer algo para que una persona evite un peligro, consiga lo que quiere o no le cueste tanto hacer una cosa: *¿Me ayudas a bajar el sofá, por favor?* INGLÉS to help.

ayunar
verbo
1 Dejar de comer una persona por alguna causa determinada, como una enfermedad o un mandato religioso. INGLÉS to fast.

ayunas
en ayunas Sin haber comido ni bebido nada durante varias horas. INGLÉS on an empty stomach.

ayuno
nombre masculino
1 Acción que consiste en no comer o comer muy poco durante cierto tiempo, por enfermedad o práctica religiosa. INGLÉS fast.

ayuntamiento
nombre masculino
1 Grupo de personas formado por el alcalde y los concejales, que administran y dirigen una población o ciudad. INGLÉS town council, city council.

2 Edificio donde está la administración de una población. INGLÉS town hall, city hall.

azabache
nombre masculino
1 Mineral duro de color negro y brillante; se utiliza mucho para hacer adornos y joyas. INGLÉS jet.

azada
nombre femenino
1 Herramienta que se usa para cavar y remover la tierra. La azada está formada por una pieza de metal plana de borde afilado, sujeta a un mango largo de madera. INGLÉS hoe.

azadón
nombre masculino
1 Herramienta que se usa para cavar o cortar las malas hierbas. El azadón está formado por una pieza de metal curva y larga, de borde afilado, sujeta a un mango largo de madera. INGLÉS mattock.

NOTA El plural es: azadones.

azafata
nombre femenino
1 Mujer que atiende a los pasajeros de un avión. INGLÉS air hostess.

2 Mujer que atiende e informa a los participantes en ciertos actos, como congresos o conferencias. INGLÉS hostess.

azafrán
nombre masculino
1 Especia de color rojo anaranjado. El azafrán se echa a la paella para darle mejor sabor y color amarillo. INGLÉS saffron.

NOTA El plural es: azafranes.

azahar
nombre masculino
1 Flor blanca del naranjo, del limonero y otros árboles parecidos; se usa para hacer perfumes por su buen olor. INGLÉS orange blossom [del naranjo], lemon blossom [del limonero].

azalea
nombre femenino
1 Planta de jardín de hoja caduca y flores rojas, blancas o rosas. INGLÉS azalea.

azar
nombre masculino
1 Conjunto de circunstancias que hace que suceda una cosa de forma inesperada e imprevista. A veces, se encuentran las cosas por azar, sin buscarlas. SINÓNIMO casualidad. INGLÉS chance.

al azar Sin tener ninguna intención o sin que exista un motivo determinado. En los sorteos los números se sacan al azar. INGLÉS at random.

azor
nombre masculino
1 Ave rapaz parecida al halcón que vive y caza en los bosques. INGLÉS goshawk.

azotaina
nombre femenino
1 Sucesión de muchos azotes dados a alguien, generalmente como castigo, pero sin intención de hacerle mucho daño. INGLÉS spanking.

azotar
verbo
1 Dar golpes o azotes de forma repetida y violenta. INGLÉS to whip [con un látigo], to spank [en el culo].

2 Golpear el viento, la lluvia o las olas un lugar con fuerza y de forma repetida. INGLÉS to lash.

azote
nombre masculino
1 Golpe que se da a una persona con la

mano abierta. Los azotes se dan generalmente en las nalgas. **INGLÉS** lash [con un látigo], smack [en el culo].

2 Golpe que da el viento o el agua en alguna parte. **INGLÉS** beating.

azotea

nombre femenino **1** Espacio llano y descubierto que hay en la parte superior de un edificio y que sirve para tender la ropa o tomar el sol. **SINÓNIMO** terraza. **INGLÉS** flat roof.

estar mal de la azotea Ser una persona muy rara o hacer cosas que están fuera de lo común. **INGLÉS** to have a screw loose.

NOTA Es una expresión informal.

azteca

adjetivo y nombre masculino y femenino **1** Se dice de un pueblo indígena que se encontraba en México antes de la llegada de los españoles. En la actualidad hay descendientes de los aztecas en México. **INGLÉS** Aztec.

azúcar

nombre **1** Sustancia dulce que se extrae de la caña y de la remolacha; se utiliza para cocinar pasteles y dulces. **INGLÉS** sugar.

2 Sustancia dulce que algunos seres vivos tenemos en la sangre. **INGLÉS** sugar.

NOTA Tiene doble género, se dice: el azúcar y la azúcar.

azucarar

verbo **1** Echar azúcar a un alimento. **INGLÉS** to sweeten.

azucarero

nombre masculino **1** Recipiente que sirve para guardar el azúcar o para servirlo en la mesa. **INGLÉS** sugar bowl.

azucena

nombre femenino **1** Planta de hojas largas y tallo alto que tiene una flor grande, de color blanco, amarillo o rojo, que huele mucho. **INGLÉS** white lily.

azufre

nombre masculino **1** Mineral de color amarillo que cuando se quema produce una llama azul y un olor muy fuerte; se utiliza para fabricar pólvora. **INGLÉS** sulphur.

azul

nombre masculino y adjetivo **1** Color como el del cielo despejado o el agua de una piscina. El azul celeste se parece al color del cielo en días de sol, y el azul marino es un azul muy oscuro. **INGLÉS** blue.

azulado, azulada

adjetivo **1** De color parecido al azul o con un tono azul. **INGLÉS** bluish.

azulejo

nombre masculino **1** Ladrillo pequeño o pieza pequeña de cerámica recubierta con un esmalte y decorada de muy diversas maneras; se utiliza para revestir o decorar paredes, cocinas o cuartos de baño. **INGLÉS** tile.

azuzar

verbo **1** Incitar a los perros para que ataquen. **INGLÉS** to set on.

b

nombre femenino

1 Segunda letra del alfabeto español. La 'b' es una consonante. **INGLÉS** B, b.

baba

nombre femenino

1 Saliva abundante que de forma involuntaria cae a veces de la boca. **INGLÉS** spittle.

2 Líquido pegajoso que producen algunos animales, como las babosas y los caracoles. **INGLÉS** slime.

caérsele a alguien la baba Sentir mucha admiración o mucho cariño por alguien o por algo: *Se le caía la baba con sus nietos.* Es una expresión informal. **INGLÉS** to dote.

mala baba Mala intención o mal carácter de una persona. Es una expresión informal. **INGLÉS** bad temper [mal carácter], nastiness [mala intención].

babear

verbo

1 Echar baba. Estos perros babean mucho. **INGLÉS** to dribble [bebé], to slobber [adulto, perro].

2 Tener mucha admiración o cariño por alguien o por algo, de tal modo que se nota mucho: *Está que babea por su novio.* Es un uso informal. **INGLÉS** to drool.

babero

nombre masculino

1 Prenda de tela o plástico que se pone a los niños sobre el pecho y que se sujeta al cuello con una cinta. Se usa para no manchar la ropa de baba o de comida. **INGLÉS** bib.

babi

nombre masculino

1 Bata que se pone a los niños encima de la ropa para protegerla. El babi puede ir abierto por delante o por detrás y se abrocha con botones. **INGLÉS** child's overall.

bable

nombre masculino

1 Lengua que se habla en algunas zonas de Asturias. **INGLÉS** Asturian dialect.

babor

nombre masculino

1 Lado izquierdo de una embarcación, mirando hacia delante cuando está en marcha. **INGLÉS** port.

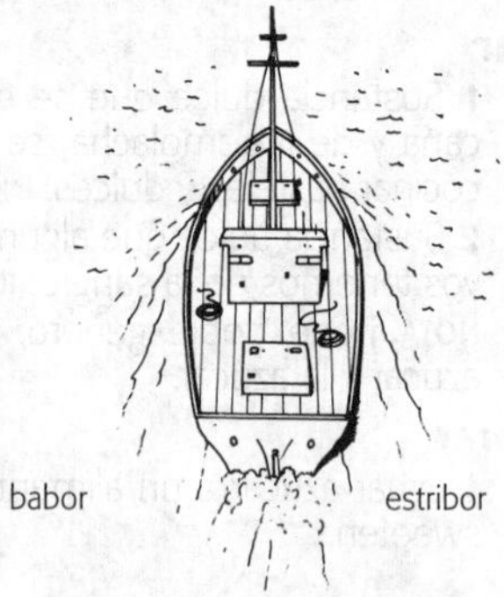

babor

babosa

nombre femenino

1 Animal pequeño de cuerpo blando y alargado que se arrastra por el suelo dejando tras de sí una sustancia pegajosa. **INGLÉS** slug.

baboso, babosa

adjetivo y nombre

1 Que echa mucha baba por la boca. **INGLÉS** slobbering [adjetivo], slobberer [nombre].

2 Se dice de la persona que resulta muy desagradable y pesada. Es un uso informal. **INGLÉS** slimy.

babucha

nombre femenino

1 Calzado de suela muy delgada, con la parte delantera acabada en punta y normalmente sin talón. **INGLÉS** slipper.

baca
nombre femenino
1 Estructura que se coloca sobre el techo de un coche; sirve para llevar encima paquetes o bultos y se sujeta con cuerdas elásticas. INGLÉS roof rack.

bacalao
nombre masculino
1 Pez marino de gran tamaño. Es de color verdoso o marrón rojizo y tiene una especie de barba en el labio inferior. El bacalao se consume fresco o conservado en sal. INGLÉS cod.
cortar el bacalao Dirigir o mandar en algún asunto o situación. Es una expresión informal. INGLÉS to wear the trousers.

bache
nombre masculino
1 Agujero que hay en la superficie de una carretera o en un camino. INGLÉS pothole.
2 Dificultad temporal que frena o interrumpe el desarrollo de algo que se estaba haciendo. Cuando una familia tiene un bache económico, tiene que gastar menos durante un tiempo. INGLÉS bad patch.

bachillerato
nombre masculino
1 Conjunto de estudios que se cursan después de la enseñanza secundaria obligatoria y grado que se consigue al terminarlos.

bacilo
nombre masculino
1 Bacteria que tiene forma de cilindro. Algunos bacilos causan enfermedades, como el bacilo de Koch, que provoca tuberculosis. INGLÉS bacillus.

bacteria
nombre femenino
1 Organismo de tamaño microscópico de una sola célula. Algunas bacterias producen enfermedades, por eso la leche se esteriliza para eliminar las bacterias. INGLÉS bacterium.

badajo
nombre masculino
1 Pieza que cuelga en el interior de una campana o un cencerro y que al golpear en sus paredes produce un sonido. INGLÉS clapper.

badajocense
adjetivo y nombre masculino y femenino
1 Se dice de la persona o cosa que es de Badajoz, ciudad y provincia de Extremadura. SINÓNIMO pacense.

bafle
nombre masculino
1 Altavoz de un equipo de música. El bafle es una caja rectangular separada del equipo. INGLÉS loudspeaker.

bagaje
nombre masculino
1 Conjunto de conocimientos y de información general que posee una persona. Las personas que leen mucho tienen un gran bagaje cultural. INGLÉS experience, background.

bagatela
nombre femenino
1 Cosa o asunto que tienen poco o ningún valor o importancia: *No le dio tiempo a terminar el trabajo porque se entretuvo con bagatelas.* INGLÉS trifle.

bahía
nombre femenino
1 Zona de la costa en la que un trozo de mar entra en la tierra. La bahía es menos ancha y profunda que el golfo. INGLÉS bay.

bailar
verbo
1 Mover las piernas, los brazos y el cuerpo siguiendo el ritmo de una música. Se puede bailar solo o formando pareja con otra persona. SINÓNIMO danzar. INGLÉS to dance.
2 Moverse algo que no está bien sujeto en su sitio. Un diente que baila acaba por caerse. INGLÉS to wobble.

bailarín, bailarina
nombre
1 Persona que tiene como profesión bailar. INGLÉS dancer.
NOTA El plural de bailarín es: bailarines.

baile
nombre masculino
1 Movimiento del cuerpo y de las piernas y los brazos siguiendo el ritmo de una música. SINÓNIMO danza. INGLÉS dance.
2 Forma especial de bailar un determinado tipo de música, compuesta por unos pasos y movimientos fijos. El tango, el vals y el pasodoble son bailes de salón. INGLÉS dance.
3 Fiesta en la que se reúnen varias personas que bailan. INGLÉS dance.

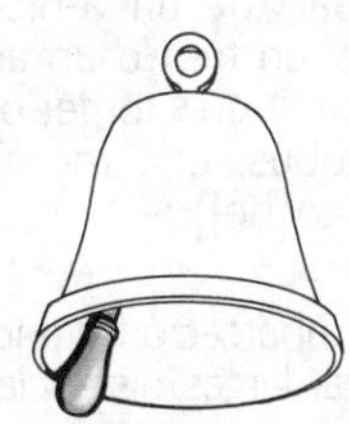

badajo

baja

nombre femenino

1 Salida voluntaria de una persona de un club, asociación, actividad o trabajo: *Nos dimos de baja del gimnasio.* ANTÓNIMO alta. INGLÉS cancellation of membership, leaving.

2 Autorización que da el médico a una persona para no asistir al trabajo por razones de salud. También documento en que consta la no asistencia al trabajo. ANTÓNIMO alta. INGLÉS doctor's certificate.

3 Persona muerta, desaparecida o herida en un combate. INGLÉS casualty.

bajada

nombre femenino

1 Paso de un lugar alto a otro bajo o más bajo: *Antes de hacer la bajada de la montaña revisa los frenos de la bici.* SINÓNIMO descenso. ANTÓNIMO ascenso; subida. INGLÉS descent.

2 Terreno o camino que baja. ANTÓNIMO subida. INGLÉS downward slope.

3 Disminución de la cantidad o la intensidad de una cosa. En las rebajas hay una bajada de los precios. SINÓNIMO descenso. ANTÓNIMO subida. INGLÉS drop, fall.

bajamar

nombre femenino

1 En la marea baja, nivel mínimo hasta donde el agua retrocede. ANTÓNIMO pleamar. INGLÉS low tide.

bajar

verbo

1 Ir de un lugar alto a otro bajo o más bajo. ANTÓNIMO subir. INGLÉS to go down.

2 Poner en un sitio más bajo: *Bajé la ropa que estaba guardada en el altillo para poder usarla.* SINÓNIMO descender. ANTÓNIMO subir. INGLÉS to bring down, to take down.

3 Hacer más pequeña o menos intensa una cosa. Cuando se enchufa el aire acondicionado baja la temperatura. SINÓNIMO descender. INGLÉS to lower [hacer bajar], to fall [descender].

4 Salir de un vehículo, como un coche, un tren o un autobús. ANTÓNIMO subir. INGLÉS to get off [de un tren, un autobús, una moto], to get out [de un coche].

bajel

nombre masculino

1 Embarcación grande que puede navegar largas distancias por mar. SINÓNIMO barco. INGLÉS vessel.

NOTA Es una palabra formal.

bajo

preposición

1 Indica que una persona o una cosa se encuentra debajo de algo o de alguien: *Los submarinos navegan bajo la superficie del mar.* INGLÉS under.

2 Indica que una persona o cosa depende de otra o tiene que obedecerla: *Los empleados están bajo las órdenes del jefe.* INGLÉS under.

bajo, baja

adjetivo

1 Que tiene menos distancia de abajo arriba de la normal o menos que otra persona o cosa con la que se compara. INGLÉS short [una persona], low [una cosa].

2 Que está situado a poca distancia del suelo. Los comercios suelen estar situados en la planta baja de los edificios. INGLÉS lower.

3 Que tiene menos categoría, valor, fuerza o calidad de lo normal. Cuando no queremos que nos oigan, hablamos en voz baja. INGLÉS low.

4 Que está situado en un lugar o una posición inferior en relación con otras: *El pueblo está en la zona baja del valle.* INGLÉS lower.

nombre masculino

5 Parte de abajo de una prenda de vestir, que está metida y cosida. INGLÉS hem.

6 Instrumento musical parecido a la guitarra, pero de cuatro cuerdas y sonido más grave. INGLÉS bass.

7 Cantante que tiene la voz más grave de las voces masculinas. INGLÉS bass.

8 Piso de un edificio que está a la altura del suelo. INGLÉS ground floor.

adverbio

9 bajo En un lugar más cercano al suelo o no lo suficientemente alto. Antes de aterrizar, los aviones suelen volar muy bajo. INGLÉS low.

bajón

nombre masculino

1 Disminución importante y brusca de alguna cosa, como la salud, el estado de ánimo, la temperatura o los precios. SINÓNIMO caída. INGLÉS sharp fall.

NOTA El plural es: bajones.

bala

nombre femenino

1 Pieza de metal que disparan las armas de fuego, como una pistola o un cañón. INGLÉS bullet.

2 Material apretado y atado en forma de paquete grande para poder trans-

portarlo. Cuando se recoge el algodón o la paja, se hacen balas. INGLÉS bale.
como una bala Con mucha velocidad, muy deprisa: *Su coche corre como una bala.* INGLÉS like a bullet.

balada
nombre femenino
1 Composición musical que tiene un ritmo lento y normalmente trata un tema amoroso. INGLÉS ballad.
2 Poema tradicional que cuenta leyendas o sucesos populares. Es un poema con estrofas iguales entre las que se va repitiendo un estribillo. INGLÉS ballad.

balance
nombre masculino
1 Análisis o estudio de un asunto para decidir si ha resultado bien o mal. También se llama balance el resultado de ese análisis. El balance de un curso es bueno si se aprende mucho y se aprueban todas las asignaturas. INGLÉS assessment, evaluation.

balancear
verbo
1 Mover a una persona o una cosa suavemente de un lado a otro de forma repetida. Las olas del mar balancean los barcos. INGLÉS to rock.

balanceo
nombre masculino
1 Movimiento repetido hacia un lado y otro. El balanceo de la cuna hace dormir a los bebés. INGLÉS rocking.

balancín
nombre masculino
1 Asiento con brazos y respaldo que tiene las patas unidas a dos piezas de madera en forma de arco, de modo que la persona sentada se puede balancear hacia delante y hacia atrás. SINÓNIMO mecedora. INGLÉS rocking chair.
2 Aparato que consiste en una barra apoyada por el centro en un eje y con asientos en los extremos; las personas que se sientan en los extremos pueden subir y bajar. Los balancines están en los parques o patios de colegios para que jueguen los niños. INGLÉS seesaw.
3 Asiento alargado para dos o más personas que cuelga de un armazón y está cubierto con una tela para dar sombra. Los balancines suelen colocarse en jardines o terrazas. INGLÉS swing hammock.
NOTA El plural es: balancines.

balanza
nombre femenino
1 Instrumento que sirve para pesar. Consiste en una barra horizontal que está sostenida por el medio y tiene un platillo en cada extremo. INGLÉS scales.

balar
verbo
1 Emitir la oveja su sonido característico. INGLÉS to bleat.

balaustrada
nombre femenino
1 Serie de columnas pequeñas que se unen por la parte de arriba para formar una barandilla o un muro bajo. Las terrazas de los palacios tienen balaustradas. INGLÉS balustrade.

balazo
nombre masculino
1 Señal que deja una bala cuando impacta contra un lugar, o herida que produce al alcanzar a una persona o animal. INGLÉS bullet hole [marca], bullet wound [herida].

balbucear
verbo
1 Hablar pronunciando las palabras de forma cortada y poco comprensible. Una persona balbucea por no saber hablar bien o por estar asustada, sorprendida o emocionada. INGLÉS to babble.

balcón
nombre masculino
1 Abertura hasta el suelo que suele haber en la pared exterior de algunos pisos, generalmente con un saliente, que tiene una barandilla por fuera para no caerse. INGLÉS balcony.
NOTA El plural es: balcones.

balda
nombre femenino
1 Tabla que se coloca apoyada de forma horizontal en una pared, dentro de un armario o en una estantería y que sirve para poner objetos sobre ella. INGLÉS shelf.

balde
nombre masculino
1 Recipiente grande y poco profundo donde se pone agua; se usa para fregar, limpiar y otras tareas de la casa. SINÓNIMO barreño. INGLÉS bucket.
de balde Se usa para indicar que una cosa se hace o se recibe sin tener que pagar nada por ello. SINÓNIMO gratis. INGLÉS free.
en balde Se usa para indicar que una cosa que se hace no sirve para nada. INGLÉS in vain.

baldosa
nombre femenino
1 Pieza fina de cerámica o de otro material que se utiliza para recubrir suelos y paredes. INGLÉS tile.

baldosín
nombre masculino
1 Baldosa pequeña que se utiliza para recubrir paredes. INGLÉS small tile.
NOTA El plural es: baldosines.

balear
adjetivo y nombre masculino y femenino
1 Se dice de la persona o cosa que es de las islas Baleares, comunidad autónoma compuesta por varias islas que se encuentran en el mar Mediterráneo. INGLÉS Balearic [adjetivo], Balearic islander [nombre].

balido
nombre masculino
1 Sonido característico de las ovejas. El balido se representa por 'be'. INGLÉS bleat.

ballena
nombre femenino
1 Animal mamífero marino de gran tamaño; tiene la piel lisa y sin pelos. Algunas especies están en peligro de extinción. INGLÉS whale.

ballenato
nombre masculino
1 Cría de la ballena. INGLÉS whale calf.

ballenero
nombre masculino
1 Barco para pescar ballenas. INGLÉS whaling ship.

ballesta
nombre femenino
1 Arma con la que se pueden disparar flechas, formada por un arco que está fijado a un soporte y un mecanismo que se acciona con un gatillo. INGLÉS crossbow.
2 Pieza que tienen algunos vehículos y que sirve para amortiguar las sacudidas producidas por los baches; está formada por unas láminas flexibles de acero junto a las ruedas y bajo el vehículo. INGLÉS spring.

ballet
nombre masculino
1 Espectáculo de baile en el que unos bailarines interpretan una obra musical que refleja una historia; el ballet es como una representación teatral bailada. También se llama ballet al conjunto de los bailarines de este espectáculo. INGLÉS ballet.
NOTA Se pronuncia: 'balé'. El plural es: ballets.

balneario
nombre masculino
1 Establecimiento público en el que se ofrecen baños de aguas medicinales y curativas. INGLÉS spa.

balompié
nombre masculino
1 Deporte que se practica entre dos equipos de 11 jugadores, que consiste en meter el balón en la portería del equipo contrario. SINÓNIMO fútbol. INGLÉS football, soccer.

balón
nombre masculino
1 Objeto en forma de esfera lleno de aire que sirve para jugar y para practicar algunos deportes, como el fútbol o el baloncesto. El balón de rugby tiene forma ovalada. INGLÉS ball.
NOTA El plural es: balones.

balonazo
nombre masculino
1 Golpe que da un balón cuando ha sido lanzado con fuerza. INGLÉS blow from a ball.

baloncesto
nombre masculino
1 Deporte que se juega entre dos equipos de cinco jugadores. Consiste en meter el balón en una cesta colgada de un tablero; el balón solo puede tocarse con las manos. INGLÉS basketball.

balonmano
nombre masculino
1 Deporte que se juega entre dos equipos de siete jugadores. Consiste en meter el balón en la portería del equipo contrario utilizando solo las manos. INGLÉS handball.

balonvolea
nombre masculino
1 Deporte que se juega entre dos equipos de seis jugadores. Consiste en pasar una pelota por encima de una red alta intentando que el equipo contrario no pueda devolverla; el balón solo puede tocarse con las manos. SINÓNIMO voleibol. INGLÉS volleyball.

balsa
nombre femenino
1 Embarcación plana formada con troncos de madera unidos unos con otros. INGLÉS raft.
2 Hoyo de un terreno o depósito donde se acumula el agua de forma natural o artificial. El agua de las balsas se utiliza para regar. INGLÉS pool.

bálsamo
nombre masculino
1 Medicamento en forma de crema o líquido que se usa como remedio para heridas, llagas o irritaciones. INGLÉS balsam.

bambú
nombre masculino
1 Planta de tallo hueco, alto y flexible que se utiliza para fabricar muebles y

objetos. Los osos panda se alimentan de bambú. **INGLÉS** bamboo.

NOTA El plural puede ser: bambús o bambúes.

banal
adjetivo
1 Que no tiene interés o importancia. Cuando nos encontramos a una persona que conocemos poco, solemos hablar de temas banales, como el tiempo que hace o la ropa que llevamos. **INGLÉS** trivial.

banana
nombre femenino
1 Fruta alargada y un poco curvada que cuando está madura tiene una carne amarilla, blanda y muy sabrosa. **SINÓNIMO** plátano. **INGLÉS** banana.

banca
nombre femenino
1 Conjunto formado por los bancos y los banqueros. **INGLÉS** the banks.
2 En algunos juegos, dinero que sirve para pagar a los jugadores que ganan. **INGLÉS** the bank.

bancarrota
nombre femenino
1 Situación de una empresa o tienda que tiene que cerrar porque no tiene dinero para pagar lo que debe. Si un banco se declara en bancarrota, sus clientes no pueden conseguir el dinero que tenían depositado en él. **SINÓNIMO** quiebra. **INGLÉS** bankruptcy.

banco
nombre masculino
1 Asiento largo y estrecho, con respaldo o sin él, donde pueden sentarse varias personas. Suele estar en la calle o los parques. **INGLÉS** bench.
2 Establecimiento en el que se presta o se cambia dinero y donde se guarda para que dé intereses. **INGLÉS** bank.
3 Conjunto de peces de la misma clase que van juntos en gran número. **INGLÉS** shoal.
4 Lugar donde se conservan y almacenan órganos y líquidos humanos para usarlos en tratamientos médicos o en investigaciones. En los hospitales hay bancos de sangre para las transfusiones. **INGLÉS** bank.
5 Mesa fuerte que se utiliza en algunos oficios para trabajar. En el banco, el carpintero realiza muchas actividades y tiene sus herramientas. **INGLÉS** bench.
banco de datos Conjunto de datos o informaciones, normalmente almacenados y organizados por medios informáticos. **INGLÉS** database.

banda
nombre femenino
1 Grupo de músicos que tocan instrumentos de percusión y de viento. Algunos pueblos y ciudades tienen una banda municipal que toca en las fiestas y actos públicos. **INGLÉS** band.
2 Grupo de personas que pueden ir armadas y se dedican a hacer gamberradas o a cometer delitos. **INGLÉS** gang.
3 Tira de tela de pocos centímetros de ancho que se pone cruzada sobre el pecho como signo de algún cargo u honor. **INGLÉS** sash.

bandada
nombre femenino
1 Conjunto de aves que vuelan juntas. **INGLÉS** flock.

bandeja
nombre femenino
1 Plato grande y plano que sirve para llevar alimentos y bebidas de un sitio a otro. **INGLÉS** tray.

bandera
nombre femenino
1 Tela que representa a una nación o a un grupo de personas, o sirve para hacer señales. **INGLÉS** flag.

banderilla
nombre femenino
1 Palo delgado acabado en una punta metálica que los toreros clavan en el lomo al toro durante una corrida. **INGLÉS** banderilla.
2 Palillo fino de madera en el que están pinchados diferentes alimentos pequeños, especialmente los que están conservados en vinagre. Las banderillas se toman como tapa o aperitivo.

banderillero, banderillera
nombre
1 Persona que en una corrida de toros pone las banderillas y ayuda al matador en ciertas tareas. **INGLÉS** banderillero.

banderín
nombre masculino
1 Bandera pequeña, generalmente en forma de triángulo. **INGLÉS** pennant.
NOTA El plural es: banderines.

bandido, bandida
nombre
1 Persona que roba, en especial cuando el robo se comete en una zona sin casas. En las películas del oeste salen bandidos asaltando una diligencia o un tren. **INGLÉS** bandit.

bando
nombre masculino
1 Grupo de personas que se enfrenta o se opone a otro grupo por tener ideas

diferentes o por otras razones. **INGLÉS** faction.

2 Orden o aviso de la autoridad de un pueblo o un lugar que se hace público para que lo conozcan los ciudadanos. Antiguamente, los pregoneros leían los bandos en voz alta en la plaza del pueblo. **INGLÉS** edict, proclamation.

bandolero, bandolera
nombre
1 Persona que roba, en especial cuando el robo se comete en una zona sin casas. Antiguamente en las sierras había bandoleros que asaltaban a los viajeros. **INGLÉS** bandit.

bandolero

bandurria
nombre femenino
1 Instrumento musical de cuerda formado por una caja ovalada y un mástil donde se fijan las cuerdas; tiene doce cuerdas y se toca con una púa. **INGLÉS** bandurria.

banjo
nombre masculino
1 Instrumento musical parecido a la guitarra pero de menor tamaño y con una caja de resonancia redonda. Es un instrumento típico de la música tradicional estadounidense. **INGLÉS** banjo.
NOTA Se pronuncia: 'banyo'.

banquero, banquera
nombre
1 Persona que es dueña de un banco o de una parte importante de un banco. **INGLÉS** banker.

banqueta
nombre femenino
1 Asiento bajo y sin respaldo que sirve para sentarse o para poner los pies encima. **INGLÉS** stool.

banquete
nombre masculino
1 Comida en la que se sirven muchos platos, normalmente para celebrar un acontecimiento importante, como una boda o una comunión. **INGLÉS** banquet, [si es de una boda: reception].

banquillo
nombre masculino
1 Lugar donde se sientan durante un partido el entrenador, los técnicos y los suplentes de un equipo deportivo. **INGLÉS** bench.

2 Asiento de un juzgado en el que se sientan las personas que son juzgadas por algún delito o falta. **INGLÉS** dock.

bañador
nombre masculino
1 Prenda de vestir que se usa para bañarse o para tomar el sol. El bañador masculino es parecido a unos calzoncillos y el femenino cubre también el tronco del cuerpo. **INGLÉS** swimming costume [de mujer], swimming trunks [de hombre].

bañar
verbo
1 Meter el cuerpo de una persona o de un animal en agua para limpiarlo, para refrescarlo o para nadar. **INGLÉS** to bathe.

2 Cubrir un objeto con una capa de otra sustancia. Un bizcocho se puede bañar con chocolate. **INGLÉS** to coat.

3 Estar el mar, un río o un lago junto a un lugar: *El Cantábrico baña San Sebastián.* **INGLÉS** to bathe.

bañera
nombre femenino
1 Recipiente grande que suele haber en el cuarto de baño y que se llena de agua para bañarse. **INGLÉS** bath.

bañista
nombre masculino y femenino
1 Persona que se baña en una piscina, en la playa, en unos baños o en otro sitio que está abierto al público para poder bañarse. **INGLÉS** bather.

baño
nombre masculino
1 Introducción del cuerpo o parte de él en agua para limpiarlo o con cualquier otro fin: *Después del ejercicio, sienta bien un buen baño.* **INGLÉS** bath [en la bañera], swim [en la piscina, el mar].

2 Habitación de la casa destinada al aseo personal. En el baño se encuentra la bañera, el lavabo, el retrete y el bidé. **SINÓNIMO** servicio; aseo. **INGLÉS** bathroom.

3 Exposición del cuerpo a la acción de un elemento físico, como el sol, el calor o el vapor. **INGLÉS** bath.

4 Capa delgada de alguna sustancia o material que recubre una superficie. Algunas joyas llevan un baño de oro. **INGLÉS** coating, [con metales: plating].

5 Recipiente grande con agua en el que se mete una persona para bañarse. SINÓNIMO bañera. INGLÉS bath.

al baño maría Forma de calentar los alimentos que consiste en meterlos dentro de un recipiente que está dentro de otro con agua hirviendo, en lugar de ponerlo directamente al fuego. INGLÉS in a bain-marie.

baobab

nombre masculino **1** Árbol de la sabana africana cuyo tronco puede alcanzar una altura de 10 metros y un diámetro de 23 metros. Sus ramas pueden medir de 16 a 20 metros. INGLÉS baobab tree.

NOTA El plural es: baobabs.

bar

nombre masculino **1** Establecimiento público en el que se sirven bebidas y comidas que se toman de pie, sentados ante el mostrador o sentados a una mesa. INGLÉS bar.

baraja

nombre femenino **1** Conjunto de cartas con las que se juega a varios juegos de azar o de habilidad. La baraja española tiene 48 cartas, aunque se suele jugar solo con 40, y cuatro palos: oros, copas, espadas y bastos. INGLÉS pack of cards.

barajar

verbo **1** Mezclar las cartas de una baraja. INGLÉS to shuffle.

2 Tener en cuenta varias posibilidades al hacer o decidir algo: *El guionista baraja varios finales para su película.* INGLÉS to consider.

baranda

nombre femenino **1** Barandilla. INGLÉS handrail.

barandilla

nombre femenino **1** Especie de valla de madera o de hierro que se coloca en balcones, terrazas, puentes o escaleras para que las personas se puedan apoyar y no se caigan. SINÓNIMO baranda. INGLÉS handrail.

baratija

nombre femenino **1** Cosa pequeña o poco importante, que cuesta poco dinero o es muy barata. En los puestos callejeros se venden baratijas. INGLÉS trinket, knick-knack.

barato, barata

adjetivo **1** Se dice de una cosa que cuesta poco dinero o menos de lo normal. Las cosas de segunda mano como coches, ropa o pisos son más baratas que las nuevas. SINÓNIMO económico. ANTÓNIMO caro. INGLÉS cheap.

adverbio **2 barato** Por poco precio. En las rebajas se compra más barato que en temporada. INGLÉS cheaply, cheap.

barba

nombre femenino **1** Pelos que salen en la barbilla y a los dos lados de la cara. Algunos hombres se afeitan la barba y otros se la dejan crecer. INGLÉS beard.

barbacoa

nombre femenino **1** Comida que se celebra al aire libre asando carne y otros alimentos en una parrilla al fuego. En las barbacoas se comen salchichas, hamburguesas y costillas. INGLÉS barbecue.

2 Parrilla que se usa para asar alimentos al aire libre. INGLÉS barbecue.

barbaridad

nombre femenino **1** Cosa muy absurda o poco razonable que hace o dice una persona. SINÓNIMO burrada, disparate. INGLÉS piece of nonsense.

2 Acción muy cruel o injusticia muy grande que comete una persona. Hacer daño a los animales o dejarlos abandonados son barbaridades. INGLÉS act of cruelty.

3 Cantidad exageradamente grande de algo, o cosa que es muy grande en tamaño, intensidad o en otra cosa: *En el concierto había una barbaridad de gente.* Es un uso informal. INGLÉS loads.

bárbaro, bárbara

adjetivo y nombre **1** Se dice de los pueblos que invadieron el Imperio romano en el siglo V. Bárbaro es el nombre que los romanos daban a los pueblos y cosas de culturas distintas de la suya. INGLÉS barbarian.

2 Se dice de la persona y de la acción que es muy cruel y no parece propia de una persona con sentimientos o civilizada. INGLÉS barbaric [adjetivo].

3 Se dice de la persona que actúa de forma brusca y descortés o con falta de respeto. INGLÉS rude [adjetivo].

adjetivo **4** Indica que algo es muy bueno, muy intenso o muy grande: *El otro día estuve en un concierto bárbaro.* Es un uso informal. INGLÉS fantastic, terrific.

barbecho

nombre masculino **1** Terreno de cultivo que se ara y se deja sin cultivar durante uno o más años para que la tierra descanse y luego proporcione más y mejores frutos. INGLÉS piece of fallow land.

2 Sistema de cultivo que, después de una cosecha, deja el terreno sin cultivar durante uno o más años para que descanse. El barbecho es propio de tierras de secano. INGLÉS fallow system.

barbería
nombre femenino
1 Establecimiento en el que se corta y se arregla el cabello, la barba o el bigote de los hombres. INGLÉS barber's.

barbero
nombre masculino
1 Persona que corta y arregla el cabello, la barba o el bigote a los hombres. INGLÉS barber.

barbilla
nombre femenino
1 Parte de la cara que está situada debajo de la boca. SINÓNIMO mentón. INGLÉS chin.

barbudo, barbuda
adjetivo
1 Que tiene barba o mucha barba. INGLÉS bearded.

barca
nombre femenino
1 Embarcación pequeña que se usa para pescar o navegar en costas, ríos o lugares poco profundos. Pueden ser de vela, remos o motor. INGLÉS boat.

barcaza
nombre femenino
1 Embarcación que se usa en los muelles para transportar carga de un barco a otro o a tierra. INGLÉS barge, lighter.

barcelonés, barcelonesa
adjetivo y nombre
1 Se dice de la persona o cosa que es de Barcelona, ciudad y provincia de Cataluña.

NOTA El plural de barcelonés es: barceloneses.

barco
nombre masculino
1 Embarcación grande que puede navegar largas distancias por mar transportando personas o mercancías. Hay distintos tipos de barcos: de pasajeros, mercantes, de guerra o de pesca. INGLÉS boat, ship.

bardo
nombre masculino
1 Poeta que compone poemas basados en temas heroicos o sentimentales. Normalmente el bardo canta o recita sus poemas en público. INGLÉS bard.

NOTA Es una palabra formal.

barítono
nombre masculino
1 Cantante que tiene la voz más grave que la del tenor y más aguda que la del bajo. En las óperas siempre hay un papel para el barítono. INGLÉS baritone.

barniz
nombre masculino
1 Sustancia líquida que se utiliza para proteger la madera o los cuadros de la humedad. El barniz es una mezcla de resinas con aceite u otro líquido y suele ser transparente. INGLÉS varnish.

NOTA El plural es: barnices.

barnizar
verbo
1 Pintar una superficie con barniz. INGLÉS to varnish.

NOTA La 'z' se convierte en 'c' delante de 'e', como: barnicé.

barómetro
nombre masculino
1 Aparato que sirve para medir la presión atmosférica. INGLÉS barometer.

barón, baronesa
nombre
1 Persona que es miembro de la nobleza y que tiene menos categoría que un conde. INGLÉS baron.

NOTA El plural de barón es: barones.

barquero, barquera
nombre
1 Persona que conduce una barca de pasajeros. INGLÉS boatman [hombre], boatwoman [mujer].

barquillo
nombre masculino
1 Pasta dulce parecida a la de la galleta pero más fina. Los cucuruchos de los helados están hechos de barquillo. INGLÉS wafer.

barra
nombre femenino
1 Pieza larga y estrecha que puede estar hecha de cualquier material duro, como la madera o el hierro. Las cortinas se cuelgan de una barra. INGLÉS bar, rod.

2 Pieza de pan alargada. INGLÉS loaf.

3 Mostrador alargado de un bar en el que se sirven bebidas y comidas. INGLÉS bar.

4 Pieza cuadrada o rectangular de un alimento, como el helado o el turrón. INGLÉS bar.

5 Signo ortográfico en forma de raya inclinada (/) que se utiliza para separar elementos, sobre todo números. INGLÉS slash.

barraca
nombre femenino
1 Vivienda humilde construida con materiales ligeros y a veces de desecho. SINÓNIMO chabola. INGLÉS shack.

2 Construcción con el tejado inclinado

que está hecha de barro, cañas y paja. Es típica de las huertas de Valencia y Murcia.

barracón
nombre masculino
1 Edificio de un solo piso, de forma rectangular y sin tabiques, que se usa para alojar temporalmente a soldados u otras personas. También se utilizan barracones como construcciones provisionales en escuelas. **INGLÉS** hut.
NOTA El plural es: barracones.

barranco
nombre masculino
1 Corte vertical y muy profundo del terreno. **SINÓNIMO** precipicio. **INGLÉS** precipice, cliff.
2 Hueco profundo en la tierra, producido por las lluvias o por una corriente de agua. **INGLÉS** gully, ravine.

barrendero, barrendera
nombre
1 Persona que tiene por oficio barrer y limpiar las calles y lugares públicos. **INGLÉS** road sweeper.

barreño
nombre masculino
1 Recipiente grande y poco profundo donde se pone agua y que se utiliza para fregar, limpiar y otras tareas de la casa. **SINÓNIMO** balde. **INGLÉS** large bowl.

barrer
verbo
1 Quitar la suciedad del suelo arrastrándola con una escoba. **INGLÉS** to sweep [el suelo], to sweep up [la suciedad].
2 Vencer de una manera clara y contundente. Un equipo barre a otro cuando lo gana por mucha diferencia. **INGLÉS** to trounce.

barrera
nombre femenino
1 Valla u obstáculo que sirve para impedir el paso. La barrera del paso a nivel se baja cuando va a pasar un tren. **INGLÉS** barrier.
2 Valla de madera que cierra el redondel de las plazas de toros. **INGLÉS** barrier.
3 Obstáculo o dificultad, ya sea material o inmaterial, que se interpone entre personas o cosas. Los Pirineos son una barrera natural que separa España de Francia. Las barreras culturales que separan a algunos países impiden que se entiendan entre ellos. **INGLÉS** barrier.
4 En algunos deportes, fila de jugadores que se coloca delante de la portería para defenderla del contrario en los saques de falta. **INGLÉS** wall.

barriada
nombre femenino
1 Parte de una población que tiene una determinada unidad. Las barriadas suelen estar en la periferia de una ciudad. **SINÓNIMO** barrio. **INGLÉS** neighbourhood, area.

barrica
nombre femenino
1 Recipiente de madera con forma de cilindro un poco más ancho por el centro que sirve para contener líquidos, especialmente vino y otras bebidas alcohólicas. **SINÓNIMO** cuba, tonel. **INGLÉS** cask.

barricada
nombre femenino
1 Barrera hecha con muebles, cajas u otros objetos, que sirve para protegerse del enemigo o impedir su paso. **INGLÉS** barricade.

barriga
nombre femenino
1 Parte del cuerpo de las personas y algunos animales que va desde el pecho hasta las extremidades inferiores. Cuando comemos mucho se nos hincha la barriga. **SINÓNIMO** abdomen; vientre. **INGLÉS** belly.

barrigudo, barriguda
adjetivo
1 Que tiene la barriga muy grande. **INGLÉS** big-bellied.
NOTA Es una palabra informal.

barril
nombre masculino
1 Recipiente grande y redondo de madera que sirve para guardar líquidos. **SINÓNIMO** cuba; tonel. **INGLÉS** barrel.

barrio
nombre masculino
1 Parte de una población que tiene una unidad arquitectónica, administrativa o social. Los barrios tienen sus propios comercios y colegios. **INGLÉS** neighbourhood, area.
irse al otro barrio Morirse una persona. Es una expresión informal. **INGLÉS** to kick the bucket.

barritar
verbo
1 Emitir el elefante su sonido característico. **INGLÉS** to trumpet.

barrizal
nombre masculino
1 Lugar lleno de barro. **INGLÉS** quagmire.

barro
nombre masculino
1 Mezcla de tierra y agua, como la que se forma cuando llueve en campos y caminos. **SINÓNIMO** lodo; fango. **INGLÉS** mud.

a b c d e f g h i j k l m n ñ o p q r s t u v w x y z

2 Material moldeable compuesto de arcilla y agua que se usa para hacer objetos de cerámica. INGLÉS clay.

barroco, barroca

adjetivo y nombre masculino **1** Se dice del estilo artístico que se desarrolló en Europa en los siglos XVII y XVIII. INGLÉS baroque.

adjetivo **2** Que tiene demasiados adornos o es muy complicado. Un vestido con muchos colgantes y colores es un vestido barroco. INGLÉS ornate.

barrote

nombre masculino **1** Barra gruesa y fuerte, especialmente la que es de metal y está colocada en un sitio determinado. Las barandillas y las rejas de las ventanas suelen estar formadas por barrotes. INGLÉS bar.

bártulos

nombre masculino plural **1** Objetos que se usan para realizar una actividad o que pertenecen a alguien: *Recoge tus bártulos y vámonos.* INGLÉS things, stuff.

barullo

nombre masculino **1** Situación en la que hay varias personas que se mueven y hacen ruido. INGLÉS racket.

2 Conjunto de muchas cosas desordenadas. SINÓNIMO jaleo. INGLÉS muddle, mess.

basar

verbo **1** Tener una idea su base o fundamento en otra: *El escritor basó su novela en una historia real.* INGLÉS to base.

basca

nombre femenino **1** Grupo de amigos. INGLÉS crowd.

NOTA Es una palabra informal.

báscula

nombre femenino **1** Aparato que sirve para pesar personas y cosas. Muchas farmacias tienen una báscula para que la gente controle el peso. INGLÉS scales.

base

nombre femenino **1** Parte de un objeto o pieza sobre la que se apoya una cosa. Las columnas se apoyan sobre su base. INGLÉS base.

2 Idea o hecho en el que se apoya algo que se dice o se hace. La base de una acusación debe ser verdad. INGLÉS basis.

3 Aquello que explica o hace posible la existencia de algo. La higiene es la base de una buena salud. INGLÉS basis.

4 Lugar que se establece como centro de control para llevar a cabo una acción o una actividad determinada. En una base aérea militar se guardan aviones del ejército. INGLÉS base.

5 Lado de una figura geométrica sobre la que se supone que se apoya. La base de un triángulo es el lado en posición horizontal. INGLÉS base.

6 Número que se multiplica por sí mismo una cantidad determinada de veces en la operación matemática llamada potencia. En 2 elevado a 3, el 2 es la base. INGLÉS base.

nombre masculino y femenino **7** Jugador de baloncesto que dirige el juego del equipo. INGLÉS guard.

a base de Se usa para indicar que una cosa se consigue por medio de otra: *Logró aprobar a base de estudiar.* INGLÉS through, by means of.

básico, básica

adjetivo **1** Que es la base o lo más importante de una cosa para que algo exista o suceda. El agua es un elemento básico para los seres vivos. SINÓNIMO esencial; fundamental. INGLÉS basic.

basílica

nombre femenino **1** Iglesia grande y de gran importancia. INGLÉS basilica.

básquet

nombre masculino **1** Baloncesto. INGLÉS basketball.

¡basta!

interjección **1** Se usa para decirle a una persona que pare de hacer inmediatamente lo que está haciendo, porque molesta o perjudica a alguien: *¡Basta! No quiero oír nada más sobre este tema.* INGLÉS enough!

bastante

determinante indefinido **1** Que es suficiente o tiene lo que se necesita para satisfacer o completar algo: *No eches más agua a la planta, ya tiene bastante.* INGLÉS enough.

2 Se usa para indicar que una cantidad es elevada o importante, pero que podría ser mayor. A finales de otoño hace bastante frío, pero hace más todavía en invierno. INGLÉS quite.

adverbio **3** Se usa para indicar que algo que se hace o sucede se considera suficiente o se produce en un nivel alto: *Me voy, ya he esperado bastante.* SINÓNIMO suficiente. INGLÉS enough.

4 Se usa para indicar que algo representa una cantidad considerable, que es mayor que poco pero menor que mucho:

Llevo esperando bastante rato, pero aún no me voy. INGLÉS enough.

bastar

verbo **1** Ser una cosa suficiente para algo, no hacer falta más de lo que se dice para llegar a satisfacer o a completar algo: *Para freír este pescado, con un chorro de aceite basta.* INGLÉS to be enough.

bastardo, bastarda

adjetivo y nombre **1** Se decía del hijo que una persona tiene con otra que no es su marido ni su mujer. INGLÉS illegitimate [adjetivo], bastard [nombre].

bastidor

nombre masculino **1** Estructura o armadura rectangular o circular que deja un hueco en medio y sirve para extender y fijar una cosa que se sujeta a ella. Es un bastidor el marco en el que se pone un lienzo para pintar. INGLÉS frame.

2 Parte adornada del decorado de una obra de teatro que se coloca a los lados del escenario. INGLÉS wing.

basto, basta

adjetivo **1** Que es poco fino y áspero o no está bien acabado. La tela de los sacos es basta y resistente. INGLÉS coarse.

2 Que se comporta de forma poco educada o refinada con los demás. SINÓNIMO grosero. ANTÓNIMO fino. INGLÉS rough.

nombre masculino plural **3 bastos** Palo de la baraja española en el que aparecen dibujados uno o más garrotes.

NOTA No lo confundas con el adjetivo 'vasto'.

bastón

nombre masculino **1** Palo que sirve para apoyarse al andar. Mucha gente mayor usa bastón. INGLÉS stick, walking stick.

NOTA El plural es: bastones.

bastonazo

nombre masculino **1** Golpe que se da con un bastón. SINÓNIMO garrotazo. INGLÉS blow with a stick.

basura

nombre femenino **1** Conjunto de cosas que se tiran porque ya no sirven para nada. La basura se suele separar en distintos tipos para poder reciclarla. SINÓNIMO desperdicio. INGLÉS rubbish [en el Reino Unido], garbage [en Estados Unidos].

2 Cosa que es fea, está mal hecha o tiene mala calidad. Una película mala y aburrida es una basura. SINÓNIMO birria; porquería. INGLÉS rubbish [en el Reino Unido], garbage [en Estados Unidos].

basurero, basurera

nombre **1** Persona que tiene por oficio recoger las basuras y llevarlas a un vertedero. INGLÉS dustman.

nombre masculino **2** Lugar donde se tira la basura de una población. Los basureros suelen estar en las afueras de las ciudades. SINÓNIMO vertedero. INGLÉS tip, rubbish dump.

bata

nombre femenino **1** Prenda de vestir amplia que cubre el cuerpo y llega hasta la mitad de las piernas o hasta los pies y se abrocha por delante con botones o con un cinturón. Se usa en casa para estar abrigado o en el trabajo para proteger la ropa o como uniforme. INGLÉS housecoat [en casa], overall [en el trabajo], white coat [de médico, etcétera].

batacazo

nombre masculino **1** Golpe o caída fuerte y violento. Si una persona se cae de la bici cuando va muy rápido, se da un batacazo. INGLÉS crash.

batalla

nombre femenino **1** Lucha con armas que llevan a cabo dos ejércitos o dos bandos. Durante una guerra los enemigos combaten en varias batallas. INGLÉS battle.

batallón

nombre masculino **1** Unidad militar compuesta por varias unidades pequeñas, dirigida por un comandante o por un teniente coronel. INGLÉS battalion.

2 Grupo de muchas personas que van juntas a algún sitio: *De repente entró un batallón de gente y se llenó el local.* INGLÉS horde.

NOTA El plural es: batallones.

batata

nombre femenino **1** Parte comestible de la raíz de una planta, de forma parecida a la patata pero más grande y de sabor más dulce. También se llama batata la planta con esta raíz. INGLÉS sweet potato.

bate

nombre masculino **1** Palo grueso, un poco más ancho por arriba que por abajo, que se utiliza para jugar al béisbol. INGLÉS bat.

batería

nombre femenino **1** Aparato formado por unas pilas que

acumulan electricidad. Los coches llevan una batería para arrancar el motor. **INGLÉS** battery.

2 Instrumento musical de percusión formado por un bombo, una caja y varios timbales y platillos. **INGLÉS** drums.

3 Conjunto de armas de artillería, como cañones o morteros, que están puestas en fila preparadas para disparar. **INGLÉS** battery.

nombre masculino y femenino **4** Músico que toca la batería. Los baterías tocan con unos palos finos. **INGLÉS** drummer.

batería de cocina Conjunto de los utensilios de cocina que se usan para cocinar, como ollas, cacerolas y cazos. **INGLÉS** set of cookware.

en batería Forma de aparcar los coches u otros vehículos poniéndolos de manera que estén paralelos unos con otros. **INGLÉS** at an angle to the kerb.

batido

nombre masculino

1 Bebida que se hace mezclando y agitando leche con helado, chocolate o fruta. **INGLÉS** milk shake.

batidora

nombre femenino

1 Aparato eléctrico que sirve para batir o triturar alimentos. Con la batidora se hacen muchos tipos de salsas y purés, como una mahonesa o un gazpacho. **INGLÉS** blender, mixer.

batín

nombre masculino

1 Bata masculina de manga larga que llega hasta la mitad del muslo y se abrocha con un cinturón. **INGLÉS** dressing gown.

NOTA El plural es: batines.

batín

batir

verbo

1 Agitar con energía una sustancia para mezclarla con otra o cambiar sus características. Batimos los huevos con un tenedor para hacer una tortilla. **INGLÉS** to beat.

2 Mover con fuerza una cosa. Los pájaros baten sus alas para volar. **INGLÉS** to beat.

3 Vencer a un contrario o un enemigo. **SINÓNIMO** derrotar. **INGLÉS** to beat.

4 Explorar un terreno para encontrar algo que se está buscando. Si un preso se escapa de la cárcel, la policía batirá los alrededores. **INGLÉS** to comb.

5 Superar una marca deportiva o lograr un nuevo récord. **INGLÉS** to beat.

6 batirse Luchar una persona con otra, normalmente con armas. En el siglo XIX algunos hombres se batían en duelo con espadas o pistolas. **INGLÉS** to fight.

batuta

nombre femenino

1 Palo delgado que usa el director de una orquesta o de una banda para dirigir a los músicos. **INGLÉS** baton.

baúl

nombre masculino

1 Caja muy grande con una tapa y a veces una cerradura, que se utiliza para guardar ropa u objetos que no se usan a diario. **INGLÉS** trunk.

bautismo

nombre masculino

1 Sacramento de la religión cristiana por el que se limpia a una persona de todo pecado para entrar a formar parte de la Iglesia. Consiste en un acto en el que el sacerdote echa agua bendita en la cabeza de la persona bautizada. **INGLÉS** baptism, christening.

bautizar

verbo

1 Dar el sacramento del bautismo a una persona. **INGLÉS** to baptize, to christen.

NOTA Se conjuga como: realizar; la 'z' se convierte en 'c' delante de 'e', como: bauticen.

bautizo

nombre masculino

1 Acto mediante el que un sacerdote da el sacramento del bautismo a una persona. También se llama bautizo a la celebración familiar de este acto. **INGLÉS** baptism, christening.

baya

nombre femenino

1 Fruto carnoso y sin hueso, pero con muchas semillas en su interior. Las frambuesas, los tomates y las uvas son bayas. **INGLÉS** berry.

bayeta
nombre femenino **1** Trozo de tela absorbente que se usa para secar o limpiar una superficie. INGLÉS cloth.

bayoneta
nombre femenino **1** Arma parecida a un cuchillo que se coloca en la punta de un fusil y se usa en el combate cuerpo a cuerpo. INGLÉS bayonet.

baza
nombre femenino **1** Conjunto de cartas que se lleva un jugador cuando gana una mano de la partida. INGLÉS trick.

bazar
nombre masculino **1** Establecimiento en el que se venden gran diversidad de productos, como relojes, juguetes y objetos de regalo. En algunos países orientales también se les llama bazar a los mercados públicos. INGLÉS electrical goods and hardware shop, [si es un mercado oriental: bazaar].

bazo
nombre masculino **1** Órgano del cuerpo humano y de algunos animales que está situado a la izquierda del estómago. El bazo produce elementos útiles para la sangre y destruye los que no sirven. INGLÉS spleen.

be
nombre femenino **1** Nombre de la letra 'b'.

beato, beata
adjetivo y nombre **1** Persona muy religiosa que reza mucho y pasa mucho tiempo en la iglesia. INGLÉS devout [adjetivo].
2 Persona considerada por la Iglesia católica modelo de vida cristiana, aunque no ha sido declarada santa. INGLÉS beatified [adjetivo].

bebé
nombre masculino **1** Niño recién nacido o que tiene pocos meses. INGLÉS baby.
2 Cría de un animal: *El circo presenta un bebé de elefante.* INGLÉS baby.

bebedor, bebedora
adjetivo y nombre **1** Se dice de la persona que toma a menudo bebidas alcohólicas. INGLÉS hard-drinking [adjetivo], drinker [nombre].

beber
verbo **1** Tomar una persona o un animal un líquido y tragarlo. Es necesario para nuestro organismo beber agua todos los días. INGLÉS to drink.
2 Tomar bebidas alcohólicas. INGLÉS to drink.

bebida
nombre femenino **1** Líquido que se puede beber. Los zumos o la leche son bebidas. INGLÉS drink.
2 Costumbre que tienen algunas personas de beber mucho alcohol. La bebida suele provocar problemas de salud. INGLÉS drinking, drink.

bebido, bebida
adjetivo **1** Se dice de la persona que ha tomado tanto alcohol que pierde el control de sus actos. SINÓNIMO borracho. ANTÓNIMO sobrio. INGLÉS drunk.

beca
nombre femenino **1** Ayuda económica que el Estado o una institución concede a un estudiante, un investigador o un artista para pagar los gastos que provoca su actividad. INGLÉS grant, scholarship.

beber

INDICATIVO	SUBJUNTIVO
presente	**presente**
bebo	beba
bebes	bebas
bebe	beba
bebemos	bebamos
bebéis	bebáis
beben	beban
pretérito imperfecto	**pretérito imperfecto**
bebía	bebiera o bebiese
bebías	bebieras o bebieses
bebía	bebiera o bebiese
bebíamos	bebiéramos o bebiésemos
bebíais	bebierais o bebieseis
bebían	bebieran o bebiesen
pretérito perfecto simple	**futuro**
bebí	bebiere
bebiste	bebieres
bebió	bebiere
bebimos	bebiéremos
bebisteis	bebiereis
bebieron	bebieren
futuro	**IMPERATIVO**
beberé	bebe (tú)
beberás	beba (usted)
beberá	bebamos (nosotros)
beberemos	bebed (vosotros)
beberéis	beban (ustedes)
beberán	
condicional	**FORMAS NO PERSONALES**
bebería	**infinitivo** beber
beberías	**gerundio** bebiendo
bebería	**participio** bebido
beberíamos	
beberíais	
beberían	

becario, becaria

nombre **1** Persona que recibe una ayuda económica del Estado o de una institución para estudiar o investigar. Los becarios se preparan para llegar a ser especialistas en su carrera. INGLÉS grant holder, scholarship holder.

becerro, becerra

nombre **1** Cría de la vaca de menos de dos años. SINÓNIMO ternero. INGLÉS calf.

bechamel

nombre femenino **1** Es otra forma de escribir y pronunciar: besamel. INGLÉS béchamel sauce.

bedel, bedela

nombre **1** Persona que trabaja en un colegio o centro de enseñanza y se dedica a ofrecer información, cuidar del orden fuera de las clases y hacer trabajos de mantenimiento del edificio. INGLÉS porter.
NOTA Hay dos formas de femenino: la bedela o la bedel.

begonia

nombre femenino **1** Planta de grandes hojas verdes en forma de corazón y flores blancas, rosadas, rojas o amarillas. INGLÉS begonia.

beicon

nombre masculino **1** Carne de cerdo con grasa que se come frita o asada. INGLÉS bacon.

beige

nombre masculino y adjetivo **1** Color marrón muy claro, como el de la arena. INGLÉS beige.
NOTA El plural es: beige. Se pronuncia: 'beis'.

béisbol

nombre masculino **1** Deporte que se practica entre dos equipos de nueve jugadores. Un jugador tiene que golpear con un bate la pelota que le lanza el contrario y correr para dar la vuelta al campo. Gana el equipo que da más vueltas al campo. INGLÉS baseball.

belén

nombre masculino **1** Representación de la escena del nacimiento de Jesucristo con figuras. INGLÉS Nativity scene.
NOTA El plural es: belenes.

belga

adjetivo y nombre masculino y femenino **1** Se dice de la persona o cosa que es de Bélgica, país del norte de Europa. INGLÉS Belgian.

bélico, bélica

adjetivo **1** Que tiene relación con la guerra. El cine bélico suele tener escenas de batallas muy violentas. INGLÉS war.

bellaco, bellaca

adjetivo y nombre **1** Se dice de la persona que actúa con maldad y es poco honrada. SINÓNIMO canalla; bribón. INGLÉS roguish [adjetivo], rogue [nombre].

belleza

nombre femenino **1** Cualidad que tienen las cosas bonitas y las personas hermosas, y que hace que nos guste mirarlas o conocerlas. SINÓNIMO hermosura. ANTÓNIMO fealdad. INGLÉS beauty.
2 Persona que es muy bella. Algunas actrices de cine son unas bellezas. SINÓNIMO hermosura, preciosidad. INGLÉS beauty.

bello, bella

adjetivo **1** Que es muy hermoso y agradable de ver, sentir u oír. Las estatuas griegas representan hombres y mujeres muy bellos. El canario y el ruiseñor tienen un canto muy bello. SINÓNIMO bonito; precioso. ANTÓNIMO feo. INGLÉS beautiful.
2 Se dice del acto noble, generoso y bueno y de la persona que realiza este acto. Si alguien es muy amable y ayuda a los demás decimos que es una bella persona. INGLÉS noble.

bellota

nombre femenino **1** Fruto de la encina, del roble y otros árboles. La bellota es alargada y puntiaguda y está cubierta hasta la mitad por un capuchón. INGLÉS acorn.

bendecir

verbo **1** Pedir a Dios que proteja a una persona o cosa, haciendo la señal de la cruz o rezando una oración. Los curas bendicen a las personas que están en misa. INGLÉS to bless.
2 Alabar y hablar bien de una cosa o de una persona: *Bendigo el día en que acepté este gran trabajo.* ANTÓNIMO maldecir. INGLÉS to bless.
NOTA Se conjuga como: predecir.

bendición

nombre femenino **1** Acción de bendecir a una persona o una cosa. INGLÉS blessing.
2 Persona o cosa muy buena que se recibe con gran alegría y felicidad. ANTÓNIMO maldición. INGLÉS blessing.
NOTA El plural es: bendiciones.

bendito, bendita
adjetivo **1** Participio irregular de: bendecir. También se usa como adjetivo: *En las iglesias hay pilas de agua bendita.* **INGLÉS** blessed, [con agua: holy].
2 Se dice de una persona o cosa feliz o buena: *Bendito el día que te conocí.* **INGLÉS** blessed.
nombre **3** Persona que se porta muy bien y no tiene malicia: *Este bebé es un bendito, no llora nada.* **INGLÉS** angel.

beneficencia
nombre femenino **1** Ayuda que se ofrece a las personas pobres o necesitadas sin querer sacar ningún provecho personal. La ayuda puede consistir en cosas materiales, como dinero, ropa o alimentos, o pueden ser cosas no materiales, como ofrecer consejos, informaciones o alojamiento. **INGLÉS** charity.
2 Organización que se dedica a prestar ayuda a personas pobres o necesitadas sin sacar ningún beneficio: *Compré latas de comida para darlas a la beneficencia.* **INGLÉS** charity.

beneficiar
verbo **1** Causar un bien. La lluvia beneficia las plantas porque necesitan agua para vivir. **ANTÓNIMO** perjudicar. **INGLÉS** to benefit.
2 beneficiarse Sacar un provecho o beneficio de algo. **INGLÉS** to benefit.
NOTA Se conjuga como: cambiar; la 'i' no lleva nunca acento de intensidad.

beneficio
nombre masculino **1** Bien o provecho que se obtiene o se recibe de alguien o de algo. Las tiendas sacan un beneficio económico al vender sus productos. **INGLÉS** benefit, [si es económico: profit].

beneficioso, beneficiosa
adjetivo **1** Se dice de lo que produce un beneficio. Hacer ejercicio es beneficioso para el cuerpo. **SINÓNIMO** bueno. **INGLÉS** beneficial.

benéfico, benéfica
adjetivo **1** Que se realiza de forma gratuita o que se hace para recoger dinero para las personas que lo necesitan. También se dice de la institución o centro que realiza actividades benéficas, como la Cruz Roja: *Se celebró un concierto benéfico en favor de las víctimas del terremoto.* **INGLÉS** charity.

benévolo, benévola
adjetivo **1** Se dice de la persona que es buena y respetuosa con los demás y permite lo que hacen otras personas, aunque no siempre esté bien. También es benévolo el comportamiento de estas personas: *Es muy benévolo con sus hijos y nunca los castiga.* **INGLÉS** kind.

bengala
nombre femenino **1** Varilla de metal recubierta de una sustancia que contiene pólvora que al encenderse desprende chispas. **INGLÉS** sparkler.
2 Fuego artificial muy luminoso que se utiliza para hacer señales a distancia. Los barcos lanzan bengalas para indicar su posición en el mar. **INGLÉS** flare.

benigno, benigna
adjetivo **1** Que no es malo ni produce daño. **ANTÓNIMO** maligno. **INGLÉS** benign.

benjamín, benjamina
nombre **1** Hijo más pequeño de una familia. **INGLÉS** youngest child.
adjetivo y nombre **2** Se dice del deportista que juega en la categoría deportiva que corresponde a las personas que tienen entre 5 y 7 años.
NOTA El plural de benjamín es: benjamines.

berberecho
nombre masculino **1** Molusco marino con una concha dividida en dos partes de color oscuro y con surcos. El berberecho se come fresco o en conserva. **INGLÉS** cockle.

berenjena
nombre femenino **1** Fruto comestible, alargado, de color morado por fuera y blanco por dentro. También se llama berenjena la planta que da este fruto. **INGLÉS** aubergine [en el Reino Unido], eggplant [en Estados Unidos].

bergantín
nombre masculino **1** Barco de vela que tiene dos palos. **INGLÉS** brigantine, brig.
NOTA El plural es: bergantines.

bermellón
nombre masculino y adjetivo **1** Color rojo fuerte, como el de algunos pintalabios. **INGLÉS** vermilion.
NOTA El plural es: bermellones.

bermudas
nombre **1** Pantalón que llega hasta las rodillas. **INGLÉS** Bermuda shorts.

2 Bañador masculino que llega hasta las rodillas. INGLÉS Bermuda shorts.

NOTA El plural es: bermudas. También se usa el plural para indicar solo una unidad. Tiene doble género: el bermudas y las bermudas.

berrear
verbo

1 Dar berridos un animal. INGLÉS to bellow.

2 Llorar o gritar con fuerza, como hace un bebé cuando tiene hambre o una persona cuando está muy enfadada. INGLÉS to bawl.

berrido
nombre masculino

1 Sonido que producen algunos animales, como el becerro o el ciervo. INGLÉS bellow.

2 Grito fuerte y molesto de una persona. SINÓNIMO chillido. INGLÉS howl.

berrinche
nombre masculino

1 Llanto fuerte que suele ir acompañado de gestos o movimientos del cuerpo. Los niños pequeños suelen coger berrinches cuando no consiguen lo que quieren. INGLÉS tantrum.

2 Enfado o disgusto grande provocado por una situación inesperada o desagradable. INGLÉS rage.

berro
nombre masculino

1 Planta de tallos gruesos, hojas verdes y flores pequeñas y blancas. Las hojas del berro se comen en ensalada. INGLÉS watercress.

berza
nombre femenino

1 Planta de hojas verdes, anchas y rizadas que son comestibles. La berza es un tipo de col. INGLÉS cabbage.

besamel
nombre femenino

1 Salsa blanca y cremosa que se hace con mantequilla, harina y leche. Se usa para hacer croquetas y canelones. INGLÉS béchamel sauce.

NOTA También se escribe y se pronuncia: bechamel.

besar
verbo

1 Tocar a una persona con los labios para mostrar cariño o a modo de saludo. INGLÉS to kiss.

beso
nombre masculino

1 Acto de tocar a una persona con los labios para mostrar cariño o saludarla. INGLÉS kiss.

bestia
nombre femenino

1 Animal de cuatro patas, especialmente el que se emplea para transportar cargas. El caballo, el burro y la mula son bestias. INGLÉS beast.

nombre masculino y femenino

2 Persona que se comporta de manera grosera, sin respeto hacia los demás y usando la fuerza física con exageración. Es un uso informal. SINÓNIMO bruto. INGLÉS beast, brute.

3 Persona que tiene poca inteligencia o pocos conocimientos y se comporta con torpeza. Es un uso informal. SINÓNIMO bruto. INGLÉS ignorant fool.

bestial
adjetivo

1 Se dice de la cosa que es muy grande en tamaño o intensidad o que es muy buena. Si tenemos un fin de semana bestial, nos lo pasamos muy bien. INGLÉS tremendous.

NOTA Es una palabra informal.

bestialidad
nombre femenino

1 Acción o expresión característica de una persona bestia o bruta. Una bestialidad es algo exageradamente cruel o estúpido. INGLÉS stupid thing [estúpido], cruel thing [cruel].

2 Cosa que es exageradamente grande en tamaño o intensidad. También se dice de una cantidad muy grande de algo: *Dormir veinte horas seguidas es una bestialidad.* Es un uso informal. INGLÉS huge amount.

best seller
nombre masculino

1 Obra literaria que es un gran éxito de ventas. SINÓNIMO superventas. INGLÉS best-seller.

NOTA Se pronuncia: 'besséler' y procede del inglés. El plural es: best sellers.

besucón, besucona
adjetivo y nombre

1 Que da muchos besos. INGLÉS fond of kissing [adjetivo].

NOTA El plural de besucón es: besucones.

besugo
nombre masculino

1 Pez marino de color gris y rojo, con unos ojos muy grandes. Es comestible. INGLÉS sea bream.

2 Persona que es tonta: *Qué besugo eres, no dices más que tonterías.* Es un uso informal. INGLÉS idiot.

betún
nombre masculino

1 Crema espesa hecha con una mezcla

de varias sustancias que se utiliza para dar brillo a los zapatos de piel. INGLÉS shoe polish.
NOTA El plural es: betunes.

biberón
nombre masculino
1 Recipiente de cristal o plástico con una tetina de goma en la boca que sirve para dar de beber a los bebés. INGLÉS feeding bottle.
NOTA El plural es: biberones.

Biblia
nombre femenino
1 Libro sagrado de la religión cristiana que reúne los textos del Antiguo y el Nuevo Testamento. INGLÉS Bible.

bíblico, bíblica
adjetivo
1 De la Biblia o que está relacionado con ella: *La historia del arca de Noé es bíblica.* INGLÉS biblical.

bibliografía
nombre femenino
1 Lista ordenada de libros o escritos sobre un tema o autor. Algunos libros de texto tienen al final una bibliografía relacionada con la materia. INGLÉS bibliography.

biblioteca
nombre femenino
1 Lugar público donde hay muchos libros y donde la gente puede ir a leerlos, consultarlos y, en ocasiones, pedirlos prestados. INGLÉS library.
2 Conjunto de libros que forman una colección y mueble donde se colocan. Las personas que leen mucho suelen tener una biblioteca muy completa. INGLÉS library.

bibliotecario, bibliotecaria
nombre
1 Persona que trabaja en una biblioteca y se dedica a la organización y cuidado de los libros y a la atención al público. INGLÉS librarian.

bicarbonato
nombre masculino
1 Sustancia blanca, en polvo, que se toma mezclada con agua para calmar el dolor o acidez de estómago. INGLÉS bicarbonate.

bicentenario
nombre masculino
1 Día o año en que se celebra que se han cumplido 200 años de algún acontecimiento. En el año 1989 se celebró el bicentenario de la Revolución francesa de 1789. INGLÉS bicentenary.

bíceps
nombre masculino
1 Músculo alargado, abultado por el centro y con un extremo dividido en dos partes. Está situado en cada uno de los brazos y muslos y sirve para que podamos doblar las extremidades. INGLÉS biceps.
NOTA El plural es: bíceps.

bicho
nombre masculino
1 Animal pequeño, especialmente si se trata de un insecto. También es una forma de llamar a un animal cuando es desagradable o cuando no se sabe a qué especie pertenece. INGLÉS creature.
2 Persona que es muy mala y tiene malas intenciones. A los niños traviesos también se les puede llamar bichos. INGLÉS little devil.
bicho raro Persona que hace cosas que parecen raras o extrañas. INGLÉS oddball, weirdo.

bici
nombre femenino
1 Es la forma abreviada de: bicicleta. INGLÉS bike.

bicicleta
nombre femenino
1 Vehículo de dos ruedas que se mueve por medio de dos pedales. Algunas partes de la bicicleta son el sillín, el manillar y la cadena. INGLÉS bicycle.
NOTA También se dice: bici.

bicolor
adjetivo
1 Que tiene dos colores. La bandera de Japón es bicolor. INGLÉS two-coloured.

bidé
nombre masculino
1 Recipiente bajo del cuarto de baño en el que una persona se sienta para lavarse. INGLÉS bidet.

bidón
nombre masculino
1 Recipiente grande y cilíndrico que se usa para contener y transportar líquidos, como gasolina, aceite o agua. INGLÉS drum, can.
NOTA El plural es: bidones.

bielorruso, bielorrusa
adjetivo y nombre
1 Se dice de la persona o cosa que es de Bielorrusia, país del este de Europa. INGLÉS Byelorussian.
nombre masculino
2 Lengua que se habla en Bielorrusia. El bielorruso es una lengua eslava, como el ruso y el polaco. INGLÉS Byelorussian.

bien
adverbio
1 Como debe ser; de forma adecuada o correcta: *Hizo muy bien el examen y sacó la nota más alta.* ANTÓNIMO mal. INGLÉS well.
2 De forma agradable. En verano se

a b c d e f g h i j k l m n ñ o p q r s t u v w x y z

está bien en un lugar con aire acondicionado. ANTÓNIMO mal. INGLÉS nice.

3 Muy o mucho. Cuando estamos constipados es bueno tomarse un vaso de leche bien caliente. INGLÉS very.

4 Expresa que estamos de acuerdo con algo: *Ha dicho que bien, que lo hará en cuanto termine lo que está haciendo.* SINÓNIMO bueno; vale. INGLÉS OK, all right.

5 Con buena salud: *Ayer me dolía el estómago, pero ya estoy bien.* INGLÉS well.

nombre masculino **6** Lo que se considera moralmente bueno. Una persona hace el bien cuando ayuda a otras personas. ANTÓNIMO mal. INGLÉS good.

7 Cosa que es buena y beneficiosa para nuestra vida y produce felicidad. Los buenos amigos nos dan consejos por nuestro bien. ANTÓNIMO mal. INGLÉS good.

nombre masculino plural **8 bienes** Conjunto de riquezas y cosas que posee una persona, como tierras, casas y objetos de valor. INGLÉS goods, property.

a base de bien Mucho, de forma abundante: *El día que fuimos a pescar llovió a base de bien y tuvimos que volver a casa.* Es una expresión informal. INGLÉS a lot.

bienaventurado, bienaventurada

adjetivo y nombre **1** Se dice de una persona cristiana a la que Dios le ha concedido la felicidad. INGLÉS blessed [adjetivo].

bienestar

nombre masculino **1** Situación de satisfacción en que vive una persona que tiene lo que necesita y no tiene problemas económicos. Comprar una vivienda significa para muchas personas alcanzar el bienestar. ANTÓNIMO malestar. INGLÉS wellbeing.

2 Estado de la persona cuando se encuentra bien física y mentalmente. Dormir bien toda la noche produce una sensación de bienestar. ANTÓNIMO malestar. INGLÉS wellbeing.

bienhechor, bienhechora

adjetivo y nombre **1** Se dice de la persona que protege o ayuda a otra. INGLÉS benefactor [nombre - hombre], benefactress [nombre - mujer].

bienio

nombre masculino **1** Período de tiempo que dura dos años. INGLÉS two-year period.

bienvenida

nombre femenino **1** Recibimiento que se hace a una persona cuando llega a un lugar, expresándole alegría por su llegada y deseándole una feliz estancia. INGLÉS welcome.

bienvenido, bienvenida

adjetivo **1** Se dice de la persona que es recibida con alegría o entusiasmo o de la cosa que es bien recibida porque viene bien para algo. Los buenos consejos siempre son bienvenidos. INGLÉS welcome.

interjección **2 ¡bienvenido!** Expresión que se utiliza para recibir a una persona cuando llega a un lugar, deseándole una feliz estancia. INGLÉS welcome!

bifurcarse

verbo **1** Dividirse en dos un camino, un río, una vía de tren u otra cosa de forma alargada. INGLÉS to fork.

NOTA Se escribe 'qu' delante de 'e', como: se bifurque.

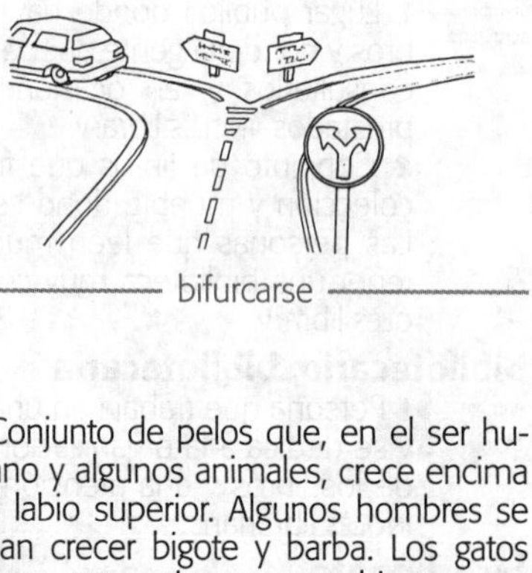

bifurcarse

bigote

nombre masculino **1** Conjunto de pelos que, en el ser humano y algunos animales, crece encima del labio superior. Algunos hombres se dejan crecer bigote y barba. Los gatos y los ratones tienen unos bigotes con pelos largos. INGLÉS moustache [de un hombre], whiskers [de un animal].

2 Parte de la cara de las personas entre el labio superior y la nariz. INGLÉS upper lip.

3 Señal que queda encima del labio superior después de beber o comer ciertas cosas, como una taza de chocolate, un helado o una ensaimada. INGLÉS moustache.

bigotudo, bigotuda

adjetivo **1** Que tiene un bigote muy grande. INGLÉS mustachioed.

bikini
nombre masculino
1 Es otra forma de escribir: biquini.

bilbaíno, bilbaína
adjetivo y nombre
1 Se dice de la persona o cosa que es de Bilbao, capital de la provincia de Vizcaya.

bilingüe
adjetivo y nombre masculino y femenino
1 Se dice de la persona que habla bien dos lenguas: *Ella es bilingüe: habla con su madre en alemán y con su padre en inglés.* INGLÉS bilingual [adjetivo].
adjetivo
2 Se dice del texto que está escrito en dos lenguas. Los diccionarios bilingües traducen las palabras de un idioma a otro. INGLÉS bilingual.

bilingüismo
nombre masculino
1 Uso de dos lenguas por una persona o un grupo de personas en un mismo lugar. En varias zonas de España hay bilingüismo. INGLÉS bilingualism.

bilis
nombre femenino
1 Líquido amargo y de color amarillo verdoso que fabrica el hígado que interviene en el proceso de digestión de los alimentos. INGLÉS bile.
NOTA El plural es: bilis.

billar
nombre masculino
1 Juego que se practica sobre una mesa rectangular forrada de tela verde y que consiste en golpear unas bolas de marfil con la punta de un palo largo o taco según unas reglas. INGLÉS billiards.
2 Establecimiento público donde se juega al billar. INGLÉS billiard hall.

billete
nombre masculino
1 Papel que equivale a una cantidad de dinero. El billete de cien euros es de color verde. INGLÉS note [en el Reino Unido], bill [en Estados Unidos].
2 Papel o cartón pequeño que indica que hemos pagado para entrar en un sitio o viajar en un transporte público. INGLÉS ticket.
3 Papel que lleva impreso un número al que se juega en la lotería o en otro sorteo y la cantidad de dinero que se apuesta. INGLÉS ticket.

billetero, billetera
nombre
1 Cartera plana, cuadrada o rectangular, que cabe en un bolsillo y sirve para llevar dinero en billetes, carnés o tarjetas de crédito. INGLÉS wallet.

billón
nombre masculino
1 Número 1 000 000 000 000. Es un millón de veces un millón. INGLÉS trillion.
NOTA El plural es: billones.

bimensual
adjetivo
1 Que se repite dos veces al mes. De una revista bimensual salen dos números cada mes. INGLÉS twice-monthly.

bimestre
nombre masculino
1 Período de tiempo que dura dos meses. INGLÉS period of two months.

bimotor
adjetivo y nombre masculino
1 Se dice del avión que tiene dos motores. INGLÉS twin-engined [adjetivo], twin-engined plane [nombre].

binario, binaria
adjetivo
1 Que está compuesto por dos elementos. En informática, se utiliza un sistema binario que solo utiliza dos elementos, el 0 y el 1, para representar todos los números. INGLÉS binary.

bingo
nombre masculino
1 Juego de suerte que consiste en ir tachando en un cartón los números que van saliendo en el sorteo; gana el jugador que antes tacha todos los números de su cartón. También se le llama bingo al premio que se consigue. INGLÉS bingo.
2 Establecimiento donde se juega al bingo. INGLÉS bingo hall.

biodegradable
adjetivo
1 Se dice de la sustancia o el objeto que puede descomponerse gracias a elementos que son habituales en la naturaleza, como el sol, el agua, las plantas o los animales. El papel o los restos de alimentos son biodegradables, pero el plástico o los metales no lo son. INGLÉS biodegradable.

biografía
nombre femenino
1 Historia de la vida de una persona. Un libro que se centra en la biografía de una persona cuenta toda su vida. INGLÉS biography.

biología
nombre femenino
1 Ciencia que estudia los seres vivos y las leyes que rigen la organización de la vida. La biología estudia la estructura de los organismos y su relación con el medio natural. INGLÉS biology.

a b c d e f g h i j k l m n ñ o p q r s t u v w x y z

biólogo, bióloga
nombre **1** Persona que se dedica a la biología. INGLÉS biologist.

biombo
nombre masculino **1** Mueble formado por varias láminas, normalmente altas y rectangulares, unidas entre sí por bisagras u otro tipo de unión. El biombo se sostiene de pie y se coloca entre dos lugares para separarlos. INGLÉS screen.

biosfera
nombre femenino **1** Parte de la Tierra en la que hay seres vivos. La biosfera está formada por el mar, la tierra y la atmósfera. INGLÉS biosphere.
2 Conjunto de seres vivos y el medio natural en el que se desarrollan. INGLÉS biosphere.

bípedo, bípeda
adjetivo y nombre masculino **1** Se dice del animal que tiene dos pies o dos patas sobre los que se sostiene para andar, correr o saltar, como el ser humano, el chimpancé o el canguro. INGLÉS biped.

biplaza
adjetivo y nombre masculino **1** Se dice del vehículo en el que solo pueden ir dos personas. INGLÉS two-seater.

biquini
nombre masculino **1** Bañador femenino de dos piezas, parecidas a un sujetador y a unas bragas, que deja al descubierto la barriga y la espalda. INGLÉS bikini.
NOTA También se escribe: bikini.

birria
nombre femenino **1** Cosa fea, mal hecha o de mala calidad: *Ese programa de televisión es una birria.* SINÓNIMO porquería. INGLÉS load of rubbish [en el Reino Unido], load of garbage [en Estados Unidos].
2 Persona físicamente débil o que no tiene ninguna cualidad buena: *Ese actor es una birria, no me gusta nada.* INGLÉS useless [adjetivo].

bis
nombre masculino **1** Repetición de parte de una actuación musical que el público pide con aplausos o gritos: *El grupo tocó varios bises a petición del público.* INGLÉS encore.

bisabuelo, bisabuela
nombre **1** Padre o madre del abuelo o la abuela de una persona. INGLÉS great-grandparent, great-grandfather [hombre], great-grandmother [mujer].

bisagra
nombre femenino **1** Mecanismo que une una puerta o una ventana con el marco y permite que se pueda abrir y cerrar. Una bisagra es una pieza metálica formada por dos placas que giran sobre un eje común. También tienen bisagras otras cosas, como la tapa de una caja o un biombo. INGLÉS hinge. DIBUJO página 898.

bisbisear
verbo **1** Hablar en voz muy baja, casi susurrando. INGLÉS to whisper.

bisectriz
nombre femenino **1** Línea recta que pasa por el vértice de un ángulo y lo divide en dos partes iguales. La bisectriz de un ángulo es su eje de simetría. INGLÉS bisector.
NOTA El plural es: bisectrices.

bisiesto
adjetivo y nombre masculino **1** Se dice del año que tiene 366 días. En un año bisiesto el mes de febrero tiene 29 días. INGLÉS leap [adjetivo], leap year [nombre].

bisílabo, bisílaba
adjetivo **1** Se dice de la palabra que tiene dos sílabas. La palabra 'pera' es bisílaba. INGLÉS two-syllabled.

bisnieto, bisnieta
nombre **1** Hijo del nieto de una persona. INGLÉS great-grandchild, great-grandson [bisnieto], great-granddaughter [bisnieta].
NOTA También se escribe y se pronuncia: biznieto, biznieta.

bisonte
nombre masculino **1** Animal mamífero parecido al toro, con una pequeña joroba en el lomo, la cabeza muy grande y unos cuernos pequeños con la punta hacia arriba. Vive en las praderas de América del Norte. SINÓNIMO búfalo. INGLÉS bison.

bistec
nombre masculino **1** Trozo largo y plano de carne, normalmente de ternera, que se fríe o se asa. SINÓNIMO filete. INGLÉS steak.

bisturí
nombre masculino **1** Cuchillo pequeño de hoja fina y muy afilada que usan los médicos cirujanos para hacer cortes en una operación. INGLÉS scalpel.
NOTA El plural puede ser: bisturíes o bisturís.

bisutería
nombre femenino **1** Adorno parecido a una joya, pero que está hecho con piedras y metales de poco valor. INGLÉS costume jewellery.

bitácora
nombre femenino **1** En un barco, armario que está en la cubierta, cerca del timón, y sirve para guardar la brújula. INGLÉS binnacle.
cuaderno de bitácora Libro en el que se toma nota de lo que ocurre en una embarcación cuando navega por el mar. INGLÉS logbook.

bizco, bizca
adjetivo y nombre **1** Se dice de la persona que tiene desviada la mirada de uno o de los dos ojos. INGLÉS cross-eyed [adjetivo].

bizcocho
nombre masculino **1** Alimento dulce hecho con harina, huevos, aceite y azúcar que se cocina en el horno. Los bizcochos son blandos y esponjosos. INGLÉS sponge cake.

biznieto, biznieta
nombre **1** Es otra forma de escribir y pronunciar: bisnieto.

blanco, blanca
nombre masculino y adjetivo **1** Color como el de la nieve, la leche o la clara del huevo cocido. INGLÉS white.
adjetivo **2** De color muy claro. Se utiliza cuando entre varias cosas del mismo tipo hay una que tiene el color más claro que las otras, especialmente con algunos alimentos, como el vino, el pan, la uva, el azúcar, el pescado o la carne. INGLÉS white.
nombre y adjetivo **3** Persona de piel blanca. Se utiliza para distinguir un tipo étnico de otros de piel más oscura. INGLÉS white.
nombre masculino **4** Punto al que se quiere acertar con un disparo o un lanzamiento que se hace desde lejos. INGLÉS target.
en blanco Se dice del papel que no está escrito o impreso. INGLÉS blank.
en blanco y negro Se dice de una fotografía o una película en que solo aparecen los colores blanco, negro y gris. ANTÓNIMO en color. INGLÉS in black and white.
quedarse en blanco No reaccionar a una pregunta que se oye o se lee porque se ha olvidado o no se sabe la respuesta. INGLÉS not to be able to react.

blancura
nombre femenino **1** Claridad y pureza del color blanco. La lejía se utiliza para dar mayor blancura a la ropa blanca. INGLÉS whiteness.

blancuzco, blancuzca
adjetivo **1** De color blanco, pero con sombras o con un tono de otro color. Una cosa blancuzca puede parecer que está sucia. INGLÉS whitish.

blando, blanda
adjetivo **1** Que se hunde o se deforma con la presión o se corta con facilidad. Dormir en un colchón muy blando no es bueno para la espalda. Un bizcocho recién hecho está blando. ANTÓNIMO duro. INGLÉS soft.
2 Que es débil y no tiene fuerza. Una persona blanda se cansa muy pronto de hacer ejercicio. ANTÓNIMO fuerte. INGLÉS weak.
3 Que consiente mucho o es poco severo: *Es muy blando con su hijo, se lo consiente todo.* INGLÉS soft.

blanquear
verbo **1** Dar color blanco a una cosa o ponerla más blanca de lo que es. La fachada de una casa se puede blanquear con cal o pintura. INGLÉS to whiten.
2 Hervir durante pocos minutos un alimento para quitarle el sabor ácido o la sangre. INGLÉS to blanch.

blanquecino, blanquecina
adjetivo **1** De color blanco o que tira a color blanco. Si nos arrimamos a una pared de cal, nos queda la ropa blanquecina. INGLÉS whitish.

blasfemar
verbo **1** Decir palabras que van en contra de cosas o personas que se consideran sagradas. INGLÉS to blaspheme.

blasfemia
nombre femenino **1** Palabra o conjunto de palabras que van en contra de Dios o de cosas y personas que se consideran sagradas. Algunos insultos y palabrotas son blasfemias. INGLÉS blasphemy.

blindar
verbo **1** Proteger una cosa con planchas de acero o de otro metal para protegerla y hacerla más resistente y segura. Algunas personas blindan la puerta de su casa. INGLÉS to armour-plate.

bloc
nombre masculino **1** Cuaderno de hojas unidas por un lado

a b c d e f g h i j k l m n ñ o p q r s t u v w x y z

de forma que se pueden pasar o arrancar con facilidad. INGLÉS notepad, pad.
NOTA El plural es: blocs.

bloque
nombre masculino
1 Trozo grande de piedra u otro material duro y compacto. El mármol se extrae de las canteras en grandes bloques. INGLÉS block.
2 Edificio de varias plantas de pisos o apartamentos. INGLÉS block.

bloquear
verbo
1 Poner uno o más obstáculos en un lugar de modo que no se pueda pasar por él. La nieve suele bloquear algunas carreteras en invierno. INGLÉS to block.
2 Impedir o parar el funcionamiento de un aparato o un mecanismo. Si se bloquea el ordenador, no se puede trabajar con él. INGLÉS to jam [un mecanismo], to freeze [bloquearse - el ordenador].
3 Impedir o parar el desarrollo de un asunto o un proceso. Si se bloquean unas negociaciones, uno de los negociadores tiene que ceder para que puedan seguir. INGLÉS to block.
4 **bloquearse** Quedarse una persona durante un momento sin poder hablar o hacer algo. Los nervios hacen que las personas se bloqueen. INGLÉS not to be able to react.

blusa
nombre femenino
1 Camisa femenina que se abrocha por delante, y normalmente con cuello y mangas. INGLÉS blouse.

blusón
nombre masculino
1 Blusa amplia que llega hasta la cadera o un poco más abajo. INGLÉS smock.
NOTA El plural es: blusones.

boa
nombre femenino
1 Serpiente americana de gran tamaño. No es venenosa; mata a sus presas enrollándose en torno a ellas y apretándolas con su cuerpo. INGLÉS boa.

bobada
nombre femenino
1 Acción o conjunto de palabras de una persona con las que demuestra falta de inteligencia: *No digas bobadas, aunque llueva habrá clase.* SINÓNIMO tontería. INGLÉS piece of nonsense.

bobalicón, bobalicona
adjetivo y nombre
1 Que hace o dice cosas tontas o ingenuas. Es una palabra familiar. INGLÉS simple [adjetivo], simpleton [nombre].
NOTA El plural de bobalicón es: bobalicones.

bobina
nombre femenino
1 Pieza cilíndrica que tiene enrollado alrededor hilo, alambre, papel u otro material flexible. INGLÉS reel, bobbin.

bobo, boba
adjetivo y nombre
1 Se dice de la persona que tiene poca inteligencia o poca capacidad para hacer las cosas. También es boba la persona ingenua que se deja engañar con facilidad. INGLÉS silly [adjetivo], fool [nombre].

boca
nombre femenino
1 Abertura del aparato digestivo situada en la cabeza de las personas y de los animales por donde entran los alimentos. En la boca están los dientes y la lengua. INGLÉS mouth.
2 Agujero que comunica el interior de una cosa con el exterior, como la boca de una botella o la boca del metro. INGLÉS mouth [de una botella], entrance [del metro].
3 Persona o animal al que hay que alimentar y mantener. Una familia con más de un hijo tiene varias bocas que alimentar. INGLÉS mouth.
boca abajo En posición horizontal y con la cara mirando al suelo. Si nos hacen masajes en la espalda, nos tumbamos boca abajo. INGLÉS on one's stomach, face down.
boca abajo Con la parte superior mirando hacia abajo. Un libro que está boca abajo no se puede leer. INGLÉS face down.
boca arriba En posición horizontal y mirando hacia arriba. Nos tumbamos boca arriba para que el sol nos dé en la cara. INGLÉS on one's back.
boca arriba Con la parte superior mirando hacia arriba. Para poner un ramo de flores en un jarrón, hay que ponerlo boca arriba. INGLÉS upright.
con la boca pequeña Con pocas ganas de hacer lo que se está diciendo. Si una persona nos invita a comer con la boca pequeña, es que no le apetece hacerlo realmente. INGLÉS without really meaning it.
hacerse la boca agua Pensar con

gusto en algo que se va a hacer o en algo de comer. INGLÉS to make one's mouth water.

bocabajo

adverbio

1 Es otra manera de escribir la expresión: boca abajo.

bocacalle

nombre femenino

1 Parte por donde una calle pequeña se une a otra principal. INGLÉS turning.

bocadillo

nombre masculino

1 Trozo de pan partido en dos mitades entre las que se pone algún alimento, como embutido, queso o atún. INGLÉS sandwich.

bocado

nombre masculino

1 Porción de comida que se mete en la boca de una sola vez. También se usa para referirse a cualquier comida ligera. INGLÉS bite, mouthful [porción], snack [comida ligera].

2 Pedazo de una cosa que se arranca con la boca. INGLÉS bite.

3 Herida que se produce al apretar algo fuertemente con los dientes. Los animales dan bocados para defenderse o para atacar. SINÓNIMO mordisco. INGLÉS bite.

no probar bocado No comer nada. INGLÉS not to eat a thing.

bocamanga

nombre femenino

1 Abertura de la manga de una prenda de vestir por donde asoma el brazo o la mano. INGLÉS cuff.

bocanada

nombre femenino

1 Cantidad de aire o humo que se aspira o se expulsa por la boca de una sola vez: *Necesito salir de aquí y tomar una bocanada de aire puro.* INGLÉS breath.

bocata

nombre masculino

1 Bocadillo. INGLÉS sandwich, sarnie.

NOTA Es una marca registrada. Es una palabra informal.

bocazas

nombre masculino y femenino

1 Persona que habla demasiado y no es capaz de guardar un secreto. INGLÉS bigmouth.

NOTA El plural es: bocazas.

boceto

nombre masculino

1 Dibujo esquemático que se hace antes de realizar una obra para ver cómo podría quedar. SINÓNIMO bosquejo. INGLÉS sketch, outline.

bochorno

nombre masculino

1 Calor intenso y pesado que produce una sensación de ahogo. En verano, los días en que hay mucha humedad hace un bochorno insoportable. INGLÉS stifling heat.

2 Sentimiento de vergüenza. Una persona después de hacer el ridículo suele sentir bochorno. SINÓNIMO apuro. INGLÉS embarrassment, shame.

bochornoso, bochornosa

adjetivo

1 Se dice del tiempo caluroso y húmedo que produce una sensación de ahogo: *Sudas mucho porque hace un día bochornoso.* INGLÉS sultry.

2 Que produce vergüenza: *Se enfadó mucho, empezó a gritar y al final dio un espectáculo bochornoso.* SINÓNIMO vergonzoso. INGLÉS embarrassing.

bocina

nombre femenino

1 Instrumento que llevan los automóviles y otros vehículos, que al tocarlo produce un ruido fuerte para avisar de algo a otros vehículos o a los peatones. SINÓNIMO claxon. INGLÉS horn.

2 Instrumento formado por una bola de goma o plástico llena de aire y un cono que sale de ella. Cuando se aprieta la bola, el aire sale por el cono produciendo un ruido. INGLÉS hooter.

3 Instrumento en forma de cono que se aproxima a la boca y sirve para que la voz de una persona se oiga más fuerte. SINÓNIMO megáfono. INGLÉS megaphone.

boda

nombre femenino

1 Ceremonia en que dos personas se casan. SINÓNIMO casamiento. INGLÉS wedding.

bodas de oro Día en que se cumplen

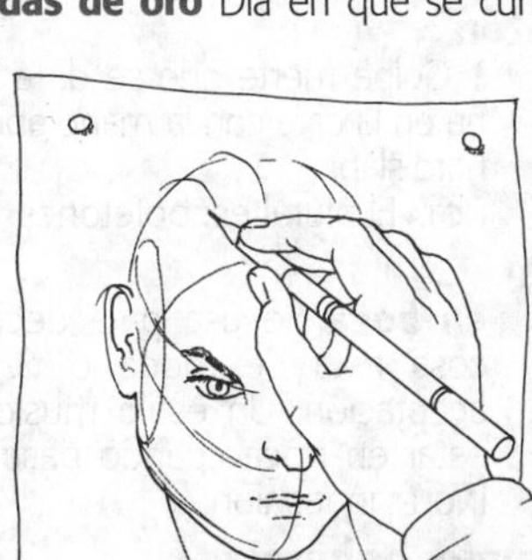

boceto

50 años de un matrimonio o un acontecimiento especial. INGLÉS golden wedding.

bodas de plata Día en que se cumplen 25 años de un matrimonio o un acontecimiento especial. INGLÉS silver wedding.

bodega
nombre femenino
1 Lugar, generalmente bajo tierra, en el que se cuida y se almacena el vino, normalmente en toneles y botellas. INGLÉS cellar.
2 Tienda en la que se vende y se consume vino y otras bebidas alcohólicas. En las bodegas también se venden refrescos, agua y algunos alimentos. INGLÉS wine shop.
3 Espacio bajo la cubierta inferior de un barco en el que se llevan las mercancías. INGLÉS hold.

bodegón
nombre masculino
1 Pintura en la que se representan alimentos, recipientes y objetos sin vida. INGLÉS still life.
NOTA El plural es: bodegones.

bodeguero, bodeguera
nombre
1 Persona que tiene una tienda de vinos y bebidas o trabaja en ella. INGLÉS wine merchant.

bodrio
nombre masculino
1 Cosa que está mal hecha o es de muy mala calidad, de mal gusto o aburrida: *No acabé de ver aquella película porque era un bodrio.* INGLÉS load of rubbish [en el Reino Unido], load of garbage [en Estados Unidos].

bofetada
nombre femenino
1 Golpe que se da a una persona en la cara con la mano abierta. INGLÉS slap.

bofetón
nombre masculino
1 Golpe fuerte que se da a una persona en la cara con la mano abierta. INGLÉS hard slap.
NOTA El plural es: bofetones.

boga
en boga Se usa para decir que una cosa está de moda o tiene mucha aceptación. Un estilo musical deja de estar en boga cuando pasa de moda. INGLÉS in fashion.

bohemio, bohemia
adjetivo y nombre
1 Se dice de la persona que lleva un tipo de vida poco organizada y que no sigue muchas normas sociales. Las personas bohemias son sobre todo artistas que no tienen unas costumbres convencionales ni deben seguir unos horarios. INGLÉS bohemian.

boicot
nombre masculino
1 Medida de presión y protesta que consiste en hacer o dejar de hacer algo para perjudicar a alguien y obligarlo a aceptar unas determinadas condiciones. A veces, cuando la gente no está de acuerdo con lo que se hace en un país, hace un boicot a sus productos y no los compra. INGLÉS sabotage.
NOTA El plural es: boicots.

boicotear
verbo
1 Impedir o dificultar algo que hacen una persona, una empresa o un país para protestar o presionarlos. Una persona boicotea una reunión si hace cosas para que no se celebre o sea un fracaso. INGLÉS to sabotage.

boina
nombre femenino
1 Gorra redonda y plana de lana o de paño. Algunos soldados y personas que viven en zonas frías llevan boina. INGLÉS beret.

bol
nombre masculino
1 Taza grande sin asas. Algunas personas para desayunar toman leche con cereales en un bol. INGLÉS bowl.
NOTA El plural es: boles.

bola
nombre femenino
1 Objeto completamente redondo hecho de cualquier material. Las canicas son pequeñas bolas de cristal. SINÓNIMO esfera. INGLÉS ball.
2 Historia que no es verdad. Es un uso informal. SINÓNIMO mentira. INGLÉS fib.

bolchevique
adjetivo y nombre masculino y femenino
1 Se dice de la persona o cosa que es partidaria de una teoría comunista que nació en Rusia a principios del siglo XX. Los bolcheviques rechazaban la propiedad privada como todos los comunistas, pero además defendían que los trabajadores debían gobernar. INGLÉS Bolshevik.

bolero
nombre masculino
1 Canción de origen americano que tiene un ritmo lento. INGLÉS bolero.
2 Música y baile típico español acom-

pañados por una o varias guitarras. INGLÉS bolero.

boletín

nombre masculino **1** Publicación periódica dedicada a dar información sobre una materia o entidad. Los bancos y algunas empresas publican boletines. INGLÉS bulletin.

2 Publicación periódica de un organismo oficial. Las leyes del gobierno español aparecen publicadas en el *Boletín Oficial del Estado*. INGLÉS gazette.

3 Programa informativo breve de radio o televisión. En algunas emisoras de radio se pueden escuchar boletines cada hora. INGLÉS bulletin.

boletín de suscripción Papel que se rellena para recibir algo periódicamente. INGLÉS subscription form.

NOTA El plural es: boletines.

boleto

nombre masculino **1** Papel en el que aparece un número o unos pronósticos a los que una persona apuesta en un sorteo o una lotería. Para recibir el premio de un sorteo hay que presentar el boleto ganador. INGLÉS ticket [de lotería], coupon [quinielas].

boli

nombre masculino **1** Es la forma abreviada de: bolígrafo. INGLÉS ballpen, biro.

bólido

nombre masculino **1** Automóvil que corre a gran velocidad, especialmente si participa en carreras. INGLÉS racing car.

bolígrafo

nombre masculino **1** Instrumento que se utiliza para escribir y que tiene en su interior un tubo fino lleno de tinta y una bolita de metal en la punta. INGLÉS ballpoint pen, biro.

boliviano, boliviana

adjetivo y nombre **1** Se dice de la persona o cosa que es de Bolivia, país de América del Sur. INGLÉS Bolivian.

bollería

nombre femenino **1** Conjunto de dulces y pasteles de varias clases. INGLÉS pastries.

2 Lugar donde se hacen o se venden dulces y pasteles. INGLÉS bakery.

bollo

nombre masculino **1** Alimento parecido al pan, pero de sabor dulce. Los bollos se suelen tomar en el desayuno o la merienda. INGLÉS roll.

2 Hundimiento que se produce en una superficie dura a causa de un golpe. SINÓNIMO abolladura. INGLÉS dent.

bolo

nombre masculino **1** Objeto en forma de botella que tiene la base plana para tenerse en pie y que se usa en diversos juegos. INGLÉS skittle.

nombre masculino plural **2 bolos** Juego que consiste en lanzar una bola hacia un grupo de bolos que hay que derribar. INGLÉS skittles [tipo tradicional], bowling [en bolera].

bolo alimenticio Masa de alimento que se forma en la boca al masticar la comida y mezclarla con la saliva. INGLÉS bolus.

bolsa

nombre femenino **1** Saco de tela, plástico u otro material flexible que sirve para llevar o meter cosas. Las bolsas pueden tener asas o algún tipo de cierre para que no se salga lo que se guarda dentro. INGLÉS bag.

2 Arruga grande en una parte de una prenda de vestir, normalmente producida por el uso y el desgaste: *Los pantalones de este chándal tienen bolsas en las rodillas.* INGLÉS bag.

3 Hinchazón de la parte de la cara que está justo debajo de los ojos. INGLÉS bag.

4 Lugar donde se reúnen las personas que compran y venden valores de comercio, como las acciones y los bonos: *En las noticias de televisión casi siempre dan información sobre la bolsa.* INGLÉS stock exchange.

bolsillo

nombre masculino **1** Trozo de tela que se cose por dentro o por fuera de una prenda de vestir o de otro objeto y que se deja abierto por uno de sus lados para meter cosas dentro. La mayoría de bolsillos son de un tamaño que permite meter una mano dentro. INGLÉS pocket.

de bolsillo Se dice de una cosa que tiene un tamaño más pequeño de lo que es habitual y que se puede llevar en un bolsillo. Es frecuente decirlo de un libro o de una radio. INGLÉS pocket.

bolso

nombre masculino **1** Bolsa pequeña de cuero, tela, plástico u otro material flexible, con asas o correa y con algún tipo de cierre. Sirve para llevar objetos personales. INGLÉS bag, handbag.

a b c d e f g h i j k l m n ñ o p q r s t u v w x y z

bomba
nombre femenino
1 Artefacto construido para que explote en un momento determinado y produzca grandes destrozos. Hay bombas que explotan cuando chocan con algo, otras que se hacen explotar a distancia con control remoto y otras que se accionan con un mecanismo controlado por un reloj. INGLÉS bomb.
2 Aparato que sirve para hacer que el agua u otro líquido vaya de un sitio a otro. Para que el agua suba con presión a los pisos de un edificio se utiliza una bomba. INGLÉS pump.
3 Noticia que causa un gran impacto entre la gente por ser inesperada o especial: *La derrota del campeón en la final ha sido una bomba.* INGLÉS bombshell.
pasarlo bomba Pasarlo muy bien. Es una expresión informal. INGLÉS to have a whale of a time.

bombacho
nombre masculino y adjetivo
1 Pantalón ancho que se ajusta a la pierna por debajo de la rodilla. INGLÉS baggy trousers [nombre].
NOTA También se usa el plural para indicar solo una unidad.

bombardear
verbo
1 Lanzar bombas sobre un lugar desde un avión o desde un sitio alto. INGLÉS to bomb [desde un avión], to bombard [con artillería].
2 Hacer preguntas, peticiones o acusaciones a una persona sin parar. INGLÉS to bombard.

bombardeo
nombre masculino
1 Lanzamiento de bombas sobre un lugar. INGLÉS bombing [desde un avión], bombardment [con artillería].
2 Serie continuada de preguntas, peticiones o acusaciones que se hacen a una persona. INGLÉS bombardment.

bombazo
nombre masculino
1 Explosión de una bomba o impacto que produce al caer en un lugar, con gran ruido y destrozo. INGLÉS bomb blast, explosion.
2 Noticia que causa un gran impacto entre la gente. INGLÉS bombshell.

bombear
verbo
1 Impulsar agua u otro líquido en una dirección o para que pase por un conducto. El corazón es un órgano que bombea sangre a las venas. INGLÉS to pump.

bombero, bombera
nombre
1 Persona que trabaja apagando incendios y ayudando en situaciones de desgracia o peligro, como inundaciones, derrumbamientos o terremotos. INGLÉS firefighter.

bombilla
nombre femenino
1 Objeto de vidrio que sirve para dar luz. En el interior de las bombillas hay un hilo metálico por el que pasa la corriente eléctrica. INGLÉS light bulb.

bombo
nombre masculino
1 Instrumento musical de percusión con forma de tambor, pero de mayor tamaño, que se toca con una maza. INGLÉS bass drum. DIBUJO página 598.
2 Recipiente hueco con forma de una esfera que tiene un agujero por el que se pueden sacar unas bolas numeradas. Se utiliza en los sorteos, como el de la lotería, haciéndolo girar para que se mezclen las bolas y para sacar después una al azar. INGLÉS drum.
3 Importancia exagerada que se da a una persona o a una cosa. INGLÉS hype.

bombón
nombre masculino
1 Pequeño dulce de chocolate que suele estar relleno o adornado con otros ingredientes, como frutos secos, crema o licor. INGLÉS chocolate.
NOTA El plural es: bombones.

bombona
nombre femenino
1 Recipiente de metal que sirve para contener un líquido o un gas a mucha presión. Los buceadores llevan bombonas de oxígeno para respirar bajo el agua. INGLÉS cylinder.

bombonera
nombre femenino
1 Caja que sirve para guardar bombones. INGLÉS chocolate box.

bonachón, bonachona
adjetivo
1 Que tiene un carácter tranquilo y amable y siempre está de buen humor. INGLÉS good-natured.
NOTA El plural de bonachón es: bonachones.

bondad
nombre femenino
1 Característica de las personas o las cosas que se consideran buenas. ANTÓNIMO maldad. INGLÉS goodness, kindness.

bondadoso, bondadosa
adjetivo
1 Se dice de la persona que es muy buena y amable con los demás. SINÓNIMO bueno. INGLÉS kind, good.

bonito, bonita
adjetivo
1 Que es agradable a la vista. SINÓNIMO bello. ANTÓNIMO feo. INGLÉS beautiful.
nombre masculino
2 Pez marino con la parte superior del cuerpo de color azul oscuro con rayas y la inferior plateada. Es parecido al atún, pero más pequeño. Se puede comer fresco o en conserva. INGLÉS bonito.

bono
nombre masculino
1 Papel o tarjeta que se puede cambiar en un establecimiento por un producto o por dinero. INGLÉS voucher.
2 Tarjeta que da derecho a utilizar un servicio durante cierto tiempo o un número de veces determinado. Con un bono mensual de ferrocarril se puede viajar durante un mes en tren. INGLÉS ticket.

bonobús
nombre masculino
1 Tarjeta que da derecho a ir en autobús un determinado número de veces. INGLÉS multiple-journey bus ticket.
NOTA El plural es: bonobuses.

bonsái
nombre masculino
1 Árbol en miniatura que se obtiene cortando las raíces y podando las ramas de un árbol normal para impedir su crecimiento natural. INGLÉS bonsai.
NOTA El plural es: bonsáis.

boñiga
nombre femenino
1 Excremento sólido de algunos animales, como la vaca o la oveja. INGLÉS cowpat [de vaca], sheep dropping [de oveja].

boom
nombre masculino
1 Éxito o aumento repentinos de una cosa: *Se ha producido un boom turístico en la costa.* INGLÉS boom.
NOTA Se pronuncia: 'bum'. El plural es: booms.

boomerang
nombre masculino
1 Es otra forma de escribir: bumerán. INGLÉS boomerang.
NOTA Se pronuncia: 'bumerán'. El plural es: boomerangs.

boquerón
nombre masculino
1 Pez marino de pequeño tamaño, parecido a la sardina, de color azul oscuro por encima y plateado por debajo. Es un pez comestible y sus filetes, conservados en aceite y sal, se llaman anchoas. INGLÉS anchovy.
NOTA El plural es: boquerones.

boquete
nombre masculino
1 Agujero grande en el suelo o en la pared. Una explosión puede dejar un boquete en la tierra. INGLÉS hole.

boquiabierto, boquiabierta
adjetivo
1 Se dice de la persona que se queda con la boca abierta a causa de la admiración o la sorpresa por algo. INGLÉS open-mouthed.

boquilla
nombre femenino
1 Pieza pequeña y hueca que tienen algunos instrumentos musicales de viento para soplar por ella. INGLÉS mouthpiece.

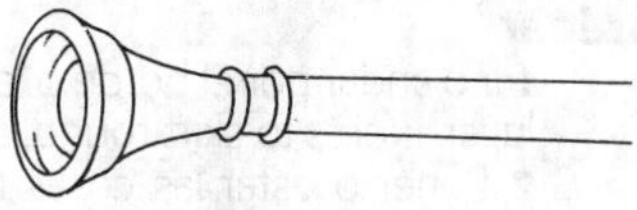

boquilla

2 Tubo pequeño y hueco que se adapta a los cigarrillos para fumárselos. INGLÉS cigarette holder.
3 Parte de los cigarrillos que se mete en la boca y que no tiene tabaco. La boquilla de los cigarrillos es blanda y esponjosa. INGLÉS tip.

borbotón
nombre masculino
1 Movimiento de agua u otro líquido que brota o hierve con fuerza y forma burbujas en su superficie. INGLÉS bubble.
a borbotones Se utiliza para indicar que algo se hace o se produce de manera torpe o precipitada. Si una persona habla a borbotones no se entiende lo que dice. INGLÉS gushing out.
NOTA El plural es: borbotones.

borda
nombre femenino
1 Borde o canto superior de cada uno de los costados de una embarcación. INGLÉS gunwale.
tirar por la borda Dejar perder una persona cierta cosa o desperdiciar una oportunidad que tenía de hacer algo. INGLÉS to throw overboard.

bordado
nombre masculino
1 Dibujo en relieve, hecho con aguja e hilo, sobre una tela. INGLÉS embroidery.

adjetivo **2** Se dice de la cosa que queda o sale perfecta, sin ningún fallo. INGLÉS perfect.

bordar

verbo **1** Hacer dibujos, líneas o figuras cosiendo hilos en un tela. En algunas prendas, como pañuelos o sábanas, la gente borda las iniciales de su nombre. INGLÉS to embroider.

2 Hacer un trabajo a la perfección, sin ningún fallo. INGLÉS to do perfectly.

borde

nombre masculino **1** Línea que constituye el extremo o el final de una superficie y que la limita de lo demás. INGLÉS edge.

adjetivo y nombre masculino y femenino **2** Se dice de la persona que es antipática y se comporta de forma desagradable con los demás. Es un insulto. INGLÉS unpleasant [adjetivo].

bordear

verbo **1** Ir o andar por el borde o la orilla de un lugar. INGLÉS to skirt round.

2 Poner o estar las cosas rodeando el borde o la orilla de algo. Algunas vallas bordean jardines privados. INGLÉS to surround.

bordillo

nombre masculino **1** Línea de piedras alargadas y estrechas que forma el borde de una acera. Un bordillo pintado de color amarillo indica que está prohibido aparcar. INGLÉS kerb.

bordo

a bordo Se usa para indicar que algo está o se hace sobre o dentro de una embarcación o un avión. Subir a bordo de un avión es entrar dentro de él. INGLÉS on board.

boreal

adjetivo **1** Del norte o que tiene relación con él. El polo boreal es el polo norte. SINÓNIMO septentrional. INGLÉS north, northern.

borrachera

nombre femenino **1** Estado en el que se encuentra una persona que ha tomado demasiadas bebidas alcohólicas. INGLÉS drunken state.

borracho, borracha

adjetivo **1** Se dice de la persona que ha tomado demasiadas bebidas alcohólicas y ha perdido el control de su mente y de sus actos. SINÓNIMO ebrio; bebido. ANTÓNIMO sobrio. INGLÉS drunk.

adjetivo y nombre **2** Se dice de la persona que habitualmente toma muchas bebidas alcohólicas. Los borrachos necesitan ayuda médica para dejar de beber. SINÓNIMO alcohólico. INGLÉS drunkard [nombre].

3 Se dice de la tarta o pastel que está empapado en algún tipo de bebida alcohólica. INGLÉS soaked in alcoholic syrup.

borrador

nombre masculino **1** Objeto que se utiliza para borrar. En las aulas hay borradores para borrar las pizarras. INGLÉS duster, eraser.

2 Texto escrito de manera provisional que se corrige para crear el texto final. Si se hace primero un borrador de una redacción, luego se puede pasar a limpio y añadir detalles para mejorarla. INGLÉS rough version.

borrar

verbo **1** Hacer desaparecer una cosa escrita o dibujada con un objeto que la elimina de la superficie donde está. Lo que está escrito en lápiz se borra con una goma. INGLÉS to erase, to rub out.

borrasca

nombre femenino **1** Fenómeno atmósferico en el que hay bajas temperaturas, fuertes vientos y lluvias. Los negros nubarrones y los vientos huracanados anuncian una borrasca. INGLÉS depression, low-pressure area.

borrego, borrega

nombre **1** Cría de la oveja, de uno a dos años. INGLÉS lamb.

borrico, borrica

nombre **1** Animal mamífero doméstico parecido al caballo, pero más pequeño y con las orejas más grandes. Se utiliza como animal de carga por su resistencia física. SINÓNIMO asno, burro. INGLÉS donkey.

adjetivo y nombre **2** Se dice de la persona que es torpe y que no entiende las cosas con facilidad. SINÓNIMO burro. ANTÓNIMO listo. INGLÉS dim [adjetivo], dimwit [nombre].

borrón

nombre masculino **1** Mancha de tinta que se hace en el papel cuando se escribe o se dibuja. INGLÉS blot.

NOTA El plural es: borrones.

borroso, borrosa

adjetivo **1** Se dice de las cosas en que los límites o los detalles no se ven con claridad. En una fotografía borrosa los límites no están claros, parece como si se hubieran movido. INGLÉS blurred.

bosnio, bosnia

adjetivo y nombre **1** Se dice de la persona o cosa que es

de Bosnia-Herzegovina, país del sudeste de Europa. INGLÉS Bosnian.

bosque
nombre masculino
1 Terreno grande en el que hay muchos árboles y arbustos muy juntos. En los bosques viven diversas clases de animales. INGLÉS wood, [si es más grande: forest].

bosquejo
nombre masculino
1 Dibujo esquemático que se hace antes de realizar una obra artística para ver cómo podría quedar. Hay bosquejos de grandes pintores en los museos. SINÓNIMO boceto. INGLÉS sketch.
2 Exposición general de una idea o plan, sin entrar en detalles. Antes de redactar un trabajo se hace un pequeño bosquejo de lo que se escribirá. INGLÉS outline.

bostezar
verbo
1 Abrir mucho la boca y respirar lentamente, normalmente por sueño o aburrimiento. INGLÉS to yawn.
NOTA Se escribe 'c' delante de 'e', como: bostecen.

bota
nombre femenino
1 Calzado que cubre todo el pie y que llega hasta encima del tobillo o más arriba. INGLÉS boot.
2 Calzado que se utiliza en ciertos deportes, como el fútbol. INGLÉS boot.
3 Bolsa blanda de cuero, ancha por un lado y estrecha por otro, con un pitorro con tapón, que sirve para llevar y beber vino. INGLÉS small wineskin.
ponerse las botas Hartarse de una cosa que gusta mucho, especialmente de comida. INGLÉS to stuff oneself.

botánica
nombre femenino
1 Ciencia que estudia las plantas y sus características. INGLÉS botany.

botánico, botánica
adjetivo
1 De la botánica o que tiene relación con ella. En un jardín botánico las plantas se cultivan para estudiarlas o mostrarlas al público. INGLÉS botanical.
nombre
2 Persona que se dedica al estudio y aplicación de la botánica. INGLÉS botanist.

botar
verbo
1 Salir despedido un cuerpo en la dirección opuesta a la que llevaba después de chocar contra una superficie. Algunas pelotas botan más que otras. INGLÉS to bounce.
2 Dar saltos una persona o un animal de forma repetida. INGLÉS to jump.
3 Echar un barco al agua por primera vez después de haberlo construido o reparado. INGLÉS to launch.
NOTA No lo confundas con 'votar'.

bote
nombre masculino
1 Recipiente pequeño, normalmente más alto que ancho, que contiene alimentos o bebida o se utiliza para guardar cosas en él, como lápices o bolígrafos. INGLÉS jar [de vidrio], tin, can [lata].
2 Salto que da un objeto o una persona al chocar con una superficie. En tenis, la pelota solo puede dar un bote en el suelo antes de golpearla. INGLÉS bounce.
3 Barco pequeño que tiene unas tablas a lo ancho para sentarse. Los botes se mueven con remos o con un motor. INGLÉS boat.
4 Premio de un juego de azar, como la lotería, que no ha correspondido a nadie y que se guarda para el próximo sorteo. INGLÉS jackpot.
5 Cantidad de dinero que ganan los camareros como propina de los clientes. INGLÉS tips.
a bote pronto Sin esperarlo o sin estar preparado. Una respuesta que se da a bote pronto se da sin pensar mucho. INGLÉS on the spur of the moment.
de bote en bote Lleno de gente: *Los fines de semana, los restaurantes están de bote en bote.* INGLÉS jam-packed.

botella
nombre femenino
1 Recipiente alargado, generalmente de forma cilíndrica, que tiene un cuello estrecho en la parte superior y sirve para guardar líquidos. Suele ser de vidrio o de plástico. INGLÉS bottle.

botellazo
nombre masculino
1 Golpe fuerte que se da a algo o a alguien con una botella. INGLÉS blow with a bottle.

botellín
nombre masculino
1 Botella pequeña. INGLÉS small bottle.
NOTA El plural es: botellines.

botica
nombre femenino
1 Establecimiento donde se hacen y venden medicinas. SINÓNIMO farmacia. INGLÉS pharmacy, chemist's.
2 Conjunto de medicinas. SINÓNIMO botiquín. INGLÉS first-aid kit.

a b c d e f g h i j k l m n ñ o p q r s t u v w x y z

boticario, boticaria
nombre
1 Persona que prepara o vende medicinas en una farmacia. Actualmente se usa más el nombre de farmacéutico que el de boticario. INGLÉS pharmacist, chemist.

botijo
nombre masculino
1 Recipiente de barro que tiene un asa y dos bocas en la parte superior, una más ancha para llenarlo de líquido y otra en forma de pitorro para beber. En los botijos el agua se mantiene fresca. INGLÉS earthenware jar.

botín
nombre masculino
1 Calzado de cuero y con cordones que cubre el pie y se ajusta en el tobillo. El botín suele ser más elegante, lleva algo más de tacón y es más puntiagudo que la bota. INGLÉS ankle boot.
2 Conjunto de objetos robados en un atraco, en un asalto o después de vencer al enemigo en una batalla. INGLÉS booty.
NOTA El plural es: botines.

botiquín
nombre masculino
1 Mueble o maleta pequeños donde se guardan medicinas y cosas para hacer curas rápidas, como esparadrapo, alcohol y vendas. INGLÉS first-aid kit.
NOTA El plural es: botiquines.

botón
nombre masculino
1 Pieza, generalmente redonda, de plástico o algún material duro que se cose a la ropa para que, al pasar por un ojal, quede la prenda abrochada. INGLÉS button.
2 Pieza pequeña de algunos aparatos que sirve para ponerlos en marcha o parar todo o parte de su mecanismo. Las televisiones y las radios tienen botones. INGLÉS button.
3 Brote de una planta o capullo de una flor cuando están completamente cerrados y aún no se ven hojas o pétalos. INGLÉS bud.
nombre masculino y femenino plural
4 botones Persona que trabaja en un hotel llevando maletas o recados de los clientes. INGLÉS bellboy [en el Reino Unido], bellhop [en Estados Unidos].
NOTA El plural es: botones.

boutique
nombre femenino
1 Tienda de ropa. En las boutiques suelen tener vestidos de diseñadores famosos. INGLÉS boutique.
2 Tienda donde se vende un solo tipo de producto, pero con mucha variedad y de calidad. En las boutiques de pan se pueden encontrar panes de todo tipo. INGLÉS shop.
NOTA Se pronuncia: 'butic'.

bóveda
nombre femenino
1 Techo alto que tiene forma curva. Algunas iglesias tienen pinturas en las bóvedas. INGLÉS vault.

bóvido, bóvida
adjetivo y nombre masculino
1 Se dice del mamífero rumiante que se caracteriza por tener cuernos, como el toro, la cabra y la gacela. INGLÉS bovid.

bovino, bovina
adjetivo
1 Se aplica al ganado de toros, vacas o bueyes. SINÓNIMO vacuno. INGLÉS bovine.

boxeador, boxeadora
nombre
1 Persona que practica el boxeo. SINÓNIMO púgil. INGLÉS boxer.

boxear
verbo
1 Practicar dos personas el deporte del boxeo. INGLÉS to box.

boxeo
nombre masculino
1 Deporte de lucha entre dos personas que pueden pegarse por encima de la cintura solo con los puños, que van protegidos por unos guantes especiales. Se practica en un recinto cuadrado rodeado de cuerdas. INGLÉS boxing.

boya
nombre femenino
1 Objeto que se sujeta al fondo del mar y flota en la superficie sirviendo de señal a los marineros. INGLÉS buoy.
2 Objeto parecido a un corcho que se pone en el borde de una red o en el sedal de una caña para que no se hunda totalmente al lanzarla al mar. INGLÉS float.

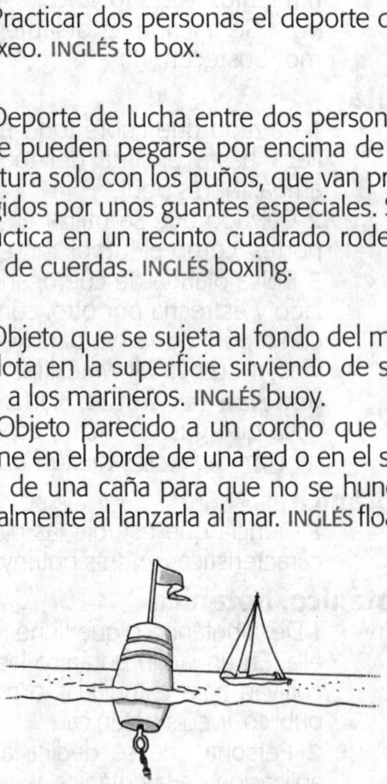
boya

bozal
nombre masculino
1 Objeto que sirve para tapar la boca de algunos animales para que no muerdan. INGLÉS muzzle.

braga
nombre femenino **1** Prenda de ropa interior femenina que cubre los genitales y las nalgas. En un lado tiene dos aberturas para pasar las piernas y en el otro una goma elástica que se ajusta a la cintura. INGLÉS knickers.
NOTA También se usa el plural para indicar solo una unidad.

bragueta
nombre femenino **1** Abertura que hay en la parte alta y delantera de un pantalón que se cierra con botones o con una cremallera. INGLÉS fly, flies.

braille
nombre masculino **1** Sistema de escritura y lectura para ciegos que consiste en marcas de puntos en relieve sobre un papel que representan letras y que se descifran a través del tacto. INGLÉS Braille.
NOTA Se pronuncia: 'braile'.

bramar
verbo **1** Emitir el toro su sonido característico. INGLÉS to bellow.
2 Dar una persona gritos muy fuertes: *Entró bramando porque habían utilizado sus cosas sin permiso.* INGLÉS to roar.

bramido
nombre masculino **1** Sonido característico del toro. INGLÉS bellow.
2 Grito fuerte emitido por una persona, especialmente cuando está enfadada. INGLÉS roar.
3 Ruido fuerte que produce el viento cuando sopla con fuerza o el mar cuando está muy agitado. INGLÉS roar.

branquia
nombre femenino **1** Órgano que tienen para respirar los peces y otros animales acuáticos. Los peces tienen una branquia a cada lado de la cabeza por las que toma el oxígeno del agua. SINÓNIMO agalla. INGLÉS gill.

branquial
adjetivo **1** De las branquias o que tiene relación con estos órganos. Los peces, las larvas de los anfibios y otros animales acuáticos, como el cangrejo de río, tienen respiración branquial. INGLÉS branchial.

brasa
nombre femenino **1** Trozo de un cuerpo sólido, como el carbón o la madera, que arde sin producir llamas. Al apagarse las llamas de una hoguera, quedan las brasas encendidas un rato. INGLÉS ember.
a la brasa Se aplica a los alimentos que se cocinan directamente sobre brasas o sobre una parrilla. INGLÉS barbecued.

brasero
nombre masculino **1** Recipiente de metal, redondo y poco profundo, en el que se ponen brasas para que den calor. Los braseros modernos son eléctricos. INGLÉS brazier.

brasileño, brasileña
adjetivo y nombre **1** Se dice de la persona o cosa que es de Brasil, país de América del Sur. INGLÉS Brazilian.

bravo, brava
adjetivo **1** Se dice de la persona que se atreve a hacer las cosas con valor y decisión. SINÓNIMO valiente. INGLÉS brave, courageous.
2 Se dice del animal que muestra ser violento o peligroso, como los toros. INGLÉS fierce, ferocious.
3 Se dice del mar cuando está muy agitado, con muchas olas. INGLÉS rough.
interjección **4 ¡bravo!** Se usa para expresar entusiasmo o satisfacción por algo. Si a la gente le ha gustado un espectáculo dice al final: '¡bravo!'. INGLÉS bravo!

bravura
nombre femenino **1** Característica de la persona que se atreve a hacer las cosas más difíciles o peligrosas de una manera decidida. SINÓNIMO audacia; valentía. INGLÉS bravery, courage.
2 Característica de los animales que son muy peligrosos o violentos. INGLÉS fierceness, ferocity.

braza
nombre femenino **1** Estilo de nadar, boca abajo, en el que el nadador estira y encoge los brazos y las piernas al mismo tiempo, de manera parecida a como nadan las ranas. INGLÉS breaststroke.
2 Medida de longitud que se usa en la marina para conocer la profundidad del mar. La braza equivale a 1,67 metros. INGLÉS fathom.

brazada
nombre femenino **1** Movimiento que se hace con los brazos al nadar o al remar que consiste en extender y recoger los brazos. Las pis-

a b c d e f g h i j k l m n ñ o p q r s t u v w x y z

cinas pequeñas se cruzan con pocas brazadas. INGLÉS stroke.
2 Cantidad de alguna cosa que se puede coger y llevar de una sola vez en los brazos: *Entró en casa una brazada de leña.* INGLÉS armful.

brazalete
nombre masculino
1 Aro de metal u otro material rígido, de una sola pieza, que se lleva en la muñeca o en el brazo como adorno. INGLÉS bracelet.
2 Tira de tela que se pone alrededor del brazo, encima de la ropa, como señal o símbolo de algo. El capitán de un equipo de fútbol lleva un brazalete. INGLÉS armband.

brazo
nombre masculino
1 Parte del cuerpo humano que va desde el hombro hasta el final de la mano. También se llama brazo a la parte entre el hombro y el codo. INGLÉS arm.
2 Pata delantera de los animales que andan a cuatro patas. Los tentáculos de los pulpos también se llaman brazos. INGLÉS front leg, [si es de un pulpo: arm].
3 Parte de un asiento donde una persona puede apoyar el brazo. Los sillones tienen brazos a los lados. INGLÉS arm.
4 Parte alargada de un objeto que va unida a una pieza central. Los candelabros, las lámparas, las balanzas y muchas máquinas tienen brazos. INGLÉS arm.
brazo derecho Persona de confianza que ayuda a otra realizando las tareas más importantes. INGLÉS right-hand man.
con los brazos abiertos Con mucho gusto y cariño. Las personas suelen recibir a los buenos amigos con los brazos abiertos. INGLÉS with open arms.
dar el brazo a torcer Hacer o aceptar lo que otra persona quiere después de haber discutido mucho con ella. INGLÉS to give in.
de brazos cruzados Sin hacer nada cuando hay trabajo que hacer. INGLÉS doing nothing.

brebaje
nombre masculino
1 Bebida que tiene un aspecto o un sabor desagradables. En algunos cuentos, las brujas preparan brebajes con poderes mágicos. INGLÉS brew, potion.

brecha
nombre femenino
1 Herida alargada y abierta, normalmente en la cabeza. INGLÉS gash.
2 Abertura de forma alargada que hay en una superficie. SINÓNIMO grieta. INGLÉS breach.

brécol
nombre masculino
1 Planta de hojas verde oscuro, tallos gruesos y flores carnosas y comestibles de colores púrpura y verde. Es parecido a la coliflor. INGLÉS broccoli.

breva
nombre femenino
1 Fruto que dan algunas higueras una vez al año, antes de dar higos. Las brevas son como los higos, pero de mayor tamaño. INGLÉS early fig.
no caerá esa breva Expresión que indica que algo que se desea no ocurrirá o es muy difícil que ocurra. INGLÉS fat chance of that happening!

breve
adjetivo
1 Que dura poco tiempo. Un anuncio publicitario casi siempre es breve. INGLÉS short, brief.
2 Que tiene poca longitud. Un relato breve ocupa pocas páginas. INGLÉS short.

brevedad
nombre femenino
1 Característica de las cosas que son cortas o que duran poco tiempo. Si a una pregunta respondemos con un 'sí' o un 'no', contestamos con brevedad. INGLÉS short.

brezo
nombre masculino
1 Arbusto de raíces gruesas, tallos con muchas ramas, hojas estrechas y flores pequeñas. El brezo tiene una madera muy dura. INGLÉS heather.

bribón, bribona
adjetivo y nombre
1 Se dice de la persona que engaña o roba a los demás. SINÓNIMO granuja. INGLÉS rogue.
NOTA El plural de bribón es: bribones.

bricolaje
nombre masculino
1 Conjunto de trabajos manuales, como pintar un mueble o cambiar un grifo, que una persona hace en su propia casa para arreglarla, decorarla o como pasatiempo. INGLÉS do-it-yourself, DIY.

brida
nombre femenino
1 Conjunto que forman los correajes que se sujetan a la cabeza del caballo junto con el freno y las riendas. Permite

dirigir al caballo y hacerlo parar. INGLÉS bridle. DIBUJO página 187.

2 Arandela que sirve para asegurar la unión de dos tubos o de dos piezas cilíndricas. INGLÉS flange.

brigada

nombre masculino y femenino **1** Persona que tiene un grado militar que está entre el de sargento y el de subteniente. INGLÉS warrant officer.

brillante

adjetivo **1** Que brilla o emite luz. Los automóviles nuevos salen de las fábricas brillantes y relucientes. ANTÓNIMO apagado. INGLÉS shiny.

2 Que destaca entre los demás por sus buenas cualidades, valores o actuaciones: *El atleta tuvo una actuación muy brillante en la última competición.* SINÓNIMO extraordinario. INGLÉS brilliant.

nombre masculino **3** Diamante tallado por la cara superior y su opuesta. INGLÉS diamond.

brillar

verbo **1** Desprender una luz muy viva, ya sea propia o reflejada, como hacen las estrellas o un cristal muy limpio. SINÓNIMO relumbrar; resplandecer. INGLÉS to shine.

2 Destacar sobre otras personas o cosas por alguna cualidad. Una persona puede brillar por su inteligencia o por una habilidad. INGLÉS to be outstanding.

brillo

nombre masculino **1** Luz propia o reflejada. El brillo del sol nos deslumbra. INGLÉS shine.

brincar

verbo **1** Dar saltos o brincos. SINÓNIMO saltar. INGLÉS to skip, to hop.

NOTA Se escribe 'qu' delante de 'e', como: brinqué.

brinco

nombre masculino **1** Movimiento que consiste en levantarse a poca distancia del suelo con impulso para caer en el mismo sitio o en otro. SINÓNIMO salto. INGLÉS skip, hop.

brindar

verbo **1** Levantar en alto una copa o un vaso con bebida para expresar alegría o algún deseo. INGLÉS to toast.

2 Ofrecer algo a alguien sin pedir nada a cambio: *Tu amigo te brindará ayuda si tienes algún problema.* INGLÉS to offer.

3 brindarse Ofrecerse una persona voluntariamente para ayudar a alguien o hacer alguna cosa. INGLÉS to offer.

brindis

nombre masculino **1** Acción de brindar, normalmente levantando en alto una copa o un vaso y chocándolo con otro. INGLÉS toast.

NOTA El plural es: brindis.

brío

nombre masculino **1** Fuerza, energía y decisión con que se hace una actividad o un trabajo. Para avanzar rápido con una barca hay que remar con mucho brío. INGLÉS verve, go.

brisa

nombre femenino **1** Viento suave y agradable. Cuando hace calor, la brisa del mar refresca el ambiente. INGLÉS breeze.

británico, británica

adjetivo y nombre **1** Se dice de la persona que es del Reino Unido, país del noroeste de Europa. Los ingleses, galeses, escoceses e irlandeses del norte tienen nacionalidad británica. INGLÉS British [adjetivo], British person [nombre].

brizna

nombre femenino **1** Hilo o parte muy delgada de una cosa, especialmente de una planta. Si nos tumbamos en un campo, se nos pegan briznas de hierba en la ropa. INGLÉS blade.

broca

nombre femenino **1** Pieza de metal que se coloca en una máquina de taladrar para hacer agujeros. La broca es una barra con dos hendiduras en forma de espiral que está acabada en punta. INGLÉS drill, bit.

brocha

nombre femenino **1** Instrumento que se utiliza para pintar una superficie grande o extender un líquido. La brocha está formada por un mango que termina en una cabeza de pelos o cerdas. INGLÉS paintbrush.

brochazo

nombre masculino **1** Cada pasada que se da con la brocha impregnada de pintura o de un líquido sobre una superficie. INGLÉS brushstroke.

broche

nombre masculino **1** Joya con una aguja en la parte trasera que se pone en una prenda de ropa para sujetar algo o como adorno. INGLÉS brooch. DIBUJO página 648.

2 Cierre de metal de dos piezas que encajan entre sí. Algunos collares llevan un broche. INGLÉS fastener.

broma
nombre femenino
1 Aquello que se hace o se dice para divertirse o para reírse de alguien. SINÓNIMO gracia. INGLÉS joke.
broma pesada Broma que molesta mucho a la persona a la que se hace. INGLÉS practical joke.
en broma Se dice de lo que se hace o se dice solo para reírse. INGLÉS as a joke.

bromear
verbo
1 Hacer o decir cosas solo para divertirse. INGLÉS to joke.

bromista
adjetivo y nombre masculino y femenino
1 Se dice de una persona que hace o dice muchas bromas. INGLÉS fond of joking [adjetivo], joker [nombre].

bronca
nombre femenino
1 Regañina fuerte y violenta que se da a una persona por un error o por su mal comportamiento. INGLÉS telling-off.
2 Discusión entre dos o más personas por no estar de acuerdo sobre algo. SINÓNIMO riña. INGLÉS row, quarrel.

bronce
nombre masculino
1 Metal pesado de color amarillo rojizo, compuesto por una mezcla de cobre y estaño. INGLÉS bronze.

bronceador, bronceadora
adjetivo y nombre masculino
1 Se dice de la sustancia o producto que se extiende sobre la piel para broncearla. Los bronceadores también protegen del sol. INGLÉS tanning [adjetivo], suntan cream [nombre].

broncear
verbo
1 Poner, el sol generalmente, morena la piel de una persona. INGLÉS to tan.

bronquio
nombre masculino
1 Cada uno de los dos conductos que unen la tráquea con los pulmones. INGLÉS bronchus.

bronquiolo
nombre masculino
1 Cada uno de los conductos pequeños de las vías respiratorias que están dentro de los pulmones. Los bronquios se dividen en tubitos más finos que son los bronquiolos. INGLÉS bronchiole.

bronquitis
nombre femenino
1 Inflamación de la mucosa de los bronquios. Cuando un resfriado no está bien curado se puede sufrir una bronquitis. INGLÉS bronchitis.
NOTA El plural es: bronquitis.

brotar
verbo
1 Nacer o salir una planta de la tierra. La mayoría de plantas brotan en primavera. INGLÉS to sprout.
2 Salir nuevos tallos, hojas o flores en una planta. INGLÉS to sprout.
3 Salir el agua u otro líquido de un lugar. El agua dulce brota de una fuente o de un manantial. SINÓNIMO manar; fluir. INGLÉS to well up.
4 Aparecer o empezar a manifestarse algo, como una enfermedad, un sentimiento o un fuego. INGLÉS to break out.

brote
nombre masculino
1 Tallo, hoja o flor nueva de una planta. Los árboles de hoja caduca tienen brotes en primavera. INGLÉS bud, shoot.
2 Aparición de una cosa, generalmente peligrosa o nociva: *Hay que evitar los brotes de violencia.* INGLÉS outbreak.

brujería
nombre femenino
1 Conjunto de prácticas y actos mágicos que realizan los brujos. INGLÉS witchcraft, sorcery.

brujo, bruja
nombre
1 Persona que realiza actos mágicos para intentar conseguir lo que quiere e influir sobre las personas, normalmente para hacerles daño. En el cuento de Blancanieves, la madrastra es una bruja. INGLÉS wizard [hombre], witch [bruja].

brújula
nombre femenino
1 Instrumento que tiene una aguja que siempre señala en dirección norte y se utiliza para orientarse. INGLÉS compass.

bruma
nombre femenino
1 Niebla de poca densidad que se forma sobre el mar o la tierra. INGLÉS mist.

brusco, brusca
adjetivo
1 Que sucede o se produce de forma repentina, pasando de golpe de un estado a otro. En un cambio brusco de temperatura, esta cambia mucho en muy poco tiempo. INGLÉS sudden.
2 Se dice de la persona que se comporta de manera grosera, sin amabilidad y con mala educación. INGLÉS brusque.

brusquedad
nombre femenino
1 Característica de la persona brusca. INGLÉS brusqueness.

2 Acción o expresión de la persona brusca. Entrar en un despacho sin pedir permiso es una brusquedad. INGLÉS impoliteness.

brutal
adjetivo
1 Que es violento o cruel, como una guerra o un crimen. INGLÉS brutal.
2 Que es grande, intenso o fuerte: *Con este calor tengo una sed brutal.* INGLÉS terrific.

brutalidad
nombre femenino
1 Crueldad o violencia de algo o alguien: *No me gusta la brutalidad del boxeo.* INGLÉS brutality.
2 Acción o expresión poco adecuada o cruel. Reírse del defecto físico de una persona es una brutalidad. INGLÉS cruel thing.

bruto, bruta
nombre
1 Persona que se comporta de manera grosera, sin respeto y usando la fuerza física con exageración. INGLÉS brute.
2 Persona que tiene poca inteligencia o pocos conocimientos y se comporta con torpeza. INGLÉS oaf.
adjetivo
3 Se dice de una cantidad antes de descontarle impuestos u otras cantidades, especialmente de un sueldo. INGLÉS gross.
en bruto Que está sin pulir, sin refinar o sin trabajar. Un diamante en bruto no ha sido pulido. INGLÉS raw.

bucal
adjetivo
1 De la boca o que tiene relación con ella. Lavarse los dientes es bueno para la higiene bucal. INGLÉS oral, buccal.

bucanero
nombre masculino
1 Pirata que asaltaba y robaba los barcos y posesiones españolas en América en los siglos XVII y XVIII. INGLÉS buccaneer.

buceador, buceadora
nombre
1 Persona que realiza actividades de pesca, rescate o investigación debajo del agua, normalmente a poca profundidad. INGLÉS diver.

bucear
verbo
1 Nadar una persona por debajo de la superficie del agua. INGLÉS to dive.

buceo
nombre masculino
1 Acción de nadar una persona bajo el agua. INGLÉS diving.

buche
nombre masculino
1 Bolsa del cuerpo de las aves en la que guardan los alimentos sin masticar antes de pasarlos al estómago. INGLÉS crop.
2 Estómago de una persona. Cuando alguien va a llenar el buche, va a comer. Es un uso familiar. INGLÉS belly.

bucle
nombre masculino
1 Rizo del pelo. INGLÉS curl, ringlet.

budismo
nombre masculino
1 Religión de las personas que siguen a Buda. El budismo predomina en las zonas de Asia central y oriental. INGLÉS Buddhism.

buen
adjetivo
1 Apócope de 'bueno'. Se usa cuando va delante de un nombre masculino: *Un buen estudiante. Un buen comediante. Un buen amigo.* SINÓNIMO bueno. ANTÓNIMO mal. INGLÉS good.

bueno, buena
adjetivo y nombre
1 Se dice de la persona a la que le gusta hacer el bien, ayudar a los demás y se comporta con honradez. También se dice de las acciones y sentimientos de una persona buena. SINÓNIMO bondadoso. ANTÓNIMO malo. INGLÉS good [adjetivo], kind [adjetivo].
adjetivo
2 Se dice de la persona que se porta bien y no molesta a los demás. Los niños buenos no suelen hacer travesuras. ANTÓNIMO malo. INGLÉS good.
3 Que es conveniente y adecuado para una cosa. Las aspirinas son buenas para el dolor de cabeza. ANTÓNIMO malo. INGLÉS good.
4 Que es agradable para alguno de nuestros sentidos, especialmente el gusto, el olfato y el oído. ANTÓNIMO malo. INGLÉS good.
5 Que tiene mucho valor o es de muy buena calidad. En los museos se ven buenos cuadros. ANTÓNIMO malo. INGLÉS good.
6 Que tiene buena salud. ANTÓNIMO malo. INGLÉS good.

bucear

7 Que es grande o tiene un tamaño mayor de lo normal: *Ponme una buena ración de croquetas.* INGLÉS nice.

adverbio **8** Expresa que estamos de acuerdo con algo: *Bueno, como quieras, mañana vamos a la piscina.* SINÓNIMO bien; vale. INGLÉS well.

de buenas a primeras De repente y sin avisar; sin motivo: *De buenas a primeras, se levantó y se fue.* INGLÉS all of a sudden.

estar bueno Tener una persona buen tipo o ser guapa y atractiva. Es una expresión informal. INGLÉS to be good-looking.

estar de buenas Estar una persona de buen humor. INGLÉS to be in a good mood.

hacer bueno Ser el tiempo agradable y soleado. INGLÉS to be fine.

por las buenas Con buena educación, sin enfadarse ni utilizar la fuerza: *Antes de echarlo, le pidió por las buenas que se fuese.* INGLÉS nicely.

por las buenas Sin razón o sin avisar; porque sí: *Aunque no era su aniversario le hizo un regalo por las buenas.* INGLÉS for no reason [sin razón], out of the blue [sin avisar].

buey

nombre masculino

1 Toro al que le han quitado los testículos. INGLÉS ox.

2 Animal marino con una concha dura y cinco pares de patas, las dos primeras en forma de grandes pinzas negras. INGLÉS crab.

búfalo, búfala

nombre

1 Animal mamífero parecido al toro, con cuernos largos en forma de media luna y anchos por la base. Vive en África y en la India. INGLÉS buffalo.

2 Animal mamífero con una pequeña joroba en el lomo, cabeza muy grande y unos cuernos pequeños. Vive en las praderas de América del Norte. SINÓNIMO bisonte. INGLÉS buffalo, bison.

bufanda

nombre femenino

1 Tira larga y ancha de tela gruesa que se pone alrededor del cuello, a veces tapando la boca, para protegerse del frío. INGLÉS scarf.

bufé

nombre masculino

1 Mesa o mostrador donde, en fiestas y restaurantes, se colocan alimentos o bebidas para que cada persona se sirva. INGLÉS buffet.

NOTA También se escribe y se pronuncia: bufet.

bufete

nombre masculino

1 Despacho en el que trabajan uno o más abogados. Algunos bufetes están especializados en divorcios y algunos otros en temas laborales. INGLÉS legal practice.

bufido

nombre masculino

1 Respiración fuerte y ruidosa de algunos animales, como el toro o el caballo, cuando están furiosos. INGLÉS snort.

2 Forma de expresar una persona su enfado haciendo salir el aire con mucha fuerza. INGLÉS snort.

bufón, bufona

nombre

1 Antiguamente, persona que hacía reír y divertía a la gente de un castillo o palacio. INGLÉS jester.

NOTA El plural de bufón es: bufones.

buganvilla

nombre femenino

1 Arbusto de jardín, de ramas muy largas y pequeñas flores de color fucsia, rojo o anaranjado. La buganvilla es un arbusto que trepa por la pared. INGLÉS bougainvillaea.

buhardilla

nombre femenino

1 Parte más alta de una casa, justo debajo del tejado, que tiene el techo inclinado. En la buhardilla se suelen guardar los trastos viejos. SINÓNIMO desván. INGLÉS attic.

búho

nombre masculino

1 Ave que caza de noche, con grandes ojos redondos. Se alimenta de ratones, pequeños reptiles e insectos. INGLÉS owl.

buitre

nombre masculino

1 Ave de gran tamaño, de color marrón o negro, sin plumas en el cuello, que suele alimentarse de animales muertos. INGLÉS vulture.

adjetivo y nombre masculino **2** Se dice de una persona que se aprovecha de otras personas: *El muy buitre se lo comió todo.* INGLÉS vulture [nombre].

bujía

nombre femenino

1 Pieza de un motor que sirve para producir una chispa que enciende la mezcla de combustible y aire del motor y hace que este funcione. INGLÉS spark plug.

bulbo
nombre masculino
1 Tallo redondo de algunas plantas que crece en el interior de la tierra y en el que se almacenan sustancias alimenticias. La cebolla y el tulipán tienen bulbos. INGLÉS bulb.
bulbo raquídeo Órgano que coordina los movimientos automáticos del cuerpo, como los latidos del corazón o el movimiento del estómago y de los pulmones. INGLÉS medulla oblongata.

bulevar
nombre masculino
1 Calle ancha de una población con árboles a los lados y un paseo central. INGLÉS boulevard.

búlgaro, búlgara
adjetivo y nombre
1 Se dice de la persona o cosa que es de Bulgaria, país del este de Europa. INGLÉS Bulgarian.
nombre masculino
2 Lengua hablada en Bulgaria. El búlgaro es una lengua eslava. INGLÉS Bulgarian.

bulimia
nombre femenino
1 Enfermedad que consiste en que la persona que la padece tiene siempre ganas de comer, aunque coma mucho. Algunas personas con bulimia vomitan voluntariamente lo que han comido y entonces sufren graves alteraciones en su organismo. INGLÉS bulimia.

bulla
nombre femenino
1 Ambiente alegre y ruidoso producido por las voces y las risas de mucha gente reunida: *En las fiestas se arma mucha bulla.* SINÓNIMO jaleo. INGLÉS din, uproar, racket, row, crowd.

bulldog
nombre masculino y femenino y adjetivo
1 Perro de cuerpo robusto y fuerte que tiene las patas cortas, la cabeza grande y el morro achatado. INGLÉS bulldog.
NOTA Se pronuncia 'buldog'. El plural es: bulldogs.

bullicio
nombre masculino
1 Ambiente ruidoso producido por las voces de mucha gente reunida. INGLÉS racket, uproar.

bullicioso, bulliciosa
adjetivo
1 Que tiene ruido de voces, gritos y risas de mucha gente reunida. SINÓNIMO ruidoso. ANTÓNIMO tranquilo. INGLÉS noisy.
2 Que tiene animación o movimiento. Los centros comerciales son muy bulliciosos en época de rebajas. INGLÉS lively.

bulto
nombre masculino
1 Elevación que sobresale de una superficie, o parte dura y pequeña dentro de una masa, en especial en una parte del cuerpo. Un chichón en la cabeza es un bulto. INGLÉS lump.
2 Cuerpo u objeto que no se distingue claramente por estar lejos, estar tapado o estar en un lugar oscuro. INGLÉS shape.
3 Maleta, paquete o bolsa llena de cosas que se lleva como equipaje. Cuando viajamos en avión es más cómodo llevar pocos bultos. INGLÉS item of luggage.
a bulto A ojo; sin medir ni contar: *Calcularon el precio a bulto y acertaron.* INGLÉS roughly.
escurrir el bulto Librarse una persona de hacer un trabajo difícil o desagradable: *Escurre el bulto cuando hay que fregar los platos.* INGLÉS to wriggle out of it.

bumerán
nombre masculino
1 Arma de madera que se lanza con la mano y que consiste en una lámina estrecha con una curva en el centro. Si al lanzar el bumerán no choca contra nada, vuelve al lugar desde donde se ha arrojado. INGLÉS boomerang.
NOTA También se escribe: boomerang. El plural es: bumeranes.

bungaló
nombre masculino
1 Casa de campo pequeña de un solo piso, generalmente construida con materiales ligeros. INGLÉS bungalow.
NOTA También se escribe: bungalow.

buñuelo
nombre masculino
1 Masa frita en aceite, en forma de bola o rosquilla, que se hace con harina y agua. INGLÉS fritter.

buque
nombre masculino
1 Barco con cubierta y con mucha capacidad para hacer viajes largos. INGLÉS ship.

burbuja
nombre femenino
1 Pequeña bola de aire que se forma dentro de algún líquido. Hay muchas

bebidas que tienen burbujas, como el cava o la gaseosa. INGLÉS bubble.

burgalés, burgalesa

adjetivo y nombre **1** Se dice de la persona o cosa que es de Burgos, ciudad y provincia de Castilla y León.

NOTA El plural de burgalés es: burgaleses.

burgués, burguesa

adjetivo y nombre **1** Se dice de la persona que pertenece a la burguesía o la clase social con buena posición económica. INGLÉS middle-class [adjetivo], member of the middle-class [nombre].

adjetivo **2** Que pertenece a la burguesía o que tiene relación con ella. INGLÉS middle-class.

adjetivo y nombre **3** Se dice de la persona a la que le gusta vivir con tranquilidad, rodeada de comodidades y haciendo lo que hace la gente con mucho dinero. Es un uso despectivo. INGLÉS bourgeois [adjetivo].

NOTA El plural de burgués es: burgueses.

burguesía

nombre femenino **1** Clase social formada por las personas que tienen mucho dinero y prestigio social. Los grandes empresarios forman parte de la burguesía. INGLÉS middle class.

burla

nombre femenino **1** Cosa que se hace o dice para poner en ridículo a una persona o reírse de ella. INGLÉS joke.

burladero

nombre masculino **1** Valla que se pone junto a la barrera de la plaza de toros para que el torero pueda protegerse del toro.

burlar

verbo **1** Evitar con inteligencia y astucia a una persona o un peligro del que se quiere escapar: *El ladrón burló a la patrulla de la policía y consiguió huir.* INGLÉS to dodge, to evade.

2 burlarse Poner a una persona en ridículo riéndose de ella o gastándole una broma. INGLÉS to make fun.

burlón, burlona

adjetivo **1** Que se burla de otra persona. INGLÉS mocking.

NOTA El plural de burlón es: burlones.

burocracia

nombre femenino **1** Conjunto de actividades y pasos que hay que seguir para resolver un asunto administrativo. Entregar en una oficina pública los papeles necesarios para pedir una beca forma parte de la burocracia. INGLÉS bureaucracy.

2 Exceso de normas y papeleo que complica las relaciones de los ciudadanos con la administración pública y el Estado. INGLÉS red tape.

burrada

nombre femenino **1** Acción o expresión que es muy tonta o estúpida: *No digas burradas: el sol sale por el este, no por el oeste.* INGLÉS stupid thing.

2 Cantidad muy grande de una cosa: *Vino una burrada de gente.* SINÓNIMO barbaridad. INGLÉS loads.

NOTA Es una palabra informal.

burro, burra

nombre **1** Animal mamífero doméstico parecido al caballo, pero de menor tamaño y con las orejas más grandes. Se utiliza como animal de carga. SINÓNIMO asno, borrico. INGLÉS donkey.

nombre y adjetivo **2** Se dice de una persona torpe, tozuda o que no entiende las cosas. INGLÉS stupid [adjetivo], ass [nombre].

bus

nombre masculino **1** Es la forma abreviada de: autobús. INGLÉS bus.

buscador, buscadora

nombre y adjetivo **1** Persona que se dedica a buscar algo que se considera valioso, como oro o petróleo. INGLÉS hunter [nombre - en general], prospector [nombre - de oro o petróleo].

buscar

verbo **1** Mirar con atención en un lugar para encontrar una cosa o a una persona. Se puede buscar algo que se ha perdido o que se necesita o se puede buscar para descubrir algo interesante. INGLÉS to look for.

NOTA Se escribe 'qu' delante de 'e', como: busquemos.

buscavidas

nombre masculino y femenino **1** Persona que tiene habilidad para superar los problemas y salir adelante en la vida. INGLÉS go-getter.

NOTA Es una palabra informal. El plural es: buscavidas.

búsqueda

nombre femenino **1** Acción que se realiza cuando se está

buscando a una persona o una cosa. **INGLÉS** search.

busto

nombre masculino

1 Estatua o pintura que representa a una persona desde la cabeza hasta la mitad del pecho. **INGLÉS** bust.
2 Parte del cuerpo humano que va del cuello a la cintura. **INGLÉS** chest.
3 Pecho de la mujer. **INGLÉS** bust.

butaca

nombre femenino

1 Asiento con respaldo y brazos. La butaca es más grande y cómoda que una silla. **SINÓNIMO** sillón. **INGLÉS** armchair.
2 Asiento para los espectadores de una sala de cine o de teatro. **INGLÉS** seat.

butano

nombre masculino

1 Gas que se envasa en bombonas y se usa como combustible para encender el fuego de las cocinas y calentar el agua. **INGLÉS** butane.

butifarra

nombre femenino

1 Salchicha larga y gruesa hecha de carne de cerdo picada, que se come cruda, frita o asada. Es un producto típico de Cataluña, Baleares y Valencia.

buzo

nombre masculino y femenino

1 Persona que realiza actividades de pesca, rescate o investigación bajo el agua, normalmente a bastante profundidad. Los buzos suelen llevar aparatos especiales de respiración. **INGLÉS** diver.

buzón

nombre masculino

1 Lugar en el que se depositan las cartas y las postales para enviarlas por correo o en el que se recogen las cartas que se reciben. Los buzones tienen una abertura para introducir las cartas y una puerta con cerradura por donde se sacan. **INGLÉS** letter box.
NOTA El plural es: buzones.

ab**C**defghijklmnñopqrstuvwxyz

c

nombre femenino

1 Tercera letra del alfabeto español. La 'c' es una consonante que se pronuncia de dos maneras diferentes, dependiendo de si va delante de 'a', 'o', 'u' o de 'e', 'i'.

2 En la numeración romana y escrita en mayúscula, representa el 100. INGLÉS C.

cábala

nombre femenino

1 Suposición o cálculo que una persona hace a partir de datos incompletos o de señales. Antes de realizar un examen, hacemos cábalas para adivinar qué preguntas pueden salir. INGLÉS speculation.

cabalgar

verbo

1 Ir sobre el lomo de un caballo. INGLÉS to ride.

NOTA Se escribe 'gu' delante de 'e', como: cabalguemos.

cabalgata

nombre femenino

1 Desfile de personas a pie y en carrozas que se hace en las fiestas y en algunas celebraciones: *Fue a ver la cabalgata de los Reyes Magos.* INGLÉS cavalcade.

caballa

nombre femenino

1 Pez marino de color verde azulado muy brillante y con rayas negras. Se puede comer fresco, en conserva o ahumado. INGLÉS mackerel.

caballería

nombre femenino

1 Animal, como el caballo o el burro, que sirve para montar en él. INGLÉS mount.

2 Conjunto de soldados del ejército que van a caballo. INGLÉS cavalry.

caballeriza

nombre femenino

1 Lugar donde viven o se guardan los caballos. SINÓNIMO cuadra. INGLÉS stable.

caballero

nombre masculino

1 Hombre que se comporta con mucha educación y amabilidad. INGLÉS gentleman.

2 Forma de tratamiento dirigido a los hombres que indica respeto: *Dígame, caballero.* SINÓNIMO señor. INGLÉS sir.

3 Persona de sexo masculino: *Perdone, ¿dónde está el lavabo de caballeros?* Es un uso formal. SINÓNIMO hombre. INGLÉS gentleman.

caballete

nombre masculino

1 Objeto que utilizan los pintores para sostener el cuadro que están pintando. El caballete suele ser de madera y tener tres pies. INGLÉS easel.

2 Soporte formado por dos pares de patas que forman ángulo y sobre el cual se coloca una pieza horizontal. Con dos caballetes y una tabla se puede hacer una mesa. INGLÉS trestle.

caballito

nombre masculino

1 Juguete con forma de caballo que sirve para montarse en él. Los caballitos pueden tener las patas apoyadas sobre dos arcos que permiten balancearse o sobre pequeñas ruedas para poder moverse. INGLÉS toy horse.

nombre masculino plural

2 caballitos Atracción de feria formada por una superficie redonda que da vueltas y sobre la que hay animales y vehículos de juguete en los que se montan los niños. SINÓNIMO tiovivo. INGLÉS merry-go-round.

caballito de mar Pez de cuerpo alargado en forma de 'J' con un hocico en forma de tubo y que nada en posición vertical. Los caballitos de mar tienen una cabeza parecida a la de los caballos. INGLÉS sea horse.

caballo
nombre masculino
1 Animal mamífero doméstico macho de gran tamaño, de cabeza alargada y orejas pequeñas, con largas crines en la cola y en la parte superior del cuello. Se utiliza habitualmente para montar en él. La hembra es la yegua. INGLÉS horse.

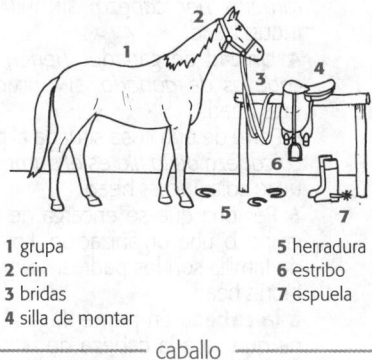

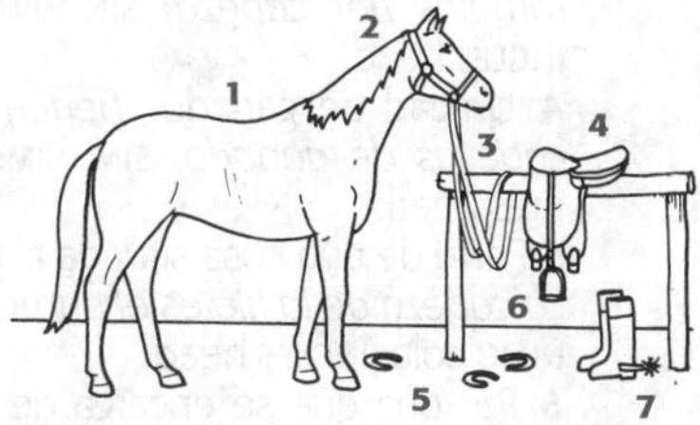

1 grupa
2 crin
3 bridas
4 silla de montar
5 herradura
6 estribo
7 espuela

caballo

2 Carta de la baraja española en la que aparece un caballo con un hombre montado sobre él.
3 Pieza del juego de ajedrez que tiene forma de caballo. Se mueve en forma de L y puede saltar sobre otras piezas. INGLÉS knight.
4 Heroína, droga derivada del opio. Es un uso vulgar. INGLÉS smack.
a caballo Sobre la espalda o los hombros de una persona. INGLÉS on horseback.
a caballo entre... y.... Que está o sucede entre dos períodos de tiempo o dos situaciones diferentes, de las que tiene alguna característica: *Es un grupo musical a caballo entre el rock y el pop.* INGLÉS between.
caballo de vapor Unidad de medida que expresa la potencia de una máquina, como el motor de un automóvil. Su símbolo es: CV. INGLÉS horsepower.

cabaña
nombre femenino
1 Casa pequeña y sencilla construida en el campo, generalmente con troncos, ramas o cañas. SINÓNIMO choza. INGLÉS cabin.
2 Conjunto de ganado de una determinada clase o lugar. La cabaña de ovejas de España es una de las más importantes de Europa. INGLÉS livestock.

cabecear
verbo
1 Dejar caer la cabeza sin querer cuando una persona que no está tumbada se queda dormida. INGLÉS to nod.
2 Mover la cabeza de un lado a otro o de arriba abajo. INGLÉS to nod one's head [de arriba abajo], to shake one's head [de un lado a otro].
3 En fútbol, golpear la pelota con la cabeza. INGLÉS to head the ball.

cabecera
nombre femenino
1 Parte de la cama donde se ponen la almohada y la cabeza. INGLÉS bed head.
2 Pieza que sobresale de la cama en la parte donde se pone la cabeza. SINÓNIMO cabecero. INGLÉS headboard.
3 Comienzo o parte principal de una cosa. En un aniversario, la persona que cumple años suele sentarse en la cabecera de una mesa. INGLÉS head.
4 Conjunto de palabras o frases que aparecen en la parte de arriba de algunos escritos. En la cabecera de un periódico figuran su nombre, la fecha y la ciudad en que se edita. INGLÉS heading.

cabecero
nombre masculino
1 Pieza que sobresale de la cama en la parte donde se pone la cabeza. SINÓNIMO cabecera. INGLÉS headboard.

cabecilla
nombre masculino y femenino
1 Persona que dirige o guía un grupo de personas que protesta o lucha contra algo. INGLÉS leader.

cabellera
nombre femenino
1 Pelo de la cabeza de una persona, especialmente cuando cae sobre la espalda. SINÓNIMO melena. INGLÉS hair.

cabello
nombre masculino
1 Pelo o conjunto de los pelos que crecen en la cabeza de las personas. INGLÉS hair.
cabello de ángel Dulce hecho con azúcar y calabaza que tiene forma de hilos. Algunos tipos de bollos están rellenos de cabello de ángel. INGLÉS pumpkin preserve.

caber
verbo
1 Tener algo o alguien el tamaño adecuado para meterse en un lugar, pasar por un sitio o contener algo: *Déjame más sitio, que no quepo. El sillón no cabe en el ascensor.* INGLÉS to fit.
2 Ser posible lo que se dice a conti-

nuación. Se utiliza normalmente en expresiones como: cabe señalar, no cabe duda, cabe decir o si cabe. INGLÉS to be possible.

3 Corresponder una cantidad al dividir: *Doce entre cuatro cabe a tres.* INGLÉS to go.

no caber en la cabeza No poder entender la razón o el motivo de algo que se dice o sucede: *No me cabe en la cabeza que la gente no respete los pasos de peatones.* INGLÉS to be impossible to understand.

caber

INDICATIVO		SUBJUNTIVO	
presente		**presente**	
quepo		quepa	
cabes		quepas	
cabe		quepa	
cabemos		quepamos	
cabéis		quepáis	
caben		quepan	
pretérito imperfecto		**pretérito imperfecto**	
cabía		cupiera o cupiese	
cabías		cupieras o cupieses	
cabía		cupiera o cupiese	
cabíamos		cupiéramos o cupiésemos	
cabíais		cupierais o cupieseis	
cabían		cupieran o cupiesen	
pretérito perfecto simple		**futuro**	
cupe		cupiere	
cupiste		cupieres	
cupo		cupiere	
cupimos		cupiéremos	
cupisteis		cupiereis	
cupieron		cupieren	
futuro		**IMPERATIVO**	
cabré		cabe	(tú)
cabrás		quepa	(usted)
cabrá		quepamos	(nosotros)
cabremos		cabed	(vosotros)
cabréis		quepan	(ustedes)
cabrán			
condicional		**FORMAS NO PERSONALES**	
cabría		**infinitivo**	**gerundio**
cabrías		caber	cabiendo
cabría		**participio**	
cabríamos		cabido	
cabríais			
cabrían			

cabestrillo

nombre masculino

1 Tira de tela o aparato que se cuelga del cuello o del hombro para sostener y sujetar la mano o el brazo lesionados. INGLÉS sling.

cabeza

nombre femenino

1 Parte del cuerpo de las personas y de los animales donde se encuentra el cerebro. INGLÉS head.

2 Capacidad que tiene una persona para pensar o acordarse de las cosas. Una persona que no tiene cabeza es poco inteligente o tiene poca memoria. SINÓNIMO seso. INGLÉS head, brain.

3 Individuo humano: *Tocan a dos caramelos por cabeza.* SINÓNIMO barba. INGLÉS head.

4 Unidad de ganado: *Tienen muchas cabezas de ganado.* SINÓNIMO res. INGLÉS head.

5 Parte de una cosa situada al principio: *La cabeza de la fila es el primero.* ANTÓNIMO cola. INGLÉS head.

nombre masculino y femenino

6 Persona que se encarga de dirigir un grupo o una organización. Los cabezas de familia son los padres. SINÓNIMO jefe. INGLÉS head.

a la cabeza En primer lugar. La persona que va a la cabeza de la carrera va ganando. INGLÉS in the lead.

cabeza de chorlito Persona que se comporta de forma poco inteligente o hace las cosas sin pensarlas mucho. Es una expresión informal. INGLÉS scatterbrain.

de cabeza De forma directa y rápida: *Si sigues así, vas de cabeza a la calle.* INGLÉS straight.

de cabeza Muy preocupado o muy nervioso por algo: *Los exámenes lo traen de cabeza.* INGLÉS crazy.

estar mal de la cabeza Estar una persona un poco loca. INGLÉS not to be right in the head.

meter en la cabeza Convencer a una persona de algo: *Aunque insistí mucho, no pude metérselo en la cabeza.* INGLÉS to get something into someone's head.

perder la cabeza Perder el control por una persona o una cosa que gusta mucho o que irrita mucho: *Ha perdido la cabeza por él, está enamoradísima. Perdió la cabeza y le dio una torta.* INGLÉS to lose one's head.

romperse la cabeza Pensar mucho sobre un asunto intentando encontrar una solución: *Se rompió la cabeza con el problema de matemáticas y al final lo hizo.* INGLÉS to rack one's brains.

cabezada

nombre femenino

1 Movimiento brusco que hace sin querer con la cabeza una persona que no está tumbada cuando se queda dormida. INGLÉS nod.

2 Cabezazo. INGLÉS blow on the head [accidente], butt [hecho aposta].

echar una cabezada Dormir durante poco tiempo. INGLÉS to have a nap.

cabezal

nombre masculino **1** Pieza de un aparato de grabación y reproducción que sirve para grabar, leer o borrar lo grabado en una cinta. INGLÉS head.

2 Pieza vertical de una cama situada en el extremo donde se colocan las almohadas. INGLÉS headboard.

cabezazo

nombre masculino **1** Golpe que se da con la cabeza o que se recibe en ella. SINÓNIMO cabezada. INGLÉS blow on the head [accidente], butt [hecho aposta].

cabezón, cabezona

adjetivo **1** Se dice de la persona que tiene la cabeza demasiado grande. SINÓNIMO cabezudo. INGLÉS with a big head.

2 Cabezota. INGLÉS pig-headed.

NOTA El plural de cabezón es: cabezones.

cabezonada

nombre femenino **1** Cabezonería. INGLÉS pig-headed thing to do.

cabezonería

nombre femenino **1** Actitud de la persona que se mantiene firme en una idea o una postura y no se deja convencer. SINÓNIMO cabezonada. INGLÉS pig-headedness.

cabezota

adjetivo **1** Que no cambia de opinión aunque se le den razones para cambiarla. SINÓNIMO cabezón. INGLÉS pig-headed.

cabezudo, cabezuda

nombre **1** Persona disfrazada con una cabeza muy grande hecha de cartón pintado u otro material, que desfila por las calles en las fiestas populares.

adjetivo **2** Se dice de la persona que tiene la cabeza demasiado grande. SINÓNIMO cabezón. INGLÉS with a big head.

cabida

nombre femenino **1** Espacio que tiene un recipiente, un edificio o cualquier otra cosa para contener algo. SINÓNIMO capacidad. INGLÉS room, space.

cabina

nombre femenino **1** Espacio pequeño y cerrado, a menudo aislado, destinado a fines muy diversos. Los probadores para cambiarse de ropa son cabinas. INGLÉS cubicle, booth.

2 Espacio pequeño y cerrado de un camión, avión u otros vehículos, reservado para el conductor o piloto. INGLÉS cabin.

3 Espacio pequeño o estructura individual que tiene un teléfono público. INGLÉS telephone box.

cabizbajo, cabizbaja

adjetivo **1** Se dice de la persona que inclina la cabeza porque está preocupada, triste, avergonzada o pensativa. INGLÉS crestfallen.

cabizbajo

cable

nombre masculino **1** Conjunto de alambres finos cubiertos por una funda de plástico que sirven para conducir la electricidad. INGLÉS cable.

2 Cuerda gruesa y resistente formada por alambres trenzados que se utiliza para levantar grandes pesos. Los ascensores y las grúas tienen cables. INGLÉS cable.

cruzarse los cables Perder alguien el control y actuar de manera poco lógica: *Se le cruzaron los cables y salió a correr de madrugada.* INGLÉS to get one's wires crossed.

echar un cable Ayudar a una persona a hacer algo: *Le echó un cable con los deberes del colegio.* Es una expresión informal. SINÓNIMO echar una mano. INGLÉS to give a hand.

cabo

nombre masculino **1** Porción estrecha y alargada de tierra que entra en el mar, como el cabo de Finisterre o el cabo de Gata. INGLÉS cape.

2 Persona que tiene un grado militar

entre el de soldado y el de sargento. INGLÉS corporal.
3 Punta o parte final de un objeto alargado, como una cuerda. INGLÉS end.
4 Cuerda que se utiliza en un barco para distintos fines, como amarrarlo o sujetar las velas. INGLÉS rope.
al cabo de Pasado el tiempo que se dice a continuación: *Apareció al cabo de tres horas.* INGLÉS ... later.
de cabo a rabo Indica que algo se hace desde el principio hasta el final, sin dejarse nada: *Me sé la lección de cabo a rabo.* INGLÉS from beginning to end.
llevar a cabo Realizar un trabajo, un proyecto o una idea: *Llevan a cabo obras de reforma.* INGLÉS to carry out.

cabra

nombre femenino **1** Animal mamífero con cuernos curvados hacia atrás y un mechón de pelos en la barbilla. Es fácil domesticarla y se aprovecha de ella la carne, la leche y la piel. INGLÉS goat.
estar como una cabra Estar alguien loco. INGLÉS to be off one's rocker.

cabrear

verbo **1** Enfadar mucho a alguien: *Se cabreó porque lo había engañado.* INGLÉS to annoy [cabrear], to get angry [cabrearse].
NOTA Es una palabra informal.

cabreo

nombre masculino **1** Estado de la persona que está muy enfadada: *¡Qué cabreo pilló cuando vio que no había aprobado!* INGLÉS anger.
NOTA Es una palabra informal.

cabrío, cabría

adjetivo **1** De la cabra o que tiene relación con ella. INGLÉS goat.

cabriola

nombre femenino **1** Salto que consiste en cruzar varias veces los pies en el aire antes de posarlos sobre el suelo. Los patinadores artísticos suelen hacer muchas cabriolas. INGLÉS capriole.
2 Salto del caballo que consiste en mover las patas traseras hacia atrás mientras se mantiene en el aire. INGLÉS capriole.

cabrito, cabrita

nombre **1** Cría de la cabra desde que nace hasta que deja de mamar. SINÓNIMO chivo. INGLÉS kid.
adjetivo y nombre **2** Se dice de la persona que actúa con mala intención: *¡Qué cabrito!, lo hizo solo para molestarme.* Es un uso informal. SINÓNIMO cabrón. INGLÉS bugger [nombre].

cabrón, cabrona

adjetivo **1** Se dice de la persona que actúa con mala intención y hace daño a los demás. Se utiliza como insulto. Es un uso vulgar. SINÓNIMO cabrito. INGLÉS bastard [nombre].
nombre masculino **2** Macho de la cabra. INGLÉS billy-goat.
NOTA El plural de cabrón es: cabrones.

caca

nombre femenino **1** Excremento sólido que expulsan las personas y los animales por el ano después de haber digerido la comida. SINÓNIMO mierda. INGLÉS pooh.
2 Cosa que está mal hecha o tiene poca calidad. Una tele que se estropea a menudo es una caca. Es un uso informal. SINÓNIMO mierda. INGLÉS load of rubbish [en el Reino Unido], load of garbage [en Estados Unidos].

cacahuete

nombre masculino **1** Fruto de una planta, en forma de vaina alargada, de color beige, que contiene varias semillas comestibles. También se llama cacahuete la planta y la semilla de este fruto. INGLÉS peanut.

cacao

nombre masculino **1** Polvo de color marrón oscuro con el que se hace el chocolate. El cacao se consigue a partir de las semillas de un árbol con el mismo nombre que crece en zonas tropicales. INGLÉS cocoa.
2 Crema hecha con manteca de cacao que se usa para suavizar la piel de los labios cortados. Se vende en barritas o en cajas. INGLÉS lip salve.
3 Situación de desorden y confusión: *Con tanta gente se armó un buen cacao.* Es un uso informal. SINÓNIMO follón. INGLÉS mess.

cacarear

verbo **1** Emitir la gallina o el gallo su voz característica. INGLÉS to cluck.

cacatúa

nombre femenino **1** Ave tropical de pico grande y encorvado que tiene una cresta sobre la cabeza. INGLÉS cockatoo.

cacereño, cacereña
adjetivo y nombre
1 Se dice de la persona o cosa que es de Cáceres, ciudad y provincia de Extremadura.

cacería
nombre femenino
1 Salida de un grupo de cazadores que se juntan para cazar. INGLÉS hunt.

cacerola
nombre femenino
1 Recipiente de cocina que se usa para guisar. Suele ser de metal, con forma cilíndrica, y tiene dos asas y una tapa. INGLÉS pan.

cachalote
nombre masculino
1 Animal mamífero marino parecido a la ballena, de color gris oscuro, que tiene una cabeza muy grande, con un orificio por el que arroja un gran surtidor de vapor de agua. INGLÉS sperm whale.

cacharro
nombre masculino
1 Recipiente, especialmente el que se usa en la cocina. INGLÉS pot.
2 Objeto o aparato viejo que no tiene valor ni sirve para nada. Un coche, un reloj o una radio que funcionan mal son cacharros. Es un uso despectivo. INGLÉS piece of junk.

cachas
adjetivo y nombre masculino y femenino
1 Se dice de la persona que está muy fuerte y tiene los músculos muy desarrollados: *Desde que va al gimnasio está muy cachas.* INGLÉS well-built [adjetivo].
NOTA Es una palabra informal. El plural es: cachas.

cachear
verbo
1 Tocar el cuerpo de una persona por encima de la ropa para comprobar que no lleva armas o esconde otra cosa. Cuando la policía detiene a un delincuente lo cachea. INGLÉS to search.

cachete
nombre masculino
1 Golpe que se da con la mano en la cara o en las nalgas. INGLÉS smack.

cachivache
nombre masculino
1 Objeto que no sirve para nada o que estorba en un lugar. También se llama cachivache algo que no se sabe lo que es o para qué sirve. Es una palabra despectiva. INGLÉS piece of junk [que no sirve], thingummy [que no se sabe lo que es].

cacho
nombre masculino
1 Trozo o pedazo pequeño de una cosa, especialmente cuando ha sido cortado o arrancado de algo, o es parte de una cosa que se ha roto. INGLÉS bit, piece.

cachondearse
verbo
1 Reírse de una persona o una cosa y dejarla en ridículo. Es una palabra informal. SINÓNIMO pitorrearse. INGLÉS to take the mickey.

cachondeo
nombre masculino
1 Acción o palabras con las que nos reímos de una persona o una cosa. Es una palabra informal. SINÓNIMO pitorreo. INGLÉS joking, fooling around.

cachondo, cachonda
adjetivo
1 Se dice de la persona que hace bromas y se ríe mucho. Es una palabra informal. SINÓNIMO divertido. INGLÉS funny.
2 Se dice de la persona o el animal que siente un deseo sexual muy fuerte. Es un uso vulgar. INGLÉS randy, horny.

cachorro, cachorra
nombre
1 Cría de un animal mamífero, como el perro, el gato o el león. INGLÉS puppy [perrito], kitten [gatito], cub [leoncito, osezno].

cacique
nombre masculino
1 Persona que utiliza su poder económico o social para mandar sobre una comunidad y aprovecharse de ello. INGLÉS local political boss.

caco
nombre masculino
1 Persona que roba sin violencia, generalmente objetos de poco valor. SINÓNIMO ladrón. INGLÉS thief.

cacto
nombre masculino
1 Planta de tallo carnoso y cubierto de espinas que almacena agua y puede vivir en zonas muy secas. Los cactos son típicos del desierto. INGLÉS cactus.
NOTA También se escribe y se pronuncia: cactus.

cactus
nombre masculino
1 Es otra forma de escribir y pronunciar: cacto.
NOTA El plural es: cactus.

cada
adjetivo
1 Se aplica a los elementos de una serie o grupo que se distribuyen determinado número de ellos entre los de otra se-

rie o grupo: *Cada cuatro años hay un año bisiesto.* INGLÉS each, every.

2 Indica un único elemento de una serie o grupo: *Cada día tiene veinticuatro horas.* INGLÉS each, every.

3 Sirve para exagerar o destacar aquello de lo que se habla: *Sale con cada excusa más extraña.* INGLÉS such.

cada uno Cada persona o cosa de las que componen un grupo: *A cada uno le corresponde escoger su camino.* INGLÉS everyone, each one.

cadáver

nombre masculino

1 Cuerpo sin vida de una persona o de un animal. INGLÉS corpse, body.

cadena

nombre femenino

1 Conjunto de anillas o piezas iguales de metal que van unidas una detrás de otra. INGLÉS chain. DIBUJO página 648.

2 Conjunto de establecimientos del mismo tipo, como supermercados o gasolineras, que pertenecen a una misma persona o sociedad y que están repartidos por distintos lugares. INGLÉS chain.

3 Fila de personas colocadas una al lado de otra que llegan a tocarse con los brazos extendidos. Se hacen cadenas para pasar cosas de un lugar a otro, para obstaculizar el paso o como señal de protesta o de solidaridad con algo. INGLÉS chain.

4 Conjunto de emisoras de una empresa de radio o televisión. INGLÉS station.

5 Equipo de música formado por varios aparatos, como radio, lector de discos compactos, ecualizador y altavoces. INGLÉS system.

cadencia

nombre femenino

1 Repetición regular de un sonido o un movimiento. INGLÉS cadence, rhythm.

2 Repetición regular y bien proporcionada de los acentos y las pausas de una frase o un verso. INGLÉS cadence, rhythm.

cadera

nombre femenino

1 Cada una de las dos partes salientes situadas a los costados del cuerpo humano por debajo de la cintura. INGLÉS hip.

cadete

nombre masculino y femenino

1 Alumno de una academia militar. Al finalizar sus estudios obtiene el título de oficial. INGLÉS cadet.

adjetivo y nombre masculino y femenino

2 Se dice del deportista que juega en la categoría deportiva que está entre los infantiles y los juveniles.

caducar

verbo

1 Dejar de ser bueno para el consumo un alimento envasado o un medicamento a partir de una fecha que suele venir marcada en el producto. INGLÉS to pass its use-by date.

2 Dejar de existir una costumbre o un derecho debido al paso del tiempo. También caducan los documentos que pierden validez a partir de una fecha determinada. INGLÉS to fall into disuse.

NOTA Se conjuga como: sacar; se escribe 'qu' delante de 'e', como: caduquen.

caducidad

nombre femenino

1 Pérdida de utilidad para el consumo de un alimento envasado o un medicamento. Hay que mirar la fecha de caducidad de un medicamento antes de tomarlo. INGLÉS usefulness.

2 Hecho de que una costumbre o un derecho deje de existir con el paso del tiempo. También es la pérdida de validez de un documento a partir de una fecha. INGLÉS expiry.

caduco, caduca

adjetivo

1 Se dice de las hojas que caen en otoño y salen en primavera. El almendro es un árbol de hoja caduca. INGLÉS deciduous.

2 Se dice de la cosa, costumbre o actitud que ha desaparecido o está a punto de desaparecer: *Este ordenador está caduco, ya no puedo trabajar con él.* INGLÉS past its best [cosa], outdated [costumbre, actitud].

caer

verbo

1 Moverse desde arriba hacia abajo por la fuerza del propio peso. Si no se sujeta una piedra u otro objeto, cae al suelo. INGLÉS to fall.

2 Perder el equilibrio e ir a parar a una superficie firme. Si nos tropezamos, nos podemos caer. INGLÉS to fall.

3 Soltarse o separarse una cosa de donde estaba unida. En otoño caen las hojas de los árboles. INGLÉS to fall.

4 Pasar a un estado físico, anímico o económico más bajo o menos bueno: *Cayó enfermo.* INGLÉS to fall.

5 Producir una impresión determinada una persona o una cosa. Las personas

caer

INDICATIVO

presente
caigo
caes
cae
caemos
caéis
caen

pretérito imperfecto
caía
caías
caía
caíamos
caíais
caían

pretérito perfecto simple
caí
caíste
cayó
caímos
caísteis
cayeron

futuro
caeré
caerás
caerá
caeremos
caeréis
caerán

condicional
caería
caerías
caería
caeríamos
caeríais
caerían

SUBJUNTIVO

presente
caiga
caigas
caiga
caigamos
caigáis
caigan

pretérito imperfecto
cayera o cayese
cayeras o cayeses
cayera o cayese
cayéramos o cayésemos
cayerais o cayeseis
cayeran o cayesen

futuro
cayere
cayeres
cayere
cayéremos
cayereis
cayeren

IMPERATIVO

cae	(tú)
caiga	(usted)
caigamos	(nosotros)
caed	(vosotros)
caigan	(ustedes)

FORMAS NO PERSONALES

infinitivo caer
gerundio cayendo
participio caído

que caen mal no gustan. INGLÉS to like [caer bien], not to like [caer mal].

6 Estar situado en el lugar que se indica: *Su casa cae muy cerca de la estación.* INGLÉS to be.

7 Darse cuenta de una cosa: *Ahora no caigo, no sé quién eres.* INGLÉS to know.

8 Corresponder o coincidir un acontecimiento con una fecha determinada: *El día de Navidad cae en martes.* INGLÉS to be.

9 Meterse en una situación difícil o anormal sin darse cuenta. Una persona cae en una inocentada cuando se la cree y es víctima de ella. INGLÉS to fall.

10 Tocar o corresponder un premio en suerte: *Le han caído 50 000 euros en la lotería.* INGLÉS to win.

11 Sentar bien o mal una cosa a una persona, en especial la ropa. INGLÉS to suit [caer bien], not to suit [caer mal].

12 Descender, en especial todo lo relacionado con la atmósfera. Decimos que caen el Sol o la noche. INGLÉS to set [el sol], to fall [la noche].

dejar caer Decir una cosa importante o que interesa decirla fingiendo que no se le da importancia: *Entre broma y broma dejó caer la mala noticia.* INGLÉS to let drop.

estar al caer Faltar muy poco tiempo para que ocurra alguna cosa. INGLÉS to be about to.

café
nombre masculino

1 Bebida de color marrón oscuro y sabor amargo. El café se hace hirviendo en agua los granos tostados y triturados de una planta del mismo nombre. INGLÉS coffee.

cafeína
nombre femenino

1 Sustancia excitante que contienen algunas bebidas, como el café, el té o las bebidas de cola. INGLÉS caffeine.

cafetera
nombre femenino

1 Recipiente o máquina para hacer café. INGLÉS coffee-maker [máquina], coffeepot [recipiente].

cafetería
nombre femenino

1 Establecimiento público con una barra de bar y mesas en el que se puede tomar café y algunas bebidas o alimentos. INGLÉS café.

cagada
nombre femenino

1 Excremento que se expulsa cada vez que se vacía el vientre. INGLÉS poo.

2 Aquello que está mal hecho o que está equivocado. Si en un examen hay muchas cagadas, se suspende. INGLÉS cockup.

NOTA Es una palabra vulgar.

cagado, cagada
adjetivo y nombre

1 Que no se atreve a hacer nada difícil o arriesgado porque le da miedo. Es una palabra vulgar. SINÓNIMO cagón; miedica. INGLÉS scared [adjetivo], scaredy cat [nombre].

cagar
verbo

1 Expulsar excrementos por el ano. INGLÉS to have a poo.

2 **cagarse** Sentir mucho miedo. INGLÉS to be shit-scared.

NOTA Es una palabra vulgar. Se escribe 'gu' delante de 'e', como: cague.

cagarruta
nombre femenino

1 Excremento de algunos animales, es-

pecialmente el que tiene forma redonda. INGLÉS dropping.
2 Cosa que está mal hecha o es de mala calidad. Es un uso informal. SINÓNIMO caca; mierda. INGLÉS load of rubbish [en el Reino Unido], load of garbage [en Estados Unidos].

cagón, cagona
adjetivo y nombre
1 Que caga con mucha frecuencia. INGLÉS loose-bowelled [adjetivo].
2 Que no se atreve a hacer nada difícil o arriesgado porque le da miedo. SINÓNIMO cagón; miedica. INGLÉS chicken.
NOTA Es una palabra vulgar. El plural de cagón es: cagones.

caída
nombre femenino
1 Acción que consiste en caer o caerse: *La caída de la hoja.* INGLÉS fall.
2 Pendiente o inclinación hacia abajo de una superficie. INGLÉS slope.
3 Manera como cuelga o cae hacia abajo una tela. INGLÉS hang.

caído, caída
nombre y adjetivo
1 Persona que ha muerto en una guerra o en una lucha. En algunas ciudades hay monumentos dedicados a los caídos en una guerra o batalla. INGLÉS fallen [adjetivo], killed in action [adjetivo].

caimán
nombre masculino
1 Reptil parecido a un cocodrilo, pero más pequeño, que tiene la piel muy dura y los dientes afilados. Vive en los ríos americanos. INGLÉS alligator.
NOTA El plural es: caimanes.

caja
nombre femenino
1 Recipiente que sirve para guardar, transportar o proteger cosas. Las cajas suelen tener una tapa y forma cuadrada o rectangular. INGLÉS box.
2 Lugar en un banco, una tienda o un establecimiento, en el que se cobra o se paga una cantidad de dinero. INGLÉS cashier's desk [en un banco], cash desk [en una tienda].
3 Cubierta que protege o resguarda un mecanismo, como la caja del reloj, o cubierta que protege algunos órganos del cuerpo, como la caja torácica, que contiene el corazón y los pulmones. INGLÉS case [de un reloj], [si es la caja torácica: ribcage].
4 Recipiente en el que se coloca a una persona que ha muerto para enterrarla. SINÓNIMO ataúd. INGLÉS coffin.
5 Parte hueca de algunos instrumentos musicales que sirve para que el sonido resuene, como la caja de una guitarra. INGLÉS sound box.
caja de ahorros Establecimiento donde se guarda el dinero de sus clientes y se realizan operaciones con él, a cambio de un interés. INGLÉS savings bank.
caja de caudales Caja fuerte. INGLÉS safe.
caja fuerte Recipiente cerrado muy resistente que se utiliza para guardar en él dinero y objetos valiosos. En los bancos suele haber una caja fuerte. INGLÉS safe.
caja negra Aparato que llevan los aviones y que sirve para grabar todas las incidencias que suceden durante el vuelo. INGLÉS black box.
caja registradora Máquina que se utiliza en las tiendas y otros establecimientos para guardar el dinero que entregan los clientes. INGLÉS till, cash register.

cajero, cajera
nombre
1 Persona que trabaja en la caja de un banco o de un establecimiento. El cajero se encarga de la entrada y salida de dinero de la caja. INGLÉS cashier.
cajero automático Máquina que permite sacar dinero de nuestra cuenta bancaria o meterlo en ella mediante una tarjeta o libreta y un número secreto. INGLÉS cash dispenser.

cajetilla
nombre femenino
1 Paquete de cigarrillos, generalmente veinte. INGLÉS packet, box.

cajón
nombre masculino
1 Recipiente que forma parte de un mueble y que sirve para guardar cosas dentro de él. Encaja en un hueco de un mueble, de manera que se puede abrir y cerrar, generalmente por medio de un tirador. INGLÉS drawer.
2 Caja grande sin tapa que se utiliza para guardar cosas en su interior. INGLÉS crate.
de cajón Que es indudable o indiscutible. Es una expresión informal. INGLÉS undeniable.
NOTA El plural es: cajones.

cal
nombre femenino
1 Sustancia sólida de color blanco que, mezclada con agua, sirve para pintar paredes. INGLÉS lime.

una de cal y otra de arena Una cosa buena seguida de otra mala o al revés. Es una expresión informal. INGLÉS something good followed by something bad.

cala

nombre femenino

1 Pequeña entrada del mar en una costa rocosa y alta. INGLÉS cove.

2 Trozo pequeño de una fruta que se corta para probarla. A las sandías y melones se les puede hacer una cala para comprobar si están maduros. INGLÉS sample.

calabacín

nombre masculino

1 Fruto alargado, parecido al pepino, de piel verde y carne blanca. El calabacín se cultiva en la huerta. INGLÉS courgette.

NOTA El plural es: calabacines.

calabaza

nombre femenino

1 Fruto de gran tamaño y forma redondeada, de color naranja, con muchas pipas en su interior. Se cultiva en la huerta. INGLÉS pumpkin.

2 Insuficiente o suspenso en una asignatura. Es un uso informal. SINÓNIMO cate. INGLÉS fail.

dar calabazas Rechazar a una persona que quiere mantener una relación amorosa con otra. INGLÉS to turn down.

calabobos

nombre masculino

1 Lluvia muy fina y continua que cae con suavidad. SINÓNIMO llovizna; sirimiri. INGLÉS drizzle.

NOTA El plural es: calabobos.

calabozo

nombre masculino

1 Lugar seguro y vigilado de un castillo, cuartel, prisión o comisaría de policía, donde se encierra a las personas que han cometido un delito o que no cumplen una norma. INGLÉS cell.

calada

nombre femenino

1 Chupada que se da a un cigarro o a una pipa para fumar. Cuando se da una calada, el aire es aspirado a través del tabaco encendido y pasa a la boca. INGLÉS drag.

calado, calada

adjetivo

1 Se dice de la persona o cosa que está muy mojada o empapada de agua. INGLÉS soaked.

nombre masculino

2 Obra que se realiza haciendo agujeros en tela, papel, madera o metal formando una figura o un dibujo. Se puede hacer un calado sobre un jersey, unos guantes o una plancha metálica. INGLÉS openwork.

3 Profundidad de una embarcación que entra en el agua. INGLÉS draught.

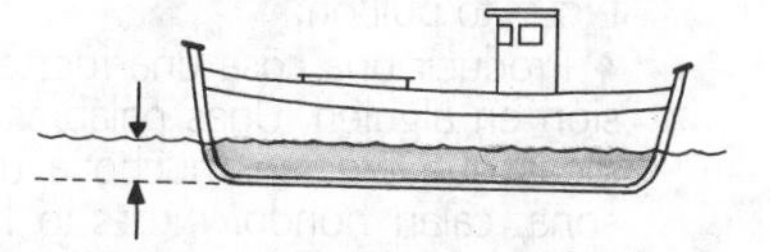

calado

calamar

nombre masculino

1 Molusco marino de cuerpo alargado, que tiene diez tentáculos con ventosas para atrapar a sus presas. Es comestible. INGLÉS squid.

calambre

nombre masculino

1 Contracción involuntaria y dolorosa de un músculo que dura unos instantes. INGLÉS cramp.

2 Sensación molesta que se siente al tocar una cosa por donde pasa una corriente eléctrica. INGLÉS electric shock.

calamidad

nombre femenino

1 Suceso que produce gran destrucción, un gran número de víctimas o mucho sufrimiento en una zona. Las guerras, las epidemias y los terremotos son calamidades. SINÓNIMO desastre. INGLÉS calamity, disaster.

2 Cosa que hace que una persona sufra mucho o sea muy desgraciada. SINÓNIMO desgracia. INGLÉS disaster.

3 Persona que es muy torpe o tiene mala suerte. Es un uso informal. INGLÉS disaster.

calandria

nombre femenino

1 Pájaro de color marrón claro con el vientre blanco, alas anchas y pico grande. Tiene un canto armonioso. INGLÉS calandra lark.

calaña

nombre femenino

1 Manera de ser que tiene una persona mala: *No me gustan los ladrones de su calaña.* INGLÉS kind, sort.

calar

verbo

1 Mojar por completo a una persona o una cosa al entrar el agua u otro líquido hasta el interior de su cuerpo. INGLÉS to soak, to drench.

2 Llegar a conocer las verdaderas intenciones o forma de ser de una persona. A las personas hipócritas se las cala por su actitud falsa. Es un uso informal. INGLÉS to rumble.

3 Ponerse un sombrero o una gorra en la cabeza, haciéndolos entrar mucho. INGLÉS to pull on.

4 Producir una cosa una fuerte impresión en alguien. Unas palabras o unas ideas que afectan mucho a una persona, calan hondo. INGLÉS to have an effect on.

5 Hacer agujeros en una madera, una tela, un papel o un trozo de metal, formando una figura o dibujo con ellos. INGLÉS to do openwork on [una tela], to do fretwork on [la madera, el metal].

6 Hacer un corte en una fruta y sacar un trozo pequeño para probarla. INGLÉS to cut a piece out of.

7 calarse Pararse bruscamente el motor de un vehículo. INGLÉS to stall.

calavera

nombre femenino **1** Conjunto de huesos que forman la cabeza de una persona. INGLÉS skull.

nombre masculino **2** Hombre al que le gustan mucho las juergas y que es poco responsable. INGLÉS rake.

calcar

verbo **1** Copiar exactamente un dibujo o una fotografía utilizando un papel especial que se pone encima o debajo de lo que se copia y pasando el lápiz sobre el perfil de la figura. INGLÉS to trace.

2 Imitar o hacer una cosa igual que otra: *Ha calcado la forma de vestir de su cantante favorito.* INGLÉS to copy.

NOTA Se escribe 'qu' delante de 'e', como: calqué.

calcáreo, calcárea

adjetivo **1** Se dice del terreno o piedra que contiene cal. INGLÉS calcareous.

calceta

nombre femenino **1** Tejido de punto que se hace a mano con unas agujas largas y una madeja de lana o algodón: *Mi hermana me cosió una bufanda de calceta.* INGLÉS knitting.

calcetín

nombre masculino **1** Prenda de vestir para cubrir el pie que llega como mínimo por encima del tobillo y como máximo hasta debajo de la rodilla. INGLÉS sock.

NOTA El plural es: calcetines.

calcio

nombre masculino **1** Sustancia blanca que se encuentra en los huesos de animales y espinas de los peces, y en alimentos como la leche y las verduras. INGLÉS calcium.

calcita

nombre femenino **1** Mineral formado por carbonato de cal cristalizado. El mármol se forma a partir de la calcita. INGLÉS calcite.

calco

nombre masculino **1** Acción que consiste en calcar o hacer una copia de un dibujo o de un texto. También es la copia que se hace al calcar. INGLÉS tracing.

2 Cosa que es una imitación o una reproducción exacta de otra. INGLÉS copy.

calcomanía

nombre femenino **1** Imagen pegada con cola en un papel del que se puede despegar para adherirla en otro sitio. Algunas calcomanías se pegan sobre la piel si se mojan con agua. INGLÉS transfer.

calculador, calculadora

adjetivo y nombre **1** Se dice de la persona que piensa muy bien las cosas antes de hacerlas, normalmente con la intención de obtener algún beneficio. INGLÉS calculating [adjetivo].

calculadora

nombre femenino **1** Máquina electrónica que realiza operaciones matemáticas, como sumar, restar, dividir o multiplicar. INGLÉS calculator.

calcular

verbo **1** Realizar las operaciones matemáticas necesarias para averiguar un resultado. INGLÉS to calculate.

2 Suponer o imaginar algo después de conocer ciertos datos. Podemos calcular la edad de una persona por el aspecto que tiene. INGLÉS to calculate.

cálculo

nombre masculino **1** Operación matemática que se hace a partir de unas cantidades conocidas para averiguar un dato. INGLÉS calculation.

2 Sustancia dura que se forma anormalmente en algunos órganos del cuerpo, como el riñón o la vesícula. SINÓNIMO piedra. INGLÉS stone.

caldear

verbo **1** Hacer que algo que estaba frío se ponga caliente. El sol que entra por una ventana caldea la habitación. SINÓNIMO calentar. INGLÉS to warm.

2 Levantar el ánimo de un grupo de personas. La música caldea el ambiente de una fiesta. INGLÉS to warm up.

caldera

nombre femenino

1 Depósito de metal donde se calienta una gran cantidad de agua para diversas utilidades, como la calefacción de una casa. INGLÉS boiler.

calderilla

nombre femenino

1 Conjunto de monedas de poco valor. INGLÉS small change.

caldero

nombre masculino

1 Recipiente ancho y redondo, normalmente de metal, con un asa, que sirve para calentar o cocinar alimentos. INGLÉS cauldron.

caldo

nombre masculino

1 Líquido que queda después de cocer en agua algunos alimentos, como carne, pescado o verduras. INGLÉS stock, broth.

poner a caldo Criticar mucho o reñir duramente a una persona. Es un uso informal. INGLÉS to slate [criticar], to tell off [reñir].

calé

adjetivo y nombre masculino y femenino

1 Se dice de la persona o cosa que pertenece a un pueblo originario de la India y que vive en distintos países de Europa. SINÓNIMO gitano. INGLÉS gypsy.

calefacción

nombre femenino

1 Conjunto de aparatos que sirven para calentar un edificio o parte de él. La calefacción central es la que calienta todas las viviendas o habitaciones de un edificio. INGLÉS heating.

NOTA El plural es: calefacciones.

caleidoscopio

nombre masculino

1 Tubo con dos o tres espejos inclinados y cristales de colores en su interior. Al mirar por uno de los extremos del caleidoscopio y girarlo, se pueden ver distintas figuras geométricas. INGLÉS kaleidoscope.

calendario

nombre masculino

1 Hoja o conjunto de hojas donde vienen impresos los doce meses del año con todos sus días. En los calendarios los días festivos se marcan con un color diferente a los laborables. INGLÉS calendar.

2 Sistema de división del tiempo en días, meses y años, según diferentes cálculos. El calendario occidental es diferente del calendario chino. INGLÉS calendar.

3 Plan por el que se distribuye una actividad en un espacio de tiempo determinado. INGLÉS calendar.

4 Forma de organizar o dividir el tiempo según distintas actividades. En Europa, el calendario escolar empieza en septiembre y termina en junio. INGLÉS calendar.

calentador

nombre masculino

1 Aparato eléctrico que calienta el agua que se necesita para uso doméstico. INGLÉS heater.

2 Aparato eléctrico que sirve para calentar algo. Un calentador de biberones sirve para calentar la comida de los bebés. INGLÉS heater.

3 Prenda de vestir que cubre la pierna desde el tobillo hasta la rodilla para evitar lesiones cuando se hace algún ejercicio. INGLÉS legwarmers.

calentamiento

nombre masculino

1 Acción que se realiza cuando una cosa o una persona se está calentando. Los futbolistas realizan ejercicios de calentamiento antes de ponerse a jugar. INGLÉS warming up.

calentar

verbo

1 Dar calor o hacer subir la temperatura de una cosa. El Sol calienta la Tierra. Los hornos calientan los alimentos. ANTÓNIMO enfriar. INGLÉS to warm up, to heat.

2 Molestar o hacer enfadar a una persona. Es un uso informal. SINÓNIMO irritar. ANTÓNIMO calmar. INGLÉS to annoy.

3 Pegar o dar azotes a alguien. Es un uso informal. SINÓNIMO azotar. INGLÉS to hit.

4 Hacer una persona ejercicios físicos antes de practicar un deporte. INGLÉS to warm up.

5 **calentarse** Ponerse nerviosa una persona durante una conversación o una discusión. Es un uso informal. SINÓNIMO alterarse. INGLÉS to get annoyed.

NOTA Se conjuga como: acertar; la 'e' se convierte en 'ie' en sílaba acentuada, como: calienta.

calentura

nombre femenino

1 Herida que sale en los labios a causa

de la fiebre. SINÓNIMO pupa. INGLÉS cold sore.
2 Aumento de la temperatura del cuerpo por encima de lo normal, que se produce a causa de una enfermedad o trastorno del organismo. SINÓNIMO fiebre. INGLÉS fever, temperature.

calibrar
verbo
1 Medir el calibre o diámetro de un arma de fuego. INGLÉS to calibrate, to gauge.
2 Examinar con atención un asunto o una cosa no material para conocerlo mejor. Una persona calibra un negocio que le han propuesto para saber si es bueno o no. INGLÉS to evaluate.

calibre
nombre masculino
1 Anchura interior del cañón de un arma de fuego. También se llama calibre a la anchura de una bala. INGLÉS calibre.
2 Importancia, tamaño o clase de algo, generalmente de cosas negativas: *Es un problema de gran calibre.* INGLÉS importance.

calidad
nombre femenino
1 Conjunto de características de una cosa que hace que sea buena o mala y que cuando se compara con otra hace que se vea igual, mejor o peor. Una cosa hecha con malos materiales no es de buena calidad. INGLÉS quality.

cálido, cálida
adjetivo
1 Que está caliente o da calor. ANTÓNIMO fresco; frío. INGLÉS warm.
2 Que muestra cariño y afecto: *Le dieron una cálida bienvenida.* SINÓNIMO caluroso. ANTÓNIMO frío. INGLÉS warm.
3 Se dice del color que está en la escala que va del amarillo al rojo. El rosa, el ocre y el naranja son colores cálidos. ANTÓNIMO frío. INGLÉS warm.

calidoscopio
nombre masculino
1 Tubo con dos o tres espejos en su interior que en un extremo tiene pequeñas piezas sueltas de colores entre dos cristales. Si se mira a través de uno de sus extremos se ve un dibujo geométrico que cambia cuando se hace girar el tubo. INGLÉS kaleidoscope.

caliente
adjetivo
1 Que tiene la temperatura alta. Cuando tenemos fiebre nuestro cuerpo está más caliente de lo normal. También son calientes las cosas que dan calor, como un abrigo o una manta. ANTÓNIMO frío. INGLÉS hot.
2 Que está molesto o enfadado: *Estaban tan calientes por la discusión en que se enfrascaron, que acabaron insultándose.* INGLÉS annoyed.
3 Que acaba de pasar o hace poco que ha ocurrido. Las novedades de última hora son noticias calientes. SINÓNIMO fresco; reciente. INGLÉS hot.

califa
nombre masculino
1 Título de los soberanos con poder religioso y político que gobernaban a los mahometanos en el imperio musulmán. INGLÉS caliph.

calificación
nombre femenino
1 Nota o puntuación de un examen o prueba. INGLÉS mark.
NOTA El plural es: calificaciones.

calificar
verbo
1 Valorar las cualidades, aptitudes o circunstancias de una cosa o persona. En una competición, el jurado califica a los gimnastas participantes. INGLÉS to mark.
2 Poner nota a un examen o a una prueba. INGLÉS to mark.
3 Expresar un adjetivo una cualidad de un sustantivo. En la frase 'ese chico es muy alto', el adjetivo 'alto' califica al sustantivo 'chico'. INGLÉS to describe.

calificativo, calificativa
adjetivo y nombre masculino
1 Se dice de la palabra o expresión que califica o señala la cualidad de alguien o algo. 'Rojo' o 'feo' son adjetivos calificativos. INGLÉS qualifying [adjetivo], qualifier [nombre].

caligrafía
nombre femenino
1 Habilidad de escribir a mano con letras claras y bien formadas. INGLÉS calligraphy, handwriting.

caligrama
nombre masculino
1 Poema o escrito en que las letras forman un dibujo relacionado con el tema o la idea básica del poema. INGLÉS calligram.

calima
nombre femenino
1 Niebla baja y poco espesa. La calima suele aparecer en días húmedos de verano. INGLÉS haze, mist.

cáliz
nombre masculino
1 Grupo de hojas que cubre la parte ex-

terior e inferior de la flor y la une con el tallo. **INGLÉS** calyx.
2 Copa que contiene el vino de la misa. **INGLÉS** chalice.
NOTA El plural es: cálices.

caliza
nombre femenino y adjetivo
1 Roca sedimentaria compuesta principalmente de calcita. El cemento es una mezcla de dos tipos de roca, la arcilla y la caliza. **INGLÉS** limestone.

callado, callada
adjetivo
1 Poco hablador o silencioso. **ANTÓNIMO** hablador. **INGLÉS** quiet.

callar
verbo
1 Estar en silencio o no hablar. **INGLÉS** to be quiet.
2 Dejar de sonar una cosa. Una máquina parada o un instrumento musical que no se toca son cosas que callan. **ANTÓNIMO** sonar. **INGLÉS** to fall silent.

calle
nombre femenino
1 Camino dentro de una población por donde circulan los vehículos y andan las personas. **INGLÉS** street.
2 Lugar al aire libre de una población o ciudad. En las grandes ciudades hay personas pobres que viven en la calle. **INGLÉS** street.
3 Espacio alargado que queda entre dos filas de cosas o entre dos líneas. En las competiciones de atletismo cada participante corre por una calle. **INGLÉS** lane.
traer por la calle de la amargura Dar disgustos o hacer sufrir a alguien. Es una expresión informal. **INGLÉS** to make somebody's life a misery.

callejear
verbo
1 Andar por las calles sin ir a ningún sitio en concreto. **INGLÉS** to wander the streets.

callejero, callejera
adjetivo
1 Que le gusta estar en la calle. Una persona es muy callejera cuando disfruta paseando por la calle. **INGLÉS** who likes being out in the street.
2 Que está o sucede en la calle. **INGLÉS** street.
nombre masculino
3 Lista que contiene el nombre de las calles de una ciudad, a menudo con un plano. Los taxistas suelen tener un callejero en el coche. **INGLÉS** street directory.

callejón
nombre masculino
1 Calle corta y estrecha entre paredes o casas. **INGLÉS** alley.
2 En una plaza de toros, espacio que hay entre la barrera que rodea el ruedo y el muro en que comienza la primera fila de asientos.
callejón sin salida Situación de difícil o imposible solución. **INGLÉS** cul-de-sac, blind alley.
NOTA El plural es: callejones.

callo
nombre masculino
1 Dureza que se forma en los pies y en las manos por el roce del calzado o el trabajo manual. **INGLÉS** callus, corn.
nombre masculino plural
2 callos Comida hecha con trozos del estómago de la vaca y otros animales, que se preparan guisados. **INGLÉS** tripe.

calma
nombre femenino
1 Estado de la persona que hace las cosas sin prisas y sin nervios. **SINÓNIMO** tranquilidad. **INGLÉS** calmness.
2 Característica del lugar en el que no hay ruidos molestos o no hay mucho movimiento. **INGLÉS** calm.
3 Estado de la atmósfera o del mar cuando no hay viento, olas o tormenta. **INGLÉS** calm.

calmante
nombre masculino
1 Medicamento que hace que disminuya un dolor o el estado nervioso de una persona. Cuando nos duele un diente o una muela el dentista puede recetarnos un calmante. **SINÓNIMO** sedante. **INGLÉS** sedative.

calmar
verbo
1 Hacer que una persona que tiene muchos nervios, mucha excitación o mucha preocupación se tranquilice. **SINÓNIMO** tranquilizar. **INGLÉS** to calm down.
2 Hacer que disminuya la intensidad o la fuerza de algo. Un dolor se calma con un medicamento. Un viento al final siempre se calma. **INGLÉS** to ease [el dolor], to die down [calmarse el viento].

caló
nombre masculino
1 Lengua que hablan los gitanos españoles. **INGLÉS** gypsy dialect.

calor
nombre masculino
1 Temperatura alta del aire. En verano, en el sur, suele hacer mucho calor. **ANTÓNIMO** frío. **INGLÉS** heat, warmth.
2 Sensación que se tiene cuando la

a b c d e f g h i j k l m n ñ o p q r s t u v w x y z

temperatura es alta. ANTÓNIMO frío. INGLÉS heat, warmth.
3 Cariño y afecto que se demuestra a alguien. Recibimos a un ser querido con calor. ANTÓNIMO frialdad. INGLÉS warmth.
4 Energía y pasión con que una persona habla o discute. INGLÉS warmth.

caloría
nombre femenino
1 Unidad que mide el valor nutritivo y la energía de los alimentos. El chocolate o los frutos secos tienen muchas calorías. INGLÉS calorie.

calorífico, calorífica
adjetivo
1 Que produce calor. El fuego es un elemento calorífico. INGLÉS calorific.

calumnia
nombre femenino
1 Acusación falsa que se hace contra una persona para causarle daño. INGLÉS calumny.

caluroso, calurosa
adjetivo
1 Se dice de la persona que siente calor a menudo, incluso cuando la temperatura es baja. ANTÓNIMO friolero. INGLÉS who feels the heat.
2 Que causa o registra temperaturas altas. En verano los días son muy calurosos. INGLÉS hot.
3 Que muestra afecto o entusiasmo, como el aplauso del público. INGLÉS warm.

calva
nombre femenino
1 Parte de la cabeza que se ha quedado sin pelo porque se ha caído. INGLÉS bald patch.

calvario
nombre masculino
1 Situación de nervios, sufrimiento o dolor que dura cierto tiempo. SINÓNIMO martirio. INGLÉS ordeal.

calvicie
nombre femenino
1 Falta de pelo en la cabeza. La calvicie afecta más a los hombres que a las mujeres. INGLÉS baldness.

calvo, calva
adjetivo y nombre
1 Se dice de la persona que no tiene pelo en la cabeza porque se le ha caído. INGLÉS bald [adjetivo].

calzada
nombre femenino
1 Parte de la calle o de la carretera por donde circulan los vehículos. INGLÉS road.

calzado
nombre masculino
1 Prenda que cubre y protege el pie, como los zapatos, las sandalias o las botas. INGLÉS footwear.

calzador
nombre masculino
1 Objeto rígido, alargado, de lados curvos, que se coloca entre el talón del pie y el interior del zapato para facilitar que el pie entre en el zapato. INGLÉS shoehorn.

calzar
verbo
1 Poner o llevar puesto un calzado en los pies. INGLÉS to wear [llevar calzado].
2 Utilizar un número determinado de calzado según el tamaño del pie. INGLÉS to take.
3 Poner un trozo de madera o un papel doblado entre el suelo y la base de un objeto, como la pata de un mueble, para que no se mueva. INGLÉS to put a wedge under.

calzón
nombre masculino
1 Pantalón corto que llega hasta la mitad del muslo o hasta encima de la rodilla. INGLÉS shorts.
NOTA El plural es: calzones.

calzoncillo
nombre masculino
1 Prenda de ropa interior masculina que cubre los genitales y las nalgas. INGLÉS underpants.
NOTA También se usa el plural para indicar sólo una unidad.

cama
nombre femenino
1 Mueble compuesto por un soporte y un colchón, que se utiliza para dormir o descansar. Se cubre con sábanas, mantas o edredones. SINÓNIMO lecho. INGLÉS bed.
2 Cualquier lugar que se usa para dormir o descansar. También es el lugar donde descansan los animales. INGLÉS bed.
cama nido Conjunto de dos camas en que una se guarda debajo de la otra, como si fuera un cajón. INGLÉS truckle bed.
guardar cama Estar en la cama a causa de una enfermedad. INGLÉS to stay in bed.

camada
nombre femenino
1 Conjunto de crías de algunos animales, como conejos o lobos, que nacen de un mismo parto. INGLÉS litter, brood.

camaleón
nombre masculino
1 Reptil con cuatro patas cortas y cuerpo alargado que cambia de color para

camuflarse. Se alimenta de insectos que atrapa con su lengua larga y pegajosa. INGLÉS chameleon.

nombre masculino y adjetivo **2** Se dice de una persona que cambia de opinión o de aspecto según le conviene. INGLÉS chameleon.

NOTA El plural es: camaleones.

camaleónico, camaleónica

adjetivo **1** Que tiene una gran capacidad y facilidad para cambiar de imagen, opinión o actitud. Un actor camaleónico puede interpretar bien papeles muy diferentes. INGLÉS chameleon-like.

cámara

nombre femenino **1** Aparato que sirve para hacer fotografías o películas. INGLÉS camera.

nombre masculino y femenino **2** Persona que maneja el aparato que permite filmar imágenes en movimiento. En televisión trabajan muchos cámaras. INGLÉS cameraman [hombre], camerawoman [mujer].

nombre femenino **3** Parte de un neumático o un balón donde se introduce el aire para hincharlo. INGLÉS inner tube.

4 Recinto o armario que se mantiene a baja temperatura y que sirve de frigorífico para conservar alimentos. INGLÉS cold store.

5 Habitación o sala que suele ser privada o con un control de entrada. Algunos bancos tienen cámaras acorazadas donde guardan el dinero. INGLÉS chamber, room.

6 Asamblea o conjunto de personas que hacen las leyes de un país: *La cámara se reunió para debatir la nueva ley.* INGLÉS chamber.

cámara lenta Modo de grabación o emisión de imágenes a una velocidad más lenta de lo normal. INGLÉS slow motion.

camarada

nombre masculino y femenino **1** Compañero de trabajo o de estudio. SINÓNIMO colega. INGLÉS colleague.

2 En algunos partidos políticos de izquierdas, forma de tratamiento entre los miembros del partido. INGLÉS comrade.

camaradería

nombre femenino **1** Buena relación que se establece entre amigos o entre compañeros. SINÓNIMO compañerismo. INGLÉS camaraderie.

camarero, camarera

nombre **1** Persona que atiende y sirve a los clientes de un bar, restaurante u otro local parecido. INGLÉS waiter [hombre], waitress [mujer].

camarón

nombre masculino **1** Crustáceo marino muy parecido a la gamba, pero con antenas muy largas y el cuerpo más plano por los lados. Es comestible y se suele servir como aperitivo. INGLÉS shrimp.

NOTA El plural es: camarones.

camarote

nombre masculino **1** Habitación de un barco con una o más camas. INGLÉS cabin.

cambiar

verbo **1** Ser distinto o hacer que algo o alguien sea distinto de como era antes: *Han cambiado la decoración de todo el restaurante.* INGLÉS to change.

cambiar

INDICATIVO		SUBJUNTIVO
presente		**presente**
cambio		cambie
cambias		cambies
cambia		cambie
cambiamos		cambiemos
cambiáis		cambiéis
cambian		cambien
pretérito imperfecto		**pretérito imperfecto**
cambiaba		cambiara o cambiase
cambiabas		cambiaras o cambiases
cambiaba		cambiara o cambiase
cambiábamos		cambiáramos o cambiásemos
cambiabais		cambiarais o cambiaseis
cambiaban		cambiaran o cambiasen
pretérito perfecto simple		**futuro**
cambié		cambiare
cambiaste		cambiares
cambió		cambiare
cambiamos		cambiáremos
cambiasteis		cambiareis
cambiaron		cambiaren
futuro		**IMPERATIVO**
cambiaré		
cambiarás		cambia (tú)
cambiará		cambie (usted)
cambiaremos		cambiemos (nosotros)
cambiaréis		cambiad (vosotros)
cambiarán		cambien (ustedes)
condicional		**FORMAS NO PERSONALES**
cambiaría		
cambiarías		**infinitivo** cambiar
cambiaría		**gerundio** cambiando
cambiaríamos		**participio** cambiado
cambiaríais		
cambiarían		

2 Dar una cosa a cambio de otra. En el banco podemos cambiar un billete por monedas. INGLÉS to exchange.

a b c d e f g h i j k l m n ñ o p q r s t u v w x y z

3 Poner una cosa en el lugar de otra, normalmente del mismo tipo, o mover una cosa de lugar: *Quiero cambiar los muebles de mi habitación.* INGLÉS to change.
4 cambiarse Quitarse la ropa que se lleva puesta y ponerse otra. INGLÉS to change.

cambio
nombre masculino
1 Paso de una situación o un estado a otro distinto: *Este año va a haber cambios en la empresa, tanto de trabajadores como de productos.* INGLÉS change.
2 Dinero en moneda pequeña. Para compras de poco valor, como el periódico, el pan o un billete de autobús, es mejor llevar cambio. INGLÉS change.
3 Dinero que sobra del que se da para pagar algo. INGLÉS change.
4 Valor de la moneda de un país en comparación con la de otros. El cambio entre el dólar y el euro no siempre es el mismo. INGLÉS exchange rate.
5 Mecanismo que sirve para pasar de una marcha o velocidad a otra en un vehículo. INGLÉS gears.
a cambio de En lugar de algo: *Te hago la cama a cambio de que me prestes un rato el juego.* INGLÉS in exchange for.
en cambio Por el contrario: *Ese libro no dice nada sobre los insectos, en cambio este les dedica un capítulo.* INGLÉS however.

camelia
nombre femenino
1 Flor grande con cinco o más pétalos que pueden ser de color blanco, rosa o rosa oscuro. También se llama camelia el árbol que da esta flor. INGLÉS camellia.

camello, camella
nombre
1 Mamífero rumiante con el cuello y las patas largas y la cabeza pequeña, que tiene dos jorobas de grasa en la espalda que le permiten resistir muchos días sin comer ni beber. INGLÉS camel.
nombre masculino
2 Persona que vende droga en pequeñas cantidades. INGLÉS drug dealer.

camerino
nombre masculino
1 Habitación de un local donde los artistas se preparan para intervenir en un espectáculo. INGLÉS dressing room.

camilla
nombre femenino
1 Cama portátil estrecha y ligera que se usa para transportar enfermos o heridos de un lugar a otro. INGLÉS stretcher.

camillero, camillera
nombre
1 Persona que traslada enfermos o heridos con una camilla en un hospital, una guerra o una competición deportiva. INGLÉS stretcher-bearer.

caminante
adjetivo y nombre
1 Se dice de la persona que va a pie por un camino. INGLÉS walker [nombre].

caminar
verbo
1 Ir o moverse de un lugar a otro dando pasos. SINÓNIMO andar. INGLÉS to walk.

caminata
nombre femenino
1 Recorrido que se hace a pie y que suele ser largo y cansado. INGLÉS long walk.

camino
nombre masculino
1 Terreno más o menos largo y estrecho por el que se puede ir de un lugar a otro. INGLÉS path, track.
2 Recorrido que hay entre dos puntos determinados. Los estudiantes suelen hacer siempre el mismo camino para ir a la escuela. SINÓNIMO itinerario; viaje. INGLÉS way, route.
3 Medio o itinerario para hacer o conseguir algo: *El camino hacia la final del campeonato será largo.* INGLÉS way.
camino de En dirección a un lugar determinado: *Camino de casa compraré el pan y lal leche.* INGLÉS heading for, on one's way to.
de camino De paso o al ir hacia otro lugar: *Si vas a la playa, la farmacia te pilla de camino.* INGLÉS on the way.

camión
nombre masculino
1 Vehículo grande con cuatro o más ruedas que sirve para transportar mercancías por carretera. Está formado por una cabina para el conductor y una caja donde va la carga. INGLÉS lorry [en el Reino Unido], truck [en Estados Unidos].
camión cisterna Camión que en vez de una caja lleva un depósito para transportar líquidos o gases. INGLÉS tanker.
NOTA El plural es: camiones.

camionero, camionera
nombre
1 Persona que conduce un camión. INGLÉS lorry driver.

camioneta
nombre femenino
1 Vehículo de cuatro ruedas que sirve para llevar toda clase de mercancías. La

camioneta es más grande que un coche, pero es más pequeña que un camión. INGLÉS van.

camisa

nombre femenino **1** Prenda de vestir con cuello y mangas que se abotona por delante y cubre el cuerpo desde el cuello hasta la cadera. Una camisa es una prenda tanto masculina como femenina. INGLÉS shirt.

camisa de fuerza Camisa de tela resistente, que se abrocha por detrás con cintas y se pone a las personas mentalmente enfermas para que no puedan mover los brazos y no se hagan daño. INGLÉS straitjacket.

meterse en camisa de once varas Meterse una persona en problemas de otros o en asuntos complicados. INGLÉS to meddle in other people's business [en los asuntos de otros], to get oneself into a mess [en un aprieto].

camisería

nombre femenino **1** Establecimiento donde se hacen o se venden camisas. INGLÉS shirtmaker's.

camiseta

nombre femenino **1** Prenda de vestir interior o deportiva, normalmente de algodón, que cubre el tronco desde el cuello hasta la cintura o hasta la cadera. INGLÉS vest [ropa interior o de deportes, sin mangas], T-shirt [tipo niqui], shirt [de deportes, con mangas].

camisón

nombre masculino **1** Prenda femenina de vestir, amplia y cómoda, que cubre desde el cuello hasta las piernas total o parcialmente y que se usa para dormir. INGLÉS nightdress, nightie.

NOTA El plural es: camisones.

camorra

nombre femenino **1** Pelea o discusión ruidosa y violenta en la que intervienen dos o más personas. Cuando se encuentran dos grupos que se odian suele haber camorra. INGLÉS trouble.

NOTA Es una palabra informal.

campamento

nombre masculino **1** Conjunto de instalaciones al aire libre donde acampa un grupo de personas temporalmente, a menudo con tiendas de campaña. INGLÉS camp.

2 Instalaciones fijas o provisionales de un ejército. INGLÉS camp.

campana

nombre femenino **1** Instrumento de metal en forma de copa puesta boca abajo, que suena al ser golpeado por fuera o por dentro con una pieza también metálica. La pieza que golpea una campana por fuera suele ser un martillo y la que la golpea por dentro un badajo. INGLÉS bell.

2 Objeto que por su forma recuerda a una campana, como la campana de una chimenea. INGLÉS bell [si es de una chimenea: chimney breast].

campana extractora Aparato conectado a un tubo con salida al exterior que sirve para sacar el humo en cocinas y otros lugares cerrados. INGLÉS extractor hood.

campanada

nombre femenino **1** Sonido que produce una campana cada vez que se golpea. INGLÉS stroke of a bell.

2 Acción, noticia o suceso que provoca una gran sorpresa, admiración o escándalo. INGLÉS sensation.

campanario

nombre masculino **1** Torre con campanas de un edificio, como una iglesia. INGLÉS belfry, bell tower.

campanilla

nombre femenino **1** Campana pequeña. Hay campanillas que se hacen sonar al moverlas con la mano y hacer que el badajo golpee en su interior. INGLÉS small bell.

2 Masa de tejido muscular que cuelga a la entrada de la garganta, entre las dos amígdalas. INGLÉS uvula.

3 Flor que tiene forma de campana. INGLÉS campanula.

campante

tan campante Que está tranquilo cuando debería estar preocupado o nervioso al estar en una situación difícil. INGLÉS as if nothing had happened.

campaña

nombre femenino **1** Conjunto de actividades que se hacen de manera continuada y organizada, durante un período determinado de tiempo, para conseguir algo. Hay campañas electorales, campañas publicitarias para dar a conocer un producto o campañas para ir a favor o en contra de algo. INGLÉS campaign.

2 Conjunto de acciones militares que

se realizan en una guerra. INGLÉS campaign.

campeón, campeona
adjetivo y nombre
1 Se dice de la persona que gana una competición deportiva o de otro tipo. INGLÉS champion.
NOTA El plural de campeón es: campeones.

campeonato
nombre masculino
1 Conjunto de juegos o pruebas deportivas en los que compiten varias personas o varios equipos. INGLÉS championship.

campesino, campesina
nombre
1 Persona que vive y trabaja en el campo. INGLÉS country person.

campestre
adjetivo
1 Que tiene relación con el campo o que se produce o tiene lugar en el campo: *Hicimos una comida campestre al lado de ese bosque.* INGLÉS country.

cámping
nombre masculino
1 Lugar o recinto al aire libre, generalmente en el campo o la montaña, donde las personas pueden instalarse en tiendas de campaña o caravanas. SINÓNIMO campamento. INGLÉS camp site.
2 Actividad que consiste en instalarse un tiempo en una tienda de campaña: *Vamos de cámping a un lugar de la costa.* INGLÉS camping.
NOTA El plural es: cámpings. Se pronuncia: 'campin'.

campiña
nombre femenino
1 Extensión grande y llana de tierra, sin montañas ni edificios, especialmente cuando está cultivada o resulta bonita. INGLÉS countryside.

campo
nombre masculino
1 Extensión de tierra que no tiene edificios y no forma parte de una población. En el campo hay diferentes especies animales y vegetales. INGLÉS country.
2 Extensión de tierra que se dedica a la agricultura. También es campo el conjunto de los habitantes, los pueblos y los modos de vida agrarios. INGLÉS country.
3 Terreno que se utiliza para realizar una actividad deportiva. Suele ser llano y estar delimitado, como un campo de fútbol o un campo de tiro. INGLÉS field.
4 Cada una de las ramas en que se puede separar el conjunto del conocimiento humano o de una actividad. La medicina, la filosofía y la física son algunos de los grandes campos del saber. INGLÉS field.
campo a través Manera de ir de un lugar a otro cruzando a través de un terreno o un campo, sin seguir ningún camino. INGLÉS cross-country.
campo de concentración Lugar aislado y vallado en el que permanecen recluidos los prisioneros de una guerra o prisioneros políticos. INGLÉS concentration camp.

camuflar
verbo
1 Dar a una cosa o a una persona un aspecto diferente del que tiene en realidad, para esconderlo o para que no se pueda notar su presencia. INGLÉS to camouflage.

camuflar

can
nombre masculino
1 Perro. INGLÉS dog.
NOTA Es una palabra literaria.

cana
nombre femenino
1 Pelo blanco que nace en la cabeza de las personas cuando se van haciendo mayores: *Mi abuela tiene muchas canas.* INGLÉS grey hair, white hair.
echar una cana al aire Salir una persona de juerga. INGLÉS to have a fling.

canadiense
adjetivo y nombre masculino y femenino
1 Se dice de la persona o cosa que es de Canadá, país de América del Norte. INGLÉS Canadian.

canal
nombre masculino
1 Conducto que se hace en la tierra para que circule por él el agua. En los campos se hacen canales para regar. INGLÉS channel.
2 Abertura o paso natural o artificial en

la tierra que comunica dos mares. INGLÉS canal [artificial], channel [natural].

3 Emisora de radio o de televisión: *Con la parabólica se captan muchos canales.* INGLÉS station [de radio], channel [de televisión].

canalizar

verbo

1 Arreglar el cauce de un río o de una corriente de agua o cambiarlo de dirección. INGLÉS to canalize.

2 Hacer canales o conductos en la tierra para que circule el agua por ellos. INGLÉS to canalize.

3 Orientar varias cosas o acciones hacia un fin determinado. Un jefe canaliza la energía del grupo para conseguir un objetivo. INGLÉS to channel.

NOTA Se escribe 'c' delante de 'e', como: canalicemos.

canalla

adjetivo y nombre masculino y femenino

1 Se dice de la persona que comete una mala acción contra otra. Se utiliza como insulto. INGLÉS swine [nombre], rotter [nombre].

canalón

nombre masculino

1 Conducto o cañería que recoge el agua de lluvia que cae sobre los tejados y la vierte a la calle o a un desagüe. INGLÉS gutter [en el tejado], drainpipe [bajante].

NOTA El plural es: canalones.

cananeo, cananea

adjetivo y nombre

1 Se dice de la persona o cosa que era de Canaán, antigua región del sudoeste de Asia. INGLÉS Canaanite.

canapé

nombre masculino

1 Pequeño trozo de pan con algún alimento encima. INGLÉS canapé.

2 Asiento blando y alargado para sentarse o echarse en él. INGLÉS couch, sofa.

3 Base rígida y acolchada sobre la que se pone el colchón. INGLÉS bed base.

canario, canaria

adjetivo y nombre

1 Se dice de la persona o cosa que es de las islas Canarias. INGLÉS Canary Island [adjetivo], Canary Islander [nombre].

nombre masculino

2 Pájaro doméstico de color verde, amarillo, naranja o blanco, que canta muy bien. INGLÉS canary.

canasta

nombre femenino

1 Cesta grande y ancha que se usa para llevar cosas, hecha de material flexible y con dos asas. INGLÉS basket.

2 Aro por el que los jugadores de baloncesto deben introducir la pelota para conseguir puntos. INGLÉS basket.

3 Tanto que se consigue en un partido de baloncesto cada vez que un jugador introduce la pelota en la canasta. INGLÉS basket.

canastilla

nombre femenino

1 Conjunto de ropa que se prepara para el niño que va a nacer. INGLÉS layette.

canasto

nombre masculino

1 Canasta alta y estrecha para poner cosas, como ropa o fruta. INGLÉS basket.

cancelar

verbo

1 Anular o eliminar algo para siempre o solo durante un tiempo. Se puede cancelar una cuenta en un banco o un vuelo de avión por causas meteorológicas. INGLÉS to cancel.

cáncer

nombre masculino

1 Enfermedad grave que consiste en la aparición de unas células que se reproducen sin control y destruyen los tejidos del cuerpo. INGLÉS cancer.

2 Cuarto signo del zodiaco. Con este significado se suele escribir con mayúscula. INGLÉS Cancer.

nombre masculino y femenino

3 Persona nacida bajo este signo, entre el 21 de junio y el 22 de julio. Con este significado, el plural es: los cáncer, las cáncer. INGLÉS Cancer.

cancha

nombre femenino

1 Lugar destinado a la práctica de algunos deportes, como el tenis o el baloncesto. INGLÉS court.

canción

nombre femenino

1 Texto escrito para ser cantado. Suele llevar también una música de acompañamiento. INGLÉS song.

2 Música compuesta para acompañar a un texto que se canta. INGLÉS song.

3 Cosa que se repite con mucha insistencia y resulta pesada y molesta: *Ya está otra vez con la misma canción, me lo ha preguntado diez veces.* INGLÉS old story.

NOTA El plural es: canciones.

cancionero

nombre masculino

1 Libro en el que figuran varias canciones o poemas. INGLÉS songbook.

a b c d e f g h i j k l m n ñ o p q r s t u v w x y z

candado
nombre masculino
1 Objeto que se utiliza para asegurar puertas, tapas, cajones y otras cosas. Tiene una cerradura que permite abrir y cerrar con una llave un gancho por el que se hace pasar una cadena o una anilla. INGLÉS padlock.

candelabro
nombre masculino
1 Objeto que sirve para sostener dos o más velas de cera. El candelabro tiene varios brazos y puede tener un pie o estar sujeto a la pared. INGLÉS candelabrum.

candidato, candidata
nombre
1 Persona que se presenta a un cargo o puesto que quiere conseguir: *La alcaldesa se presenta como candidata a la reelección. Mañana nos presentarán a los tres candidatos para el puesto de director.* INGLÉS candidate.

candidatura
nombre femenino
1 Acción que consiste en presentar a una persona o presentarse ella misma como candidata a un puesto o cargo que quiere conseguir. INGLÉS candidacy.
2 Conjunto de los candidatos que se presentan para un puesto o un cargo. INGLÉS candidates.

cándido, cándida
adjetivo
1 Que es muy bueno y sincero y no tiene mala intención ni picardía. INGLÉS ingenuous.

candil
nombre masculino
1 Objeto que sirve para dar luz formado por un recipiente que contiene aceite y una mecha introducida en él. INGLÉS oil lamp.

candor
nombre masculino
1 Característica de las personas buenas, sinceras y que no tienen malas intenciones ni malos pensamientos. SINÓNIMO inocencia. INGLÉS innocence.

canela
nombre femenino
1 Especia de color marrón rojiza que se usa en polvo o en rama para añadirla a las comidas, en especial dulces. La canela se saca de la corteza de un árbol exótico. INGLÉS cinnamon.
nombre masculino y adjetivo
2 Color marrón claro con un tono rojo como el de la canela. INGLÉS cinnamon.

canelón
nombre masculino
1 Lámina de pasta de harina enrollada en forma de cilindro y rellena de carne picada, verdura u otros ingredientes. Se sirve cubierta de salsa besamel y queso rallado. INGLÉS cannelloni.
NOTA El plural es: canelones.

canesú
nombre masculino
1 Pieza de algunos vestidos o camisas que va desde los hombros hasta el pecho y a la que se cosen el cuello, las mangas y el resto de tela de la prenda. INGLÉS bodice.
NOTA El plural es: canesús.

cangrejo
nombre masculino
1 Animal de agua con el cuerpo recubierto de una concha dura y las patas delanteras en forma de pinza. Algunas especies son de mar y otras de río. INGLÉS crab.

canguro
nombre masculino
1 Animal mamífero con las patas traseras mucho más largas que las delanteras, que se mueve dando saltos. La hembra tiene en su vientre una bolsa donde guarda a sus hijos pequeños. INGLÉS kangaroo.
2 Persona que cuida de los niños pequeños de otras personas por unas horas a cambio de dinero. INGLÉS baby-sitter.

caníbal
adjetivo y nombre masculino y femenino
1 Se dice de la persona que come carne humana. INGLÉS cannibal.

canica
nombre femenino
1 Bola pequeña de un material duro, como el barro o el cristal, que se utiliza para jugar. INGLÉS marble.
nombre femenino plural
2 canicas Juego infantil que consiste en hacer rodar canicas y meterlas en un agujero. INGLÉS marbles.

caniche
nombre masculino y femenino y adjetivo
1 Perro de tamaño pequeño y pelo rizado. Los caniches suelen llevar el pelo recortado de forma especial. INGLÉS poodle.

canijo, canija
adjetivo
1 Se dice de la persona o animal muy pequeño o delgado. INGLÉS weak, puny.

canino, canina
adjetivo
1 Del perro o que tiene relación con él: *Llevó el caniche a una peluquería canina.* INGLÉS canine.
nombre masculino
2 Diente fuerte y puntiagudo de las personas y los animales mamíferos que está situado delante de cada fila

de muelas. SINÓNIMO colmillo. INGLÉS canine tooth.

canjear

verbo **1** Entregar una persona o una cosa a cambio de otra, especialmente prisioneros a cambio de otros prisioneros, o un vale a cambio de alimentos o de otros productos. INGLÉS to exchange.

cano, cana

adjetivo **1** Se dice del pelo que se ha vuelto blanco, en especial en la cabeza, el bigote o la barba. INGLÉS white, grey.

canoa

nombre femenino **1** Barca estrecha y alargada, de remo o con motor, con los extremos terminados en punta. INGLÉS canoe.

canonizar

verbo **1** Declarar el papa santa a una persona. INGLÉS to canonize.

NOTA Se escribe 'c' delante de 'e', como: canonicen.

cansancio

nombre masculino **1** Falta de fuerzas por haber hecho ejercicio o algún trabajo difícil. SINÓNIMO fatiga. INGLÉS tiredness.

2 Falta de ganas de continuar haciendo algo que nos aburre o nos deja sin fuerzas. INGLÉS weariness.

cansar

verbo **1** Perder o hacer perder las fuerzas o las ganas de continuar una actividad difícil o que no nos gusta. SINÓNIMO fatigar. INGLÉS to tire.

cansino, cansina

adjetivo **1** Que se mueve con lentitud o muestra poca energía por estar cansado. También se dice de las cosas que demuestran cansancio o falta de energía, como la forma de andar o de hablar. INGLÉS slow [lento], weary [falto de energía].

2 Se dice de la persona que cansa o resulta molesta. INGLÉS tiring.

cantábrico, cantábrica

adjetivo **1** Que está relacionado con el mar Cantábrico o la cordillera Cantábrica, en el norte de España. INGLÉS Cantabrian.

2 Se dice de la persona o cosa que es de Cantabria, comunidad autónoma del norte de España. SINÓNIMO cántabro. INGLÉS Cantabrian.

cántabro, cántabra

adjetivo y nombre **1** Se dice de la persona o cosa que es de Cantabria, comunidad autónoma del norte de España. INGLÉS Cantabrian.

cantante

nombre masculino y femenino **1** Persona que se dedica profesionalmente a cantar. INGLÉS singer.

cantar

verbo **1** Producir una persona música con la voz. INGLÉS to sing.

cantar

INDICATIVO

presente
canto
cantas
canta
cantamos
cantáis
cantan

pretérito imperfecto
cantaba
cantabas
cantaba
cantábamos
cantabais
cantaban

pretérito perfecto simple
canté
cantaste
cantó
cantamos
cantasteis
cantaron

futuro
cantaré
cantarás
cantará
cantaremos
cantaréis
cantarán

condicional
cantaría
cantarías
cantaría
cantaríamos
cantaríais
cantarían

SUBJUNTIVO

presente
cante
cantes
cante
cantemos
cantéis
canten

pretérito imperfecto
cantara o cantase
cantaras o cantases
cantara o cantase
cantáramos o cantásemos
cantarais o cantaseis
cantaran o cantasen

futuro
cantare
cantares
cantare
cantáremos
cantareis
cantaren

IMPERATIVO

canta	(tú)
cante	(usted)
cantemos	(nosotros)
cantad	(vosotros)
canten	(ustedes)

FORMAS NO PERSONALES

infinitivo cantar
gerundio cantando
participio cantado

2 Producir sonidos los pájaros o los insectos. Los pájaros suelen cantar de manera armoniosa, mientras que los insectos cantan de manera estridente. INGLÉS to sing.

3 Decir algo en voz alta y con una entonación especial: *Cantó de memoria las tablas de multiplicar.* INGLÉS to sing out.

4 Confesar una persona un secreto o una mala acción que ha cometido. Es un uso informal. INGLÉS to spill the beans.

5 Oler muy mal una cosa: *Te cantan los pies, lávatelos.* Es un uso informal. INGLÉS to stink.
6 Llamar la atención una cosa o una persona en un lugar determinado: *El sofá amarillo canta mucho.* Es un uso informal. INGLÉS to stick out.
nombre masculino **7** Poema que puede ser cantado con música. Los cantares de gesta eran poemas que narraban las hazañas de los caballeros en la Edad Media. SINÓNIMO canción. INGLÉS poem.

cantarín, cantarina
adjetivo **1** Se dice de la persona a la que le gusta mucho cantar y siempre lo está haciendo. INGLÉS fond of singing.
NOTA El plural de cantarín es: cantarines.

cántaro
nombre masculino **1** Recipiente grande con la boca y la base estrechas y la parte central ancha, que sirve para guardar y transportar líquidos. Generalmente es de barro. INGLÉS pitcher.

cantautor, cantautora
nombre **1** Cantante que interpreta canciones que él mismo compone y en las que destaca un mensaje crítico o poético. Los cantautores suelen ser solistas. INGLÉS singer-songwriter.

cante
nombre masculino **1** Acción de cantar una persona. INGLÉS singing.
2 Composición musical popular, especialmente la de Andalucía.
3 Cosa o acción que es muy poco adecuada para una situación concreta o que llama mucho la atención: *Con ese vestido tan raro has dado el cante.* INGLÉS blunder.
cante hondo Canción popular andaluza que tiene gran sentimiento y melancolía.

cantera
nombre femenino **1** Lugar de donde se saca piedra o mármol para usarlos en la construcción. INGLÉS quarry.
2 Lugar o centro donde se forman y preparan personas para una determinada actividad. Algunos futbolistas se entrenan en la cantera para llegar a ser profesionales. INGLÉS nursery.

cántico
nombre masculino **1** Composición poética de tema religioso en la que se alaba o se da gracias a Dios. INGLÉS canticle.

cantidad
nombre femenino **1** Número de unidades o parte de una cosa que puede ser mayor o menor: *El pastel tiene poca cantidad de crema.* INGLÉS quantity.
2 Suma más o menos importante de dinero. En algunos espectáculos, la cantidad que pagan los menores es menor que la de los adultos. INGLÉS sum.
3 Número en cifras con el que podemos realizar operaciones aritméticas, como restar o sumar. Cien es la cantidad que resulta de sumar setenta más treinta. INGLÉS number.
adverbio **4** Mucho o en abundancia: *Los chicos en la playa se divierten cantidad.* También se dice: en cantidad. ANTÓNIMO poco. INGLÉS a lot.
cantidad de Indica que hay mucho de algo. Es una expresión informal. INGLÉS a lot of.

cantimplora
nombre femenino **1** Recipiente con un cuello estrecho y un tapón en la parte superior, que sirve para llevar bebidas en las excursiones o viajes. INGLÉS water bottle.

cantina
nombre femenino **1** Establecimiento en el que se sirven bebidas y alimentos. A veces las cantinas forman parte de una instalación mayor, como cuarteles o estaciones de ferrocarril. INGLÉS canteen [en un cuartel], buffet [en una estación].

canto
nombre masculino **1** Acción que consiste en cantar una persona o un animal. INGLÉS singing.
2 Técnica y arte de cantar. Si alguien estudia canto aprende a cantar bien. INGLÉS singing.
3 Lado o esquina de un objeto. INGLÉS edge.
4 Borde de un objeto delgado, como una hoja de papel o una moneda. INGLÉS edge.
5 Piedra pequeña o trozo de una piedra que cabe en la mano. INGLÉS pebble.
6 Poema o canción que se escribe en honor a algo o a alguien. Muchos poetas han escrito cantos al amor o a la alegría. SINÓNIMO oda. INGLÉS hymn.

cantor, cantora
adjetivo **1** Se dice de un ave que produce soni-

dos melodiosos, como el canario o el jilguero. INGLÉS singing.

canturrear

verbo

1 Cantar una canción en voz baja y sin pronunciar bien las palabras. INGLÉS to hum.

canutas

pasarlas canutas Pasarlo muy mal por estar en una situación difícil o dolorosa. Es una expresión informal. INGLÉS to have a hard time.

canuto

nombre masculino

1 Tubo pequeño y estrecho que suele estar abierto por los dos extremos o por uno de ellos. Sirve para muchos fines, como guardar botones u otras cosas, o enrollar algo en él. INGLÉS tube.

2 Cigarrillo compuesto por tabaco y droga. Es un uso informal. SINÓNIMO porro. INGLÉS joint.

caña

nombre femenino

1 Tallo hueco y con nudos de algunas plantas. Con las cañas entrelazadas se hacen cestos y otros objetos. INGLÉS reed, cane.

2 Planta de tallos huecos, con hojas alargadas, que crece en lugares húmedos. INGLÉS reed.

3 Vaso de cerveza, generalmente alargado y cilíndrico. INGLÉS glass.

caña de pescar Vara con un hilo largo en un extremo que se utiliza para pescar. En el extremo del hilo se pone un anzuelo para que piquen los peces. INGLÉS fishing rod.

cáñamo

nombre masculino

1 Planta de tallo recto y hueco, hojas alargadas y flores de color verde que se cultiva por la fibra que se saca de su tronco y por sus semillas. Con la fibra de cáñamo se hacen cuerdas y tejidos y sus semillas sirven de alimento a algunas aves. INGLÉS hemp.

cañaveral

nombre masculino

1 Terreno en el que crecen o se cultivan cañas. Muchos cañaverales crecen en las orillas de los ríos. INGLÉS cane plantation.

cañería

nombre femenino

1 Tubo largo que sirve para conducir agua o gas. SINÓNIMO tubería. INGLÉS pipe.

caño

nombre masculino

1 Tubo por donde sale el agua de una fuente. INGLÉS spout.

2 Tubo corto que sirve para conducir líquidos o gases. Las tuberías se forman uniendo un caño a continuación del otro. INGLÉS tube, pipe.

cañón

nombre masculino

1 Arma de artillería de gran tamaño que dispara balas o proyectiles a larga distancia. Está formado por un tubo fijado sobre una base. INGLÉS cannon.

2 Tubo largo de metal por donde salen las balas en las armas de fuego. Algunas escopetas tienen dos cañones. INGLÉS barrel.

3 Paso estrecho y profundo entre dos montañas. En el fondo del cañón generalmente pasa el cauce de un río. INGLÉS canyon.

4 Parte inferior de las plumas de los pájaros, por la cual están unidas al cuerpo del animal. INGLÉS quill.

NOTA El plural es: cañones.

cañonazo

nombre masculino

1 Disparo hecho con un cañón o impacto que produce el proyectil del cañón al dar en un lugar. INGLÉS shot.

2 En algunos deportes como el fútbol, disparo muy fuerte del balón. Es un uso informal. INGLÉS shot.

caoba

nombre femenino

1 Árbol de tronco recto y grueso y flores pequeñas y blancas. También se llama caoba la madera de este árbol, que es de color rojo oscuro, muy dura y apreciada. INGLÉS mahogany.

nombre masculino y adjetivo

2 Color rojo muy oscuro: *Se ha teñido el pelo de caoba.* INGLÉS mahogany.

caos

nombre masculino

1 Desorden y confusión que hay en un sitio o en un asunto. INGLÉS chaos.

NOTA El plural es: caos.

caótico, caótica

adjetivo

1 Que está muy desordenado o es muy confuso. Cuando el tráfico es caótico pueden producirse muchos accidentes. INGLÉS chaotic.

capa

nombre femenino

1 Prenda de vestir ancha, suelta, sin mangas y abierta por delante, que cubre el cuerpo y se pone sobre los hombros

a b c d e f g h i j k l m n ñ o p q r s t u v w x y z

encima de otras prendas para abrigar. INGLÉS cloak, cape.
2 Pieza grande de tela de color vivo, generalmente rojo o amarillo y rosa, que se usa para torear. SINÓNIMO capote. INGLÉS cape.
3 Sustancia de poco grosor que recubre o tapa una cosa. Podemos encontrarnos una capa de polvo sobre la estantería, una capa de nieve en la montaña o una capa de chocolate que recubre un pastel. INGLÉS layer.
4 Cada una de las partes de una cosa que van una encima de otra, como las capas de la tierra o las de la atmósfera. INGLÉS layer.
de capa caída En una situación mala o peor que la anterior: *En ese restaurante cada vez se come peor, está de capa caída.* INGLÉS in a bad way.

capacidad
nombre femenino
1 Espacio que tiene un recipiente, un edificio o cualquier otra cosa para contener algo. Un tonel tiene más capacidad que una botella. SINÓNIMO cabida. INGLÉS capacity.
2 Cualidad de una persona o conocimientos que le permiten realizar algo. Hay personas con mucha capacidad de trabajo. SINÓNIMO aptitud. ANTÓNIMO incapacidad. INGLÉS capacity.

capar
verbo
1 Quitar o dejar inservibles los órganos de reproducción de un animal macho o de un hombre. SINÓNIMO castrar. INGLÉS to castrate.

caparazón
nombre masculino
1 Concha muy gruesa y dura que protege el cuerpo de algunos animales, como las tortugas o los cangrejos. INGLÉS shell.
NOTA El plural es: caparazones.

capataz, capataza
nombre
1 Persona encargada de dirigir a un grupo de obreros o trabajadores. INGLÉS foreman [hombre], forewoman [mujer].
2 Persona encargada de una finca o explotación agrícola. INGLÉS foreman [hombre], forewoman [mujer].
NOTA El plural de capataz es: capataces.

capaz
adjetivo
1 Que puede hacer algo porque tiene capacidad para ello: *Eres capaz de aprobar esa asignatura.* ANTÓNIMO incapaz. INGLÉS capable, able.
2 Que se atreve a hacer algo: *Es capaz de tirarse en paracaídas.* INGLÉS capable.
NOTA El plural es: capaces.

capellán
nombre masculino
1 Sacerdote que dice misa y cuida del servicio religioso en un determinado lugar. INGLÉS chaplain.
NOTA El plural es: capellanes.

caperuza
nombre femenino
1 Gorro que termina en punta. La caperuza puede ir suelta o estar cosida a una capa o prenda de abrigo. INGLÉS hood.

capicúa
adjetivo y nombre masculino
1 Se dice del número que es igual tanto si se lee de izquierda a derecha como si se lee de derecha a izquierda. El 1661 es un número capicúa. INGLÉS palindromic [adjetivo], palindromic number [nombre].

capilar
adjetivo
1 Del cabello o que tiene relación con él: *Es un tinte capilar para teñirse el cabello de rubio.* INGLÉS hair.
adjetivo y nombre masculino
2 Se dice de los tubos y vasos sanguíneos muy finos que unen las arterias con las venas. INGLÉS capillary.

capilla
nombre femenino
1 Parte de una iglesia donde hay un altar y se celebra un acto religioso. En las catedrales hay capillas dedicadas a diferentes santos. INGLÉS chapel.
capilla ardiente Lugar en que se vela a un difunto o se le rinden honores. INGLÉS funeral chapel.

capital
nombre femenino
1 Población principal de un país, de una comarca, de una región u otro territorio. París es la capital de Francia. INGLÉS capital.
nombre masculino
2 Conjunto de propiedades, en especial dinero, que posee una persona o empresa: *Tiene capital suficiente para montar un negocio.* INGLÉS capital.
adjetivo
3 Que es muy importante o grave. La concentración es capital para entender una explicación complicada. SINÓNIMO principal. INGLÉS essential.

capitalismo
nombre masculino
1 Sistema económico y social que se

basa en la propiedad privada de la riqueza y en el libre comercio de todos los productos y mercancías. INGLÉS capitalism.

capitán, capitana

nombre 1 Persona que representa a un grupo o un equipo, especialmente deportivo. INGLÉS captain.

nombre masculino 2 Persona que tiene un grado militar que está entre el de teniente y el de comandante. INGLÉS captain.

3 Persona que está al mando de un barco o un avión. INGLÉS captain.

NOTA El plural de capitán es: capitanes.

capitel

nombre masculino 1 En arquitectura, parte superior de una columna. Es más ancho que la columna y está decorado. INGLÉS capital.

capitel

capítulo

nombre masculino 1 Cada una de las divisiones principales de un libro. En un libro de estudio, los capítulos sirven para ordenar los temas. INGLÉS chapter.

capó

nombre masculino 1 Cubierta que tapa y protege el motor de un automóvil. INGLÉS bonnet [en el Reino Unido], hood [en Estados Unidos].

capota

nombre femenino 1 Cubierta o techo que tienen algunos vehículos y que se puede plegar o quitar. Los coches descapotables tienen capota. INGLÉS folding top.

capote

nombre masculino 1 Pieza grande de tela de color vivo, generalmente rojo o amarillo y rosa, que se usa para torear. INGLÉS cape.

capricho

nombre masculino 1 Deseo repentino de tener o conseguir alguna cosa que no se necesita. SINÓNIMO antojo. INGLÉS whim, fancy.

2 Aquello que es objeto de este deseo. INGLÉS fancy.

caprichoso, caprichosa

adjetivo y nombre 1 Se dice de la persona que tiene muchos caprichos: *Si le das al niño todo lo que quiere se volverá muy caprichoso.* INGLÉS capricious [adjetivo].

adjetivo 2 Que no está sujeto a leyes o reglas. La suerte es caprichosa, no se sabe lo que nos tocará. INGLÉS capricious.

capricornio

nombre masculino 1 Décimo signo del zodiaco. Con este significado se escribe con mayúscula. INGLÉS Capricorn.

nombre masculino y femenino 2 Persona nacida bajo este signo, entre el 22 de diciembre y el 20 de enero. Con este significado, el plural es: los capricornio, las capricornio. INGLÉS Capricorn.

caprino, caprina

adjetivo 1 De la cabra o que tiene relación con ella: *Tiene un rebaño de ganado caprino.* INGLÉS goat.

cápsula

nombre femenino 1 Envoltura en forma de cilindro pequeño, compuesto por dos piezas encajadas, que contiene un medicamento en polvo. Las cápsulas se tragan enteras. INGLÉS capsule.

2 Parte de una nave espacial en la que van los astronautas y donde están los mandos. INGLÉS capsule.

captar

verbo 1 Recibir una impresión exterior a través de los sentidos o de la inteligencia, normalmente cuando es algo difícil de percibir. Los perros son capaces de captar sonidos que las personas no oímos. INGLÉS to perceive.

2 Recibir una señal, un sonido u otra cosa por medio de un aparato. La radio puede captar muchas emisoras. INGLÉS to receive.

3 Atraer la atención o el afecto de alguien: *La música captó su atención.* INGLÉS to capture, to attract.

capturar

verbo 1 Coger a una persona y hacerla prisionera o meterla en la cárcel. También se captura a los animales salvajes cuando se los atrapa vivos. SINÓNIMO apresar. INGLÉS to capture.

capucha

nombre femenino 1 Pieza de tela cosida a la parte trasera del cuello de algunas prendas de vestir

a b c d e f g h i j k l m n ñ o p q r s t u v w x y z

que sirve para cubrir la cabeza. INGLÉS hood.

2 Pieza rígida que sirve para cubrir o proteger el extremo o la punta de algo. Muchos bolígrafos tienen capucha. INGLÉS cap.

capuchino

nombre masculino **1** Café con leche que se sirve con la espuma de la leche por encima. Muchas veces también se le echa a la espuma una pizca de chocolate en polvo. INGLÉS cappuccino.

capullo, capulla

nombre masculino **1** Flor que aún no ha abierto los pétalos. INGLÉS bud.

2 Bolsa que fabrican algunos insectos para convertirse en adultos dentro de ella. Los gusanos de seda fabrican un capullo antes de transformarse en mariposas. INGLÉS cocoon.

adjetivo y nombre **3** Se dice de la persona que se comporta con mala intención o que nos molesta. Es un uso vulgar. Se utiliza como insulto. INGLÉS dickhead [nombre].

caqui

nombre masculino y adjetivo **1** Color entre verde y marrón claro, como el de los uniformes del ejército. INGLÉS khaki.

nombre masculino **2** Fruta redonda, de color rojo y de sabor dulce, parecida al tomate. También se llama caqui el árbol que la produce. INGLÉS persimmon.

cara

nombre femenino **1** Parte delantera de la cabeza de las personas y de algunos animales. En la cara están los ojos, la nariz y la boca. SINÓNIMO rostro. INGLÉS face.

2 Gesto o expresión que refleja un estado de ánimo. Tenemos mala cara cuando estamos enfermos. SINÓNIMO semblante. INGLÉS face.

3 Cada una de las superficies que tiene un cuerpo. Una hoja de papel tiene dos caras. SINÓNIMO lado. INGLÉS side.

4 Lado de una moneda donde suele representarse la cara de un personaje. ANTÓNIMO cruz. INGLÉS head.

5 Imagen o aspecto exterior que presenta una cosa. SINÓNIMO pinta. INGLÉS look.

6 Falta de vergüenza de una persona: *¡Vaya cara!, se ha colado.* Es un uso informal. SINÓNIMO morro; jeta. INGLÉS cheek.

nombre masculino y femenino **7** Persona que se aprovecha con descaro de los demás. Es un cara una persona que va a una fiesta a la que no se le ha invitado. INGLÉS cheeky devil.

cara de pocos amigos Expresión que tiene una persona cuando está enfadada o molesta por algo. INGLÉS a sour look on one's face.

dar la cara Reconocer haber hecho algo malo sin echar la culpa a otras personas. INGLÉS to face the consequences.

echar en cara Recordar una persona a otra algo malo que ha hecho. SINÓNIMO reprochar. INGLÉS to throw something back in somebody's face.

carabela

nombre femenino **1** Antiguo barco de vela con tres palos. Colón hizo su primer viaje a América con tres carabelas. INGLÉS caravel.

carabina

nombre femenino **1** Arma de fuego parecida al fusil, pero más corta. INGLÉS carbine.

caracol

nombre masculino **1** Molusco que tiene una concha en forma de espiral y dos pares de tentáculos en la cabeza que se pueden encoger. Se arrastra por tierra y deja baba a su paso. También hay caracoles que viven en el agua. INGLÉS snail.

2 Parte interna del oído de los animales vertebrados, que tiene forma de espiral. INGLÉS cochlea.

3 Rizo pequeño de pelo. INGLÉS kiss curl.

caracola

nombre femenino **1** Concha de caracol marino, normalmente de gran tamaño, en forma de cono. Si se acerca el oído a su abertura se puede escuchar un ruido como el de las olas. INGLÉS conch.

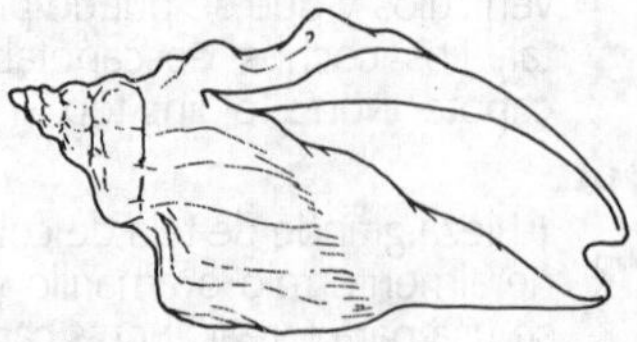

caracola

carácter

nombre masculino **1** Forma de ser y de comportarse que tiene una persona que la distingue de las demás: *Tiene un carácter muy agradable.* INGLÉS character.

2 Conjunto de características o cualidades propias de una cosa, una persona o una colectividad, que la distingue de las demás. En los laboratorios se hacen investigaciones de carácter científico. INGLÉS character.

3 Característica que tienen las personas que mantienen con fuerza sus ideas. SINÓNIMO genio. INGLÉS character.

4 Letra o símbolo que se usa para escribir. El español se escribe con caracteres latinos, que son muy diferentes a los caracteres chinos o a los árabes. INGLÉS character.

NOTA El plural es: caracteres.

característica

nombre femenino

1 Cualidad o propiedad de una persona o una cosa que la hace diferente a unas y parecida a otras. La característica más importante de cualquier silla es que sirve para sentarse. INGLÉS characteristic.

característico, característica

adjetivo

1 Que es propio de una persona, un animal o una cosa y la distingue de otros. El cuello largo es un rasgo característico de las jirafas. INGLÉS characteristic.

caracterizar

verbo

1 Representar o ser una cosa la característica más importante de algo o de alguien. La vida en el campo se caracteriza por la tranquilidad. INGLÉS to characterize.

2 Representar un actor un papel en el cine, el teatro o la televisión. INGLÉS to play.

3 caracterizarse Vestirse y maquillarse para parecerse a una persona o a un personaje de cine, teatro o televisión. INGLÉS to dress up.

NOTA Se escribe 'c' delante de 'e', como: caractericé.

caradura

nombre masculino y femenino

1 Persona que se aprovecha con descaro de los demás. Una persona que se va de un bar sin pagar es una caradura. SINÓNIMO sinvergüenza. INGLÉS cheeky devil.

¡caramba!

interjección

1 Expresa asombro, admiración o fastidio: *¡Caramba! Podías haberme avisado de que llegarías tan tarde. ¡Caramba, qué vestido tan bonito llevas!* Es un uso informal. SINÓNIMO caray. INGLÉS good heavens!

carámbano

nombre masculino

1 Trozo de hielo largo y acabado en punta. Los carámbanos se forman cuando se congela el agua que cae lentamente de un lugar. INGLÉS icicle.

carambola

nombre femenino

1 Jugada del billar que consiste en que una bola choca con otras dos, o choca solo con una que acaba tocando a una tercera. INGLÉS cannon.

2 Suerte o casualidad gracias a la cual se consigue una cosa: *No tenía ni idea de qué contestar, pero acerté la respuesta de carambola.* INGLÉS fluke.

caramelo

nombre masculino

1 Dulce duro hecho de azúcar, normalmente de pequeño tamaño, que puede tener distintos sabores. INGLÉS sweet.

2 Líquido espeso que se consigue al fundir azúcar. INGLÉS caramel.

carátula

nombre femenino

1 Portada o cubierta de un libro o de los estuches de DVD, CD, discos y cintas de música y vídeo. INGLÉS cover.

caravana

nombre femenino

1 Fila muy larga de vehículos que avanza muy despacio porque hay mucho tráfico. INGLÉS caravan.

2 Remolque que llevan algunos automóviles preparado como una casa para poder vivir en él. SINÓNIMO roulotte. INGLÉS caravan.

3 Grupo de personas que viajan juntas con sus animales o vehículos durante muchos kilómetros. INGLÉS caravan.

¡caray!

interjección

1 Expresa asombro, admiración o fastidio: *¡Caray! Podías haber dicho que estabas mareado. ¡Caray, qué sofá tan cómodo!* Es un uso informal. SINÓNIMO ¡caramba! INGLÉS good heavens!

carbón

nombre masculino

1 Sustancia sólida de color negro que arde con facilidad y se usa como combustible. Las locomotoras de los trenes antiguos funcionaban con carbón. INGLÉS coal.

NOTA El plural es: carbones.

carbonizar

verbo

1 Quemar una cosa hasta convertirla en carbón. Los incendios carbonizan los bosques. INGLÉS to burn.

2 carbonizarse Quemarse un alimento que ha estado demasiado tiempo en el fuego. INGLÉS to get burnt.

NOTA Se escribe 'c' delante de 'e', como: carbonice.

carbono

nombre masculino **1** Elemento químico sólido que se encuentra en muchas sustancias de la naturaleza. El diamante está compuesto de carbono. INGLÉS carbon.

carburante

nombre masculino **1** Sustancia que se utiliza como combustible para que funcionen ciertas máquinas o aparatos con motor. La gasolina y el gasóleo son carburantes. INGLÉS fuel.

carcajada

nombre femenino **1** Risa fuerte y ruidosa que suelta una persona. INGLÉS burst of laughter.

cárcel

nombre femenino **1** Edificio donde se encierra a las personas que han cometido un delito. En la cárcel los presos pueden recibir visitas de sus familiares. SINÓNIMO prisión. INGLÉS jail, prison.

carcelero, carcelera

nombre **1** Persona que atiende y vigila a los presos de una cárcel. INGLÉS jailer.

carcoma

nombre femenino **1** Insecto de pequeño tamaño que vive en el interior de la madera seca y se alimenta de ella. INGLÉS woodworm.

2 Polvo que queda cuando este insecto ha roído la madera. INGLÉS wood dust.

cardenal

nombre masculino **1** Sacerdote que ocupa un alto cargo en la Iglesia católica y es consejero del papa. INGLÉS cardinal.

2 Mancha de color oscuro que se hace en la piel debido a un golpe u otra causa. SINÓNIMO morado; moratón. INGLÉS bruise.

cardíaco, cardíaca

adjetivo **1** Del corazón o que tiene relación con él: *Sufrió un ataque cardíaco.* INGLÉS cardiac, heart.

NOTA También se escribe y se pronuncia: cardiaco.

cardinal

adjetivo y nombre masculino **1** Se dice del número que expresa cantidad sin indicar orden. El tres, el siete o el diez son números cardinales. INGLÉS cardinal.

adjetivo **2** Se dice de cada uno de los cuatro puntos que dividen el horizonte en partes iguales y que sirven para orientarse. Los puntos cardinales son cuatro: norte, sur, este y oeste. INGLÉS cardinal.

cardo

nombre masculino **1** Planta que tiene muchas espinas y suele tener hojas alargadas y flores de colores. La mayoría de los cardos son silvestres. INGLÉS thistle.

2 Persona muy fea. También se dice: cardo borriquero. Es un uso despectivo. SINÓNIMO callo. INGLÉS ugly devil.

carecer

verbo **1** No tener algo, generalmente algo importante. Las personas ciegas carecen del sentido de la vista. ANTÓNIMO poseer. INGLÉS to lack.

NOTA Se conjuga como: agradecer; la 'c' se convierte en 'zc' delante de 'a' y 'o', como: carezco.

carencia

nombre femenino **1** Falta de una cosa necesaria o imprescindible, como alimentos o medios. INGLÉS lack.

carestía

nombre femenino **1** Precio elevado de las cosas, en especial comida, ropa o vivienda. INGLÉS high cost.

2 Escasez o falta de algo. Cuando llueve poco hay carestía de agua. SINÓNIMO carencia. ANTÓNIMO abundancia. INGLÉS lack.

careta

nombre femenino **1** Máscara para cubrir o proteger la cara de una persona. En carnaval, la gente se disfraza y se pone caretas. INGLÉS mask.

carga

nombre femenino **1** Cosa que una persona, animal o vehículo transporta de un lugar a otro. INGLÉS load.

2 Situación difícil y molesta que supone mucho trabajo o preocupación para una persona: *Los problemas laborales son una carga para él.* INGLÉS burden.

3 Proyectil que se pone en el cañón de un arma de fuego. También es la cantidad de explosivo necesario para que algo explote. INGLÉS charge.

4 Ataque directo y en grupo contra un conjunto de personas, como el que realiza un ejército contra un campamento o la policía contra unos manifestantes. INGLÉS charge.

cargamento
nombre masculino
1 Conjunto de mercancías que lleva un tren, un barco u otro vehículo de transporte. SINÓNIMO carga. INGLÉS load, cargo.

cargante
adjetivo
1 Se dice de la persona que es muy pesada y que molesta o fastidia a los demás. También es cargante la cosa o situación que resulta pesada o aburrida, como una reunión demasiado larga. Es una palabra informal. INGLÉS annoying.

cargar
verbo
1 Poner una carga sobre una persona, un animal o un vehículo para transportarla. INGLÉS to load.
2 Proporcionar a un aparato lo que necesita para que funcione. Las pistolas se cargan con balas y los programas informáticos se han de cargar en los ordenadores. INGLÉS to load.
3 Fastidiar o aburrir a una persona. Cuando los alumnos hablan mucho en clase, pueden cargar al profesor. INGLÉS to annoy.
4 Atacar a alguien con mucha fuerza o violencia. En las guerras, los ejércitos cargan contra sus enemigos. INGLÉS to charge.
5 cargarse Romper o estropear algo. Es un uso informal. INGLÉS to break, to ruin.
6 cargarse Matar a una persona o a un animal. Es un uso informal. INGLÉS to kill.
7 cargarse Suspender a alguien en un examen. Es un uso informal. INGLÉS to fail.
8 cargarse Hacerse el aire de un lugar cerrado muy difícil de respirar. El aire de la cocina puede cargarse de humo al freír algo. INGLÉS to get fuggy.
NOTA Se escribe 'gu' delante de 'e', como: cargué.

cargo
nombre masculino
1 Puesto que ocupa una persona en una empresa o institución y función que tiene asignada y por la cual recibe un sueldo. INGLÉS post, position.
2 Atención y cuidado que se tiene que prestar a una persona o cosa. Los padres tienen a su cargo a los hijos. INGLÉS responsibility.
3 Falta o delito concreto por el que se acusa a una persona. La policía retira los cargos contra alguien cuando no encuentra pruebas del delito. INGLÉS charge.
a cargo de Al cuidado de algo o alguien: *He dejado a los niños a cargo de la canguro.* INGLÉS in the care of.
alto cargo Puesto o función de mucha importancia que desempeña una persona dentro de una empresa o institución. También es la persona que ocupa este puesto. INGLÉS important post [puesto], high-ranking official [persona].
cargo de conciencia Sentimiento de preocupación que tiene una persona por considerarse culpable de algo. INGLÉS feeling of guilt.
hacerse cargo de Ocuparse o encargarse una persona de otra o de una cosa: *Yo me haré cargo de limpiar la cocina y tú de las habitaciones.* INGLÉS to take responsibility for.

carguero
nombre masculino
1 Barco, generalmente de gran tamaño, que sirve para llevar carga. INGLÉS freighter.

caricatura
nombre femenino
1 Dibujo de una persona que deforma y exagera los rasgos más característicos de su cara y de su cuerpo. INGLÉS caricature.

caricia
nombre femenino
1 Roce suave con la mano que se hace a una persona o animal como muestra de cariño o afecto: *Acarició la cabeza del bebé para calmarlo.* INGLÉS caress, stroke.
2 Sensación agradable que nos produce el contacto con algún fenómeno de la naturaleza, como el aire o el sol: *El sol acaricia mi piel.* INGLÉS caress.

caridad
nombre femenino
1 Sentimiento que impulsa a las personas a ayudar a quienes lo necesitan. Dar dinero a asociaciones humanitarias y trabajar como voluntario para atender a los enfermos son actos de caridad. INGLÉS charity.

caries
nombre femenino
1 Infección que destruye los dientes y las muelas. Lavarse los dientes después de cada comida previene la caries. INGLÉS tooth decay, caries.
NOTA El plural es: caries.

a b c d e f g h i j k l m n ñ o p q r s t u v w x y z

a b c d e f g h i j k l m n ñ o p q r s t u v w x y z

cariño
nombre masculino
1 Sentimiento de afecto o amor hacia una persona, animal o cosa. SINÓNIMO estima. ANTÓNIMO odio. INGLÉS love, affection.
2 Delicadeza o cuidado con que se hace o se trata una cosa. Si se trata con cariño un ramo de flores dura más tiempo. INGLÉS loving care.

cariñoso, cariñosa
adjetivo
1 Que demuestra el cariño y el amor que siente hacia las personas o los animales: *Es muy cariñosa con su gato, lo acaricia todo el día.* INGLÉS loving, affectionate.

carisma
nombre masculino
1 Capacidad natural que tiene una persona para atraer y gustar a los demás. INGLÉS charisma.

caritativo, caritativa
adjetivo
1 Que tiene o demuestra tener caridad en su forma de actuar. INGLÉS charitable.

carmesí
nombre masculino y adjetivo
1 Color rojo intenso. INGLÉS crimson.
NOTA El plural es: carmesíes o carmesís.

carmín
nombre masculino y adjetivo
1 Color rojo intenso, como el de la sustancia colorante que se obtiene de un insecto llamado quermes. Al sentir vergüenza las mejillas se tiñen de carmín. INGLÉS carmine.
nombre masculino
2 Pasta que se usa para dar color y brillo a los labios. SINÓNIMO pintalabios. INGLÉS lipstick.
NOTA Como nombre, el plural es: carmines; como adjetivo no varía en plural.

carnaval
nombre masculino
1 Fiesta que se celebra durante los tres días anteriores al miércoles de ceniza. En carnaval la gente se disfraza. INGLÉS carnival.

carne
nombre femenino
1 Parte blanda del cuerpo de las personas y los animales. Los huesos están recubiertos de carne. INGLÉS flesh.
nombre masculino
2 Alimento que se obtiene de la carne de algunos animales no marinos, como la ternera, el cordero o el cerdo: *Me gusta más la carne que el pescado.* INGLÉS meat.
3 Parte blanda de una fruta que está debajo de la piel. INGLÉS flesh.
carne de gallina Piel de las personas cuando se llena de pequeños bultos y se erizan los pelos a causa del frío o del miedo. INGLÉS goose pimples, gooseflesh.
en carne viva Indica que una parte del cuerpo de una persona ha perdido la piel, normalmente por una herida o quemadura. INGLÉS raw.
de carne y hueso Se dice de la persona que es real y no imaginaria. INGLÉS real.

carné
nombre masculino
1 Documento que permite a una persona identificarse o mostrar que pertenece a alguna organización. El carné de la biblioteca demuestra que se es socio de ella. INGLÉS card.
NOTA También se escribe y se pronuncia: carnet.

carnero
nombre masculino
1 Macho de la oveja. Se diferencia de la hembra en que tiene cuernos enrollados hacia atrás en forma de espiral. INGLÉS ram.

carnet
nombre masculino
1 Es otra forma de escribir y pronunciar: carné.

carnicería
nombre femenino
1 Tienda, puesto de un mercado o departamento de un supermercado donde se vende carne destinada al consumo. INGLÉS butcher's.
2 Muerte violenta de muchas personas producida por una guerra, una explosión o algún tipo de ataque armado. INGLÉS slaughter.

carnicero, carnicera
nombre
1 Persona que vende carne en una carnicería. INGLÉS butcher.
adjetivo y nombre
2 Se dice de un animal que mata a otros para comérselos, como el lobo o el tigre. INGLÉS carnivorous [adjetivo], carnivore [nombre].

carnívoro, carnívora
adjetivo y nombre
1 Se dice del animal que se alimenta de carne. INGLÉS carnivorous [adjetivo], carnivore [nombre].
planta carnívora Planta que captura y come insectos. INGLÉS carnivorous plant.

carnoso, carnosa
adjetivo
1 Se dice de la parte del cuerpo de una persona o animal que tiene mucha carne. INGLÉS fleshy.
2 Se dice de la fruta o vegetal que tiene la carne blanda y con bastante agua.

Las ciruelas y las sandías son frutas carnosas. Los cactus son plantas carnosas. INGLÉS fleshy.

caro, cara
adjetivo **1** Que cuesta mucho dinero o más del que debería costar. ANTÓNIMO barato. INGLÉS expensive, dear.

carota
nombre masculino y femenino **1** Persona que se aprovecha con descaro de los demás. Es una palabra informal. INGLÉS cheeky devil.

carpa
nombre femenino **1** Pieza de tela grande, sostenida por un armazón, que se instala para cubrir el lugar donde se celebra un espectáculo o fiesta. INGLÉS marquee.
2 Pez de agua dulce, de color verdoso por encima y amarillo por el vientre. Es comestible. INGLÉS carp.

carpeta
nombre femenino **1** Objeto que sirve para guardar papeles en su interior y que está formado por dos cubiertas duras unidas por uno de sus lados. Se sujeta con gomas. INGLÉS folder, file.

carpintería
nombre femenino **1** Lugar donde se hacen objetos de madera. También se llama carpintería el oficio de la persona que trabaja la madera. INGLÉS carpentry.

carpintero, carpintera
nombre **1** Persona que fabrica muebles u objetos de madera, como mesas, puertas o ventanas. INGLÉS carpenter.

carraspear
verbo **1** Toser varias veces de manera suave. Normalmente se carraspea para que la garganta quede limpia de cualquier sustancia. INGLÉS to clear one's throat.

carrera
nombre femenino **1** Acción que consiste en correr de un lugar a otro. INGLÉS run.
2 Competición entre personas, animales o vehículos para ver cuál es más rápido, como las carreras de caballos o de automóviles. INGLÉS race.
3 Serie de cursos universitarios que hay que aprobar para conseguir un título que permite tener una profesión. INGLÉS degree.
4 Ejercicio de una profesión: *Tuvo que abandonar su carrera de pintor.* INGLÉS career.
5 Línea de puntos que se sueltan en una media o en otro tejido. INGLÉS run.
a la carrera Con mucha prisa o rapidez. Cuando se tiene poco tiempo hay que hacer las cosas a la carrera. INGLÉS in a hurry.

carrerilla
nombre femenino **1** Carrera corta que se hace para tomar impulso. INGLÉS run, to take a run.
de carrerilla De memoria, sin entender bien: *Aprender la lección de carrerilla.* INGLÉS to know something by heart.

carreta
nombre femenino **1** Carro de madera de base larga y baja, de dos o cuatro ruedas y un palo largo en la parte delantera donde se enganchan los animales que tiran de él. INGLÉS cart.

carrete
nombre masculino **1** Cilindro hueco que tiene enrollado hilo, alambre, cuerda o cualquier otro material flexible. INGLÉS bobbin, reel.
2 Rollo de película fotográfica que se introduce en las cámaras que no son digitales para hacer fotografías. INGLÉS roll of film.
3 Pieza que tienen las cañas de pescar cerca de la parte por la que se sujetan y que sirve para enrollar el hilo y para alargarlo o acortarlo cuando sea necesario. INGLÉS reel.

carretera
nombre femenino **1** Camino público, ancho y asfaltado por el que circulan los vehículos. INGLÉS road.

carretilla
nombre femenino **1** Carro pequeño con una rueda delantera y dos barras en la parte de atrás por donde se agarra para empujarlo. Sirve para transportar materiales pesados a poca distancia. INGLÉS wheelbarrow.

carril
nombre masculino **1** División de una calle o carretera, marcada por unas líneas en el pavimento, por la que pueden circular los vehículos en una sola fila. En muchas ciudades hay un carril destinado exclusivamente a los taxis y autobuses. INGLÉS lane.
2 Cada una de las dos barras de hierro por donde circulan los vagones de un tren, tranvía o metro. SINÓNIMO raíl. INGLÉS rail.

carrillo
nombre masculino
1 Parte blanda de la cara de una persona, situada bajo los ojos y a cada lado de la nariz. SINÓNIMO mejilla; moflete. INGLÉS cheek.

carro
nombre masculino
1 Vehículo para transportar mercancías formado por una base ancha sobre unas ruedas. Los carros se mueven porque empujan o tiran de ellos las personas o los animales. INGLÉS cart.
2 Vehículo pequeño con ruedas que se empuja o se tira de él, y que sirve para llevar cosas de peso. Los carros del supermercado suelen ser metálicos y tener cuatro ruedas. INGLÉS trolley.
3 Automóvil. Es una palabra que se usa en algunos países de Hispanoamérica. INGLÉS car.
carro de combate Vehículo pesado de guerra que lleva un cañón. SINÓNIMO tanque. INGLÉS armoured car.

carrocería
nombre femenino
1 Parte de un vehículo que cubre el motor y el chasis y dentro de la cual van las personas y la carga. La carrocería es de chapa. INGLÉS bodywork.

carromato
nombre masculino
1 Carro de dos ruedas cubierto por una tela y tirado por uno o varios animales. INGLÉS covered wagon.

carroña
nombre femenino
1 Carne descompuesta de un ser humano o un animal muerto. Los buitres comen carroña. INGLÉS carrion.

carroza
nombre femenino
1 Carruaje adornado que se utiliza en ocasiones especiales. INGLÉS carriage, coach.
2 Vehículo adornado que se usa en desfiles de fiestas, como en carnaval. INGLÉS float.
adjetivo y nombre
3 Se dice de la persona que es mayor o está anticuada. INGLÉS old-fashioned [adjetivo], old fogey [nombre].

carruaje
nombre masculino
1 Vehículo empleado para el transporte de personas que va tirado por caballos. Consiste en una plataforma normalmente cerrada con ruedas y asientos. INGLÉS carriage, coach.

carta
nombre femenino
1 Papel escrito que una persona envía a otra para comunicarse con ella y contarle cosas. También se llama carta el conjunto formado por el escrito y el sobre en que se envía. INGLÉS letter.
2 Cartón pequeño con dibujos en una cara que, junto con otros, sirve para jugar. Las cartas de la baraja española se dividen en palos: oros, copas, espadas y bastos. SINÓNIMO naipe. INGLÉS card.
3 Lista de comidas y bebidas que se pueden elegir en un restaurante, bar o cafetería. SINÓNIMO menú. INGLÉS menu.
4 Representación a escala de una parte de la Tierra o del universo. Las cartas de navegación sirven a los marineros para orientarse en el mar. SINÓNIMO mapa. INGLÉS map, chart.
tomar cartas en un asunto Intervenir en una situación para intentar resolverla o modificarla. INGLÉS to intervene in something.

cartabón
nombre masculino
1 Utensilio de dibujo en forma de triángulo rectángulo con los tres lados desiguales. INGLÉS set square.
NOTA El plural es: cartabones.

cartaginés, cartaginesa
adjetivo y nombre
1 Se dice de la persona o cosa que era de Cartago, antigua ciudad del norte de África. Los cartagineses lucharon contra el Imperio romano en tres grandes guerras. INGLÉS Carthaginian.
NOTA El plural de cartaginés es: cartagineses.

cartearse
verbo
1 Comunicarse con una persona por medio de cartas. INGLÉS to correspond.

cartel
nombre masculino
1 Papel, tela o lámina de otro material que tiene palabras o dibujos y se pone en un lugar público para informar de algo. Hay carteles de espectáculos, de avisos o de publicidad. INGLÉS poster.
en cartel Se dice de un espectáculo que se está representando. INGLÉS running on.

cartelera
nombre femenino
1 Publicación o sección de una publicación en la que aparecen los espectáculos a los que puede asistir el público. INGLÉS entertainment section.
2 Superficie donde se pueden fijar carteles o anuncios. INGLÉS hoarding.

cartera
nombre femenino
1 Objeto plano que se lleva en un bolsillo o un bolso y tiene varios apartados para guardar billetes, carnés o tarjetas de crédito. INGLÉS wallet.
2 Bolsa con asa, tapa y algún tipo de cierre que se usa para llevar libros, papeles o documentos. INGLÉS briefcase [si es de un escolar: satchel].
3 Conjunto de clientes de una compañía o una empresa. INGLÉS portfolio.

carterista
nombre masculino y femenino
1 Persona que roba carteras o monederos intentando que las víctimas no se den cuenta. INGLÉS pickpocket.

cartero, cartera
nombre
1 Persona que reparte las cartas o paquetes de correos. INGLÉS postman [hombre], postwoman [mujer].

cartesiano, cartesiana
adjetivo
1 Se dice del sistema de coordenadas o ejes que permite determinar la posición de un punto en un plano. Un sistema de referencia cartesiano consta de dos rectas perpendiculares graduadas uniformemente (ejes de coordenadas), que se cortan en un punto (origen de coordenadas). INGLÉS Cartesian.

cartílago
nombre masculino
1 Tejido más blando que el hueso y más duro que la carne que forma parte del esqueleto de algunos animales. Tenemos cartílagos en las articulaciones de los huesos. INGLÉS cartilage.

cartilla
nombre femenino
1 Cuaderno o libreta en que se incluyen determinados datos. En la cartilla de ahorros se indica el dinero que tiene alguien en el banco. INGLÉS book.
2 Libro que se utiliza para enseñar a leer a los niños. Tiene palabras sueltas o frases cortas que van acompañadas de ilustraciones. INGLÉS primer.
leer la cartilla Regañar a una persona y decirle lo que tiene que hacer. INGLÉS to read the riot act.

cartografía
nombre femenino
1 Técnica que consiste en dibujar mapas geográficos. También se llama cartografía la ciencia que estudia los mapas. INGLÉS cartography.

cartón
nombre masculino
1 Material hecho de varias capas de pasta de papel unidas. Las cajas de zapatos están hechas de cartón. INGLÉS cardboard.
2 Envase o paquete hecho de cartón, como los que se utilizan para envasar zumos o para empaquetar cigarrillos. INGLÉS carton.
NOTA El plural es: cartones.

cartuchera
nombre femenino
1 Cinturón o bolsa donde se llevan cartuchos. INGLÉS cartridge holder [bolsa], cartridge belt [cinturón].

cartucho
nombre masculino
1 Munición que se dispara con un arma de fuego y que está formada por un cilindro lleno de pólvora al que va unida una bala. INGLÉS cartridge.
2 Accesorio de una máquina o de un utensilio que se puede recambiar, como el cartucho de tinta de una impresora. INGLÉS cartridge.
3 Envoltorio con forma cilíndrica o cónica que sirve para contener diversas cosas, como una pila de monedas iguales o un montón de caramelos. INGLÉS roll, tube.

cartulina
nombre femenino
1 Trozo de cartón fino, liso y flexible. Las cartulinas pueden ser de distintos colores. INGLÉS thin card.

casa
nombre femenino
1 Edificio o parte de él en el que vive una persona o un grupo de personas. INGLÉS house.
2 Conjunto de los miembros de una familia que tienen un mismo origen, en especial si es noble. El rey de España pertenece a la casa de Borbón. INGLÉS house.
3 Establecimiento donde se vende o fabrica algún producto o se prestan servicios: *En la esquina hay una casa de modas donde hacen vestidos.* INGLÉS company [empresa], shop [tienda].
casa consistorial Edificio del ayuntamiento. INGLÉS town hall.
casa de Dios Iglesia. INGLÉS house of God.
de andar por casa Se dice de lo que se usa en situaciones de confianza o se hace de cualquier manera o con rapidez: *Improvisa teorías de andar por casa para explicar lo que no sabe.* Es una expresión informal. INGLÉS homespun [teoría], rough-and-ready [improvisado].

casaca
nombre femenino
1 Abrigo largo y con faldones, que es normalmente de un color llamativo y está decorado con bordados. Es una prenda antigua que llevaban los hombres, sobre todo los que vestían de uniforme. INGLÉS frock coat.

casamiento
nombre masculino
1 Ceremonia en que dos personas se casan. SINÓNIMO boda. INGLÉS marriage, wedding.

casar
verbo
1 Unir a dos personas en matrimonio. Un juez de paz puede casar a una pareja por lo civil. Un sacerdote puede casar a una pareja por la iglesia. INGLÉS to marry.
2 Hacer que dos o más cosas coincidan, se correspondan o se adapten. Para completar un puzzle hay que hacer que las piezas casen entre sí. INGLÉS to match, to fit together.

cascabel
nombre masculino
1 Bola pequeña y hueca de metal que lleva en su interior un trozo pequeño de metal u otra cosa para que haga ruido al moverse. El cascabel tiene una ranura para que salga mejor el sonido. INGLÉS bell.
2 Persona que siempre está muy alegre. Es un uso informal. INGLÉS life and soul of the party.

cascada
nombre femenino
1 Agua de un río que cae continuamente con fuerza desde bastante altura por un desnivel del terreno. INGLÉS waterfall.

cascanueces
nombre masculino
1 Instrumento que se usa para partir nueces y otros frutos secos. INGLÉS nutcrackers.
NOTA El plural es: cascanueces.

cascar
verbo
1 Romper en pedazos una cosa, generalmente con cáscara. Para comer nueces o avellanas, primero hay que cascarlas. INGLÉS to crack.
2 Pegar a una persona. Es un uso informal. SINÓNIMO sacudir. INGLÉS to thump.
3 Hablar mucho. Una persona charlatana casca mucho. Es un uso informal. INGLÉS to natter.
NOTA Se escribe 'qu' delante de 'e', como: casquen.

cáscara
nombre femenino
1 Cubierta exterior de algunos frutos, huevos y otras cosas. La cáscara de un fruto es más dura que la piel. INGLÉS shell.

cascarón
nombre masculino
1 Cáscara del huevo, especialmente del que tiene o ha tenido en su interior un polluelo. INGLÉS eggshell.
salir del cascarón Empezar una persona a tener experiencia en las cosas y dejar de ser ingenua. INGLÉS to come out of one's shell.
NOTA El plural es: cascarones.

cascarrabias
nombre masculino y femenino
1 Persona que siempre está enfadada y de mal humor. SINÓNIMO gruñón. INGLÉS grouch.
NOTA El plural es: cascarrabias.

casco
nombre masculino
1 Objeto de un material duro y resistente que cubre y protege la cabeza de heridas o golpes. Los motoristas tienen que llevar casco. INGLÉS helmet.
2 Botella de cristal vacía. INGLÉS empty.
3 Conjunto de edificios de una población que tiene una unidad: *El casco antiguo de la ciudad es de la Edad Media.* INGLÉS part, area.
nombre masculino plural
4 cascos Auriculares de un aparato de música que se colocan en las orejas. INGLÉS headphones.

cascotes
nombre masculino plural
1 Conjunto de escombros y restos que quedan después de derribar un edificio u otra construcción. INGLÉS rubble.

caserío
nombre masculino
1 Casa o conjunto de casas que se encuentran aisladas y en las que viven personas que trabajan en el campo. INGLÉS country house.

casero, casera
adjetivo
1 Se dice de algo que se ha hecho en casa o de un animal que se ha criado en casa. INGLÉS home-made [hecho en casa], home-reared [un animal], home-grown [un producto de la tierra].
2 Se dice de una persona a la que le gusta mucho estar en su casa. SINÓNIMO hogareño. INGLÉS home-loving.
3 Que se hace de manera muy básica o elemental: *Se curó tomando una medicina casera que le preparó un amigo.* INGLÉS home-made.

4 Se dice del árbitro que favorece al equipo que juega en su propio campo. INGLÉS who favours the home team.

caserón
nombre masculino
1 Casa grande y vieja que suele tener aspecto de abandonada. INGLÉS big rambling house.
NOTA El plural es: caserones.

caseta
nombre femenino
1 Construcción pequeña y ligera que sirve para cambiarse de ropa en la playa o la piscina. SINÓNIMO cabina. INGLÉS hut.
2 Instalación sencilla y provisional que se monta en ferias y muestras públicas. SINÓNIMO puesto. INGLÉS booth, stall.
3 Casa pequeña y sencilla que sirve de cobijo a los perros. INGLÉS kennel.

casete
nombre
1 Caja pequeña de plástico que contiene una cinta magnética en la que se pueden grabar y reproducir sonidos o imágenes. Tiene doble género. Se dice: el casete o la casete. SINÓNIMO cinta. INGLÉS cassette.
nombre masculino
2 Aparato que sirve para grabar o reproducir sonidos grabados en una casete. SINÓNIMO radiocasete. INGLÉS cassette player.

casi
adverbio
1 Indica que falta muy poco para que sea completamente verdad lo que se dice a continuación: *¡Qué casualidad! Yo vivo casi al lado.* INGLÉS almost, nearly.
2 Se usa con números o cantidades para indicar que por poco no se llega a la cantidad que se dice: *Tiene casi doce años.* INGLÉS almost, nearly.
3 Introduce una opinión o una idea de la que no se está del todo seguro: *Casi prefiero quedarme en casa a salir.* INGLÉS almost.

casilla
nombre femenino
1 Cada uno de los pequeños espacios cuadrados o rectangulares en los que están divididos algunos muebles o cajas. Las llaves de las habitaciones de los hoteles se guardan en un mueble dividido en casillas. INGLÉS pigeonhole.
2 Cada una de las divisiones de un tablero de juego, como el del ajedrez o el parchís. INGLÉS square.
3 Espacio que hay en algunos impresos para escribir un dato o hacer una marca: *No sé si habré rellenado correctamente todas las casillas.* INGLÉS box.

casillero
nombre masculino
1 Mueble dividido en varios compartimentos en el que se guardan papeles, documentos, llaves u otros objetos. INGLÉS pigeonholes.

casino
nombre masculino
1 Establecimiento donde se practican juegos de azar y otras diversiones. En el casino se juega a la ruleta o a las cartas. INGLÉS casino.

caso
nombre masculino
1 Conjunto de circunstancias en las que se encuentra una cosa o una persona en un momento concreto. Estar en el mismo caso que otra persona es estar en su misma situación. INGLÉS case.
2 Cosa que sucede, especialmente cuando se trata de un acontecimiento que llama la atención por su interés, repercusión o gravedad. SINÓNIMO suceso. INGLÉS case.
3 Asunto o cuestión concreta de la que se trata en un momento determinado. En un juicio se le expone el caso al juez para que decida sobre él. INGLÉS case.
4 Cada persona que representa o padece un hecho determinado. Se dice que hay muchos casos de una enfermedad cuando hay muchas personas que la padecen: *Se ha producido un nuevo caso de despido en la empresa.* INGLÉS case.
5 Forma distinta que tienen las palabras en algunas lenguas, cuando desempeñan diferente función sintáctica. En latín la función de complemento directo se expresa con el caso acusativo. INGLÉS case.
hacer caso Prestar atención a una persona o a una cosa, tenerla en cuenta y preocuparse por ella. INGLÉS to pay attention.
hacer caso omiso No hacer lo que una persona o una ley ordena que se haga. INGLÉS to ignore.
ser un caso Ser una persona poco corriente por hacer cosas que no son normales, como ser muy despistado o estar siempre de broma. Es una expresión informal. INGLÉS to be a case.

casona
nombre femenino
1 Casa grande, generalmente antigua y

de una familia de clase social alta. INGLÉS large house.

caspa

nombre femenino **1** Conjunto de pequeñas escamas blancas que se forman en la cabeza de las personas. Hay champús especiales para eliminar la caspa. INGLÉS dandruff.

castaña

nombre femenino **1** Fruto del castaño que, cuando está maduro, pasa a ser un fruto seco de cáscara fina de color marrón oscuro y carne blanca arrugada. Las castañas se pueden comer crudas o asadas. INGLÉS chestnut.

2 Golpe o choque que se produce por accidente. Es un uso informal. SINÓNIMO castañazo; porrazo. INGLÉS bump.

¡toma castaña! Exclamación que se usa para expresar satisfacción por algo desagradable o malo que otra persona tiene que soportar. INGLÉS so there!

sacar las castañas del fuego Resolver alguien un problema de otra persona. INGLÉS to get somebody out of trouble.

castañar

nombre masculino **1** Terreno en el que crecen castaños. INGLÉS chestnut grove.

castañazo

nombre masculino **1** Golpe o choque que se produce por accidente. SINÓNIMO castaña; porrazo. INGLÉS bump.

NOTA Es una palabra informal.

castañero, castañera

nombre **1** Persona que asa y vende castañas en un puesto en la calle. INGLÉS chestnut seller.

castañetear

verbo **1** Chocar los dientes de arriba contra los de abajo haciendo un ruido característico. Si alguien tiene mucho frío o miedo le castañetean los dientes sin querer. INGLÉS to chatter.

castaño, castaña

nombre masculino y adjetivo **1** Color marrón oscuro, como el de la cáscara de la castaña. Se utiliza para hablar del color de pelo o de ojos de una persona. INGLÉS chestnut.

adjetivo y nombre **2** Se dice de la persona que tiene el pelo de color marrón. INGLÉS chestnut [adjetivo].

nombre masculino **3** Árbol de tronco grueso, con la copa ancha y redonda, hojas con el borde en forma de sierra y fruto recubierto de espinas cuya semilla es la castaña. INGLÉS chestnut tree.

castañuela

nombre femenino **1** Instrumento musical de percusión formado por dos piezas con forma de concha que están unidas por una cuerda. Las castañuelas se tocan con una mano, haciendo chocar una pieza contra la otra. INGLÉS castanet.

castellano, castellana

adjetivo y nombre **1** Que es de Castilla y León o de Castilla-La Mancha. INGLÉS Castilian.

nombre masculino **2** Lengua hablada en España y en los países hispanoamericanos. El castellano tiene su origen en el latín. SINÓNIMO español. INGLÉS Castilian, Spanish.

castellonense

adjetivo y nombre masculino y femenino **1** Se dice de la persona o de la cosa que es de la ciudad de Castellón de la Plana o de la provincia de Castellón.

castidad

nombre femenino **1** Forma de comportarse de las personas que no tienen relaciones sexuales o que las tienen según unas normas morales o religiosas. ANTÓNIMO lujuria. INGLÉS chastity.

castigar

verbo **1** Hacer que una persona cumpla una pena u obligación por haber cometido una falta o delito. INGLÉS to punish.

2 Causar una cosa un gran sufrimiento o daño a alguien aunque no haya hecho nada para merecerlo. El hambre castiga muy duramente a los países más pobres del mundo. INGLÉS to hit severely.

NOTA Se escribe 'gu' delante de 'e', como: castigué.

castigo

nombre masculino **1** Pena u obligación que debe cumplir una persona por haber cometido una falta o un delito. Meter en prisión o hacer pagar una cantidad de dinero a alguien son dos castigos que la justicia puede aplicar. INGLÉS punishment.

castillo

nombre masculino **1** Edificio grande que está rodeado de murallas muy gruesas y otros elementos que sirven para defenderlo. A menudo está situado en un lugar elevado. INGLÉS castle.

casting
nombre masculino
1 Proceso en el que seleccionan actores, artistas o modelos para realizar un trabajo: *Hizo el casting para actuar en la película pero no la escogieron.* INGLÉS audition.
NOTA Se pronuncia: 'castin'. El plural es: castings.

casto, casta
adjetivo
1 Se dice de la persona que no tiene relaciones sexuales o que las tiene siguiendo unas normas morales o religiosas. INGLÉS chaste.

castor
nombre masculino
1 Animal mamífero roedor de pelo marrón suave, patas cortas y cola aplastada. Los castores pasan mucho tiempo en el agua de los ríos, donde construyen diques para vivir en ellos. INGLÉS beaver.

castrar
verbo
1 Quitar a un hombre o animal macho los órganos sexuales o hacer que pierdan su capacidad de reproducción. SINÓNIMO capar. INGLÉS to castrate.

casual
adjetivo
1 Se dice del suceso que ocurre de forma imprevista o por casualidad. INGLÉS accidental, chance.

casualidad
nombre femenino
1 Suceso o hecho que ocurre sin que se pueda prever o evitar: *Es una casualidad que vivamos en la misma calle.* INGLÉS coincidence.

cataclismo
nombre masculino
1 Desastre muy grande en el que hay muchas víctimas o mucha destrucción y que ocurre a causa de un fenómeno natural, como un terremoto o un huracán. INGLÉS cataclysm.

catacumbas
nombre femenino plural
1 Galerías bajo tierra donde los primeros cristianos enterraban a sus muertos y celebraban sus cultos religiosos. Se construyeron para esconderse de los romanos, que habían prohibido el cristianismo. INGLÉS catacombs.

catalán, catalana
adjetivo y nombre
1 Que es de Cataluña, comunidad autónoma del noreste de España. INGLÉS Catalan.
nombre masculino
2 Lengua hablada en Cataluña, la Comunidad Valenciana, Baleares y zonas del sur de Francia. Es la lengua oficial de Cataluña y Baleares junto al español y tiene su origen en el latín. INGLÉS Catalan.
NOTA El plural de catalán es: catalanes.

catalejo
nombre masculino
1 Aparato que sirve para ver más cerca las cosas que están lejos. Está formado por un tubo que tiene en sus extremos dos lentes para aumentar la imagen. INGLÉS telescope.

catálogo
nombre masculino
1 Lista ordenada de cosas que se pueden encontrar o conseguir en un sitio. Los catálogos de los museos enumeran las obras que hay en ellos. SINÓNIMO índice. INGLÉS catalogue.

catapulta
nombre femenino
1 Máquina de guerra antigua que se utilizaba para lanzar a gran distancia piedras o flechas. Las catapultas eran de madera y tenían una palanca o un mecanismo parecido para lanzar con un fuerte impulso las piedras o las flechas. INGLÉS catapult.

catar
verbo
1 Probar una comida o bebida para ver qué sabor tiene. INGLÉS to taste.

catarata
nombre femenino
1 Corriente de agua que cae desde mucha altura por un desnivel del terreno. INGLÉS waterfall.

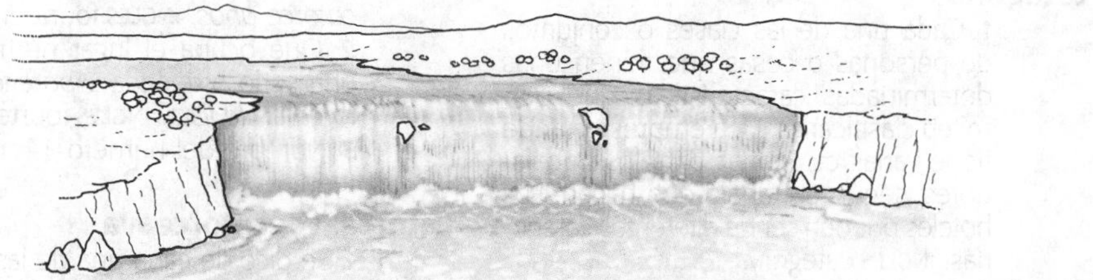

catarata

a b c d e f g h i j k l m n ñ o p q r s t u v w x y z

2 Enfermedad de los ojos que consiste en una capa que se va formando en el ojo, que tapa el cristalino e impide ver con claridad. INGLÉS cataract.

catarro
nombre masculino
1 Enfermedad leve en la que se inflama el tejido interior de la nariz y la garganta. Produce tos y mocos. SINÓNIMO constipado; resfriado. INGLÉS cold.

catástrofe
nombre femenino
1 Desgracia o desastre muy grande que ocurre a causa de un fenómeno natural o un accidente, y en el que hay muchas víctimas o mucha destrucción. INGLÉS catastrophe.
2 Suceso negativo que perjudica los intereses de alguien, o cosa que está muy mal hecha. Es un uso informal. INGLÉS catastrophe.

cate
nombre masculino
1 Suspenso que se saca en un examen. INGLÉS fail.
NOTA Es una palabra informal.

catear
verbo
1 Suspender una prueba o un examen. Es una palabra informal. INGLÉS to fail.

catecismo
nombre masculino
1 Libro en el que se explican la doctrina y las ideas cristianas, normalmente en forma de preguntas y respuestas. En la catequesis los niños aprenden el catecismo. INGLÉS catechism.

catedral
nombre femenino
1 Iglesia principal de un territorio, en el que hay un obispo y que destaca por su gran tamaño y su estilo arquitectónico. INGLÉS cathedral.

catedrático, catedrática
nombre
1 Profesor que tiene la categoría más alta en un centro de enseñanza media o en una universidad. INGLÉS head of department.

categoría
nombre femenino
1 Cada una de las clases o conjuntos de personas o cosas que tienen unas determinadas características que permiten clasificarlas. Una empresa grande tiene varias categorías para los trabajadores, según el trabajo que hagan. Los hoteles pueden ser de diferentes categorías. INGLÉS category.
2 En gramática, cada una de las clases de palabras que se diferencian por la función que desempeñan en la oración. El nombre, el verbo, el adjetivo y el adverbio son categorías gramaticales. INGLÉS part of speech.

categórico, categórica
adjetivo
1 Que afirma o niega de manera que no deja dudas, sin dar una alternativa posible: *Seguro que no viene, me lo confirmó de forma categórica.* INGLÉS categorical.

catequesis
nombre femenino
1 Enseñanza de la doctrina y las ideas cristianas. Antes de hacer la primera comunión los niños van a clases de catequesis. INGLÉS catechism.
NOTA El plural es: catequesis.

cateto, cateta
nombre
1 Persona que tiene poca educación y se comporta con unos modales poco finos o delicados. SINÓNIMO palurdo. INGLÉS yokel.
nombre masculino
2 Cada uno de los dos lados que forman el ángulo recto del triángulo rectángulo. Un triángulo rectángulo tiene dos catetos y una hipotenusa. INGLÉS cathetus.

catolicismo
nombre masculino
1 Religión cristiana que reconoce al papa como el representante de Dios en la Tierra. Es la religión que predomina en países como España, Francia o Italia. INGLÉS Catholicism.

católico, católica
adjetivo y nombre
1 Se dice de la persona que tiene como religión el catolicismo o de cualquier cosa que tiene relación con el catolicismo. INGLÉS Catholic.
no estar muy católico No encontrarse muy bien de salud: *No iré a clase, no estoy muy católico.* INGLÉS to be under the weather.

catorce
numeral cardinal
1 Indica que el nombre al que acompaña está 14 veces: *Mañana cumplo catorce años.* INGLÉS fourteen.
2 Que ocupa el lugar número 14 en una serie ordenada: *Aparecerás la catorce en la lista.* INGLÉS fourteenth.
nombre masculino
3 Nombre del número 14. INGLÉS fourteen.

catorceavo, catorceava
adjetivo y nombre masculino
1 Se dice de cada una de las 14 partes iguales en que se divide una cosa. INGLÉS fourteenth.

LAS CATEGORÍAS GRAMATICALES

Las clases de palabras que existen en nuestro idioma son las siguientes:

Categoría gramatical	Palabra variable / invariable	Función	Ejemplo
nombre	variable	Es núcleo del grupo nominal. Puede ser sujeto de la oración	Claudia, diccionario, amistad
determinante	variable	Acompaña al nombre precisando y limitando su significado	el, esta, alguna, primero
adjetivo	variable	Modifica el nombre y ofrece alguna característica	nuevo, azul, hermosa, tranquilo
pronombre	variable	Actúa como un nombre. Puede ser sujeto de la oración	yo, vosotros, mío
verbo	variable	Es el núcleo del predicado	estar, leer, dormir, soñar
adverbio	invariable	Modifica a verbos, adjetivos y otros adverbios y completa su significado indicando circunstancias de modo, tiempo, lugar, cantidad, duda, etc.	ahora, lejos, así, mañana, quizá
preposición	invariable	Relaciona palabras o frases de distinto nivel	a, de, por, sin, sobre
conjunción	invariable	Une dos o más partes de una frase, o dos o más frases	pero, y, aunque, porque

1. Este diccionario indica la categoría gramatical de las palabras escrita en letra pequeña en el lado izquierdo de los artículos; por ejemplo:

categoría
nombre
femenino

2. Hay palabras que pueden tener más de una categoría:

búlgaro, búlgara
adjetivo y nombre **1** Se dice de la persona o cosa que es de Bulgaria, país del este de Europa.
nombre masculino **2** Lengua hablada en Bulgaria. El búlgaro es una lengua eslava.

3. Las palabras pueden ser variables o invariables. En las palabras variables, el diccionario ofrece:
- la forma singular de nombres que solo tienen un género gramatical o la misma forma en masculino y en femenino o adjetivos con una sola terminación, por ejemplo: **azul**.
- la forma masculina y femenina singular de nombres, adjetivos, determinantes o pronombres con dos terminaciones, por ejemplo: **amigo, amiga**.
- el infinitivo de los verbos, por ejemplo: **jugar**. Recuerda, si el verbo es irregular tienes cuadros y observaciones para que sepas todas las formas que puede adoptar ese verbo.

4. Puedes encontrar algunas palabras en las que pone en el lugar de la categoría «participio» o «interjección».

a b c d e f g h i j k l m n ñ o p q r s t u v w x y z

cauce
nombre masculino
1 Parte de un terreno por donde corre el agua de un río o arroyo. A causa de la fuerte lluvia el cauce de un río se puede desbordar. SINÓNIMO lecho. INGLÉS bed.
2 Procedimiento o modo como se hace o sucede algo: *La vida de mi familia transcurre por cauces tranquilos.* INGLÉS course.

caucho
nombre masculino
1 Sustancia elástica, impermeable y resistente que se extrae del jugo que tienen algunas plantas tropicales. El caucho se emplea en la fabricación de neumáticos. INGLÉS rubber.

caudal
nombre masculino
1 Cantidad de agua que lleva una corriente o que pasa por un conducto. El caudal de un río crece con las lluvias y el deshielo. INGLÉS volume, flow.
2 Cantidad de dinero y bienes que posee una persona: *Invirtió en la empresa todo su caudal.* SINÓNIMO fortuna. INGLÉS fortune.
adjetivo
3 De la cola de los animales o que tiene relación con ella. Un pez controla su movimiento con la aleta caudal. Es un uso formal. INGLÉS caudal, tail.

caudaloso, caudalosa
adjetivo
1 Se dice del río que lleva mucha cantidad de agua. El Amazonas es el río más caudaloso del mundo. INGLÉS having a large flow.

caudillo
nombre masculino
1 Persona que dirige y manda a un grupo de gente, especialmente un ejército. INGLÉS leader, head.

causa
nombre femenino
1 Cosa o suceso que da origen o produce otra cosa o suceso. Algunas catástrofes ocurren por causas naturales. INGLÉS cause.
2 Cosa que explica que una persona realice determinada acción o que algo sea de cierta manera. Las personas suelen enfadarse por una causa concreta. SINÓNIMO motivo. INGLÉS cause.
3 Idea o proyecto que una persona defiende y se esfuerza por conseguir. La defensa del planeta es la causa de los ecologistas. INGLÉS cause.
4 Procedimiento por el que se acusa a alguien de un delito, para que un juez pueda decidir si es culpable y si se le debe imponer un castigo. SINÓNIMO juicio. INGLÉS case, lawsuit.
a causa de Indica que una cosa o suceso da origen o produce otra cosa o suceso: *Está muy cansado a causa de su duro trabajo.* INGLÉS because of.

causante
adjetivo y nombre masculino y femenino
1 Se dice de la persona o cosa que causa algo: *¿Quién es el causante del accidente?* INGLÉS causing [adjetivo], cause [nombre].

causar
verbo
1 Producir algo un determinado efecto. Una buena noticia causa alegría. INGLÉS to cause.
2 Ser algo la razón o la causa de que una persona realice una determinada acción o de que ocurra una cosa. Las lluvias torrenciales suelen causar inundaciones. INGLÉS to cause.

cautela
nombre femenino
1 Precaución y cuidado que tiene una persona al hacer algo. Una persona actúa con cautela para evitar un peligro o cuando no quiere ser descubierta al hacer una cosa. INGLÉS caution, cautiousness.

cauteloso, cautelosa
adjetivo
1 Que actúa con mucha cautela. INGLÉS cautious, wary.

cautivar
verbo
1 Atraer una persona o una cosa de manera irresistible a alguien con algún encanto o cualidad especial. INGLÉS to captivate.

cautiverio
nombre masculino
1 Estado de la persona o del animal salvaje al que se ha quitado la libertad y está encerrado en algún sitio. También se llama cautiverio el tiempo que dura este estado. INGLÉS captivity.

cautividad
nombre femenino
1 Situación de la persona o el animal salvaje que no está en libertad. Los animales del zoo viven en cautividad. INGLÉS captivity.

cautivo, cautiva
adjetivo y nombre
1 Se dice de la persona o animal que está retenido por la fuerza en un lugar, en especial si es el animal que ha sido cazado o la persona que es prisionera. INGLÉS captive.
2 Se dice de la persona que se sien-

te muy atraída por algo o alguien y no puede alejarse de él: *Se sentía totalmente cautivo de su sonrisa.* **INGLÉS** captivated [adjetivo].
NOTA Es un uso literario.

cauto, cauta
adjetivo
1 Se dice de la persona que actúa con cuidado y precaución, sin confiarse demasiado. Es una palabra formal. **INGLÉS** cautious, wary.

cava
nombre masculino
1 Vino blanco espumoso elaborado y criado en la misma botella, en bodegas subterráneas. El cava se produce en Cataluña, Aragón y La Rioja: *En la fiesta brindamos con cava.* **INGLÉS** cava.
nombre femenino
2 Bodega bajo tierra en la que se cuida y guarda este vino. **INGLÉS** wine cellar.

cavar
verbo
1 Remover la tierra con una herramienta para cultivar plantas y hortalizas. Los agricultores cavan con la azada antes de plantar. **INGLÉS** to dig.
2 Hacer un hoyo, una zanja o algo parecido. **INGLÉS** to dig.

caverna
nombre femenino
1 Cueva profunda que hay bajo tierra o entre las rocas. **INGLÉS** cavern, cave.

cavernícola
adjetivo y nombre masculino y femenino
1 Que vive en las cavernas. Los hombres prehistóricos eran cavernícolas. **INGLÉS** cave-dwelling [adjetivo], cave dweller [nombre - hombre y mujer].
2 Se dice de la persona que actúa de manera poco civilizada. Es un uso familiar. **INGLÉS** neanderthal.

caviar
nombre masculino
1 Alimento salado de color oscuro formado por las huevas de ciertos peces. El caviar es un alimento muy caro y apreciado. **INGLÉS** caviar.

cavidad
nombre femenino
1 Espacio hueco en el interior de un cuerpo o que se abre en una superficie. Dentro de la cavidad del tórax se encuentran los pulmones. Una cueva es una cavidad en una roca o una montaña. **INGLÉS** cavity.

cavilar
verbo
1 Pensar en algo con mucho detenimiento. Ante un problema muy difícil hay que cavilar para encontrar la solución. **INGLÉS** to ponder.

cayado
nombre masculino
1 Bastón con la parte superior curvada que se utiliza para conducir el ganado. **INGLÉS** crook.

caza
nombre femenino
1 Actividad que consiste en cazar animales. **INGLÉS** hunting.
2 Conjunto de animales que se cazan. **INGLÉS** game.
nombre masculino
3 Avión militar muy rápido y de pequeño tamaño, destinado al combate o a inspeccionar. **INGLÉS** fighter.

cazador, cazadora
nombre
1 Persona que se dedica a cazar animales como deporte o como profesión. **INGLÉS** hunter [hombre], huntress [mujer].
adjetivo
2 Se dice del animal que caza a otros para comérselos. Los leones y los tigres son felinos cazadores. **INGLÉS** hunting.

cazadora
nombre femenino
1 Prenda de vestir parecida a una chaqueta pero más ancha y corta. Las cazadoras se suelen abrochar con cremallera. **INGLÉS** jacket.

cazar
verbo
1 Perseguir animales para matarlos o para atraparlos: *Los gatos cazan ratones.* **INGLÉS** to hunt, to catch.
2 Descubrir un secreto, un error o algo que se esconde: *Cacé cinco faltas de ortografía en tu redacción.* Es un uso informal. **INGLÉS** to discover.
3 Entender o darse cuenta con rapidez de una cosa: *Caza las explicaciones enseguida.* Es un uso informal. **INGLÉS** to get.
NOTA Se escribe 'c' delante de 'e', como: cacen.

cazo
nombre masculino
1 Recipiente de cocina redondo con un mango largo que sirve para calentar o cocer alimentos. Los cazos suelen ser de metal y de pequeño tamaño. **INGLÉS** saucepan.
2 Utensilio de cocina formado por media esfera hueca unida a un mango largo. Se utiliza para servir comidas líquidas, como la sopa o el puré. **SINÓNIMO** cucharón. **INGLÉS** ladle.

cazuela
nombre femenino
1 Recipiente ancho y redondo que sirve para calentar y cocinar alimentos. Las

cazuelas tienen dos asas y una tapadera. **INGLÉS** casserole.

CD

nombre masculino

1 Disco de pequeño tamaño que puede llevar grabados música o sonidos, que se escuchan gracias a un aparato con un lector láser. **INGLÉS** CD.

NOTA Es la sigla de: compact disc. Se pronuncia: 'ce-de'. El plural es: CD.

CD-ROM

nombre masculino

1 Disco compacto en el que se almacena una gran cantidad de información que se lee introduciéndolo en un dispositivo especial del ordenador. **INGLÉS** CD-ROM.

2 Dispositivo del ordenador donde se introduce el disco y que utiliza el láser para descifrar la información. **INGLÉS** disk drive.

ce

nombre femenino

1 Nombre de la letra 'c'. 'Casa' y 'cien' empiezan por ce.

cebada

nombre femenino

1 Cereal muy parecido al trigo pero de semillas más alargadas y puntiagudas. También se llaman cebada las semillas de este cereal y se usan como alimento para los animales y para fabricar cerveza. **INGLÉS** barley.

cebar

verbo

1 Dar mucha comida a un animal para que engorde. A los cerdos se les ceba para que luego den buenos jamones. **INGLÉS** to fatten up.

2 **cebarse** Mostrarse demasiado duro o cruel con alguien: *No te cebes con tu primo, que es muy tímido.* **INGLÉS** to show no mercy.

cebo

nombre masculino

1 Comida que se muestra a un animal para atraerlo y atraparlo cuando va a comerla. El cebo se puede poner en un anzuelo para pescar o en una trampa para cazar. **INGLÉS** bait.

2 Cosa o persona que se utiliza para atraer a alguien y hacerlo caer en una trampa. **INGLÉS** bait.

3 Persona o cosa agradable o atractiva que se utiliza para atraer a alguien e incitarle a hacer algo. Los anuncios son un cebo para que la gente compre el producto anunciado. **INGLÉS** lure.

4 Pequeña cantidad de explosivo que se introduce en un arma o en un proyectil para hacer que explote. **INGLÉS** primer.

cebolla

nombre femenino

1 Bulbo comestible de color blanco, que tiene varias capas que le dan forma redondeada. Las cebollas se cultivan en los huertos y tienen olor y sabor fuertes. **INGLÉS** onion.

2 Bulbo parecido a la cebolla de algunas plantas. El lirio y el tulipán tienen en la parte de abajo una pequeña cebolla. **INGLÉS** bulb.

cebolleta

nombre femenino

1 Planta parecida a la cebolla, pero más pequeña, de la que se come el bulbo y las hojas tiernas. **INGLÉS** spring onion [en el Reino Unido], scallion [en Estados Unidos].

cebra

nombre femenino

1 Animal mamífero parecido al caballo, con la piel de rayas negras y blancas. Vive en la sabana africana. **INGLÉS** zebra.

ceceo

nombre masculino

1 Fenómeno que consiste en pronunciar la 's' como 'z' o 'c' ante 'e' o 'i'. El ceceo se produce en zonas del sur de España. **INGLÉS** lisp.

cedazo

nombre masculino

1 Objeto formado por un aro de madera o metal y una red, generalmente metálica, fijada al aro. Sirve para separar las partes finas y las gruesas de una cosa, por ejemplo, para separar las piedras de la arena para mezclar la arena con cemento. **INGLÉS** sieve.

cedazo

ceder

verbo

1 Dar o dejar a alguien voluntariamente una pertenecia o algo a lo que se tiene derecho. Si cedes el paso a alguien, lo dejas pasar. **INGLÉS** to cede, to hand over [ceder el paso - to give way].

2 Dejar de oponerse o resistirse una persona a algo, como un deseo: *La discusión acabó porque yo cedí y le di la razón.* INGLÉS to give in.

3 Romperse o perder la tirantez o la forma original una cosa que tenía demasiado peso sobre ella o estaba demasiado tirante: *La estantería cedió porque aguantaba mucho peso.* INGLÉS to give way.

4 Disminuir la fuerza o la intensidad de algo: *Como es primavera, ya empieza a ceder el frío del invierno.* INGLÉS to diminish.

cedro

nombre masculino

1 Árbol de gran altura, con el tronco grueso y recto, la copa en forma de cono, las hojas estrechas y perennes, y las ramas horizontales algo caídas. Su madera se utiliza en carpintería. INGLÉS cedar.

cegar

verbo

1 Hacer perder a alguien el sentido de la vista de forma pasajera o para siempre. El resplandor del sol nos ciega. INGLÉS to blind.

2 Quitar la capacidad de razonar a una persona o impedir que se dé cuenta de la importancia real de las cosas. Una persona se deja cegar por la ira y el odio cuando no piensa en otra cosa. SINÓNIMO ofuscar. INGLÉS to blind.

NOTA Se conjuga como regar; la 'e' se convierte en 'ie' en sílaba acentuada y se escribe 'gu' delante de 'e', como: ciegue.

cegato, cegata

adjetivo y nombre

1 Se dice de la persona que no ve bien o que no ve bien de lejos. INGLÉS short-sighted [adjetivo].

NOTA Es una palabra informal.

ceguera

nombre femenino

1 Pérdida total de la vista. INGLÉS blindness.

ceja

nombre femenino

1 Parte de la cara de forma curva situada encima del ojo, que está cubierta de pelos cortos. INGLÉS eyebrow.

2 Conjunto de los pelos cortos que cubren la ceja. INGLÉS eyebrow.

cejijunto, cejijunta

adjetivo

1 Que parece que tiene las cejas juntas. INGLÉS whose eyebrows are too close together.

celda

nombre femenino

1 Habitación pequeña y poco lujosa, especialmente las de las cárceles y los conventos. INGLÉS cell.

2 Espacio pequeño que las abejas forman en la colmena para dejar el polen y fabricar la miel. INGLÉS cell.

celebérrimo, celebérrima

adjetivo

1 Superlativo de: célebre. INGLÉS most famous.

celebración

nombre femenino

1 Acto, normalmente formal, en el que participan varias personas. INGLÉS celebration.

2 Acto o fiesta que se realiza para celebrar un acontecimiento, como un cumpleaños o un bautizo. INGLÉS celebration.

NOTA El plural es: celebraciones.

celebrar

verbo

1 Organizar una fiesta o un acto alegre con motivo de un acontecimiento o una fecha importante, como un cumpleaños. INGLÉS to celebrate.

2 Realizar un acto formal y serio. Los sacerdotes celebran bodas. INGLÉS to celebrate.

3 Alegrarse por una cosa: *Celebro que hayas aprobado el examen.* INGLÉS to be happy.

célebre

adjetivo

1 Que es muy conocido y tiene mucha fama. SINÓNIMO famoso. INGLÉS well-known, famous.

celebridad

nombre femenino

1 Característica de la persona que es célebre o famosa. INGLÉS celebrity, fame.

2 Persona que es célebre o muy conocida. INGLÉS celebrity, famous person.

celeste

nombre masculino y adjetivo

1 Color azul claro, como el del cielo. INGLÉS sky-blue.

adjetivo

2 Del cielo o que tiene relación con él. Las estrellas son cuerpos celestes. INGLÉS heavenly, celestial.

celo

nombre masculino

1 Cuidado y atención que se pone al realizar una cosa. INGLÉS zeal, fervour.

2 Período de la vida de los animales

en el que están preparados para tener relaciones sexuales. INGLÉS rut, heat.

3 Cinta de plástico transparente que pega por uno de sus dos lados. Para mantener un regalo o un paquete envuelto se suele usar celo. Este significado viene del nombre derivado de una marca registrada. INGLÉS Cellotape.

nombre masculino plural **4** **celos** Sentimiento de enfado o de temor que se tiene cuando se cree que una persona a quien queremos siente amor o más cariño por otra. INGLÉS jealousy.

celofán

nombre masculino **1** Papel muy fino y transparente que parece un plástico. El celofán puede ser de varios colores y se usa para envolver cosas, como regalos o ramos de flores. INGLÉS cellophane.

NOTA Es un nombre derivado de una marca registrada. El plural es: celofanes.

celoso, celosa

adjetivo y nombre **1** Se dice de la persona que siente celos o envidia de otra u otras. INGLÉS jealous [adjetivo].

adjetivo **2** Que hace las cosas con mucho cuidado y esmero. Los trabajadores responsables suelen ser muy celosos en sus tareas. SINÓNIMO cuidadoso. ANTÓNIMO descuidado. INGLÉS zealous.

celta

adjetivo y nombre masculino y femenino **1** Se dice de la persona o cosa que pertenecía a un antiguo pueblo procedente del centro de Europa que se extendió por el oeste de Europa y llegó a la península Ibérica entre los siglos VIII y VI antes de Cristo. INGLÉS Celtic [adjetivo], Celt [nombre].

célula

nombre femenino **1** Elemento microscópico que hay en el cuerpo de los seres vivos. Un conjunto de células de un mismo tipo forma un tejido del organismo. INGLÉS cell.

celular

adjetivo **1** De la célula o relacionado con ella. INGLÉS cell, cellular.

nombre masculino **2** Teléfono que recibe la señal por medio de ondas y no a través de un cable, por lo que se puede llevar encima y utilizar en cualquier sitio. SINÓNIMO móvil. INGLÉS cellphone, mobile phone.

celulitis

nombre femenino **1** Inflamación del tejido celular que está bajo la piel, especialmente en los muslos y el trasero. INGLÉS cellulitis.

NOTA El plural es: celulitis.

celuloide

nombre masculino **1** Material plástico, flexible y resistente que se usaba para fabricar distintos objetos, principalmente películas para cámaras de fotografía, vídeo o cine. Actualmente su uso está limitado al ser un material inflamable y peligroso. INGLÉS celluloid.

NOTA Es un nombre derivado de una marca registrada.

cementerio

nombre masculino **1** Lugar donde se entierra a los muertos. INGLÉS cemetery, graveyard.

cemento

nombre masculino **1** Material en polvo que al mezclarse con agua forma una masa dura que se utiliza en la construcción, por ejemplo para tapar huecos o para unir ladrillos. INGLÉS cement.

cemento armado Cemento que contiene dentro trozos de hierro. INGLÉS reinforced concrete.

cena

nombre femenino **1** Última comida del día que se hace por la noche. INGLÉS supper, dinner.

cenar

verbo **1** Tomar la cena. INGLÉS to have supper, to have dinner.

cencerro

nombre masculino **1** Campana de forma recta que se pone al ganado atada al cuello. El cencerro sirve para localizar al ganado por el ruido que hace cuando anda. INGLÉS cowbell.

estar como un cencerro Estar una persona loca o comportarse de forma alocada. Es una expresión informal. INGLÉS to be nuts.

cenefa

nombre femenino **1** Tira de adorno con dibujos geométricos que se pone en una tela, en una pared o en distintos objetos: *Tiene en el despacho una alfombra con cenefas azules en los bordes.* INGLÉS frieze.

cenicero

nombre masculino **1** Recipiente que se utiliza para dejar la ceniza y las colillas de los cigarros y cigarrillos. INGLÉS ashtray.

cenicienta

nombre femenino **1** Persona o cosa que es despreciada de

manera injusta o colocada en un puesto inferior al que merece. Cuando un equipo es la cenicienta de una competición, se le considera el peor equipo aunque no sea malo. INGLÉS Cinderella.

ceniza

nombre femenino **1** Polvo de color gris que queda después de quemarse una cosa completamente. A medida que se van consumiendo, los cigarros encendidos van dejando ceniza. INGLÉS ash.

nombre femenino plural **2** **cenizas** Restos que quedan de una persona muerta después de haber sido incinerada. INGLÉS ashes.

cenizo, ceniza

adjetivo **1** Que es de color gris claro, como el de la ceniza. INGLÉS ash-grey.

adjetivo y nombre **2** Persona que tiene mala suerte o da mala suerte a los demás: *Siempre que vamos a la playa con él se pone a llover, es un cenizo.* Es un uso informal. SINÓNIMO gafe. INGLÉS jinx [nombre].

censar

verbo **1** Hacer el censo o la lista oficial de los habitantes de un lugar. También se censa la persona que se incluye en esta lista oficial: *Cuando vayamos a vivir a la ciudad, iremos a censarnos.* INGLÉS to take a census of.

censo

nombre masculino **1** Lista oficial de los habitantes o de los bienes de una localidad, región o país. El censo se va actualizando cada cierto tiempo. INGLÉS census.

censo electoral Lista oficial de los ciudadanos de un lugar que tienen derecho a voto. INGLÉS electoral roll.

censura

nombre femenino **1** Acción que consiste en censurar una obra destinada al público. También se llama censura la crítica a las acciones o las palabras de una persona. INGLÉS censorship.

2 Organismo que se encarga de censurar una obra literaria, una película u otra cosa destinada al público. INGLÉS censors.

censurar

verbo **1** Examinar una obra literaria, una película u otra cosa destinada al público para decidir si su contenido sigue o no unas normas políticas, religiosas o morales. Cuando se censura una obra, se suprimen las partes que se consideran inadecuadas. INGLÉS to censor.

2 Decir a una persona que se considera que algo que ha hecho o ha dicho está mal. INGLÉS to censure.

centauro

nombre masculino **1** Animal mitológico que es mitad hombre y mitad caballo. Un centauro con un arco y una flecha es el símbolo del signo del zodiaco de sagitario. INGLÉS centaur.

centavo

nombre masculino **1** Moneda de algunos países que equivale a la centésima parte de la unidad monetaria. En México cien centavos equivalen a un peso. INGLÉS cent.

centella

nombre femenino **1** Rayo o descarga eléctrica de poca fuerza que se produce entre las nubes. INGLÉS flash of lightning.

centellear

verbo **1** Despedir rayos de luz de diversa intensidad y color. Las estrellas centellean en el cielo. INGLÉS to sparkle, to twinkle.

centena

nombre femenino **1** Conjunto de cien unidades. Cuatrocientos son cuatro centenas. SINÓNIMO centenar. INGLÉS hundred.

centenar

nombre masculino **1** Centena. INGLÉS hundred.

centenario, centenaria

nombre masculino **1** Día o año en que se cumplen cien años o varias centenas de años de un acontecimiento. En 1992 se celebró el quinto centenario de la llegada de Colón a América. INGLÉS centenary.

adjetivo y nombre **2** Se dice de la persona que tiene cien años de edad o más. INGLÉS centenarian.

centeno

nombre masculino **1** Cereal de espigas largas y delgadas que produce unas semillas puntiagudas por un extremo. También se llaman centeno las semillas de este cereal y se usan como alimento para los animales y para hacer pan. INGLÉS rye.

centesimal

adjetivo **1** Que está dividido en cien partes. INGLÉS centesimal.

centésimo, centésima

numeral ordinal **1** Que ocupa el lugar número 100 en una serie ordenada. INGLÉS hundredth.

nombre femenino **2** Cada una de las 100 partes iguales que resulta de dividir un todo. En los deportes de mucha velocidad, los tiempos se calculan en centésimas de segundo. INGLÉS hundredth.

centígrado, centígrada

adjetivo **1** Se dice de la escala de temperatura que se divide en cien grados. También se dice de cada una de las cien partes en que se divide esta escala. El agua se hiela a 0 grados centígrados y hierve a 100 grados centígrados. INGLÉS centigrade.

centigramo

nombre masculino **1** Medida de masa que equivale a la centésima parte de un gramo. Su símbolo es: cg. INGLÉS centigram.

centilitro

nombre masculino **1** Medida de capacidad que es igual a la centésima parte de un litro. Su símbolo es: cl. INGLÉS centilitre.

centímetro

nombre masculino **1** Medida de longitud que equivale a la centésima parte de un metro. Su símbolo es: cm. INGLÉS centimetre.

céntimo

nombre masculino **1** Moneda que equivale a la centésima parte de una unidad monetaria. Un euro equivale a cien céntimos. INGLÉS cent.

estar sin un céntimo No tener nada de dinero. Es un uso informal. INGLÉS to be penniless.

centinela

nombre masculino y femenino **1** Soldado que está encargado de vigilar y defender un lugar determinado, como un cuartel. INGLÉS sentry.

2 Persona que vigila si ocurre algo o viene alguien mientras otra u otras están haciendo algo. INGLÉS lookout.

centollo

nombre masculino **1** Animal crustáceo marino con el cuerpo cubierto por una concha gruesa, rugosa y que tiene pelos y espinas. Es comestible y su carne es muy apreciada. INGLÉS spider crab.

central

adjetivo **1** Que está en el centro o entre dos extremos. América Central está situada entre América del Sur y América del Norte. SINÓNIMO céntrico. INGLÉS central.

2 Que es lo más importante: *El tema central del trabajo son los insectos.* SINÓNIMO principal. INGLÉS main.

3 Que produce efectos en el conjunto de un lugar. La calefacción central calienta todas las habitaciones de una casa. INGLÉS central.

nombre femenino **4** Oficina principal de una empresa de la que dependen otras del mismo tipo. Un banco tiene una oficina central y muchas sucursales. INGLÉS head office, headquarters.

5 Conjunto de instalaciones donde se produce energía eléctrica: *Visitamos una central eléctrica.* INGLÉS power station.

centralita

nombre femenino **1** Lugar donde se encuentra instalado un aparato que conecta las llamadas del exterior con los teléfonos interiores de un lugar. También se llama centralita el aparato de conexión. INGLÉS switchboard.

centralizar

verbo **1** Reunir cosas distintas en un lugar común o hacer que algo esté bajo una misma dirección. Una empresa con oficinas en todo el mundo tiene en un lugar una gran oficina que centraliza y controla todas las operaciones. ANTÓNIMO descentralizar. INGLÉS to centralize.

NOTA La 'z' se convierte en 'c' delante de 'e', como: centralicen.

centrar

verbo **1** Colocar una cosa haciendo coincidir su centro con el de otra cosa. El título de un trabajo se puede centrar en la primera página. INGLÉS to centre.

2 Dirigir la atención hacia un objeto o asunto determinado. Los deportistas centran sus esfuerzos en ganar. INGLÉS to centre.

3 En el fútbol, dar un pase largo hacia la zona más próxima a la portería contraria para que otro jugador pueda rematar. INGLÉS to centre.

4 **centrarse** Pasar a sentirse seguro o estable en una situación o con un modo de vida: *No puede centrarse en su nuevo trabajo.* INGLÉS to concentrate.

céntrico, céntrica

adjetivo **1** Se dice del edificio, barrio, calle o establecimiento que está en el centro de la ciudad. INGLÉS central.

centro

nombre masculino **1** Punto o lugar que está en medio de

algo. El diámetro de una circunferencia pasa por el centro. SINÓNIMO medio. INGLÉS centre.

2 Lugar donde se desarrollan actividades culturales, deportivas, científicas o de otro tipo. La universidad es un centro cultural. INGLÉS centre.

3 Persona, lugar o cosa hacia donde se dirige la atención o el interés. El protagonista de una novela es el centro de atención de una novela. INGLÉS centre.

4 Parte de una población donde hay edificios importantes y donde se desarrolla la mayor parte de la actividad comercial y cultural. Con el transporte público es fácil llegar al centro. ANTÓNIMO periferia. INGLÉS centre [en el Reino Unido], downtown [en Estados Unidos].

5 Conjunto de ideas políticas que están entre las ideologías de la derecha y la izquierda. INGLÉS centre.

centrocampista

nombre masculino y femenino

1 En un equipo deportivo, jugador que juega en el centro del campo y ayuda tanto a la defensa como a la delantera de su equipo. INGLÉS midfield player.

ceñir

verbo

1 Ajustar una cosa a otra, especialmente una prenda de vestir al cuerpo. INGLÉS to cling.

2 ceñirse Mantenerse dentro de unos determinados límites: *Este cantante se ciñe solo a un estilo musical.* INGLÉS to keep.

ceño

nombre masculino

1 Gesto que consiste en arrugar la frente y las cejas. La persona que lo hace demuestra enfado o preocupación. INGLÉS frown.

cepa

nombre femenino

1 Tronco de la vid. También se llama cepa toda la planta de la vid. SINÓNIMO parra. INGLÉS stock.

cepa

2 Parte del tronco de una planta que está bajo tierra junto con las raíces. INGLÉS stump.

de pura cepa Que tiene las características reconocidas como auténticas de un tipo o de una clase: *Es un americano de pura cepa.* INGLÉS through and through.

cepillar

verbo

1 Pasar un cepillo por una superficie para limpiarla. Se pueden cepillar la ropa, los zapatos o los dientes. INGLÉS to brush.

2 Pasar un cepillo por una superficie con pelo para desenredarlo. Se pueden cepillar el cabello o la lana. INGLÉS to brush.

3 Pasar un cepillo de carpintero sobre la madera para alisarla. INGLÉS to plane.

4 cepillarse Matar a una persona o un animal. Es un uso informal. INGLÉS to kill.

5 cepillarse Terminar un trabajo en muy poco tiempo: *Me cepillaré la redacción en diez minutos.* Es un uso informal. INGLÉS to finish off.

cepillo

nombre masculino

1 Instrumento que consiste en una pieza de madera u otro material en la que van enganchados o clavados una gran cantidad de pelos o cerdas. Los cepillos sirven para la limpieza o el aseo personal. INGLÉS brush.

2 Herramienta de madera con una cuchilla en su base que utilizan los carpinteros para alisar la madera. INGLÉS plane.

cepo

nombre masculino

1 Instrumento que se utiliza para cazar animales. Los cepos suelen ser de hierro y tienen un mecanismo que deja a los animales aprisionados cuando lo tocan. INGLÉS trap.

2 Mecanismo que se coloca en la rueda de un automóvil para inmovilizarlo: *Aparqué el coche mal y la policía me puso un cepo.* INGLÉS clamp.

ceporro, ceporra

nombre

1 Persona poco inteligente y torpe. Es una palabra informal. INGLÉS blockhead.

cera

nombre femenino

1 Sustancia sólida y grasienta que fabrican las abejas y se derrite con el calor. La cera se utiliza para fabricar velas. INGLÉS wax.

2 Producto que se usa para dar brillo a

los suelos y a los muebles de madera. INGLÉS wax.
3 Sustancia amarilla y grasienta que se forma en los oídos. INGLÉS wax.

cerámica
nombre femenino **1** Actividad que consiste en fabricar objetos con arcilla o porcelana, como por ejemplo jarrones y platos. INGLÉS ceramics, pottery.
2 Objeto o conjunto de objetos fabricados con arcilla o porcelana. INGLÉS piece of pottery.

cerca
adverbio **1** Indica que un objeto, lugar o persona se encuentra en una posición próxima a otro objeto, lugar o persona: *¿Vives cerca de aquí?* ANTÓNIMO lejos. INGLÉS near, close.
2 Indica que un número se usa de forma aproximada, que no es exactamente el que se dice: *Volveré cerca de las tres.* SINÓNIMO alrededor. INGLÉS about.
3 Indica que un acontecimiento sucederá en un momento próximo al que se dice o escribe: *Mi cumpleaños está muy cerca.* INGLÉS near.
nombre femenino **4** Pared que rodea una casa o terreno. INGLÉS wall [pared], fence [valla].

cercanía
nombre femenino **1** Característica de la persona o de la cosa que se encuentra a poca distancia de otra, o del acontecimiento que está cerca de otro en el tiempo. SINÓNIMO proximidad. INGLÉS proximity, nearness.
nombre femenino plural **2** **cercanías** Lugares que se encuentran cerca o a poca distancia de otro lugar. INGLÉS surrounding area.
de cercanías Se dice del medio de transporte que recorre lugares cercanos a una gran ciudad, o cercanos entre sí. INGLÉS suburban.

cercano, cercana
adjetivo **1** Que está a poca distancia de una persona o cosa. INGLÉS nearby.
2 Se dice de algo que ha sucedido hace poco tiempo o que sucederá dentro de poco tiempo. Cuando está a punto de acabar el verano, el otoño está cercano. INGLÉS close at hand.

cercar
verbo **1** Poner una cerca o una valla alrededor de un lugar para que quede aislado o cerrado. INGLÉS to fence.
2 Rodear un grupo de personas a otra persona para impedir que escape. También es rodear un lugar, como una ciudad, para intentar conquistarlo. INGLÉS to surround [una persona], to besiege [una ciudad].
NOTA Se escribe 'qu' delante de 'e', como: cerqué.

cerciorarse
verbo **1** Asegurarse de la verdad de algo, generalmente mediante una comprobación o revisión: *Cerciórate de que el avión sale a esa hora.* INGLÉS to make sure.

cerco
nombre masculino **1** Banda o zona estrecha de distinto color o de distinto material que rodea una cosa, como el cerco luminoso alrededor de un astro. INGLÉS ring.
2 Acción que consiste en rodear un lugar, especialmente si se quiere conquistar: *El ejército enemigo cercó la capital.* INGLÉS siege.

cerda
nombre femenino **1** Pelo duro y grueso que tienen algunos animales en el cuerpo o en alguna parte de él. El cerdo y el jabalí tienen cerdas en todo el cuerpo, pero el caballo solo tiene cerdas en la cola y en la crin. También se llaman cerdas los pelos de los cepillos. INGLÉS bristle.

cerdo, cerda
nombre **1** Mamífero doméstico que tiene las patas cortas, el cuerpo grueso, el morro aplastado y las orejas caídas sobre la cara. Del cerdo se aprovecha la carne, la piel y hasta los intestinos para hacer embutidos. SINÓNIMO cochino, puerco. INGLÉS pig.
adjetivo y nombre **2** Se dice de la persona que es sucia o que no tiene hábitos de limpieza. SINÓNIMO cochino, marrano. INGLÉS pig [nombre].
3 Se dice de la persona que es grosera o no tiene respeto por los demás. SINÓNIMO cochino, puerco. INGLÉS swine.

cereal
adjetivo y nombre masculino **1** Se dice de la planta que produce semillas en forma de granos. También llamamos cereales a estas mismas semillas. El trigo, el centeno, la cebada y el maíz son cereales. INGLÉS cereal.

cerebelo
nombre masculino **1** Órgano del cuerpo humano que está

en la parte posterior del cráneo. El cerebelo interviene en la coordinación de los movimientos de nuestro cuerpo. INGLÉS cerebellum.

cerebral
adjetivo
1 Del cerebro o que tiene relación con él. INGLÉS cerebral.
2 Se dice de la persona que actúa y analiza las cosas sin dejarse influir por los sentimientos. SINÓNIMO frío; calculador. ANTÓNIMO pasional. INGLÉS cerebral.

cerebro
nombre masculino
1 Órgano del cuerpo humano formado por una masa blanda que está en la parte superior del cráneo. El cerebro es el centro del sistema nervioso. SINÓNIMO seso. INGLÉS brain.
2 Capacidad del ser humano para pensar y desarrollar actividades intelectuales. SINÓNIMO inteligencia. INGLÉS brain, brains.
3 Persona muy inteligente que sobresale de un grupo. INGLÉS brains.
4 Persona que dirige un grupo de personas y piensa lo que deben hacer: *Han detenido al cerebro de la banda.* INGLÉS brains.

ceremonia
nombre femenino
1 Acto importante y solemne en el que participan varias personas y se celebra siguiendo unas reglas. INGLÉS ceremony.
2 Formalidad, seriedad y uso de unas determinadas reglas sociales para hacer una cosa: *No sé a qué viene tanta ceremonia para servir la mesa, si estamos en familia.* INGLÉS ceremony.

ceremonioso, ceremoniosa
adjetivo
1 Que sigue las reglas y ceremonias establecidas al realizar una acción. SINÓNIMO solemne. INGLÉS ceremonious.

cereza
nombre femenino
1 Fruta redonda de color rojo oscuro, con un hueso en el centro. Muchas cerezas cuelgan unidas de dos en dos. INGLÉS cherry.
nombre masculino
2 Color rojo oscuro, como el de la cereza. INGLÉS cherry red.

cerezo
nombre masculino
1 Árbol frutal de tronco liso con muchas ramas y flores blancas, que produce las cerezas. INGLÉS cherry tree.

cerilla
nombre femenino
1 Palito o trozo de papel enrollado, con una cabeza hecha de una sustancia que arde al ser rozada sobre una superficie áspera. Las cerillas se venden en cajas pequeñas. INGLÉS match.

cernícalo
nombre masculino
1 Ave que tiene las plumas rojizas con manchas negras y el pico y las garras muy fuertes. El cernícalo se alimenta de insectos y ratones. INGLÉS kestrel.
2 Persona que es torpe o no sabe comportarse. Es un uso informal. INGLÉS blockhead.

cero
numeral cardinal
1 Indica que el número al que acompaña está 0 veces, es decir, ninguna. INGLÉS zero, nought.
nombre masculino
2 Nombre del número 0. INGLÉS zero, nought.
al cero Con el pelo lo más corto posible. INGLÉS shaved.
empezar de cero Empezar desde el principio y sin recursos. INGLÉS to start from scratch.
un cero a la izquierda Persona que no vale para nada o que no es valorada por los demás. INGLÉS good-for-nothing.

cerrado, cerrada
adjetivo
1 Que no está abierto. Si una tienda está cerrada, no se puede comprar en ella. INGLÉS shut, closed.
2 Se dice de la persona a la que le cuesta o no le gusta relacionarse con los demás. ANTÓNIMO abierto. INGLÉS reserved.
3 Se dice de la persona que tarda mucho en entender las cosas. INGLÉS slow.
4 Se dice de la persona a la que le cuesta mucho cambiar de opinión o que no se deja convencer fácilmente. ANTÓNIMO abierto. INGLÉS intransigent.
5 Se dice del modo de hablar o del acento en el que se nota mucho el origen geográfico. INGLÉS thick.
6 Con algunos nombres, como 'noche' o 'aplauso', indica que es muy intenso o muy fuerte. INGLÉS black [noche], rapturous [aplauso].

cerradura
nombre femenino
1 Mecanismo de metal que se acopla a algunas puertas, ventanas, cajas u otras cosas que se quieren mantener cerradas. Las cerraduras solo se pueden abrir introduciendo en ellas una llave. INGLÉS lock.

cerrajero, cerrajera

nombre

1 Persona que fabrica o arregla cerraduras, llaves y otros objetos de metal. INGLÉS locksmith.

cerrar

verbo

1 Hacer que el interior de una cosa o de un lugar quede aislado del exterior mediante una pieza, como una tapa, o mediante un mecanismo, como una cerradura. ANTÓNIMO abrir. INGLÉS to close, to shut.

2 Juntar las partes movibles o articuladas de algo, como un cajón, los labios o los ojos. ANTÓNIMO abrir. INGLÉS to close.

3 Cubrir o tapar algo que estaba abierto, como una herida o un agujero. ANTÓNIMO abrir. INGLÉS to cover.

4 Impedir el paso de una persona o una cosa por un lugar. Si se cierra el grifo, el agua no sale. ANTÓNIMO abrir. INGLÉS to close off [una calle], to turn off [un grifo].

5 Llegar a un acuerdo sobre un asunto: *Después de una larga discusión, cerraron el pacto.* INGLÉS to reach.

6 Ocupar la última posición en una serie o una sucesión. El que cierra la carrera es el que llega el último. INGLÉS to come last in.

7 Hacer que termine algo, como un trabajo, una actividad o un plazo. ANTÓNIMO abrir. INGLÉS to close.

8 cerrarse No querer hablar con los demás, en especial en una discusión. INGLÉS to dig one's heel in.

NOTA Se conjuga como: acertar; la 'e' se convierte en 'ie' en sílaba acentuada, como: cierran.

cerro

nombre masculino

1 Elevación aislada del terreno de menor altura que un monte. SINÓNIMO colina; loma. INGLÉS hill.

cerrojo

nombre masculino

1 Pieza que se coloca en algunas puertas, ventanas u otras cosas para cerrarlas y para que no puedan ser abiertas. El cerrojo está formado por una barrita de metal que pasa por unas anillas. INGLÉS bolt.

certamen

nombre masculino

1 Concurso en el que varios participantes compiten por conseguir un premio. INGLÉS competition, contest.

NOTA El plural es: certámenes.

certero, certera

adjetivo

1 Se dice del tiro o del disparo que acierta en el blanco. También es certera la persona que tiene muy buena puntería. Es un uso formal. INGLÉS accurate.

2 Se dice de la cosa que está hecha o dicha con mucho acierto. Es un uso formal. INGLÉS appropriate.

certeza

nombre femenino

1 Seguridad completa que tiene una persona de que algo es cierto. INGLÉS certainty.

2 Característica de la cosa que se sabe con seguridad que es cierta, cuando podría no haberlo sido. INGLÉS certainty.

certificado, certificada

adjetivo y nombre

1 Se dice de la carta o paquete que se envía por correo mediante un servicio que consiste en registrar su envío para asegurarnos de que llegará a su destino. El cartero que entrega una carta certificada hace firmar un recibo a la persona a quien va destinada. INGLÉS registered [adjetivo], registered letter [nombre - carta], registered parcel [nombre - paquete].

nombre masculino

2 Documento en el que se afirma o da por verdadero un hecho. Un certificado médico asegura que la salud de una persona es la que el doctor dice. INGLÉS certificate.

certificar

verbo

1 Afirmar o dar algo por verdadero por medio de pruebas, documentos o testimonios. INGLÉS to certify.

2 Registrar una oficina de correos el envío de una carta o un paquete para asegurar que llegará a su destino. INGLÉS to register.

NOTA Se escribe 'qu' delante de 'e', como: certifiquen.

cerveza

nombre femenino

1 Bebida alcohólica que se obtiene de la fermentación de la cebada u otros cereales. Muchas cervezas son de color amarillento, aunque también las hay negras. INGLÉS beer.

cesar

verbo

1 Parar una cosa o dejar de hacer algo: *Lleva toda la mañana lloviendo sin cesar.* ANTÓNIMO seguir. INGLÉS to stop.

2 Abandonar un cargo o un empleo: *El director del museo cesó en su cargo.* INGLÉS to resign.

césar
nombre masculino
1 Título de la persona que gobernaba el Imperio romano. SINÓNIMO emperador. INGLÉS Caesar.

cesárea
nombre femenino
1 Operación quirúrgica que consiste en abrir el vientre de la madre para sacar al bebé cuando no puede nacer con normalidad. INGLÉS caesarean.

cese
nombre masculino
1 Abandono de un cargo o empleo. INGLÉS resignation.

césped
nombre masculino
1 Hierba corta, fina y abundante que cubre un terreno. INGLÉS lawn, grass.
2 Campo de juego de algunos deportes. INGLÉS field.

cesta
nombre femenino
1 Objeto hecho de mimbre o de otra fibra, generalmente ovalado y con una o dos asas para poder llevarlo. INGLÉS basket.
2 Aro sujeto a un tablero y del que cuelga una red abierta por debajo, por el que hay que meter la pelota en el juego del baloncesto. SINÓNIMO canasta. INGLÉS basket.

cesto
nombre masculino
1 Cesta grande más ancha que alta y con dos asas. INGLÉS basket.

cetáceo, cetácea
adjetivo y nombre masculino
1 Se dice de los mamíferos marinos con forma de pez, que son normalmente de gran tamaño y tienen la piel lisa. La ballena y el delfín son cetáceos. INGLÉS cetacean.

cetro
nombre masculino
1 Vara de oro u otro metal usada por los reyes y emperadores como símbolo de su poder. INGLÉS sceptre.

ceutí
adjetivo y nombre masculino y femenino
1 Se dice de la persona o cosa que es de Ceuta, ciudad española que se encuentra en el norte de África.
NOTA El plural es: ceutíes o ceutís.

ch
nombre femenino
1 Antigua letra del alfabeto español. La 'ch' es un dígrafo.

chabacano, chabacana
adjetivo
1 Que es basto, vulgar y de mal gusto. SINÓNIMO ordinario. INGLÉS coarse, vulgar.

chabola
nombre femenino
1 Casa construida con materiales de poco valor que suele estar situada en suburbios. SINÓNIMO barraca. INGLÉS shack.

chacha
nombre femenino
1 Persona que se ocupa profesionalmente de la limpieza y los trabajos domésticos de una casa. Es un uso familiar. INGLÉS maid.
2 Persona que se ocupa profesionalmente del cuidado de los niños en una casa. Es un uso familiar. INGLÉS nursemaid.

chachi
adjetivo
1 Muy bueno o estupendo: *Esa canción es chachi, me encanta.* Es una palabra informal. SINÓNIMO chupi; guay. INGLÉS cool, neat.

chafar
verbo
1 Apretar una cosa hasta que quede plana, arrugada o deformada. Si pisamos algo frágil, como un huevo o un plátano, lo chafamos. INGLÉS to squash.
2 Estropear un plan, una idea o una situación agradable. La lluvia nos puede chafar un día de playa. SINÓNIMO aguar; fastidiar. INGLÉS to ruin.

chaflán
nombre masculino
1 Fachada de un edificio o de una manzana que une en diagonal otras dos fachadas que son perpendiculares entre sí. INGLÉS corner.
NOTA El plural es: chaflanes.

chal
nombre masculino
1 Tira ancha de tela que se pone sobre los hombros para adornar o abrigarse. INGLÉS shawl.
2 Pañuelo grande que se utiliza para envolver y abrigar a los bebés. INGLÉS shawl.

chalado, chalada
adjetivo y nombre
1 Que está loco o que lo parece. SINÓNIMO chiflado; loco. INGLÉS loony.
2 Que está muy enamorado o le gusta mucho una cosa. SINÓNIMO colado. INGLÉS mad, crazy [adjetivo].

chalé
nombre masculino
1 Casa aislada y con jardín, con una o varias plantas, para una sola familia. INGLÉS detached house.
NOTA El plural es: chalés. También se escribe y se pronuncia: chalet.

a b c d e f g h i j k l m n ñ o p q r s t u v w x y z

chaleco
nombre masculino **1** Prenda de vestir sin mangas y sin cuello que cubre el tronco del cuerpo desde los hombros hasta la cintura y se pone encima de una camisa u otra prenda. Puede ser completamente cerrado o llevar botones. INGLÉS waistcoat.
chaleco salvavidas Chaleco que permite flotar en el agua y que se pone una persona para evitar ahogarse si cae al agua. INGLÉS life jacket.

chalet
nombre masculino **1** Es otra forma de escribir y pronunciar: chalé.
NOTA El plural es: chalets.

champán
nombre masculino **1** Vino blanco con burbujas que proviene de Francia. INGLÉS champagne.

champiñón
nombre masculino **1** Seta comestible de color blanco y sombrero redondeado. Los champiñones crecen y se cultivan en lugares húmedos. INGLÉS mushroom.
NOTA El plural es: champiñones.

champú
nombre masculino **1** Jabón líquido que se utiliza para lavar el pelo. INGLÉS shampoo.
NOTA El plural es: champús.

chamuscar
verbo **1** Quemar la parte de fuera de una cosa. INGLÉS to singe, to scorch.
NOTA Se escribe 'qu' delante de 'e', como: chamusqué.

chanchullo
nombre masculino **1** Acción poco honesta o que no está permitida y que hace una persona para conseguir algo que le beneficie. INGLÉS fiddle, racket.
NOTA Es una palabra informal.

chancla
nombre femenino **1** Calzado abierto formado por una suela de goma y una o más tiras que pasan sobre el pie. Se usa sobre todo en la piscina o en la playa. INGLÉS flip-flop.
2 Zapatilla sin talón o con el talón doblado que suele llevarse dentro de casa. INGLÉS slipper.

chándal
nombre masculino **1** Prenda de ropa deportiva de dos piezas a juego: una chaqueta y un pantalón largo. INGLÉS tracksuit.
NOTA El plural es: chándales.

chantaje
nombre masculino **1** Amenaza de hacer pública cierta información que se hace a una persona para obtener algún provecho o beneficio de ella. El chantaje es un delito. INGLÉS blackmail.

chantajista
nombre masculino y femenino **1** Persona que amenaza a otra con decir o hacer algo muy negativo si la persona amenazada no hace lo que le pide. INGLÉS blackmailer.

¡chao!
interjección **1** Expresión que se utiliza para despedirse. SINÓNIMO adiós. INGLÉS bye!, ciao!

chapa
nombre femenino **1** Lámina delgada y lisa de un material duro, como metal o madera. Las carrocerías de los coches están hechas de chapa. INGLÉS sheet, plate.
2 Tapón de metal que cierra algunas botellas de vidrio. Para quitar la chapa hay que usar un abridor. INGLÉS top.

chaparrón
nombre masculino **1** Lluvia muy intensa y de corta duración que cae de forma repentina. INGLÉS downpour, heavy shower.
2 Bronca fuerte. Es un uso informal. INGLÉS telling-off.
NOTA El plural es: chaparrones.

chapista
nombre masculino y femenino **1** Persona que trabaja la chapa, especialmente la de los automóviles: *El chapista arregló los bollos del coche.* INGLÉS panel beater.

chapotear
verbo **1** Mover rápidamente los pies o las manos dentro del agua produciendo ruido. INGLÉS to splash about.

chapucero, chapucera
adjetivo y nombre **1** Que hace las cosas de manera descuidada, sin cuidar los detalles o de forma sucia y poco pulida. INGLÉS botched, slapdash [adjetivo]; bungler, botcher [nombre].
adjetivo **2** Que se ha hecho de manera descuidada, sin cuidar los detalles o de forma sucia y poco pulida: *Este arreglo es muy chapucero, no creo que aguante ni dos días.* INGLÉS botched, clumsy.

chapurrear
verbo **1** Hablar una lengua extranjera con dificultad y cometiendo errores. Chapurrea-

mos una lengua cuando empezamos a estudiarla. INGLÉS to speak a little.

chapuza
nombre femenino **1** Trabajo que se hace de manera descuidada, de forma sucia o poco pulida. INGLÉS botched job, shoddy piece of work.
2 Trabajo o arreglo de poca importancia que se hace en las casas. También se llaman chapuzas las personas que hacen estos trabajos. INGLÉS odd job.

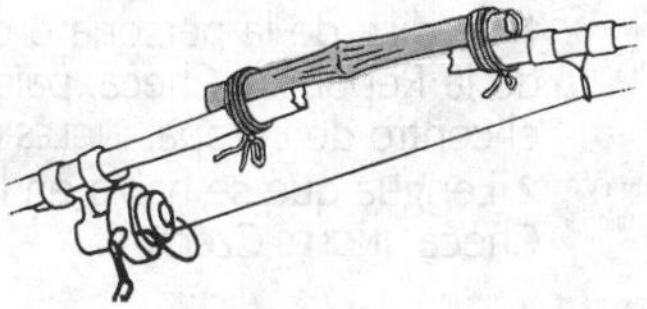

chapuza

chapuzón
nombre masculino **1** Acción que consiste en meterse de cabeza o bruscamente una persona en el agua: *Se dio un chapuzón en la piscina.* INGLÉS dip.
NOTA El plural es: chapuzones.

chaqué
nombre masculino **1** Chaqueta masculina que por delante llega hasta la cintura y por detrás tiene dos faldones que llegan hasta la pantorrilla. Se usa en ocasiones especiales o solemnes. INGLÉS morning coat.

chaqueta
nombre femenino **1** Prenda exterior de vestir con mangas y abierta por delante que cubre el tronco del cuerpo hasta la cintura o debajo de la cadera. INGLÉS jacket.

chaquetero, chaquetera
adjetivo y nombre **1** Se dice de la persona que cambia de opiniones o ideas por su propio interés. Un político chaquetero es el que pertenecía a un partido y se ha pasado a otro. INGLÉS turncoat [nombre].
NOTA Es una palabra informal.

chaquetón
nombre masculino **1** Chaqueta gruesa que llega hasta la mitad del muslo. INGLÉS short coat.
NOTA El plural es: chaquetones.

charanga
nombre femenino **1** Banda de música compuesta por personas que no son músicos profesionales y que se dedican a tocar por las calles en las fiestas populares. INGLÉS band.

charca
nombre femenino **1** Charco grande o agua acumulada en un terreno de forma natural o artificial. INGLÉS pool, pond.

charco
nombre masculino **1** Agua acumulada en un hoyo del terreno o un desnivel del suelo. Cuando llueve se forman charcos en las calles y carreteras. INGLÉS puddle.

charcutería
nombre femenino **1** Tienda, puesto de un mercado o departamento de un supermercado donde se venden embutidos, quesos, fiambres y patés. INGLÉS pork butcher's shop.

charla
nombre femenino **1** Conversación informal entre dos o más personas. INGLÉS talk, chat.
2 Explicación sobre un tema que una persona hace en público de manera menos formal que un discurso o conferencia. INGLÉS talk.

charlar
verbo **1** Hablar dos o más personas de temas poco importantes. En los bares la gente pasa el rato charlando de muchas cosas. INGLÉS to chat, to talk.
2 Hablar mucho o de forma inoportuna. INGLÉS to chat.

charlatán, charlatana
adjetivo y nombre **1** Se dice de la persona que habla demasiado y que a veces dice cosas que no debería decir. INGLÉS talkative [adjetivo], chatterbox [nombre].
2 Se dice de la persona que ofrece o promete algo que no puede o no piensa cumplir. INGLÉS trickster [nombre].
NOTA El plural es: charlatanes.

charlotada
nombre femenino **1** Corrida de toros que se hace con intención de reírse y divertirse y no de torear seriamente. También es una charlotada una actuación ridícula.

charol
nombre masculino **1** Cuero cubierto por una sustancia brillante e impermeable. Se utiliza para fabricar objetos, especialmente zapatos y bolsos. INGLÉS patent leather.

chascar
verbo **1** Chasquear. INGLÉS to click, to snap.

chasco

nombre masculino **1** Desilusión o sorpresa desagradable que tiene una persona cuando espera que ocurra una cosa positiva o buena y ocurre lo contrario. INGLÉS disappointment.

chasis

nombre masculino **1** Estructura que sostiene el motor y la carrocería de un vehículo. INGLÉS chassis.

NOTA El plural es: chasis.

chasquear

verbo **1** Hacer un ruido seco y corto, como el que se produce al separar la lengua del paladar, al sacudir un látigo en el aire o al partirse una madera. INGLÉS to click [la lengua], to crack [la madera, un látigo].

2 Dar un chasco a alguien o perder la esperanza que se tenía en algo o en alguien. INGLÉS to disappoint.

chasquido

nombre masculino **1** Ruido seco y corto, como el que se hace con las yemas de los dedos corazón y pulgar al presionarlas y hacerlas resbalar rápidamente. Algunas cosas al romperse dan un chasquido, como un lápiz o la rama de un árbol. INGLÉS snap [de los dedos], crack [al romperse la madera].

chat

nombre masculino **1** Comunicación por escrito que mantienen varios usuarios a través de ordenadores que están conectados a internet. Los usuarios del chat escriben mensajes que aparecen en la pantalla de los participantes. INGLÉS chat.

NOTA El plural es: chats.

chatarra

nombre femenino **1** Conjunto de objetos de metal viejos y que ya no se utilizan. INGLÉS scrap metal.

2 Objeto de metal o aparato viejo, de poco valor o que no funciona bien: *Esa radio ya no se oye bien, es pura chatarra.* INGLÉS piece of scrap.

3 Conjunto de monedas de poco valor. SINÓNIMO calderilla. INGLÉS change.

chatarrero, chatarrera

nombre **1** Persona que compra y vende chatarra. INGLÉS scrap dealer.

chato, chata

adjetivo **1** Se dice de la persona o del animal que tienen la nariz pequeña y aplastada. INGLÉS snub-nosed.

2 Se dice de la nariz que es pequeña y aplastada. Los perros pequineses tienen la nariz chata. INGLÉS snub.

nombre masculino **3** Vaso de vino bajo y ancho que se sirve en los bares. INGLÉS small glass.

chaval, chavala

nombre **1** Niño o persona joven: *Los chavales tienen nueve años.* INGLÉS kid, youngster.

checo, checa

adjetivo y nombre **1** Se dice de la persona o cosa que es de la República Checa, país situado en el centro de Europa. INGLÉS Czech.

nombre masculino **2** Lengua que se habla en la República Checa. INGLÉS Czech.

chepa

nombre femenino **1** Bulto grande que tienen en la espalda algunas personas debido a una desviación de la columna vertebral. SINÓNIMO joroba. INGLÉS hump.

cheque

nombre masculino **1** Papel que permite cobrar en el banco una cantidad de dinero de una cuenta bancaria. Los cheques tienen que ir firmados por la persona que tiene dinero en la cuenta. SINÓNIMO talón. INGLÉS cheque.

chequeo

nombre masculino **1** Reconocimiento médico completo que se hace a una persona sana para comprobar su estado de salud. INGLÉS checkup.

chicha

nombre femenino **1** Carne que se puede comer. Las alas de pollo tienen poca chicha y mucho hueso. Es una palabra familiar. INGLÉS meat.

2 Carne del cuerpo humano: *El bebé tiene mucha chicha en las piernas.* Es una palabra informal. INGLÉS meat.

chichón

nombre masculino **1** Bulto que sale en la cabeza a causa de un golpe. Es una palabra familiar. INGLÉS bump, lump.

NOTA El plural es: chichones.

chicle

nombre masculino **1** Goma de sabor dulce que se mastica pero no se traga. Los chicles son golosinas que pueden tener varios sabores. INGLÉS chewing gum.

chico, chica

nombre **1** Persona de poca edad o muy joven. SINÓNIMO muchacho. INGLÉS kid, youngster, boy [niño], girl [niña].

2 Se utiliza para dirigirse a una persona sin decir su nombre: *¡Qué mala cara tienes, chica!*

3 Muchacho que trabaja en una tienda o una oficina y se dedica a entregar pedidos o a hacer recados. INGLÉS errand boy [chico], errand girl [chica].

nombre femenino **4** Mujer que se ocupa profesionalmente de la limpieza de una casa o una empresa. También se dice chica de la limpieza. INGLÉS maid.

adjetivo **5** Que es demasiado pequeño para usarlo o para resultar cómodo: *Este pantalón me queda chico.* INGLÉS small.

chiflado, chiflada

adjetivo y nombre **1** Se dice de la persona que está loca o ha perdido el juicio. SINÓNIMO chalado. ANTÓNIMO cuerdo. INGLÉS loony.

2 Se dice de la persona que está muy enamorada o a la que le gusta mucho una cosa. SINÓNIMO colado. INGLÉS crazy [adjetivo].

chiflar

verbo **1** Silbar con la boca o con un silbato. SINÓNIMO pitar. INGLÉS to whistle.

2 Gustar mucho una persona o una cosa: *Le chiflan los bombones.* SINÓNIMO pirrarse. INGLÉS to adore.

chihuahua

nombre masculino y femenino y adjetivo **1** Perro de muy pequeño tamaño, que tiene orejas grandes y ojos redondos y salientes. Es originario de México. INGLÉS chihuahua.

chileno, chilena

adjetivo y nombre **1** Se dice de la persona o cosa que es de Chile, país de América del Sur. INGLÉS Chilean.

chillar

verbo **1** Dar chillidos una persona o algún animal, como una rata o un perro herido. SINÓNIMO gritar. INGLÉS to scream [una persona], to yelp [un perro], to squeak [un ratón].

2 Levantar mucho la voz al hablar. SINÓNIMO gritar. INGLÉS to shout.

chillido

nombre masculino **1** Grito agudo y desagradable: *Cuando la asusté dio un chillido muy fuerte.* INGLÉS scream [de una persona], yelp [de un perro], squeak [de un ratón].

chillón, chillona

adjetivo y nombre **1** Se dice de la persona que chilla mucho. INGLÉS who shouts a lot [adjetivo].

adjetivo **2** Se dice del sonido agudo y desagradable. INGLÉS piercing.

3 Se dice del color que es llamativo o está mal combinado con otro. También se dice de las cosas que tienen ese color. INGLÉS loud, gaudy.

NOTA El plural de chillón es: chillones.

chimenea

nombre femenino **1** Conducto que da salida a los humos de una cocina, de una fábrica o de la caldera de un barco. Las chimeneas sobresalen por encima de los techos. INGLÉS chimney.

2 Hueco hecho en la pared de una habitación, preparado para hacer fuego y que tiene un conducto por donde sale el humo. Las casas de montaña suelen tener una chimenea en el salón. INGLÉS fireplace.

3 Conducto por el que un volcán expulsa lava. INGLÉS vent.

chimpancé

nombre masculino **1** Mono de brazos largos, cara sin pelo, nariz aplastada y pelo de color oscuro. Es originario de las selvas africanas. INGLÉS chimpanzee.

china

nombre femenino **1** Piedra muy pequeña, normalmente lisa y con forma redondeada. INGLÉS pebble.

tocarle la china Corresponderle a una persona por mala suerte una cosa negativa o desafortunada. INGLÉS to draw the short straw.

chinchar

verbo **1** Molestar o producir fastidio a alguien. Tener que hacer un trabajo que no nos gusta puede chincharnos. Es un uso informal. INGLÉS to annoy.

chinche

nombre femenino **1** Insecto muy pequeño de cuerpo aplastado y ovalado, de color rojo oscuro. Se alimenta de la sangre de aves y mamíferos, incluido el ser humano. INGLÉS bedbug.

adjetivo y nombre masculino y femenino **2** Se dice de la persona que molesta mucho. INGLÉS nuisance [nombre], pest [nombre].

a b c d e f g h i j k l m n ñ o p q r s t u v w x y z

a b c d e f g h i j k l m n ñ o p q r s t u v w x y z

chincheta

nombre femenino **1** Clavo pequeño y corto que se utiliza para sujetar papeles en una superficie o para clavar cosas, como la tela de una silla. Tiene una cabeza plana y chata y se clava con el dedo. INGLÉS drawing pin [en el Reino Unido], thumbtack [en Estados Unidos].

chinchilla

nombre femenino **1** Animal mamífero roedor parecido a la ardilla, que tiene el pelo suave de color gris claro. Vive bajo tierra y se encuentra en países de América del Sur. INGLÉS chinchilla.

¡chinchín!

interjección **1** Palabra que se utiliza al brindar haciendo chocar los vasos o las copas. INGLÉS cheers!

chino, china

adjetivo y nombre **1** Se dice de la persona o cosa que es de China, país del este de Asia. INGLÉS Chinese.

nombre masculino **2** Lengua que se habla en China. INGLÉS Chinese.

3 Colador metálico en forma de embudo y con agujeros muy pequeños. Una comida se pasa por el chino para obtener una salsa fina o un puré. INGLÉS sieve.

chip

nombre masculino **1** Pequeño dispositivo electrónico que realiza una función concreta dentro de un aparato o máquina. Un ordenador funciona gracias a los chips que tiene. INGLÉS chip.

NOTA El plural es: chips.

chipirón

nombre masculino **1** Cría del calamar. INGLÉS baby squid.

NOTA El plural es: chipirones.

chiquillada

nombre femenino **1** Acción de un joven o un adulto que se considera propia de un chiquillo o un niño pequeño. INGLÉS childish thing.

chiquillo, chiquilla

nombre **1** Niño pequeño, desde que tiene días hasta que tiene unos pocos años. INGLÉS kid, youngster.

chirimbolo

nombre masculino **1** Cualquier objeto o utensilio, generalmente de forma rara o complicada, o del que no se sabe o no se recuerda el nombre. INGLÉS thingummy, whatsit.

chirimoya

nombre femenino **1** Fruta jugosa y dulce, de piel verde, carne blanca y con muchas pepitas negras. INGLÉS custard apple.

chiringuito

nombre masculino **1** Bar pequeño al aire libre en el que se sirven bebidas y comidas sencillas. INGLÉS refreshment stall, refreshment stand.

chiripa

nombre femenino **1** Suerte que tiene una persona cuando le sucede algo bueno por casualidad. Es una palabra informal. INGLÉS fluke.

chirla

verbo **1** Molusco marino parecido a una almeja, pero más pequeño, con una concha dividida en dos partes. INGLÉS small clam.

chirriar

nombre masculino **1** Hacer un ruido agudo y largo al rozar una cosa con otra. Las bisagras de las puertas chirrían si no están engrasadas. INGLÉS to screech [un tren], to squeak [una bisagra], to chirp [grillos].

chirrido

nombre masculino **1** Ruido agudo, largo y desagradable, como el de un tren al frenar o el que hacen algunos animales, como los grillos. INGLÉS screech [de un tren], squeak [de una bisagra], chirping [de grillos].

chisme

nombre masculino **1** Información verdadera o falsa que se cuenta de alguien o algo, sobre todo si es negativa. SINÓNIMO cotilleo. INGLÉS piece of gossip.

2 Cualquier cosa de la que no se sabe o no se recuerda el nombre: *¿Tú sabes qué es este chisme?* INGLÉS thingamajig.

chismorrear

verbo **1** Contar chismes. INGLÉS to gossip.

chismoso, chismosa

adjetivo y nombre **1** Se dice de la persona que cuenta chismes. INGLÉS gossipy [adjetivo], gossip [nombre].

chispa

nombre femenino **1** Trozo pequeño encendido que salta de un cuerpo que está ardiendo. Las hogueras desprenden muchas chispas. INGLÉS spark.

2 Descarga de luz entre dos cuerpos con carga eléctrica: *Al enchufar el aspi-*

rador han saltado unas chispas. INGLÉS spark.

3 Cantidad muy pequeña de una cosa: *A la tortilla le pongo una chispa de sal.* INGLÉS tiny bit.

4 Gracia e ingenio que tiene una persona al hablar o al actuar. INGLÉS wit, sparkle.

5 Gota pequeña de lluvia. INGLÉS drop.

echar chispas Estar una persona muy enfadada. INGLÉS to be hopping mad.

chispazo

nombre masculino **1** Salto brusco y fuerte de una chispa: *Saltó un chispazo del interruptor y se fue la luz.* INGLÉS flash, spark.

chispear

verbo **1** Caer gotas muy pequeñas de lluvia. SINÓNIMO lloviznar. INGLÉS to drizzle.

2 Brillar con mucha intensidad: *Le chispeaban los ojos de alegría.* INGLÉS to sparkle.

3 Echar chispas. La leña chispea en la hoguera. INGLÉS to throw out sparks.

chisporrotear

verbo **1** Echar chispas con ruido y continuamente una cosa que está ardiendo. INGLÉS to crackle.

chistar

verbo **1** Hablar o mostrar intención de hacerlo: *No chistó en toda la mañana.* Se usa solo en frases negativas. INGLÉS to speak.

2 Llamar la atención de una persona con un sonido parecido a 'chis'. INGLÉS to attract someone's attention by hissing at them.

chiste

nombre masculino **1** Historia corta o dibujo que pretende hacer reír: *Todos los chistes que cuenta son malísimos.* INGLÉS joke [historia], cartoon [dibujo].

chistera

nombre femenino **1** Sombrero alto en forma de cilindro y plano por arriba que suele ser negro, como el que utilizan los magos. INGLÉS top hat.

chistorra

nombre femenino **1** Embutido parecido al chorizo, pero más delgado y más largo. Se puede comer crudo, frito o asado.

chistoso, chistosa

adjetivo y nombre **1** Se dice de la persona que cuenta chistes o hace gracia. INGLÉS funny [adjetivo], joker [nombre].

2 Que tiene gracia o hace reír. En los dibujos animados suelen producirse situaciones muy chistosas. INGLÉS funny.

chivarse

verbo **1** Contar a una persona algo malo de otra: *Se ha chivado y ha dicho quién había roto el cristal.* Es una palabra informal. SINÓNIMO delatar. INGLÉS to tell.

chivato, chivata

adjetivo y nombre **1** Se dice de la persona que se chiva de algo. INGLÉS informer [nombre], telltale [nombre].

nombre masculino **2** Señal sonora o visual de un aparato que sirve para avisar o llamar la atención. Las alarmas tienen chivato. INGLÉS warning light [luz], warning beeper [sonido].

chivo, chiva

nombre **1** Cría de la cabra. SINÓNIMO cabrito. INGLÉS kid.

chivo expiatorio Persona a la que se culpa cuando las cosas salen mal, aunque no sea culpable o haya más culpables a los que no se castiga. INGLÉS scapegoat.

chocante

adjetivo **1** Que resulta sorprendente, porque es raro o está fuera de lo normal. INGLÉS surprising.

chocar

verbo **1** Encontrarse o tropezarse dos cuerpos de forma violenta. En los accidentes, los vehículos chocan entre ellos o contra otra cosa. INGLÉS to collide.

2 Estar en desacuerdo o ser contrarias dos cosas o personas. INGLÉS to clash.

3 Resultar una cosa rara o extraña: *Me choca que haya venido, si no le gusta salir.* INGLÉS to surprise.

4 ¡chócala! Darse la mano dos personas en señal de saludo o felicitación: *¡Chócala! Lo hemos conseguido.* INGLÉS put it there!

NOTA Se escribe 'qu' delante de 'e', como: choquen.

chochear

verbo **1** Tener disminuidas las facultades mentales por la edad. INGLÉS to be doddery.

2 Mostrar mucho cariño por personas o cosas. Los abuelos a menudo chochean por sus nietos. Es un uso informal. INGLÉS to dote.

chocolate

nombre masculino **1** Alimento de color marrón oscuro elaborado con cacao y azúcar. El chocolate se presenta sólido o en polvo; si es sólido puede ser blanco, negro o con leche, y cuando es en polvo se diluye en leche o en agua y se toma caliente. INGLÉS chocolate.

chocolatería

nombre femenino **1** Establecimiento donde se sirve chocolate a la taza y pastelería. INGLÉS café specializing in drinking chocolate.

2 Lugar donde se fabrica y se vende chocolate. INGLÉS chocolate factory [fábrica], chocolate shop [tienda].

chocolatina

nombre femenino **1** Tableta pequeña de chocolate, normalmente de forma rectangular. Las chocolatinas se presentan envueltas en papel. INGLÉS bar of chocolate.

chófer, choferesa

nombre **1** Persona que trabaja conduciendo automóviles u otros vehículos, generalmente al servicio particular de alguien: *El presidente viajó en un coche oficial con chófer.* INGLÉS driver.

NOTA También se escribe y de pronuncia: chofer.

chollo

nombre masculino **1** Cosa muy buena que se consigue con poco dinero o poco esfuerzo. Es un chollo ir gratis de vacaciones. Es una palabra informal. INGLÉS snip [cosa barata], cushy number [cosa fácil].

chóped

nombre masculino **1** Embutido de color rosa con forma de cilindro corto, que está hecho con carne de cerdo cocida y picada. INGLÉS chopped pork.

chopo

nombre masculino **1** Álamo, en especial el álamo negro, que tiene la madera rugosa y oscura. INGLÉS poplar.

choque

nombre masculino **1** Encuentro o golpe violento entre dos o más cuerpos. SINÓNIMO colisión. INGLÉS collision, crash.

2 Impresión o emoción muy fuerte que recibe una persona y que la deja triste o aturdida. INGLÉS shock.

chorizo, choriza

nombre masculino **1** Embutido de color rojo oscuro con forma cilíndrica y alargada, que está hecho con carne de cerdo curada. El chorizo se suele comer frío, pero si está tierno también se puede cocinar. INGLÉS chorizo.

nombre **2** Persona que roba cosas de poco valor. Es un uso informal. INGLÉS thief.

chorlito

nombre masculino **1** Ave con patas largas y cabeza pequeña que tiene el plumaje de distintos colores según las especies. INGLÉS plover.

chorra

adjetivo y nombre masculino y femenino **1** Se dice de la persona que se comporta de forma alocada o estúpida, haciendo o diciendo muchas tonterías: *¡Deja ya de hacer el chorra!* INGLÉS stupid [adjetivo], idiot [nombre].

nombre femenino **2** Suerte que tiene una persona. INGLÉS luck.

NOTA Es una palabra informal.

chorrada

nombre femenino **1** Acción o cosa que se dice que demuestra poca inteligencia. Es una palabra informal. INGLÉS stupid thing.

2 Cosa que no es necesaria o es inútil: *Se compró muchas chorradas en la tienda de recuerdos.* INGLÉS silly little thing.

chorrear

verbo **1** Caer o salir un líquido a chorros de un lugar o una cosa. Cuando llueve mucho el agua chorrea de los tejados. INGLÉS to gush, to pour.

2 Salir o caer un líquido lentamente de un lugar o una cosa. Cuando un grifo se queda mal cerrado el agua chorrea. INGLÉS to drip.

3 Estar una cosa o una persona muy empapada de algún líquido que va soltando. INGLÉS to be soaking wet.

chorretón

nombre masculino **1** Chorro.

2 Marca o señal de forma alargada que deja un chorro en un tejido o un papel. INGLÉS stain.

NOTA El plural es: chorretones.

chorro

nombre masculino **1** Líquido que sale de golpe y con fuerza de una abertura. SINÓNIMO chorretón. INGLÉS jet.

a chorros En gran abundancia o cantidad: *Es muy rico, tiene dinero a chorros.* INGLÉS in abundance.

como los chorros del oro Muy limpio y brillante. INGLÉS like a new pin.

chotis

nombre masculino **1** Baile típico de Madrid que se baila en pareja. INGLÉS schottische.

2 Música o canción compuesta para este baile. INGLÉS schottische.

NOTA El plural es: chotis.

choza

nombre femenino **1** Casa pequeña y sencilla, generalmente de troncos o cañas, y cubierta de ramas o paja. SINÓNIMO cabaña. INGLÉS hut, shack.

christmas

nombre masculino **1** Tarjeta, postal o mensaje escrito que se envía en Navidad a amigos y familiares para felicitarles las fiestas. INGLÉS Christmas card.

NOTA El plural es: christmas. Es una palabra inglesa y se pronuncia 'crismas'.

chubasco

nombre masculino **1** Lluvia intensa y de corta duración que cae de forma repentina. SINÓNIMO aguacero; chaparrón. INGLÉS heavy shower, downpour.

chubasquero

nombre masculino **1** Prenda de vestir de tejido impermeable que llega a la cintura, tiene capucha y se mete por la cabeza. Se usa para protegerse de la lluvia. INGLÉS cagoule.

chuchería

nombre femenino **1** Alimento, normalmente dulce y ligero, que comemos entre las comidas. Los caramelos y los chicles son chucherías. INGLÉS sweet [en el Reino Unido], piece of candy [en Estados Unidos].

chucho

nombre masculino **1** Perro, normalmente el que no es de raza. INGLÉS mutt.

chuchurrío, chuchurría

adjetivo **1** Se dice de la planta o la flor que está estropeada o casi seca. Es un uso informal. SINÓNIMO marchito; mustio. INGLÉS wilted.

2 Que tiene un aspecto triste o decaído. Es un uso informal. SINÓNIMO mustio. INGLÉS down.

NOTA También se escribe y se pronuncia: chuchurrido.

chufa

nombre femenino **1** Parte de la raíz de una planta en forma de bolita alargada, que es de color marrón por fuera y blanca por dentro. Se usa para hacer horchata. INGLÉS tiger nut.

chulada

nombre femenino **1** Cosa que gusta mucho porque es muy bonita, muy graciosa o muy buena: *¡Qué chulada de gorro!* Es un uso informal. INGLÉS nice thing, lovely thing.

2 Actitud de la persona que se comporta con descaro o vanidad. También es la cosa que se hace o se dice con descaro. INGLÉS swagger [actitud], piece of bravado [acto o dicho].

chuleta

nombre femenino **1** Trozo de carne de ternera, cordero o cerdo que va unido a un hueso y se toma como alimento. INGLÉS chop, cutlet.

2 Papel pequeño en el que un estudiante lleva escritos apuntes para mirarlos durante el examen sin que el profesor se dé cuenta. INGLÉS crib.

adjetivo y nombre masculino y femenino **3** Que es presumido y se cree superior a los demás. Es un uso informal. INGLÉS cocky [adjetivo].

chulo, chula

adjetivo **1** Que es bonito o vistoso: *Hizo unas fotos muy chulas.* INGLÉS really nice.

adjetivo y nombre **2** Que es presumido y se cree superior a los demás. INGLÉS cocky [adjetivo].

nombre masculino **3** Hombre que vive de lo que ganan una o más prostitutas que trabajan para él. INGLÉS pimp.

chumbera

nombre femenino **1** Planta con espinas que produce los higos chumbos. Crece en regiones cálidas. INGLÉS prickly pear.

chungo, chunga

adjetivo **1** Se dice de la cosa que es difícil o complicada: *Veo muy chungo subir esa montaña.* INGLÉS difficult, hard.

2 Que está mal, está estropeado o es de mala calidad: *Esta tele está chunga, no podremos ver el programa.* INGLÉS broken down.

NOTA Es una palabra informal.

chupa-chups

nombre masculino **1** Caramelo de forma redonda con un palito que le sirve de mango. INGLÉS lollipop.

NOTA Es una marca registrada. El plural es: chupa-chups.

a b c d e f g h i j k l m n ñ o p q r s t u v w x y z

a b **c** d e f g h i j k l m n ñ o p q r s t u v w x y z

chupado, chupada
adjetivo **1** Se dice de la persona que está extremadamente delgada. **INGLÉS** skinny.
2 Se dice de la cosa que es muy fácil: *El examen estaba chupado, seguro que aprobaré.* **INGLÉS** dead easy.
NOTA Es una palabra informal.

chupar
verbo **1** Sacar el jugo o la sustancia de una cosa con los labios o con la lengua. Se chupan los caramelos y los helados. **INGLÉS** to suck.
2 Tocar algo con los labios o la lengua: *No chupes el bolígrafo, que puede estar sucio.* **INGLÉS** to suck.
3 Absorber una cosa un líquido. Las plantas chupan el agua a través de las raíces. **INGLÉS** to soak up.
4 chuparse Soportar algo que resulta pesado o desagradable. Es un uso informal. **INGLÉS** to put up with.

chupete
nombre masculino **1** Objeto de goma que tiene una parte con la forma de un pezón y que se da a los bebés para que lo chupen. **INGLÉS** dummy.

chupetón
nombre masculino **1** Acto de chupar con fuerza con los labios y la lengua un objeto o la piel de una persona. **INGLÉS** suck.
NOTA El plural es: chupetones.

chupi
adjetivo **1** Muy bueno o estupendo. Es una palabra informal. **SINÓNIMO** chachi; guay. **INGLÉS** great, terrific.

chupito
nombre masculino **1** Pequeña cantidad de licor que se sirve en vaso muy pequeño. **INGLÉS** nip.
2 Sorbo pequeño de una bebida alcohólica. **INGLÉS** nip.

chupón, chupona
adjetivo **1** Se dice de la persona que chupa mucho. **INGLÉS** sucking, who sucks a lot.
adjetivo y nombre **2** Se dice de la persona a la que le gusta hacer cosas ella sola en un juego o deporte de equipo. Es un uso informal. **INGLÉS** hog [nombre].
3 Se dice de la persona que le saca con astucia el dinero a otra. **INGLÉS** scrounger [nombre].
NOTA El plural de chupón es: chupones.

churrasco
nombre masculino **1** Trozo grande de carne roja que se cocina a la brasa o a la parrilla. El churrasco es un plato muy popular en Argentina. **INGLÉS** barbecued steak.

churrería
nombre femenino **1** Establecimiento en el que se hacen y venden churros y otros alimentos fritos, como patatas.

churrero, churrera
nombre **1** Persona que hace y vende churros y otros alimentos fritos en una churrería.

churrete
nombre masculino **1** Mancha de comida o de suciedad que queda en la ropa, en la cara o en otra parte del cuerpo. Es una palabra informal. **INGLÉS** dirty mark.

churrete

churro
nombre masculino **1** Masa de harina y agua con forma de cilindro rayado que se fríe en aceite. Los churros se suelen comer mojados en café con leche o chocolate a la taza.
2 Cosa que está mal hecha o es de mala calidad. Es un uso informal. **INGLÉS** botched job, shoddy piece of work.
3 Cosa que ocurre sin haberla previsto, especialmente cuando sale bien: *Te encontré por puro churro.* **INGLÉS** fluke.

churumbel
nombre masculino **1** Niño o bebé. **INGLÉS** kid, nipper.
NOTA Es una palabra informal.

chusma
nombre femenino **1** Gente a la que se considera muy vulgar y despreciable. **INGLÉS** riffraff, rabble.
NOTA Es una palabra despectiva.

chutar
verbo **1** Dar una patada fuerte a un balón para lanzarlo lejos. **INGLÉS** to shoot.
2 chutarse Drogarse utilizando una jeringuilla. Es un uso vulgar. **INGLÉS** to shoot up.

cibernética

nombre femenino

1 Ciencia que estudia los sistemas comunicativos y reguladores de los seres vivos para aplicarlos a sistemas electrónicos, informáticos y mecánicos. INGLÉS cybernetics.

cicatriz

nombre femenino

1 Señal que deja en la piel una herida después de curarse. INGLÉS scar.

2 Huella que deja en el ánimo de una persona una pena, un desengaño o algún tipo de sufrimiento. INGLÉS scar.

NOTA El plural es: cicatrices.

cicatrizar

verbo

1 Cerrarse o curarse una llaga o herida. INGLÉS to heal.

2 Superar una pena o un sufrimiento del pasado. INGLÉS to heal.

NOTA Se escribe 'c' delante de 'e', como: cicatricen.

ciclismo

nombre masculino

1 Deporte que consiste en hacer carreras en bicicleta. El ciclismo se puede practicar en carretera o en pista cerrada. INGLÉS cycling.

ciclista

nombre masculino y femenino

1 Persona que va en bicicleta. INGLÉS cyclist.

2 Deportista que practica el ciclismo. INGLÉS cyclist.

adjetivo

3 Que está relacionado con el ciclismo o la bicicleta: *Ganó la última prueba ciclista que se celebró.* INGLÉS cycle, cycling.

ciclo

nombre masculino

1 Serie de hechos o de fenómenos que se van repitiendo en un orden determinado; cuando ocurre el último, se empieza otra vez desde el primero siguiendo el mismo orden. Las estaciones forman un ciclo que se repite cada año. INGLÉS cycle.

2 Serie de actos culturales que se organizan en un lugar durante un tiempo determinado, como un ciclo de conferencias o de películas. INGLÉS series.

3 Parte en que se dividen unos estudios, que está formada por varios cursos. Los estudios universitarios se dividen en ciclos. INGLÉS phase.

ciclón

nombre masculino

1 Viento muy fuerte que avanza girando sobre sí mismo de forma muy rápida. INGLÉS cyclone.

2 Persona que actúa de manera rápida y desordenada. Es un uso informal. SINÓNIMO torbellino. INGLÉS human hurricane.

NOTA El plural es: ciclones.

cíclope

nombre masculino

1 Gigante imaginario que tiene un solo ojo en medio de la frente. Los cíclopes vivían en campos y montañas. INGLÉS Cyclops.

ciego, ciega

adjetivo y nombre

1 Que no puede ver por no tener sentido de la vista. INGLÉS blind [adjetivo].

adjetivo

2 Que está dominado por un fuerte sentimiento o afición que le impide darse cuenta de algo evidente o actuar de manera razonable. Se puede estar ciego de ira o de amor. INGLÉS blinded.

3 Se dice del agujero o conducto que está tapado y no se puede usar. Un pozo ciego está cerrado para que nadie se caiga en él. INGLÉS blocked up.

a ciegas Indica que algo se hace sin ver o sin reflexionar. INGLÉS blindly.

ponerse ciego Hartarse de algo, especialmente de comida o bebida. Es una expresión informal. INGLÉS to stuff oneself [de comida], to get tanked up [de bebida].

cielo

nombre masculino

1 Parte del espacio sobre la Tierra, en la que están las nubes y donde se ven el Sol, la Luna y las estrellas. SINÓNIMO firmamento. INGLÉS sky.

2 Según ciertas religiones, lugar donde se disfruta de la compañía de Dios, los ángeles y los santos para siempre. Con este significado se escribe con mayúscula. SINÓNIMO paraíso. ANTÓNIMO infierno. INGLÉS heaven.

3 Persona que es muy buena, agradable o cariñosa. También se llama cielo a algunos animales domésticos, cuando son muy cariñosos. SINÓNIMO encanto. INGLÉS angel.

llovido del cielo Que llega en el momento oportuno: *El premio nos ha llovido del cielo.* Es un uso informal. INGLÉS heaven-sent.

remover cielo y tierra Realizar todo tipo de esfuerzos o agotar todos los medios para conseguir una cosa: *Re-*

movió cielo y tierra para obtener aquel permiso. Es una expresión informal. INGLÉS to move heaven and earth.

ciempiés

nombre masculino **1** Animal invertebrado que tiene el cuerpo alargado y dividido en muchos anillos, en cada uno de los cuales tiene dos patas. El ciempiés se arrastra por el suelo. INGLÉS centipede.

NOTA El plural es: ciempiés.

cien

numeral cardinal **1** Indica que el nombre al que acompaña está 100 veces. INGLÉS a hundred.

2 Que ocupa el lugar número 100 en una serie ordenada. INGLÉS hundredth.

nombre masculino **3** Nombre del número 100. En números romanos, el cien se representa con una C. INGLÉS a hundred.

poner a cien Poner muy nervioso o excitado a alguien. INGLÉS to annoy [poner nervioso], to get going [excitar].

ciencia

nombre femenino **1** Conjunto de los conocimientos adquiridos por el ser humano acerca del mundo mediante el estudio, la observación, la investigación y la experimentación. También es la actividad de las personas que se dedican a investigar estos conocimientos y su aplicación a la actividad humana. INGLÉS science.

2 Cada rama del saber humano que se puede estudiar por separado y que está formada por principios y conocimientos organizados en un sistema, como la física, la filosofía y las matemáticas. INGLÉS science.

ciencia ficción Género narrativo y cinematográfico que tiene como tema principal la tecnología y los avances científicos del futuro: *Vimos una película de ciencia ficción donde aparecían robots y unas naves espaciales alucinantes.* INGLÉS science fiction.

científico, científica

adjetivo **1** Que está relacionado con la ciencia: *Trabaja en un laboratorio científico.* INGLÉS scientific.

2 Que ha sido hecho siguiendo un procedimiento propio de la ciencia, con mucho rigor y experimentando para obtener un determinado resultado. INGLÉS scientific.

nombre **3** Persona que se dedica al estudio o trabajo experimental de una ciencia. INGLÉS scientist.

ciento

numeral cardinal **1** Se utiliza delante de otros numerales e indica que el nombre al que acompaña está 100 veces, más las veces que indique el otro numeral. Ciento diez euros son cien euros más diez euros. INGLÉS a hundred.

2 Conjunto formado por 100 unidades. Se utiliza para indicar grupos de cien, pero no para dar cifras concretas: *Había cientos de personas.* INGLÉS hundred.

ciento y la madre Gran cantidad de gente. Es una expresión informal. INGLÉS all the world and his mother.

por ciento Expresión que indica cuántas veces ocurre una cosa en cada grupo de 100. El quince por ciento de cien es quince. Se representa con el signo %. INGLÉS per cent.

cierre

nombre masculino **1** Objeto o mecanismo que sirve para cerrar una cosa. Algunos collares y pulseras tienen un cierre de metal. INGLÉS fastener.

2 Final de un acontecimiento o de una actividad. SINÓNIMO clausura. INGLÉS end, close.

3 Acción que consiste en cerrar algo, como un edificio o un negocio. INGLÉS closing.

cierto, cierta

adjetivo **1** Que es verdadero. INGLÉS right, true.

2 Que no es preciso porque no se conoce o no se quiere precisar: *Me lo ha dicho cierta persona.* Va siempre delante del nombre. INGLÉS a certain.

adverbio **3** **cierto** Con certeza, sin duda: *—Ayer no vino, ¿eh? —Cierto, tuve que ir al médico.* INGLÉS correct, right.

por cierto Se usa para enlazar una idea con algo de lo que se está hablando: *Por cierto, ahora que lo dices, no sé si vendré mañana.* INGLÉS by the way.

ciervo, cierva

nombre **1** Animal mamífero salvaje con el pelo de color marrón o gris, cuatro patas largas y cola muy corta, que se alimenta de vegetales. El macho tiene una gran cornamenta dividida en ramas. INGLÉS deer.

cifra

nombre femenino **1** Signo con que se representa un núme-

ro. El número 100 tiene tres cifras y el 35 dos. **SINÓNIMO** número. **INGLÉS** figure, number.
2 Cantidad indeterminada: *Pagó una cifra elevada de dinero.* **INGLÉS** amount, sum.

cigala
nombre femenino
1 Crustáceo marino que tiene el cuerpo alargado de color rosado y dos patas delanteras acabadas en pinzas. Es comestible y su carne es muy apreciada. **INGLÉS** Dublin Bay prawn.

cigarra
nombre femenino
1 Insecto de color verde, con los ojos salientes, la cabeza ancha y cuatro alas transparentes. Los machos producen un sonido fuerte y monótono en épocas calurosas. **INGLÉS** cicada.

cigarrillo
nombre masculino
1 Cilindro pequeño formado por tabaco y envuelto en un papel blanco que se fuma prendiéndole fuego a uno de sus extremos. Los cigarrillos se venden en paquetes. **SINÓNIMO** cigarro; pitillo. **INGLÉS** cigarette.

cigarro
nombre masculino
1 Cilindro hecho con hojas de tabaco enrolladas que se fuma prendiéndole fuego a uno de sus extremos. Son más grandes que los cigarrillos. **SINÓNIMO** puro. **INGLÉS** cigar.
2 Cigarrillo. **INGLÉS** cigarette.

cigoto
nombre masculino
1 Célula que, en la reproducción sexual, es el resultado de la unión de dos células reproductoras, una masculina y otra femenina. Cuando hay un encuentro entre un óvulo y un espermatozoide se forma un cigoto. **INGLÉS** zygote.

cigüeña
nombre femenino
1 Ave de patas y cuello largos, alas amplias y plumas de color blanco y negro. Es un ave migratoria que construye sus nidos en lugares altos, como árboles, torres o campanarios. **INGLÉS** stork.

cilindro
nombre masculino
1 Cuerpo sólido formado por dos bases paralelas en forma de círculo. Un cigarrillo o una lata de atún tienen forma de cilindro. **INGLÉS** cylinder.

cima
nombre femenino
1 Parte más alta de una montaña, de un árbol o de otras cosas. **SINÓNIMO** cumbre; pico. **INGLÉS** summit, top.
2 Punto más alto al que se puede llegar en una actividad. Un novelista llega a la cima de su carrera cuando ha escrito su mejor novela. **SINÓNIMO** cumbre. **INGLÉS** peak.

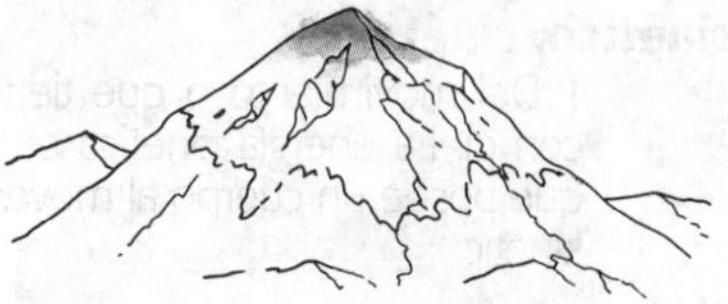

cima

cimiento
nombre masculino
1 Parte de un edificio que está bajo tierra y que sirve para sostener la construcción. **INGLÉS** foundation.
2 Principio o base sobre lo que se apoya una cosa no material. Una relación de amistad tiene como cimientos el cariño y la confianza. **INGLÉS** basis.

cinc
nombre masculino
1 Metal de color blanco azulado que se utiliza mucho en la industria. **INGLÉS** zinc.

cinco
numeral cardinal
1 Indica que el nombre al que acompaña está 5 veces. **INGLÉS** five.
numeral ordinal
2 Que ocupa el lugar número 5 en una serie ordenada: *¿Quién es el cinco en la cola?* **INGLÉS** fifth.
nombre masculino
3 Nombre del número 5. En números romanos, el cinco se representa con una V. **INGLÉS** five.

cincuenta
numeral cardinal
1 Indica que el nombre al que acompaña está 50 veces. **INGLÉS** fifty.
numeral ordinal
2 Que ocupa el lugar número 50 en una serie ordenada. **INGLÉS** fiftieth.
nombre masculino
3 Nombre del número 50. En números romanos, el cincuenta se representa con una L. **INGLÉS** fifty.

cincuentavo, cincuentava
adjetivo y nombre masculino
1 Se dice de cada una de las 50 partes iguales en que se divide una cosa. **INGLÉS** fiftieth.

cine
nombre masculino
1 Establecimiento público donde se proyectan películas. **INGLÉS** cinema [en

el Reino Unido], movie theater [en Estados Unidos].
2 Cinematografía. INGLÉS cinema.

cinematografía
nombre femenino
1 Arte y técnica de hacer películas. SINÓNIMO cine. INGLÉS film-making [en el Reino Unido], movie-making [en Estados Unidos].

cinético, cinética
adjetivo
1 Del movimiento o que tiene relación con él. La energía cinética es la energía que posee un cuerpo al moverse. INGLÉS kinetic.

cínico, cínica
adjetivo
1 Que miente con descaro, sin avergonzarse por ello: *Es muy cínico, te dice claramente lo contrario de lo que piensa.* INGLÉS shameless.

cinismo
nombre masculino
1 Característica y modo de comportarse de la persona que miente descaradamente a los demás sin avergonzarse por ello. INGLÉS shamelessness.

cinta
nombre femenino
1 Tira larga y estrecha que sirve para atar, ajustar o adornar. Las zapatillas de ballet se atan con cintas. INGLÉS ribbon.
2 Caja de plástico plana y rectangular con una tira en su interior que permite grabar y reproducir imágenes y sonidos: *Su padre guarda cintas de vídeo antiguas.* INGLÉS tape.
3 Mecanismo con una tira que se mueve automáticamente y sirve para transportar personas o cosas. En los aeropuertos, los viajeros recogen el equipaje en las cintas transportadoras. INGLÉS conveyor belt.
cinta aislante Tira de plástico grueso y opaco con pegamento por un lado que sirve para aislar los cables eléctricos que se empalman. INGLÉS insulating tape.
cinta métrica Tira estrecha que sirve para medir la longitud de algo en centímetros o metros. INGLÉS tape measure.

cintura
nombre femenino
1 Parte más estrecha del cuerpo humano que separa el torso del vientre. INGLÉS waist.
2 Parte de una prenda de vestir que rodea la cintura del cuerpo. INGLÉS waist.

cinturón
nombre masculino
1 Tira de cuero u otro material que se usa para sujetar o ajustar una prenda de vestir a la cintura. Los cinturones se puede atar con una hebilla o con un nudo. INGLÉS belt.
2 En algunas artes marciales, como el kárate, tira de tela que sirve para sujetar el quimono. INGLÉS belt.
3 Barrio, zona o carretera que rodea una ciudad. INGLÉS belt [zona urbana], ring road [carretera].
cinturón de seguridad Tira que sujeta a una persona al asiento de un vehículo para protegerla en caso de accidente. Es obligatorio llevar el cinturón de seguridad al viajar en automóvil. INGLÉS safety belt, seat belt.
NOTA El plural es: cinturones.

ciprés
nombre masculino
1 Árbol muy alto y alargado, de tronco recto y copa en forma de cono con hojas estrechas y perennes de color verde oscuro. Es habitual encontrar cipreses en los cementerios. INGLÉS cypress.
NOTA El plural es: cipreses.

circense
adjetivo
1 Del circo o relacionado con él. Los trapecistas y los domadores de leones son artistas circenses. INGLÉS circus.

circo
nombre masculino
1 Espectáculo formado por diferentes actuaciones de payasos, malabaristas, animales amaestrados, acróbatas y trapecistas. También se llama circo al grupo de artistas, animales y cosas que componen este espectáculo. INGLÉS circus.
2 Lugar cerrado con gradas para el público, a menudo cubierto con una carpa, donde se ofrece ese espectáculo. INGLÉS circus.

circuito
nombre masculino
1 Pista donde se celebran carreras de coches o de motos. INGLÉS circuit, track.
2 Camino o recorrido que empieza y termina en el mismo sitio. El circuito de un viaje organizado empieza y termina en el mismo lugar. INGLÉS circuit.
3 Conjunto de cables conectados entre sí que conducen la corriente eléctrica. INGLÉS circuit.

circulación
nombre femenino
1 Paso o movimiento de vehículos por

calles y carreteras. Cuando hay mucha circulación los automóviles tienen que ir más lentos. SINÓNIMO tráfico. INGLÉS traffic.

circulación sanguínea Función del organismo en que la sangre sale del corazón, pasa por las arterias y las venas del cuerpo y vuelve al corazón. INGLÉS blood circulation.

poner en circulación Sacar un producto al mercado: *Se ha puesto en circulación una nueva moneda.* INGLÉS to put on the market.

retirar de la circulación Hacer que una cosa o un producto deje de usarse o de venderse. INGLÉS to take off the market.

circular

verbo

1 Moverse o andar una persona o un vehículo en una dirección determinada. Es obligatorio circular a una velocidad más lenta en la ciudad que en una autopista. INGLÉS to travel, to go.

2 Moverse una cosa volviendo siempre al punto de partida. La sangre circula por las venas. INGLÉS to circulate.

3 Pasar una cosa de unas personas a otras. Las monedas circulan de mano en mano y las noticias de boca en boca. INGLÉS to circulate.

adjetivo

4 Que tiene forma de círculo. Una rueda tiene forma circular. INGLÉS circular.

nombre femenino

5 Mensaje o aviso que se envía en forma de carta para dar una información. SINÓNIMO aviso. INGLÉS circular.

circulatorio, circulatoria

adjetivo

1 De la circulación de vehículos o de la sangre o que tiene relación con ella. INGLÉS traffic [de vehículos], circulatory [de la sangre].

círculo

nombre masculino

1 Superficie redonda limitada por una línea curva cerrada. Los discos compactos tienen forma de círculo. INGLÉS circle.

2 Circunferencia. INGLÉS circle.

3 Asociación de personas que practican una actividad común, normalmente artística o deportiva. Los miembros de un círculo se reúnen para compartir opiniones y organizar fiestas. INGLÉS association.

circunferencia

nombre femenino

1 Línea curva cerrada que tiene todos sus puntos a la misma distancia del centro. Los aros tienen forma de circunferencia. SINÓNIMO círculo; redondel. INGLÉS circumference.

circunstancia

nombre femenino

1 Condición o cualquier cosa que rodea a una persona o una cosa y que puede influir sobre ella. El buen tiempo es una circunstancia favorable para navegar. INGLÉS circumstance.

circunstancial

adjetivo

1 Se dice de lo que ocurre por una circunstancia concreta y se mantiene solo mientras se mantiene esa circunstancia. Llevar un brazo escayolado es algo circunstancial. INGLÉS circumstantial.

adjetivo y nombre masculino

2 Se dice del complemento de la oración que indica el lugar, tiempo o modo en que ocurren las cosas. En la oración 'vive en Rusia', 'en Rusia' es un complemento circunstancial. INGLÉS circumstantial [adjetivo].

cirílico, cirílica

adjetivo y nombre masculino

1 Se dice del alfabeto que se usa en ruso, búlgaro, serbio y otras lenguas eslavas. INGLÉS Cyrillic.

cirio

nombre masculino

1 Vela de cera larga y gruesa que se enciende y sirve para alumbrar. En las iglesias hay cirios. INGLÉS candle.

2 Situación en la que hay mucha confusión y desorden. Es un uso informal. SINÓNIMO lío. INGLÉS row.

ciruela

nombre femenino

1 Fruta redonda de carne dulce, con un hueso en el centro, que puede ser de muchas clases. Hay ciruelas verdes, rojas y amarillas. INGLÉS plum.

ciruelo

nombre masculino

1 Árbol frutal de tronco recto, con hojas dentadas y flores blancas. El ciruelo da ciruelas. INGLÉS plum tree.

cirugía

nombre femenino

1 Parte de la medicina que se ocupa de curar las enfermedades, las heridas o los defectos físicos de las personas mediante operaciones. INGLÉS surgery.

cirujano, cirujana

nombre

1 Médico especialista que realiza operaciones. INGLÉS surgeon.

cisma

nombre masculino

1 División o separación entre las personas que forman parte de una comunidad o grupo, en especial entre los seguidores de una religión, porque no se ponen de acuerdo. INGLÉS schism.

cisne

nombre masculino

1 Ave con las plumas generalmente blancas que tiene el cuello largo y flexible, y grandes alas. El cisne puede nadar. INGLÉS swan.

cisterna

nombre femenino

1 Recipiente que contiene el agua de un retrete o urinario. INGLÉS cistern, tank.

2 Vehículo provisto de un depósito para transportar líquidos. El combustible llega a las gasolineras en camiones cisterna. INGLÉS tanker.

3 Recipiente de grandes dimensiones donde se almacenan líquidos, como agua o petróleo. Hay cisternas subterráneas para recoger el agua de la lluvia. INGLÉS tank.

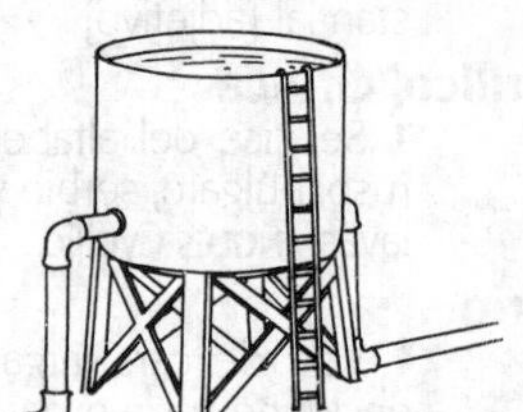

cisterna

cita

nombre femenino

1 Acuerdo que consiste en fijar una hora y lugar determinados para que se encuentren dos o más personas. También se llama cita el encuentro fijado de antemano. INGLÉS appointment [con un profesional], date [con el novio, la novia].

2 Conjunto de palabras dichas o escritas por una persona que utiliza otra persona: *Al principio del libro hay una cita de Cervantes.* INGLÉS quotation.

citar

verbo

1 Avisar a una o más personas para que se presenten a una hora y en un lugar determinados. INGLÉS to make an appointment with.

2 Decir datos o nombrar autores o textos en una conversación o en un texto escrito. INGLÉS to quote.

cítara

nombre femenino

1 Antiguo instrumento musical de cuerda formado por varias cuerdas tensadas sobre una caja de resonancia de madera en forma de U. INGLÉS zither.

cítrico

adjetivo

1 Del limón o que tiene relación con él. INGLÉS citric.

nombre masculino plural

2 **cítricos** Frutas agrias o agridulces, como la naranja, el pomelo y el limón. INGLÉS citrus fruits.

ciudad

nombre femenino

1 Población grande e importante en la que viven muchas personas, formada por un conjunto de calles, plazas y edificios. INGLÉS city, town.

ciudad dormitorio Población habitada por personas que trabajan en una localidad cercana de más importancia. INGLÉS dormitory town.

ciudadano, ciudadana

adjetivo

1 De la ciudad o que tiene relación con ella. SINÓNIMO urbano. INGLÉS civic, town.

nombre

2 Persona que vive en un Estado y tiene unos derechos y deberes. Votar o pagar impuestos son deberes de los ciudadanos. INGLÉS citizen.

ciudadela

nombre femenino

1 Recinto con murallas situado en el interior de una ciudad, que antiguamente servía para controlarla o como refugio ante un ataque exterior. INGLÉS citadel, fortress.

ciudadrealeño, ciudadrealeña

adjetivo y nombre

1 Se dice de la persona o cosa que es de Ciudad Real, ciudad y provincia de Castilla-La Mancha.

NOTA Se escribe en una palabra, pero se pronuncia como dos palabras separadas: ciudad realeño.

cívico, cívica

adjetivo

1 De los ciudadanos o relacionado con ellos. Los ciudadanos tienen derechos y deberes cívicos que son necesarios para respetar a los demás. INGLÉS civic.

2 Se dice de la persona que se comporta con respeto hacia los demás habitantes de la población donde vive. También se dice de los actos propios de esta persona. INGLÉS civic.

civil

adjetivo

1 De la ciudad o de los ciudadanos. Los ayuntamientos o los palacios son edificios civiles. INGLÉS civil.

adjetivo y nombre

2 Que no tiene relación ni con el ejército ni con la Iglesia. Los matrimonios civiles se celebran ante un juez y dos testigos. INGLÉS civil [adjetivo - no religioso], civilian [adjetivo - no militar], civilian [nombre].

nombre masculino **3** Miembro de la Guardia Civil, cuerpo que depende del ejército español. INGLÉS Civil Guard.

civilización

nombre femenino **1** Conjunto de ideas, cultura, arte, creencias y costumbres de un pueblo: *Las civilizaciones maya y azteca son americanas.* INGLÉS civilization.

NOTA El plural es: civilizaciones.

civilizado, civilizada

adjetivo **1** Que tiene la cultura, las costumbres y las formas de vida propias de las civilizaciones desarrolladas. La escritura es un aspecto de los pueblos civilizados. INGLÉS civilized.

2 Que se comporta con civismo y con educación. INGLÉS civilized.

civilizar

verbo **1** Hacer que una persona adquiera la cultura, las costumbres y las formas de vida propias de una civilización desarrollada. INGLÉS to civilize.

2 Hacer que una persona mejore su comportamiento. INGLÉS to civilize.

NOTA Se escribe 'c' delante de 'e', como: civilicen.

civismo

nombre masculino **1** Característica de la persona que cumple con sus obligaciones como ciudadano y se comporta con respeto hacia la sociedad o hacia los demás habitantes de la población donde vive. INGLÉS public-spiritedness.

cizaña

nombre femenino **1** Hierba mala para las plantas que se cultivan y que es muy difícil de eliminar. INGLÉS bearded darnel.

meter cizaña Hacer o decir algo para provocar que dos personas tengan problemas o se enfaden. Una persona que cuenta mentiras de otra para que crean que es mala está metiendo cizaña. INGLÉS to cause trouble.

clamar

verbo **1** Dar voces quejándose, protestando o pidiendo ayuda. SINÓNIMO suplicar. INGLÉS to cry out.

2 Pedir con fuerza algo que se necesita y a lo que se tiene derecho: *Clamaban justicia.* INGLÉS to cry out for.

clan

nombre masculino **1** Grupo de personas que tienen un antepasado común y que dan mucha importancia a su relación de parentesco. INGLÉS clan.

2 Grupo de personas que se unen por algún interés común, como una afición o una profesión. INGLÉS faction, group.

clandestino, clandestina

adjetivo **1** Se dice de lo que se hace de manera oculta o a escondidas para que no sea descubierto por la autoridad. INGLÉS clandestine, underground.

clara

nombre femenino **1** Sustancia transparente que rodea la yema del huevo. Al cocer o al freír el huevo, la clara se vuelve blanca. INGLÉS white.

clarear

verbo **1** Empezar a aparecer la luz del día. SINÓNIMO amanecer. ANTÓNIMO anochecer. INGLÉS to dawn.

2 Ir despareciendo las nubes del cielo. SINÓNIMO aclarar. ANTÓNIMO nublarse. INGLÉS to brighten up.

3 clarearse Transparentarse una prenda de vestir. INGLÉS to be see-through.

claridad

nombre femenino **1** Efecto que produce la luz cuando ilumina un espacio y permite distinguir lo que hay en él. En una casa con grandes ventanas suele haber claridad. ANTÓNIMO oscuridad. INGLÉS light.

2 Facilidad con que se muestran las cosas a los sentidos y al pensamiento. Las estrellas se ven con claridad en una noche despejada. A una persona se le entiende bien si se expresa con claridad. INGLÉS clarity.

clarificar

verbo **1** Explicar o poner en claro una cuestión, una idea o un asunto. La profesora clarifica el tema al responder las dudas. SINÓNIMO aclarar. INGLÉS to clarify.

2 Aclarar un líquido que estaba muy espeso o turbio. INGLÉS to clarify.

NOTA Se escribe 'qu' delante de 'e', como: clarifiquemos.

clarinete

nombre masculino **1** Instrumento musical de viento formado por un tubo largo con agujeros, que tiene una boquilla en un extremo y una abertura en forma de cono en el otro. INGLÉS clarinet. DIBUJO página 598.

clarividente
adjetivo y nombre masculino y femenino
1 Se dice de la persona que piensa con inteligencia y comprende las cosas que pasan desapercibidas a los demás. INGLÉS clairvoyant.

claro, clara
adjetivo
1 Que tiene o recibe mucha luz. SINÓNIMO luminoso. ANTÓNIMO oscuro. INGLÉS bright, well-lit.
2 Se dice del color que tiene mucho blanco en su mezcla y que se opone a otro de su misma clase con un tono más oscuro. INGLÉS light.
3 Que se entiende o se percibe con facilidad. Las explicaciones deberían ser claras y sencillas. INGLÉS clear.
4 Que es transparente o sin impurezas. En el nacimiento de los ríos el agua es muy clara. INGLÉS clear.
5 Que es poco denso o espeso. A unas personas les gusta el chocolate claro y a otras, espeso. INGLÉS thin.
6 Se dice de la persona que expone las cosas de una manera directa y que puede ser entendida. INGLÉS clear.
7 Se dice del sonido que se distingue con facilidad. Los presentadores de televisión suelen tener una voz alta y clara. INGLÉS clear.
8 Se dice del tiempo y del cielo luminoso porque no hay nubes. INGLÉS fine.
nombre masculino
9 Espacio libre o separación dentro de un conjunto de cosas. Muchos excursionistas suelen acampar en los claros de los bosques. INGLÉS clearing.
adverbio
10 claro Expresión que se usa para afirmar que una cosa es cierta y que no ofrece dudas: *Claro que voy a ir a la fiesta.* INGLÉS of course.
sacar en claro Obtener una idea concreta sobre alguna cosa. INGLÉS to make sense.

claroscuro
nombre masculino
1 Contraste que se produce al combinarse luces y sombras. Un cuadro con claroscuros tiene partes iluminadas junto a otras más oscuras. INGLÉS chiaroscuro.

clase
nombre femenino
1 Conjunto de estudiantes que reciben el mismo tipo de enseñanza y están en un mismo grupo. INGLÉS class, form.
2 Sala de un centro de enseñanza, como una escuela, un instituto o una universidad, donde los estudiantes aprenden lo que enseña un profesor. SINÓNIMO aula. INGLÉS class, classroom.
3 Lección que da un profesor sobre una materia determinada. Para tocar un instrumento musical hay que dar clases de solfeo. INGLÉS class.
4 Conjunto de personas, animales o cosas que tienen ciertas características comunes. Hay manzanas de distintas clases. INGLÉS class, type.
5 Cada uno de los grupos en que se clasifican los seres vivos, como los mamíferos, las aves o los reptiles. La ballena pertenece a la clase de los mamíferos. INGLÉS class.
6 Conjunto de personas que en una sociedad tiene unas formas de vida, intereses, ideas, trabajos y medios económicos parecidos: *Su familia es de clase alta.* INGLÉS class.
7 Elegancia de una persona o cosa. Los modelos profesionales desfilan con mucha clase. INGLÉS class.
8 Característica por la que se diferencia una persona o una cosa de otra. En un avión, la mayoría de pasajeros viajan en clase turista. INGLÉS class.

clásico, clásica
adjetivo y nombre
1 Se dice del autor o de la obra literaria o artística que se considera tan bueno que es un modelo para ser imitado: *Miguel de Cervantes es un clásico de la literatura.* INGLÉS classic.
adjetivo
2 Se dice de la historia, el arte y la cultura de la Grecia y la Roma antiguas o de lo que tiene relación con ellas. También se llama clásico el estilo que imita ese arte: *El Coliseo de Roma es un edificio clásico.* INGLÉS classical.
3 Que sigue una estética tradicional, sin tener en cuenta las tendencias más actuales. Los políticos suelen vestir de una forma muy clásica. INGLÉS classical.
4 Característico o típico de una persona o cosa. En los restaurantes, de postre casi siempre tienen el clásico flan. INGLÉS classic.

clasificación
nombre femenino
1 Colocación de algo en un determinado orden o grupo según sus caracterís-

ticas. En una biblioteca, muchas veces se hace una clasificación por temas para tenerlos ordenados. INGLÉS classification.

2 Lista ordenada de personas o cosas de acuerdo con determinados datos o cifras: *No han ganado ningún partido y van los últimos en la clasificación.* INGLÉS league.

3 Selección para participar en una competición deportiva, un concurso o cualquier otra prueba clasificatoria. Para participar en los Juegos Olímpicos los deportistas han de superar las pruebas de clasificación. INGLÉS qualification.

NOTA El plural es: clasificaciones.

clasificar

verbo

1 Colocar cosas o personas en un determinado orden o grupo según sus características. INGLÉS to classify.

2 clasificarse Quedar seleccionado para participar en una competición deportiva o un concurso: *Mi equipo de baloncesto se ha clasificado para la final.* INGLÉS to qualify.

3 clasificarse Ocupar un puesto en una competición: *Se ha clasificado en quinto lugar.* INGLÉS to come.

NOTA Se escribe 'qu' delante de 'e', como: clasifiqué.

claustro

nombre masculino

1 Espacio cubierto largo y estrecho, con columnas, que rodea un jardín o el patio interior de un edificio, como un convento o una universidad. INGLÉS cloister.

2 Conjunto de profesores que dirigen y dan clases en una universidad u otro centro de enseñanza. INGLÉS staff.

claustrofobia

nombre femenino

1 Miedo a los lugares cerrados que siente una persona sin que exista una razón lógica. La claustrofobia puede llegar a considerarse una enfermedad. INGLÉS claustrophobia.

cláusula

nombre femenino

1 Frase completa dentro de un escrito. SINÓNIMO oración; proposición. INGLÉS clause.

2 Condición que se establece en un documento público o privado, como en un contrato, un acuerdo o un testamento. En un contrato de trabajo, las cláusulas fijan el tipo de trabajo que debe hacer el trabajador, su sueldo y otras cosas. INGLÉS clause.

clausura

nombre femenino

1 Acto con el que se da por terminada una actividad pública, como un congreso, unos Juegos Olímpicos o una exposición. INGLÉS closing ceremony.

2 Cierre temporal o definitivo de un edificio o establecimiento llevado a cabo por una autoridad. INGLÉS closure.

3 Parte interior de un convento o monasterio en la que no se puede entrar si no se pertenece a la comunidad religiosa que vive en él. INGLÉS cloister.

4 Forma de vida que tienen determinadas comunidades religiosas que no salen del convento o del monasterio. INGLÉS religious seclusion.

clausurar

verbo

1 Dar por terminada oficialmente una actividad pública. INGLÉS to close.

2 Cerrar temporal o definitivamente un edificio o establecimiento haciendo uso de la autoridad que lo permite. Se puede clausurar un local público por no cumplir normas sanitarias o de seguridad. INGLÉS to close.

clavar

verbo

1 Introducir o meter una cosa con punta en otra, generalmente apretándola o golpeándola. Podemos clavar un clavo en la pared o clavarnos, sin querer, una astilla en un dedo. INGLÉS to hammer in [un clavo], to stick [una astilla].

2 Fijar o sujetar una cosa con clavos. INGLÉS to nail.

3 Cobrar mucho más de lo normal por una cosa. Es un uso informal. INGLÉS to rip off.

clave

nombre femenino

1 Información o idea necesaria para entender una cosa difícil o misteriosa. Cuando encontramos la clave de un problema podemos resolverlo. INGLÉS key.

2 Persona o cosa sin la cual no se puede hacer o entender algo una cosa. En un partido de balonmano el portero es la clave. INGLÉS key [cosa], key person [persona].

3 Conjunto de números o letras que, con una combinación especial, se utiliza para mantener en secreto una información. Los espías utilizan un lenguaje

en clave para que no lo entienda el enemigo. INGLÉS code.
4 En música, signo que se coloca al principio del pentagrama y sirve para leer las notas de una forma determinada. INGLÉS key.

clavel
nombre masculino
1 Flor olorosa de tallo largo que puede ser de diversos colores y que tiene los pétalos rizados y acabados en pequeños picos. INGLÉS carnation.

clavícula
nombre femenino
1 Hueso largo situado en la parte superior del pecho, que va de un lado del cuello al hombro. INGLÉS clavicle, collarbone.

clavija
nombre femenino
1 Pieza delgada de madera o metal, en forma de clavo, que se introduce en el agujero de otra pieza para unir o sujetar algo. INGLÉS peg, pin.
2 Pieza que tienen algunos instrumentos musicales de cuerda y que sirve para tensar las cuerdas. INGLÉS peg.
3 Pieza delgada de metal en forma de barrita que se introduce en un agujero apropiado para realizar una conexión eléctrica o de otro tipo. Los enchufes suelen tener dos clavijas. INGLÉS pin.

clavo
nombre masculino
1 Pieza larga y delgada de metal que tiene una punta por un lado y por el otro una cabeza plana. Los clavos se utilizan sobre todo para unir cosas clavándolas o para sujetar cosas en una pared. INGLÉS nail.
2 Condimento que se añade a la comida para darle sabor y que tiene la forma de un clavo. INGLÉS clove.
dar en el clavo Acertar completamente en lo que se hace o dice. INGLÉS to hit the nail on the head.

claxon
nombre masculino
1 Instrumento que llevan los automóviles y otros vehículos, que al tocarlo produce un ruido fuerte para avisar de algo a otros vehículos o a los peatones. SINÓNIMO bocina. INGLÉS horn.
NOTA El plural es: cláxones.

clemencia
nombre femenino
1 Compasión y ausencia de dureza con la que una persona juzga o castiga a otra. INGLÉS clemency, mercy.

clérigo
nombre masculino
1 Hombre que dedica su vida a Dios y a la Iglesia y que puede celebrar misa. Los sacerdotes y los monjes son clérigos. INGLÉS priest.

clero
nombre masculino
1 Conjunto de los sacerdotes de una iglesia cristiana. INGLÉS clergy.

clic
nombre masculino
1 Palabra que se utiliza para imitar cierto sonido, como el que se produce al pulsar un interruptor o un botón. INGLÉS click.
2 Acción de clicar el botón del ratón del ordenador. Si hacemos un clic en una opción de un menú, seleccionamos esa opción. INGLÉS click.
NOTA El plural es: clics.

clicar
verbo
1 Pulsar un botón del ratón informático para seleccionar algo o situar el cursor en la pantalla del ordenador. INGLÉS to click.
NOTA Se escribe 'qu' delante de 'e', como: cliqué.

cliente, clienta
nombre
1 Persona que compra en las tiendas o que utiliza los servicios de una empresa o de un profesional, como un médico o un abogado, pagando por ello. INGLÉS client, customer.
NOTA Hay dos formas de femenino: la cliente o la clienta.

clientela
nombre femenino
1 Conjunto formado por los clientes de una persona, de una tienda o de una empresa. INGLÉS customers.

clima
nombre femenino
1 Conjunto de condiciones atmosféricas, como la temperatura, la humedad, el viento y la lluvia, propias de una región. INGLÉS climate.
2 Conjunto de circunstancias que caracterizan una situación o rodean a una persona. En las fiestas de final de curso suele haber un clima amistoso y relajado. SINÓNIMO ambiente. INGLÉS atmosphere.

climático, climática
adjetivo
1 Del clima o que tiene relación con el conjunto de condiciones atmósfericas. La temperatura del planeta ha aumen-

tado a causa del cambio climático. INGLÉS climatic.

climatizado, climatizada

adjetivo

1 Se dice del espacio cerrado que tiene una temperatura agradable y adecuada para la comodidad de las personas. Un local climatizado tiene calefacción en invierno y aire acondicionado en verano. INGLÉS air-conditioned.

clínica

nombre femenino

1 Establecimiento con las personas y los medios necesarios para que los enfermos y heridos reciban atención médica. INGLÉS clinic.

clínico, clínica

adjetivo

1 Que está relacionado con la parte práctica de la medicina que se ocupa del trato directo con los enfermos. INGLÉS clinical.

clip

nombre masculino

1 Objeto que sirve para sujetar o mantener unidos dos o más papeles. El clip es un alambre, a veces recubierto de plástico, que está doblado varias veces sobre sí mismo. INGLÉS paper clip.

2 Película de vídeo corta que consiste en una serie de imágenes que acompañan a una canción. SINÓNIMO videoclip. INGLÉS video.

NOTA El plural es: clips.

clítoris

nombre masculino

1 Abultamiento pequeño y carnoso situado en la parte exterior de los órganos sexuales femeninos. INGLÉS clitoris.

NOTA El plural es: clítoris.

cloaca

nombre femenino

1 Conducto que hay bajo las calles de una población y que sirve para recoger el agua de la lluvia y las aguas residuales de las casas. Las cloacas contribuyen a mantener limpias las ciudades. SINÓNIMO alcantarilla. INGLÉS sewer.

2 Lugar sucio y con mal olor. INGLÉS pigsty.

clon

nombre masculino

1 Ser vivo que se ha reproducido a partir de una célula de otro ser. El clon es genéticamente igual a la célula de la que proviene. INGLÉS clone.

cloro

nombre masculino

1 Sustancia química gaseosa de color amarillo o verde que tiene un olor muy fuerte y es tóxica. El cloro se usa para desinfectar el agua de las piscinas. INGLÉS chlorine.

clorofila

nombre femenino

1 Sustancia de color verde que tienen la mayoría de las plantas. La clorofila permite a las plantas absorber la energía del sol. INGLÉS chlorophyll.

cloroformo

nombre masculino

1 Líquido de olor fuerte que se usaba antiguamente en medicina para dejar inconsciente a la persona que lo aspiraba por la nariz. Actualmente el cloroformo no se usa porque se considera muy tóxico. INGLÉS chloroform.

club

nombre masculino

1 Asociación de personas que tienen las mismas aficiones o los mismos intereses deportivos, políticos o culturales. INGLÉS club.

2 Lugar donde se reúnen estas personas con aficiones o intereses comunes. INGLÉS club.

3 Local o bar donde la gente acude a bailar y suele haber algún tipo de espectáculo musical. INGLÉS club.

NOTA El plural es: clubes o clubs.

coalición

nombre femenino

1 Unión de personas, países o partidos políticos con un objetivo determinado. Algunos partidos políticos forman coaliciones para obtener más votos en las elecciones. SINÓNIMO alianza; liga. INGLÉS coalition.

NOTA El plural es: coaliciones.

coartada

nombre femenino

1 Prueba que presenta un sospechoso de un delito para demostrar que en el momento en que se cometió ese delito estaba en otro sitio haciendo otra cosa. INGLÉS alibi.

coba

nombre femenino

1 Demostración exagerada de admiración o de cariño que se le hace a una persona para conseguir algo de ella: *Le daba coba al profesor para que le aprobara.* INGLÉS soft soap.

cobarde

adjetivo

1 Que se asusta fácilmente y no se atreve a hacer algo difícil o peligroso. ANTÓNIMO atrevido; valiente. INGLÉS cowardly.

2 Se dice de la acción o la actitud que demuestra que se quiere evitar un posible riesgo o peligro. INGLÉS cowardly.

a b c d e f g h i j k l m n ñ o p q r s t u v w x y z

cobardía
nombre femenino
1 Falta de valor o de atrevimiento para hacer algo difícil o peligroso. ANTÓNIMO valentía. INGLÉS cowardice.

cobertizo
nombre masculino
1 Lugar cubierto donde se guardan herramientas y otros utensilios. INGLÉS shed.
2 Tejado que sobresale de una pared o lugar cubierto que sirve para resguardarse del sol o el mal tiempo. INGLÉS lean-to.

cobertura
nombre femenino
1 Cosa que cubre o tapa algo: *Tapó el mueble con una cobertura de plástico.* INGLÉS cover, covering.
2 Extensión territorial que alcanza un servicio, especialmente las televisiones, las emisoras de radio o los teléfonos. Los canales de televisión pueden tener cobertura internacional, nacional, regional o local. INGLÉS coverage.

cobijo
nombre masculino
1 Protección o ayuda que una persona da a otra. Una persona sin familia busca cobijo en sus amigos. SINÓNIMO amparo; protección. INGLÉS shelter.
2 Lugar donde una persona puede protegerse del mal tiempo o de otra cosa. SINÓNIMO refugio. INGLÉS shelter.

cobra
nombre femenino
1 Serpiente venenosa que ensancha el cuello cuando va a atacar y que puede ser de bastante longitud. Su picadura puede provocar la muerte. INGLÉS cobra.

cobrador, cobradora
nombre
1 Persona que trabaja yendo a las casas para cobrar recibos. También se llama cobrador la persona encargada de cobrar el dinero del viaje en un autobús. INGLÉS collector [si son deudas], conductor [de autobús - hombre], conductress [de autobús - mujer].

cobrar
verbo
1 Recibir una persona una cantidad de dinero como pago de algo, en especial por un trabajo. ANTÓNIMO pagar. INGLÉS to charge [un precio], to earn [un sueldo].
2 Recibir una persona golpes de otra. Es un uso informal. INGLÉS to get hit.
3 Llegar a tener aquello que se indica, como cariño, importancia o fama: *Ese escritor cobró fama cuando publicó su primer libro.* INGLÉS to achieve.

cobre
nombre masculino
1 Metal de color rojizo que conduce muy bien la electricidad. Se utiliza para hacer cables. INGLÉS copper.

cobro
nombre masculino
1 Acción de cobrar dinero como pago de algo. INGLÉS collection.

coca
nombre femenino
1 Arbusto originario de Perú de cuyas hojas se extrae la cocaína, una sustancia que se utiliza como droga. También se llama coca la hoja de este arbusto. INGLÉS coca.
2 Es una forma abreviada de: cocaína. INGLÉS coke.

cocaína
nombre femenino
1 Droga que se extrae de las hojas de la coca. La cocaína suele presentarse en forma de polvo blanco y tiene efectos muy negativos en el organismo. INGLÉS cocaine.
NOTA También se dice: coca.

cocción
nombre femenino
1 Acción que consiste en cocer algo, en especial un alimento. Para cocinar un huevo duro se necesitan diez minutos de cocción. INGLÉS cooking [si es en agua: boiling, si es al horno: baking].

cocer
verbo
1 Cocinar un alimento dentro de un líquido hirviendo para que se pueda comer. Los espaguetis se cuecen en pocos minutos. INGLÉS to boil.
2 Calentar un líquido hasta que hierva. INGLÉS to boil.
3 Calentar una masa en el horno para que se seque y se quede dura. El pan o los objetos de barro se cuecen en el horno. INGLÉS to bake.
4 cocerse Tener una persona muchísimo calor. SINÓNIMO asarse. INGLÉS to be boiling.
5 cocerse Prepararse una cosa en secreto: *Algo se está cociendo ahí, porque no paran de cuchichear.* INGLÉS to be going on.

cochambroso, cochambrosa
adjetivo
1 Se dice de la cosa que está sucia, vieja o rota. Es una palabra informal. INGLÉS filthy, dirty.

coche
nombre masculino
1 Vehículo con motor que se desplaza sobre cuatro ruedas y se guía por medio de un volante. Suelen caber como máximo 5 personas. SINÓNIMO auto, automóvil. INGLÉS car, automobile [en Estados Unidos].
2 Vagón de tren destinado a los viajeros. En el coche restaurante sirven comidas. INGLÉS coach, carriage.
3 Vehículo empleado para el transporte de personas que se mueve tirado por caballos. Un coche de caballos puede tener techo o ir descubierto. SINÓNIMO carruaje. INGLÉS carriage.

cochera
nombre femenino
1 Lugar público o privado, normalmente cerrado, donde se guardan los coches u otros vehículos. En las cocheras municipales se aparcan los autobuses urbanos. INGLÉS depot.

cocer

INDICATIVO

presente
cuezo
cueces
cuece
cocemos
cocéis
cuecen

pretérito imperfecto
cocía
cocías
cocía
cocíamos
cocíais
cocían

pretérito perfecto simple
cocí
cociste
coció
cocimos
cocisteis
cocieron

futuro
coceré
cocerás
cocerá
coceremos
coceréis
cocerán

condicional
cocería
cocerías
cocería
coceríamos
coceríais
cocerían

SUBJUNTIVO

presente
cueza
cuezas
cueza
cozamos
cozáis
cuezan

pretérito imperfecto
cociera o cociese
cocieras o cocieses
cociera o cociese
cociéramos o cociésemos
cocierais o cocieseis
cocieran o cociesen

futuro
cociere
cocieres
cociere
cociéremos
cociereis
cocieren

IMPERATIVO

cuece	(tú)
cueza	(usted)
cozamos	(nosotros)
coced	(vosotros)
cuezan	(ustedes)

FORMAS NO PERSONALES

infinitivo cocer
gerundio cociendo
participio cocido

cochero
nombre masculino
1 Persona que conduce un coche tirado por caballos. INGLÉS coachman.

cochinillo
nombre masculino
1 Cría del cerdo desde que nace hasta que deja de mamar. SINÓNIMO lechón. INGLÉS sucking pig.

cochino, cochina
nombre
1 Mamífero doméstico que tiene las patas cortas, el cuerpo grueso, el morro aplastado y las orejas caídas sobre la cara. SINÓNIMO cerdo; puerco. INGLÉS pig.
nombre y adjetivo
2 Se dice de la persona sucia y que no procura estar limpia y aseada: *¡Mira que eres cochino, lávate la cara!* SINÓNIMO cerdo, guarro. INGLÉS filthy [adjetivo].

cochiquera
nombre femenino
1 Lugar donde viven los cerdos en una granja. SINÓNIMO pocilga. INGLÉS pigsty.

cocido
nombre masculino
1 Comida que se prepara hirviendo en el mismo recipiente varios alimentos, generalmente garbanzos, trozos de carne y diversas verduras y hortalizas. INGLÉS stew.

cociente
nombre masculino
1 Resultado que se obtiene al dividir una cantidad por otra. El cociente de dividir 10 entre 2 es 5. INGLÉS quotient.

cocina
nombre femenino
1 Habitación de la casa o de un restaurante en la que se prepara la comida. INGLÉS kitchen.
2 Aparato que sirve para calentar y cocinar los alimentos. La cocina puede ser eléctrica, o funcionar con gas o con leña. INGLÉS cooker.
3 Manera o técnica de preparar los alimentos para comerlos. En algunas escuelas dan cursos de cocina. INGLÉS cooking, cookery.
4 Conjunto de platos típicos de una región o país. La paella es un plato de la cocina española. INGLÉS cooking.

cocinar
verbo
1 Preparar un alimento para que pueda ser comido o tenga un sabor especial, especialmente si se pone al fuego. INGLÉS to cook.

cocinero, cocinera
nombre
1 Persona que cocina, especialmente

cuando lo hace como trabajo. INGLÉS cook, chef.

coco
nombre masculino
1 Fruto del cocotero, grande y redondeado, que tiene una corteza marrón muy dura, la carne blanca y un líquido dulce en su interior. INGLÉS coconut.
2 Cabeza de una persona. Es un uso informal. INGLÉS nut.
3 Personaje inventado con el que se asusta a los niños. INGLÉS bogeyman.
4 Persona muy fea. Es un uso despectivo. INGLÉS ugly devil.
comer el coco Convencer a una persona para que haga o piense una cosa determinada: *Le comió el coco para ir al zoo.* Es una expresión informal. INGLÉS to brainwash.
comerse el coco Preocuparse demasiado por algo. Es una expresión informal. INGLÉS to worry.

cocodrilo
nombre masculino
1 Reptil de gran tamaño con la piel recubierta de escamas duras de color verdoso, de boca grande y dientes afilados, cuatro patas muy cortas y cola larga. Vive en ríos y pantanos de las zonas tropicales. INGLÉS crocodile.

cocotero
nombre masculino
1 Árbol de tronco alto y hojas grandes parecidas a las de la palmera, que produce un fruto comestible llamado coco. INGLÉS coconut palm.

cóctel
nombre masculino
1 Bebida que se prepara mezclando licores con refrescos o zumos de frutas. INGLÉS cocktail.
2 Fiesta o reunión donde se sirven bebidas y cosas para picar. INGLÉS cocktail party.
NOTA También se escribe y se pronuncia: coctel.

codazo
nombre masculino
1 Golpe que se da a una persona con el codo. INGLÉS poke with one's elbow.

codera
nombre femenino
1 Pieza de tela cosida o pegada en la parte del codo de algunas prendas de vestir como adorno o refuerzo. INGLÉS elbow patch.
2 Protección que se pone en un codo una persona, principalmente un deportista. Suele ser de tela elástica o acolchada. INGLÉS elbow pad.

codicia
nombre femenino
1 Deseo muy fuerte de conseguir dinero, riquezas u otras cosas, como poder o fama. SINÓNIMO avaricia. INGLÉS greed.

codicioso, codiciosa
adjetivo
1 Que tiene un deseo muy fuerte de conseguir dinero, riquezas u otras cosas. SINÓNIMO avaricioso. INGLÉS greedy.

codificar
verbo
1 Expresar un mensaje o una idea mediante un código. Los espías codifican sus mensajes con códigos secretos para que no los pueda descifrar el enemigo. ANTÓNIMO descodificar. INGLÉS to encode.
NOTA Se escribe 'qu' delante de 'e', como: codifiquen.

código
nombre masculino
1 Conjunto ordenado de leyes o de normas de una determinada materia, como el código de circulación. INGLÉS code.
2 Conjunto de letras y números que forman un mensaje, que contienen una información o que permiten que algo funcione, como el código secreto de las tarjetas de crédito o el código de barras de los alimentos. SINÓNIMO clave. INGLÉS code.
código postal Combinación de números que se asigna a una población o a una zona de una población grande para hacer más fácil la clasificación y entrega del correo. INGLÉS postcode.

codo
nombre masculino
1 Articulación del cuerpo humano que sirve para doblar el brazo. INGLÉS elbow.
codo con codo Junto con una persona o en colaboración con ella. Dos personas trabajan codo con codo cuando realizan un trabajo entre las dos. INGLÉS side by side.

codo con codo

codorniz
nombre femenino
1 Ave de color pardo con pequeñas manchas oscuras que tiene la cabeza pequeña y el pico y la cola cortos. INGLÉS quail.
NOTA El plural es: codornices.

coeficiente
nombre masculino
1 Número con que se representa el grado o intensidad de un fenómeno o de una propiedad, como el coeficiente de inteligencia de una persona. INGLÉS quotient.
2 Número que se escribe delante de una cantidad y la multiplica. En 3(2+6) = 24, 3 es el coeficiente. INGLÉS coefficient.

cofradía
nombre femenino
1 Asociación católica que tiene fines religiosos, como celebrar algunas fiestas cristianas. INGLÉS brotherhood.
2 Asociación de personas con unos intereses comunes, generalmente profesionales: *La cofradía de pescadores eligió un nuevo portavoz.* INGLÉS guild.

cofre
nombre masculino
1 Caja con tapa y cerradura que se utiliza para guardar objetos de valor. INGLÉS chest.

cogedor
nombre masculino
1 Pala con mango largo que se utiliza para recoger del suelo la basura que se barre. SINÓNIMO recogedor. INGLÉS dustpan.

coger
verbo
1 Agarrar a alguien o tomar algo con la mano o con un instrumento que se maneja con la mano: *Voy a coger una revista de la mesa.* INGLÉS to take.
2 Aceptar o quedarse con algo que se ofrece. INGLÉS to take.
3 Alcanzar a una persona que va por delante: *¡Corre, que ya lo coges!* INGLÉS to catch.
4 Atrapar y encerrar en la cárcel a una persona que huye. El trabajo de los policías es coger a los delincuentes. SINÓNIMO apresar. INGLÉS to catch.
5 Utilizar un medio de transporte, como un taxi, una bicicleta, un tren o un autobús. INGLÉS to take, to catch.
6 Encontrar por sorpresa a una persona en una determinada situación: *Al parecer, su padre lo ha cogido fumando.* SINÓNIMO sorprender; pillar. INGLÉS to catch.
7 Llegar a tener un conocimiento, una característica, un vicio o una enfermedad: *Va cogiendo más seguridad con la moto.* INGLÉS to get.
8 Entender el significado de una cosa, en especial de un chiste. INGLÉS to get.
9 Llegar a tener algo que se pide o se quiere. Podemos coger hora para visitar a un médico o coger mesa en un restaurante. INGLÉS to get.
10 Recibir una cadena de radio o televisión en un lugar. Con las antenas parabólicas se cogen cadenas de televisión extranjeras. INGLÉS to pick up.
coger y... Se usa para indicar que lo que va detrás ocurre de repente y de forma inesperada: *Cogió y se largó.* Es un uso informal. INGLÉS to up and...
NOTA Se escribe 'j' delante de 'a' y 'o', como: cojo.

cogollo
nombre masculino
1 Conjunto de las hojas interiores y unidas por el tallo de algunas plantas. El cogollo de la lechuga es su parte más tierna y blanca. INGLÉS heart.

cogote
nombre masculino
1 Parte trasera y superior del cuello de las personas. SINÓNIMO nuca. INGLÉS nape of the neck.

coherencia
nombre femenino
1 Relación lógica entre las partes o elementos de una cosa, de manera que forman un conjunto con unidad y sin contradicciones. La persona que piensa de la misma forma que actúa es una persona que tiene coherencia. INGLÉS coherence.

coherente
adjetivo
1 Que tiene o demuestra coherencia. INGLÉS coherent.

cohesionar
verbo
1 Unir estrechamente los diferentes elementos o las distintas personas que forman un grupo. Solucionar entre todos un problema de convivencia en el aula cohesiona el grupo de alumnos. INGLÉS to unite.

cohete
nombre masculino
1 Objeto con forma de tubo que se enciende por medio de una mecha para que suba hacia el cielo y explote

producido un fuerte ruido o efectos de luz. INGLÉS rocket.
2 Artefacto que se eleva del suelo a gran velocidad y vuela impulsado por un sistema de propulsión a reacción. Los cohetes se utilizan para lanzar al espacio satélites y naves espaciales. INGLÉS rocket.

cohibido, cohibida
adjetivo **1** Que no se comporta con naturalidad porque no está cómodo en una situación o siente vergüenza por algo. Una persona muy tímida se siente cohibida cuando está con mucha gente. INGLÉS inhibited.

coincidencia
nombre femenino **1** Hecho de coincidir dos o más cosas o personas. INGLÉS coincidence.

coincidencia

coincidir
verbo **1** Encontrarse dos o más cosas o personas en un mismo lugar: *Coincidí con ella en el concierto.* INGLÉS to coincide.
2 Ocurrir dos o más cosas en el mismo momento: *Mi cumpleaños coincide con el suyo.* INGLÉS to coincide.
3 Tener los mismos gustos o pensar igual dos o más personas: *Todos coincidieron en que es una película muy buena.* INGLÉS to agree.
4 Ser una cosa igual a otra. Si tu número coincide con el de la lotería tienes un premio. INGLÉS to coincide.

cojear
verbo **1** Andar mal o con dificultad por daño, defecto o dolor en una pierna o en un pie o por falta de uno de estos. INGLÉS to limp.
2 Moverse un mueble al tocarlo por no tener las patas iguales o porque el suelo no es llano. INGLÉS to wobble.

cojera
nombre femenino **1** Defecto o lesión que impide andar con normalidad. INGLÉS limp.

cojín
nombre masculino **1** Saco de tela relleno de un material blando que sirve para apoyar una parte del cuerpo y estar más cómodo al sentarse o tumbarse. INGLÉS cushion.
NOTA El plural es: cojines.

cojo, coja
adjetivo y nombre **1** Que anda mal o con dificultad por tener un daño, defecto o dolor en una pierna o en un pie o porque le falta un pie o una pierna. INGLÉS lame [adjetivo], cripple [nombre].
adjetivo **2** Se dice del mueble que se mueve por no tener las patas iguales o porque le falta una: *Se cayó al sentarse en una silla coja.* INGLÉS wobbly.
3 Se dice del razonamiento, frase o discurso que queda incompleto o no está bien planteado. INGLÉS incomplete.

cojón
nombre masculino **1** Testículo de un hombre o un animal macho. Es una palabra vulgar. INGLÉS ball.
NOTA El plural es: cojones.

cojonudo, cojonuda
adjetivo **1** Que tiene características o propiedades muy buenas. Es una palabra vulgar. INGLÉS bloody great.

col
nombre masculino **1** Planta de tallo grueso y hojas anchas comestibles de color verde claro que le dan forma redondeada. Hay muchas variedades de col, como el repollo, la col lombarda o la col de Bruselas. INGLÉS cabbage.

cola
nombre femenino **1** Extremidad del cuerpo de algunos animales situada en su parte trasera. Los ratones tienen una cola larga y fina. La cola de los peces acaba en una aleta. INGLÉS tail.
2 Conjunto de plumas fuertes que tienen las aves en la parte posterior del cuerpo. Los pavos reales tienen una cola de largas plumas de colores. INGLÉS tail.
3 Parte final de una cosa, como la cola de un avión o la cola de un vestido largo. INGLÉS tail.
4 Conjunto de personas o vehículos

que están en fila esperando para hacer algo. INGLÉS queue [en el Reino Unido], line [en Estados Unidos].

5 Sustancia espesa y pastosa que sirve para pegar cosas. SINÓNIMO pegamento. INGLÉS glue.

6 Refresco de color oscuro con gas. Hay varias marcas distintas de refrescos de cola. INGLÉS cola.

7 Órgano sexual masculino. Es un uso familiar. SINÓNIMO pene; picha. INGLÉS willy.

cola de caballo Peinado que consiste en recoger todo el pelo con una goma en la parte de atrás de la cabeza. INGLÉS ponytail.

colaboración

nombre femenino

1 Realización de un trabajo común entre varias personas. INGLÉS collaboration.

NOTA El plural es: colaboraciones.

colaborador, colaboradora

nombre

1 Persona que colabora con otra u otras en un trabajo común. INGLÉS colleague.

2 Persona que trabaja en una empresa para hacer trabajos determinados, pero no forma parte de la plantilla. INGLÉS freelancer.

colaborar

verbo

1 Trabajar una persona junto con otra u otras en un trabajo común. INGLÉS to collaborate.

2 Hacer trabajos para una empresa sin formar parte de su plantilla. INGLÉS to contribute.

colada

nombre femenino

1 Conjunto de toda la ropa sucia de una casa que se lava de una vez o en el mismo día. INGLÉS washing, laundry.

colado, colada

estar colado Estar muy enamorado: *me ha confesado que está colado por ti.* Es una expresión informal. INGLÉS to be madly in love.

colador

nombre masculino

1 Utensilio de cocina formado por una lámina con agujeros o por una tela metálica y un mango. Sirve para separar la parte sólida de la parte líquida de algunos alimentos, como la nata de la leche. INGLÉS strainer [más fino], colander [más basto].

colar

verbo

1 Hacer pasar un líquido por un colador o filtro para separar las partes sólidas o las impurezas que contiene. Se cuela el té para quitarle las hojas o los espaguetis para eliminar el agua. INGLÉS to strain.

2 Meter o meterse por un agujero o algún lugar estrecho. La pelota de baloncesto se debe colar en la canasta. La gente delgada se cuela por cualquier paso estrecho. INGLÉS to put [colar], to get [colarse].

3 Pasar por verdadera o buena una cosa que es falsa o mala: *Tu mentira no ha colado.* INGLÉS to wash.

4 colarse Meterse en algún lugar a escondidas o sin permiso. INGLÉS to slip in.

5 colarse Equivocarse o decir cosas que no se deben decir. Una persona se cuela si acusa a otra de algo que no ha hecho. Es un uso informal. INGLÉS to slip up.

6 colarse Ponerse delante de alguien que está en una cola. INGLÉS to jump the queue.

NOTA Se conjuga como: contar; la 'o' se convierte en 'ue' en sílaba acentuada, como: cuela.

colcha

nombre femenino

1 Pieza de tela que se pone encima de una cama y sirve de adorno y de abrigo. INGLÉS bedspread.

colchón

nombre masculino

1 Objeto rectangular que se pone en una cama para dormir encima y está relleno de un material blando. INGLÉS mattress.

NOTA El plural es: colchones.

colchoneta

nombre femenino

1 Colchón delgado cubierto de tela o plástico que se pone en el suelo para hacer ejercicios deportivos sin hacerse daño. INGLÉS small mattress.

2 Objeto de plástico que se llena de aire y flota en el agua. Se utiliza en la playa o en la piscina para ponerse sobre él. INGLÉS airbed.

colección

nombre femenino

1 Conjunto de objetos de la misma clase, normalmente ordenados, que han sido reunidos por una persona por gusto y por ocupar su tiempo libre. INGLÉS collection.

NOTA El plural es: colecciones.

coleccionar

verbo

1 Reunir y guardar un grupo de objetos

de la misma clase por gusto y para ocupar el tiempo libre. Se pueden coleccionar todo tipo de cosas, como monedas, insectos disecados o fotografías. INGLÉS to collect.

coleccionista
nombre masculino y femenino **1** Persona que se dedica a coleccionar algo como afición: *Es coleccionista de sellos.* INGLÉS collector.

colecta
nombre femenino **1** Recogida de dinero o alimentos para ayudar a personas necesitadas. INGLÉS collection.

colectivo, colectiva
adjetivo **1** Que pertenece o afecta a muchas personas o que está hecho por muchas personas. La construcción de un edificio es un trabajo colectivo. INGLÉS collective.
nombre masculino **2** Grupo o conjunto de personas que tienen alguna característica común, como la profesión: *El colectivo de médicos hizo una huelga.* INGLÉS collective.

colega
nombre masculino y femenino **1** Persona que se relaciona con otras, en especial en el trabajo o en los estudios. SINÓNIMO compañero. INGLÉS colleague [en el trabajo], classmate [en el colegio].
2 Persona que tiene el mismo cargo o desempeña la misma función que otra. El presidente de un país es colega del presidente de otro país. INGLÉS counterpart.

colegial, colegiala
nombre **1** Alumno de un colegio. SINÓNIMO escolar. INGLÉS schoolchild [chico o chica], schoolboy [chico], schoolgirl [chica].

colegio
nombre masculino **1** Centro dedicado a la enseñanza. Los colegios disponen de clases en las que los profesores enseñan a los alumnos. SINÓNIMO escuela. INGLÉS school.
2 Asociación de personas que tienen la misma profesión, como los arquitectos, abogados o árbitros. INGLÉS college.

cólera
nombre masculino **1** Enfermedad infecciosa muy grave, que produce calambres, vómitos y diarreas y se contagia a través de las aguas contaminadas. INGLÉS cholera.
nombre femenino **2** Enfado muy grande y violento. INGLÉS anger.
montar en cólera Enfadarse mucho. INGLÉS to fly into a rage.

colesterol
nombre masculino **1** Sustancia grasa de origen animal que se absorbe con los alimentos y que, tomada en exceso, provoca alteraciones en el organismo. INGLÉS cholesterol.

coleta
nombre femenino **1** Peinado que se hace recogiendo el pelo y atándolo con una goma o una cinta. INGLÉS pigtail.

coletazo
nombre masculino **1** Golpe que da un animal con su cola. INGLÉS swish of the tail.
dar los últimos coletazos Estar una cosa a punto de acabarse o de desaparecer. INGLÉS to be in its death throes.

colgado, colgada
adjetivo **1** Se dice de la persona que se ha quedado sin una cosa que esperaba o necesitaba: *Se quedó colgado en la estación sin dinero para comprar el billete de vuelta.* INGLÉS in the lurch.
adjetivo y nombre **2** Se dice de la persona que tiene un comportamiento alocado o poco normal. INGLÉS loony.
NOTA Es una palabra informal.

colgante
nombre masculino **1** Joya o adorno que cuelga de una cadena que se lleva al cuello. INGLÉS pendant.
adjetivo **2** Que cuelga de algún lugar. Un puente colgante está sujeto por sus extremos y cuelga en su parte central. INGLÉS hanging.

colgar
verbo **1** Sostenerse una cosa por la parte de arriba sin que nada la sujete por debajo. La fruta cuelga de los árboles. INGLÉS to hang.
2 Hacer que algo se sostenga por la parte de arriba sin que se sujete por debajo. Colgamos la ropa dentro del armario. INGLÉS to hang.
3 Hacer que alguien muera poniéndole una cuerda alrededor del cuello y dejándolo suspendido de esa cuerda en el aire hasta que se ahoga. SINÓNIMO ahorcar. INGLÉS to hang.
4 Poner el auricular del teléfono en su sitio para terminar la comunicación. ANTÓNIMO descolgar. INGLÉS to hang up.
5 Abandonar una profesión o una acti-

vidad. Un futbolista cuelga las botas, un religioso cuelga los hábitos y un estudiante cuelga los libros. **INGLÉS** to hang up one's boots [futbolista], to give up the cloth [religioso], to abandon one's studies [estudiante].

6 colgarse Bloquearse el funcionamiento del ordenador, de manera que no se puede seguir trabajando. **INGLÉS** to freeze.

colibrí

nombre masculino

1 Pájaro muy pequeño, con el pico largo y fino y plumas de colores. Vuela moviendo las alas mucho más deprisa que cualquier otro pájaro. **INGLÉS** humming bird.

NOTA El plural es: colibríes o colibrís.

cólico

nombre masculino

1 Dolor fuerte en el vientre causado por las contracciones del intestino, del hígado o de los riñones. **INGLÉS** colic.

colgar

INDICATIVO	SUBJUNTIVO
presente	**presente**
cuelgo	cuelgue
cuelgas	cuelgues
cuelga	cuelgue
colgamos	colguemos
colgáis	colguéis
cuelgan	cuelguen
pretérito imperfecto	**pretérito imperfecto**
colgaba	colgara o colgase
colgabas	colgaras o colgases
colgaba	colgara o colgase
colgábamos	colgáramos o colgásemos
colgabais	colgarais o colgaseis
colgaban	colgaran o colgasen
pretérito perfecto simple	**futuro**
colgué	colgare
colgaste	colgares
colgó	colgare
colgamos	colgáremos
colgasteis	colgareis
colgaron	colgaren
futuro	**IMPERATIVO**
colgaré	cuelga (tú)
colgarás	cuelgue (usted)
colgará	colguemos (nosotros)
colgaremos	colgad (vosotros)
colgaréis	cuelguen (ustedes)
colgarán	
condicional	**FORMAS NO PERSONALES**
colgaría	**infinitivo** colgar
colgarías	**gerundio** colgando
colgaría	**participio** colgado
colgaríamos	
colgaríais	
colgarían	

coliflor

nombre femenino

1 Planta con una masa blanca, redonda y comestible en el centro. La coliflor es una variedad de la col. **INGLÉS** cauliflower.

colilla

nombre femenino

1 Parte de un cigarro que se deja sin fumar y se tira. **INGLÉS** cigarette end.

colín

nombre masculino

1 Palito de pan. **INGLÉS** bread stick.

NOTA El plural es: colines.

colina

nombre femenino

1 Elevación de terreno de poca altura, menor que la de un monte, y de forma redondeada. **INGLÉS** hill.

coliseo

nombre masculino

1 Edificio destinado a espectáculos en el que cabe un gran número de espectadores. En Roma hay un famoso coliseo construido en la Antigüedad. **INGLÉS** coliseum.

colisión

nombre femenino

1 Choque fuerte de dos o más cuerpos: *Hubo una colisión en la autopista entre tres camiones.* **INGLÉS** collision, crash.

2 Oposición de ideas distintas o enfrentamiento entre personas. Se produce colisión entre personas que piensan diferente respecto a una cosa. **SINÓNIMO** conflicto. **INGLÉS** clash.

NOTA El plural es: colisiones. Es una palabra formal.

colitis

nombre femenino

1 Inflamación del colon o parte más larga del intestino grueso, que generalmente produce dolor en el vientre y diarrea. **INGLÉS** colitis.

NOTA El plural es: colitis.

collar

nombre masculino

1 Joya o adorno que rodea el cuello y cuelga sobre el pecho. **INGLÉS** necklace. **DIBUJO** página 648.

2 Tira de cuero o metal que se pone alrededor del cuello de un animal, como un perro o un gato. **INGLÉS** collar.

colmar

verbo

1 Llenar un recipiente hasta el borde: *Colmó la copa y al levantarla derramó el vino.* **INGLÉS** to fill to the brim.

2 Dar algo en gran cantidad o abundancia. Los hijos colman de felicidad a sus padres. **INGLÉS** to fill.

3 Satisfacer completamente las espe-

a b c d e f g h i j k l m n ñ o p q r s t u v w x y z

ranzas, los deseos y las aspiraciones de alguien. Un buen trabajo puede colmar las expectativas de una persona. INGLÉS to satisfy.

colmena
nombre femenino
1 Lugar donde las abejas viven y fabrican miel y cera. INGLÉS beehive.

colmillo
nombre masculino
1 Diente fuerte y puntiagudo de las personas y los animales mamíferos que está situado delante de cada fila de muelas. SINÓNIMO canino. INGLÉS canine tooth [de una persona], fang [de un perro o de un lobo].
2 Diente muy grande y largo con forma de cuerno que sale de la boca de algunos animales, como los elefantes. INGLÉS tusk.

colmo
nombre masculino
1 Grado más alto al que puede llegar una cosa, una persona o una situación: *Nunca se enfada por nada: es el colmo de la paciencia.* INGLÉS height.

colocación
nombre femenino
1 Acción de colocar una cosa o a una persona en un lugar determinado. INGLÉS positioning.
2 Forma de estar colocado algo o alguien en un lugar determinado. INGLÉS positioning.
3 Empleo o puesto de trabajo. Las oficinas de colocación ayudan a la gente a encontrar trabajo. INGLÉS job, position.
NOTA El plural es: colocaciones.

colocar
verbo
1 Poner una cosa en un lugar determinado: *Colocó el televisor en el mejor lugar del salón.* INGLÉS to place, to put.
2 Conseguir que una persona acepte, aguante o compre algo que no deseaba: *Le ha colocado a su tía todos los números de la rifa.* INGLÉS to get to accept, to get to buy.
3 Dar un empleo o puesto de trabajo. INGLÉS to find a job for.
4 Vender un producto a un público determinado. INGLÉS to sell to.
5 Afectar el alcohol o la droga al cerebro y al cuerpo de una persona. Es un uso informal. INGLÉS to make drunk [el alcohol], to give a high to [la droga].
NOTA Se escribe 'qu' delante de 'e', como: coloque.

colofón
nombre masculino
1 Parte final con la que termina un acto. Un discurso puede servir como colofón a una cena. INGLÉS climax.
NOTA El plural es: colofones.

colombiano, colombiana
adjetivo y nombre
1 Se dice de la persona o cosa que es de Colombia, país de América del Sur. INGLÉS Colombian.

colon
nombre masculino
1 Parte más larga del intestino grueso, situada a la mitad de este. INGLÉS colon.
NOTA El plural es: cólones.

colonia
nombre femenino
1 Líquido que huele bien y se utiliza como perfume. Se hace con agua, alcohol y esencias de flores o frutas. INGLÉS cologne.
2 Región o territorio ocupado y gobernado por otra nación. La India fue una colonia inglesa. INGLÉS colony.
3 Grupo de personas de un mismo país que viven y trabajan en un país extranjero. INGLÉS community.
4 Conjunto de personas que se establecen en un territorio despoblado para vivir y trabajar en él. También se llama colonia la población que crean. INGLÉS colony.
5 Lugar donde van grupos de niños o jóvenes a pasar un período de vacaciones. Con este significado se emplea más en plural. INGLÉS summer camp.
6 Conjunto de viviendas de características parecidas que hay en un lugar determinado. INGLÉS residential development.
7 Conjunto de animales o plantas de la misma especie que viven en un lugar determinado. INGLÉS colony.

colonización
nombre femenino
1 Proceso que consiste en colonizar un territorio. INGLÉS colonization.
NOTA El plural es: colonizaciones.

colonizar
verbo
1 Ocupar un país un territorio extranjero y convertirlo en una parte más del país. Gran parte de América fue colonizada por los españoles. INGLÉS to colonize, to settle.
2 Quedarse a vivir un grupo de personas en un territorio en el que no vive nadie o vive poca gente. INGLÉS to colonize, to settle.

colono
nombre masculino
1 Persona que se instala en una colonia para vivir y trabajar en ella. INGLÉS settler.

coloquial
adjetivo
1 Que es propio de la conversación o del lenguaje oral que se utiliza en ella. 'Mogollón' es una palabra coloquial. INGLÉS colloquial.

coloquio
nombre masculino
1 Conversación entre dos o más personas, en especial para intercambiar opiniones sobre un tema. INGLÉS talk, discussion.

color
nombre masculino
1 Impresión visual que produce la luz que se refleja en las cosas: *Tengo una camisa de color naranja.* INGLÉS colour.
2 Sustancia que sirve para colorear, pintar o teñir una cosa. Los pintores mezclan colores para pintar sus cuadros. SINÓNIMO pintura; tinte. INGLÉS colour.
3 Lápiz con la mina de un color que se utiliza para pintar o dibujar. Normalmente los colores vienen en cajas o estuches. INGLÉS crayon.
4 Tono natural de la cara de una persona. Si una persona está mareada, pierde el color y está pálida. INGLÉS colour.
nombre masculino plural
5 colores Combinación de colores de un equipo o una bandera y el club o país que representa. INGLÉS colours.
de color Se dice de una persona que no es de raza blanca, especialmente si es de raza negra o mulata, o de piel oscura. INGLÉS coloured.
no hay color Indica que no se pueden comparar dos cosas porque una es muchísimo mejor que la otra: *No hay color, esta película es más divertida.* INGLÉS there's no camparison.

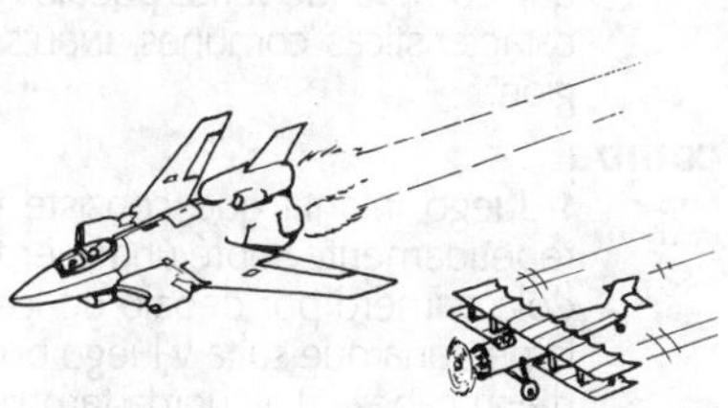

no hay color

sacar los colores Hacer o decir algo que pone la cara roja de vergüenza a una persona. SINÓNIMO avergonzar; sonrojar. INGLÉS to make blush.

colorado, colorada
nombre masculino y adjetivo
1 Color rojo, como el del tomate. INGLÉS red.
adjetivo
2 Se dice de la piel de las personas que tiene un tono rojizo, como cuando se toma mucho sol, cuando se hace mucha fuerza o cuando se siente mucha vergüenza. INGLÉS brown.

colorante
nombre masculino
1 Sustancia que se echa a los alimentos para darles un color determinado. Los helados, los refrescos y otros alimentos suelen llevar colorantes. INGLÉS colouring.

colorear
verbo
1 Pintar de color o de colores una cosa, en especial un dibujo. INGLÉS to colour.

colorete
nombre masculino
1 Polvo o pasta de tono rojizo o rosado que sirve para dar color a las mejillas. INGLÉS rouge, blusher.

colorido
nombre masculino
1 Combinación de colores de una cosa, especialmente si son vivos y brillantes. INGLÉS colour.

colorín
nombre masculino
1 Color muy vivo que combinado con otros llama la atención. Se usa más en plural: colorines. INGLÉS bright colour.
colorín colorado, este cuento se ha acabado Frase final de algunos cuentos infantiles. INGLÉS ... and that's the end of the story.

colosal
adjetivo
1 Que tiene unas proporciones mucho mayores de lo normal. Las pirámides de Egipto son obras colosales. SINÓNIMO enorme; grandioso. INGLÉS colossal.
2 Que es muy importante y destaca por encima de los demás. Picasso es un pintor colosal. SINÓNIMO excelente; extraordinario. INGLÉS extraordinary.

coloso
nombre masculino
1 Persona, animal o cosa de gran tamaño. También es un coloso una estatua muy grande que representa a una figura humana. INGLÉS colossus.
2 Persona que es excepcional en su trabajo o en lo que hace. INGLÉS giant.

columna
nombre femenino
1 Elemento vertical de apoyo, más alto

que ancho, que aguanta un techo, un arco o una escultura. El claustro de los conventos suele estar rodeado de columnas. INGLÉS column.

2 Serie o montón de cosas colocadas ordenadamente unas sobre otras. En una tabla con muchos datos, las líneas horizontales son filas y las verticales son las columnas. SINÓNIMO pila. INGLÉS column.

3 Cada una de las partes en que se divide, de arriba abajo, el texto de una página. El texto de los periódicos está impreso en columnas. INGLÉS column.

4 Masa de líquido o de gas que adopta una forma vertical al elevarse. INGLÉS column.

5 Parte de un ejército que se mueve en una fila larga. INGLÉS column.

columna vertebral Conjunto de huesos pequeños y unidos entre sí que recorren la parte central de la espalda del ser humano y de muchos animales. Su función es la de sostener el esqueleto. INGLÉS spine, backbone.

columpiar

verbo

1 Dar impulso a una persona que está sentada en un columpio. INGLÉS to swing.

2 Mover algo que no toca el suelo hacia adelante y hacia atrás o hacia los lados. INGLÉS to swing.

NOTA Se conjuga como: cambiar; la 'i' no lleva nunca acento de intensidad.

columpio

nombre masculino

1 Asiento estrecho sujetado por dos cuerdas o cadenas y colgado de algún tipo de armazón, que se utiliza para que las personas puedan balancearse sentadas en él. INGLÉS swing.

nombre masculino plural

2 columpios Conjunto de aparatos, como toboganes, columpios o balancines que hay en los parques y en otros lugares para que se diviertan los niños. INGLÉS recreation ground.

coma

nombre femenino

1 Signo de puntuación que se utiliza en medio de las frases para marcar una pausa breve. En la oración 'Juan, Pedro y María se divierten', entre 'Juan' y 'Pedro' hay una coma. INGLÉS comma.

2 Signo que se emplea en matemáticas para separar la parte entera de los decimales de un número, como en 7,75. INGLÉS comma.

nombre masculino

3 Estado de la persona que está tan grave que no puede moverse ni sentir nada, aunque sí respira. INGLÉS coma.

comadreja

nombre femenino

1 Animal mamífero de color marrón rojizo por la espalda y blanco por el vientre, de cuerpo alargado y flexible. Se alimenta de ratones, topos y otros animales. INGLÉS weasel.

comadrona

nombre femenino

1 Mujer que ayuda en el momento del parto al médico o a la mujer embarazada. INGLÉS midwife.

comanche

adjetivo y nombre masculino y femenino

1 Se dice de la persona o cosa que pertenece a una tribu indígena de América del Norte. Vivían en zonas del sur y centro de los Estados Unidos. INGLÉS Comanche.

comandante

nombre masculino y femenino

1 Persona que tiene un grado militar entre el de capitán y el de teniente coronel. INGLÉS major.

2 Militar que está al mando de un puesto militar o de un grupo de soldados, aunque no tenga el grado de comandante. INGLÉS commander, commanding officer.

3 Piloto que está al mando de un avión de pasajeros. INGLÉS captain.

comando

nombre masculino

1 Grupo pequeño de soldados especializados en misiones difíciles y arriesgadas. INGLÉS commando.

2 Grupo pequeño de personas que realizan acciones terroristas. INGLÉS squad.

comarca

nombre femenino

1 Parte de una región o de una provincia que comprende varios pueblos con unas características comunes. INGLÉS area, region.

comba

nombre femenino

1 Juego infantil que consiste en saltar repetidamente sobre una cuerda pasándola primero por debajo de los pies de la persona que salta y luego por encima de su cabeza. La cuerda también se llama comba. INGLÉS skipping [juego], skipping rope [cuerda].

combate

nombre masculino

1 Acción que llevan a cabo dos ejércitos

que luchan o se enfrentan en una guerra. INGLÉS combat.

2 Pelea o lucha entre dos personas o dos animales con un fin determinado. Dos boxeadores pelean por la victoria en un combate. Dos animales pueden luchar en un combate por el dominio de la manada. INGLÉS fight, contest.

fuera de combate Indica que una persona ha sido vencida en una lucha o un combate. INGLÉS knocked out.

combatir

verbo

1 Luchar o pelear dos o más personas. Los ejércitos enemigos combaten en una guerra. INGLÉS to fight.

2 Hacer una persona todo lo posible para que no le afecte algo que se considera negativo o perjudicial, como una enfermedad, una plaga o el aburrimiento. INGLÉS to fight.

3 Oponerse una persona o una cosa a otra. Las ideas o las opiniones de otras personas se combaten con argumentos. INGLÉS to fight.

combinación

nombre femenino

1 Unión o mezcla de dos o más cosas distintas y lo que sale de esa unión: *La combinación de colores del piso es fantástica.* INGLÉS combination.

2 Fórmula o clave de seguridad que permite abrir algo o poner en marcha o parar algún mecanismo. INGLÉS combination.

3 Prenda de ropa interior femenina que cubre las piernas desde la cintura, o también puede cubrir el cuerpo desde los hombros. INGLÉS slip.

NOTA El plural es: combinaciones.

combinar

verbo

1 Unir dos o más cosas de manera que se complementen o formen un conjunto adecuado. En las floristerías combinan distintos tipos de flores para hacer los ramos. INGLÉS to combine.

combustible

nombre masculino

1 Sustancia que se quema y produce energía. La gasolina es un combustible que usan los automóviles para funcionar. INGLÉS fuel.

adjetivo

2 Que puede arder fácilmente. El papel y el carbón son sustancias combustibles. INGLÉS combustible.

combustión

nombre femenino

1 Acción que consiste en quemarse un cuerpo o una sustancia. INGLÉS combustion.

NOTA El plural es: combustiones.

comedero

nombre masculino

1 Recipiente donde se echa la comida para que coman determinados animales, como los pájaros. INGLÉS feeding trough.

comedia

nombre femenino

1 Película u obra de teatro que trata temas divertidos y suele tener un final feliz. ANTÓNIMO tragedia. INGLÉS comedy.

2 Mentira o engaño que se prepara para conseguir algo o para ocultar una cosa que no queremos que se sepa. INGLÉS farce.

comediante, comedianta

nombre

1 Persona que finge que le ocurre algo para engañar a alguien y conseguir alguna cosa. INGLÉS fraud.

2 Persona que interpreta un papel en el teatro, la televisión o el cine. INGLÉS actor [hombre], actress [mujer].

comedor

nombre masculino

1 Habitación o establecimiento donde suele haber mesas para comer. INGLÉS dining room.

comensal

nombre masculino

1 Persona que come con otras en la misma mesa o asiste junto a otras a una comida: *El banquete estaba preparado para cien comensales.* INGLÉS diner.

2 Animal que vive a expensas de otro de otra especie sin causarle ningún daño ni tampoco ningún beneficio: *Este pez es un comensal que se alimenta de los restos de alimentos que deja el tiburón.* INGLÉS commensal.

comentar

verbo

1 Dar una opinión o impresión personal acerca de un tema o asunto. Comentamos un viaje que hemos hecho o un programa televisivo que hemos visto. INGLÉS to talk about.

2 Explicar una cosa, en especial un texto, para que se entienda mejor. En clase se comentan fragmentos de obras literarias. INGLÉS to comment on.

3 Decir algo para informar: *Me comentó que no vendría hoy.* INGLÉS to tell.

comentario

nombre masculino

1 Opinión o impresión personal que se

a b c d e f g h i j k l m n ñ o p q r s t u v w x y z

da sobre una persona o asunto. INGLÉS comment.

2 Explicación de una cosa, en especial un texto, para que se entienda mejor. INGLÉS commentary.

comenzar
verbo

1 Hacer la primera parte de una cosa o de una acción. Para hacer sus nidos los pájaros comienzan por recoger ramas secas. SINÓNIMO empezar. ANTÓNIMO terminar. INGLÉS to begin, to start.

2 Tener comienzo una cosa. Antes de comenzar una película en el cine se apagan las luces. SINÓNIMO empezar; iniciar. ANTÓNIMO terminar. INGLÉS to begin, to start.

NOTA Se conjuga como: empezar; la 'e' se convierte en 'ie' en sílaba acentuada y se escribe 'c' delante de 'e', como: comiencen.

comer
verbo

1 Tomar alimentos. INGLÉS to eat.

2 Tomar la comida principal del día: *A mediodía se retrasó y comió más tarde.* SINÓNIMO almorzar. INGLÉS to have lunch.

3 Gastar o consumir poco a poco. La lejía se come los colores de la ropa. INGLÉS to eat away [la tela], to fade [el color].

4 En los juegos de tablero, como el ajedrez, el parchís o las damas, hacerle perder una ficha a otro jugador. INGLÉS to take.

5 comerse Saltarse una letra, una palabra o un trozo de un texto que se está leyendo o escribiendo. INGLÉS to miss out.

sin comerlo ni beberlo Indica que algo le ocurre a una persona sin esperarlo o sin merecerlo: *Sin comerlo ni beberlo, me echó la culpa de lo que hizo.* INGLÉS without having anything to do with it.

comercial
adjetivo

1 Del comercio o que tiene relación con él. INGLÉS commercial, business.

2 Se dice del producto que se vende muy bien. A veces indica que un producto es para venderlo mucho, pero no es bueno o no tiene mucho interés. INGLÉS commercial.

nombre masculino y femenino

3 Persona que busca clientes a quien venderles los productos que comercializa su empresa. INGLÉS salesman [hombre], saleswoman [mujer].

comerciante
nombre masculino y femenino

1 Persona que se dedica a vender productos, especialmente si es dueña de un comercio. INGLÉS shopkeeper.

comerciar
verbo

1 Comprar, vender o cambiar productos, en especial para hacer negocio y ganar dinero. Los libreros comercian con libros. SINÓNIMO negociar. INGLÉS to buy and sell.

NOTA Se conjuga como: cambiar; la 'i' no lleva nunca acento de intensidad.

comercio
nombre masculino

1 Actividad que consiste en comprar, vender o cambiar productos para ganar dinero. SINÓNIMO negocio. INGLÉS commerce, trade.

2 Establecimiento donde se venden productos: *En mi calle hay muchos comercios de ropa.* SINÓNIMO tienda. INGLÉS shop.

comestible
adjetivo

1 Se dice de lo que se puede comer porque está en buen estado y no es venenoso. Una seta venenosa o una carne pasada no son comestibles. INGLÉS edible.

nombre masculino plural

2 comestibles Productos que se comen. INGLÉS food.

cometa
nombre masculino

1 Astro formado por un núcleo poco denso y una larga cola de luz brillante, que atraviesa el cielo de forma rápida. INGLÉS comet.

nombre femenino

2 Juguete formado por una estructura ligera cubierta de papel, tela o plástico y sujeta a un hilo que se va soltando para hacerlo volar. INGLÉS kite.

cometer
verbo

1 Hacer algo que va contra una norma, una ley o lo que se considera correcto. Se cometen errores o delitos. INGLÉS to commit, to make.

cometido
nombre masculino

1 Obligación o deber que tiene que cumplir una persona. El cometido de los bomberos es apagar incendios. SINÓNIMO misión. INGLÉS task, duty.

cómic
nombre masculino

1 Serie de dibujos o viñetas en los que

se cuenta una historia. SINÓNIMO historieta. INGLÉS comic strip.
2 Libro o revista donde se recogen estas historias dibujadas. INGLÉS comic.
NOTA El plural es: cómics.

comicios
nombre masculino plural **1** Votación en la que se elige a la persona que ocupará un cargo, o al partido político que debe gobernar. SINÓNIMO elecciones. INGLÉS elections.

cómico, cómica
nombre **1** Que hace reír. SINÓNIMO divertido; gracioso. INGLÉS comical, funny.
adjetivo y nombre **2** Se dice de la persona que en el teatro, el cine o la televisión representa personajes divertidos. También se dice de cualquier actor o actriz de teatro. INGLÉS comic.

comida
nombre femenino **1** Cualquier sustancia que toman los animales y las personas para dar al organismo lo que necesita para funcionar. SINÓNIMO alimento. INGLÉS food.
2 Conjunto de alimentos que se toman normalmente entre el mediodía y la tarde. La comida suele estar compuesta por dos platos y un postre. SINÓNIMO almuerzo. INGLÉS lunch.

comienzo
nombre masculino **1** Primera parte o primeros momentos de una cosa o de una acción. El comienzo de una canción son sus primeras notas. SINÓNIMO inicio; principio. INGLÉS start, beginning.

comillas
nombre femenino plural **1** Signo de ortografía que se pone al principio y al final de una palabra o de un grupo de palabras para indicar que se citan de otro texto o para resaltarlas del resto del texto. Las comillas pueden ser dobles ("a", «a») o simples ('a'). INGLÉS inverted commas.

comilón, comilona
adjetivo **1** Que come mucho. SINÓNIMO glotón. INGLÉS greedy.
NOTA El plural de comilón es: comilones.

comilona
nombre femenino **1** Comida muy abundante o muy variada. SINÓNIMO banquete. INGLÉS big meal, blowout.

comino
nombre masculino **1** Semilla muy aromática que se usa para dar sabor a las comidas. También se llama comino la planta que produce esta semilla. INGLÉS cumin.
importar un comino No importar nada: *Si quieres lo haces y si no, no, me importa un comino.* INGLÉS to be totally unimportant.

comisaría
nombre femenino **1** Lugar donde trabaja la policía bajo las órdenes de un comisario. INGLÉS police station.

comisario, comisaria
nombre **1** Persona que tiene autoridad para desempeñar un cargo o una función especial. El comisario de una carrera vigila que todo suceda correctamente. INGLÉS commissioner.
2 Jefe superior de policía en una ciudad o en una zona de la ciudad. También se dice: comisario de policía. INGLÉS superintendent [en el Reino Unido], captain [en Estados Unidos].

comisión
nombre femenino **1** Conjunto de personas elegidas para realizar una labor determinada. INGLÉS commission.
2 Cantidad de dinero que se paga a una persona que ayuda a vender un producto o a hacer un negocio. La comisión suele ser una parte proporcional de todo el dinero que se gana en una venta. INGLÉS commission.
3 Acción que consiste en cometer algo malo. La comisión de un robo está castigada por la ley. INGLÉS perpetration, committing.
NOTA El plural es: comisiones.

comité
nombre masculino **1** Conjunto de personas elegidas por una empresa o una organización para representar a toda la empresa o la organización. SINÓNIMO comisión. INGLÉS committee.

comitiva
nombre femenino **1** Grupo de personas que acompañan a una persona importante. INGLÉS retinue.

como
adverbio **1** Indica la manera en que se realiza una acción: *Tú sigue mi consejo y hazlo como te he dicho.* INGLÉS how.
2 Indica una cantidad aproximada, que no es exacta: *Creo que tengo como cien novelas de aventuras.* INGLÉS about.
3 En una comparación, indica que una

cosa, persona o acción es igual que otra en una determinada característica: *Eres tan alta como tu hermano.* INGLÉS as.

4 Se utiliza para poner ejemplos de lo que se dice: *Algunas aves, como el pingüino, no vuelan.* INGLÉS such as.

5 Indica la función que realiza una persona o una cosa: *Estuve en la cena como invitado.* INGLÉS as.

conjunción **6** Indica que lo que se dice a continuación es la causa de lo que se dirá después: *Como hacía sol, fuimos a la playa.* INGLÉS as.

7 Indica que si se cumple una condición, también se cumplirá lo que sigue: *Como llegues tarde, te quedarás sin pastel.* INGLÉS if.

NOTA No se acentúa; no lo confundas con la forma interrogativa 'cómo', que siempre se acentúa.

cómo

adverbio y pronombre interrogativo **1** Se utiliza para preguntar sobre la manera de hacer algo: *¿Cómo se hace este ejercicio?* INGLÉS how?

2 Se utiliza para preguntar la causa o la razón de algo: *¿Cómo es que no te gusta el chocolate?* INGLÉS why?

nombre masculino **3** Manera en que sucede una cosa: *No sé el cómo ni el porqué de su derrota.* INGLÉS how.

interjección **4** **¡Cómo!** Expresa sorpresa: *¡Cómo! ¿Ya has acabado?* INGLÉS what!

NOTA Siempre se acentúa; no lo confundas con la forma no acentuada 'como'.

cómoda

nombre femenino **1** Mueble ancho y no muy alto, con cajones de arriba abajo que sirve generalmente para guardar ropa. INGLÉS chest of drawers.

comodidad

nombre femenino **1** Característica de la cosa que resulta cómoda. SINÓNIMO confort. INGLÉS comfort.

nombre femenino plural **2** **comodidades** Conjunto de las cosas que necesita una persona para estar cómoda o vivir bien. INGLÉS comforts.

comodín

nombre masculino **1** Carta de la baraja que puede sustituir a cualquier otra. INGLÉS joker.

2 Persona o cosa que puede realizar diversas funciones según las necesidades de cada momento: *Es un jugador comodín que puede jugar tanto de delantero como de defensa.* INGLÉS versatile [adjetivo].

NOTA El plural es: comodines.

cómodo, cómoda

adjetivo **1** Que hace que una persona se sienta o se encuentre a gusto y descansada. Un sillón acustumbra a ser muy cómodo. SINÓNIMO confortable. ANTÓNIMO incómodo. INGLÉS comfortable.

2 Que hace más fácil y agradable la realización de algo. Viajar en avión es más cómodo que viajar en autocar. INGLÉS convenient.

3 Que se siente a gusto: *Tu primo se siente cómodo con nosotras.* ANTÓNIMO incómodo. INGLÉS comfortable.

comodón, comodona

adjetivo **1** Que no le gusta hacer esfuerzos ni trabajos que afecten a su comodidad. INGLÉS comfort-loving.

NOTA El plural es: comodones.

compact disc

nombre masculino **1** Disco de 12 cm de diámetro hecho de un material especial en el que previamente se han grabado unos sonidos que se pueden reproducir mediante un aparato con un lector láser. SINÓNIMO compacto; disco compacto. INGLÉS compact disc.

2 Aparato con lector láser que reproduce los sonidos grabados en este disco. INGLÉS compact-disc player.

NOTA Su abreviatura es: CD. Se pronuncia: 'cómpac disc'. El plural es: compact discs.

compacto, compacta

adjetivo **1** Se dice de la sustancia o de la materia que no tiene huecos entre las partículas que la componen. Las rocas compactas no dejan pasar el agua a través de ellas. INGLÉS compact.

2 Se dice de las personas o cosas que están muy juntas y apretadas. INGLÉS compact, dense.

nombre masculino **3** Equipo de música formado por varios componentes que están unidos en un mismo aparato. Un compacto suele tener radio, amplificador y reproductor de discos compactos. INGLÉS compact-disc system.

4 Disco compacto. INGLÉS compact disc.

compadecer

verbo **1** Sentir lástima o pena por alguien o algo: *Se compadece de los animales del zoo.* INGLÉS to pity, to feel sorry for.

NOTA Se conjuga como: agradecer; la 'c' se convierte en 'zc' delante de 'a' y 'o', como: compadezca.

compañerismo

nombre masculino **1** Buena relación que hay entre amigos o entre las personas que se tratan como si lo fueran. SINÓNIMO camaradería. INGLÉS companionship.

compañero, compañera

nombre **1** Persona con la que se comparten experiencias o actividades, en especial de trabajo o de estudios. SINÓNIMO camarada. INGLÉS companion, mate.

2 Cosa que forma pareja con otra igual o parecida, como un zapato o un pendiente. INGLÉS pair.

compañía

nombre femenino **1** Cercanía de las personas, los animales o las cosas que están juntas en un lugar al mismo tiempo. También se llama compañía a la persona, animal o cosa que acompaña a alguien. INGLÉS company.

2 Organización que se dedica a algún negocio comercial, industrial o de servicios: *Trabaja para la compañía eléctrica.* SINÓNIMO sociedad. INGLÉS company, firm.

3 Grupo de actores o bailarines que representan un espectáculo: *Una compañía teatral.* INGLÉS company.

4 Grupo de soldados que está bajo las órdenes de un capitán. INGLÉS company.

comparable

adjetivo **1** Que tiene alguna característica común con otra cosa o persona, de modo que se puede hacer una comparación entre ambas: *Ese cantante tiene un éxito comparable al de los actores famosos.* INGLÉS comparable.

comparación

nombre femenino **1** Acción que se realiza al comparar dos o más cosas o personas. INGLÉS comparison.

2 Relación de igualdad, de superioridad o de inferioridad que se establece entre dos cosas comparadas. INGLÉS comparison.

NOTA El plural es: comparaciones.

comparar

verbo **1** Examinar una cosa o una persona para encontrar parecidos y diferencias con otras, a veces para ver si son iguales o cuál es mejor. INGLÉS to compare.

comparativo, comparativa

adjetivo **1** Que compara o sirve para comparar dos o más cosas entre sí: *Hizo un análisis comparativo entre los dos libros.* INGLÉS comparative.

2 Se dice del adjetivo o del adverbio que expresa una comparación. 'Menor' es el comparativo del adjetivo 'pequeño'. INGLÉS comparative.

comparecer

verbo **1** Ir una persona al lugar donde ha sido convocada o donde ha quedado con alguien. Un acusado comparece ante el juez. INGLÉS to appear.

NOTA Se conjuga como: agradecer; la 'c' se convierte en 'zc' delante de 'a' y 'o', como: comparezco.

comparsa

nombre femenino **1** Grupo de personas que participan en una fiesta disfrazadas con trajes que tienen algo en común. INGLÉS group of people in fancy dress.

compartimento

nombre masculino **1** Parte en que está dividido un objeto, vehículo, lugar o espacio, que está separada de las demás. Un vagón de un tren de largo recorrido está dividido en compartimentos para los pasajeros. INGLÉS compartment.

compartir

verbo **1** Usar o tener conjuntamente dos o más personas una misma cosa. Dos personas que comparten habitación duermen en el mismo cuarto. A veces, para compartir hay que dividir algo en partes, como cuando se comparte comida o dinero. INGLÉS to share.

2 Tener la misma opinión que otra persona. También se comparten sentimientos, como la alegría o el dolor, si se sienten por la misma razón que los siente otro. INGLÉS to share.

compás

nombre masculino **1** Instrumento que se utiliza para dibujar arcos o circunferencias o para medir distancias sobre un dibujo o un mapa. Está formado por dos varillas unidas por un extremo que se pueden abrir y cerrar. INGLÉS pair of compasses.

2 Ritmo de una composición o una pieza musical. También es el ritmo que se lleva al hacer algo, como al andar o al desfilar. INGLÉS beat, rhythm.

3 Signo que se utiliza en música para señalar el ritmo y los valores de los sonidos en una composición o una parte de ella. El compás se escribe en el pentagrama después de la clave. INGLÉS time.

4 Período de tiempo en que se divide una composición musical, que depende del ritmo que tenga la música. INGLÉS bar.

NOTA El plural es: compases.

compasión

nombre femenino

1 Sentimiento de pena por las personas o animales que sufren desgracias o tienen problemas. INGLÉS compassion, pity.

NOTA El plural es: compasiones.

compasivo, compasiva

adjetivo

1 Que siente compasión. INGLÉS compassionate, sympathetic.

compatible

adjetivo

1 Que puede ocurrir, estar o hacerse junto con otra cosa o persona. ANTÓNIMO incompatible. INGLÉS compatible.

2 Se dice del ordenador, aparato electrónico o programa que puede funcionar junto con otro sin que se produzcan problemas. La mayoría de impresoras son compatibles con cualquier ordenador. INGLÉS compatible.

compatriota

nombre masculino y femenino

1 Persona que es del mismo país que otra. INGLÉS compatriot.

compenetrarse

verbo

1 Llevarse y conocerse muy bien dos o más personas. INGLÉS to understand each other.

compensar

verbo

1 Hacer que los efectos de algo anulen o equilibren los efectos de otra cosa diferente: *Las ganancias de este año han compensado las pérdidas del año anterior.* INGLÉS to make up for, to compensate.

2 Hacer o dar algo bueno a una persona para que sea menor el efecto de un daño o perjuicio que se le ha causado. También se compensa a alguien que ha realizado un gran esfuerzo o trabajo. INGLÉS to compensate [por un daño, to reward [por un esfuerzo].

3 Merecer una cosa la pena o ser de gran provecho o utilidad: *Le ha compensado estudiar tanto.* INGLÉS to be worth it.

competencia

nombre femenino

1 Lucha entre personas, animales o cosas para conseguir el mismo objetivo. Hay mucha competencia para conseguir un buen trabajo. INGLÉS competition, rivalry.

2 Conjunto de personas que se oponen o compiten por algo: *Ha cambiado de empresa y ahora trabaja para la competencia.* INGLÉS competition, rivals.

3 Obligación o responsabilidad propia de un organismo o de un empleo. La cura de los enfermos es competencia de los médicos. INGLÉS responsibility.

4 Capacidad que tiene una persona para realizar un trabajo o una actividad. INGLÉS competence, ability.

competente

adjetivo

1 Que tiene unas cualidades buenas o unos conocimientos adecuados para hacer un trabajo. INGLÉS competent.

2 Que por su trabajo o su cargo puede hacer algo. Los profesores son competentes para examinar a sus alumnos. INGLÉS competent.

competición

nombre femenino

1 Acto en el que dos o más personas compiten por un premio. Las olimpiadas son una competición deportiva. INGLÉS competition.

NOTA El plural es: competiciones.

competir

verbo

1 Luchar entre sí dos o más personas para conseguir una cosa o para ser las primeras en algo. En un concurso la gente compite para ganar. INGLÉS to compete.

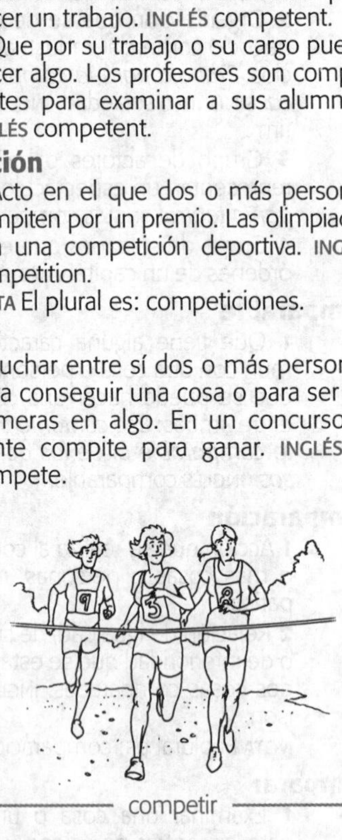

competir

2 Estar una persona o cosa en condiciones de ser comparada con otras por tener una cualidad o característica determinadas: *Las dos chicas compiten en simpatía.* INGLÉS to rival each other.
NOTA Se conjuga como: servir; la 'e' se convierte en 'i' en algunos tiempos y personas, como: compitamos.

compinche
nombre masculino y femenino
1 Amigo o compañero con el que se ha hecho alguna mala acción o alguna travesura. INGLÉS pal, mate.

complacer
verbo
1 Hacer una persona algo que otra quiere o hacer algo que guste y agrade a otra persona. INGLÉS to please.
NOTA Se conjuga como: nacer; la 'c' se convierte en 'zc' delante de 'a' y 'o', como: complazca.

complaciente
adjetivo
1 Que actúa intentando agradar o complacer. INGLÉS obliging, helpful.

complejo, compleja
adjetivo
1 Que está formado por muchas partes o elementos. Un ordenador es una máquina compleja. ANTÓNIMO simple. INGLÉS complex.
2 Se dice de lo que es difícil de entender, resolver o explicar, como algunos problemas de física o el funcionamiento de algunos aparatos. SINÓNIMO complicado. INGLÉS complex.
3 Se dice de la forma que tiene una cantidad que se expresa en distintas unidades: *Podemos decir que la avioneta lleva volando 4 058 segundos (forma incompleja) o que lleva volando 1 h 7 min 38 s (forma compleja).* ANTÓNIMO incomplejo. INGLÉS compound.
4 Se dice de la frase u oración en que hay dos o más verbos conjugados en forma personal. 'Tira tú, Elena, que se te da mejor' es una oración compleja. INGLÉS complex.
nombre masculino
5 Conjunto de instalaciones o edificios dedicados a una misma actividad: *Se fue de vacaciones a un complejo hotelero.* INGLÉS complex.
6 Idea que una persona tiene sobre sí misma y que influye, generalmente de forma negativa, en su forma de ser y de comportarse: *Tiene complejo de inferioridad.* INGLÉS complex.

complementar
verbo
1 Añadir a una cosa otra del mismo tipo para hacerla más completa o mejor: *La radio se complementa con unos auriculares estéreo.* INGLÉS to complement.

complementario, complementaria
adjetivo
1 Que sirve de complemento a una cosa. El diccionario es una herramienta complementaria en una clase de lengua. INGLÉS complementary.
2 Se dice del ángulo que sumado a otro da un ángulo recto. Si un ángulo tiene 35 grados, su complementario tendrá 55 porque sumados dan 90 grados. INGLÉS complementary.

complemento
nombre masculino
1 Cosa que se añade para completar algo o para formar un todo. Un bolso o un cinturón son complementos de la ropa que se lleva puesta. INGLÉS accessory.
2 Parte de una oración que completa el significado de otras partes de la oración. INGLÉS complement.
complemento directo Nombre o grupo nominal que complementa a un verbo transitivo. En la oración 'Ayer estrené el vestido', 'el vestido' es un complemento directo. El complemento directo se puede sustituir por los pronombres 'lo', 'la', 'los' o 'las', así se puede decir 'Ayer lo estrené'. INGLÉS direct object.
complemento indirecto Nombre o grupo nominal introducido por 'a' o 'para', que indica la persona o cosa que recibe la acción expresada por el verbo. En la oración 'Prestó el libro a su compañero', 'a su compañero' es un complemento indirecto. El complemento indirecto se puede sustituir por los pronombres 'le', 'les' o 'se', así se puede decir 'Le prestó el libro'. INGLÉS indirect object.

completar
verbo
1 Añadir a una cosa lo que le falta para estar completa o terminada. INGLÉS to complete.

completo, completa
adjetivo
1 Que no le falta ninguna parte o ningún elemento. Un puzzle con todas sus piezas bien colocadas está completo. SINÓNIMO entero. INGLÉS complete [que no le falta nada], completed [acabado].
2 Que no cabe ninguna cosa o persona

más: *No hay habitaciones libres, el hotel está completo.* SINÓNIMO lleno. INGLÉS full.

complicación
nombre femenino
1 Suceso o cosa negativa que hace más difícil una cosa. INGLÉS complication.
2 Problema médico que surge de repente en una persona que padece una enfermedad, y que hace que su estado sea más grave. INGLÉS complication.
NOTA El plural es: complicaciones.

complicado, complicada
adjetivo
1 Se dice de lo que es difícil de entender o de resolver, como algunos problemas de matemáticas o una situación de peligro. SINÓNIMO complejo. INGLÉS complicated.
2 Que tiene una estructura formada por muchas partes. El mecanismo de los relojes es bastante complicado. INGLÉS complicated.

complicar
verbo
1 Hacer que una cosa sea peor o más difícil de lo que era. Los problemas económicos complican la vida de algunas personas. INGLÉS to complicate.
2 Hacer una persona que alguien se comprometa con ella en un asunto, generalmente negativo: *El ladrón complicó en el robo a otras cuatro personas.* SINÓNIMO implicar. INGLÉS to involve, to implicate.
NOTA Se escribe 'qu' delante de 'e', como: compliquen.

cómplice
nombre masculino y femenino
1 Persona que ayuda a otra o a otras a cometer un delito o un crimen, pero sin intervenir directamente en su ejecución. Un cómplice de un asesinato ayuda al asesino y no lo denuncia. INGLÉS accomplice.
2 Persona que tiene con otra un pacto para mantener un secreto o hacer algo a escondidas. INGLÉS accomplice.

complot
nombre masculino
1 Acuerdo secreto para hacer algo que es ilegal o que perjudica a alguien: *La policía descubrió un complot para matar al presidente.* INGLÉS plot, conspiracy.
NOTA El plural es: complots.

componente
nombre masculino
1 Cada una de las cosas o personas que forman algo. Un equipo deportivo lo forman diversos componentes. INGLÉS component.

componer
verbo
1 Formar algo juntando varios elementos o cosas: *¿Podrías componer un rompecabezas?* INGLÉS to compose, to make up.
2 Formar parte de un conjunto. Los huesos del cuerpo humano componen el esqueleto. INGLÉS to make up.
3 Arreglar algo, generalmente algo roto o que no funciona. INGLÉS to repair.
4 Crear una obra literaria o musical, como un poema o una ópera. INGLÉS to compose.
NOTA Se conjuga como: poner. El participio es: compuesto.

comportamiento
nombre masculino
1 Modo en que actúa una persona. SINÓNIMO conducta. INGLÉS behaviour.

comportarse
verbo
1 Actuar de una manera determinada: *Cuando estuvo conmigo se comportó correctamente.* SINÓNIMO conducirse; portarse. INGLÉS to behave.

composición
nombre femenino
1 Unión de varios elementos para que formen un conjunto ordenado. INGLÉS composition.
2 Creación de una obra de arte, en especial de música o literatura. INGLÉS composition [música], work [literatura].
3 Manera en que está compuesta una sustancia por los elementos que la forman. Las medicinas llevan la composición en el envase. INGLÉS composition.
4 Manera de crear nuevas palabras en una lengua uniendo dos o más palabras que ya existen. La palabra 'rascacielos' se ha creado por composición uniendo las palabras 'rascar' y 'cielo'. INGLÉS combination.
NOTA El plural es: composiciones.

compositor, compositora
nombre
1 Persona que compone música. INGLÉS composer.

compota
nombre femenino
1 Dulce hecho con trozos de frutas hervidas en agua y azúcar. INGLÉS compote.

compra
nombre femenino
1 Acción que consiste en conseguir alguna cosa a cambio de dinero. ANTÓNIMO venta. INGLÉS purchase.

2 Conjunto de cosas que se consiguen a cambio de dinero: *Mañana iré a hacer la compra.* INGLÉS shopping.

comprador, compradora
nombre **1** Persona que compra. SINÓNIMO vendedor. INGLÉS purchaser, buyer.

comprar
verbo **1** Conseguir algo a cambio de dinero. ANTÓNIMO vender. INGLÉS to buy.
2 Dar dinero a una persona para que utilice su poder o habilidad en favor de otra persona. SINÓNIMO sobornar. INGLÉS to bribe.

compraventa
nombre femenino **1** Comercio en el que se compran productos, especialmente usados, como automóviles o libros, para venderlos después y ganar dinero. INGLÉS buying and selling.

comprender
verbo **1** Llegar a conocer bien el significado de una cosa o lo que algo quiere decir. INGLÉS to understand.
2 Conocer y aceptar las razones por las que una persona realiza una acción o tiene determinados sentimientos. Se puede comprender la preocupación de una persona que tiene muchos problemas. INGLÉS to understand.
3 Contener o incluir dentro de sí una cosa a otras. El temario de un curso comprende varias lecciones. SINÓNIMO abarcar. INGLÉS to comprise.

comprensible
adjetivo **1** Se dice de la acción o el sentimiento que se puede comprender o encontrar razonable o justificado. INGLÉS understandable.

comprensión
nombre femenino **1** Acción de llegar a saber bien el significado de una cosa o lo que quiere decir algo. Para la comprensión correcta de un texto hay que leerlo con mucha atención. INGLÉS understanding.
2 Actitud de la persona que conoce y acepta las razones por las que alguien realiza una acción o tiene determinados sentimientos. INGLÉS understanding.
NOTA El plural es: comprensiones.

comprensivo, comprensiva
adjetivo **1** Que sabe entender y aceptar las ideas y el comportamiento de los demás. SINÓNIMO tolerante. INGLÉS understanding.

compresa
nombre femenino **1** Trozo pequeño y delgado de algodón o gasa que sirve para cubrir heridas o para absorber líquidos del cuerpo humano, como la sangre de la mujer durante el período. Para bajar la fiebre se ponen compresas de agua fría. INGLÉS sanitary towel.

comprimido
nombre masculino **1** Medicamento en forma de pastilla redonda y pequeña. SINÓNIMO píldora. INGLÉS tablet.

comprimir
verbo **1** Hacer que una cosa ocupe menos espacio efectuando presión sobre ella. INGLÉS to compress, to cram together.

comprobar
verbo **1** Hacer las operaciones necesarias para confirmar algo o para saber si algo es verdadero, exacto o está en buenas condiciones. Para comprobar si uno tiene fiebre, se pone un termómetro. Se repasa una suma para comprobar si está bien. INGLÉS to check.
NOTA Se conjuga como: contar; la 'o' se convierte en 'ue' en sílaba acentuada, como: comprueban.

comprometer
verbo **1** Hacer una persona que alguien participe con ella en un asunto, generalmente negativo, o decir que lo ha hecho. SINÓNIMO implicar. INGLÉS to involve.
2 Hacer una persona o una cosa que otra persona u otra cosa estén en peligro o que puedan tener problemas. Un jugador de fútbol que comete muchos errores puede comprometer el resultado de su equipo. INGLÉS to endanger.
3 **comprometerse** Prometer una persona que cumplirá una cosa. INGLÉS to undertake.

compromiso
nombre masculino **1** Obligación que se tiene con alguien por una promesa o un acuerdo. INGLÉS commitment.
2 Situación de dificultad o apuro en que se encuentra una persona sin pretenderlo: *Se vio en un compromiso cuando descubrieron su mentira.* INGLÉS difficult situation.
3 Promesa que se hacen dos personas de mantener una relación para casarse al cabo de un tiempo. INGLÉS engagement.

a b c d e f g h i j k l m n ñ o p q r s t u v w x y z

compuerta
nombre femenino **1** Puerta o plancha que hay en un canal, dique o presa y que al abrirse o cerrarse sirve para graduar o cortar el paso del agua. INGLÉS sluicegate, floodgate.

compuesto, compuesta
participio **1** Participio irregular de: componer. También se usa como adjetivo.
adjetivo y nombre masculino **2** Se dice de la palabra que está formada por la unión de dos o más palabras. 'Sacacorchos' es una palabra compuesta por dos palabras: 'sacar' y 'corcho'. INGLÉS compound.
adjetivo **3** Se dice de los tiempos verbales que están formados por un verbo auxiliar y un participio, como 'he comido'. INGLÉS compound.
4 Se dice de la oración que tiene dos o más verbos conjugados en forma personal. SINÓNIMO complejo. ANTÓNIMO simple. INGLÉS compound.
nombre masculino **5** Cosa que está formada por varios elementos. Un compuesto químico está formado por varios elementos químicos. INGLÉS compound.

compulsivo, compulsiva
adjetivo **1** Que responde a un impulso o deseo intenso de hacer algo. Un comprador compulsivo no puede resistir el deseo de comprar muchas cosas y lo hace casi sin reflexionar. INGLÉS compulsive.

computadora
nombre femenino **1** Máquina electrónica que es capaz de almacenar y tratar gran cantidad de información de manera muy rápida y con gran exactitud, por medio de programas informáticos. SINÓNIMO ordenador. INGLÉS computer.

cómputo
nombre masculino **1** Operación o conjunto de operaciones matemáticas necesarias para averiguar un resultado o medida. INGLÉS calculation.

comulgar
verbo **1** Tomar los cristianos en la misa un trozo de pan que representa el cuerpo de Cristo. INGLÉS to receive Holy Communion.
2 Compartir dos o más personas las mismas ideas o sentimientos sobre algo. INGLÉS to share.

común
adjetivo **1** Que pertenece o es propio de un conjunto de personas, animales o cosas. Las alas son comunes a todas las aves. INGLÉS common.
2 Que es normal o muy abundante: *El pino es muy común en el sur de Europa.* INGLÉS common.
3 Se dice del nombre que puede aplicarse a todos los individuos de una clase. 'Hombre' o 'persona' son nombres comunes, mientras que 'Juan' es un nombre propio. INGLÉS common.
NOTA El plural es: comunes.

comunicación
nombre femenino **1** Acción de comunicar algo a una o más personas, o de comunicarse dos o más personas: *No se entienden bien, tienen problemas de comunicación.* INGLÉS communication.
2 Escrito en el que se hace saber una cosa a alguien. SINÓNIMO circular. INGLÉS communication.
3 Unión entre varios lugares o cosas. En un edificio, el ascensor sirve de comunicación entre los pisos. INGLÉS link.
nombre femenino plural **4 comunicaciones** Conjunto de medios que sirven para unir o relacionar lugares, como el correo o los medios de transporte. INGLÉS communications.
NOTA El plural es: comunicaciones.

comunicar
verbo **1** Hacer saber algo a alguien. Comunicamos a los demás informaciones, ideas o conocimientos. INGLÉS to communicate, to transmit.
2 Hacer llegar a otras personas sentimientos o sensaciones. Las personas comunicamos alegría, entusiasmo, tristeza y cosas parecidas. INGLÉS to convey, to transmit.
3 Unir dos lugares o cosas. El canal de Panamá comunica el océano Atlántico con el Pacífico. SINÓNIMO conectar. INGLÉS to link, to connect.
4 Dar el teléfono una señal que indica que el número que se ha marcado está ocupado. INGLÉS to be engaged.
5 comunicarse Tener trato una persona con otras: *Es tímido y le cuesta comunicarse con los compañeros.* INGLÉS to communicate, to relate.
NOTA Se escribe 'qu' delante de 'e', como: comuniquen.

comunicativo, comunicativa
adjetivo **1** Se dice de la persona a la que le es

fácil tratar con los demás. INGLÉS communicative.

comunidad

nombre femenino **1** Conjunto de personas que viven juntas o que comparten objetivos o intereses. Hay comunidades de vecinos, escolares, de monjes y de otros tipos. INGLÉS community.

2 Conjunto de organizaciones o países que tienen intereses comunes. INGLÉS community.

comunidad autónoma Región de España que incluye una o varias provincias y que tiene capacidad de gobierno en temas que le afecten solo a ella y no a todo el país. INGLÉS autonomous region.

comunión

nombre femenino **1** Sacramento cristiano que consiste en tomar un trozo de pan que representa el cuerpo de Cristo. INGLÉS Holy Communion.

NOTA El plural es: comuniones.

comunismo

nombre masculino **1** Sistema político, social y económico en el que no existe la propiedad privada y los bienes sociales son propiedad común de todos los individuos. El comunismo era el sistema político y económico de la antigua Unión Soviética. INGLÉS communism.

con

preposición **1** Indica el objeto que se utiliza para realizar algo: *Nunca he escrito con pluma.* INGLÉS with.

2 Indica compañía o las personas que participan en una acción junto con otras: *He ido al cine con mis amigos. Estaba con mis padres.* INGLÉS with.

3 Indica la manera en que se realiza una acción: *Habló con claridad.* INGLÉS with.

4 Indica una característica o cualidad de un objeto o una persona: *He visto un hombre con bigote.* INGLÉS with.

5 Precede a un infinitivo para expresar que algo es suficiente para poder realizar otra acción: *Si no estás de acuerdo, con decir que no te interesa será suficiente.* Es un uso formal.

6 Indica que lo que se dice se opone a otra cosa: *Con las buenas notas que sacas en casi todas las asignaturas, ¿cómo es que siempre suspendes matemáticas?* Es un uso informal.

conato

nombre masculino **1** Acción que empieza pero que termina enseguida y no continúa: *Hubo un conato de pelea, pero al final nadie se hizo daño.* INGLÉS beginnings.

cóncavo, cóncava

adjetivo **1** Se dice de la línea o superficie que, desde donde se mira, tiene una forma curva más hundida en el centro que en los bordes. La parte de la cuchara donde va el líquido que se coge es cóncava. INGLÉS concave.

2 Se dice del ángulo que es mayor que un ángulo llano, o mayor de 180 grados. También es cóncava la figura geométrica que tienen un ángulo así. INGLÉS concave.

concebir

verbo **1** Quedar una mujer o un animal hembra embarazados. INGLÉS to conceive.

2 Ser capaz de encontrar una explicación o una justificación a algo: *No concibo que haya personas crueles.* INGLÉS to conceive.

3 Empezar a formar o a desarrollar un plan, una idea o un proyecto. INGLÉS to conceive.

NOTA Se conjuga como: servir; la 'e' se convierte en 'i' en algunos tiempos y personas, como: sirvo.

conceder

verbo **1** Dar o permitir algo a alguien, especialmente las personas que tienen poder o autoridad para hacerlo. INGLÉS to grant.

2 Dar valor o importancia a algo: *Le concedes un valor excesivo a ese coche.* INGLÉS to give.

concejal, concejala

nombre **1** Persona que forma parte de los cargos políticos de un ayuntamiento. Los concejales ayudan al alcalde en el gobierno de la ciudad. INGLÉS town councillor.

NOTA Hay dos formas de femenino: la concejala o la concejal.

concentración

nombre femenino **1** Unión o reunión en un punto de una cantidad de personas o cosas. INGLÉS gathering [de personas], accumulation [de cosas].

2 Atención que se pone al hacer algo. INGLÉS concentration.
3 Aumento de la cantidad de una sustancia que se encuentra contenida o disuelta en otra. La excesiva concentración de vapor puede hacer estallar una olla a presión. INGLÉS concentration.
4 Reunión de personas en un lugar para un fin concreto. INGLÉS gathering, rally.
NOTA El plural es: concentraciones.

concentrar
verbo
1 Reunir en un punto una cantidad de algo. La población se va concentrando cada vez más en las ciudades. INGLÉS to concentrate.
2 Espesar o hacer más densa una sustancia al disminuir su líquido. Un detergente se puede concentrar para que con una menor cantidad cunda más. INGLÉS to concentrate.
3 concentrarse Poner toda la atención en algo, sin distraerse. Cuando estudiamos tenemos que concentrarnos. INGLÉS to concentrate.
4 concentrarse Aislarse y entrenarse un equipo deportivo antes de una competición. INGLÉS to gather together.

concepción
nombre femenino
1 Idea o conjunto de ideas que se tiene o se forma alguien sobre algo: *Tiene una concepción del arte moderno muy particular.* INGLÉS conception.
2 Acción de concebir o quedarse una mujer embarazada. INGLÉS conception.
NOTA El plural es: concepciones.

concepto
nombre masculino
1 Representación o imagen que una persona forma en su mente de un objeto o de cualquier cosa. El concepto de belleza es diferente para cada persona. INGLÉS concept.
2 Opinión que una persona tiene de alguien o de algo: *Tengo de ella muy buen concepto.* INGLÉS concept, idea.

concesión
nombre femenino
1 Acción que consiste en conceder algo, como un premio o una beca. INGLÉS granting, awarding.
2 Renunciar a algo en una discusión para llegar a un acuerdo: *Hizo varias concesiones para poder conseguir lo que quería.* INGLÉS concession.
NOTA El plural es: concesiones.

concesionario
nombre masculino
1 Tienda que vende automóviles nuevos de una marca determinada. INGLÉS dealer.

concha
nombre femenino
1 Cubierta dura que protege el cuerpo de algunos animales, como las almejas o los caracoles. INGLÉS shell.

conciencia
nombre femenino
1 Conocimiento que el ser humano tiene sobre sí mismo y sobre las cosas que hace. SINÓNIMO consciencia. INGLÉS awareness.
2 Facultad del ser humano de saber distinguir lo bueno de lo malo: *Su conciencia le decía que eso no estaba bien.* INGLÉS conscience.
3 Capacidad de las personas para darse cuenta de lo que ocurre a su alrededor: *Perdió la conciencia al darse un fuerte golpe en la cabeza.* SINÓNIMO conocimiento; sentido. INGLÉS consciousness.
a conciencia Con mucha atención y empeño: *Ha limpiado los cristales a conciencia.* INGLÉS conscientiously.

concienzudo, concienzuda
adjetivo
1 Se dice de la persona que pone mucha atención y cuidado en lo que hace. INGLÉS conscientious.
2 Se dice de un trabajo que está hecho con mucho cuidado y detalle. INGLÉS conscientious.

concierto
nombre masculino
1 Espectáculo musical en el que hay una o varias actuaciones de músicos o de cantantes. INGLÉS concert.
2 Composición de música clásica hecha para ser interpretada por varios músicos o una orquesta. INGLÉS concerto.
3 Acuerdo o trato al que llegan dos o más personas. INGLÉS agreement.

concilio
nombre masculino
1 Reunión de los obispos y sacerdotes de la Iglesia católica para tratar sobre algún tema importante. INGLÉS council.

conciso, concisa
adjetivo
1 Que expresa una cosa con el menor número de palabras posibles, sin repetir información ni utilizar palabras innecesarias. Una respuesta concisa es breve y adecuada a lo que se nos pregunta. INGLÉS concise, brief.

concluir
verbo
1 Hacer que algo se acabe o tener su fin algo que está sucediendo: *La clase de lengua concluye a mediodía.* INGLÉS to finish, to conclude.
2 Llegar a tener una determinada idea o conclusión después de examinar unos datos o una cosa. Las pruebas le sirven al juez para concluir si un acusado es inocente o culpable. Es de uso formal. INGLÉS to conclude.
NOTA Se conjuga como: huir; la 'i' se convierte en 'y' delante de 'a', 'e' y 'o', como: concluyan.

conclusión
nombre femenino
1 Decisión a la que se llega después de haber examinado o considerado una cosa con detenimiento. INGLÉS conclusion.
2 Deducción que se saca de algo después de haberlo examinado o considerado con detenimiento. INGLÉS conclusion.
3 Final de una acción o de algo que está sucediendo. Algo llega a su conclusión cuando está completamente terminado. INGLÉS conclusion, end.
NOTA El plural es: conclusiones.

concordancia
nombre femenino
1 Relación de coincidencia que hay entre dos cosas. Si dos personas tienen una concordancia de opiniones sobre algo, opinan lo mismo. INGLÉS agreement.
2 En gramática, relación de correspondencia en algunos aspectos formales que tiene que haber entre dos o más palabras. En la oración 'La niña guapa corre' hay una concordancia de género y número entre 'la', 'niña' y 'guapa'. INGLÉS agreement.

concordar
verbo
1 Coincidir en algo dos o más personas o cosas. Si el resultado de una operación matemática hecha por un alumno concuerda con el que da el profesor, la operación está bien. INGLÉS to agree.
2 Coincidir dos o más palabras en algunos aspectos gramaticales. El determinante y el nombre al que acompaña tienen que concordar en género y número; así, se dice 'la señora' y 'el señor'. INGLÉS to agree.
NOTA Se conjuga como: contar; la 'o' se convierte en 'ue' en sílaba acentuada, como: concuerdan.

concordia
nombre femenino
1 Acuerdo o armonía que existe entre personas o cosas. Cuando los habitantes de un lugar viven en concordia, conviven de manera tranquila y no existen grandes problemas entre ellos. INGLÉS concord, harmony.

concretar
verbo
1 Determinar o hacer precisa una cosa. Cuando dos personas quieren reunirse, concretan una cita. INGLÉS to specify, to fix.
2 Reducir algo a lo más importante o limitarse a tratar una sola cosa. En los exámenes hay que concretar las respuestas. INGLÉS to summarize [reducir a lo más importante], to keep relevant [limitarse a tratar una sola cosa].

concreto, concreta
adjetivo
1 Se dice de las cosas que se pueden conocer por cualquiera de los cinco sentidos. Una mesa es un objeto concreto porque se puede ver y tocar. ANTÓNIMO abstracto. INGLÉS concrete.
2 Se dice de la cosa o ser que es particular y no cualquier otro: *Me quiero comprar una bicicleta concreta, la que está en el escaparate de esa tienda.* SINÓNIMO específico. INGLÉS specific.
3 Se dice del dato que es preciso, y no da más información de la necesaria: *En las instrucciones del televisor se da información concreta sobre cómo funciona.* INGLÉS specific.

concurrido, concurrida
adjetivo
1 Se dice del lugar donde hay mucha gente. INGLÉS busy, crowded.

concursante
nombre masculino y femenino
1 Se dice de la persona que participa en un concurso. INGLÉS contestant.

concursar
verbo
1 Participar en un concurso. INGLÉS to take part in.

concurso
nombre masculino
1 Prueba o serie de pruebas en las que participan varias personas con el fin de conseguir un premio. INGLÉS competition, contest.
2 Modo de selección de una persona o una empresa para un trabajo, que consiste en juzgar sus capacidades para el

trabajo haciéndole pasar una serie de pruebas: *Las plazas para trabajar como profesor salen a concurso la semana que viene.* INGLÉS competition.

3 Ayuda que se da para que se haga algo: *Lo consiguieron con el concurso de su amigo.* Es un uso formal. INGLÉS support, aid.

conde, condesa

nombre

1 Persona que es miembro de la nobleza y tiene una categoría inferior a la de marqués y superior a la de vizconde. INGLÉS count.

condecoración

nombre femenino

1 Insignia, medalla o banda con que se premia a una persona en reconocimiento de sus méritos profesionales. INGLÉS decoration, medal.

NOTA El plural es: condecoraciones.

condecorar

verbo

1 Premiar a una persona con una insignia, medalla o banda como reconocimiento a sus méritos profesionales. A los militares se les condecora cuando demuestran su valor en una batalla. INGLÉS to decorate.

condena

nombre femenino

1 Castigo que impone un juez al culpable de un delito. INGLÉS sentence.

2 Acción por la que una persona dice públicamente que no aprueba una acción mala o injusta. INGLÉS condemnation.

condenar

verbo

1 Decir un juez el castigo que debe cumplir el culpable de un delito. Se puede condenar a alguien a pagar una multa o a ir a la cárcel. INGLÉS to sentence.

2 Decir alguien públicamente que no aprueba una acción mala o injusta. Los personas pacíficas condenan la violencia. INGLÉS to condemn.

3 condenarse En algunas religiones, hacer una persona cosas por las que Dios, en el momento de la muerte, lo castigará con el infierno. INGLÉS to be damned.

condensar

verbo

1 Convertir un gas en líquido o en sólido. También es hacer que sea más densa o espesa una sustancia, como la leche. INGLÉS to condense.

condición

nombre femenino

1 Circunstancia o cosa necesaria para que pueda ocurrir algo. En algunas discotecas ponen como condición ser mayor de edad para poder entrar. INGLÉS condition.

2 Clase social que tiene una persona. Las personas ricas son de alta condición. INGLÉS class.

nombre femenino plural

3 condiciones Situación o estado en que se encuentra una persona o una cosa. Los deportistas suelen estar en buenas condiciones físicas. INGLÉS condition.

a condición de Indica que algo es necesario para que se cumpla otra cosa: *Iré a tu casa a condición de que otro día vengas tú a la mía.* INGLÉS on condition that.

en condiciones Que está bien preparado para lo que sirve: *La moto no está en condiciones porque le fallan los frenos.* INGLÉS in good condition.

NOTA El plural es: condiciones.

condicional

adjetivo

1 Que no es algo definitivo o seguro, sino que depende de una o más condiciones. Los presos que están en libertad condicional no son completamente libres; por ejemplo, no pueden abandonar el país. INGLÉS conditional.

nombre masculino

2 Tiempo verbal que expresa una condición futura. 'Cantaría' o 'tendríamos' son formas del condicional. INGLÉS conditional.

condimento

nombre masculino

1 Sustancia que se añade a un alimento para que tenga más sabor o para darle un sabor especial. Las especias, el vinagre y la sal son condimentos. INGLÉS seasoning.

condolencia

nombre femenino

1 Manifestación con la que se muestra dolor por un hecho desgraciado que ha sufrido alguien. Cuando muere una persona, le damos nuestras condolencias a sus seres queridos. INGLÉS condolences, sympathy.

NOTA También se usa en plural con el mismo significado.

condón

nombre masculino

1 Funda muy fina de goma que se coloca el hombre en el pene antes de tener relaciones sexuales para evitar el embarazo de la mujer y el contagio de algunas enfermedades. SINÓNIMO preservativo. INGLÉS condom.

NOTA El plural es: condones.

cóndor

nombre masculino **1** Ave rapaz muy grande de color negro, con manchas blancas en las alas y la cabeza, y el cuello sin plumas, que se parece al buitre. Vive en la cordillera de los Andes, en América del Sur. INGLÉS condor.

conducir

verbo **1** Llevar el control de un vehículo. En las autoescuelas enseñan a conducir un automóvil. INGLÉS to drive.

conducir

INDICATIVO	SUBJUNTIVO
presente conduzco conduces conduce conducimos conducís conducen	**presente** conduzca conduzcas conduzca conduzcamos conduzcáis conduzcan
pretérito imperfecto conducía conducías conducía conducíamos conducíais conducían	**pretérito imperfecto** condujera o condujese condujeras o condujeses condujera o condujese condujéramos o condujésemos condujerais o condujeseis condujeran o condujesen
pretérito perfecto simple conduje condujiste condujo condujimos condujisteis condujeron	**futuro** condujere condujeres condujere condujéremos condujereis condujeren
futuro conduciré conducirás conducirá conduciremos conduciréis conducirán	**IMPERATIVO** conduce (tú) conduzca (usted) conduzcamos (nosotros) conducid (vosotros) conduzcan (ustedes)
condicional conduciría conducirías conduciría conduciríamos conduciríais conducirían	**FORMAS NO PERSONALES** **infinitivo** conducir **gerundio** conduciendo **participio** conducido

2 Dirigir o llevar una cosa hacia un lugar determinado. Las tuberías conducen el agua hasta las casas. INGLÉS to take.

3 Ser la causa o el origen de algo. Las guerras siempre conducen a la miseria. SINÓNIMO llevar. INGLÉS to lead.

4 conducirse Tener un comportamiento determinado. INGLÉS to behave.

conducta

nombre femenino **1** Modo en que se comporta una persona. SINÓNIMO comportamiento. INGLÉS conduct, behaviour.

conducto

nombre masculino **1** Tubo por el que circula un líquido o un gas que va de un sitio a otro. Las venas son conductos por donde circula la sangre. INGLÉS pipe, tube.

2 Medio o vía que sigue una noticia o un documento oficial para llegar a una persona o grupo de personas: *El periodista conoció la noticia por un conducto oficial.* INGLÉS channel.

conductor, conductora

nombre **1** Persona que conduce un vehículo. INGLÉS driver.

conectar

verbo **1** Poner un aparato eléctrico en contacto con la corriente para que funcione. SINÓNIMO enchufar. ANTÓNIMO desconectar. INGLÉS to connect, to plug in.

2 Unir o establecer una relación entre dos o más cosas o personas. Las redes informáticas conectan a mucha gente entre sí. INGLÉS to connect.

conejo, coneja

nombre **1** Animal mamífero de pelo suave, orejas largas, cola corta y patas traseras más largas y fuertes que las delanteras. INGLÉS rabbit.

conexión

nombre femenino **1** Relación que se establece entre dos o más cosas o personas. Los satélites permiten establecer una conexión entre lugares muy lejanos. INGLÉS connection.

2 Punto en que se unen los aparatos a la red eléctrica. INGLÉS connection.

NOTA El plural es: conexiones.

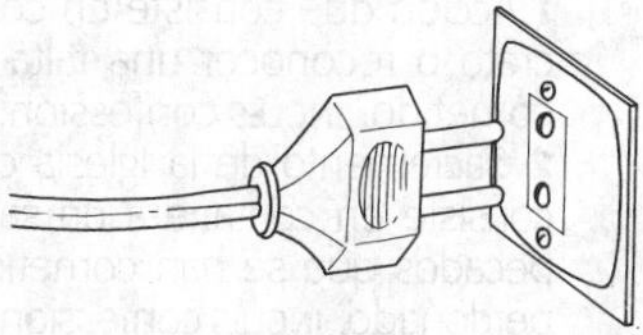

conexión

a b c d e f g h i j k l m n ñ o p q r s t u v w x y z

confección
nombre femenino
1 Acción que consiste en fabricar un producto utilizando diferentes materias. INGLÉS manufacture.
2 Fabricación de ropa en serie, según unas medidas ya establecidas. INGLÉS dressmaking, tailoring.
NOTA El plural es: confecciones.

confeccionar
verbo
1 Hacer un producto utilizando diferentes materias, en especial ropa, bebidas y dulces. SINÓNIMO fabricar. INGLÉS to make.

confederación
nombre femenino
1 Unión o pacto entre personas, organizaciones, regiones o países para formar una asociación o conseguir un determinado fin. Suiza es una confederación de diferentes territorios. INGLÉS confederation.
NOTA El plural es: confederaciones.

conferencia
nombre femenino
1 Exposición que hace una persona en público de un tema científico o cultural. INGLÉS talk, lecture.
2 Reunión entre los representantes de grupos sociales o políticos para tratar de algún asunto importante. INGLÉS conference.
3 Llamada de teléfono entre dos lugares, especialmente entre dos ciudades o países muy distantes. INGLÉS long-distance call.

confesar
verbo
1 Contar un secreto o reconocer una falta que se ha hecho. Algunos ladrones confiesan sus robos cuando los atrapa la policía. INGLÉS to confess.
2 Contar una persona católica sus pecados a un cura para que le imponga una penitencia y la perdone. INGLÉS to confess.
NOTA Se conjuga como: acertar; la 'e' se convierte en 'ie' en sílaba acentuada, como: confiesan.

confesión
nombre femenino
1 Acción que consiste en contar un secreto o reconocer una falta que se ha cometido. INGLÉS confession.
2 Sacramento de la Iglesia católica que consiste en contarle a un sacerdote los pecados que se han cometido para ser perdonado. INGLÉS confession.
NOTA El plural es: confesiones.

confesionario
nombre masculino
1 Es otra forma de escribir y pronunciar: confesonario. INGLÉS confessional.

confesonario
nombre masculino
1 Recinto pequeño y cerrado donde los católicos se confiesan con el sacerdote. Los confesonarios se encuentran dentro de las iglesias. INGLÉS confessional.
NOTA También se escribe y se pronuncia: confesionario.

confesor
adjetivo y nombre masculino
1 Sacerdote que confiesa a los católicos. INGLÉS confessor [nombre].

confeti
nombre masculino
1 Trozos muy pequeños de papel de colores. El confeti y las serpentinas se lanzan al aire en las fiestas y celebraciones. INGLÉS confetti.

confiado, confiada
adjetivo
1 Que tiene mucha confianza en algo o alguien. ANTÓNIMO desconfiado. INGLÉS confident, sure.
2 Que no desconfía de nada, ni siquiera de personas o cosas desconocidas. INGLÉS trusting.

confianza
nombre femenino
1 Seguridad que se tiene de que una persona o cosa va a responder correctamente: *Tiene mucha confianza en sí mismo.* INGLÉS confidence.
2 Forma sencilla, natural y sincera de comportarse o de tratar a alguien: *Puedes tratar a mis padres con toda confianza.* INGLÉS familiarity.
de confianza Se dice de una persona o cosa que se conoce y se sabe que se puede confiar en ella: *Dejamos a los niños con una canguro de confianza.* INGLÉS trustworthy.
en confianza Indica que algo se dice a una persona porque se confía en que no se lo dirá a nadie. INGLÉS confidentially, in confidence.

confiar
verbo
1 Tener la confianza o la seguridad de que algo o alguien va a responder correctamente: *Confío en que la ambulancia llegue a tiempo.* ANTÓNIMO desconfiar. INGLÉS to trust, to be confident.
2 Creer que algo que se desea va a pasar: *Confío en que este fin de semana pueda descansar.* INGLÉS to be confident.

3 Dejar algo importante al cuidado de una persona: *Te voy a confiar las joyas hasta que volvamos de vacaciones.* INGLÉS to trust.

NOTA Se conjuga como: desviar; la 'i' se acentúa en algunos tiempos y personas, como: confíen.

confidencia

nombre femenino **1** Secreto o sentimiento que se cuenta a una persona. INGLÉS secret.

configurar

verbo **1** Dar una forma o una estructura determinada a una cosa. Los accidentes geográficos, como montañas, valles o ríos, configuran un paisaje. INGLÉS to form, to shape.

2 Preparar un ordenador o un programa infórmatico para que funcione de determinada manera. Un usuario configura un ordenador escogiendo las opciones de funcionamiento que más le interesan. INGLÉS to configure.

confín

nombre masculino **1** Límite de un territorio: *Dejó que la noticia llegase a los confines de la provincia.* INGLÉS boundary.

2 Parte más alejada del punto central o principal de un lugar: *La noticia llegó hasta el otro confín del mundo.* INGLÉS end.

NOTA El plural es: confines.

confirmación

nombre femenino **1** Prueba de que una cosa es cierta o ha sido realizada: *Esperan la confirmación de que la carta ha llegado a su destino.* INGLÉS confirmation.

2 Sacramento de la Iglesia católica que consiste en asegurar a una persona su condición de cristiana. INGLÉS confirmation.

NOTA El plural es: confirmaciones.

confirmar

verbo **1** Comprobar que una cosa es cierta, que va a realizarse como se creía o que ya ha sido realizada. Antes de coger un avión tenemos que confirmar que sale a la hora prevista. INGLÉS to confirm.

2 Dar por segura o cierta una cosa que se sospecha o se cree. Los periodistas tienen que confirmar los rumores antes de publicarlos. INGLÉS to confirm.

3 En la religión católica, asegurar la condición cristiana de una persona. INGLÉS to confirm.

confiscar

verbo **1** Apropiarse el Estado o una autoridad de las propiedades de alguien: *La policía confiscó un cargamento de armas en la frontera.* INGLÉS to seize.

NOTA Se escribe 'qu' delante de 'e', como: confisquen.

confitado, confitada

adjetivo **1** Se dice de la fruta que se cubre con una capa de azúcar o se cuece en almíbar. Las frutas confitadas se utilizan para adornar tartas y pasteles. INGLÉS candied.

confite

nombre masculino **1** Dulce duro de pequeño tamaño hecho de azúcar. Los confites son redondos y de distintos colores. INGLÉS sweet.

confitería

nombre femenino **1** Establecimiento donde se elaboran y venden dulces, pasteles y bombones. SINÓNIMO pastelería. INGLÉS confectioner's, sweet shop.

confitura

nombre femenino **1** Dulce de consistencia pastosa hecho con frutas cocidas y trituradas y mucho azúcar. INGLÉS preserve, jam.

conflictivo, conflictiva

adjetivo **1** Que es origen de conflicto o que presenta conflictos. Una situación conflictiva es una situación difícil de resolver. INGLÉS controversial.

2 Que crea muchos problemas o conflictos. Los niños rebeldes suelen ser conflictivos. INGLÉS difficult.

conflicto

nombre masculino **1** Situación en la que dos personas o dos grupos de personas mantienen un enfrentamiento, una lucha o una oposición. Dos países tienen un conflicto armado cuando están en guerra. INGLÉS conflict.

2 Situación de difícil salida en la que no se sabe qué hacer o qué decisión tomar. INGLÉS difficult situation.

conformar

verbo **1** Formar parte de un grupo o un conjunto de personas o cosas. Los individuos conformamos la sociedad. INGLÉS to make up.

2 **conformarse** Aceptar una cosa con buena voluntad, aunque no se esté de acuerdo con ella o se crea que no es suficiente: *Se conforma con muy poco.* INGLÉS to be satisfied.

conforme

adjetivo **1** Que está de acuerdo o satisfecho con alguna cosa. INGLÉS satisfied.

adverbio **2** A medida que pasa lo que se indica: *Conforme va acercándose el día del examen más nervioso estoy.* SINÓNIMO según. INGLÉS as.

3 De acuerdo con lo que se indica: *Lo hizo conforme lo que él piensa.* SINÓNIMO según. INGLÉS in accordance with.

conformidad

nombre femenino **1** Actitud de las personas que están de acuerdo entre ellas en algo o que están de acuerdo con una situación determinada: *Le dieron el premio con la conformidad de los miembros del jurado.* INGLÉS agreement.

2 Aprobación o permiso que alguien da para hacer una cosa. INGLÉS approval, consent.

confort

nombre masculino **1** Característica de los lugares, las cosas o las situaciones en los que una persona se siente a gusto y cómoda. ANTÓNIMO incomodidad. INGLÉS comfort.

confortable

adjetivo **1** Se dice de los lugares, las cosas o las situaciones que tienen o dan confort. Un sillón es más confortable que un taburete. SINÓNIMO cómodo. INGLÉS comfortable.

confortable

confundir

verbo **1** Entender una cosa en lugar de otra o tomar una cosa por otra equivocadamente: *Me confundí de puerta.* INGLÉS to mistake.

2 Mezclar una o varias personas o cosas con otras de manera que no se puedan distinguir, como los afluentes que confunden sus aguas con el río al cual alimentan. INGLÉS to blend.

3 Hacer que alguien dude y no entienda cierta cosa, o se quede desconcertada. Las reacciones inesperadas de otras personas nos pueden confundir. INGLÉS to confuse.

confusión

nombre femenino **1** Falta de orden y de claridad en una situación, un asunto u otra cosa. INGLÉS confusion.

2 Equivocación o error que comete una persona cuando toma una cosa por otra. INGLÉS mistake.

3 Estado de la persona que tiene dudas y no entiende algo. Una explicación incoherente nos puede crear confusión. INGLÉS confusion.

NOTA El plural es: confusiones.

confuso, confusa

adjetivo **1** Se dice de las cosas que tienen poca claridad, poco orden o poca precisión, de manera que son difíciles de entender, de apreciar o de distinguir. INGLÉS confusing.

2 Que está o se queda desconcertado e indeciso, sin saber cómo reaccionar ante una determinada situación. INGLÉS confused.

congelación

nombre femenino **1** Proceso por el cual un líquido pasa a ser sólido debido a una temperatura muy baja. La congelación del agua se produce a cero grados. INGLÉS freezing.

NOTA El plural es: congelaciones.

congelado, congelada

adjetivo **1** Que está muy frío: *Tengo los pies congelados.* INGLÉS frozen.

adjetivo y nombre masculino **2** Se dice del alimento que ha sido sometido a un proceso de congelación para conservarlo durante mucho tiempo en buen estado. En las tiendas de congelados se venden todo tipo de alimentos. INGLÉS frozen [adjetivo], frozen food [nombre].

congelador

nombre masculino **1** Electrodoméstico que sirve para congelar los alimentos que se quieren conservar durante mucho tiempo. También se llama congelador la parte del frigorífico que sirve para congelar los alimentos. INGLÉS freezer.

congelar
verbo
1 Hacer que un líquido pase a ser sólido poniéndolo a una temperatura muy baja. Cuando el agua se congela se convierte en hielo. SINÓNIMO helar. ANTÓNIMO descongelar. INGLÉS to freeze.
2 Poner una cosa sólida a temperatura muy baja para que el líquido que contiene se convierta en hielo. Congelamos los alimentos para conservarlos más tiempo. ANTÓNIMO descongelar. INGLÉS to freeze.
3 Impedir alguien con autoridad y poder que se haga o suceda algo relacionado con el dinero, como congelar una cuenta bancaria o congelar los salarios. INGLÉS to freeze.
4 congelarse Sentir una persona mucho frío. ANTÓNIMO asarse. INGLÉS to be freezing.

congeniar
verbo
1 Llevarse bien dos personas por tener el mismo carácter, las mismas ideas o gustos parecidos. SINÓNIMO simpatizar. ANTÓNIMO chocar. INGLÉS to get on.
NOTA Se conjuga como: cambiar; la 'i' no lleva nunca acento de intensidad.

congénito, congénita
adjetivo
1 Que se tiene desde antes de nacer y dura toda la vida. Las enfermedades congénitas se adquieren durante el embarazo de la madre. INGLÉS congenital.

congoja
nombre femenino
1 Sentimiento de pena, tristeza o preocupación muy grande. Es un uso formal. INGLÉS anguish.

congraciar
verbo
1 Conseguir la simpatía o el afecto de una persona: *Se congració con sus alumnos al darles la tarde libre.* INGLÉS to win over.

congregar
verbo
1 Reunir o atraer a gran cantidad de gente en un lugar. Los cantantes famosos congregan a mucho público en sus conciertos. INGLÉS to bring together.
NOTA Se escribe 'gu' delante de 'e', como: congreguen.

congreso
nombre masculino
1 Reunión de personas especialistas en algún campo de la ciencia o la cultura para tratar y estudiar cuestiones relacionadas con su especialidad. INGLÉS congress.
2 Conjunto de los representantes de los ciudadanos que decide y vota las leyes de un país. INGLÉS Congress, Parliament.
3 Edificio donde se reúnen representantes de los ciudadanos: *En el Congreso, los diputados votan las leyes.* Con este significado se escribe con mayúscula. INGLÉS Congress, Parliament.

cónico, cónica
adjetivo
1 Se dice del objeto que tiene forma de cono. Los cucuruchos son cónicos. INGLÉS conical.

conjugación
nombre femenino
1 Conjunto de todas las formas de todos los tiempos de un verbo. 'Amo', 'amaba' y 'habría amado' son algunas de las formas de la conjugación del verbo 'amar'. INGLÉS conjugation.
2 Cada uno de los grupos en que se dividen los verbos de una lengua. En español hay tres conjugaciones: la primera, terminada en '-ar', la segunda, en '-er', y la tercera, en '-ir'. INGLÉS conjugation.
NOTA El plural es: conjugaciones.

conjugar
verbo
1 Poner un verbo en las distintas formas de uno o varios tiempos o modos. INGLÉS to conjugate.
2 Unir o relacionar dos o más cosas. En las fiestas populares se conjuga la tradición con la diversión. INGLÉS to combine, to bring together.
NOTA Se escribe 'gu' delante de 'e', como: conjugué.

conjunción
nombre femenino
1 Palabra invariable que usamos para unir oraciones o para unir palabras que tienen la misma función en la oración. Hay conjunciones coordinantes y subordinantes: *En la oración 'Juan y Luisa no han ido a clase porque están enfermos', 'y' y 'porque' son conjunciones.* INGLÉS conjunction.
NOTA El plural es: conjunciones.

conjuntivitis
nombre femenino
1 Inflamación del tejido que cubre el globo del ojo, causada por una infección. Cuando tenemos conjuntivitis se nos ponen los ojos rojos y nos lagrimean mucho. INGLÉS conjunctivitis.
NOTA El plural es: conjuntivitis.

a b c d e f g h i j k l m n ñ o p q r s t u v w x y z

conjunto, conjunta
adjetivo **1** Se dice de las cosas que están unidas o que ocurren o se hacen al mismo tiempo: *Hicieron una celebración conjunta.* INGLÉS joint.
nombre masculino **2** Grupo de personas o cosas, en especial cuando tienen alguna característica común. Una familia es un conjunto de personas que son parientes. INGLÉS group.
3 Grupo de personas que se dedican a tocar música juntas. INGLÉS group, band.
4 Vestimenta que se compone de dos o más prendas que combinan. INGLÉS ensemble, twinset.
en conjunto De forma general, sin entrar a analizar los detalles. INGLÉS on the whole.

conjuro
nombre masculino **1** Fórmula mágica para llamar a los espíritus o para alejarlos de algún lugar. Las palabras 'abracadabra pata de cabra' son un conjuro de los cuentos infantiles. INGLÉS spell.

conllevar
verbo **1** Tener una cosa como consecuencia lo que se dice a continuación: *El trabajo de bombero conlleva algunos peligros.* INGLÉS to involve, to entail.

conmemoración
nombre femenino **1** Recuerdo o celebración del recuerdo de un hecho o fecha importante. En 1992 se celebró la conmemoración del quinto centenario de la llegada de los españoles al cotinente americano. INGLÉS commemoration.
NOTA El plural es: conmemoraciones.

conmemorar
verbo **1** Recordar o celebrar el recuerdo de un hecho o fecha importante. Este año se conmemora el décimo aniversario de la muerte del famoso actor. INGLÉS to commemorate.

conmigo
pronombre personal **1** Hace referencia a la persona que habla. Funciona como complemento circunstancial de compañía: *¿Te vienes al cine conmigo?* INGLÉS with me.

conmoción
nombre femenino **1** Emoción o pena profunda que siente una persona. Si nos dan una noticia muy mala sentimos una conmoción. INGLÉS shock.
2 Pérdida del conocimiento causada por un golpe fuerte en la cabeza. También se llama 'conmoción cerebral'. INGLÉS concussion.
NOTA El plural es: conmociones.

conmovedor, conmovedora
adjetivo **1** Que causa una gran impresión o produce una fuerte emoción. INGLÉS moving.

conmover
verbo **1** Hacer que una persona tenga un sentimiento de emoción muy fuerte, como cuando estamos a punto de llorar. Nos podemos conmover con una película o ante una demostración de cariño. INGLÉS to move.
NOTA Se conjuga como: mover; la 'o' se convierte en 'ue' en sílaba acentuada, como: conmueve.

conmutativo, conmutativa
adjetivo **1** En matemáticas, se dice de una propiedad que permite el cambio de orden de las cantidades que intervienen en una operación sin que cambie el resultado, como ocurre en la suma o en la multiplicación. INGLÉS commutative.

cono
nombre masculino **1** Cuerpo sólido formado por una base circular y una superficie que sale de la base y acaba en punta. Algunas montañas tienen forma de cono. INGLÉS cone.

conocedor, conocedora
adjetivo y nombre **1** Que conoce o está enterado de algo. Los agricultores suelen ser buenos conocedores del clima. INGLÉS expert.

conocer
verbo **1** Tener en mente la representación de una cosa o saber bien lo que es o cómo es una cosa o una persona. Una persona conoce algo cuando ha estudiado sobre ello o ha oído hablar de ello. INGLÉS to know.
2 Tener trato o relación con una persona. A algunas personas las conocemos de vista, a otras porque nos las han presentado y a otras las conocemos de toda la vida. INGLÉS to know.
3 Ser capaz de distinguir o de diferenciar unas cosas de otras o de distinguir una cosa concreta entre muchas. Algunas personas conocen la voz de otras al instante. INGLÉS to know, to recognize.

conocido, conocida
adjetivo **1** Que es famoso o que lo conoce mu-

cha gente: *Ayer vimos por la calle a un conocido actor.* INGLÉS well-known.

nombre **2** Persona con quien se tiene una relación poco profunda, sin llegar a ser amigos. INGLÉS acquaintance.

conocimiento

nombre masculino **1** Capacidad que tiene una persona para conocer o saber las cosas por medio de la razón. Los bebés aún no tienen conocimiento suficiente para saber lo que hacen. INGLÉS sense.

2 Facultad de las personas para percibir las cosas del mundo exterior por medio de los sentidos. INGLÉS consciousness.

nombre masculino plural **3 conocimientos** Conjunto de ideas y nociones que una persona tiene sobre una materia, una ciencia o un tema determinado. INGLÉS knowledge.

conque

conjunción **1** Indica que lo que se dice a continuación es una consecuencia de lo que se ha dicho antes: *No sabes lo que dices, conque cállate.* Es un uso informal. INGLÉS so.

2 Se utiliza para reafirmar algo o para expresar sorpresa ante algo que no se sabía: *¡Conque tú ya lo sabías!* Es un uso informal. SINÓNIMO así que. INGLÉS so.

conocer

INDICATIVO

presente
conozco
conoces
conoce
conocemos
conocéis
conocen

pretérito imperfecto
conocía
conocías
conocía
conocíamos
conocíais
conocían

pretérito perfecto simple
conocí
conociste
conoció
conocimos
conocisteis
conocieron

futuro
conoceré
conocerás
conocerá
conoceremos
conoceréis
conocerán

condicional
conocería
conocerías
conocería
conoceríamos
conoceríais
conocerían

SUBJUNTIVO

presente
conozca
conozcas
conozca
conozcamos
conozcáis
conozcan

pretérito imperfecto
conociera o conociese
conocieras o conocieses
conociera o conociese
conociéramos o conociésemos
conocierais o conocieseis
conocieran o conociesen

futuro
conociere
conocieres
conociere
conociéremos
conociereis
conocieren

IMPERATIVO

conoce	(tú)
conozca	(usted)
conozcamos	(nosotros)
conoced	(vosotros)
conozcan	(ustedes)

FORMAS NO PERSONALES

infinitivo conocer
gerundio conociendo
participio conocido

conquense

adjetivo y nombre masculino y femenino **1** Se dice de la persona o cosa que es de Cuenca, ciudad y provincia de Castilla-La Mancha.

conquista

nombre femenino **1** Acción que consiste en entrar un ejército en un territorio o una posición dominada por el enemigo y hacerse dueño de ella. INGLÉS conquest [de un territorio], capture [de una posición].

2 Acción que consiste en conseguir o llegar a tener algo con esfuerzo y venciendo muchos obstáculos. INGLÉS winning.

3 Acción que consiste en conseguir una persona ganarse el cariño, la simpatía o el afecto de la gente. INGLÉS winning over.

4 Acción que consiste en hacer una persona que otra se enamore de ella. INGLÉS conquest.

5 Persona a la que otra consigue enamorar. INGLÉS conquest.

conquistador, conquistadora

nombre **1** Persona que realiza la conquista de un lugar por medio de la fuerza o la lucha. Julio César fue el conquistador de la Galia. INGLÉS conqueror.

2 Persona que consigue con facilidad que otros sientan atracción, deseo o amor. INGLÉS don Juan [hombre], femme fatale [mujer].

conquistar

verbo **1** Entrar un ejército en un territorio o una posición dominada por el enemigo y hacerse dueño de ella. INGLÉS to conquer [un territorio], to capture [una posición].

2 Conseguir una persona algo con esfuerzo y venciendo muchos obstáculos: *Le costó mucho, pero al final conquistó el primer puesto.* INGLÉS to achieve, to win.

3 Hacer una persona que otra se enamore de ella o se sienta atraída por ella. INGLÉS to conquer.

4 Hacer una persona que otra u otras le manifiesten su afecto, su cariño o su simpatía. Los payasos del circo conquistan a los niños. INGLÉS to win the affection of.

consagrar

verbo

1 Dar a alguien fama o éxito en su actividad: *Esa fue la novela que lo consagró definitivamente como escritor.* INGLÉS to establish.

2 Dedicarse por completo a algo que normalmente supone un esfuerzo y una dedicación especiales: *Consagró su vida a la defensa de las especies en peligro de extinción.* INGLÉS to dedicate.

3 Hacer que una persona, un lugar o una cosa tenga un valor sagrado. Los sacerdotes consagran las hostias antes de la comunión. INGLÉS to consecrate.

4 En la misa, pronunciar el sacerdote las palabras por las que el pan y el vino se transforman en el cuerpo y la sangre de Cristo. INGLÉS to consecrate.

consciencia

nombre femenino

1 Es otra forma de escribir y pronunciar: conciencia.

consciente

adjetivo

1 Que actúa sabiendo perfectamente lo que está haciendo y las consecuencias que puede tener. INGLÉS conscious, aware.

2 Que no ha perdido el conocimiento y, por lo tanto, mantiene normal su capacidad para percibir las cosas del mundo exterior a través de los sentidos. INGLÉS conscious.

consecuencia

nombre femenino

1 Hecho o acción que resulta o procede de otro hecho o acción. La consecuencia de una mala alimentación es una mala salud. INGLÉS consequence.

en consecuencia Indica que lo que se expresa es el resultado o está motivado por lo dicho anteriormente: *El equipo ha perdido; en consecuencia, los jugadores deberán entrenar más.* INGLÉS consequently.

consecutivo, consecutiva

adjetivo

1 Que sigue inmediatamente o va a continuación de una cosa. El 1 y el 2 son dos números consecutivos. SINÓNIMO seguido. INGLÉS consecutive.

2 Se dice del tipo de oración que expresa una acción que es el resultado o la consecuencia de otra anterior. En la frase 'Había estudiado poquísimo, así que suspendí el examen', la oración consecutiva es 'así que suspendí el examen'. INGLÉS consecutive.

conseguir

verbo

1 Lograr o llegar a tener algo que se desea. SINÓNIMO obtener. INGLÉS to obtain, to achieve.

NOTA Se conjuga como: seguir; la 'e' se convierte en 'i' en algunos tiempos y personas; y se escribe 'g' delante de 'a' y 'o', como: consigan, consigo.

consejero, consejera

nombre

1 Persona que da consejos a otras personas de manera personal o profesional. INGLÉS adviser.

consejo

nombre masculino

1 Opinión que se da a una persona sobre lo que debe o no debe hacer. Seguimos los consejos que nos dan cuando creemos que nos servirán de ayuda. INGLÉS [si es un consejo: piece of advice], [si son consejos: advice].

2 Conjunto de personas que dirigen o aconsejan, como el consejo de ministros de un estado o el consejo de administración de una empresa. INGLÉS board, [si es un consejo de ministros: cabinet].

consenso

nombre masculino

1 Acuerdo que hay entre dos personas o entre todas las que forman un grupo. Hay consenso cuando todos tienen la misma opinión sobre una cosa. INGLÉS consensus.

consentimiento

nombre masculino

1 Permiso y aprobación para hacer algo que se pide: *Lo hizo con el consentimiento de sus padres.* INGLÉS consent.

consentir

verbo

1 Dar permiso para que se haga algo: *El secretario consintió que el grupo entrara al despacho del director.* INGLÉS to allow, to permit.

2 Dejar que algo suceda sin oponerse: *No entiendo cómo consientes que te maltraten las plantas.* INGLÉS to allow, to permit.

3 Permitir que una persona, especialmente un niño, haga su voluntad sin corregirla ni castigarla. INGLÉS to spoil.

NOTA Se conjuga como: preferir; la 'e' se convierte en 'ie' en sílaba acentuada o en 'i' en algunos tiempos y personas, como: consienten, consintió.

conserje
nombre masculino y femenino
1 Persona que se encarga del cuidado y vigilancia de un edificio, centro oficial o establecimiento público. INGLÉS caretaker [que cuida], porter [que vigila].

conserjería
nombre femenino
1 Lugar donde se encuentra el conserje dentro de un edificio, centro oficial o establecimiento público. INGLÉS porter's lodge.

conserva
nombre femenino
1 Alimento preparado que está dentro de un recipiente envasado al vacío, normalmente una lata o un bote de cristal, para que se conserve mucho tiempo. INGLÉS tinned food [en lata], bottled food [en bote de vidrio].

conservación
nombre femenino
1 Trabajo que se realiza o cuidado que se pone para que algo se mantenga en buen estado durante mucho tiempo. INGLÉS conservation.
NOTA El plural es: conservaciones.

conservador, conservadora
adjetivo y nombre
1 Se dice de la persona que es tradicional en sus ideas o forma de vida y a la que no le gustan los cambios. INGLÉS conservative.
2 Se dice de la persona o el partido político que es partidario de una política tradicional y se opone a grandes cambios sociales o políticos. ANTÓNIMO progresista. INGLÉS conservative.

conservante
nombre masculino
1 Sustancia que se añade a algunos alimentos para que se mantengan en buen estado durante mucho tiempo. INGLÉS preservative.

conservar
verbo
1 Cuidar una cosa y mantenerla en buen estado durante mucho tiempo. Muchos ecologistas luchan por conservar la naturaleza. INGLÉS to conserve.
2 Tener guardado un objeto de hace mucho tiempo o tener un recuerdo en la memoria. INGLÉS to keep.
3 Mantener una costumbre y seguir practicándola. En muchos pueblos se conservan costumbres de hace siglos. INGLÉS to preserve.
4 conservarse Mantenerse una persona en buen estado físico o de salud o tener apariencia joven. El ejercicio ayuda a la gente a conservarse. INGLÉS to keep fit [en forma], to stay young [joven].

conservatorio
nombre masculino
1 Centro oficial en el que se enseña música. En el conservatorio se aprende solfeo y canto y a tocar instrumentos como el piano, la guitarra o el violín. INGLÉS school of music.

conservero, conservera
adjetivo y nombre
1 Se dice de la persona o de la empresa que se dedica a fabricar conservas. INGLÉS canning [adjetivo], canner [nombre].

considerable
adjetivo
1 Que es lo bastante grande o importante como para que se tome en cuenta. Si un objeto tiene un precio considerable es que vale bastante dinero. INGLÉS considerable.

consideración
nombre femenino
1 Respeto hacia otras personas. Es una muestra de civismo y consideración no hacer ruido por la noche para no molestar a los vecinos. INGLÉS consideration.
NOTA El plural es: consideraciones.

considerado, considerada
adjetivo
1 Que se comporta y actúa con mucho respeto hacia los demás. INGLÉS considerate.

considerar
verbo
1 Pensar con atención una cosa para juzgarla, valorarla o tomar una decisión sobre ella: *Tengo que considerar su propuesta.* INGLÉS to consider.
2 Tener en cuenta o tener presente algo al hacer una cosa. INGLÉS to consider.
3 Juzgar a alguien o algo de determinada manera. Los médicos consideran la comida sana importante para la salud. INGLÉS to consider.

consigna
nombre femenino
1 Lugar en las estaciones y aeropuertos donde los viajeros pueden guardar el equipaje y recogerlo después. INGLÉS left-luggage office.
2 Orden que recibe una persona que va a intervenir en una acción determinada. Durante una huelga, los sindicatos dan a los trabajadores la consigna de no acudir al trabajo. INGLÉS order.

consigo
pronombre personal
1 Hace referencia a una persona o personas distintas del hablante y del oyente. Funciona como complemento

a b c d e f g h i j k l m n ñ o p q r s t u v w x y z

circunstancial de compañía: *Cuando se enfada, habla consigo mismo en voz alta.* INGLÉS with him, with her, with it, with you, with them.

consiguiente
adjetivo
1 Que depende y se deduce de otra cosa: *Han enviado el nuevo catálogo con el consiguiente aumento de precios.* INGLÉS resulting.
por consiguiente Indica que lo que se expresa a continuación es el resultado de lo dicho anteriormente o está motivado por ello: *El jueves es fiesta, por consiguiente, no habrá clase.* SINÓNIMO por tanto. INGLÉS therefore.

consistencia
nombre femenino
1 Característica de las cosas y los materiales que son tan fuertes o resistentes que es muy difícil romperlos o deformarlos. El hierro es más consistente que el estaño. INGLÉS strength.
2 Característica de las cosas cuyas partes o elementos están tan bien unidos o relacionados que forman un todo muy bien unificado y difícil de separar o desmontar: *La consistencia de esta salsa está muy bien conseguida.* INGLÉS consistency.

consistir
verbo
1 Estar formada una cosa por lo que se indica o ser una cosa lo que se expresa: *El premio consiste en un viaje a Japón.* INGLÉS to consist.
2 Tener una cosa su causa o su fundamento en otra o estar basada en ella: *El problema consiste en que empezamos mal.* INGLÉS to lie.

consola
nombre femenino
1 Mesa alargada que se apoya en la pared y sirve para decorar una habitación. Encima de las consolas es habitual colocar un espejo. INGLÉS console table.
2 Tablero en el que están las piezas y los mandos necesarios para controlar o dirigir una máquina, como la consola de un avión. Una consola de videojuegos tiene los mandos y la ranura para el cartucho con el juego. INGLÉS console.

consolar
verbo
1 Ayudar a una persona a que olvide su tristeza o a que deje de llorar. Las madres consuelan a sus bebés acunándolos. INGLÉS to console.
NOTA Se conjuga como: contar; la 'o' se convierte en 'ue' en sílaba acentuada, como: consuela.

consolidar
verbo
1 Hacer que algo sea sólido, firme y estable. Con el tiempo, muchas amistades se consolidan y se mantienen. INGLÉS to consolidate.

consomé
nombre masculino
1 Caldo de carne. El consomé es una comida que se toma como primer plato: *Consomé con huevo escalfado.* INGLÉS consommé.

consonancia
nombre femenino
1 Relación de semejanza o dependencia que hay entre dos cosas. La forma de actuar de una persona suele estar en consonancia con su forma de pensar. INGLÉS harmony.

consonante
nombre femenino
1 Sonido que se pronuncia cuando el aire choca con alguna parte de la boca al salir y que no se pronuncia solo, sino junto con una vocal. También son consonantes las letras que representan estos sonidos. 'B', 'c', 't' y 'p' son consonantes. INGLÉS consonant.
adjetivo
2 Se dice de la rima que se da entre dos o más versos cuando terminan con los mismos sonidos desde la última vocal acentuada. Una rima consonante se daría entre dos versos si estos acabaran con las palabras 'camisa' y 'risa'. INGLÉS consonant.

consorte
nombre masculino y femenino
1 Esposo o esposa de una persona. SINÓNIMO cónyuge. INGLÉS spouse.
NOTA Es una palabra formal.

conspiración
nombre femenino
1 Acuerdo entre varias personas para planear un ataque o producir un daño, generalmente si es contra el Estado o contra una autoridad. INGLÉS conspiracy, plot.
NOTA El plural es: conspiraciones.

conspirar
verbo
1 Hacer varias personas juntas planes con la intención de producir un daño contra alguien o algo. Los organizadores de un golpe de Estado conspiran para derrocar al gobierno. INGLÉS to conspire, to plot.

constancia
nombre femenino
1 Seguridad completa que se tiene de algo. **INGLÉS** proof.
2 Característica de la persona que hace las cosas con mucho empeño y dedicándoles esfuerzo con regularidad. **INGLÉS** perseverance.
3 Prueba que demuestra la certeza de una cosa. Cuando alguien deja constancia de su paso por un lugar, se pueden ver sus huellas. **INGLÉS** evidence.

constante
adjetivo
1 Se dice de la persona que se empeña en continuar aquello que ha empezado o en conseguir lo que se propone. **INGLÉS** persevering.
2 Se dice de la cosa que no cambia o no se interrumpe. Un dolor constante puede llegar a desesperar a una persona. **INGLÉS** constant.
3 Que ocurre con mucha frecuencia. En una oficina de información se reciben constantes llamadas de teléfono. **INGLÉS** constant.

constar
verbo
1 Tener certeza o seguridad de una cosa. **INGLÉS** to know for a fact.
2 Estar escrito o registrado un nombre, una cantidad o cualquier dato en un lugar, para dar prueba de una cosa. En un contrato debe constar la firma de los interesados. **INGLÉS** to appear.
3 Estar una cosa compuesta por varias cosas o partes. Una hora consta de sesenta minutos. **INGLÉS** to consist.

constatar
verbo
1 Confirmar o dar constancia una persona de que una cosa es cierta, verdadera o exacta. Las pruebas sirven para constatar la veracidad de un hecho. **INGLÉS** to confirm.

constelación
nombre femenino
1 Conjunto de estrellas que forman una figura con un nombre particular. La Osa Mayor y la Osa Menor son constelaciones. **INGLÉS** constellation.
NOTA El plural es: constelaciones.

constipado
nombre masculino
1 Enfermedad de poca gravedad en la que se inflama el tejido interior de la nariz y la garganta a causa de los cambios bruscos de temperatura. El constipado produce tos, estornudos y mocos. **SINÓNIMO** catarro; resfriado. **INGLÉS** cold.

constiparse
verbo
1 Coger una persona un constipado. **SINÓNIMO** acatarrarse; resfriarse. **INGLÉS** to catch a cold.

constitución
nombre femenino
1 Ley principal de algunos estados que organiza la política y establece todos los derechos y deberes de los ciudadanos. **INGLÉS** constitution.
2 Conjunto de características que tiene el cuerpo de una persona: *Tiene una constitución fuerte.* **INGLÉS** constitution.
3 Acto de crear una asociación o sociedad para realizar una actividad concreta. Para la constitución de una empresa es necesario que los socios pongan dinero. **INGLÉS** creation.
NOTA El plural es: constituciones.

constitucional
adjetivo
1 Que está relacionado con la constitución de un estado o está de acuerdo con ella. **INGLÉS** constitutional.

constituir
verbo
1 Formar un grupo de cosas o personas un conjunto. El Sol y los planetas constituyen el sistema solar. **INGLÉS** to make up, to constitute.
2 Ser o suponer. Generalmente, salir con los amigos constituye un placer. **INGLÉS** to be.
3 constituirse Formarse un grupo de personas para realizar una tarea determinada. El jurado de un concurso se constituye para realizar una votación. **INGLÉS** to form.
NOTA Se conjuga como: huir; la 'i' se convierte en 'y' delante de 'a', 'e' y 'o', como: constituyen, constituyó.

construcción
nombre femenino
1 Fabricación de un edificio u otra cosa, con los elementos necesarios y siguiendo un orden. **INGLÉS** construction.
2 Obra construida, como una casa, un colegio o un hospital. **INGLÉS** building.
NOTA El plural es: construcciones.

constructivo, constructiva
adjetivo
1 Se dice de la persona o cosa que sirve para construir algo o aporta elementos positivos a algo. Una persona con espíritu constructivo siempre intenta ayudar con sus opiniones. **INGLÉS** constructive.

constructor, constructora
adjetivo y nombre
1 Que construye, en especial obras y edi-

ficios. INGLÉS building [adjetivo], builder [nombre].

construir

verbo

1 Hacer un objeto siguiendo un plan establecido de antemano, en especial edificios y obras. Para construir una casa hay que dibujar primero los planos, después poner los cimientos y levantar las paredes y techos. ANTÓNIMO destruir. INGLÉS to construct, to build.

2 Desarrollar una idea o un proyecto que tiene diversos elementos. INGLÉS to develop.

3 Unir y ordenar adecuadamente las palabras o las oraciones. INGLÉS to construct.

NOTA Se conjuga como: huir; la 'i' se convierte en 'y' delante de 'a', 'e' y 'o', como: construyo.

consuelo

nombre masculino

1 Ayuda que se le da a una persona que siente pena o dolor por algo. Una persona que ha sufrido una desgracia necesita el consuelo y apoyo que le puedan dar. INGLÉS consolation, comfort.

cónsul

nombre masculino y femenino

1 Persona que se encarga de ayudar a las personas de su nacionalidad que viven en una ciudad o país extranjero o viajan por él. Los cónsules están nombrados por su gobierno. INGLÉS consul.

consulado

nombre masculino

1 Lugar u oficina que representa un país en otro y donde trabaja un cónsul. Hay consulados en todas las ciudades importantes. INGLÉS consulate.

consulta

nombre femenino

1 Pregunta, opinión o consejo que se pide a alguien. Antes de hacer un examen se puede hacer una consulta al profesor para que nos aclare las dudas. INGLÉS question.

2 Búsqueda de una información en un libro o en otro tipo de texto. Un diccionario o una enciclopedia son libros de consulta. INGLÉS consultation.

3 Lugar donde el médico recibe y trata a los enfermos. INGLÉS surgery.

consultar

verbo

1 Preguntar una persona a otra o a otras su opinión o su parecer sobre un asunto. Los temas que se desconocen se deben consultar con alguien que los domine. INGLÉS to consult.

2 Buscar una persona datos o información que desconoce en un libro o en otro tipo de texto. Para saber el significado de una palabra hay que consultar el diccionario. INGLÉS to look up.

consultorio

nombre masculino

1 Lugar donde el médico recibe y trata a los enfermos. Algunos médicos tienen un consultorio privado y cobran al paciente por cada visita. INGLÉS surgery.

2 Sección de la radio, de una revista o de un periódico donde se contestan preguntas del público. INGLÉS problem page [de una revista, un diario], phone-in [en la radio].

consumidor, consumidora

adjetivo y nombre

1 Se dice de la persona que consume o compra los productos que venden las tiendas o los servicios que ofrecen otras personas o empresas. INGLÉS consumer.

consumir

verbo

1 Usar una cosa gastándola. Los automóviles consumen gasolina; el fuego consume leña. INGLÉS to use.

2 Comer alimentos o tomar bebidas. En verano la gente suele consumir más agua para combatir el calor. INGLÉS to eat [alimentos], to drink [bebidas].

3 Hacer que una persona pierda la fuerza, el buen ánimo o la tranquilidad a causa de un problema o una desgracia. INGLÉS to eat away at.

consumo

nombre masculino

1 Acción que consiste en consumir o gastar algo. Los bienes de consumo son todas aquellas cosas que se pueden comprar. INGLÉS consumption.

contabilidad

nombre femenino

1 Conjunto de cuentas que se hacen para saber el dinero que gasta o que gana una empresa o una persona. Todas las grandes empresas tienen un departamento de contabilidad. INGLÉS accountancy.

contable

adjetivo

1 Se dice de los nombres de cosas que se pueden contar y enumerar. 'Libro' y 'lápiz' son contables, porque podemos decir 'quince libros' o 'seis lápices'. ANTÓNIMO incontable. INGLÉS countable.

nombre masculino y femenino

2 Persona que se encarga de la contabilidad de una empresa o negocio. INGLÉS accountant.

contacto
nombre masculino
1 Acción de tocar o tocarse dos o más cosas o personas. Las mesas están en contacto con el suelo. INGLÉS contact.
2 Comunicación o relación que se establece o mantiene entre dos o más personas. Las personas pueden establecer contacto por teléfono. INGLÉS contact.
3 Persona que pone en relación a otras personas entre sí. INGLÉS contact.
4 Unión que se establece entre dos aparatos o sistemas eléctricos. También se llama contacto el dispositivo que permite que se produzca esta unión. INGLÉS contact.

contado, contada
adjetivo
1 Que es escaso o poco frecuente. Suele usarse en plural y en las expresiones: 'en contadas ocasiones' y 'salvo contadas excepciones'. INGLÉS few.
al contado Que se paga el total de una cosa en el mismo momento en que se compra. INGLÉS in cash.

contador
nombre masculino
1 Aparato que sirve para contar o medir una cantidad determinada de algo. El agua o la electricidad que se consume en una vivienda se mide con contadores. INGLÉS meter.

contagiar
verbo
1 Transmitir una persona o un animal una enfermedad que tiene a otros. INGLÉS to pass on.
2 Transmitir una persona a otra aspectos personales, como gustos, ideas, costumbres, gestos o estados de ánimo. Hay gente que contagia su risa a los demás. INGLÉS to transmit.
NOTA Se conjuga como: cambiar; la 'i' no lleva nunca acento de intensidad.

contagio
nombre masculino
1 Transmisión de una enfermedad de una persona o un animal a otros. El riesgo de contagio de la gripe es alto. INGLÉS infection, contagion.

contagioso, contagiosa
adjetivo
1 Que se transmite con facilidad y rapidez de una persona a otra. El sarampión es una enfermedad contagiosa. Hay personas que tienen una risa contagiosa. INGLÉS infectious, contagious.

contaminación
nombre femenino
1 Conjunto de sustancias nocivas o perjudiciales para los seres vivos y el medioambiente que se encuentran en el agua, el aire u otro elemento. SINÓNIMO polución. INGLÉS pollution.
NOTA El plural es: contaminaciones.

contaminante
adjetivo
1 Que contamina algún elemento del medioambiente. El tren es un medio de transporte terrestre rápido, seguro y poco contaminante. INGLÉS polluting.

contaminar
verbo
1 Estropear o destruir algún elemento del medio ambiente con sustancias nocivas o perjudiciales. El humo de las fábricas contamina el aire. INGLÉS to pollute.

contar
verbo
1 Averiguar el número de elementos que hay en un conjunto, dando al primero el uno, el dos al segundo y así sucesivamente hasta saber cuántos hay. INGLÉS to count.

contar

INDICATIVO	SUBJUNTIVO
presente	**presente**
cuento	cuente
cuentas	cuentes
cuenta	cuente
contamos	contemos
contáis	contéis
cuentan	cuenten
pretérito imperfecto	**pretérito imperfecto**
contaba	contara o contase
contabas	contaras o contases
contaba	contara o contase
contábamos	contáramos o contásemos
contabais	contarais o contaseis
contaban	contaran o contasen
pretérito perfecto simple	**futuro**
conté	contare
contaste	contares
contó	contare
contamos	contáremos
contasteis	contareis
contaron	contaren
futuro	**IMPERATIVO**
contaré	cuenta (tú)
contarás	cuente (usted)
contará	contemos (nosotros)
contaremos	contad (vosotros)
contaréis	cuenten (ustedes)
contarán	
condicional	**FORMAS NO PERSONALES**
contaría	**infinitivo** contar
contarías	**gerundio** contando
contaría	**participio** contado
contaríamos	
contaríais	
contarían	

a b c d e f g h i j k l m n ñ o p q r s t u v w x y z

2 Enunciar los números de manera ordenada. En el juego del escondite contamos hasta diez para dar tiempo a que la gente se esconda. INGLÉS to count.
3 Relatar con detalles una historia o un hecho real o inventado. Muchos padres cuentan cuentos a sus hijos pequeños. INGLÉS to tell.
4 Tener o poseer alguien cierta cosa. Hay personas que cuentan con muchos amigos. INGLÉS to have.
5 Tener importancia algo. En un partido de fútbol lo que más cuenta son los goles marcados. SINÓNIMO importar. INGLÉS to count.
contar con Tener presente o tener en cuenta a una persona o cosa en el momento de hacer algo: *Contamos con él para el partido.* INGLÉS to count on.

contemplar
verbo
1 Mirar una cosa con tranquilidad, con atención o con gusto durante un tiempo. SINÓNIMO observar. INGLÉS to watch.
2 Tener en cuenta una cosa o pensarla con detenimiento para sacar una conclusión: *Están contemplando la posibilidad de comprar una casa.* SINÓNIMO considerar. INGLÉS to consider.

contemporáneo, contemporánea
adjetivo y nombre
1 Que es o forma parte de la época actual. INGLÉS contemporary.
2 Que es o forma parte de la misma época que una persona o cosa. Picasso y Dalí eran contemporáneos. INGLÉS contemporary.

contenedor
nombre masculino
1 Recipiente en un lugar público donde la gente puede echar las bolsas de basura y otros materiales que ya no sirven o que se pueden reciclar o reutilizar. Existen contenedores distintos para basura orgánica, vidrio, papel y plástico. INGLÉS container.
2 Recipiente metálico de forma rectangular y gran tamaño para el transporte de mercancías a grandes distancias. Para el transporte de mercancías por tren y por barco es habitual utilizar contenedores. INGLÉS container.

contener
verbo
1 Tener una cosa algo dentro. Los libros de cuentos contienen historias. INGLÉS to contain.
2 Impedir que algo salga de un lugar o siga moviéndose en una dirección. Una presa contiene la crecida del río. SINÓNIMO detener. INGLÉS to contain.
3 Hacer un esfuerzo para no mostrar un sentimiento o para no hacer algo que se quiere hacer en ese momento. Se pueden contener la risa, la rabia, las ganas de gritar o las ganas de comer. INGLÉS to suppress.
NOTA Se conjuga como: tener.

contenido
nombre masculino
1 Lo que está dentro de un recipiente u otro sitio. El contenido de un bote de cristal se puede ver sin tener que abrirlo. INGLÉS contents.
2 Tema del que trata un libro u otra cosa. INGLÉS content.

contentar
verbo
1 Hacer lo necesario para que alguien esté contento o no se disguste. INGLÉS to please, to content.
2 contentarse Sentirse conforme con lo que se tiene o consigue, aunque sea poco o menos de lo que se deseaba. INGLÉS to be satisfied.

contento, contenta
adjetivo
1 Que está feliz, satisfecho y alegre. Cuando nos hacen un regalo que nos gusta nos ponemos contentos. ANTÓNIMO descontento. INGLÉS happy, pleased.

contestación
nombre femenino
1 Respuesta a una pregunta o escrito: *Al final de la carta ponía: 'Espero su contestación'.* INGLÉS answer, reply.
NOTA El plural es: contestaciones.

contestador
nombre masculino
1 Aparato o servicio que permite contestar de forma automática una llamada a un teléfono y que puede grabar un mensaje de la persona que llama. INGLÉS answering machine.

contestar
verbo
1 Dar respuesta a una pregunta o escrito: *Que nadie conteste, es una pregunta para Jaime.* SINÓNIMO responder. INGLÉS to answer.
2 Responder con malos modos. INGLÉS to answer back.

contexto
nombre masculino
1 Conjunto de circunstancias que rodean un hecho o una situación y que ayudan a entenderlos mejor. Para explicar las razones que llevan a algunas personas a

a b c d e f g h i j k l m n ñ o p q r s t u v w x y z

robar se suele hablar del contexto económico y social en el que viven. INGLÉS context.

2 Conjunto de las palabras y frases que acompañan a una palabra o una frase y que ayudan a entender bien su significado. El contexto ayuda a entender de qué tipo de 'banco' se habla en la siguiente frase 'el niño estaba sentado en el banco del parque'. INGLÉS context.

contienda
nombre femenino

1 Pelea o lucha que mantienen dos o más personas, grupos o países, que pretenden conseguir la misma cosa. INGLÉS conflict.

contigo
pronombre personal

1 Hace referencia al oyente de la persona que habla. Funciona como complemento circunstancial de compañía: *Mañana tienes que jugar: todos contamos contigo.* INGLÉS with you.

contiguo, contigua
adjetivo

1 Que está justo al lado de otra cosa. Dos habitaciones contiguas tienen una pared común. INGLÉS contiguous.

continente
nombre masculino

1 Cada una de las seis grandes extensiones en que se divide la Tierra: Europa, Asia, África, América, Oceanía y la Antártida. INGLÉS continent.

continuación
nombre femenino

1 Acción que consiste en continuar algo y resultado de esa acción, como un trabajo, una obra, un cuento o una película que se sigue haciendo: *No es una película, es la continuación de una serie que empezó ayer.* INGLÉS continuation.

a continuación Inmediatamente después de algo. En nuestro alfabeto, a continuación de la 'a' viene la 'b'. INGLÉS next.

NOTA El plural es: continuaciones.

continuar
verbo

1 Seguir haciendo algo que se estaba haciendo o que se había dejado de hacer durante un tiempo. Después del recreo continúan las clases. INGLÉS to continue.

2 Mantenerse una persona, una cosa o una acción durante un tiempo en un lugar: *La lluvia continuó todo el día.* INGLÉS to continue.

3 Seguir o extenderse una cosa por una superficie o un lugar. Las aceras suelen continuar a lo largo de toda la calle. INGLÉS to continue.

NOTA Se conjuga como: actuar; la 'u' se acentúa en algunos tiempos y personas, como: continúa.

continuo, continua
adjetivo

1 Que ocurre o se hace sin ninguna interrupción. INGLÉS continuous, constant.

2 Que ocurre con mucha frecuencia. En un programa de humor las risas son continuas. INGLÉS continual.

contonearse
verbo

1 Mover de manera exagerada los hombros y las caderas al andar. Las modelos desfilan contoneándose. INGLÉS to swing one's hips.

contorno
nombre masculino

1 Línea exterior que rodea una figura. En un mapa político, el contorno de los países está marcado con una línea gruesa. INGLÉS outline.

contorsión
nombre femenino

1 Movimiento brusco y extraño del cuerpo o de alguna de sus partes. Los acróbatas suelen hacer contorsiones en sus ejercicios. INGLÉS contortion.

NOTA El plural es: contorsiones.

contorsión

contra
preposición

1 Indica una oposición, normalmente en las ideas o en las acciones. Cuando una persona está contra algo, no está de acuerdo y se opone a esa cosa: *Es una persona muy tranquila que no tiene nada contra nadie.* INGLÉS against.

contraataque
nombre masculino

1 Ataque que hace una persona o un grupo que se defiende para responder al ataque o avance del enemigo. INGLÉS counterattack.

a b c d e f g h i j k l m n ñ o p q r s t u v w x y z

a b c d e f g h i j k l m n ñ o p q r s t u v w x y z

contrabajo
nombre masculino
1 Instrumento musical de cuerda con la misma forma que un violonchelo, pero más grande y con el sonido más grave. Se toca con un arco y se coloca de pie apoyado en el suelo. **INGLÉS** double bass. **DIBUJO** página 598.

contrabandista
nombre masculino y femenino
1 Persona que mete en un país o saca de él productos prohibidos, ilegales o sin pagar los impuestos correspondientes. Los contrabandistas suelen actuar en las fronteras. **INGLÉS** smuggler.

contrabando
nombre masculino
1 Actividad ilegal que consiste en meter en un país o sacar de él productos prohibidos o sin pagar los impuestos correspondientes. **INGLÉS** smuggling.

contracción
nombre femenino
1 Movimiento que consiste en que un órgano o un músculo del cuerpo se hace más pequeño o más estrecho. **ANTÓNIMO** dilatación. **INGLÉS** contraction.
2 Unión de una palabra que termina en vocal con otra palabra que empieza por vocal. También es la palabra que resulta de esta unión, como la palabra 'del', que es una contracción de 'de' y 'el'. **INGLÉS** contraction.
NOTA El plural es: contracciones.

contradecir
verbo
1 Decir una persona lo contrario de lo que dice otra o decir que no es cierto lo que otra persona asegura. **INGLÉS** to contradict.
2 Ser una cosa opuesta o contraria a otra, en especial contraria a una norma o un principio: *Lo que has hecho contradice lo que siempre afirmas.* **INGLÉS** to contradict.
NOTA Se conjuga como: decir.

contradicción
nombre femenino
1 Acción que consiste en decir una persona lo contrario de lo que dice otra o decir que no es cierto lo que asegura otra persona. Es una contradicción decir que somos puntuales cuando solemos llegar tarde. **INGLÉS** contradiction.
2 Relación entre acciones, ideas, opiniones o expresiones que se dan como válidas o verdaderas, pero que son opuestas o contrarias las unas de las otras. **INGLÉS** contradiction.
NOTA El plural es: contradicciones.

contradicho, contradicha
participio
1 Participio irregular de: contradecir: *Le ha contradicho diciendo que era mentira lo que explicaba.*

contradictorio, contradictoria
adjetivo
1 Que dice o es lo contrario de lo que ha dicho o hecho alguien: *Uno de los dos miente porque explican historias contradictorias.* **INGLÉS** contradictory.
2 Que es opuesto o contrario a otra cosa. **INGLÉS** contradictory.

contraer
verbo
1 Hacer más pequeña una cosa. El frío contrae los metales. **SINÓNIMO** encoger. **INGLÉS** to cause to contract [contraer], to contract [contraerse].
2 Coger una enfermedad. **INGLÉS** to catch.
3 Aceptar una responsabilidad o una relación. Se puede contraer matrimonio o se puede contraer una deuda con el banco. **INGLÉS** to contract.
NOTA Se conjuga como: traer.

contraindicación
nombre femenino
1 Efecto perjudicial para la salud que puede producir un alimento o una medicina. **INGLÉS** contraindication.
NOTA El plural es: contraindicaciones.

contraluz
nombre masculino y femenino
1 Aspecto de una persona o una cosa cuando se ve desde el lado opuesto al que viene la luz. Cuando una persona se sitúa a contraluz delante de una ventana solo se distingue su perfil. **INGLÉS** back light.
NOTA El plural es: contraluces. Tiene doble género. Se dice: el contraluz (más frecuente) o la contraluz.

contraorden
nombre femenino
1 Orden que anula una orden anterior. **INGLÉS** countermand.
NOTA El plural es: contraórdenes.

contrapartida
nombre femenino
1 Cosa buena que sirve para compensar otra no tan buena: *No he cobrado mucho dinero este mes, pero como contrapartida me han dado unos días de fiesta.* **INGLÉS** compensation.

contrapelo
a contrapelo En dirección contraria al crecimiento natural del pelo de un animal o un tejido. **INGLÉS** the wrong way.

contrapeso
nombre masculino
1 Peso o fuerza que sirve para igualar la fuerza que hace otro peso. En las antiguas balanzas se utilizaban pesas como contrapeso. INGLÉS counterweight.

contraportada
nombre femenino
1 Última página de un periódico o revista o tapa posterior de un libro. INGLÉS back page [última página], back cover [tapa posterior].

contrariar
verbo
1 Impedir o hacer difícil que se cumpla el deseo o el objetivo de una persona: *Siempre tienes que contrariarle, deja que haga lo que quiera.* INGLÉS to obstruct, to hinder.
2 Producir una situación un disgusto o un pequeño enfado a una persona: *Nos ha contrariado mucho que no podáis visitarnos.* Es una palabra formal. SINÓNIMO disgustar. INGLÉS to annoy.
NOTA Se conjuga como: desviar; la 'i' se acentúa en algunos tiempos y personas, como: contraríes.

contrariedad
nombre femenino
1 Cosa que ocurre sin que se espere y que molesta o disgusta. INGLÉS setback.

contrario, contraria
adjetivo
1 Se dice de la persona o cosa que se opone a otra. Los pacifistas son contrarios a la violencia. INGLÉS opposed.
adjetivo y nombre
2 Se dice de la persona que es enemiga de otra en una lucha, se opone a ella en algo o compite con ella en un deporte. INGLÉS opposing [adjetivo], opponent [nombre].
3 Se dice de la palabra que tiene un significado completamente opuesto al de otra. 'Alto' y 'bajo' son palabras contrarias. SINÓNIMO antónimo. INGLÉS opposite.
llevar la contraria Hacer o decir una persona exactamente lo contrario de lo que otra hace o dice. INGLÉS to contradict.

contrarreloj
nombre femenino
1 Carrera en la que los participantes van saliendo cada cierto tiempo y consiste en recorrer un circuito en el menor tiempo posible. INGLÉS time trial.

contrarrestar
verbo
1 Disminuir el efecto o influencia de algo. Un calmante sirve para contrarrestar un dolor. INGLÉS to counteract.

contrasentido
nombre masculino
1 Idea o actuación que es incomprensible porque no se basa en la lógica o la razón: *Era un contrasentido decir que no iba a llover cuando acabábamos de escuchar un trueno.* INGLÉS piece of nonsense.

contraseña
nombre femenino
1 Palabra, frase o señal que solo conoce un grupo determinado de personas y que utilizan para reconocerse, entenderse o ser identificadas entre ellas. Los espías utilizan contraseñas. INGLÉS password.

contrastar
verbo
1 Mostrar una cosa gran diferencia con otra u otras entre las que está o con las que se compara. Algunas prendas de ropa contrastan por su color. SINÓNIMO resaltar. INGLÉS to stand out.
2 Comprobar la validez, la exactitud o la calidad de una cosa comparándola con otra. INGLÉS to check, to verify.

contraste
nombre masculino
1 Oposición o gran diferencia entre dos o más personas o cosas que se comparan. Hay un gran contraste entre el clima del desierto y el de la montaña. INGLÉS contrast.

contratación
nombre femenino
1 Acción que consiste en llegar a un acuerdo con una persona o una empresa sobre las condiciones y el precio de un servicio o trabajo. INGLÉS hiring, contracting.
NOTA El plural es: contrataciones.

contratar
verbo
1 Llegar a un acuerdo con una persona o una empresa sobre las condiciones y el precio de un servicio o trabajo. INGLÉS to sign a contract for, to hire.

contratiempo
nombre masculino
1 Problema u obstáculo que aparece cuando no se esperaba y que retrasa o impide realizar los planes previstos. Es un contratiempo que haya huelga de transportes cuando tenemos que salir de viaje. INGLÉS setback, hitch.

contrato
nombre masculino
1 Acuerdo firmado por varias personas o empresas para recibir algo a cambio

a b c d e f g h i j k l m n ñ o p q r s t u v w x y z

de dinero. Hay contratos de trabajo o contratos de alquiler de viviendas. INGLÉS contract.

contribución

nombre femenino

1 Cantidad de dinero que pagan los ciudadanos al Estado para que puedan afrontar los gastos de la comunidad. SINÓNIMO impuesto. INGLÉS tax.

2 Ayuda o colaboración para conseguir un fin determinado. La contribución se puede hacer con dinero, comida, ideas o trabajo. SINÓNIMO aportación. INGLÉS contribution.

NOTA El plural es: contribuciones.

contribuir

verbo

1 Dar una cantidad de dinero para un fin determinado. SINÓNIMO aportar. INGLÉS to contribute.

2 Ayudar o colaborar en algo para conseguir un fin determinado. Si usamos papel reciclado, contribuimos a la conservación de los bosques. SINÓNIMO cooperar. INGLÉS to contribute.

contribuyente

nombre masculino y femenino

1 Persona que paga una contribución al Estado. Con el dinero de los contribuyentes, entre otras cosas, se construyen escuelas, hospitales y carreteras. INGLÉS taxpayer.

contrincante

nombre masculino y femenino

1 Persona que compite o lucha con otra persona para conseguir algo. Las personas que se enfrentan entre sí en un concurso o en una competición son contrincantes. INGLÉS opponent, rival.

control

nombre masculino

1 Poder o dominio que una persona tiene sobre alguien o algo. INGLÉS control.

2 Acción de controlar algo. En las empresas de alimentación todos los productos deben pasar un control de calidad. INGLÉS control.

3 Examen que se hace para comprobar la marcha de algo, especialmente el que se hace a los estudiantes de una parte de una materia. INGLÉS test.

4 Conjunto de los mecanismos y dispositivos que vigilan o dirigen el funcionamiento de una cosa, especialmente el de una máquina o un aparato. INGLÉS controls.

controlar

verbo

1 Dirigir o dominar a una persona o una cosa: *Siempre controla bien las situaciones difíciles.* INGLÉS to control.

2 Comprobar que algo es, ocurre o se hace como debe ser. Algunas personas controlan su estado de salud cada cierto tiempo. INGLÉS to check.

3 controlarse No dejarse llevar por un sentimiento muy fuerte o por un impulso interior. Si una persona no quiere ponerse nerviosa en una situación difícil, tiene que controlarse. INGLÉS to control oneself.

controversia

nombre femenino

1 Discusión larga y continuada entre dos o más personas que opinan de forma contraria. SINÓNIMO polémica. INGLÉS controversy.

contundente

adjetivo

1 Se dice del objeto o el instrumento que puede servir para golpear. Una piedra o un palo son objetos contundentes. INGLÉS blunt.

2 Que se dice de tal modo que no se puede discutir: *Su respuesta fue contundente: no lo hizo.* INGLÉS forceful, convincing.

contusión

nombre femenino

1 Lesión o daño que se produce al recibir un golpe pero sin causar ninguna herida exterior. Al caernos podemos hacernos contusiones en alguna parte del cuerpo. INGLÉS bruise.

NOTA El plural es: contusiones.

convaleciente

adjetivo y nombre masculino y femenino

1 Se dice de la persona que está recuperando las fuerzas perdidas después de una enfermedad o una operación. INGLÉS convalescent [adjetivo].

convencer

verbo

1 Conseguir con argumentos que una persona cambie de idea o de opinión sobre algo. INGLÉS to convince, to persuade.

2 Ser una persona o una cosa del agrado o de la satisfacción de alguien. Algo no nos convence cuando no estamos seguros de que sea muy bueno. INGLÉS to be convincing.

convencimiento

nombre masculino

1 Seguridad y certeza que tiene una persona de que una cosa es de determinada manera o de que algo ocurrirá. INGLÉS certainty.

convencional

adjetivo **1** Que se acepta por costumbre o por acuerdo, sin que exista a veces una razón aparente. En los planos se usan símbolos convencionales para representar las iglesias, los colegios, las piscinas, los puentes, las gasolineras, etc. INGLÉS conventional.

2 Que es muy común y no tiene nada de especial u original. Para ir al trabajo, la mayoría de gente viste de manera convencional. INGLÉS conventional.

conveniencia

nombre femenino **1** Característica de las cosas que son adecuadas, buenas o útiles para algo o para alguien. SINÓNIMO utilidad. INGLÉS usefulness, suitability.

conveniente

adjetivo **1** Que es útil, adecuado o produce algún tipo de beneficio para algo o para alguien. Es muy conveniente aprender idiomas. INGLÉS useful, advisable.

convenio

nombre masculino **1** Acuerdo entre dos o más personas o grupos que obliga a cumplir una serie de condiciones. Las empresas y los trabajadores se reúnen para llegar a un convenio sobre las condiciones de trabajo. INGLÉS agreement.

2 Documento donde se exponen las obligaciones y los derechos que aceptan las partes que lo firman. INGLÉS agreement.

convenir

verbo **1** Ser una persona o una cosa útil, buena o conveniente. Antes de contestar una pregunta difícil conviene pensar bien la respuesta. INGLÉS to be advisable [una cosa], to be right [una persona].

2 Llegar dos o más personas a un acuerdo: *Convinieron en que se repartirían el trabajo.* SINÓNIMO acordar. INGLÉS to agree.

NOTA Se conjuga como: venir.

convento

nombre masculino **1** Edificio en el que vive una comunidad de religiosos o religiosas. INGLÉS nunnery [de monjas], monastery [de monjes].

conversación

nombre femenino **1** Acción que consiste en hablar dos o más personas entre sí. También se llama conversación el conjunto de frases que dos o más personas intercambian sobre un tema determinado. INGLÉS conversation.

NOTA El plural es: conversaciones.

conversar

verbo **1** Hablar dos o más personas entre sí sobre algo. INGLÉS to talk.

convertir

verbo **1** Hacer que una persona o una cosa se transforme en otra distinta. Los renacuajos se convierten en ranas. SINÓNIMO transformar. INGLÉS to change, to turn.

2 Hacer que una persona llegue a ser algo que antes no era. La experiencia convierte a la gente en buenos trabajadores. INGLÉS to turn, to make.

3 Hacer que una persona cambie de religión. INGLÉS to convert.

NOTA Se conjuga como: discernir; la 'e' se convierte en 'ie' en sílaba acentuada como: convierto.

convexo, convexa

adjetivo **1** Se dice de una línea o superficie que, desde donde se mira, tiene una forma curva más saliente en el centro que en los bordes. Una cúpula vista desde fuera tiene forma convexa. INGLÉS convex.

2 Se dice del ángulo que es menor que un ángulo llano y de las figuras geométricas que lo tienen. Un polígono convexo tiene todos sus ángulos menores de 180 grados. INGLÉS convex.

convicción

nombre femenino **1** Seguridad y certeza que tiene una persona de que una cosa es de determinada manera. SINÓNIMO convencimiento. INGLÉS conviction.

nombre femenino plural **2** **convicciones** Ideas o creencias muy sólidas que una persona tiene en asuntos religiosos, morales o políticos. INGLÉS conviction.

NOTA El plural es: convicciones.

convidado, convidada

nombre **1** Persona que ha sido convidada o invitada a una fiesta, una celebración o cualquier acto. En las bodas suele haber muchos convidados. SINÓNIMO invitado. INGLÉS guest.

convidar

verbo **1** Invitar a alguien a que disfrute de algo, como comer, beber o pasar unos días de vacaciones en una casa: *Nos convidaron a la ceremonia.* INGLÉS to invite.

a b c d e f g h i j k l m n ñ o p q r s t u v w x y z

a b c d e f g h i j k l m n ñ o p q r s t u v w x y z

convincente
adjetivo **1** Que tiene poder para convencer o convence fácilmente. INGLÉS convincing.

convite
nombre masculino **1** Comida o fiesta con invitados que se hace para celebrar un acontecimiento importante. INGLÉS feast [comida], party [fiesta].

convivencia
nombre femenino **1** Acción que consiste en convivir con otras personas. INGLÉS living together.

convivir
verbo **1** Vivir una persona en compañía de otra o de otras bajo el mismo techo. Los hijos conviven con sus padres hasta una determinada edad. INGLÉS to live together.
2 Existir o haber al mismo tiempo o en el mismo lugar diferentes personas o cosas. En nuestra sociedad convivimos con gente de todo tipo. INGLÉS to coexist.

convocar
verbo **1** Decirle a alguien el día, la hora y el lugar de un acto o un encuentro para que asista. SINÓNIMO citar. INGLÉS to summon.
2 Anunciar una persona con autoridad el día que se celebrará algún acto importante, como un examen o unas elecciones. INGLÉS to announce.
NOTA Se escribe 'qu' delante de 'e', como: convoque.

convocatoria
nombre femenino **1** Escrito o aviso con el que se anuncia el lugar, la hora y el día de un acto o reunión. INGLÉS call, announcement.

convoy
nombre masculino **1** Conjunto de vehículos y personas que trasladan y acompañan un cargamento de materiales o de provisiones con el objetivo de protegerlo, generalmente en una guerra. INGLÉS convoy.
2 Conjunto de las mercancías o los materiales que forman un cargamento que se desplaza por algún lugar y de los vehículos que los transportan. INGLÉS convoy.
3 Conjunto de vagones unidos y dispuestos para ser arrastrados por una locomotora y circular por una vía. SINÓNIMO tren. INGLÉS train.
NOTA El plural es: convoyes.

cónyuge
nombre masculino y femenino **1** Esposo o esposa de una persona. SINÓNIMO consorte. INGLÉS spouse.
NOTA Es una palabra formal.

coño
nombre masculino **1** Parte externa del aparato sexual femenino. Es una palabra vulgar. INGLÉS fanny.

cooperación
nombre femenino **1** Acción que consiste en cooperar unas personas con otras para conseguir un determinado fin. INGLÉS cooperation.
NOTA El plural es: cooperaciones.

cooperar
verbo **1** Realizar una acción o un esfuerzo junto con otras personas para conseguir un resultado determinado. INGLÉS to cooperate.
2 Dar un país a otro menos desarrollado parte de los medios que necesita para cubrir sus deficiencias. Muchos países cooperan con el Tercer Mundo. INGLÉS to give aid.

cooperativa
nombre femenino **1** Asociación de trabajadores que se unen para fabricar y vender sus productos o sus servicios, así como para gestionar juntos sus negocios. INGLÉS cooperative.
2 Establecimiento o lugar donde se venden los productos de una cooperativa. INGLÉS cooperative.

coordenado, coordenada
adjetivo y nombre femenino **1** Se dice de la línea, el eje o el plano que sirven para determinar la posición de un punto. Para localizar puntos en un mapa se utilizan dos ejes perpendiculares que se denominan ejes de coordenadas. INGLÉS coordinate [nombre].
nombre femenino plural **2** Serie o conjunto ordenado de números que determina un punto en el plano o en el espacio. También se llaman coordenadas los números que forman esta serie: *Señala cuatro puntos que estén en línea recta con la fuente y el molino, y escribe sus coordenadas.* INGLÉS coordinates.

coordinado, coordinada
adjetivo y nombre femenino **1** Se dice de la oración que se une a otra que tiene la misma función. Las oraciones coordinadas se unen mediante conjunciones y no dependen de otras

oraciones. La frase 'Iré al cine o me quedaré en casa' está formada por dos oraciones coordinadas unidas por la conjunción 'o'. INGLÉS coordinate clause [nombre].

coordinador, coordinadora
adjetivo y nombre
1 Que coordina a un grupo de personas en una actividad. INGLÉS coordinating [adjetivo], coordinator [nombre].

coordinar
verbo
1 Organizar y dirigir las funciones que deben desempeñar varias personas o cosas para conseguir un resultado global. El cerebro coordina los movimientos de las partes del cuerpo. INGLÉS to coordinate.

copa
nombre femenino
1 Vaso que tiene un pie que sale de su base. INGLÉS glass.
2 Cualquier tipo de bebida alcohólica servida en un vaso o un recipiente parecido: *Fueron al bar a tomar una copa.* INGLÉS drink.
3 Conjunto de ramas y hojas que tiene un árbol. INGLÉS top.
4 Parte hueca de los sombreros donde se mete la cabeza. INGLÉS crown.
5 Competición deportiva en la que el premio tiene la forma de una copa de metal. También se llama copa el trofeo que se gana en esta competición. INGLÉS cup.
nombre masculino plural
6 copas Palo de la baraja española en el que aparecen dibujadas varias copas.
como la copa de un pino Se dice de lo que es muy grande o muy importante: *Era un jugador de baloncesto como la copa de un pino.* INGLÉS tremendous.

copia
nombre femenino
1 Cosa que se hace para que parezca igual que otra que se toma como modelo. Hay copias de cuadros, de canciones, de documentos o de ideas. INGLÉS copy.

copiar
verbo
1 Hacer una cosa intentando que se parezca a otra que se toma como modelo. Los estudiantes de arte copian cuadros de pintores famosos. INGLÉS to copy.
2 Tomar como modelo lo que ha hecho otra persona para hacer una cosa que se tiene que hacer solo y sin ayuda. No es correcto copiar en los exámenes. INGLÉS to copy.
NOTA Se conjuga como: cambiar; la 'i' no lleva nunca acento de intensidad.

copiloto
nombre masculino y femenino
1 Persona que va al lado del conductor de un vehículo, como un automóvil o un avión, y le ayuda a conducirlo, dándole indicaciones. INGLÉS co-pilot [en un avión], co-driver [en un coche].

copión, copiona
adjetivo y nombre
1 Que copia las cosas que hace otra persona o la forma en que aquella se comporta. INGLÉS copycat [nombre].
NOTA El plural de copión es: copiones.

copla
nombre femenino
1 Composición poética de cuatro versos que se compone para ser cantada. La copla suele ser la letra de canciones populares. INGLÉS popular song.
2 Cosa que dice o pide una persona, repitiéndola con mucha insistencia, de manera que resulta pesada y molesta: *Está siempre con la misma copla, me tiene harta.* Es un uso informal. INGLÉS old story.

copo
nombre masculino
1 Cada uno de los pequeños trozos en que cae la nieve. INGLÉS flake, snowflake.

cópula
nombre femenino
1 Palabra que sirve de unión entre dos o más palabras o frases. En la oración 'Merche come y Laura descansa', 'y' es una cópula. INGLÉS copula.
2 Unión sexual entre dos personas o animales. INGLÉS copulation.

copulativo, copulativa
adjetivo
1 Que une una palabra o una frase o parte de una frase con otra u otras. Los verbos 'ser' y 'estar' son copulativos, porque unen el sujeto con el atributo, por ejemplo 'mi madre es guapa'. INGLÉS copulative.

coquetear
verbo
1 Hacer todo lo posible para gustar a una persona y atraer su atención. INGLÉS to flirt.

coqueto, coqueta
adjetivo y nombre
1 Que le gusta atraer y gustar a los demás: *Es muy coqueta, le encanta que le digan lo guapa que es.* INGLÉS fussy about one's appearance [adjetivo].
2 Que le gusta vestirse y arreglarse mucho para gustar a los demás. SINÓNIMO presumido. INGLÉS show-off [nombre].

adjetivo **3** Se dice del objeto o lugar que es muy bonito o agradable. Decimos que una habitación es coqueta cuando es muy cómoda y está amueblada con buen gusto. INGLÉS delightful.

coraje

nombre masculino **1** Fuerza o valentía que tiene una persona para hacer algo que es especialmente difícil. INGLÉS courage.

2 Enfado muy grande que no se puede reprimir aunque no sirva para nada: *Me dio mucho coraje, pero me tuve que aguantar.* SINÓNIMO rabia. INGLÉS anger.

coral

nombre masculino **1** Animal marino que tiene un esqueleto duro y ramificado y vive dentro de él. Vive sujeto a las rocas, formando grupos numerosos. INGLÉS coral.

2 Materia sólida de color rojo o rosado que se emplea en joyería y que se extrae del esqueleto del coral. INGLÉS coral.

nombre femenino **3** Grupo de personas que cantan juntas. SINÓNIMO coro; orfeón. INGLÉS choir.

adjetivo **4** Del coro o que tiene relación con él, como la música coral. INGLÉS choral.

coraza

nombre femenino **1** Cubierta dura que protege el cuerpo de algunos animales, como la coraza de la tortuga. INGLÉS shell.

2 Conjunto de dos piezas de metal que cubren el pecho y la espalda y que usaban antiguamente los guerreros. INGLÉS cuirass.

corazón

nombre masculino **1** Órgano que controla la circulación de la sangre bombeándola por todo el cuerpo. INGLÉS heart.

2 Conjunto de los sentimientos positivos de una persona, como la bondad, la caridad o el amor: *Tiene un corazón de oro: es muy generoso con todos.* INGLÉS heart.

3 Figura con forma parecida a la del órgano que bombea la sangre al cuerpo humano. Un corazón rojo es el símbolo del amor. INGLÉS heart.

4 Parte central o más importante de algo, como el corazón de una ciudad o el corazón de una manzana. INGLÉS heart [de una ciudad], core [de una manzana].

nombre masculino y adjetivo **5** Dedo de la mano que está situado en medio de los cinco, entre el índice y el anular. INGLÉS middle finger [nombre]. DIBUJO página 339.

NOTA El plural es: corazones.

corazonada

nombre femenino **1** Sensación de que va a ocurrir una cosa, sin tener ningún motivo ni indicio: *Aunque haga sol, tengo la corazonada de que mañana va a nevar.* SINÓNIMO presentimiento. INGLÉS hunch, feeling.

corbata

nombre femenino **1** Tira de tela que se pone alrededor del cuello de la camisa, se ata con un nudo especial y cuelga sobre el pecho. INGLÉS tie.

corcel

nombre masculino **1** Caballo grande, bonito y veloz. INGLÉS steed, charger.

NOTA Es una palabra usada sobre todo en literatura.

corchete

nombre masculino **1** Cierre formado por dos piezas pequeñas y redondas que encajan. Se utiliza para cerrar prendas de vestir. INGLÉS hook and eye.

2 Signo de puntuación que se utiliza para aislar una o más palabras o números. Los corchetes se escriben así: [ ]. INGLÉS square bracket.

corcho

nombre masculino **1** Material blando que se saca de la corteza de los alcornoques. En el aula del colegio hay una tabla de corcho en la pared para colgar dibujos o murales. INGLÉS cork.

2 Tapón de las botellas hecho con este material blando. INGLÉS cork.

cordel

nombre masculino **1** Cuerda delgada. El cordel se puede utilizar para atar pequeños paquetes. INGLÉS string.

cordero, cordera

nombre **1** Cría de la oveja. SINÓNIMO borrego. INGLÉS lamb.

adjetivo y nombre **2** Se dice de la persona que es muy tranquila y obediente. INGLÉS lamb [nombre].

nombre masculino **3** Carne de la cría de la oveja. El cordero se come asado o frito. INGLÉS lamb.

cordial

adjetivo **1** Que es cariñoso y sincero: *Vi a tu amigo ayer y me dio saludos cordia-*

les para ti. SINÓNIMO afectuoso. INGLÉS warm, friendly.

cordialidad
nombre femenino
1 Característica de las acciones o las personas que son cariñosas y sinceras. ANTÓNIMO antipatía. INGLÉS warmth, friendliness.

cordillera
nombre femenino
1 Conjunto de montañas alineadas a lo largo. Los Pirineos y los Andes son cordilleras. INGLÉS mountain range.

cordobés, cordobesa
adjetivo y nombre
1 Se dice de la persona o cosa que es de Córdoba, ciudad y provincia de Andalucía.
NOTA El plural de cordobés es: cordobeses.

cordón
nombre masculino
1 Cuerda fina y generalmente redonda. Muchos zapatos y zapatillas se sujetan con cordones. INGLÉS shoelace, lace.
2 Hilera de personas colocadas unas al lado de otras para impedir el paso de la gente: *El cordón policial impidió avanzar a los manifestantes.* INGLÉS cordon.
3 Cable de algunos aparatos, especialmente eléctricos. INGLÉS flex.
cordón umbilical Órgano largo y flexible que durante el embarazo permite el paso de alimentos de la madre al hijo. INGLÉS umbilical cord.
NOTA El plural es: cordones.

coreano, coreana
adjetivo y nombre
1 Se dice de la persona o cosa que es de Corea del Norte o de Corea del Sur, países del este de Asia. INGLÉS Korean.
nombre masculino
2 Lengua que se habla en Corea del Norte y Corea del Sur. INGLÉS Korean.

coreografía
nombre femenino
1 Actividad artística que consiste en componer y organizar bailes. INGLÉS choreography.
2 Conjunto de pasos que tienen que seguir los bailarines al bailar. INGLÉS choreography.

cornada
nombre femenino
1 Golpe que un animal da con los cuernos. Los ciervos luchan a cornadas. INGLÉS horn thrust.
2 Herida que produce un animal cuando clava los cuernos o golpea con ellos. Algunos toreros reciben cornadas. INGLÉS horn wound.

cornamenta
nombre femenino
1 Conjunto de los cuernos que tienen algunos animales. INGLÉS horns, [del ciervo - antlers].

córnea
nombre femenino
1 Capa redondeada y transparente que recubre la parte exterior y delantera del ojo. Detrás de la córnea está el iris, y en el centro del iris, la pupila. INGLÉS cornea.

corneja
nombre femenino
1 Pájaro de color negro, de pico grueso y fuerte, que se parece al cuervo pero es más pequeño. INGLÉS crow.

córner
nombre masculino
1 Jugada de algunos deportes en la que la pelota sale por la línea que hay detrás de la portería y en la cual el equipo atacante saca el balón desde la esquina del campo. También se llama córner cada una de las esquinas del campo deportivo. INGLÉS corner.

corneta
nombre femenino
1 Instrumento musical de viento formado por un tubo de metal enrollado y terminado en forma de cono grande. INGLÉS bugle.
nombre masculino y femenino
2 Persona que toca este instrumento. El corneta del cuartel toca para despertar a los soldados. INGLÉS bugler.

cornete
nombre masculino
1 Pequeño hueso fino, delgado y cilíndrico situado en el interior de cada una de las dos fosas nasales. INGLÉS turbinate bone.
2 Helado de cucurucho. INGLÉS cornet.

cornisa
nombre femenino
1 Conjunto de molduras o salientes en los que acaba el borde superior de la fachada de un edificio, debajo del tejado. INGLÉS cornice.

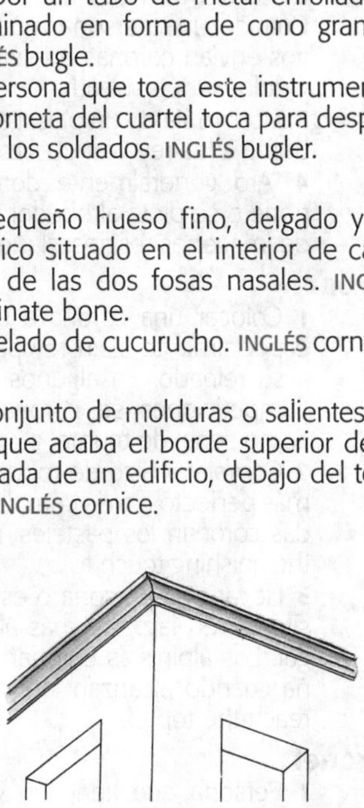

cornisa

2 Saliente estrecho y rocoso de una montaña, precipicio u otro lugar alto.

Las águilas y otras aves rapaces hacen sus nidos en las cornisas de los acantilados. INGLÉS ledge.

coro
nombre masculino
1 Grupo de personas que cantan juntas, en especial si lo hacen de manera habitual o profesional. INGLÉS choir.
2 Fragmento de una pieza musical que debe cantar un grupo de personas. INGLÉS chorus.
3 Lugar de las iglesias donde están los asientos para el coro. INGLÉS choir.

corola
nombre femenino
1 Conjunto de los pétalos de las flores. La corola protege los órganos de reproducción de la planta y tiene vistosos colores. INGLÉS corolla.

corona
nombre femenino
1 Círculo de ramas, flores o de metal noble que se pone en la cabeza como adorno o símbolo de algo. Los reyes llevan corona como señal de poder real. INGLÉS crown.
2 Círculo formado con flores y hojas. Cuando una persona muere, sus amigos envían coronas en señal de afecto y dolor. INGLÉS wreath.
3 Monarquía de un país. La corona simboliza a los reyes. INGLÉS crown.
4 Aro generalmente dorado que se pone o se pinta alrededor de la cabeza de imágenes religiosas. INGLÉS halo.

coronar
verbo
1 Colocar una corona a una persona, especialmente a un rey para dar inicio a su reinado. En algunos concursos y competiciones se corona al ganador como señal de triunfo. INGLÉS to crown.
2 Completar algo de modo que quede más perfecto o más completo. Las guindas coronan los pasteles. INGLÉS to put the finishing touch to.
3 Llegar una persona o estar una cosa situada en la parte más alta de un lugar. Los alpinistas coronan una montaña cuando alcanzan la cima. INGLÉS to reach the top of.

coronel
nombre masculino y femenino
1 Persona que tiene un grado militar entre el de teniente coronel y el de general. INGLÉS colonel.

coronilla
nombre femenino
1 Parte superior y posterior de la cabeza de los seres humanos. INGLÉS crown of the head.
estar hasta la coronilla Estar harto de una cosa o de una persona. Es un uso informal. INGLÉS to be fed up.

corporación
nombre femenino
1 Organismo oficial formado por un conjunto de personas que se reúnen para decidir asuntos científicos, culturales, económicos o sociales. INGLÉS corporation.
2 Organización que engloba a un conjunto de empresas con los mismos objetivos económicos. INGLÉS corporation.
NOTA El plural es: corporaciones.

corporal
adjetivo
1 Del cuerpo o que está relacionado con él. INGLÉS corporal.

corpulento, corpulenta
adjetivo
1 Que tiene un cuerpo de gran tamaño, fuerte y robusto. INGLÉS corpulent.

corpulento

corral
nombre masculino
1 Lugar cerrado y al aire libre donde viven algunos animales de granja, como las gallinas, los gallos o los pavos. INGLÉS farmyard.

correa
nombre femenino
1 Cinta con una hebilla que se utiliza para atar cosas. Los perros salen a pasear sujetos por una correa que lleva su amo. Los relojes de pulsera se atan con una correa. INGLÉS lead [de un perro], strap [de un reloj].

correaje
nombre masculino
1 Conjunto de correas que atan una cosa. INGLÉS straps.

corrección
nombre femenino
1 Modificación que se hace al corregir algo. En un examen corregido, las

correcciones suelen estar en rojo. INGLÉS correction.

2 Característica de lo que es correcto o está o se hace bien. INGLÉS correctness.

NOTA El plural es: correcciones.

correcto, correcta

adjetivo **1** Que no tiene errores o está bien. INGLÉS correct, right.

2 Que actúa con buena educación, respetando a los demás. INGLÉS polite.

corrector, correctora

adjetivo y nombre **1** Que sirve para corregir algo, especialmente errores escritos. Algunas máquinas de escribir tienen cinta correctora. INGLÉS correcting [adjetivo].

nombre **2** Persona que se encarga de leer un libro, un periódico u otro texto para corregir los errores antes de que se publique. INGLÉS proofreader.

corredor, corredora

adjetivo **1** Se dice de la persona o animal que corre mucho. El avestruz es un ave corredora de gran tamaño. INGLÉS who runs fast [persona], flightless [ave].

nombre **2** Persona que participa en una carrera deportiva. INGLÉS runner.

nombre masculino **3** Lugar largo y estrecho que comunica unas habitaciones con otras dentro de una casa o de un edificio. SINÓNIMO pasillo. INGLÉS corridor.

corregir

verbo **1** Quitar los errores. También corregimos a una persona cuando le señalamos los errores que comete: *Cada vez que digo una palabra mal, él me corrige.* INGLÉS to correct.

2 Decidir un profesor lo que está bien o mal en un ejercicio o un examen y ponerle una nota. INGLÉS to mark [en el Reino Unido], to grade [en Estados Unidos].

NOTA La 'e' se convierte en 'i' en algunos tiempos y personas y la 'g' en 'j' delante de 'a' y 'o', como: corrijo.

correo

nombre masculino **1** Sistema público de transporte y entrega de cartas y paquetes. INGLÉS post, mail.

2 Conjunto de cartas y paquetes que se entregan, transportan y reciben mediante este sistema. Recibimos el correo en el buzón de nuestra casa. INGLÉS post, mail.

3 Edificio donde se organiza el reparto y transporte de cartas y paquetes. Con este significado se usa más en plural. INGLÉS post office.

correr

verbo **1** Moverse o ir de un lugar a otro rápidamente, mucho más que cuando se camina. INGLÉS to run.

2 Hacer una cosa deprisa o más rápido de lo normal. INGLÉS to rush, to hurry.

3 Participar en una carrera. INGLÉS to run.

4 Pasar el tiempo. Las horas y los días corren deprisa. INGLÉS to go by.

5 Moverse en una dirección algo, como el agua o el viento. INGLÉS to go, [si es el agua: to flow; si es el viento: to blow].

6 Mover o desplazar una cosa o una persona de un lugar a otro: *Si corres un poco la silla, entraremos todos.* INGLÉS to move.

7 Pasar una noticia u otra cosa de unas personas a otras: *Corre el rumor de que dimitirá.* INGLÉS to go round.

8 Estirar una cortina o algo que está plegado. INGLÉS to draw.

9 correrse Extenderse un color o una tinta fuera de los límites en los que debería estar. INGLÉS to run.

correspondencia

nombre femenino **1** Conjunto de cartas que se reciben o se envían. INGLÉS correspondence.

2 Hecho de corresponder o corresponderse. A veces, no hay correspondencia entre lo que hacemos y lo que decimos. INGLÉS correspondence.

3 Comunicación entre uno o más medios de transporte. Las líneas de metro tienen correspondencia entre ellas o con autobuses y trenes. INGLÉS connection.

corresponder

verbo **1** Devolver un favor, un beneficio o un afecto con algo igual o proporcional. Correspondemos dando las gracias por un favor. INGLÉS to repay.

2 Tocar o ser para alguien una cosa que se reparte. En una fiesta de cumpleaños, a cada invitado le corresponde un trozo de tarta. INGLÉS to be due.

3 Tener una cosa relación directa con otra con la que se complementa. En un rompecabezas, unas piezas se corresponden con otras. **INGLÉS** to match, to go with.

correspondiente
adjetivo
1 Que tiene relación directa con otra cosa o persona que se indica. Nos calzamos los zapatos en el pie correspondiente. **INGLÉS** corresponding.

corresponsal
nombre masculino y femenino
1 Periodista que trabaja en una ciudad o un país distinto al de la sede del periódico, radio o televisión para el que trabaja. **INGLÉS** correspondent.

corretear
verbo
1 Correr de un lado a otro, en especial cuando se está jugando. **INGLÉS** to run about.

correveidile
nombre masculino y femenino
1 Persona que cuenta a los demás noticias y asuntos íntimos de otras personas. **SINÓNIMO** cotilla. **INGLÉS** gossip.

corrida
nombre femenino
1 Espectáculo que se celebra en una plaza cerrada y redonda con el suelo de arena, que consiste en que un torero se enfrenta con un capote a un toro al que acaba matando con una espada. **INGLÉS** bullfight.

corriente
adjetivo
1 Que ocurre con frecuencia. En las grandes ciudades los atascos son muy corrientes. **SINÓNIMO** continuo. **INGLÉS** common, usual.
2 Se dice de la cosa o la persona que no tiene ninguna característica especial que la haga diferente o especial. **INGLÉS** ordinary, normal.
3 Se dice del momento o del tiempo presente. El año corriente es este año. **INGLÉS** current.
nombre femenino
4 Paso de la electricidad por un material conductor como el cobre. **INGLÉS** current.
5 Movimiento rápido de aire o de agua por un canal. En una habitación se forma una corriente de aire cuando se abren dos ventanas que están una enfrente de otra. **INGLÉS** current.
al corriente Que ya tiene conocimiento de lo que se trata: *Estoy al corriente de las novedades.* **INGLÉS** up to date.
seguir la corriente Dar la razón a alguien en lo que dice o lo que hace aunque no estemos de acuerdo con él. **INGLÉS** to play along.

corrillo
nombre masculino
1 Grupo pequeño de personas que, en un lugar donde hay más personas, se juntan aparte para hablar. **INGLÉS** small group of people.

corro
nombre masculino
1 Círculo formado por personas que se reúnen para hablar o jugar a algo. **INGLÉS** circle, ring.
2 Juego de niños que consiste en formar un círculo cogidos por las manos y cantar y dar vueltas. **INGLÉS** ring-a-ring o'roses.

corromper
verbo
1 Descomponer una sustancia orgánica, animal o vegetal. Muchos alimentos se corrompen si no se guardan en la nevera. **SINÓNIMO** pudrir. **INGLÉS** to turn bad [corromper], to go bad [corromperse].
2 Ofrecer dinero o regalos a alguien a cambio de un favor o un beneficio al que no se tiene derecho o que es injusto. **SINÓNIMO** sobornar. **INGLÉS** to bribe.
3 Hacer que una persona se vuelva mala dándole malos consejos o malos ejemplos. **INGLÉS** to corrupt.

corrosión
nombre femenino
1 Destrucción progresiva de un material por roce o por una reacción química, como le ocurre a un metal que se oxida. Los plásticos son muy resistentes a la corrosión. **INGLÉS** corrosion.
NOTA El plural es: corrosiones.

corrosivo, corrosiva
adjetivo
1 Que puede destruir o desgastar lentamente una cosa. La lejía es corrosiva porque desgasta la ropa. **INGLÉS** corrosive.
2 Se dice de la persona o la opinión que es cruel, irónica y tiene mala intención: *Sus comentarios son tan corrosivos que le tenemos miedo.* **INGLÉS** caustic.

corrupción
nombre femenino
1 Cambio en la naturaleza de una cosa o de una persona volviéndola mala. La corrupción de los alimentos produce mal olor. **INGLÉS** decay [de una cosa], corruption [de una persona].
2 Comportamiento ilegal y deshonesto

de una persona con poder. INGLÉS corruption.
NOTA El plural es: corrupciones.

corsario, corsaria

nombre
1 Marinero que tenía permiso de un gobierno para asaltar y robar los barcos de países enemigos o de los piratas. La diferencia con los piratas es que los corsarios tenían permiso de su país. INGLÉS privateer.

corsé

nombre masculino
1 Prenda de ropa interior que aprieta el cuerpo desde el pecho hasta el vientre. Se utiliza para parecer más delgado o para corregir una desviación de la columna vertebral. INGLÉS corset.

cortado, cortada

adjetivo y nombre
1 Se dice de la persona a la que le da vergüenza decir o hacer muchas cosas. SINÓNIMO tímido. INGLÉS shy.
2 Que queda sorprendido y no sabe qué decir o hacer en una determinada situación. INGLÉS speechless.
nombre masculino
3 Café con un poquito de leche servido en una taza o un vaso pequeños. INGLÉS coffee with a dash of milk.

cortafuegos

nombre masculino
1 Vía o camino ancho y sin árboles que se deja en un bosque o en un campo de cultivo, y que sirve para frenar los incendios. INGLÉS firebreak.
2 Sistema de seguridad informático que no deja entrar en un ordenador o una red privados a usuarios desconocidos. INGLÉS firewall.
NOTA El plural es: cortafuegos.

cortante

adjetivo
1 Que tiene el borde tan afilado que puede cortar. INGLÉS sharp.
2 Que deja a una persona cortada o sin saber qué decir. Una persona puede dar una respuesta cortante cuando no quiere que le sigan preguntando. INGLÉS brusque.

cortar

verbo
1 Separar o dividir en partes una cosa con ayuda de un instrumento afilado. INGLÉS to cut.
2 Hacer más corta una cosa. Cuando un texto es demasiado largo hay que cortarlo. INGLÉS to cut, to shorten.
3 Interrumpir el paso o cualquier acción, proceso o movimiento. Si se corta la vía, los trenes no pueden pasar. En la tele cortan los programas para poner anuncios. INGLÉS to block [el paso], to interrupt [un programa].
4 Estar bien afilada una cosa, en especial un objeto de metal: *Esas tijeras están tan usadas que ya no cortan.* INGLÉS to cut.
5 Poner dos cosas de forma que se crucen en un punto. En una cruz, una línea corta a otra. INGLÉS to cut, to intersect.
6 Dividir en dos montones una baraja de cartas antes de repartirlas. INGLÉS to cut.
7 **cortarse** Quedarse avergonzado o sin saber qué decir. Es un uso informal. INGLÉS to get embarrassed.
8 **cortarse** Separarse los componentes de una salsa o de la leche, de forma que se estropean. INGLÉS to curdle.

cortaúñas

nombre masculino
1 Instrumento de metal que sirve para cortarse las uñas. Está formado por dos láminas que están dispuestas de forma parecida a unas tenazas. INGLÉS nail clippers.
NOTA El plural es: cortaúñas.

corte

nombre masculino
1 Herida producida con un objeto cortante, como un cuchillo o una navaja. INGLÉS cut.
2 Borde o filo cortante de una herramienta. Los cuchillos tienen un corte muy afilado. INGLÉS edge.
3 Actividad que consiste en cortar las diferentes piezas que componen una prenda de vestir o calzado. INGLÉS cutting.
4 Respuesta ingeniosa que produce desconcierto. Alguien nos puede dar un corte si hacemos una pregunta descarada. Es un uso informal. INGLÉS putdown.
5 Vergüenza o apuro que una persona sie nte por cualquier razón. A las persona tímidas les da corte hablar en público. Es un uso informal. INGLÉS embarrassment.
6 Trozo de helado de barra que se sirve entre dos galletas. INGLÉS slice.
nombre femenino
7 Conjunto de las personas que componen la familia y el acompañamiento del rey. SINÓNIMO séquito. INGLÉS court.
8 Población donde vive el rey. Madrid

a b c d e f g h i j k l m n ñ o p q r s t u v w x y z

es la corte de España. INGLÉS royal capital.

nombre femenino plural **9 Cortes** Conjunto formado por el Congreso y el Senado españoles. Con este significado se escribe siempre con mayúscula. INGLÉS Spanish Parliament.

cortejo

nombre masculino **1** Conjunto de personas que acompañan a una persona principal o más importante en un acto o una ceremonia. SINÓNIMO comitiva; séquito. INGLÉS entourage, retinue.

2 Acción que consiste en cortejar o tratar de atraer a una persona con buenos modales. INGLÉS courting.

cortés

adjetivo **1** Que se comporta con amabilidad, respeto y buena educación con los demás. Somos corteses cuando le cedemos el sitio a otra persona en el autobús. ANTÓNIMO descortés. INGLÉS polite.

NOTA El plural es: corteses.

cortesano, cortesana

adjetivo **1** Que forma parte de la corte real. INGLÉS court.

nombre **2** Persona que antiguamente era miembro de la corte real. INGLÉS courtier.

cortesía

nombre femenino **1** Comportamiento de la persona que demuestra amabilidad, respeto y buena educación hacia los demás. INGLÉS courtesy, politeness.

2 Acto con el que una persona demuestra amabilidad, respeto y buena educación hacia los demás. SINÓNIMO gentileza. INGLÉS courtesy.

3 Regalo que se hace como muestra de amabilidad y respeto. INGLÉS present.

corteza

nombre femenino **1** Capa que cubre el tronco y las ramas de los árboles. El corcho se saca de la corteza del alcornoque. INGLÉS bark.

2 Parte exterior dura que cubre algunos frutos y otros alimentos. El melón, el pan y el queso tienen corteza. INGLÉS skin [del melón], crust [del pan], rind [del queso].

3 Trozo de piel de cerdo que se fríe y se come como aperitivo. INGLÉS pork scratching.

4 Parte exterior y poco interesante de algo que oculta lo realmente importante. SINÓNIMO apariencia. INGLÉS outside.

corteza terrestre Capa que recubre el interior de la Tierra. Está formada por tres cuartas partes de agua y una parte de tierra. INGLÉS earth's crust.

cortijo

nombre masculino **1** Casa de campo rodeada de extensos terrenos de cultivos. INGLÉS farmhouse.

cortina

nombre femenino **1** Pieza de tela o de otro material que se cuelga delante de una puerta, ventana o hueco. La cortina de baño suele ser de plástico. INGLÉS curtain.

cortina de humo Masa de humo que no deja ver bien. También es algo que se hace o se dice para distraer la atención de alguien y ocultar algo. INGLÉS smoke screen.

corto, corta

adjetivo **1** Que tiene poca longitud o es menos largo de lo normal. ANTÓNIMO largo. INGLÉS short.

2 Que dura poco tiempo o parece que dura menos de lo normal. Los días de invierno son más cortos que los de verano. SINÓNIMO breve. INGLÉS short.

3 Que tiene menos cantidad de lo que se necesita o no llega hasta donde se desea. Un disparo corto no llega a alcanzar su objetivo. INGLÉS short.

4 Se dice de la persona que es poco inteligente o que no entiende las cosas con facilidad. INGLÉS dim, thick.

ni corto ni perezoso Con decisión y sin pensárselo dos veces. INGLÉS as bold as brass.

coruñés, coruñesa

adjetivo y nombre **1** Se dice de la persona o cosa que es de La Coruña, ciudad y provincia de Galicia.

NOTA El plural de coruñés es: coruñeses.

cosa

nombre femenino **1** Todo aquello que tiene existencia, ya sea algo real o imaginario, concreto o abstracto. También se llama cosa a aquello que no se sabe exactamente lo que es. INGLÉS thing.

2 Objeto que no tiene vida, que no es ni una persona, ni un animal, ni una planta. Las cosas son objetos inanimados, como una piedra o una mesa. INGLÉS thing.

3 Nada: *No hay cosa que me moleste más que tener que esperar.* INGLÉS anything, nothing.

como si tal cosa Indica que una persona que ha hecho alguna cosa o ha sufrido un percance importante se comporta como si no hubiera pasado nada: *Ayer se peleaban y hoy están como si tal cosa.* INGLÉS as if nothing had happened.

como si tal cosa Indica que una persona realiza una acción con mucha facilidad o sin darle la importancia que tiene. INGLÉS without batting an eyelid.

cosa de Aproximadamente: *Lo hizo en cosa de diez minutos.* INGLÉS about.

cosaco, cosaca

adjetivo y nombre **1** Se dice de la persona o cosa que pertenecía a un antiguo pueblo pastor y guerrero del sur de Rusia. INGLÉS Cossack.

nombre masculino **2** Soldado de la infantería o caballería del ejército ruso. INGLÉS Cossack.

coscorrón

nombre masculino **1** Golpe fuerte que se da en la cabeza de una persona. INGLÉS knock on the head.

NOTA El plural es: coscorrones.

cosecha

nombre femenino **1** Conjunto de los productos agrícolas que se recogen cuando están maduros. INGLÉS harvest.

2 Trabajo que consiste en recoger los productos agrícolas que da la tierra cultivada. INGLÉS harvest.

3 Tiempo en que se recogen los productos agrícolas que da la tierra. INGLÉS harvest time.

cosechadora

nombre femenino **1** Máquina que corta y recoge las plantas y separa la hierba del grano. Se usa sobre todo para la recolección de cereales. INGLÉS combine harvester.

cosechar

verbo **1** Recoger los productos agrícolas que da la tierra cultivada cuando están maduros. SINÓNIMO recolectar. INGLÉS to harvest.

2 Conseguir o ganar una persona algo, como simpatía, odio, fracaso o éxito, por lo que hace o lo que dice: *El artista ha cosechado triunfos en el extranjero.* ANTÓNIMO perder. INGLÉS to reap.

coser

verbo **1** Unir piezas de tela, cuero u otro material con un hilo mediante una aguja. Se cose a mano o a máquina. INGLÉS to sew.

2 Unir con un hilo las dos partes de una herida abierta para cerrarla: *Le cosieron el corte del brazo y casi no se nota la cicatriz.* INGLÉS to sew.

3 Hacer muchas heridas en el cuerpo con un arma blanca o con balas: *En la película, lo cosieron a balazos.* Es un uso informal. INGLÉS to riddle.

4 Unir papeles con una grapa. INGLÉS to staple.

ser coser y cantar Ser una cosa muy fácil de hacer. INGLÉS to be child's play.

cosmético, cosmética

adjetivo y nombre masculino **1** Se dice de la sustancia que sirve para dar un mejor aspecto a la piel o al pelo. Los productos cosméticos se aplican especialmente en la cara. INGLÉS cosmetic.

cósmico, cósmica

adjetivo **1** Del cosmos o que tiene relación con él. INGLÉS cosmic.

cosmonauta

nombre masculino y femenino **1** Persona que conduce una nave espacial o trabaja en ella. SINÓNIMO astronauta. INGLÉS cosmonaut.

cosmopolita

adjetivo y nombre masculino y femenino **1** Se dice de la persona que ha viajado mucho y conoce culturas diversas. Una persona cosmopolita suele sentirse cómoda en cualquier parte del mundo. INGLÉS cosmopolitan.

adjetivo **2** Se dice del lugar al que van con frecuencia personas de países, culturas y costumbres diferentes. INGLÉS cosmopolitan.

cosmos

nombre masculino **1** Conjunto de todo lo que existe en el universo. El sistema solar forma parte del cosmos. INGLÉS cosmos.

NOTA El plural es: cosmos.

cosquillas

nombre femenino plural **1** Sensación que producen en la piel una serie de toques suaves y rápidos. Cuando tenemos cosquillas nos dan ganas de reír. INGLÉS [hacer cosquillas: to tickle], [tener cosquillas: to be ticklish].

cosquilleo

nombre masculino **1** Sensación que producen las cosquillas o algo parecido, como un picor suave o un leve contacto de algunas cosas sobre la piel. INGLÉS tickling.

costa

nombre femenino **1** Franja de tierra que está junto al mar o cerca de él: *Este año pasaré las vacaciones en la costa.* INGLÉS coast.

a costa de A fuerza de: *Se compró una casa a costa de ahorrar muchos años.* INGLÉS by dint of.

a toda costa Sin detenerse ante ningún obstáculo o esfuerzo. INGLÉS at all costs, at any price.

costado

nombre masculino **1** Cada una de las dos partes laterales del cuerpo humano que hay debajo de los brazos, entre el pecho y la espalda. INGLÉS side.

2 Lado de una cosa situado a su izquierda o su derecha. INGLÉS side.

costar

verbo **1** Tener una cosa un precio por el que se puede comprar: *¿Cuánto cuesta una ensalada?* SINÓNIMO valer. INGLÉS to cost.

2 Resultar una cosa difícil de hacer: *Le costó mucho hablar en público.* INGLÉS to be.

costar caro Causar algo mucho daño o perjuicio. Conducir a gran velocidad puede costarnos caro. INGLÉS to be expensive.

NOTA Se conjuga como: contar; la 'o' se convierte en 'ue' en sílaba acentuada, como: cuestan.

costarricense

adjetivo y nombre masculino y femenino **1** Se dice de la persona o cosa que es de Costa Rica, país de América Central. INGLÉS Costa Rican.

coste

nombre masculino **1** Cantidad de dinero que vale una cosa o que cuesta producirla. INGLÉS cost.

costero, costera

adjetivo **1** De la costa o que tiene relación con ella: *Ese pescador vive en una población costera.* INGLÉS coastal.

costilla

nombre femenino **1** Cada uno de los huesos largos y delgados de forma curva que salen de la columna vertebral hacia los costados hasta llegar al pecho. Las costillas protegen los pulmones y el corazón. INGLÉS rib.

costoso, costosa

adjetivo **1** Que cuesta mucho dinero, trabajo o esfuerzo, o que cuesta más de lo normal: *Fue costoso separarme de mi familia.* INGLÉS expensive [caro], hard [difícil].

costra

nombre femenino **1** Capa dura que se forma sobre la superficie de una herida cuando se va secando. La costra se cae cuando la herida está seca. INGLÉS scab.

2 Capa exterior que se forma cuando se pone dura una cosa húmeda o blanda, como una costra de suciedad o de pan. INGLÉS crust.

costumbre

nombre femenino **1** Acción que se realiza con frecuencia. Algunas personas tienen la costumbre de dormir la siesta. SINÓNIMO hábito. INGLÉS habit.

2 Práctica o hábito típico de un pueblo o de un grupo de personas. INGLÉS custom.

costura

nombre femenino **1** Oficio de coser. Los sastres y los modistos se dedican a la costura. INGLÉS dressmaking.

2 Unión de algo cosido con hilo. En una costura se pueden ver las puntadas que se han dado. INGLÉS seam.

3 Labor que no se ha acabado de coser. INGLÉS sewing.

alta costura Moda y diseño de prendas de lujo. INGLÉS haute couture.

costurero, costurera

nombre **1** Persona que tiene como profesión cortar y coser ropa. INGLÉS dressmaker.

nombre masculino **2** Caja, cesta o mueble donde se guardan las cosas que se usan para coser. INGLÉS sewing basket.

cotidiano, cotidiana

adjetivo **1** Que ocurre o se hace todos los días. Comer, andar o dormir son acciones cotidianas. SINÓNIMO diario. INGLÉS everyday, daily.

cotilla

nombre masculino y femenino **1** Persona a la que le gusta enterarse de los asuntos privados de los demás y después los cuenta a otras personas. Es una palabra informal. INGLÉS gossip.

cotización

nombre femenino **1** Pago de una cantidad fija de dinero por pertenecer a un grupo, una organización o una institución. INGLÉS subscription.

2 Precio de una acción en bolsa. Cuando suben las cotizaciones en bolsa la gente que ha invertido su dinero en acciones gana más dinero. INGLÉS price.

NOTA El plural es: cotizaciones.

coto

nombre masculino

1 Terreno reservado para un uso determinado, especialmente para cazar o pescar. INGLÉS preserve.

cotorra

nombre femenino

1 Ave con plumaje de colores, entre los que domina el verde, que tiene las alas y la cola largas y terminadas en punta. La cotorra imita el habla humana. INGLÉS parrot.

2 Persona que habla mucho. INGLÉS chatterbox.

cotorrear

verbo

1 Hablar mucho, normalmente sin decir nada interesante. INGLÉS to prattle on.

covacha

nombre femenino

1 Cueva pequeña. INGLÉS small cave.

coyote

nombre masculino

1 Animal mamífero salvaje parecido al perro, con el pelo de color gris amarillento. El coyote caza de noche y vive en las praderas de América. INGLÉS coyote.

coz

nombre femenino

1 Patada que un caballo o un burro da con las patas traseras. INGLÉS kick.

NOTA El plural es: coces.

crack

nombre masculino

1 Persona que es brillante en su profesión, especialmente un deportista. INGLÉS star, ace.

2 Situación financiera en la que hay una caída repentina y fuerte de las actividades económicas de un país o de un grupo grande de empresas. INGLÉS crash.

NOTA Se pronuncia: 'crac'. El plural es: cracks.

cráneo

nombre masculino

1 Conjunto de los ocho huesos que forman la cabeza y que contienen el cerebro. INGLÉS cranium, skull.

cráter

nombre masculino

1 Abertura en la parte superior de un volcán por la que sale la lava durante una erupción. INGLÉS crater.

creación

nombre femenino

1 Acción de crear o producir algo que antes no existía. INGLÉS creation.

2 Conjunto de todas las cosas que hay en la Tierra y que muchas religiones consideran que han sido creadas por un dios. INGLÉS creation.

3 Obra o conjunto de obras de un artista o diseñador. INGLÉS creation.

NOTA El plural es: creaciones.

creador, creadora

nombre

1 Ser o persona que hace algo que antes no existía a partir de la nada o utilizando la inteligencia o la sensibilidad. Los artistas son creadores de obras de arte y los creadores de nuevos objetos son los inventores. INGLÉS creator.

crear

verbo

1 Hacer que exista o suceda algo que no existía antes. INGLÉS to create.

creativo, creativa

adjetivo

1 Que tiene facilidad para crear o inventar cosas. Los buenos científicos suelen ser muy creativos. INGLÉS creative.

2 Que tiene relación con la creación o que es resultado de un proceso de creación. INGLÉS creative.

crecer

verbo

1 Desarrollarse y hacerse más grande un ser vivo. Las plantas, las personas y los animales crecen. INGLÉS to grow.

2 Aumentar o hacerse más grande la cantidad, el tamaño o la importancia de algo. Algunas ciudades crecen muy deprisa. INGLÉS to grow.

3 **crecerse** Tener una persona más seguridad en sí misma o mayor atrevimiento para hacer algo en determinadas circunstancias. INGLÉS to grow in confidence.

NOTA Se conjuga como: agradecer; la 'c' se convierte en 'zc' delante de 'a' y 'o', como: crezcamos.

crecida

nombre femenino

1 Aumento de la cantidad de agua que lleva un río o de la corriente de agua debido a las lluvias o al deshielo de las montañas. INGLÉS flood, spate.

creciente

adjetivo

1 Que crece o se hace cada vez más grande. Cuando la Luna está en cuarto creciente, cada día se ve más hasta lle-

gar a luna llena. INGLÉS growing, [si es el cuarto creciente de la Luna: crescent].

crecimiento
nombre masculino **1** Desarrollo natural de un ser vivo que se va haciendo cada vez más grande y más maduro. INGLÉS growth.
2 Aumento del tamaño, la cantidad o la importancia de algo. INGLÉS growth.

credibilidad
nombre femenino **1** Característica que tiene alguien o algo que puede creerse porque parece verdad o seguro. INGLÉS credibility.

crédito
nombre masculino **1** Dinero que un banco presta a una persona y que debe ser devuelto en un período de tiempo determinado. Se puede pedir un crédito para comprar una casa o un automóvil. INGLÉS credit, loan.
2 Buena fama o prestigio. SINÓNIMO reputación. INGLÉS reputation.
a crédito Se dice de algo que se paga poco a poco. INGLÉS on credit.
dar crédito Aceptar una cosa como cierta o verdadera. INGLÉS to believe.

credo
nombre masculino **1** Oración que resume las principales ideas de la religión católica. INGLÉS Creed.

creencia
nombre femenino **1** Idea o conjunto de ideas en las que una persona cree, especialmente religiosas o políticas. INGLÉS belief.
2 Seguridad que una persona tiene de que una cosa es de determinada manera: *Tiene la creencia de que un día lo conseguirá.* INGLÉS belief.

creer
verbo **1** Considerar que una cosa es cierta o de determinada manera. INGLÉS to believe.
2 Pensar que una cosa es posible, aunque no se está seguro de ella: *Creo que la mejor solución es que nos quedemos en casa.* SINÓNIMO opinar. INGLÉS to believe, to think.
3 Confiar en una persona o una cosa. Creemos en nuestros amigos. INGLÉS to believe.
4 En religión, tener fe. INGLÉS to believe.
NOTA Se conjuga como: leer.

creíble
adjetivo **1** Que es fácil de creer: *Invéntate una historia más creíble, porque no me creo nada de lo que has dicho.* SINÓNIMO verosímil. ANTÓNIMO increíble. INGLÉS credible, believable.

creído, creída
adjetivo **1** Se dice de la persona que se cree mejor que los demás. INGLÉS vain, conceited.

crema
nombre femenino **1** Sustancia pastosa y dulce de color amarillo hecha con leche, huevos y azúcar. Muchos bollos y pasteles están rellenos de crema. INGLÉS cream.
2 Sustancia pastosa de distintos usos, como cuidar y suavizar la piel de las personas o limpiar los zapatos o como medicina. INGLÉS cream.
3 Puré que se hace con algunos alimentos, normalmente añadiendo leche o crema de leche. INGLÉS cream.
nombre masculino y adjetivo **4** Color muy claro, como un blanco amarillento: *Hemos decidido pintar las paredes de crema.* INGLÉS cream.

cremallera
nombre femenino **1** Cierre de algunas prendas de vestir, bolsas o botas que consiste en dos tiras de tela con una fila de dientes de plástico o metal en los lados. Estos dientes se encajan o se separan al mover una pieza central que puede unir las dos tiras. INGLÉS zip [en el Reino Unido], zipper [en Estados Unidos].
nombre masculino **2** Tren que puede subir fuertes pendientes. Lleva unas ruedas con dientes que encajan en una vía que también tiene dientes. INGLÉS rack-and-pinion railway.

cremoso, cremosa
adjetivo **1** Se dice de la sustancia que tiene las mismas características o el mismo aspecto que la crema. INGLÉS creamy.

crepe
nombre **1** Lámina muy fina de masa hecha con harina, huevo y leche, que se hace en una sartén y se rellena de alimentos dulces o salados. INGLÉS pancake, crepe.
NOTA Se dice 'el crepe' y 'la crepe'.

crepúsculo
nombre masculino **1** Primera luz del día, antes de salir el Sol. También última luz del día después de ponerse el Sol. INGLÉS twilight [al anochecer], first light [al amanecer].

cresta
nombre femenino **1** Parte carnosa del cuerpo de los gallos, las gallinas y otras aves situada en

lo alto de la cabeza. También se llama cresta el conjunto de plumas tiesas que tienen algunas aves en la cabeza, como la cacatúa. INGLÉS comb [parte carnosa], crest [plumas].

cresta

2 Parte más alta de una montaña o de una ola. INGLÉS crest.

3 Peinado que imita la cresta de un ave. Algunos punks llevan crestas en la cabeza. INGLÉS crest.

cretino, cretina

adjetivo y nombre

1 Se dice de la persona que demuestra poca inteligencia, poca sensatez o falta de juicio en lo que hace o dice. SINÓNIMO necio. INGLÉS stupid [adjetivo], idiot [nombre].

creyente

adjetivo y nombre masculino y femenino

1 Que tiene una creencia en una religión determinada. INGLÉS believing [adjetivo], believer [nombre].

cría

nombre femenino

1 Animal que hace poco que ha nacido y que tiene que ser cuidado y alimentado por sus padres. INGLÉS baby.

2 Acción que consiste en alimentar y cuidar a bebés, plantas o animales: *Mi tío se dedica a la cría de vacas y cerdos.* INGLÉS breeding.

criadero

nombre masculino

1 Lugar en el que se crían animales o plantas. INGLÉS farm [de animales], nursery [de plantas].

criado, criada

nombre

1 Persona que trabaja en la casa de otra haciendo las tareas domésticas, como limpiar, lavar, servir la comida o atender a la gente. INGLÉS servant.

adjetivo

2 Se dice de la persona que está bien o mal educada. Se usa en las expresiones 'bien criado' y 'malcriado'. INGLÉS brought up.

criador, criadora

nombre

1 Persona que se dedica a criar y a cuidar animales. INGLÉS breeder.

crianza

nombre femenino

1 Proceso de criar animales o personas, en especial niños pequeños. También se llama crianza el tiempo que dura este proceso. INGLÉS rearing [de animales], nursing [de niños].

2 Acción que consiste en guardar el vino en barricas para que esté reposado y madure. INGLÉS ageing.

criar

verbo

1 Alimentar y cuidar a un bebé o la cría de un animal. INGLÉS to rear [animales], to nurse [niños].

2 Cuidar y educar a un niño hasta que se hace adulto. INGLÉS to bring up.

3 Tener crías un animal. Los conejos crían mucho. INGLÉS to breed.

4 **criarse** Crecer o desarrollarse. Algunos niños se crían con sus abuelos. INGLÉS to grow up.

NOTA Se conjuga como: desviar; la 'i' se acentúa en algunos tiempos y personas, como: críe.

criatura

nombre femenino

1 Niño pequeño, especialmente los bebés: *¿Aún no has dado de comer a esta criatura?* INGLÉS baby.

2 Cualquier ser animado creado por Dios, en especial el ser humano. INGLÉS creature.

3 Ser inventado o fabricado por el ser humano. Frankenstein es una famosa criatura de la literatura. INGLÉS creature.

crimen

nombre masculino

1 Acción que consiste en cometer un delito. El asesinato es un crimen muy grave. INGLÉS crime.

2 Acción que se considera muy mala porque produce un gran perjuicio. Es un crimen no respetar la naturaleza. INGLÉS crime.

NOTA El plural es: crímenes.

criminal

nombre masculino y femenino

1 Persona que ha cometido un crimen, como un asesinato o un secuestro. INGLÉS criminal.

adjetivo

2 Que está relacionado con el crimen. Una investigación criminal se hace para conocer las circunstancias que rodean a un crimen. INGLÉS criminal.

a b c d e f g h i j k l m n ñ o p q r s t u v w x y z

crin
nombre femenino **1** Conjunto de pelos que tienen algunos animales, especialmente los caballos, en la parte superior del cuello o en la cola. INGLÉS mane. DIBUJO página 187.

crío, cría
nombre **1** Niño pequeño, desde que tiene días hasta que tiene unos pocos años: *Mira qué críos más monos salen en este anuncio de pañales.* INGLÉS kid, child.
2 Persona joven, en especial si es poco madura o infantil: *No vayas solo, que todavía eres un crío.* INGLÉS kid, child.

criptógamo, criptógama
adjetivo y nombre femenino **1** Se dice de las plantas que no tienen flores y cuyos órganos reproductores casi no se ven, como los helechos y los musgos. INGLÉS cryptogamous [adjetivo], cryptogam [nombre].

crisis
nombre femenino **1** Situación grave y difícil que se produce en un determinado momento o que atraviesa una persona. INGLÉS crisis.
2 Falta de una cosa necesaria en la sociedad, como alimentos, vivienda, trabajo o ideales. INGLÉS crisis.
3 Cambio brusco que se produce en el estado físico o moral de una persona. Se puede tener una crisis de nervios, de tos o de asma. INGLÉS fit, attack.
NOTA El plural es: crisis.

cristal
nombre masculino **1** Material duro y transparente que se rompe con facilidad. Se utiliza para fabricar cosas como ventanas o vasos. SINÓNIMO vidrio. INGLÉS glass.

cristalería
nombre femenino **1** Establecimiento en el que se fabrican o se venden objetos de cristal. INGLÉS glassware shop.
2 Conjunto de objetos de cristal que se usan para beber en la mesa. INGLÉS glassware.

cristalino, cristalina
adjetivo **1** Que es claro y transparente como el cristal. El agua de algunas playas es limpia y cristalina. INGLÉS crystal-clear.

cristiandad
nombre femenino **1** Conjunto de personas y países de religión cristiana. INGLÉS Christendom.

cristianismo
nombre masculino **1** Religión de las personas que reconocen a Jesucristo como el Hijo de Dios y siguen sus enseñanzas. INGLÉS Christianity.

cristiano, cristiana
adjetivo **1** Del cristianismo o que está relacionado con él. La religión cristiana predomina en Europa. INGLÉS Christian.
adjetivo y nombre **2** Se dice de la persona que sigue la religión cristiana. INGLÉS Christian.
hablar en cristiano Hablar en un idioma conocido y con palabras sencillas y fáciles de entender. Es una expresión informal.

cristo
nombre masculino **1** Figura que representa a Jesucristo clavado en la cruz. INGLÉS crucifix.
2 Persona: *No vino ni cristo.* Es un uso informal. INGLÉS nobody.

criterio
nombre masculino **1** Regla o norma que se usa para saber si una cosa es verdadera o falsa o para elegir cosas. INGLÉS criterion.
2 Opinión o manera determinada de pensar que tiene una persona sobre una cosa. A la hora de hacer una cosa las personas pueden tener diferentes criterios. INGLÉS opinion.

crítica
nombre femenino **1** Opinión que se obtiene al examinar y juzgar algo para decidir si es bueno o malo. En los periódicos pueden leerse críticas de cine o artísticas. INGLÉS review.
2 Opinión o juicio negativo que se hace sobre una persona o una cosa: *Ha recibido muchas críticas por lo que ha hecho.* INGLÉS criticism.
3 Conjunto de personas que expresan su opinión sobre una obra artística, literaria o cinematográfica, o sobre un acontecimiento deportivo, señalando sus defectos y sus virtudes: *La crítica ha dicho que su última película era muy divertida.* INGLÉS critics.

criticar
verbo **1** Expresar una opinión o juicio acerca de una obra artística, literaria o cinematográfica, o sobre un acontecimiento deportivo. INGLÉS to review.
2 Dar una opinión negativa sobre una persona o una cosa. INGLÉS to criticize.
NOTA Se escribe 'qu' delante de 'e', como: critiquen.

crítico, crítica
adjetivo y nombre **1** Que a menudo hace críticas o expone opiniones sobre las cosas o sobre las personas. **INGLÉS** critical [adjetivo], critic [nombre].
adjetivo **2** Se dice del momento o situación que es muy importante para lo que ocurrirá después: *Está pasando por el momento crítico de la enfermedad; si lo supera, se curará.* **INGLÉS** critical.
nombre **3** Persona que hace críticas sobre televisión, espectáculos, acontecimientos deportivos o productos. **INGLÉS** reviewer, critic.

criticón, criticona
adjetivo y nombre **1** Se dice de la persona que critica o saca faltas a todo. **INGLÉS** fault finding [adjetivo], fault finder [nombre].
NOTA El plural de criticón es: criticones.

croar
verbo **1** Emitir la rana su sonido característico. Los perros ladran, los gatos maúllan y las ranas croan. **INGLÉS** to croak.

croata
adjetivo y nombre masculino y femenino **1** Se dice de la persona o cosa que es de Croacia, país del sudeste de Europa. **INGLÉS** Croatian.
nombre masculino **2** Lengua que se habla en Croacia. El croata es una lengua eslava, como por ejemplo el ruso. **INGLÉS** Croat.

crocanti
nombre masculino **1** Pasta dura hecha de caramelo con trocitos de almendra dentro. **INGLÉS** almond brittle.

croissant
nombre masculino **1** Es otra forma de escribir: cruasán. **INGLÉS** croissant.

cromo
nombre masculino **1** Lámina pequeña de papel en la que hay dibujos o fotos. Muchas personas coleccionan cromos y los pegan en un álbum. **INGLÉS** picture card.
2 Metal duro plateado que se usa para cubrir superficies metálicas y así hacerlas inoxidables. **INGLÉS** chromium, chrome.

cromosoma
nombre masculino **1** Elemento microscópico que hay en las células. Los cromosomas contienen los genes que se transmiten de padres a hijos. **INGLÉS** chromosome.

crónica
nombre femenino **1** Información o noticia sobre hechos actuales que se da en prensa, radio o televisión. Hay crónicas de sociedad, deportivas o políticas. **SINÓNIMO** reportaje. **INGLÉS** report.
2 Recopilación de hechos históricos escritos en el orden en que sucedieron. **INGLÉS** chronicle.

crónico, crónica
adjetivo **1** Que dura mucho tiempo o que se repite con mucha frecuencia, en especial una enfermedad o un mal. **INGLÉS** chronic.

cronología
nombre femenino **1** Lista de acontecimientos ordenados según las fechas en que ocurrieron. **INGLÉS** chronology.
2 Ciencia que estudia y fija el orden temporal de los hechos históricos. **INGLÉS** chronology.

cronológico, cronológica
adjetivo **1** De la cronología o que tiene relación con ella. **INGLÉS** chronological.

cronometrar
verbo **1** Medir partes muy pequeñas de tiempo por medio de un cronómetro, especialmente en los deportes. **INGLÉS** to time.

cronómetro
nombre masculino **1** Reloj que sirve para medir de forma muy exacta espacios cortos de tiempo, como minutos, segundos o décimas de segundo. **INGLÉS** chronometer, stopwatch.

croqueta
nombre femenino **1** Masa de forma ovalada que se hace con harina, leche y trocitos de algún alimento, y luego se reboza y se fríe. **INGLÉS** croquette.

croquis
nombre masculino **1** Dibujo de un lugar o un espacio que se hace de manera rápida y sin detalles. Cuando un amigo quiere saber cómo ir hasta nuestra casa le podemos hacer un croquis del camino. **INGLÉS** sketch.
NOTA El plural es: croquis.

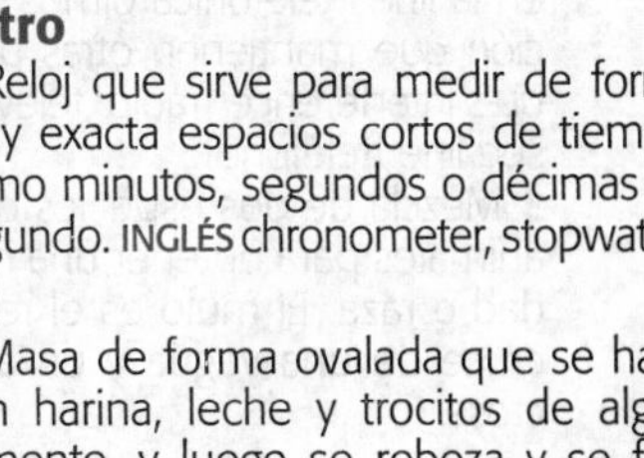

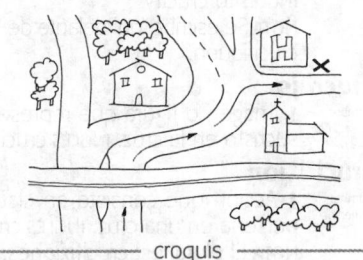

croquis

a b c d e f g h i j k l m n ñ o p q r s t u v w x y z

cross
nombre masculino
1 Carrera de atletismo que se hace a través del campo. INGLÉS cross country.
NOTA El plural es: cross.

crotorar
verbo
1 Producir la cigüeña un sonido característico con el pico. INGLÉS to rattle its beak.

cruasán
nombre masculino
1 Bollo de hojaldre con forma de media luna. INGLÉS croissant.
NOTA También se escribe: croissant. El plural es: cruasanes.

cruce
nombre masculino
1 Lugar o punto donde se encuentran dos o más calles, caminos o carreteras. También se llama cruce el paso señalado en una calle para que crucen los peatones. INGLÉS crossroads [encuentro de caminos], crossing [paso de peatones].
2 Mezcla de señales que llegan a través del teléfono, la radio o la televisión y que impide o hace difícil la transmisión de información. Cuando se produce un cruce en la línea telefónica oímos la conversación que mantienen otras personas. INGLÉS interference [radio, televisión], crossed line [teléfono].
3 Mezcla de dos especies de plantas o animales para obtener una nueva variedad o raza. El mulo es el resultado del cruce de una yegua y un asno. INGLÉS cross.

crucero
nombre masculino
1 Viaje turístico que se hace en barco parando en distintos lugares. INGLÉS cruise.
2 Barco de guerra muy rápido y con muchas armas. INGLÉS cruiser.

crucificar
verbo
1 Clavar a una persona en una cruz. Los romanos crucificaron a Jesucristo. INGLÉS to crucify.
NOTA Se escribe 'qu' delante de 'e', como: crucifiquen.

crucifijo
nombre masculino
1 Imagen o figura que representa a Jesucristo en la cruz. INGLÉS crucifix.

crucifixión
nombre femenino
1 Acción que consiste en clavar a una persona en una cruz. INGLÉS crucifixion.
NOTA El plural es: crucifixiones.

crucigrama
nombre masculino
1 Pasatiempo que consiste en rellenar con letras o sílabas los huecos de unas casillas para formar unas palabras que se definen aparte. Las palabras escritas en el crucigrama se pueden leer en horizontal y vertical. INGLÉS crossword.

crudo, cruda
adjetivo
1 Se dice del alimento que no está cocinado, o que lo está muy poco. INGLÉS raw, underdone.
2 Se dice del clima que es muy frío y poco agradable. INGLÉS harsh.
3 Que es muy duro, cruel y hace sufrir o es desagradable: *Se enfadó conmigo y me dirigió unas palabras muy crudas.* INGLÉS harsh, cruel.
4 Que es muy difícil de hacer o conseguir: *Como no estudies más, lo vas a tener muy crudo para aprobar esta asignatura.* Es un uso informal. SINÓNIMO chungo. ANTÓNIMO chupado. INGLÉS hard.
adjetivo y nombre masculino
5 Se dice del color que está entre el blanco y el amarillo, parecido al color crema. INGLÉS off white.
nombre masculino
6 Sustancia mineral de la que se extrae el petróleo después de ser tratada y refinada. INGLÉS crude oil.

cruel
adjetivo
1 Que disfruta haciendo sufrir a los demás o que deja que alguien sufra sin sentir compasión. INGLÉS cruel.

crueldad
nombre femenino
1 Falta de compasión ante el sufrimiento de los demás. INGLÉS cruelty.
2 Acción cruel y sin compasión. Lastimar animales indefensos es una crueldad. INGLÉS cruelty.

crujir
verbo
1 Hacer un ruido parecido al que se oye cuando se parte una madera o se pisan hojas secas. INGLÉS to creak [la madera], to crunch [las hojas secas].

crustáceo, crustácea
adjetivo y nombre masculino
1 Se dice del animal invertebrado que tiene dos pares de antenas y el cuerpo cubierto generalmente por un caparazón, como el cangrejo y la gamba. INGLÉS crustacean.

cruz
nombre femenino
1 Figura formada por dos líneas, u objeto formado por dos barras o palos,

que se cruzan de forma perpendicular. La suma se representa con una cruz. INGLÉS cross.
2 Figura formada por dos líneas en forma de equis. INGLÉS cross.
3 Sufrimiento o pena que una persona tiene que soportar durante mucho tiempo. INGLÉS burden, cross.
4 Lado de una moneda donde suele aparecer escrito el valor que tiene y una imagen de un animal o una cosa, como un águila, un mapa o un escudo. INGLÉS tails.
NOTA El plural es: cruces.

cruzado, cruzada
adjetivo **1** Que está atravesado o que tiene forma de cruz. INGLÉS crossed.

cruzar
verbo **1** Ir de un lado a otro de un lugar. Cruzamos la calle cuando vamos de una acera a otra. SINÓNIMO atravesar. INGLÉS to cross.
2 Poner una cosa sobre otra en forma parecida a la de una cruz. Podemos cruzar los brazos o las piernas. INGLÉS to cross.
3 Intercambiar dos o más personas un saludo, una mirada o unas palabras. INGLÉS to exchange.
4 Juntar un animal con otro de una raza distinta, pero de la misma especie, para que tengan crías. INGLÉS to cross.
5 cruzarse Pasar a la vez por el mismo sitio dos o más personas o cosas pero en distintas direcciones: *Te has cruzado con tus amigos y no te has dado ni cuenta.* INGLÉS to pass.
NOTA Se escribe 'c' delante de 'e', como: crucé.

cu
nombre femenino **1** Nombre de la letra 'q'. 'Queso' empieza por cu.

cuaderno
nombre masculino **1** Conjunto de hojas en blanco agrupadas en forma de libro que sirve para poder escribir en él. INGLÉS notebook, exercise book.

cuadra
nombre femenino **1** Lugar donde viven o se guardan los caballos y los burros. INGLÉS stable.
2 Conjunto de caballos que pertenecen a un mismo dueño. INGLÉS stable.

cuadrado, cuadrada
nombre masculino **1** Figura geométrica que tiene cuatro lados iguales y cuatro ángulos rectos. INGLÉS square.
adjetivo **2** Se dice de cualquier objeto que tiene cuatro lados iguales y cuatro ángulos rectos. Las caras de un dado normal son cuadradas. INGLÉS square.
3 Que tiene un cuerpo fuerte y musculoso. Los deportistas están cuadrados. Es un uso informal. INGLÉS well-built.
nombre masculino **4** En matemáticas, número que resulta después de multiplicar otro por sí mismo. El cuadrado de 2 es 4. INGLÉS square.

cuadragésimo, cuadragésima
numeral ordinal **1** Que ocupa el lugar número 40 en una serie ordenada. INGLÉS fortieth.

cuadrangular
adjetivo **1** Se dice de un objeto o figura que tiene o forma cuatro ángulos. Según el número de lados de una pirámide, su base puede ser triangular, cuadrangular, pentagonal, etc. INGLÉS quadrangular.

cuadrante
nombre masculino **1** Cada una de las cuatro partes en que se divide un plano por los ejes de coordenadas. INGLÉS quadrant.
2 Cada una de las cuatro partes en que dos diámetros perpendiculares dividen una circunferencia. INGLÉS quadrant.

cuadrar
verbo **1** Hacer que dos cosas se ajusten o se correspondan. Un zapato que no es de nuestro número no cuadra con el tamaño de nuestro pie. INGLÉS to tally, to match.
2 cuadrarse Ponerse de pie, con los pies unidos por los talones y separados por las puntas. Los soldados se cuadran delante de un militar de rango superior. INGLÉS to stand to attention.

cuadrícula
nombre femenino **1** Conjunto de pequeños cuadros dibujados en una superficie. INGLÉS squares.

cuadriculado, cuadriculada
adjetivo **1** Se dice del papel que tiene cuadros dibujados en su superficie. INGLÉS squared.

cuadriga
nombre femenino **1** Carro romano que era arrastrado por cuatro caballos uno al lado de otro. INGLÉS chariot.

cuadrilátero
nombre masculino **1** Figura geométrica que tiene cuatro la-

dos. Un cuadrado, un rectágulo o un rombo son cuadriláteros. INGLÉS quadrilateral.
2 Plataforma cuadrada rodeada por tres filas de cuerdas elásticas en la que se desarrollan los combates de boxeo. SINÓNIMO ring. INGLÉS ring.

cuadrilla
nombre femenino
1 Conjunto de personas que realizan juntas alguna actividad festiva o de trabajo. INGLÉS gang, team.
2 Conjunto de toreros que ayudan al torero principal en una corrida.

cuadro
nombre masculino
1 Pintura o dibujo colocado dentro de un marco. En los museos de arte hay muchos cuadros. INGLÉS painting.
2 Figura plana de cuatro lados iguales. Las faldas escocesas tienen cuadros. INGLÉS square.
3 Resumen esquemático de una información o de unos datos, que se presenta dentro de un recuadro de forma que se vean claramente los puntos más importantes y las relaciones que existen entre ellos. En este diccionario hay cuadros de gramática. INGLÉS table.
4 Grupo de personas que pertenecen a una misma profesión dentro de una organización determinada. En los grandes colegios hay un cuadro de profesores y en los hospitales hay un cuadro de médicos. INGLÉS team.

cuadrúpedo, cuadrúpeda
adjetivo y nombre masculino
1 Se dice del animal que tiene cuatro patas o pies, como el elefante o el caballo. INGLÉS quadruped.

cuádruple
adjetivo y nombre masculino
1 Que resulta de multiplicar por cuatro una cantidad. 16 es el cuádruple de 4. INGLÉS quadruple.

cuajada
nombre femenino
1 Alimento que se hace a partir de la leche y que consiste en una sustancia blanda y blanca parecida al yogur. La cuajada se suele tomar con azúcar o miel. INGLÉS curd.

cuajar
verbo
1 Tomar forma sólida un alimento que se prepara a partir de un líquido como leche o huevo. Cuando la tortilla cuaja, el huevo se pone sólido. INGLÉS to set, to coagulate.
2 Cubrir la nieve el suelo y permanecer sin derretirse durante cierto tiempo. INGLÉS to settle.
3 Ser una idea o algo nuevo bien aceptado. Si un plan no cuaja, es difícil llevarlo a cabo. INGLÉS to come off.

cual
pronombre relativo
1 Hace referencia a una persona o una cosa de la que ya hemos hablado antes. Se utiliza siempre detrás del artículo determinado: *El periódico, en el cual participamos todos los alumnos, ha recibido un premio.* INGLÉS which [cosas], who [personas].
NOTA Como pronombre relativo no se acentúa; no lo confundas con la forma interrogativa 'cuál', que siempre se acentúa.

cuál
pronombre interrogativo
1 Se utiliza para pedir que alguien escoja o señale una cosa o persona dentro de un grupo determinado: *¿Cuál te gusta más?* INGLÉS which, which one.
NOTA Como interrogativo siempre se acentúa; no lo confundas con la forma del pronombre relativo 'cual', que no se acentúa.

cualidad
nombre femenino
1 Forma o modo de ser de una persona o cosa que hace que sean como son. El frío es una cualidad del hielo. La bondad es la cualidad de las personas buenas. INGLÉS quality, property.
2 Aspecto bueno o positivo de la manera de ser de las personas: *Tiene más cualidades que defectos.* Con este significado se usa más en plural. INGLÉS quality.

cualificado, cualificada
adjetivo
1 Que está muy bien preparado para hacer un trabajo especializado. INGLÉS qualified, skilled.

cualitativo, cualitativa
adjetivo
1 De la calidad o que tiene relación con ella: *Con el nuevo hospital, se ha producido una mejora cualitativa del barrio.* INGLÉS qualitative.

cualquier
determinante indefinido
1 Se utiliza para indicar que no importa una persona o cosa concreta: *Cualquier día es bueno para ir al cine.* INGLÉS any.
NOTA El plural es: cualesquier.

cualquiera
pronombre indefinido
1 Se refiere a una cosa o persona den-

tro de un grupo que no importa exactamente cuál es: *Cualquiera sabe contestar esa pregunta.* INGLÉS any [cosas], anyone [personas].
NOTA El plural es: cualesquiera.

cuando
conjunción **1** Indica el tiempo en el que sucede algo: *Cuando era pequeño, se subía a los árboles.* INGLÉS when.
NOTA Como conjunción nunca se acentúa; no lo confundas con la forma del adverbio interrogativo 'cuándo', que siempre se acentúa.

cuándo
adverbio **1** Se utiliza para preguntar sobre el momento en el que pasa o sucede una cosa: *¿Cuándo volveremos a vernos?* INGLÉS when.
NOTA Como adverbio siempre se acentúa; no lo confundas con la conjunción 'cuando', que nunca se acentúa.

cuantía
nombre femenino **1** Cantidad de algo, especialmente de dinero: *¿A cuánto asciende la cuantía de sus gastos?* INGLÉS quantity.

cuantioso, cuantiosa
adjetivo **1** Que es grande en cantidad. INGLÉS substantial, considerable.

cuantitativo, cuantitativa
adjetivo **1** Que tiene relación o expresa la cantidad de una cosa. La estadística maneja datos cuantitativos. INGLÉS quantitative.

cuanto, cuanta
adjetivo relativo **1** Indica la totalidad de los elementos que se expresan: *Le gustan cuantos juguetes ve anunciados.* INGLÉS any.
2 Indica una cantidad que no está determinada y depende de otra: *Cuantas menos horas dediques al trabajo, peor te saldrá.*
adverbio **3** Indica una cantidad indeterminada: *Cuanto más tarde llegues, más tardarás en salir.*
en cuanto Inmediatamente después de que ocurra lo que se expresa. Las personas madrugadoras se levantan en cuanto amanece. INGLÉS as soon as.
en cuanto a Introduce algo sobre lo que se va a hablar o escribir: *En cuanto a lo de ayer, no te preocupes, que ya está solucionado.* INGLÉS as for.

cuánto, cuánta
determinante y pronombre interrogativo **1** Pregunta por la cantidad, la duración o el valor del nombre al que acompaña: *¿Cuántos días tiene un año bisiesto?* INGLÉS how much, how many.
determinante y pronombre exclamativo **2** Expresa sorpresa por la cantidad, la duración o el valor del nombre al que acompaña: *¡Cuántos días sin vernos!* INGLÉS what a lot of.
pronombre interrogativo **3** Pregunta por la cantidad, la duración o el precio de algo de lo que se está hablando: *¿Cuánto vas a tardar? ¿Cuánto es?* INGLÉS how long [duración], how much [precio].
pronombre exclamativo **4** Expresa sorpresa por la cantidad tan grande de algo: *¡Cuánto ha nevado esta noche!* INGLÉS what a lot of.

cuarenta
numeral cardinal **1** Indica que el nombre al que acompaña está 40 veces: *Tiene cuarenta años.* INGLÉS forty.
numeral ordinal **2** Que ocupa el lugar número 40 en una serie ordenada: *El corredor llegó el cuarenta a la meta.* INGLÉS fortieth.
nombre masculino **3** Nombre del número 40. INGLÉS forty.
cantar las cuarenta Decir con claridad a alguien las quejas que se tienen de él. INGLÉS to give somebody a piece of one's mind.

cuarentavo, cuarentava
adjetivo y nombre masculino **1** Se dice de cada una de las 40 partes iguales en que se divide una cosa. INGLÉS fortieth.

cuarentena
nombre femenino **1** Espacio de tiempo en el que transcurren cuarenta días, meses o años. INGLÉS forty days [días], forty months [meses], forty years [años].
2 Espacio de tiempo en el que una persona o animal enfermos deben permanecer aislados para no contagiar a otros. INGLÉS quarantine.
3 Conjunto de cuarenta unidades. INGLÉS about forty.

cuaresma
nombre femenino **1** En la religión cristiana, período de tiempo que va desde el miércoles de ceniza hasta la pascua de resurrección. INGLÉS Lent.

cuartel
nombre masculino **1** Edificio donde viven los soldados y otros grupos organizados, como policías o guardias civiles. INGLÉS barracks.
cuartel general Lugar donde se establece el jefe de un ejército. También es el lugar desde donde se lleva la di-

rección de un partido político u organización. INGLÉS headquarters.

cuartelillo

nombre masculino **1** Edificio de un puesto de la policía, de los bomberos o de una sección de una tropa. INGLÉS post.

cuarteto

nombre masculino **1** Conjunto musical de cuatro instrumentos o de cuatro voces. También se llama cuarteto la composición musical hecha para ser interpretada por cuatro instrumentos o cuatro voces. INGLÉS quartet.

2 Estrofa de cuatro versos de más de ocho sílabas en la que riman el primero con el último y el segundo con el tercero. INGLÉS quatrain.

cuartilla

nombre femenino **1** Hoja de papel para escribir que tiene el tamaño de medio folio. INGLÉS sheet of paper.

cuarto, cuarta

numeral ordinal **1** Que ocupa el lugar número 4 en una serie ordenada. En una cola eres el cuarto si tienes tres personas delante. INGLÉS fourth.

adjetivo y nombre masculino **2** Se dice de cada una de las cuatro partes iguales en que se divide un conjunto. Una hora tiene cuatro cuartos. INGLÉS quarter.

nombre masculino **3** Habitación de una casa, especialmente si es pequeña. INGLÉS room.

4 Fase de la Luna en que solo se ve una parte de ella. En el cuarto creciente, cada día se ve más grande la Luna; en el cuarto menguante, cada día se ve más pequeña. INGLÉS quarter.

nombre masculino plural **5 cuartos** Bienes o dinero que tiene una persona: *Lo he gastado todo, me he quedado sin cuartos.* INGLÉS money.

cuarto de baño Habitación con lavabo, retrete, ducha y otros servicios que sirve para el aseo de las personas. INGLÉS bathroom.

cuarto de estar Habitación de la casa donde la familia se reúne para descansar y charlar. INGLÉS sitting room.

cuarzo

nombre masculino **1** Mineral muy duro que puede ser de varios colores, según las sustancias con que esté mezclado. El cuarzo se encuentra en las rocas o en la arena. INGLÉS quartz.

cuatrienio

nombre masculino **1** Período de tiempo que dura cuatro años. INGLÉS quadrennium, four-year period.

cuatrimestre

nombre masculino **1** Período de tiempo que dura cuatro meses. INGLÉS four-month period.

cuatro

numeral cardinal **1** Indica que el nombre al que acompaña está 4 veces. Los caballos tienen cuatro patas. INGLÉS four.

2 Indica poca cantidad de cosas o personas. Cuando ha llovido muy poco decimos que han caído cuatro gotas. INGLÉS just a few.

numeral ordinal **3** Que ocupa el lugar número 4 en una serie ordenada: *Es el cuatro de la lista de clase.* INGLÉS fourth.

nombre masculino **4** Nombre del número 4. INGLÉS four.

cuatrocientos, cuatrocientas

numeral cardinal **1** Indica que el nombre al que acompaña está 400 veces. INGLÉS four hundred.

numeral ordinal **2** Que ocupa el lugar número 400 en una serie ordenada. INGLÉS four hundredth.

nombre masculino **3** Nombre del número 400. INGLÉS four hundred.

cuba

nombre femenino **1** Recipiente grande de madera con forma de cilindro un poco más ancho por el centro. Las cubas se utilizan para contener líquidos, especialmente bebidas alcohólicas. SINÓNIMO tonel, barril. INGLÉS cask, barrel.

cubalibre

nombre masculino **1** Bebida alcohólica compuesta por un refresco de cola mezclado con ron o con otro licor. SINÓNIMO cubata. INGLÉS rum and coke.

cubano, cubana

adjetivo y nombre **1** Se dice de la persona o cosa que es de Cuba, país del continente americano. INGLÉS Cuban.

cubata

nombre masculino **1** Cubalibre. INGLÉS rum and coke.

NOTA Es una palabra informal.

cubertería

nombre femenino **1** Conjunto de cucharas, tenedores, cuchillos y otros utensilios necesarios para comer y servir los alimentos. INGLÉS cutlery.

cubeta
nombre femenino **1** Recipiente poco profundo y sin tapa que se utiliza para contener líquidos en laboratorios de química o de fotografía. INGLÉS tray.

cúbico, cúbica
adjetivo **1** Se dice del objeto que tiene forma de cubo. INGLÉS cubic.
2 Se dice de la medida empleada para calcular el volumen de un cuerpo. Un decímetro cúbico es un cubo de un decímetro de lado y en el que cabe exactamente un litro. INGLÉS cubic.

cubierta
nombre femenino **1** Cosa que se pone sobre algo para cubrirlo o taparlo. La cubierta de un colchón lo protege. INGLÉS cover.
2 Tapa de los libros, que suele ser más gruesa que las hojas. INGLÉS cover.
3 Parte exterior de las ruedas de los automóviles o de otros vehículos. INGLÉS tyre.
4 Piso o suelo que cubre un barco y por donde la gente puede caminar. INGLÉS deck.

cubierto
participio **1** Participio irregular de: cubrir. También se usa como adjetivo.
nombre masculino **2** Utensilio que se utiliza para servir y comer los alimentos en el plato. Las cucharas, los tenedores y los cuchillos son cubiertos. INGLÉS piece of cutlery.
3 Servicio de mesa que se pone para cada comensal. El cubierto está formado por los platos, los vasos, los cubiertos y la servilleta. INGLÉS place setting.
4 Comida para una persona que se sirve en un restaurante. SINÓNIMO menú. INGLÉS cover.

cubil
nombre masculino **1** Lugar en el que los animales salvajes se resguardan, principalmente para dormir. INGLÉS den, lair.

cubilete
nombre masculino **1** Vaso que se utiliza para mover y tirar los dados en algunos juegos de mesa. INGLÉS dice cup.

cubito
nombre masculino **1** Trozo de hielo pequeño que normalmente tiene forma de cubo. Los refrescos se suelen servir en un vaso con cubitos de hielo. INGLÉS ice cube.

cúbito
nombre masculino **1** Hueso más largo y grueso de los dos que tiene el antebrazo. El cúbito está situado en la parte interna del antebrazo y une la mano con el codo. INGLÉS cubitus.

cubo
nombre masculino **1** Recipiente de metal, madera o plástico con una o dos asas en su borde que sirve para guardar o transportar líquidos u otras sustancias. Se utiliza sobre todo en tareas domésticas. INGLÉS bucket, pail.
2 Cuerpo sólido formado por seis superficies cuadradas iguales. INGLÉS cube.
3 En matemáticas, resultado de multiplicar un número por sí mismo dos veces. 8 es el cubo de 2 porque $2 \times 2 \times 2 = 8$. INGLÉS cube.

cubrir
verbo **1** Poner una cosa por encima de otra para protegerla, ocultarla o adornarla. Las alfombras cubren los suelos. INGLÉS to cover.
2 Proteger a una persona de un peligro. Los policías se cubren unos a otros cuando tienen que detener a un delincuente armado. INGLÉS to cover.
3 Recorrer una determinada distancia: *Cubre varios kilómetros al día para entrenarse.* INGLÉS to cover.
4 Seguir un periodista el desarrollo de un suceso o un acontecimiento para después dar la información sobre ello. INGLÉS to cover.
5 Ocupar una plaza de trabajo que está libre. INGLÉS to fill.
6 Dar o llenar con una gran cantidad de algo, como besos, flores, insultos u otras cosas. INGLÉS to cover.
7 Defender un jugador una zona del campo o estar junto a un contrario para dificultar su juego. INGLÉS to cover.
8 cubrirse Ponerse una cosa que tape la cabeza, como un sombrero o un pañuelo. INGLÉS to cover one's head, [si es con un sombrero: to put one's hat on].
NOTA El participio es: cubierto.

cucaracha
nombre femenino **1** Insecto de forma ovalada que habita en lugares húmedos y oscuros. Hay distintos tipos de cucaracha. INGLÉS cockroach.

cuchara

nombre femenino **1** Utensilio formado por un mango largo y una pequeña parte ovalada y poco profunda al extremo del mango. La cuchara se utiliza para tomar alimentos más o menos líquidos, como sopas o purés. INGLÉS spoon.

cucharada

nombre femenino **1** Cantidad de alimento o de líquido que cabe en una cuchara. INGLÉS spoonful.

cucharilla

nombre femenino **1** Cuchara pequeña. Utilizamos cucharillas para remover el azúcar en el café o para comer helados. INGLÉS teaspoon.

cucharón

nombre masculino **1** Utensilio de cocina formado por media esfera y un mango largo. Se utiliza para servir líquidos, como la sopa. SINÓNIMO cazo. INGLÉS ladle.

NOTA El plural es: cucharones.

cuchichear

verbo **1** Hablar en voz baja o al oído de alguien, para que no se enteren otras personas. INGLÉS to whisper.

cuchicheo

nombre masculino **1** Sonido que se produce al hablar en voz baja o cuchichear. INGLÉS whispering.

cuchilla

nombre femenino **1** Lámina de metal que tiene un lado muy afilado por el cual corta. Las máquinas para cortar el césped tienen una o varias cuchillas. INGLÉS blade.

2 Lámina muy fina de metal que tiene uno o dos filos cortantes y que se utiliza para afeitar. INGLÉS razor blade.

cuchillo

nombre masculino **1** Utensilio para cortar formado por un mango y una pieza de metal con el borde afilado. INGLÉS knife.

cuchitril

nombre masculino **1** Habitación o piso muy pequeño. Es una palabra despectiva. INGLÉS hovel.

cuclillas

en cuclillas Agachado con las piernas dobladas y el culo muy cerca del suelo. INGLÉS crouching.

cuclillo

nombre masculino **1** Pájaro que tiene la cola y las alas largas, plumaje de color gris y negro con manchas blancas y las patas con cuatro dedos. Se alimenta de insectos. SINÓNIMO cuco. INGLÉS cuckoo.

cuco, cuca

adjetivo **1** Que es muy bonito o está hecho con buen gusto y detalles bonitos. Es un uso informal. INGLÉS neat, smart.

adjetivo y nombre **2** Que hace las cosas con ingenio y habilidad, en especial las que son beneficiosas para sí mismo: *El muy cuco se llevó la mejor parte en el reparto.* Es un uso informal. INGLÉS shrewd [adjetivo], crafty [adjetivo], slyboots [nombre].

nombre masculino **3** Cuclillo. INGLÉS cuckoo.

cucurucho

nombre masculino **1** Trozo de papel, plástico o cartón doblado en forma de cono con la base abierta. Utilizamos un cucurucho para meter castañas asadas, frutos secos, churros o caramelos. INGLÉS cone.

2 Galleta en forma de cono sobre la que se pone una o más bolas de helado. INGLÉS cornet, cone.

3 Gorro con forma de cono. Algunos brujos y magos llevan cucuruchos. INGLÉS pointed hat.

cuello

nombre masculino **1** Parte del cuerpo de las personas y de los animales que une la cabeza con el tronco. INGLÉS neck.

2 Parte de una prenda de vestir que se coloca en la unión de la cabeza y el tronco. Los cuellos pueden ser redondos, cuadrados o en pico. INGLÉS neck.

3 Parte superior y más estrecha de un objeto. Las botellas y otros recipientes tienen cuello. INGLÉS neck.

cuenca

nombre femenino **1** Cavidad en que se encuentra cada uno de los ojos. SINÓNIMO órbita. INGLÉS socket.

2 Territorio cuyos ríos van a parar al mismo río, lago o mar. INGLÉS basin.

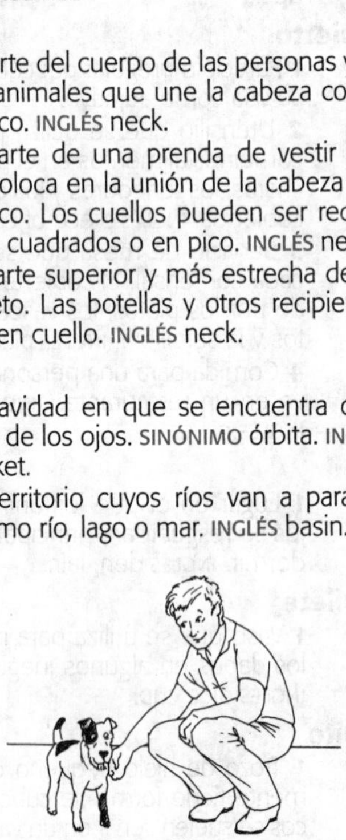

cuclillas

3 Territorio rodeado de montañas. INGLÉS basin.
4 Territorio donde abunda un determinado mineral, que se extrae de sus minas. INGLÉS mining region.

cuenco
nombre masculino
1 Recipiente profundo y redondo, con la base más estrecha que la boca, que se utiliza para tomar alimentos y algunos líquidos. INGLÉS bowl.

cuenta
nombre femenino
1 Operación o conjunto de operaciones matemáticas que se hacen para averiguar un dato, como sumar, restar, multiplicar o dividir. INGLÉS calculation, sum.
2 Factura con la cantidad de dinero que se debe pagar por algún servicio o producto. En los restaurantes, se pide la cuenta para pagar. INGLÉS bill [en el Reino Unido], check [en Estados Unidos].
3 Cantidad de dinero que una persona tiene en el banco o caja de ahorros. INGLÉS account.
4 Explicación o justificación que da una persona por algo que ha hecho. Cuando un joven llega tarde a casa, los padres le suelen pedir cuentas de lo que ha hecho. INGLÉS explanation.
5 Responsabilidad u obligación que una persona toma sobre algo. Si decimos que los gastos del viaje corren de nuestra cuenta, nos comprometemos a pagar el importe de la factura. SINÓNIMO cargo. INGLÉS responsibility.
6 Bola pequeña con un agujero en el centro que sirve para hacer collares o pulseras. Las cuentas pueden ser de diferentes materiales. INGLÉS bead.
ajustar las cuentas Castigar a una persona o vengarse por algo que ha hecho. INGLÉS to settle accounts.
caer en la cuenta Percatarse de algo que no se comprendía, no se sabía o no se había notado. INGLÉS to realize.
cuenta corriente Cuenta que tiene una persona en un banco o caja de ahorros y que permite sacar o meter dinero en el momento que se quiera. INGLÉS current account.

cuentagotas
nombre masculino
1 Tubito de vidrio o plástico con un capuchón de goma en un extremo y un agujerito en el otro. Sirve para verter y contar gota a gota un líquido. INGLÉS dropper.
con cuentagotas Indica que algo se da o recibe en cantidades muy pequeñas. INGLÉS in dribs and drabs.
NOTA El plural es: cuentagotas.

cuentakilómetros
nombre masculino
1 Aparato que indica el número de kilómetros que ha recorrido un vehículo. INGLÉS mileometer.
NOTA El plural es: cuentakilómetros.

cuentista
adjetivo
1 Que dice mentiras o exagera mucho las cosas que cuenta. INGLÉS fibber [nombre].
nombre masculino y femenino
2 Persona que escribe o explica cuentos. INGLÉS story writer [que los escribe], storyteller [que los cuenta].

cuentitis
nombre femenino
1 Acción de inventarse cosas una persona para conseguir algo o para llamar la atención de los demás: *No está enferma, es pura cuentitis para no ir al colegio.* INGLÉS pretending to be ill.
NOTA El plural es: cuentitis.

cuento
nombre masculino
1 Historia corta real o imaginaria contada para entretener o enseñar, sobre todo a los niños. *Cenicienta* y *Pulgarcito* son cuentos populares. SINÓNIMO relato. INGLÉS story, tale.
2 Cosa inventada que se cuenta como verdadera: *Ya no le creo, siempre me viene con cuentos.* INGLÉS story.
3 Cosa verdadera o falsa que se dice de alguien con mala intención. SINÓNIMO chisme. INGLÉS tale.
venir a cuento Tener algo relación con lo que se cuenta. INGLÉS to be pertinent.

cuerda
nombre femenino
1 Conjunto de hilos de cáñamo, esparto u otra materia que forman un solo hilo grueso que se usa para atar, colgar o sujetar cosas. SINÓNIMO soga. INGLÉS rope.
2 Hilo plástico o metálico que llevan algunos instrumentos musicales y que produce un sonido al vibrar. Los instrumentos que llevan estas cuerdas se llaman instrumentos de cuerda. INGLÉS string.
3 Pieza de metal flexible que mueve ciertos mecanismos, en especial los re-

a b c d e f g h i j k l m n ñ o p q r s t u v w x y z

lojes. Muchos juguetes funcionan con cuerda. INGLÉS spring.

cuerdas vocales Pliegues musculares que se encuentran en la garganta y que producen los sonidos de la voz al vibrar. INGLÉS vocal cords.

dar cuerda Animar a una persona a que hable: *No le des cuerda a Rosa, que es una pesada.* Es una expresión informal. INGLÉS to encourage.

cuerdo, cuerda

adjetivo y nombre

1 Que tiene la mente sana. SINÓNIMO juicioso. ANTÓNIMO loco; chiflado. INGLÉS sane [adjetivo].

2 Que piensa, habla o actúa con prudencia. SINÓNIMO sensato. INGLÉS sensible [adjetivo].

cuerno

nombre masculino

1 Pieza dura y larga, generalmente acabada en punta, que sale de la frente de algunos animales, como los toros, los rinocerontes o los ciervos. INGLÉS horn, [si es del ciervo: antler].

2 Antena de algunos animales, como los caracoles o las babosas. INGLÉS horn.

3 Instrumento musical de viento con forma curva, generalmente como un cuerno. El cuerno tiene un sonido parecido al de la trompa. INGLÉS horn.

mandar al cuerno Dejar de ocuparse de una cosa o enfadarse con una persona y dejar de interesarse por ella. Es una expresión informal. SINÓNIMO mandar a la mierda. INGLÉS to send packing.

romperse los cuernos Esforzarse mucho una persona para hacer una cosa. Los empollones se rompen los cuernos estudiando. INGLÉS to break one's back.

cuero

nombre masculino

1 Piel de algunos animales que ha sido tratada y pulida para hacer ropa y objetos, como botas, bolsos o cazadoras. INGLÉS leather.

cuero cabelludo Piel de la cabeza de las personas, donde nace el cabello. INGLÉS scalp.

en cueros Desnudo, sin ropa. INGLÉS naked.

cuerpo

nombre masculino

1 Conjunto de las partes físicas que forman a una persona o a un animal. El cuerpo está formado por cabeza, tronco y extremidades. INGLÉS body.

2 Tronco de una persona o un animal, diferenciado de la cabeza y las extremidades. INGLÉS body, trunk.

3 Parte de un vestido o una camisa que cubre desde el cuello y los hombros hasta la cintura, sin tener en cuenta las mangas. INGLÉS body.

4 Cualquier sustancia sólida, líquida o gaseosa. INGLÉS body.

5 Persona muerta. INGLÉS body.

6 Parte principal de un libro o un escrito. INGLÉS body.

7 Conjunto de personas que realizan una misma profesión y forman un grupo, como el cuerpo de bomberos o el cuerpo de policía. INGLÉS force [policía], brigade [bomberos].

8 Cada una de las partes que forman una cosa y que se pueden separar o considerar separadamente. Algunos muebles están formados por varios cuerpos. INGLÉS section.

9 Característica que tienen las cosas gruesas o espesas. Algunas telas tienen más cuerpo que otras. INGLÉS body.

a cuerpo Sin abrigo, normalmente solo con una camisa o un jersey. INGLÉS without a coat.

tomar cuerpo Empezar a hacerse realidad una idea o proyecto que se había pensado. INGLÉS to take shape.

cuervo

nombre masculino

1 Pájaro de color negro brillante, de pico grueso y fuerte. Se alimenta de carne, a veces de animales muertos, y también de insectos y fruta. INGLÉS raven.

cuesta

nombre femenino

1 Terreno o suelo inclinado, en especial tramo en pendiente de una calle, de una carretera o de un camino. SINÓNIMO pendiente. INGLÉS slope.

a cuestas Sobre los hombros o la espalda: *El padre llevaba a su hijo a cuestas.* INGLÉS on one's back, on one's shoulders.

cuestión

nombre femenino

1 Asunto que se plantea para solucionarlo o para darle una respuesta. Las preguntas de un examen son cuestiones que hay que contestar. INGLÉS question.

2 Problema, dificultad o duda que se presenta en una determinada situación. INGLÉS question.

NOTA El plural es: cuestiones.

cuestionar
verbo
1 Poner en duda lo que afirma o asegura una persona. Si alguien cuestiona lo que decimos, es que no cree que digamos la verdad. INGLÉS to question.

cuestionario
nombre masculino
1 Conjunto de cuestiones o preguntas relativas a un tema o asunto que están impresas en un papel para ser contestadas. INGLÉS questionnaire.
2 Lista o programa de temas que se tratan en un libro, en un curso o en una materia determinada. INGLÉS list of topics.

cueva
nombre femenino
1 Cavidad profunda que hay bajo tierra o entre montañas. SINÓNIMO caverna. INGLÉS cave.

cuezo
nombre masculino
1 Recipiente de madera de forma cuadrada, ancho y poco profundo, en donde los albañiles amasan el yeso u otros materiales. INGLÉS trough.

cuidado
nombre masculino
1 Acción que consiste en estar una persona pendiente de otra persona o de una cosa, para que no sufra ningún daño o se encuentre en buenas condiciones. Los padres se preocupan por el cuidado de sus hijos. INGLÉS care.
2 Atención e interés que pone una persona en hacer algo bien o en evitar un peligro. Hay que conducir con cuidado. INGLÉS care.
interjección
3 ¡cuidado! Se usa para avisar a una persona de que debe poner mucha atención a causa de un posible peligro. INGLÉS careful!

cuidadoso, cuidadosa
adjetivo
1 Que pone mucho cuidado y atención en las cosas que hace o dice, para que sean lo más perfectas posible. INGLÉS careful.

cuidar
verbo
1 Estar una persona pendiente de otra persona o de una cosa, para que no sufra ningún daño o se encuentre en buenas condiciones. INGLÉS to look after, to take care of.
2 Poner mucha atención e interés en hacer algo o en que algo sea de determinada manera. Los organizadores de un acto cuidan todos los detalles para que salga bien. INGLÉS to take care over.
3 cuidarse Prestar una persona mucha atención a su salud o a su imagen física. En invierno hay que cuidarse para no coger resfriados. INGLÉS to look after oneself.

culata
nombre femenino
1 Parte trasera de un arma de fuego que sirve para sujetarla mientras se dispara. INGLÉS butt.

culebra
nombre femenino
1 Serpiente de tamaño pequeño o mediano, que puede tener la piel de diversos colores. Algunas especies viven en el agua y otras en tierra. INGLÉS snake.

culebrón
nombre masculino
1 Serie de televisión muy larga y con muchos capítulos en la que se exageran mucho las relaciones entre los personajes para mantener la atención de los espectadores. SINÓNIMO telenovela. INGLÉS soap opera.
NOTA El plural es: culebrones.

culera
nombre femenino
1 Parche de una prenda de vestir en la parte que cubre el culo. INGLÉS patch.

culminación
nombre femenino
1 Cosa que supone el mayor logro dentro de un aspecto de la vida. También es el punto en que una cosa alcanza la perfección: *El premio es la culminación de su carrera.* INGLÉS culmination, climax.
NOTA El plural es: culminaciones.

culminante
adjetivo
1 Se dice de una cosa cuando ha llegado al punto más alto, de mayor intensidad o calidad. INGLÉS culminating.

culminar
verbo
1 Llegar una cosa a su punto más alto, más importante o más intenso. El pop culminó con The Beatles. INGLÉS to reach a peak.
2 Llegar al final de una actividad o de una tarea: *La reunión culminó con un acuerdo entre todos.* SINÓNIMO terminar. INGLÉS to finish, to end.

culo
nombre masculino
1 Parte trasera del cuerpo de las personas y de los animales situada entre el final de la espalda y el principio de las piernas. Cuando nos sentamos apoya-

mos el culo en la silla. SINÓNIMO trasero; pompis. INGLÉS bottom.
2 Agujero en el que termina el intestino. Los supositorios se introducen por el culo. SINÓNIMO ano. INGLÉS arsehole [en el Reino Unido], asshole [en Estados Unidos].
3 Parte inferior de una botella, un vaso u otro recipiente, sobre la que se apoyan. INGLÉS bottom.
4 Cantidad pequeña de líquido que queda en el fondo de un recipiente. INGLÉS bit in the bottom.

culpa
nombre femenino
1 Responsabilidad o causa de que se haya producido un suceso o una acción negativos: *Lo siento, ha sido culpa mía, yo le dije que lo hiciera.* INGLÉS fault.
2 Falta o delito cometido por alguien: *Los criminales pagan sus culpas en la cárcel.* INGLÉS sin.

culpabilidad
nombre femenino
1 Circunstancia de ser una persona culpable de una falta o un delito. INGLÉS guilt.

culpable
adjetivo y nombre masculino y femenino
1 Se dice de la persona o la cosa que es la causa de algo negativo. El tráfico puede ser el culpable de que alguien llegue tarde a una cita. INGLÉS responsible [adjetivo], cause [nombre].
2 Que ha sido declarado por un juez o un tribunal como autor de una falta o un delito. INGLÉS guilty [adjetivo], culprit [nombre].

culpar
verbo
1 Decir que una persona o una cosa tiene la culpa de un delito, una falta o una acción negativa. INGLÉS to blame.

cultivar
verbo
1 Trabajar la tierra y cuidar las plantas para que produzcan frutos. INGLÉS to cultivate.
2 Hacer que se desarrollen seres vivos en un medio adecuado. En las piscifactorías se cultivan peces. SINÓNIMO criar. INGLÉS to breed.
3 Hacer lo necesario para mejorar y desarrollar una actividad, un conocimiento, una cualidad o una relación con alguien. Se puede cultivar un arte, nuestro cuerpo o la amistad. INGLÉS to practise [un arte], to cultivate [una amistad].

cultivo
nombre masculino
1 Trabajo que se hace para que la tierra produzca sus frutos. INGLÉS cultivation, farming.
2 Terreno cultivado.
3 Cría y desarrollo de seres vivos con fines industriales o científicos. Se hacen cultivos de ostras, de bacterias o de gusanos de seda. INGLÉS farming [si es de ostras, gusanos de seda], culture [si es de bacterias].
4 Práctica que se hace para que algo se desarrolle y mejore. INGLÉS development.

culto, culta
adjetivo
1 Que tiene cultura o una cantidad considerable de conocimientos generales. ANTÓNIMO inculto. INGLÉS cultured.
2 Se dice de la palabra o expresión que viene del latín o el griego y se considera propia de las personas con cultura. INGLÉS learned.

nombre masculino
3 Veneración y respeto con que se adora a Dios o a lo que se considera divino. Los romanos rendían culto a muchos dioses. INGLÉS worship.
4 Conjunto de ceremonias con que se expresa o manifiesta adoración a Dios o a lo que se considera divino o sagrado. La misa forma parte del culto de los católicos. INGLÉS worship.

cultura
nombre femenino
1 Conjunto de los conocimientos generales que tiene una persona. La cultura se va adquiriendo mediante el estudio, la lectura y la relación con otras personas. INGLÉS culture.
2 Conjunto de los conocimientos, las manifestaciones artísticas, las costumbres, las ideas y el desarrollo tecnológico y social de un pueblo o de una época. La cultura azteca era muy avanzada. INGLÉS culture.

cultural
adjetivo
1 De la cultura o relacionado con ella. Visitar un museo es una actividad cultural. INGLÉS cultural.

culturismo
nombre masculino
1 Conjunto de actividades físicas y ejercicios de gimnasia que sirven para hacer más fuertes los músculos del cuerpo. INGLÉS body-building.

cumbre
nombre femenino
1 Parte más alta de una montaña. SI-

a b c d e f g h i j k l m n ñ o p q r s t u v w x y z

NÓNIMO cima; cúspide. INGLÉS summit, peak.

2 Punto más alto al que se puede llegar en una actividad. Los gimnastas suelen alcanzar muy jóvenes la cumbre del éxito deportivo. INGLÉS peak.

cumpleaños

nombre masculino

1 Día en que se celebra el aniversario del nacimiento de una persona. INGLÉS birthday.

NOTA El plural es: cumpleaños.

cumplidor, cumplidora

adjetivo

1 Se dice de la persona que cumple bien los compromisos o las obligaciones. INGLÉS reliable, dependable.

cumplimentar

verbo

1 Rellenar un impreso con los datos que se piden: *Para ingresar en esa asociación debe cumplimentarse este impreso.* INGLÉS to fill out.

cumplir

verbo

1 Hacer lo que se debe, bien porque es una obligación o porque la persona se ha comprometido a ello. Se puede cumplir una orden, una promesa o un encargo. INGLÉS to carry out, to fulfil.

2 Llegar a tener la edad que se dice un día concreto: *Hoy cumplo once años. Mañana se cumplen tres años desde que vinimos a vivir a esta casa.* INGLÉS to be.

3 Acabar un plazo el día que se dice: *Hoy cumple el plazo de entrega de matrículas.* INGLÉS to finish.

4 cumplirse Ocurrir algo que se había dicho que iba a pasar o que se desea: *Espero que tus deseos se cumplan.* INGLÉS to come true, to be realized.

cuna

nombre femenino

1 Cama pequeña para bebés y niños pequeños. Tienen bordes elevados en sus cuatro lados para que el niño quede más protegido. INGLÉS cot.

2 Lugar donde una persona o una cosa han nacido o surgido: *Italia es cuna de grandes artistas.* INGLÉS cradle.

cundir

verbo

1 Servir de mucho una cantidad de algo material o inmaterial. Los productos concentrados cunden mucho. El trabajo cunde si se hace bien. INGLÉS to go a long way.

2 Extenderse un sentimiento, una noticia o una enfermedad entre la gente. En una emergencia es muy peligroso que cunda el pánico. INGLÉS to spread.

cuneta

nombre femenino

1 Hueco estrecho que hay a cada lado de una carretera o camino y que sirve para recoger el agua de la lluvia. Las cunetas mantienen las carreteras libres de charcos. INGLÉS ditch [en una carretera], gutter [en zona urbana].

cuña

nombre femenino

1 Objeto de madera o de metal que termina en ángulo recto. Las cuñas se meten en un hueco para inmovilizar un objeto, como una mesa que está coja o una puerta. INGLÉS wedge.

2 Recipiente que usan como orinal los enfermos que no se pueden levantar de la cama. INGLÉS bedpan.

3 Espacio corto de tiempo que se deja en la radio y en la televisión para hacer publicidad. INGLÉS break.

cuñado, cuñada

nombre

1 Hermano o hermana del esposo o esposa de una persona. INGLÉS brother-in-law [hombre], sister-in-law [mujer].

2 Esposo o esposa de un hermano o hermana. INGLÉS brother-in-law [hombre], sister-in-law [mujer].

cuota

nombre femenino

1 Cantidad de dinero que se paga por ciertas cosas, como por ser socio de un club o por un impuesto. INGLÉS fee.

2 Parte que nos corresponde de una cosa que se reparte. INGLÉS quota.

cupón

nombre masculino

1 Papel que tiene un valor determinado y que si se junta con otros iguales se puede cambiar por otra cosa: *Si reúnes 20 cupones, te regalan unos pendientes.* INGLÉS coupon, voucher.

2 Papel con un número escrito que se compra para participar en un sorteo o una lotería. INGLÉS ticket.

NOTA En plural es: cupones.

cúpula

nombre femenino

1 Techo o cubierta en forma de media esfera que cubre un edificio o parte de un edificio. INGLÉS cupola, dome.

cura

nombre masculino

1 Hombre que está a cargo de una iglesia católica. Los curas celebran la misa. SINÓNIMO sacerdote. INGLÉS priest.

a b c d e f g h i j k l m n ñ o p q r s t u v w x y z

nombre femenino **2** Tratamiento que se aplica a una herida o a un enfermo para que se cure. **INGLÉS** cure.

curación

nombre femenino **1** Recuperación de la salud. **INGLÉS** healing [de una herida], recovery [de un enfermo].

2 Acción que consiste en aplicar los remedios adecuados para curar una enfermedad o herida. **INGLÉS** cure.

3 Preparación de ciertos alimentos, como pescados o carnes, para que se conserven mucho tiempo. La curación de los jamones se hace enterrándolos en sal. **INGLÉS** curing.

NOTA El plural es: curaciones.

curandero, curandera

nombre **1** Persona que intenta curar por medio de métodos naturales o de rituales. Los curanderos no tienen estudios de medicina y no pueden ejercer en hospitales. **INGLÉS** folk healer.

curar

verbo **1** Cuidar de una persona o animal enfermo para que se ponga bien o hacer que desaparezan su enfermedad o heridas. **SINÓNIMO** sanar. **INGLÉS** to cure.

2 Aplicar los remedios adecuados para que desaparezca una enfermedad o herida. Una herida pequeña se cura antes con alcohol o agua oxigenada. **INGLÉS** to heal.

3 Preparar carnes o pescados, exponiéndolos al aire o al humo o salándolos para conservarlos durante mucho tiempo. **INGLÉS** to cure.

curativo, curativa

adjetivo **1** Que sirve para curar. **INGLÉS** curative.

curiosear

verbo **1** Hacer lo posible por enterarse de los asuntos privados de los demás. **SINÓNIMO** fisgonear. **INGLÉS** to pry.

curiosidad

nombre femenino **1** Deseo o interés muy grande que tiene una persona por aprender o conocer una cosa. **INGLÉS** curiosity.

2 Cosa que llama la atención y hace que la gente se interese por ella, especialmente cuando se trata de un objeto raro o que está fuera de lo común. **INGLÉS** curiosity.

curioso, curiosa

adjetivo y nombre **1** Se dice de la persona que tiene mucho interés en aprender o en conocer algo. **INGLÉS** curious.

adjetivo **2** Se dice de las cosas que llaman la atención y hacen que la gente se interese por ellas, porque son raras, extraordinarias o están fuera de lo común: *¡Qué curioso!, nunca había visto un ordenador tan pequeño.* **INGLÉS** curious.

3 Que cuida mucho su aseo personal y que hace las cosas con mucha limpieza y orden. También se dice de las cosas que están muy limpias y ordenadas. **INGLÉS** tidy, neat.

currar

verbo **1** Trabajar. Es un uso informal. **INGLÉS** to work.

2 Dar golpes a una persona. Es un uso informal. **SINÓNIMO** pegar. **INGLÉS** to thump.

currículo

nombre masculino **1** Documento en el que aparecen los datos personales, la formación académica y la experiencia profesional de una persona. Una persona que busca trabajo, debe presentar su currículo en las empresas en que quiere trabajar. **INGLÉS** curriculum, curriculum vitae.

NOTA También se escribe y se pronuncia: currículum o currículum vítae.

currículum

nombre masculino **1** Es otra forma de escribir y pronunciar: currículo. **INGLÉS** curriculum, curriculum vitae.

NOTA También se escribe y se pronuncia: currículum vítae. En este caso el plural es: currículum vítae.

cursar

verbo **1** Estudiar una materia o seguir un curso en un centro de enseñanza. **INGLÉS** to study.

cursi

adjetivo **1** Se dice de la persona o la cosa que pretende ser tan fina y elegante que resulta muy ridícula. **INGLÉS** pretentious, affected.

cursilada

nombre femenino **1** Acción, dicho o cosa que se considera cursi. **INGLÉS** pretentious thing.

cursillo

nombre masculino **1** Curso de corta duración sobre una materia muy específica: *En julio haré un cursillo de natación.* **INGLÉS** course.

cursiva
nombre femenino
1 Tipo de letra impresa que se inclina hacia la derecha. En este diccionario, los ejemplos van en cursiva. INGLÉS italics.

curso
nombre masculino
1 Período de tiempo dentro del año que se dedica a la enseñanza y durante el cual los alumnos deben asistir a clase. En Europa el curso escolar acaba en junio. INGLÉS school year.
2 Cada uno de los grados o divisiones, generalmente de un año, de un ciclo de enseñanza o de un conjunto completo de estudios. Para pasar de curso hay que aprobar casi todas las asignaturas. INGLÉS year.
3 Conjunto de lecciones o de conferencias que sirven para aprender sobre un tema o una materia determinada. También se llama curso al libro o material audiovisual o informático que contiene ese conjunto de lecciones: *Me he comprado un curso de alemán en CD-ROM.* INGLÉS course.
4 Movimiento y recorrido que sigue una corriente de agua cuando circula por un cauce. INGLÉS course.

cursor
nombre masculino
1 Señal o marca que aparece en la pantalla de un ordenador e indica exactamente el lugar donde se está y se puede escribir o dibujar. INGLÉS cursor.

curtir
verbo
1 Dar a la piel de un animal un tratamiento especial para utilizarla en la fabricación de distintas cosas, como chaquetas o bolsos. INGLÉS to tan.
2 Endurecer, secar y poner morena la piel de una persona por pasar mucho tiempo al sol sin protección. INGLÉS to tan.
3 Acostumbrar a alguien a las dificultades y los sufrimientos para adquirir experiencia. INGLÉS to harden.

curva
nombre masculino
1 Figura o línea que no es recta ni tiene ángulos. Cuando la carretera cambia de dirección, forma curvas. INGLÉS curve, [si es en una carretera: bend].

curvo, curva
adjetivo
1 Que forma una línea que no es recta ni tiene ángulos. Un trozo de una circunferencia es una línea curva. INGLÉS curved.

cuscurro
nombre masculino
1 Punta de una barra de pan. Los cuscurros tienen mucha corteza. INGLÉS crust of bread.

cuscús
nombre masculino
1 Grano de sémola comestible que se utiliza para cocinar diversos platos. INGLÉS couscous.
2 Plato que consiste en cocer granos de sémola y acompañarlos de verduras y carne. Es un plato típico del norte de África. INGLÉS couscous.
NOTA El plural es: cuscuses.

cúspide
nombre femenino
1 Parte más alta de una montaña. La cúspide del Everest es el punto más alto del planeta. SINÓNIMO cima; cumbre; pico. INGLÉS summit, peak.
2 Punto más alto al que se puede llegar en una actividad. SINÓNIMO cima; cumbre. INGLÉS peak.
3 Parte más alta de algunas cosas, generalmente acabada en punta, como la cúspide de una pirámide. INGLÉS tip, apex.

custodiar
verbo
1 Mantener a una persona o una cosa permanentemente guardada y vigilada para impedir que se escape o sea robada o para protegerla de algún peligro. INGLÉS to guard.
NOTA Se conjuga como: cambiar; la 'i' no lleva nunca acento de intensidad.

cutáneo, cutánea
adjetivo
1 De la piel, especialmente de la cara, o que tiene relación con ella: *Usa una crema cutánea que le deja toda la cara suave.* INGLÉS cutaneous, skin.

cutis
nombre masculino
1 Piel de las personas, especialmente la de la cara. INGLÉS skin.
NOTA El plural es: cutis.

cutre
verbo
1 Que es pobre, de mala calidad o que está descuidado y sucio: *¡Qué tienda tan cutre!, lo tienen todo muy desordenado.* INGLÉS grotty.
NOTA Es una palabra informal.

cuyo, cuya
pronombre relativo
1 Indica que el nombre que va detrás pertenece a la persona o cosa que se ha dicho antes: *El Quijote comienza así: 'En un lugar de la Mancha, de cuyo nombre no quiero acordarme...'.* INGLÉS whose.

abcDefghijklmñnopqrstuvwxyz

d

nombre femenino

1 Cuarta letra del alfabeto español. La 'd' es una consonante.

2 En la numeración romana y escrita en mayúscula, representa el 500. INGLÉS D.

dado

nombre masculino

1 Pieza en forma de cubo con números o signos en sus seis caras. Se utiliza en algunos juegos de mesa como el parchís. INGLÉS dice.

daga

nombre femenino

1 Arma blanca que tiene una hoja de metal corta, ancha y puntiaguda. Es parecida a una espada pero mucho más corta. INGLÉS dagger.

dálmata

nombre masculino y femenino y adjetivo

1 Perro de tamaño mediano, cuerpo delgado y pelo corto de color blanco con manchas redondeadas negras u oscuras. INGLÉS Dalmatian.

daltónico, daltónica

adjetivo y nombre

1 Se dice de la persona que no puede distinguir ciertos colores. Muchos daltónicos confunden el rojo y el verde. INGLÉS colour-blind [adjetivo].

daltonismo

nombre masculino

1 Defecto de la vista que consiste en no poder distinguir ciertos colores, especialmente el verde del rojo. INGLÉS colour-blindness.

dama

nombre femenino

1 Mujer distinguida, en especial la que tiene una educación buena y refinada. INGLÉS lady.

2 Forma de dirigirse a las mujeres. Se emplea en la expresión: 'damas y caballeros'. INGLÉS lady.

nombre femenino plural

3 damas Juego que se juega entre dos personas con fichas blancas y negras sobre un tablero dividido en 64 cuadros. Las fichas se mueven en diagonal. INGLÉS draughts [en el Reino Unido], checkers [en Estados Unidos].

dama de honor Mujer que forma parte del acompañamiento de otra mujer en algunas ceremonias, como una boda. INGLÉS bridesmaid [en una boda], lady-in-waiting [de una reina].

damnificado, damnificada

adjetivo y nombre

1 Se dice de la persona que ha sufrido un daño en una desgracia colectiva: *Los damnificados por la inundación reclaman ayuda.* INGLÉS affected [adjetivo], victim [nombre].

danés, danesa

adjetivo y nombre

1 Se dice de la persona o cosa que es de Dinamarca, país del norte de Europa. SINÓNIMO dinamarqués. INGLÉS Danish [adjetivo], Dane [nombre].

nombre masculino

2 Lengua que se habla en Dinamarca. Es una lengua germánica, como el inglés y el noruego. INGLÉS Danish.

NOTA El plural de danés es: daneses.

danza

nombre femenino

1 Conjunto de movimientos que se hacen con el cuerpo siguiendo el ritmo de la música. SINÓNIMO baile. INGLÉS dance.

danzar

verbo

1 Mover el cuerpo siguiendo el ritmo de la música. SINÓNIMO bailar. INGLÉS to dance.

NOTA Se escribe 'c' delante de 'e', como: dancen.

dañar

verbo

1 Causar daño. Las grandes heladas acaban dañando los árboles frutales. INGLÉS to damage.

dañino, dañina

adjetivo

1 Que causa daño. Fumar es muy dañino para la salud. SINÓNIMO perjudicial. INGLÉS harmful.

daño
nombre masculino **1** Dolor o molestia. Un golpe nos hace daño. INGLÉS hurt, injury.
2 Mal, pérdida o desgracia producidos por alguna persona o cosa. Un incendio provoca muchos daños. La muerte de un ser querido produce mucho daño. INGLÉS damage, harm.

dañoso, dañosa
adjetivo **1** Que causa daño. INGLÉS harmful.
NOTA Es una palabra formal.

dar
verbo **1** Hacer que una cosa propia pase a ser de otra persona sin cobrar nada por ello. SINÓNIMO regalar. INGLÉS to give.
2 Poner una cosa al alcance de una persona o a su disposición: *Me has dado una idea. ¿Puedes darme un caramelo?* INGLÉS to give.
3 Hacer saber una cosa o cambiar el estado de ánimo de una persona. Se dan recados, permisos, noticias, alegrías, disgustos o esperanzas a otras personas. INGLÉS to give.
4 Realizar una acción, como dar saltos, dar un paseo, dar un abrazo o dar un rodeo. INGLÉS to jump [dar saltos], to go for a walk [dar un paseo], to give a hug [dar un abrazo], to make a detour [dar un rodeo].
5 Producir o ser origen de algo. Los árboles frutales dan fruta. Las especias dan sabor a las comidas. INGLÉS to give.
6 Ofrecer o celebrar algo, como una fiesta, una clase o una película: *No sé qué película dan hoy en la tele.* INGLÉS to give [una fiesta, una clase], to show [una película].
7 Sonar las horas en un reloj: *Acaban de dar las once.* INGLÉS to strike.
8 Abrir el paso y permitir la circulación de algo, como el gas, la electricidad o el agua: *Todavía no les han dado el gas.* INGLÉS to turn on.
9 Chocar, golpear o encontrarse una cosa en movimiento con otra: *Tropezó y dio contra el suelo. El perro le ha dado con la cola en la pierna.* INGLÉS to hit.
10 Mirar o estar dirigida una cosa hacia un punto: *Esa ventana da al jardín.* INGLÉS to look onto.
11 darse Dedicarse o entregarse a algo: *Se ha dado al juego y se gasta en ello todo el dinero. Se da a sus amigos.* INGLÉS to devote oneself.
dar a luz Expulsar la hembra la cría que tiene en su vientre: *Dio a luz a una niña preciosa.* INGLÉS to give birth.
dar con Encontrar a alguien o algo: *No he dado con Irene, en su casa no contestan. He dado con la solución.* INGLÉS to find.
dar de sí Hacerse más grande o más ancha una cosa. Las telas elásticas siempre dan de sí. INGLÉS to stretch.
dar igual No importar o ser algo indiferente para una persona: *Me da igual que no venga.* INGLÉS not to be important.
dar por Considerar que una situación o estado se encuentra del modo que se indica. Si una persona da por finalizado un trabajo, piensa que ya está terminado. INGLÉS to consider.
dar por Tener de pronto mucho in-

dar

INDICATIVO		SUBJUNTIVO	
presente		**presente**	
doy		dé	
das		des	
da		dé	
damos		demos	
dais		deis	
dan		den	
pretérito imperfecto		**pretérito imperfecto**	
daba		diera o diese	
dabas		dieras o dieses	
daba		diera o diese	
dábamos		diéramos o diésemos	
dabais		dierais o dieseis	
daban		dieran o diesen	
pretérito perfecto simple		**futuro**	
di		diere	
diste		dieres	
dio		diere	
dimos		diéremos	
disteis		diereis	
dieron		dieren	
futuro		**IMPERATIVO**	
daré		da	(tú)
darás		dé	(usted)
dará		demos	(nosotros)
daremos		dad	(vosotros)
daréis		den	(ustedes)
darán			
condicional		**FORMAS NO PERSONALES**	
daría		**infinitivo**	**gerundio**
darías		dar	dando
daría		**participio**	
daríamos		dado	
daríais			
darían			

terés o mucha manía por algo: *Le ha dado por montar en bici por la noche.* INGLÉS to take to.

dardo

nombre masculino **1** Flecha pequeña y puntiaguda que se coge con dos dedos y se lanza con fuerza con la mano. INGLÉS dart.

nombre masculino plural **2 dardos** Juego que consiste en lanzar uno o más dardos a una diana y conseguir la mejor puntuación. INGLÉS darts.

datar

verbo **1** Determinar en qué fecha ocurrió o se hizo algo. Los arqueólogos suelen datar sus descubrimientos con mucha exactitud. INGLÉS to date.

datar de Existir una cosa desde el momento que se indica. Una casa data de 1906 si se construyó ese año. INGLÉS to date from.

datar

dátil

nombre masculino **1** Fruto de la palmera, pequeño y alargado, de color marrón y sabor dulce. INGLÉS date.

2 Dedo, o huella que deja el dedo en algunas superficies: *Has dejado tus dátiles en todas las fotos.* Es un uso informal. INGLÉS finger [dedo], fingermark [huella].

dato

nombre masculino **1** Cifra, nombre u otro tipo de información que sirve para conocer algo o para solucionar un problema. Para resolver un problema de matemáticas necesitamos unos datos. INGLÉS piece of information, datum.

de

preposición **1** Indica la persona que tiene algo o que es su dueña: *El diccionario de Alberto es nuevo.*

2 Indica relaciones entre personas o dice con qué está relacionada una cosa o a qué pertenece: *Este es el profesor de Elena. Los árboles del jardín son frutales.* INGLÉS of.

3 Indica la materia con la que está hecha una cosa: *Tengo un balón de cuero.* INGLÉS of, made of.

4 Indica el tema de que trata algo: *Leo una novela de aventuras.* INGLÉS about.

5 Indica el origen o punto de partida de algo, como un viaje o un camino: *Esta carretera va de mi ciudad al mar.* SINÓNIMO desde. INGLÉS from.

6 Indica el tiempo a partir del cual pasa algo: *Estas oficinas las abren de diez a cinco.* INGLÉS from.

7 Forma parte de numerosas locuciones que indican el modo o manera en que ocurre o sucede algo, como: partirse de risa, morirse de pena, saltar de alegría, caer de espaldas, saber de carrerilla.

8 Indica el carácter o las características de una persona o cosa: *Es una mujer de gran valor. Es una persona de ideas fijas.* INGLÉS of.

9 Indica que se toma una parte entre las que forman alguna cosa o cantidad: *Expulsaron a dos de nuestros jugadores. Dame un poco de agua, por favor.* INGLÉS of.

10 Indica el tiempo en que ocurre una cosa: *Nunca viajamos de noche. De niño jugaba con una pelota.*

11 Introduce una oración que expresa una condición que tiene que ocurrir para que se produzca lo que se dice después: *De haberlo sabido, te lo habría dicho.* INGLÉS if.

12 Introduce el complemento preposicional obligatorio de ciertos verbos, como 'darse cuenta' o 'burlarse', o se utiliza detrás de ciertos adjetivos: *No me había dado cuenta de que estabais juntos. Estaban muy orgullosos de sus hijos.*

nombre femenino **13** Nombre de la letra 'd': *'Dado' se escribe con dos des.*

NOTA Esta palabra nunca se acentúa; no la confundas con la forma 'dé' del verbo dar.

deambular

verbo **1** Caminar de un lugar a otro sin tener que ir a un sitio determinado: *Prefería* *deambular por las calles que quedarse en casa.* INGLÉS to saunter, to stroll.

debajo

adverbio **1** Indica que un objeto, lugar o persona se encuentra en una posición más baja que otro objeto, lugar o persona: *Tus libros están arriba y los míos ahí debajo. Las zapatillas están debajo de la cama.* INGLÉS underneath.

debate

nombre masculino **1** Discusión entre varias personas que hablan por turnos para defender sus ideas sobre un tema concreto. INGLÉS debate.

debatir

verbo **1** Discutir varias personas para defender sus ideas sobre un tema concreto. Los parlamentarios debaten las leyes antes de aprobarlas. INGLÉS to debate.

deber

nombre masculino **1** Tarea u obligación que una persona tiene que cumplir. El deber de un policía es hacer cumplir la ley y proteger a los ciudadanos. INGLÉS duty.

nombre masculino plural **2 deberes** Ejercicios escolares que los alumnos hacen en su casa y no en clase. INGLÉS homework.

verbo **3** Tener obligación de hacer algo: *Debo entrar a las ocho a trabajar.* INGLÉS to have to.

4 Tener la obligación de devolver una cosa que nos han prestado: *Le debo cien euros que me prestó. Te debo un favor.* INGLÉS to owe.

5 deberse Ser una cosa la consecuencia de una causa: *El incendio se debió a una explosión de gas.* INGLÉS to be due to.

deber de Suponer que algo ha sucedido o que algo puede ser de determinada manera: *Debe de ser su hijo, porque se parecen mucho.* INGLÉS must.

débil

adjetivo **1** Que tiene poca fuerza o poca resistencia: *Tiene fiebre y se siente débil. Esta luz es demasiado débil para la habitación.* ANTÓNIMO fuerte. INGLÉS weak.

debilidad

nombre femenino **1** Falta de fuerza o resistencia. INGLÉS weakness.

2 Afición o cariño muy grande por alguna cosa o persona. Mucha gente siente debilidad por los dulces. INGLÉS weakness.

debilitar

verbo **1** Hacer que una persona o cosa tenga menos fuerza, poder o resistencia. Las largas enfermedades debilitan el organismo. INGLÉS to weaken.

debut

nombre masculino **1** Primera actuación o aparición en público que realiza una persona, especialmente un artista o un deportista: *Ese concierto supuso el debut del cantante en Londres.* INGLÉS debut.

NOTA El plural es: debuts.

debutar

verbo **1** Presentarse una persona por primera vez ante el público realizando una actividad: *Debutó como futbolista el año pasado.* INGLÉS to make one's debut.

década

nombre femenino **1** Período de tiempo que dura diez años. SINÓNIMO decenio. INGLÉS decade.

decadencia

nombre femenino **1** Pérdida de la fuerza, de la belleza o de otras buenas cualidades que se produce con el paso del tiempo. Un país está en decadencia cuando ha dejado de tener la riqueza y la importancia que tenía. ANTÓNIMO auge. INGLÉS decadence.

decadente

adjetivo **1** Que ha ido perdiendo sus buenas cualidades, como la fuerza o la belleza, por el paso del tiempo. Un local viejo con muebles gastados es decadente. INGLÉS decadent, in decline.

decaer

verbo **1** Ir perdiendo una persona o cosa la importancia, la fuerza, la belleza u otra buena cualidad que tenía. Una costumbre decae cuando deja de practicarse. INGLÉS to decline.

NOTA Se conjuga como: caer.

decágono

nombre masculino **1** Polígono de diez lados. INGLÉS decagon.

decagramo

nombre masculino **1** Medida de peso que equivale a diez gramos. Su símbolo es: dag. INGLÉS decagram.

decaído, decaída

adjetivo **1** Que se siente débil o triste y sin áni-

a b c d e f g h i j k l m n ñ o p q r s t u v w x y z

mos para hacer nada. Cuando tenemos gripe nos sentimos un poco decaídos. SINÓNIMO abatido, flojo. INGLÉS depressed.

decalitro
nombre masculino
1 Medida de capacidad que equivale a diez litros. Su símbolo es: dal. INGLÉS decalitre.

decálogo
nombre masculino
1 Conjunto de los diez mandamientos que, según cristianos y judíos, Dios dio a Moisés en el monte Sinaí. INGLÉS Decalogue.
2 Conjunto de reglas, normalmente diez, que se consideran básicas para una actividad: *En clase hemos redactado un decálogo entre todos.* INGLÉS basic rules.

decámetro
nombre masculino
1 Medida de longitud que equivale a diez metros. Su símbolo es: dam. INGLÉS decametre.

decapitar
verbo
1 Cortar la cabeza a una persona, a un animal o a una cosa. Durante la Revolución Francesa, decapitaron a muchos nobles con la guillotina. INGLÉS to behead, to decapitate.

decena
nombre femenino
1 Conjunto de diez cosas de la misma clase. INGLÉS about ten.

decencia
nombre femenino
1 Forma de comportarse de las personas decentes. SINÓNIMO honradez. INGLÉS decency.

decenio
nombre masculino
1 Período de tiempo que dura diez años. SINÓNIMO década. INGLÉS decade.

decente
adjetivo
1 Se dice de la persona o la cosa que está de acuerdo con la moral o con lo que la gente considera un comportamiento correcto y adecuado, en especial en el terreno sexual. ANTÓNIMO indecente. INGLÉS decent, honest.
2 Que está bien o regular o es adecuado teniendo en cuenta las condiciones: *La comida en el campo fue bastante decente.* INGLÉS decent.

decepción
nombre femenino
1 Sentimiento de pena, dolor o tristeza al ver que una persona o cosa es peor de lo que se esperaba. SINÓNIMO desilusión. INGLÉS disappointment.
NOTA El plural es: decepciones.

decepcionar
verbo
1 Hacer perder la ilusión que alguien tiene por ser una persona o cosa peor de lo que se esperaba. Nos decepciona un amigo que nos traiciona. SINÓNIMO desilusionar. INGLÉS to disappoint.

decidido, decidida
adjetivo
1 Que siempre actúa con seguridad y firmeza. INGLÉS determined, resolute.

decidir
verbo
1 Escoger una cosa entre varias posibilidades: *Decide, ¿vienes o te quedas?* INGLÉS to decide.
2 decidirse Animarse o atreverse a hacer una cosa: *No se decide a meterse en el agua porque está fría.* INGLÉS to make up one's mind.

decigramo
nombre masculino
1 Medida de masa que equivale a la décima parte de un gramo. Su símbolo es: dg. INGLÉS decigram.

decilitro
nombre masculino
1 Medida de capacidad que equivale a la décima parte de un litro. Su símbolo es: dl. INGLÉS decilitre.

decimal
adjetivo
1 Se dice del sistema métrico o de numeración que se organiza en grupos de diez unidades. Nuestro sistema de numeración es decimal. INGLÉS decimal.
adjetivo y nombre masculino
2 Se dice del número que indica una cantidad no entera. 5,18 y 0,2 son números decimales. INGLÉS decimal.
nombre masculino
3 Número que está a la derecha de la coma de otro. El número 5,25 tiene dos decimales. INGLÉS decimal.

decímetro
nombre masculino
1 Medida de longitud que equivale a la décima parte de un metro. Su símbolo es: dm. INGLÉS decimetre.

décimo, décima
numeral ordinal
1 Que ocupa el lugar número 10 en una serie ordenada. INGLÉS tenth.
adjetivo y nombre femenino
2 Se dice de cada una de las 10 partes iguales en que se divide una cosa. La décima parte de mil son cien. INGLÉS tenth.
nombre masculino
3 Cada una de las diez participaciones en que se divide un billete de la lotería nacional española: *Compramos un dé-*

cimo para el sorteo de Navidad. INGLÉS ticket.

decimoctavo, decimoctava

numeral ordinal **1** Que ocupa el lugar número 18 en una serie ordenada. INGLÉS eighteenth.

NOTA También se escribe: décimo octavo.

decimocuarto, decimocuarta

numeral ordinal **1** Que ocupa el lugar número 14 en una serie ordenada. INGLÉS fourteenth.

NOTA También se puede escribir: décimo cuarto.

decimonoveno, decimonovena

numeral ordinal **1** Que ocupa el lugar número 19 en una serie ordenada. INGLÉS nineteenth.

NOTA También se puede escribir: décimo noveno.

decimoprimero, decimoprimera

numeral ordinal **1** Que ocupa el lugar número 11 en una serie ordenada. Si un corredor llega el decimoprimero en una carrera, es que diez personas han llegado antes que él. SINÓNIMO undécimo. INGLÉS eleventh.

decimoquinto, decimoquinta

numeral ordinal **1** Que ocupa el lugar número 15 en una serie ordenada. INGLÉS fifteenth.

NOTA También se puede escribir: décimo quinto.

decimosegundo, decimosegunda

numeral ordinal **1** Que ocupa el lugar número 12 en una serie ordenada. El rey es la decimosegunda carta de cada uno de los palos de la baraja española. SINÓNIMO duodécimo. INGLÉS twelfth.

decimoséptimo, decimoséptima

numeral ordinal **1** Que ocupa el lugar número 17 en una serie ordenada. INGLÉS seventeenth.

NOTA También se escribe: décimo séptimo.

decimosexto, decimosexta

numeral ordinal **1** Que ocupa el lugar número 16 en una serie ordenada. INGLÉS sixteenth.

NOTA También se puede escribir: décimo sexto.

decimotercero, decimotercera

numeral ordinal **1** Que ocupa el lugar número 13 en una serie ordenada. INGLÉS thirteenth.

NOTA También se puede escribir: décimo tercero.

decir

verbo **1** Dar a conocer una cosa con palabras habladas o escritas. Este diccionario dice lo que significan las palabras. INGLÉS to say.

2 Tener una cosa un determinado nombre en una lengua: *¿Cómo se dice esto en inglés?* INGLÉS to say.

¿diga? Palabra que se usa para contestar a una llamada de teléfono. También podemos decir: 'dígame'. INGLÉS hello, yes.

el qué dirán Lo que opina la gente: *Hace locuras porque no le preocupa el qué dirán.* INGLÉS what people will say.

es decir Expresión que se usa para indicar que se va a explicar o aclarar a continuación lo que se acaba de decir. INGLÉS that is to say.

decir

INDICATIVO	SUBJUNTIVO
presente	**presente**
digo	diga
dices	digas
dice	diga
decimos	digamos
decís	digáis
dicen	digan
pretérito imperfecto	**pretérito imperfecto**
decía	dijera o dijese
decías	dijeras o dijeses
decía	dijera o dijese
decíamos	dijéramos o dijésemos
decíais	dijerais o dijeseis
decían	dijeran o dijesen
pretérito perfecto simple	**futuro**
dije	dijere
dijiste	dijeres
dijo	dijere
dijimos	dijéremos
dijisteis	dijereis
dijeron	dijeren
futuro	**IMPERATIVO**
diré	di (tú)
dirás	diga (usted)
dirá	digamos (nosotros)
diremos	decid (vosotros)
diréis	digan (ustedes)
dirán	
condicional	**FORMAS NO PERSONALES**
diría	**infinitivo** decir
dirías	**gerundio** diciendo
diría	**participio** dicho
diríamos	
diríais	
dirían	

decisión

nombre femenino **1** Lo que se decide después de pensar sobre algo: *He tomado la decisión de estudiar más.* INGLÉS decision.

2 Valor o seguridad que tiene una per-

sona para hacer algo sin dudar. En caso de urgencia, un médico debe actuar con decisión. SINÓNIMO determinación. ANTÓNIMO indecisión. INGLÉS decision.
NOTA El plural es: decisiones.

decisivo, decisiva
adjetivo
1 Que tiene consecuencias muy importantes. La elección de los estudios es un hecho decisivo para las personas, puesto que de ello puede depender su futuro. INGLÉS decisive.
2 Que ayuda a decidir o elegir entre varias opciones. El precio de una cosa es decisivo para comprarla o no. INGLÉS decisive.

declamar
verbo
1 Recitar o decir en voz alta un texto literario. INGLÉS to recite.

declaración
nombre femenino
1 Acción de declarar o declararse. INGLÉS declaration.
NOTA El plural es: declaraciones.

declarar
verbo
1 Decir algo en público para que se conozca o se entienda bien. Los políticos declaran ante los periodistas para que la gente esté informada. INGLÉS to declare, to state.
2 Decir ante el juez o la policía lo que se sabe sobre un asunto determinado. Un acusado puede declararse inocente o culpable en un juicio. INGLÉS to testify.
3 Decidir o determinar algo un juez u otra persona con autoridad. En un juicio, el juez declara al acusado inocente o culpable: *Os declaro marido y mujer.* INGLÉS to declare.
4 Dar a conocer a las autoridades los ingresos o bienes que deben pagar impuestos. Cada año hay que declarar los ingresos a Hacienda. INGLÉS to declare.
5 declararse Comenzar a producirse algo o a notarse: *Tras el terremoto se declaró una epidemia de cólera.* INGLÉS to break out.
6 declararse Decirle una persona a otra que la quiere y que desea establecer con ella una relación. INGLÉS to declare one's love.

declive
nombre masculino
1 Pendiente de un terreno u otra superficie. Una colina tiene declives suaves. INGLÉS slope, incline.
2 Pérdida de la fuerza, la intensidad o la importancia de una cosa o una persona. El Imperio romano comenzó un declive lento que acabó con su desaparición. INGLÉS decline.

decoración
nombre femenino
1 Forma en que un lugar está decorado: *La decoración imita un castillo.* INGLÉS decoration.
2 Acción de decorar o poner adornos. La decoración de la casa en Navidad es muy divertida. INGLÉS decoration.
NOTA El plural es: decoraciones.

decorado
nombre masculino
1 Conjunto de construcciones y adornos que se utilizan para reproducir un lugar en cine y televisión o en el teatro. INGLÉS scenery, set.

decorador, decoradora
nombre
1 Persona que trabaja decorando casas u otros espacios, como oficinas o tiendas, o que hace decorados para el teatro, el cine o la televisión. INGLÉS decorator [de casas], set designer [en el cine, el teatro, la televisión].

decorar
verbo
1 Poner adornos a un lugar o a un objeto para que sea más bonito o para producir una impresión concreta. Decoramos el árbol de Navidad con bolas de colores. INGLÉS to decorate.

decorativo, decorativa
adjetivo
1 Que sirve para decorar. Los cuadros y las figuras de porcelana son objetos decorativos. SINÓNIMO ornamental. INGLÉS decorative.

decreciente
adjetivo
1 Que disminuye o es cada vez menor. Si contamos del 10 al 1, contamos en orden decreciente. INGLÉS decreasing.

decrépito, decrépita
adjetivo y nombre
1 Se dice de la persona que es muy vieja y tiene disminuidas sus facultades físicas y mentales. Las personas de más de 100 años suelen estar decrépitas. INGLÉS decrepit [adjetivo].
adjetivo
2 Que está en decadencia. Un local decrépito ha perdido su calidad y todas las buenas cualidades que antes tuvo. INGLÉS dilapidated.

decretar
verbo
1 Decidir o mandar una persona con poder y autoridad lo que se hace sobre un asunto: *A raíz de las fuertes lluvias el*

gobierno ha decretado estado de emergencia. INGLÉS to decree, to order.

dedal

nombre masculino **1** Objeto que se ajusta en el dedo corazón y sirve para empujar la aguja al coser y no hacerse daño. El dedal suele ser de metal y tener la superficie llena de pequeños hoyos para que la aguja no resbale. INGLÉS thimble.

dedicar

verbo **1** Emplear algo para un fin determinado: *Dedicó su vida a ayudar a los demás.* INGLÉS to dedicate.

2 Ofrecer un libro, una obra o una calle a alguien en especial, como muestra de afecto o agradecimiento: *El autor dedicó el libro a las personas que lo habían ayudado.* INGLÉS to dedicate.

3 Ofrecer algo a un dios, una virgen o un santo: *Dedicaron la iglesia a la Virgen.* INGLÉS to dedicate.

4 dedicarse Hacer un trabajo determinado. Los enfermeros se dedican a atender a los enfermos. INGLÉS to dedicate oneself.

NOTA Se escribe 'qu' delante de 'e', como: dediqué.

dedicatoria

nombre femenino **1** Conjunto de palabras dirigidas a una persona, y que normalmente se escriben en las primeras páginas de un libro, en una foto o en un cuadro. INGLÉS dedication.

dedo

nombre masculino **1** Cada una de las partes en que se divide la parte final de una mano o un pie. Los cinco dedos de la mano tienen nombre: pulgar, índice, corazón, anular y meñique. INGLÉS finger [de la mano], toe [del pie].

chuparse el dedo Ser una persona muy inocente e ingenua y muy fácil de engañar: *No me creo que lo hayas hecho tú solo, yo no me chupo el dedo.* INGLÉS to have been born yesterday.

no tener dos dedos de frente Actuar una persona de forma irresponsable y poco inteligente: *No tienes dos dedos de frente, te lo gastas todo en tonterías.* INGLÉS to be stupid.

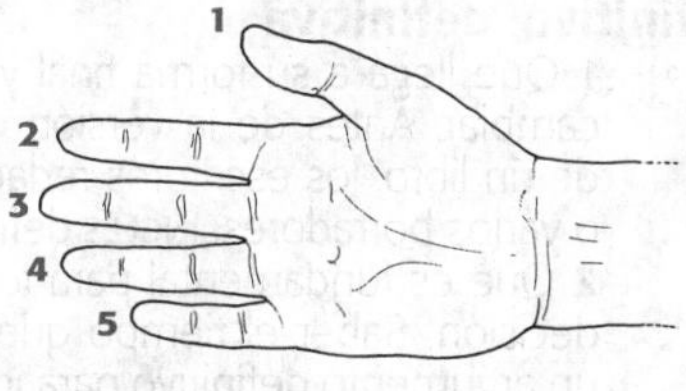

1 pulgar **4** anular
2 índice **5** meñique
3 corazón

dedo

deducir

verbo **1** Llegar a una conclusión o sacar una consecuencia a partir de algo que se sabe o de algo que ha pasado. Deducimos que ha habido un choque cuando vemos cristales rotos en la carretera. INGLÉS to deduce.

NOTA Se conjuga como: conducir.

defecar

verbo **1** Expulsar excrementos por el ano. SINÓNIMO evacuar. INGLÉS to defecate.

NOTA Se escribe 'qu' delante de 'e', como: defeque.

defecto

nombre masculino **1** Falta o imperfección de una persona o una cosa: *Su peor defecto es que siempre llega tarde.* INGLÉS defect, fault.

defectuoso, defectuosa

adjetivo **1** Se dice de la cosa que tiene un defecto o una imperfección. INGLÉS defective, faulty.

defender

verbo **1** Proteger una persona o una cosa a otra para que no le ocurra ningún daño. Los animales defienden a sus crías. Los esquimales se defienden del frío con gruesas pieles. INGLÉS to defend, to protect.

2 Actuar en contra de una persona o un grupo de personas que atacan. El ejército de un país defiende a los ciudadanos en caso de guerra. INGLÉS to defend.

3 Mostrarse una persona a favor de otra persona, bien de una idea o de una creencia a la cual se oponen otras personas. Un abogado defensor defiende en un juicio al acusado. INGLÉS to defend.

4 defenderse Tener una persona una capacidad mínima para poder desarrollar una actividad o unos medios económicos suficientes para vivir sin apuros: *No hablo un inglés perfecto, pero me defiendo.* INGLÉS to get by.

NOTA Se conjuga como: entender; la 'e'

se convierte en 'ie' en sílaba acentuada, como: defiende.

defensa

nombre femenino **1** Acción que realiza una persona cuando se defiende o defiende a otra persona o cosa de un ataque o peligro: *Luchamos en defensa de los intereses de todos.* INGLÉS defence.

2 Persona o conjunto de personas que defienden al acusado en un juicio: *La defensa presentó pruebas de la inocencia del acusado.* INGLÉS defence.

nombre masculino y femenino **3** Jugador de fútbol y otros deportes que juega cerca de la propia meta para impedir que el equipo contrario pueda marcar. También se llama defensa el conjunto de jugadores que juegan cerca de su meta. INGLÉS defender [un jugador], defence [conjunto de jugadores].

nombre femenino plural **4** **defensas** Sistema de protección de un organismo que le permite defenderse de las enfermedades. Si una persona no tiene defensas, es más fácil que coja una enfermedad. INGLÉS defences.

defensivo, defensiva

adjetivo **1** Que sirve para defender o proteger a una persona o una cosa. Los ejércitos que están en guerra preparan estrategias de ataque y estrategias defensivas. INGLÉS defensive.

estar a la defensiva Estar una persona desconfiada porque piensa que otra puede atacarla, normalmente con palabras o burlas: *No estés a la defensiva, que nadie va a meterse contigo.* INGLÉS to be on the defensive.

defensor, defensora

adjetivo y nombre **1** Se dice de la persona que defiende una idea o un lugar: *Es una firme defensora de los derechos de los niños.* INGLÉS defending [adjetivo], defender [nombre].

2 Se dice de la persona que defiende a un acusado en un juicio. INGLÉS counsel for the defence.

defensor del pueblo Persona que protege los derechos fundamentales de los ciudadanos ante la administración pública. INGLÉS ombudsman.

deficiencia

nombre femenino **1** Defecto o falta de alguna cosa que es necesaria para el buen funcionamiento de algo. Los análisis de sangre muestran si hay alguna deficiencia de minerales o vitaminas en nuestro cuerpo. INGLÉS deficiency, lack.

deficiente

adjetivo **1** Que no es suficiente, que no llega al nivel considerado normal o que está mal hecho. Un examen deficiente es un examen que no está para aprobar. INGLÉS deficient, insufficient.

adjetivo y nombre masculino y femenino **2** Se dice de la persona que tiene una capacidad mental inferior a la mayoría de la gente o que tiene algún defecto físico y no puede valerse por sí misma. SINÓNIMO retrasado. INGLÉS mentally retarded [adjetivo].

déficit

nombre masculino **1** Situación que se produce cuando se gasta más de lo que se gana o se ingresa. Si una empresa ingresa cien millones por sus ventas y gasta ciento diez, tiene un déficit de diez millones. INGLÉS deficit.

2 Falta o escasez de algo que se considera necesario: *Si no bebes leche, puedes tener un déficit de calcio en el organismo.* INGLÉS deficit, lack.

NOTA El plural es: déficits.

definición

nombre femenino **1** Frase o frases que explican el significado de una palabra. Los diccionarios dan la definición de las palabras de una lengua. INGLÉS definition.

NOTA El plural es: definiciones.

definir

verbo **1** Explicar con palabras el significado de una palabra o de una idea. Este diccionario define palabras del español. INGLÉS to define.

2 **definirse** Expresar una persona su opinión o su idea sobre algo: *Defínete sobre mi plan, ¿te parece bueno o malo?* INGLÉS to define one's position.

definitivo, definitiva

adjetivo **1** Que llega a su forma final y no va a cambiar. Antes de la versión definitiva de un libro, los escritores redactan uno o varios borradores. INGLÉS definitive.

2 Que es fundamental para tomar una decisión. Saber el tiempo que hará es un argumento definitivo para ir o no ir a la playa. SINÓNIMO decisivo. INGLÉS definitive, decisive.

en definitiva En resumen o como conclusión a lo que se ha dicho anteriormente: *Y tú, en definitiva, tienes que quedarte aquí hasta que te avisemos.* INGLÉS in short, all in all.

deformación

nombre femenino

1 Cambio de la forma natural de las cosas. Si alguien tiene una deformación en una mano, su forma es diferente de la normal. INGLÉS deformation.

NOTA El plural es: deformaciones.

deformar

verbo

1 Cambiar la forma natural de una cosa. La humedad hace que se deforme la madera. INGLÉS to deform.

defunción

nombre femenino

1 Muerte de una persona. SINÓNIMO fallecimiento. INGLÉS death.

NOTA El plural es: defunciones.

degollar

verbo

1 Cortar el cuello a una persona o un animal. INGLÉS to slit the throat of.

NOTA Se conjuga como: contar; la 'o' se convierte en 'ue' en sílaba acentuada, como: degüella.

degradar

verbo

1 Hacer perder a una persona la posición o el grado que tiene en una organización, especialmente en el ejército: *Lo degradaron de teniente a soldado raso por huir en la batalla.* INGLÉS to demote.

2 Hacer perder a una persona o una cosa las buenas cualidades o la categoría que tenía. Debemos cuidar el medio ambiente para que no se degrade. INGLÉS to degrade.

dehesa

nombre femenino

1 Terreno limitado por señales o vallas en el que vive o pasta el ganado. INGLÉS pasture, meadow.

dejar

verbo

1 Dar permiso para hacer algo: *Mi padre no nos deja salir de noche.* SINÓNIMO permitir. INGLÉS to let.

2 Dar algo a una persona para que lo utilice durante un tiempo: *Déjame el lápiz un momento.* SINÓNIMO prestar. INGLÉS to lend.

3 Dar o entregar algo. Cuando una persona muere, deja su herencia a sus seres queridos. INGLÉS to leave.

4 Abandonar una actividad, un lugar o a una persona. Algunas personas dejan su país para ir a estudiar o a trabajar al extranjero. INGLÉS to leave.

5 Poner o colocar una cosa o una persona en un lugar: *Al llegar a casa dejó la chaqueta en la entrada.* INGLÉS to leave.

6 Hacer que una cosa o una persona quede de una forma determinada: *Me ha dejado hecho polvo. Han dejado la habitación desordenada.* INGLÉS to leave.

7 dejarse Olvidarse algo en un lugar: *¡Me he dejado la cartera!* INGLÉS to forget, to leave behind.

dejar que desear Ser de peor calidad o de menos valor de lo que se esperaba: *La novela no es tan buena como dicen, deja bastante que desear.* INGLÉS to leave to be desired.

deje

nombre masculino

1 Acento o modo de hablar característico de cada nación, región o persona: *Supe que era extranjero por su extraño deje al hablar.* INGLÉS slight accent.

del

1 Unión de la preposición 'de' y el determinante artículo 'el': *El perro es el mejor amigo del hombre.* No se produce esta contracción cuando el determinante que le sigue forma parte de un nombre propio; por ejemplo: *¿No has oído hablar nunca de El Greco?*

delantal

nombre masculino

1 Pieza de tela que se pone sobre la parte delantera de la ropa para protegerla de manchas, en especial al cocinar. Se ata a la cintura con una cinta. INGLÉS apron, pinafore.

delante

adverbio

1 En la parte anterior de un lugar: *Subió al autobús y se sentó en la parte de delante.* INGLÉS in front.

delante de A la vista o en presencia de una persona o una cosa: *Lo dijo delante de mí.* INGLÉS in front of.

delantera

nombre femenino

1 Conjunto de jugadores de fútbol o de otro deporte de equipo que juegan en la parte más adelantada de su equipo y cerca de la meta contraria para intentar marcar goles o puntos. INGLÉS forward line.

2 Ventaja que una persona o grupo lleva a otra que le sigue. Cuando una persona toma la delantera de la carrera, va en primer lugar. INGLÉS advantage.

a b c d e f g h i j k l m n ñ o p q r s t u v w x y z

delantero, delantera
nombre **1** Jugador de fútbol y otros deportes de equipo que juega en la parte más adelantada de su equipo y cerca de la meta contraria para marcar goles o puntos. INGLÉS forward.
adjetivo **2** Se dice de la cosa que está delante de otras o en la parte de delante. Los automóviles tienen asientos delanteros y traseros. INGLÉS front.

delatar
verbo **1** Decir a una autoridad quién es el autor de una falta o delito: *Delató al ladrón que le había robado.* SINÓNIMO denunciar. INGLÉS to inform on.
2 Dar a conocer o hacer saber de forma involuntaria alguna cosa que preferiríamos ocultar. A una persona que fuma a escondidas la delata el olor a tabaco. INGLÉS to give away.

delegado, delegada
nombre **1** Persona elegida por un grupo para que hable en nombre del grupo. Los delegados de clase son elegidos para defender y expresar las ideas de los compañeros. INGLÉS delegate, representative.

delegar
verbo **1** Dejar un poder o una función a otra persona para que los utilice en un momento o en una ocasión determinados. Cuando el presidente del gobierno viaja al extranjero, delega en el vicepresidente. INGLÉS to delegate.
NOTA Se escribe 'gu' delante de 'e', como: deleguen.

deletrear
verbo **1** Pronunciar por separado cada una de las letras que forman una palabra. Cuando una persona no entiende bien un apellido, pide que se lo deletreen. INGLÉS to spell.

delfín
nombre masculino **1** Mamífero marino que tiene forma de pez y la piel de color gris azulado. INGLÉS dolphin.
NOTA El plural es: delfines.

delgadez
nombre femenino **1** Falta de carnes o de grasa que tiene una persona o animal. La excesiva delgadez puede provocar problemas de salud. ANTÓNIMO gordura. INGLÉS slimness, thinness.

delgado, delgada
adjetivo **1** Se dice de la persona o animal que tiene pocas carnes o grasas en el cuerpo. SINÓNIMO flaco. ANTÓNIMO gordo. INGLÉS thin, slim.
2 Que es poco ancho o grueso. Los tabiques son paredes delgadas que separan las habitaciones de las casas. SINÓNIMO fino. ANTÓNIMO grueso. INGLÉS thin.

deliberar
verbo **1** Reflexionar un grupo de personas sobre algo con mucho detenimiento antes de tomar una decisión. El jurado de un concurso tiene que deliberar para decidir el ganador. INGLÉS to deliberate.

delicadeza
nombre femenino **1** Atención o cuidado con que se hace una cosa o se trata a una persona. Hay que tratar los objetos frágiles con mucha delicadeza para que no se rompan. SINÓNIMO tacto. INGLÉS delicacy.

delicado, delicada
adjetivo **1** Se dice de la persona que es muy atenta y se comporta con mucha amabilidad con los demás: *Hay que ser delicados con el abuelo, que está enfermo.* INGLÉS kind.
2 Que es suave, débil y se rompe o se estropea con facilidad. La seda es un tejido muy delicado. INGLÉS considerate.
3 Que es muy débil, enfermizo y tiene mala salud. Después de una operación estamos delicados. INGLÉS delicate.
4 Se dice del asunto o la situación que son problemáticos y difíciles de resolver. Dar una mala noticia a alguien es algo muy delicado porque no sabemos cómo reaccionará. INGLÉS delicate.

delicia
nombre femenino **1** Placer o gusto que nos produce una cosa bella, agradable o divertida: *Es una delicia pasear por tu jardín.* INGLÉS delight.
2 Persona o cosa que causa placer o gusto: *Esa simpática joven es una delicia.* INGLÉS delight.

delicioso, deliciosa
adjetivo **1** Que causa placer o que es muy agradable. Los perfumes desprenden un aroma delicioso. Para los golosos los pasteles siempre son deliciosos. INGLÉS delightful, [si es comida: delicious].

delimitar
verbo
1 Señalar o marcar los límites de alguna cosa. Muchos campos de fútbol están delimitados con vallas publicitarias. INGLÉS to delimit.

delincuencia
nombre femenino
1 Actividad del delincuente, que consiste en cometer delitos y acciones contrarias a la ley. INGLÉS crime.

delincuente
nombre masculino y femenino
1 Persona que comete delitos o acciones contra la ley, en especial cuando lo hace de forma habitual. INGLÉS criminal.

delineante
nombre masculino y femenino
1 Persona que como oficio dibuja planos de edificios u objetos ideados por otra persona, por ejemplo un ingeniero o un arquitecto. INGLÉS draughtsman [hombre], draughtswoman [mujer].

delirar
verbo
1 Pensar y decir cosas sin sentido o disparatadas. La fiebre alta hace delirar. INGLÉS to be delirious.

delito
nombre masculino
1 Acción que comete una persona voluntariamente y va en contra de la ley. El robo y el asesinato son delitos. INGLÉS offence.

delta
nombre masculino
1 Acumulación de tierra parecida a una o más islas que se forma en la desembocadura de un río. INGLÉS delta.

demanda
nombre femenino
1 Cantidad de productos que los consumidores están dispuestos a comprar. La demanda de un producto es alta cuando mucha gente lo compra. INGLÉS demand.
2 Escrito que se presenta ante un juez o un tribunal para reclamar algo. Cuando un matrimonio se quiere divorciar, presenta una demanda de divorcio. INGLÉS claim, lawsuit.

demás
determinante y pronombre indefinido
1 Se utiliza para terminar una enumeración e indica el resto de personas o cosas no dichas: *Aquí pon las cremas, toallas y demás cosas para ir a la playa. Solo yo me he quedado, los demás se han ido hace un rato.* INGLÉS other.
por lo demás Hace referencia a un grupo de informaciones que todavía no han sido explicadas: *Quizá suspenda gimnasia, por lo demás no tengo que preocuparme.* INGLÉS apart from that, otherwise.
NOTA Se escribe en una sola palabra; no la confundas con 'de más', como en: 'te han puesto uno de más'.

demasiado, demasiada
determinante indefinido
1 Que es más de lo normal o de lo necesario: *Me han puesto demasiados deberes.* INGLÉS too much, too many.
adverbio
2 Más de lo normal o de lo necesario. Si comemos demasiado, luego nos duele la barriga. INGLÉS too much.

demente
adjetivo y nombre masculino y femenino
1 Se dice de la persona que ha perdido la razón o tiene alguna enfermedad mental. Las personas dementes son tratadas en hospitales psiquiátricos. SINÓNIMO loco. ANTÓNIMO cuerdo. INGLÉS lunatic.

democracia
nombre femenino
1 Sistema político en el que los ciudadanos, mediante votación, eligen libremente a quienes han de representarlos en el gobierno. INGLÉS democracy.
2 País que tiene este sistema de gobierno. Todos los países de la Unión Europea son democracias. INGLÉS democracy.

demócrata
adjetivo y nombre masculino y femenino
1 Se dice de la persona que es partidaria de la democracia. INGLÉS democratic [adjetivo], democrat [nombre].
adjetivo
2 Se dice de la actitud o acción que se manifiesta en favor de la democracia. INGLÉS democratic.

demoler
verbo
1 Destruir una cosa, especialmente un edificio o construcción. INGLÉS to demolish.
NOTA La 'o' se convierte en 'ue' en sílaba acentuada, como: demuelen.

demonio
nombre masculino
1 Ser o espíritu que representa el mal. Según la religión católica, Dios está en el cielo y el demonio está en el infierno. SINÓNIMO diablo. ANTÓNIMO ángel. INGLÉS demon, devil.
2 Persona muy traviesa o mala: *Este chico es un demonio, no para de hacer trastadas.* SINÓNIMO diablo. INGLÉS devil.
como un demonio Mucho, de forma

exagerada: *Las guindillas pican como un demonio.* INGLÉS like the devil.

de mil demonios Expresión que se usa para exagerar lo malo de una cosa: *Hace un frío de mil demonios.* INGLÉS terrible, dreadful.

llevarse a alguien los demonios Enfadarse una persona mucho por una cosa: *A mi padre se lo llevan los demonios cada vez que pierde su equipo de fútbol.* INGLÉS to go mad.

demostración

nombre femenino **1** Acción que consiste en demostrar algo con pruebas o razones. Un experimento puede ser la demostración de una teoría. INGLÉS demonstration.

2 Manifestación de un pensamiento o sentimiento. Hay demostraciones de amistad o antipatía. INGLÉS demonstration, show.

NOTA El plural es: demostraciones.

demostrar

verbo **1** Hacer que una cosa se entienda sin ninguna duda dando razones o pruebas. Es posible que exista vida fuera de la Tierra, pero es una cuestión que aún está por demostrar. INGLÉS to prove, to demonstrate.

2 Dejar ver un pensamiento o un sentimiento: *Demostró su honradez al decirnos la verdad.* INGLÉS to show.

NOTA Se conjuga como: contar; la 'o' se convierte en 'ue' en sílaba acentuada, como: demuestra.

demostrativo, demostrativa

adjetivo y nombre masculino **1** Se dice de la palabra que indica si algo o alguien está cerca o lejos del que está hablando. 'Este', 'ese' y 'aquel' son determinantes demostrativos. INGLÉS demonstrative.

denegar

verbo **1** No conceder a alguien lo que solicita o pide. Se deniega un permiso cuando no se reúnen los requisitos pedidos. SINÓNIMO rechazar. ANTÓNIMO aceptar. INGLÉS to refuse.

NOTA Se conjuga como: regar; la 'e' se convierte en 'ie' en sílaba acentuada y se escribe 'gu' delante de 'e', como: denieguen.

denominación

nombre femenino **1** Nombre que se da a una persona o cosa para distinguirla de otras: *Cada trabajo que se hace en esta fábrica tiene una denominación concreta.* INGLÉS name, title.

denominación de origen Garantía oficial de que un producto de alimentación procede de una región o zona concretas, está elaborado siguiendo un proceso determinado y cumple con unas normas de calidad establecidas. INGLÉS guarantee of origin.

NOTA El plural es: denominaciones.

denominador

nombre masculino **1** En matemáticas, número que indica las partes en que se divide otro número en una división o en una fracción. En la fracción 10/4, el 4 es el denominador. INGLÉS denominator.

denominar

verbo **1** Dar un nombre a una persona o cosa. Un triángulo con los lados y los ángulos iguales se denomina equilátero. INGLÉS to call.

densidad

nombre femenino **1** Característica de las cosas que son densas. El aceite tiene menos densidad que el agua y por eso flota en ella. INGLÉS density.

densidad de población Número de habitantes que hay en una unidad de superficie. La densidad de población es mucho mayor en las ciudades que en el campo. INGLÉS population density.

denso, densa

adjetivo **1** Que tiene mucha materia o elementos en poco espacio. En la selva tropical la vegetación es muy densa e impide que penetre la luz: *Había una niebla muy densa en la ciudad.* SINÓNIMO espeso. INGLÉS dense, thick.

2 Que es difícil de entender porque tiene mucha información. Los libros de filosofía suelen ser densos y requieren un gran esfuerzo de concentración. ANTÓNIMO sencillo. INGLÉS dense.

dentado, dentada

adjetivo **1** Que tiene dientes o una serie de puntas o partes salientes en el borde. Un engranaje es un conjunto de ruedas dentadas cuyos dientes encajan unos con otros: *Hoja dentada.* INGLÉS toothed, serrated.

dentadura

nombre femenino **1** Conjunto de dientes y muelas que tiene una persona o un animal dentro de la boca. INGLÉS teeth.

dental
adjetivo
1 De los dientes o que tiene relación con ellos: *Para limpiarme los dientes uso un buen cepillo dental.* INGLÉS dental.

dentellada
nombre femenino
1 Acción de clavar los dientes. Algunos animales dan dentelladas para defenderse o para atacar. INGLÉS snap.
2 Señal que queda en la superficie donde se clavan unos dientes, en especial la marca de unos dientes afilados como los de algunos animales. INGLÉS bitemark.

dentera
nombre femenino
1 Sensación desagradable que se experimenta en los dientes al comer ciertas cosas, oír ciertos ruidos o tocar determinados objetos. A muchas personas les da dentera el ruido de las uñas cuando rascan la pizarra. INGLÉS unpleasant sensation.

dentífrico
nombre masculino
1 Pasta o líquido que se utiliza para limpiarse los dientes. INGLÉS toothpaste.

dentista
nombre masculino y femenino
1 Médico especializado en problemas de los dientes. Los dentistas empastan y extraen dientes y muelas. INGLÉS dentist.

dentro
adverbio
1 Indica que algo o alguien está en el interior de un lugar o de algo determinado: *Te espero dentro. Deberías hablar más y no guardártelo todo dentro de ti.* INGLÉS inside.
dentro de Indica el tiempo que falta para llegar a un tiempo futuro que se dice a continuación: *Llegaré dentro de dos meses.* INGLÉS in.

denuncia
nombre femenino
1 Acción que consiste en denunciar ante una autoridad un delito o al culpable de un delito: *Le robaron el bolso y puso una denuncia en la comisaría.* INGLÉS report.

denunciar
verbo
1 Decir por escrito o de palabra a una autoridad que se ha cometido un delito o decir quién lo ha cometido. INGLÉS to report.
2 Decir públicamente que algo no está de acuerdo con la ley o no es justo. En algunas publicaciones las cartas de los lectores denuncian problemas de la sociedad. INGLÉS to condemn.
NOTA Se conjuga como: cambiar; la 'i' no lleva nunca acento de intensidad.

departamento
nombre masculino
1 Cada una de las partes en que se divide de un objeto, edificio, territorio, vehículo o espacio. Una mochila puede tener varios departamentos. Los vagones de los trenes están divididos en departamentos. INGLÉS compartment.
2 Cada una de las divisiones de un gobierno, negocio o universidad. El departamento de contabilidad de una empresa es el encargado de pagar a los empleados. INGLÉS department.

dependencia
nombre femenino
1 Relación que existe entre dos cosas o personas que están unidas por alguna razón y dependen una de otra. Los jóvenes tienen dependencia económica de sus padres cuando no tienen trabajo y viven con ellos. INGLÉS dependence.
2 Necesidad muy fuerte que tiene una persona de un producto cuando la obliga a tenerlo o consumirlo. Los drogadictos padecen dependencia de la droga. SINÓNIMO adicción. INGLÉS dependence.

depender
verbo
1 Estar una persona bajo la autoridad de otra. Los empleados de una fábrica dependen de su jefe. INGLÉS to be under.
2 Estar una cosa condicionada a otra para que pueda ocurrir: *Que vayamos a la playa depende del tiempo.* INGLÉS to depend.
3 Necesitar una persona una determinada persona o cosa. Una persona que tiene una pierna enyesada depende de las muletas. INGLÉS to depend.

dependiente, dependienta
nombre
1 Persona que trabaja en una tienda y se encarga de atender a los clientes. INGLÉS shop assistant [en el Reino Unido], salesclerk [en Estados Unidos].

depilar
verbo
1 Quitar el pelo o el vello de una parte del cuerpo: *Mi madre se depila las piernas con cera.* INGLÉS to remove the hair from.

a b c d e f g h i j k l m n ñ o p q r s t u v w x y z

a b c d e f g h i j k l m n ñ o p q r s t u v w x y z

deporte
nombre masculino
1 Actividad física que hacen las personas para divertirse, para mantenerse en forma o para competir. INGLÉS sport.

deportista
adjetivo y nombre masculino y femenino
1 Se dice de la persona que practica mucho deporte por afición o como profesión. Los deportistas tienen que hacer una vida sana. INGLÉS sportsman [hombre], sportswoman [mujer].

deportividad
nombre femenino
1 Forma de comportarse correcta y positiva cuando se practica un deporte. Si un jugador de fútbol pone la zancadilla a otro, no se comporta con deportividad. INGLÉS sportsmanship.

deportivo, deportiva
adjetivo
1 Del deporte o que está relacionado con él. En algunos colegios hay variedad de actividades deportivas. INGLÉS sporting, sport.
nombre masculino
2 Automóvil muy rápido, generalmente bajo, con dos puertas y dos asientos. INGLÉS sports.

deposición
nombre femenino
1 Expulsión de los excrementos por el ano. INGLÉS defecation.
2 Excremento que ha sido expulsado por el ano. INGLÉS faeces.
NOTA Es una palabra formal. El plural es: deposiciones.

depositar
verbo
1 Poner o dejar una cosa en un lugar determinado. La gente deposita el dinero en el banco. INGLÉS to deposit.
2 Poner un sentimiento, como confianza, ilusión o cariño, en algo o en alguien. En los amigos depositamos nuestra amistad y confianza. INGLÉS to place, to put.
3 depositarse Caer al fondo de un recipiente, de forma lenta y suave, las partes sólidas contenidas en un líquido. Los trocitos de naranja de un zumo se depositan en el fondo de la botella. SINÓNIMO posarse. INGLÉS to settle.

depósito
nombre masculino
1 Lugar o recipiente en el que se guarda o almacena alguna cosa. Todos los automóviles tienen un depósito para el combustible. INGLÉS tank.
2 Conjunto de cosas, como dinero o mercancías, que se guardan en un lugar hasta que se necesitan. Los grandes centros comerciales tienen depósitos de productos para ponerlos a la venta según se necesite. SINÓNIMO provisión. INGLÉS store, stock.

depravado, depravada
adjetivo y nombre
1 Que se considera fuera de lo normal o que tiene vicios y costumbres no aceptados por la sociedad. Una persona que espía a sus vecinos a todas horas puede considerarse depravada. INGLÉS depraved [adjetivo].

depredador, depredadora
adjetivo y nombre
1 Se dice del animal que caza animales de otra especie para alimentarse. El lobo es un depredador y la oveja suele ser su presa. INGLÉS depredatory [adjetivo], predator [nombre].

depresión
nombre femenino
1 Enfermedad psicológica en la que la persona está muy triste y ha perdido el interés por las cosas. INGLÉS depression.
2 Porción de terreno que se encuentra en un nivel más bajo que las tierras que la rodean. Un valle es una depresión. INGLÉS depression.
3 Período de tiempo en el que hay una baja actividad de la economía. En época de depresión bajan los sueldos. INGLÉS depression.
NOTA El plural es: depresiones.

deprimido, deprimida
adjetivo
1 Que está muy triste y sin ánimos para hacer nada: *Juan está deprimido porque lo han echado del trabajo.* ANTÓNIMO animado. INGLÉS depressed.

deprimir
verbo
1 Poner muy triste a una persona y hacerle perder la alegría y las ganas de hacer cosas: *Los días lluviosos lo deprimen mucho.* ANTÓNIMO animar. INGLÉS to depress.

deprisa
adverbio
1 Indica que una acción se realiza con rapidez. También se utiliza para pedir que algo se haga con rapidez: *Deprisa, termina ya.* INGLÉS quickly.
NOTA También se escribe: de prisa.

depuración
nombre femenino
1 Eliminación de la suciedad o impurezas de una sustancia. Para usar agua contaminada es necesario someterla

a un proceso de depuración. INGLÉS purification, cleansing, purge, purging.
NOTA El plural es: depuraciones.

depuradora
nombre femenino
1 Aparato o instalación que sirve para depurar una sustancia, en especial el agua. En las depuradoras el agua se filtra y trata hasta que se convierte en agua potable. INGLÉS sewage treatment plant.

depurar
verbo
1 Eliminar la suciedad o impurezas de una sustancia. Al depurar las aguas residuales eliminamos la mayor parte de las sustancias perjudiciales que contienen. INGLÉS to purify, to treat.

derbi
nombre masculino
1 Partido deportivo entre dos rivales que son de la misma zona o que tienen una rivalidad especial. Normalmente los derbis son futbolísticos. INGLÉS derby.

derecha
nombre femenino
1 Conjunto de personas, grupos y partidos que tienen ideas conservadoras y defienden el capitalismo. INGLÉS the right.
2 Todo lo que está situado en el lado derecho. Cuando ponemos la mesa colocamos el cuchillo a la derecha. INGLÉS right.

derecho, derecha
adjetivo
1 Se dice de la parte del cuerpo que está situada en la mitad contraria al lado en el que tenemos el corazón. La mayoría de la gente escribe con la mano derecha. INGLÉS right.
2 Se dice de las cosas o partes de las cosas que, cuando las miramos de frente, están situadas en el lado opuesto al lado en que tenemos el corazón. Los automóviles en el continente europeo circulan por el carril derecho. INGLÉS right.
3 Se dice de la persona o de la cosa que es o está recta, que no se tuerce a un lado ni a otro y se mantiene vertical. Cuando nos miden la estatura tenemos que estar muy derechos. INGLÉS upright, straight.
nombre masculino
4 Posibilidad que tienen las personas de exigir que se cumpla determinada cosa que es justa y está establecida por la ley. Todos tenemos derecho a la educación. INGLÉS right.
5 Ciencia que estudia las leyes y la aplicación de la justicia. El derecho se estudia en la universidad. INGLÉS law.
nombre masculino plural
6 derechos Cantidad de dinero que se tiene que pagar a una persona o a un país por usar algún bien o servicio que le pertenece. Los escritores cobran derechos de autor por los libros que venden. INGLÉS royalties.
adverbio
7 derecho Manera de circular o moverse en línea recta, sin desviarse: *Va derecho al río.* INGLÉS straight.

deriva
a la deriva Sin dirección concreta, dejándose llevar por una corriente de agua o viento. Un barco va a la deriva cuando nadie está dirigiendo el timón. INGLÉS adrift.
a la deriva Sin que nadie lo controle o lo dirija. Se dice que una empresa, un negocio o una familia van a la deriva cuando tienen una mala organización y cada miembro actúa sin ponerse de acuerdo con los demás. INGLÉS adrift.

derivado, derivada
adjetivo y nombre masculino
1 Que viene o se obtiene de alguna otra cosa. El yogur es un producto derivado de la leche. INGLÉS derived [adjetivo], product [nombre].
2 Se dice de la palabra que se forma a partir de otra palabra a la que se le añade o se le cambia una parte. 'Florero' es un derivado de 'flor'. INGLÉS derivative.

derivar
verbo
1 Proceder una cosa de otra, o ser consecuencia una cosa de otra que se expresa: *Su amor deriva de una antigua amistad.* INGLÉS to spring, to arise.
2 Proceder una palabra de otra a la que se ha añadido o cambiado una parte. 'Actuación' deriva de 'actuar'. INGLÉS to be derived.

dermatólogo, dermatóloga
nombre
1 Médico especializado en el estudio y tratamiento de las enfermedades de la piel. INGLÉS dermatologist.

dermis
nombre femenino
1 Capa interna y más gruesa de la piel que está situada debajo de la epidermis. La dermis contiene terminaciones nerviosas y las raíces de los pelos. INGLÉS dermis.
NOTA El plural es: dermis.

a b c d e f g h i j k l m n ñ o p q r s t u v w x y z

derramar
verbo **1** Dejar caer el contenido de un recipiente, generalmente de forma involuntaria: *Se derramó la leche.* INGLÉS to spill.

derramar

derrapar
verbo **1** Deslizarse hacia un lado un vehículo de manera que se desvía de la dirección que llevaba. INGLÉS to skid.

derretir
verbo **1** Hacer que una sustancia sólida se convierta en líquida debido al calor. El hielo se derrite al ponerlo en contacto con el fuego. INGLÉS to melt.
NOTA Se conjuga como: servir; la 'e' se convierte en 'i' en algunos tiempos y personas, como: derritieron.

derribar
verbo **1** Hacer que una persona o una cosa caiga al suelo. Si damos un fuerte empujón a una persona, podemos derribarla. INGLÉS to knock over.
2 Echar abajo una construcción, destruyéndola. Las casas muy viejas se derriban para construir otras nuevas. SINÓNIMO derruir, derrumbar. INGLÉS to demolish.

derrocar
verbo **1** Hacer que desaparezca un gobierno o una persona con poder, generalmente de manera violenta. Las revoluciones populares pretenden derrocar los gobiernos injustos. INGLÉS to bring down.
NOTA Se escribe 'qu' delante de 'e', como: derroquen.

derrochar
verbo **1** Gastar mucho más dinero u otra cosa de lo necesario o gastarlo en cosas innecesarias y sin pensar. En épocas de sequía se aconseja no derrochar agua. SINÓNIMO despilfarrar. ANTÓNIMO ahorrar. INGLÉS to waste.
2 Tener gran abundancia de una cualidad positiva. Hay personas que derrochan simpatía o buen humor. SINÓNIMO rebosar. ANTÓNIMO carecer. INGLÉS to burst with.

derroche
nombre masculino **1** Gasto exagerado de dinero o de otros bienes, sin pensar en el ahorro. SINÓNIMO despilfarro. ANTÓNIMO ahorro. INGLÉS waste.
2 Abundancia de algo, sobre todo si es bueno: *En ese cuento hay un derroche de imaginación.* INGLÉS abundance.

derrota
nombre femenino **1** Hecho de haber sido vencido. Un equipo de fútbol sufre una derrota cuando pierde. INGLÉS defeat.

derrotar
verbo **1** Vencer a alguien en una lucha, un juego o una competición. INGLÉS to defeat, to beat.

derruir
verbo **1** Hacer caer un edificio, destruyéndolo. Los terremotos muy fuertes suelen derruir casas. SINÓNIMO derribar; derrumbar. INGLÉS to demolish.
NOTA Se conjuga como: huir; la 'i' se convierte en 'y' delante de 'a', 'e' y 'o', como: derruya, derruye o derruyo.

derrumbar
verbo **1** Echar abajo un edificio, destruyéndolo. SINÓNIMO derribar; derruir. INGLÉS to demolish.

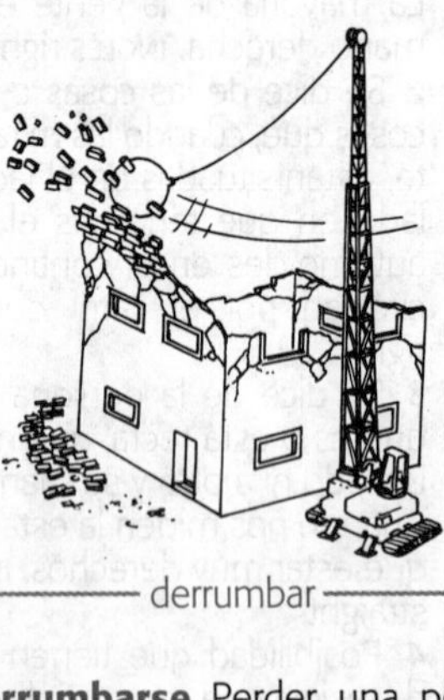
derrumbar

2 derrumbarse Perder una persona toda la fuerza y el ánimo, normalmente después de una gran desgracia. INGLÉS to go to pieces.

desabrochar
verbo **1** Abrir el cierre de una prenda de vestir. ANTÓNIMO abrochar. INGLÉS to undo, to unfasten.

desaconsejar
verbo **1** Recomendar a una persona que no haga una cosa que tenía pensada. Las autoridades desaconsejan conducir rápido cuando hay niebla. INGLÉS to advise against.

desacostumbrado, desacostumbrada
adjetivo **1** Que ha perdido una costumbre. INGLÉS unused.
2 Que es poco frecuente o es diferente de lo habitual: *Suele despertarse pronto, pero ayer se levantó a una hora desacostumbrada.* INGLÉS unusual.

desacreditar
verbo **1** Hacer perder a una persona o a una cosa la buena reputación que tenía. Una traición a un buen amigo desacredita a la persona que la comete. INGLÉS to discredit.

desactivar
verbo **1** Hacer que un mecanismo que está activado deje de funcionar. Los soldados intentan desactivar las bombas que están preparadas para explotar. ANTÓNIMO activar. INGLÉS to defuse.
2 Detener o anular algo que está activo o en plena actividad: *La policía ha desactivado una banda terrorista.* INGLÉS to dismantle.

desacuerdo
nombre masculino **1** Falta de acuerdo entre dos o más personas. Cuando dos personas están en desacuerdo sobre algo, tienen opiniones diferentes. ANTÓNIMO acuerdo. INGLÉS disagreement.

desafiar
verbo **1** Provocar una persona a otra para que luche o compita: *Lo desafió a una partida de ajedrez.* SINÓNIMO retar. INGLÉS to challenge.
2 Hacer frente una persona a una dificultad o un peligro sin dejarse asustar y sin retroceder ante ellos. Los amantes de la navegación desafían el mal tiempo. INGLÉS to defy.
NOTA Se conjuga como: desviar; la 'i' se acentúa en algunos tiempos y personas, como: desafíen.

desafinar
verbo **1** Sonar mal una o más notas al tocar un instrumento musical o al cantar. Una guitarra desafina cuando alguna de sus cuerdas no está tensada correctamente. INGLÉS to be out of tune [un instrumento], to sing out of tune [al cantar].

desafío
nombre masculino **1** Acción que realiza una persona cuando provoca a otra para que luche o compita con ella: *Me retó a ver quién buceaba más tiempo, pero no acepté su desafío.* INGLÉS challenge.
2 Acción difícil o peligrosa que una persona quiere realizar porque supone una superación. Para los escaladores es un desafío llegar a las cimas más altas. INGLÉS challenge.

desafortunado, desafortunada
adjetivo **1** Que tiene muy mala suerte. Son desafortunadas las personas que han sufrido muchas desgracias. ANTÓNIMO afortunado. INGLÉS unlucky, unfortunate.
2 Que ocurre o se hace en un momento o de un modo que no es adecuado ni oportuno. Un comentario desafortunado puede molestar. ANTÓNIMO afortunado. INGLÉS unfortunate.

desagradable
adjetivo **1** Que provoca un rechazo o disgusto no muy fuerte. Algunas medicinas tienen un sabor desagradable. Las personas desagradables no suelen ser simpáticas. ANTÓNIMO agradable. INGLÉS unpleasant.

desagradar
verbo **1** No gustar o causar disgusto una persona o cosa: *No es que me encante esa música, pero tampoco me desagrada.* ANTÓNIMO agradar; gustar. INGLÉS to displease, to dislike.

desagradecido, desagradecida
adjetivo y nombre **1** Se dice de la persona que no agradece los favores que le hacen: *El muy desagradecido ni me dio las gracias por el regalo.* SINÓNIMO ingrato. ANTÓNIMO agradecido. INGLÉS ungrateful [adjetivo].

desagrado
nombre masculino **1** Disgusto o molestia que causa algo que no gusta. INGLÉS displeasure.

desagüe
nombre masculino **1** Tubo o agujero por el que sale el agua de los lavabos, fregaderos y aseos. INGLÉS drain.

a b c d e f g h i j k l m n ñ o p q r s t u v w x y z

desahogarse
verbo **1** Contar una pena o una preocupación o llorar por algo para sentirse mejor. Cuando nos ha ocurrido algo malo es mejor desahogarse con alguien. INGLÉS to tell one's troubles.

desahucio
nombre masculino **1** Acción legal que consiste en expulsar de una casa o un terreno a la persona que lo ha alquilado. INGLÉS eviction.

desaliento
nombre masculino **1** Falta de ganas, ánimos o fuerzas para hacer una cosa. Sentimos desaliento cuando alguien critica de un modo injusto nuestro trabajo. SINÓNIMO desánimo. ANTÓNIMO aliento; ánimo. INGLÉS discouragement.

desalojar
verbo **1** Dejar vacío un lugar saliendo o haciendo salir a las personas que hay en él. Cuando hay un incendio en un edificio hay que desalojarlo. SINÓNIMO evacuar. INGLÉS to evacuate.

desangrarse
verbo **1** Perder una persona mucha o toda la sangre. Un accidentado con una herida muy profunda se puede desangrar. INGLÉS to bleed to death.

desanimar
verbo **1** Quitar o perder el ánimo, la energía o las ganas para hacer algo. Suspender muchas asignaturas puede desanimar a un estudiante. ANTÓNIMO animar. INGLÉS to discourage.

desánimo
nombre masculino **1** Falta de ánimo, de fuerzas o de ganas para hacer algo. SINÓNIMO desaliento. ANTÓNIMO ánimo. INGLÉS despondency, dejection.

desapacible
adjetivo **1** Se dice del tiempo que es molesto o desagradable. ANTÓNIMO agradable. INGLÉS nasty, bad.

desaparecer
verbo **1** Dejar de verse o de estar donde estaba una persona o una cosa. Cuando desaparecen unas llaves hay que buscarlas. INGLÉS to disappear.
2 Irse de un lugar. INGLÉS to disappear.
NOTA Se conjuga como: agradecer; la 'c' se convierte en 'zc' delante de 'a' y 'o', como: desaparezca.

desaparición
nombre femenino **1** Ausencia o falta de algo o alguien que antes estaba en un lugar. INGLÉS disappearance.
NOTA El plural es: desapariciones.

desapercibido, desapercibida
adjetivo **1** Que no se percibe, no se hace notar o no llama la atención. Algunos animales se camuflan y pasan desapercibidos para poder escapar del ataque de sus enemigos. INGLÉS unnoticed.

desaprensivo, desaprensiva
adjetivo **1** Se dice de la persona que no es justa con los demás ni los trata con respeto. INGLÉS unscrupulous.

desaprovechar
verbo **1** No sacar el provecho que se podría sacar de algo o alguien. INGLÉS not to take advantage of, to waste.

desarmar
verbo **1** Quitar a una persona las armas que lleva o que tiene. INGLÉS to disarm.
2 Separar las piezas que componen una cosa y que estaban unidas entre sí. Para arreglar una lavadora hay que desarmarla. INGLÉS to take apart.
3 Hacer que una persona se quede sin argumentos para responder o sin saber qué decir. INGLÉS to disarm.

desarme
nombre masculino **1** Eliminación o disminución del número de armas y de material bélico de un país, una región o un ejército. INGLÉS disarmament.

desarrollar
verbo **1** Hacer crecer, progresar o mejorar alguna cosa o persona. Estudiar desarrolla la memoria. INGLÉS to develop.
2 Exponer o explicar con detalle un tema o una idea: *No pudo desarrollar sus argumentos.* INGLÉS to develop.
3 Llevar a cabo o poner en práctica una idea o actividad: *Desarrolla su trabajo en una empresa.* INGLÉS to carry out, to perform.
4 desarrollarse Transcurrir o suceder un acontecimiento: *La reunión se desarrolló con normalidad.* INGLÉS to take place.

desarrollo
nombre masculino **1** Crecimiento de una persona, un animal o una planta. Hace falta sol para el

desarrollo de los girasoles. INGLÉS development.
2 Lo que sucede cuando se desarrolla una cosa. Los laboratorios médicos trabajan en el desarrollo de nuevos medicamentos. INGLÉS development.

desasosiego
nombre masculino **1** Estado de la persona que está muy nerviosa o preocupada. INGLÉS anxiety, restlessness.

desastre
nombre masculino **1** Hecho que produce dolor o sufrimiento en las personas. La guerra es uno de los mayores desastres de la humanidad. SINÓNIMO desgracia. INGLÉS disaster.
2 Cosa que está mal hecha o es de mala calidad: *La fiesta fue un desastre, todo el mundo se aburrió.* INGLÉS disaster.
3 Persona que lo hace todo mal o que tiene poca suerte. INGLÉS disaster.

desatar
verbo **1** Soltar algo que estaba sujeto o atado con algo: *Hizo el nudo muy apretado y era incapaz de desatarlo.* ANTÓNIMO atar. INGLÉS to untie.
2 Producir o dar origen a algo de forma violenta: *Se desató una tremenda pelea.* INGLÉS to unleash [desatar], to break out [desatarse].
3 desatarse Perder una persona la timidez o el miedo: *Desde que vive fuera se ha desatado.* INGLÉS to come out of one's shell.

desatascador
nombre masculino **1** Utensilio o producto químico que sirve para desatascar los desagües. INGLÉS plunger.

desatascar
verbo **1** Quitar el obstáculo que atasca o tapa un agujero o un tubo. INGLÉS to unblock.
NOTA Se conjuga como: sacar; se escribe 'qu' delante de 'e', como: desatasqué.

desatornillar
verbo **1** Hacer girar un tornillo para que salga de la rosca o del lugar en el que está enroscado. Para desatornillar tornillos se usa el destornillador. INGLÉS to unscrew.

desatrancar
verbo **1** Quitar lo que impide que se abra una puerta o una ventana. INGLÉS to unbar, to unbolt.
2 Quitar lo que tapa un agujero o un tubo. SINÓNIMO desatascar. INGLÉS to unblock.
NOTA Se escribe 'qu' delante de 'e', como: desatranquen.

desayunar
verbo **1** Tomar el desayuno. INGLÉS to have breakfast.

desayuno
nombre masculino **1** Primera comida del día, que se toma por la mañana al levantarse. INGLÉS breakfast.

desbarajuste
nombre masculino **1** Desorden de muchas cosas mezcladas: *¡Qué desbarajuste! Esto hay que ordenarlo enseguida.* SINÓNIMO lío. INGLÉS confusion, mess.

desbocarse
verbo **1** Dejar de obedecer un caballo a la persona que lo monta. El caballo que se desboca empieza a galopar sin control. INGLÉS to bolt.
NOTA Se escribe 'qu' delante de 'e', como: se desboque.

desbordar
verbo **1** Salirse un líquido por los bordes del recipiente que lo contiene o del hueco donde está. INGLÉS to overflow.
2 Pasar algo de un límite que se considera normal. En las horas punta la gente desborda los vagones del metro. INGLÉS to overflow.

descabellado, descabellada
adjetivo **1** Se dice de la cosa que se considera un disparate, por ser absurda o poco sensata: *Iba cojo y aún tenía la descabellada idea de ganar la carrera.* SINÓNIMO disparatado. INGLÉS wild, crazy.

descafeinado, descafeinada
adjetivo y nombre masculino **1** Se dice del café que no tiene cafeína o que tiene muy poca. INGLÉS decaffeinated [adjetivo], decaffeinated coffee [nombre].

descalabro
nombre masculino **1** Pérdida o daño muy grave que ha sido producido por un contratiempo o un problema: *Invirtió todo su dinero y sufrió un descalabro económico.* INGLÉS disaster.

a b c d e f g h i j k l m n ñ o p q r s t u v w x y z

descalzar
verbo
1 Quitar el calzado de los pies. ANTÓNIMO calzar. INGLÉS to take off somebody's shoes.
NOTA Se escribe 'c' delante de 'e', como: descalcé.

descalzo, descalza
adjetivo
1 Que no lleva ningún calzado en los pies. INGLÉS barefoot.

descambiar
verbo
1 Cambiar o devolver algo que se ha comprado. INGLÉS to exchange.
NOTA Se conjuga como: cambiar; la 'i' no lleva nunca acento de intensidad.

descampado
nombre masculino
1 Terreno descubierto, sin árboles ni casas y sin habitar. INGLÉS piece of open land.

descansar
verbo
1 Dejar de trabajar o de hacer un ejercicio físico u otra actividad para recuperar las fuerzas o el ánimo. Cuando duermes también descansas. INGLÉS to rest.
2 Estar apoyada una cosa en otra o en el suelo. Los edificios descansan sobre sus cimientos. INGLÉS to rest.
3 Estar enterrada una persona en un lugar. INGLÉS to rest.

descansillo
nombre masculino
1 Superficie llana en que termina cada tramo de una escalera. SINÓNIMO descanso; rellano. INGLÉS landing.

descanso
nombre masculino
1 Período de tiempo en el que se para de hacer un trabajo u otra actividad para reponer fuerzas: *Trabaja toda la semana, excepto el sábado que es su día de descanso.* INGLÉS rest.
2 Pausa que se hace hacia la mitad de una competición deportiva o de un espectáculo, como cine, ópera o teatro. SINÓNIMO intermedio. INGLÉS interval [en el cine, teatro], half time [en deportes].

descapotable
adjetivo y nombre masculino
1 Se dice del automóvil que tiene una capota o techo que se puede quitar y poner. INGLÉS convertible.

descarado, descarada
adjetivo
1 Que actúa o habla sin vergüenza ni respeto hacia los demás: *Contesta mal a la gente, es un descarado.* SINÓNIMO desvergonzado. INGLÉS shameless.

descarga
nombre femenino
1 Acción que consiste en descargar o dejar una carga. Cerca de un mercado suele haber una zona de carga y descarga. INGLÉS unloading.
descarga eléctrica Paso brusco de corriente eléctrica de un cuerpo a otro. Si una persona toca un enchufe, puede sufrir una descarga eléctrica. INGLÉS electric shock.

descargar
verbo
1 Sacar la carga que hay en un lugar, en especial en el interior de un vehículo. INGLÉS to unload.
2 Hacer que salga la carga de un arma de fuego, como una pistola. INGLÉS to fire.
3 Dejar un trabajo complicado o parte de él para que lo haga otra persona. INGLÉS to offload.
4 Mostrar a alguien unos sentimientos fuertes, como un enfado o una pena. INGLÉS to vent.
5 descargarse Perder un objeto, como una pila, su carga eléctrica. INGLÉS to go flat.
NOTA Se escribe 'gu' delante de 'e', como: descarguemos.

descaro
nombre masculino
1 Falta de respeto o de vergüenza de una persona que hace cosas que no debería hacer. Hay que tener mucho descaro para colarse en una cola. INGLÉS cheek.

descarrilar
verbo
1 Salirse un tren de las vías o carriles. INGLÉS to be derailed.

descartar
verbo
1 Rechazar o separar una persona o una cosa de un grupo y no contar con ella para nada. INGLÉS to discard, to reject.

descascarillar
verbo
1 Quitar o perder la cáscara o la capa que tiene una superficie. Hay que descascarillar las almendras antes de comérnoslas. Se puede descascarillar un plato de cerámica por culpa de un golpe. INGLÉS to shell [almendras], to chip [cerámica].

descendencia
nombre femenino
1 Conjunto de personas o animales que descienden de otra persona u otro animal. La descendencia de un matrimo-

nio son sus hijos, sus nietos, sus bisnietos y los hijos que estos tienen. INGLÉS descendants.

descendente

adjetivo **1** Que va hacia abajo. Los esquiadores se deslizan por pistas descendentes. ANTÓNIMO ascendente. INGLÉS descending, downward.

descender

verbo **1** Ir de un lugar alto a otro bajo o más bajo. SINÓNIMO bajar. ANTÓNIMO ascender. INGLÉS to descend, to go down.

2 Hacer más pequeña o menos intensa una cosa. En invierno las temperaturas descienden. SINÓNIMO bajar. ANTÓNIMO ascender. INGLÉS to fall, to drop.

3 Proceder o tener su origen en una persona. Los niños descienden de sus padres. INGLÉS to descend.

NOTA Se conjuga como: entender; la 'e' se convierte en 'ie' en sílaba acentuada, como: desciendo.

descendiente

nombre masculino y femenino **1** Persona o animal que desciende de otra persona u otro animal. Los hijos, nietos, bisnietos y tataranietos de una persona son sus descendientes. INGLÉS descendant.

descenso

nombre masculino **1** Paso de un lugar, un valor o un precio determinado a otro más bajo. ANTÓNIMO ascenso. INGLÉS descent, [si es de un valor o precio: fall].

2 Terreno inclinado visto desde arriba. ANTÓNIMO ascenso. INGLÉS descent.

descentralizar

verbo **1** Hacer que una cosa deje de depender de un control o una dirección central: *Los servicios médicos se han descentralizado y ahora cada barrio tiene su hospital.* ANTÓNIMO centralizar. INGLÉS to decentralize.

NOTA La 'z' se convierte en 'c' delante de 'e', como: descentralicen.

descentrar

verbo **1** Hacer que una cosa deje de estar centrada: *Me has descentrado el título del trabajo y ahora está demasiado a la izquierda.* INGLÉS to put off-centre.

2 Perder la atención o la concentración: *Con la tele encendida me descentro y no puedo estudiar.* INGLÉS to distract [descentrar], to lose one's concentration [descentrarse].

descifrar

verbo **1** Llegar a entender o a poder leer un texto que está escrito con signos o con un código desconocido. INGLÉS to decipher.

2 Llegar a entender o comprender una cosa complicada o confusa. INGLÉS to figure out.

desclavar

verbo **1** Quitar uno o más clavos o soltar una cosa del clavo o clavos que la sujetan. Un tacón de un zapato o un cuadro de la pared se pueden desclavar. INGLÉS to remove the nails from.

descodificar

verbo **1** Descubrir el significado de un mensaje al aplicar las reglas adecuadas del código o sistema de signos en que ha sido escrito: *El mensaje estaba escrito con un código secreto, pero lo pudo descodificar.* ANTÓNIMO codificar. INGLÉS to decode.

NOTA Se escribe 'qu' delante de 'e', como: descodifiqué.

descojonarse

verbo **1** Reírse mucho y con ganas. Es una palabra vulgar. SINÓNIMO desternillarse. INGLÉS to piss oneself laughing.

descolgar

verbo **1** Quitar o bajar una cosa que está colgada en un sitio. ANTÓNIMO colgar. INGLÉS to take down.

2 Levantar el auricular del teléfono. Cuando el teléfono suena lo descolgamos para preguntar quién llama. ANTÓNIMO colgar. INGLÉS to pick up.

3 Bajar despacio y con cuidado un objeto sujetándolo a algo, como una cuerda. INGLÉS to lower.

4 descolgarse Separarse una persona de un grupo. Es un uso informal. INGLÉS to pull away.

NOTA Se conjuga como: colgar; la 'o' se convierte en 'ue' en sílaba acentuada y se escribe 'gu' delante de 'e', como: descuelguen.

descolocar

verbo **1** Hacer que una o varias cosas dejen de estar en el sitio o en la posición correcta: *El niño me descolocó los libros.*

SINÓNIMO desordenar. ANTÓNIMO colocar. INGLÉS to disorder.

NOTA Se escribe 'qu' delante de 'e', como: descoloqué.

descolorido, descolorida

adjetivo **1** Que ha perdido color o que tiene el color más claro que antes, como le ocurre a la ropa de color después de muchos lavados. INGLÉS faded.

descomponer

verbo **1** Separar todas las partes que forman algo. *Para arreglar un televisor que no funciona hay que descomponerlo por dentro.* INGLÉS to take apart.

2 descomponerse Pudrirse un alimento o la carne de un ser vivo. INGLÉS to rot.

3 descomponerse Perder una persona la calma y la tranquilidad, o sentirse mal de salud. INGLÉS to lose one's temper [perder la calma], to feel unwell [sentirse enfermo].

NOTA Se conjuga como: poner. El participio es: descompuesto.

descompuesto, descompuesta

participio **1** Participio irregular de: descomponer. También se usa como adjetivo: *La carne se quedó fuera de la nevera y se ha descompuesto. Al ver el accidente se quedó descompuesta.*

adjetivo **2** Que tiene diarrea porque no ha digerido bien los alimentos o tiene algún problema intestinal. INGLÉS who has diarrhoea.

descomunal

adjetivo **1** Que es tan grande o tan exagerado que se sale de lo normal. INGLÉS huge, enormous.

desconcertar

verbo **1** Hacer que una persona se quede sorprendida y sin saber qué hacer ni qué decir. INGLÉS to disconcert.

NOTA Se conjuga como: acertar; la 'e' se convierte en 'ie' en sílaba acentuada, como: desconcierten.

desconcierto

nombre masculino **1** Sentimiento de confusión y sorpresa a causa de algo inesperado. *Cuando sentimos desconcierto no sabemos qué hacer ni qué decir.* INGLÉS confusion.

2 Situación de desorden en la que las personas no saben qué hacer. INGLÉS disorder.

desconectar

verbo **1** Cortar el paso de corriente eléctrica a la que un aparato está conectado. ANTÓNIMO conectar. INGLÉS to switch off.

2 Dejar de tener relación o comunicación. *Cuando nos vamos de vacaciones desconectamos de nuestra vida habitual.* INGLÉS to disconnect.

3 Hacer como que no se oye o no interesa una cosa. Es un uso informal. INGLÉS to switch off.

desconfiado, desconfiada

adjetivo **1** Que no tiene confianza en las cosas o en las personas. ANTÓNIMO confiado. INGLÉS distrustful, suspicious.

desconfianza

nombre femenino **1** Sentimiento que se tiene cuando no se confía en una cosa o en una persona. ANTÓNIMO confianza. INGLÉS distrust, suspicion.

desconfiar

verbo **1** No tener confianza en una cosa o en una persona: *Desconfía de ella porque siempre le hace quedar mal.* ANTÓNIMO confiar. INGLÉS to distrust.

NOTA Se conjuga como: desviar; la 'i' se acentúa en algunos tiempos y personas, como: desconfíe.

descongelar

verbo **1** Hacer que algo deje de estar congelado, especialmente un alimento. ANTÓNIMO congelar. INGLÉS to thaw.

desconocer

verbo **1** No conocer o no saber cierta cosa: *Desconozco su edad, pero parece bastante joven.* INGLÉS not to know.

NOTA Se conjuga como: conocer; la 'c' se convierte en 'zc' delante de 'a' y 'o', como: desconozco.

desconsuelo

nombre masculino **1** Sentimiento de pena o tristeza muy intensa que se tiene cuando ha ocurrido una desgracia y que es difícil de superar. ANTÓNIMO consuelo. INGLÉS distress.

descontaminar

verbo **1** Eliminar o reducir la contaminación de un lugar o de otra cosa. INGLÉS to decontaminate.

descontar

verbo **1** Restar una cantidad de alguna cosa,

en especial una cantidad de dinero. Cuando alguien compra un automóvil nuevo le descuentan parte del precio por la entrega del viejo. INGLÉS to deduct.
2 Añadir un árbitro de un partido deportivo un tiempo determinado para recuperar el tiempo que el juego ha estado parado. INGLÉS to add on.
NOTA Se conjuga como: contar; la 'o' se convierte en 'ue' en sílaba acentuada, como: descuenten.

descontento, descontenta
adjetivo y nombre **1** Que no está contento ni satisfecho con algo. ANTÓNIMO contento. INGLÉS unhappy, dissatisfied.
nombre masculino **2** Sentimiento de disgusto o desagrado que tenemos cuando no estamos satisfechos con algo. INGLÉS discontent, dissatisfaction.

descontrol
nombre masculino **1** Pérdida del control o el orden: *Cuando el profesor salió, se produjo el descontrol de los alumnos.* INGLÉS disorder, chaos.

descorchar
verbo **1** Quitar el tapón de corcho a una botella. INGLÉS to uncork.

descortés
adjetivo y nombre masculino y femenino **1** Que se comporta con poco respeto o poca educación con los demás. Es descortés no respetar los turnos de palabra. SINÓNIMO maleducado. ANTÓNIMO cortés. INGLÉS rude.
NOTA El plural es: descorteses.

descoser
verbo **1** Cortar, quitar o perder el hilo que une piezas de tela u otro material. Cuando se nos descose un botón se nos cae de la prenda. INGLÉS to unpick [descoser], to come unstitched [descoserse].

describir
verbo **1** Decir cómo es una cosa, una persona o un lugar. Podemos describir algo oralmente o por escrito. INGLÉS to describe.
2 Hacer una línea, figura o trayectoria un cuerpo al moverse. Los planetas describen una órbita al girar alrededor del Sol. INGLÉS to describe.

descripción
nombre femenino **1** Explicación de las cualidades o características de una cosa, persona o lugar. INGLÉS description.
NOTA El plural es: descripciones.

descriptivo, descriptiva
adjetivo **1** Que describe unas cualidades o características. También es descriptivo lo que contiene muchas descripciones, como un cuento o una novela. INGLÉS descriptive.

descrito, descrita
participio **1** Participio irregular de: describir. También se usa como adjetivo: *Ha descrito a su hermana. La casa aparece muy bien descrita en la novela.* INGLÉS described.

descuartizar
verbo **1** Cortar en varios trozos algo, como el cuerpo de un animal. INGLÉS to cut up.
NOTA Se escribe 'c' delante de 'e', como: descuartice.

descubierto, descubierta
participio **1** Participio irregular de: descubrir. También se usa como adjetivo: *Los arqueólogos han descubierto unas ruinas.*
adjetivo **2** Que no tiene nada que lo tape. Un cuerpo descubierto está desnudo. INGLÉS uncovered.
al descubierto A la vista o al conocimiento de todos. INGLÉS in the open.

descubridor, descubridora
adjetivo y nombre **1** Se dice de la persona que descubre una cosa que no se conocía o que se mantenía oculta, sobre todo cuando hablamos de un territorio o un hecho científico. INGLÉS discoverer [nombre].

descubrimiento
nombre masculino **1** Acción que consiste en descubrir algo. INGLÉS discovery.
2 Cosa que no se conocía o que se mantenía oculta y que es descubierta por alguien. La penicilina es un descubrimiento de gran importancia para la medicina. INGLÉS discovery.

descubrir
verbo **1** Encontrar algo que no se conocía o que se mantenía oculto o escondido. INGLÉS to discover.
2 Enterarse una persona de algo que no conocía, porque se mantenía oculto o porque no se había dado cuenta de ello: *Acabo de descubrir que tú y yo nacimos el mismo día.* INGLÉS to find out.
3 Quitar la ropa, la tapa o lo que cubre u oculta una cosa. INGLÉS to uncover.

descuento
nombre masculino **1** Cantidad de dinero que se rebaja de

un precio. En algunas tiendas, si pagamos al contado hacen descuento. SINÓNIMO rebaja. INGLÉS discount.

2 En deportes como el fútbol, tiempo que se añade al final del partido para recuperar el tiempo que el juego ha estado parado. INGLÉS injury time.

descuidado, descuidada

adjetivo y nombre **1** Que no tiene el cuidado o la atención necesarios con las cosas, o que no cuida su aseo y su aspecto externo. INGLÉS careless [adjetivo].

adjetivo **2** Se dice de las cosas que no se han cuidado, y por ello están estropeadas, rotas o sucias. Una habitación tiene un aspecto descuidado cuando está muy desordenada. INGLÉS untidy.

descuidar

verbo **1** No prestar el cuidado, la atención o el interés que se tendría que prestar. INGLÉS to neglect.

descuida Se utiliza para tranquilizar a alguien y decirle que no se preocupe por algo: *Descuida, seguro que llegará a tiempo.* INGLÉS don't worry!

descuido

nombre masculino **1** Falta de atención o de cuidado al hacer una cosa. Un descuido provoca que suceda algo negativo, como un error, un olvido o un accidente. INGLÉS negligence, carelessness.

2 Falta de cuidado que una persona tiene en su aseo personal y su aspecto externo. INGLÉS slovenliness, untidiness.

desde

preposición **1** Indica el origen o lugar donde empieza un movimiento: *Viene corriendo desde casa.* SINÓNIMO de. INGLÉS from.

2 Indica el momento a partir del cual pasa algo: *No sabe nada de ellos desde que se casaron.* INGLÉS since.

3 Señala el lugar que es adecuado para hacer una determinada cosa: *Desde lo alto de la colina puede verse el pueblo.* INGLÉS from.

desdecirse

verbo **1** Negar algo que se ha afirmado con anterioridad. INGLÉS to go back on what one said.

NOTA Se conjuga como: predecir.

desdén

nombre masculino **1** Indiferencia y desprecio que se demuestra hacia una persona o una cosa: *Miró con desdén el cuadro porque le parecía poco artístico.* INGLÉS scorn, contempt.

NOTA El plural es: desdenes.

desdentado, desdentada

adjetivo **1** Que no tiene dientes o que ha perdido algunos. INGLÉS toothless.

desdeñoso, desdeñosa

adjetivo **1** Que muestra rechazo y desprecio por una persona o cosa. INGLÉS contemptuous, scornful.

desdicha

nombre femenino **1** Situación o suceso triste que produce pena o dolor. SINÓNIMO desgracia. ANTÓNIMO dicha. INGLÉS misfortune.

desdichado, desdichada

adjetivo **1** Se dice de la persona a la que le ha ocurrido alguna desdicha. SINÓNIMO desgraciado. ANTÓNIMO dichoso. INGLÉS unfortunate, wretched.

desdicho, desdicha

participio **1** Participio irregular de: desdecirse. También se usa como adjetivo: *Se ha desdicho de su promesa y no la va a cumplir.*

desdoblar

verbo **1** Hacer que una cosa que está doblada deje de estarlo. ANTÓNIMO doblar. INGLÉS to unfold.

desear

verbo **1** Querer tener algo o querer hacer algo con mucha intensidad. Cuando se produce una guerra todo el mundo desea la paz. INGLÉS to want, to desire.

2 Querer algo para una persona. Deseamos felices fiestas en Navidad a nuestros familiares. INGLÉS to wish.

dejar que desear Ser una cosa peor de lo que se esperaba: *Tu trabajo deja mucho que desear, se ve que lo has hecho deprisa.* INGLÉS to leave to be desired.

desechar

verbo **1** Dejar de utilizar algo, normalmente porque se considera inútil o inapropiado. Algunos productos se desechan después de un uso, como los pañuelos de papel. INGLÉS to discard.

2 Rechazar o no aceptar una cosa: *Desechó su propuesta.* INGLÉS to reject.

3 Dejar de tener un mal pensamiento. Algunas personas necesitan la ayuda de un psicólogo para desechar sus temores. INGLÉS to put aside.

desecho
nombre masculino
1 Aquello de lo que se prescinde o que se tira porque ya no sirve. INGLÉS waste.

desembarcar
verbo
1 Salir de un barco, un avión o un tren. INGLÉS to disembark.
2 Sacar una mercancía de un barco o de un avión. Los pescadores desembarcan el pescado en el puerto. INGLÉS to unload.
NOTA Se escribe 'qu' delante de 'e', como: desembarqué.

desembarco
nombre masculino
1 Salida de personas o de mercancías de un barco, un avión, un tren, etcétera. INGLÉS disembarkation.

desembocadura
nombre femenino
1 Lugar por donde un río desemboca en el mar o en otro río. INGLÉS mouth.

desembocadura

desembocar
verbo
1 LLegar un río al mar o a otro río más grande. INGLÉS to flow into.
2 Tener una calle, un camino o un conducto salida a otro o a un lugar determinado. En una plaza suelen desembocar varias calles. INGLÉS to lead onto.
NOTA Se escribe 'qu' delante de 'e', como: desemboque.

desembolso
nombre masculino
1 Cantidad de dinero que se paga al comprar o alquilar algo. INGLÉS payment.

desempaquetar
verbo
1 Sacar las cosas de los paquetes en que están contenidas. Cuando volvemos de viaje, desempaquetamos las cosas que hemos traído. ANTÓNIMO empaquetar. INGLÉS to unpack.

desempatar
verbo
1 Hacer desaparecer la igualdad de puntos o tantos obtenidos por dos equipos en una competición. También es deshacer el empate de votos en una votación. ANTÓNIMO empatar. INGLÉS to break a tie.

desempate
nombre masculino
1 Situación que se produce al desaparecer la igualdad de votos en una votación o de puntos o de tantos en una competición. ANTÓNIMO empate. INGLÉS tie break.

desempeñar
verbo
1 Realizar las funciones u obligaciones que corresponden a un trabajo. Un actor tiene que ser capaz de desempeñar muchos papeles. INGLÉS to carry out.
2 Recuperar un objeto que se había empeñado. Cuando se desempeña un objeto debe pagarse el dinero que nos prestaron más unos intereses determinados. INGLÉS to redeem.

desempleo
nombre masculino
1 Situación en la que se encuentran las personas que no tienen trabajo y tienen edad de trabajar. SINÓNIMO paro. ANTÓNIMO empleo. INGLÉS unemployment.

desempolvar
verbo
1 Quitar el polvo a una cosa. INGLÉS to dust.
2 Volver a usar una cosa que hace tiempo que no se usa: *Para disfrazarnos subimos al desván y desempolvamos los trajes de mis abuelos.* INGLÉS to dig out.

desencadenar
verbo
1 Provocar o producir una cosa. Una fuerte discusión puede desencadenar una pelea. INGLÉS to spark off.
2 Quitar las cadenas con las que algo o alguien está atado. ANTÓNIMO encadenar. INGLÉS to unchain.

desencantar
verbo
1 Deshacer el encantamiento de una persona o cosa: *El príncipe desencantó a la princesa hechizada por una bruja.* INGLÉS to break a spell on.
2 Hacer perder la ilusión y la esperanza que se tiene en algo o alguien. SINÓNIMO desilusionar. INGLÉS to disenchant.

desenchufar
verbo
1 Quitar el enchufe que conecta un aparato eléctrico a la corriente. ANTÓNIMO enchufar. INGLÉS to unplug.

a b c d e f g h i j k l m n ñ o p q r s t u v w x y z

desenfundar
verbo **1** Quitar la funda a una cosa o sacar una cosa de su funda. INGLÉS to take out.

desenganchar
verbo **1** Soltar una cosa del gancho al que está sujeta: *Al llegar al cámping desenganchamos la caravana del automóvil.* ANTÓNIMO enganchar. INGLÉS to uncouple, to unhitch.
2 desengancharse Dejar algo que nos atrae mucho o que se ha convertido en vicio. A los drogadictos les cuesta mucho desengancharse de la droga. Es un uso informal. ANTÓNIMO engancharse. INGLÉS to kick the habit.

desengañar
verbo **1** Hacer ver a alguien un engaño o error: *No quiero desengañarte, pero lo que te ha dicho no es cierto.* INGLÉS to open the eyes of.

desengaño
nombre masculino **1** Lo que se siente cuando se conoce la verdad sobre una persona o cosa y se ve el engaño o error en el que se estaba. INGLÉS disappointment.

desenlace
nombre masculino **1** Modo en que se resuelve el final de una acción o la trama de una novela, obra de teatro o película. INGLÉS outcome, ending.

desenmascarar
verbo **1** Quitar a una persona lo que cubre y esconde su cara. INGLÉS to unmask.
2 Descubrir las intenciones ocultas de una persona o lo que hace realmente. INGLÉS to unmask.

desenredar
verbo **1** Deshacer un enredo o un lío, en especial del pelo. INGLÉS to untangle.

desenrollar
verbo **1** Hacer que una cosa deje de estar enrollada o envuelta sobre sí misma, estirándola. INGLÉS to unroll, to unwind.

desenroscar
verbo **1** Quitar algo que está enroscado o unido con rosca haciéndolo girar sobre sí mismo. ANTÓNIMO enroscar. INGLÉS to unscrew.
NOTA Se escribe 'qu' delante de 'e', como: desenrosqué.

desentenderse
verbo **1** No cumplir con una obligación o no ocuparse de cierto asunto que debería atenderse: *Siempre se desentiende de sacar a pasear el perro y acabo haciéndolo yo.* INGLÉS to want nothing to do with.

desenterrar
verbo **1** Sacar a la superficie algo que está bajo tierra. INGLÉS to unearth, to dig up.
2 Traer a la memoria recuerdos muy antiguos que ya se habían olvidado. Para conocer la historia de un antepasado hay que desenterrar hechos de hace mucho tiempo. INGLÉS to revive.
NOTA Se conjuga como: acertar; la 'e' se convierte en 'ie' en sílaba acentuada, como: desentierre.

desentonar
verbo **1** Cantar mal o con un tono que no es el adecuado. SINÓNIMO desafinar. INGLÉS to be out of tune.
2 No quedar bien una cosa o una persona en un sitio o en un ambiente determinado. INGLÉS not to fit in.

desenvainar
verbo **1** Sacar un arma blanca de su vaina o funda: *El pirata desenvainó su espada para defenderse.* INGLÉS to unsheathe.

desenvolver
verbo **1** Quitar lo que envuelve o cubre una cosa. INGLÉS to unwrap.
2 desenvolverse Saber actuar en un determinado ambiente o hacer algo con habilidad. INGLÉS to manage.
NOTA Se conjuga como: mover; la 'o' se convierte en 'ue' en sílaba acentuada, como: desenvuelven.

desenvuelto, desenvuelta
participio **1** Participio irregular de: desenvolver. También se usa como adjetivo: *Ha desenvuelto el paquete sin ningún cuidado y ha roto todo el papel.*
adjetivo **2** Que tiene mucha facilidad para relacionarse con la gente. INGLÉS confident, self-assured.

deseo
nombre masculino **1** Ganas de conseguir o disfrutar una cosa. INGLÉS wish, desire.
2 Cosa que una persona quiere con ilusión e intensidad. En el cuento, el genio de la lámpara maravillosa le concede tres deseos a Aladino. INGLÉS wish.

desequilibrado, desequilibrada
adjetivo **1** Que ha perdido el equilibrio o no

lo tiene. Una persona que sigue una dieta desequilibrada no come algunos alimentos necesarios para una alimentación sana. INGLÉS unbalanced.

adjetivo y nombre **2** Se dice de la persona que ha perdido el equilibrio o la salud mental. INGLÉS mentally unbalanced [adjetivo].

desequilibrar

verbo **1** Hacer perder el equilibrio de un cuerpo y que se incline o caiga. En una balanza de dos platos, cuando los objetos que comparamos tienen distinto peso, la balanza se desequilibra. INGLÉS to put out of balance.

2 Volver loca a una persona. Una gran tragedia personal puede desequilibrar a una persona. INGLÉS to unbalance.

desertar

verbo **1** Abandonar un soldado el servicio militar o su puesto en el ejército. INGLÉS to desert.

2 Abandonar una persona una obligación o un grupo en el que estaba integrada. INGLÉS to desert.

desértico, desértica

adjetivo **1** Del desierto o que tiene relación con él. Las plantas de las zonas desérticas necesitan muy poca humedad para crecer. INGLÉS desert.

desertización

nombre femenino **1** Transformación de un terreno fértil en uno árido, sin vegetación ni vida. La tala incontrolada de árboles provoca la desertización de muchos bosques. INGLÉS desertification.

desertizar

verbo **1** Transformar un terreno en un lugar árido y sin vegetación. La destrucción de bosques y la falta de agua desertiza un territorio. INGLÉS to turn into a desert.

NOTA La 'z' se convierte en 'c' delante de 'e', como: desertice.

desertor, desertora

adjetivo y nombre **1** Se dice del soldado que abandona sin permiso el servicio militar o su puesto en el ejército. INGLÉS deserter [nombre].

2 Se dice de la persona que abandona una obligación o un grupo en el que estaba integrada. INGLÉS defector.

desesperación

nombre femenino **1** Pérdida total de la calma, la paciencia o el control. INGLÉS exasperation.

2 Pérdida de la esperanza en algo: *Cada día que pasa sin que aparezca su perro su desesperación aumenta.* INGLÉS despair.

desesperar

verbo **1** Perder o hacer perder la calma, la paciencia o el control: *¡Me desespera esperar a la gente que siempre llega tarde!* INGLÉS to become exasperated [perder la calma], to exasperate [hacer perder la calma].

2 Perder la esperanza. INGLÉS to despair.

desfallecer

verbo **1** Perder una persona las fuerzas o el ánimo para hacer algo. El hambre, la sed o el cansancio nos hacen desfallecer. INGLÉS to lose strength.

NOTA Se conjuga como: agradecer; la 'c' se convierte en 'zc' delante de 'a' y 'o', como: desfallezca.

desfavorable

adjetivo **1** Se dice de las cosas que perjudican a alguien o algo, o que no son buenas para que algo ocurra. La lluvia es una condición desfavorable para jugar al tenis. ANTÓNIMO favorable. INGLÉS unfavourable.

desfiladero

nombre masculino **1** Paso profundo y estrecho entre montañas. SINÓNIMO cañón. INGLÉS narrow pass.

desfilar

verbo **1** Andar o pasar un grupo de personas unas detrás de otras. Los modelos desfilan en la pasarela. INGLÉS to parade.

desfile

nombre masculino **1** Paso ordenado de varias personas unas detrás de otras. En los desfiles militares todos los soldados van al mismo paso. INGLÉS parade.

desgana

nombre femenino **1** Falta de ganas o de deseo de hacer algo. Cuando estamos muy enfermos comemos con desgana. INGLÉS lack of appetite.

desgarbado, desgarbada

adjetivo **1** Se dice de la persona que no tiene gracia en su manera de andar o de moverse. INGLÉS ungainly.

desgarrar

verbo **1** Romper una cosa, especialmente una tela, cuando se tira muy fuerte de ella. INGLÉS to tear, to rip.

a b c d e f g h i j k l m n ñ o p q r s t u v w x y z

2 Provocar algo una pena o un dolor muy fuerte. INGLÉS to break.

desgarrón

nombre masculino **1** Roto grande que se hace en una prenda de vestir o en cualquier tejido. INGLÉS tear, rip.

NOTA El plural es: desgarrones.

desgastar

verbo **1** Consumir poco a poco una cosa por el uso, el roce o la erosión. INGLÉS to wear out, to wear away.

2 Hacer perder la fuerza o el ánimo a una persona. INGLÉS to wear out.

desgaste

nombre masculino **1** Pérdida del espesor o el grosor de una cosa debida al roce, al uso o a la erosión. El golpe continuo de las olas produce un desgaste en las rocas. INGLÉS wear.

2 Pérdida de las fuerzas o el ánimo de una persona debido a la edad, a las enfermedades o a los problemas. INGLÉS deterioration, weakening.

desgracia

nombre femenino **1** Situación o cosa triste que produce mucha pena o dolor. INGLÉS misfortune.

2 Mala suerte: *Por desgracia he perdido el autobús.* INGLÉS bad luck.

desgraciado, desgraciada

adjetivo y nombre **1** Se dice de la persona que tiene mala suerte o que ha tenido alguna desgracia. SINÓNIMO desafortunado. INGLÉS unfortunate, unlucky [adjetivo].

2 Se dice de la persona mala y desagradable que merece el desprecio de los demás: *Ese desgraciado me ha robado la cartera.* INGLÉS wretched [adjetivo], wretch [nombre].

adjetivo **3** Que produce desgracias. Las guerras son acontecimientos muy desgraciados. INGLÉS unfortunate.

desguazar

verbo **1** Desmontar pieza a pieza un aparato, máquina o vehículo que no funcionan o no sirven, para arreglarlos o para aprovechar sus piezas. INGLÉS to break up.

NOTA La 'z' se convierte en 'c' delante de 'e', como: desguacé.

deshabitado, deshabitada

adjetivo **1** Se dice del lugar que ha dejado de estar habitado. INGLÉS uninhabited, unoccupied.

deshacer

verbo **1** Hacer que una cosa vuelva a estar como antes de ser hecha. Una cosa se deshace si se le quita la forma que tenía o si se deja reducida a las piezas que la componen. Deshacemos una cama si nos metemos en ella. INGLÉS to undo, to unmake.

2 Hacer que una cosa sólida se derrita en un líquido. Los terrones de azúcar se deshacen en el café. INGLÉS to dissolve.

3 Volver por un camino en sentido contrario al que se ha recorrido. INGLÉS to retrace.

deshacerse de Dejar de tener una cosa o dejar de mantener la relación con una persona. INGLÉS to get rid of.

deshacerse en Dar o mostrar mucho de algo, como elogios.

NOTA Se conjuga como: hacer.

desharrapado, desharrapada

adjetivo y nombre **1** Se dice de la persona que va vestida con harapos o ropa sucia, vieja y rota: *Los naúfragos paseaban desharrapados por la isla.* INGLÉS ragged [adjetivo], in tatters [adjetivo].

deshecho, deshecha

participio **1** Participio irregular de: deshacer. También se usa como adjetivo.

adjetivo **2** Que está muy cansado o muy triste. INGLÉS devastated.

deshidratar

verbo **1** Quitar el agua que hay en una sustancia o en un cuerpo. Cuando hace mucho calor tenemos que beber mucha agua para no deshidratarnos. ANTÓNIMO hidratar. INGLÉS to dehydrate.

deshielo

nombre masculino **1** Proceso por el cual el hielo o la nieve se convierten en agua. INGLÉS thaw.

deshinchar

verbo **1** Quitar el aire o el gas que tiene un objeto en su interior. SINÓNIMO desinflar. ANTÓNIMO hinchar. INGLÉS to deflate, to let down.

2 Dejar de estar hinchada o estar menos hinchada una cosa, hasta llegar a su tamaño normal: *No se me deshincha el golpe en el tobillo.* ANTÓNIMO hinchar. INGLÉS to go down.

3 deshincharse Perder una persona las fuerzas o los ánimos. INGLÉS to run out of steam.

deshojar
verbo
1 Quitarle las hojas a una planta o los pétalos a una flor. INGLÉS to strip the petals off [pétalos], to strip the leaves off [hojas].

deshollinador, deshollinadora
nombre
1 Persona que tiene por oficio limpiar los tubos de las chimeneas del hollín o polvo que deja el humo. INGLÉS chimney sweep.

deshonra
nombre femenino
1 Sentimiento de quien cree haber perdido la honra o el respeto de los demás. INGLÉS dishonour.

desiderativo, desiderativa
adjetivo
1 Se dice de la palabra o la frase que expresa un deseo, como '¡Ojalá llueva!'. INGLÉS desiderative.

desidia
nombre femenino
1 Falta de ganas, de interés o de cuidado al hacer una cosa. Cuando un trabajo obligatorio no nos gusta nada, lo hacemos con desidia. INGLÉS carelessness.

desierto, desierta
adjetivo
1 Se dice del lugar que está vacío o que no está habitado o poblado. En agosto muchas ciudades se quedan desiertas. SINÓNIMO despoblado. INGLÉS deserted.
2 Se dice del premio, concurso o trabajo que no se concede a nadie. INGLÉS not awarded [premio], unfilled [trabajo].
nombre masculino
3 Lugar que no está habitado, casi siempre arenoso, en el que hace mucho calor o mucho frío y casi no hay plantas ni animales debido a las escasas lluvias. Los camellos y dromedarios son animales típicos del desierto. INGLÉS desert.

designar
verbo
1 Señalar a una persona o cosa para un fin. INGLÉS to designate.
2 Llamar a algo de un modo determinado. La palabra 'animal' sirve para designar a un gran grupo de seres vivos. INGLÉS to designate.

desigual
adjetivo
1 Que no es igual o es diferente que otra u otras personas o cosas. INGLÉS unequal, uneven.
2 Que no es regular o continuo. Un terreno es desigual cuando tiene muchos baches. SINÓNIMO irregular. INGLÉS uneven, rough.

desigualdad
nombre femenino
1 Circunstancia de ser una persona o cosa distinta de otra en un aspecto determinado. SINÓNIMO diferencia. ANTÓNIMO igualdad. INGLÉS inequality.

desilusión
nombre femenino
1 Pérdida de la ilusión o esperanza que se tiene en algo o en alguien. INGLÉS disappointment.
2 Lo que se siente cuando se conoce la verdad sobre una persona o una cosa y se ve el engaño o el error en el que se estaba. SINÓNIMO desengaño. INGLÉS disappointment.
NOTA El plural es: desilusiones.

desilusionar
verbo
1 Perder o hacer perder la ilusión que se tiene en algo o en alguien. INGLÉS to disappoint [hacer perder la ilusión], to be disappointed [perder la ilusión].

desinencia
nombre femenino
1 Terminación de una palabra que sirve para expresar un significado gramatical, como la persona, el número, el género o el tiempo. En español la '-o' es la desinencia del masculino y la '-a' del femenino, como en 'niño' y 'niña'. INGLÉS ending.

desinfectante
adjetivo y nombre masculino
1 Se dice de la sustancia que mata los microbios que pueden causar infecciones en un cuerpo o en un lugar. INGLÉS disinfectant.

desinfectar
verbo
1 Limpiar una superficie eliminando los microbios que pueden causar una infección. Las heridas se desinfectan con agua oxigenada. INGLÉS to disinfect.

desinflar
verbo
1 Quitar el aire o el gas que tiene un objeto en su interior. Podemos desinflar un balón o un globo. SINÓNIMO deshin-

desigual

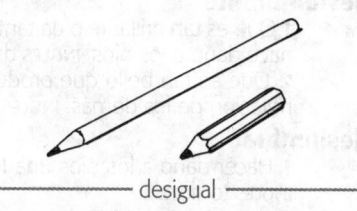

char. ANTÓNIMO inflar. INGLÉS to deflate, to let down.
2 Hacer perder a alguien las fuerzas, los ánimos o las ganas de hacer una cosa. INGLÉS to dishearten.

desintegrar
verbo
1 Separar completamente los elementos o partes de una cosa, de forma que deja de existir. INGLÉS to disintegrate.

desinterés
nombre masculino
1 Falta de interés que demuestra una persona hacia otra persona o cosa. INGLÉS lack of interest.
2 Generosidad o falta de interés material con que una persona hace determinadas cosas. INGLÉS unselfishness.
NOTA El plural es: desintereses.

desinteresado, desinteresada
adjetivo
1 Que hace las cosas por generosidad y sin interés material. Las personas desinteresadas no buscan sacar provecho al hacer determinadas cosas. INGLÉS disinterested.

desintoxicar
verbo
1 Curar a una persona de una intoxicación provocada por una sustancia en mal estado, un veneno o una droga. INGLÉS to detoxicate, to detoxify.
NOTA Se escribe 'qu' delante de 'e', como: desintoxiquen.

desistir
verbo
1 Abandonar una cosa que se había empezado o un proyecto que se tenía: *Desistí de convencerla porque ella ya había tomado una decisión.* INGLÉS to desist.

deslizar
verbo
1 Mover una cosa o moverse una persona sobre una superficie con suavidad, como resbalando. INGLÉS to slide.
2 Mover o dar algo a una persona con disimulo: *Le pillaron deslizando una chuleta a su compañero.* INGLÉS to slip.
NOTA Se escribe 'c' delante de 'e', como: deslicemos.

deslumbrante
adjetivo
1 Que es tan brillante o da tanta luz que hace daño a los ojos. INGLÉS dazzling.
2 Que es tan bello que produce la admiración de los demás. INGLÉS dazzling.

deslumbrar
verbo
1 Hacer daño a los ojos una luz fuerte. INGLÉS to dazzle.
2 Provocar una persona admiración por su belleza, su simpatía o su inteligencia. INGLÉS to dazzle.

desmadre
nombre masculino
1 Situación en la que se ha perdido totalmente el orden, el control o la medida. Una fiesta se convierte en un desmadre cuando reina un gran desorden y el comportamiento de las personas no es moderado ni respeta ninguna norma. INGLÉS chaos.
NOTA Es una palabra informal.

desmantelar
verbo
1 Derribar o desmontar un edificio, una construcción o una instalación con el fin de interrumpir la actividad que se realizaba allí. Cuando una empresa deja de existir, se desmantelan sus oficinas. INGLÉS to dismantle.
2 Deshacer o hacer que finalice una actividad, un negocio o una organización. Si la policía descubre una banda de delincuentes, la desmantela. INGLÉS to dismantle.

desmayarse
verbo
1 Perder una persona el sentido o el conocimiento durante un rato. INGLÉS to faint.

desmayo
nombre masculino
1 Pérdida pasajera del sentido y del conocimiento. Si sufres un desmayo, puedes caerte al suelo. INGLÉS fainting fit.

desmejorado, desmejorada
adjetivo
1 Que demuestra por su aspecto que no está muy bien de salud. INGLÉS unwell.

desmemoriado, desmemoriada
adjetivo y nombre
1 Que tiene poca memoria y se olvida fácilmente de las cosas. INGLÉS forgetful [adjetivo].

desmentir
verbo
1 Decir o demostrar que un dicho o un hecho son falsos: *La policía desmintió la coartada del criminal.* INGLÉS to deny [decir], to prove to be false [demostrar].
2 Decir o declarar que una persona no ha dicho la verdad. INGLÉS to contradict.
NOTA Se conjuga como: preferir; la 'e' se convierte en 'ie' en sílaba acentuada o en 'i' en algunos tiempos y personas, como: desmiente o desmintió.

desmenuzar
verbo
1 Deshacer o cortar una cosa en trozos

muy pequeños. Para hacer croquetas de pollo hay que desmenuzar la carne. INGLÉS to break into little pieces.
NOTA Se escribe 'c' delante de 'e', como: desmenucen.

desmesurado, desmesurada
adjetivo **1** Que es exagerado o mayor de lo normal. Decimos que un precio es desmesurado cuando pensamos que es demasiado alto. INGLÉS excessive.

desmontable
adjetivo **1** Que está formado por varias piezas que se pueden separar con facilidad. Algunos muebles son desmontables. INGLÉS that can be taken to pieces.

desmontar
verbo **1** Separar las piezas que forman una cosa, como un mueble o un reloj. Algunos muebles se desmontan para transportarlos y algunas máquinas se pueden desmontar para arreglarlas. INGLÉS to take to pieces.
2 Bajar o apearse una persona de un caballo, una yegua o un burro. ANTÓNIMO montar. INGLÉS to dismount.
3 Cortar los árboles o los matorrales de un terreno. INGLÉS to clear.

desmoralizar
verbo **1** Hacer perder la moral, el ánimo, la esperanza o las ganas de hacer algo. Cuando un equipo pierde todos los partidos los jugadores se desmoralizan. INGLÉS to demoralize.
NOTA La 'z' se convierte en 'c' delante de 'e', como: desmoralicen.

desnatado, desnatada
adjetivo **1** Se dice de los productos lácteos que no tienen nata. La leche o los yogures desnatados engordan menos que los que tienen nata. INGLÉS low-fat [si es leche: skimmed].

desnivel
nombre masculino **1** Diferencia de altura entre dos o más lugares o dos o más puntos de una superficie. INGLÉS difference in height.

desnivelar
verbo **1** Hacer que algo deje de estar nivelado o igualado. Desnivelamos una balanza antigua cuando ponemos más peso en uno de sus extremos que en el otro: *Iban empatados, pero marcaron un gol y desnivelaron el marcador.* INGLÉS to throw out of balance.

desnudar
verbo **1** Quitar la ropa que se lleva puesta. ANTÓNIMO vestir. INGLÉS to undress.

desnudo, desnuda
adjetivo **1** Que no lleva ropa puesta. INGLÉS naked, nude.
2 Que no tiene nada que cubra o adorne: *Tienen todas las paredes desnudas, sin cuadros.* INGLÉS bare.
nombre masculino **3** En pintura o escultura, figura humana que se representa sin ropa. INGLÉS nude.

desnutrición
nombre femenino **1** Pérdida de la fuerza, la energía y la salud de un organismo por recibir poca o mala alimentación. INGLÉS malnutrition.
NOTA El plural es: desnutriciones.

desobedecer
verbo **1** No cumplir una orden o no hacer caso de lo que nos dice una persona. ANTÓNIMO obedecer. INGLÉS to disobey.

desobediencia
nombre femenino **1** Forma de comportarse de las personas que desobedecen. ANTÓNIMO obediencia. INGLÉS disobedience.

desobediente
adjetivo y nombre **1** Que desobedece a quien tiene autoridad para mandarle o no hace caso de lo que se le manda. INGLÉS disobedient [adjetivo].

desocupar
verbo **1** Dejar libre de cosas o personas un lugar. ANTÓNIMO ocupar. INGLÉS to vacate.

desodorante
adjetivo y nombre masculino **1** Se dice del producto que elimina el mal olor del cuerpo humano, como por ejemplo, el olor a sudor. INGLÉS deodorant.

desoír
verbo **1** No hacer caso de las palabras y consejos de otra persona: *Desoyó mi advertencia y ahora está apurada.* INGLÉS to ignore.
NOTA Se conjuga como 'oír'.

desorden
nombre masculino **1** Falta de orden o de organización. INGLÉS untidiness.
2 Alboroto que se produce en la calle. INGLÉS disorder.
NOTA El plural es: desórdenes.

desordenado, desordenada
adjetivo **1** Que no tiene orden: *La habitación*

está muy desordenada. ANTÓNIMO ordenado. INGLÉS untidy.

2 Que normalmente no ordena sus cosas ni se preocupa por que estén arregladas. ANTÓNIMO ordenado. INGLÉS untidy.

desordenar
verbo **1** Hacer que una cosa o un lugar deje de estar ordenado. ANTÓNIMO ordenar. INGLÉS to untidy, to mess up.

desorganizar
verbo **1** Hacer que algo deje de tener orden y organización: *Ha desorganizado los libros que estaban ordenados alfabéticamente.* INGLÉS to disorganize.

NOTA Se escribe 'c' delante de 'e', como: desorganicen.

desorientar
verbo **1** Perder o hacer perder la orientación a una persona, de modo que no sepa bien hacia dónde tiene que ir. INGLÉS to disorientate.

2 Hacer que una persona no sepa qué hacer o qué pensar en una situación determinada: *Me desorienta que cada día piense algo diferente sobre mí.* INGLÉS to disorientate.

despabilar
verbo **1** Hacer que alguien vaya perdiendo su torpeza o inocencia y sea más inteligente. SINÓNIMO espabilar. INGLÉS to wake up.

2 Darse prisa o acabar con rapidez lo que se está haciendo. INGLÉS to hurry up.

3 despabilarse Acabarse de despertar una persona que aún está medio dormida. SINÓNIMO espabilarse. INGLÉS to wake up.

despachar
verbo **1** Atender y vender cosas a un cliente en una tienda. En las panaderías despachan pan. INGLÉS to sell.

2 Echar a una persona de algún lugar: *La despachó de la oficina.* INGLÉS to throw out.

3 Solucionar un asunto o terminar de hacer un trabajo: *Tengo que despachar pronto este recado.* INGLÉS to deal with.

4 despacharse Decir todo lo que se piensa sobre una cosa o una persona. Es un uso informal. INGLÉS to speak one's mind.

despacho
nombre masculino **1** Habitación destinada a recibir a los clientes, realizar ciertos trabajos o estudiar. INGLÉS office.

2 Noticia o mensaje que se envía o recibe por algún medio de telecomunicación, como el teléfono, el telégrafo o el fax. INGLÉS dispatch, message.

despachurrar
verbo **1** Aplastar o romper una cosa blanda y frágil apretándola fuerte. Si una tarta se cae al suelo, se despachurra. Es una palabra informal. INGLÉS to squash.

despacio
adverbio **1** Indica que una acción se realiza de manera lenta. INGLÉS slowly.

despampanante
adjetivo **1** Que llama la atención y causa asombro. Una chica alta y muy guapa es despampanante. INGLÉS stunning.

NOTA Es una palabra informal.

desparpajo
nombre masculino **1** Gracia y facilidad que tiene una persona al hablar y al hacer las cosas. Las personas con desparpajo no son vergonzosas. SINÓNIMO soltura. INGLÉS self-assurance.

desparramar
verbo **1** Separar y extender sin orden y en todas direcciones un conjunto de cosas que estaban juntas: *Se ha roto el paquete de lentejas y se han desparramado por el suelo.* INGLÉS to spill.

despectivo, despectiva
adjetivo **1** Que indica desprecio. Hay gestos y miradas despectivas, y también algunas palabras, como 'matasanos', que es una manera despectiva de llamar a los médicos. INGLÉS pejorative, derogatory.

despedazar
verbo **1** Romper en varios trozos una cosa de forma violenta. INGLÉS to tear to pieces.

NOTA Se escribe 'c' delante de 'e', como: despedacemos.

despedida
nombre femenino **1** Acción, palabra, expresión o gesto que se usa para despedir a una persona. INGLÉS farewell, goodbye.

despedir
verbo **1** Acompañar hasta un lugar, como la puerta, la salida o una estación, a alguien que se va. INGLÉS to see off.

2 Decir adiós con gestos o palabras a una persona. INGLÉS to say goodbye to.
3 Echar a alguien de un lugar o de un trabajo: *Se le acabó el contrato y lo despidieron.* INGLÉS to dismiss, to fire.
4 Producir una cosa algo que sale de dentro de ella. El Sol despide luz. Las rosas despiden buen olor. INGLÉS to give off, to give out.
NOTA Se conjuga como: servir; la 'e' se convierte en 'i' en algunos tiempos y personas, como: despiden.

despegar
verbo
1 Separar una cosa de otra a la que estaba unida con algún tipo de pegamento. INGLÉS to unstick.
2 Dejar de tocar tierra o agua un avión u otra nave para empezar a volar. ANTÓNIMO aterrizar. INGLÉS to take off.
NOTA Se escribe 'gu' delante de 'e', como: despeguen.

despegue
nombre masculino
1 Separación de un avión u otra nave del suelo o del agua para empezar a volar. ANTÓNIMO aterrizaje. INGLÉS takeoff [de un avión], blast-off [de un cohete].

despeinar
verbo
1 Estropear el peinado o remover el cabello de una persona. INGLÉS to mess up someone's hair.

despejado, despejada
adjetivo
1 Se dice del cielo que no tiene nubes. INGLÉS clear.
2 Se dice de la cosa o el lugar que tiene poco o nada de aquello que lo suele ocupar. La calle está despejada cuando hay pocos vehículos en ella. INGLÉS clear.

despejar
verbo
1 Dejar libre un lugar o un espacio de las cosas que molestan. INGLÉS to clear.
2 Hacer desaparecer o quitar algo negativo, como una duda o una molestia. INGLÉS to clear up.
3 En algunos deportes, como el fútbol, enviar el balón lejos de la zona de la portería. INGLÉS to clear.
4 despejarse Desaparecer las nubes que había en el cielo y empezar a salir el sol. ANTÓNIMO nublarse. INGLÉS to clear up.
5 despejarse Sentirse una persona más despierta o con la mente más clara: *Me voy a tomar un café para despejarme.* INGLÉS to wake up.

despellejar
verbo
1 Quitarle la piel a un animal. INGLÉS to skin.
2 despellejarse Levantarse parte de la piel de las personas a causa de una quemadura o una herida. SINÓNIMO pelarse. INGLÉS to peel.

despensa
nombre femenino
1 Lugar de la casa donde se guardan y almacenan los alimentos que no se estropean. INGLÉS pantry, larder.

despeñar
verbo
1 Tirar o caer algo o alguien desde un sitio alto, como un precipicio o un acantilado. INGLÉS to throw over a cliff [tirar], to fall over a cliff [caer].

desperdiciar
verbo
1 Utilizar mal una cosa o gastarla sin obtener provecho de ella. SINÓNIMO malgastar. ANTÓNIMO aprovechar. INGLÉS to waste.
NOTA Se conjuga como: cambiar; la 'i' no lleva nunca acento de intensidad.

desperdicio
nombre masculino
1 Cosa que sobra de algo y ya no se puede utilizar. Tiramos los desperdicios en el cubo de la basura. INGLÉS waste.
2 Mal uso o mal aprovechamiento que se hace de una cosa. INGLÉS waste.

desperdigar
verbo
1 Extender y separar sin orden y en diferentes direcciones los elementos de un conjunto amontonado u ordenado: *Desperdigó sus juguetes por toda la habitación.* INGLÉS to scatter.
2 desperdigarse Separarse un grupo de personas y extenderse por diferentes zonas: *Los excursionistas se desperdigaron por la explanada.* INGLÉS to scatter.
NOTA Se escribe 'gu' delante de 'e', como: desperdigué.

desperezarse
verbo
1 Estirar los brazos y las piernas para quitarse la pereza o la torpeza. INGLÉS to stretch.
NOTA Se escribe 'c' delante de 'e', como: se desperecen.

desperfecto
nombre masculino
1 Rotura o deterioro de poca importancia que afecta a una cosa: *Los muebles*

sufrieron varios desperfectos durante la mudanza. INGLÉS damage, defect.

despertador
nombre masculino **1** Reloj que tiene un mecanismo que, al llegar una hora que se le ha marcado previamente, produce un sonido que hace despertar a la persona que duerme cerca de él. INGLÉS alarm clock.

despertar
verbo **1** Hacer que una persona que está dormida deje de estarlo. ANTÓNIMO dormir. INGLÉS to wake.
2 Provocar o hacer recordar un sentimiento que estaba olvidado o apagado. Una persona atractiva puede despertar en nosotros un sentimiento de amor. INGLÉS to awake.
3 Hacerse una persona más lista y quitarse la torpeza o la inocencia: *Despierta ya, que te está engañando.* SINÓNIMO espabilar. INGLÉS to wise up.
nombre masculino **4** Principio de un proceso o una actividad: *Esta película fue el despertar del cine mexicano.* INGLÉS dawn.
NOTA Se conjuga como: acertar; la 'e' se convierte en 'ie' en sílaba acentuada, como: despiertan.

despiadado, despiadada
adjetivo **1** Que hace sufrir o deja que alguien sufra sin sentir compasión ni lástima. En algunos cuentos y cómics aparecen personajes crueles y despiadados que siempre intentan hacer daño a sus enemigos. INGLÉS ruthless, merciless.

despido
nombre masculino **1** Acción que consiste en echar a una persona de su trabajo. INGLÉS dismissal, sacking.

despierto, despierta
adjetivo **1** Que no está dormido. INGLÉS awake.
2 Se dice de la persona que es lista y aprende con rapidez. SINÓNIMO vivo. INGLÉS smart, sharp.

despilfarrar
verbo **1** Gastar mucho más dinero del necesario o gastarlo en cosas innecesarias y sin pensar. SINÓNIMO derrochar. ANTÓNIMO ahorrar. INGLÉS to waste.

despistado, despistada
adjetivo y nombre **1** Se dice de la persona que se distrae con facilidad y que no se entera bien de las cosas que pasan a su alrededor. INGLÉS absent-minded.

despistar
verbo **1** Hacer que alguien se distraiga. La radio nos puede despistar para estudiar. INGLÉS to distract.
2 Hacer que alguien se desoriente y no sepa cuál es la dirección que debe tomar al seguir un camino, en una acción o en la forma de comportarse. También es despistar hacer que alguien dude o no sepa la verdad sobre algo. Algunas personas fingen amabilidad para despistar a los que no les caen bien. INGLÉS to mislead.

despiste
nombre masculino **1** Pérdida de atención de una persona que se distrae con algo: *¡Qué despiste! Estaba mirando el paisaje y se me ha pasado mi estación.* INGLÉS slip.

desplazar
verbo **1** Mover una cosa del lugar donde estaba y llevarla a otro. INGLÉS to move.
2 Quitar a una persona del puesto o función que tenía. INGLÉS to remove.
3 desplazarse Ir una persona de un lugar a otro. INGLÉS to travel.
NOTA Se escribe 'c' delante de 'e', como: desplace.

desplegar
verbo **1** Extender una cosa que estaba plegada o doblada. SINÓNIMO desdoblar. INGLÉS to unfold.
2 Repartir o extender un conjunto de personas en un terreno, en especial un conjunto de soldados. INGLÉS to deploy.
3 Mostrar una cosa o ponerla en práctica. Una persona que despliega sus habilidades las utiliza. INGLÉS to employ.
NOTA Se conjuga como: regar; la 'e' se convierte en 'ie' en sílaba acentuada y se escribe 'gu' delante de 'e', como: desplieguen.

despistado

despliegue
nombre masculino
1 Acción de desplegar una cosa, como un mantel sobre una mesa o una tropa sobre un terreno. INGLÉS unfolding [de un mantel], deployment [de tropas].

desplomarse
verbo
1 Caer una persona o una cosa que estaba en posición vertical. Un muro mal construido se puede desplomar. INGLÉS to collapse.

desplumar
verbo
1 Quitarle las plumas a un ave. INGLÉS to pluck.
2 Dejar a una persona sin dinero en un juego o mediante un engaño. Es un uso informal. INGLÉS to fleece.

despoblar
verbo
1 Hacer que un lugar quede sin habitantes o con muy pocos habitantes. También se despuebla un lugar cuando desaparecen los árboles y plantas que había o disminuye su cantidad. INGLÉS to depopulate [de personas], to clear [de plantas, árboles].
NOTA Se conjuga como: contar; la 'o' se convierte en 'ue' en sílaba acentuada, como: despueblan.

despojar
verbo
1 Quitar a una persona lo que tenía, generalmente de manera violenta. SINÓNIMO robar. ANTÓNIMO restituir. INGLÉS to deprive.
2 Quitar lo que completa o adorna una cosa. INGLÉS to strip.
3 despojarse Quitarse ropa o desnudarse. Para comer nos despojamos de la chaqueta. INGLÉS to remove.

desposar
verbo
1 Casar a un hombre y una mujer. Los curas desposan a los novios en la iglesia. Es un uso formal. INGLÉS to marry.
2 desposarse Casarse un hombre y una mujer. Es un uso formal. INGLÉS to marry, to get married.

déspota
nombre masculino y femenino
1 Persona que gobierna un país sin respetar las leyes ni los derechos de los ciudadanos. INGLÉS despot.
2 Persona que abusa de su poder, fuerza o autoridad. Un déspota hace lo que quiere sin preguntar a los demás si están de acuerdo. INGLÉS despot.

despreciar
verbo
1 Rechazar a una persona o una cosa por considerar que no tiene valor o no merece consideración: *Desprecia a todos los que son cobardes.* ANTÓNIMO apreciar. INGLÉS to despise.
2 Considerar que una cosa no merece atención o no es importante: *Es una persona muy aventurera que desprecia el peligro.* INGLÉS to scorn.

despreciativo, despreciativa
adjetivo
1 Que muestra desprecio o indiferencia. INGLÉS scornful, contemptuous.

desprecio
nombre masculino
1 Rechazo de alguien o de algo por considerar que no tiene valor o no merece consideración. SINÓNIMO menosprecio. ANTÓNIMO aprecio. INGLÉS contempt, scorn.
2 Dicho o hecho con que se demuestra falta de consideración y se ofende a una persona. No saludar a un amigo, habiéndolo visto, es hacerle un desprecio. SINÓNIMO ofensa. ANTÓNIMO cortesía. INGLÉS snub.

desprender
verbo
1 Separar una cosa de otra a la que estaba pegada. INGLÉS to detach.
2 Echar o soltar una cosa o una persona algo procedente de sí misma. El fuego desprende chispas. SINÓNIMO despedir. INGLÉS to give off, to give out.
3 desprenderse Quedarse sin una cosa a la que se renuncia. INGLÉS to get rid of.
4 desprenderse Aparecer una conclusión a partir de unas palabras o de una determinada actitud: *De su extraño comportamiento se desprende que está nervioso.* INGLÉS to deduce.

desprendimiento
nombre masculino
1 Acción que se produce cuando una cosa se desprende de otra: *Con la tormenta se produjeron varios desprendimientos de rocas en la montaña.* INGLÉS detachment, loosening.
2 Forma de comportarse de las personas a las que no les cuesta nada dar sus cosas a los demás sin pedir nada a cambio. SINÓNIMO generosidad. ANTÓNIMO egoísmo. INGLÉS generosity.

despreocuparse
verbo
1 Dejar de tener una persona una

a b c d e f g h i j k l m n ñ o p q r s t u v w x y z

preocupación por algo. INGLÉS to stop worrying.

2 No poner cuidado o atención al hacer una cosa, o dejar de hacerla porque no se considera una preocupación. INGLÉS not to bother.

desprestigio

nombre masculino **1** Pérdida del prestigio o de la buena fama. La publicación de una noticia falsa en un periódico famoso y respetado supone un desprestigio para él. INGLÉS discredit.

desprevenido, desprevenida

adjetivo **1** Se dice de la persona que no está dispuesta o preparada para algo: *La pregunta me pilló desprevenido y no supe responder.* INGLÉS unprepared.

desproporcionado, desproporcionada

adjetivo **1** Que no tiene la proporción debida o adecuada. Decimos que una persona tiene una cabeza desproporcionada si es una cabeza demasiado grande o demasiado pequeña en comparación con el resto del cuerpo. ANTÓNIMO proporcionado. INGLÉS disproportionate.

desprotegido, desprotegida

adjetivo **1** Que necesita protección y no la tiene. Una persona que va sin abrigo en invierno está desprotegida ante el frío. INGLÉS unprotected.

desprovisto, desprovista

adjetivo **1** Que le falta algo, especialmente algo que es necesario: *La casa no tiene lámparas porque está desprovista de electricidad.* INGLÉS lacking.

después

adverbio **1** Indica que una cosa ocurre más tarde que otra, normalmente a continuación: *Después iremos al cine, ahora tienes que estudiar.* INGLÉS afterwards.

2 Indica que una cosa está detrás o a continuación de otra: *Primero está la gasolinera y después el pueblo.* INGLÉS then.

después de Introduce las razones por las que se hace una crítica al comportamiento de alguien: *Después de lo que hice por ti, así me lo pagas.* INGLÉS after.

después de Introduce una acción que ocurre antes de otra: *Después de acabar el curso, se mudaron de casa.* INGLÉS after.

despuntar

verbo **1** Romper o quitar la punta de alguna cosa, como un lápiz. INGLÉS to blunt.

2 Salir los tallos y las hojas de los árboles o las plantas. SINÓNIMO brotar. INGLÉS to sprout.

3 Aparecer o empezar a manifestarse una cosa. El día despunta cuando aparece la luz del sol. INGLÉS to start.

4 Destacar alguien en alguna actividad: *Despunta en matemáticas.* INGLÉS to stand out.

desquiciar

verbo **1** Hacer que una persona pierda la tranquilidad o se ponga muy nerviosa: *Los continuos gritos la desquiciaron.* INGLÉS to drive mad.

NOTA Se conjuga como: cambiar; la 'i' no lleva nunca acento de intensidad.

desquitarse

verbo **1** Vengarse de una persona: *Me hizo esperar una hora ayer, pero voy a desquitarme haciéndole esperar a él mañana.* INGLÉS to get one's own back.

2 Darse algún placer para compensar un disgusto o una pérdida. INGLÉS to make up for.

destacar

verbo **1** Sobresalir o notarse más una cosa o una persona entre las demás. Algunos alumnos destacan por sus buenas notas. SINÓNIMO resaltar. INGLÉS to stand out.

2 Hacer que una cosa se note más. Para destacar un párrafo lo subrayamos con un rotulador. SINÓNIMO remarcar; resaltar. INGLÉS to highlight.

3 Mandar a un grupo de soldados a un sitio para que realice una acción determinada: *El capitán destacó a una parte de su tropa a luchar al frente.* INGLÉS to station.

NOTA Se escribe 'qu' delante de 'e', como: destaque.

destapar

verbo **1** Quitar la tapa de algo o aquello que cubre a alguien o algo. Se puede destapar una botella o cualquier recipiente con tapa. ANTÓNIMO tapar. INGLÉS to open.

2 Descubrir o hacer que se conozca algo que estaba oculto o era secreto. INGLÉS to reveal, to uncover.

destartalado, destartalada

adjetivo **1** Que está mal cuidado, viejo, estropeado o medio roto. Algunos edificios antiguos están muy destartalados. INGLÉS ramshackle, dilapidated.

destello

nombre masculino **1** Resplandor o rayo de luz intenso y de corta duración. Las piedras preciosas producen destellos. SINÓNIMO brillo. INGLÉS sparkle, flash.

2 Muestra muy pequeña de una cualidad que aparece en algún momento o de manera inesperada: *Tuvo un destello de bondad cuando mostró compasión por su enemigo.* INGLÉS flash.

desteñir

verbo **1** Manchar una cosa al perder su color. Hay ropa de color que al lavarla destiñe. INGLÉS to run.

2 Quitar el color a una cosa. El sol puede desteñir telas que están expuestas a su brillo, como toldos o cortinas. INGLÉS to fade.

NOTA Se conjuga como: reñir.

desternillarse

verbo **1** Reírse mucho y con ganas. INGLÉS to split one's sides laughing.

desternillarse

desterrar

verbo **1** Echar a una persona de su tierra como castigo, obligándola a vivir en otra ciudad o país durante un tiempo determinado y prohibiéndole que vuelva. SINÓNIMO expulsar. INGLÉS to exile, to banish.

2 Hacer desaparecer o apartar. Las fábricas han desterrado los trabajos artesanales. INGLÉS to do away with.

NOTA Se conjuga como: acertar; la 'e' se convierte en 'ie' en sílaba acentuada, como: destierren.

destiempo

a destiempo Fuera de tiempo; en un momento equivocado. Si un músico toca su instrumento a destiempo, puede estropear el concierto. INGLÉS at the wrong time.

destierro

nombre masculino **1** Pena o castigo que consiste en echar a una persona de su tierra, obligándola a vivir en otra ciudad o país durante un tiempo determinado y prohibiéndole que vuelva. INGLÉS banishment, exile.

destinar

verbo **1** Dar a una cosa o a una persona una función o un trabajo determinado. INGLÉS to assign.

2 Enviar a una persona a un lugar, generalmente para que realice su trabajo: *A mi padre lo han destinado a la capital y vamos a ir a vivir allí.* INGLÉS to send, to post.

destinatario, destinataria

nombre **1** Persona a quien va dirigida una cosa, como una carta. INGLÉS addressee.

destino

nombre masculino **1** Lugar al que se dirige una persona o una cosa, o al que se envía una persona o una cosa. INGLÉS destination.

2 Uso o función que se da a una cosa: *¿Cuál es el destino de los medicamentos caducados?* INGLÉS fate.

3 Fuerza o causa desconocida que se supone que controla y dirige todo lo que va a ocurrir: *El destino hizo que se conocieran.* INGLÉS destiny, fate.

4 Situación a la que se llega o serie de sucesos que se cree que ocurren o van a ocurrir de manera inevitable: *Su destino era acabar así.* INGLÉS destiny, fate.

5 Empleo o puesto para el que ha sido designado alguien y también lugar donde lo desempeña. INGLÉS posting.

destituir

verbo **1** Echar a una persona de su trabajo o quitarla del cargo que está ocupando. INGLÉS to dismiss.

NOTA Se conjuga como: huir; la 'i' se convierte en 'y' delante de 'a', 'e' y 'o', como: destituyeron.

destornillador

nombre masculino **1** Herramienta que sirve para hacer girar un tornillo para introducirlo o sacarlo de algún lugar y también apretarlo o aflojarlo. Está formado por un mango del que sale una pieza delgada de metal que

a b c d e f g h i j k l m n ñ o p q r s t u v w x y z

termina en una punta plana o en forma de estrella. INGLÉS screwdriver.

destreza
nombre femenino **1** Habilidad que tiene una persona para hacer bien una cosa, sobre todo cosas manuales. INGLÉS skill.

destripar
verbo **1** Sacar o hacer salir las tripas de algo, en especial de un animal o una cosa. INGLÉS to disembowel.
2 Romper una cosa pisándola o apretándola con fuerza. Es un uso informal. INGLÉS to rip apart.

destronar
verbo **1** Hacer que un rey o una reina dejen de serlo. INGLÉS to dethrone.
2 Quitar a una persona o cosa la posición importante o el primer puesto que ocupaba: *El joven corredor destronó al campeón en la última prueba.* INGLÉS to topple.

destrozar
verbo **1** Romper una cosa en muchos trozos o estropearla de tal forma que ya no sirva o no funcione. INGLÉS to destroy.
2 Causar a una persona un daño moral muy grande o dejarla muy abatida. INGLÉS to devastate.
3 destrozarse Quedarse muy cansado después de haber hecho un gran esfuerzo físico: *Cuidar de estos niños me destroza.* Es un uso informal. INGLÉS to exhaust.
NOTA Se escribe 'c' delante de 'e', como: destrocen.

destrozo
nombre masculino **1** Acción que consiste en destrozar una cosa. INGLÉS damage.

destrozón, destrozona
adjetivo **1** Se dice de la persona que suele romper o destrozar muchas cosas y con mucha frecuencia. INGLÉS destructive.
NOTA El plural de destrozón es: destrozones.

destrucción
nombre masculino **1** Acción que se realiza cuando se destruye algo. También se llama destrucción lo que resulta o queda al destruir algo. INGLÉS destruction.
NOTA El plural es: destrucciones.

destructor
nombre masculino **1** Barco de guerra rápido y no muy grande, utilizado normalmente para proteger otros barcos y atacar submarinos enemigos. INGLÉS destroyer.

destruir
verbo **1** Romper o estropear una cosa de manera que pierda su forma original. En las guerras las bombas destruyen las casas. INGLÉS to destroy.
NOTA Se conjuga como: huir; la 'i' se convierte en 'y' delante de 'a', 'e' y 'o', como: destruyan.

desunir
verbo **1** Separar dos o más cosas o personas que estaban unidas. ANTÓNIMO unir. INGLÉS to separate.

desuso
nombre masculino **1** Situación en la que se encuentra algo que no se usa desde hace tiempo: *Hay palabras que caen en desuso, porque dejan de utilizarse en el lenguaje hablado.* INGLÉS disuse.

desvalido, desvalida
adjetivo **1** Que no tiene la ayuda ni el apoyo que necesita, o no tiene medios para defenderse. INGLÉS needy, destitute.

desvalijar
verbo **1** Robar a una persona todo lo que tiene o todo lo que lleva encima con violencia o engañándola. INGLÉS to rob.
2 Robar en algún lugar todo lo que hay de valor, sin dejar nada. INGLÉS to burgle.

desván
nombre masculino **1** Parte más alta de una casa, justo debajo del tejado, que tiene el techo inclinado y donde se suelen guardar los objetos viejos o que no se usan. SINÓNIMO buhardilla. INGLÉS loft, attic.
NOTA El plural es: desvanes.

desvanecer
verbo **1** Hacer desaparecer una cosa poco a poco. El humo se desvanece cuando lo arrastra el viento. INGLÉS to disperse.
2 desvanecerse Perder una persona el sentido o el conocimiento durante un rato. SINÓNIMO desmayarse. INGLÉS to faint.
NOTA Se conjuga como: agradecer; la 'c' se convierte en 'zc' delante de 'a' y 'o', como: desvanezca.

desvarío
nombre masculino **1** Estado de alteración mental en el que se dicen o se hacen incoherencias y se sufren alucinaciones. Cuando una

persona tiene una fiebre muy alta suele sufrir desvaríos. INGLÉS delirium.
2 Dicho o hecho que es disparatado o no tiene sentido: *Está harta de aguantar sus caprichos y locos desvaríos.* INGLÉS nonsense.

desvelar
verbo
1 Quitar el sueño a alguien o no conseguir dormirse una persona. INGLÉS to keep awake.
2 Dar a conocer algo que estaba oculto, como un secreto o una incógnita. SINÓNIMO revelar. INGLÉS to reveal.
3 **desvelarse** Poner gran atención e interés en una persona o en una tarea: *El padre siempre se desvelaba por su familia.* INGLÉS to do all one can.

desventaja
nombre femenino
1 Característica de una cosa que hace que sea peor que otras con las que se compara. INGLÉS disadvantage.

desventura
nombre femenino
1 Situación o cosa triste que produce pena o dolor. SINÓNIMO desdicha, desgracia. INGLÉS misfortune.

desventurado, desventurada
adjetivo y nombre
1 Se dice de la persona que tiene mala suerte o que ha sufrido alguna desgracia. SINÓNIMO desgraciado. INGLÉS unfortunate.

desvergonzado, desvergonzada
adjetivo y nombre
1 Se dice de la persona que actúa o habla sin vergüenza ni respeto hacia los demás. INGLÉS shameless, brazen.

desvestir
verbo
1 Quitar a alguien la ropa que lleva puesta. SINÓNIMO desnudar. ANTÓNIMO vestir. INGLÉS to undress.
NOTA Se conjuga como: servir; la 'e' se convierte en 'i' en algunos tiempos y personas, como: desvistió.

desviar
verbo
1 Apartar a una persona o cosa del camino que seguía o de la dirección normal: *En el cruce nos desviamos a la izquierda.* INGLÉS to divert [desviar], to turn off [desviarse].

desvío
nombre masculino
1 Vía o camino que se separa de otro más importante. A veces cuando se produce un atasco en una carretera es mejor tomar un desvío. INGLÉS diversion.

detallar
verbo
1 Contar una cosa con todos sus detalles: *Nos detalló su viaje.* INGLÉS to tell in detail.

detalle
nombre masculino
1 Parte no necesaria de algo que lo completa o lo hace más bonito, como un adorno que se pone en una prenda de ropa o en el pelo. INGLÉS detail.
2 Dato que completa o aclara una información. INGLÉS detail.
3 Cosa que se dice o se hace para agradar a alguien. Cuando es el cumpleaños de un amigo tenemos el detalle de felicitarlo. INGLÉS nice gesture, nice thought.
4 Parte de una obra artística, normalmente parte que destaca o resalta por algún motivo: *En estas fotos se ven detalles de las columnas de la catedral.* INGLÉS detail.

desviar

INDICATIVO	SUBJUNTIVO
presente	**presente**
desvío	desvíe
desvías	desvíes
desvía	desvíe
desviamos	desviemos
desviáis	desviéis
desvían	desvíen
pretérito imperfecto	**pretérito imperfecto**
desviaba	desviara o desviase
desviabas	desviaras o desviases
desviaba	desviara o desviase
desviábamos	desviáramos o desviásemos
desviabais	desviarais o desviaseis
desviaban	desviaran o desviasen
pretérito perfecto simple	**futuro**
desvié	desviare
desviaste	desviares
desvió	desviare
desviamos	desviáremos
desviasteis	desviareis
desviaron	desviaren
futuro	**IMPERATIVO**
desviaré	desvía (tú)
desviarás	desvíe (usted)
desviará	desviemos (nosotros)
desviaremos	desviad (vosotros)
desviaréis	desvíen (ustedes)
desviarán	
condicional	**FORMAS NO PERSONALES**
desviaría	**infinitivo** desviar
desviarías	**gerundio** desviando
desviaría	**participio** desviado
desviaríamos	
desviaríais	
desviarían	

a b c d e f g h i j k l m n ñ o p q r s t u v w x y z

detectar

verbo **1** Captar un aparato una cosa que no es fácil de percibir, como un escape de gas. INGLÉS to detect.

2 Darse cuenta una persona de una cosa que no se manifiesta de forma clara y evidente: *Detecto cierto enfado en tus palabras.* INGLÉS to detect.

detective

nombre masculino y femenino **1** Persona que se encarga de investigar delitos o asuntos por encargo de otra persona. INGLÉS detective.

detención

nombre femenino **1** Acción que consiste en detener o quitar la libertad a un persona durante un tiempo. INGLÉS detention, arrest.

2 Paro o interrupción del desarrollo de una acción o de un movimiento. Cuando hay una avería en el metro se produce la detención de todos los servicios. INGLÉS stopping, halting.

NOTA El plural es: detenciones.

detener

verbo **1** Interrumpir o parar el desarrollo de una acción o un movimiento: *A medio camino nos detuvimos para descansar.* INGLÉS to stop.

2 Atrapar a una persona que ha cometido un delito. INGLÉS to detain, to arrest.

NOTA Se conjuga como: tener.

detenimiento

nombre masculino **1** Atención y cuidado que se pone al realizar o al pensar algo. Hay que leer con detenimiento las instrucciones de los aparatos antes de usarlos. INGLÉS care.

detergente

nombre masculino **1** Producto que se utiliza para lavar o limpiar. Para lavar la ropa usamos un detergente líquido o en polvo. INGLÉS detergent.

deteriorar

verbo **1** Hacer que el valor o la calidad de una cosa sea más bajo. SINÓNIMO estropear. INGLÉS to spoil.

determinado, determinada

adjetivo **1** Que es uno en particular con características bien definidas: *Me lo dijo una persona determinada.* INGLÉS certain, particular.

determinante

adjetivo **1** Que determina o hace que una persona o una cosa sea de un modo y no de otro. Las lluvias son un factor determinante para que haya una buena cosecha. INGLÉS decisive.

nombre masculino **2** Palabra que va delante de un nombre para ayudar a precisar su significado y concuerda con él en género y número. Hay distintos tipos de determinantes: artículos, posesivos, demostrativos, numerales, indefinidos, interrogativos y exclamativos. INGLÉS determiner.

determinar

verbo **1** Tomar una decisión o hacer que una persona tome una decisión. Un fracaso puede determinar a una persona a abandonar un proyecto. INGLÉS to resolve, to decide.

2 Decir o decidir una persona o varias cómo realizar o cómo tiene que ser una cosa exactamente, como la fecha de examen o los puntos de un acuerdo. INGLÉS to decide.

3 Llegar a conocer el resultado de una cosa a partir de unos datos. INGLÉS to determine.

4 Ser una cosa la causa de una acción o tenerla como consecuencia inevitable. El paso de los años determina la aparición de arrugas. INGLÉS to bring about, to cause.

detestar

verbo **1** Experimentar un sentimiento de rechazo o desagrado hacia algo o alguien que no nos gusta nada. SINÓNIMO aborrecer; odiar. ANTÓNIMO estimar. INGLÉS to detest, to hate.

detractor, detractora

adjetivo y nombre **1** Se dice de la persona que no está de acuerdo con una opinión o con una forma de hacer las cosas y las critica. Algunos artistas tienen tanto admiradores como detractores de sus obras. INGLÉS critic, detractor.

detrás

adverbio **1** Indica que un objeto, lugar o persona se encuentra en una posición posterior respecto a otro objeto, lugar o persona y a una cierta distancia: *La entrada principal está cerrada, así que entraremos por detrás.* ANTÓNIMO delante. INGLÉS behind, at the back.

por detrás Indica que una acción se realiza a espaldas de alguien, sin que esta persona se dé cuenta: *No es de buena educación hablar mal de* *los demás por detrás.* INGLÉS behind someone's back.

deuda

nombre femenino **1** Obligación que tiene una persona de devolver una cosa, en especial una cantidad de dinero. INGLÉS debt.

devastador, devastadora

adjetivo **1** Que destruye por completo un territorio o lo que hay en él. Hay huracanes devastadores que pueden destruir poblaciones enteras. INGLÉS devastating.

devoción

nombre femenino **1** Sentimiento de amor y respeto que una persona tiene hacia Dios y hacia la religión. INGLÉS devotion.

2 Entusiamo y admiración que se siente hacia una persona o hacia una cosa: *Mi hermano tiene devoción por las motos.* INGLÉS love.

NOTA El plural es: devociones.

devolución

nombre femenino **1** Entrega de una cosa que nos habían dejado o de algo que habíamos comprado y no nos satisface. El plazo habitual para la devolución de libros en la biblioteca es de tres semanas. INGLÉS return.

NOTA El plural es: devoluciones.

devolver

verbo **1** Dar una cosa a la persona que nos

DETERMINANTES

Los determinantes son palabras que, a veces, acompañan a los sustantivos para precisar su significado. Según lo que indiquen, pueden ser:

Tipo	Expresa	Ejemplos	Observaciones
artículo determinado	Es conocido por el hablante o por el oyente o se ha hablado antes del nombre	el, la, los, las	
artículo indeterminado	No es conocido por el hablante o por el oyente o no se ha hablado antes del nombre	un, una, unos, unas	
posesivo	A quién pertenece lo que se dice a continuación	mi, tu, su, nuestro, nuestra, vuestro, vuestra	Puede ir delante o detrás del nombre: *Nuestra amiga. Una amiga nuestra.*
demostrativo	Está cerca en el espacio o en el tiempo	este, esta, estos, estas	También se usa como pronombre. Como pronombre puede acentuarse pero no es recomendable: *Me gusta este.*
	Está a distancia media en el espacio o en el tiempo	ese, esa, esos, esas	
	Está lejos en el espacio o en el tiempo	aquel, aquella, aquellos, aquellas	
numeral	Cardinal: número de veces de lo designado	uno, dos, veinte, mil	También se usa como pronombre: *Quiero uno. Que pase el primero.*
	Ordinal: orden de lo designado dentro de una serie	primero, segundo, tercero	
indefinido	Indica imprecisión en lo designado	algún, ningún, todo, otro, cierto, mucho, poco, varios, bastante	También se usa como pronombre: *Tengo poco. Vi varias.*
interrogativo y exclamativo	Acompaña al nombre en frases interrogativas o exclamativas	qué, cuánto	También se usa como pronombre: *¿Cuánto cuesta? ¡Qué divertido!*

la había prestado. INGLÉS to give back, to return.
2 Volver a llevar una cosa al lugar donde se ha obtenido o comprado porque no nos satisface. INGLÉS to take back, to return.
3 Echar por la boca lo que se tiene en el estómago. Cuando estamos muy mareados tenemos ganas de devolver. SINÓNIMO vomitar. INGLÉS to bring up.
4 Hacer que una cosa o una persona vuelva a estar en el lugar o en el estado en que estaba antes. INGLÉS to put back.
NOTA Se conjuga como: mover; la 'o' se convierte en 'ue' en sílaba acentuada, como: devuelvo.

devorar
verbo
1 Comer con muchas ganas y rapidez. Mucha gente devora la comida cuando tiene mucha hambre. INGLÉS to devour.
2 Comer un animal a su presa. INGLÉS to devour.

devorar

3 Acabar con una cosa rápidamente. Las personas a las que les gusta mucho leer devoran los libros. INGLÉS to devour.

devoto, devota
adjetivo
1 Que inspira respeto y admiración religiosa. Una escultura religiosa es una obra devota. INGLÉS devout.
adjetivo y nombre
2 Se dice de la persona que siente y muestra respeto y admiración hacia Dios, la religión y las cosas sagradas. La persona devota cumple las obligaciones que le impone su religión. INGLÉS devout [adjetivo].
3 Se dice de la persona que siente respeto, admiración y afecto por una persona o una cosa, como una institución o un ideal. INGLÉS devoted [adjetivo], devotee [nombre].

devuelto, devuelta
participio
1 Participio irregular de: devolver. También se usa como adjetivo: *¿Me has devuelto el lápiz que te presté?*
nombre masculino
2 Conjunto de sustancias que estaban en el estómago y se han expulsado fuera. SINÓNIMO vómito. INGLÉS vomit.

día
nombre masculino
1 Tiempo que tarda la Tierra en dar una vuelta sobre sí misma, que suele ser veinticuatro horas. Un año tiene 365 días o 366 si es bisiesto. INGLÉS day.
2 Parte del día en que hay claridad o luz solar. En verano los días son más largos que en invierno porque el Sol sale antes y se pone más tarde. INGLÉS day.
3 Tiempo atmosférico. Cuando llueve decimos que hace mal día. INGLÉS day.
estar al día Tener información actualizada sobre algo. INGLÉS to be up to date.
hoy en día En la actualidad: *Hoy en día se pueden hacer muchas cosas con los ordenadores.* INGLÉS nowadays, today.

diabetes
nombre femenino
1 Enfermedad de las personas que se caracteriza por tener una concentración de azúcar en la sangre mayor de lo normal. INGLÉS diabetes.
NOTA El plural es: diabetes.

diabético, diabética
adjetivo
1 De la diabetes o relacionado con ella. INGLÉS diabetic.
adjetivo y nombre
2 Se dice de la persona que tiene diabetes. INGLÉS diabetic.

diablo
nombre masculino
1 Ser que representa el mal y se opone a Dios. Según la religión católica, el diablo está en el infierno. SINÓNIMO demonio. INGLÉS devil.
2 Persona muy mala o muy traviesa, en especial si es un niño. SINÓNIMO demonio. ANTÓNIMO ángel. INGLÉS devil, demon, a poor devil.
del diablo Expresión que se utiliza para exagerar lo malo de una cosa. También se dice 'de mil diablos': *Hace un frío del diablo.* INGLÉS terrible, awful.

diablura
nombre femenino
1 Acción de un niño que provoca un trastorno o un daño de poca importancia. Esconder unas llaves de casa es una diablura. SINÓNIMO trastada; travesura. INGLÉS mischief.

a b c d e f g h i j k l m n ñ o p q r s t u v w x y z

diabólico, diabólica
adjetivo **1** Del diablo o relacionado con él. INGLÉS diabolic.
2 Que es muy perverso y malvado: *El malo de la película tenía un plan diabólico para conquistar el mundo.* SINÓNIMO satánico. INGLÉS fiendish.

diácono
nombre masculino **1** Hombre que en la religión católica tiene el grado inmediatamente inferior al de sacerdote. INGLÉS deacon.

diacrítico, diacrítica
adjetivo y nombre masculino **1** Se dice del signo ortográfico que da un valor especial a una letra para que no se produzca una ambigüedad. La diéresis y la tilde son los únicos signos diacríticos del español. INGLÉS diacritical [adjetivo], diacritical mark [nombre].

diadema
nombre femenino **1** Objeto en forma de círculo o de medio círculo rígido que se pone en la cabeza, apoyado detrás de las orejas. La diadema sujeta el pelo o sirve como adorno. INGLÉS hairband.
2 Pequeña corona de piedras preciosas que algunas mujeres, especialmente las de la realeza o nobleza, se ponen en la cabeza en ocasiones especiales. INGLÉS tiara. DIBUJO página 648.

adjetivo **diáfano, diáfana** **1** Se dice de los objetos o superficies que dejan pasar la luz. SINÓNIMO transparente. INGLÉS transparent.
2 Se dice de la forma de actuar o de hablar que es muy clara. INGLÉS transparent.

diagnosticar
verbo **1** Decir el médico qué enfermedad tiene un enfermo mediante el examen de sus síntomas. INGLÉS to diagnose.

diagnóstico
nombre masculino **1** Determinación de una enfermedad mediante el examen de los síntomas que presenta un enfermo. Para conocer el diagnóstico de una gripe el médico tiene en cuenta la tos o la fiebre del paciente. INGLÉS diagnosis.
2 Conclusión a la que llega un médico después de examinar los síntomas de un enfermo: *Su diagnóstico fue claro: pulmonía.* INGLÉS diagnosis.

diagonal
adjetivo y nombre femenino **1** Se dice de la línea recta que une dos ángulos de una figura que no están seguidos. INGLÉS diagonal.

diagrama
nombre masculino **1** Dibujo o gráfica que representa de manera esquemática el funcionamiento o las partes de un objeto, la relación entre las distintas partes de un conjunto o sistema, o el desarrollo de un fenómeno. INGLÉS diagram.

dialecto
nombre masculino **1** Variedad de una lengua que se habla en una determinada zona geográfica. En los dialectos suele haber algunas palabras o expresiones diferentes de las de la lengua estándar, pero los hablantes de los diferentes dialectos de una lengua se entienden perfectamente. El español tiene muchos dialectos en España y América. INGLÉS dialect.

dialogar
verbo **1** Mantener un diálogo. INGLÉS to talk.

diálogo
nombre masculino **1** Conversación entre dos o más personas en la que cada una contesta a lo dicho por la otra. En las novelas, los diálogos se señalan con guiones que van seguidos de la frase que dice cada personaje. INGLÉS dialogue, conversation.

diamante
nombre masculino **1** Piedra preciosa de color transparente que se utiliza para hacer joyas. El diamante puede cortar el cristal. INGLÉS diamond.

diámetro
nombre masculino **1** Línea recta que une dos puntos de una circunferencia pasando por el centro. El diámetro divide la circunferencia en dos partes iguales. INGLÉS diameter.

diana
nombre femenino **1** Tabla redonda que tiene dibujados varios círculos con un mismo centro, y que sirve para hacer pruebas de tiro con armas de fuego, con flechas o con dardos. INGLÉS target.
2 Punto central de una diana. INGLÉS bull's eye.
3 Toque de trompeta que se da en los cuarteles por la mañana para despertar a los soldados. INGLÉS reveille.

diapositiva
nombre femenino **1** Fotografía copiada en un material

transparente que se proyecta sobre una pantalla con ayuda de una máquina. INGLÉS slide.

diario, diaria

adjetivo **1** Que ocurre o se hace todos los días: *Toma una ducha diaria.* INGLÉS daily.

nombre masculino **2** Publicación que sale todos los días. SINÓNIMO periódico. INGLÉS daily.

3 Libro o cuaderno en el que una persona escribe lo que hace cada día y también sus pensamientos y sentimientos. INGLÉS diary.

diarrea

nombre femenino **1** Trastorno del aparato digestivo que consiste en expulsar una caca líquida o semilíquida con mucha frecuencia. INGLÉS diarrhoea.

dibujante

nombre masculino y femenino **1** Persona que dibuja como profesión o como afición. INGLÉS artist, cartoonist.

dibujar

verbo **1** Hacer un dibujo. INGLÉS to draw.

2 dibujarse Mostrarse o aparecer algo en un sitio de manera poco clara. A veces se dibujan sombras en la oscuridad. INGLÉS to appear.

dibujo

nombre masculino **1** Imagen de una persona o una cosa representada en una superficie plana, normalmente usando un solo color y haciendo solo líneas. INGLÉS drawing.

2 Acción de dibujar. INGLÉS drawing.

diccionario

nombre masculino **1** Libro que contiene palabras de una lengua o de una determinada materia definidas o traducidas a otro idioma. Las palabras del diccionario suelen ir en orden alfabético. INGLÉS dictionary.

dicha

nombre femenino **1** Estado de ánimo de la persona que se encuentra alegre o muy satisfecha por algo. SINÓNIMO felicidad. INGLÉS happiness.

dicho, dicha

participio **1** Participio irregular de: decir. También se usa como adjetivo.

nombre masculino **2** Palabra o frase que tiene gracia o enseña algo. Los refranes son dichos populares. INGLÉS saying.

dichoso, dichosa

adjetivo **1** Que está alegre o muy satisfecho por algo. INGLÉS happy, fortunate.

2 Que causa molestia o preocupación: *¡Dichoso autobús! Siempre llega tarde.* Con este significado siempre va delante del nombre. INGLÉS damn!, damned!

diciembre

nombre masculino **1** Último mes del año. Diciembre tiene 31 días y es el mes en que empieza el invierno. INGLÉS December.

dictado

nombre masculino **1** Acción que consiste en leer o decir algo en voz alta para que otro lo escriba. INGLÉS dictation.

2 Texto que se escribe al dictado. En clase se escribe un dictado para practicar las normas de ortografía. INGLÉS dictation.

3 Conjunto de reglas o normas de conducta que se siguen y que pueden tener diversos orígenes, como la razón, los sentimientos o los principios de una ciencia o una actividad profesional. INGLÉS dictates.

dictador, dictadora

nombre **1** Persona que tiene todo el poder de un país y gobierna según sus deseos, sin tener en cuenta los derechos ni la voluntad de los ciudadanos. SINÓNIMO tirano. INGLÉS dictator.

adjetivo y nombre **2** Que abusa de su superioridad o su poder y trata muy mal a otras personas. INGLÉS despotic [adjetivo], dictator [nombre].

dictadura

nombre femenino **1** Sistema de gobierno en el que el control está ejercido por un dictador que tiene todo el poder. INGLÉS dictatorship.

2 Período de tiempo durante el cual se mantiene este sistema de gobierno en un país. INGLÉS dictatorship.

3 País gobernado por un dictador. INGLÉS dictatorship.

dictamen

nombre masculino **1** Opinión o juicio que un especialista se forma o emite sobre algo. Un médico emite dictámenes sobre temas médicos y un juez emite dictámenes sobre la manera de aplicar las leyes. INGLÉS opinion.

NOTA El plural es: dictámenes.

dictar

verbo **1** Leer o decir algo en voz alta para que otro lo escriba. INGLÉS to dictate.

2 Hacer públicas las leyes, normas o sentencias. INGLÉS to announce.

a b c d e f g h i j k l m n ñ o p q r s t u v w x y z

3 Seguir una determinada regla o norma de conducta que puede tener distintos orígenes, como la razón, los sentimientos o los principios de una ciencia o una actividad profesional.

didáctico, didáctica
adjetivo **1** Que sirve o es adecuado para enseñar o que tiene relación con la enseñanza. Los juguetes didácticos son aquellos que enseñan cosas a los niños mientras juegan con ellos. INGLÉS didactic.

diecinueve
numeral cardinal **1** Indica que el nombre al que acompaña está 19 veces. INGLÉS nineteen.
numeral ordinal **2** Que ocupa el lugar número 19 en una serie ordenada. INGLÉS nineteenth.
nombre masculino **3** Nombre del número 19. INGLÉS nineteen.

diecinueveavo, diecinueveava
adjetivo y nombre masculino **1** Se dice de cada una de las 19 partes iguales en que se divide una cosa. INGLÉS nineteenth.

dieciocho
numeral cardinal **1** Indica que el nombre al que acompaña está 18 veces. INGLÉS eighteen.
numeral ordinal **2** Que ocupa el lugar número 18 en una serie ordenada. INGLÉS eighteenth.
nombre masculino **3** Nombre del número 18. INGLÉS eighteen.

dieciochoavo, dieciochoava
adjetivo y nombre masculino **1** Se dice de cada una de las 18 partes iguales en que se divide una cosa. INGLÉS eighteenth.

dieciséis
numeral cardinal **1** Indica que el nombre al que acompaña está 16 veces. INGLÉS sixteen.
numeral ordinal **2** Que ocupa el lugar número 16 en una serie ordenada. INGLÉS sixteenth.
nombre masculino **3** Nombre del número 16. INGLÉS sixteen.

dieciseisavo, dieciseisava
adjetivo y nombre masculino **1** Se dice de cada una de las 16 partes iguales en que se divide una cosa. INGLÉS sixteenth.

diecisiete
numeral cardinal **1** Indica que el nombre al que acompaña está 17 veces. INGLÉS seventeen.
numeral ordinal **2** Que ocupa el lugar número 17 en una serie ordenada. INGLÉS seventeenth.
nombre masculino **3** Nombre del número 17. El diecisiete es un número primo. INGLÉS seventeen.

diecisieteavo, diecisieteava
adjetivo y nombre masculino **1** Se dice de cada una de las 17 partes iguales en que se divide una cosa. INGLÉS seventeenth.

diente
nombre masculino **1** Cada una de las piezas blancas y duras que tienen en la boca las personas y algunos animales. INGLÉS tooth.
2 Cada una de las puntas o partes salientes que tiene la superficie de una cosa, como las sierras. INGLÉS tooth.
diente de ajo Cada una de las partes en que se divide una cabeza de ajo. INGLÉS clove of garlic.
diente de leche Diente que durante la edad infantil se cae y es sustituido por otro. INGLÉS milk tooth.
hablar entre dientes Hablar una persona en voz tan baja que no se entiende lo que dice. INGLÉS to mutter.

diéresis
nombre femenino **1** Signo de ortografía que, en español, se coloca sobre la vocal 'u' para indicar que se tiene que pronunciar cuando va en un grupo 'gue' o 'gui'. La palabra 'pingüino' se escribe con diéresis. INGLÉS diaeresis.
NOTA El plural es: diéresis.

diestro, diestra
adjetivo y nombre **1** Se dice de la persona que utiliza la mano o el pie derecho para hacer cosas. ANTÓNIMO zurdo. INGLÉS right-handed [adjetivo].
adjetivo **2** Se dice de la persona que hace un trabajo o realiza una actividad muy bien y con habilidad. INGLÉS skilful.
nombre **3** Torero encargado de matar el toro. INGLÉS matador.

dieta
nombre femenino **1** Conjunto de normas o guías referidas al tipo, la cantidad y la combinación de alimentos que come una persona o una comunidad de personas. La dieta mediterránea se caracteriza por una abundancia de alimentos frescos: *El médico le recomendó una dieta basada en las verduras.* SINÓNIMO régimen. INGLÉS diet.
2 Cantidad de dinero que se da a una persona para cubrir los gastos ocasionados por tener que trabajar lejos del lugar donde vive. INGLÉS expenses.

diez
numeral cardinal **1** Indica que el nombre al que acompaña está 10 veces. INGLÉS ten.
numeral ordinal **2** Que ocupa el lugar número 10 en una serie ordenada. INGLÉS tenth.
nombre masculino **3** Nombre del número 10. En números romanos, el diez se representa con una X. INGLÉS ten.

difamar
verbo **1** Hablar muy mal de una persona para perjudicarla y crearle mala fama. Generalmente las cosas que se dicen cuando se difama a alguien no son ciertas. INGLÉS tenth.

diferencia
nombre femenino **1** Característica o rasgo que hace que una persona o una cosa no sea idéntica a otra. ANTÓNIMO semejanza. INGLÉS difference.
2 Cosa sobre lo que dos personas no están de acuerdo y que puede provocar disputas. Con este significado se utiliza mucho en plural. INGLÉS difference.
3 Cantidad que resulta de restar dos cantidades. La diferencia entre cuatro y tres es uno. INGLÉS difference.

diferenciar
verbo **1** Notar o percibir que dos o más personas o cosas no son iguales en algo. INGLÉS to differentiate, to distinguish.
2 Ser una cosa la causa o la razón que hace que dos o más personas o cosas no sean iguales. La inteligencia diferencia al ser humano del resto de animales. INGLÉS to distinguish.
3 diferenciarse Ser una persona o una cosa diferente de otra o de otras. INGLÉS to differ, to be different.
NOTA Se conjuga como: cambiar; la 'i' no lleva nunca acento de intensidad.

diferente
adjetivo **1** Que tiene una o varias características que son distintas o que no se parecen a las de otras personas o cosas: *El clima del norte es diferente al del sur.* ANTÓNIMO igual; semejante. INGLÉS different.

diferir
verbo **1** Dejar de realizar una cosa para hacerla en otro momento u otro día. Cuando se difiere la emisión de un programa de televisión, lo acaban dando en un horario o en una fecha posterior. SINÓNIMO aplazar. INGLÉS to differ, to be different.
2 Ser una persona o una cosa diferente o distinta de otra. Dos cosas difieren en su tamaño cuando una es más grande que la otra. INGLÉS to differ, to be different.
NOTA Se conjuga como: preferir; la 'e' se convierte en 'ie' en sílaba acentuada o en 'i' en algunos tiempos y personas, como: difiero o difirieron.

difícil
adjetivo **1** Que cuesta mucho esfuerzo solucionarlo, hacerlo o entenderlo. SINÓNIMO complicado. ANTÓNIMO fácil; sencillo. INGLÉS difficult, hard.
2 Se dice de la persona que tiene mal carácter o con la que no es agradable tratar. INGLÉS difficult, awkward.

dificultad
nombre femenino **1** Cualidad, situación u obstáculo que hace que algo sea difícil de hacer o resolver. Decimos que un examen tiene muchas dificultades cuando las preguntas son muy complicadas. ANTÓNIMO facilidad. INGLÉS difficulty.

dificultar
verbo **1** Hacer que algo sea difícil de hacer o sea más difícil de lo normal. INGLÉS to make difficult.

difuminar
verbo **1** Hacer que las líneas y los colores de un dibujo sean poco claros para dar una impresión de más realidad. Se puede difuminar con los dedos o con un instrumento especial parecido a un lápiz. INGLÉS to blur, to soften.

difundir
verbo **1** Hacer que una idea, noticia o alguna otra cosa inmaterial sea conocida por gran número de personas. SINÓNIMO divulgar. INGLÉS to spread.
2 Extender algo material por un espacio. Las calefacciones difunden calor y los ventiladores, aire. INGLÉS to give off, to give out.

difunto, difunta
adjetivo y nombre **1** Se dice de la persona que ha muerto. SINÓNIMO fallecido. INGLÉS deceased [adjetivo].

difusión
nombre femenino **1** Acción que consiste en difundir o difundirse algo material o inmaterial. Los libros son unos buenos medios de difusión de la cultura. SINÓNIMO divulgación. INGLÉS spreading.
2 Emisión de ondas por el aire para

transmitir sonidos e imágenes a lugares lejanos. Para la difusión de un programa de televisión hacen falta equipos técnicos especiales. INGLÉS broadcasting.

NOTA El plural es: difusiones.

difuso, difusa
adjetivo
1 Que no está lo suficientemente claro o preciso: *No conozco bien el tema, solo tengo una idea difusa.* INGLÉS vague.

digerir
verbo
1 Transformar el aparato digestivo los alimentos que se comen en las sustancias que necesita el organismo para funcionar. INGLÉS to digest.

2 Aceptar y soportar con paciencia una pena o una desgracia. INGLÉS to accept.

NOTA Se conjuga como: preferir; la 'e' se convierte en 'ie' en sílaba acentuada o en 'i' en algunos tiempos y personas, como: digiero o digirió.

digestión
nombre femenino
1 Proceso desarrollado en el aparato digestivo por medio del cual los alimentos se transforman en las sustancias necesarias para el organismo. INGLÉS digestion.

NOTA El plural es: digestiones.

digestivo, digestiva
adjetivo
1 Que está relacionado con la digestión. INGLÉS digestive.

2 Que ayuda a hacer la digestión o la facilita. INGLÉS digestive.

digital
adjetivo
1 De los dedos o que tiene relación con ellos. Las huellas digitales son distintas en cada persona. INGLÉS finger.

2 Se dice de los aparatos que representan los datos con números. INGLÉS digital.

dignarse
verbo
1 Hacer una cosa con consideración o estar de acuerdo en hacerla aunque suponga cierto esfuerzo: *Al final se dignó a ayudarnos y pudimos acabar el trabajo.* INGLÉS to deign.

dignidad
nombre femenino
1 Característica de la persona que merece respeto por tener un comportamiento ejemplar consigo misma y con los demás. También se llama dignidad el modo de comportarse de este tipo de persona. INGLÉS dignity.

2 Persona que tiene un cargo importante y con poder, como un obispo o un ministro. SINÓNIMO autoridad. INGLÉS dignitary.

digno, digna
adjetivo
1 Se dice de la persona o la cosa que merece aquello que se indica. Los buenos artistas son dignos de admiración. ANTÓNIMO indigno. INGLÉS worthy, deserving.

2 Que es adecuado a la naturaleza o a las características propias de una persona o de una cosa. Portarse mal no es digno de los niños bien educados. INGLÉS fitting, appropriate.

3 Que se comporta tan bien que merece el respeto de los demás. SINÓNIMO respetable. INGLÉS decent.

4 Que es suficientemente bueno, aunque podría ser mucho mejor. Una vivienda digna tiene todo lo necesario para vivir pero no tiene lujos. INGLÉS decent.

dígrafo
nombre masculino
1 Signo ortográfico compuesto de dos letras y que representa un solo sonido. 'Ch', 'll', 'qu' y 'rr' son dígrafos de la ortografía española. INGLÉS digraph.

dilatación
nombre femenino
1 Aumento del tamaño de una cosa. El calor produce la dilatación de las vías de tren. ANTÓNIMO contracción. INGLÉS expansion.

NOTA El plural es: dilataciones.

dilatar
verbo
1 Hacer que una cosa sea más grande y ocupe más espacio. Los pies se dilatan cuando hace mucho calor. INGLÉS to dilate, to expand.

2 Hacer que una cosa dure más tiempo de lo esperado. A veces, el tiempo previsto para la construcción de una casa se dilata porque surgen problemas. INGLÉS to prolong, to extend.

dilema
nombre masculino
1 Duda que se le plantea a una persona cuando tiene que escoger obligatoriamente entre dos alternativas y no sabe qué hacer, generalmente porque las dos son igual de buenas o malas. INGLÉS dilemma.

diligencia
nombre femenino
1 Carro grande y cubierto tirado por caballos que se utilizaba para llevar viajeros entre diferentes poblaciones. INGLÉS stagecoach.

diligente
adjetivo **1** Que hace las cosas que tiene que hacer o los trabajos que se le encargan con mucho interés y de manera rápida y eficaz. INGLÉS diligent.

diluir
verbo **1** Mezclar una sustancia con un líquido y conseguir que se deshaga o se vuelva más líquida. Podemos diluir el azúcar en el café o podemos diluir la pintura con agua para que no sea tan pastosa. SINÓNIMO disolver. INGLÉS to dissolve [deshacer], to dilute [rebajar].
NOTA Se conjuga como: huir; la 'i' se convierte en 'y' delante de 'a', 'e' y 'o', como: diluyo o diluyan.

diluviar
verbo **1** Llover de forma abundante y con mucha fuerza. INGLÉS to pour with rain.

diluvio
nombre masculino **1** Lluvia muy fuerte y abundante. INGLÉS deluge.

dimensión
nombre femenino **1** Tamaño o extensión de algo: *Tiene una casa enorme, de grandes dimensiones.* INGLÉS dimension, size.
2 Aquello que puede medirse de un objeto, una persona o cualquier cosa de la realidad. Hay tres dimensiones: largo, alto y ancho. INGLÉS dimension.

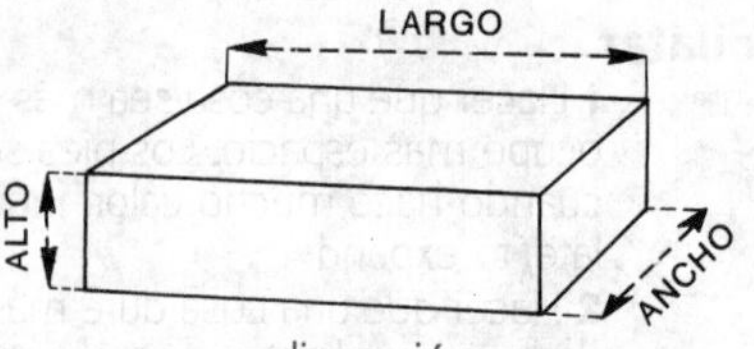

dimensión

3 Importancia que tiene algo. Un problema de gran dimensión es muy difícil de resolver. INGLÉS scale.
NOTA El plural es: dimensiones.

diminutivo, diminutiva
adjetivo y nombre masculino **1** Se dice de las palabras o sufijos que indican pequeñez o poca importancia. La palabra 'casita' es el diminutivo de 'casa'. Con los sufijos '-ito' o '-illo' se forman los diminutivos: arbolito y librillo. Los diminutivos también se emplean para indicar afecto o cariño: *Ha venido a vernos el abuelito.* ANTÓNIMO aumentativo. INGLÉS diminutive.

diminuto, diminuta
adjetivo **1** Que es muy pequeño. SINÓNIMO enano. ANTÓNIMO enorme; gigante. INGLÉS tiny, minute.

dimisión
nombre femenino **1** Acción que consiste en que una persona deja su trabajo o cargo por propia voluntad. INGLÉS resignation.
NOTA El plural es: dimisiones.

dimitir
verbo **1** Dejar una persona su trabajo o cargo por propia voluntad. INGLÉS to resign.

dinámico, dinámica
adjetivo **1** Se dice de la persona que hace muchas cosas y que tiene mucha energía. INGLÉS dynamic.
2 Que produce movimiento o está relacionado con él. INGLÉS dynamic.

dinamita
nombre femenino **1** Explosivo potente que se emplea en las minas, en la construcción y con fines militares. INGLÉS dynamite.

dinamo
nombre femenino **1** Máquina que transforma la energía mecánica en energía eléctrica o al revés, por medio de un electroimán. Muchas bicicletas tienen dinamos que transforman el movimiento de las ruedas en una corriente eléctrica que hace funcionar el faro. INGLÉS dynamo.

dinastía
nombre femenino **1** Serie de reyes que pertenecen a la misma familia. INGLÉS dynasty.
2 Familia que mantiene, de generación en generación, un gran poder político, económico o cultural. INGLÉS dynasty.

dineral
nombre masculino **1** Cantidad muy grande de dinero. SINÓNIMO fortuna. INGLÉS fortune.

dinero
nombre masculino **1** Conjunto de monedas y billetes que sirven para comprar cosas o para pagar un trabajo o servicio. INGLÉS money.
2 Conjunto de bienes o cosas de valor que alguien posee. INGLÉS wealth.

dinosaurio
nombre masculino **1** Reptil de gran tamaño, que se extinguió hace millones de años. Los dinosaurios fueron los animales terrestres más grandes que han existido sobre la Tierra. INGLÉS dinosaur.

dintel
nombre masculino **1** Elemento horizontal que cierra la parte superior del hueco de una pared, donde va una puerta o ventana, y sostiene el muro que hay encima. INGLÉS lintel. DIBUJO página 898.

diócesis
nombre femenino **1** Conjunto de territorios que dependen de un obispo. INGLÉS diocese.
NOTA El plural es: diócesis.

dioptría
nombre femenino **1** Unidad que emplean los oculistas para medir el grado de defecto de la vista humana. La miopía se mide en dioptrías. INGLÉS dioptre.

dios, diosa
nombre **1** Ser superior al ser humano, que tiene distintas formas, distintos poderes y distintas características según las diferentes religiones. INGLÉS god.
nombre masculino **2** Para los cristianos, ser superior que lo puede todo y es el creador de todas las cosas. Con este significado se escribe con mayúscula. INGLÉS God.
como Dios manda De forma correcta, como debe ser: *Si no te coses los pantalones como Dios manda, te van a quedar muy mal.* Es una expresión informal. INGLÉS proper, properly.

dióxido
nombre masculino **1** Compuesto químico formado por dos átomos de oxígeno. El dióxido de carbono que expulsan los tubos de escape de los vehículos con motor contamina el aire. INGLÉS dioxide.

diploma
nombre masculino **1** Documento que prueba que una persona ha conseguido un título al acabar sus estudios o ha ganado un premio. INGLÉS diploma.

diplomacia
nombre femenino **1** Estudio de las relaciones políticas, económicas y culturales entre los países. INGLÉS diplomacy.
2 Conjunto de funcionarios e instituciones que se encargan de las relaciones internacionales de un país. INGLÉS diplomatic corps.
3 Habilidad de la persona que actúa de un modo muy correcto y educado con otras personas, sobre todo en situaciones delicadas o con personas de opiniones muy diferentes. INGLÉS diplomacy, tact.

diplomático, diplomática
adjetivo **1** De la diplomacia o relacionado con ella. INGLÉS diplomatic.
adjetivo y nombre **2** Se dice de la persona que tiene un trato muy correcto y educado con otras personas, sobre todo en situaciones delicadas o con personas de opiniones muy diferentes. INGLÉS diplomatic [adjetivo], diplomat [nombre].
3 Que trabaja para la diplomacia de un país y representa a su país en el extranjero. Los embajadores y cónsules son diplomáticos. INGLÉS diplomatic [adjetivo], diplomat [nombre].

díptero, díptera
adjetivo y nombre masculino **1** Se dice del insecto que tiene dos alas y un aparato con el que puede chupar, como la mosca y el mosquito. INGLÉS dipteran.

diptongo
nombre masculino **1** Conjunto de dos vocales distintas que se pronuncian en una sola sílaba. La palabra 'guarro' tiene un diptongo. INGLÉS diphthong.

diputado, diputada
nombre **1** Político que forma parte del Congreso. Los diputados son elegidos por los ciudadanos y se encargan de elaborar las leyes. INGLÉS deputy.

dique
nombre masculino **1** Muro construido para contener las aguas. INGLÉS dyke.
2 Parte de un puerto que se puede cerrar para sacar el agua y poder limpiar o reparar los barcos. INGLÉS dock.

dirección
nombre femenino **1** Trayectoria o recorrido que sigue una persona o cosa en su movimiento. INGLÉS direction.
2 Nombre de la población, calle, número y piso donde vive una persona. SINÓNIMO señas. INGLÉS address.
3 Acción que consiste en dirigir a una persona o una cosa por parte de una o varias personas. El entrenador es el encargado de la dirección de un equipo deportivo. INGLÉS running, management.
4 Grupo de personas que dirige una escuela, una empresa, una fábrica o una compañía de teatro. También se llama dirección la oficina donde traba-

a b c d e f g h i j k l m n ñ o p q r s t u v w x y z

jan estas personas. INGLÉS management [personas], manager's office [oficina].

5 Conjunto de las piezas y los mecanismos que sirve para dirigir un vehículo. Cuando se bloquea la dirección de un automóvil no se puede mover el volante. INGLÉS steering.

NOTA El plural es: direcciones.

directivo, directiva

adjetivo y nombre

1 Se dice de la persona que se encarga de dirigir una empresa o una institución junto con otras personas. INGLÉS managing [adjetivo], manager [nombre].

directo, directa

adjetivo

1 Que va o se dirige a un sitio sin desviarse en su camino ni parar. INGLÉS direct, straight.

2 Que se hace sin que intervenga nadie aparte de las personas interesadas. No es fácil tener un trato directo con una persona importante. INGLÉS direct.

3 Que siempre dice lo que piensa de un modo muy claro: *Hablando es muy directa, te lo dirá sin rodeos.* INGLÉS direct, forthright.

director, directora

nombre

1 Persona encargada de organizar y dirigir algo, como un negocio o un establecimiento grande o algunos grupos de personas. INGLÉS director, manager.

dirigente

nombre masculino y femenino

1 Persona que dirige un partido político, un sindicato o una empresa: *Se han reunido los dirigentes sindicales.* INGLÉS leader.

dirigible

adjetivo

1 Que se puede dirigir. INGLÉS steerable.

nombre masculino

2 Vehículo con forma de globo muy grande y alargado, que lleva una hélice y un motor para poder dirigirlo por el aire. SINÓNIMO zepelín. INGLÉS dirigible, airship.

dirigir

verbo

1 Hacer que una cosa o una persona vaya hacia un lugar o mire hacia él. INGLÉS to direct.

2 Organizar y mandar a un grupo de personas, generalmente en un trabajo. El director de una empresa dirige a los empleados. INGLÉS to manage.

3 Dedicar un trabajo, un producto, un pensamiento o un sentimiento a determinado fin o a una persona. INGLÉS to aim, to direct.

4 dirigirse Ir hacia un lugar. INGLÉS to go.

5 dirigirse Hablar o escribir a una persona o un grupo de personas: *Se dirigió a su audiencia.* INGLÉS to address.

discapacidad

nombre femenino

1 Falta o limitación de alguna capacidad física o mental en una persona que le impide hacer determinados movimientos, actividades o trabajos. INGLÉS disability.

discapacitado, discapacitada

adjetivo y nombre

1 Se dice de la persona que tiene algún defecto físico o mental que les impide de hacer determinados movimientos, actividades o trabajos. INGLÉS disabled [adjetivo].

discernir

verbo

1 Distinguir una cosa de otra o de otras, especialmente las cosas buenas de las malas, o las cosas que están bien he-

discernir

INDICATIVO	SUBJUNTIVO
presente	**presente**
discierno	discierna
disciernes	disciernas
discierne	discierna
discernimos	discernamos
discernís	discernáis
disciernen	disciernan
pretérito imperfecto	**pretérito imperfecto**
discernía	discerniera o discerniese
discernías	discernieras o discernieses
discernía	discerniera o discerniese
discerníamos	discerniéramos o discerniésemos
discerníais	discernierais o discernieseis
discernían	discernieran o discerniesen
pretérito perfecto simple	**futuro**
discerní	discerniere
discerniste	discernieres
discernió	discerniere
discernimos	discerniéremos
discernisteis	discerniereis
discernieron	discernieren
futuro	**IMPERATIVO**
discerniré	discierne (tú)
discernirás	discierna (usted)
discernirá	discernamos (nosotros)
discerniremos	discernid (vosotros)
discerniréis	disciernan (ustedes)
discernirán	
condicional	**FORMAS NO PERSONALES**
discerniría	**infinitivo** discernir
discernirías	**gerundio** discerniendo
discerniría	**participio** discernido
discerniríamos	
discerniríais	
discernirían	

chas de las que no lo están. INGLÉS to distinguish.

disciplina
nombre femenino
1 Conjunto de normas de conducta que debe seguir una persona en el desarrollo de una actividad o en su comportamiento. INGLÉS discipline.
2 Obediencia y sometimiento de una persona a unas normas de conducta o de actuación. Los deportistas siguen con disciplina los consejos de sus entrenadores. INGLÉS discipline.
3 Materia, asignatura o ciencia que se estudia. INGLÉS discipline.

discípulo, discípula
nombre
1 Persona que recibe las enseñanzas de un maestro. INGLÉS disciple.

disc jockey
nombre masculino y femenino
1 Persona que se dedica a poner música en un local público o en una emisora de radio. SINÓNIMO pinchadiscos. INGLÉS disc jockey.
NOTA Se pronuncia: 'dis yóquey'. El plural es: disc jockeys.

disco
nombre masculino
1 Objeto redondo y plano. Las señales de tráfico circulares, las monedas o las chapas de algunas botellas son discos. INGLÉS disc, disk.
2 Plancha circular hecha de un material parecido al plástico, en la cual se han grabado unos sonidos que luego se pueden reproducir mediante un tocadiscos. INGLÉS disc, record.
3 Cada una de las luces con forma circular que hay en un semáforo. También se llama disco el semáforo. INGLÉS light.
4 Objeto redondo, de poco grosor y casi plano, que se utiliza en una prueba de atletismo para lanzarlo lo más lejos posible. INGLÉS discus.
disco compacto Disco de 12 cm de diámetro hecho de un material especial en el que previamente se han grabado unos sonidos que se pueden reproducir mediante un aparato que utiliza el láser. SINÓNIMO compact disc; CD; compacto. INGLÉS compact disc.
disco duro Disco que se utiliza en informática para almacenar mucha información. El disco duro se encuentra dentro del ordenador. INGLÉS hard disk.

discontinuo, discontinua
adjetivo
1 Que está compuesto por partes o elementos separados. Las calles y las carreteras tienen pintadas en el asfalto líneas discontinuas para indicar que los vehículos pueden cambiar de carril. INGLÉS broken.

discordia
nombre femenino
1 Diferencia de opinión, intereses o ideas entre dos o más personas. SINÓNIMO desacuerdo. INGLÉS discord.

discoteca
nombre femenino
1 Establecimiento donde se puede escuchar música grabada y bailar. INGLÉS discotheque, nightclub.
2 Colección de discos: *Tiene una discoteca de música clásica en su casa.* INGLÉS record collection.

discreción
nombre femenino
1 Forma de comportarse de las personas que no hablan de lo que no deben y no se meten en los asuntos de los demás. ANTÓNIMO indiscreción. INGLÉS discretion.
NOTA El plural es: discreciones.

discreto, discreta
adjetivo
1 Se dice de la persona que no habla de lo que no debe y no se mete en los asuntos de los demás. ANTÓNIMO indiscreto. INGLÉS discreet.
2 Que no llama la atención ni destaca por nada especial: *Llevaba un vestido muy discreto.* INGLÉS discreet.

discriminación
nombre femenino
1 Acción de tratar a una persona de forma inferior al resto de la sociedad por motivo de su raza, religión, sexo, ideas o condición social, causándole algún daño o perjuicio. INGLÉS discrimination.
NOTA El plural es: discriminaciones.

discriminar
verbo
1 Tratar a una persona de forma inferior al resto de la sociedad por motivo de su raza, religión, sexo, ideas o condición social, causándole algún daño o perjuicio. INGLÉS to discriminate.

disculpa
nombre femenino
1 Excusa o explicación que una persona da a otra para que la perdone por algo que ha hecho o dicho anteriormente. INGLÉS excuse.
2 Perdón que una persona pide y espera de otra por haber hecho o dicho algo inadecuado. INGLÉS apology.

a b c d e f g h i j k l m n ñ o p q r s t u v w x y z

disculpar

verbo **1** Perdonar a alguien o considerar que no es culpable de algo. INGLÉS to excuse, to forgive.

2 Se utiliza para pedir permiso para hacer algo: *Si me disculpas, voy a hacer una llamada.* INGLÉS to excuse.

3 disculparse Pedir perdón o dar una explicación para que nos perdonen por algo que hemos dicho o hecho anteriormente: *Se disculpó por llegar tan tarde.* INGLÉS to apologize.

discurrir

verbo **1** Utilizar la inteligencia para encontrar la solución de un problema o para hacer una cosa. INGLÉS to think.

2 Andar, correr o moverse una persona o una cosa por un sitio. Los ríos discurren por los valles y el campo. INGLÉS to go.

3 Realizarse o transcurrir una acción o un hecho a lo largo de un tiempo. También el tiempo discurre o pasa. INGLÉS to take place [una acción], to go by [el tiempo].

discurso

nombre masculino **1** Palabras que una persona dice en público, en especial en un acto importante o solemne. INGLÉS speech.

2 Conjunto de frases y palabras utilizadas para expresar lo que se piensa o siente. INGLÉS discourse.

discusión

nombre masculino **1** Conversación en que se discute alguna cosa. En una discusión se puede llegar a un acuerdo o no. INGLÉS argument.

NOTA El plural es: discusiones.

discutir

verbo **1** Tratar un asunto entre varias personas para llegar a un acuerdo. INGLÉS to discuss.

2 Defender dos o más personas ideas u opiniones opuestas en una conversación. INGLÉS to argue.

3 Pelear por cosas poco importantes: *¿Queréis dejar de discutir entre vosotros dos?* INGLÉS to argue.

disecar

verbo **1** Preparar un animal muerto de manera que parezca vivo y se conserve así durante mucho tiempo. Para disecar un animal hay que quitarle las tripas y rellenarlo de un producto especial. INGLÉS to stuff.

NOTA Se escribe 'qu' delante de 'e', como: diseque.

diseñador, diseñadora

nombre **1** Persona que se dedica a diseñar objetos, como muebles o ropa. INGLÉS designer.

diseñar

verbo **1** Dibujar el modelo de un vestido, un mueble o cualquier cosa para que después se haga o se fabrique. INGLÉS to design.

diseño

nombre masculino **1** Dibujo que sirve como modelo para algo que se hará después. También se llaman diseño los estudios para aprender a hacer estos dibujos. INGLÉS design.

disfraz

nombre masculino **1** Vestido o conjunto de adornos que sirven para que una persona parezca otra distinta o para que no sea reconocida. En carnavales la gente lleva disfraz. INGLÉS disguise [para no ser reconocido], fancy dress [para una fiesta].

NOTA El plural es: disfraces.

disfrazar

verbo **1** Vestir a alguien con un disfraz. INGLÉS to disguise [para no ser reconocido], to dress up [para una fiesta].

NOTA Se escribe 'c' delante de 'e', como: disfracé.

disfrutar

verbo **1** Sentir alegría o placer en un lugar o con cierta cosa. Se puede disfrutar con la música o con la lectura. INGLÉS to enjoy.

2 Tener algo bueno o beneficioso. Cuando una persona está sana decimos que disfruta de buena salud. INGLÉS to enjoy.

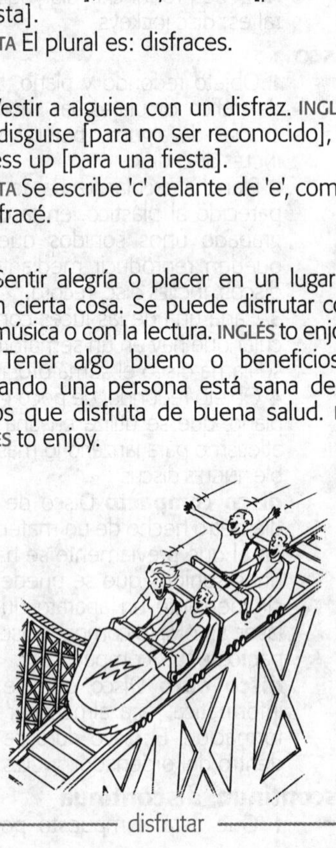

disfrutar

disgustar
verbo
1 Causar algo pena o enfado: *Me disgustó que no me felicitaras.* INGLÉS to upset, to annoy.
2 Causar una impresión desagradable o molesta. A mucha gente le disgusta el sabor del hígado. Normalmente nos disgusta que alguien llegue tarde a una cita. SINÓNIMO desagradar. ANTÓNIMO agradar. INGLÉS to dislike.

disgusto
nombre masculino
1 Sentimiento de pena o enfado provocado por una situación desagradable o inesperada. Alguien que ha estudiado mucho para un exament se puede llevar un disgusto si suspende. INGLÉS displeasure, annoyance.
2 Enfado o molestia de poca importancia que se da cuando dos o más personas no están de acuerdo en algo. INGLÉS quarrel.
a disgusto Incómodo o de mala gana. Alguien puede sentirse a disgusto en una fiesta cuando nadie le hace caso. INGLÉS uncomfortable.

disimular
verbo
1 Hacer como que no se oye, no se sabe o no se siente una cosa: *No disimules, creo que me has oído perfectamente.* INGLÉS to pretend.

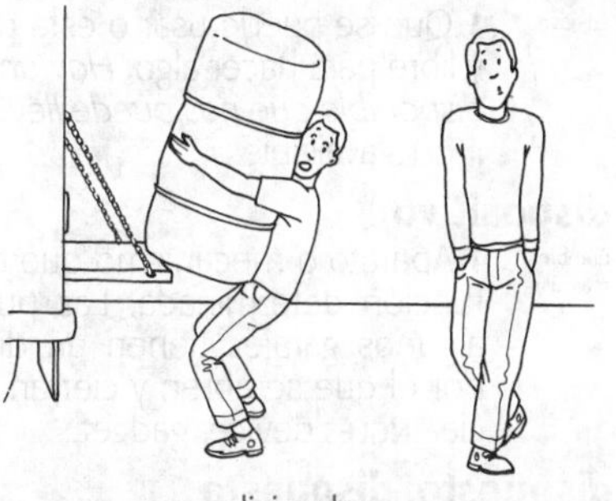

disimular

2 Esconder una cosa para que no se vea o no se note. Las manchas de la pared se pueden disimular con una capa de pintura. INGLÉS to hide.

disimulo
nombre masculino
1 Habilidad que tiene una persona para que no se note una cosa que está haciendo o que está sintiendo. INGLÉS pretence.

disipar
verbo
1 Hacer que una cosa desaparezca o deje de existir. Los diccionarios disipan nuestras dudas sobre el significado de las palabras. INGLÉS to dispel.
2 Gastarse el dinero de forma exagerada, sin orden ni cuidado: *Disipó su fortuna en un año y se quedó sin nada.* SINÓNIMO derrochar. INGLÉS to squander.

dislocarse
verbo
1 Salirse un hueso del cuerpo de su sitio. INGLÉS to be dislocated.
NOTA Se escribe 'qu' delante de 'e', como: me disloqué.

disminución
nombre femenino
1 Acción que consiste en hacer una cosa más pequeña, menos numerosa o menos importante. SINÓNIMO reducción. ANTÓNIMO aumento. INGLÉS reduction.
NOTA El plural es: disminuciones.

disminuido, disminuida
adjetivo y nombre
1 Se dice de la persona que tiene una discapacidad física o mental. Un sordo es un disminuido físico. INGLÉS disabled [adjetivo].

disminuir
verbo
1 Hacer una cosa más pequeña, menos numerosa o menos importante. INGLÉS to reduce.
NOTA Se conjuga como: huir; la 'i' se convierte en 'y' delante de 'a', 'e' y 'o', como: disminuyó.

disolución
nombre femenino
1 Mezcla de una sustancia con un líquido. Hay disoluciones de líquidos en líquidos, como la del alcohol en el agua; de sólidos en líquidos, como la del azúcar en el café; o de gases en líquidos, como la del oxígeno en el agua. INGLÉS solution.
2 Desaparición de una unión o una relación de cosas o de personas. INGLÉS dissolution.
NOTA El plural es: disoluciones.

disolvente
adjetivo y nombre masculino
1 Se dice de la sustancia líquida que sirve para disolver otras sustancias. INGLÉS solvent.

disolver
verbo
1 Mezclar una sustancia con un líquido y hacer que esta sustancia se deshaga o se vuelva más líquida. Algunos medicamen-

a b c d e f g h i j k l m n ñ o p q r s t u v w x y z

tos se disuelven en agua para tomarlos. INGLÉS to dissolve [un sólido], to dilute [un líquido].

2 Deshacer una unión o relación entre personas separando las partes que la componen. Cuando se disuelve un matrimonio, deja de ser una pareja. INGLÉS to dissolve.

NOTA Se conjuga como: mover; la 'o' se convierte en 'ue' en sílaba acentuada, como: disuelvo.

disparar

verbo **1** Hacer que salga una bala u otra carga de un arma, como una flecha de un arco. INGLÉS to fire, to shoot.

2 Lanzar con mucha fuerza una cosa, como un balón. INGLÉS to shoot.

3 dispararse Aumentar algo con rapidez y sin demasiado control. Si los precios se disparan, en poco tiempo las cosas son mucho más caras. INGLÉS to shoot up.

disparatado, disparatada

adjetivo **1** Que se considera un disparate, por ser absurdo o poco sensato. INGLÉS absurd, ridiculous.

disparate

nombre masculino **1** Cosa absurda o poco razonable que hace o dice una persona y que no tiene lógica ni sentido. INGLÉS absurd thing, ridiculous thing.

2 Cantidad excesivamente grande de algo. Los precios excesivos son un disparate. INGLÉS ridiculous amount.

disparo

nombre masculino **1** Acción de disparar un arma. INGLÉS shot.

2 Marca o efecto provocado por la acción de disparar un arma. En los lugares donde ha habido guerras se pueden ver los disparos en las paredes de los edificios. INGLÉS bullet hole.

3 Lanzamiento de una cosa hecho con mucha fuerza: *El portero no pudo parar el disparo y le metieron un gol.* INGLÉS shot.

dispensario

nombre masculino **1** Establecimiento sanitario donde los médicos examinan y tratan a enfermos que no van a quedar ingresados en él. SINÓNIMO ambulatorio. INGLÉS dispensary, clinic.

dispersar

verbo **1** Separar y extender sin orden y en todas direcciones un conjunto de personas o de cosas que estaban juntas. INGLÉS to disperse, to scatter.

disperso, dispersa

adjetivo **1** Se dice de un conjunto de personas o de cosas que están separadas: *Contó las monedas que se hallaban dispersas sobre la mesa.* INGLÉS dispersed, scattered.

disponer

verbo **1** Colocar a una persona o una cosa en la posición determinada: *El profesor dispuso a los alumnos en fila.* INGLÉS to put, to arrange.

2 Decidir una cosa y la forma en que se va a hacer: *Hemos dispuesto ir a Londres para aprender inglés.* INGLÉS to decide.

3 disponerse Tener la intención de hacer una cosa o estar a punto de hacerla: *Me disponía a entrar en la ducha cuando llamaron.* INGLÉS to be about to.

disponer de Tener una cosa para poder usarla. Las instalaciones deportivas disponen de gimnasios. INGLÉS to have.

NOTA Se conjuga como: poner. El participio es: dispuesto.

disponible

adjetivo **1** Que se puede usar o está preparado y libre para hacer algo: *Hay un vehículo disponible que nos puede llevar a casa.* INGLÉS available.

dispositivo

nombre masculino **1** Aparato o mecanismo que tiene una función determinada. Las puertas de algunos garajes tienen un dispositivo por el que se abren y cierran a distancia. INGLÉS device, gadget.

dispuesto, dispuesta

participio **1** Participio irregular de: disponer. También se usa como adjetivo.

adjetivo **2** Se dice de la persona que pone interés para hacer las cosas y las hace bien. INGLÉS willing.

3 Se dice de la persona que tiene la intención de hacer una cosa o que ya está preparada para ello. Si vemos a alguien haciendo una maleta es que está dispuesto a hacer un viaje. INGLÉS willing.

disputa
nombre femenino
1 Discusión o enfrentamiento entre dos o más personas. INGLÉS dispute, quarrel.

disputar
verbo
1 Competir una persona o un grupo con otros para conseguir algo o ganar un premio: *Disputaron el torneo regional el domingo y ganaron.* INGLÉS to compete, to play.
2 Discutir o pelearse dos o más personas. INGLÉS to argue.

disquete
nombre masculino
1 Disco pequeño que se usaba en informática para almacenar información. El disquete era flexible y se introducía en la disquetera del ordenador para su lectura. INGLÉS diskette, floppy disk.

disquetera
nombre femenino
1 Dispositivo que tienen los ordenadores y que sirve para leer o poder ver la información que contienen los disquetes. INGLÉS disk drive.

distancia
nombre femenino
1 Espacio que hay entre dos cosas, lugares o personas: *Hay poca distancia entre mi casa y la tuya.* INGLÉS distance.
2 Espacio de tiempo entre dos acontecimientos, personas o cosas. INGLÉS gap.
3 Diferencia importante entre dos personas o cosas. INGLÉS difference.
4 Alejamiento entre dos o más personas que hace que su trato y su relación sean cada vez menores y más fríos. INGLÉS distance.
a distancia Desde lejos: *Lo vi a distancia con unos prismáticos.* INGLÉS in the distance.
guardar las distancias Evitar el exceso de confianza en una relación personal. INGLÉS to keep one's distance.

distante
adjetivo
1 Que está lejos o a gran distancia en el espacio o en el tiempo. INGLÉS distant, faraway.
2 Se dice de la persona que no muestra confianza o afecto hacia los demás. INGLÉS distant.

distar
verbo
1 Estar separada una cosa de otra en el espacio: *El pueblo dista de aquí unos quince kilómetros.* INGLÉS to be.
2 Ser diferentes dos personas o cosas entre sí. INGLÉS to be different.

distinción
nombre femenino
1 Característica o cualidad que hace que una cosa o una persona no sea igual a otra. La distinción entre dos hermanos gemelos es muy pequeña. SINÓNIMO diferencia. INGLÉS difference.
2 Conjunto de las cualidades que tienen las personas elegantes y bien educadas. SINÓNIMO clase. INGLÉS distinction.
3 Trato especial de honor y respeto que se da a determinadas personas. INGLÉS deference, respect.
NOTA El plural es: distinciones.

distinguido, distinguida
adjetivo
1 Que destaca o sobresale entre los demás por alguna cualidad. INGLÉS distinguished.
2 Se dice de la persona o cosa elegante y con clase. INGLÉS distinguished.

distinguir
verbo
1 Saber o conocer la diferencia que hay entre dos o más personas o cosas. Las personas que sufren daltonismo no distinguen bien algunos colores. INGLÉS to distinguish.
2 Señalar o reconocer los diferentes elementos de una cosa. En un libro se distinguen varios capítulos. INGLÉS to distinguish.
3 Hacer que una persona o una cosa sea distinta a las demás por medio de una señal o una característica especial que tiene. La inteligencia distingue al ser humano del resto de animales. INGLÉS to distinguish, to differentiate.
4 Ver o percibir algo, pero sin total perfección o con alguna dificultad. Las cosas muy lejanas apenas se distinguen. INGLÉS to distinguish.
5 Dar a una persona una condecoración o un premio que la honra. INGLÉS to honour.

distintivo, distintiva
adjetivo
1 Que permite distinguir o identificar a una persona o cosa entre otras. La eñe es una letra distintiva del alfabeto español. INGLÉS distinctive.
nombre masculino
2 Marca, señal u objeto que sirve para distinguir o identificar a una persona o cosa entre las demás. Los trabajadores de los centros sanitarios llevan un dis-

tintivo con su nombre en el uniforme. INGLÉS badge.

distinto, distinta

adjetivo **1** Que no es igual que otra persona o cosa: *Lo guardó en un lugar distinto del habitual.* SINÓNIMO diferente. INGLÉS different.

distorsión

nombre femenino **1** Deformación de un sonido o imagen a causa de una mala transmisión. INGLÉS distortion.

NOTA El plural es: distorsiones.

distracción

nombre femenino **1** Falta o pérdida de la atención: *Tuvo una distracción y se cayó de la bici.* INGLÉS distraction, lapse in concentration.

2 Cosa que hace que alguien pase un tiempo agradable y olvide sus preocupaciones, como un juego, una actividad deportiva, el cine o un libro. INGLÉS entertainment.

NOTA El plural es: distracciones.

distraer

verbo **1** Hacer que alguien pierda la atención que tenía puesta en una cosa. Los ruidos distraen a algunas personas y no les dejan concentrarse. INGLÉS to distract.

2 Hacer que alguien pase un tiempo agradable y se olvide de sus preocupaciones. INGLÉS to entertain.

NOTA Se conjuga como: traer.

distraído, distraída

adjetivo y nombre **1** Se dice de la persona que pierde con frecuencia la atención que debería tener sobre una cosa y que no se da cuenta de lo que pasa a su alrededor. INGLÉS absent-minded.

adjetivo **2** Se dice de la persona o la cosa que hace que alguien pase un tiempo agradable y no tenga puesta la atención en preocupaciones. Algunos juegos son muy distraídos. INGLÉS entertaining.

distribución

nombre femenino **1** Acción de dividir y repartir una cosa entre varias personas de manera que a cada una le corresponda su parte. SINÓNIMO reparto. INGLÉS distribution.

2 Acción de llevar un producto a distintos sitios. La distribución de la correspondencia la hace el cartero. SINÓNIMO reparto. INGLÉS delivery.

3 Forma en que están dispuestas las partes de una casa, de un edificio o de una población. INGLÉS distribution, layout.

NOTA El plural es: distribuciones.

distribuir

verbo **1** Repartir una cosa entre varias personas de manera que a cada una le toque lo que le corresponde. INGLÉS to distribute.

2 Colocar personas o cosas en el lugar que se considera adecuado. En un banquete, se distribuye a los invitados por mesas. INGLÉS to distribute.

3 Llevar los productos que fabrica una empresa a las tiendas o lugares que se los compran. SINÓNIMO repartir. INGLÉS to deliver.

NOTA Se conjuga como: huir; la 'i' se convierte en 'y' delante de 'a', 'e' y 'o', como: distribuyen.

distributivo, distributiva

adjetivo **1** En matemáticas, se dice de una propiedad referida a un conjunto de elementos en los que se han definido dos operaciones $\times$ y $+$, que cumplen: $a \times (b + c) = (a \times b) + (a \times c)$ y $(b + c) \times a = (b \times a) + (c \times a)$. INGLÉS distributive.

distrito

nombre masculino **1** Parte en que se divide una población o un territorio para su mejor administración. INGLÉS district.

disturbio

nombre masculino **1** Suceso provocado por un grupo de personas en la calle que altera el orden público y puede ser muy violento. INGLÉS riot.

disuelto, disuelta

participio **1** Participio irregular de: disolver. También se usa como adjetivo: *La manifestación se ha disuelto rápidamente.*

diurno, diurna

adjetivo **1** Que sucede o se hace durante el día. También se dice de la persona o animal que realiza su actividad durante el día. ANTÓNIMO nocturno. INGLÉS daytime, [si es un animal: diurnal].

divagar

verbo **1** Hablar, escribir o pensar de forma desordenada, sin tratar un tema determinado y sin tener ningún objetivo concreto. Una persona divaga cuando, al hacer un discurso sobre un tema, empieza a hablar de cosas que no tie-

nen nada que ver con el tema tratado. INGLÉS to digress, to ramble.
NOTA Se escribe 'gu' delante de 'e', como: divaguen.

diván
nombre masculino
1 Asiento alargado y cómodo en el que puede tumbarse una persona. Generalmente, el diván no tiene brazos ni respaldo. INGLÉS divan, couch.
NOTA El plural es: divanes.

diversidad
nombre femenino
1 Diferencia o variedad. Es difícil llegar a un acuerdo cuando hay diversidad de opiniones. INGLÉS diversity, variety.
2 Conjunto de personas o cosas distintas. En la selva existe una gran diversidad de árboles. INGLÉS diversity, variety.

diversificar
verbo
1 Hacer diversa una cosa que era única o uniforme. La música pop ha originado otros estilos musicales. INGLÉS to diversify.
NOTA Se escribe 'qu' delante de 'e', como: diversifiqué.

diversión
nombre femenino
1 Actividad que entretiene. INGLÉS fun, entertainment.
NOTA El plural es: diversiones.

diverso, diversa
adjetivo
1 Que es distinto a otro o que no es igual: *Tiene un cajón lleno de juguetes diversos.* INGLÉS several, various.

divertido, divertida
adjetivo
1 Que produce alegría, entretenimiento y buen humor. INGLÉS amusing, entertaining.

divertir
verbo
1 Hacer pasar a alguien un rato agradable y alegre. INGLÉS to amuse, to entertain.
NOTA Se conjuga como: preferir; la 'e' se convierte en 'ie' en sílaba acentuada o en 'i' en algunos tiempos y personas, como: divirtió.

dividendo
nombre masculino
1 En una división, cantidad que hay que dividir por otra. INGLÉS dividend.

dividir
verbo
1 Separar una cosa o un conjunto de personas o cosas formando grupos más pequeños. Se puede dividir un terreno, una tarta o un trabajo. INGLÉS to divide.
2 Calcular cuántas veces está contenida una cantidad en otra. Si dividimos 20 entre 4, el resultado es 5. INGLÉS to divide.
3 Servir una cosa de separación entre otras dos: *La pared divide la habitación en dos.* INGLÉS to divide.

divinidad
nombre femenino
1 Ser superior al ser humano que puede tener distintos poderes y diversas formas y características según la religión a la que pertenezca. Hay religiones que tienen varias divinidades y otras con una sola divinidad. SINÓNIMO dios. INGLÉS divinity.

divino, divina
adjetivo
1 Que tiene relación con Dios o con los dioses. INGLÉS divine.
2 Que es muy bonito o muy bueno: *Llevaba un vestido divino.* INGLÉS divine.

divisa
nombre femenino
1 Dinero de un país extranjero en relación con otro país. INGLÉS foreign currency.
NOTA Se usa más en plural.

divisar
verbo
1 Ver una cosa desde muy lejos. Desde lo algo de una montaña se divisa el mar. INGLÉS to make out.

división
nombre femenino
1 Acción que consiste en dividir una cosa en partes. INGLÉS division.
2 Operación matemática que consiste en calcular las veces que una cantidad está contenida en otra. INGLÉS division.
3 Cosa que sirve de separación entre otras dos. Un biombo puede servir de división entre dos mesas en un restaurante. INGLÉS division.
4 Falta de acuerdo entre las personas. En un debate siempre hay división de opiniones. INGLÉS division.
5 En algunos deportes, conjunto de equipos deportivos de la misma categoría. INGLÉS division.
NOTA El plural es: divisiones.

divisor
nombre masculino
1 En una división, cantidad por la que se divide otra. INGLÉS divisor.

divorciarse
verbo
1 Separarse legalmente dos personas que están casadas. Cuando dos perso-

a b c d e f g h i j k l m n ñ o p q r s t u v w x y z

nas se divorcian, el matrimonio se disuelve. INGLÉS to get divorced.
NOTA Se conjuga como: cambiar; la 'i' no lleva nunca acento de intensidad.

divorcio
nombre masculino **1** Separación legal de dos personas casadas. INGLÉS divorce.

divulgar
verbo **1** Hacer que una idea, noticia o alguna otra cosa inmaterial sea conocida por gran número de personas. La invención de la imprenta contribuyó a divulgar la cultura. INGLÉS to spread.
NOTA Se escribe 'gu' delante de 'e', como: divulguen.

do
nombre masculino **1** Primera nota de la escala musical. INGLÉS doh, C.
NOTA El plural es: dos.

dobladillo
nombre masculino **1** Borde de la ropa que está doblado y cosido hacia dentro. SINÓNIMO bajo. INGLÉS hem, turn-up.

doblaje
nombre masculino **1** Sustitución de la voz original de los personajes de una película o una serie de televisión por otra voz en el idioma del país en que se va a proyectar. INGLÉS dubbing.

doblar
verbo **1** Poner una o más partes de una cosa sobre sí misma, de modo que queden juntas. Las sábanas se doblan para guardarlas en el armario. INGLÉS to fold.
2 Hacer que una cosa sea dos veces mayor: *Le dobla la edad.* INGLÉS to double.
3 Torcer o dar forma curva a una cosa que estaba recta. INGLÉS to bend.
4 Cambiar de dirección hacia la derecha o hacia la izquierda. INGLÉS to turn.
5 Cambiar las voces de los actores de una película o una serie de televisión por las de otros, normalmente para traducirlas. INGLÉS to dub.
6 Tocar las campanas por una persona muerta. INGLÉS to toll.

doble
adjetivo y nombre masculino **1** Que resulta de multiplicar por dos una cantidad. 12 es el doble de 6. INGLÉS double.
adjetivo **2** Que está formado por dos cosas iguales. En las casas se pone doble ventana para que no se oiga el ruido de fuera. INGLÉS double.
nombre masculino y femenino **3** Persona que se parece mucho a otra. También se llama doble la persona que sustituye a un actor o una actriz en escenas peligrosas. INGLÉS double.

doblegar
verbo **1** Doblar o torcer algo resistente: *Doblegó una barra de hierro con sus brazos.* INGLÉS to bend.
2 Vencer a un rival deportivo o imponerse a una persona que tiene una opinión o un propósito diferente. Doblegamos la voluntad de alguien cuando conseguimos que haga una cosa que no quiere. INGLÉS to overcome.
NOTA Se escribe 'gu' delante de 'e', como: doblegué.

doblez
nombre masculino **1** Parte doblada o plegada de una cosa y señal o arruga que queda en el lugar por donde se ha doblado o plegado. INGLÉS fold.
NOTA El plural es: dobleces.

doce
numeral cardinal **1** Indica que el nombre al que acompaña está 12 veces. INGLÉS twelve.
numeral ordinal **2** Que ocupa el lugar número 12 en una serie ordenada. INGLÉS twelfth.
nombre masculino **3** Nombre que se le da al número 12. INGLÉS twelve.

doceavo, doceava
adjetivo y nombre masculino **1** Se dice de cada una de las doce partes iguales en que se divide una cosa. INGLÉS twelfth.

docena
nombre femenino **1** Conjunto de doce unidades de la misma clase. Los huevos se suelen comprar por docenas. INGLÉS dozen.

docencia
nombre femenino **1** Actividad que hace la persona que se dedica a la enseñanza: *Se dedica a la docencia en un colegio de las afueras.* INGLÉS teaching.

dócil
adjetivo **1** Se dice del animal que es tranquilo y fácil de domesticar. INGLÉS docile, tame.
2 Se dice de la persona que cumple lo que se le manda sin protestar. SINÓNIMO obediente. INGLÉS obedient.

doctor, doctora
nombre **1** Persona que se dedica a curar las en-

fermedades de las personas. SINÓNIMO médico. INGLÉS doctor.

2 Persona que después de acabar una carrera universitaria continua estudiando en la universidad y realiza un trabajo de investigación: *Es doctora en física cuántica.* INGLÉS doctor.

doctrina
nombre femenino

1 Conjunto organizado de ideas de un autor o un tema determinado. Los sacerdotes se encargan de enseñar la doctrina católica. INGLÉS doctrine.

documentación
nombre femenino

1 Conjunto de documentos que prueban o demuestran algo: *Le pidieron la documentación del vehículo.* INGLÉS papers.

2 Información que se reúne sobre un tema o asunto. INGLÉS documentation.

NOTA El plural es: documentaciones.

documental
adjetivo y nombre masculino

1 Se dice de la película o programa que trata de temas científicos, culturales, sociales o hechos reales con fines informativos y pedagógicos. Se aprende mucho viendo documentales sobre animales. INGLÉS documentary.

documento
nombre masculino

1 Escrito que sirve para probar algo. El documento nacional de identidad sirve para identificarnos. INGLÉS document.

dodecaedro
nombre masculino

1 Figura geométrica que tiene doce caras. INGLÉS dodecahedron.

dogma
nombre masculino

1 Idea o conjunto de ideas de una religión, una doctrina o una filosofía que se consideran verdaderas y que no pueden ponerse en duda. Las religiones se basan en una serie de dogmas que los creyentes deben aceptar sin discutirlos. INGLÉS dogma.

dogo
nombre masculino y adjetivo

1 Perro de gran tamaño que tiene un cuerpo robusto y fuerte y el pelo corto de color blanco, marrón claro o negro. Es veloz y se emplea como perro guardián. INGLÉS bull mastiff.

dólar
nombre masculino

1 Moneda de varios países, como Estados Unidos y Canadá. INGLÉS dollar.

doler
verbo

1 Padecer dolor en alguna parte del cuerpo. INGLÉS to hurt.

2 Causar o sentir tristeza, lástima o pena por algo negativo: *Me duele su hipocresía.* ANTÓNIMO alegrar. INGLÉS to sadden.

3 Producir algo dolor, como una fractura de hueso. INGLÉS to hurt.

NOTA Se conjuga como: mover; la 'o' se convierte en 'ue' en sílaba acentuada, como: duele.

dolmen
nombre masculino

1 Construcción funeraria de la prehistoria que consiste en dos grandes piedras verticales sobre las que se apoya otra horizontal. INGLÉS dolmen.

NOTA El plural es: dólmenes.

dolor
nombre masculino

1 Sensación molesta y desagradable en alguna parte del cuerpo, como la que se siente al sufrir un golpe o una herida. INGLÉS pain.

dolor

2 Sentimiento de tristeza, lástima o pena que experimenta una persona. SINÓNIMO pesar. ANTÓNIMO alegría; felicidad. INGLÉS sorrow, grief.

dolorido, dolorida
adjetivo

1 Se dice de la parte del cuerpo que duele a causa de una herida, lesión o enfermedad. INGLÉS sore.

doloroso, dolorosa
adjetivo

1 Que produce dolor. Las quemaduras son dolorosas. INGLÉS painful.

2 Que causa un sentimiento de tristeza, lástima o pena. Las noticias sobre las guerras son muy dolorosas. SINÓNIMO lamentable. INGLÉS distressing.

domador, domadora
nombre

1 Persona que doma animales salvajes.

a b c d e f g h i j k l m n ñ o p q r s t u v w x y z

En los circos suele haber domadores de leones o elefantes. INGLÉS tamer.

domar

verbo **1** Hacer que un animal salvaje obedezca órdenes. SINÓNIMO amaestrar. INGLÉS to tame.

domesticar

verbo **1** Hacer que un animal salvaje se acostumbre y se adapte a la compañía de las personas. También se domestica un animal cuando se le adiestra para que obedezca determinadas órdenes. INGLÉS to domesticate, to train.

NOTA Se escribe 'qu' delante de 'e', como: domestiquen.

doméstico, doméstica

adjetivo **1** De la casa o que tiene relación con ella. Padres e hijos suelen compartir las tareas domésticas. INGLÉS domestic.

2 Se dice del animal que se cría en compañía de personas. INGLÉS domestic.

domicilio

nombre masculino **1** Población, calle, número y piso donde vive una persona o están situados una empresa o un comercio. INGLÉS address.

dominante

adjetivo y nombre masculino y femenino **1** Se dice de la persona que siempre intenta dominar a los demás o imponer su opinión o sus ideas. INGLÉS domineering [adjetivo].

adjetivo **2** Se dice de la cosa o la característica que domina o sobresale sobre otras. En otoño, los colores dominantes en el campo son el amarillo y el marrón. INGLÉS predominant.

dominar

verbo **1** Mandar o tener poder sobre personas o cosas para que hagan lo que uno quiere o sean como a uno le interesa. INGLÉS to dominate.

2 Controlar y no dejar que se note un sentimiento o un estado de ánimo: *Tiene que dominar su genio.* SINÓNIMO contener; reprimir. INGLÉS to control.

3 Saber mucho sobre un tema determinado: *Domina varios idiomas.* INGLÉS to master, to know.

4 Destacar o sobresalir una cosa sobre otras: *La torre de la catedral domina todo el pueblo.* INGLÉS to dominate.

domingo

nombre masculino **1** Séptimo día de la semana. INGLÉS Sunday.

dominguero, dominguera

adjetivo **1** Que se suele usar o hacer en domingo, como una excursión dominguera. INGLÉS Sunday.

adjetivo y nombre **2** Se dice de la persona que acostumbra salir y divertirse solamente los domingos y días festivos. Los fines de semana muchas carreteras se llenan de domingueros que van a pasar el día fuera de casa. INGLÉS Sunday driver [nombre].

NOTA Es una palabra informal.

dominical

adjetivo **1** Que sucede o se hace en domingo: *Aprovechaban los descansos dominicales para ir de excursión.* INGLÉS Sunday.

nombre masculino y adjetivo **2** Publicación o suplemento del periódico que aparece el domingo. INGLÉS Sunday newspaper.

dominicano, dominicana

adjetivo y nombre **1** Se dice de la persona o cosa que es de la República Dominicana, país de América. INGLÉS Dominican.

dominio

nombre masculino **1** Poder que se tiene sobre una cosa, un animal o una persona. INGLÉS control.

2 Conocimiento que se tiene de un tema o una materia determinados. Los buenos escritores tienen un gran dominio de la lengua. INGLÉS mastery.

3 Conjunto de territorios que posee una persona o un estado. INGLÉS dominion.

dominó

nombre masculino **1** Juego de mesa que se juega con veintiocho fichas rectangulares. Cada una de estas fichas está dividida en dos partes iguales que llevan marcados de cero a seis puntos. Se trata de hacer coincidir las fichas que tengan el mismo número de puntos en alguno de sus lados. INGLÉS dominoes.

don

nombre masculino **1** Palabra que se pone delante de un nombre propio de hombre en señal de respeto o cortesía. Es muy frecuente utilizarla para dirigirse a las personas mayores o en relaciones de trabajo: *Le* *espera don Pedro García.* Su abreviatura es: D. INGLÉS Mr.

2 Regalo o cosa que se da a alguien en señal de agradecimiento o afecto. INGLÉS gift.

3 Habilidad o cualidad especial para hacer algo, en especial si es algo positivo. INGLÉS gift.

donación

nombre femenino **1** Entrega desinteresada de dinero u otra cosa de valor, sin esperar nada a cambio. Se hacen donaciones de sangre a los hospitales. INGLÉS donation.

NOTA El plural es: donaciones.

donante

nombre masculino y femenino **1** Persona que da voluntariamente alguna cosa, en especial la que da sangre o un órgano de su cuerpo para fines médicos. INGLÉS donor.

donar

verbo **1** Dar una persona a otra una cosa propia de forma gratuita y desinteresada. INGLÉS to donate, give.

donativo

nombre masculino **1** Dinero u otra cosa de valor que se da sin esperar recibir nada a cambio. Hacemos donativos para ayudar a las víctimas de una guerra o catástrofe. INGLÉS donation.

doncella

nombre femenino **1** Mujer que se ocupa de hacer las tareas de una casa que no están relacionadas con la cocina o de cuidar a una señora. INGLÉS maidservant.

2 En el lenguaje literario, mujer que no ha tenido relaciones sexuales. INGLÉS maiden.

donde

adverbio **1** Indica el sitio o lugar en el que sucede o está algo: *Busca donde te dije.* INGLÉS where.

2 Se emplea para referirse a la casa de una persona: *Estaré donde mis primos.* Es un uso informal.

NOTA No se acentúa; no lo confundas con la forma del adverbio interrogativo 'dónde', que se acentúa.

dónde

adverbio interrogativo **1** Se utiliza para preguntar sobre un lugar: *¿Dónde están los lavabos? ¿Dónde te duele?* INGLÉS where?

NOTA Como adverbio interrogativo siempre se acentúa; no lo confundas con la forma sin acentuar 'donde'.

dondequiera

adverbio **1** Indica cualquier lugar no determinado: *Iré dondequiera que tú digas.* INGLÉS wherever.

donostiarra

adjetivo y nombre masculino y femenino **1** Se dice de la persona o cosa que es de San Sebastián, capital de Guipúzcoa.

dónut

nombre masculino **1** Bollo pequeño o rosquilla hechos con una masa frita que se recubre o rellena con algún ingrediente dulce, como azúcar, chocolate, mermelada o crema. INGLÉS doughnut.

NOTA Es un nombre derivado de una marca registrada. El plural es: dónuts.

doña

nombre femenino **1** Palabra que se pone delante de un nombre propio de mujer en señal de respeto o cortesía. Es muy frecuente utilizarla para dirigirse a personas mayores o en relaciones de trabajo: *Pase, doña Juana.* INGLÉS Mrs.

NOTA Su abreviatura es: D.ª.

doping

nombre masculino **1** Uso ilegal de sustancias químicas o medicinas para conseguir mejores resultados en un deporte. En caso de que se confirme el doping, el atleta es descalificado. INGLÉS doping.

NOTA Es una palabra de origen inglés. Se pronuncia: 'dopin'.

doquier

por doquier Indica que algo está por todas partes: *En la avenida había gente y coches por doquier.* Es una palabra formal. INGLÉS everywhere.

dorado, dorada

adjetivo **1** De color y brillo parecidos al del oro. INGLÉS golden.

2 Se dice de un período en el que pasan cosas muy buenas y mejores que en otro período. INGLÉS golden.

dorar

verbo **1** Asar o freír un alimento hasta que tiene un color amarillo o marrón brillante. INGLÉS to brown.

2 Cubrir una superficie con una fina capa de oro o de otra sustancia dorada. INGLÉS to gild.

a b c d e f g h i j k l m n ñ o p q r s t u v w x y z

dormir

verbo **1** Estar en un estado de descanso y sin tener conciencia de lo que pasa a nuestro alrededor. Las personas solemos dormir siempre en la cama. INGLÉS to sleep.

dormir

INDICATIVO	SUBJUNTIVO
presente duermo duermes duerme dormimos dormís duermen	**presente** duerma duermas duerma durmamos durmáis duerman
pretérito imperfecto dormía dormías dormía dormíamos dormíais dormían	**pretérito imperfecto** durmiera o durmiese durmieras o durmieses durmiera o durmiese durmiéramos o durmiésemos durmierais o durmieseis durmieran o durmiesen
pretérito perfecto simple dormí dormiste durmió dormimos dormisteis durmieron	**futuro** durmiere durmieres durmiere durmiéremos durmiereis durmieren
futuro dormiré dormirás dormirá dormiremos dormiréis dormirán	**IMPERATIVO** duerme (tú) duerma (usted) durmamos (nosotros) dormid (vosotros) duerman (ustedes)
condicional dormiría dormirías dormiría dormiríamos dormiríais dormirían	**FORMAS NO PERSONALES** **infinitivo** dormir **gerundio** durmiendo **participio** dormido

2 Hacer que alguien se duerma. Los padres cantan nanas a sus bebés para dormirlos. INGLÉS to get off to sleep.

3 dormirse Hacer algo de forma muy lenta, sin poner el interés o la atención que se debe: *¡No te duermas y acaba los deberes cuanto antes!* INGLÉS to fall asleep.

4 dormirse Perder la sensibilidad una parte del cuerpo: *Se me ha dormido el pie.* INGLÉS to go numb.

dormitar

verbo **1** Estar medio dormido. INGLÉS to doze.

dormitorio

nombre masculino **1** Habitación con camas que se utiliza para dormir. INGLÉS bedroom.

dorsal

adjetivo **1** Del dorso o relacionado con él. INGLÉS dorsal, back.

nombre masculino **2** Pieza de tela o papel con un número que llevan al dorso o espalda los participantes en una prueba deportiva y que sirve para identificarlos. INGLÉS number.

dorso

nombre masculino **1** Parte de atrás de una cosa, o parte opuesta a la principal. El remite de una carta se escribe al dorso del sobre. INGLÉS back.

2 Espalda de una persona o lomo de un animal. INGLÉS back.

dos

numeral cardinal **1** Indica que el nombre al que acompaña está dos veces. INGLÉS two.

numeral ordinal **2** Que ocupa el lugar número 2 en una serie ordenada. SINÓNIMO segundo. INGLÉS second.

nombre masculino **3** Nombre del número 2. INGLÉS two.

cada dos por tres Indica que algo sucede con mucha frecuencia. INGLÉS every five minutes.

doscientos, doscientas

numeral cardinal **1** Indica que el nombre al que acompaña está 200 veces. INGLÉS two hundred.

numeral ordinal **2** Que ocupa el lugar número 200 en una serie ordenada. INGLÉS two hundredth.

nombre masculino **3** Nombre del número 200. INGLÉS two hundred.

dosier

nombre masculino **1** Conjunto de documentos, informaciones o papeles que tratan sobre una persona o un asunto: *¿Me puedes fotocopiar el dosier de matemáticas?* INGLÉS dossier.

NOTA También se escribe: dossier.

dosificar

verbo **1** Determinar la dosis de medicina o de cualquier otra cosa. El médico dosifica los medicamentos para los enfermos. INGLÉS to dose.

NOTA Se escribe 'qu' delante de 'e', como: dosifiquen.

dosis

nombre femenino **1** Cantidad de un medicamento o de otra sustancia que se toma de una vez. INGLÉS dose.

2 Cantidad o proporción de alguna cosa

no material, como un sentimiento o una actitud: *Afronta sus problemas con una buena dosis de optimismo.* INGLÉS dose.
NOTA El plural es: dosis.

dossier
nombre masculino
1 Es otra forma de escribir: dosier.

dotar
verbo
1 Dar a una cosa algo necesario para completarla o mejorarla. También dotar es dar a una persona algo que necesita. INGLÉS to give, to endow.
2 Dar a algo o a alguien una cualidad positiva: *La naturaleza ha dotado a su hija de una voz preciosa.* INGLÉS to give, to endow.

dote
nombre femenino
1 Dinero y conjunto de cosas de valor que una mujer aporta al matrimonio. La dote es una tradición que se ha perdido en muchos países. INGLÉS dowry.
nombre femenino plural
2 dotes Buena capacidad natural para realizar una actividad. Alguien tiene dotes de mando cuando la gente le obedece rápidamente. INGLÉS qualities.

dragón
nombre masculino
1 Animal imaginario de gran tamaño, parecido a una serpiente pero con patas y alas. Los dragones pueden echar fuego por la boca. INGLÉS dragon.
NOTA El plural es: dragones.

drama
nombre masculino
1 Obra de teatro en la que pasan cosas tristes y alegres. INGLÉS drama.
2 Situación triste y dolorosa de la vida real. INGLÉS drama.

dramático, dramática
adjetivo
1 Del teatro o que está relacionado con él. Si una persona quiere ser actor puede estudiar arte dramático. INGLÉS dramatic.
2 Que produce mucha tristeza o mucho dolor. SINÓNIMO trágico. ANTÓNIMO cómico. INGLÉS dramatic.
3 Que hace o dice las cosas de una forma muy exagerada para llamar la atención: *No llores tanto y no te pongas tan dramático.* INGLÉS dramatic.

dramatizar
verbo
1 Exagerar el comportamiento haciendo que algo parezca más triste o más grave de lo que realmente es. INGLÉS to dramatize.
NOTA Se escribe 'c' delante de 'e', como: dramatices.

drástico, drástica
adjetivo
1 Se dice de la cosa que ocurre o se hace de manera rápida, fuerte y decidida y que supone un cambio importante de una situación: *Tomó una decisión drástica: dejaba el trabajo.* INGLÉS drastic.

droga
nombre femenino
1 Sustancia química que se toma para cambiar de estado de ánimo o tener nuevas sensaciones y que crea dependencia. Las drogas causan trastornos físicos y mentales que pueden ser graves. SINÓNIMO estupefaciente. INGLÉS drug.

drogadicción
nombre femenino
1 Estado de la persona que toma drogas con regularidad y no puede pasar sin tomarlas. La drogadicción tiene cura. INGLÉS drug addiction.
NOTA El plural es: drogadicciones.

drogadicto, drogadicta
nombre
1 Persona que consume drogas habitualmente y que no puede prescindir de ellas. SINÓNIMO toxicómano. INGLÉS drug addict.

drogar
verbo
1 Dar drogas a una persona o consumirlas uno mismo. Empezar a drogarse es peligroso, porque luego es difícil dejarlo. INGLÉS to drug [drogar], to take drugs [drogarse].
NOTA Se escribe 'gu' delante de 'e', como: droguen.

droguería
nombre femenino
1 Tienda donde se venden productos de limpieza, perfumes, pinturas y otras sustancias químicas. INGLÉS hardware shop.

dromedario
nombre masculino
1 Mamífero de gran tamaño parecido al camello, pero que tiene una sola joroba. INGLÉS dromedary.

druida
nombre masculino
1 Sacerdote de los antiguos galos y otros pueblos de origen celta, que también tenía conocimientos médicos y jurídicos. INGLÉS druid.

dual
adjetivo
1 Que tiene o reúne dos elementos o fenómenos distintos. Un programa de televisión que se emite en sistema dual se puede oír en dos lenguas distintas. INGLÉS dual.

dubitativo, dubitativa

adjetivo **1** Se dice de la persona que refleja en su actitud o en sus palabras duda respecto de algo: *Se quedó dubitativo ante una pregunta tan difícil.* INGLÉS doubtful.

ducha

nombre femenino **1** Agua en forma de chorro que cae sobre el cuerpo y que se utiliza para refrescarse o para limpiarse. INGLÉS shower.

2 Aparato por donde cae el agua en forma de chorro y que nos permite ducharnos. INGLÉS shower.

3 Lugar de la casa donde se instala este aparato. INGLÉS shower.

ducharse

verbo **1** Tomar una ducha. INGLÉS to have a shower.

duda

nombre femenino **1** Falta de seguridad de una persona que no sabe si debe hacer algo o no o si algo es cierto o no. INGLÉS doubt.

2 Cosa sobre la cual no se tiene completa seguridad o sobre la cual una persona no puede decidirse. Cuando no se entiende muy bien una explicación, hay que exponer las dudas al profesor. INGLÉS doubt, question.

dudar

verbo **1** No tener completa seguridad respecto de una cosa o tener que escoger entre dos o más posibilidades y no saber cuál de ellas elegir. INGLÉS to doubt.

2 No creer una persona que una cosa que se dice o que se da como verdadera sea del todo cierta. Hasta que no se confirma un rumor, dudamos de él. INGLÉS not to trust.

dudoso, dudosa

adjetivo **1** Se dice de lo que se sospecha que no es cierto o que no está del todo claro. INGLÉS doubtful.

2 Se dice de la persona que duda o le cuesta decidirse entre hacer o no hacer una cosa o entre varias posibilidades. SINÓNIMO indeciso. INGLÉS hesitant.

duelo

nombre masculino **1** Pelea entre dos personas que se han desafiado antes. INGLÉS duel.

2 Demostración de la tristeza y el dolor por la muerte de un ser querido. Algunas personas van vestidas de negro en señal de duelo. INGLÉS mourning.

duende

nombre masculino **1** Ser imaginario que suele vivir en los bosques y es muy travieso. INGLÉS goblin.

dueño, dueña

nombre **1** Persona que posee algo: *Es dueño de una tienda.* INGLÉS owner.

duermevela

nombre **1** Sueño ligero de una persona. Durante el duermevela las personas suelen despertarse a menudo. INGLÉS light sleep.

NOTA Tiene doble género, se dice: el duermevela o la duermevela.

dulce

adjetivo **1** Que tiene un sabor agradable parecido al del azúcar. Los caramelos tienen sabor dulce. INGLÉS sweet.

2 Que tiene un carácter muy suave y agradable y se enfada muy pocas veces. También son dulces algunos rasgos y características de las personas cuando resultan muy agradables: *Tiene una mirada muy dulce.* INGLÉS sweet.

nombre masculino **3** Alimento que está hecho con azúcar. Los pasteles, los bollos y los caramelos son dulces. INGLÉS sweet.

dulzor

nombre masculino **1** Sabor dulce, como el del azúcar o los caramelos. INGLÉS sweetness.

dulzura

nombre femenino **1** Característica de las personas o las cosas agradables y suaves. INGLÉS sweetness.

2 Dulzor. INGLÉS sweetness.

duna

nombre femenino **1** Pequeña montaña de arena que forma y mueve el viento en el desierto o en la playa. INGLÉS dune.

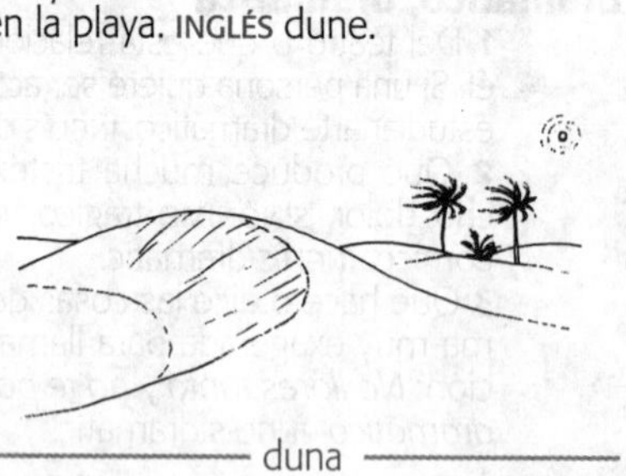

duna

dúo

nombre masculino **1** Conjunto de dos personas que cantan o tienen alguna relación entre ellas. INGLÉS duo.

2 Composición musical que se toca

con dos instrumentos o se canta a dos voces. INGLÉS duet.

a dúo Entre dos personas, o dos personas a la vez: *Hicieron el trabajo a dúo.* INGLÉS together.

duodécimo, duodécima

numeral ordinal **1** Que ocupa el lugar número 12 en una serie ordenada. SINÓNIMO decimosegundo. INGLÉS twelfth.

duodeno

nombre masculino **1** Parte del intestino delgado que se comunica con el estómago. INGLÉS duodenum.

dúplex

nombre masculino **1** Vivienda que consta de dos pisos comunicados por una escalera interior. INGLÉS duplex.

NOTA El plural es: dúplex.

duplicar

verbo **1** Multiplicar por dos o hacer que una cosa sea dos veces mayor. La población mundial se ha duplicado en los últimos cincuenta años. SINÓNIMO doblar. INGLÉS to double.

2 Hacer una copia de un original. INGLÉS to duplicate.

NOTA La 'c' se convierte en 'qu' delante de 'e', como: dupliquen.

duque, duquesa

nombre **1** Persona que es miembro de la nobleza y tiene una categoría superior a la de marqués. INGLÉS duke [hombre], duchess [mujer].

duración

nombre femenino **1** Tiempo que dura algo. La duración de un partido de fútbol es de 90 minutos. INGLÉS duration, length.

NOTA El plural es: duraciones.

duradero, duradera

adjetivo **1** Se dice de la cosa, acción o situación que continúa durante mucho tiempo. INGLÉS durable, lasting.

durante

adverbio **1** Indica el espacio de tiempo a lo largo del cual pasa o se hace algo: *Ha llovido durante todo el día.* INGLÉS during.

durar

verbo **1** Estar ocurriendo una cosa durante un tiempo determinado. INGLÉS to last.

2 Continuar existiendo u ocurriendo en un momento determinado una cosa que ya existía o estaba ocurriendo desde hace tiempo. Hoy en día todavía duran algunas costumbres antiguas. SINÓNIMO perdurar. INGLÉS to continue.

dureza

nombre femenino **1** Característica de las cosas que son difíciles de romper, de cortar o de deformar. La dureza de una piedra es mayor que la de la madera. ANTÓNIMO blandura. INGLÉS hardness.

2 Parte del cuerpo, en especial los pies, donde la piel se pone dura. INGLÉS patch of hard skin.

3 Característica de la actividad o el trabajo que cuesta mucho hacer. SINÓNIMO dificultad. INGLÉS difficulty.

4 Característica de la persona que aguanta bien los trabajos pesados o las situaciones difíciles. INGLÉS toughness.

duro, dura

adjetivo **1** Que se rompe, se corta, se deforma o se raya con dificultad. El diamante es el mineral más duro. ANTÓNIMO blando. INGLÉS hard.

2 Que es muy resistente al uso o al paso del tiempo. También son duras las personas que aguantan mucho el trabajo o los sufrimientos. ANTÓNIMO frágil, débil. INGLÉS hard, tough.

3 Que causa sufrimiento físico, que exige mucho esfuerzo o que causa dolor moral. El ciclismo y el atletismo son deportes muy duros. INGLÉS hard.

nombre masculino **4** Moneda española que equivalía a cinco pesetas. Si alguien se ha quedado sin un duro, no tiene dinero.

adverbio **5 duro** Con fuerza y energía. INGLÉS hard.

ser duro de oído Ser un poco sordo. INGLÉS to be hard of hearing.

DVD

nombre masculino **1** Disco digital del mismo tamaño que un CD-ROM, pero con una capacidad de almacenamiento de datos, imagen o sonido quince veces mayor. INGLÉS DVD.

2 Aparato que permite leer y reproducir la información contenida en este disco. INGLÉS DVD player.

NOTA Es la sigla de: digital versatile disc. Se pronuncia: 'de-uve-de' o 'de-ve-de'. El plural es: DVD.

abcd**E**fghijklmnñopqrstuvwxyz

e

nombre femenino **1** Quinta letra del alfabeto español. La 'e' es una vocal. El plural es: es o ees. INGLÉS and.

conjunción **2** Sustituye a 'y' cuando la palabra siguiente empieza por 'i' o 'hi' pero nunca por 'hie'. Se dice 'han venido Juan e Ignacio', 'aguja e hilo', pero decimos 'limón y hielo'. INGLÉS and.

ebanista

nombre masculino y femenino **1** Persona que se dedica a reparar y hacer muebles con madera de buena calidad. INGLÉS cabinet maker.

ébano

nombre masculino **1** Árbol de madera oscura, dura y fina, que se utiliza para fabricar instrumentos musicales y muebles. INGLÉS ebony.

ebrio, ebria

adjetivo **1** Que ha tomado demasiadas bebidas alcohólicas y ha perdido el control de su mente y de sus actos. SINÓNIMO bebido. ANTÓNIMO sobrio. INGLÉS drunk.

ebullición

nombre femenino **1** Acción que se produce cuando un líquido hierve y forma burbujas. INGLÉS boiling.

NOTA El plural es: ebulliciones.

echar

verbo **1** Tirar una cosa o tirarse una persona, normalmente con fuerza, hacia un lugar: *¡Échame el balón! En cuanto llegue a la piscina me echo de cabeza.* SINÓNIMO lanzar. INGLÉS to throw.

2 Dejar caer una cosa en un sitio determinado, como por ejemplo un líquido en un recipiente. Echamos agua en los vasos. INGLÉS to put.

3 Hacer que alguien o algo salga de un lugar: *Algunos fumadores echan el humo por la nariz. Mi madre siempre echa al gato de encima del sofá.* INGLÉS to expel.

4 Salirle o producir algo un ser vivo. Las plantas echan flores y frutos. INGLÉS to produce.

5 Inclinar o mover una cosa hacia un lado determinado, especialmente el cuerpo o una parte de él. Mucha gente echa la cabeza para atrás cuando se ríe. INGLÉS to throw.

6 Poner una cosa o a una persona en posición horizontal: *Eché al niño en la cama porque se había quedado dormido.* SINÓNIMO tumbar. INGLÉS to lay down.

7 Calcular o tratar de averiguar una cantidad que no se sabe, especialmente la edad de una persona: *Te echo 25 años.*

8 Jugar a algo o participar en una carrera o competición. Se puede echar una partida de cartas. INGLÉS to have.

9 Emitir un programa o una película, o representar una obra de teatro: *¿Qué echan hoy en televisión?* INGLÉS to show [por la televisión], to put on [en el teatro].

10 Mover una cosa de un lado a otro para cerrar o tapar un lugar. Echamos las cortinas o el cerrojo. SINÓNIMO correr. INGLÉS to close [cortinas], to put on [el cerrojo].

11 Poner una cosa sobre un lugar. Cuando tenemos frío en la cama nos echamos una manta encima. INGLÉS to put.

12 Realizar la acción que indica el nombre que sigue al verbo, como echar una mirada, echar cuentas o echar una bronca.

echar a Empezar a hacer una cosa, como por ejemplo echar a andar. INGLÉS to start to.

echar de menos Sentirse triste cuando

falta un ser querido o una cosa que nos gusta mucho: *Cuando viajo, echo mucho de menos a mi familia.* SINÓNIMO añorar. INGLÉS to miss.

echar en falta Notar que una cosa ha desaparecido: *Cuando eché en falta el collar me di cuenta de que habían entrado a robar.* INGLÉS to miss.

ecléctico, ecléctica

adjetivo y nombre **1** Que reúne o muestra diversos valores, ideas o estilos. Una película ecléctica trata y combina temas o géneros diferentes entre sí, como la comedia y el drama. INGLÉS eclectic.

eclesiástico, eclesiástica

adjetivo **1** De la Iglesia o relacionado con ella. Una misa es una ceremonia eclesiástica. INGLÉS ecclesiastic.

nombre masculino **2** Hombre que pertenece al clero cristiano. Los curas y los sacerdotes son eclesiásticos. INGLÉS clergyman.

eclipse

nombre masculino **1** Situación que se produce cuando un astro se pone delante de otro. El eclipse de Sol se produce cuando la Luna se interpone entre la Tierra y el Sol. INGLÉS eclipse.

eco

nombre masculino **1** Repetición de un sonido al chocar sus ondas contra algo y regresar al punto de donde salieron. Si gritamos desde una montaña o en una habitación vacía podemos oír el eco de nuestra voz. INGLÉS echo.

2 Sonido que viene de lejos y se oye débil y poco claro. En algunos lugares se oye el eco de las campanas de las iglesias. INGLÉS distant sound.

3 Efecto que tiene una noticia o un acontecimiento que hace que la gente se interese más o menos por esa noticia o ese acontecimiento: *La noticia tuvo mucho eco en la prensa internacional.* INGLÉS echo.

hacerse eco Difundir o dar a conocer una noticia. INGLÉS to report.

ecología

nombre femenino **1** Ciencia que estudia las relaciones que hay entre los seres vivos y el medio ambiente en el que se desarrollan. INGLÉS ecology.

ecológico, ecológica

adjetivo **1** De la ecología o que tiene relación con ella. INGLÉS ecological.

2 Se dice de la acción, actitud o cosa que no perjudica a la naturaleza o que la protege, como un producto reciclado. INGLÉS ecological.

ecologista

adjetivo **1** Que tiene relación con la ecología o con la defensa del medio natural. INGLÉS ecological.

adjetivo y nombre masculino y femenino **2** Se dice de la persona que es partidaria de la defensa del medio natural. INGLÉS ecologist.

economato

nombre masculino **1** Establecimiento destinado a ciertos grupos de personas, trabajadores o socios, que pueden comprar productos a un precio más bajo que en otro sitio. INGLÉS company store.

economía

nombre femenino **1** Ciencia que estudia cómo utilizar el dinero, la producción y el consumo de los bienes o la creación de riqueza para obtener el máximo rendimiento. INGLÉS economics.

2 Conjunto de ingresos y gastos que tiene un país, una región o una empresa y forma de obtener y gastar el dinero. Un país rico tiene una economía fuerte. INGLÉS economy.

3 Conjunto de bienes y de dinero que posee una persona o familia. INGLÉS economy.

4 Ahorro o reducción de los gastos. El uso de la luz natural permite una importante economía de electricidad. INGLÉS economy.

economía sumergida Conjunto de actividades económicas que se realizan sin el control del Estado para evitar el pago de los impuestos. INGLÉS black economy.

económico, económica

adjetivo **1** De la economía o que tiene relación con ella. Una persona que no puede pagar facturas tiene problemas económicos. INGLÉS economic.

2 Se dice de la cosa que cuesta poco dinero comprarla o mantenerla. Un automóvil económico es el que consume poca gasolina. INGLÉS economical, cheap.

economizar

verbo **1** Gastar de una cosa lo menos posible para no agotarla o para ahorrar. SINÓNI-

MO ahorrar. ANTÓNIMO derrochar. INGLÉS to economize.

NOTA Se escribe 'c' delante de 'e', como: economicen.

ecosistema

nombre masculino **1** Conjunto formado por los animales y plantas que viven en un medio natural. La selva tropical es un ecosistema con una vegetación muy abundante. INGLÉS ecosystem.

ecuación

nombre femenino **1** Igualdad que tiene una o más incógnitas que se tienen que averiguar. En matemáticas se tienen que resolver muchos problemas mediante ecuaciones, por ejemplo $5x + 4 = 14$. INGLÉS equation.

NOTA El plural es: ecuaciones.

ecuador

nombre masculino **1** Círculo imaginario que forman todos los puntos de la Tierra que están situados a la misma distancia del polo Norte y del polo Sur. El ecuador divide a la Tierra en dos partes iguales: el hemisferio norte y el hemisferio sur. INGLÉS equator.

ecuatorial

adjetivo **1** Del ecuador o que tiene relación con él. En las regiones ecuatoriales el clima es húmedo. INGLÉS equatorial.

ecuatoriano, ecuatoriana

adjetivo y nombre **1** Se dice de la persona o cosa que es de Ecuador, país de América del Sur. INGLÉS Ecuadorian.

edad

nombre femenino **1** Cantidad de años que hace que nació una persona, un animal o una planta. También se llama edad a la cantidad de años que hace que existe una cosa. INGLÉS age.

2 Etapa o período de la vida de las personas que tiene unas determinadas características que cambian en otras etapas. La edad infantil, juvenil, adulta, madura y senil son las principales edades del ser humano. INGLÉS time of life.

3 Período de la historia de la humanidad que tiene unas características determinadas que lo diferencian de otros períodos, como la Edad Moderna o la Edad Media. INGLÉS age.

de edad Se dice de la persona que ya es anciana. INGLÉS elderly.

mayor de edad Se dice de la persona que tiene ya la edad que marca la ley para tener todos los derechos de las personas adultas, como firmar contratos o votar. INGLÉS adult.

menor de edad Se dice de la persona que aún no ha llegado a la edad que marca la ley para tener todos los derechos de las personas adultas. INGLÉS minor.

tercera edad Período de la vida humana que empieza a los 65 años aproximadamente. INGLÉS old age.

edelweiss

nombre masculino **1** Flor blanca en forma de estrella que crece en zonas montañosas altas y secas. El edelweiss también se llama flor de nieve. INGLÉS edelweiss.

NOTA Se pronuncia: 'edelváis'. El plural es: edelweiss.

edición

nombre femenino **1** Preparación y lanzamiento al mercado de una obra, como un libro, una revista o un disco. INGLÉS publishing, [si es un disco: release].

2 Conjunto de los ejemplares de una obra hechos de una vez. Los libros de mucho éxito agotan varias ediciones porque se venden muchos ejemplares. INGLÉS edition.

3 Celebración de un acto o acontecimiento que se repite cada cierto tiempo, como un concurso: *Celebramos la V edición del festival.* INGLÉS edition.

NOTA El plural es: ediciones.

edificar

verbo **1** Construir un edificio. INGLÉS to build.

NOTA Se escribe 'qu' delante de 'e', como: edifiqué.

edificio

nombre masculino **1** Construcción fabricada con materiales resistentes que se destina a la vivienda y a otros usos, como las fábricas o las escuelas. INGLÉS building.

editar

verbo **1** Preparar una obra y lanzarla al mercado en forma de libro, vídeo o disco. INGLÉS to publish, [si es un vídeo o un disco: to release].

editor, editora

nombre **1** Persona o empresa que publica libros, periódicos u otras obras escritas. INGLÉS publisher.

a b c d e f g h i j k l m n ñ o p q r s t u v w x y z

nombre masculino **2** Programa de ordenador que permite escribir un texto y presentarlo de una forma determinada. INGLÉS text editor.

editorial

adjetivo **1** Que está relacionado con las personas y empresas que editan libros, periódicos o revistas. INGLÉS publishing.

nombre femenino **2** Empresa que se dedica a editar libros, revistas o periódicos. INGLÉS publisher.

nombre masculino **3** Artículo de un periódico o revista que refleja la opinión de la dirección de la publicación sobre un tema. INGLÉS editorial.

edredón

nombre masculino **1** Pieza de tela gruesa, rellena de plumas de ave o de otro material ligero, que sirve para cubrir la cama y abriga mucho. INGLÉS eiderdown.

NOTA El plural es: edredones.

educación

nombre femenino **1** Formación que recibe una persona a medida que se va desarrollando físicamente y que hace posible su desarrollo intelectual, social y moral. La educación se recibe en casa y en la escuela. INGLÉS education.

2 Comportamiento correcto de una persona en su trato con los demás y con la sociedad, según un conjunto de normas de cortesía y de conducta. Las personas que no guardan el debido respeto a los demás no tienen educación. INGLÉS manners.

educación física Conjunto de actividades físicas, como la gimnasia y ciertos deportes, que se enseñan y se practican para formar y desarrollar el cuerpo. INGLÉS physical education.

educado, educada

adjetivo **1** Que tiene muy buena educación y se comporta con cortesía y respeto con los demás. Las personas educadas piden las cosas por favor. SINÓNIMO cortés. ANTÓNIMO maleducado. INGLÉS polite.

educar

verbo **1** Hacer que una persona vaya aprendiendo las cosas a medida que va creciendo y que vaya desarrollando su capacidad intelectual, física y moral. INGLÉS to educate.

2 Hacer que una persona aprenda las normas de cortesía y de conducta para poder comportarse correctamente en la sociedad. INGLÉS to teach manners.

3 Hacer que un animal aprenda y se acostumbre a unas normas de conducta o de comportamiento. INGLÉS to train.

4 Desarrollar de manera especial la percepción de un sentido o la capacidad de una parte del cuerpo. Se puede educar el oído para distinguir bien las notas musicales. INGLÉS to train.

NOTA Se escribe 'qu' delante de 'e', como: eduquen.

educativo, educativa

adjetivo **1** Que tiene relación con la educación o formación de una persona, como un programa educativo o una reforma educativa. INGLÉS educational.

2 Que es útil o sirve para educar o formar a una persona. Hay muchos juguetes educativos. INGLÉS educational.

efe

nombre femenino **1** Nombre de la letra 'f'. 'Familia' empieza con efe.

efectista

adjetivo **1** Que pretende impresionar o llamar la atención. Un mago hace trucos efectistas para causar una impresión de sorpresa en los espectadores. INGLÉS showy.

efectivo, efectiva

adjetivo **1** Que produce el efecto que se desea. Aún no hemos logrado una vacuna efectiva contra la gripe. SINÓNIMO eficaz. INGLÉS effective.

nombre masculino **2** Dinero en billetes y en monedas: *Pagó en efectivo.* INGLÉS cash.

efecto

nombre masculino **1** Resultado que produce una cosa. Ponerse moreno es el efecto de tomar el sol. ANTÓNIMO causa. INGLÉS effect.

2 Impresión agradable o desagradable que una persona o una cosa causa en el ánimo de alguien: *Su actitud causó muy buen efecto.* INGLÉS effect.

3 Movimiento que tiene un objeto, especialmente una bola o una pelota, cuando después de lanzarlo cambia de dirección mientras se mueve. INGLÉS spin.

nombre masculino plural **4 efectos** Bienes o posesiones que tiene una persona. INGLÉS property.

efectos especiales Trucos que se utilizan en una película u otro espectáculo para representar cosas que en realidad no existen y hacer creer a la gente que son reales. INGLÉS special effects.

en efecto Se usa para dar una respuesta afirmativa a una pregunta: *En efecto, ocurrió como dices.* INGLÉS indeed.

efectuar
verbo
1 Hacer o llevar a cabo una cosa: *Han efectuado varios cambios en su habitación.* SINÓNIMO realizar. INGLÉS to carry out.
NOTA Se conjuga como: actuar; la 'u' se acentúa en algunos tiempos y personas, como: efectúe.

efeméride
nombre femenino
1 Hecho importante que ocurrió y se recuerda en una fecha determinada: *El 12 de octubre es la efeméride de la llegada de Colón a América.* INGLÉS anniversary.
nombre femenino plural
2 efemérides Hechos importantes que ocurrieron en un mismo día de diferentes años. También se llama efemérides a los artículos que publican los periódicos donde se recuerdan estos hechos.

efervescente
adjetivo
1 Que desprende gas o burbujas cuando está en contacto o dentro de un líquido. Algunas aspirinas son efervescentes. INGLÉS effervescent.

eficaz
adjetivo
1 Que produce el efecto deseado. Un medicamento eficaz contra el dolor de cabeza lo hace desaparecer cuando se toma. SINÓNIMO efectivo. INGLÉS efficient.
NOTA El plural es: eficaces.

eficiente
adjetivo
1 Se dice de la persona que cumple bien con su función o su trabajo. Una doctora eficiente atiende y cura bien a los pacientes. SINÓNIMO competente. INGLÉS efficient.

efigie
nombre femenino
1 Representación, en dibujo, pintura o escultura, de una persona. INGLÉS effigy.

efímero, efímera
adjetivo
1 Se dice de las cosas, los seres o los hechos que duran muy poco tiempo. La vida de algunas mariposas es muy efímera, solo viven un día. INGLÉS ephemeral, brief.

efusivo, efusiva
adjetivo
1 Que muestra alegría o afecto intensamente: *Al despedirse se dieron un abrazo muy efusivo.* INGLÉS effusive, warm.

egipcio, egipcia
adjetivo y nombre
1 Se dice de la persona o cosa que es de Egipto, país del norte de África. INGLÉS Egyptian.

egocéntrico, egocéntrica
adjetivo y nombre
1 Se dice de la persona que se cree el centro de todas las atenciones y todos los asuntos. Las personas egocéntricas piensan solo en sí mismas y creen que son magníficas. INGLÉS egocentric [adjetivo].

egoísmo
nombre masculino
1 Forma de comportarse de las personas egoístas. Una persona actúa con egoísmo cuando piensa en su beneficio sin importarle el resto de la gente. INGLÉS egoism.

egoísta
adjetivo y nombre masculino y femenino
1 Se dice de la persona que solo se preocupa de ella misma y no le importan los demás. La gente egoísta no suele compartir sus cosas con nadie. INGLÉS egoistic [adjetivo], egotist [nombre].

¡eh!
interjección
1 Expresa extrañeza o indica que algo no se ha entendido. También se utiliza para llamar la atención de alguien o al final de algo que se dice para reafirmar lo dicho: *¡Eh!, ¿qué hace? Tú preparas la fiesta, ¿eh?* INGLÉS hey!

eje
nombre masculino
1 Barra que atraviesa y sujeta un objeto que da vueltas a su alrededor. La barra con que unen las ruedas de un automóvil es un eje. INGLÉS axle.
2 Línea que atraviesa una figura geométrica o una cosa por su centro. La Tierra gira sobre su eje. INGLÉS axis.
3 Persona o cosa que, por su importancia, se considera el centro o la parte principal de algo. INGLÉS linchpin.

ejecución
nombre femenino
1 Acción que consiste en ejecutar o hacer una cosa. INGLÉS carrying out.
2 Acción que se realiza al interpretar o tocar una pieza musical. INGLÉS performance.
3 Acto de matar a una persona condenada a muerte. INGLÉS execution.
NOTA El plural es: ejecuciones.

ejecutar
verbo
1 Hacer una cosa que había sido planeada previamente. INGLÉS to carry out.
2 Cantar o tocar con un instrumento una pieza musical. Las orquestas ejecutan piezas de diversos compositores. INGLÉS to perform.
3 Matar a una persona que ha sido condenada a muerte. INGLÉS to execute.

ejecutiva
nombre femenino
1 Grupo de personas encargado de la dirección de una empresa, de una asociación o de un partido político. INGLÉS executive committee.

ejecutivo, ejecutiva
adjetivo
1 Se dice del poder de un país encargado de hacer cumplir las leyes. En general, el Gobierno de un país representa al poder ejecutivo. INGLÉS executive.
nombre
2 Persona que ocupa un puesto en la dirección de una empresa y toma decisiones importantes. INGLÉS executive.

ejemplar
adjetivo
1 Que es tan bueno o hace las cosas tan bien que puede servir como ejemplo para que lo imiten los demás. INGLÉS exemplary, model.
2 Que puede servir de escarmiento para que no vuelva a ocurrir, como un castigo ejemplar. INGLÉS exemplary.
nombre masculino
3 Copia de un libro, una revista, un dibujo u otra cosa parecida. INGLÉS copy.
4 Individuo de una especie o una raza. En los zoos hay varios ejemplares de cada especie animal. INGLÉS specimen.

ejemplo
nombre masculino
1 Persona o cosa que se debe tomar como modelo para imitar o para evitar. Tomando una cosa como ejemplo se intentan hacer otras iguales o parecidas. INGLÉS example.
2 Persona o cosa que tiene en un alto grado la cualidad o la característica que se expresa: *Este libro es un ejemplo de claridad.* INGLÉS example.
3 Cosa, suceso o hecho que se expone o se cita para que se vea más clara una explicación, hacer que se entienda mejor una cosa o para completar una definición. En los diccionarios suele haber ejemplos para ayudar a entender el significado o el uso de una palabra. INGLÉS example.
por ejemplo Expresión que se usa en un texto o en una conversación para introducir una cita que ayude a aclarar una explicación. INGLÉS for example.

ejercer
verbo
1 Realizar las tareas propias de una profesión determinada. Los profesores ejercen la enseñanza. INGLÉS to practise, to exercise.
2 Producir una acción, una influencia o un poder determinado sobre una persona o una cosa. Las personas buenas ejercen una influencia positiva sobre nosotros. INGLÉS to exert.
NOTA Se escribe 'z' delante de 'a' y 'o', como: ejerzan, ejerzo.

ejercicio
nombre masculino
1 Conjunto de movimientos de gimnasia que se hacen con el cuerpo para estar en forma. INGLÉS exercise.
2 Trabajo práctico que sirve para aprender cosas o para practicar lo que nos han explicado. Los dictados son ejercicios para practicar ortografía. INGLÉS exercise.
3 Examen o prueba: *El profesor corrigió los ejercicios.* INGLÉS exercise.
4 Práctica que se hace de una actividad o un oficio determinado: *Mi padre lleva 25 años dedicado al ejercicio de la medicina.* INGLÉS practice.
5 Cosa que se hace para practicar una actividad determinada. Hacer crucigramas es un buen ejercicio para desarrollar la memoria. INGLÉS exercise.

ejercitar
verbo
1 Practicar una actividad o una capacidad para conseguir desarrollar alguna cualidad o habilidad. Aprender poemas ayuda a ejercitar la memoria. INGLÉS to exercise, to train.

ejército
nombre masculino
1 Conjunto de los militares y de las fuerzas armadas de un país. También se llama ejército a un grupo numeroso de soldados o de personas armadas que estan bajo las órdenes de un jefe. INGLÉS army.

el, la
determinante artículo
1 'El, la, los, las' son artículos determinados. Los artículos determinados indican que el nombre al que acompañan es conocido por el hablante y el oyente o se ha hablado antes de él: *¿Qué te pareció el libro que te presté?* INGLÉS the.

a b c d e f g h i j k l m n ñ o p q r s t u v w x y z

2 Se utiliza el artículo determinado con nombres no contables: *El pescado azul contiene mucho calcio.*

NOTA No confundas el artículo 'el', que nunca lleva acento, con la forma del pronombre personal 'él', que siempre lleva acento.

él, ella

pronombre personal

1 Pronombre personal de tercera persona. Se refiere a una persona distinta del hablante y del oyente. En la oración, hace función de sujeto; también se usa detrás de una preposición: *Él es un chico muy formal. ¿Ya has hablado con ella?* INGLÉS he, him, she, her, it.

NOTA El plural de él es: ellos. No confundas el pronombre personal 'él', que siempre se acentúa, con la forma del determinante artículo 'el', que nunca se acentúa.

elaboración

nombre femenino

1 Preparación de un producto con los elementos necesarios. También se llama elaboración el modo de preparar este producto. La elaboración de un pastel lleva bastante tiempo. INGLÉS manufacture, production.

2 Creación de una cosa, como una teoría o un plan. INGLÉS development.

NOTA El plural es: elaboraciones.

elaborado, elaborada

adjetivo

1 Que está preparado con detenimiento y pensado hasta el último detalle. El artista que hace una obra muy elaborada pasa mucho tiempo trabajando en ella para perfeccionarla. INGLÉS carefully produced.

2 Se dice del producto que ha pasado por un proceso de elaboración industrial. Un producto elaborado se hace a partir de la transformación de las materias primas. INGLÉS manufactured.

elaborar

verbo

1 Preparar un producto utilizando los elementos necesarios. El queso se elabora con leche. INGLÉS to make, to produce.

2 Crear o producir una cosa nueva: *Creo que esos dos están elaborando algún plan.* INGLÉS to make.

elástico, elástica

adjetivo

1 Se dice de un objeto o un material que puede estirarse o cambiar la forma al hacer fuerza o presión sobre él y que al dejar de hacer fuerza vuelve fácilmente a su forma original. INGLÉS elastic.

nombre masculino

2 Cinta o tejido que puede estirarse y encogerse fácilmente. Muchas chaquetas tienen elásticos en los puños de las mangas y en la cintura. INGLÉS elastic.

ele

nombre femenino

1 Nombre de la letra 'l'. 'Lata' empieza con ele.

elección

nombre femenino

1 Acción que consiste en escoger entre varias personas o cosas la que se cree más oportuna para algo. INGLÉS choice.

2 Acción que consiste en escoger por votación a la persona más adecuada para ocupar un cargo, o elegir el partido político que debe gobernar. Se usa más en plural. INGLÉS election.

3 Posibilidad que una persona tiene de escoger entre varias opciones la que más le favorece. Una persona no tiene elección cuando las circunstancias la obligan a realizar una cosa que no quiere. INGLÉS choice.

NOTA El plural es: elecciones.

electo, electa

adjetivo y nombre

1 Se dice de la persona que ha sido elegida por votación para desempeñar un cargo, pero que todavía no ha empezado a desempeñarlo: *El presidente electo ocupará su cargo la semana que viene.* INGLÉS elect.

elector, electora

adjetivo y nombre

1 Se dice de la persona que vota o que tiene derecho a votar en unas elecciones. INGLÉS voter [nombre], elector [nombre].

electorado

nombre masculino

1 Conjunto de las personas que votan o que tienen derecho a votar en unas elecciones. INGLÉS electorate.

electricidad

nombre femenino

1 Forma de energía que se utiliza para producir luz y para que funcionen los aparatos eléctricos. INGLÉS electricity.

2 Corriente eléctrica de una casa o un edificio. Cuando se corta la electricidad, no hay luz en las casas. INGLÉS electricity.

electricista

nombre masculino y femenino

1 Persona que tiene como profesión colocar y reparar instalaciones eléctricas. INGLÉS electrician.

eléctrico, eléctrica
adjetivo **1** Que funciona por medio de electricidad. Las tostadoras son eléctricas. INGLÉS electric.
2 De la electricidad o que tiene relación con ella. Las averías eléctricas las arreglan los técnicos. INGLÉS electrical.

electrocutar
verbo **1** Matar a alguien o morir por el paso de la electricidad por el cuerpo. Si una persona está mojada y toca un cable o un enchufe, se puede electrocutar. INGLÉS to electrocute.

electrodoméstico
nombre masculino **1** Cualquier aparato que funciona con electricidad y se usa en las casas para diferentes fines, como la lavadora o el frigorífico. INGLÉS electrical appliance.

electroimán
nombre masculino **1** Barra de hierro que lleva un hilo conductor de la electricidad enrollado alrededor de ella. Al pasar la corriente eléctrica por el hilo, la barra toma las propiedades de un imán. INGLÉS electromagnet.
NOTA El plural es: electroimanes.

electrón
nombre masculino **1** Partícula que se encuentra alrededor del núcleo del átomo y que tiene carga eléctrica negativa. INGLÉS electron.
NOTA El plural es: electrones.

electrónica
nombre femenino **1** Ciencia y técnica que aplica la electricidad en aparatos como la televisión, la radio o los ordenadores. INGLÉS electronics.

electrónico, electrónica
adjetivo **1** De la electrónica o que está relacionado con ella. INGLÉS electronic.

elefante, elefanta
nombre **1** Mamífero de gran tamaño que tiene las orejas muy grandes y una gran trompa que usa para coger comida. Posee dos colmillos de marfil a los lados de la boca. Vive en África y en Asia. INGLÉS elephant.
elefante marino Mamífero marino de gran tamaño con el cuerpo muy grueso y adaptado para nadar, y la cabeza pequeña y sin orejas. INGLÉS elephant seal.

elegancia
nombre femenino **1** Característica de las cosas y personas elegantes. INGLÉS elegance.

elegante
adjetivo **1** Se dice de la cosa o la persona que demuestra buen gusto y estilo: *Tiene una forma de vestir muy elegante.* INGLÉS elegant.

elegir
verbo **1** Coger entre varias personas o cosas la que se cree más oportuna para algo. SINÓNIMO escoger. INGLÉS to choose.
2 Decir que una persona es la más adecuada para un cargo o puesto. Los electores eligen por votación a sus gobernantes. INGLÉS to elect.

elegir

INDICATIVO	SUBJUNTIVO
presente	**presente**
elijo	elija
eliges	elijas
elige	elija
elegimos	elijamos
elegís	elijáis
eligen	elijan
pretérito imperfecto	**pretérito imperfecto**
elegía	eligiera o eligiese
elegías	eligieras o eligieses
elegía	eligiera o eligiese
elegíamos	eligiéramos o eligiésemos
elegíais	eligierais o eligieseis
elegían	eligieran o eligiesen
pretérito perfecto simple	**futuro**
elegí	eligiere
elegiste	eligieres
eligió	eligiere
elegimos	eligiéremos
elegisteis	eligiereis
eligieron	eligieren
futuro	**IMPERATIVO**
elegiré	elige (tú)
elegirás	elija (usted)
elegirá	elijamos (nosotros)
elegiremos	elegid (vosotros)
elegiréis	elijan (ustedes)
elegirán	
condicional	**FORMAS NO PERSONALES**
elegiría	**infinitivo** elegir
elegirías	**gerundio** eligiendo
elegiría	**participio** elegido
elegiríamos	
elegiríais	
elegirían	

elemental
adjetivo **1** Se dice de la cosa que es muy importante o muy necesaria para algún fin. Cualquier deporte o juego tiene unas reglas elementales que deben respetarse. SINÓNIMO fundamental. INGLÉS elementary.

a b c d e f g h i j k l m n ñ o p q r s t u v w x y z

2 Se dice de lo que no tiene complicación y está formado por conceptos básicos que se entienden fácilmente. Al aprender un idioma empezamos por lo más elemental. **INGLÉS** basic.

elemento
nombre masculino
1 Cada una de las partes que forman una cosa. Un conjunto está formado por varios elementos. **INGLÉS** element.
2 Lugar natural en el que vive un ser vivo. El agua es el elemento de los peces. **SINÓNIMO** medio. **INGLÉS** element.
3 Cuerpo químico simple. El sodio, el hierro y el hidrógeno son elementos químicos. **INGLÉS** element.
4 Persona que suele comportarse mal o hacer travesuras: *Vaya elemento estás hecho, te pasas el día jugando y nunca te veo estudiar.* **INGLÉS** one.

elevación
nombre femenino
1 Lugar que está más alto que el que lo rodea. Un monte, un cerro, una colina y una loma son elevaciones de terreno. **INGLÉS** high point.
2 Subida o aumento de algo. La elevación de los salarios hace que mejore el nivel de vida de los trabajadores. **INGLÉS** raising, rise.
NOTA El plural es: elevaciones.

elevado, elevada
adjetivo
1 Que es o está alto o más alto de lo normal. Si una cosa tiene un precio elevado, es cara. **INGLÉS** high.

elevar
verbo
1 Mover una cosa de abajo hacia arriba o ponerla en un lugar más alto. Los montacargas sirven para elevar y descender cosas. **INGLÉS** to raise.
2 Hacer aumentar la intensidad, la cantidad o el valor de una cosa. Cuando se eleva el volumen de la radio, se oye más alto. **SINÓNIMO** subir. **INGLÉS** to raise, to increase.
3 Colocar a una persona o una cosa en un lugar más alto o en una posición más destacada. **INGLÉS** to raise.

elfo
nombre masculino
1 Ser fantástico con poderes mágicos que vive en los bosques. El elfo es un personaje tradicional de las leyendas del norte de Europa. **INGLÉS** elf.

eliminación
nombre femenino
1 Acción que se realiza al eliminar a alguien o algo: *La derrota ha supuesto su eliminación de la competición.* **INGLÉS** elimination.
NOTA El plural es: eliminaciones.

eliminar
verbo
1 Quitar una cosa de un sitio. Los detergentes eliminan las manchas de la ropa. **INGLÉS** to eliminate, to get rid of.
2 Hacer que una persona quede fuera de un juego, una competición deportiva o un concurso de cualquier tipo. **INGLÉS** to eliminate.
3 Expulsar fuera del cuerpo una sustancia. Cuando sudamos eliminamos mucha agua. **INGLÉS** to eliminate.
4 Matar a una persona o un animal. Es un uso informal. **INGLÉS** to eliminate, to kill.

eliminatoria
nombre femenino
1 Prueba que sirve para seleccionar a personas o equipos en un concurso o una competición. Si un equipo supera todas las eliminatorias, llega a la final. **INGLÉS** heat, qualifying round.

eliminatorio, eliminatoria
adjetivo
1 Que sirve para eliminar a una persona de algo: *Este examen es eliminatorio.* **INGLÉS** eliminatory.

elipse
nombre femenino
1 Línea curva cerrada que forma una figura parecida a una circunferencia aplastada. **INGLÉS** ellipse.

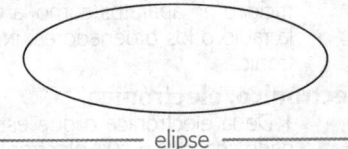

elipse

élite
nombre femenino
1 Grupo pequeño formado por las personas que se consideran las mejores entre las de su clase. Las selecciones deportivas están formadas por la élite de cada deporte. **INGLÉS** elite.

elixir
nombre masculino
1 Líquido compuesto por varias sustancias disueltas en alcohol que sirve para limpiar o para curar enfermedades. **INGLÉS** mouthwash.
2 Bebida que se cree que tiene propiedades mágicas. **INGLÉS** elixir.

a b c d e f g h i j k l m n ñ o p q r s t u v w x y z

ella
pronombre personal
1 Forma femenina del pronombre personal **él**: *Ella es la representante de nuestra clase.* INGLÉS she, her, it.

elle
nombre femenino
1 Nombre de la letra 'll'. 'Lluvia' empieza con elle.

ello
pronombre personal
1 Pronombre personal neutro e invariable que se refiere a una información anterior y equivale a una oración o una idea. En la oración, puede hacer función de sujeto o ir detrás de una preposición: *Anoche volviste muy tarde, y ello me preocupa.* INGLÉS it.

ellos, ellas
pronombre personal
1 Forma plural del pronombre personal de tercera persona. Mira **él, ella**: *Ellas me prometieron que llegarían hoy.* INGLÉS they, them.

elocuencia
nombre femenino
1 Capacidad de hablar bien y de manera efectiva para convencer a quien escucha. Los buenos abogados se expresan con elocuencia para convencer a los jueces. INGLÉS eloquence.

elogiar
verbo
1 Hablar muy bien de personas o cosas resaltando sus méritos o cualidades. INGLÉS to praise.
NOTA Se conjuga como: cambiar; la 'i' no lleva nunca acento de intensidad.

elogio
nombre masculino
1 Discurso o frases que se utilizan para hablar muy bien de una persona o cosa. INGLÉS praise.

embajada
nombre femenino
1 Lugar u oficina que representa a un país en el extranjero y donde trabajan el embajador y sus colaboradores. INGLÉS embassy.

embajador, embajadora
nombre
1 Máximo representante de un país y de su gobierno en el extranjero. El embajador suele residir en la capital del país donde está destinado. INGLÉS ambassador.

embalar
verbo
1 Envolver una cosa de modo que quede protegida para que se pueda transportar con seguridad. INGLÉS to pack, to wrap.

embalsamar
verbo
1 Preparar un cadáver con unas sustancias especiales para que no se descomponga. Los egipcios embalsamaban a los faraones. INGLÉS to embalm.

embalse
nombre masculino
1 Lago artificial, a menudo cerrado por una presa, en el que se recogen las aguas de un río para aprovecharlas mejor. El agua de los embalses se utiliza para regar las tierras y para el consumo humano. SINÓNIMO pantano. INGLÉS reservoir.

embarazada
adjetivo y nombre femenino
1 Se dice de la mujer que va a tener un hijo. INGLÉS pregnant [adjetivo].

embarazo
nombre masculino
1 Estado en el que se encuentra la mujer que espera un hijo. También se llama embarazo el período de nueve meses que dura dicho estado. INGLÉS pregnancy.
2 Sensación de vergüenza o de incomodidad que produce alguna cosa. INGLÉS embarrassment.

embarazoso, embarazosa
adjetivo
1 Que provoca una sensación de vergüenza o de incomodidad que no se puede disimular: *Ha sido muy embarazoso que se pusiera a gritar en público de ese modo.* INGLÉS embarrassing.

embarcación
nombre femenino
1 Vehículo construido para transportar por el agua personas o mercancías. INGLÉS boat.
NOTA El plural es: embarcaciones.

embarcadero
nombre masculino
1 Construcción a orillas del mar, de un lago o de un río para embarcar y desembarcar pasajeros o mercancías. INGLÉS jetty, quay.

embarcar
verbo
1 Subir pasajeros o mercancías a un barco o a un avión para emprender el viaje. ANTÓNIMO desembarcar. INGLÉS to embark.
2 Hacer que una persona desarrolle o participe en un proyecto que suele ser arriesgado: *Me embarqué en la compra de un piso y ahora tengo deudas.* INGLÉS to embark.
NOTA Se escribe 'qu' delante de 'e', como: embarquen.

a b c d e f g h i j k l m n ñ o p q r s t u v w x y z

embargo

nombre masculino **1** Acción mediante la cual un juez o una autoridad hace que una persona deje de disfrutar de unos bienes, como una casa, por no poder pagar una deuda o por los daños causados por un delito. INGLÉS seizure of property.

2 Acción mediante la cual un gobierno prohíbe que se transporten productos a un país y se comercie con ellos, por haber creado algún conflicto. INGLÉS embargo.

conjunción **3 sin embargo** Indica oposición. Es parecido a 'pero': *No tengo muchas ganas de ir a la fiesta de graduación, sin embargo iré.* INGLÉS nevertheless, however.

embarrar

verbo **1** Llenar o manchar de barro. Si jugamos en un campo de tierra mojada, nos embarramos. INGLÉS to cover with mud.

embarullar

verbo **1** Hacer un lío de cosas o ideas mezcladas y sin orden. Cuando nos embarullamos decimos las cosas de forma equivocada y desordenada. También podemos embarullar nuestra ropa dentro del armario. Es una palabra informal. SINÓNIMO liar. INGLÉS to muddle [embarullar], to get muddled up [embarullarse].

embeleso

nombre masculino **1** Estado en el que se encuentra una persona cuando está tan admirada por algo que no se entera de lo que sucede a su alrededor. INGLÉS fascination.

embellecer

verbo **1** Hacer que una persona o una cosa esté bella o más bella. INGLÉS to make beautiful, to beautify.

NOTA Se conjuga como: agradecer; la 'c' se convierte en 'zc' delante de 'a' y 'o', como: embellezco.

embestir

verbo **1** Lanzarse con fuerza o violencia contra una persona o una cosa. Algunos animales, como los toros, embisten a quien les ataca. INGLÉS to charge.

NOTA Se conjuga como: servir; la 'e' se convierte en 'i' en algunos tiempos y personas, como: embisten.

emblema

nombre masculino **1** Figura o símbolo que representa algo. La paloma es el emblema de la paz. INGLÉS emblem.

emblemático, emblemática

adjetivo **1** Que representa o simboliza algo o a alguien por ser importante o por tener unas características significativas. Shakespeare es un autor emblemático de la literatura universal. INGLÉS emblematic.

embolsarse

verbo **1** Obtener una cantidad de dinero de un trabajo, negocio o juego. INGLÉS to pocket.

2 Apropiarse una persona de un dinero que no le corresponde: *Ya te has embolsado otra vez el cambio, ¿no?* INGLÉS to pocket.

emborrachar

verbo **1** Hacer perder a una persona el control de su mente y de sus actos debido al consumo excesivo de bebidas alcohólicas. INGLÉS to make drunk, to get drunk.

emborronar

verbo **1** Ensuciar un escrito con manchas de tinta. También es llenar un papel con rayas o garabatos, sin pensar en lo que se escribe o se dibuja. INGLÉS to blot [con manchas de tinta], to scribble on [con garabatos].

emboscada

nombre femenino **1** Acción que consiste en permanecer oculta una persona o un grupo de personas en un lugar y atacar por sorpresa a otras. Una táctica militar para intentar vencer al enemigo es tenderle una emboscada. INGLÉS ambush.

2 Trampa que una persona prepara contra otra. INGLÉS ambush.

embotellamiento

nombre masculino **1** Proceso por el cual se meten líquidos u otras sustancias en botellas. INGLÉS bottling.

2 Atasco de vehículos en una carretera. Cuando hay un embotellamiento los vehículos están parados o avanzan muy lentamente. INGLÉS traffic jam.

embotellar

verbo **1** Meter un líquido dentro de una botella. INGLÉS to bottle.

embrague

nombre masculino **1** Mecanismo que llevan los motores de algunos vehículos y que permite cambiar de marcha. También se llama embrague el pedal o la maneta que acciona este mecanismo. INGLÉS clutch.

embriagador, embriagadora

adjetivo **1** Que produce una sensación de placer: *Llevaba un perfume embriagador.* Es una palabra literaria. INGLÉS intoxicating.

embrión

nombre masculino **1** Ser vivo en su primera etapa de desarrollo, cuando comienza a formarse y crecer. El ser humano es un embrión durante los tres primeros meses del embarazo. INGLÉS embryo.

2 Inicio de alguna cosa que todavía no está formada del todo: *Esos dibujos son el embrión del cuadro que quiero pintar.* INGLÉS beginnings.

NOTA El plural es: embriones.

embrollo

nombre masculino **1** Lío formado por un conjunto de cosas o ideas mezcladas o sin orden: *Después de memorizar tantas fórmulas matemáticas tengo un embrollo en la cabeza.* INGLÉS muddle, mess.

2 Situación poco clara o difícil de comprender: *Se ha metido en un embrollo.* INGLÉS mess.

embrujar

verbo **1** Cambiar, dominar o conseguir algo o a alguien utilizando la brujería o la magia. SINÓNIMO hechizar. INGLÉS to bewitch.

2 Producir una persona o una cosa mucha atracción en alguien: *La belleza de sus ojos embrujó a todos.* SINÓNIMO cautivar. INGLÉS to bewitch.

embrujo

nombre masculino **1** Acción mágica que se realiza para cambiar, dominar o conseguir algo o a alguien. Un embrujo típico de los cuentos es convertir a un príncipe en rana. SINÓNIMO hechizo. INGLÉS spell.

2 Atracción fuerte que una persona o una cosa provoca en los demás. INGLÉS fascination.

embudo

nombre masculino **1** Instrumento con forma de cono que se utiliza para hacer pasar un líquido de un recipiente a otro que tiene la boca más estrecha. INGLÉS funnel.

embuste

nombre masculino **1** Cosa que se dice y que no es verdad. Las personas mentirosas cuentan embustes. SINÓNIMO mentira. ANTÓNIMO verdad. INGLÉS lie, fib.

embustero, embustera

adjetivo y nombre **1** Se dice de la persona que cuenta embustes. SINÓNIMO mentiroso. INGLÉS lying [adjetivo], liar [nombre].

embutido

nombre masculino **1** Alimento curado hecho de carne de cerdo picada, arreglada con especias y metida dentro de una tripa, como el chorizo o el salchichón. INGLÉS sausage, cold meat.

eme

nombre femenino **1** Nombre de la letra 'm'. 'Madre' empieza con eme.

emergencia

verbo **1** Cosa que ocurre de repente y que necesita una solución con urgencia. INGLÉS emergency.

emerger

nombre femenino **1** Salir a la superficie una cosa que estaba debajo del agua o de otro líquido. INGLÉS to emerge.

NOTA Se escribe 'j' delante de 'a' y 'o', como: emerjan.

emigración

nombre femenino **1** Movimiento de una o más personas de un país o zona a otro país o zona para establecerse. También es el conjunto de personas que han emigrado a lo largo de un período de tiempo de un lugar a otro para establecerse en él. INGLÉS emigration.

NOTA El plural es: emigraciones.

emigrante

nombre masculino y femenino **1** Persona que deja su país o población para ir a vivir a otro o trabajar temporalmente. INGLÉS emigrant.

emigrar

verbo **1** Dejar una persona su país o población para ir a vivir o trabajar a otro lugar. SINÓNIMO migrar. INGLÉS to emigrate.

2 Cambiar un animal de zona en busca de un clima adecuado. Muchos pájaros emigran a lugares más cálidos en invierno. SINÓNIMO migrar. INGLÉS to migrate.

eminente

adjetivo **1** Que destaca por su trabajo o por sus excelentes cualidades en una profesión o en algún ámbito de la ciencia o el arte. INGLÉS eminent.

a b c d e f g h i j k l m n ñ o p q r s t u v w x y z

emisario, emisaria
nombre **1** Persona que se envía a un lugar para llevar un mensaje o tratar un asunto. SINÓNIMO mensajero. INGLÉS emissary.

emisión
nombre femenino **1** Acción que consiste en emitir algo, como una película o un ruido. INGLÉS emission, production.
NOTA El plural es: emisiones.

emisor, emisora
adjetivo y nombre masculino **1** Que emite o envía algo. Las televisiones son aparatos emisores de sonido e imágenes. INGLÉS sender [nombre - persona], transmitter [nombre - aparato].
nombre **2** Persona que emite o produce un mensaje en la comunicación. INGLÉS sender.

emisora
nombre femenino **1** Conjunto de instalaciones y aparatos que transmiten sonidos o imágenes. Los programas de radio se realizan en una emisora. INGLÉS station.

emitir
verbo **1** Producir algo que sale desde el interior de un cuerpo y que se percibe por la vista o el oído. El Sol emite luz. INGLÉS to emit.
2 Lanzar al aire ondas que transmiten sonidos o imágenes. INGLÉS to broadcast.
3 Fabricar y poner en circulación monedas, billetes, acciones y otros valores. INGLÉS to issue.
4 Decir una opinión para que se conozca públicamente. Las autoridades emiten declaraciones. INGLÉS to give.

emoción
nombre femenino **1** Sentimiento breve e intenso producido por algo, bueno o malo, que nos impresiona mucho. Una noticia inesperada, un regalo o una película nos pueden causar mucha emoción. INGLÉS emotion.
NOTA El plural es: emociones.

emocionante
adjetivo **1** Que causa emoción o despierta mucho interés: *La final de tenis será muy emocionante.* INGLÉS exciting, thrilling.

emocionar
verbo **1** Producir o tener una emoción: *Se emocionó al verla.* INGLÉS to excite [emocionar], to get excited [emocionarse].

emotivo, emotiva
adjetivo **1** Que produce emoción: *Fue una despedida emotiva.* INGLÉS emotional.
2 Se dice de una persona que siente emociones con facilidad. INGLÉS emotional.

empachar
verbo **1** Llenar mucho un alimento por ser demasiado dulce o por no hacerse bien la digestión. INGLÉS to give indigestion.
2 Cansar o aburrir una persona o una cosa a alguien. INGLÉS to bore.

empacho
nombre masculino **1** Sensación molesta que se tiene en el estómago cuando se come demasiado. SINÓNIMO indigestión. INGLÉS indigestion.
2 Cansancio o aburrimiento que se siente después de estar mucho tiempo con alguien o haciendo una misma actividad. INGLÉS bellyful.

empacho

empalagoso, empalagosa
adjetivo **1** Se dice del alimento que resulta pesado de comer o harta enseguida por ser demasiado dulce. INGLÉS sickly sweet.
2 Se dice de la persona que cansa o aburre por mostrarse demasiado amable y cariñosa. INGLÉS cloying.

empalmar
verbo **1** Unir dos o más cosas por sus extremos. Si un cable es corto, puede cogerse un trozo de otro cable y empalmarlos. INGLÉS to join.
2 Hacer o suceder una cosa inmediatamente después de acabar otra. INGLÉS to follow on.

empalme
nombre masculino **1** Unión de dos o más cosas por sus extremos. También se llama empalme el punto donde se unen dos cosas. INGLÉS connection.

empanada
nombre femenino
1 Masa fina de pan rellena de varios ingredientes y cocida al horno. Las empanadas se suelen rellenar de carne o de pescado. INGLÉS pasty, pie.

empanadilla
nombre femenino
1 Pastel pequeño y salado, hecho con una lámina redonda de masa de harina que se dobla por la mitad. Va rellena de varios ingredientes y se fríe en aceite. INGLÉS pasty.

empanar
verbo
1 Cubrir un alimento con pan rallado antes de freírlo. SINÓNIMO rebozar. INGLÉS to coat in breadcrumbs.

empañar
verbo
1 Hacer que una superficie deje de estar clara y brillante a causa de la humedad y quede cubierta de vapor. La niebla empaña los cristales de las ventanas. INGLÉS to steam up.
2 Cubrir los ojos de lágrimas. INGLÉS to fill with tears.
3 Disminuir las cualidades o las virtudes de una persona. Una mala acción puede empañar la buena fama de alguien. INGLÉS to tarnish.

empapar
verbo
1 Mojar algo completamente. Cuando llueve mucho y no tenemos paraguas nos empapamos de agua. INGLÉS to soak.
2 Absorber y retener un líquido. Las esponjas y las bayetas empapan muy bien los líquidos. INGLÉS to soak up.
3 empaparse Estudiar o practicar mucho una cosa para saberla o dominarla: *Se ha empapado de geografía para presentarse al concurso de la tele.* INGLÉS to swot up.

empapelar
verbo
1 Cubrir de papel una superficie, especialmente las paredes de una habitación. INGLÉS to paper.

empaquetar
verbo
1 Meter una cosa dentro de una caja o un papel y hacer un paquete. INGLÉS to pack.

emparedado
nombre masculino
1 Comida que consiste en dos rebanadas de pan de molde rellenas de un alimento. SINÓNIMO sándwich. INGLÉS sandwich.

emparejar
verbo
1 Unir un par de personas, animales o cosas para que formen pareja. Las personas se emparejan cuando empieza un baile. INGLÉS to put into pairs [emparejar], to pair off [emparejarse].
2 Poner cosas iguales o parejas al mismo nivel, de manera que no sobresalga una más que la otra. INGLÉS to put into pairs [en parejas], to even up [iguales].

empastar
verbo
1 Poner una pasta especial en los huecos de las muelas y dientes que tienen caries. INGLÉS to fill.

empatar
verbo
1 Obtener el mismo número de tantos o puntos dos jugadores o equipos en una competición, o alcanzar igual número de votos los candidatos o partidos en una votación. SINÓNIMO igualar. INGLÉS to draw.

empate
nombre masculino
1 Situación que se produce cuando hay igualdad de votos en una votación o de puntos o tantos dentro de una competición. INGLÉS draw, tie.

empedrar
verbo
1 Cubrir el suelo con piedras de manera que no se muevan. INGLÉS to cobble, to pave.
NOTA Se conjuga como: acertar; la 'e' se convierte en 'ie' en sílaba acentuada, como: empiedren.

empeine
nombre masculino
1 Parte de arriba del pie que va desde el tobillo hasta donde empiezan los dedos. INGLÉS instep.

empellón
nombre masculino
1 Empujón fuerte que se da con todo el cuerpo o con una parte de él contra una persona o una cosa. SINÓNIMO empujón. INGLÉS push, shove.
NOTA El plural es: empellones.

empeñado, empeñada
adjetivo
1 Se dice de la cosa que se entrega en depósito a cambio de un préstamo de dinero y que se recupera cuando se devuelve ese dinero prestado. Los objetos empeñados suelen ser joyas u objetos de valor. INGLÉS pawned, in pawn.
2 Se dice de la persona que tiene muchas deudas. INGLÉS in debt.
3 Se dice de la persona que tiene la in-

tención muy firme y decidida de hacer una cosa: *Está empeñado en estudiar solfeo.* INGLÉS decided, bent.

empeñar

verbo

1 Entregar en depósito un objeto u otra cosa de valor como garantía por un préstamo de dinero que se pide a alguien. INGLÉS to pawn.

2 Dar una persona su palabra de honor como garantía de que cumplirá una cosa y esforzarse para conseguirlo. INGLÉS to pledge.

3 **empeñarse** Tener una persona la intención muy firme y decidida de hacer una cosa. INGLÉS to insist.

4 **empeñarse** Llegar a tener una persona una deuda muy grande por haber pedido mucho dinero prestado. Para comprar una vivienda, muchas personas se empeñan con el banco. INGLÉS to get into debt.

empeño

nombre masculino

1 Característica de la persona que tiene la intención muy firme y decidida de hacer una cosa y se esfuerza mucho por conseguirlo. INGLÉS determination.

2 Esfuerzo que una persona realiza para poder conseguir una cosa en la que estaba empeñada, o interés y atención que pone en algo. INGLÉS effort.

empeoramiento

nombre masculino

1 Acción de ponerse en peores condiciones una persona o una cosa. ANTÓNIMO mejora. INGLÉS deterioration, worsening.

empeorar

verbo

1 Ponerse una persona o una cosa en peores condiciones de las que estaba: *El tiempo ha empeorado, parece que va a haber tormenta.* ANTÓNIMO mejorar. INGLÉS to worsen, to deteriorate.

empequeñecer

verbo

1 Volverse una cosa más pequeña. Algunas prendas de ropa empequeñecen cuando se lavan. SINÓNIMO encoger. ANTÓNIMO agrandar. INGLÉS to shrink.

2 **empequeñecerse** Sentirse una persona avergonzada, ridícula y poco importante. INGLÉS to feel small.

NOTA Se conjuga como: agradecer; la 'c' se convierte en 'zc' delante de 'a' y 'o', como: empequeñezca.

emperador, emperatriz

nombre

1 Persona que gobierna un imperio. Algunos gobernantes romanos fueron emperadores. El plural de emperatriz es: emperatrices. INGLÉS emperor [hombre], empress [mujer].

nombre masculino

2 Pez marino que tiene la parte superior de la boca en forma de espada. SINÓNIMO pez espada. INGLÉS swordfish.

emperrarse

verbo

1 Mantener una persona una idea, una actitud o la intención de hacer una cosa con firmeza, aunque sea poco acertado. Es un uso informal. SINÓNIMO obstinarse. INGLÉS to dig one's heels in.

empezar

verbo

1 Hacer la primera parte de una cosa o de una acción: *He empezado a estudiar inglés. Empezó a contármelo, pero no terminó.* SINÓNIMO comenzar; iniciar.

empezar

INDICATIVO	SUBJUNTIVO
presente	**presente**
empiezo	empiece
empiezas	empieces
empieza	empiece
empezamos	empecemos
empezáis	empecéis
empiezan	empiecen
pretérito imperfecto	**pretérito imperfecto**
empezaba	empezara o empezase
empezabas	empezaras o empezases
empezaba	empezara o empezase
empezábamos	empezáramos o empezásemos
empezabais	empezarais o empezaseis
empezaban	empezaran o empezasen
pretérito perfecto simple	**futuro**
empecé	empezare
empezaste	empezares
empezó	empezare
empezamos	empezáremos
empezasteis	empezareis
empezaron	empezaren
futuro	**IMPERATIVO**
empezaré	empieza (tú)
empezarás	empiece (usted)
empezará	empecemos (nosotros)
empezaremos	empezad (vosotros)
empezaréis	empiecen (ustedes)
empezarán	
condicional	**FORMAS NO PERSONALES**
empezaría	**infinitivo** empezar
empezarías	**gerundio** empezando
empezaría	**participio** empezado
empezaríamos	
empezaríais	
empezarían	

ANTÓNIMO acabar; terminar. INGLÉS to begin, to start.

2 Tener origen o comienzo algo: *La película empieza a las 8.* SINÓNIMO comenzar. ANTÓNIMO acabar. INGLÉS to begin, to start.

3 Comenzar a usar o a consumir una cosa. ANTÓNIMO acabar. INGLÉS to begin, to start.

empinado, empinada
adjetivo
1 Se dice de la calle, camino o cualquier otro lugar que tiene mucha pendiente. ANTÓNIMO llano. INGLÉS steep.

empinar
verbo
1 Levantar una cosa y aguantarla en alto: *Empinó la botella para beber un trago.* SINÓNIMO alzar. INGLÉS to raise.

2 empinarse Ponerse una persona de puntillas para llegar más arriba: *Se empinó para ver por encima de las cabezas.* INGLÉS to stand on tiptoe.

empleado, empleada
nombre
1 Persona que trabaja en un lugar a cambio de un sueldo. Las empresas grandes tienen muchos empleados. INGLÉS employee.

empleada del hogar Mujer que trabaja en la casa de una persona haciendo las tareas domésticas, como limpiar o lavar, a cambio de dinero. SINÓNIMO sirvienta, asistenta. INGLÉS home help.

emplear
verbo
1 Utilizar una cosa para un fin determinado. Empleamos los lápices para escribir. SINÓNIMO usar. INGLÉS to employ, to use.

2 Dar trabajo a una persona. El dueño de una empresa emplea a personas para que trabajen en ella. ANTÓNIMO despedir. INGLÉS to employ.

empleo
nombre masculino
1 Trabajo o actividad que se realiza a cambio de dinero. INGLÉS employment, job.

2 Uso o utilización de una cosa. El empleo de ciertos aerosoles perjudica la capa de ozono. INGLÉS use.

empobrecer
verbo
1 Hacer que a una persona o una cosa le falte dinero o algún otro valor. El lenguaje se empobrece si utilizamos siempre las mismas palabras. ANTÓNIMO enriquecer. INGLÉS to impoverish, to make poorer.

NOTA Se conjuga como: agradecer; la 'c' se convierte en 'zc' delante de 'a' y 'o', como: empobrezcan.

empollar
verbo
1 Sentarse un ave sobre los huevos para darles calor y hacer posible que se desarrollen en su interior los polluelos. INGLÉS to hatch.

empollar

2 Estudiar mucho una persona. Es un uso informal. INGLÉS to swot.

empollón, empollona
adjetivo y nombre
1 Se dice de la persona que estudia mucho. Los empollones suelen estar muy atentos en clase y sacar notas excelentes. INGLÉS swot.

NOTA Es una palabra informal. El plural es: empollones.

empotrado, empotrada
adjetivo
1 Que está metido en una pared o dentro de otra cosa. Los armarios empotrados permiten aprovechar mejor el espacio. INGLÉS fitted, built-in.

emprendedor, emprendedora
adjetivo y nombre
1 Se dice de la persona que emprende acciones o actividades difíciles o arriesgadas con iniciativa y decisión. INGLÉS enterprising [adjetivo].

emprender
verbo
1 Empezar a realizar una actividad: *El pájaro emprendió el vuelo. Ha emprendido un largo viaje.* INGLÉS to start, to embark on.

empresa
nombre femenino
1 Organización o sociedad que se dedica a una determinada actividad o a producir un determinado producto para ganar dinero. SINÓNIMO compañía. INGLÉS firm, company.

2 Trabajo o actividad que necesita mucho esfuerzo para poderse realizar. Acabar para siempre con la delincuencia es una empresa muy difícil. INGLÉS undertaking, venture.

empresario, empresaria

nombre **1** Persona que tiene o dirige una empresa. INGLÉS businessman [hombre], businesswoman [mujer].

empujar

verbo **1** Hacer fuerza contra una persona o una cosa para moverla: *Me empujó con las manos para tirarme al suelo.* INGLÉS to push.

2 Intentar convencer o presionar a una persona para que haga algo. INGLÉS to urge.

empuje

nombre masculino **1** Energía o buen ánimo que tiene una persona para hacer algo o para conseguir sus objetivos. Cuando una persona hace algo que le gusta mucho empieza a hacerlo con mucho empuje. INGLÉS energy, drive.

2 Fuerza que empuja o mueve a una persona o una cosa: *El empuje del viento ha hecho caer varios árboles.* INGLÉS force.

empujón

nombre masculino **1** Golpe fuerte que se da con todo el cuerpo o con una parte de él contra una persona o una cosa. INGLÉS push, shove.

2 Esfuerzo extraordinario que se hace para que avance un trabajo que se está haciendo. INGLÉS effort.

NOTA El plural es: empujones.

empuñadura

nombre femenino **1** Parte por donde se sujetan las armas y otros objetos generalmente alargados, como paraguas o bastones. INGLÉS handle.

empuñar

verbo **1** Coger un objeto o utensilio por el mango, generalmente en actitud violenta. INGLÉS to grasp, to seize.

en

preposición **1** Indica el lugar o la posición donde está alguien o algo. Puede indicar que una persona o cosa está encima de un lugar o que está dentro de un lugar: *Viví cinco años en el extranjero. Tus gafas están en la mesa del comedor. Busca en tu cartera.* INGLÉS in [dentro], on [encima].

2 Indica el período de tiempo en el que ocurre una determinada cosa: *En Navidad muchas calles están adornadas.* INGLÉS in, at.

3 Indica la manera o el modo en que se hace una cosa: *Hacemos gimnasia en pantalón corto.* También forma parte de distintas expresiones que indican modo: en general, en secreto, en serio, en breve. INGLÉS in.

4 Indica el medio de transporte: *Voy a clase en autobús.* INGLÉS in, on, by.

5 Indica la forma que tiene algo: *Este cuchillo acaba en punta. Nos pusimos en círculo para charlar.* INGLÉS in.

enagua

nombre femenino **1** Prenda de ropa interior femenina parecida a una falda que antiguamente se llevaba debajo de la falda. INGLÉS petticoat.

NOTA También se usa el plural para indicar solo una unidad.

enamorado, enamorada

adjetivo y nombre **1** Que siente mucho amor por una persona. INGLÉS in love [adjetivo], lover [nombre].

2 Que se siente muy atraído por una cosa determinada. Los enamorados de la lectura no pueden pasar un día sin leer. INGLÉS lover [nombre].

enamorar

verbo **1** Hacer que una persona sienta amor por otra. INGLÉS to win the heart of.

2 Gustar mucho a alguien una cosa: *Se enamoró de la casa en cuanto la vio.* INGLÉS to fall in love with.

3 enamorarse Sentir amor. INGLÉS to fall in love with.

enano, enana

adjetivo **1** Que es muy pequeño en relación con otros del mismo grupo o de la misma especie. El bonsái es un árbol enano. INGLÉS dwarf.

nombre **2** Persona de estatura mucho menor de lo normal, debido a un trastorno en el desarrollo o crecimiento. INGLÉS dwarf.

3 Niño pequeño. Es un uso familiar. INGLÉS kid.

enarcar

verbo **1** Dar forma de arco a algo: *Al darle la sorpresa, abrió mucho los ojos y enarcó las cejas.* INGLÉS to arch, to raise.

NOTA Se escribe 'qu' delante de 'e', como: enarqué.

encabezamiento

nombre masculino **1** Frase o expresión fija que se pone al comienzo de un escrito. La expresión 'Querido amigo' es un encabezamiento habitual al comenzar una carta. INGLÉS heading.

encabezar

verbo **1** Estar al principio de una lista. Los apellidos que empiezan por 'A' encabezan las listas alfabéticas. INGLÉS to head.

2 Ir delante de una fila o de un grupo de gente. El corredor más rápido encabeza una carrera. INGLÉS to lead.

3 Escribir una frase o unas palabras de saludo al principio de una carta u otro escrito. INGLÉS to head.

NOTA Se escribe 'c' delante de 'e', como: encabecé.

encabritarse

verbo **1** Ponerse el caballo con las patas delanteras levantadas, apoyándose solo en las traseras. INGLÉS to rear up.

2 Enfadarse mucho. SINÓNIMO cabrearse; enojarse. INGLÉS to get angry.

encadenar

verbo **1** Atar o unir con cadenas una o más cosas o personas. INGLÉS to chain.

2 Unir varias ideas o palabras relacionándolas de algún modo. En las conversaciones se suelen encadenar temas diversos. INGLÉS to connect, to link up.

encajar

verbo **1** Colocar una cosa o una parte de ella dentro del hueco de otra, de forma que quede bien ajustada. Para hacer un rompecabezas tenemos que encajar unas piezas con otras. SINÓNIMO acoplar. INGLÉS to fit.

2 Aceptar con paciencia o resignación una mala noticia o una cosa desagradable: *Encaja las críticas bastante bien.* INGLÉS to accept.

3 Estar de acuerdo o coincidir dos cosas entre sí: *Sus declaraciones no encajan.* INGLÉS to tally.

4 Sentirse una persona a gusto en un lugar o ambiente determinado. A algunos niños les cuesta encajar en un nuevo colegio. INGLÉS to fit.

encaje

nombre masculino **1** Tejido calado parecido a una malla, pero con figuras o bordados. El encaje se puede hacer con aguja, ganchillo o a máquina. INGLÉS lace.

encalar

verbo **1** Blanquear una superficie como una pared con una capa de cal o de yeso blanco. INGLÉS to whitewash.

encallar

verbo **1** Quedar detenida una embarcación al tropezar con arena o con piedras. INGLÉS to run aground.

encaminar

verbo **1** Dirigir hacia un lugar o un fin determinado. Cuando una persona pregunta por un lugar hay que encaminarla en la dirección correcta. INGLÉS to direct.

encantador, encantadora

adjetivo **1** Se dice de la persona que se comporta con los demás con mucho encanto, amabilidad y simpatía. INGLÉS enchanting, charming.

2 Se dice de la cosa que tiene mucho encanto o es muy agradable. INGLÉS enchanting, charming.

nombre **3** Persona que hace encantamientos. INGLÉS magician.

encantamiento

nombre masculino **1** Acción mágica que se realiza para cambiar o dominar a una persona o cosa: *La bruja convirtió en rana al príncipe por medio de un encantamiento.* SINÓNIMO hechizo. INGLÉS spell.

encantar

verbo **1** Gustar mucho a alguien una persona o cosa. A muchas personas les encanta ir de compras. INGLÉS to delight, to enchant.

2 Transformar o dominar por arte de magia a una persona o cosa. SINÓNIMO embrujar; hechizar. INGLÉS to cast a spell on.

encanto

nombre masculino **1** Conjunto de cualidades agradables que hacen que una persona o cosa nos guste mucho. De una persona dulce y cariñosa decimos que tiene mucho encanto. INGLÉS charm.

nombre masculino plural **2** **encantos** Conjunto de cualidades físicas agradables o atractivo físico de una persona. INGLÉS charms.

encañonar

verbo **1** Apuntar a una persona con un arma

de fuego, como una pistola o una escopeta. INGLÉS to point at.

encapricharse
verbo
1 Desear mucho una persona conseguir alguna cosa: *Se ha encaprichado del último juego que anuncian en la tele.* SINÓNIMO antojarse. INGLÉS to take a fancy on.

encapuchado, encapuchada
verbo
1 Se dice de la persona que lleva la cabeza totalmente cubierta con una capucha. INGLÉS hooded.

encaramar
verbo
1 Subir o colocar a una persona o una cosa en un lugar alto. En el campo, los niños se encaraman a los árboles para coger sus frutos. INGLÉS to raise, to lift up [encaramar], to climb up [encaramarse].

encarcelar
verbo
1 Meter a una persona en la cárcel. INGLÉS to imprison.

encargado, encargada
adjetivo y nombre
1 Se dice de la persona que se encarga de una cosa. El encargado de una tienda se ocupa de que todo vaya bien en el establecimiento. INGLÉS in charge [adjetivo], manager [nombre - hombre], manageress [nombre - mujer].

encargar
verbo
1 Pedir o mandar a una persona que haga una cosa determinada. Podemos encargar en una pastelería que nos preparen una tarta de cumpleaños. INGLÉS to order.
2 encargarse Ocuparse de hacer un trabajo o una actividad. Los padres se encargan de educar a sus hijos. INGLÉS to take charge of, to look after.
NOTA Se escribe 'gu' delante de 'e', como: encarguen.

encargo
nombre masculino
1 Cosa que se tiene que hacer porque alguien lo ha ordenado o pedido: *Mi madre me ha dejado el encargo de comprar el pan.* INGLÉS errand, job.
2 Cosa o producto que se pide a un vendedor o a un fabricante. SINÓNIMO pedido. INGLÉS order.

encariñarse
verbo
1 Tomar cariño a una persona, animal o cosa. INGLÉS to become fond of.

encarnado, encarnada
nombre masculino y adjetivo
1 Color rojo, como el de algunos claveles o geranios. Hay pintalabios encarnados. SINÓNIMO colorado. INGLÉS red.

encéfalo
nombre masculino
1 Conjunto de órganos que forman parte del sistema nervioso del ser humano y algunos animales. El encéfalo es una masa de color blanco que se encuentra en el interior del cráneo y está formado por el cerebro, el cerebelo y el bulbo raquídeo. INGLÉS encephalon.

encendedor
nombre masculino
1 Pequeño aparato que sirve para encender una cosa. Hay varios tipos de encendedores: de gas, de mecha o eléctricos. SINÓNIMO mechero. INGLÉS lighter.

encender
verbo
1 Hacer que llegue la electricidad a un aparato para que empiece a funcionar: *Enciende la luz, que no veo nada.* INGLÉS to turn on, to switch on.
2 Hacer que una cosa arda, normalmente para que dé luz o calor: *Tenían frío y encendieron la chimenea.* INGLÉS to light.
3 encenderse Ponerse roja la cara de una persona. INGLÉS to blush, to go red.
NOTA Se conjuga como: entender; la 'e' se convierte en 'ie' en sílaba acentuada, como: enciende.

encerado
nombre masculino
1 Superficie plana sobre la que se escribe con tiza. SINÓNIMO pizarra. INGLÉS chalkboard.

encerar
verbo
1 Dar cera al suelo o a otra superficie para que quede más brillante. INGLÉS to wax, to polish.

encerrar
verbo
1 Meter a una persona, un animal o una cosa en un sitio cerrado del que no se puede salir o sacar sin los medios necesarios. A los delincuentes se les encierra en la cárcel. En el zoo encierran a los animales salvajes en jaulas. INGLÉS to shut.
2 Contener o llevar algo dentro: *Las palabras que me dirigió encerraban mucho misterio.* INGLÉS to contain.
NOTA Se conjuga como: acertar; la 'e' se

convierte en 'ie' en sílaba acentuada, como: encierre.

encerrona

nombre femenino **1** Trampa para obligar a una persona a hacer o decir algo. INGLÉS trap.

encestar

verbo **1** En baloncesto, meter el balón en la cesta o canasta. También es meter una bola de papel u otro objeto en una papelera o cesto. INGLÉS to score a basket.

encharcar

verbo **1** Cubrir de agua una parte del terreno formando charcos. INGLÉS to flood.
NOTA Se escribe 'qu' delante de 'e', como: encharque.

enchufado, enchufada

adjetivo y nombre **1** Se dice de la persona que obtiene un empleo o algún tipo de favor por estar bien relacionada con personas importantes. INGLÉS well-connected [adjetivo].

enchufar

verbo **1** Conectar un aparato eléctrico a la red por medio del enchufe. Para que funcione un aparato eléctrico, primero hay que enchufarlo. INGLÉS to plug in.
2 Unir los extremos de dos tubos o de un tubo con otro conducto. Las mangueras se enchufan a los grifos. SINÓNIMO conectar. INGLÉS to connect.
3 Dar un empleo o algún trato de favor a una persona solo por estar bien relacionada y no por sus méritos. INGLÉS to pull strings for.

enchufe

nombre masculino **1** Pieza con dos o tres barritas metálicas que sirve para conectar un aparato eléctrico a la red de corriente eléctrica. También se llama enchufe la placa con dos o tres agujeros que hay en una pared por donde pasa la corriente. INGLÉS plug [en el cable], socket [en la pared].
2 Influencia que tiene una persona con otras, especialmente en el trabajo, y por la que consigue favores o privilegios. INGLÉS contacts.

encía

nombre femenino **1** Carne roja que rodea la base de los dientes en la boca de las personas y de algunos animales. INGLÉS gum.

encíclica

nombre femenino **1** Carta que el Papa dirige a los obispos y fieles con orientaciones, consejos o reflexiones sobre un tema que sirven para llevar una vida cristiana. INGLÉS encyclical.

enciclopedia

nombre femenino **1** Obra en la que se recogen una gran cantidad de conocimientos sobre una materia o sobre todo el saber humano: *Hemos comprado una enciclopedia de arte.* INGLÉS encyclopaedia.

encierro

nombre masculino **1** Acción de encerrar o encerrarse: *Los trabajadores de la fábrica realizaron un encierro para protestar por sus sueldos.* INGLÉS reclusion [si se trata de una protesta: sit-in].
2 Fiesta popular que consiste en llevar a los toros corriendo hasta una plaza. En Pamplona se realizan muchos encierros durante los sanfermines. INGLÉS running of the bulls.
3 Lugar en el que se encuentra encerrada una persona o un animal.

encima

adverbio **1** Indica la parte superior de un espacio determinado o de un lugar o cosa de que se habla: *He dejado tus libros allí encima.* INGLÉS above.
2 Indica algo negativo que se añade a una situación anterior que ya estaba mal: *Llega tarde y, encima, se enfada conmigo.* Es un uso informal. INGLÉS on top of that.
3 Indica que queda muy poco tiempo para algo que supone trabajo, o indica que el tiempo corre muy deprisa y queda mucho trabajo por hacer: *Ya tenemos encima los exámenes.* INGLÉS upon.
por encima Indica que una acción se realiza de modo superficial y sin prestar mucha atención. INGLÉS superficially.

encina

nombre femenino **1** Árbol de tronco grueso y hojas perennes y duras, de color gris por encima y verde por debajo. Su fruto es un tipo de bellota, que se usa para alimentar a los cerdos. INGLÉS holm oak.

encinar

nombre masculino **1** Terreno en el que crecen encinas. INGLÉS holm-oak grove.

encinta

adjetivo **1** Se dice de la mujer que va a tener un hijo. La mujer que está encinta no

a b c d e f g h i j k l m n ñ o p q r s t u v w x y z

debe fumar ni beber alcohol. SINÓNIMO embarazada. INGLÉS pregnant.

enclenque
adjetivo y nombre masculino y femenino **1** Se dice de la persona débil, muy delgada o con poca salud. Una mala alimentación puede hacer que una persona sea enclenque. INGLÉS weak, puny, sickly.

encoger
verbo **1** Disminuir o hacer más pequeño el tamaño de las cosas. Algunas prendas de vestir encogen al lavarse. INGLÉS to shrink.
2 Doblar o recoger el cuerpo o una parte de él, en especial los brazos o las piernas. INGLÉS to contract.
3 encogerse Sentir miedo o vergüenza ante una situación determinada. INGLÉS to be intimidated.
NOTA Se escribe 'j' delante de 'a' y 'o', como: encojan.

encolar
verbo **1** Pegar una o más cosas con cola. INGLÉS to glue.
2 Dar cola a una superficie para pegar una cosa sobre ella. INGLÉS to glue.

encomendar
verbo **1** Pedir a una persona que haga una cosa o que se encargue de ella: *Encomendaron a los soldados una misión peligrosa.* INGLÉS to entrust.
NOTA La 'e' se convierte en 'ie' en sílaba acentuada, como: encomiendan.

encontrar
verbo **1** Descubrir a una persona o cosa que se estaba buscando o averiguar dónde está: *¿Has encontrado a la niña? No encuentro la calle en el plano.* SINÓNIMO hallar. INGLÉS to find.
2 Descubrir a una persona o cosa por casualidad, sin estar buscándola: *Me encontré a Carlos por la calle.* SINÓNIMO hallar. INGLÉS to meet.
3 Notar una cosa o tener una opinión sobre algo: *Te encuentro muy guapa con las gafas nuevas.* INGLÉS to find.
4 encontrarse Estar en una situación, un lugar o un estado de ánimo determinado. Francia se encuentra en Europa. SINÓNIMO hallarse. INGLÉS to be.
5 encontrarse Juntarse dos o más cosas o personas en algún lugar: *Quedé con ella en encontrarnos en la puerta del cine.* INGLÉS to meet.
NOTA Se conjuga como: contar; la 'o' se convierte en 'ue' en sílaba acentuada, como: encuentra.

encorvarse
verbo **1** Doblar una persona la espalda hacia delante por la edad o por otro motivo. INGLÉS to stoop.
2 Hacer que un objeto tome forma curva, normalmente a causa del calor o del peso. Los estantes de una estantería se encorvan si ponemos sobre ellos libros muy pesados. INGLÉS to sag.

encrespado, encrespada
adjetivo **1** Se dice del pelo rizado y áspero. INGLÉS curly.

encrucijada
nombre femenino **1** Lugar donde se cruzan varios caminos o calles con distintas direcciones. INGLÉS crossroads.
2 Situación difícil en que hay varias posibilidades y no se sabe cuál de ellas escoger. Una persona está en una encrucijada cuando tiene que decidirse entre dos cosas que le pueden cambiar la vida. INGLÉS crossroads.

encuadernación
nombre femenino **1** Actividad que consiste en coser o pegar hojas escritas o impresas y colocarles tapas. INGLÉS bookbinding.
NOTA El plural es: encuadernaciones.

encuadernar
verbo **1** Coser o pegar hojas escritas o impresas y ponerles tapas para hacer un libro o documento. Los trabajos de la escuela se encuadernan con grapas o anillas. INGLÉS to bind.

encubierto, encubierta
participio **1** Participio irregular de: encubrir. También se usa como adjetivo: *Ha encubierto el fallo de su amigo. No es un elogio, es una crítica encubierta.*

encubrir
verbo **1** Ocultar una cosa que se ha hecho o que no se quiere mostrar. Los niños encubren sus travesuras para no ser castigados. INGLÉS to hide, to cover up.
2 Proteger a la persona responsable de una mala acción para que no sea descubierta. INGLÉS to cover up for.

encuentro
nombre masculino **1** Reunión de dos o más personas en un mismo sitio. INGLÉS meeting.
2 Competición deportiva en la que se

enfrentan dos equipos. SINÓNIMO partido. INGLÉS match.

encuesta
nombre femenino
1 Conjunto de preguntas que se hacen a la gente sobre un tema determinado para después analizar todos los datos juntos. INGLÉS poll, survey.

enderezar
verbo
1 Poner recto algo que estaba torcido o inclinado. También enderezamos un asunto que va mal cuando lo intentamos mejorar. INGLÉS to straighten.
NOTA Se escribe 'c' delante de 'e', como: enderecé.

endibia
nombre femenino
1 Planta parecida a la lechuga pero más pequeña y de sabor algo amargo. Las hojas de la endibia son tiernas, de color verde claro y se comen en ensaladas. INGLÉS endive.
NOTA También se escribe: endivia.

endivia
nombre femenino
1 Es otra forma de escribir: endibia.

endulzar
verbo
1 Añadir azúcar u otra sustancia dulce a un alimento. INGLÉS to sweeten.
2 Hacer agradable una situación triste o difícil. Podemos endulzar la enfermedad de un amigo haciéndole una visita. INGLÉS to make more bearable.
NOTA Se escribe 'c' delante de 'e', como: endulcé.

endurecer
verbo
1 Poner algo duro o más duro. El pan se endurece en muy poco tiempo. El carácter de las personas se endurece con la edad. ANTÓNIMO ablandar. INGLÉS to harden.
NOTA Se conjuga como: agradecer; la 'c' se convierte en 'zc' delante de 'a' y 'o', como: endurezcan.

ene
nombre femenino
1 Nombre de la letra 'n'. 'Niño' empieza con ene.

enemigo, enemiga
adjetivo y nombre
1 Se dice de la persona que es contraria o se opone a otra persona o a una cosa. Los pacifistas son enemigos de la violencia. INGLÉS enemy.
2 Se dice de la persona o ejército del bando contrario que participan en una guerra. INGLÉS enemy.
3 Se dice de la persona que quiere hacer daño a otra o le desea cosas malas. ANTÓNIMO amigo. INGLÉS enemy.

enemistad
nombre femenino
1 Relación que mantienen dos personas o dos grupos de personas que se odian, están enfrentadas o han dejado de ser amigas. Dos pueblos que están en guerra tienen una relación de enemistad. INGLÉS hostility, enmity.

enemistar
verbo
1 Hacer que dos personas o dos grupos de personas dejen de ser amigas. Es difícil que lleguen a enemistarse dos buenos amigos. INGLÉS to make enemies of [enemistar], to become enemies [enemistarse].

energético, energética
adjetivo
1 Se dice de la sustancia o el material que produce energía, como algunos alimentos y recursos naturales. INGLÉS energy.
2 De la energía o que tiene relación con ella. La industria energética es una de las más importantes del sector secundario. INGLÉS energy.

energía
nombre femenino
1 Capacidad o fuerza que tiene una cosa o una persona para hacer algo. En algunas casas, el agua se calienta por medio de energía solar. INGLÉS energy.
2 Predisposición o ánimo de las personas para hacer cosas. Cuando las personas están muy cansadas, ya no tienen energía para hacer nada. INGLÉS energy.

enérgico, enérgica
adjetivo
1 Que actúa con energía o fuerza: *Es un chico muy enérgico, nunca para de hacer cosas.* INGLÉS energetic.
2 Que se hace o se dice con energía, de manera muy decidida: *Me dio una respuesta enérgica.* INGLÉS vigorous, firm.

energúmeno, energúmena
nombre
1 Persona que está muy enfadada y lo demuestra dando gritos y comportándose con agresividad: *Se puso como un energúmeno porque le había manchado su camisa.* INGLÉS madman [hombre], mad woman [mujer].

enero
nombre masculino
1 Primer mes del año. Enero tiene 31 días. INGLÉS January.

a b c d e f g h i j k l m n ñ o p q r s t u v w x y z

enfadar
verbo
1 Causar un disgusto a una persona o molestarla hasta el punto de hacerle perder el buen humor. SINÓNIMO enojar. INGLÉS to make angry [enfadar], to get angry [enfadarse].

enfado
nombre masculino
1 Situación o estado de la persona que está enfadada o molesta con otra por alguna cosa. Las bromas pesadas pueden causar enfado. SINÓNIMO enojo. INGLÉS anger, annoyance.

énfasis
nombre masculino
1 Fuerza con la que se dice o se pronuncia algo que se quiere destacar: *Puso mucho énfasis en las ventajas de aprender inglés.* INGLÉS emphasis, stress.
NOTA El plural es: énfasis.

enfermar
verbo
1 Ponerse enfermo. Cuando enfermamos tenemos que ir al médico. INGLÉS to fall ill.

enfermedad
nombre femenino
1 Alteración de una parte del cuerpo o del organismo de un ser vivo que hace que no funcione bien. La gripe es una enfermedad contagiosa; las plantas sufren enfermedades a causa de plagas de insectos. INGLÉS illness, disease.

enfermería
nombre femenino
1 Lugar donde se asiste a las personas heridas o enfermas. Suele haber enfermerías en colegios o playas para hacer curas de emergencia. INGLÉS infirmary.

enfermero, enfermera
nombre
1 Persona que cuida de los enfermos y ayuda al médico en su trabajo. INGLÉS male nurse [hombre], nurse [mujer].

enfermo, enferma
adjetivo y nombre
1 Que tiene una enfermedad. En un hospital, tenemos que respetar los horarios de visita de los enfermos. ANTÓNIMO sano. INGLÉS sick, ill.

enfocar
verbo
1 Hacer que una imagen que pasa a través de una lente se vea con claridad. Para que las fotografías no salgan borrosas hay que enfocar bien la cámara fotográfica. INGLÉS to focus.
2 Dirigir un foco de luz o una cámara hacia un lugar. Por la noche, los coches enfocan la carretera con los faros. SINÓNIMO iluminar. INGLÉS to shine a light on.
3 Plantear un asunto de una manera determinada. En cualquier debate, los participantes intentan enfocar el tema propuesto desde su propio punto de vista. SINÓNIMO orientar. INGLÉS to approach.
NOTA Se escribe 'qu' delante de 'e', como: enfoqué.

enfoque
nombre masculino
1 Lo que se hace para que una imagen que pasa a través de una lente se vea con claridad. INGLÉS focus.
2 Manera en que se trata un asunto determinado: *No me gusta el enfoque de tu trabajo.* INGLÉS approach.

enfrentamiento
nombre masculino
1 Acción de oponerse, enfrentarse, luchar o competir una persona con otra. Hay enfrentamientos armados entre ejércitos enemigos y enfrentamientos deportivos entre equipos rivales. INGLÉS confrontation.

enfrentar
verbo
1 Hacer que dos personas o grupos de personas tengan una relación de enemistad o de oposición. La lucha por un trofeo enfrenta a los equipos que participan en una competición. INGLÉS to bring into conflict.
2 Poner una persona o una cosa enfrente de otra. Para poder recibir la señal de televisión hay que enfrentar la antena con el aparato emisor de señales. INGLÉS to put opposite.
3 enfrentarse Oponerse una persona a otra o competir por alguna cosa. INGLÉS to clash.
4 enfrentarse Hacer frente a una situación difícil o peligrosa. Los gobiernos europeos se enfrentan a problemas graves, como el paro o la contaminación. INGLÉS to face.

enfrente
adverbio
1 Indica que la parte delantera o principal de una cosa o de una persona se encuentra delante del que está hablando o del lugar u objeto del que hablamos: *Yo vivo ahí enfrente.* INGLÉS opposite.

enfriar
verbo
1 Poner fría una cosa o hacer bajar su temperatura. La nevera enfría los ali-

mentos. ANTÓNIMO calentar. INGLÉS to cool, to chill.

2 Hacer que un sentimiento, un deseo o una ilusión sea menos fuerte o intenso. La distancia puede enfriar el amor. INGLÉS to cool down.

3 enfriarse Coger una persona un resfriado o un constipado a causa del frío o de un cambio brusco de temperatura. SINÓNIMO resfriarse. INGLÉS to catch a cold.

NOTA Se conjuga como: desviar; la 'i' se acentúa en algunos tiempos y personas, como: enfríe.

enfundar

verbo

1 Meter una cosa dentro de una funda o de una cubierta. Las personas nos podemos enfundar dentro de un vestido o un traje. ANTÓNIMO desenfundar. INGLÉS to sheathe [una espada], to put in its holster [una pistola].

enfurecer

verbo

1 Hacer que una persona se enfade muchísimo. INGLÉS to infuriate, to enrage.

NOTA Se conjuga como: agradecer; la 'c' se convierte en 'zc' delante de 'a' y 'o', como: enfurezca.

enfurruñarse

verbo

1 Enfadarse un poco por alguna cosa de poca importancia. Los chavales se enfurruñan con sus padres si no les dejan hacer algo que quieren. INGLÉS to get in a huff.

NOTA Es una palabra informal.

engalanar

verbo

1 Poner a una persona o a una cosa ropas o adornos bonitos y elegantes. Nos engalanamos cuando vamos a una boda. INGLÉS to dress up.

enganchar

verbo

1 Sujetar, unir o colgar una cosa a otra con un gancho o algo parecido. Enganchamos un papel a la pared con chinchetas o cinta adhesiva. INGLÉS to hook, to stick.

2 Atraer mucho una persona o una cosa a alguien, hasta el punto de que casi no puede pasar sin ella: *Esa chica lo ha enganchado bien.* INGLÉS to hook.

3 engancharse Tener una dependencia muy fuerte de una cosa, especialmente de la droga. INGLÉS to get hooked.

enganche

nombre masculino

1 Aquello que sirve para enganchar o unir dos cosas o dos partes de una cosa de modo que no se suelten. Las faldas suelen tener una cremallera y encima un enganche. INGLÉS hook, fastener.

enganchón

nombre masculino

1 Rotura que se produce en una cosa, especialmente una tela, cuando se engancha a un objeto con punta. INGLÉS snag.

NOTA El plural es: enganchones.

engañar

verbo

1 Hacer creer una cosa que no es verdad o hacer caer en una trampa: *Me ha engañado al decirme que estaba lloviendo.* INGLÉS to deceive.

2 Parecer una cosa o una persona lo que no es en realidad; dar una impresión falsa: *Esa foto engaña: parezco más alta de lo que soy.* INGLÉS to be deceiving.

3 Tener una persona relaciones amorosas o sexuales con otra que no es su pareja. INGLÉS to cheat on.

4 Dar menos de lo que se debe dar o cobrar más de lo que se debe cobrar: *Me han engañado, he visto este juguete más barato en otro sitio.* SINÓNIMO estafar. INGLÉS to cheat.

5 Calmar o aliviar por un rato una necesidad, normalmente el hambre o la sed: *Me comeré una galleta para engañar el hambre hasta la hora de cenar.* INGLÉS to take the edge off.

6 engañarse No querer creer que algo es como es: *No te engañes, no podrás con todo.* ANTÓNIMO desengañarse. INGLÉS to deceive oneself.

engaño

nombre masculino

1 Cosa que se hace o se dice que no es verdad. SINÓNIMO mentira. ANTÓNIMO verdad. INGLÉS trick, lie.

engañoso, engañosa

adjetivo

1 Que engaña o puede engañar. A veces la publicidad es engañosa. INGLÉS misleading.

engarzar

verbo

1 Unir una cosa con otra u otras de manera que formen una cadena: *Engarzó varios eslabones de oro para hacer un collar.* INGLÉS to string.

2 Encajar una piedra preciosa en un objeto de metal, como un pendiente o un anillo. INGLÉS to set.

NOTA La 'z' se convierte en 'c' delante de 'e', como: engarcen.

engatusar

verbo

1 Conquistar a una persona mediante alabanzas exageradas para conseguir algo de ella. INGLÉS to get round.

engendrar

verbo

1 Producir una persona o un animal un nuevo ser de su misma especie. SINÓNIMO concebir. INGLÉS to engender.

2 Producir o provocar algo. A menudo la envidia tan solo engendra odio. INGLÉS to breed.

engendro

nombre masculino

1 Ser vivo con aspecto físico anormal y deforme. Un animal con dos cabezas es un engendro. INGLÉS freak.

2 Persona muy fea. Es un uso despectivo. INGLÉS ugly devil.

3 Plan u obra que está muy mal pensado o muy mal desarrollado: *La película era un engendro: estaba muy mal hecha y no se entendía nada.* Es un uso despectivo. INGLÉS load of rubbish.

englobar

verbo

1 Incluir varias partes, elementos o personas en una sola cosa o conjunto. La nutrición engloba los procesos de digestión, respiración, circulación y excreción. INGLÉS to bring together.

engordar

verbo

1 Poner o ponerse un animal o una persona más gordo de lo que estaba. Los ganaderos engordan a los cerdos para luego aprovechar su carne. ANTÓNIMO adelgazar. INGLÉS to fatten.

engorro

nombre masculino

1 Molestia pequeña causada por algún hecho de poca importancia: *Es un engorro tener que hacer cola para comprar una entrada de cine.* INGLÉS nuisance.

NOTA Es una palabra informal.

engranaje

nombre masculino

1 Conjunto de ruedas dentadas y piezas que encajan unas con otras, que, al girar, hacen que también giren las demás. El engranaje forma parte de un mecanismo, como el de un reloj. INGLÉS gears, cogs.

engrandecer

verbo

1 Hacer grande o más grande. Las ciudades se van engrandeciendo cada vez más. SINÓNIMO agrandar. ANTÓNIMO empequeñecer. INGLÉS to enlarge, to make larger.

NOTA Se conjuga como: agradecer; la 'c' se convierte en 'zc' delante de 'a' y 'o', como: engrandezco.

engrasar

verbo

1 Poner grasa o aceite en las piezas de un objeto o una máquina para que funcione mejor. Cuando una cerradura está oxidada hay que engrasarla. INGLÉS to grease, to oil.

engrase

nombre masculino

1 Acción de poner grasa o aceite a una máquina o a otro objeto para que funcione mejor. INGLÉS greasing, oiling.

engreído, engreída

adjetivo y nombre

1 Se dice de la persona que siente y muestra un orgullo excesivo por sus cualidades o actos. Las personas engreídas piensan y dicen que son las mejores en algo, aunque no lo sean. INGLÉS vain, conceited.

engullir

verbo

1 Comer y tragar con muchas ganas y de forma muy rápida, casi sin masticar: *Se ha engullido el plato de paella en dos minutos.* INGLÉS to swallow.

NOTA Se conjuga como: zambullir.

enharinar

verbo

1 Cubrir un alimento con una fina capa de harina antes de cocinarlo. Para freír pescado o albóndigas primero se enharinan y después se echan en aceite caliente. INGLÉS to flour, to sprinkle with flour.

enhebrar

verbo

1 Pasar un hilo por el ojo o agujero de una aguja. INGLÉS to thread.

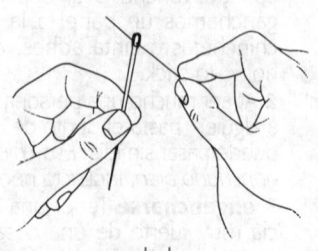

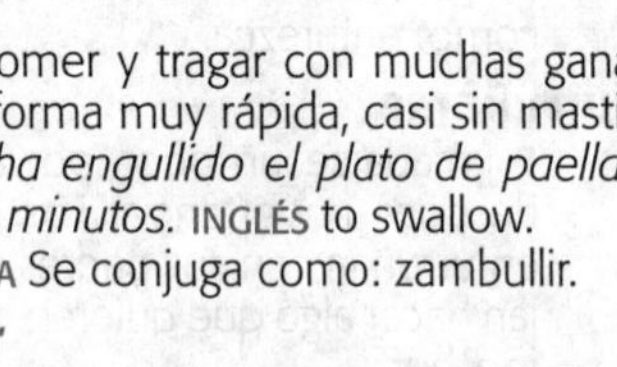

enhebrar

enhorabuena
nombre femenino
1 Felicitación que se da a una persona por algo bueno que ha hecho o le ha sucedido. INGLÉS congratulations.

enigma
nombre masculino
1 Expresión o conjunto de palabras que son difíciles de entender o que ocultan algún significado que hay que adivinar. SINÓNIMO acertijo. INGLÉS enigma, puzzle.
2 Cosa difícil de entender o para la que no se encuentra explicación: *El origen de este malestar es un enigma.* INGLÉS puzzle, mystery.

enjabonar
verbo
1 Frotar la ropa o el cuerpo con agua y jabón para limpiarlos. SINÓNIMO jabonar. INGLÉS to soap.

enjambre
nombre masculino
1 Conjunto de abejas de una colmena. INGLÉS swarm.

enjaular
verbo
1 Meter dentro de una jaula, en especial a un animal. INGLÉS to cage.

enjuagar
verbo
1 Quitar con agua el jabón con el que se está limpiando una persona o una cosa. Después de enjabonarnos el pelo nos lo enjuagamos con agua. SINÓNIMO aclarar. INGLÉS to rinse.
2 enjuagarse Limpiarse la boca cogiendo un sorbo de agua u otro líquido y moviéndolo dentro de la boca. INGLÉS to rinse one's mouth out.
NOTA Se escribe 'gu' delante de 'e', como: enjuaguen.

enjugar
verbo
1 Quitar la humedad de la superficie de una cosa. También es secar las lágrimas, el sudor o la sangre del cuerpo. ANTÓNIMO humedecer. INGLÉS to wipe, to dry.
NOTA Se escribe 'gu' delante de 'e', como: enjugué.

enjuto, enjuta
adjetivo
1 Se dice de una persona o un animal que tiene poca grasa o carne en el cuerpo. SINÓNIMO flaco. INGLÉS thin, lean.

enlace
nombre masculino
1 Ceremonia en la que dos personas se casan. SINÓNIMO boda. INGLÉS marriage.
2 Persona que en una organización sirve para mantener la comunicación entre personas que no pueden comunicarse directamente. INGLÉS go-between.
3 Palabra que sirve para unir oraciones o partes de la oración. INGLÉS link, connector.
4 Lugar en que se cruzan o unen dos vías de comunicación o dos medios de transporte. Las estaciones donde hay dos líneas de tren o metro son enlaces. INGLÉS interchange.

enlatar
verbo
1 Meter algo dentro de una lata. INGLÉS to can.

enlazar
verbo
1 Relacionar un hecho, una idea o unas palabras con otras que se conocen. En las conversaciones enlazamos unas ideas con otras. INGLÉS to link.
2 Combinarse en un lugar dos o más medios de transporte. INGLÉS to connect.
3 Unir dos o más cosas con un lazo. INGLÉS to tie up.
NOTA Se escribe 'c' delante de 'e', como: enlacen.

enloquecer
verbo
1 Volver loca a una persona. También es poner a alguien muy nervioso o inquieto. Un ruido insistente nos puede enloquecer. INGLÉS to drive mad.
2 Gustar una cosa a una persona de manera exagerada. Es un uso informal. SINÓNIMO encantar. INGLÉS to love.
NOTA Se conjuga como: agradecer; la 'c' se convierte en 'zc' delante de 'a' y 'o', como: enloquezca o enloquezco.

enmadrado, enmadrada
adjetivo
1 Se dice del hijo que está demasiado encariñado con su madre. INGLÉS tied to one's mother's apron strings.

enmarañar
verbo
1 Mezclar sin orden un conjunto de cosas, como cabellos, hilos o lanas. SINÓNIMO enredar. INGLÉS to tangle.
2 Hacer más difícil o complicada una situación o un asunto. INGLÉS to muddle up, to confuse.

enmarcar
verbo
1 Poner un cuadro, una foto o un póster dentro de un marco. INGLÉS to frame.
NOTA Se escribe 'qu' delante de 'e', como: enmarquen.

a b c d e f g h i j k l m n ñ o p q r s t u v w x y z

enmascarado, enmascarada
adjetivo y nombre **1** Que lleva la cara tapada con una máscara o con un antifaz. INGLÉS masked [adjetivo].

enmascarar
verbo **1** Cubrir o tapar la cara con una máscara. INGLÉS to mask.
2 Enseñar o contar algo ocultando o disimulando un aspecto para que parezca distinto de como es en realidad. INGLÉS to conceal.

enmendar
verbo **1** Quitar un error o una falta y hacer lo que es correcto. SINÓNIMO rectificar. INGLÉS to correct.
NOTA Se conjuga como: acertar; la 'e' se convierte en 'ie' en sílaba acentuada, como: enmiendan.

enmienda
nombre femenino **1** Corrección de un error o de una falta, en especial de un texto. INGLÉS correction.

enmudecer
verbo **1** Quedarse callado o hacer callar a una persona. El público enmudece cuando los actores salen al escenario. ANTÓNIMO hablar. INGLÉS to fall silent [quedarse callado], to silence [hacer callar].
NOTA Se conjuga como: agradecer; la 'c' se convierte en 'zc' delante de 'a' y 'o', como: enmudezca o enmudezco.

enojar
verbo **1** Hacer que una persona se enfade mucho. INGLÉS to anger.

enojo
nombre masculino **1** Estado de la persona que está muy disgustada o molesta por algo o con alguien. SINÓNIMO enfado. INGLÉS anger, annoyance.

enorgullecerse
verbo **1** Hacer que alguien se sienta lleno de orgullo y satisfacción: *Se enorgullece de sus hijos.* INGLÉS to be proud.
NOTA Se conjuga como: agradecer; la 'c' se convierte en 'zc' delante de 'a' y 'o', como: enorgullezca.

enorme
adjetivo **1** Que es muy grande o tiene un tamaño más grande de lo normal. SINÓNIMO inmenso. ANTÓNIMO pequeño. INGLÉS enormous, huge.

enraizar
verbo **1** Echar raíces una planta. SINÓNIMO arraigar. INGLÉS to take root.
2 Establecerse alguien en un lugar definitivamente. SINÓNIMO asentarse. INGLÉS to settle.

enraizar

INDICATIVO	SUBJUNTIVO
presente	**presente**
enraízo	enraíce
enraízas	enraíces
enraíza	enraíce
enraizamos	enraicemos
enraizáis	enraicéis
enraízan	enraícen
pretérito imperfecto	**pretérito imperfecto**
enraizaba	enraizara o enraizase
enraizabas	enraizaras o enraizases
enraizaba	enraizara o enraizase
enraizábamos	enraizáramos o enraizásemos
enraizabais	enraizarais o enraizaseis
enraizaban	enraizaran o enraizasen
pretérito perfecto simple	**futuro**
enraicé	enraizare
enraizaste	enraizares
enraizó	enraizare
enraizamos	enraizáremos
enraizasteis	enraizareis
enraizaron	enraizaren
futuro	**IMPERATIVO**
enraizaré	enraíza (tú)
enraizarás	enraíce (usted)
enraizará	enraicemos (nosotros)
enraizaremos	enraizad (vosotros)
enraizaréis	enraícen (ustedes)
enraizarán	
condicional	**FORMAS NO PERSONALES**
enraizaría	**infinitivo** enraizar
enraizarías	**gerundio** enraizando
enraizaría	**participio** enraizado
enraizaríamos	
enraizaríais	
enraizarían	

enredadera
adjetivo y nombre femenino **1** Se dice de la planta que crece subiendo por las paredes y los árboles, como la hiedra. INGLÉS climbing plant [nombre].

enredar
verbo **1** Mezclar sin ningún orden un conjunto de cosas, como cabellos, hilos, lanas o papeles. SINÓNIMO enmarañar. INGLÉS to tangle.
2 Hacer que algo sea difícil o más difícil de lo que es: *No enredes más las cosas.* INGLÉS to confuse, to complicate.

3 Meter poco a poco y sin violencia a una persona en una situación o un asunto complicado. INGLÉS to involve, to implicate.
4 Perder el tiempo una persona casi sin darse cuenta: *Me enredé y perdí el tren.* INGLÉS to get caught up.
5 Molestar o andar tocando cosas que no se deben tocar o que no se conocen bien. INGLÉS to mess about.
6 enredarse Equivocarse o hablar o hacer algo de un modo confuso. INGLÉS to get into a tangle.
7 enredarse Empezar una pelea o una discusión fuerte: *No te enredes a discutir con el árbitro.* INGLÉS to get involved in.

enredo
nombre masculino
1 Mezcla desordenada de cosas, como cabellos, cables o hilos. INGLÉS tangle, mess.
2 Asunto complicado del que resulta difícil salir. En las películas de risa suele haber muchos enredos. INGLÉS muddle, mix-up.
3 Engaño o mentira que causa problemas entre las personas. SINÓNIMO chisme. INGLÉS mischief.

enrejado
nombre masculino
1 Conjunto de barras de metal o de madera entrecruzadas que se pone delante de una puerta o de una ventana para protegerla o para decorarla. SINÓNIMO reja. INGLÉS railings, bars.

enrejar
verbo
1 Poner una reja a una ventana o una puerta. INGLÉS to put railings on.

enrevesado, enrevesada
adjetivo
1 Que es complicado y difícil de seguir o de entender: *Me dio una explicación tan enrevesada que no conseguí entenderlo.* INGLÉS involved.

enriquecedor, enriquecedora
adjetivo
1 Que enriquece espiritualmente a la persona. Viajar o conversar son actividades enriquecedoras. INGLÉS enriching.

enriquecer
verbo
1 Hacer rica o más rica a una persona o cosa. El turismo enriquece las zonas costeras. ANTÓNIMO arruinar. INGLÉS to make rich.
2 Mejorar o aumentar las cualidades o propiedades de alguna cosa. Los abonos enriquecen el suelo. INGLÉS to enrich.
3 Ser algo útil para que una persona aprenda y sea mejor espiritualmente. Las experiencias positivas nos enriquecen. INGLÉS to enrich.
NOTA Se conjuga como: agradecer; la 'c' se convierte en 'zc' delante de 'a' y 'o', como: enriquezca.

enrojecer
verbo
1 Poner o ponerse roja una cosa durante un tiempo, especialmente una parte del cuerpo humano, como la piel, los ojos o la cara. INGLÉS to redden [poner rojo], to turn red [ponerse rojo].
NOTA Se conjuga como: agradecer; la 'c' se convierte en 'zc' delante de 'a' y 'o', como: enrojezca.

enrolar
verbo
1 Inscribir a una persona entre los miembros de la tripulación de una embarcación. INGLÉS to enlist.
2 enrolarse Inscribirse una persona en el ejército u otra organización: *Se enroló como copiloto en un avión comercial.* INGLÉS to enlist.

enrollar
verbo
1 Poner algo flexible en forma de rollo. ANTÓNIMO desenrollar. INGLÉS to roll up.
2 Convencer a una persona para que haga una cosa que no quiere o que no tenía planeada. SINÓNIMO liar. Es un uso informal. INGLÉS to involve.
3 Gustar mucho una cosa: *El cine me enrolla cantidad.* SINÓNIMO molar. Es un uso informal. INGLÉS to like.
4 enrollarse Extenderse demasiado en hacer algo, especialmente en hablar o escribir. Es un uso informal. INGLÉS to go on and on.
5 enrollarse Tener dos personas una relación sexual o amorosa. SINÓNIMO ligar. Es un uso informal. INGLÉS to have an affair.
6 enrollarse Saber relacionarse con la gente o participar en una actividad social: *Es muy majo, se enrolla cantidad.* Es un uso informal. INGLÉS to get involved [en una actividad], to be nice [ser majo].

enroscar
verbo
1 Hacer que un objeto encaje en otro dándole vueltas, como enroscar un tornillo en un agujero. ANTÓNIMO desenroscar. INGLÉS to screw in.
2 enroscarse Retorcerse un cuerpo en

a b c d e f g h i j k l m n ñ o p q r s t u v w x y z

forma de espiral. Las serpientes se enroscan alrededor de sus presas. INGLÉS to coil.

NOTA Se escribe 'qu' delante de 'e', como: enrosquen.

ensaimada

nombre femenino **1** Bollo de forma redonda y plana que suele estar cubierto por azúcar en polvo y puede estar relleno de crema o cabello de ángel.

ensalada

nombre femenino **1** Comida fría compuesta por trozos de varias hortalizas, como lechuga, tomate o cebolla, que se acompaña de alguna salsa o condimento. INGLÉS salad.

ensaladilla

nombre femenino **1** Comida fría que se hace con trozos de patata y otras hortalizas hervidas y se sirve cubierta de mayonesa. INGLÉS Russian salad.

ensanchamiento

nombre masculino **1** Acción que consiste en hacer más ancha una cosa: *Se están realizando obras de ensanchamiento en la carretera.* INGLÉS widening.

ensanchar

verbo **1** Hacer más ancha una cosa, como una acera o una carretera. INGLÉS to widen.

ensangrentar

verbo **1** Llenar o manchar de sangre. INGLÉS to cover with blood [llenar], to stain with blood [manchar].

NOTA Se conjuga como: acertar; la 'e' se convierte en 'ie' en sílaba acentuada, como: ensangrientan.

ensartar

verbo **1** Atravesar una cosa con un objeto acabado en punta. Para hacer un pincho de carne hay que ensartar diversos trozos de carne. INGLÉS to skewer.

2 Pasar por un hilo o un alambre una serie de cosas que tienen un agujero hecho. Si ensartamos varias cuentas de colores en un cordel, podemos hacer una pulsera o un collar. INGLÉS to thread.

ensayar

verbo **1** Hacer como prueba algo que se tendrá que hacer más adelante de manera definitiva, para aprender a hacerla. Los actores ensayan sus papeles. INGLÉS to rehearse.

2 Comprobar las cualidades o la calidad de una cosa, sometiéndola a una serie de condiciones o de operaciones para ver cómo reacciona. Ensayar la resistencia de un material es hacerle pruebas para ver cuánto resiste. INGLÉS to test.

ensayo

nombre masculino **1** Acción que consiste en ensayar algo, como una obra de teatro, un baile o un discurso. INGLÉS rehearsal.

2 Obra literaria en la que el autor expone sus pensamientos. También es el género literario formado por estas obras. INGLÉS essay.

3 Prueba que se hace para comprobar las cualidades o la calidad de una cosa. INGLÉS test.

enseguida

adverbio **1** Indica que una acción tiene lugar casi inmediatamente después de otra: *Si no gana, enseguida se enfada.* También se escribe 'en seguida'. INGLÉS at once, straight away.

ensenada

nombre femenino **1** Zona de la costa en la que el mar entra en la tierra. La ensenada es más pequeña que la bahía y en ella pueden entrar barcos para protegerse del mal tiempo. INGLÉS inlet.

enseñanza

nombre femenino **1** Actividad que consiste en hacer que una persona adquiera conocimientos, experiencias o hábitos. Los profesores se dedican a la enseñanza. SINÓNIMO educación. INGLÉS education, teaching.

2 Método o sistema que una persona o un centro emplea para enseñar, como la enseñanza a distancia o la enseñanza audiovisual. INGLÉS education.

3 Cosa que sirve de experiencia o de ejemplo a una persona: *Espero que el accidente te sirva de enseñanza.* INGLÉS lesson.

nombre femenino plural **4** **enseñanzas** Conjunto de conocimientos, ideas, principios o hábitos que una persona enseña a otras. INGLÉS teachings.

enseñar

verbo **1** Hacer que una persona adquiera conocimientos, habilidades, experiencias o hábitos. Los libros enseñan muchas cosas, para que nosotros aprendamos. INGLÉS to teach.

2 Mostrar una cosa o ponerla delante de la vista de una persona para que la vea: *Nos enseñó las fotos de sus vacaciones.* INGLÉS to show.

3 Servir una cosa de experiencia o de ejemplo a una persona: *Los errores nos enseñan a no cometerlos de nuevo.* INGLÉS to teach.

enseres

nombre masculino plural

1 Conjunto de muebles, ropas, utensilios o instrumentos que son de una persona o que se usan en una profesión: *El pintor recogió sus enseres y dio por terminado el trabajo.* INGLÉS belongings [pertenencias], equipment [instrumentos].

ensillar

verbo

1 Poner una silla de montar en el lomo de un caballo u otro animal. INGLÉS to saddle.

ensimismarse

verbo

1 Quedarse una persona muy concentrada en sus propios pensamientos, de manera que no se da cuenta de lo que pasa a su alrededor. INGLÉS to become lost in thought.

ensordecedor, ensordecedora

adjetivo

1 Se dice del ruido o la música que suena muy fuerte. INGLÉS deafening.

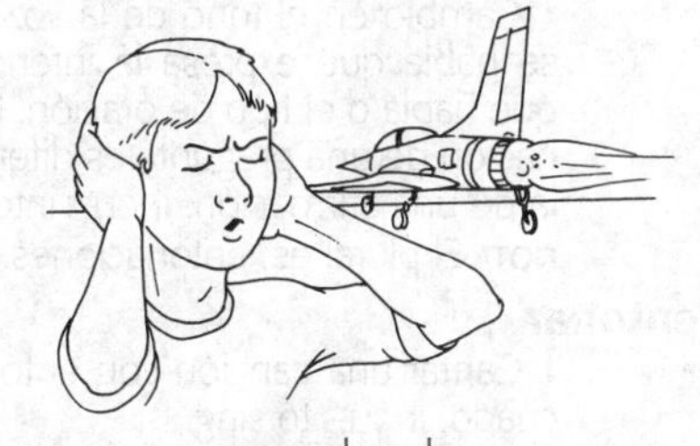

ensordecedor

ensuciar

verbo

1 Poner sucia una cosa que antes estaba limpia. SINÓNIMO manchar. ANTÓNIMO limpiar. INGLÉS to dirty.

ensueño

nombre masculino

1 Acción de soñar, desear o imaginar cosas difíciles de conseguir. SINÓNIMO sueño. INGLÉS fantasy.

de ensueño Se utiliza para expresar que una cosa es fantástica o magnífica: *Hemos pasado las vacaciones en un hotel de ensueño.* INGLÉS dream.

entender

verbo

1 Llegar a saber bien el significado de una cosa. A algunas personas no se las entiende cuando hablan. INGLÉS to understand.

2 Conocer y aceptar los motivos por los que una persona realiza una acción o tiene determinados sentimientos: *No entiendo cómo puedes tardar tanto en vestirte.* INGLÉS to understand.

3 Tener una persona determinada opinión sobre otra persona o una cosa: *Entiendo que deberías decírselo.* SINÓNIMO opinar. INGLÉS to realize.

4 Tener una persona conocimientos acerca de una materia o de un tema: *Entiende mucho de música.* INGLÉS to know.

5 entenderse Llevarse bien dos personas o estar de acuerdo en casi todo: *Se entiende muy bien con su padre.* INGLÉS to get on.

6 entenderse Mantener dos personas

entender

INDICATIVO

presente
entiendo
entiendes
entiende
entendemos
entendéis
entienden

pretérito imperfecto
entendía
entendías
entendía
entendíamos
entendíais
entendían

pretérito perfecto simple
entendí
entendiste
entendió
entendimos
entendisteis
entendieron

futuro
entenderé
entenderás
entenderá
entenderemos
entenderéis
entenderán

condicional
entendería
entenderías
entendería
entenderíamos
entenderíais
entenderían

SUBJUNTIVO

presente
entienda
entiendas
entienda
entendamos
entendáis
entiendan

pretérito imperfecto
entendiera o entendiese
entendieras o entendieses
entendiera o entendiese
entendiéramos o entendiésemos
entendierais o entendieseis
entendieran o entendiesen

futuro
entendiere
entendieres
entendiere
entendiéremos
entendiereis
entendieren

IMPERATIVO

entiende	(tú)
entienda	(usted)
entendamos	(nosotros)
entended	(vosotros)
entiendan	(ustedes)

FORMAS NO PERSONALES

infinitivo entender
gerundio entendiendo
participio entendido

a b c d e f g h i j k l m n ñ o p q r s t u v w x y z

a b c d e f g h i j k l m n ñ o p q r s t u v w x y z

relaciones amorosas o sexuales, especialmente si no están casadas. INGLÉS to be having an affair.

entendido, entendida

adjetivo y nombre **1** Se dice de la persona que tiene muchos conocimientos acerca de una materia o un tema. INGLÉS expert.

entendimiento

nombre masculino **1** Capacidad de las personas para conocer, comprender y juzgar las cosas. Los bebés aún no tienen entendimiento. INGLÉS understanding, comprehension, understanding, sense, judgement, intelligence.

2 Estado o situación de las personas que se llevan bien y están de acuerdo en las cosas: *No hubo nunca entendimiento entre ellos.* INGLÉS understanding.

enterarse

verbo **1** Tener noticia o conocimiento de algo: *Se enteró del asunto por los periódicos.* INGLÉS to find out, to hear.

2 Darse cuenta una persona de lo que pasa a su alrededor: *Cuando está dormido no se entera de nada.* INGLÉS to be aware.

3 Entender algo: *Lo leí, pero no me enteré de nada.* INGLÉS to understand.

enternecer

verbo **1** Hacer que una persona muestre sus sentimientos o sus emociones o se comporte con ternura. INGLÉS to move, to touch.

NOTA Se conjuga como: agradecer; la 'c' se convierte en 'zc' delante de 'a' y 'o', como: enternezca.

entero, entera

adjetivo **1** Que no le falta ninguna parte o que no ha sufrido ningún daño. SINÓNIMO completo. ANTÓNIMO incompleto. INGLÉS entire, whole.

2 Se dice de la persona que es capaz de controlar sus sentimientos y emociones y reacciona con serenidad ante las desgracias. SINÓNIMO sereno; íntegro. INGLÉS composed.

adjetivo y nombre masculino **3** En matemáticas, se dice del número que no tiene decimales, como el 2 o el 7. INGLÉS whole [adjetivo].

enterrar

verbo **1** Poner algo debajo de la tierra o de otras cosas. Si se entierra una semilla en tierra, sale una planta. INGLÉS to bury.

2 Meter un cadáver en una tumba o un nicho. Cuando una persona se muere, se la suele enterrar. INGLÉS to bury.

NOTA Se conjuga como: acertar; la 'e' se convierte en 'ie' en sílaba acentuada, como: entierran.

entidad

nombre femenino **1** Asociación de personas que tienen algún negocio público o privado y que actúan en común, como una entidad bancaria o una entidad benéfica. SINÓNIMO compañía; empresa. INGLÉS body.

2 Aquello que hace que una cosa sea lo que es. La entidad de un pueblo está formada por sus costumbres y su cultura. SINÓNIMO esencia. INGLÉS entity.

entierro

nombre masculino **1** Acto en el que se mete un cadáver en una tumba o en un nicho. INGLÉS burial, funeral.

entomología

nombre femenino **1** Parte de la zoología que estudia y describe los insectos. INGLÉS entomology.

entonación

nombre femenino **1** Cambio en el tono de la voz cuando se habla que expresa la intención del que habla o el tipo de oración. La entonación de una pregunta es diferente de la de una afirmación. INGLÉS intonation.

NOTA El plural es: entonaciones.

entonar

verbo **1** Cantar una canción con el tono adecuado. INGLÉS to sing.

2 Hacer que una persona se sienta mejor: *Se tomó un café para entonarse.* INGLÉS to perk up.

entonces

adverbio **1** Indica un tiempo o un momento en el pasado o en el futuro. Suele indicar el momento inmediatamente después de algo de lo que se habla: *Le pregunté si lo sabía, y entonces ella me dijo que no.* INGLÉS then.

2 Indica que lo que se dice a continuación es una consecuencia de lo que se ha dicho antes: *¿Dices que está fuera? Entonces no vendrá.* INGLÉS then, so.

entornar

verbo **1** Dejar algo sin cerrarlo del todo. Se

entornan cosas como una puerta o los ojos. INGLÉS to half-close.

entorno

nombre masculino **1** Conjunto de lugares, objetos, personas y situaciones que rodean a una persona o una cosa. La familia y su casa son el entorno más próximo de las personas. INGLÉS environment.

entorpecer

verbo **1** Poner obstáculos o trabas, de modo que algo resulte más difícil o más lento. Los atascos entorpecen el tráfico. SINÓNIMO dificultar. ANTÓNIMO facilitar. INGLÉS to obstruct, to hinder.

NOTA Se conjuga como: agradecer; la 'c' se convierte en 'zc' delante de 'a' y 'o', como: entorpezca.

entrada

nombre femenino **1** Acción que consiste en pasar al interior de un sitio: *El guardia controlaba la entrada al edificio.* ANTÓNIMO salida. INGLÉS entry.

2 Espacio por donde se entra a un lugar, como un edificio o un pueblo. ANTÓNIMO salida. INGLÉS entrance.

3 Parte de una casa que está junto a la puerta principal. INGLÉS hall, entrance.

4 Trozo de papel pequeño que da derecho a entrar a ver una competición deportiva o un espectáculo de teatro, cine o música. INGLÉS ticket.

5 Conjunto de personas que van a ver un espectáculo o una competición deportiva. INGLÉS audience [de un espectáculo], attendance [de una competición deportiva].

6 Parte de los lados de la cabeza que no tiene pelo porque ha caído. Se usa sobre todo en plural: *Tiene entradas pero ni una cana.* INGLÉS receding hairline.

7 Plato ligero que se sirve antes del plato principal de una comida. La sopa o el puré son entradas. INGLÉS starter.

8 Comienzo o primera parte de una cosa, una acción o un proceso. En la entrada de una película aparece el título. INGLÉS opening, beginning.

9 Cada una de las palabras que se definen en un diccionario. La palabra 'entraña' es una entrada de este diccionario. INGLÉS entry.

10 En algunos deportes, acción que consiste en atacar al jugador contrario para quitarle el balón, normalmente haciéndole una falta. INGLÉS tackle.

entraña

nombre femenino **1** Cada uno de los órganos que se encuentran en las cavidades interiores de las personas y de los animales. SINÓNIMO víscera. INGLÉS internal organ.

nombre femenino plural **2** **entrañas** Sentimientos de una persona. Una persona sin entrañas no suele tener piedad con los demás. Con este significado se utiliza sobre todo en frases negativas. SINÓNIMO corazón. INGLÉS heart.

3 **entrañas** Parte más oculta o interior de una cosa. La lava del volcán sale con fuerza de las entrañas de la Tierra. INGLÉS bowels.

entrañable

adjetivo **1** Que es muy querido y estimado: *Guardamos un recuerdo entrañable de las vacaciones.* INGLÉS warm, lovely, dear, [si es un recuerdo: fond].

entrar

verbo **1** Ir o pasar de fuera a dentro de un lugar. Entramos en casa por la puerta. ANTÓNIMO salir. INGLÉS to enter.

2 Poder meterse bien una cosa en otra. En un maletero grande entran muchas cosas. SINÓNIMO caber. INGLÉS to fit.

3 Pasar a formar parte de un grupo o una asociación: *No ha podido entrar en el club porque ya había demasiados socios.* INGLÉS to join.

4 Empezar a sentir algo, como hambre, frío o miedo: *Le entró mucha sed después de tantas palomitas.*

5 Ser una prenda de vestir suficientemente ancha como para poder ponérsela: *No me entra el jersey.* INGLÉS to fit.

6 Empezar algo que es cíclico o se repite cada cierto tiempo. El 21 de junio entramos en el verano. INGLÉS to start, to begin.

entre

preposición **1** Indica una situación o un lugar en medio de dos o más personas o cosas: *Tendrá entre 20 y 30 años.* INGLÉS between.

2 Indica algo dentro de un grupo: *Entre los estudiantes de tu curso tú eres el mejor.* INGLÉS of, among.

3 Indica las distintas personas o cosas que hacen algo juntos: *Entre todos lo haremos mejor.* INGLÉS between.

a b c d e f g h i j k l m n ñ o p q r s t u v w x y z

4 Señala un período de tiempo de los que se dicen el principio y el fin: *Muchas tiendas cierran entre las dos y las cinco de la tarde.* INGLÉS between.

5 Sirve para comparar dos o más cosas o personas: *No veo tanta diferencia entre tu trabajo y el mío.* INGLÉS between.

entreabierto, entreabierta
participio **1** Participio irregular de: entreabrir. También se usa como adjetivo: *Entró por la puerta entreabierta.* INGLÉS half-open.

entreabrir
verbo **1** Abrir un poco una cosa, pero no del todo. INGLÉS to half open.

NOTA El participio es: entreabierto.

entreacto
nombre masculino **1** Período de tiempo breve durante el cual se interrumpe un espectáculo teatral o de otro tipo para que el público y los artistas descansen. INGLÉS interval.

entrecejo
nombre masculino **1** Espacio que hay entre las cejas: *Cuando se enfada frunce el entrecejo.* INGLÉS space between the eyebrows.

entrecerrar
verbo **1** Dejar una puerta o ventana casi cerrada. INGLÉS to half close.

2 Bajar los párpados sin llegar a cerrar los ojos por completo. INGLÉS to half close.

NOTA Se conjuga como: acertar; la 'e' se convierte en 'ie' en sílaba acentuada, como: entrecierra.

entrechocar
verbo **1** Chocar o hacer chocar dos o más cosas entre sí. Muchas veces, las personas que brindan por algo, entrechocan sus copas o vasos. INGLÉS to crash, to collide, [si son copas: to clink].

NOTA Se escribe 'qu' delante de 'e', como: entrechoquen.

entrecomillar
verbo **1** Poner entre comillas una palabra, frase o párrafo. La palabra 'hola' está entrecomillada. INGLÉS to put in inverted commas.

entrecot
nombre masculino **1** Filete grueso de carne sacado de entre costilla y costilla de un animal, generalmente vacuno. INGLÉS entrecôte.

NOTA El plural es: entrecots.

entrega
nombre femenino **1** Acción que consiste en entregar o dar algo a alguien: *La entrega del premio fue muy solemne.* INGLÉS awarding, presentation.

2 Esfuerzo y ánimo con que se realiza un trabajo o una actividad: *La entrega de los jugadores en el partido ha sido absoluta.* INGLÉS devotion.

3 Cada uno de los cuadernillos que forman un libro que se va publicando por partes. Algunas enciclopedias se venden por entregas en los quioscos. SINÓNIMO fascículo. INGLÉS instalment.

entregar
verbo **1** Dar una cosa a alguien para que la tenga en su poder: *Los mensajeros entregan paquetes.* INGLÉS to deliver.

2 entregarse Dedicarse con muchas ganas y mucho esfuerzo a una actividad determinada: *Se entrega tanto a su trabajo que nunca tiene tiempo para salir.* INGLÉS to devote oneself.

3 entregarse Rendirse o declararse vencido: *El ladrón se entregó a la policía.* INGLÉS to give oneself up.

NOTA Se escribe 'gu' delante de 'e', como: entreguen.

entrelazar
verbo **1** Unir una cosa con otra cruzándolas entre sí. A veces, dos personas entrelazan sus manos mientras pasean. INGLÉS to intertwine.

NOTA Se escribe 'c' delante de 'e', como: entrelacé.

entremedias
adverbio **1** Entre dos lugares o entre dos cosas o dos personas: *Se colocó entremedias de nosotros.* INGLÉS between.

2 Entre dos períodos de tiempo. En la televisión ponen anuncios entremedias de los programas. INGLÉS between.

entremés
nombre masculino **1** Conjunto de alimentos ligeros que se toman antes del plato fuerte: *Tomamos los embutidos como entremeses.* Con este significado se usa sobre todo en plural. INGLÉS hors d'oeuvre.

2 Pieza teatral de humor formada por un solo acto. INGLÉS one-act play.

NOTA El plural es: entremeses.

entrenador, entrenadora
nombre **1** Persona que prepara a una persona o a un equipo para practicar un deporte. INGLÉS trainer, coach.

entrenamiento
nombre masculino
1 Conjunto de actividades que se hacen para prepararse antes de hacer algo, en especial algún deporte. INGLÉS training.

entrenar
verbo
1 Preparar a una persona para hacer algo, en especial para hacer deporte. INGLÉS to train.

entresuelo
nombre masculino
1 Piso situado encima de la planta baja y debajo del principal de un edificio. En algunos lugares, también se llama entresuelo la planta baja cuando tiene una parte por debajo del nivel del suelo. INGLÉS mezzanine.

entretanto
adverbio
1 Indica que una acción se realiza al mismo tiempo que otra: *Voy a preparar la cena, tú entretanto recoge tu habitación.* También se escribe 'entre tanto'. SINÓNIMO mientras. INGLÉS meanwhile.

entretejer
verbo
1 Mezclar hilos de distinto tipo o color en la tela que se teje. INGLÉS to interweave, to intertwine.

entretener
verbo
1 Hacer pasar el tiempo a alguien de manera agradable. El cine entretiene. SINÓNIMO divertir. INGLÉS to entertain.
2 Distraer a una persona de modo que no pueda hacer lo que está haciendo. Cuando no estamos concentrados nos entretenemos con cualquier cosa. INGLÉS to distract [entretener], to be distracted [entretenerse].
NOTA Se conjuga como: tener.

entretenimiento
nombre masculino
1 Cosa o actividad que nos hace pasar el rato de modo agradable y distraído. *Para mí leer cómics es un entretenimiento.* INGLÉS entertainment.

entrever
verbo
1 Ver una cosa con poca claridad. A través de las cortinas se puede entrever el exterior. INGLÉS to glimpse.
NOTA Se conjuga como: ver.

entrevista
nombre femenino
1 Reunión entre dos o más personas para tratar de un asunto determinado, como una entrevista de trabajo. INGLÉS interview.
2 Serie de preguntas que un periodista hace a alguien para que la gente conozca mejor sus ideas y opiniones. INGLÉS interview.

entrevistado, entrevistada
nombre y adjetivo
1 Persona a la que se hace una entrevista. El entrevistado responde las preguntas. INGLÉS interviewed [adjetivo], interviewee [nombre].

entrevistador, entrevistadora
nombre
1 Persona que hace las preguntas en una entrevista. INGLÉS interviewer.

entrevistar
verbo
1 Conversar un periodista con una persona para que el público sepa cuáles son sus ideas u opiniones. INGLÉS to interview.
2 **entrevistarse** Reunirse dos o más personas para tratar de un asunto. INGLÉS to have a meeting.

entrevisto, entrevista
participio
1 Participio irregular de: entrever. También se usa como adjetivo: *En la reunión se han entrevisto algunos temas importantes.*

entristecer
verbo
1 Poner triste. Cuando ocurre una desgracia nos entristecemos. SINÓNIMO apenar. ANTÓNIMO alegrar. INGLÉS to sadden, to make sad.
2 Hacer que algo tenga un aspecto triste. La lluvia entristece algunos paisajes. INGLÉS to make look sad.
NOTA Se conjuga como: agradecer; la 'c' se convierte en 'zc' delante de 'a' y 'o', como: entristezca.

entrometerse
verbo
1 Participar una persona en un asunto para el que no ha sido llamada o que no le afecta directamente. Una persona se entromete en una discusión si no le incumbe ni le ha pedido nadie que intervenga. INGLÉS to meddle, to interfere.

entumecer
verbo
1 Hacer que una parte del cuerpo, como una mano, un pie o una pierna, pierda un momento la sensibilidad y no pueda moverse. El frío o estar mucho rato en la misma posición pueden entumecer las extremidades de nuestros cuerpos. INGLÉS to numb, to make numb.
NOTA La 'c' se convierte en 'zc' delante de 'a' y 'o', como: entumezcan.

enturbiar
verbo
1 Hacer que un líquido se ponga turbio

a b c d e f g h i j k l m n ñ o p q r s t u v w x y z

u opaco. El agua del mar se enturbia cuando se remueve la arena del fondo. ANTÓNIMO aclarar. INGLÉS to make muddy.

2 Hacer que una idea o una situación sea poco clara. Un malentendido puede enturbiar una amistad. INGLÉS to cloud.

NOTA Se conjuga como: cambiar; la 'i' no lleva nunca acento de intensidad.

entusiasmar

verbo

1 Hacer que una persona sienta entusiasmo o alegría. Nos entusiasmamos cuando hacemos algo que nos gusta mucho. INGLÉS to fill with enthusiasm [entusiasmar], to get excited [entusiasmarse].

2 Gustar mucho una cosa: *Me entusiasma la Navidad porque toda mi familia se reúne.* SINÓNIMO encantar. INGLÉS to thrill.

entusiasmo

nombre masculino

1 Estado de gran alegría interior por algo que gusta y que hace que nos mostremos muy contentos. Muchas personas sienten entusiasmo por la música. INGLÉS enthusiasm.

2 Gran energía e interés que se pone en hacer algo. INGLÉS enthusiasm.

entusiasta

adjetivo y nombre masculino y femenino

1 Se dice de la persona que siente mucho interés y entusiasmo por algo. Los entusiastas del fútbol no se pierden ni un partido. INGLÉS enthusiastic [adjetivo], enthusiast [nombre].

enumeración

nombre femenino

1 Expresión de los miembros de un conjunto o una serie, uno detrás de otro. Si hacemos la enumeración de las vocales, decimos: a, e, i, o, u. INGLÉS listing, enumeration.

NOTA El plural es: enumeraciones.

enumerar

verbo

1 Nombrar una por una todas las partes que forman una serie o un conjunto. SINÓNIMO contar. INGLÉS to enumerate.

enunciado

nombre masculino

1 Conjunto de palabras que van entre dos pausas. Un enunciado puede estar compuesto de una o más frases. INGLÉS statement.

2 Conjunto de palabras o frases con que se expone o se presenta algo, como un problema de matemáticas o una pregunta de un examen. INGLÉS formulation.

enunciar

verbo

1 Expresar algo con palabras, normalmente de forma breve o resumida. INGLÉS to express.

NOTA Se conjuga como: cambiar; la 'i' no lleva nunca acento de intensidad.

enunciativo, enunciativa

adjetivo y nombre femenino

1 Se dice de la frase o la oración que afirma o niega algo. La frase 'Ella lee mucho' es enunciativa. INGLÉS declarative.

envainar

verbo

1 Meter un arma blanca en su vaina o funda: *El soldado envainó su sable para no herir a nadie.* INGLÉS to sheathe.

envasar

verbo

1 Poner un producto, especialmente un alimento, dentro de un envase, como una lata, una botella o un bote de cristal. INGLÉS to bottle [en una botella o un bote de cristal], to can, to tin [en una lata].

envase

nombre masculino

1 Recipiente o caja cerrada que sirve para guardar, conservar o transportar cosas, especialmente alimentos. Los envases se deben reciclar. INGLÉS packaging.

envejecer

verbo

1 Hacerse una persona o una cosa vieja o más vieja. INGLÉS to grow old.

2 Hacer que una persona o una cosa parezca vieja o más vieja. Una ropa anticuada puede envejecer a una persona. INGLÉS to make look old.

NOTA Se conjuga como: agradecer; la 'c' se convierte en 'zc' delante de 'a' y 'o', como: envejezca.

envejecimiento

nombre masculino

1 Acción que consiste en envejecer una persona o una cosa. Algunas cremas retrasan el envejecimiento de la piel. INGLÉS ageing, growing old.

envenenar

verbo

1 Matar o causar una enfermedad a una persona o animal con un veneno. Las setas no comestibles nos pueden envenenar. SINÓNIMO intoxicar. INGLÉS to poison.

2 Poner veneno en algún producto o

alimento. Para matar ratas se envenena su comida. INGLÉS to poison.

3 Estropear o echar a perder algo, en especial las buenas relaciones entre dos personas. INGLÉS to poison.

envergadura

nombre femenino **1** Distancia que hay entre las puntas de las alas de un pájaro cuando están extendidas, entre los extremos de las alas de un avión o entre los extremos de los brazos extendidos de una persona. INGLÉS wingspan.

2 Importancia mayor o menor de alguna cosa. INGLÉS importance.

enviado, enviada

nombre **1** Persona que se envía a un lugar para hacer una cosa determinada, en especial el periodista que trabaja habitualmente en una ciudad o un país distinto de donde está el medio de información para el que trabaja. INGLÉS envoy, [si es un periodista: correspondent].

enviado especial Periodista que se envía al lugar donde ha pasado algo importante para que dé la noticia desde allí. INGLÉS special correspondent.

enviar

verbo **1** Mandar o hacer llegar a una persona o una cosa a un lugar: *Durante las vacaciones envío postales a mis amigos.* INGLÉS to send.

NOTA Se conjuga como: desviar; la 'i' se acentúa en algunos tiempos y personas, como: envíen.

envidia

nombre femenino **1** Sentimiento que tiene una persona cuando desea tener o hacer lo que tienen o hacen otros: *¡Qué envidia! Me encantaría ir de vacaciones contigo.* INGLÉS envy.

2 Sentimiento de odio o rabia que siente una persona hacia otra que tiene más suerte o más cosas que ella. INGLÉS envy.

envidiar

verbo **1** Sentir envidia, en sentido positivo o negativo: *Envidio tu suerte con los chicos.* INGLÉS to envy, to be envious of.

NOTA Se conjuga como: cambiar; la 'i' no lleva nunca acento de intensidad.

envidioso, envidiosa

adjetivo y nombre **1** Se dice de la persona que siente envidia hacia los demás. Las personas que son envidiosas nunca están contentas con lo suyo. INGLÉS envious.

envío

nombre masculino **1** Acción que consiste en hacer llegar una cosa a un lugar. INGLÉS sending, dispatch.

2 Cosa que se manda o se envía a un lugar: *Estoy esperando un envío que viene de Alemania.* INGLÉS package.

enviudar

verbo **1** Quedarse viuda una persona al morir su esposo o su esposa. INGLÉS to become a widower [hombre], to become a widow [mujer].

envoltorio

nombre masculino **1** Material flexible, como papel, plástico o cartón, que sirve para envolver una cosa. INGLÉS wrapper.

envoltura

nombre femenino **1** Envoltorio. La envoltura de los caramelos suele ser de colores vivos. INGLÉS wrapping.

2 Capa exterior que rodea o envuelve una cosa. Al germinar una semilla, su envoltura se rompe y el embrión comienza a crecer. INGLÉS covering.

envolver

verbo **1** Cubrir una cosa rodeándola con algo. Envolvemos los regalos con papeles bonitos. ANTÓNIMO desenvolver. INGLÉS to wrap up.

2 Recubrir una cosa con una sustancia determinada. Los pasteleros envuelven algunas tartas con una capa de chocolate. INGLÉS to cover.

3 Mezclar a una persona en un asunto o en un problema, sin que ella se dé cuenta. INGLÉS to involve.

NOTA Se conjuga como: mover; la 'o' se convierte en 'ue' en sílaba acentuada, como: envuelve.

envuelto, envuelta

participio **1** Participio irregular de: envolver. También se usa como adjetivo: *Se vio envuelto en un lío.*

adjetivo **2** Que está rodeado por un material que lo tapa todo. Los caramelos están envueltos en papel. INGLÉS wrapped.

enyesar

verbo **1** Cubrir con yeso una superficie. Los albañiles enyesan las paredes. INGLÉS to plaster.

2 Poner un vendaje recubierto con

a b c d e f g h i j k l m n ñ o p q r s t u v w x y z

yeso en un miembro del cuerpo que está roto para que no se mueva y se cure. SINÓNIMO escayolar. INGLÉS to put in plaster.

enzarzar
verbo
1 Empezar una discusión o una pelea. INGLÉS to start.
2 enzarzarse Meterse en un asunto o una actividad difícil o peligrosa: *Se enzarzó en una aventura muy arriesgada.* INGLÉS to get involved.
NOTA Se escribe 'c' delante de 'e', como: enzarcen.

eñe
nombre femenino
1 Nombre de la letra 'ñ'. 'Ñoño' empieza con eñe.

eólico, eólica
adjetivo
1 Del viento o que tiene relación con él, especialmente como fuente de energía. La energía eólica se usa, entre otras cosas, para producir energía eléctrica. INGLÉS wind.

¡epa!
interjección
1 Se usa, generalmente, para avisar sobre algo que va a ocurrir o para que alguien tenga cuidado: *¡Epa! Casi chocas conmigo.* INGLÉS woops!
NOTA Es una palabra informal.

epiceno
adjetivo
1 Se dice de los nombres, especialmente de animales, que son iguales para el macho y para la hembra. 'Rinoceronte' y 'jirafa' son nombres epicenos. INGLÉS epicene.

epicentro
nombre masculino
1 Punto de la superficie de la Tierra en el que se produce un terremoto. En su epicentro los terremotos son más fuertes. INGLÉS epicentre.

épico, épica
adjetivo
1 Que ocurre o se hace tras superar muchas dificultades, de tal modo que resulta impresionante e importante. INGLÉS epic.

epidemia
nombre femenino
1 Enfermedad infecciosa que ataca a un gran número de personas o de animales del mismo lugar y al mismo tiempo. INGLÉS epidemic.
2 Daño que se extiende de forma rápida, como una epidemia de robos. SINÓNIMO ola. INGLÉS spate.

epidermis
nombre femenino
1 Capa externa y más fina de la piel que está situada sobre la dermis. La epidermis tiene pelos y poros que sirven de salida al sudor. INGLÉS epidermis, skin.
NOTA El plural es: epidermis.

epiglotis
nombre femenino
1 Pliegue en forma de lengüeta situado sobre la laringe y unido a la parte posterior de la lengua; sirve para que al tragar un alimento pase al esófago y no al aparato respiratorio. INGLÉS epiglottis.
NOTA El plural es: epiglotis.

epilepsia
nombre femenino
1 Enfermedad del sistema nervioso que provoca ataques repentinos, que consisten en contracciones involuntarias y violentas del cuerpo y pérdida del conocimiento. INGLÉS epilepsy.

epílogo
nombre masculino
1 Parte final de algunos libros, obras de teatro o películas. El epílogo sirve para añadir información o explicaciones de la obra. INGLÉS epilogue.

episcopal
adjetivo
1 De los obispos o que tiene relación con ellos. Los obispos de un país forman la conferencia episcopal de ese país, que se reúne periódicamente. INGLÉS episcopal.

episodio
nombre masculino
1 Cada una de las partes en que se divide una obra literaria o una serie de radio o de televisión. INGLÉS episode.
2 Hecho que está relacionado con otros y forma con ellos un todo. La guerra civil fue un episodio de la historia de España. INGLÉS episode.

epístola
nombre femenino
1 Carta que se envía a una persona. Se usa sobre todo en literatura. INGLÉS epistle, letter.
2 Cada una de las cartas de la Biblia que escribieron algunos apóstoles. Con este uso se escribe con mayúscula. INGLÉS epistle, letter.

epíteto
nombre masculino
1 Adjetivo que expresa una cualidad característica del nombre al que acompaña sin añadir información nueva sobre él. En 'la verde hierba', el adjetivo 'verde' es un epíteto. INGLÉS epithet.

época
nombre femenino
1 Período de tiempo bastante largo que se caracteriza por algún hecho importante y recordado. La década de 1960 fue una época de revoluciones culturales. **SINÓNIMO** era. **INGLÉS** time, period.
2 Período de tiempo determinado: *En aquella época vivía en las afueras de la ciudad.* **INGLÉS** time.
de época Que es o imita algo del pasado: *Me gusta disfrazarme con vestidos de época.* **INGLÉS** period.

epopeya
nombre femenino
1 Poema largo que cuenta las acciones realizadas por personajes históricos o legendarios y en el que aparecen elementos maravillosos o fantásticos: *Admirado por su fuerza, Sansón fue el héroe de una epopeya popular.* **INGLÉS** epic poem.

equilátero, equilátera
adjetivo
1 Se dice de la figura geométrica que tiene todos sus lados iguales, en especial el triángulo. **INGLÉS** equilateral.

equilibrado, equilibrada
adjetivo
1 Que es muy tranquilo, que nunca hace locuras y actúa pensando mucho lo que va a hacer. **INGLÉS** balanced.

equilibrar
verbo
1 Hacer que una cosa esté en equilibrio. Para equilibrar una balanza hay que poner el mismo peso en cada platillo. **SINÓNIMO** estabilizar, nivelar. **ANTÓNIMO** desequilibrar. **INGLÉS** to balance.

equilibrio
nombre masculino
1 Situación en la que se encuentra un cuerpo que tiene poca base para apoyarse pero se mantiene en una posición sin caerse. Los artistas de circo que andan sobre la cuerda floja mantienen el equilibrio. **INGLÉS** balance.
2 Proporción y buena relación entre todas las partes que forman algo. Debemos conseguir el equilibrio entre progreso y conservación de la naturaleza. **SINÓNIMO** armonía. **INGLÉS** balance.
nombre masculino plural
3 equilibrios Cosas que se tienen que hacer para superar un problema o una situación difícil: *A veces hay que hacer equilibrios para que el sueldo nos llegue a fin de mes.* **INGLÉS** balancing act.

equilibrista
nombre masculino y femenino
1 Persona que realiza ejercicios en los que resulta difícil mantener el equilibrio y no caerse. **INGLÉS** tightrope walker.

equipaje
nombre masculino
1 Conjunto de maletas y bolsas llenas de ropa y otros objetos que una persona lleva de viaje. **INGLÉS** luggage, baggage.

equipaje

equipamiento
nombre masculino
1 Acción de equipar a una persona o cosa con lo necesario para realizar algo. También se llama equipamiento el conjunto de todas la cosas necesarias para realizar algo, como un trabajo o un deporte. **INGLÉS** equipping [acción de equipar], equipment [cosas].
2 Conjunto de medios e instalaciones necesarios para desarrollar una actividad. Una ciudad debe tener el equipamiento médico suficiente para atender a todos los ciudadanos. **INGLÉS** facilities.

equipar
verbo
1 Proporcionar a una cosa o a una persona todo lo necesario para que pueda realizar una función determinada. Los coches se pueden equipar con aire acondicionado y radio. **INGLÉS** to equip.

equiparar
verbo
1 Valorar como equivalentes o iguales dos o más personas o dos o más cosas: *El entrenador equiparó los equipos para que jugaran diez contra diez.* **INGLÉS** to make equal.

equipo
nombre masculino
1 Grupo de personas que practican juntas un deporte. **INGLÉS** team.
2 Conjunto de personas que se organizan para realizar una tarea o una actividad determinada, como el equipo de dirección de una empresa. **INGLÉS** team.
3 Conjunto de todas las cosas necesarias para hacer algo, como un trabajo o

un deporte: *Me han regalado un equipo de pesca.* INGLÉS equipment.

equis
nombre femenino
1 Nombre de la letra 'x'. En español, pocas palabras empiezan por equis.

equitación
nombre femenino
1 Actividad y deporte que consiste en montar a caballo. INGLÉS horse riding.

equivalente
adjetivo y nombre masculino
1 Se dice de lo que equivale a otra cosa determinada. Mil metros es la longitud equivalente a un kilómetro. INGLÉS equivalent.

equivaler
verbo
1 Tener una cosa el mismo valor, precio o significado que otra. Una hora equivale a 60 minutos. INGLÉS to be equivalent.
NOTA Se conjuga como: valer.

equivocación
nombre femenino
1 Hecho de equivocarse. El resultado de equivocarse también es una equivocación. SINÓNIMO error. INGLÉS mistake, error.
NOTA El plural es: equivocaciones.

equivocarse
verbo
1 Cometer un fallo o un error, hacer o decir algo que no se debía hacer o decir: *Me equivoqué de calle.* SINÓNIMO errar. ANTÓNIMO acertar. INGLÉS to make a mistake.
NOTA Se escribe 'qu' delante de 'e', como: se equivoquen.

era
nombre femenino
1 Etapa o período de tiempo de la historia de la humanidad que empieza con un hecho importante. La era cristiana empezó con el nacimiento de Cristo. INGLÉS era, age.
2 Espacio o período de tiempo en que dividen los geólogos la historia del planeta Tierra. Ahora, pasadas las eras primaria, secundaria y terciaria, estamos en la era cuaternaria. INGLÉS period.
3 Terreno descubierto y llano donde los agricultores llevan el cereal para separar su grano de la paja. INGLÉS threshing floor.

ere
nombre femenino
1 Nombre de la letra 'r' en su sonido suave o simple. En 'pera' hay una ere.

erección
nombre femenino
1 Acción de ponerse rígida o firme una cosa, especialmente un órgano del cuerpo. Cuando tenemos mucho frío, nuestros pezones están en erección. INGLÉS erection.
NOTA El plural es: erecciones.

erguir
verbo
1 Levantar o poner derecho el cuerpo o una parte de él. A las pocas semanas de vida los bebés empiezan a erguir la cabeza. INGLÉS to raise, to lift up.

erguir

INDICATIVO	SUBJUNTIVO
presente irgo o yergo irgues o yergues irgue o yergue erguimos erguís irguen o yerguen	**presente** irga o yerga irgas o yergas irga o yerga irgamos irgáis irgan o yergan
pretérito imperfecto erguía erguías erguía erguíamos erguíais erguían	**pretérito imperfecto** irguiera o irguiese irguieras o irguieses irguiera o irguiese irguiéramos o irguiésemos irguierais o irguieseis irguieran o irguiesen
pretérito perfecto simple erguí erguiste irguió erguimos erguisteis irguieron	**futuro** irga o yerga irgas o yergas irga o yerga irgamos irgáis irgan o yergan
futuro erguiré erguirás erguirá erguiremos erguiréis erguirán	**IMPERATIVO** irgue o yergue (tú) irga o yerga (usted) irgamos (nosotros) erguid (vosotros) irgan o yergan (ustedes)
condicional erguiría erguirías erguiría erguiríamos erguiríais erguirían	**FORMAS NO PERSONALES** **infinitivo** erguir **gerundio** irguiendo **participio** erguido

erizar
verbo
1 Levantarse y ponerse rígido el pelo o el vello de una persona o de un animal. INGLÉS to stand on end.
NOTA Se escribe 'c' delante de 'e', como: erice.

erizo
nombre masculino
1 Animal mamífero de cuerpo redondeado, de color oscuro, con la cabeza pequeña, el hocico puntiagudo y las pa-

tas y la cola muy cortas. Tiene la parte superior del cuerpo recubierta por púas que le sirven para defenderse. INGLÉS hedgehog.
erizo de mar Animal marino en forma de bola ligeramente aplastada, con un caparazón recubierto de espinas. INGLÉS sea urchin.

ermita
nombre femenino **1** Iglesia pequeña o capilla que suele estar situada en las afueras de una población. INGLÉS shrine.

ermitaño, ermitaña
nombre **1** Persona que vive sola en un lugar sin otros habitantes. INGLÉS recluse, hermit.

erosión
nombre femenino **1** Desgaste que se produce poco a poco en la superficie de la Tierra por la acción del viento, del agua o de los seres vivos. INGLÉS erosion.
NOTA El plural es: erosiones.

erótico, erótica
adjetivo **1** Que excita o provoca el deseo sexual de una persona. INGLÉS erotic.

errante
adjetivo **1** Que va de un lado para otro sin tener un lugar fijo donde estar o vivir. Los artistas de circo llevan una vida errante. INGLÉS wandering.

errar
verbo **1** Cometer un error o hacer o decir algo que no es adecuado para un determinado fin: *El jugador erró el tiro.* SINÓNIMO equivocar. ANTÓNIMO acertar. INGLÉS to get wrong, to make a mistake with.
2 Ir de un sitio a otro sin destino fijo: *Erraba por el camino sin saber dónde ir.* SINÓNIMO vagar. INGLÉS to wander.

errata
nombre femenino **1** Equivocación o error que hay en el texto de un libro, una revista u otra obra impresa. Algunos libros tienen al final una fe de erratas, que es una lista de los errores que no se han podido corregir antes de publicar el libro. INGLÉS misprint.

erre
nombre femenino **1** Nombre de la letra 'r', tanto en su sonido suave o simple ('pero') como en su sonido fuerte o doble ('perro', 'rojo').
erre que erre Indica que se insiste mucho en algo. INGLÉS stubbornly.

erróneo, errónea
adjetivo **1** Que contiene error. Las acciones, ideas y respuestas erróneas son incorrectas o están equivocadas. INGLÉS erroneous, wrong.

error
nombre masculino **1** Cosa que no se tenía que haber dicho o hecho: *Fue un error salir tan tarde.* SINÓNIMO fallo. INGLÉS error, mistake.
2 Idea o afirmación que no se corresponde con la realidad o la verdad. Decir que un cuadrado tiene tres lados es un error. SINÓNIMO equivocación. INGLÉS error.

eructar
verbo **1** Expulsar por la boca los gases del estómago haciendo ruido. INGLÉS to belch, to burp.

eructo
nombre masculino **1** Gas que se expulsa del estómago haciendo ruido. INGLÉS belch, burp.

errar

INDICATIVO	SUBJUNTIVO
presente	**presente**
yerro o erro	yerre o erre
yerras o erras	yerres o erres
yerra o erra	yerre o erre
erramos	erremos
erráis	erréis
yerran o erran	yerren o erren
pretérito imperfecto	**pretérito imperfecto**
erraba	errara o errase
errabas	erraras o errases
erraba	errara o errase
errábamos	erráramos o errásemos
errabais	errarais o erraseis
erraban	erraran o errasen
pretérito perfecto simple	**futuro**
erré	errare
erraste	errares
erró	errare
erramos	erráremos
errasteis	errareis
erraron	erraren
futuro	**IMPERATIVO**
erraré	yerra o erra (tú)
errarás	yerre o erre (usted)
errará	erremos (nosotros)
erraremos	errad (vosotros)
erraréis	yerren o erren (ustedes)
errarán	
condicional	**FORMAS NO PERSONALES**
erraría	**infinitivo** errar
errarías	**gerundio** errando
erraría	**participio** errado
erraríamos	
erraríais	
errarían	

a b c d e f g h i j k l m n ñ o p q r s t u v w x y z

erudito, erudita
adjetivo y nombre **1** Se dice de la persona que tiene muchos conocimientos sobre uno o varios temas, especialmente de humanidades. INGLÉS erudite [adjetivo], scholar [nombre], expert [nombre].

erupción
nombre femenino **1** Conjunto de granos o manchas que aparecen en la piel debido a una enfermedad, como el sarampión. INGLÉS rash.

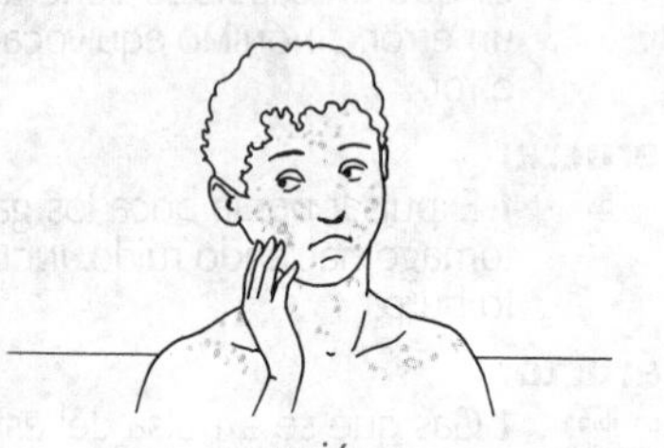
erupción

2 Salida violenta de fuego, lava, piedras y cenizas del interior de un volcán. INGLÉS eruption.
NOTA El plural es: erupciones.

esbelto, esbelta
adjetivo **1** Que es alto y delgado y tiene una figura bien formada. Algunos animales, como las jirafas, resultan muy esbeltos. INGLÉS slim, slender.

escabeche
nombre masculino **1** Salsa hecha con aceite, vinagre y laurel que sirve para conservar los alimentos, sobre todo los pescados. INGLÉS pickle.

escabroso, escabrosa
adjetivo **1** Se dice del terreno que está lleno de rocas y tiene pendientes muy fuertes. SINÓNIMO abrupto. INGLÉS rough.
2 Se dice del asunto o tema que es muy incómodo y difícil de controlar o de resolver. La pena de muerte es un tema escabroso. INGLÉS tough, difficult.

escabullirse
verbo **1** Irse de un lugar con disimulo, intentando no ser visto. INGLÉS to slip away.
2 Escaparse una persona o una cosa de las manos de quien la sujetaba: *Al portero se le escabulló la pelota.* INGLÉS to slip through someone's hands.
NOTA Se conjuga como: zambullir.

escacharrar
verbo **1** Romper o estropear una cosa, normalmente un aparato o una maquinaria: *Ayer se me escacharró la bici.* Es una palabra informal. INGLÉS to break.

escafandra
nombre femenino **1** Casco y traje herméticos que llevan los buzos o los astronautas y que van conectados a unos tubos por donde entra el oxígeno. INGLÉS diving suit.

escala
nombre femenino **1** Serie de cosas de la misma especie ordenadas según su intensidad. El negro es el color más oscuro en la escala de los colores. INGLÉS scale.
2 División numerada que tienen algunos aparatos o instrumentos que sirven para medir, como la escala de algunos termómetros. INGLÉS scale.
3 Proporción entre el tamaño de un dibujo o de un mapa y la medida real del objeto o lugar que representa. En un plano a escala 1:50, cada unidad del plano equivale a 50 unidades en la realidad. INGLÉS scale.
4 Sucesión de notas musicales. La escala musical está formada por siete notas: do, re, mi, fa, sol, la, si. INGLÉS scale.
5 Parada que realizan los aviones o los barcos en su trayecto. En los viajes largos, los aviones hacen escalas para volver a llenar el depósito de combustible. INGLÉS stopover.
6 Escalera de mano hecha de madera o de cuerda. INGLÉS ladder, stepladder.

escalada
nombre femenino **1** Deporte que consiste en subir montañas o paredes muy altas utilizando las manos y los pies y con ayuda de cuerdas. INGLÉS climbing.
2 Aumento rápido de una cosa: *Las autoridades están preocupadas por la escalada de la violencia.* INGLÉS escalation.

escalador, escaladora
nombre **1** Persona que practica el montañismo y escala montañas. SINÓNIMO alpinista. INGLÉS climber, mountaineer.
2 Ciclista que está especializado en subir montañas. INGLÉS climber.

escalar
verbo **1** Subir a una gran altura, como una montaña, utilizando la fuerza física. INGLÉS to climb, to scale.

2 Conseguir una categoría profesional o social más importante. INGLÉS to rise.

escaldar
verbo
1 Quemar una cosa con un líquido que esté muy caliente. INGLÉS to scald.

escaleno
adjetivo
1 Se dice del triángulo que tiene los tres lados desiguales. INGLÉS scalene.

escalera
nombre femenino
1 Serie de escalones colocados uno después del otro y a distinta altura, que sirve para bajar y subir de un lugar a otro. INGLÉS stairs, staircase.
2 Instrumento de madera o metal, que se puede llevar de un lugar a otro, formado por dos barras verticales unidas por otras horizontales que sirven de escalones para poner los pies: *Las escaleras de bomberos son extensibles.* INGLÉS ladder.

escalerilla
nombre femenino
1 Escalera pequeña, corta y estrecha, como las que hay en los bordes de las piscinas. INGLÉS ladder.
2 Escalera que se pone en la entrada de un avión o barco para que los pasajeros puedan subir o bajar. INGLÉS gangway [en un barco], steps [en un avión].

escaléxtric
nombre masculino
1 Juego de coches eléctricos con un sistema de carreteras con muchas curvas a distintos niveles. Las carreteras que pasan a distintos niveles también se llaman escaléxtric. INGLÉS Scalextric.
NOTA Esta palabra tiene su origen en el nombre de un juego de coches eléctricos.

escalfar
verbo
1 Cocer un huevo sin cáscara en agua hirviendo o en caldo muy caliente. INGLÉS to poach.

escalinata
nombre femenino
1 Escalera ancha de un solo tramo construida en el exterior o en el vestíbulo de un edificio, como una iglesia. INGLÉS steps.

escalofriante
adjetivo
1 Que impresiona mucho y produce una sensación como de frío. Las imágenes de las guerras son escalofriantes. INGLÉS chilling, hair-raising.

escalofrío
nombre masculino
1 Sensación de frío, acompañada de temblores, producida por el frío, la fiebre o el miedo. INGLÉS shiver.
NOTA Esta palabra se usa más en plural: escalofríos.

escalón
nombre masculino
1 Superficie llana y estrecha de una escalera donde se apoya el pie al subir o bajar. SINÓNIMO peldaño. INGLÉS step [peldaño], rung [travesaño].
2 Grado o categoría dentro de una organización. El cargo de director es el último escalón que se puede ocupar en una empresa. INGLÉS level.
NOTA El plural es: escalones.

escalonar
verbo
1 Distribuir una cosa de forma ordenada en intervalos de tiempo o de espacio. Podemos escalonar las visitas a un amigo, yendo a verlo cada cierto tiempo: *El general escalonó la tropa en el campo de batalla.* INGLÉS to stagger.

escalope
nombre masculino
1 Trozo delgado de carne, en especial de ternera o de cerdo, rebozado y frito. INGLÉS escalope.

escama
nombre femenino
1 Cada una de las pequeñas piezas duras, finas y brillantes que cubren el cuerpo de los peces, los reptiles y otros animales. INGLÉS scale.
2 Trozo pequeño de piel que se desprende cuando está seca. INGLÉS flake.

escampar
verbo
1 Dejar de llover. INGLÉS to stop raining.

escándalo
nombre masculino
1 Ruido grande de voces, gritos o lloros. Los niños arman gran escándalo a la salida del colegio. INGLÉS racket, din.
2 Acción, conducta o situación poco moral y rechazo o indignación que provoca. Un escándalo amoroso puede arruinar la carrera de un político. INGLÉS scandal.

escandaloso, escandalosa
adjetivo
1 Que hace mucho ruido. Los coches viejos suelen ser muy escandalosos. INGLÉS noisy, rowdy.
2 Que causa indignación o que no se puede tolerar. Los alimentos en Navidad suben de precio de una manera escandalosa. INGLÉS scandalous.

a b c d e f g h i j k l m n ñ o p q r s t u v w x y z

a b c d e f g h i j k l m n ñ o p q r s t u v w x y z

escandinavo, escandinava
adjetivo y nombre
1 Se dice de la persona o cosa que es de Escandinavia, región del norte de Europa. Los países escandinavos son Dinamarca, Finlandia, Noruega y Suecia. INGLÉS Scandinavian.

escáner
nombre masculino
1 Aparato de rayos X conectado a un ordenador, que se utiliza para obtener imágenes del interior de un objeto o de una parte del cuerpo humano. En los aeropuertos hay escáneres para detectar posibles explosivos en un equipaje. INGLÉS scanner.
NOTA El plural es: escáneres.

escaño
nombre masculino
1 Cada uno de los asientos que ocupan los políticos en el Parlamento de una nación. INGLÉS bench, seat.
2 Cargo que ocupa un político del Parlamento de una nación. INGLÉS seat.

escapada
nombre femenino
1 Acción de escapar o escaparse: *¿Sabes algo de la escapada de esos presos?* INGLÉS escape.
2 Viaje o visita corta que se hace a un lugar aprovechando un corto espacio de tiempo libre. INGLÉS quick trip.
3 En algunos deportes, como el ciclismo, acción que consiste en adelantarse a un grupo de corredores y sacarles ventaja. INGLÉS breakaway.

escapar
verbo
1 Lograr salir de un lugar, en especial si se está encerrado. INGLÉS to escape.
2 No tener que sufrir o haber salido de una situación sin sufrir daño: *Escaparon de la catástrofe de puro milagro.* INGLÉS to escape.
3 Quedar fuera del alcance, la influencia o la percepción de una persona. Si a una persona se le escapa el significado de una cosa, no la entiende. INGLÉS to escape.
4 escaparse Salirse un líquido o un gas del conducto o el recipiente en el que está. INGLÉS to leak.
5 escaparse Irse o partir un transporte público antes de que una persona pueda cogerlo. INGLÉS to leave without someone.
6 escaparse Decir o hacer sin querer una cosa que se quería ocultar o que se quería contener: *Se me escapó la risa sin querer.* INGLÉS to slip out.

escaparate
nombre masculino
1 Espacio cerrado con cristales situado en la fachada de un establecimiento, que se utiliza para exponer los productos que se venden. INGLÉS shop window.

escaparatista
nombre masculino y femenino
1 Persona que se dedica profesionalmente a poner en los escaparates de las tiendas los objetos que se venden en ellas de forma que el escaparate resulte atractivo. INGLÉS window-dresser.

escape
nombre masculino
1 Salida de un gas o de un líquido por un agujero o una grieta del conducto o el recipiente en el que está. INGLÉS leak.

escapulario
nombre masculino
1 Objeto hecho con dos trozos de tela cosidos y con una imagen religiosa bordada o una reliquia en su interior. Se lleva colgado al cuello con una cinta. INGLÉS scapular.

escaquearse
verbo
1 Evitar de manera disimulada hacer un trabajo, cumplir una obligación o superar una dificultad: *Yo he limpiado toda la habitación y él se ha escaqueado.* INGLÉS to skive off.
NOTA Es una palabra informal.

escarabajo
nombre masculino
1 Insecto negro con el cuerpo ovalado, que tiene antenas, las patas cortas y las alas anteriores duras. INGLÉS beetle.

escarbar
verbo
1 Revolver la tierra una persona con las manos o una herramienta, o un animal con las patas o el hocico para buscar algo o para hacer un agujero. Los perros escarban para esconder huesos. INGLÉS to dig.
2 Intentar averiguar información escondida sobre cosas o personas. Las revistas del corazón escarban en la vida privada de los famosos. INGLÉS to delve.
3 escarbarse Rascarse o tocar con los dedos alguna parte del cuerpo. Es de mala educación escarbarse la nariz en público. INGLÉS to scratch, [si es la nariz: to pick].

escarcha
nombre femenino
1 Conjunto de gotas de agua que se congelan por la noche. En las madruga-

das de invierno, el campo aparece blanco por la escarcha. INGLÉS frost.

escarlata
nombre masculino y adjetivo **1** Color rojo fuerte. Algunos cines y teatros tienen cortinas de terciopelo escarlata. INGLÉS scarlet.

escarmentar
verbo **1** Imponer un castigo suficientemente fuerte a una persona para que no vuelva a repetir alguna falta que ha cometido. INGLÉS to teach a lesson.
2 Decidir una persona no volver a realizar una acción tras ver las malas consecuencias que ella misma o alguien sufre por haberla realizado: *Ha escarmentado al ver todo lo que ha roto.* INGLÉS to learn one's lesson.
NOTA Se conjuga como: acertar; la 'e' se convierte en 'ie' en sílaba acentuada, como: escarmiente.

escarmiento
nombre masculino **1** Castigo que se impone a una persona por haber cometido alguna falta para que no vuelva a repetirla. INGLÉS lesson.
2 Lección que aprende una persona cuando comete una equivocación o error y que le sirve para no volver a cometerlo. INGLÉS lesson.

escarola
nombre femenino **1** Planta comestible de hojas grandes, muy rizadas, de color verde amarillento. La escarola se come en ensalada. INGLÉS curly endive.

escarpado, escarpada
adjetivo **1** Se dice del terreno que está muy inclinado. INGLÉS steep.

escarpia
nombre femenino **1** Clavo que en el extremo opuesto a la punta está doblado en ángulo recto y que se utiliza para colgar cosas en una pared. INGLÉS spike, hook.

escasear
verbo **1** No haber suficiente cantidad de alguna cosa. En los últimos años escasean las lluvias. ANTÓNIMO abundar. INGLÉS to be scarce.

escasez
nombre femenino **1** Falta de una cosa, en especial de las cosas necesarias para vivir. ANTÓNIMO abundancia. INGLÉS scarcity, lack.

escaso, escasa
adjetivo **1** Se dice de las cosas de las que hay poca cantidad o número. A final de mes andamos escasos de dinero. ANTÓNIMO abundante. INGLÉS scarce.
2 Que le falta un poco para estar completo. Decimos que una película dura dos horas escasas cuando no llega a durar ese tiempo. INGLÉS scarcely, barely.

escayola
nombre femenino **1** Masa formada por yeso y agua que es fácil de modelar, y que cuando se seca se pone dura. La escayola se utiliza en construcción y en escultura y también para inmovilizar un hueso roto. INGLÉS plaster.

escayolar
verbo **1** Envolver con escayola una parte del cuerpo que está rota para mantenerla inmóvil y ayudar a que se cure. SINÓNIMO enyesar. INGLÉS to put in plaster.

escena
nombre femenino **1** Escenario. INGLÉS stage.
2 Parte de una obra de teatro o de una película donde los personajes representan una acción: *La película tiene escenas muy tiernas.* INGLÉS scene.
3 Hecho, suceso o situación que llama la atención: *Me avergüenzo de la escena que has hecho en la calle.* INGLÉS scene.

escenario
nombre masculino **1** Espacio de un teatro o de otro local parecido donde se representa una obra o un espectáculo ante el público. INGLÉS stage.
2 Lugar en que se desarrolla la acción de una película o donde ocurre un hecho. La policía examina el escenario de un crimen. INGLÉS scene.

escenografía
nombre femenino **1** Oficio y técnica de preparar los decorados y el ambiente para el cine, el teatro, la televisión u otro espectáculo. INGLÉS stage design.
2 Conjunto de decorados de una obra de teatro, cine, televisión u otro espectáculo. INGLÉS sets.

escéptico, escéptica
adjetivo **1** Se dice de la persona que tiene dudas sobre la verdad, la autenticidad o la eficacia de una cosa, o que generalmente acostumbra dudar de todo. INGLÉS sceptic.

escisión
nombre femenino **1** División de una cosa material o inma-

a b c d e f g h i j k l m n ñ o p q r s t u v w x y z

terial en dos o más partes. Si en una empresa o en un partido político se produce una escisión, se crean dos o más grupos diferentes. INGLÉS split.
NOTA El plural es: escisiones.

esclavitud
nombre femenino **1** Estado de la persona que no tiene libertad y está sometida a otra que es su propietaria. También es la situación social en la que está permitido que haya personas en este estado de falta de libertad. Actualmente, casi no hay esclavitud. INGLÉS slavery.
2 Estado de la persona que depende excesivamente de otra persona o de una cosa que la domina. Muchas personas luchan contra la esclavitud que supone la droga. INGLÉS slavery.

esclavizar
verbo **1** Llevar a una persona al estado de esclavitud o falta de libertad. INGLÉS to enslave.
2 Tener fuertemente dominada a una persona. Los envidiosos viven esclavizados por la envidia. INGLÉS to enslave.
NOTA Se escribe 'c' delante de 'e', como: esclavicen.

esclavo, esclava
adjetivo y nombre **1** Se dice de la persona que no tiene libertad y está sometida a otra persona que es su propietaria. INGLÉS slave.
2 Se dice de la persona que hace todo lo que quiere otra persona o que parece que no puede vivir sin alguna cosa. INGLÉS slave.

escoba
nombre femenino **1** Utensilio de limpieza que sirve para barrer; está formado por un cepillo de pelos flexibles unido a un palo largo por donde se agarra. INGLÉS brush, broom.

escobilla
nombre femenino **1** Escoba pequeña que sirve para limpiar superficies pequeñas o de difícil acceso, como una chimenea o el interior de la taza del retrete. INGLÉS small brush.
2 Objeto formado por un arco metálico y una tira de goma que sirve para arrastrar el agua de los cristales delanteros y traseros de los coches y dejarlos limpios y secos. INGLÉS windscreen-wiper blade [en el Reino Unido], windshield-wiper blade [en Estados Unidos].

escocer
verbo **1** Causar una cosa, en especial una herida, una sensación de picor doloroso. SINÓNIMO picar. INGLÉS to smart, to sting.
2 escocerse Irritarse la piel de una parte del cuerpo debido al sudor o al roce de una prenda. INGLÉS to smart, to sting.
NOTA Se conjuga como: cocer; la 'o' se convierte en 'ue' en sílaba acentuada y se escribe 'z' delante de 'a' y 'o', como: escuece, escueza.

escocés, escocesa
adjetivo y nombre **1** Se dice de la persona o cosa que es de Escocia, una de las regiones que integran el Reino Unido. INGLÉS Scottish [adjetivo], Scot [nombre].
adjetivo **2** Se dice de una tela o de una prenda que tiene rayas y cuadros de distintos colores. La falda de algunos uniformes escolares es escocesa. INGLÉS tartan.
NOTA El plural de escocés es: escoceses.

escoger
verbo **1** Elegir una cosa o a una persona entre varias opciones. INGLÉS to choose.
NOTA Se escribe 'j' delante de 'a' y 'o', como: escojan, escojo.

escolar
adjetivo **1** De la escuela o del estudiante o que tiene relación con ellos. El curso escolar acaba en junio. INGLÉS school.
nombre masculino y femenino **2** Alumno, generalmente niño, que va a una escuela para estudiar. SINÓNIMO colegial. INGLÉS schoolchild, [si es un chico: schoolboy; si es una chica: schoolgirl].

escollo
nombre masculino **1** Roca poco visible en la superficie del agua, que es un grave peligro para los barcos que navegan. INGLÉS reef.
2 Problema u obstáculo que dificulta el desarrollo de una actividad o proceso: *Tenemos poco dinero para el viaje, pero es un escollo que debemos superar.* INGLÉS difficulty, pitfall.

escolta
nombre masculino y femenino **1** Persona que acompaña a otra para protegerla contra posibles ataques: *Los políticos llevan escolta.* INGLÉS escort.
nombre femenino **2** Conjunto de personas que acompañan a alguien para protegerlo. INGLÉS escort.

escoltar
verbo **1** Acompañar una persona a otra para

protegerla o vigilar que no le pase nada malo o que no escape. La policía escolta a los detenidos. INGLÉS to escort.

escombro

nombre masculino **1** Conjunto de los restos que quedan en un edificio después de hacer obras o de que haya habido una catástrofe. INGLÉS rubble.

esconder

verbo **1** Hacer que una cosa o una persona desaparezca de la vista de los demás y cueste encontrarla. SINÓNIMO ocultar. INGLÉS to hide.

escondido, escondida

adjetivo **1** Que no se puede ver porque está oculto o en un lugar poco habitual: *Tiene su bolígrafo escondido para que nadie se lo coja.* INGLÉS hidden.

escondite

nombre masculino **1** Lugar oculto en el que se esconde o puede esconderse una cosa o una persona. SINÓNIMO escondrijo. INGLÉS hiding place.

2 Juego de niños en el que unos se esconden y otro los tiene que encontrar. INGLÉS hide-and-seek.

escondrijo

nombre masculino **1** Lugar oculto en donde se esconde o puede esconderse una cosa o una persona, en especial si es pequeño o de difícil acceso. INGLÉS hiding place.

escopeta

nombre femenino **1** Arma de fuego formada por uno o dos cañones, una pieza de madera con el mecanismo para disparar y la culata para apoyarla. INGLÉS shotgun.

escorpio

nombre masculino **1** Octavo signo del zodiaco. Con este significado se escribe con mayúscula. INGLÉS Scorpio.

nombre masculino y femenino **2** Persona nacida bajo el signo de Escorpio, entre el 24 de octubre y el 22 de noviembre. Con este significado, el plural es: los escorpio, las escorpio. INGLÉS Scorpio.

escorpión

nombre masculino **1** Animal del grupo de los arácnidos, con las patas delanteras en forma de pinzas y un cuerpo largo y acabado en un aguijón venenoso en forma de gancho. SINÓNIMO alacrán. INGLÉS scorpion.

NOTA El plural es: escorpiones.

escote

nombre masculino **1** Abertura de una prenda de vestir que deja al descubierto el cuello y, a veces, parte del pecho. INGLÉS neckline.

escotilla

nombre femenino **1** Puerta en la cubierta de un barco, un tanque o una nave espacial que permite el paso a su interior. INGLÉS hatchway, hatch.

escozor

nombre masculino **1** Sensación de picor doloroso parecida a la que produce una quemadura, pero menos intensa. Cuando nos entra jabón en los ojos notamos un gran escozor. INGLÉS stinging, smarting.

escriba

nombre masculino **1** Hombre que en la Antigüedad escribía a mano textos que le dictaban o que copiaba. INGLÉS scribe.

escribir

verbo **1** Representar palabras o sonidos mediante letras u otros signos. Podemos escribir con bolígrafo o tiza, a máquina o en el ordenador. Los ciegos escriben con un sistema especial de signos. INGLÉS to write.

2 Comunicarse con alguien por escrito. Se escriben cartas o notas. INGLÉS to write.

3 Hacer libros, discursos, partituras musicales u otras obras parecidas. Los periodistas escriben artículos para periódicos. INGLÉS to write.

4 Funcionar un bolígrafo, una pluma o un rotulador. INGLÉS to write.

escrito, escrita

participio **1** Participio irregular de: escribir. También se usa como adjetivo: *Ha escrito una redacción. Busco un papel escrito.* INGLÉS written.

nombre masculino **2** Cosa escrita, como un cuento o un informe. INGLÉS piece of writing.

escritor, escritora

nombre **1** Persona que escribe libros o artículos. INGLÉS writer.

escritorio

nombre masculino **1** Mueble para escribir sobre él que tiene cajones y pequeños estantes para guardar los papeles y los utensilios de escritura. INGLÉS desk.

escritura

nombre femenino **1** Representación de palabras, ideas o

sonidos por medio de letras u otros signos escritos. INGLÉS writing.
2 Documento oficial que refleja un acuerdo y está firmado por los interesados. En la escritura de la compra de un piso figura su precio. INGLÉS deed.
3 La Biblia. Con este significado se escribe con mayúscula y generalmente en plural. INGLÉS scripture.

escroto
nombre masculino **1** Bolsa formada por la piel que cubre los testículos de los mamíferos. INGLÉS scrotum.

escrúpulo
nombre masculino **1** Sentimiento de temor o duda que produce una acción que no se sabe si es buena o justa y no se está seguro de hacerla. Hay personas que no tienen escrúpulos para matar animales. INGLÉS scruple.
2 Asco que producen a algunas personas ciertos alimentos y también las cosas que no están muy limpias. INGLÉS revulsion.

escrupuloso, escrupulosa
adjetivo **1** Se dice de la persona que siempre cumple con sus deberes y su trabajo, y lo hace muy bien y con mucho cuidado. Los estudiantes escrupulosos presentan sus trabajos muy limpios y ordenados. INGLÉS scrupulous.
2 Se dice de la persona a la que le dan asco ciertos alimentos y también cualquier cosa que no está muy limpia. A las personas escrupulosas nunca se les ocurre comer nada con los dedos. INGLÉS finicky, fussy.

escrutinio
nombre masculino **1** Acción que consiste en revisar todos los votos que se han emitido en una votación y contar los que ha obtenido cada candidatura. También se hace un escrutinio en algunos sorteos para saber cuántas personas han acertado el resultado. INGLÉS count.

escuadra
nombre femenino **1** Utensilio de dibujo parecido a una regla, pero con forma de triángulo rectángulo con dos lados iguales. También se le llama escuadra a otros objetos que tienen la misma forma, como el ángulo de una portería de fútbol. INGLÉS set square.
2 Conjunto de barcos de guerra de un país. INGLÉS fleet.

escuadrón
nombre masculino **1** Unidad militar compuesta por un gran número de aviones. INGLÉS squadron.
2 Unidad militar compuesta por militares a caballo mandada generalmente por un capitán. INGLÉS squadron.
NOTA El plural es: escuadrones.

escuálido, escuálida
adjetivo **1** Que está muy delgado. INGLÉS emaciated, extremely thin.

escucha
nombre femenino **1** Acción de escuchar una conversación, en especial cuando se hace de forma secreta. INGLÉS listening, [si es telefónica: phone tapping].

escuchar
verbo **1** Oír algo con atención. INGLÉS to listen.
2 Hacer caso de un aviso o un consejo. INGLÉS to pay attention to.

escuchimizado, escuchimizada
adjetivo **1** Que está delgado y tiene aspecto de enfermo. Los perros callejeros tienen un cuerpo escuchimizado. INGLÉS puny, scrawny.

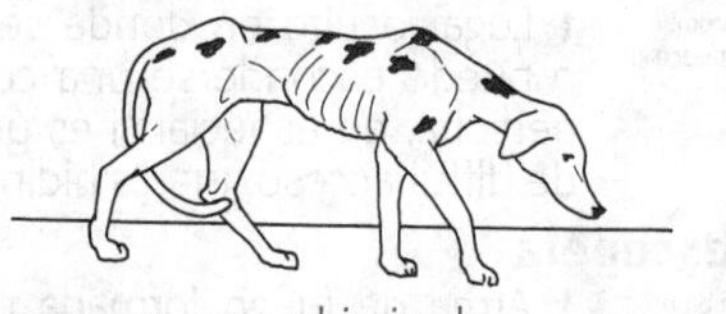

escuchimizado

escudero
nombre masculino **1** Hombre que antiguamente servía a un caballero o un noble: *Sancho Panza era el escudero de don Quijote.* INGLÉS squire.

escudo
nombre masculino **1** Arma que utilizaban antiguamente los guerreros y los soldados para defenderse, formada por una plancha de metal que se sujetaba con el brazo. INGLÉS shield.
2 Emblema o dibujo con la forma de esta arma que representa a un equipo deportivo, un país, una ciudad o una familia noble. INGLÉS shield, coat of arms.

escudriñar
verbo **1** Examinar algo con mucha atención,

tratando de averiguar o descubrir una cosa: *Escudriñaba el cielo para ver si descubría algún avión.* INGLÉS to scrutinize.

escuela
nombre femenino **1** Establecimiento público donde se enseña a las personas que van a aprender, en especial el que se dedica a la enseñanza primaria. En las escuelas públicas la enseñanza es gratuita. SINÓNIMO colegio. INGLÉS school.
2 Conjunto de personas que siguen una misma doctrina, arte, estilo o maestro, y también sus enseñanzas. El pintor Velázquez forma parte de la escuela barroca. INGLÉS school.

escueto, escueta
adjetivo **1** Que es simple, breve y no tiene detalles innecesarios. Si contestamos a una pregunta solo con un 'sí' o un 'no', estamos dando una respuesta escueta. INGLÉS brief, succinct.

esculpir
verbo **1** Hacer una escultura a partir de un bloque de algún material. Los escultores esculpen la piedra, la madera o el mármol. INGLÉS to sculpt.
2 Grabar letras o dibujos en un material duro. En las lápidas de las tumbas se esculpen los nombres de los difuntos. INGLÉS to engrave.

escultor, escultora
nombre **1** Persona que hace esculturas. INGLÉS sculptor [hombre], sculptress [mujer].

escultura
nombre femenino **1** Obra de arte que se hace esculpiendo o trabajando una pieza de madera, piedra u otro material duro. También se llama escultura la técnica usada para hacer estas obras de arte. INGLÉS sculpture.

escupir
verbo **1** Expulsar saliva o cualquier otra cosa por la boca. INGLÉS to spit.
2 Expulsar o lanzar una cosa lo que tiene dentro. Los volcanes en erupción escupen lava. INGLÉS to spit.

escupitajo
nombre masculino **1** Saliva que se expulsa con fuerza y de una vez por la boca. Es una palabra informal. SINÓNIMO lapo. INGLÉS gob of spit.

escurreplatos
nombre masculino **1** Utensilio o mueble de cocina en el que se colocan los platos, vasos y cacharros fregados para que escurran el agua. INGLÉS plate rack.
NOTA El plural es: escurreplatos.

escurridizo, escurridiza
adjetivo **1** Que se desliza con facilidad entre las manos, como una pastilla de jabón mojada. SINÓNIMO resbaladizo. INGLÉS slippery.
2 Que resbala. Un suelo recién fregado puede ser escurridizo. SINÓNIMO resbaladizo. INGLÉS slippery.

escurridor
nombre masculino **1** Utensilio de cocina en forma de cazo con agujeros que sirve para escurrir el agua de algunos alimentos después de hervidos. INGLÉS strainer.

escurrir
verbo **1** Soltar o hacer soltar el líquido que tiene una cosa: *Escurre bien la toalla.* INGLÉS to drain [alimentos], to wring out [una tela].
2 escurrirse Resbalar una cosa o una persona: *Lo sentó en la silla del cochecito, pero no lo ató y se escurrió hasta el suelo.* INGLÉS to slip.

esdrújulo, esdrújula
adjetivo y nombre femenino **1** Se dice de la palabra que lleva el acento en la antepenúltima sílaba, como 'frigorífico' y 'estúpido'.

ese, esa
determinante demostrativo **1** Indica que el objeto, persona o situación de que se habla está a una distancia media del hablante en el espacio o en el tiempo: *No quiero acordarme de ese día.* INGLÉS that [singular], those [plural].
pronombre demostrativo **2** Sustituye a un nombre que ya se ha dicho e indica que el objeto, persona o situación sustituido está a una distancia media del hablante, ni muy cerca ni muy lejos: *Yo prefiero esa.* Recuerda que como pronombre admite la forma con tilde o sin ella, aunque es conveniente que utilices la forma sin tilde. INGLÉS that one [singular], those ones [plural].
nombre femenino **3** Nombre de la letra 's': *'Sevilla' se escribe con ese inicial.*

esencia
nombre femenino **1** Conjunto de características que están

a b c d e f g h i j k l m n ñ o p q r s t u v w x y z

a b c d e f g h i j k l m n ñ o p q r s t u v w x y z

en las cosas o personas de forma permanente e invariable y que hacen que sean como son. INGLÉS essence.

2 Característica o parte fundamental y más importante de una cosa. La esencia de un texto es su idea principal. INGLÉS essence.

3 Perfume muy concentrado que se saca de algunas flores, como la rosa o el jazmín. INGLÉS essence.

4 Sustancia concentrada que se saca de algunas plantas y semillas y se utiliza en cocina, como la esencia de vainilla o de anís. INGLÉS essence.

esencial

adjetivo

1 Se dice de lo que es más importante en una cosa, aquello de lo cual no se puede prescindir. El respeto mutuo es esencial para la convivencia de las personas. INGLÉS essential.

esenio, esenia

adjetivo y nombre

1 Se dice de las personas que pertenecían a una antigua secta judía, que llevaban una vida muy austera y fundaron una comunidad dedicada a la oración. INGLÉS Essenian [adjetivo], Essene [nombre].

esfera

nombre femenino

1 Cuerpo sólido con forma de bola. La Tierra es una gran esfera. INGLÉS sphere.

2 Superficie redonda donde están las agujas de un reloj, de una brújula o de otros instrumentos. INGLÉS face.

3 Ambiente o clase social en el que se mueve un grupo de personas. La gente de las altas esferas es la que tiene mucho dinero. INGLÉS circle.

esférico, esférica

adjetivo

1 Se dice de lo que tiene forma de esfera. Una pelota es esférica. INGLÉS spherical.

esfinge

nombre femenino

1 Ser imaginario que tiene cuerpo de león y cabeza de mujer. INGLÉS sphinx.

esfínter

nombre masculino

1 Músculo que rodea la abertura de algunos conductos del cuerpo. La uretra y el ano se abren y cierran por los esfínteres. INGLÉS sphincter.

esforzar

verbo

1 Utilizar un órgano o una parte del cuerpo con mucha intensidad o con más intensidad de lo normal. Cuando tenemos una pierna rota, esforzamos más la otra. INGLÉS to strain, to force.

2 esforzarse Utilizar con intensidad la fuerza física o mental para hacer o para conseguir algo: *Si te esfuerzas, sacarás buenas notas.* INGLÉS to make an effort, to strive.

NOTA Se conjuga como: forzar; la 'o' se convierte en 'ue' en sílaba acentuada y se escribe 'c' delante de 'e', como: esfuercen.

esfuerzo

nombre masculino

1 Empleo de la fuerza física o mental para hacer o conseguir algo, especialmente cuando se hace con mucha intensidad o interés. Para levantar una cosa pesada hay que hacer un esfuerzo. Para sacar buenas notas, también. INGLÉS effort.

esfumarse

verbo

1 Marcharse una persona de un lugar sin que la vea nadie: *Cuando volví ya no estaba, se había esfumado.* Es un uso informal. INGLÉS to disappear.

2 Desaparecer una cosa poco a poco, como el humo o la niebla. INGLÉS to clear.

esgrima

nombre femenino

1 Deporte que consiste en la lucha de dos personas armadas con espadas u otras armas blancas. Se trata de tocar el cuerpo del adversario con la espada sin que él consiga tocar el nuestro. INGLÉS fencing.

esguince

nombre masculino

1 Rotura o daño que se produce en los ligamentos o los músculos de una articulación cuando se tuercen. INGLÉS sprain.

eslabón

nombre masculino

1 Cada una de las piezas en forma de aro que componen una cadena. INGLÉS link.

NOTA El plural es: eslabones.

eslavo, eslava

adjetivo y nombre

1 Se dice de la persona o cosa que pertenecía al grupo de pueblos que habitaron el norte y el este de Europa. También se dice de la persona o cosa que desciende o procede de estos pueblos. INGLÉS Slav.

adjetivo

2 Se dice de la lengua que deriva de la lengua hablada por el grupo de pueblos que antiguamente habitaron el norte y el este de Europa. El ruso, el búlgaro y el polaco son lenguas eslavas. INGLÉS Slavonic.

eslogan

nombre masculino **1** Frase corta que se utiliza para hacer publicidad de un producto o para que la gente identifique fácilmente un servicio o una empresa: *'Más por menos', ese es nuestro eslogan.* INGLÉS slogan.

NOTA El plural es: eslóganes.

eslora

nombre femenino **1** Longitud de una embarcación desde la proa hasta la popa: *En el puerto había un yate de 18 metros de eslora.* INGLÉS length.

eslovaco, eslovaca

adjetivo y nombre **1** Se dice de la persona o cosa que es de Eslovaquia, país del centro de Europa. INGLÉS Slovak.

nombre masculino **2** Lengua hablada en Eslovaquia. El eslovaco es una lengua eslava. INGLÉS Slovak.

esloveno, eslovena

adjetivo y nombre **1** Se dice de la persona o cosa que es de Eslovenia, estado del centro de Europa. INGLÉS Slovene.

nombre masculino **2** Lengua que se habla en Eslovenia. El esloveno es una lengua eslava, igual que el ruso. INGLÉS Slovene.

esmalte

nombre masculino **1** Sustancia pastosa que se utiliza para decorar, proteger o abrillantar objetos o superficies de cerámica o metal. INGLÉS enamel.

2 Líquido espeso que sirve para pintar o dar brillo a las uñas. INGLÉS nail varnish.

3 Sustancia blanca y dura que recubre los dientes. INGLÉS enamel.

esmeralda

nombre femenino **1** Piedra preciosa de color verde que se utiliza para hacer joyas. INGLÉS emerald.

esmerarse

verbo **1** Poner mucho cuidado y atención para hacer algo lo mejor posible: *Se esmera mucho en su trabajo.* INGLÉS to take great pains.

esmero

nombre masculino **1** Cuidado, atención o interés especial que pone una persona para hacer algo lo mejor posible. INGLÉS great care.

esmirriado, esmirriada

adjetivo **1** Que está muy delgado o poco desarrollado. ANTÓNIMO fuerte; robusto. INGLÉS puny, scrawny.

esmoquin

nombre masculino **1** Traje masculino que se usa en fiestas y ocasiones importantes. INGLÉS dinner jacket.

NOTA El plural es: esmóquines.

eso

pronombre demostrativo **1** Se refiere a una situación u objeto más o menos cercano al hablante, pero sin especificar su nombre, bien porque no se quiere, porque se desconoce o porque ya se ha hablado antes de él: *¿Cómo sabías que pasaría eso?* INGLÉS that.

NOTA Nunca lleva tilde.

esófago

nombre masculino **1** Conducto que forma parte del aparato digestivo y conduce los alimentos desde la boca hasta el estómago. INGLÉS oesophagus.

espabilar

verbo **1** Hacer que alguien sea más inteligente y vaya perdiendo su torpeza o su inocencia. INGLÉS to wise up.

2 espabilarse Darse prisa o acabar con rapidez lo que se está haciendo: *Espabílate, que no acabarás el trabajo a tiempo.* INGLÉS to hurry up.

3 espabilarse Acabarse de despertar una persona que aún está medio dormida. INGLÉS to wake up.

espachurrar

verbo **1** Hacer presión sobre una cosa hasta deformarla o romperla. Si alguien se sienta sobre un sombrero, lo espachurra. Es una palabra informal. INGLÉS to squash.

espacial

adjetivo **1** Se dice de las cosas que se encuentran en el espacio o que tienen relación con él, como las naves espaciales. INGLÉS space.

espacio

nombre masculino **1** Extensión del lugar que ocupa o puede ser ocupado por una persona o cosa: *Quiero una casa con mucho espacio.* INGLÉS space, room.

2 Lugar que queda fuera de la atmósfera de la Tierra, en el que hay planetas y estrellas. INGLÉS space.

3 Distancia que hay entre dos o más

cosas, como la que existe entre dos renglones. INGLÉS space.

4 Período de tiempo: *En el espacio de media hora se acabó de leer el cómic.* INGLÉS space.

5 Tiempo de radio o televisión. Las cadenas de televisión ofrecen espacios informativos, deportivos y culturales. INGLÉS programme.

espacioso, espaciosa

adjetivo **1** Se dice de los lugares o las cosas que tienen mucho espacio interior y donde entran con comodidad personas o cosas. Los coches grandes son espaciosos. SINÓNIMO amplio. ANTÓNIMO estrecho. INGLÉS spacious.

espada

nombre femenino **1** Arma blanca formada por una hoja larga y afilada de metal que está sujeta a un mango o empuñadura por donde se agarra. INGLÉS sword.

nombre masculino y femenino **2** Persona que mata al toro en una corrida. INGLÉS matador.

nombre femenino plural **3** **espadas** Palo de la baraja española al que pertenecen las cartas que tienen dibujada una o varias espadas.

espadachín, espadachina

nombre **1** Persona que maneja muy bien la espada. INGLÉS swordsman.

espagueti

nombre masculino **1** Pasta hecha de harina y agua con forma de cilindro fino y largo. Se comen acompañados de alguna salsa y queso rallado. INGLÉS spaghetti.

espalda

nombre femenino **1** Parte trasera del cuerpo humano que va desde los hombros hasta la cintura. INGLÉS back.

2 Parte posterior del cuerpo de los animales. SINÓNIMO lomo. INGLÉS back.

3 Parte trasera de una cosa. INGLÉS back.

4 Modo de nadar en que el nadador se coloca boca arriba y mueve los brazos en círculo hacia atrás. INGLÉS backstroke.

espantapájaros

nombre masculino **1** Muñeco grande o cualquier cosa que se coloca en los campos de cultivo y que sirve para asustar a los pájaros que van a picar las semillas o los alimentos sembrados. INGLÉS scarecrow.

NOTA El plural es: espantapájaros.

espantar

verbo **1** Causar o sentir mucho miedo o rechazo por algo. A algunos niños les espanta la oscuridad. INGLÉS to frighten, to scare.

2 Hacer que se vaya o no dejar que se acerque alguien a un lugar. Las alarmas sirven para espantar a los ladrones. INGLÉS to scare off, to frighten away.

espanto

nombre masculino **1** Miedo o impresión muy fuerte causada de repente por algo o alguien. INGLÉS fright.

2 Aquello que molesta mucho o resulta muy desagradable. Para muchas personas es un espanto tener que madrugar. INGLÉS awful thing.

de espanto Que es muy grande o muy intenso: *En agosto hizo un calor de espanto.* INGLÉS dreadful, terrible.

espantoso, espantosa

adjetivo **1** Que da o produce un miedo o rechazo fuerte: *Vimos una pelea espantosa.* SINÓNIMO espeluznante. INGLÉS dreadful, terrible.

2 Que es muy grande o muy intenso, especialmente si es algo que se considera negativo: *Un ruido espantoso me impedía dormir.* INGLÉS dreadful, terrible.

español, española

adjetivo y nombre **1** Se dice de la persona o cosa que es de España. INGLÉS Spanish [adjetivo], Spaniard [nombre].

nombre masculino **2** Lengua hablada en España y en los países hispanoamericanos. El español tiene su origen en el latín, como el catalán, el gallego, el portugués, el francés, el italiano o el rumano. También se utiliza la palabra 'castellano' para diferenciar el español que se habla en Castilla del que se habla en otras zonas de España o para diferenciarlo de las otras lenguas oficiales de España. INGLÉS Spanish, Castilian.

esparadrapo

nombre masculino **1** Cinta que se pega por una de sus caras y se usa para sujetar las vendas. INGLÉS sticking plaster.

esparcir

verbo **1** Separar y extender un conjunto de cosas que están juntas. El viento esparce por el suelo las hojas de los árboles. INGLÉS to scatter.

NOTA Se conjuga como: zurcir; se escribe 'z' delante de 'a' y 'o', como: esparza o esparzo.

espárrago
nombre masculino **1** Brote tierno y comestible de una planta, que tiene forma alargada y redondeada; pueden ser de color blanco o verde y se venden frescos o en lata. También es la planta de cuyas raíces crecen estos brotes. INGLÉS asparagus.
2 Pieza metálica que sirve para sujetar algo introduciéndola por un agujero. Las estanterías pueden fijarse con espárragos. INGLÉS screw.

esparto
nombre masculino **1** Material hecho de fibras vegetales que se usa para fabricar cuerdas y otros objetos, como las suelas de las zapatillas. INGLÉS esparto.
2 Planta de hojas muy fuertes, largas y estrechas, de la que se saca este material. INGLÉS esparto grass.

espátula
nombre femenino **1** Herramienta formada por un mango y una lámina de metal, generalmente con forma triangular. Se utiliza en pintura para mezclar los colores y en albañilería para rascar y limpiar superficies o para extender masa. INGLÉS spatula, [si es de un artista: palette knife].
2 Herramienta plana y alargada, con mango o sin él. Los médicos la utilizan para poder vernos mejor la garganta; en la cocina se utiliza para extender una crema o chocolate sobre un pastel. INGLÉS spatula.

especia
nombre femenino **1** Hierba aromática que se echa a las comidas para darles un olor y un sabor especial, como la pimienta, el orégano y la albahaca. INGLÉS spice.

especial
adjetivo **1** Que es distinto de lo que se considera normal. INGLÉS special.
2 Que es propio o adecuado para un fin determinado. Hay jabones especiales para la cara de las personas con piel grasa. INGLÉS special.
3 Que tiene unos gustos un poco raros, especialmente para las comidas. INGLÉS fussy.

especialidad
nombre femenino **1** Parte de una ciencia o de cualquier otra actividad. La dermatología es una especialidad de la medicina. INGLÉS speciality.
2 Cosa que sabe hacer muy bien una persona, o producto en el que destaca un establecimiento o una zona geográfica. INGLÉS speciality.

especialista
adjetivo y nombre **1** Se dice de la persona que tiene amplios conocimientos sobre una materia de estudio o una profesión. Un oftalmólogo es un médico especialista en problemas de vista. INGLÉS specialist [nombre].
2 Que hace muy bien una determinada cosa: *Mi madre es especialista en hacer sopas.* INGLÉS specialist [nombre].
nombre masculino y femenino **3** Persona que sustituye a un actor de cine o televisión en las escenas peligrosas. SINÓNIMO doble. INGLÉS stunt man [hombre], stunt woman [mujer].

especializar
verbo **1** Preparar a alguien en una determinada rama de una ciencia o de un arte: *Algunas academias de arte especializan a sus alumnos en pintura.* INGLÉS to specialize.
NOTA Se escribe 'c' delante de 'e', como: especialicen.

especie
nombre femenino **1** Conjunto de personas o animales que tienen unas características comunes. Las ballenas son una especie en vías de extinción. INGLÉS species.
una especie de Parecido a algo: *El gazpacho es una especie de sopa fría.* INGLÉS a sort of.

especificar
verbo **1** Dar la información más importante y los datos más concretos sobre una persona o una cosa para distinguirla de las demás: *Especifícame a qué chica te refieres.* INGLÉS to specify.
NOTA Se escribe 'qu' delante de 'e', como: especifique.

especificativo, especificativa
adjetivo **1** Se dice del adjetivo o del grupo de palabras que sirven para limitar el significado general de un nombre y especificar así de qué individuo o cosa en concreto se está hablando. En la frase 'tráeme la chaqueta roja', 'roja' es un adjetivo especificativo. INGLÉS defining.

a b c d e f g h i j k l m n ñ o p q r s t u v w x y z

específico, específica
adjetivo
1 Que es característico o propio de una persona, animal o cosa y sirve para que se distinga de otros. INGLÉS specific.

espectacular
adjetivo
1 Se dice de las cosas o las personas que llaman mucho la atención por ser muy altas o muy guapas. INGLÉS spectacular.

espectáculo
nombre masculino
1 Acto que se realiza ante un número más o menos elevado de personas para divertirlas o entretenerlas. INGLÉS show.
2 Suceso o actividad que nos llama la atención por salirse de lo normal. Un eclipse de Luna es un espectáculo maravilloso. INGLÉS spectacle.

espectador, espectadora
adjetivo y nombre
1 Se dice de la persona que va a ver un espectáculo. INGLÉS spectator [nombre], member of the audience [nombre].

espectro
nombre masculino
1 Ser irreal, generalmente de aspecto horrible, que una persona ve en su imaginación como si fuera real. SINÓNIMO fantasma. INGLÉS spectre, ghost.

especular
verbo
1 Meditar o pensar sobre un tema. Los filósofos especulan a cerca del sentido de la vida. INGLÉS to speculate.
2 Hacer suposiciones sobre algo, normalmente pensando en cosas que pueden no ocurrir. INGLÉS to speculate.
3 Comprar algo que se supone va a subir de precio para venderlo después y obtener así un beneficio. Hay personas que especulan con la venta de pisos. INGLÉS to speculate.

espejismo
nombre masculino
1 Imagen que una persona cree estar viendo, pero que no existe en realidad. En el desierto, a causa del calor y de los reflejos del sol, se ven muchos espejismos. INGLÉS mirage.

espejo
nombre masculino
1 Superficie en la que puede verse reflejada la propia figura o la de otras personas o cosas. Los espejos son cristales que están pintados por la parte de atrás. INGLÉS mirror.
2 Cualquier cosa que refleja cómo es otra cosa. Se dice que la cara es el espejo del alma porque refleja cómo nos sentimos. INGLÉS mirror.

espeleología
nombre femenino
1 Exploración de las cuevas que se hace con fines científicos o como deporte. INGLÉS potholing [deporte], speleology [estudio científico].

espeluznante
adjetivo
1 Que causa un miedo o rechazo muy grande. Las películas de terror contienen escenas espeluznantes. SINÓNIMO espantoso. INGLÉS hair-raising, terrifying.

espera
nombre femenino
1 Acción que consiste en esperar a una persona o una cosa: *La espera se le hizo muy larga.* INGLÉS wait.

esperanto
nombre masculino
1 Lengua inventada en 1887 por un médico ruso con la idea de que sirviera de lengua universal con la que hablar y entenderse todas las personas del mundo. Muy poca gente lo ha aprendido. INGLÉS Esperanto.

esperanza
nombre femenino
1 Confianza que tiene alguien en conseguir una cosa o en que ocurra algo que le interesa. INGLÉS hope.
2 Cosa o persona en la que confiamos para que nos ayude o nos sirva para algo: *Un trasplante es la única esperanza de algunos enfermos del corazón para poder curarse.* INGLÉS hope.

esperar
verbo
1 Creer y tener la esperanza de que ocurrirá algo que se desea que ocurra. Cuando hacemos bien un examen, esperamos aprobar. INGLÉS to hope, [si es con más confianza: to expect].
2 Estar en un lugar hasta que llegue la persona que sabemos que tiene que llegar o hasta que ocurra algo que tiene que ocurrir: *Te esperaré sentado en un banco.* INGLÉS to wait.

esperma
nombre
1 Líquido espeso de color blanco que producen los órganos reproductores masculinos. El esperma contiene las células sexuales masculinas. SINÓNIMO semen. INGLÉS sperm.
NOTA Tiene doble género, se dice: el esperma y la esperma.

espermatozoide
nombre masculino
1 Célula sexual masculina. Cuando un

espermatozoide se une con la célula sexual femenina se forma un nuevo ser. INGLÉS spermatozoon, sperm.

espesar
verbo
1 Hacer un líquido más espeso. Para espesar una salsa, se le añade un poco de harina. INGLÉS to thicken.
2 espesarse Unirse o apretarse unas cosas con otras: *En esa parte del bosque los árboles se espesan y no dejan pasar los rayos del Sol.* ANTÓNIMO separarse. INGLÉS to get thicker.

espeso, espesa
adjetivo
1 Se dice de los líquidos o sustancias muy densas o que fluyen con dificultad. El aceite es más espeso que el agua. SINÓNIMO denso. INGLÉS thick.
2 Que está formado por partes o elementos que están muy juntos. Cuando llueve mucho, decimos que cae una espesa cortina de agua. SINÓNIMO tupido. INGLÉS dense.

espesor
nombre masculino
1 Anchura de un cuerpo. El tronco de algunos árboles puede alcanzar metros de espesor. SINÓNIMO grosor. INGLÉS thickness.

espía
nombre masculino y femenino
1 Persona que se dedica a espiar a otras para conseguir información secreta. INGLÉS spy.

espiar
verbo
1 Observar o escuchar a escondidas lo que hace o dice otra persona. Las personas cotillas se pasan el día espiando a los demás. INGLÉS to spy on.
2 Intentar conseguir información secreta de un país extranjero o de una empresa de la competencia. INGLÉS to spy.
NOTA Se conjuga como: desviar; la 'i' se acentúa en algunos tiempos y personas, como: espíen.

espiga
nombre femenino
1 Conjunto de flores o frutos pequeños unidos en un solo tallo, como los del trigo, la cebada y otros cereales. INGLÉS ear.

espigón
nombre masculino
1 Muro que se construye a orillas del mar o de un río para proteger el puerto o la orilla contra la corriente o la crecida del agua. INGLÉS breakwater.
NOTA El plural es: espigones.

espina
nombre femenino
1 Hueso del pez. Los peces tienen una espina principal de la que salen otras finas y puntiagudas. INGLÉS bone.
2 Parte dura y afilada que les crece a algunas plantas, como los rosales y las zarzas. INGLÉS thorn.
espina dorsal Columna vertebral. INGLÉS backbone.

espinaca
nombre femenino
1 Planta de huerta de hojas pequeñas y suaves, de color verde fuerte. INGLÉS spinach.

espinilla
nombre femenino
1 Pequeño grano de grasa que sale en la piel de las personas. Muchos jóvenes de entre 12 y 16 años tienen espinillas en la cara. INGLÉS blackhead.
2 Parte delantera del hueso de la pierna que va desde el pie hasta la rodilla. Una patada en la espinilla hace mucho daño. INGLÉS shinbone.

espinoso, espinosa
adjetivo
1 Que tiene espinas. Para cercar algunos terrenos se utiliza alambre espinoso. INGLÉS thorny, spiny, [si es alambre: barbed].
2 Que es difícil o delicado y puede causar muchos problemas. INGLÉS difficult, tricky.

espionaje
nombre masculino
1 Actividad que realiza la persona que se dedica a intentar conseguir información secreta de un país extranjero o bien información secreta de una empresa para proporcionársela a otra. INGLÉS spying, espionage.

espiral
nombre femenino
1 Línea curva que va girando alrededor de un punto y se va separando cada vez más de él. El caparazón de los caracoles forma una espiral. INGLÉS spiral.
2 Curva que da vueltas alrededor de la superficie de un cilindro. También se

espiral

a b c d e f g h i j k l m n ñ o p q r s t u v w x y z

llama espiral el objeto que tiene esta forma. Los muelles tienen forma de espiral. INGLÉS spiral.

3 Proceso rápido en el que van pasando cada vez más cosas o cosas más importantes que escapan a nuestro control, en especial cuando son negativas: *La policía acabó con la espiral de violencia callejera.* INGLÉS spiral.

espirar

verbo **1** Expulsar por la boca o por la nariz el aire de los pulmones. ANTÓNIMO aspirar. INGLÉS to breathe out.

NOTA No lo confundas con 'expirar', que significa 'morir'.

espiritismo

nombre masculino **1** Conjunto de prácticas que se realizan para intentar comunicarse con los espíritus de los muertos. INGLÉS spiritualism.

espíritu

nombre masculino **1** Parte no material de una persona, de la que dependen los pensamientos y los sentimientos. Los creyentes piensan que el espíritu de las personas no muere. SINÓNIMO alma. ANTÓNIMO cuerpo. INGLÉS spirit.

2 Ser imaginario que no tiene cuerpo material, pero sí tiene capacidad para pensar: *En algunas películas de terror aparecen espíritus malvados.* INGLÉS spirit.

espiritual

adjetivo **1** Del espíritu o que tiene relación con él. Leer ayuda a desarrollar la parte espiritual de las personas. INGLÉS spiritual.

2 Se dice de la persona que se interesa más por las cosas del espíritu y de la mente que por las cosas materiales. INGLÉS spiritual.

espléndido, espléndida

adjetivo **1** Que es muy bueno: *Hoy hace un día espléndido.* SINÓNIMO estupendo; fantástico. ANTÓNIMO horrible. INGLÉS splendid, magnificent.

2 Se dice de la persona a la que no le importa gastar el dinero. ANTÓNIMO avaro; tacaño. INGLÉS generous.

esplendor

nombre masculino **1** Característica de las cosas o los actos que son o parecen muy ricos y lujosos: *Celebraron una fiesta de gran esplendor.* INGLÉS magnificence, splendour.

2 Situación de mayor calidad o mayor desarrollo a la que ha llegado una persona o una cosa: *El retrato muestra al rey en su máximo esplendor.* SINÓNIMO apogeo; plenitud. ANTÓNIMO decadencia. INGLÉS splendour.

espolvorear

verbo **1** Echar una sustancia en polvo sobre una cosa. Los cocineros espolvorean de azúcar o de chocolate algunos pasteles. INGLÉS to sprinkle.

esponja

nombre femenino **1** Animal invertebrado marino, con el cuerpo lleno de huecos y agujeros que permiten la entrada de agua. También es el esqueleto de estos animales, que, mojándolo en agua, se utiliza para lavarse. INGLÉS sponge.

2 Objeto de materia elástica con agujeritos que absorbe el agua y se utiliza para lavarse. INGLÉS sponge.

esponjoso, esponjosa

adjetivo **1** Que es blando, elástico y suave como una esponja. La lana de angora suele ser muy esponjosa. SINÓNIMO blando. INGLÉS spongy.

espontaneidad

nombre femenino **1** Característica de la persona que habla y se comporta siguiendo el impulso propio de su personalidad y su forma de ser, sin fingimiento y sin miedo a hacer el ridículo. INGLÉS spontaneity.

espontáneo, espontánea

adjetivo **1** Se dice de la persona que habla y se comporta siguiendo el impulso propio de su personalidad y su forma de ser. También son espontáneas las acciones y la manera de ser de estas personas. INGLÉS spontaneous.

2 Se dice de las acciones que se producen por un impulso interior sin que haya una causa externa que las provoque. Algunas plantas crecen de manera espontánea. INGLÉS spontaneous.

nombre **3** Persona que en un espectáculo sale al escenario e interviene en él sin autorización; especialmente, el aficionado que salta al ruedo en una corrida de toros para torear.

espora

nombre femenino **1** Célula reproductora que no necesita ser fecundada. Las hojas de los musgos, los helechos y los hongos tienen esporas que cuando caen al suelo originan, por reproducción asexual, una nueva planta. INGLÉS spore.

esposar
verbo
1 Poner las esposas en las muñecas a una persona. INGLÉS to handcuff.

esposas
nombre femenino plural
1 Aros de metal unidos por una cadena que se ponen en las muñecas de los presos. INGLÉS handcuffs.

esposo, esposa
nombre
1 Persona con la que alguien está casado. SINÓNIMO cónyuge. INGLÉS spouse, [si es un hombre: husband; si es una mujer: wife].

espray
nombre masculino
1 Es otra forma de escribir: spray. INGLÉS spray.
NOTA El plural es: espráis.

espuela
nombre femenino
1 Pieza de metal que se sujeta al talón de las botas y que utilizan los jinetes para golpear al caballo y que vaya más deprisa. INGLÉS spur. DIBUJO página 187.

espuma
nombre femenino
1 Conjunto de muchas burbujas que se forman en la superficie de algunos líquidos, como la cerveza. INGLÉS froth.
2 Sustancia blanca y espesa que se parece a la espuma de los líquidos, como la espuma de afeitar y la espuma para el pelo. INGLÉS foam.
3 Tejido sintético, que es muy suave y esponjoso, con el que se fabrican medias o colchones. INGLÉS foam.

espumadera
nombre femenino
1 Utensilio de cocina formado por un mango largo y una paleta con agujeros; sirve para sacar los alimentos escurridos del recipiente en el que se están cocinando. INGLÉS skimmer.

espumillón
nombre masculino
1 Tira con flecos que se utiliza para adornar el árbol de Navidad. INGLÉS tinsel.
NOTA El plural es: espumillones.

esqueje
nombre masculino
1 Tallo o parte de una planta que se introduce en tierra para que eche raíces y nazca una planta nueva. INGLÉS cutting.

esquela
nombre femenino
1 Comunicación escrita de la muerte de una persona, en la que se indica el lugar y la hora del funeral. INGLÉS obituary notice.

esquelético, esquelética
adjetivo
1 Que está demasiado delgado. SINÓNIMO flaco; escuálido. ANTÓNIMO gordo. INGLÉS skinny, bony.

esqueleto
nombre masculino
1 Conjunto de los huesos que tienen las personas y los animales vertebrados. El esqueleto sostiene el cuerpo. INGLÉS skeleton.
2 Conjunto de las piezas que forman y sujetan una cosa. El esqueleto de un edificio está formado por los cimientos, las columnas y las vigas. SINÓNIMO estructura. INGLÉS framework.
mover el esqueleto Bailar. Es una expresión informal. INGLÉS to dance.

esquema
nombre masculino
1 Resumen sencillo y ordenado de los aspectos más importantes de un tema. INGLÉS outline.
2 Dibujo de una cosa en donde solo aparecen las líneas o características principales. INGLÉS sketch.

esquemático, esquemática
adjetivo
1 Que está explicado o hecho de manera simple y con los elementos más básicos. Un dibujo esquemático está hecho con los trazos esenciales y no tiene detalles. INGLÉS schematic.

esquí
nombre masculino
1 Tabla larga y estrecha de material duro que se pone en los pies para resbalar sobre la nieve o sobre el agua. INGLÉS ski.
2 Deporte que se practica deslizándose sobre la nieve con los esquís puestos en los pies. INGLÉS skiing.
esquí acuático Deporte que consiste en deslizarse sobre el agua con unos esquís puestos en los pies, sujetándose a una lancha mediante cuerdas. INGLÉS water-skiing.

esquiador, esquiadora
nombre
1 Persona que practica el esquí. INGLÉS skier.

esquiar
verbo
1 Deslizarse sobre la nieve o sobre el agua con unos esquís puestos en los pies. INGLÉS to ski.
NOTA Se conjuga como: desviar; la 'i' se

acentúa en algunos tiempos y personas, como: esquíen.

esquilar
verbo
1 Cortar el pelo o la lana a un animal, especialmente a las ovejas. INGLÉS to shear.

esquimal
adjetivo y nombre
1 Se dice de un pueblo de raza mongoloide que habita en las zonas del polo Norte. También se dice de las personas y cosas de este pueblo. Los esquimales viven en iglús. INGLÉS Eskimo.

esquina
nombre femenino
1 Parte interior o exterior del ángulo que forman dos cosas o dos superficies al juntarse, como la esquina que forman dos calles cuando se unen. INGLÉS corner.

esquivar
verbo
1 Hacer un movimiento con el cuerpo o parte de él para evitar un golpe o un obstáculo. INGLÉS to dodge.

esquivar

2 Hacer todo lo posible para no encontrarse con una persona o para no tener que hacer algo. INGLÉS to avoid.

estabilidad
nombre femenino
1 Característica de las cosas o las personas que se mantienen en un estado, normalmente positivo, sin sufrir grandes cambios. Se habla de estabilidad atmosférica cuando la temperatura no cambia y no se producen precipitaciones. ANTÓNIMO inestabilidad. INGLÉS stability.
2 Característica del cuerpo que se mantiene en equilibrio o puede recuperarlo con facilidad. Cuando un motorista derrapa, la moto pierde la estabilidad y cae al suelo. INGLÉS stability.

estabilizar
verbo
1 Hacer que una cosa sea estable y segura. Para estabilizar una mesilla que está coja podemos poner un trozo de madera bajo una pata. INGLÉS to stabilize, to make stable.
NOTA Se escribe 'c' delante de 'e', como: estabilice.

estable
adjetivo
1 Se dice de las personas o las cosas que se mantienen en un estado, normalmente positivo, sin sufrir grandes cambios. ANTÓNIMO inestable. INGLÉS stable, steady.
2 Que se mantiene en equilibrio, sin moverse. Una silla es estable cuando no cojea. ANTÓNIMO inestable. INGLÉS stable.
3 Que no está en peligro de desaparecer: *Me gustaría encontrar un trabajo estable.* SINÓNIMO fijo. INGLÉS stable, steady.

establecer
verbo
1 Crear una cosa en un lugar: *Se ha establecido la costumbre de no trabajar el viernes por la tarde.* INGLÉS to establish.
2 Expresar una idea o decir cómo ha de ser una cosa. Los legisladores establecen las penas para los delincuentes. INGLÉS to establish.
3 establecerse Quedarse a vivir en un lugar. SINÓNIMO instalarse. INGLÉS to settle.
4 establecerse Abrir o crear un negocio propio en un lugar. INGLÉS to set up in business.
NOTA Se conjuga como: agradecer; la 'c' se convierte en 'zc' delante de 'a' y 'o', como: establezca.

establecimiento
nombre masculino
1 Acción que consiste en crear, fundar u organizar una cosa: *Están estudiando el establecimiento de una fábrica en esta zona.* INGLÉS establishment, founding.
2 Lugar en el que se realiza una actividad comercial, industrial, benéfica o de otro tipo, como una academia, un hotel o una tienda. INGLÉS establishment.

establo
nombre masculino
1 Lugar en el que se guarda el ganado. INGLÉS stable [para caballos], cowshed [para vacas].

estaca
nombre femenino
1 Palo de madera que tiene un extremo terminado en punta y que general-

mente sirve para clavarlo en algún lugar. Algunas estacas sirven para marcar un terreno o para formar una valla. INGLÉS stake, post.
2 Palo de madera grueso y fuerte que puede tener distintos usos. INGLÉS stick.

estacazo
nombre masculino **1** Golpe muy fuerte. INGLÉS blow with a stick.
NOTA Es una palabra informal.

estación
nombre femenino **1** Lugar donde se paran los autobuses, trenes o metros para que la gente baje o suba. INGLÉS station.
2 Cada uno de los cuatro períodos de tiempo en que se divide el año, según las características atmosféricas de cada uno. INGLÉS season.
3 Conjunto de edificios, instalaciones y aparatos destinados a una determinada actividad, como una estación de esquí. INGLÉS station, [si es de esquí: resort].
estación de servicio Lugar donde los vehículos pueden llenar sus depósitos con combustible y revisar el nivel del aire de las ruedas. SINÓNIMO gasolinera. INGLÉS service station.
NOTA El plural es: estaciones.

estacionamiento
nombre masculino **1** Detención de un vehículo en un lugar durante un cierto tiempo. SINÓNIMO aparcamiento. INGLÉS parking.
2 Lugar preparado y reservado para dejar los vehículos durante un tiempo. SINÓNIMO aparcamiento; parking. INGLÉS car park.

estacionar
verbo **1** Dejar un vehículo en un lugar durante el tiempo que esté parado. No se puede estacionar encima de las aceras. SINÓNIMO aparcar. INGLÉS to park.
2 estacionarse Detenerse o permanecer algo en un estado determinado sin sufrir cambios o variaciones: *La enfermedad se ha estacionado.* SINÓNIMO estabilizarse. ANTÓNIMO evolucionar. INGLÉS to stabilize.

estadio
nombre masculino **1** Recinto público donde se celebran competiciones deportivas, con asientos para el público. INGLÉS stadium.
2 Período o fase de un proceso más amplio. La adolescencia es un estadio de la vida del ser humano. SINÓNIMO etapa. INGLÉS stage.

estadística
nombre femenino **1** Ciencia que se ocupa de reunir y clasificar determinadas informaciones y expresarlas en números para sacar conclusiones generales: *Mediante la estadística podemos saber si el paro aumenta o se estabiliza.* INGLÉS statistics.

estadístico, estadística
adjetivo **1** De la estadística o que tiene relación con ella. INGLÉS statistical.

estado
nombre masculino **1** Situación o modo en que se encuentra alguien o algo en un momento determinado: *Su estado de salud era bueno.* INGLÉS state.
2 Forma en la que puede presentarse la materia. Los estados de la materia son tres: líquido, sólido y gaseoso. INGLÉS state.
3 Clase o situación de una persona. El estado civil de una persona que no se ha casado se define con el nombre de soltería. INGLÉS status.
4 Terreno y población de un país independiente: *El estado celebra elecciones para elegir a su gobierno.* INGLÉS state.
5 Conjunto de poderes e instituciones, como gobierno o ministerios, que gobiernan y administran una sociedad o territorio. SINÓNIMO administración. INGLÉS state.
6 Territorio que se gobierna con leyes propias, aunque dependa del gobierno central del país. California es un estado de Estados Unidos de América. INGLÉS state.
en estado Se dice de la mujer que está embarazada. INGLÉS pregnant.

estadounidense
adjetivo y nombre **1** Se dice de la persona o cosa que es de Estados Unidos, país de América del Norte. INGLÉS American.

estafa
nombre femenino **1** Robo de dinero u otras cosas que se hace por medio de engaños y mentiras. INGLÉS fraud, swindle.

estafar
verbo **1** Quitarle dinero u otra cosa a alguien por medio de mentiras y engaños. La gente que no paga sus impuestos está

estafando al estado. INGLÉS to swindle, to defraud.

2 No cumplir lo prometido o prometer algo que no es cierto: *Me estafaron, me dijeron que este reloj se podía mojar y era mentira.* INGLÉS to trick, to cheat.

estalactita

nombre femenino **1** Masa dura, alargada y terminada en punta que cuelga del techo de algunas cuevas. INGLÉS stalactite.

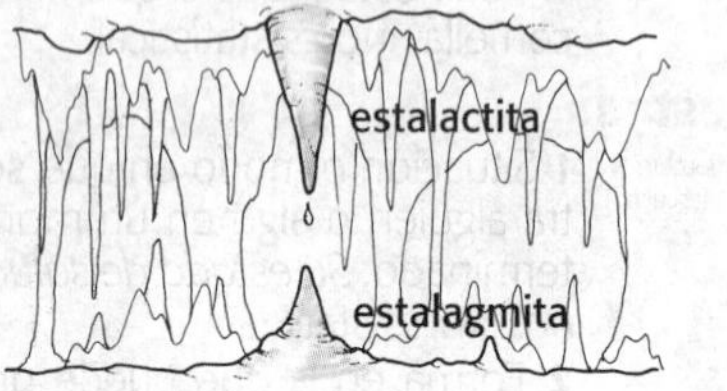

estalactita

estalagmita

nombre femenino **1** Masa dura, alargada y terminada en punta que arranca del suelo de algunas cuevas hacia el techo. A veces estalactitas y estalagmitas llegan a unirse formando columnas. INGLÉS stalagmite.

estallar

verbo **1** Romperse algo de golpe y haciendo mucho ruido. SINÓNIMO explotar. INGLÉS to explode.

2 Abrirse o romperse algo de repente, debido a una fuerte presión: *Mi maleta está tan llena que parece que va a estallar.* INGLÉS to burst open.

3 Ocurrir algo de repente y con mucha fuerza: *Estábamos en el bosque y de repente estalló una tormenta.* INGLÉS to burst.

4 Mostrar un sentimiento o un estado de ánimo de un modo claro y fuerte porque no se puede contener. Las personas estallan a reír, a llorar o a gritar. INGLÉS to burst.

estallido

nombre masculino **1** Acción que consiste en que algo se rompe de repente haciendo mucho ruido. También es un estallido el ruido que se produce. INGLÉS explosion, crash.

2 Manifestación repentina de un suceso que ocurre con violencia o fuerza, como el estallido de una guerra. INGLÉS outbreak.

3 Expresión de un sentimiento o un estado de ánimo de una manera muy clara y fuerte. INGLÉS outburst.

estambre

nombre masculino **1** Órgano reproductor masculino de las flores. El estambre está formado por un filamento delgado con una cabeza en su extremo que contiene el polen. INGLÉS stamen.

estamento

nombre masculino **1** Grupo social que tiene unas determinadas características sociales, económicas, culturales o profesionales. En la Edad Media, la sociedad europea se dividía en tres estamentos: la nobleza, el clero y el resto del pueblo. INGLÉS class, stratum.

estampa

nombre femenino **1** Dibujo o lámina que aparece impresa en los libros. INGLÉS picture.

2 Trozo de cartulina en la que aparece la imagen de Jesucristo, la Virgen o algún santo. INGLÉS print.

3 Aspecto exterior que ofrece una persona o un animal. Un caballo de buena estampa es un caballo elegante y bien proporcionado. INGLÉS appearance.

estampado, estampada

nombre masculino **1** Dibujo o colores de una tela. Hay estampados de flores, de cuadros y de figuras. INGLÉS pattern.

adjetivo y nombre **2** Se dice de una tela o una prenda de vestir que tiene dibujos o colores. INGLÉS patterned [adjetivo].

estampar

verbo **1** Dejar escrita o dibujada una cosa sobre tela o papel con ayuda de un objeto o una máquina que presiona la superficie en la que queda el escrito o el dibujo. Podemos estampar un sello en un papel o un dibujo en una camiseta. INGLÉS to print, to stamp.

2 Firmar un documento. INGLÉS to sign.

3 Lanzar con fuerza a una persona o una cosa haciéndola chocar contra una superficie, de manera que se produce un ruido: *Estampó el libro contra la pared.* INGLÉS to fling.

estancar

verbo **1** Detener el curso de alguna cosa, en especial de una corriente de agua. Cuando el agua se estanca en la calle se forman charcos. INGLÉS to damn [estancar] to stagnate [estancarse].

NOTA Se escribe 'qu' delante de 'e', como: estanquen.

estancia

nombre femenino **1** Tiempo que permanece una persona en un lugar, como una estancia en el extranjero. INGLÉS stay.

2 Habitación o sala de una vivienda. SINÓNIMO cuarto. INGLÉS room.

estanco

nombre masculino **1** Establecimiento en el que se venden tabaco, sellos de correos, sobres y papel del Estado. INGLÉS tobacconist's.

estándar

adjetivo **1** Que es o se considera lo normal porque sigue y copia un modelo: *Mi cuaderno tiene una medida estándar.* INGLÉS standard.

NOTA El plural es: estándar.

estandarte

nombre masculino **1** Bandera que usan militares, religiosos y algunos grupos de personas y que consiste en una tela sujeta por el borde superior a una barra horizontal. INGLÉS standard, banner.

estanque

nombre masculino **1** Lugar artificial que contiene agua: *En el estanque del parque hay patos.* INGLÉS pond, lake.

estanquero, estanquera

nombre **1** Persona que trabaja en un estanco. INGLÉS tobacconist.

estante

nombre masculino **1** Pieza rectangular y plana sobre la cual se colocan libros, plantas y otros objetos. Los estantes pueden colgarse directamente de la pared o formar parte de una estantería; también hay estantes dentro de algunos armarios. INGLÉS shelf.

estantería

nombre femenino **1** Mueble formado por estantes. No suelen tener puertas y se emplean para colocar libros. INGLÉS shelves, bookcase.

estaño

nombre masculino **1** Metal blando de color gris muy claro que no se oxida y se funde fácilmente. INGLÉS tin.

estar

verbo **1** Hallarse o encontrarse una persona o una cosa de cierta manera: *Estoy bien. El tren está parado.* INGLÉS to be.

2 Existir o encontrarse en un lugar. También se utiliza para indicar que estamos en un momento o una época del año determinados: *Su casa está en la montaña. Estamos en verano.* INGLÉS to be.

3 Resultar una prenda de vestir a una persona de un modo determinado: *La falda te está grande.* INGLÉS to be.

4 Se utiliza seguido de un verbo en gerundio para indicar que una acción se está realizando: *Está hablando el profesor.* INGLÉS to be.

5 estarse Permanecer o quedarse en un sitio durante cierto tiempo: *Ayer me estuve más de cinco horas en casa de Ramón.* INGLÉS to be, to stay.

estar a Expresa que nos encontramos en el día del mes que se indica: *Estamos a 7 de noviembre.* INGLÉS to be.

estar a Tener un producto el precio que se indica, en especial los productos de alimentación: *¿A cuánto está la merluza?* INGLÉS to cost.

estar

INDICATIVO	SUBJUNTIVO
presente	**presente**
estoy	esté
estás	estés
está	esté
estamos	estemos
estáis	estéis
están	estén
pretérito imperfecto	**pretérito imperfecto**
estaba	estuviera o estuviese
estabas	estuvieras o estuvieses
estaba	estuviera o estuviese
estábamos	estuviéramos o estuviésemos
estabais	estuvierais o estuvieseis
estaban	estuvieran o estuviesen
pretérito perfecto simple	**futuro**
estuve	estuviere
estuviste	estuvieres
estuvo	estuviere
estuvimos	estuviéremos
estuvisteis	estuviereis
estuvieron	estuvieren

INDICATIVO	IMPERATIVO	
futuro		
estaré	está	(tú)
estarás	esté	(usted)
estará	estemos	(nosotros)
estaremos	estad	(vosotros)
estaréis	estén	(ustedes)
estarán		

INDICATIVO	FORMAS NO PERSONALES	
condicional	**infinitivo**	**gerundio**
estaría	estar	estando
estarías	**participio**	
estaría	estado	
estaríamos		
estaríais		
estarían		

a b c d e f g h i j k l m n ñ o p q r s t u v w x y z

a b c d e f g h i j k l m n ñ o p q r s t u v w x y z

estar a Hallarse un lugar a una distancia determinada de otro: *Estamos a 10 kilómetros del pueblo.* INGLÉS to be.
estar a Seguido del número de grados, se utiliza para indicar la temperatura: *Estamos a 8 grados.* INGLÉS to be.
estar con Estar de acuerdo con una persona: *En eso estoy contigo, tienes toda la razón.* INGLÉS to be with.
estar de Se utiliza para indicar que nos hallamos haciendo algo, como en las expresiones: estar de huelga o estar de exámenes. INGLÉS to be, to have.
estar de Se utiliza para indicar que alguien tiene una determinada actitud o estado de ánimo, como en las expresiones: estar de malas o estar de broma. INGLÉS to be.
estar de más No ser necesario: *Está de más que te diga que puedes quedarte a comer cuando quieras.* INGLÉS not to be necessary.
estar en todo Ocuparse de muchas cosas al mismo tiempo: *Estás en todo, no se te escapa ningún detalle.* INGLÉS to be on the ball, to think of everything.
estar para Estar a punto de ocurrir o hacer lo que se indica: *Estoy para salir, así que no vengas a casa.* INGLÉS to be about to.
estar por Estar a la espera de que algo ocurra o acabe de producirse de un modo u otro: *Está por verse cómo acabará esto.*
estar por Tener la tentación de hacer lo que se indica: *Estoy por irme, ya me tiene harta.* INGLÉS to have a mind to.
ya está bien Se utiliza para indicar que hay suficiente o demasiado de algo: *Ya está bien, no me eches más azúcar.* INGLÉS that's enough.

estatal
adjetivo
1 Del estado o que tiene relación con él: *La economía estatal.* INGLÉS state.

estático, estática
adjetivo
1 Que no se mueve, que permanece en el mismo estado o posición. INGLÉS static.

estatua
nombre femenino
1 Escultura que representa a una persona o un animal. INGLÉS statue.

estatura
nombre femenino
1 Altura de una persona desde los pies hasta la cabeza: *Los jugadores de baloncesto tienen una gran estatura.* SINÓNIMO talla. INGLÉS height, stature.

estatuto
nombre masculino
1 Conjunto de normas que regulan el funcionamiento de una entidad, una asociación o una empresa. Con este significado se usa más en plural. INGLÉS statute.
2 Texto jurídico en el que se recogen las normas que regulan una determinada actividad o un territorio, como el estatuto de los trabajadores o los estatutos de las comunidades autónomas. INGLÉS statute.

este, esta
determinante demostrativo
1 Indica que un objeto, persona o situación de los que se habla están cercanos al hablante en el espacio o en el tiempo: *Esta noche me iré a dormir pronto.* INGLÉS this [singular], these [plural].
pronombre demostrativo
2 Sustituye a un nombre que ya se ha dicho e indica que el objeto, persona o situación sustituido está cercano al hablante en el espacio: *Me he enfadado con este.* Recuerda que como pronombre admite la forma sin tilde o con ella, aunque es conveniente que utilices la forma sin tilde. INGLÉS this one [singular], these ones [plural].
determinante demostrativo
3 Se utiliza detrás de un nombre e indica cierto enfado o desprecio hacia la persona o cosa de la que se habla: *¡Mira tú el hombre este qué tonterías dice!* INGLÉS this [singular], these [plural].
nombre masculino
4 Punto del horizonte o lugar por donde sale el Sol. La abreviatura de este es 'E'; Murcia se encuentra en el este de España. SINÓNIMO oriente; levante. ANTÓNIMO oeste; occidente. INGLÉS east.

estela
nombre femenino
1 Señal o marca que deja una cosa que pasa, especialmente la que deja un barco en el agua o un avión en el aire. INGLÉS wake [de un barco], vapour trail [de un avión].

estelar
adjetivo
1 De las estrellas o que tiene relación con ellas, como el espacio estelar. INGLÉS stellar.
2 Que destaca entre los demás por sus buenas cualidades, valores o actuaciones: *Es el equipo estelar de la temporada.* INGLÉS star.

estepa
nombre femenino
1 Terreno seco, llano, muy extenso y con una vegetación adaptada a la sequedad. INGLÉS steppe.

estera
nombre femenino
1 Tejido grueso hecho de fibra vegetal que se utiliza como alfombra. INGLÉS mat.

estéreo
adjetivo
1 Se dice de los sonidos grabados desde dos puntos distintos para que al reproducirlos se escuchen separados. También es el aparato que emite los sonidos de esta forma por medio de dos altavoces. INGLÉS stereo.

estéril
adjetivo
1 Se dice de la persona o animal que no puede reproducirse. ANTÓNIMO fecundo. INGLÉS sterile.
2 Que no da fruto o que no produce nada, como un terreno estéril. INGLÉS barren.
3 Que está libre de gérmenes. Para limpiar una herida hay que utilizar materiales estériles. INGLÉS sterile.

esterilizar
verbo
1 Hacer que una persona o un animal no puedan reproducirse. Los veterinarios esterilizan los animales domésticos para que no puedan tener cachorros. INGLÉS to sterilize.
2 Limpiar una cosa para destruir los gérmenes que pueden provocar una infección. Antes de una operación quirúrgica, los médicos esterilizan sus instrumentos para que el paciente no se infecte. INGLÉS to sterilize.
NOTA La 'z' se convierte en 'c' delante de 'e', como: esterilice.

estética
nombre femenino
1 Aspecto exterior de una persona o una cosa desde el punto de vista de la belleza: *Me gusta la estética de tu habitación.* INGLÉS aesthetics.

estético, estética
adjetivo
1 Se dice de las cosas que tienen relación con la belleza. INGLÉS aesthetic.
2 Se dice de las cosas que tienen un aspecto bonito. Si una cosa nos parece poco estética no nos gusta mucho. INGLÉS aesthetic.

estetoscopio
nombre masculino
1 Instrumento usado en medicina para escuchar los sonidos del pecho y del abdomen. INGLÉS stethoscope.

estiaje
nombre masculino
1 Disminución del caudal de un río u otra corriente en época de sequía. Algunos ríos sufren estiajes en verano. INGLÉS low water level.
2 Tiempo que dura esta disminución. INGLÉS low water.

estiércol
nombre masculino
1 Conjunto de excrementos de animales mezclados con sustancias vegetales. Es un buen abono para las plantas. INGLÉS dung, manure.

estilo
nombre masculino
1 Conjunto de características que distinguen a un artista o a una época, como el estilo barroco o el estilo renacentista. INGLÉS style.
2 Característica que diferencia del resto a una persona, un grupo de personas, un país, una época, un lenguaje, una película, una moda u otras cosas: *Haré la paella a mi estilo.* INGLÉS style.
3 Forma de practicar un deporte. En natación hay varios estilos, como mariposa, braza o espalda. INGLÉS style.
4 Prolongación en forma de tubo pequeño del pistilo de una flor. El estilo tiene en uno de sus extremos el ovario de la flor. INGLÉS style.
por el estilo De modo parecido o aproximado: *Me gusta tu camisa; yo tengo una por el estilo.* INGLÉS similar.

estima
nombre femenino
1 Cariño o afecto que se siente hacia alguien o algo. INGLÉS esteem, respect.

estimable
adjetivo
1 Que merece ser apreciado o estimado: *Su ayuda fue muy estimable.* INGLÉS considerable.

estimar
verbo
1 Sentir afecto o cariño por alguien o algo: *Estimo mucho a mis amigos.* INGLÉS to think highly of.
2 Reconocer el valor o importancia de una persona o cosa: *Si estimas la naturaleza, no dejes basuras en el bosque.* SINÓNIMO apreciar. ANTÓNIMO despreciar. INGLÉS to value.
3 Calcular el valor o el precio de algo de forma aproximada: *Los agricultores es-*

a b c d e f g h i j k l m n ñ o p q r s t u v w x y z

timan que las pérdidas serán enormes. INGLÉS to estimate.

estimular
verbo
1 Dar ánimos a una persona para que haga una cosa o para que la haga mejor o con más rapidez. INGLÉS to encourage.
2 Hacer que un órgano o parte del cuerpo humano funcione más activamente. Un masaje estimula la circulación de la sangre. INGLÉS to stimulate.

estímulo
nombre masculino
1 Cosa que anima o mueve a una persona a hacer una cosa. SINÓNIMO aliciente. INGLÉS stimulus, incentive.
2 Aquello que provoca una respuesta o reacción de un ser vivo o de una parte de su cuerpo. Los estímulos ayudan a los bebés a desarrollar sus sentidos. INGLÉS stimulus.

estirar
verbo
1 Hacer más larga o poner más lisa una cosa tirando de sus extremos. INGLÉS to stretch.
2 Hacer que una cosa dure más: *Este mes ya no puedo estirar más el dinero del sueldo.* INGLÉS to stretch.
3 estirarse Crecer o hacerse más alta una persona. Los niños se estiran tanto que la ropa se les queda pequeña enseguida. INGLÉS to grow.
4 estirarse Hacer el gesto de extender o alargar los brazos y parte del cuerpo para desperezarse. INGLÉS to stretch.

estirón
nombre masculino
1 Proceso por el que una persona se hace más alta en poco tiempo. INGLÉS sudden burst of growth.
2 Lo que hacemos al tirar con fuerza de algo de que no deberíamos tirar porque podemos estropearlo o causar daño, como un estirón de pelo. INGLÉS jerk, tug.
NOTA El plural es: estirones.

estirpe
nombre femenino
1 Origen y ascendientes de una familia: *Su estirpe procede de Italia.* INGLÉS stock.

estival
adjetivo
1 Del verano o que tiene relación con él, como las vacaciones estivales. INGLÉS summer.

esto
pronombre demostrativo
1 Se refiere a una situación u objeto cercano al hablante y al oyente, pero sin especificar su nombre, bien porque no se quiere, porque se desconoce o porque ya se ha dicho antes: *¿Qué es esto?* INGLÉS this [singular], these [plural].
a todo esto Indica que va a introducirse algún comentario sobre lo que se está hablando: *A todo esto, ¿tú cómo te encuentras?* INGLÉS by the way.
en esto Se utiliza cuando se está contando una historia para indicar que a la vez que ocurría lo que se acaba de contar sucede lo que se cuenta a continuación: *Iba paseando por la calle y en esto se me acerca un hombre.* SINÓNIMO entonces. INGLÉS when.
NOTA Nunca lleva tilde.

estofado
nombre masculino
1 Plato de carne guisada en agua con sal, aceite, cebolla y especias. INGLÉS stew.

estómago
nombre masculino
1 Órgano en forma de bolsa al que van a parar los alimentos; está situado dentro del abdomen. INGLÉS stomach.

estonio, estonia
adjetivo y nombre
1 Se dice de la persona o cosa que es de Estonia, estado del nordeste de Europa. INGLÉS Estonian.
nombre masculino
2 Lengua que se habla en Estonia. INGLÉS Estonian.

estopa
nombre femenino
1 Parte basta o gruesa del lino o del cáñamo que se usa para fabricar cuerdas y tejidos. La estopa es áspera y seca como la paja. INGLÉS tow [fibra], burlap [tela].

estoque
nombre masculino
1 Espada de hoja estrecha. Los toreros los usan para matar al toro. INGLÉS sword.

estor
nombre masculino
1 Cortina que se recoge en forma vertical. INGLÉS roller blind.

estorbar
verbo
1 Molestar o impedir que se realice una cosa. Un coche en doble fila estorba el paso. INGLÉS to hinder, to be in the way.

estorbo
nombre masculino
1 Persona o cosa que molesta o impide hacer algo: *Esas cajas en el pasillo son un estorbo.* INGLÉS hindrance, nuisance.

estornudar
verbo
1 Expulsar el aire de los pulmones por la boca y la nariz con fuerza y haciendo ruido. INGLÉS to sneeze.

estornudo
nombre masculino
1 Expulsión del aire de los pulmones por la boca y la nariz con fuerza y haciendo ruido. INGLÉS sneeze.

estrafalario, estrafalaria
adjetivo
1 Se dice de la persona que llama la atención porque tiene una forma de vestir o de ser muy rara y fuera de lo normal. INGLÉS weird, outlandish.

estrangular
verbo
1 Apretar a una persona en el cuello con las manos o con algún objeto, haciendo que no pueda respirar. INGLÉS to strangle.

estratagema
nombre femenino
1 Plan o proyecto que una persona prepara para conseguir algo. INGLÉS stratagem, trick.

estrategia
nombre femenino
1 Conjunto de acciones militares que se proyectan y se dirigen en una guerra para conseguir vencer al enemigo. INGLÉS strategy.
2 Forma que tiene una persona de planear y dirigir un asunto para lograr un fin determinado. Las empresas utilizan estrategias comerciales para vender mejor sus productos. INGLÉS strategy.

estratégico, estratégica
adjetivo
1 Se dice de lo que está relacionado con una estrategia determinada o pertenece a ella. INGLÉS strategic.
2 Se dice del lugar que resulta el más adecuado para algo: *Esa tienda de golosinas está situada en un lugar estratégico, cerca de un colegio.* INGLÉS strategic.

estrato
nombre masculino
1 Masa de sedimentos y minerales que forma una capa horizontal, delgada y uniforme en un terreno. Con el paso del tiempo van formándose estratos en la superficie terrestre. INGLÉS stratum.
2 Grupo de personas que tienen el mismo nivel social o económico dentro de una sociedad. Los nobles pertenecen al mismo estrato social. INGLÉS stratum.

estratosfera
nombre femenino
1 Capa de la atmósfera situada sobre la troposfera, entre los diez y los cincuenta kilómetros de altura. Contiene el ozono que protege la Tierra de los rayos ultravioleta emitidos por el Sol, que pueden ser perjudiciales para las personas. INGLÉS stratosphere.

estrechamiento
nombre masculino
1 Parte de una cosa que es más estrecha que el resto. INGLÉS narrowing.

estrechar
verbo
1 Hacer más estrecha o delgada una cosa. INGLÉS to make narrower.
2 Hacer que aumente la confianza o mejore la relación que hay entre varias personas, instituciones o países. INGLÉS to strengthen.
3 Apretar con fuerza a una persona con los brazos o las manos, en señal de amistad o de amor. INGLÉS to hug, [si es la mano. to shake].
4 estrecharse Ponerse más juntas las personas que hay en un lugar para que quepa más gente. INGLÉS to squeeze together.

estrechez
nombre femenino
1 Característica de las cosas que no son lo suficientemente anchas. INGLÉS narrowness.
2 Escasez de dinero: *Algunas familias pasan estrecheces.* INGLÉS want, need.
NOTA El plural es: estrecheces.

estrecho, estrecha
adjetivo
1 Que tiene poca distancia de lado a lado o tiene menos de lo normal. Los pasillos de las casas suelen ser estrechos y largos. ANTÓNIMO ancho. INGLÉS narrow.
2 Que aprieta o es demasiado ajustado. Unos zapatos estrechos hacen daño. ANTÓNIMO amplio. INGLÉS tight.
3 Se dice de la relación entre personas que es íntima o muy intensa. ANTÓNIMO superficial. INGLÉS close.
nombre masculino
4 Trozo de mar que separa dos partes de tierra y a través del cual se comunica un mar con otro, como el estrecho de Gibraltar. INGLÉS strait.

estrella
nombre femenino
1 Astro que brilla con luz propia en el firmamento. INGLÉS star.
2 Figura rodeada de puntas con que se representa una estrella y que, en ocasiones, sirve de símbolo de algo, como la categoría de un hotel. INGLÉS star.

a b c d e f g h i j k l m n ñ o p q r s t u v w x y z

3 Persona que destaca en una profesión o actividad, en especial en un deporte o en el arte. INGLÉS star.
4 Suerte de una persona. Decimos que alguien tiene buena estrella cuando todo le sale bien. INGLÉS fate.
estrella de mar Animal marino que tiene cinco brazos alrededor de su cuerpo plano y la boca en la parte inferior. Se arrastra por el fondo del mar moviendo los cinco brazos. INGLÉS starfish.
ver las estrellas Sentir un dolor muy fuerte y vivo. Cuando alguien se da un golpe en el codo contra una esquina, ve las estrellas. INGLÉS to see stars.

estrellar
verbo
1 Lanzar una cosa contra otra haciendo que se rompa en pedazos. INGLÉS to smash, to shatter.
2 estrellarse Darse una persona o una cosa un golpe muy violento contra un objeto o una superficie. INGLÉS to crash.
3 estrellarse Tener una persona un fracaso o encontrarse con un problema muy grave. Si no estudiamos cada día, nos podemos estrellar a final de curso. INGLÉS to come to grief.
4 estrellarse Llenarse el cielo de estrellas. INGLÉS to fill with stars.

estremecer
verbo
1 Hacer temblar a una persona o una cosa. INGLÉS to shake.
2 Producir una impresión fuerte de miedo o sobresalto en una persona: *Algunas escenas de la película me estremecieron.* INGLÉS to shake.
NOTA Se conjuga como: agradecer; la 'c' se convierte en 'zc' delante de 'a' y 'o', como: estremezco.

estrenar
verbo
1 Utilizar una cosa nueva por primera vez. INGLÉS to use for the first time.
2 Representar por primera vez ante el público una obra de teatro, una película o cualquier otro espectáculo. INGLÉS to give the first performance of [un espectáculo], to release [una película], to premiere [una obra de teatro].

estreno
nombre masculino
1 Utilización de una cosa por primera vez: *Hoy voy de estreno, con zapatos nuevos.* INGLÉS first use.
2 Primera vez que se representa ante el público una obra de teatro, una película o cualquier otro espectáculo: *Ayer fuimos al estreno de una película.* INGLÉS premiere.

estreñido, estreñida
adjetivo
1 Que sufre estreñimiento y por eso retiene los excrementos y le cuesta mucho expulsarlos. INGLÉS constipated.

estreñimiento
nombre masculino
1 Trastorno del aparato digestivo que consiste en una dificultad para expulsar los excrementos, que quedan retenidos. Los laxantes y las frutas ayudan a combatir el estreñimiento. INGLÉS constipation.

estreñir
verbo
1 Producir estreñimiento. El arroz y las legumbres secas estriñen. INGLÉS to constipate.
NOTA Se conjuga como: reñir.

estrépito
nombre masculino
1 Ruido grande y escandaloso, como cuando se cae una estantería llena de libros. INGLÉS crash, din.

estrepitoso, estrepitosa
adjetivo
1 Que suena mucho. INGLÉS noisy, deafening.
2 Se dice de algo negativo, como un fracaso o un ridículo, que es grande o exagerado. INGLÉS resounding.

estrés
nombre masculino
1 Estado en el que se encuentra una persona que tiene demasiado trabajo o que no es capaz de hacer todo lo que tiene que hacer. El estrés provoca nerviosismo, apatía y otros problemas de salud. INGLÉS stress.
NOTA El plural es: estreses, que es muy poco usado.

estribillo
nombre masculino
1 Verso o frase que se repite al final de cada estrofa de un poema o una canción. INGLÉS refrain, chorus.

estribo
nombre masculino
1 Pieza de metal que cuelga de la silla de montar en la que apoya el pie el jinete cuando va montado. INGLÉS stirrup. DIBUJO página 187.
2 Hueso que se encuentra en el interior del oído y está encadenado al yunque. Tiene la forma de un estribo de silla de montar. INGLÉS stirrup bone.
perder los estribos Enfadarse mucho una persona, hasta el punto de no po-

der controlar sus acciones. INGLÉS to fly off the handle.

estribor
nombre masculino
1 Lado derecho de una embarcación, mirando hacia delante cuando está en marcha. ANTÓNIMO babor. INGLÉS starboard. DIBUJO página 146.

estricto, estricta
adjetivo
1 Que cumple exactamente todo lo que está mandado por la norma o por la ley: *Hay profesores muy estrictos.* INGLÉS strict.

estridencia
nombre femenino
1 Sonido que es agudo, fuerte y desagradable, como el que se produce al gritar o al reír de determinada manera. INGLÉS stridency, shrillness.

estridente
adjetivo
1 Se dice del sonido que es agudo, fuerte y desagradable. También se aplica a las cosas que producen un sonido de este tipo, como una risa, una voz o una música. INGLÉS strident, shrill.
2 Que destaca por ser llamativo, exagerado o por no combinar bien con otras cosas. INGLÉS loud, garish.

estrofa
nombre femenino
1 Parte de un poema formada por dos o más versos que siguen un modelo. INGLÉS stanza, verse.

estropajo
nombre masculino
1 Trozo de esparto, níquel, plástico u otro material que se usa para fregar. INGLÉS scourer.

estropear
verbo
1 Hacer que una cosa pierda calidad o valor o deje de funcionar. Cuando se estropea un alimento, no se debe comer. INGLÉS to ruin, to damage, [si es un alimento: to spoil].
2 Hacer que un plan, un proyecto o una diversión no puedan llevarse a cabo: *La lluvia nos estropeó las vacaciones.* INGLÉS to spoil, to ruin.

estropicio
nombre masculino
1 Rotura aparatosa o destrozo grande, generalmente acompañado de mucho ruido. INGLÉS mess, havoc.

estructura
nombre femenino
1 Modo determinado en que están colocadas todas las partes que forman algo. La estructura de las novelas suele contener una introducción, un nudo y un desenlace. INGLÉS structure.
2 Conjunto de piezas que sirven de soporte o refuerzo, como la estructura de un edificio. INGLÉS structure.

estruendo
nombre masculino
1 Ruido grande, como cuando se derrumba un edificio. INGLÉS din.
2 Ruido de voces y de movimiento de gente. INGLÉS din.

estrujar
verbo
1 Apretar una cosa con fuerza para sacarle lo que tiene dentro, como estrujar un limón para sacarle el jugo. INGLÉS to squeeze.
2 Apretar una cosa con fuerza hasta arrugarla o estropearla. Antes de tirar un papel a la papelera lo estrujamos. INGLÉS to screw up.
3 Apretar con fuerza a una persona. Si nos dan un abrazo muy fuerte, nos estrujan. INGLÉS to crush.

estuche
nombre masculino
1 Caja que se utiliza para guardar ordenadamente o para proteger uno o varios objetos, como un estuche de lápices. INGLÉS case, box.

estudiante
nombre masculino y femenino
1 Persona que estudia o realiza unos estudios en un centro de enseñanza para adquirir unos conocimientos. INGLÉS student.

estudiar
verbo
1 Utilizar una persona la inteligencia o el entendimiento para aprender o comprender una cosa: *Tienes que estudiar si quieres sacar buenas notas.* INGLÉS to study.
2 Realizar una persona unos estudios determinados o hacerlo en determinado centro, como estudiar una carrera o estudiar idiomas. INGLÉS to study, [si es un idioma, to learn].
3 Pensar sobre una cosa con mucho detenimiento y con mucha insistencia para darle una solución o tomar una decisión sobre ella. El gobierno estudia las propuestas de la oposición. INGLÉS to study.

estudio
nombre masculino
1 Esfuerzo o ejercicio que hace la mente para comprender las cosas o apren-

a b c d e f g h i j k l m n ñ o p q r s t u v w x y z

derlas. SINÓNIMO aprendizaje. INGLÉS study.
2 Trabajo en el que una persona analiza un tema. Existen muchos estudios sobre el origen del universo. INGLÉS study.
3 Lugar de trabajo de una persona que se dedica al arte, a la ciencia o a la literatura, como el estudio de un arquitecto. INGLÉS study.
4 Lugar acondicionado para la grabación de películas, programas de radio y televisión, y discos: *Los estudios de Hollywood son muy famosos.* INGLÉS studio.
5 Piso pequeño, compuesto por una habitación principal, cocina y cuarto de baño, destinado a vivienda de una o dos personas. INGLÉS studio flat.
nombre masculino plural **6 estudios** Conjunto de asignaturas que se estudian o actividad que se hace para conseguir un título: *Trabajaré para pagarme los estudios.* INGLÉS studies.

estudioso, estudiosa
adjetivo **1** Que estudia mucho o es muy aplicado en sus estudios. Los alumnos estudiosos sacan buenas notas. INGLÉS studious.
adjetivo y nombre **2** Que se dedica al estudio o a la investigación de una ciencia o una materia. INGLÉS studious [adjetivo], student [nombre].

estufa
nombre femenino **1** Aparato que sirve para producir calor y que utilizan las personas cuando hace frío para calentar una habitación u otro lugar. Hay estufas de butano y de electricidad. INGLÉS heater, stove.

estupefaciente
adjetivo y nombre masculino **1** Se dice de la sustancia que elimina el dolor y produce sensación de relajación y placer. La mayoría de drogas son estupefacientes y su consumo crea adicción. SINÓNIMO narcótico. INGLÉS narcotic.

estupefacto, estupefacta
adjetivo **1** Se dice de la persona que está muy asombrada o sorprendida por algo, de tal manera que se queda, por un momento, sin poder reaccionar. INGLÉS dumbfounded.

estupendo, estupenda
adjetivo **1** Que es muy bueno o muy bonito: *Estas zapatillas son estupendas.* SINÓNIMO espléndido; fabuloso. INGLÉS marvellous.

estupidez
nombre femenino **1** Característica de la persona que demuestra poca inteligencia, poca sensatez o falta de juicio en lo que hace o dice. INGLÉS stupidity.
2 Cosa estúpida o extremadamente absurda que una persona hace o dice. INGLÉS stupid thing.
NOTA El plural es: estupideces.

estúpido, estúpida
adjetivo y nombre **1** Que demuestra poca inteligencia, poca sensatez o falta de juicio en lo que hace o dice. Las acciones, la conducta o las expresiones de este tipo de personas también son estúpidas. INGLÉS stupid [adjetivo], idiot [nombre].
2 Se dice de la persona que presume excesivamente de sus cosas y se cree que debe ser admirada por los demás. INGLÉS vain [adjetivo], conceited [adjetivo], show-off [nombre].

estupor
nombre masculino **1** Sorpresa o asombro que causa una cosa. INGLÉS amazement, astonishment.

etapa
nombre femenino **1** Distancia que se recorre entre dos puntos de un recorrido más largo, en especial de pruebas deportivas. INGLÉS stage.
2 Cada una de las partes en que se divide una acción o un proceso. La infancia es una etapa de la vida. SINÓNIMO fase. INGLÉS stage.

etcétera
nombre masculino **1** Palabra que sustituye la parte final de una enumeración, cuando ya se han citado varias cosas, para indicar que todavía se pueden citar más. Se suele usar casi siempre la forma abreviada: etc. INGLÉS etcetera.

eternidad
nombre femenino **1** Espacio de tiempo que no tiene principio ni fin. También se llama eternidad el período de tiempo muy largo: *Tardamos una eternidad en llegar.* INGLÉS eternity.
2 En algunas religiones, vida del alma después de la muerte. INGLÉS eternity.

eterno, eterna
adjetivo **1** Se dice de las cosas que duran para siempre, que no tienen principio ni fin.

Para los cristianos, Dios es el único ser eterno. INGLÉS eternal.
2 Se dice de lo que dura mucho tiempo o es así desde siempre: *Su amistad es eterna, se conocen desde pequeñitos.* ANTÓNIMO efímero. INGLÉS eternal.
3 Se dice de las cosas que se repiten mucho. Con este significado se suele poner delante del nombre: eterna queja, eterna pregunta. INGLÉS eternal.

ética
nombre femenino
1 Conjunto de normas y reglas que distinguen las acciones buenas de las malas, y que guían el comportamiento humano. Hacer sufrir a los demás va en contra de la ética. SINÓNIMO moral. INGLÉS ethics.

ético, ética
adjetivo
1 Que está de acuerdo con el conjunto de las reglas que guían el comportamiento humano. Es ético ayudar a los demás. INGLÉS ethical.
2 De la ética o que tiene relación con ella. INGLÉS ethical.

etíope
adjetivo y nombre masculino y femenino
1 Se dice de la persona o cosa que es de Etiopía, país del este de África. INGLÉS Ethiopian.

etiqueta
nombre femenino
1 Trozo de papel, tela o plástico que lleva escrita una información y se pega o sujeta a una cosa, como la etiqueta del precio. INGLÉS label, tag.
2 Conjunto de normas de comportamiento que se deben cumplir en algunos actos solemnes, como las recepciones con autoridades. INGLÉS etiquette.
de etiqueta Se dice de la fiesta o reunión en la que hay que llevar cierto tipo de ropa. Ir de traje de noche es vestirse de etiqueta. INGLÉS formal.

etiquetar
verbo
1 Poner etiquetas a los productos. INGLÉS to label.

etnia
nombre femenino
1 Conjunto de personas que pertenecen a una misma raza y tienen una lengua y costumbres comunes: *En Estados Unidos conviven gentes de distintas etnias.* INGLÉS ethnic group.

étnico, étnica
adjetivo
1 Que tiene relación con la raza o la etnia: *Entre esas dos tribus hay diferencias étnicas.* INGLÉS ethnic.

eucalipto
nombre masculino
1 Árbol de tronco muy alto y recto, con hojas muy aromáticas de forma alargada y puntiaguda, de las que se extrae una sustancia que se utiliza para hacer caramelos y otras cosas. INGLÉS eucalyptus.
NOTA También se escribe y se pronuncia: eucaliptus.

eucaliptus
nombre masculino
1 Es otra forma de pronunciar y escribir: eucalipto.

eucaristía
nombre femenino
1 Sacramento de la Iglesia católica que consiste en tomar el pan y el vino con que se representan el cuerpo y la sangre de Jesucristo. SINÓNIMO comunión. INGLÉS Eucharist.

euforia
nombre femenino
1 Estado de ánimo de la persona que no puede contener su alegría y su felicidad. INGLÉS euphoria.

euro
nombre masculino
1 Moneda europea usada por la mayoría de países de la Unión Europea. INGLÉS euro.

europeo, europea
adjetivo y nombre
1 Se dice de la persona o cosa que es de Europa, uno de los seis continentes. España es un país europeo. INGLÉS European.

euskera
nombre masculino
1 Lengua hablada en el País Vasco español y francés y en algunas zonas de Navarra. SINÓNIMO vasco, vascuence. INGLÉS Basque.
NOTA También se escribe: eusquera.

eusquera
nombre masculino
1 Es otra forma de escribir: euskera. INGLÉS Basque.

eutanasia
nombre femenino
1 Acción que consiste en dejar morir o provocar la muerte a un enfermo incurable para evitarle sufrimientos. En muchos países está prohibida. INGLÉS euthanasia.

evacuar
verbo
1 Sacar a las personas de un lugar para llevarlas a otro más seguro. SINÓNIMO desalojar; desocupar. INGLÉS to evacuate.

a b c d e f g h i j k l m n ñ o p q r s t u v w x y z

2 Echar excrementos por el ano. Es un uso formal. SINÓNIMO cagar. INGLÉS to evacuate.
NOTA Se conjuga como: adecuar; la 'u' no lleva nunca acento de intensidad.

evadir

verbo

1 Hacer todo lo posible para no cumplir con una obligación o para no caer en una situación peligrosa, utilizando la astucia. SINÓNIMO eludir. INGLÉS to avoid.
2 Sacar dinero u otros bienes de un país de manera ilegal, normalmente para no pagar impuestos. INGLÉS to evade.
3 evadirse Escaparse de un lugar en el que se está encerrado. SINÓNIMO fugarse; huir. INGLÉS to escape.
4 evadirse Distraerse una persona con algo para intentar olvidar un problema o una preocupación. INGLÉS to escape.

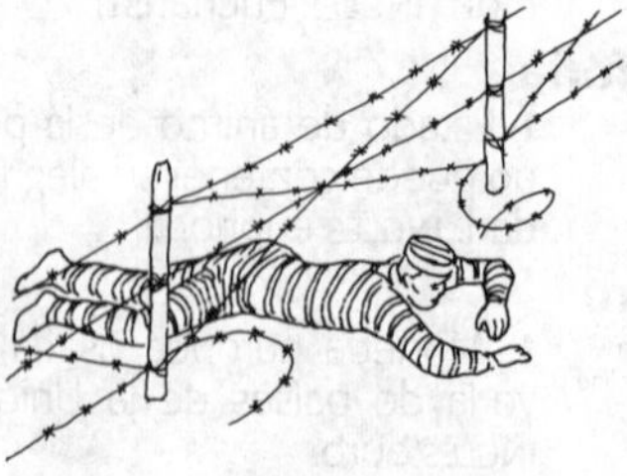

evadirse

evaluación

nombre femenino

1 Acción que consiste en evaluar o calcular el valor o la importancia de algo. INGLÉS evaluation.
2 Prueba o conjunto de actividades que hacen los profesores a los alumnos para ver si dominan una materia escolar. INGLÉS evaluation, assessment, exam.
NOTA El plural es: evaluaciones.

evaluar

verbo

1 Determinar el valor o importancia de una cosa o las cualidades o conducta de una persona: *Están evaluando los daños producidos por el incendio.* SINÓNIMO calcular. INGLÉS to evaluate, to assess.
2 Juzgar o valorar el profesor si un alumno ha progresado o no en los estudios y ponerle una nota. INGLÉS to assess.
NOTA Se conjuga como: actuar; la 'u' se acentúa en algunos tiempos y personas, como: evalúen.

evangelio

nombre masculino

1 Doctrina de Jesucristo. Los misioneros predican el evangelio. INGLÉS gospel.
2 Conjunto de cuatro libros que narran la vida de Jesucristo. Con este significado se escribe con mayúscula. INGLÉS Gospels.

evangelista

nombre masculino

1 Cada uno de los cuatro discípulos de Jesucristo que escribieron la historia de su vida: san Juan, san Lucas, san Mateo y san Marcos. INGLÉS evangelist.

evaporación

nombre femenino

1 Proceso que consiste en la transformación de un líquido en vapor. La evaporación del agua se produce a una temperatura de 100 grados centígrados. INGLÉS evaporation.
NOTA El plural es: evaporaciones.

evaporar

verbo

1 Convertir un líquido en gas o en vapor. INGLÉS to evaporate.
2 evaporarse Desaparecer algo rápidamente: *En esta casa los yogures se evaporan en dos días.* Es un uso informal. INGLÉS to evaporate.

evasión

nombre femenino

1 Acción de escapar de un lugar en el que se estaba encerrado. SINÓNIMO fuga; huida. INGLÉS escape.
NOTA El plural es: evasiones.

evasiva

nombre femenino

1 Salida o medio con que una persona evita tener que enfrentarse a una dificultad, un compromiso o un peligro: *No quería contarme la verdad y me contestaba con evasivas.* INGLÉS evasive answer.

evento

nombre masculino

1 Acontecimiento que tiene cierta importancia y en el que participan muchas personas. Un evento puede ser una inauguración, una gran cena o una competición deportiva importante. INGLÉS event.
2 Suceso imprevisto o inesperado. Cuando organizamos un viaje, debemos tener en cuenta los posibles eventos que pueden producirse. INGLÉS eventuality, contingency.

eventual

adjetivo

1 Que no es definitivo o seguro porque está sujeto a cambios dependiendo de las circunstancias, como un contrato eventual. INGLÉS provisional, temporary.

evidencia
nombre femenino
1 Seguridad completa que tiene una persona de que algo es cierto: *Tengo la evidencia de que ocurrió así.* SINÓNIMO certeza. INGLÉS certainty.
poner en evidencia Hacer que algo sea conocido por los demás, especialmente cuando es algo negativo: *Le pusieron en evidencia al descubrir sus mentiras.* INGLÉS to show (someone) up.

evidente
adjetivo
1 Que está muy claro o que es una verdad que no ofrece ninguna duda. Es evidente que en verano los días son más largos que en invierno. INGLÉS evident, obvious.

evitar
verbo
1 Hacer todo lo posible para que no ocurra algo malo. Para evitar los constipados hay que abrigarse bien. SINÓNIMO eludir. INGLÉS to avoid.

evocar
verbo
1 Hacer que venga a la memoria o al pensamiento algo que ocurrió en el pasado. SINÓNIMO recordar. ANTÓNIMO olvidar. INGLÉS to evoke.
NOTA Se escribe 'qu' delante de 'e', como: evoquen.

evolución
nombre femenino
1 Transformación o paso de un estado a otro. Con los años, se produce una evolución en la forma de ser de las personas. INGLÉS evolution.
2 Movimiento o paso de un lugar o una posición a otra: *Los niños siguieron con asombro las evoluciones de los acróbatas.* INGLÉS movement.
NOTA El plural es: evoluciones.

evolucionar
verbo
1 Ir cambiando o pasando de un estado a otro: *Su enfermedad evoluciona favorablemente.* INGLÉS to evolve.

evolutivo, evolutiva
adjetivo
1 De la evolución o relacionado con ella. Los reptiles han pasado por un proceso evolutivo que se inició con los dinosaurios. INGLÉS evolutionary.

ex
adjetivo
1 Se pone delante de los nombres y adjetivos para indicar que algo o alguien ya no es lo que era. Una mujer que se divorcia de su marido se convierte en su ex mujer. INGLÉS ex.

exabrupto
nombre masculino
1 Cosa que se dice o gesto que se hace de manera brusca e inesperada. Cuando una persona nos contesta con un exabrupto nos responde de una forma que nos sorprende, especialmente si muestra un enfado que no esperábamos. INGLÉS sharp comment, sudden outburst.

exactitud
nombre femenino
1 Cualidad o característica de lo que es exacto. Los cronómetros miden el tiempo con exactitud. SINÓNIMO precisión. ANTÓNIMO inexactitud. INGLÉS exactness, accuracy.

exacto, exacta
adjetivo
1 Se dice de lo que se corresponde con precisión a la realidad. El peso exacto de una cosa es el que marca la balanza. SINÓNIMO preciso. INGLÉS exact.
2 Que se parece mucho a otro. Los cuadros que pintan algunas personas en la calle son exactos a los originales. INGLÉS exactly like.

exageración
nombre femenino
1 Acción que consiste en exagerar al decir o hacer algo. INGLÉS exaggeration.
2 Aquello que ocurre, se hace o se dice de un modo exagerado: *Es una exageración pedir cinco platos en un restaurante.* INGLÉS ridiculous thing.
NOTA El plural es: exageraciones.

exagerado, exagerada
adjetivo
1 Que es mucho más grande, fuerte o intenso que lo normal, como un calor exagerado. SINÓNIMO excesivo. INGLÉS excessive.
adjetivo y nombre
2 Se dice de la persona que hace o dice algo con exageración. INGLÉS who overdoes things [adjetivo], who overreacts [adjetivo].

exagerar
verbo
1 Decir o hacer una cosa presentándola con unas proporciones mucho más grandes que las que realmente tiene. INGLÉS to exaggerate.

exaltar
verbo
1 Alabar a una persona o una cosa resaltando mucho sus cualidades o méritos. INGLÉS to exalt, to praise.
2 exaltarse Perder la calma y ponerse

a b c d e f g h i j k l m n ñ o p q r s t u v w x y z

nervioso, en especial al hablar: *Se exalta cuando discute sobre temas importantes.* INGLÉS to get overexcited, to get worked up.

examen

nombre masculino **1** Prueba que se hace a una persona para conocer sus aptitudes, su preparación o su dominio de una materia o una actividad. Hay exámenes orales y escritos. INGLÉS examination, exam.

2 Observación que se hace de una cosa con mucha atención para ver sus características o sus cualidades, como un examen médico. INGLÉS examination.

NOTA El plural es: exámenes.

examinar

verbo **1** Poner un examen a una persona para conocer sus aptitudes, su preparación o su dominio de una materia o una actividad determinada. Para aprobar una asignatura los alumnos suelen examinarse a final de curso. INGLÉS to examine [examinar], to take an examination [examinarse].

2 Observar una cosa con mucha atención y mucho detenimiento para ver sus características o sus cualidades. INGLÉS to examine.

exasperar

verbo **1** Enfadar o irritar mucho a una persona. Cuando queremos dormir, nos exasperan los ruidos fuertes y continuos. INGLÉS to exasperate.

excavación

nombre femenino **1** Acción que consiste en hacer un gran agujero en un terreno con un fin determinado. Los arqueólogos realizan excavaciones para buscar piedras y objetos antiguos. INGLÉS excavation, dig.

NOTA El plural es: excavaciones.

excavadora

nombre femenino **1** Máquina con una gran pala que se utiliza, especialmente en la construcción, para excavar la tierra o para mover grandes cantidades de tierra. INGLÉS digger.

excavar

verbo **1** Hacer una zanja o un gran agujero en un terreno. INGLÉS to excavate, to dig.

exceder

verbo **1** Superar o ser más grande que otra persona o cosa en una característica o en una cualidad: *Este árbol excede en altura al otro.* INGLÉS to surpass, to exceed.

2 excederse Hacer una cosa que va más allá de lo que se considera justo o razonable. Los padres pueden excederse en comprar juguetes a sus hijos. SINÓNIMO pasarse. INGLÉS to go too far.

excelente

adjetivo **1** Que destaca sobre otras personas o cosas por sus buenas cualidades. SINÓNIMO extraordinario; fabuloso. INGLÉS excellent.

excéntrico, excéntrica

adjetivo **1** Que tiene un comportamiento o una manera de ser que se sale de lo que se considera normal. También son excéntricos el comportamiento, la manera de ser o las cosas que no se consideran normales: *Es un excéntrico, vive solo en una cueva.* INGLÉS eccentric.

excepción

nombre femenino **1** Lo que es distinto de lo normal o general. Las ovejas negras son la excepción en los rebaños. INGLÉS exception.

NOTA El plural es: excepciones.

excepcional

adjetivo **1** Que se aparta de lo que es normal o general. En España, los terremotos son excepcionales. INGLÉS exceptional.

2 Que es muy bueno, como los atletas que ganan medallas en las olimpiadas. INGLÉS exceptional.

excepto

preposición **1** Indica que lo que se dice a continuación se excluye de lo que se ha dicho antes o de un conjunto más general: *Lo sabíamos todos excepto ella.* SINÓNIMO menos; salvo. INGLÉS except.

exceptuar

verbo **1** Dejar fuera de un grupo o de una regla a una persona, una cosa o un animal. Las tiendas suelen abrir todos los días exceptuando los domingos. SINÓNIMO excluir. INGLÉS to except.

excesivamente

adverbio **1** Mucho más de lo que se considera normal o razonable. INGLÉS excessively, too.

excesivo, excesiva

adjetivo **1** Que es mucho más grande, fuerte o intenso de lo que se considera normal o razonable. INGLÉS excessive.

exceso
nombre masculino
1 Cantidad que sobra o que hay de más de lo necesario o lo normal: *Ese pantano contiene un exceso de agua, se va a desbordar.* INGLÉS excess.
2 Acción que se hace con mucha más intensidad de lo que se considera normal. Pasarse toda la noche sin dormir es un exceso. INGLÉS excess.

excitación
nombre femenino
1 Estado en que se encuentra la persona que se excita. Ganar un premio en un concurso produce una gran excitación. INGLÉS excitement.

excitante
adjetivo
1 Que causa excitación. INGLÉS exciting, stimulating.

excitar
verbo
1 Hacer que una persona se ponga muy nerviosa o que tenga un sentimiento muy fuerte e intenso de enfado, alegría o miedo. Algunas bebidas, como el té o el café, excitan. INGLÉS to stimulate, to excite.

exclamación
nombre femenino
1 Voz o frase que expresa con intensidad algún sentimiento o estado de ánimo: *Al ganar el premio lanzó una exclamación de alegría.* INGLÉS exclamation.
2 Signo que se coloca al principio y al final de la palabra o frase para indicar admiración, sorpresa o emoción. La frase '¡Qué sorpresa!' está entre exclamaciones. SINÓNIMO admiración. INGLÉS exclamation mark.
NOTA El plural es: exclamaciones.

exclamar
verbo
1 Decir algo con una entonación especial para expresar un sentimiento o estado de ánimo. INGLÉS to exclaim.

exclamativo, exclamativa
adjetivo
1 Se dice de la frase que expresa la admiración o emoción que siente una persona. INGLÉS exclamatory.

excluir
verbo
1 Dejar a una persona o cosa fuera de un lugar o de un grupo. Si haces trampas, tus amigos te excluirán del juego. ANTÓNIMO incluir. INGLÉS to exclude.
NOTA Se conjuga como: huir; la 'i' se convierte en 'y' delante de 'a', 'e' y 'o', como: excluya o excluyo.

exclusiva
nombre femenino
1 Noticia o reportaje que solo sale en un periódico o revista porque esta ha pagado el derecho a ser el único en publicarla. INGLÉS exclusive.
2 Derecho por el que una persona o empresa es la única autorizada para realizar algo: *Esa tienda tiene la exclusiva para vender la marca que buscas.* INGLÉS sole right, exclusive.

exclusivo, exclusiva
adjetivo
1 Que es único, que no hay otro igual, como las joyas exclusivas. INGLÉS exclusive.

excreción
nombre femenino
1 Proceso mediante el cual se expulsan del organismo las sustancias de desecho. Las producidas en la digestión se expulsan por el ano, el dióxido de carbono se expulsa por la nariz y las que transporta la sangre se expulsan por el aparato excretor o los poros de la piel en forma de orina o sudor. INGLÉS excretion.
NOTA El plural es: excreciones.

excremento
nombre masculino
1 Sustancia sólida que los animales y las personas expulsan por el ano. SINÓNIMO caca; mierda. INGLÉS excrement.

excursión
nombre femenino
1 Viaje o salida corta que se hace a la montaña, a la playa o a otro lugar para divertirse o para ver algo. INGLÉS excursion, trip.
NOTA El plural es: excursiones.

excursionista
nombre masculino y femenino
1 Persona que va de excursión. Los buenos excursionistas suelen llevan mochilas y calzado cómodo. INGLÉS hiker, rambler.

excusa
nombre femenino
1 Razón o motivo que una persona da para hacer o dejar de hacer una cosa o justificar algo que ha hecho. SINÓNIMO pretexto. INGLÉS excuse.

exento, exenta
adjetivo
1 Que no tiene la obligación de hacer alguna cosa, que está libre de ello: *Estoy exento de pagar ese impuesto.* INGLÉS exempt.

exfoliación
nombre femenino
1 División o separación en escamas o láminas. Cuando la piel está muy seca

se produce la exfoliación de su capa superior. Los minerales se clasifican según su color, dureza, brillo y exfoliación. INGLÉS exfoliation.

NOTA El plural es: exfoliaciones.

exhalación
nombre femenino
1 Acción que consiste en lanzar un suspiro o una queja. Es un uso formal. INGLÉS exhalation.

2 Estrella fugaz que pasa muy rápida por el cielo. INGLÉS shooting star.

como una exhalación A gran velocidad: *Elena pasó por mi lado como una exhalación y ni me vio.* INGLÉS as quick as a flash.

NOTA El plural es: exhalaciones.

exhalar
verbo
1 Expulsar aire, olores o gases. Las basuras exhalan muy mal olor. INGLÉS to exhale, to breathe out.

2 Lanzar una persona un suspiro o una queja. Es un uso formal. INGLÉS to let out, to utter.

exhaustivo, exhaustiva
adjetivo
1 Que se hace o se dice con todo detalle. INGLÉS exhaustive.

exhausto, exhausta
adjetivo
1 Que está muy cansado o prácticamente sin fuerzas por una enfermedad o por un gran esfuerzo. INGLÉS exhausted.

exhibición
nombre femenino
1 Acción que consiste en mostrar algo a un público. La gente que es bromista hace exhibición de su gracia y buen humor. INGLÉS exhibition, show.

NOTA El plural es: exhibiciones.

exhibicionista
nombre masculino y femenino
1 Persona a la que le gusta enseñar sus órganos sexuales en lugares públicos para que la miren. INGLÉS exhibitionist.

exhibir
verbo
1 Mostrar una cosa a un público. En los cines se exhiben películas. INGLÉS to exhibit, to show.

2 exhibirse Dejarse ver una persona en público para que la miren. INGLÉS to show off.

exhortativo, exhortativa
adjetivo
1 Que expresa una petición, prohibición o mandato. '¡No pises el césped!' es una oración exhortativa. INGLÉS exhortative.

exigencia
nombre femenino
1 Aquello que se pide con fuerza porque se tiene o se cree tener derecho a ello. INGLÉS demand.

2 Aquello que es necesario para un fin determinado: *El actor salía desnudo en la película por exigencias del guión.* INGLÉS requirement.

exigente
adjetivo y nombre
1 Se dice de la persona que siempre espera que los demás hagan todo lo que ella pide. INGLÉS demanding.

exigir
verbo
1 Pedir con fuerza una cosa a la que se tiene o se cree tener derecho. En algunas manifestaciones se exige paz y justicia. INGLÉS to demand.

2 Obligar a hacer algo: *En clase el profesor exige silencio.* INGLÉS to demand.

3 Ser algo necesario para un fin determinado. Ser deportista profesional exige muchas horas de entrenamiento. INGLÉS to demand, to require.

NOTA Se escribe 'j' delante de 'a' y 'o', como: exija o exijo.

exiliado, exiliada
adjetivo y nombre
1 Se dice de la persona que se ve obligada a irse de su país, especialmente por motivos políticos. INGLÉS exiled [adjetivo], exile [nombre].

exiliarse
verbo
1 Irse una persona de su país para no ser perseguida o perjudicada por el gobierno a causa de sus ideas políticas. Durante las dictaduras, muchos intelectuales se exilian a otros países. INGLÉS to be exiled.

NOTA Se conjuga como: cambiar; la 'i' no lleva nunca acento de intensidad.

exilio
nombre masculino
1 Acción que consiste en exiliarse o irse del propio país por motivos políticos. SINÓNIMO destierro. INGLÉS exile.

2 Lugar al que una persona se exilia y tiempo que permanece en ese lugar. INGLÉS exile.

existencia
nombre femenino
1 Hecho de existir una persona, una cosa o un animal. Las personas religiosas creen en la existencia de Dios. INGLÉS existence.

2 Vida de las personas: *Tenía una*

existencia llena de alegría. INGLÉS existence, life.

nombre femenino plural **3 existencias** Productos que hay almacenados en un lugar para ser vendidos, pero que todavía no se han puesto a la venta. INGLÉS stock.

existir

verbo **1** Estar con vida en el mundo una persona, un animal o una cosa. Los dinosaurios dejaron de existir hace miles de años. INGLÉS to exist.

2 Estar una cosa o una persona en un lugar o en una situación determinados. En algunas calles existen edificios en ruinas. SINÓNIMO haber. INGLÉS to be.

éxito

nombre masculino **1** Resultado muy bueno que se consigue después de hacer algo. SINÓNIMO triunfo. ANTÓNIMO fracaso. INGLÉS success.

2 Buena acogida que tiene una persona o cosa entre la gente: *Tu libro ha tenido mucho éxito.* SINÓNIMO aceptación. ANTÓNIMO fracaso. INGLÉS success.

éxodo

nombre masculino **1** Movimiento de una población que deja su lugar de origen para establecerse en otro lugar. Cuando muchas personas emigran desde los pueblos a las ciudades hablamos de éxodo rural. INGLÉS exodus.

2 Libro de la Biblia en el que, después del Génesis, se habla de la liberación de los israelitas y su salida de Egipto. Con este significado se escribe con mayúscula. INGLÉS Exodus.

exorcismo

nombre masculino **1** Conjunto de ritos que se practican para expulsar un demonio o un espíritu maligno del cuerpo de una persona o de un lugar. En algunas religiones se cree que los exorcismos son necesarios. INGLÉS exorcism.

exosfera

nombre femenino **1** Capa más exterior de la atmósfera situada sobre la ionosfera, entre los quinientos y los dos mil kilómetros de altura. INGLÉS exosphere.

exótico, exótica

adjetivo **1** Que es de un país extranjero y muy lejano, como las frutas exóticas. INGLÉS exotic.

2 Que es tan poco conocido o poco frecuente que llama la atención. Resulta exótico ver un rebaño de ovejas en la ciudad. SINÓNIMO raro. INGLÉS exotic.

expansión

nombre femenino **1** Aumento de volumen o extensión de una cosa para ocupar más espacio, como la expansión de una ciudad. INGLÉS expansion.

NOTA El plural es: expansiones.

expectación

nombre femenino **1** Interés con que se espera y se sigue una cosa o un acontecimiento. INGLÉS expectation.

NOTA El plural es: expectaciones.

expectativa

nombre femenino **1** Esperanza o posibilidad de conseguir una cosa: *Tiene muchas expectativas de ganar el concurso.* INGLÉS prospect.

expedición

nombre femenino **1** Viaje que se realiza a un lugar con un fin determinado, generalmente científico o militar: *Los científicos hicieron una expedición a la Antártida.* INGLÉS expedition.

2 Conjunto de personas que participan en este tipo de viajes. INGLÉS expedition.

NOTA El plural es: expediciones.

expediente

nombre masculino **1** Conjunto de todos los documentos o todos los papeles que se han tramitado o se han gestionado en relación con un asunto. INGLÉS dossier.

2 Escrito en el que figuran los datos relativos a la trayectoria profesional de un empleado o a los datos académicos de un estudiante. INGLÉS record.

3 Investigación o conjunto de actuaciones que se hacen de manera oficial contra un funcionario, un empleado o un estudiante, por alguna supuesta falta cometida. INGLÉS inquiry.

expedir

verbo **1** Enviar a un lugar una comunicación

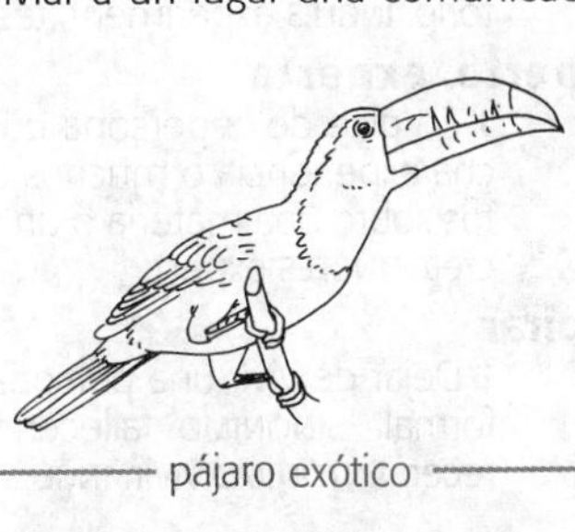

pájaro exótico

a b c d e f g h i j k l m n ñ o p q r s t u v w x y z

a b c d e f g h i j k l m n ñ o p q r s t u v w x y z

o una mercancía. En Correos expiden paquetes, cartas y telegramas. SINÓNIMO mandar; remitir. INGLÉS to send, to dispatch.
2 Elaborar y entregar al interesado un certificado o un documento oficial. El libro de familia lo expide el juzgado. INGLÉS to issue.
NOTA Se conjuga como: servir; la 'e' se convierte en 'i' en algunos tiempos y personas, como: expiden.

experiencia
nombre femenino
1 Conjunto de conocimientos sobre las cosas de la vida que se adquieren al practicarlas o al vivirlas: *Es un jugador bueno, pero sin experiencia.* INGLÉS experience.
2 Suceso o situación que vive una persona y que le da conocimiento acerca de la vida. Perder a un ser querido es una experiencia amarga y dolorosa. INGLÉS experience.
3 Acción de provocar un fenómeno para estudiarlo o analizar sus efectos. SINÓNIMO experimento. INGLÉS experiment.

experimentar
verbo
1 Realizar experimentos para estudiar un fenómeno o analizar sus efectos: *Están experimentando la nueva vacuna contra la gripe.* INGLÉS to test.
2 Tener una persona una sensación o un estado determinado. Cuando una persona no se encuentra bien experimenta una sensación de malestar. INGLÉS to experiment, to suffer.
3 Sufrir un cambio o una transformación. El paro siempre experimenta un descenso en los meses de verano. INGLÉS to undergo, to suffer.

experimento
nombre masculino
1 Acción que consiste en provocar un fenómeno para estudiarlo o analizar sus efectos. Se suelen realizar en un laboratorio. INGLÉS experiment, test.

experto, experta
adjetivo y nombre
1 Se dice de la persona que tiene mucha experiencia o muchos conocimientos sobre una materia o un campo concreto. INGLÉS expert.

expirar
verbo
1 Dejar de vivir una persona. Es un uso formal. SINÓNIMO fallecer; morir; perecer. ANTÓNIMO vivir. INGLÉS to expire.
2 Llegar una cosa al final de su duración: *El plazo de entrega de los papeles expira el 20 de agosto.* INGLÉS to expire.

explanada
nombre femenino
1 Terreno llano, amplio y que está despejado de edificios o árboles. En las explanadas se montan ferias o mercados ambulantes. INGLÉS esplanade.

explicación
nombre femenino
1 Lo que se dice para que algo se conozca o se entienda con claridad, como las causas, razones y aclaraciones que exponemos ante los demás. INGLÉS explanation.
NOTA El plural es: explicaciones.

explicar
verbo
1 Hablar de algo dando todos los detalles necesarios para que se conozca o se entienda con claridad: *El profesor explicó la lección.* INGLÉS to explain.
2 Decir la causa o la razón de algo: *Explícame qué ha pasado para que se haya roto el cristal.* INGLÉS to explain.
3 explicarse Comprender la causa o la razón de algo. Nadie se explica por qué hay hambre y guerras en el mundo. INGLÉS to understand.

explicativo, explicativa
adjetivo
1 Que explica o sirve para explicar, como un gráfico que acompaña a un texto. INGLÉS explanatory.
2 Se dice del adjetivo que señala una cualidad del nombre al que acompaña, pero que no es necesaria para clasificarlo o diferenciarlo de otro nombre. En 'frío hielo', 'frío' es un adjetivo explicativo. INGLÉS explanatory.

explícito, explícita
adjetivo
1 Que dice o expresa con claridad lo que quiere decir: *Lo dijo de un modo explícito para que todos lo entendiéramos.* INGLÉS explicit.

exploración
nombre femenino
1 Reconocimiento o examen detallado de algo o alguien, como un terreno o un enfermo. INGLÉS exploration [de un terreno], examination [de un paciente].
NOTA El plural es: exploraciones.

explorador, exploradora
nombre
1 Persona que explora un lugar desconocido para ver cómo es el terreno, la vegetación y la fauna. INGLÉS explorer.

explorar
verbo
1 Ir por un lugar o un terreno para ver cómo es o descubrir algo de él. INGLÉS to explore.
2 Examinar el cuerpo o algún órgano para ver si está bien o mal: *El médico la exploró y dijo que no tenía nada.* INGLÉS to examine.

explosión
nombre femenino
1 Rotura violenta y repentina de una cosa haciendo mucho ruido, como la explosión de una bombona de gas o de un coche. También es explosión el ruido que se oye. INGLÉS explosion.
2 Manifestación de un estado de ánimo o de un sentimiento de forma intensa y espontánea: *Al anunciar la excursión, se produjo una explosión de alegría.* INGLÉS explosion, outburst.
NOTA El plural es: explosiones.

explosionar
verbo
1 Hacer que se produzca una explosión. INGLÉS to explode.
2 Romperse de golpe y haciendo mucho ruido una cosa, como una bomba. SINÓNIMO explotar. INGLÉS to explode.

explosivo, explosiva
adjetivo y nombre masculino
1 Se dice de las cosas y las sustancias que pueden provocar una explosión, como la dinamita. INGLÉS explosive.
adjetivo
2 Se dice de las noticias, las cosas o las personas que llaman mucho la atención. INGLÉS explosive.

explotación
nombre femenino
1 Abuso que consiste en hacer trabajar mucho a una persona y pagarle muy poco o en sacar el máximo provecho de una cosa. INGLÉS exploitation.
2 Conjunto de máquinas e instalaciones que se utilizan en una actividad agrícola o industrial. En las explotaciones agrícolas suele haber tractores y segadoras. INGLÉS farm [agrícola], mine [minera].
NOTA El plural es: explotaciones.

explotar
verbo
1 Romperse o partirse una cosa de forma muy violenta, de modo que salen por el aire los trozos de la cosa, su contenido e incluso fuego o chispas. INGLÉS to explode, to blow up.
2 Hacer que algo sea provechoso o dé beneficios. Los agricultores explotan sus parcelas de terreno y los empresarios sus empresas. INGLÉS to work.
3 Abusar de una persona haciéndola trabajar mucho y pagándole poco. INGLÉS to exploit.

exponente
nombre masculino
1 Número que se coloca en la parte superior derecha de otro número para indicar las veces que debe multiplicarse por sí mismo. Las potencias que tienen exponente 2 se llaman cuadrados y las de exponente 3 se llaman cubos. INGLÉS exponent.

exponer
verbo
1 Presentar una cosa para que se vea. Los pintores exponen sus cuadros en una galería de arte. SINÓNIMO exhibir; mostrar. INGLÉS to exhibit, to display.
2 Decir o explicar algo. Los alumnos exponen sus dudas en clase para que el profesor se las aclare. INGLÉS to put forward, to state.
3 Poner una cosa o a una persona en situación de recibir la acción o el peligro de algo. Los bomberos exponen sus vidas al apagar un incendio. INGLÉS to expose, to risk.
NOTA Se conjuga como: poner. El participio es: expuesto.

exportación
nombre femenino
1 Venta de productos comerciales a otros países. También es el conjunto de bienes que se venden al extranjero. ANTÓNIMO importación. INGLÉS export [venta], exports [bienes].
NOTA El plural es: exportaciones.

exportar
verbo
1 Vender o transportar un país productos comerciales a otro. España exporta naranjas a países de la Unión Europea. ANTÓNIMO importar. INGLÉS to export.

exposición
nombre femenino
1 Presentación o muestra de un conjunto de cosas. INGLÉS exhibition, show.
2 Explicación de algo: *El conferenciante hizo una brillante exposición del tema.* INGLÉS account, explanation.
NOTA El plural es: exposiciones.

expositivo, expositiva
adjetivo
1 Que expone o presenta algo para que se vea, se oiga o se entienda. Un texto expositivo informa sobre un tema de in-

terés y lo explica aportando datos. INGLÉS explanatory.

exprés

adjetivo **1** Que va o funciona muy rápido, como las ollas exprés o un servicio de correo exprés. INGLÉS express.

NOTA El plural es: exprés.

expresar

verbo **1** Dar a conocer un deseo, un pensamiento o un sentimiento con palabras, signos, gestos o actitudes. SINÓNIMO manifestar. INGLÉS to express.

expresión

nombre femenino **1** Comunicación de un pensamiento o un sentimiento. El llanto es una expresión de tristeza. INGLÉS expression.

2 Gesto de una persona que da a conocer un sentimiento: *Tenía la expresión triste.* INGLÉS expression.

3 Palabra o grupo de palabras con un significado determinado. 'Estar en Babia' y 'estar distraído' son dos expresiones con el mismo significado. INGLÉS expression.

NOTA El plural es: expresiones.

expresividad

nombre femenino **1** Característica de las cosas o personas expresivas. INGLÉS expressivity.

expresivo, expresiva

adjetivo **1** Que muestra con gran viveza pensamientos o sentimientos: *Me recibió con un saludo muy expresivo, sonriendo y con un apretón de manos.* INGLÉS meaningful, eloquent, [si es cariño: warm].

expreso, expresa

adjetivo **1** Que ha sido dicho así para que quede claro: *Lo hizo porque tenía órdenes expresas de hacerlo.* SINÓNIMO explícito. ANTÓNIMO implícito. INGLÉS express.

nombre masculino **2** Tren rápido de pasajeros que solo para en algunas estaciones importantes de su recorrido. INGLÉS express.

exprimidor

nombre masculino **1** Instrumento o aparato que sirve para sacar el zumo de algunas frutas, como las naranjas o los limones. INGLÉS lemon squeezer.

exprimir

verbo **1** Apretar con fuerza una fruta para sacar el líquido que tiene dentro. INGLÉS to squeeze.

2 Abusar de una cosa o de una persona hasta agotarla tratando de sacar el máximo partido de ella: *He exprimido mi camisa favorita; ahora está ya desgastada.* INGLÉS to get all one can out of.

expropiar

verbo **1** Quitar de manera legal una propiedad a su dueño por razones de interés público, a cambio de una cantidad de dinero. Para construir una carretera, el estado expropia los terrenos necesarios. INGLÉS to expropriate.

NOTA Se conjuga como: cambiar; la 'i' no lleva nunca acento de intensidad.

expuesto, expuesta

adjetivo **1** Que puede resultar peligroso. Asomarse a un lugar alto sin barandilla es muy expuesto. INGLÉS dangerous.

2 Que está colocado en un lugar para que todo el mundo pueda verlo. INGLÉS exposed.

expulsar

verbo **1** Echar o hacer salir a alguien o algo de un lugar. Los volcanes expulsan lava. Los árbitros expulsan a los jugadores que cometen faltas graves. INGLÉS to throw out, [si es un jugador: to send off].

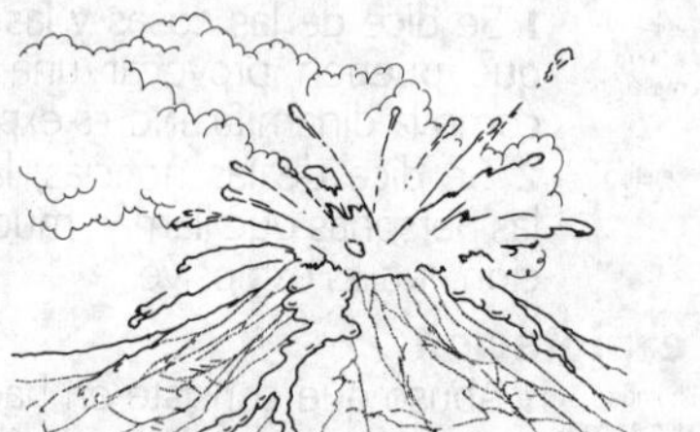

expulsar

expulsión

nombre femenino **1** Acción que consiste en echar a una persona de algún lugar: *El árbitro decidió la expulsión del jugador.* INGLÉS ejection, [si es de un jugador: sending off].

2 Acción que consiste en lanzar o soltar una cosa que se tiene en el interior. La expulsión de gases de las fábricas contamina el aire. INGLÉS discharge.

NOTA El plural es: expulsiones.

exquisito, exquisita

adjetivo **1** Que es muy bueno y tiene una gran

calidad y un gusto extraordinario. Los modales de las personas bien educadas son exquisitos. INGLÉS exquisite, refined.

éxtasis

nombre masculino **1** Estado en el que se encuentra una persona cuando está tan admirada por algo que no se entera de lo que sucede a su alrededor: *Estaba en éxtasis viendo la película de su actor favorito.* INGLÉS ecstasy.

2 En religión, sentimiento agradable que provoca la relación con Dios. INGLÉS ecstasy.

3 Droga química que provoca falsa alegría y gran excitación a quien la toma. INGLÉS ecstasy.

NOTA El plural es: éxtasis.

extender

verbo **1** Hacer que una cosa doblada o recogida ocupe más espacio desdoblándola o estirándola. Extendemos el mantel sobre la mesa. INGLÉS to spread.

2 Poner algo que estaba junto o apretado sobre una superficie de modo que ocupe más espacio: *Extendió todas las fotografías por el suelo.* INGLÉS to spread out.

3 Poner algo por escrito en un documento, un cheque o un recibo. Las universidades extienden certificados académicos. INGLÉS to issue, [si es un cheque: to write].

4 Hacer que un gran número de personas conozcan o dispongan de una cosa: *Las hamburgueserías se han extendido por muchos países.* INGLÉS to spread.

5 extenderse Ocupar una cosa cierta cantidad de espacio o de tiempo. Las películas no se extienden más de tres horas. INGLÉS to occupy [espacio], to last [tiempo].

6 extenderse Hablar o escribir mucho sobre algo. INGLÉS to go on and on.

NOTA Se conjuga como: entender; la 'e' se convierte en 'ie' en sílaba acentuada, como: extiende.

extensión

nombre femenino **1** Aumento de tamaño o espacio de una cosa: *La extensión del incendio es preocupante.* INGLÉS extent, size.

2 Acción que consiste en estirar o desdoblar una cosa: *Haremos unas extensiones de piernas para calentar antes del partido.* INGLÉS stretching.

3 Superficie, tamaño o espacio que tiene u ocupa algo: *Es una novela de poca extensión, no pasa de las cien páginas.* INGLÉS extent, size.

4 Tiempo que dura una cosa, como un programa de radio o televisión. INGLÉS duration.

5 Línea de teléfono conectada a una centralita. INGLÉS extension.

NOTA El plural es: extensiones.

extenso, extensa

adjetivo **1** Que es muy grande o que tiene una superficie de gran tamaño: *En Castilla hay extensos campos de trigo.* INGLÉS extensive, vast.

extenuado, extenuada

adjetivo **1** Se dice de la persona muy cansada y débil, especialmente después de haber hecho un gran esfuerzo. Después de una carrera muy larga, los corredores quedan extenuados. INGLÉS exhausted.

extenuar

verbo **1** Cansar o debilitar a una persona al máximo. INGLÉS to exhaust.

NOTA Se conjuga como: actuar; la 'u' se acentúa en algunos tiempos y personas, como: extenúa.

exterior

adjetivo **1** Que está situado en la parte de fuera. La capa exterior de los frutos secos se llama 'cáscara'. SINÓNIMO externo. ANTÓNIMO interno. INGLÉS exterior, outer.

2 Se dice de aspectos económicos o políticos relacionados con los países del extranjero. INGLÉS foreign.

3 Se dice de las viviendas o habitaciones que dan a la calle. INGLÉS exterior.

nombre masculino **4** Superficie que se extiende fuera de las cosas o personas, como el exterior de los edificios. INGLÉS exterior, outside.

nombre masculino plural **5 exteriores** Escenas de una película que se ruedan al aire libre en lugar de hacerlo en un estudio. INGLÉS exteriors.

exteriorizar

verbo **1** Mostrar una persona lo que piensa o siente. INGLÉS to express outwardly.

NOTA Se escribe 'c' delante de 'e', como: exteriorice.

exterminar

verbo **1** Hacer desaparecer completamente a un grupo de personas, animales o plantas de un lugar. En las ciudades hay empresas que se dedican a exterminar ratas. **INGLÉS** to exterminate.

exterminio
nombre masculino **1** Acción que se realiza cuando se extermina. El exterminio de los judíos por parte de los nazis es uno de los hechos históricos más graves del siglo xx. **INGLÉS** extermination.

externo, externa
adjetivo **1** Que está, se manifiesta o queda fuera o por fuera de algo. Las pomadas son medicamentos de uso externo. **ANTÓNIMO** interno. **INGLÉS** external.
adjetivo y nombre **2** Se dice de la persona que no vive ni come en su lugar de estudio o de trabajo. **ANTÓNIMO** interno. **INGLÉS** day pupil [nombre].

extinción
nombre femenino **1** Hecho de apagar un fuego, especialmente en un incendio. **INGLÉS** extinction, putting out.
2 Desaparición total de una especie que ha ido disminuyendo poco a poco. Cuando quedan pocos ejemplares de una especie, se dice que está en peligro de extinción, como ocurre con los rinocerontes, las ballenas o los acebos. **INGLÉS** extinction.
NOTA El plural es: extinciones.

extinguir
verbo **1** Hacer que una cosa se acabe o deje de existir. Los bomberos extinguen incendios. Algunas especies se extinguen por culpa del ser humano. **INGLÉS** to extinguish, to put out, [si una especie se extingue: to become extinct].
NOTA Se conjuga como: distinguir; se escribe 'g' delante de 'a' y 'o', como: extingan.

extintor
nombre masculino **1** Aparato con una sustancia en su interior que sirve para apagar el fuego. Tiene forma de botella grande de color rojo y suele estar colgado de la pared en los locales públicos. **INGLÉS** fire extinguisher.

extirpar
verbo **1** Cortar y quitar un órgano o una parte enferma del cuerpo. Las amígdalas infectadas se extirpan mediante una operación de cirugía. **INGLÉS** to remove.

extra
adjetivo **1** Se dice del producto que es de una calidad superior a la normal. **INGLÉS** top-quality, best-quality.
adjetivo y nombre masculino **2** Se dice de una cosa que se añade a lo normal o habitual. Las horas extra son las que se trabajan además de las que están en el contrato. Algunos periódicos sacan extras sobre temas especiales. **INGLÉS** extra [horas extras: overtime; si es un periódico: special issue].
nombre masculino y femenino **3** Persona que aparece en una obra de cine o teatro pero no tiene papel. Los actores que aparecen en la calle son extras. **INGLÉS** extra.

extractor
nombre masculino **1** Aparato que sirve para sacar al exterior el humo o el aire contaminado que hay en un lugar, en especial en las cocinas. **INGLÉS** extractor, fan.

extraer
verbo **1** Sacar fuera una cosa que estaba dentro de un sitio. Los dentistas extraen las muelas dañadas. **INGLÉS** to extract, to take out.
2 Obtener una sustancia a partir de un producto. Extraemos aceite de las aceitunas y vino de las uvas. **INGLÉS** to extract.
NOTA Se conjuga como: traer.

extranjero, extranjera
adjetivo y nombre **1** Se dice de la persona o cosa que es de un país distinto del propio. Para un español, un francés es un extranjero. **INGLÉS** foreign [adjetivo], foreigner [nombre].
nombre masculino **2** País o países distintos del propio: *Hay gente que pasa sus vacaciones en el extranjero.* **INGLÉS** abroad.

extrañar
verbo **1** Causar una cosa sorpresa porque nos parece rara o imposible de creer: *Siempre es muy puntual; me extraña que hoy llegue tarde.* **SINÓNIMO** sorprender. **INGLÉS** to surprise.
2 Echar de menos a una persona o una cosa. **SINÓNIMO** añorar. **INGLÉS** to miss.
3 Encontrar rara una cosa a la que no se está acostumbrado: *No he dormido bien esta noche porque extraño la cama nueva.* **INGLÉS** to find strange, not to be used to.

extrañeza
nombre femenino **1** Sorpresa que nos producen las co-

a b c d e f g h i j k l m n ñ o p q r s t u v w x y z

sas raras o difíciles de creer. SINÓNIMO asombro. INGLÉS surprise.

extraño, extraña

adjetivo **1** Que es raro o distinto de lo normal. INGLÉS strange.

adjetivo y nombre **2** Se dice de las personas que no se conocen: *Los niños pequeños no deberían hablar con extraños.* SINÓNIMO desconocido. ANTÓNIMO conocido. INGLÉS strange [adjetivo], stranger [nombre].

extraordinario, extraordinaria

adjetivo y nombre **1** Que se aparta de lo que se considera normal o habitual: *Convocarán una reunión extraordinaria para analizar el problema.* INGLÉS extraordinary.

adjetivo **2** Que destaca sobre las demás cosas o personas por ser mejor o tener una característica muy buena. SINÓNIMO excelente; formidable. INGLÉS extraordinary.

adjetivo y nombre masculino **3** Se dice del número de un periódico o revista que sale por una razón especial, como informar sobre un acontecimiento importante. INGLÉS special [adjetivo], special issue [nombre].

extraterrestre

nombre masculino y femenino **1** Habitante de un planeta distinto de la Tierra. En algunas películas de ciencia ficción aparecen extraterrestres. INGLÉS extraterrestrial.

extravagante

adjetivo y nombre **1** Se dice de una cosa o persona que llama la atención, o de una persona que tiene una forma de pensar y actuar extraña. Muchos artistas tienen fama de extravagantes. INGLÉS extravagant.

extraviar

verbo **1** Perder o no saber dónde está una persona o una cosa: *Se me han extraviado las llaves.* INGLÉS to mislay [extraviar], to get mislaid [extraviarse].

NOTA Se conjuga como: desviar; la 'i' se acentúa en algunos tiempos y personas, como: extravíen.

extremaunción

nombre femenino **1** Sacramento de la Iglesia católica que consiste en frotar con aceite bendito la frente de una persona que está a punto de morir. INGLÉS extreme unction.

NOTA El plural es: extremaunciones.

extremeño, extremeña

adjetivo y nombre **1** Se dice de la persona o cosa que es de Extremadura. INGLÉS Estremaduran.

extremidad

nombre femenino **1** Cada uno de los brazos y las piernas de una persona, o de las patas, las alas o la cola de un animal. INGLÉS extremity.

extremo, extrema

adjetivo **1** Que es muy fuerte o muy intenso. En las zonas de clima seco hay temperaturas extremas: mucho calor en verano y mucho frío en invierno. INGLÉS extreme.

2 Que tiene el grado máximo que puede tener una cosa. Los cirujanos trabajan con extremo cuidado. INGLÉS extreme.

3 Que está situado en el punto más alejado del centro. INGLÉS furthest.

nombre masculino **4** Parte del principio o del final de una cosa. Los pies están situados al extremo de las piernas. INGLÉS end.

5 Punto último o grado máximo al que puede llegar una cosa: *Se enfadaron tanto que han llegado al extremo de no hablarse.* INGLÉS extreme.

6 En algunos deportes, cada uno de los delanteros que juegan por los lados del campo. INGLÉS winger.

exuberante

adjetivo **1** Se dice de la persona o cosa que está muy desarrollada o que tiene gran cantidad de algo. La vegetación de la selva es exuberante porque es abundante y rica. INGLÉS exuberant [una persona], lush [la vegetación].

f
nombre femenino
1 Sexta letra del alfabeto español. La 'f' es una consonante.

fa
nombre femenino
1 Cuarta nota de la escala musical. INGLÉS fah, F.
NOTA El plural es: fas.

fabada
nombre femenino
1 Guiso hecho con judías blancas, chorizo, tocino y morcilla. Es un plato típico de Asturias. INGLÉS bean stew.

fábrica
nombre femenino
1 Edificio con las máquinas y las instalaciones necesarias para elaborar productos en gran número, como las fábricas de coches, de ropa o de muebles. SINÓNIMO factoría. INGLÉS factory.

fabricación
nombre femenino
1 Acción que consiste en fabricar algo. INGLÉS manufacture, production.
NOTA El plural es: fabricaciones.

fabricante
nombre masculino y femenino
1 Persona que tiene una fábrica o establecimiento donde se elaboran productos. También es la empresa que fabrica un producto. INGLÉS manufacturer, maker.

fabricar
verbo
1 Elaborar productos, generalmente en serie y con la ayuda de máquinas: *Esta empresa fabrica motos.* INGLÉS to manufacture, to make.
2 Crear algo una persona con las manos. También fabrican algo los animales cuando lo crean de forma natural: *Las abejas fabrican miel.* INGLÉS to make.
NOTA Se escribe 'qu' delante de 'e', como: fabriquemos.

fábula
nombre femenino
1 Cuento del que se saca algún tipo de enseñanza. Los personajes de las fábulas son animales o cosas que hablan y se comportan como personas, como la fábula de la cigarra y la hormiga. INGLÉS fable.

fabuloso, fabulosa
adjetivo
1 Que destaca por ser muy grande o especialmente bueno, como unas vacaciones fabulosas. SINÓNIMO excelente; extraordinario. INGLÉS fabulous.

facciones
nombre femenino plural
1 Rasgos de la cara de una persona: *Sus facciones son muy agradables.* INGLÉS features.

faceta
nombre femenino
1 Cada una de las habilidades que tiene una persona o de las actividades que realiza: *No conocía su faceta de chistoso.* INGLÉS facet.

facha
nombre femenino
1 Aspecto exterior de una persona o una cosa. Decimos que una persona tiene buena facha cuando nos parece que es guapa y va bien vestida: *No me gusta nada la facha de esa carne, yo creo que está pasada.* Es un uso informal. SINÓNIMO aspecto; pinta. INGLÉS appearance, look.
adjetivo y nombre masculino y femenino
2 Se dice de la persona que tiene ideas políticas de ultraderecha. Es un uso despectivo. SINÓNIMO fascista. INGLÉS fascist.

fachada
nombre femenino
1 Cada una de las paredes exteriores de un edificio. En la fachada principal está la puerta de entrada al edificio. INGLÉS façade, front.

facial
adjetivo
1 De la cara o que tiene relación con ella, como la crema facial. INGLÉS facial.

fácil
adjetivo
1 Que se puede entender o hacer con poco esfuerzo. ANTÓNIMO difícil. INGLÉS easy.
2 Que es muy probable que ocurra: *No es fácil que nieve en Sevilla.* INGLÉS probable, likely.

facilidad
nombre femenino
1 Capacidad para hacer o entender una cosa sin problemas y sin esfuerzo: *Tienes facilidad para tocar el piano.* ANTÓNIMO dificultad. INGLÉS talent, gift.
nombre femenino plural
2 facilidades Medios que nos dan para que nos resulte más fácil hacer una cosa. Las tiendas que dan facilidades de pago permiten pagar en varios plazos. INGLÉS facilities, help.

facilitar
verbo
1 Hacer que una cosa sea más fácil de realizar. Los ordenadores y las máquinas nos facilitan el trabajo. ANTÓNIMO dificultar. INGLÉS to make easy, to facilitate.
2 Dar a alguien aquello que pide o que necesita: *Mi padre me facilitó el dinero para pagar la moto.* INGLÉS to provide with, to give.

factible
adjetivo
1 Que se puede hacer o realizar. INGLÉS feasible.

factor
nombre masculino
1 Elemento o situación que hace que se produzca una cosa o que algo sea de una manera determinada. La confianza mutua es un factor necesario para una buena amistad. INGLÉS factor.
2 Cada uno de los números que se multiplican en una multiplicación. INGLÉS factor.

factoría
nombre femenino
1 Fábrica o conjunto de fábricas donde se elabora o produce algún producto. INGLÉS factory, plant.

factura
nombre femenino
1 Documento o escrito en que se detallan las mercancías compradas o los servicios recibidos y el dinero que hay que pagar por ellos. INGLÉS invoice, bill.

facultad
nombre femenino
1 Aptitud o capacidad física o intelectual que tiene una persona para realizar una actividad, como la facultad de hablar. INGLÉS faculty.
2 Derecho o autorización para hacer alguna cosa. Los jueces tienen plena facultad para dictar sentencia en un juicio. SINÓNIMO autoridad. INGLÉS power.
3 Cada una de las secciones en que se dividen los estudios universitarios que corresponden a una rama del saber. También es el edificio donde se realizan estos estudios. INGLÉS faculty.

faena
nombre femenino
1 Trabajo que tiene que hacer una persona. Cocinar, limpiar y planchar son faenas de la casa. SINÓNIMO labor; tarea. INGLÉS task, job.
2 Cosa que molesta o hace daño a una persona. Los amigos no suelen hacernos faenas. INGLÉS dirty trick.
3 Acciones que el torero hace con el toro cuando torea. Cuando un torero realiza una buena faena el público lo aplaude. INGLÉS performance.

fagot
nombre masculino
1 Instrumento musical de viento formado por un tubo largo de madera con unas llaves, y un tubo curvado de metal terminado en una boquilla por la que se sopla. El sonido del fagot es grave y profundo. INGLÉS bassoon. DIBUJO página 598.

faisán
nombre masculino
1 Ave de plumaje marrón, del mismo grupo que la gallina y un poco más grande que esta. El macho tiene un penacho de plumas sobre la cabeza y una larga cola de vistosos colores. Su carne es muy apreciada porque es muy sabrosa. INGLÉS pheasant.
NOTA El plural es: faisanes.

faja
nombre femenino
1 Prenda de ropa interior de tejido elástico que aprieta la barriga, las caderas y las nalgas. INGLÉS corset, girdle.
2 Banda de tela que se pone alrededor de la cintura. INGLÉS sash.
3 Tira o banda de papel o de otro material que rodea una cosa, a veces con varias vueltas. Los paquetes de billetes nuevos van unidos con una faja de papel. INGLÉS strip, band.

fajo
nombre masculino
1 Conjunto de cosas largas y delgadas, puestas unas sobre otras y que pueden ir atadas por el centro, como un fajo de billetes. INGLÉS bundle, wad.

a b c d e f g h i j k l m n ñ o p q r s t u v w x y z

falda
nombre femenino
1 Prenda de vestir femenina que consiste en una tela que se ajusta a la cintura y cubre las piernas o parte de ellas. INGLÉS skirt.
2 Tela que cubre una mesa redonda y que suele llegar hasta el suelo. INGLÉS tablecloth.
3 Parte baja de una montaña. INGLÉS lower slope.
4 Regazo de una persona sentada. INGLÉS lap.

faldón
nombre masculino
1 Parte de tela de una prenda de vestir que cuelga desde la cintura hacia abajo, como el faldón de una camisa. INGLÉS tail.
2 Falda larga que se pone a los bebés encima de otras prendas. INGLÉS long dress.
NOTA El plural es: faldones.

falla
nombre femenino
1 Rotura o fractura de una roca o superficie de terreno debida a un movimiento de la tierra. Se producen en los lugares donde hay muchos terremotos. INGLÉS fault.
2 Figura o conjunto de figuras de madera y cartón que se queman en las calles valencianas la noche de San José.
nombre femenino plural
3 fallas Fiestas populares de Valencia que se celebran en torno al día de San José.

fallar
verbo
1 No acertar al hacer algo o hacerlo mal: *Falló el penalti.* SINÓNIMO errar. INGLÉS to miss, [si es una respuesta: to get wrong].
2 Perder algo su fuerza o resistencia. Si una estantería falla, se cae. INGLÉS to break.
3 No dar una persona o una cosa el resultado que se esperaba de ella. Si un amigo no nos ayuda cuando lo necesitamos, decimos que nos ha fallado. SINÓNIMO defraudar. INGLÉS to fail.

fallecer
verbo
1 Dejar de vivir una persona. SINÓNIMO expirar; morir; perecer. ANTÓNIMO vivir. INGLÉS to pass away.

fallecimiento
nombre masculino
1 Muerte de una persona. INGLÉS decease, demise.

fallo
nombre masculino
1 Cosa que se hace o se dice de forma equivocada o que tiene un mal resultado. SINÓNIMO equivocación; error. INGLÉS mistake.
2 Avería que se produce en una máquina o en un motor. INGLÉS fault.
3 Decisión que toma el jurado o el juez de un tribunal respecto a algo que se juzga. INGLÉS ruling, decision.

falsedad
nombre femenino
1 Aquello que no es cierto o verdadero. Decir que el Sol no es una estrella es una falsedad. SINÓNIMO mentira; trola. ANTÓNIMO verdad. INGLÉS falsehood, lie.

falsificación
nombre femenino
1 Acción que consiste en falsificar o copiar algo. La falsificación de una firma es un delito. INGLÉS forgery.
NOTA El plural es: falsificaciones.

falsificar
verbo
1 Hacer una copia de algo intentando que parezca auténtico: *Los delincuentes falsifican billetes de banco.* INGLÉS to forge.
NOTA Se escribe 'qu' delante de 'e', como: falsifiquen.

falso, falsa
adjetivo
1 Que es mentira o no es de verdad. ANTÓNIMO verdadero. INGLÉS false.
adjetivo y nombre
2 Que no dice la verdad o que engaña a los demás con su manera de actuar. SINÓNIMO hipócrita. ANTÓNIMO sincero. INGLÉS insincere [adjetivo], hypocritical [adjetivo], hypocrite [nombre].

falta
nombre femenino
1 Circunstancia de no haber o tener alguna cosa, o de haber o tener menos de lo necesario: *No pudieron terminar el trabajo por falta de tiempo.* SINÓNIMO escasez; carencia. ANTÓNIMO abundancia. INGLÉS lack, shortage.
2 Ausencia de una persona. Cuando estamos tristes notamos la falta de un ser querido. INGLÉS absence.
3 Cosa mal hecha o que, al hacerla, nos hemos equivocado, como una falta de ortografía. SINÓNIMO fallo; error. ANTÓNIMO acierto. INGLÉS mistake.
4 Anotación con que se indica la ausencia de una persona en un determinado lugar u ocupación. Cuando el profesor pasa lista y no estamos, nos pone una falta. INGLÉS absence.

5 Acción o dicho desacertado que va en contra de un deber u obligación, como la falta de respeto. También llamamos falta a la acción que va contra las reglas de un deporte. INGLÉS fault, [si es en el fútbol: foul].

echar en falta Echar de menos una cosa o sentir la ausencia de una persona: *Durante las vacaciones echamos en falta a nuestros amigos.* INGLÉS to miss.

hacer falta Ser necesaria una cosa. Para estudiar hace falta poner interés y concentrarse en lo que se hace. INGLÉS to be necessary.

faltar

verbo

1 No haber una cosa o haber menos de lo necesario. Cuando falta luz no puedes estudiar bien. ANTÓNIMO sobrar. INGLÉS to be missing, to be lacking.

2 No acudir alguien a un sitio al que tenía que ir o no cumplir una obligación: *No hay que faltar a clase.* ANTÓNIMO asistir. INGLÉS to be absent, to be missing.

3 Quedar tiempo todavía para que se realice u ocurra una determinada cosa: *Aún falta mucho para que acabe el curso.* INGLÉS to be left.

4 Quedar algo por hacer: *Todavía me falta el último ejercicio.* INGLÉS to be left.

5 Ofender o molestar a alguien. No se debe faltar a las personas mayores. SINÓNIMO insultar. ANTÓNIMO respetar. INGLÉS to insult.

no faltaba más Expresión que se usa como fórmula de cortesía para decir sí a una petición: *¡No faltaba más!, yo lo ayudo.* INGLÉS of course.

falto, falta

adjetivo

1 Que no tiene aquello que se indica. Si alguien está falto de recursos es porque tiene poco dinero o neesita más del que tiene. INGLÉS lacking, short.

fama

nombre femenino

1 Hecho de ser conocida una persona o una cosa que destaca en una determinada actividad entre un grupo o en toda la sociedad: *Los cantantes tienen mucha fama.* SINÓNIMO gloria. INGLÉS fame.

2 Opinión que los demás tienen de alguien. Si una persona tiene mala fama es que la gente piensa mal de ella. INGLÉS fame, reputation.

famélico, famélica

adjetivo

1 Que tiene o que pasa mucha hambre. Las campañas contra el hambre muestran fotos de niños famélicos. SINÓNIMO hambriento. INGLÉS starving, famished.

familia

nombre femenino

1 Conjunto de personas formado por una pareja y sus hijos. Actualmente hay muchas familias sin hijos. INGLÉS family.

2 Conjunto de personas entre las que hay una relación de parentesco, como la que hay entre padres, hermanos y primos, o como la que una persona tiene con los padres y hermanos de su marido o su mujer. INGLÉS family.

3 Conjunto de hijos de una pareja o de una persona: *Se casaron muy mayores y no tuvieron familia.* INGLÉS family, children.

4 Conjunto de cosas que tienen un origen común y características parecidas. Son palabras de la misma familia 'compra', 'comprar' y 'comprador'. INGLÉS family.

familiar

nombre masculino y femenino

1 Persona que es de la misma familia que otra. Con los familiares y amigos se comparten los buenos y los malos momentos. SINÓNIMO pariente. INGLÉS relation, relative.

adjetivo

2 Se dice de la cosa que es de la familia, está relacionado con la familia o se hace con la familia, como una reunión familiar. INGLÉS family.

3 Que es conocido pero no sabemos de qué, o que recuerda algo o a alguien conocido: *Su cara me resulta familiar.* INGLÉS familiar.

4 Se dice de la persona que trata o habla a otra de forma natural y como si fuese de la familia, aunque en realidad no lo sea. INGLÉS friendly.

5 Que tiene un tamaño mayor que el habitual para que pueda ser usado o consumido por una familia, como un automóvil familiar. INGLÉS family-sized.

familiaridad

nombre femenino

1 Forma de tratar una persona a otra con sencillez y naturalidad. La familiaridad puede ser positiva, pero es negativa cuando indica que una persona trata a otra con más confianza de la adecuada. INGLÉS familiarity.

a b c d e **f** g h i j k l m n ñ o p q r s t u v w x y z

familiarizarse
verbo **1** Acostumbrarse una persona a una situación o a una cosa nueva: *Todavía no se ha familiarizado con el nuevo barrio.* SINÓNIMO adaptarse. INGLÉS to familiarize oneself.
NOTA Se escribe 'c' delante de 'e', como: se familiaricen.

famoso, famosa
adjetivo **1** Que es muy conocido por un grupo de personas o por toda la sociedad por haber hecho algo destacado. Dalí es un pintor muy famoso. También son famosos sus cuadros. SINÓNIMO célebre. INGLÉS famous, well-known.

fan
nombre masculino y femenino **1** Persona que admira mucho a alguien o que es muy aficionada a alguna cosa. Los cantantes famosos tienen muchos fans. INGLÉS fan.
NOTA El plural es: fans o fanes.

fanático, fanática
adjetivo y nombre **1** Que defiende una creencia religiosa o política con una pasión exagerada. INGLÉS fanatical [adjetivo], fanatic [nombre].
2 Que siente una gran pasión por una cosa o por una persona: *Soy un fanático del fútbol.* INGLÉS fanatical [adjetivo], fanatic [nombre].

fanerógamo, fanerógama
adjetivo y nombre femenino **1** Se dice de la planta que tiene flores y cuyos órganos reproductores se ven, como los geranios, las margaritas, los olivos, o los pinos. INGLÉS phanerogamic [adjetivo], phanerogam [nombre].

fanfarrón, fanfarrona
adjetivo y nombre **1** Que presume mucho de algo que en realidad no es, como ser muy rico, muy guapo o muy valiente. SINÓNIMO fantasma. INGLÉS show-off [nombre].
NOTA El plural de fanfarrón es: fanfarrones.

fango
nombre masculino **1** Barro espeso y pegajoso, en especial el que se forma en el fondo de los charcos, lagos y pantanos. SINÓNIMO lodo. INGLÉS mud.

fantasía
nombre femenino **1** Capacidad para imaginar cosas que no son reales. Tanto los cuentos como las novelas son producto de la fantasía. SINÓNIMO imaginación. ANTÓNIMO realidad. INGLÉS fantasy.
2 Cosa no real que una persona inventa gracias a su imaginación: *Tiene muchas fantasías en la cabeza; incluso dice que ha visto a un extraterrestre.* INGLÉS fantasy.

fantasioso, fantasiosa
adjetivo **1** Que tiene mucha imaginación y se pasa mucho tiempo pensando en cosas y hechos imaginarios. INGLÉS imaginative.

fantasma
nombre masculino **1** Espíritu de una persona muerta que se dice que aparece en el mundo de los vivos. En muchas películas los fantasmas se representan con una sábana blanca. SINÓNIMO aparición. INGLÉS ghost.
2 Imagen o idea que una persona crea en su imaginación, pero que no es real: *Olvídate de tus fantasmas y haz lo que debes hacer.* INGLÉS imagination.
adjetivo **3** Se dice de un lugar que está abandonado o en el que no hay nadie. INGLÉS abandoned, deserted.
adjetivo y nombre masculino y femenino **4** Se dice de la persona que presume mucho de lo que es o de lo que tiene, como ser guapo o buen deportista. SINÓNIMO fanfarrón. INGLÉS show-off [nombre].

fantasmagórico, fantasmagórica
adjetivo **1** Que tiene un aspecto tan triste que produce miedo. INGLÉS phantasmagoric.

fantástico, fantástica
adjetivo **1** Que no es real, sino que ha sido creado por la imaginación de alguien. Los monstruos y las hadas son seres fantásticos. ANTÓNIMO real. INGLÉS imaginary.
2 Que es muy bueno y gusta mucho: *Hemos pasado un día fantástico con nuestros amigos.* SINÓNIMO fabuloso; maravilloso. INGLÉS fantastic, wonderful.

fantoche
nombre masculino **1** Persona de aspecto ridículo. INGLÉS puppet.
2 Persona que presume de ser lo que no es o tener lo que no tiene. INGLÉS braggart.

faquir
nombre masculino **1** Artista que hace cosas que a otras personas les causarían dolor o heridas, como clavarse espadas o caminar sobre fuego. INGLÉS fakir.

faraón
nombre masculino
1 Título del gobernante del antiguo Egipto. Las pirámides se construyeron para enterrar en ellas a los faraones. INGLÉS pharaoh.
NOTA El plural es: faraones.

fardar
verbo
1 Presumir de algo que se sabe o se tiene. Es una palabra informal. INGLÉS to show off.

fardo
nombre masculino
1 Paquete grande que contiene ropa u otros objetos para poder transportarlos: *Hizo dos fardos con todas sus cosas y se marchó.* INGLÉS bundle, pack.

faringe
nombre femenino
1 Conducto que va desde el fondo de la boca hasta el esófago. Cuando se nos inflama la faringe nos duele la garganta. INGLÉS pharynx.

faringitis
nombre femenino
1 Inflamación de la faringe que provoca dolor de garganta y, a veces, fiebre. INGLÉS pharyngitis.
NOTA El plural es: faringitis.

fariseo, farisea
nombre
1 Persona que pertenecía a una antigua secta política y religiosa judía, que aparentemente eran austeros y piadosos pero que en realidad no seguían ni cumplían las normas religiosas. INGLÉS pharisee.

farmacéutico, farmacéutica
nombre
1 Persona que tiene la carrera de farmacia. Los farmacéuticos pueden vender y hacer medicinas en una farmacia. INGLÉS pharmacist, chemist.
adjetivo
2 Que está relacionado con la farmacia y los medicamentos. Las empresas farmacéuticas hacen medicinas. INGLÉS pharmaceutical.

farmacia
nombre femenino
1 Establecimiento donde se hacen y venden medicinas y remedios para curar enfermedades. Las farmacias también venden productos de higiene y de belleza. SINÓNIMO botica. INGLÉS pharmacy, chemist's.
2 Ciencia que estudia la preparación de medicinas y las sustancias que se utilizan para hacerlas. También se llama farmacia la carrera universitaria en la que se aprende esta ciencia. INGLÉS pharmacy.

fármaco
nombre masculino
1 Sustancia que sirve para curar o evitar enfermedades o para calmar el dolor. SINÓNIMO medicamento; medicina. INGLÉS medicine.

faro
nombre masculino
1 Torre alta con una luz potente en su parte superior, ubicada en costas y puertos. Sirve para orientar a los barcos por la noche e indicarles dónde está la costa. INGLÉS lighthouse.
2 Foco o luz potente que tienen algunos vehículos en la parte delantera. INGLÉS headlight.

farol
nombre masculino
1 Caja con las paredes de cristal o de material transparente, que tiene dentro una bombilla para alumbrar un lugar. Algunos se cuelgan del techo o en la pared y otros se colocan sobre un pie. INGLÉS lantern, lamp.
2 Acción o dicho exagerado o falso con el cual alguien pretende lucirse, engañar a otra persona o confundirla. Es un uso informal. INGLÉS brag.

farola
nombre femenino
1 Farol grande que se coloca en las calles, carreteras, plazas y otros lugares públicos para iluminarlos por la noche. INGLÉS streetlight, streetlamp.

farolillo
nombre masculino
1 Farol de papel, celofán o plástico de colores, que se cuelga del techo y sirve de adorno en fiestas y verbenas. INGLÉS Chinese lantern.

farsa
nombre femenino
1 Obra de teatro corta y divertida. INGLÉS farce.
2 Mentira o engaño que se prepara para conseguir algo o para ocultar algo que no queremos que se sepa: *Lo de su enfermedad es una farsa para que lo dejen en paz.* SINÓNIMO comedia; engaño. INGLÉS sham, farce.

farsante
adjetivo y nombre masculino y femenino
1 Que miente o engaña a los demás haciéndoles creer algo que no tiene nada que ver con la realidad: *Nos dijo que era un rico heredero, pero era un farsante, en realidad.* SINÓNIMO embustero; mentiroso. ANTÓNIMO sincero. INGLÉS lying [adjetivo], fake [nombre], impostor [nombre].

fascículo
nombre masculino
1 Cada uno de los cuadernillos que forman un libro y que se venden por separado. Aparecen periódicamente y al final se encuadernan conjuntamente. INGLÉS instalment.

fascinante
adjetivo
1 Que es tan bello, bonito o interesante que produce atracción y admiración en la gente: *He leído un libro fascinante.* INGLÉS fascinating.

fascinar
verbo
1 Atraer o interesar mucho una cosa o una persona: *Me fascinan los libros de aventuras.* INGLÉS to fascinate.

fascista
adjetivo y nombre masculino y femenino
1 Se dice de la persona que es partidaria de un gobierno autoritario y nacionalista. También es fascista todo lo que es propio de estas personas o de este tipo de gobierno. INGLÉS fascist.

fase
nombre femenino
1 Período de tiempo o estado que constituye una parte de una acción o de un proceso. Los trabajos muy complicados se hacen en distintas fases. SINÓNIMO etapa. INGLÉS stage, phase.

fastidiar
verbo
1 Causar algo un disgusto o enfado pequeño a una persona. INGLÉS to annoy.
2 Estropear o averiar algo: *Me has fastidiado el plan, ahora no podré salir.* INGLÉS to ruin, to mess up.
3 fastidiarse Tener que soportar una situación que no gusta, pero que no se puede evitar ni cambiar: *Me tuve que fastidiar y esperar mi turno.* SINÓNIMO aguantarse. INGLÉS to grin and bear it.
NOTA Se conjuga como: cambiar; la 'i' no lleva nunca acento de intensidad.

fastidio
nombre masculino
1 Enfado o disgusto de poca importancia: *¡Qué fastidio! Se me han olvidado las fotos que te quería enseñar.* INGLÉS nuisance.

fatal
adjetivo
1 Que está muy mal hecho o es muy malo. INGLÉS terrible, awful.
2 Se dice de las acciones o las situaciones que tienen consecuencias muy malas, tanto que incluso pueden llegar a la muerte. Algunos accidentes de tráfico son fatales. INGLÉS fatal.
3 Que no se puede evitar, que tiene que ocurrir necesariamente. Que las personas nos hagamos viejas es un hecho fatal. INGLÉS inevitable.
adverbio
4 Muy mal. En verano, los contenedores de basura huelen fatal. INGLÉS awfully, terribly.

fatiga
nombre femenino
1 Agotamiento o cansancio producido por un gran esfuerzo físico o mental. INGLÉS fatigue.
2 Dificultad que se tiene para respirar bien. Algunas personas sienten fatiga cuando suben muchas escaleras. INGLÉS breathlessness.
3 Sufrimiento o trabajo excesivo. Hay padres que pasan muchas fatigas para criar a sus hijos. Con este significado se usa más en plural. INGLÉS hardship.

fatigar
verbo
1 Cansar o causar fatiga a una persona: *Tanto trabajo lo fatiga.* INGLÉS to wear out, to tire out.
NOTA Se escribe 'gu' delante de 'e', como: fatiguen.

fauces
nombre femenino plural
1 Boca y dientes de los mamíferos, especialmente de los más fieros, como el tigre o el león. INGLÉS jaws.

fauna
nombre femenino
1 Conjunto de los animales que hay en una zona geográfica determinada. Los jabalíes forman parte de la fauna mediterránea. INGLÉS fauna.

favela
nombre femenino
1 Vivienda muy humilde construida con materiales ligeros y generalmente de desecho. Suelen estar situadas en suburbios sin urbanizar. SINÓNIMO barraca; chabola. INGLÉS favela.

favor
nombre masculino
1 Cosa que se hace o dice para ayudar a una persona: *Me hizo un favor ayudándome con los deberes.* INGLÉS favour.
2 Apoyo que se da a alguien en quien se confía o a quien se admira: *Tiene el favor de su jefe.* INGLÉS support.

favorable
adjetivo
1 Que favorece o es bueno para algo. La tranquilidad y el silencio son las condiciones más favorables para estudiar. INGLÉS favourable.

2 Que está a favor de alguien o de algo. INGLÉS favourable.

favorecer
verbo
1 Hacer que una cosa sea posible o fácil de hacer. La lluvia y el sol favorecen el crecimiento de las plantas. SINÓNIMO facilitar. INGLÉS to favour.
2 Ayudar a una persona o hacerle un favor. INGLÉS to help.
3 Hacer que una persona esté más guapa o más atractiva: *Ese vestido te favorece.* INGLÉS to suit.
NOTA Se conjuga como: agradecer; la 'c' se convierte en 'zc' delante de 'a' y 'o', como: favorezca o favorezco.

favorito, favorita
adjetivo
1 Que es el que más gusta o el más querido entre los de su especie: *Ese es mi libro favorito.* INGLÉS favourite.
2 Que se cree que tiene más posibilidades que otros para ganar un concurso o una competición: *Es el favorito para ganar la carrera.* INGLÉS favourite.

fax
nombre masculino
1 Sistema de comunicación que permite mandar y recibir información escrita a través del teléfono. INGLÉS fax.
2 Aparato que permite enviar y recibir mensajes a través de este sistema. También es el mensaje que se recibe o se envía de esta manera. INGLÉS fax machine.
NOTA El plural es: faxes.

faz
nombre femenino
1 Cara de una persona. Es un uso formal. SINÓNIMO rostro. INGLÉS face.
NOTA El plural es: faces.

fe
nombre femenino
1 Creencia de que Dios existe y cuida de nosotros. Las personas que tienen fe suelen rezar y rendir culto a Dios. INGLÉS faith.
2 Confianza total que se tiene en una persona o en una cosa, y de la que se esperan cosas buenas o positivas: *Tiene mucha fe en los avances de la ciencia.* INGLÉS faith.
de buena o mala fe Con una intención o propósito bueno o malo: *Le gasté una broma de buena fe, pero se enfadó.* INGLÉS in good or bad faith.

fealdad
nombre femenino
1 Característica de las cosas o personas que resultan feas o desagradables a la vista. ANTÓNIMO belleza; hermosura. INGLÉS ugliness.

febrero
nombre masculino
1 Segundo mes del año. Febrero es el único mes que tiene 28 días y 29 los años bisiestos. INGLÉS February.

fecal
adjetivo
1 Que tiene relación con los excrementos expulsados por el ano, como las aguas fecales. INGLÉS faecal.

fecha
nombre femenino
1 Día, mes y año en que se hace o sucede una cosa. Ponemos la fecha en las cartas que escribimos. INGLÉS date.
2 El día de hoy o el momento actual: *Hasta la fecha solo se han recibido tres cartas.* INGLÉS today.

fechar
verbo
1 Poner la fecha en un escrito. INGLÉS to date, to put the date on.
2 Determinar en qué fecha ocurrió o se hizo algo. Si una persona fecha un cuadro en 1850, esa persona cree que se pintó ese año. INGLÉS to date.

fechoría
nombre femenino
1 Acción mala que hace una persona. Las fechorías no suelen ser acciones muy graves. INGLÉS misdeed, misdemeanour.

fecundación
nombre femenino
1 Unión de una célula sexual masculina y otra femenina para dar origen a un nuevo ser vivo. De la fecundación del óvulo humano por el espermatozoide sale el embrión que, tras estar nueve meses en el vientre de la madre, se convierte en un bebé. INGLÉS fertilization.
fecundación in vitro Técnica de reproducción artificial en la que el espermatozoide fecunda el óvulo fuera del cuerpo de la hembra. Una vez hecha, el óvulo se introduce en el cuerpo de la hembra para su desarrollo. INGLÉS in vitro fertilization.
NOTA El plural es: fecundaciones.

fecundar
verbo
1 Unirse una célula sexual masculina y otra femenina para dar origen a un nuevo ser vivo. INGLÉS to fertilize.
2 Hacer más fértil y productiva alguna cosa. El abono y el agua sirven para fecundar la tierra. INGLÉS to fertilize.

a b c d e f g h i j k l m n ñ o p q r s t u v w x y z

fecundo, fecunda
adjetivo **1** Se dice del terreno que da mucho fruto. SINÓNIMO fértil. ANTÓNIMO infecundo. INGLÉS fertile.
2 Se dice de la persona o el animal que puede reproducirse porque no tiene ningún problema o enfermedad que se lo impida. SINÓNIMO fértil. INGLÉS fertile.
3 Se dice de las personas que producen una gran cantidad de obras, como un artista fecundo. SINÓNIMO fértil. INGLÉS prolific.

federación
nombre femenino **1** Unión o asociación de deportistas, partidos políticos o personas que se dedican a un oficio determinado. También es el organismo que resulta de esa unión. INGLÉS federation.
2 Estado compuesto por varios estados que están sujetos a algunas leyes comunes. Suiza es una federación de estados. INGLÉS federation.
NOTA El plural es: federaciones.

feldespato
nombre masculino **1** Mineral de gran dureza y mucho brillo que se usa en la fabricación de vidrio y cerámica. El granito es una roca compuesta de tres minerales: cuarzo, feldespato y mica. INGLÉS feldspar.

felicidad
nombre femenino **1** Estado de ánimo de la persona que siente una gran alegría y satisfacción porque ha hecho o le ha ocurrido algo muy bueno. SINÓNIMO dicha. INGLÉS happiness.
nombre femenino plural **2** **felicidades** Expresión que se utiliza para expresar nuestra alegría por algo bueno que le ha pasado a otra persona o para desearle felicidad. INGLÉS congratulations, [si es un cumpleaños: happy birthday].

felicitación
nombre femenino **1** Acción que consiste en felicitar a alguien: *Recibió la felicitación de sus compañeros por la buena noticia.* INGLÉS congratulations.
2 Palabras con las que se felicita a alguien; también se llama felicitación la tarjeta en la que se escriben estas palabras. INGLÉS congratulations [palabras], greetings card [tarjeta].
NOTA El plural es: felicitaciones.

felicitar
verbo **1** Decir a alguien que nos alegramos por algún acontecimiento bueno que le ha ocurrido. INGLÉS to congratulate.
2 Expresar a alguien el deseo de que sea feliz: *La felicitó el día de su boda.* INGLÉS to congratulate, [si es un cumpleaños: to wish happy birthday].

felino, felina
adjetivo **1** Del gato o que tiene relación con él: *Tiene los ojos felinos.* INGLÉS feline.
adjetivo y nombre masculino **2** Se dice del animal que pertenece al grupo de los mamíferos que tienen el cuerpo alargado y flexible, uñas fuertes que pueden esconder, y que se alimentan de la carne de otros animales. La pantera y el leopardo son felinos. INGLÉS feline.

feliz
adjetivo **1** Que está muy alegre y satisfecho por algo bueno que ha hecho o le ha ocurrido: *Está feliz porque ha sacado buenas notas.* SINÓNIMO dichoso. ANTÓNIMO infeliz. INGLÉS happy.
2 Que produce alegría y felicidad. INGLÉS happy, fortunate.
NOTA El plural es: felices.

felpa
nombre femenino **1** Tejido de algodón muy suave con un poco de pelo. Se utiliza para hacer toallas. INGLÉS plush.

felpudo
nombre masculino **1** Alfombra de pequeño tamaño que se coloca delante de la puerta de las casas para limpiarse la suela de los zapatos. INGLÉS doormat.

femenino, femenina
adjetivo **1** De la mujer o que tiene relación con ella. ANTÓNIMO masculino. INGLÉS feminine.
2 Se dice de los seres vivos que tienen órganos reproductores, en especial de las plantas. INGLÉS female.
adjetivo y nombre masculino **3** Se dice del género de las palabras que van con los artículos 'la' o 'las'. 'Falda' y 'niña' son palabras femeninas. ANTÓNIMO masculino. INGLÉS feminine.

feminismo
nombre masculino **1** Movimiento social que pide que la mujer tenga los mismos derechos y oportunidades que el hombre. INGLÉS feminism.

fémur
nombre masculino **1** Hueso más largo del cuerpo que está

situado en la parte superior de la pierna entre la pelvis y la rodilla. INGLÉS femur.
NOTA El plural es: fémures.

fenicio, fenicia
adjetivo y nombre
1 Se dice de la persona o cosa que era de Fenicia, antigua región del oeste de Asia, en la costa mediterránea. Los fenicios y los griegos vinieron a la Península a comerciar. INGLÉS Phoenician.

fenomenal
adjetivo
1 Que destaca por sus buenas cualidades o por tener unas características especiales. SINÓNIMO fabuloso; formidable. INGLÉS phenomenal.
adverbio
2 Muy bien: *Estas flores huelen fenomenal.* ANTÓNIMO fatal. INGLÉS great.

fenómeno
nombre masculino
1 Cualquier actividad o suceso que se produce en la naturaleza y que puede ser observado y estudiado, como los fenómenos atmosféricos. INGLÉS phenomenon.
2 Persona o cosa que sobresale entre las demás por presentar alguna característica extraordinaria. Cervantes fue un fenómeno de la literatura. INGLÉS genius.

feo, fea
adjetivo
1 Que no es agradable de ver u oír. Un insulto es una palabra fea. ANTÓNIMO bonito; guapo. INGLÉS ugly.
2 Que parece que no va bien o tal como se había previsto: *El asunto se está poniendo feo.* INGLÉS nasty, unpleasant.
3 Que va contra lo que se considera que está bien o es justo: *Decir mentiras es algo muy feo.* INGLÉS nasty, not nice.

féretro
nombre masculino
1 Caja en la que se coloca a una persona muerta para enterrarla. SINÓNIMO ataúd. INGLÉS coffin.

feria
nombre femenino
1 Mercado y exposición de productos que se celebra en un lugar público y en sitios y fechas determinados, como las ferias de ganado, de libros o de antigüedades. SINÓNIMO muestra. INGLÉS fair.
2 Lugar con muchas atracciones para que la gente se divierta. Las ferias se instalan en los pueblos durante las fiestas patronales. INGLÉS fair.

fermentar
verbo
1 Transformarse químicamente una sustancia en otra, gracias a la acción de organismos microscópicos. El jugo de uvas después de fermentar se transforma en vino. INGLÉS to ferment.

feroz
adjetivo
1 Se dice de un animal fiero que ataca y devora a otros animales de su tamaño, como el león o el lobo. INGLÉS fierce, ferocious.
2 Se dice de las cosas que causan mucho destrozo, mucho daño o mucha molestia: *Ha habido una lucha feroz entre los dos ejércitos.* INGLÉS fierce.
NOTA El plural es: feroces.

férreo, férrea
adjetivo
1 Que es de hierro o tiene alguna de sus características. Se llama vía férrea a la vía del tren porque es de hierro. INGLÉS iron.
2 Que es muy duro y se mantiene firme en sus ideas o intenciones: *Pedro tiene una voluntad férrea.* INGLÉS iron.

ferretería
nombre femenino
1 Tienda en la que se venden clavos, tornillos, herramientas y otros objetos de metal. INGLÉS ironmonger's [en el Reino Unido], hardware store [en Estados Unidos].

ferrocarril
nombre masculino
1 Medio de transporte que consiste en una serie de vagones unidos que son arrastrados por una máquina sobre una vía. INGLÉS railway.
2 Conjunto de instalaciones, vehículos y personas que hacen funcionar ese medio de transporte. INGLÉS railway.

ferroviario, ferroviaria
adjetivo
1 Que está relacionado con el ferrocarril, como la fabricación o el tráfico de trenes, la red de vías o las compañías encargadas de ofrecer servicios: *Trabaja en una empresa ferroviaria.* INGLÉS railway.
nombre
2 Persona que trabaja para la red de ferrocarriles. INGLÉS railway worker.

ferry
nombre masculino
1 Embarcación grande utilizada para transportar regularmente personas y vehículos entre dos puertos que no están muy alejados. Una línea de ferry une

Santander con el Reino Unido. SINÓNIMO transbordador. INGLÉS ferry.
NOTA El plural es: ferries.

fértil
adjetivo
1 Se dice de la tierra que produce muchos frutos. INGLÉS fertile.
2 Se dice de las personas o los animales que pueden tener hijos o crías. Las mujeres son fértiles desde que tienen la primera menstruación. ANTÓNIMO estéril. INGLÉS fertile.
3 Que produce mucho. Decimos que un pintor es muy fértil cuando produce muchos cuadros. SINÓNIMO fecundo. INGLÉS prolific.

fertilidad
nombre femenino
1 Cualidad de las personas, animales o cosas que son fértiles. INGLÉS fertility.

fertilizante
nombre masculino
1 Sustancia natural o química que se echa en la tierra para que las plantas crezcan mejor y en mayor cantidad. INGLÉS fertilizer.

fervor
nombre masculino
1 Sentimiento de amor y respeto profundo hacia Dios y la religión: *Los creyentes rezan con fervor.* INGLÉS fervour.
2 Entusiamo y admiración que se siente hacia una persona o hacia una cosa. Los fans de un cantante lo aplauden con fervor en sus conciertos. INGLÉS fervour.

festejar
verbo
1 Celebrar un acontecimiento importante, como un cumpleaños, con una fiesta donde se invita a gente y en la que se comen y se beben alimentos especiales. INGLÉS to celebrate.

festejo
nombre masculino
1 Fiesta que se hace para celebrar algo. INGLÉS festivities.
NOTA Se utiliza más en plural.

festín
nombre masculino
1 Comida variada y abundante, en especial la que se hace para celebrar algún acontecimiento importante. SINÓNIMO banquete; comilona. INGLÉS feast, banquet.
NOTA El plural es: festines.

festival
nombre masculino
1 Conjunto de actividades de carácter artístico o competitivo que se hacen en un lugar durante un corto período de tiempo, como un festival de música o de cine. INGLÉS festival.

festividad
nombre femenino
1 Día de fiesta en que se recuerda a algún santo de la Iglesia católica o se celebra el aniversario de algún acontecimiento. El 19 de marzo es la festividad de San José. INGLÉS feast day.

festivo, festiva
adjetivo
1 Se dice del día en que no se trabaja por ser día de descanso en el trabajo o porque se celebra algún aniversario. INGLÉS of rest, [día festivo: holiday].
2 Se dice de las cosas o las personas que tienen relación con la fiesta o la alegría. INGLÉS festive.

fetiche
nombre masculino
1 Objeto al que se le atribuye suerte o poderes mágicos: *Esa moneda es su fetiche.* INGLÉS fetish.

feto
nombre masculino
1 Animal que está en el vientre de la madre en el período que va desde el momento en que tiene las características de la especie hasta que nace. En el ser humano se habla de feto a partir del tercer mes de gestación. INGLÉS foetus.

feudal
adjetivo
1 Que es propio de la Edad Media europea y del sistema político y económico de aquella época. Los señores feudales vivían en castillos y gobernaban los territorios que lo rodeaban. INGLÉS feudal.

fiable
adjetivo
1 Que da seguridad o es de confianza. Un automóvil fiable es muy seguro. INGLÉS reliable.

fiambre
nombre masculino
1 Carne de cerdo cocida y preparada para que dure mucho tiempo y se pueda comer fría, como el jamón de York o la mortadela. INGLÉS cold meat.
2 Cuerpo de una persona muerta. Es un uso informal. SINÓNIMO cadáver. INGLÉS stiff, corpse.

fiambrera
nombre femenino
1 Recipiente de plástico o metal que se cierra herméticamente y sirve para conservar o llevar alimentos. INGLÉS lunch box.

fiar
verbo
1 Vender algo sin cobrarlo en el mismo momento: *En esa tienda me fían; lo pago todo a fin de mes.* INGLÉS to give credit.

2 fiarse Tener confianza en una persona o una cosa. Si nos fiamos de alguien, sabemos que nos devolverá lo que le hayamos prestado. INGLÉS to trust.
NOTA Se conjuga como: desviar; la 'i' se acentúa en algunos tiempos y personas, como: fío.

fibra
nombre femenino
1 Cada uno de los trozos delgados de materia que forman los tejidos animales o vegetales, como los músculos, el pelo o las hojas. INGLÉS fibre.
2 Materia fina y delgada que se obtiene de manera artificial para hacer hilos y telas. INGLÉS fibre.

ficción
nombre femenino
1 Historia que no es real, sino que ha sido inventada por alguien. Las novelas y las películas suelen contar historias de ficción. INGLÉS fiction.
NOTA El plural es: ficciones.

ficha
nombre femenino
1 Pieza pequeña que se utiliza en algunos juegos, como el parchís, el ajedrez o el dominó. INGLÉS counter, [si es en ajedrez: piece; si es en dominó: domino].
2 Hoja de papel o cartulina en la que se escriben datos relevantes para obtener información de manera rápida, como las fichas de una biblioteca. INGLÉS index card.

fichaje
nombre masculino
1 Compra de los servicios de una persona para que forme parte de un equipo deportivo o de una empresa. También es la persona que entra a formar parte del equipo o de la empresa. INGLÉS signing up.

fichar
verbo
1 Contratar a una persona para que haga un trabajo determinado, en especial a un deportista para que forme parte de un equipo. INGLÉS to sign up.

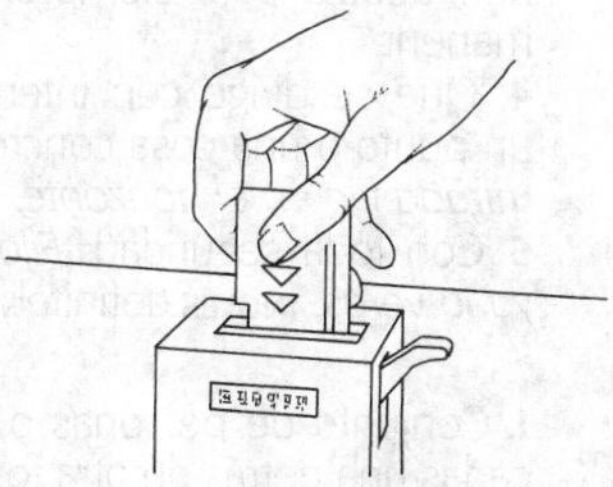

fichar

2 Hacer una ficha con los datos sobre una cosa o una persona. La policía ficha a los delincuentes. INGLÉS to open a file on.
3 Marcar en un papel la hora de entrada y de salida del trabajo. INGLÉS to clock on [al entrar], to clock off [al salir].

fichero
nombre masculino
1 Conjunto de fichas que se guardan ordenadas en una caja o en un mueble. También se llama fichero el lugar donde se guardan las fichas. INGLÉS file.
2 Conjunto de datos que se guardan con el mismo nombre en un ordenador. SINÓNIMO archivo. INGLÉS file.

ficticio, ficticia
adjetivo
1 Que es fingido o inventado. Las películas y las novelas cuentan historias ficticias. SINÓNIMO falso. ANTÓNIMO real. INGLÉS fictitious.

fidelidad
nombre femenino
1 Forma de comportarse de las personas y los animales que nunca traicionan ni engañan a los demás. SINÓNIMO lealtad. ANTÓNIMO infidelidad. INGLÉS fidelity, loyalty.
2 Exactitud o precisión en la copia o reproducción de una cosa. Un buen pintor puede copiar con gran fidelidad cuadros originales. INGLÉS accuracy.

fideo
nombre masculino
1 Pasta de harina y agua con forma de cilindro fino y corto. Se suelen echar al caldo para hacer sopa. INGLÉS noodle.
2 Persona que está demasiado delgada. Es un uso informal. INGLÉS beanpole.

fiebre
nombre masculino
1 Aumento de la temperatura del cuerpo por encima de lo normal, que se produce a causa de una enfermedad o trastorno del organismo. Tenemos fiebre cuando el termómetro marca más de 37 grados. SINÓNIMO calentura. INGLÉS fever, temperature.
2 Afición exagerada que alguien siente por alguna cosa: *Le entró la fiebre por la lectura.* INGLÉS obsession.

fiel
adjetivo
1 Que nunca engaña ni traiciona a los demás. Los verdaderos amigos suelen ser fieles. SINÓNIMO leal. ANTÓNIMO infiel. INGLÉS faithful, loyal.
2 Que se acerca mucho a la verdad o a

la realidad: *El periodista hizo un relato muy fiel de los hechos.* SINÓNIMO verídico. INGLÉS faithful.

3 Se dice de la cosa que cumple con su función de una manera exacta; un reloj o una balanza son fieles cuando marcan la hora o el peso exacto. También se dice que una persona es fiel a sus compromisos o sus promesas cuando los cumple. INGLÉS accurate.

nombre masculino y femenino **4** Persona que sigue las ideas de una religión. INGLÉS believer.

fiera

nombre femenino **1** Animal salvaje, como los tigres o leones. INGLÉS wild animal.

nombre masculino y femenino **2** Persona que es muy buena en una actividad determinada: *Ana es una fiera en el tenis, siempre gana.* SINÓNIMO monstruo. INGLÉS brilliant [adjetivo].

hecho una fiera Que está muy enfadado y se comporta de forma violenta y agresiva. INGLÉS wild.

fiero, fiera

adjetivo **1** Que tiene las características de las fieras o animales salvajes. Algunos perros son muy fieros y atacan a los desconocidos. INGLÉS fierce, ferocious.

2 Que actúa o se comporta con violencia y crueldad: *El ejército enemigo realizó un fiero ataque sobre la población.* SINÓNIMO salvaje. INGLÉS savage.

fiesta

nombre femenino **1** Reunión de varias personas en un lugar para divertirse y celebrar un aniversario o un acontecimiento importante. INGLÉS party.

2 Día de la semana en que no se trabaja porque se celebra algún acontecimiento. El 1 de enero es la fiesta de Año Nuevo. INGLÉS holiday.

3 Conjunto de actividades que se organizan para celebrar algún acontecimiento, como las fiestas patronales. Con este significado se utiliza más en plural.

nombre femenino plural **4 fiestas** Caricia o demostración de cariño que se hace a las personas o a los animales. INGLÉS show of affection.

figura

nombre femenino **1** Estatua o dibujo que representa a una persona o un objeto determinado. SINÓNIMO imagen. INGLÉS figure.

2 Persona que destaca en una actividad determinada: *Es la figura del equipo.* SINÓNIMO estrella. INGLÉS star.

3 Aspecto o línea exterior de un objeto o del cuerpo de una persona o un animal. Si una persona tiene buena figura, es que tiene un cuerpo bonito y bien proporcionado. INGLÉS figure.

figurar

verbo **1** Estar presente una cosa o una persona en algún sitio junto con otras: *Pepe no figuraba entre los invitados a tu boda.* INGLÉS to be.

2 Destacar una persona o una cosa entre otras de su misma clase: *Plácido Dominto figura entre los mejores cantantes de ópera del panorama internacional.* INGLÉS to stand out.

3 figurarse Imaginarse o inventarse cosas que no son reales o que no se sabe si son ciertas: *Me figuré que vendrías.* INGLÉS to imagine, to suppose.

fijar

verbo **1** Poner o sujetar algo de manera que no se pueda mover. Los carteles se fijan a la pared con chinchetas o con celo. INGLÉS to fix.

2 Dirigir toda la atención o la mirada hacia un punto determinado o concentrarla en él. Fijar la vista en el Sol puede dañar los ojos. INGLÉS to direct.

3 Hacer que algo tenga ya una forma o una fecha definitiva. Los profesores fijan la fecha de los exámenes. INGLÉS to fix, to set.

4 fijarse Prestar atención a algo: *Mira cómo lo hago, fíjate bien.* INGLÉS to notice, to pay attention.

fijo, fija

adjetivo **1** Que está sujeto de modo que no se mueve. Los dientes tienen que estar bien fijos. INGLÉS fixed.

2 Que no cambia, que es siempre igual o se hace del mismo modo: *Pepe de ideas fijas.* INGLÉS set, definite.

3 Se dice de los trabajadores que tienen trabajo para siempre. INGLÉS permanent.

4 Que se dirige con intensidad hacia un punto o una cosa concreta: *Tenía la mirada fija en el horizonte.* INGLÉS fixed.

adverbio **5** Con toda seguridad: *Fijo que viene, ya lo verás.* INGLÉS definitely.

fila

nombre femenino **1** Conjunto de personas o cosas colocadas una detrás de otra formando una línea larga. INGLÉS line.

2 Conjunto de soldados que forman una línea colocándose uno al lado de otro, hombro con hombro. INGLÉS rank.

nombre femenino plural **3 filas** Ejército o grupo de militares. INGLÉS ranks.

4 filas Grupo de personas que tiene un objetivo determinado, en especial cuando es político. Una persona pertenece a las filas de un partido si forma parte de ese partido. INGLÉS ranks.

fila india Fila que forman varias personas o cosas colocadas una detrás de otra. INGLÉS in single file.

filamento

nombre masculino **1** Fibra de forma larga y delgada. INGLÉS filament.

2 Hilo de metal conductor de la electricidad, en especial el que se encuentra en el interior de una bombilla y que, al encenderla, se calienta mucho y produce luz. INGLÉS filament.

3 Tallo de un estambre que en su extremo tiene una cabeza que contiene el polen. INGLÉS filament.

filatelia

nombre femenino **1** Conjunto de los conocimientos sobre los sellos de correos y afición a coleccionarlos. INGLÉS philately, stamp collecting.

filete

nombre masculino **1** Trozo alargado y fino de carne o pescado que no tiene huesos ni espinas. INGLÉS fillet.

2 Línea que separa párrafos o dibujos en un libro o en un escrito. INGLÉS fillet.

filial

nombre femenino **1** Tienda o empresa que depende de otra más importante. INGLÉS subsidiary.

adjetivo **2** Se dice de los sentimientos que los hijos tienen hacia los padres o que son parecidos a esos. INGLÉS filial.

filibustero

nombre masculino **1** Pirata que atacaba a los barcos que comerciaban con las colonias españolas de América en el siglo XVII. INGLÉS buccaneer.

filipino, filipina

adjetivo y nombre **1** Se dice de la persona o cosa que es de Filipinas, país del este de Asia. INGLÉS Filipino.

filisteo, filistea

adjetivo y nombre **1** Se dice de la persona o cosa que pertenecía a un antiguo pueblo del sur de Palestina, enemigo de los israelitas. INGLÉS Philistine.

film

nombre masculino **1** Es otra forma de escribir y pronunciar: filme. INGLÉS film.

NOTA Es una palabra de origen inglés; es preferible utilizar la palabra: filme.

filmar

verbo **1** Grabar imágenes y sonidos para hacer una película. INGLÉS to film, to shoot.

filme

nombre masculino **1** Película de cine o televisión: *Este filme ha ganado un Oscar.* INGLÉS film.

NOTA También se escribe y se pronuncia: film.

filmina

nombre femenino **1** Fotografía transparente que una máquina proyecta agrandada sobre una pantalla para verla bien. SINÓNIMO diapositiva. INGLÉS slide, transparency.

filmoteca

nombre femenino **1** Lugar donde se guardan las películas para su estudio y exhibición. En las filmotecas a menudo proyectan películas antiguas. INGLÉS film library [donde se guardan], film institute [donde se proyectan].

filo

nombre masculino **1** Borde cortante de una superficie, como el de un cuchillo o una espada. INGLÉS edge.

filón

nombre masculino **1** Capa de mineral que rellena una grieta o abertura de una roca o un terreno y que suele ser objeto de explotación en minería. SINÓNIMO veta. INGLÉS seam, vein.

2 Negocio o situación del que se saca o se espera sacar mucho provecho: *Esa tienda de chucherías delante del colegio es un filón.* INGLÉS gold mine.

NOTA El plural es: filones.

filosofía

nombre femenino **1** Ciencia que estudia y se plantea cuestiones y razonamientos fundamentales sobre el hombre y el universo. INGLÉS philosophy.

2 Forma de pensar o de ver y entender las cosas. Cada persona tiene su propia filosofía de vida. INGLÉS philosophy.

3 Tranquilidad y paciencia con que una persona soporta situaciones malas o desagradables. Es bueno tomarse las

a b c d e f g h i j k l m n ñ o p q r s t u v w x y z

cosas con filosofía y no ponerse nervioso por cualquier cosa. INGLÉS philosophy.

filtrar
verbo
1 Hacer pasar un líquido o cualquier sustancia por un filtro para quitarle lo malo o lo que no sirve. Se filtra el café para quitarle los posos. INGLÉS to filter.
2 Comunicar información secreta a quien no debe conocerla. Los espías filtran información de un bando a otro. INGLÉS to leak.
3 filtrarse Pasar un líquido u otra cosa a través de un cuerpo sólido. Los rayos de luz solar se filtran por las persianas. INGLÉS to leak [un líquido], to filter [la luz].

filtro
nombre masculino
1 Material o aparato con agujeros muy pequeños por el que se hace pasar un líquido para separar las partículas sólidas que pueda contener o para impedir que se mezcle con algo sólido. INGLÉS filter.
2 Cristal o pantalla que no deja pasar los rayos de luz que son perjudiciales, como el filtro del monitor de un ordenador. INGLÉS filter.

fin
nombre masculino
1 Parte o momento último de una cosa o de una acción o situación: *No veo el fin del camino.* SINÓNIMO final. ANTÓNIMO principio. INGLÉS end.
2 Aquello que se quiere conseguir al hacer algo. El fin de hacer gimnasia es tener un cuerpo sano, fuerte y bonito. SINÓNIMO objetivo. INGLÉS purpose, aim.
a fin de cuentas En definitiva o en resumen: *Da igual lo que le digas, a fin de cuentas hará lo que quiera.* INGLÉS after all.
al fin Por fin. INGLÉS finally.
al fin y al cabo En definitiva, después de todo: *Yo lo intentaría; al fin y al cabo no pierdes nada.* INGLÉS after all.
por fin Por último o después de haber superado todos los obstáculos para conseguir algo: *Tras una larga espera, por fin pudimos entrar.* INGLÉS finally.

final
adjetivo
1 Se dice de lo que está o va en la última parte de una cosa, acción o situación. ANTÓNIMO inicial. INGLÉS final, last.
nombre masculino
2 Última parte de una cosa, una acción o una situación: *Me encantó toda la película menos el final.* SINÓNIMO fin. ANTÓNIMO principio. INGLÉS end.
nombre femenino
3 Última prueba de una competición deportiva o de un concurso en la que se decide el ganador. INGLÉS final.

finalidad
nombre femenino
1 Objetivo que se pretende alcanzar al hacer algo: *Estudia mucho con la finalidad de aprender.* INGLÉS purpose, aim.

finalista
adjetivo y nombre masculino y femenino
1 Se dice de la persona o el equipo que ha llegado a la última prueba de una competición deportiva o de un concurso. Uno de los finalistas gana la prueba. INGLÉS finalist [nombre].

finalizar
verbo
1 Llegar al fin una cosa o hacer que una cosa llegue a su fin: *Todavía no han finalizado las obras.* SINÓNIMO acabar. ANTÓNIMO iniciar. INGLÉS to end, to finish.
NOTA Se escribe 'c' delante de 'e', como: finalicen.

financiar
verbo
1 Proporcionar dinero a una persona o una empresa para que desarrolle una actividad o un proyecto: *El gobierno financiará la construcción del hospital.* INGLÉS to finance.
NOTA Se conjuga como: cambiar; la 'i' no lleva nunca acento de intensidad.

finanzas
nombre femenino plural
1 Conjunto de actividades que tienen relación con el dinero con el que se negocia o se trabaja. INGLÉS finances.

finca
nombre femenino
1 Terreno o edificio que alguien tiene en el campo o en la ciudad: *Vive en una finca de reciente construcción.* INGLÉS property.

finés, finesa
adjetivo y nombre
1 Se dice de la persona o cosa que es de Finlandia, país del norte de Europa. SINÓNIMO finlandés. INGLÉS Finnish [adjetivo], Finn [nombre].
nombre masculino
2 Lengua hablada en Finlandia. SINÓNIMO finlandés. INGLÉS Finnish.

fingir
verbo
1 Presentar como cierto algo que no

lo es, especialmente mediante gestos o acciones. Si no queremos ir al colegio, fingimos un resfriado. SINÓNIMO aparentar. INGLÉS to feign, to pretend.

NOTA Se escribe 'j' delante de 'a' y 'o', como: finja o finjo.

finlandés, finlandesa

adjetivo y nombre **1** Se dice de la persona o cosa que es de Finlandia, país del norte de Europa. SINÓNIMO finés. INGLÉS Finnish [adjetivo], Finn [nombre].

nombre masculino **2** Lengua que se habla en Finlandia. SINÓNIMO finés. INGLÉS Finnish.

NOTA El plural de finlandés es: finlandeses.

fino, fina

adjetivo **1** Que es delgado o poco grueso. Un hilo es más fino que una cuerda. INGLÉS fine, thin.

2 Que muestra mucha delicadeza y educación. Las personas finas nunca dicen palabras malsonantes. SINÓNIMO cortés. ANTÓNIMO grosero. INGLÉS refined.

3 Se dice de la vista, el oído, el olfato o el tacto que están muy desarrollados. INGLÉS sharp, acute.

4 Que es delicado y de muy buena calidad: *En esta pastelería hacen unos pasteles muy finos.* SINÓNIMO selecto. ANTÓNIMO basto. INGLÉS high-quality.

5 Que tiene una habilidad especial para hacer su trabajo: *Es un carpintero muy fino.* ANTÓNIMO torpe. INGLÉS skilful.

finolis

adjetivo y nombre masculino y femenino **1** Se dice de la persona que intenta parecer más fina y elegante de lo que en realidad es. Es una palabra despectiva. INGLÉS fussy [adjetivo], finicky [adjetivo].

NOTA El plural es: finolis.

finta

nombre femenino **1** Movimiento que una persona hace con el cuerpo para esquivar un golpe o a otra persona, como, por ejemplo, las fintas que hacen los futbolistas. SINÓNIMO regate. INGLÉS feint.

finura

nombre femenino **1** Característica de las cosas que son finas o delgadas, como el hilo. INGLÉS fineness.

2 Característica de las personas que tienen muy buenos modales y se comportan de una manera muy delicada y educada. INGLÉS refinement.

firma

nombre femenino **1** Nombre y apellidos de una persona escritos a mano por ella misma y acompañados generalmente de un trazo característico. INGLÉS signature.

2 Empresa o establecimiento comercial. INGLÉS firm.

firmamento

nombre masculino **1** Espacio en el que se mueven los astros. Las estrellas y otros cuerpos celestes brillan en el firmamento. SINÓNIMO cielo. INGLÉS firmament.

firmar

verbo **1** Poner la firma en un papel. Firmamos cartas o contratos. INGLÉS to sign.

firme

adjetivo **1** Que es o está seguro, de forma que no se mueve ni se cae: *La barandilla está firme.* INGLÉS firm, steady.

2 Que no cambia, que es seguro y definitivo: *Su opinión sobre el tema es firme.* INGLÉS firm.

nombre masculino **3** Suelo de una calle o de una carretera. INGLÉS surface.

en firme De forma definitiva y clara: *Me han hecho una propuesta laboral en firme.* INGLÉS definite.

firmeza

nombre femenino **1** Característica de las cosas o las personas que son o están firmes o seguras: *Defiende sus opiniones con firmeza.* INGLÉS firmness.

fiscal

nombre masculino y femenino **1** Persona que acusa de un delito en un juicio e intenta demostrar que alguien es culpable. INGLÉS public prosecutor.

fisgar

verbo **1** Hacer lo posible por enterarse de los asuntos privados de los demás, especialmente preguntando a otros o registrando las cosas personales de otras personas. SINÓNIMO fisgonear. INGLÉS to pry, to snoop.

NOTA Se escribe 'gu' delante de 'e', como: fisguen.

fisgonear

verbo **1** Fisgar. INGLÉS to pry, to snoop.

física

nombre femenino **1** Ciencia que estudia la composición de los cuerpos que existen en el universo y las relaciones entre ellos. INGLÉS physics.

físico, física
adjetivo **1** Que está relacionado con la ciencia de la física. La atracción del imán por el hierro es un fenómeno físico. INGLÉS physical.
nombre masculino y femenino **2** Persona que se dedica a la física. Einstein fue un importante físico. INGLÉS physicist.
nombre masculino **3** Aspecto exterior del cuerpo de una persona. INGLÉS physique.

fisonomía
nombre femenino **1** Aspecto exterior de una persona, especialmente de su cara. INGLÉS appearance.
2 Aspecto externo de algunos lugares, como la ciudad o el campo. INGLÉS appearance.

flaco, flaca
adjetivo **1** Se dice de la persona o animal que tiene poca grasa o carne en el cuerpo. SINÓNIMO delgado. ANTÓNIMO gordo. INGLÉS thin, skinny.

flamante
adjetivo **1** Que es nuevo y tiene muy buen aspecto. INGLÉS brand-new.

flamenco, flamenca
adjetivo y nombre masculino **1** Se dice del baile y el canto que son típicos de Andalucía. También son flamencas las cosas que están relacionadas con este baile y este canto, como un artista flamenco o un traje flamenco. INGLÉS flamenco.
nombre masculino **2** Ave de un metro aproximado de altura, de color rosa o blanco, con las patas y el cuello largos. Los flamencos viven en zonas acuáticas. INGLÉS flamingo.

flan
nombre masculino **1** Alimento dulce de color amarillo que se prepara con huevos, azúcar y leche y se cuece a fuego lento dentro de un molde. INGLÉS crème caramel.
estar hecho un flan Estar muy nervioso. INGLÉS to be shaking like a leaf.

flanco
nombre masculino **1** Lado de una cosa, especialmente si es de un barco o de un grupo numeroso de soldados. SINÓNIMO costado. INGLÉS flank, side.

flash
nombre masculino **1** Luz muy potente y breve que se enciende en la cámara de fotos cuando no hay suficiente claridad para que salga bien la foto. INGLÉS flash.
NOTA El plural es: flashes.

flato
nombre masculino **1** Dolor fuerte y temporal que se produce al acumularse gases en el aparato digestivo. Podemos tener flato después de hacer mucho deporte o un gran esfuerzo físico. INGLÉS stitch.

flatulencia
nombre femenino **1** Molestia y dolor que siente una persona en el estómago por la acumulación de gases en el tubo digestivo. INGLÉS flatulence, wind.

flauta
nombre femenino **1** Instrumento musical de viento formado por un tubo recto de madera o de metal con varios agujeros. INGLÉS flute. DIBUJO página 598.
flauta de Pan Flauta que está formada por varios tubos paralelos unidos que se apoya debajo del labio inferior al soplar. INGLÉS pan pipes.
flauta dulce Flauta con una boquilla en forma de pico en el extremo del tubo. INGLÉS recorder.
flauta travesera Flauta de metal que tiene la boquilla en un lado del tubo. INGLÉS transverse flute.

flautista
nombre masculino y femenino **1** Persona que toca la flauta. 'El flautista de Hamelín' es un cuento. INGLÉS flute player, flautist.

flecha
nombre femenino **1** Arma formada por una varilla delgada y ligera que termina en una punta. Las flechas se lanzan con fuerza con un arco para que se claven en algún lugar. INGLÉS arrow.
2 Objeto, dibujo o señal que tiene la forma de una flecha o de la punta de una flecha. INGLÉS arrow.

flechazo
nombre masculino **1** Acción de enamorarse o sensación que siente una persona que se enamora de otra de forma muy rápida, casi sin conocerla. INGLÉS love at first sight.
2 Herida o marca que se produce cuando se clava una flecha en una persona o una cosa. INGLÉS arrow wound.

fleco
nombre masculino **1** Adorno formado por una serie de hilos o cordones que cuelgan del borde de

una tela, como los flecos de un mantón. INGLÉS fringe.
2 Conjunto de hilos que salen del borde de una tela rozada o desgastada, especialmente de los bajos de un pantalón. Con este significado se usa más en plural. INGLÉS fringe.

flemón
nombre masculino
1 Bulto con pus que se forma cuando se inflaman las encías. INGLÉS abscess.
NOTA El plural es: flemones.

flequillo
nombre masculino
1 Pelo de la cabeza de una persona que cae sobre la frente. INGLÉS fringe.

flexible
adjetivo
1 Que se puede doblar fácilmente sin que se rompa. La goma y el plástico son materiales flexibles. SINÓNIMO elástico. ANTÓNIMO rígido. INGLÉS flexible.
2 Que se adapta con facilidad a las circunstancias, a la opinión o la decisión de otra persona: *Tiene una actitud negociadora muy flexible.* SINÓNIMO tolerante. ANTÓNIMO rígido. INGLÉS flexible.

flexión
nombre femenino
1 Movimiento que consiste en doblar el cuerpo o una parte de él. En los ejercicios de gimnasia hacemos diferentes flexiones. INGLÉS flexion, bending.
2 Conjunto de cambios formales que experimenta una palabra cuando cambia de género y de número o cuando se conjuga. INGLÉS inflection.
NOTA El plural es: flexiones.

flexo
nombre masculino
1 Lámpara que se coloca sobre la mesa para iluminar una zona concreta y que tiene un brazo flexible o articulado para poder orientarla en cualquier dirección. INGLÉS adjustable table lamp.

flipar
verbo
1 Impresionar o gustar mucho una persona o una cosa. Es una palabra informal. INGLÉS to drive wild.

floema
nombre masculino
1 Tejido vegetal que distribuye la savia elaborada desde las hojas al resto de la planta. La función del floema es transportar las sustancias nutritivas por toda la planta. INGLÉS phloem.

flojo, floja
adjetivo
1 Que está poco apretado o poco tirante. Los vestidos flojos no se ajustan al cuerpo. INGLÉS loose, slack.
2 Que tiene poca fuerza o energía. Después de una enfermedad, las personas están más flojas. INGLÉS weak.
3 Que no es suficientemente bueno o no tan bueno como se esperaba: *El concierto ha sido flojo.* INGLÉS poor.

flor
nombre femenino
1 Parte de la planta en la que se encuentran los órganos de reproducción. Las flores suelen tener formas y colores vistosos. INGLÉS flower.
2 La mejor parte de algo. Una persona joven está en la flor de la vida. INGLÉS best part.
3 Piropo o alabanza que se le dice a una persona: *No paró de echarle flores.* Se usa sobre todo en plural. INGLÉS compliment.
a flor de piel En la superficie de algo, que se manifiesta hacia el exterior. Una persona muy excitada tiene los nervios a flor de piel.

flora
nombre femenino
1 Conjunto de las plantas y flores de un país o región. INGLÉS flora.

florecer
verbo
1 Echar flores las plantas. El campo florece en primavera. INGLÉS to flower, to bloom.
2 Aumentar la importancia o riqueza de una cosa. Decimos que un negocio florece cuando prospera, o que una amistad florece cuando se intensifica. INGLÉS to flourish.
3 Existir y desarrollarse una cosa o persona importante en un momento determinado. Cervantes, Lope de Vega, Góngora y Quevedo florecieron en el Siglo de Oro. INGLÉS to flourish.
NOTA Se conjuga como: agradecer; la 'c' se convierte en 'zc' delante de 'a' y 'o', como: florezca.

florero
nombre masculino
1 Recipiente que se usa para colocar flores. SINÓNIMO jarrón. INGLÉS vase.

florido, florida
adjetivo
1 Que tiene flores en abundancia. Hay jardines, campos o telas floridas. SINÓNIMO floreado. INGLÉS full of flowers.
2 Se dice del lenguaje o estilo artístico que tiene muchos adornos. INGLÉS flowery, florid.

floripondio
nombre masculino
1 Adorno o dibujo en forma de flor grande que adorna algunas cosas. También llamamos floripondio a cualquier adorno llamativo y de mal gusto. INGLÉS great big flower [flor], ugly thing [adorno de mal gusto].

floripondio

florista
nombre masculino y femenino
1 Persona que se dedica a cultivar o vender flores y plantas. INGLÉS florist.

floristería
nombre femenino
1 Tienda en la que se venden flores y plantas. INGLÉS florist's.

flota
nombre femenino
1 Conjunto de barcos que pertenece a un país o a una compañía de navegación. Hay flotas pesqueras, de guerra, de barcos mercantes o de barcos de viajeros. INGLÉS fleet.
2 Conjunto de barcos de guerra que están en una zona marina o que van juntos para cumplir una misión. INGLÉS fleet.
3 Conjunto de vehículos que pertenecen a una empresa. Hay flotas de camiones o de autobuses. INGLÉS fleet.

flotador
nombre masculino
1 Objeto que flota en el agua y sirve para que las personas que no saben nadar puedan sujetarse a él y estar en el agua sin hundirse. INGLÉS rubber ring.
2 Cualquier objeto que flota en el agua y sirve como indicador de algo. Los pescadores ponen flotadores en el sedal para saber dónde está el anzuelo. INGLÉS float.
3 Parte del hidroavión que le permite aterrizar y flotar sobre el agua. INGLÉS float.

flotar
verbo
1 Mantenerse una cosa o una persona en la superficie de un líquido sin hundirse. El corcho y la madera flotan en el agua. INGLÉS to float.
2 Mantenerse una cosa en el aire sin caer al suelo. Los globos hinchados flotan en el aire. INGLÉS to float.
3 Extenderse una sensación determinada en el ambiente: *Después de la pelea, el mal humor flotaba en la sala.* INGLÉS to hover.

fluido, fluida
adjetivo
1 Se dice de la sustancia que se mueve o que se desliza con facilidad y se adapta a la forma del recipiente que la contiene. Las bebidas, las cremas o las pinturas son fluidas. INGLÉS fluid.
2 Se dice de la forma de expresarse que es clara, espontánea y fácil de entender. INGLÉS fluent.
3 Se dice del tráfico que circula bien, sin atascos. INGLÉS free-flowing.
nombre masculino
4 Cuerpo que tiene las moléculas muy separadas entre sí. El aire, los gases y los líquidos son fluidos. INGLÉS fluid.
5 Corriente eléctrica. Las empresas de electricidad a veces cortan el fluido a las viviendas para hacer reparaciones en la línea. INGLÉS current, power.

fluir
verbo
1 Correr un líquido o un gas por un lugar o salir de algún sitio. El agua fluye de los manantiales. INGLÉS to flow.
2 Salir con facilidad y abundancia las palabras o las ideas. INGLÉS to flow.
NOTA Se conjuga como: huir; la 'i' se convierte en 'y' delante de 'a', 'e' y 'o', como: fluyen.

flujo
nombre masculino
1 Movimiento o salida de un líquido o un gas. INGLÉS flow.
2 Expulsión de una determinada cantidad de líquido del cuerpo humano, tanto si es normal como si es causada por una enfermedad. También se le llama flujo a la cantidad de sangre que se pierde con la menstruación. INGLÉS discharge.
3 Subida de las aguas del mar. INGLÉS rising tide.

flúor
nombre masculino
1 Gas de color amarillo verdoso y de olor muy fuerte. El flúor tiene unos elementos que protegen los dientes de la caries. INGLÉS fluorine.

fluorescente
adjetivo **1** De color llamativo o luminoso, como un rotulador fluorescente. **INGLÉS** fluorescent.
nombre masculino **2** Tubo de cristal que contiene un gas que emite luz cuando se conecta a la electricidad. Los fluorescentes proporcionan una luz blanca. **INGLÉS** fluorescent light.

fluvial
adjetivo **1** De los ríos o que tiene relación con ellos, como la pesca fluvial. **INGLÉS** river.

foca
nombre femenino **1** Mamífero marino, con el cuerpo redondo y alargado, dos aletas para nadar y bigotes en el morro, que vive en los mares fríos y se alimenta de peces. Es una especie en peligro de extinción. **INGLÉS** seal.
nombre femenino y adjetivo **2** Persona que está muy gorda. Es un uso informal y despectivo. **INGLÉS** fat lump.

foco
nombre masculino **1** Lámpara eléctrica que produce una luz muy potente y que generalmente se puede orientar en cualquier dirección. **INGLÉS** spotlight, [si es en un estadio: floodlight].
2 Punto en el cual está concentrada una cosa o se da con mayor intensidad, o desde el cual se origina y se propaga una cosa, como un foco de un incendio, un foco de violencia o un foco de infección. **INGLÉS** focal point.

fofo, fofa
adjetivo **1** Que es blando y tiene poca consistencia. La persona que no hace nunca ejercicio tiene los músculos fofos. **SINÓNIMO** flojo. **ANTÓNIMO** duro. **INGLÉS** flabby.

fogata
nombre femenino **1** Fuego de llama alta que se hace con leña y al aire libre. **SINÓNIMO** hoguera. **INGLÉS** bonfire.

fogón
nombre masculino **1** Lugar de la cocina donde se hace fuego y se cocinan los alimentos. **SINÓNIMO** fuego. **INGLÉS** stove.
NOTA El plural es: fogones.

fogonazo
nombre masculino **1** Llama breve que producen algunas materias cuando se encienden, como la pólvora de algunos cohetes o petardos. **INGLÉS** flash.

foie-gras
nombre masculino **1** Pasta blanda hecha con hígado de pato o cerdo y otros ingredientes que se suele comer untada en un trozo de pan. **INGLÉS** foie-gras.
NOTA Se pronuncia: 'fuagrás'. El plural es: foie-gras.

folclore
nombre masculino **1** Conjunto de costumbres y tradiciones, especialmente artísticas, de un pueblo. El baile y la música tradicionales son parte del folclore. **INGLÉS** folklore.
NOTA También se escribe: folclor o folklore.

folio
nombre masculino **1** Hoja de papel que mide aproximadamente 21 por 30 centímetros. **INGLÉS** sheet of paper.

follaje
nombre masculino **1** Conjunto formado por las hojas y ramas de los árboles o de las plantas. A veces, los animales del bosque se esconden entre el follaje para no ser vistos. **INGLÉS** foliage, leaves.

follar
verbo **1** Realizar el acto sexual. **INGLÉS** to fuck.
NOTA Es una palabra vulgar.

folleto
nombre masculino **1** Documento de una o de pocas páginas que se usa para hacer propaganda o informar sobre un producto o servicio, como un folleto de viajes o un folleto de instrucciones. **INGLÉS** leaflet, brochure.

follón
nombre masculino **1** Situación en la que hay mucho ruido y movimiento de personas. **SINÓNIMO** jaleo. **INGLÉS** rumpus, shindy.
2 Situación problemática o de difícil solución: *No te metas en follones.* **SINÓNIMO** lío. **INGLÉS** mess.
3 Conjunto de cosas mezcladas y desordenadas. Si en una habitación hay mucho follón, es difícil encontrar lo que se busca. **SINÓNIMO** lío. **INGLÉS** mess.
NOTA El plural es: follones. Es una palabra informal.

fomentar
verbo **1** Hacer que se dedique más atención a algo o que se realice con más intensidad. En los colegios se fomenta la práctica del deporte, porque es algo muy saludable. **INGLÉS** to encourage.

a b c d e f g h i j k l m n ñ o p q r s t u v w x y z

fonda

nombre femenino **1** Establecimiento con habitaciones en el que se dan comidas y alojamiento a precios muy económicos. INGLÉS inn.

fondeadero

nombre masculino **1** Parte de una costa o un puerto con suficiente profundidad para que una embarcación pueda atracar sin chocar con el fondo. INGLÉS anchorage.

fondo

nombre masculino **1** Parte más baja del interior de una cosa, como un recipiente, una piscina o el mar. INGLÉS bottom.

2 Parte opuesta a la entrada de un lugar. El fondo de una habitación es la pared opuesta a la de la puerta de entrada. INGLÉS back.

3 Distancia que hay desde la superficie de una cosa hasta su parte más baja. El fondo de las piscinas suele ser diferente en un lado que en otro. SINÓNIMO profundidad. INGLÉS depth.

4 Todo lo que queda detrás de la figura principal de una fotografía o de un cuadro. INGLÉS background.

5 Parte más importante de algo. Antes de llegar al fondo de un asunto, a veces hay que discutir temas más secundarios. INGLÉS bottom.

6 Cantidad de dinero, de libros o de otras cosas que se reúnen o se tienen para un fin determinado. Las bibliotecas tienen fondos de libros para que el público los consulte. INGLÉS fund [dinero], collection [libros, etcétera].

a fondo Con mucho detalle, por completo. Si se estudia algo a fondo, se aprende muy bien. INGLÉS in depth.

fonética

nombre femenino **1** Rama de la lingüística que estudia los sonidos de las lenguas y describe su pronunciación. INGLÉS phonetics.

fonógrafo

nombre masculino **1** Aparato que registra las vibraciones de los sonidos en un cilindro y después los reproduce. INGLÉS phonograph.

fontanero, fontanera

nombre **1** Persona que se encarga de la instalación y reparación de grifos, cañerías y otras cosas relacionadas con las conducciones de agua en una casa. INGLÉS plumber.

forajido, forajida

nombre **1** Persona que es perseguida por la justicia por haber cometido algún delito y vive huyendo de ella. INGLÉS outlaw.

forastero, forastera

nombre **1** Persona que no es de la población en la que está, sino de otra distinta. INGLÉS stranger, outsider.

forcejear

verbo **1** Luchar una persona con alguien que la sujeta para intentar soltarse o escaparse. INGLÉS to struggle.

forense

nombre masculino y femenino **1** Médico especialista que hace autopsias a los cadáveres cuando se quiere conocer las causas de la muerte. Trabaja en un juzgado para ayudar a los jueces a resolver los casos. INGLÉS forensic scientist.

forestal

adjetivo **1** De los bosques o que tiene relación con ellos. Los guardias forestales se encargan de vigilar los bosques. INGLÉS forest.

forjar

verbo **1** Dar la forma deseada a un trozo de metal cuando está caliente dándole golpes con un martillo. INGLÉS to forge.

2 Construir una idea o una historia en la imaginación: *Ya ha forjado su plan.* INGLÉS to create, to form.

forma

nombre femenino **1** Conjunto de líneas y superficies que componen el aspecto exterior de algo. Los libros tienen forma rectangular. SINÓNIMO figura. INGLÉS form, shape.

2 Modo de ser o de realizar las cosas. Cada persona tiene una forma de ser y de actuar que la caracteriza. SINÓNIMO manera. INGLÉS way.

nombre femenino plural **3 formas** Modo en que se comporta una persona en su relación con los demás. Una persona tiene buenas formas si es educada. SINÓNIMO modales. INGLÉS manners.

estar en forma Tener buenas condiciones físicas. Para estar en forma hay que hacer ejercicio diariamente y comer alimentos sanos. INGLÉS to be fit.

formación

nombre femenino **1** Acción que consiste en crear o formar una cosa, así como lo que resulta de ello. INGLÉS formation.

2 Educación y conjunto de conocimientos que tiene una persona. INGLÉS education, training.

3 Grupo de personas ordenadas en filas, en especial cuando son soldados. INGLÉS formation.

NOTA El plural es: formaciones.

formal

adjetivo

1 Que es serio y educado y hace todo lo que debe. En una ceremonia debemos ser muy formales. ANTÓNIMO informal. INGLÉS serious.

2 Que se hace o se dice de un modo claro y preciso, siguiendo unas determinadas reglas: *Hicimos una protesta formal.* ANTÓNIMO informal. INGLÉS formal.

3 De la forma o el aspecto exterior de las cosas, las acciones o las personas, o que tiene que ver con ello. Una corrección de la ortografía es una corrección formal. INGLÉS formal.

formalidad

nombre femenino

1 Característica de las personas, las cosas o las acciones que son formales o serias. INGLÉS seriousness.

2 Condición o requisito que se debe cumplir para hacer algo, en especial cuando hay que seguir unas reglas. Firmar un contrato es una formalidad necesaria para comprar un piso. INGLÉS formality.

formar

verbo

1 Dar una forma concreta a algún material creando una nueva figura. Los niños forman figuritas con la plastilina. SINÓNIMO hacer. INGLÉS to make, to shape.

2 Organizar o crear una asociación reuniendo a un grupo de personas o cosas. Se forman equipos de fútbol, pandillas de amigos o colecciones de cromos. SINÓNIMO crear. INGLÉS to form.

3 Educar y preparar a alguien para que sea capaz de realizar una actividad. SINÓNIMO instruir. INGLÉS to educate, to train.

4 Colocar a un grupo de personas en una o varias filas de una manera ordenada. Los soldados forman para desfilar. INGLÉS to fall in.

formatear

verbo

1 Preparar un disco en el que se almacenan datos informáticos para que pueda ser utilizado y se puedan grabar cosas en él. INGLÉS to format.

formato

nombre masculino

1 Forma y tamaño que tiene un libro o cualquier conjunto de hojas encuadernadas. INGLÉS format.

2 Manera en que está organizado un conjunto de datos informáticos para trabajar con ellos. INGLÉS format.

formidable

adjetivo

1 Que destaca por sus buenas cualidades o características, como el tamaño, la belleza o la simpatía. SINÓNIMO fabuloso. INGLÉS wonderful, terrific.

fórmula

nombre femenino

1 Escrito en el que aparecen las indicaciones necesarias para preparar algo, especialmente un medicamento. INGLÉS formula.

2 Expresión formada por signos que sirve como regla para calcular y resolver otros casos iguales, como las fórmulas matemáticas. INGLÉS formula.

3 En química, combinación de letras y números que representan los elementos químicos que forman un cuerpo o una sustancia. INGLÉS formula.

4 Manera fija o establecida de decir o de hacer algo, que se usa en una situación determinada. Para despedirnos utilizamos fórmulas como 'adiós' o 'hasta la vista'. INGLÉS formula.

5 Cada una de las categorías en que se dividen las carreras de coches. En la fórmula 1 participan los coches más rápidos. INGLÉS formula.

formular

verbo

1 Expresar con palabras o por escrito alguna cosa, especialmente un deseo. INGLÉS to formulate, to express.

foro

nombre masculino

1 Plaza central en las ciudades de la antigua Roma. En el foro estaban los principales edificios y se celebraban reuniones importantes. INGLÉS forum.

2 Reunión de personas en la que se trata un asunto. Normalmente es una reunión de expertos ante un público que también puede opinar. INGLÉS forum.

3 Sitio de internet en el que los usuarios pueden opinar o discutir sobre un tema. INGLÉS forum.

4 Fondo del escenario de un teatro. INGLÉS back of the stage.

forofo, forofa
nombre
1 Persona que sigue con pasión a un equipo deportivo. SINÓNIMO hincha. INGLÉS fan, supporter.
2 Persona a la que le gusta mucho algo: *Es forofa del sol.* INGLÉS lover.

forrar
verbo
1 Cubrir algo por dentro o por fuera con tela, papel o plástico para que no se estropee o para adornarlo. A principio de curso forramos los libros. INGLÉS to line [por dentro], to cover [por fuera].
2 forrarse Ganar mucho dinero. Es un uso informal. INGLÉS to make a fortune.

forro
nombre masculino
1 Pieza de tela, papel o plástico con que se cubre algo por dentro o por fuera para que no se estropee o para adornarlo. INGLÉS lining [por dentro], cover [por fuera].

fortalecer
verbo
1 Hacer fuerte o más fuerte a una persona o una cosa. El calcio es bueno para fortalecer los dientes. INGLÉS to strengthen.
NOTA Se conjuga como: agradecer; la 'c' se convierte en 'zc' delante de 'a' y 'o', como: fortalezco.

fortaleza
nombre femenino
1 Fuerza física o moral para superar las dificultades. ANTÓNIMO debilidad. INGLÉS fortitude.
2 Edificio rodeado de murallas que sirve para protegerse de un ataque enemigo. INGLÉS fortress.

fortificación
nombre femenino
1 Construcción o conjunto de obras edificadas para defenderse de posibles ataques enemigos. Los castillos medievales, con sus murallas y sus fosos, eran fortificaciones muy seguras. INGLÉS fortification.
NOTA El plural es: fortificaciones.

fortuna
nombre femenino
1 Causa indeterminada a la que se deben las cosas que suceden en la vida, ya sean buenas o malas: *La fortuna ha querido que nos volviésemos a encontrar.* INGLÉS fortune, fate.
2 Cosa feliz o positiva que le sucede a una persona. Las personas a las que las cosas les van bien tienen mucha fortuna. INGLÉS luck.
3 Conjunto de dinero, propiedades y otros bienes de valor que tiene una persona. INGLÉS fortune.
4 Éxito o buena aceptación que consigue una persona o una cosa por parte del público. INGLÉS success.

forzar
verbo
1 Obligar a una persona a hacer algo que no quiere. INGLÉS to force.

forzar

INDICATIVO	SUBJUNTIVO
presente	**presente**
fuerzo	fuerce
fuerzas	fuerces
fuerza	fuerce
forzamos	forcemos
forzáis	forcéis
fuerzan	fuercen
pretérito imperfecto	**pretérito imperfecto**
forzaba	forzara o forzase
forzabas	forzaras o forzases
forzaba	forzara o forzase
forzábamos	forzáramos o forzásemos
forzabais	forzarais o forzaseis
forzaban	forzaran o forzasen
pretérito perfecto simple	**futuro**
forcé	forzare
forzaste	forzares
forzó	forzare
forzamos	forzáremos
forzasteis	forzareis
forzaron	forzaren

INDICATIVO	
futuro	**condicional**
forzaré	forzaría
forzarás	forzarías
forzará	forzaría
forzaremos	forzaríamos
forzaréis	forzaríais
forzarán	forzarían

IMPERATIVO	
fuerza	(tú)
fuerce	(usted)
forcemos	(nosotros)
forzad	(vosotros)
fuercen	(ustedes)

FORMAS NO PERSONALES	
infinitivo	**gerundio**
forzar	forzando
participio	
forzado	

2 Abrir algo, como una caja fuerte o una puerta, utilizando la fuerza: *Los ladrones forzaron la puerta.* INGLÉS to force.
3 Hacer que un mecanismo o aparato funcione utilizando excesiva fuerza. Si forzamos la cuerda de un juguete, podemos romperla. INGLÉS to force.
4 Obligar a una persona a mantener relaciones sexuales. INGLÉS to rape.

forzoso, forzosa
adjetivo
1 Que es obligatorio o no se puede evitar. INGLÉS obligatory, compulsory.

forzudo, forzuda
adjetivo y nombre
1 Se dice de la persona que tiene mucha fuerza física. INGLÉS strong.

fosa
nombre femenino
1 Hoyo excavado en la tierra para enterrar a los muertos. INGLÉS grave.
2 Zona hundida de la tierra o del fondo del mar. Algunos países entierran desperdicios contaminantes en fosas marinas muy profundas. INGLÉS trench.
fosa nasal Agujero de la nariz. INGLÉS nostril.

fosforescencia
nombre femenino
1 Propiedad que tienen algunas sustancias de reflejar en la oscuridad la luz que han recibido. La fosforescencia de las señales de la carretera hace que se puedan ver de noche cuando se refleja en ellas la luz de los faros de los coches. INGLÉS phosphorescence.

fosforito
adjetivo
1 De color chillón y que destaca sobre otros colores. Los colores fosforito más frecuentes son el naranja, el verde, el amarillo y el fucsia. INGLÉS highlighter.

fósforo
nombre masculino
1 Elemento químico sólido que se encuentra en ciertos vegetales, rocas, huesos y organismos vivos. Es importante en la dieta porque interviene en la formación de los huesos y en el metabolismo de sustancias. También se utiliza en la fabricación de cerillas y fuegos artificiales. INGLÉS phosphorus.
2 Palito o trozo de papel enrollado y encerado, con una cabeza recubierta de fósforo y azufre que arde al ser rozada sobre una superficie áspera. SINÓNIMO cerilla. INGLÉS match.

fósil
nombre masculino
1 Restos de animales, plantas y minerales que existieron hace mucho tiempo y que han quedado convertidos en piedra. INGLÉS fossil.
2 Señal o marca que prueba que determinados seres vivos existieron hace mucho tiempo. Los fósiles se suelen encontrar en rocas o piedras. INGLÉS fossil.

foso
nombre masculino
1 Excavación larga y profunda que rodea un castillo u otra construcción. INGLÉS moat.
2 En el teatro, espacio situado debajo del escenario donde se suele colocar la orquesta. INGLÉS pit.

foto
nombre femenino
1 Es la forma abreviada de: fotografía. INGLÉS photo, picture.

fotocopia
nombre femenino
1 Copia idéntica, en blanco y negro o en color, que se hace de un papel escrito, de un dibujo o de una fotografía utilizando una fotocopiadora. INGLÉS photocopy.

fotocopiadora
nombre femenino
1 Máquina eléctrica que sirve para hacer copias instantáneas de escritos o dibujos mediante procedimientos fotográficos. INGLÉS photocopier.

fotocopiar
verbo
1 Hacer fotocopias o copias idénticas de un escrito, un dibujo o una foto. Está prohibido fotocopiar libros enteros. INGLÉS to photocopy.
NOTA Se conjuga como: cambiar; la 'i' no lleva nunca acento de intensidad.

fotografía
nombre femenino
1 Técnica que consiste en obtener imágenes con una cámara fotográfica y revelarlas, utilizando unos productos químicos que las fijan sobre un papel especial. INGLÉS photography.
2 Imagen que se toma con una cámara fotográfica y está revelada sobre un papel especial. INGLÉS photograph.
NOTA También se dice: foto.

fotografiar
verbo
1 Hacer fotografías de personas, cosas o lugares. INGLÉS to photograph.
NOTA Se conjuga como: desviar; la 'i' se acentúa en algunos tiempos y personas, como: fotografíen.

fotógrafo, fotógrafa
nombre
1 Persona que se dedica a hacer fotografías, normalmente como profesión. INGLÉS photographer.

fotosíntesis
nombre femenino
1 Proceso químico por el cual las plantas verdes, por medio de la luz del sol, transforman en alimento las sustancias que obtienen de la tierra a través de las raíces y desprenden oxígeno. Durante la noche, la planta no realiza la fotosíntesis, solo respira, y, por tanto, expulsa dióxido de carbono al aire. INGLÉS photosynthesis.

fox terrier
nombre masculino y femenino y adjetivo
1 Perro de tamaño pequeño que tiene las orejas medio caídas, la cola corta y levantada, y el pelo blanco con manchas negras o marrones. Los fox terriers son muy nerviosos y activos. INGLÉS fox terrier.
NOTA El plural es: fox terriers.

frac
nombre masculino
1 Chaqueta masculina que por delante llega hasta la cintura y por detrás tiene dos faldones que llegan hasta la pantorrilla. Suele ser de color negro y se usa en ocasiones en que se viste de gala, como fiestas por la noche. INGLÉS dress coat, tails.
NOTA El plural es: fracs o fraques.

fracasar
verbo
1 No tener una persona o una cosa el éxito o el resultado que se esperaba. Una película fracasa cuando va muy poca gente a verla. SINÓNIMO triunfar. INGLÉS to fail.

fracaso
nombre masculino
1 Resultado malo o peor del que se esperaba de una persona o una cosa. ANTÓNIMO éxito; triunfo. INGLÉS failure.

fracción
nombre femenino
1 Parte o porción de algo. Un segundo se puede dividir en fracciones de segundo. INGLÉS fraction.
2 En matemáticas, expresión que representa la división de dos cantidades enteras separadas por una raya, como 1/3. SINÓNIMO quebrado. INGLÉS fraction.
NOTA El plural es: fracciones.

fraccionario, fraccionaria
adjetivo
1 Que es parte o fracción de algo. Utilizamos números fraccionarios cuando dividimos una cosa en partes iguales y después cogemos una o varias de esas partes, como dos cuartas partes de una tarta. INGLÉS fractional.

fractura
nombre femenino
1 Rotura de alguna cosa dura, en especial un hueso del cuerpo. INGLÉS fracture.

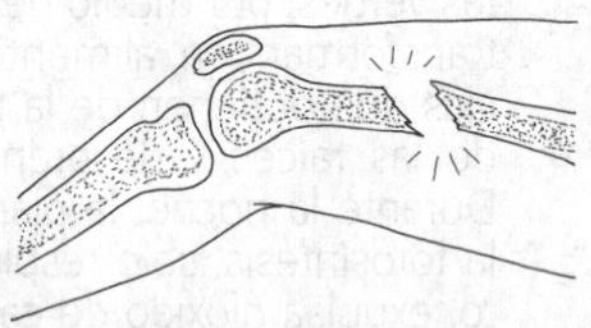
fractura

fracturar
verbo
1 Romper o quebrarse algo duro con violencia, en especial un hueso del cuerpo. INGLÉS to fracture, to break.

fragancia
nombre femenino
1 Olor suave y agradable, como el de una colonia o un gel de baño. INGLÉS fragrance.

fragata
nombre femenino
1 Barco de guerra pequeño, rápido y ligero que se usa en la protección de otras embarcaciones. INGLÉS frigate.
2 Barco de vela de tres palos y velas cuadradas en todos ellos. INGLÉS frigate.

frágil
adjetivo
1 Que se rompe o se parte con facilidad. ANTÓNIMO resistente. INGLÉS fragile, breakable.
2 Que tiene poca resistencia o se estropea con facilidad. Las personas de salud frágil enferman con mucha frecuencia. ANTÓNIMO fuerte. INGLÉS fragile, frail.

fragilidad
nombre femenino
1 Característica de las personas o cosas frágiles. Hay que cuidar las copas y vasos de cristal, debido a su fragilidad. INGLÉS fragility.

fragmento
nombre masculino
1 Trozo o parte de una cosa. Una estrofa es un fragmento de una poesía y un aria, de una ópera. INGLÉS fragment.

fragua
nombre femenino
1 Horno en que se calientan los metales para forjarlos. INGLÉS forge.

fraile
nombre masculino
1 Hombre que pertenece a una determinada orden religiosa. INGLÉS friar.

frambuesa
nombre femenino
1 Fruto silvestre de sabor agridulce formado por bolitas agrupadas de color rojo. Con las frambuesas se hace mermelada. INGLÉS raspberry.

francés, francesa
adjetivo y nombre
1 Se dice de la persona o cosa que es de Francia, país europeo al norte de España. INGLÉS French [adjetivo], French person [nombre], Frenchman [nombre - hombre], Frenchwoman [nombre - mujer].
nombre masculino
2 Lengua hablada en Francia y en zonas de Bélgica, Suiza, Canadá y otros países. Tiene su origen en el latín, como el espa-

ñol, el italiano, el portugués o el rumano. INGLÉS French.

franco, franca

nombre masculino **1** Moneda de Suiza y, antes del euro, de Francia, Bélgica y Luxemburgo. INGLÉS franc.

adjetivo **2** De Francia o que tiene relación con Francia. Una película francoitaliana está hecha con capital francés e italiano.

3 Que habla y se comporta mostrando lo que piensa o siente. SINÓNIMO sincero. ANTÓNIMO hipócrita. INGLÉS frank.

franela

nombre femenino **1** Tejido fino de lana o algodón que tiene una capa de pelo muy suave en una de sus dos caras. Se utiliza mucho para hacer prendas de vestir de invierno. INGLÉS flannel.

franja

nombre femenino **1** Trozo más largo que ancho. Algunos campos están separados por una franja de tierra sin cultivar. INGLÉS band, strip.

2 Raya o línea de color, especialmente en una tela. La bandera española tiene dos franjas rojas y una amarilla. INGLÉS stripe.

franqueza

nombre femenino **1** Sinceridad y claridad al decir lo que pensamos o sentimos. INGLÉS frankness.

frasco

nombre masculino **1** Recipiente que se utiliza para contener o guardar cosas. Suele ser de vidrio, con un cuello estrecho y de tamaño más pequeño que el de una botella. INGLÉS flask.

frase

nombre femenino **1** Conjunto de palabras con sentido que sirve para decir, exclamar o preguntar algo. '¿Qué hora es?' es una frase. INGLÉS sentence.

frase hecha Grupo de palabras, que siempre se dicen del mismo modo y que tienen un significado concreto. 'Estar en la Luna' es una frase hecha que significa: estar distraído. INGLÉS set expression, idiom.

fraternal

adjetivo **1** Se dice de los sentimientos que un hermano siente hacia otro hermano. INGLÉS fraternal, brotherly.

fraternidad

nombre femenino **1** Sentimiento de amor como el que hay entre hermanos. INGLÉS fraternity, brotherhood.

fraude

nombre masculino **1** Engaño que se hace para conseguir dinero u otros beneficios. El fraude es un delito castigado por la ley. SINÓNIMO estafa. INGLÉS fraud.

fray

nombre masculino **1** Forma abreviada de fraile que se antepone al nombre de estos religiosos cuando queremos referirnos a ellos. INGLÉS brother.

frecuencia

nombre femenino **1** Repetición de una acción o un suceso. INGLÉS frequency.

2 Cantidad de veces que ocurre o se hace una cosa en un espacio de tiempo determinado: *Va al cine con una frecuencia de tres veces al mes.* INGLÉS frequency.

frecuentar

verbo **1** Ir a un lugar con frecuencia o a menudo. INGLÉS to frequent.

2 Ver o tener relación con una persona de manera habitual o regular. INGLÉS to see, to visit.

frecuente

adjetivo **1** Se dice de las cosas o las acciones que se repiten de manera habitual, con regularidad o cada poco tiempo. En verano, los días de sol son muy frecuentes. INGLÉS frequent, common.

fregadero

nombre masculino **1** Recipiente que se utiliza para fregar los platos y cacharros de cocina. El fregadero tiene un grifo y un desagüe. INGLÉS kitchen sink.

fregar

verbo **1** Limpiar una cosa con agua y jabón u otro producto, frotando con una bayeta, un estropajo o una fregona. INGLÉS to wash.

NOTA Se conjuga como: regar; la 'e' se convierte en 'ie' en sílaba acentuada y se escribe 'gu' delante de 'e', como: frieguen.

fregona

nombre femenino **1** Utensilio de limpieza que sirve para fregar el suelo estando de pie. Está formada por unas tiras de material absorbente unidas a un palo largo. INGLÉS mop.

a b c d e f g h i j k l m n ñ o p q r s t u v w x y z

a b c d e f g h i j k l m n ñ o p q r s t u v w x y z

freidora
nombre femenino
1 Recipiente hondo o aparato eléctrico que tiene una cesta metálica en su interior y sirve para freír alimentos en abundante aceite. INGLÉS deep fat fryer.

freír
verbo
1 Cocinar un alimento en una sartén con aceite, mantequilla o manteca de cerdo. INGLÉS to fry.
NOTA Se conjuga como: reír.

frenar
verbo
1 Detener el movimiento de un vehículo o hacer que vaya más despacio. También podemos frenar cuando vamos sobre patines, en trineo, a caballo o en cualquier otro medio. INGLÉS to brake.
2 Impedir que siga una actividad o hacerla menos intensa. Hay que tomar todas las precauciones necesarias para frenar los incendios. INGLÉS to stop.

frenazo
nombre masculino
1 Parada brusca de un vehículo: *Tuvo que dar un frenazo para esquivar el bache.* INGLÉS sudden braking.

frenesí
nombre masculino
1 Pasión grande que siente una persona por otra. Se pueden dar besos y abrazos con frenesí. INGLÉS frenzy.
2 Actividad y excitación excesiva que tiene una persona o una cosa. Mucha gente de campo no soporta el frenesí de la ciudad. INGLÉS frenzy.

frenético, frenética
adjetivo
1 Se dice de la persona que muestra rabia o enfado de manera exagerada. Las personas frenéticas han perdido el control de sus actos y son violentas. INGLÉS furious.
2 Que es impetuoso, enérgico o exagerado, como una velocidad o un ritmo frenéticos. INGLÉS frenzied, frantic.

freno
nombre masculino
1 Mecanismo que sirve para parar un vehículo o una máquina o disminuir su velocidad. INGLÉS brake.
2 Cosa que impide o disminuye una actividad o un sentimiento: *Lo que le contestó puso freno a su amistad.* INGLÉS curb, check.
3 Pieza de hierro en forma de anilla que se pone en la boca de los caballos y que sirve para sujetarlos y dirigirlos. INGLÉS brake, bit, curb, check.

frente
nombre femenino
1 Parte superior de la cara de una persona que está entre las sienes y va desde el nacimiento del pelo hasta los ojos. INGLÉS forehead.
nombre masculino
2 Parte delantera de una cosa. La puerta principal de un edificio suele estar en el frente. INGLÉS front.
3 Zona en la que luchan los soldados en una guerra. INGLÉS front.
hacer frente Luchar contra una persona o una situación difícil. Hay que hacer frente a los problemas de la vida para tratar de solucionarlos. INGLÉS to face.

fresa
nombre femenino
1 Fruta pequeña, de color rojo y forma de corazón, con pequeñas semillas en la superficie. Es el fruto de una planta silvestre o cultivada que tiene el mismo nombre. INGLÉS strawberry.
2 Herramienta que tiene unas cuchillas o dientes que giran rápidamente y que se usa para hacer agujeros en piezas de metal. INGLÉS milling cutter.

fresal
nombre masculino
1 Terreno en el que se cultivan fresas. INGLÉS strawberry bed, [si es un campo: strawberry field].

frescales
adjetivo y nombre masculino y femenino
1 Que se comporta o actúa de manera desvergonzada y tomándose excesivas libertades con la gente. Es una palabra informal. INGLÉS cheeky devil.
NOTA El plural es: frescales.

fresco, fresca
adjetivo
1 Que está un poco frío, como una bebida fresca. INGLÉS cool, cold.
2 Se dice de un tejido que es ligero y no produce calor, como la seda o el lino. ANTÓNIMO caluroso. INGLÉS cool, light.
3 Se dice del alimento que no está congelado ni curado, y se tiene que comer pronto porque si no se estropea, como carnes, pescados, lácteos, fruta y verdura. INGLÉS fresh.
4 Que acaba de ocurrir: *Te traigo noticias frescas: María acaba de tener un niño.* SINÓNIMO reciente. INGLÉS recent, fresh.
5 Que no está cansado y tiene mucha energía y ganas de hacer cosas. Después de dormir nos levantamos frescos. INGLÉS refreshed.

6 Que está tranquilo y no le preocupa nada de lo que se le dice. Es un uso informal. SINÓNIMO pancho. INGLÉS unperturbed.

7 Persona que habla o se comporta sin vergüenza o sin respeto. Es un uso informal. SINÓNIMO caradura; sinvergüenza. INGLÉS cheeky.

nombre **8** Temperatura del aire un poco fría, pero agradable: *Le gusta sentir la fresca por la mañana al salir de casa.* Con este significado tiene doble género, se dice: el fresco y la fresca. INGLÉS cool.

nombre masculino **9** Pintura que se hace directamente en las paredes o en el techo de un edificio, como los frescos de las iglesias y las catedrales. INGLÉS fresco.

traer al fresco No importarle o no preocuparle nada una cosa a una persona: *Me trae al fresco lo que me digas, haré lo que yo quiera.* INGLÉS not to matter.

frescura

nombre femenino **1** Cualidad que tienen las cosas que son frescas o están frías. La frescura de las frutas y las verduras recién cogidas dura poco tiempo. INGLÉS freshness.

2 Falta de vergüenza o de respeto que tiene una persona al comportarse: *Me pidió prestados 600 euros con una frescura asombrosa.* SINÓNIMO descaro; desvergüenza. INGLÉS cheek, nerve.

fresno

nombre masculino **1** Árbol de tronco grueso, corteza gris y flores blancas. Su madera se usa para hacer muebles. INGLÉS ash tree.

fresón

nombre masculino **1** Fruta roja en forma de corazón, con pequeñas semillas en la superficie. Es el fruto de una planta silvestre o cultivada que tiene el mismo nombre. INGLÉS strawberry.

frialdad

nombre femenino **1** Cualidad de las cosas frías. INGLÉS coldness.

2 Indiferencia, falta de interés o de pasión que muestra una persona: *Me saludó con frialdad.* INGLÉS lack of emotion.

3 Tranquilidad y dominio de los nervios de una persona en un momento en que debería alterarse. INGLÉS coolness.

friegaplatos

nombre masculino **1** Electrodoméstico que sirve para limpiar los platos y utensilios de cocina. SINÓNIMO lavavajillas. INGLÉS dishwasher.

nombre masculino y femenino **2** Persona que en la cocina de un restaurante, hotel o bar se encarga de fregar los platos y utensilios de cocina. INGLÉS dishwasher.

NOTA El plural es: friegaplatos.

frigorífico

nombre masculino **1** Electrodoméstico que sirve para mantener las bebidas y los alimentos fríos. SINÓNIMO nevera; refrigerador. INGLÉS refrigerator, fridge.

frío, fría

adjetivo **1** Que tiene una temperatura baja o más baja de lo normal. El helado es un alimento frío. SINÓNIMO fresco. ANTÓNIMO caliente. INGLÉS cold.

2 Se dice de la persona que no suele ponerse nerviosa ni mostrar sus sentimientos. INGLÉS cold.

nombre masculino **3** Sensación que se tiene en el cuerpo cuando hay una temperatura baja. Cuando tenemos frío nos ponemos un abrigo. ANTÓNIMO calor. INGLÉS cold.

4 Temperatura baja del aire. El frío reseca la piel, por eso es aconsejable protegerse la cara y las manos con alguna crema hidratante. ANTÓNIMO calor. INGLÉS cold.

coger frío Resfriarse o constiparse. En invierno hay que abrigarse bien para no coger frío. INGLÉS to catch cold.

quedarse frío Quedarse sorprendido o sin saber cómo reaccionar. Cuando nos dan una mala noticia nos quedamos fríos. INGLÉS to be taken aback.

friolero, friolera

adjetivo y nombre **1** Se dice de la persona que siempre tiene frío. INGLÉS sensitive to the cold.

friso

nombre masculino **1** Tira decorativa que se pone horizontalmente en una pared. Algunos frisos tienen dibujos de figuras geométricas. INGLÉS frieze.

frito, frita

adjetivo y nombre masculino **1** Se dice del alimento que ha sido cocinado en aceite muy caliente. Los huevos, el beicon o el pescado son alimentos que se comen fritos. INGLÉS fried [adjetivo].

adjetivo **2** Se dice de una persona que se ha quedado completamente dormida: *Me he quedado frito.* Es un uso informal.

a b c d e f g h i j k l m n ñ o p q r s t u v w x y z

SINÓNIMO roque. ANTÓNIMO despierto. INGLÉS fast asleep.

frívolo, frívola
adjetivo **1** Se dice de la persona que no se preocupa por las cosas serias e importantes, y a la que solo le gusta divertirse y pasárselo bien. SINÓNIMO superficial. ANTÓNIMO profundo. INGLÉS frivolous.
2 Que es poco serio e importante o sirve para pasar el rato, como un capricho frívolo o una conversación frívola sobre el tiempo. SINÓNIMO superficial. INGLÉS frivolous.

fronda
nombre femenino **1** Hoja de una planta. INGLÉS leaf.
2 Conjunto de ramas y hojas espesas. INGLÉS foliage.

frondoso, frondosa
adjetivo **1** Se dice del lugar, la planta o el árbol que tiene muchas hojas y ramas. INGLÉS leafy, luxuriant.

frontal
adjetivo **1** De la parte delantera de una cosa o que tiene relación con ella. La parte frontal de un edificio suele tener ventanas y balcones. INGLÉS front.
2 De la frente o relacionado con ella. INGLÉS frontal.

frontera
nombre femenino **1** Línea que separa dos países, dos territorios o dos cosas. España tiene frontera con Portugal y con Francia. INGLÉS frontier, border.

frontón
nombre masculino **1** Juego o deporte que consiste en que un jugador lanza una pequeña pelota contra una pared de modo que bote y vuelva a ser lanzada por otro jugador. Se puede jugar con una pala, con una raqueta o golpeando con la mano. INGLÉS pelota court.
2 En arquitectura, elemento decorativo con forma de triángulo que hay encima de algunas fachadas, ventanas o pórticos. INGLÉS pediment.
NOTA El plural es: frontones.

frotar
verbo **1** Pasar varias veces y con fuerza una cosa sobre otra. Para limpiar una cazuela hay que frotar con un estropajo. INGLÉS to rub.

fructífero, fructífera
adjetivo **1** Que da fruto o resultado. Un trabajo fructífero proporciona las ganancias o beneficios esperados. SINÓNIMO productivo. INGLÉS fruitful.

fruncir
verbo **1** Arrugar la frente y las cejas, generalmente en señal de preocupación o enfado. INGLÉS to knit.

frustrar
verbo **1** Quitar o perder la alegría o esperanza de conseguir algo. INGLÉS to frustrate.
2 Hacer fracasar un intento o un plan: *La alarma frustró el robo en el museo de arte.* INGLÉS to frustrate, to thwart.

fruta
nombre femenino **1** Fruto comestible de algunas plantas y árboles, como las manzanas, peras y naranjas. Normalmente comemos la fruta como postre. INGLÉS fruit.

frutal
adjetivo y nombre masculino **1** Se dice del árbol que produce fruta, como el manzano, el nogal, el peral o el naranjo. INGLÉS fruit.

frutería
nombre femenino **1** Tienda, departamento de supermercado o puesto de mercado donde se vende fruta. INGLÉS fruit shop.

frutero, frutera
nombre **1** Persona que trabaja en una frutería vendiendo fruta. INGLÉS fruit seller, fruiterer.
nombre masculino **2** Recipiente que contiene fruta o que sirve para llevarla a la mesa. INGLÉS fruit dish, fruit bowl.

fruto
nombre masculino **1** Parte de la planta que proviene de la transformación de la flor y que contiene una o más semillas. Muchos frutos son comestibles, como las frutas, las hortalizas o los frutos secos. INGLÉS fruit.
2 Producto útil de la tierra. Una huerta produce muchos frutos. Se usa sobre todo en plural. INGLÉS fruit.
3 Beneficio o utilidad que produce alguna cosa. El saber es fruto del estudio y de la experiencia. INGLÉS fruit.
fruto seco Fruto que no tiene o ha perdido su humedad y se puede conservar mucho tiempo. Algunos tienen cáscara, como las almendras, las avellanas o las nueces, y otros no, como las pasas o los higos secos. INGLÉS nut [con cáscara], dried fruit [sin cáscara].

fucsia

nombre femenino **1** Planta de hojas ovaladas y flores que cuelgan, generalmente de color rosa fuerte. Las fucsias pueden llegar a ser arbustos. INGLÉS fuchsia.

nombre masculino y adjetivo **2** Color rosa fuerte y brillante como el de la fucsia u otras flores. INGLÉS fuchsia.

fuego

nombre masculino **1** Luz y calor que sale de un cuerpo que está ardiendo. INGLÉS fire.

2 Materia que está ardiendo. INGLÉS fire.

3 Gran cantidad de materia que arde y destruye todo lo que encuentra en su camino. SINÓNIMO incendio. INGLÉS fire.

4 Lugar de la cocina donde se produce calor y en el que se calientan y cocinan los alimentos. INGLÉS burner.

5 Disparo hecho con un arma de fuego, como una pistola o una escopeta. INGLÉS fire.

fuegos artificiales Cohetes que cuando se encienden salen disparados y producen luces de colores en el cielo en las fiestas. INGLÉS fireworks.

jugar con fuego Realizar una acción peligrosa sin necesidad, normalmente para divertirse o para presumir. Conducir a demasiada velocidad es jugar con fuego. INGLÉS to play with fire.

fuelle

nombre masculino **1** Instrumento que aspira aire del exterior y lo expulsa con fuerza, y que sirve para avivar el fuego o para inflar una cosa. INGLÉS bellows.

2 Parte de algunos objetos que se pliega y que hace posible que estos aumenten su capacidad o su volumen, como el que tienen algunos bolsos a los lados. INGLÉS accordion pleats.

3 Capacidad que tiene una persona para realizar un esfuerzo continuado sin cansarse o perder la respiración. Es un uso informal. INGLÉS stamina.

fuente

nombre femenino **1** Lugar por donde brota el agua de la tierra. SINÓNIMO manantial. INGLÉS spring.

2 Construcción situada en plazas, caminos o calles, con caños o grifos por donde sale el agua. INGLÉS fountain.

3 Recipiente grande y llano en el que se sirven los alimentos. INGLÉS dish.

4 Aquello que produce o es el origen de algo: *El Sol es una fuente de calor.* INGLÉS source.

fuera

adverbio **1** Indica que algo o alguien está en el exterior de un lugar determinado, sea real o figurado: *Estaré fuera. Estaba muy enfadado, fuera de sí.* INGLÉS out, outside.

2 Indica movimiento hacia la parte exterior de un lugar determinado: *Creo que voy a salir fuera.* INGLÉS out, outside.

fuera de Indica que algo no está dentro del plazo: *No aceptaremos ninguna inscripción fuera del plazo.* INGLÉS outside.

fuera de Indica que lo que se dice a continuación se excluye de un conjunto o de algo más general: *Fuera del último punto, estoy de acuerdo con todo.* SINÓNIMO excepto; menos. INGLÉS apart from.

fuerte

adjetivo **1** Se dice de las cosas o las personas que tienen fuerza y resistencia. La madera del roble es muy fuerte. ANTÓNIMO débil; flojo. INGLÉS strong.

2 Que es tan intenso que se percibe con mucha claridad, como el olor de un perfume. INGLÉS strong.

3 Que produce un resultado o un efecto muy marcado, como un golpe fuerte. INGLÉS hard, severe.

4 Que está bien apretado o sujeto: *Átate fuerte los zapatos.* ANTÓNIMO flojo. INGLÉS tight.

5 Que tiene poder, fueza, capacidad o medios para obrar. Una empresa fuerte puede afrontar cualquier contratiempo. SINÓNIMO poderoso. INGLÉS strong.

6 Se dice de la persona que tiene mucho ánimo o que no se rinde con facilidad: *Es muy fuerte, podrá superar ese problema.* ANTÓNIMO débil. INGLÉS strong.

adjetivo y nombre masculino **7** Cosa que gusta a una persona y por eso destaca en ello: *Su fuerte son las matemáticas.* INGLÉS strong point [nombre].

nombre masculino **8** Lugar rodeado de muros y otros medios de defensa para protegerse de los ataques enemigos. SINÓNIMO fortaleza. INGLÉS fort.

adverbio **9** Con intensidad o en abundancia: *No hables tan fuerte que despertarás a todos.* INGLÉS loud, loudly.

a b c d e f g h i j k l m n ñ o p q r s t u v w x y z

fuerza
nombre femenino **1** Capacidad física que tienen las personas y los animales para hacer cosas que exigen un esfuerzo, como mover cosas muy pesadas. INGLÉS strength.

2 Grado de energía o intensidad con la que se hace o sucede algo. Cuando las olas tienen mucha fuerza es peligroso bañarse. INGLÉS strength.

3 Capacidad que tiene una persona o una cosa de producir un determinado efecto. A menudo las imágenes de una desgracia tienen más fuerza que su descripción para sensibilizar a la gente. INGLÉS force.

4 Capacidad que tiene una cosa o una persona para sostener un cuerpo o resistir un empuje: *Esta pared tiene mucha fuerza.* INGLÉS strength.

5 Poder físico de las personas, especialmente cuando se utiliza con fines violentos. INGLÉS strength.

a fuerza de Haciendo muchas veces aquello que se indica: *A fuerza de repetirlo, lo memorizó.* INGLÉS by dint of.

a la fuerza Contra la voluntad o el deseo de alguien, obligándolo a hacerlo. SINÓNIMO por la fuerza. INGLÉS against someone's will.

a la fuerza De modo inevitable, necesariamente. Para hacer una carrera hay que ir a la fuerza a la universidad. INGLÉS necessarily.

fuerza bruta Fuerza física de las personas. INGLÉS brute strength.

fuerzas armadas Ejército de un país. INGLÉS armed forces.

por la fuerza Contra la voluntad o el deseo de alguien, obligándolo a hacerlo: *He comido la sopa por la fuerza, aunque no me gustaba.* SINÓNIMO a la fuerza. INGLÉS against someone's will.

fuga
nombre femenino **1** Salida de un gas o un líquido por un agujero o por una grieta. SINÓNIMO escape. INGLÉS leak.

2 Acción de escaparse una persona de un lugar en el que estaba encerrada. INGLÉS escape.

fugacidad
nombre femenino **1** Característica de las cosas que tienen una duración muy corta. INGLÉS fleetingness.

fugarse
verbo **1** Escaparse de un lugar en el que se está encerrado: *El ladrón se fugó de la cárcel.* SINÓNIMO evadirse. INGLÉS to escape.

fugaz
adjetivo **1** Se dice de lo que dura muy poco tiempo: *¡Qué visita tan fugaz!, quédate un poco más.* INGLÉS fleeting, brief.

2 Se dice de las cosas que pasan y desaparecen a mucha velocidad, como algunas estrellas. INGLÉS fleeting, [si es una estrella: shooting].

NOTA El plural es: fugaces.

fugitivo, fugitiva
adjetivo y nombre **1** Se dice de la persona que se escapa de un lugar en el que estaba encerrado. También son fugitivas las personas que se esconden para que no puedan ser juzgadas. INGLÉS fugitive.

fulano, fulana
nombre **1** Palabra con la que se menciona a una persona cuyo nombre se desconoce, se ha olvidado o no se quiere decir. SINÓNIMO mengano; zutano. INGLÉS so-and-so.

fular
nombre masculino **1** Pañuelo largo de seda, gasa u otra tela fina que se pone alrededor del cuello. INGLÉS scarf.

fulgor
nombre masculino **1** Brillo o luz muy intensa que sale de algunos cuerpos, como las estrellas. SINÓNIMO resplandor. INGLÉS brilliance.

fulminante
adjetivo **1** Que ocurre de forma rápida y tiene un efecto inmediato, en especial cuando este efecto es negativo, como un dolor fulminante. INGLÉS instantaneous.

fulminar
verbo **1** Causar un daño o la muerte de forma instantánea. INGLÉS to strike dead.

2 Dejar impresionada a una persona con una mirada o un gesto de enfado: *Me fulminó con la mirada.* INGLÉS to look daggers at (somebody).

fumador, fumadora
adjetivo y nombre **1** Se dice de la persona que fuma habitualmente. INGLÉS smoking [adjetivo], smoker [nombre].

fumador pasivo Persona que, al estar en un ambiente de mucho humo, sufre los efectos negativos del tabaco aunque no fume. INGLÉS passive smoker.

fumar
verbo
1 Aspirar el humo del tabaco o de cualquier otra sustancia por la boca y despedirlo por la boca o por la nariz. Fumar no es bueno para la salud. INGLÉS to smoke.

fumigar
verbo
1 Esparcir un polvo o un líquido desinfectante sobre un lugar para protegerlo o luchar contra las plagas de insectos. INGLÉS to fumigate.
NOTA Se escribe 'gu' delante de 'e', como: fumiguen.

función
nombre femenino
1 Lo que una persona tiene que hacer por el hecho de ser lo que es. La función de un abogado es defender a sus clientes. INGLÉS function, duty.
2 Aquello para lo que sirve una cosa. La función de un despertador es despertar a las personas. INGLÉS function.
3 Proyección o representación de un espectáculo. INGLÉS performance, show.
NOTA El plural es: funciones.

funcional
adjetivo
1 Se dice de las cosas que tienen una función práctica que es más importante que cualquier otra característica. Un mueble funcional puede ser bonito o no, pero hace mucho servicio. INGLÉS functional.

funcionamiento
nombre masculino
1 Realización de la función que tiene una cosa. Los electrodomésticos tienen que enchufarse para que se pongan en funcionamiento. También es el modo como funciona algo. INGLÉS operation, working.

funcionar
verbo
1 Realizar una cosa su función. Los electrodomésticos funcionan con electricidad. INGLÉS to work.

funcionario, funcionaria
nombre
1 Persona que trabaja en la administración pública, como los empleados de correos. INGLÉS government employee.

funda
nombre femenino
1 Cubierta con que se envuelve o cubre totalmente una cosa para protegerla o conservarla. INGLÉS case, sheath.

fundación
nombre femenino
1 Organización o institución que realiza actividades con fines benéficos, culturales, científicos o humanitarios. Suele estar fundada y mantenida por un particular. INGLÉS foundation.
2 Acción que consiste en crear una institución, organización o sociedad para un fin determinado. INGLÉS foundation.
NOTA El plural es: fundaciones.

fundamental
adjetivo
1 Que es muy importante o muy necesario para algún fin: *Comer bien es fundamental para estar sano.* SINÓNIMO esencial. INGLÉS fundamental.
2 Que sirve de fundamento o de base a otra cosa, como el esquema fundamental de una teoría, donde se explican sus principios. INGLÉS fundamental.

fundamento
nombre masculino
1 Cosa material o inmaterial en la que se apoya o basa otra cosa. El fundamento de una buena amistad es la sinceridad. INGLÉS basis.
nombre masculino plural
2 fundamentos Principios básicos por los que se rige una ciencia o un arte, como los fundamentos de las matemáticas. INGLÉS basics.

fundar
verbo
1 Crear una ciudad, institución, organización o sociedad. Muchas ciudades españolas fueron fundadas por los romanos. INGLÉS to found.
2 Dar unos argumentos para apoyar una teoría, una creencia o una afirmación. También es basarse una cosa en otra.

fumigar

Una sospecha se funda en una serie de pruebas. INGLÉS to base.

fundición
nombre femenino
1 Fábrica o taller donde se funden los metales. En las fundiciones hay hornos que trabajan a altas temperaturas. INGLÉS foundry.
NOTA El plural es: fundiciones.

fundir
verbo
1 Hacer que un cuerpo sólido se vuelva líquido, generalmente por la acción del calor. INGLÉS to melt.
2 Unir dos o más cosas para crear una más grande. Se pueden fundir escritos, grupos de trabajo o empresas. INGLÉS to merge.
3 Gastar sin orden ni cuidado mucho dinero: *Me fundí el sueldo de un mes en un par de días.* Es un uso informal. SINÓNIMO derrochar. INGLÉS to blow, to go through.
4 **fundirse** Dejar de funcionar un aparato eléctrico, como una bombilla. INGLÉS to blow.

fúnebre
adjetivo
1 De los difuntos o que está relacionado con ellos. INGLÉS funereal.

funeral
nombre masculino
1 Ceremonia religiosa que se celebra en la iglesia cuando muere una persona para recordarla. INGLÉS funeral.

funeraria
nombre femenino
1 Empresa que se encarga de organizar todo lo relacionado con el funeral de una persona. INGLÉS undertaker's.

funesto, funesta
adjetivo
1 Que es triste o desgraciado: *Ha sido un día funesto, todo me ha salido mal.* INGLÉS ill-fated.

funicular
nombre masculino
1 Tren pequeño que se mueve arrastrado por una cadena y sube y baja cuestas con mucha pendiente. INGLÉS funicular railway.
2 Medio de transporte que consiste en una cabina que se mueve colgando de un cable o de un carril. SINÓNIMO teleférico. INGLÉS cable car.

furgón
nombre masculino
1 Vagón de un tren de viajeros donde se transportan los equipajes, las mercancías o el correo. INGLÉS van, wagon.
2 Vehículo de cuatro ruedas con un espacio interior grande que se usa para el transporte de mercancías. Un furgón es mayor que una furgoneta. INGLÉS van.
NOTA El plural es: furgones.

furgoneta
nombre femenino
1 Vehículo más grande que un coche y más pequeño que un camión que sirve para transportar mercancías. INGLÉS van.

furia
nombre femenino
1 Enfado muy grande y que no se puede controlar. SINÓNIMO furor. INGLÉS fury, rage.
2 Fuerza o energía con la que se hace o sucede algo. Cuando hay tempestad, el viento sopla con furia. SINÓNIMO furor. INGLÉS fury.

furibundo, furibunda
adjetivo
1 Que tiene o muestra un enfado muy grande. INGLÉS furious.
2 Se dice de la persona o el sentimiento que es apasionado o exagerado: *Siento un odio furibundo por las injusticias.* INGLÉS furious.

furioso, furiosa
adjetivo
1 Que está muy enfadado y no lo oculta. SINÓNIMO rabioso. INGLÉS furious.
2 Que tiene mucha fuerza o energía. Cuando hay una tormenta furiosa, llueve mucho y hay mucho viento, rayos y truenos. INGLÉS raging.

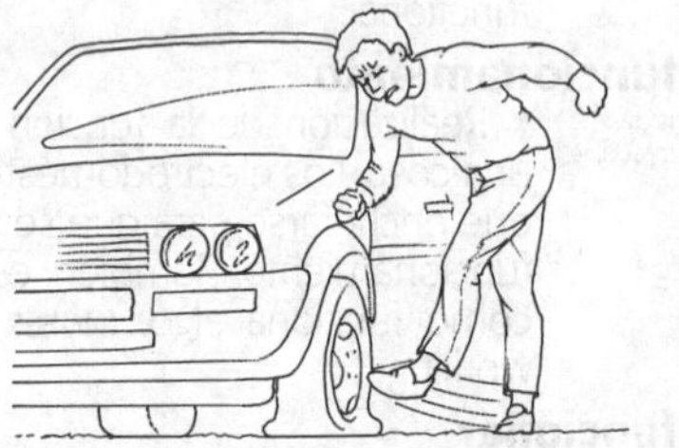

furioso

furor
nombre masculino
1 Fuerza o energía con la que se hace o sucede algo. Los artistas trabajan con furor cuando están inspirados. INGLÉS enthusiasm, fury.
2 Enfado muy grande que va acompañado de muestras de violencia. SINÓNIMO furia. INGLÉS fury, rage.
hacer furor Estar o ponerse algo muy de moda. INGLÉS to be all the rage.

furtivo, furtiva
adjetivo **1** Que se hace a escondidas o con disimulo. INGLÉS furtive.
adjetivo y nombre **2** Se dice de la persona que hace cosas a escondidas o sin permiso, especialmente cazar o pescar en lugares donde no debe. INGLÉS poacher [nombre].

fusible
nombre masculino **1** Dispositivo que se coloca en un circuito eléctrico para que no se funda o deje de funcionar cuando pase por él una corriente superior a la que se considera normal. INGLÉS fuse.

fusil
nombre masculino **1** Arma de fuego que dispara balas y está formada por un cañón, un mecanismo para disparar y una culata para apoyarlo. INGLÉS rifle.

fusilar
verbo **1** Ejecutar a una persona disparándole con un fusil. INGLÉS to shoot.
2 Copiar algo de otra persona sin decirlo. Si alguien fusila un libro, copia muchas cosas de él. INGLÉS to plagiarize.

fusión
nombre femenino **1** Paso de un cuerpo sólido a líquido por efecto del calor. INGLÉS melting.
2 Unión de dos o más cosas para formar una sola. INGLÉS fusion.
NOTA El plural es: fusiones.

fusionar
verbo **1** Unir dos o más cosas de forma que constituyan una sola. INGLÉS to merge.

fustigar
verbo **1** Dar una persona golpes con una fusta, un látigo o una vara. El jinete fustiga al caballo para que corra a mayor velocidad. INGLÉS to whip, to lash.
NOTA Se escribe 'gu' delante de 'e', como: fustiguen.

futbito
nombre masculino **1** Fútbol sala. INGLÉS indoor five-a-side.

fútbol
nombre masculino **1** Deporte que se practica entre dos equipos de 11 jugadores, que consiste en meter el balón en la portería del equipo contrario. Se practica en campos al aire libre de hierba o de arena y los jugadores no pueden tocar el balón con la mano. INGLÉS football, soccer.
fútbol sala Deporte similar al fútbol, pero que se juega en un campo más pequeño entre equipos de cinco jugadores. INGLÉS indoor five-a-side.

futbolín
nombre masculino **1** Mesa que imita un campo de fútbol con unas barras giratorias que tienen enganchadas unas figuras de jugadores de fútbol y que se usa para jugar. El juego, que consiste en que las figuras golpeen una bola y la metan en la portería contraria, también se llama futbolín. INGLÉS table football.
NOTA El plural es: futbolines.

futbolista
nombre masculino y femenino **1** Persona que juega al fútbol. INGLÉS footballer, soccer player.

futurista
adjetivo **1** Que está orientado hacia el futuro o relacionado con el futuro. Una decoración, un edificio o una máquina futuristas son muy modernos y nos parece que pertenecen más al futuro que al presente: *Es una película futurista que transcurre en el siglo* XXV. INGLÉS futuristic.

futuro, futura
adjetivo **1** Que ocurrirá o existirá en un tiempo próximo que todavía no ha llegado. Una mujer embarazada es una futura madre. INGLÉS future.
nombre masculino **2** Tiempo que va a llegar, pero todavía no ha llegado. Las personas suelen hacer planes para el futuro. INGLÉS future.
nombre masculino y adjetivo **3** Tiempo verbal que se usa para hablar de acciones que todavía no han ocurrido o no se han hecho o de cosas que aún no han llegado. 'Cantaré' y 'cantarás' son formas del futuro del verbo 'cantar'. INGLÉS future.

g
nombre femenino
1 Séptima letra del alfabeto español. La 'g' ante 'e' e 'i' se pronuncia igual que la 'j'.

gabardina
nombre femenino
1 Prenda de vestir larga y de tela impermeable que sirve para protegerse de la lluvia o el viento. INGLÉS raincoat, gabardine.

gabinete
nombre masculino
1 Habitación que sirve para estudiar o para recibir visitas. INGLÉS study.
2 Conjunto de los ministros del gobierno de un país. El partido que saca más votos en unas elecciones forma un gabinete y dirige la política española durante los siguientes cuatro años. INGLÉS cabinet.

gacela
nombre femenino
1 Mamífero parecido al ciervo, pero más pequeño, que tiene las patas y el cuello largos y la cabeza pequeña, con los cuernos curvados hacia atrás. Vive en las estepas de África y Asia y corre a gran velocidad. INGLÉS gazelle.

gaceta
nombre femenino
1 Obra impresa de carácter informativo que se publica de forma periódica. Suelen estar especializadas en un tema. INGLÉS gazette.

gachas
nombre femenino plural
1 Comida que se prepara a base de harina cocida con agua y sal. Se les suele añadir leche y miel. INGLÉS porridge.

gachó
nombre masculino
1 Forma de referirse a un hombre del que no se sabe el nombre o no se quiere decir. INGLÉS bloke, guy.
NOTA Es una palabra informal.

gaditano, gaditana
adjetivo y nombre
1 Se dice de la persona o cosa que es de Cádiz, ciudad y provincia de Andalucía.

gaélico, gaélica
adjetivo y nombre masculino
1 Se dice de una lengua que pertenece a un grupo de lenguas celtas que se hablan en ciertas zonas de Irlanda y Escocia. El irlandés procede del gaélico. INGLÉS Gaelic.

gafas
nombre femenino plural
1 Objeto, formado por una montura que se apoya en la nariz y con dos patillas que se apoyan en las orejas, que sirve para ver mejor o para proteger los ojos del sol, del agua o del viento. INGLÉS glasses, spectacles.
NOTA También se usa el plural para indicar solo una unidad.

gafe
adjetivo y nombre masculino y femenino
1 Se dice de la persona o de la cosa que se cree que trae mala suerte o desgracias a las personas que están a su alrededor. INGLÉS jinx.

gafotas
adjetivo y nombre masculino y femenino
1 Se dice de la persona que utiliza gafas por tener algún defecto en la vista. Es un uso despectivo. INGLÉS four-eyed [adjetivo], four-eyes [nombre].
NOTA El plural es: gafotas.

gag
nombre masculino
1 Chiste o efecto cómico que se produce al mostrar algo inesperado o sorprendente en una película, un programa de televisión o una obra de teatro: *El público rió mucho con los gags y chistes del actor.* INGLÉS gag, sketch.
NOTA El plural es: gags.

gaita
nombre femenino
1 Instrumento musical de viento forma-

do por una bolsa de piel, una boquilla para soplar y llenar de aire la bolsa, y dos tubos por los que sale el aire produciendo los sonidos. INGLÉS bagpipes.
2 Cosa que molesta o fastidia mucho a una persona o le resulta desagradable: *¡Vaya gaita! Ahora que queríamos salir empieza a llover.* Es un uso informal. INGLÉS drag, pain.

gajo
nombre masculino **1** Parte en que se divide la pulpa de algunas frutas, como las naranjas. INGLÉS segment.

gala
nombre femenino **1** Reunión o fiesta muy elegante y con muchos invitados. INGLÉS gala.
2 Actuación de un cantante o un grupo musical. INGLÉS gala.
3 Vestido o traje muy elegante y adornos o complementos que lo acompañan. Con este significado se usa más en plural. INGLÉS best dress, finery.
hacer gala de Dar muestras de lo que se dice: *Hizo gala de su buen humor.* INGLÉS to make a show of.
tener a gala Estar orgulloso de algo. INGLÉS to be proud of something.

galáctico, galáctica
adjetivo **1** De la galaxia o que tiene relación con ella, como una expedición galáctica. INGLÉS galactic.

galaico, galaica
adjetivo y nombre **1** Se dice de la persona o cosa que es de Galicia. SINÓNIMO gallego. INGLÉS Galician.
2 Se dice de la persona o cosa que pertenecía al antiguo pueblo que estaba situado en Galicia y el norte de Portugal, probablemente de origen celta. INGLÉS Galician.

galán
nombre masculino **1** Hombre de aspecto atractivo que es muy amable y atento con las mujeres. INGLÉS heartthrob.
2 Actor principal de una película o de una obra de teatro. INGLÉS leading man.
NOTA El plural es: galanes.

galantería
nombre femenino **1** Acción o palabras amables. Enviar un ramo de flores a alguien que cumple años es una galantería. INGLÉS gallantry.

galápago
nombre masculino **1** Reptil de la familia de las tortugas que vive en el agua y tiene los dedos unidos por membranas que le permiten nadar mejor. INGLÉS turtle.

galardón
nombre masculino **1** Premio o recompensa que se concede por algún trabajo o servicio prestado. INGLÉS prize.
NOTA El plural es: galardones.

galaxia
nombre femenino **1** Cada uno de los conjuntos formados por millones de planetas y estrellas que ocupan una parte del universo. La galaxia en la que se encuentran la Tierra y el Sol se llama Vía Láctea. INGLÉS galaxy.

galena
nombre femenino **1** Mineral de color gris azulado compuesto de azufre y plomo. INGLÉS lead sulphide.

galeón
nombre masculino **1** Antiguo barco grande de vela de tres o cuatro palos. INGLÉS galleon.
NOTA El plural es: galeones.

galera
nombre femenino **1** Embarcación grande de vela y remo usada en las guerras hasta el siglo XVIII. INGLÉS galley.
nombre femenino plural **2 galeras** Antiguo castigo que consistía en remar en las galeras reales. INGLÉS galleys.

galería
nombre femenino **1** Pasillo largo, abierto al exterior o con vidrieras, que tienen algunas casas para iluminar las habitaciones interiores. INGLÉS gallery.
2 Camino subterráneo, largo y estrecho, como los que hay en las minas o los que excava el topo en la tierra. SINÓNIMO túnel. INGLÉS gallery.
3 Sala o establecimiento donde se exponen obras de arte, como cuadros, cerámicas o esculturas. INGLÉS gallery.
nombre femenino plural **4 galerías** Conjunto de establecimientos que están en un recinto cubierto o en un centro comercial. INGLÉS shopping centre [en el Reino Unido], mall [en Estados Unidos].

galgo, galga
nombre masculino y adjetivo **1** Perro de cuerpo delgado y ágil, que tiene las patas largas y la cabeza pequeña. Los galgos corren muy deprisa. INGLÉS greyhound.

a b c d e f g h i j k l m n ñ o p q r s t u v w x y z

gallego, gallega
adjetivo y nombre **1** Se dice de la persona o cosa que es de Galicia. INGLÉS Galician.
nombre masculino **2** Lengua hablada en Galicia. El gallego es la lengua oficial en Galicia junto al español. Tiene su origen en el latín. INGLÉS Galician.

galleta
nombre femenino **1** Alimento dulce y crujiente hecho con harina, huevos, azúcar y otros ingredientes que se cuecen en el horno. INGLÉS biscuit [en el Reino Unido], cookie [en Estados Unidos].
2 Golpe dado en la cara con la mano abierta. Es un uso informal. SINÓNIMO bofetada; torta. INGLÉS slap.

gallina
nombre femenino **1** Hembra del gallo. Es de menor tamaño que él y tiene la cresta más corta. Utilizamos de ella los huevos y la carne. INGLÉS hen, chicken.
nombre masculino y femenino **2** Persona que tiene miedo o muestra ser cobarde, incluso en situaciones en que no hace falta mucho valor: *No seas gallina y tírate al agua.* INGLÉS chicken.

gallinero
nombre masculino **1** Lugar donde están y se crían las gallinas y otras aves de corral. INGLÉS henhouse.
2 Lugar en el que hay mucha gente que grita y hace ruido. INGLÉS bedlam, madhouse.
3 Conjunto de asientos del piso más alto de un cine o un teatro. INGLÉS the gods.

gallo
nombre masculino **1** Ave macho que tiene una gran cresta roja sobre la cabeza. Es un animal doméstico y emite un canto característico a la salida del sol. INGLÉS cock, rooster.
2 Pez marino comestible de cuerpo plano, de color marrón amarillento. Tiene los dos ojos en un mismo lado del cuerpo. INGLÉS megrim, sail-fluke.
3 Nota aguda o falsa que sale al hablar o cantar. INGLÉS false note.
adjetivo y nombre masculino **4** Se dice de una persona que quiere mandar sobre los demás. INGLÉS cocky [adjetivo].
en menos que canta un gallo En muy poco tiempo, con mucha rapidez. INGLÉS in a flash.
otro gallo cantaría Indica que, si se hubieran hecho las cosas de otra manera, se habría conseguido un resultado mejor. INGLÉS it would be another story.

galo, gala
adjetivo y nombre **1** Se dice de la persona o cosa que es de Francia, país europeo al norte de España. SINÓNIMO francés. INGLÉS French.
2 Se dice de la persona o cosa que pertenecía a un antiguo pueblo celta que vivía en la Galia, actual Francia: *En los cómics de Astérix y Obélix los galos luchan contra los romanos.* INGLÉS Gaulish.

galón
nombre masculino **1** Cinta de tejido grueso que se emplea como adorno de vestidos o sirve de distintivo de un uniforme militar. INGLÉS stripe.
2 Medida de capacidad para líquidos que se usa en Gran Bretaña y equivale a unos cuatro litros y medio. INGLÉS gallon.
NOTA El plural es: galones.

galopar
verbo **1** Correr un caballo a galope. Los caballos pueden andar, trotar o galopar. INGLÉS to gallop.
2 Ir una persona montada sobre un caballo que va corriendo al galope. INGLÉS to gallop.

galope
nombre masculino **1** Modo de correr el caballo en el cual mantiene por un momento las cuatro patas en el aire. Cuando un caballo va al galope es cuando más corre. INGLÉS gallop.

gama
nombre femenino **1** Serie de cosas de la misma categoría ordenadas por el grado o por la intensidad de alguna de sus cualidades. La gama del azul incluye muchos colores, desde el azul celeste hasta el azul marino. INGLÉS range.

gamba
nombre femenino **1** Crustáceo marino comestible, de color rojizo, con el cuerpo alargado, las patas y antenas largas y los ojos salientes. INGLÉS prawn.

gamberrada
nombre femenino **1** Acción propia de un gamberro. Hacer pintadas en los escaparates es una gamberrada. INGLÉS act of hooliganism.

gamberro, gamberra
adjetivo y nombre
1 Se dice de la persona que se divierte haciendo cosas que provocan daños o molestias a los demás, como ensuciar las calles o romper escaparates. INGLÉS loutish [adjetivo], hooligan [nombre].

gameto
nombre masculino
1 Célula sexual destinada a la reproducción. Cuando se unen un gameto masculino y un gameto femenino, se origina un nuevo ser. INGLÉS gamete.

gamo
nombre masculino
1 Mamífero parecido al ciervo, de menor tamaño. Tiene el pelo de color marrón rojizo con manchas blancas y la cola negra por encima y blanca por debajo. Los machos tienen cuernos ramificados en forma de palas. INGLÉS fallow deer.

gana
nombre femenino
1 Deseo o voluntad de hacer algo: *No tiene ganas de salir a la calle.* Con este significado se usa más en plural. INGLÉS desire.
de buena gana Con gusto y agrado. Cuando nos apetece mucho hacer algo, lo hacemos de buena gana. INGLÉS willingly.
de mala gana Sin gusto ni agrado. Cuando nos obligan a hacer algo que no queremos, lo hacemos de mala gana. INGLÉS reluctantly.
dar la gana Querer hacer algo. INGLÉS to feel like.

ganadería
nombre femenino
1 Actividad que consiste en la cría y comercio de ganado. INGLÉS livestock raising.
2 Conjunto de cabezas de ganado que tiene una persona. INGLÉS livestock.

ganadero, ganadera
nombre
1 Persona que tiene ganado y se dedica a criarlo y a comerciar con él. INGLÉS stockbreeder.
adjetivo
2 Que es propio del ganado o que tiene relación con él. INGLÉS stock.

ganado
nombre masculino
1 Conjunto de animales de cuatro patas que son criados y explotados por los seres humanos. INGLÉS livestock.

ganador, ganadora
adjetivo y nombre
1 Que consigue el primer puesto en una competición o un concurso, o el premio de un sorteo. INGLÉS winning [adjetivo], winner [nombre].

ganancia
nombre femenino
1 Provecho o utilidad que se saca de algo, en especial dinero que se gana. SINÓNIMO beneficio. ANTÓNIMO pérdida. INGLÉS gain, profit.

ganar
verbo
1 Conseguir dinero u otros bienes, como ganar un premio. ANTÓNIMO perder. INGLÉS to win.
2 Recibir un determinado sueldo a cambio de trabajo. INGLÉS to earn.
3 Superar una persona a otra en alguna cosa: *César es un bromista, pero Andrés lo gana.* SINÓNIMO sobrepasar. INGLÉS to beat.
4 Conseguir vencer en una pelea, una competición o una discusión. En un partido de fútbol gana el equipo que más goles mete. ANTÓNIMO perder. INGLÉS to beat.
5 Llegar a un lugar, generalmente con esfuerzo: *Los alpinistas ganaron la cima.* INGLÉS to reach.
6 ganarse Merecer algo. Cuando hacemos un examen perfecto nos ganamos el sobresaliente. INGLÉS to deserve.
ganar con Estar mejor con aquello que se indica: *Has ganado mucho con tus nuevas gafas.* INGLÉS to gain.

ganchillo
nombre masculino
1 Aguja de metal de unos 20 centímetros que en un extremo termina en forma de gancho y se usa para hacer labores de punto. INGLÉS crochet hook.
2 Labor de hilo o algodón que se hace con una aguja de ganchillo. INGLÉS crochet work.

gancho
nombre masculino
1 Objeto de metal terminado en una punta curvada que sirve para sujetar, colgar o sostener una cosa. INGLÉS hook.
2 Capacidad que tiene una persona para atraer el interés de alguien por su belleza, su simpatía o sus cualidades: *Tiene mucho gancho con los chicos.* Es un uso informal. INGLÉS power of attraction.
3 En boxeo y otros deportes de lucha, golpe con el puño que un contrincante da al otro desde abajo y con el brazo doblado. INGLÉS hook.
4 En baloncesto, lanzamiento de la

pelota hacia la canasta que efectúa un jugador con el brazo arqueado y pasándolo por encima de la cabeza. INGLÉS hook.

gandul, gandula
adjetivo **1** Se dice de la persona que evita trabajar o estudiar. SINÓNIMO holgazán; vago. ANTÓNIMO trabajador. INGLÉS lazy, idle.

ganga
nombre femenino **1** Cosa de buena calidad que se consigue muy barata. SINÓNIMO chollo. INGLÉS bargain.

ganglio
nombre masculino **1** Bulto pequeño formado por células nerviosas, generalmente situado en la médula espinal. Los animales vertebrados poseen encéfalo, médula espinal y nervios, pero los invertebrados, como las lombrices, en lugar de estos órganos poseen ganglios a lo largo de su cuerpo. INGLÉS ganglion.

2 Bulto pequeño que puede estar situado en distintas partes del cuerpo y en el que se forman unas células que nos protegen de las infecciones. INGLÉS ganglion.

gángster
nombre masculino y femenino **1** Persona que pertenece a una banda criminal. Se utiliza sobre todo para referirse a criminales de Estados Unidos. INGLÉS gangster.

NOTA El plural es: gángsteres.

ganso, gansa
nombre **1** Ave doméstica de color gris con rayas marrones en la parte superior del cuerpo y con el pecho y vientre amarillos. Tiene el pico anaranjado y las patas rojizas. Es muy apreciado por su carne y su hígado, con el que se fabrican patés. SINÓNIMO oca. INGLÉS goose.

adjetivo y nombre **2** Que intenta ser gracioso y no lo consigue. INGLÉS daft [adjetivo], clown [nombre].

3 Que se mueve de forma lenta o torpe. INGLÉS clumsy [adjetivo].

ganzúa
nombre femenino **1** Instrumento formado por un alambre fuerte y doblado en uno de sus extremos que se utiliza para abrir una cerradura cuando no se dispone de llave. INGLÉS picklock.

garabato
nombre masculino **1** Línea o raya que se hace en varias direcciones y que no representa nada o no se entiende. Cuando le damos un lápiz y un papel a un niño pequeño enseguida se pone a hacer garabatos. INGLÉS doodle, scrawl.

garaje
nombre masculino **1** Lugar público o privado donde se guardan coches y otros vehículos. INGLÉS garage.

2 Taller donde se reparan los automóviles. INGLÉS garage.

garantía
nombre femenino **1** Aquello que sirve para asegurar que algo se va a cumplir: *Dejé dinero como garantía para que me guardaran el mueble.* INGLÉS guarantee.

2 Período de tiempo en que la fábrica arregla un producto si se estropea. También es el documento donde está escrito el período de tiempo que cubre la garantía. INGLÉS guarantee.

garantizar
verbo **1** Asegurar que una cosa va a ocurrir o se va a cumplir: *Si me garantizas que vendrás, te esperaré.* INGLÉS to guarantee.

NOTA Se escribe 'c' delante de 'e', como: garanticen.

garbanzo
nombre masculino **1** Semilla redondeada y de pequeño tamaño que se come hervida. Es el ingrediente esencial del cocido. También se llama garbanzo la planta que da esta semilla. INGLÉS chickpea.

garbo
nombre masculino **1** Elegancia y agilidad que tiene una persona al moverse, al andar o al hacer determinadas cosas. INGLÉS grace.

garfio
nombre masculino **1** Gancho de hierro terminado en una punta afilada que sirve para sujetar o colgar una cosa. INGLÉS hook.

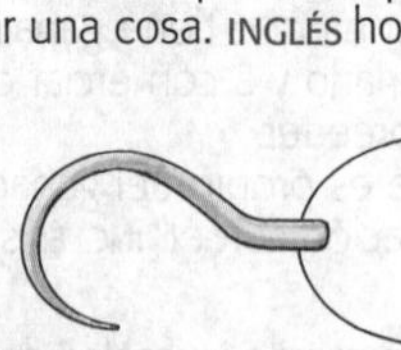
garfio

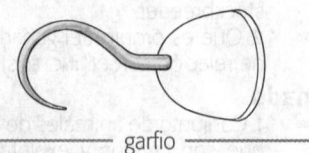

garganta
nombre femenino **1** Parte anterior del cuello de las personas y de otros animales. INGLÉS throat.

a b c d e f g h i j k l m n ñ o p q r s t u v w x y z

2 Parte interior del cuello de las personas y de otros animales que va desde el final del paladar hasta la entrada del esófago: *Me duele la garganta.* INGLÉS throat.

gargantilla
nombre femenino **1** Collar corto que se ajusta al cuello sin colgar. INGLÉS choker. DIBUJO página 648.

gárgaras
hacer gárgaras Mantener una pequeña cantidad de líquido en la boca, sin tragarlo, con la cara hacia arriba y expulsando aire de modo que el líquido se mueva. Hacemos gárgaras para limpiarnos bien la boca. INGLÉS to gargle.

garita
nombre femenino **1** Caseta o torrecilla desde donde vigilan, resguardados del frío o de la lluvia, los vigilantes. INGLÉS sentry box.
2 Espacio cerrado donde está el portero de un edificio. INGLÉS porter's lodge.

garra
nombre femenino **1** Cada una de las uñas largas, fuertes y afiladas que tienen en los dedos algunos animales, como los leones y las águilas. También son garras las manos o los pies de estos animales. INGLÉS claw [del león], talon [de un ave].
2 Fuerza y atractivo que tiene una persona o una cosa para atraer a los demás. SINÓNIMO gancho. INGLÉS charisma [una persona], bite [una cosa].

garrafa
nombre femenino **1** Recipiente de cristal o plástico con la forma de una botella grande y ancha que sirve para guardar líquidos. INGLÉS demijohn.

garrafón
nombre masculino **1** Garrafa grande. INGLÉS demijohn.
NOTA El plural es: garrafones.

garrapata
nombre femenino **1** Animal parecido a la araña que vive en la piel o el pelo de otros animales a los que chupa la sangre. INGLÉS tick.

garrota
nombre femenino **1** Garrote. INGLÉS thick stick.
2 Bastón de madera que tiene la parte superior curvada y que utilizan los pastores para conducir el ganado. SINÓNIMO cayado. INGLÉS crook.

garrote
nombre masculino **1** Palo grueso y fuerte que se utiliza como bastón o para golpear a alguien. SINÓNIMO garrota. INGLÉS thick stick.
2 Instrumento con el que antiguamente mataban a los condenados a muerte. INGLÉS garrotte.

garza
nombre femenino **1** Ave de color gris claro o blanco con un mechón de plumas en la cabeza y con las patas, el cuello y el pico largos. Viven en pantanos y en la orilla de algunos lagos y ríos. INGLÉS heron.

gas
nombre masculino **1** Estado de la materia en el que las moléculas que la forman están muy separadas. El aire o el vapor de agua son gases. INGLÉS gas.
2 Materia en este estado que se utiliza como combustible para aprovechar la energía que produce cuando se quema. Usamos gas para calentar el agua o para encender el fuego de la cocina. INGLÉS gas.
nombre masculino plural **3 gases** Aire que se acumula en el estómago de una persona, produciéndole malestar y ganas de eructar. INGLÉS wind.

gasa
nombre femenino **1** Trozo de tejido con los hilos muy separados que se usa para curar o cubrir heridas. INGLÉS gauze.
2 Tela fina muy ligera y transparente. Se usa para hacer vestidos de fiesta. INGLÉS gauze.

gaseosa
nombre femenino **1** Bebida transparente y con burbujas compuesta de agua y ácido carbónico. Es dulce y no tiene alcohol. INGLÉS pop.

gaseoso, gaseosa
adjetivo **1** Que se encuentra en estado de gas. El agua pasa al estado gaseoso al alcanzar una temperatura superior a 100 grados. INGLÉS gaseous.
2 Que tiene gas en su interior. Muchos refrescos son gaseosos. INGLÉS fizzy.

gasoil
nombre masculino **1** Gasóleo. Los camiones suelen usar gasoil como combustible en lugar de gasolina. INGLÉS diesel oil.

gasóleo
nombre masculino **1** Combustible líquido que se extrae del petróleo y sirve para que funcionen vehículos o algunas calefacciones. SINÓNIMO gasoil. INGLÉS diesel oil.

a b c d e f g h i j k l m n ñ o p q r s t u v w x y z

gasolina
nombre femenino **1** Combustible líquido que se extrae del petróleo y sirve para que funcionen coches y otros vehículos. Puede tener o no tener plomo. INGLÉS petrol [en el Reino Unido], gasoline [en Estados Unidos].

gasolinera
nombre femenino **1** Establecimiento en el que se vende gasolina, gasóleo y otros combustibles. INGLÉS petrol station [en el Reino Unido], gas station [en Estados Unidos].

gastar
verbo **1** Utilizar el dinero para comprar cosas. ANTÓNIMO ahorrar. INGLÉS to spend.
2 Utilizar una cosa que, con el uso, desaparece poco a poco o se estropea. Cuando nos lavamos las manos gastamos jabón. INGLÉS to use.
3 Utilizar algo habitualmente: *Siempre gasta champú de niños.* INGLÉS to use.
gastarlas Tener la costumbre de comportarse de una manera determinada, en especial con malos modales o mal genio: *¡Oye, cómo las gastas!, eres un maleducado.* INGLÉS to carry on.

gasto
nombre masculino **1** Cantidad de dinero que se utiliza para comprar una cosa: *Tiene muchos gastos.* INGLÉS expense.
2 Acción que consiste en gastar dinero para comprar algo: *Ha hecho mucho gasto en la tienda.* INGLÉS expenditure.

gástrico, gástrica
adjetivo **1** Del estómago o que tiene relación con este órgano del cuerpo, como los jugos gástricos, que se mezclan en el estómago con los alimentos. INGLÉS gastric.

gastroenteritis
nombre femenino **1** Inflamación del estómago y del intestino al mismo tiempo. La gastroenteritis puede provocar vómitos y diarrea. INGLÉS gastroenteritis.
NOTA El plural es: gastroenteritis.

gastronomía
nombre femenino **1** Conjunto de los conocimientos sobre el modo de cocinar y preparar los alimentos. INGLÉS gastronomy.
2 Modo de preparar los alimentos en una determinada zona o región, como la gastronomía francesa. INGLÉS gastronomy.

gastrovascular
adjetivo **1** Se dice de la cavidad que está en el interior del cuerpo de ciertos animales, como la medusa, y que es a la que van a parar los alimentos y donde se realiza la digestión. INGLÉS gastrovascular.

gatear
verbo **1** Andar apoyando las manos y las rodillas en el suelo. Cuando no saben andar, los niños gatean. INGLÉS to crawl.

gatillo
nombre masculino **1** Pieza que tienen las armas de fuego cerca de la empuñadura y que se aprieta para disparar. INGLÉS trigger.

gato, gata
nombre **1** Mamífero doméstico que tiene la cabeza redonda y con largos bigotes, el cuerpo cubierto de pelo suave y abundante, y los ojos adaptados para ver en la oscuridad. Suele ser un animal de compañía. INGLÉS cat.
nombre masculino **2** Instrumento que se utiliza para levantar grandes pesos a poca altura. Se suele llevar un gato en el coche para poder levantarlo y cambiar una rueda. INGLÉS jack.
a gatas Con las manos y las rodillas sobre el suelo. Los niños, antes de aprender a andar, van a gatas. INGLÉS on all fours.
dar gato por liebre Engañar a alguien dándole algo parecido a lo que había pedido, pero de menor calidad. INGLÉS to sell somebody a pig in a poke.
gato montés Mamífero salvaje parecido al gato doméstico, pero algo más grande, de color amarillento con rayas negras. INGLÉS wild cat.
haber gato encerrado Haber una razón oculta en algo que resulta raro o sospechoso: *Esto me huele mal, yo creo que hay gato encerrado.* INGLÉS to be (something) fishy going on.

gaucho, gaucha
adjetivo y nombre masculino **1** Se dice del campesino que vive en Argentina, Uruguay y el sur de Brasil. Los antiguos gauchos sabían montar muy bien a caballo. INGLÉS gaucho.

gavilán
nombre masculino **1** Ave rapaz parecida al halcón que se caracteriza por tener las alas cortas y redondeadas y la cola larga. Vive en los bosques y se alimenta de pequeños

mamíferos y aves que caza. INGLÉS sparrowhawk.
2 Punta de la pluma de escribir. INGLÉS nib.
NOTA El plural es: gavilanes.

gaviota
nombre femenino
1 Ave de color blanco con plumas grises en la espalda y las alas. Tiene el pico largo y anaranjado y puede nadar. Vive en las zonas costeras, donde se alimenta de peces y desperdicios. INGLÉS gull.

gay
adjetivo y nombre masculino
1 Se dice del hombre que siente atracción sexual hacia otros otros hombres y no hacia las mujeres. SINÓNIMO homosexual. INGLÉS gay.
NOTA El plural es: gais.

gazapo
nombre masculino
1 Equivocación que se comete al hablar o escribir. INGLÉS misprint [al escribir], slip [al hablar].
2 Cría del conejo. INGLÉS young rabbit.

gaznate
nombre masculino
1 Parte de la garganta que está más cerca de la cabeza. Si decimos que tenemos seco el gaznate, es que tenemos sed. INGLÉS gullet.
NOTA Es una palabra informal.

gazpacho
nombre masculino
1 Sopa fría que se hace con varias hortalizas trituradas y aliñadas con ajo, aceite, vinagre y sal. INGLÉS gazpacho.

ge
nombre femenino
1 Nombre de la letra 'g'. 'Gazpacho' empieza con ge.

gel
nombre masculino
1 Jabón líquido y espeso que se usa para ducharse o bañarse. INGLÉS gel.
2 Sustancia espesa y transparente con la que se hacen medicinas y productos de belleza. INGLÉS gel.

gelatina
nombre femenino
1 Dulce sólido y blando que se hace con una sustancia densa y transparente y zumo de frutas. INGLÉS jelly.
2 Sustancia incolora y transparente que se extrae de los huesos y los tejidos animales haciéndolos hervir en agua. Se usa en la cocina o para fabricar algunos productos farmacéuticos. INGLÉS gelatine.

gélido, gélida
adjetivo
1 Muy frío, casi helado, como un viento gélido. INGLÉS icy.

gema
nombre femenino
1 Piedra preciosa que se utiliza para fabricar joyas y objetos de lujo. Los diamantes, las esmeraldas y los rubíes son gemas. INGLÉS gem.
2 Brote de las plantas. SINÓNIMO yema. INGLÉS bud.

gemelo, gemela
adjetivo y nombre
1 Se dice de la persona que nace en el mismo parto que otro hermano. Los hermanos gemelos se forman en el mismo óvulo y son físicamente muy parecidos. INGLÉS twin.
adjetivo
2 Se dice de una cosa que es igual que otra con la que forma pareja, como las torres iguales de una iglesia. INGLÉS twin.
nombre masculino
3 Músculo que está en la parte baja y trasera de la pierna, unido al talón y que sirve para mover el pie. INGLÉS calf muscle.
4 Botón que se utiliza para cerrar los puños de las camisas de caballero que no tienen botón. INGLÉS cufflink.
nombre masculino plural
5 gemelos Aparato que sirve para ver ampliados objetos que se encuentran lejos. SINÓNIMO prismáticos. INGLÉS binoculars.

gemido
nombre masculino
1 Sonido que hace una persona o un animal cuando siente dolor, pena u otros sentimientos y sensaciones. INGLÉS groan, moan.

géminis
nombre masculino
1 Tercer signo del zodiaco. Con este significado se escribe con mayúscula. INGLÉS Gemini.
nombre masculino y femenino
2 Persona nacida bajo el signo de Géminis, entre el 22 de mayo y el de 20 de junio. Con este significado, el plural es: los géminis, las géminis. INGLÉS Gemini.

gemir
verbo
1 Expresar con sonidos un dolor, una pena u otros sentimientos y sensaciones. INGLÉS to moan, to groan.
NOTA Se conjuga como: servir; la 'e' se convierte en 'i' en algunos tiempos y personas, como: gimió.

gen
nombre masculino
1 Cada una de las partículas que hay en los cromosomas y que hacen que algunas características se hereden o pasen de padres a hijos. INGLÉS gene.

genealogía
nombre femenino
1 Serie o conjunto de antepasados de

una persona. Un árbol genealógico es un esquema en forma de árbol que muestra la genealogía de una persona. INGLÉS genealogy.

generación

nombre femenino **1** Conjunto de personas nacidas en un mismo período de tiempo. INGLÉS generation.

2 Creación de nuevas cosas mediante las técnicas necesarias para ello. Las centrales eléctricas sirven para la generación de corriente eléctrica. INGLÉS generation.

3 Conjunto de artistas cuyas obras tienen unas características similares o que han vivido en una misma época. INGLÉS generation.

4 Conjunto de aparatos o mecanismos creados en un mismo período y que suponen un avance en relación con los de épocas anteriores. INGLÉS generation.

NOTA El plural es: generaciones.

generador

nombre masculino **1** Aparato o dispositivo que produce energía eléctrica. Un circuito eléctrico es un montaje formado por un generador de corriente, cables conductores y distintos aparatos que aprovechan el paso de la corriente eléctrica. INGLÉS generator.

general

adjetivo **1** Se dice de las cosas que son comunes a todas o a la mayoría de las personas o cosas de las que se habla, como una opinión general. INGLÉS general.

2 Se dice de las explicaciones que hacen referencia a las características más importantes de algo, sin entrar en detalles. INGLÉS general.

nombre masculino y femenino **3** Persona que tiene el grado militar más alto que existe en el ejército. INGLÉS general.

en general Indica que algo es común a la mayoría de personas o cosas de las que se trate: *En general, el nivel cultural de los españoles es bueno.* INGLÉS in general.

generalizar

verbo **1** Hacer que una cosa sea común o frecuente entre la gente. Entre los jóvenes se ha generalizado el uso de ropa deportiva. INGLÉS to generalize [generalizar], to become widespread [generalizarse].

2 Considerar los rasgos generales de un tema o un asunto, dejando de lado los detalles. INGLÉS to generalize.

3 Extender a todas las cosas o personas de un mismo grupo lo que es propio de un individuo: *No generalices, no todos son así.* INGLÉS to generalize.

NOTA Se escribe 'c' delante de 'e', como: generalicen.

generalmente

adverbio **1** Indica que una acción se produce con bastante frecuencia y es habitual que ocurra así: *Generalmente me levanto a las ocho.* INGLÉS generally, usually.

generar

verbo **1** Ser una persona o una cosa la causa que produce o que da principio a algo, generalmente como reacción o respuesta: *La ola de frío generó un aumento importante del consumo de energía.* SINÓNIMO originar. INGLÉS to generate.

género

nombre masculino **1** Conjunto de seres vivos o de cosas que tienen unas características comunes. Las personas pertenecen al género humano. INGLÉS genus, race.

2 Categoría gramatical que establece si una palabra es masculina o femenina. 'Gente' es una palabra de género femenino. INGLÉS gender.

3 Mercancía o producto que se vende y se compra. En las rebajas, las tiendas venden el género más barato. INGLÉS goods.

4 Categoría en la que se agrupan las obras literarias que tienen unas características formales comunes. La poesía, el teatro y la novela son tres géneros literarios distintos. INGLÉS genre.

generosidad

nombre femenino **1** Forma de comportarse de las personas generosas: *Esta asociación benéfica se mantiene gracias a la generosidad de sus asociados.* INGLÉS generosity.

generoso, generosa

adjetivo **1** Se dice de la persona a la que le gusta dar y compartir sus cosas con los demás, sin esperar nada a cambio. INGLÉS generous.

génesis

nombre femenino **1** Origen o principio de una cosa, como la génesis del universo. INGLÉS genesis.

nombre masculino **2** Primer libro de la Biblia en el que se hace referencia a la creación del mun-

EL GÉNERO DE LOS NOMBRES

En español los nombres tienen género masculino o femenino y las palabras que concuerdan con él irán en masculino o femenino según el nombre: *el niño travieso; la cereza madura.*

Masculino	Femenino	Cómo se indica en el diccionario
pie, otoño	Ø	**pie** nombre masculino
Ø	*mano, primavera*	**mano** nombre femenino
acaba en –o *niño, gato*	cambia en –a *niña, gata*	**niño, niña** nombre
acaba en consonante *comprador, león*	añade –a *compradora, leona*	**comprador, compradora** nombre
acaba en -ista *periodista*	también acaba en -ista *periodista*	**periodista** nombre masculino y femenino
acaba en -e *cantante, estudiante*	también acaba en -e *cantante, estudiante*	**cantante** nombre masculino y femenino
jefe, asistente	cambia en -a *jefa, asistenta*	**jefe, jefa** nombre
poeta, conde, zar, actor, emperador	sufijo especial: -esa, -ina, -iz *poetisa, condesa, zarina, actriz, emperatriz*	**zar, zarina** nombre **actor, actriz** nombre
hombre, caballo, yerno, jinete	palabra distinta *mujer, yegua, nuera, amazona*	A veces hay ayudas: **yerno** El femenino es: nuera. **jinete** El femenino es: amazona.
juez	dos posibilidades *juez o jueza*	**juez, jueza** El femenino también puede ser: la juez.

Los adjetivos concuerdan con los nombres en género y número. Hay adjetivos de dos terminaciones de género (blanco, sencillo) y otros de una (azul, atroz, amable).
Recuerda que, en los diccionarios, las palabras que tienen masculino y femenino se buscan por la forma masculina singular. En esa entrada encontrarás cómo es el femenino.

do. Con este significado se escribe con mayúscula. INGLÉS Genesis.

genético, genética

adjetivo **1** De los genes o que tiene que ver con los rasgos que heredan las personas y los animales, como el color del cabello. INGLÉS genetic.

genial

adjetivo **1** Que es propio de un genio o una persona de una inteligencia o sensibilidad extraordinarias. INGLÉS brilliant.

2 Que es muy bueno: *Vimos una película genial.* Es un uso informal. INGLÉS brilliant.

adverbio **3** Muy bien: *Lo pasé genial con mis amigos.* Es un uso informal. INGLÉS great.

genialidad

nombre femenino **1** Capacidad para crear o inventar cosas muy originales y muy buenas. Es un rasgo que distingue a los grandes artistas de la historia. INGLÉS genius.

2 Cosa que hace o dice una persona y que es muy original o tiene mucho ingenio. A veces se usa en sentido irónico para decir que una persona ha metido la pata haciendo o diciendo una cosa nada original ni ingeniosa. INGLÉS brilliant idea.

genio

nombre masculino **1** Carácter o forma de ser de una persona, en especial de las que se enfadan fácilmente. INGLÉS temper.

2 Persona que tiene una inteligencia muy superior a la normal, o que es capaz de hacer o inventar cosas dignas de admiración. INGLÉS genius.

3 Ser imaginario de los cuentos de niños representado por un hombre que tiene poderes mágicos. INGLÉS genie.

genital

adjetivo **1** De los órganos reproductores o que está relacionado con ellos, como el aparato genital. INGLÉS genital.

nombre masculino plural **2 genitales** Órganos externos del aparato reproductor masculino y femenino. INGLÉS genitals.

gente

nombre femenino **1** Grupo o cantidad indeterminada de personas consideradas en conjunto. INGLÉS people.

2 Conjunto de las personas con las que se tiene una relación más estrecha, como la familia o los amigos íntimos. Con este significado suele ir precedido de 'mi', 'tu', 'su', 'nuestra', 'vuestra': *Es muy tímido, solo se siente a gusto con su gente.* INGLÉS family, folks.

3 Con los adjetivos 'buena' y 'mala', buena o mala persona: *Es muy buena gente.* INGLÉS sort.

gentil

adjetivo **1** Que trata a los demás con atención y amabilidad. SINÓNIMO amable; cortés. ANTÓNIMO descortés. INGLÉS kind.

gentilicio, gentilicia

adjetivo y nombre masculino **1** Se dice de las palabras que indican el origen geográfico de las cosas o las personas, como 'europeo', 'español' o 'leonés'.

gentío

nombre masculino **1** Muchísima gente reunida en un lugar. SINÓNIMO muchedumbre. INGLÉS crowd.

GENTILICIOS

Un gentilicio es la palabra que se utiliza para referirse a las personas o cosas de un país, región, ciudad o lugar. «Español» es el gentilicio para la gente y las cosas de España.
En este diccionario puedes encontrar los gentilicios de: comunidades autónomas, provincias y capitales de provincias españolas, países de Europa y de América y continentes. Incluir todos los gentilicios necesitaría un libro entero.
Los gentilicios suelen formarse con estos sufijos:

-aco, -aca	*austriaco, polaco*
-ano, -ana	*valenciano, mexicano*
-ense	*ovetense, nicaragüense*
-eño, -eña	*malagueño, extremeño*
-és, -esa	*barcelonés, francés*
-í	*ceutí, marroquí*
-ino, -ina	*santanderino, argentino*
-o, -a	*canario, ruso*

gentuza
nombre femenino
1 Gente que se considera tan mala y perversa que merece ser despreciada. INGLÉS riffraff.
NOTA Es una palabra despectiva.

geografía
nombre femenino
1 Ciencia que estudia los ríos, las montañas, los mares, los países y otros aspectos de la Tierra, como el clima o la población. INGLÉS geography.

geográfico, geográfica
adjetivo
1 Que tiene relación con la geografía. Montes y cabos son accidentes geográficos. INGLÉS geographic, geographical.

geógrafo, geógrafa
nombre
1 Persona que se dedica al estudio de la geografía. INGLÉS geographer.

geología
nombre femenino
1 Ciencia que estudia el origen, la formación y la estructura actual de la Tierra, así como los materiales que la componen, las rocas y los minerales. INGLÉS geology.

geólogo, geóloga
nombre
1 Persona que se dedica al estudio de la geología. INGLÉS geologist.

geometría
nombre femenino
1 Parte de las matemáticas que estudia las características del espacio, las líneas y las figuras, así como la forma de medirlas. INGLÉS geometry.

geométrico, geométrica
adjetivo
1 De la geometría o que tiene alguna relación con ella. El cuadrado o el círculo son figuras geométricas. INGLÉS geometric, geometrical.

geotérmico, geotérmica
adjetivo
1 Que está relacionado con el calor que se encuentra en el interior de la Tierra. La energía geotérmica es la energía que procede del calor interno de la Tierra. INGLÉS geothermal.

geranio
nombre masculino
1 Planta de tallo fuerte y hojas grandes con flores de colores vivos reunidas en pequeñas cabezas. Se usa mucho para adornar las ventanas y balcones. INGLÉS geranium.

gerente
nombre masculino y femenino
1 Persona que dirige una empresa o una sociedad. SINÓNIMO director. INGLÉS manager [hombre], manageress [mujer].

germánico, germánica
adjetivo y nombre
1 Se dice de la persona o cosa que es de Alemania, país del centro de Europa. SINÓNIMO alemán. INGLÉS Germanic.
2 Se dice de la persona o cosa que pertenecía a un antiguo pueblo originario de Germania, antigua región de Europa central. A comienzos del siglo V, un pueblo germánico, el de los visigodos, cruzó los Pirineos y se instaló en Hispania fundando un reino con capital en Toledo. INGLÉS Germanic.

germen
nombre masculino
1 Ser vivo microscópico que puede provocar o transmitir enfermedades. INGLÉS germ.
2 Primera parte del desarrollo de un ser vivo, en especial primer tallo que brota de una planta a partir de una semilla. INGLÉS germ.
NOTA El plural es: gérmenes.

germinar
verbo
1 Empezar a desarrollarse una planta a partir de una semilla. SINÓNIMO brotar. INGLÉS to germinate.

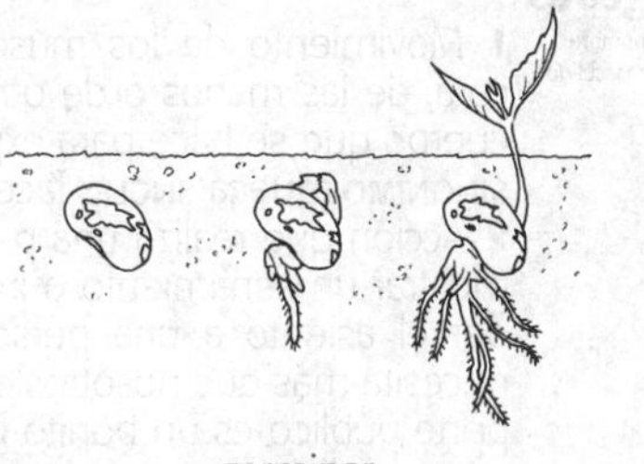

germinar

gerundense
adjetivo y nombre
1 Se dice de la persona o cosa que es de Gerona, ciudad y provincia de Cataluña.

gerundio
nombre masculino
1 Forma no personal del verbo que indica que la acción expresada por el verbo está durando en el momento en que se habla o mientras se realiza otra acción. En español, el gerundio termina en '-ando' o '-iendo', como 'nadando' o 'comiendo'. INGLÉS gerund.

gesta
nombre femenino
1 Acción o conjunto de acciones difíci-

a b c d e f g h i j k l m n ñ o p q r s t u v w x y z

les de realizar que se consiguen con esfuerzo y valor. Las personas que realizan gestas se consideran héroes y son recordadas por la gente. INGLÉS heroic deed, exploit.

gestación
nombre femenino
1 Proceso de desarrollo de un nuevo ser en el interior de la madre hasta el momento del nacimiento. INGLÉS gestation.
2 Proceso de formación o elaboración de algo, como un libro. INGLÉS gestation.
NOTA El plural es: gestaciones.

gesticular
verbo
1 Hacer gestos para dar a entender algo o para dar más fuerza a lo que se dice. INGLÉS to gesticulate.

gestión
nombre femenino
1 Cada una de las acciones que se tienen que hacer para conseguir algo, como pedir la luz, el agua o sacarse un carné. INGLÉS step, measure.
2 Conjunto de acciones que se hacen para dirigir un negocio o un asunto y hacer que funcione bien o correctamente. INGLÉS management.
NOTA El plural es: gestiones.

gesto
nombre masculino
1 Movimiento de los músculos de la cara, de las manos o de otra parte del cuerpo que se hace para expresar algo. SINÓNIMO mueca. INGLÉS face, grimace.
2 Acción que realiza una persona para mostrar un sentimiento o impulso. Ceder el asiento a una persona que lo necesita más que nosotros en un transporte público es un bonito gesto. SINÓNIMO detalle. INGLÉS gesture.

gestoría
nombre femenino
1 Establecimiento en el que trabajan personas que se ocupan de hacer gestiones para sus clientes. INGLÉS agency.

gigante
nombre masculino
1 Figura de madera o de cartón que representa a una persona muy alta. INGLÉS giant.
2 Personaje fantástico que es muy alto y fuerte. INGLÉS giant.
adjetivo
3 Muy grande o más grande de lo normal: *Me he comido un helado gigante.* SINÓNIMO enorme. INGLÉS gigantic, giant.

gigantesco, gigantesca
adjetivo
1 Que es de un tamaño mucho más grande de lo normal. SINÓNIMO enorme. ANTÓNIMO diminuto; enano. INGLÉS gigantic, giant.

gilipollas
adjetivo y nombre masculino y femenino
1 Se aplica a la persona a la que se quiere calificar de muy tonta o muy estúpida. Es una palabra vulgar. Se utiliza como insulto. INGLÉS stupid [adjetivo], jerk [nombre].
NOTA El plural es: gilipollas.

gimnasia
nombre femenino
1 Actividad que consiste en hacer una serie de ejercicios físicos que sirven para mantenerse en forma y tener el cuerpo más ágil y flexible. INGLÉS gymnastics.

gimnasio
nombre masculino
1 Lugar que dispone de aparatos para hacer ejercicio físico y practicar ciertos deportes. INGLÉS gymnasium, gym.

gimnasta
nombre masculino y femenino
1 Persona que realiza ejercicios de gimnasia, como barra fija o barras paralelas, en especial si compite. INGLÉS gymnast.

gimotear
verbo
1 Llorar de forma débil o sin una razón importante. Cuando los niños pequeños quieren algo no dejan de gimotear hasta que lo consiguen. SINÓNIMO lloriquear. INGLÉS to whimper.

gincana
nombre femenino
1 Conjunto de pruebas deportivas o de otro tipo en las que los participantes tienen que superar una serie de pruebas u obstáculos. INGLÉS gymkhana.
NOTA También se escribe: gymkhana.

ginebra
nombre femenino
1 Bebida alcohólica muy fuerte de color transparente. INGLÉS gin.

ginecología
nombre femenino
1 Parte de la medicina que se ocupa del aparato genital femenino y sus enfermedades. INGLÉS gynaecology.

gineta
nombre femenino
1 Mamífero con el cuerpo delgado, cabeza pequeña, patas cortas y cola muy larga. Es de color marrón o gris oscuro y tiene rayas negras en la cola: *La gineta vive en bosques de pinos, hayas o fresnos.* INGLÉS genet.

gira
nombre femenino
1 Serie de actuaciones que hace un ar-

tista o un grupo de artistas yendo de viaje por distintos lugares. Los cantantes suelen hacer giras en verano por todo el país. INGLÉS tour.
2 Viaje por distintos lugares que termina en el mismo lugar en que empezó. Las agencias de viajes organizan giras turísticas. INGLÉS tour.

girar
verbo
1 Dar vueltas alrededor de algo o sobre sí mismo: *La Tierra gira alrededor del Sol.* INGLÉS to rotate, to go round.
2 Cambiar de dirección hacia la derecha o hacia la izquierda. INGLÉS to turn.
3 Tratar una conversación o una discusión sobre un tema determinado: *Todas las conversaciones giraban en torno al fútbol.* INGLÉS to deal.
4 Mandar dinero por correo o por telégrafo. INGLÉS to transfer.

girasol
nombre masculino
1 Planta de tallo grueso, alto y recto, con hojas en forma de corazón y una gran flor amarilla que gira siguiendo la luz del sol. Produce unas pipas negras comestibles de las que se saca un aceite vegetal. INGLÉS sunflower.

giratorio, giratoria
adjetivo
1 Que gira o se mueve sobre sí mismo, como algunos taburetes. INGLÉS rotating, gyratory.

giro
nombre masculino
1 Movimiento en círculo sobre sí mismo o alrededor de un cuerpo, como el de las peonzas. INGLÉS rotation, spinning.
2 Cambio de dirección hacia la derecha o hacia la izquierda. INGLÉS turn.
3 Manera de hablar o de construir una frase que es propia de una persona o de un lugar. INGLÉS turn of phrase, expression.
4 Dinero que se manda por correo o por telégrafo. INGLÉS money order.

gitano, gitana
nombre
1 Persona que pertenece a un pueblo de piel oscura y cabello negro, originario de la India y que vive en distintos países de Europa. INGLÉS gypsy, gipsy.
adjetivo y nombre
2 Se dice de la persona que por medio de gracias y palabras amables se gana la simpatía de otra y consigue que haga lo que desea. Es un uso familiar. INGLÉS gypsy, gipsy.

glaciación
nombre femenino
1 Formación de glaciares en grandes superficies de la corteza terrestre. También se llama glaciación el período de bajas temperaturas en que se produce este fenómeno. INGLÉS glaciation.
NOTA El plural es: glaciaciones.

glacial
adjetivo
1 Que es muy frío. El polo Norte tiene un clima glacial. INGLÉS glacial.
2 Se dice de las tierras y de los mares situados en los extremos de la superficie terrestre, en la zona más fría de la Tierra. La Antártida es una zona glacial. INGLÉS glacial.

glaciar
nombre masculino
1 Masa de hielo que se forma en la parte alta de las montañas y que desciende lentamente hacia niveles inferiores. INGLÉS glacier.

gladiador
nombre masculino
1 Hombre que en la antigua Roma luchaba en el circo con otros hombres o contra fieras. INGLÉS gladiator.

glamour
nombre masculino
1 Es otra manera de escribir: glamur.
NOTA Se pronuncia: 'glamur'.

glamur
nombre masculino
1 Atractivo o encanto especial de una persona o una cosa que llama la atención y es elegante. El cine o el mundo de la moda tienen mucho glamur. INGLÉS glamour.
NOTA También se escribe: glamour.

glándula
nombre femenino
1 Órgano del ser humano y de algunos animales que produce sustancias que el cuerpo necesita o expulsa. Las glándulas salivales producen la saliva. INGLÉS gland.

global
adjetivo
1 Que se considera en conjunto, sin tener en cuenta las partes. SINÓNIMO general. ANTÓNIMO parcial. INGLÉS global, overall.

globo
nombre masculino
1 Bolsa de goma que se hincha al llenarla de aire y forma una esfera alargada. Suelen ser de colores. INGLÉS balloon.
2 Vehículo que va por el aire compuesto por una cesta, donde va la gente, y una gran bolsa llena de un gas menos pesa-

do que el aire que lo hace volar. INGLÉS balloon.

3 Cosa que tiene forma esférica o redonda, como el globo de cristal de algunas lámparas o los globos que representan la Tierra. INGLÉS globe.

glóbulo

nombre masculino

1 Cada una de las células que se encuentran en la sangre y en otros líquidos del cuerpo. INGLÉS globule.

gloria

nombre femenino

1 Según ciertas religiones, lugar donde se disfruta de la presencia de Dios, los ángeles y los santos para siempre. INGLÉS glory.

2 Fama que alcanza una persona que ha hecho algo bueno o importante. INGLÉS glory.

3 Persona que tiene mucha fama por haber hecho algo bueno o importante. Picasso es una gloria de la pintura española. INGLÉS great name.

estar en la gloria Sentirse una persona muy bien, muy a gusto o muy contenta. INGLÉS to be in heaven.

saber a gloria Gustar mucho o causar gran placer una cosa a una persona, especialmente un alimento: *Este pastel me ha sabido a gloria.* INGLÉS to taste heavenly.

glorieta

nombre femenino

1 Plaza redonda y pequeña donde van a dar varias calles y donde los coches están obligados a ceder el paso a los vehículos que rodean la glorieta y vienen por su izquierda. INGLÉS roundabout [en el Reino Unido], traffic circle [en Estados Unidos].

2 Plazoleta de un jardín o un parque, normalmente rodeada y cubierta de madera y plantas. INGLÉS arbour.

glosario

nombre masculino

1 Conjunto de palabras difíciles de entender acompañadas de una definición. Algunos libros tienen al final un glosario. INGLÉS glossary.

glotón, glotona

adjetivo y nombre

1 Se dice de la persona que come mucho o demasiado. SINÓNIMO comilón. INGLÉS greedy [adjetivo], glutton [nombre].

NOTA El plural de glotón es: glotones.

glúteo

nombre masculino

1 Cada una de las dos partes carnosas y redondeadas que están situadas en la parte trasera del cuerpo humano, entre la espalda y las piernas. SINÓNIMO nalga. INGLÉS gluteus.

gnomo

nombre masculino

1 Ser imaginario muy pequeño que vive en los bosques y que tiene poderes mágicos. Se suelen representar con un gorro en forma de cucurucho. INGLÉS gnome.

NOTA Se pronuncia: 'nomo'.

gobernador, gobernadora

nombre

1 Persona que gobierna un territorio en representación del jefe de gobierno o del jefe del estado. En las provincias españolas, el gobernador es el representante del presidente del Gobierno. INGLÉS governor.

gobernante

nombre masculino y femenino

1 Persona que gobierna un país. En un país democrático, se eligen mediante votación. INGLÉS ruler, leader.

gobernar

verbo

1 Dirigir un país, estableciendo las normas para su funcionamiento y haciendo que se cumplan. INGLÉS to govern.

2 Dirigir una asociación, una empresa o una colectividad, tomando todas las decisiones para que estas entidades funcionen lo mejor posible. INGLÉS to run.

3 Conducir una embarcación, dirigiéndola y guiándola directamente o dando las órdenes para que marche correctamente. También se puede gobernar otro tipo de vehículo, como un avión. INGLÉS to steer [un barco], to fly [un avión].

4 gobernarse Dirigir y controlar una persona su comportamiento. Las personas desordenadas no se gobiernan

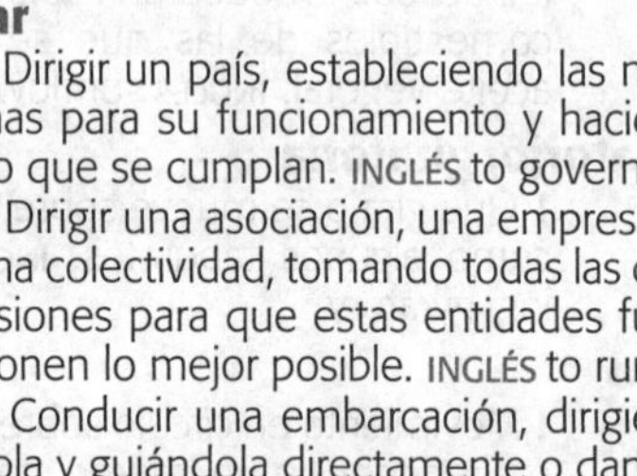

glotón

bien cuando viven solas. INGLÉS to manage.

NOTA Se conjuga como: acertar; la 'e' se convierte en 'ie' en sílaba acentuada, como: gobierne.

gobierno

nombre masculino

1 Acción que consiste en dirigir y controlar una empresa, una colectividad o un país, estableciendo las normas para su correcto funcionamiento. El gobierno de una casa conlleva varias responsabilidades. INGLÉS government.

2 Modo en que se ejerce el gobierno de un país o una colectividad. En España hay un gobierno democrático. INGLÉS government.

3 Conjunto de personas que ejercen el gobierno en un país o región. INGLÉS government.

4 Edificio donde desempeñan sus funciones las personas que gobiernan un país. INGLÉS government building.

goce

nombre masculino

1 Sensación de placer y alegría que una persona siente cuando disfruta de algo o contempla alguna cosa. SINÓNIMO delicia; gozo. INGLÉS pleasure.

gol

nombre masculino

1 Acción que consiste en meter el balón en la portería del equipo contrario en fútbol y otros deportes. También es el tanto que se consigue así. INGLÉS goal.

golear

verbo

1 Marcar muchos goles al equipo contrario. INGLÉS to hammer.

goleta

nombre femenino

1 Barco de vela de hasta 40 metros con dos o tres palos. INGLÉS schooner.

golf

nombre masculino

1 Deporte que consiste en golpear una pelota pequeña y dura con un palo especial para introducirla en uno de los diferentes agujeros que hay en un campo grande de hierba. INGLÉS golf.

golfo, golfa

adjetivo y nombre

1 Que evita cualquier trabajo u obligación. INGLÉS lazy [adjetivo], layabout [nombre].

nombre masculino

2 Parte grande de mar que entra en la tierra y que está situada entre dos cabos, como el golfo de México. INGLÉS gulf.

adjetivo y nombre

3 Se dice de la persona que sabe engañar a los demás para sacar provecho. SINÓNIMO pillo. INGLÉS rascal [nombre].

golondrina

nombre femenino

1 Pájaro de color negro por encima y blanco por debajo, alas largas y puntiagudas, cola larga terminada en dos puntas y pico corto. INGLÉS swallow.

2 Barco pequeño que se utiliza en trayectos cortos para transportar viajeros. INGLÉS pleasure boat.

golosina

nombre femenino

1 Dulce que se come entre horas y tiene poco alimento, como los caramelos o los chicles. INGLÉS sweet.

goloso, golosa

adjetivo y nombre

1 Se dice de la persona a la que le gustan mucho los dulces. INGLÉS sweet-toothed [adjetivo].

golpe

nombre masculino

1 Encuentro violento de dos cuerpos: *Me di un golpe con la mesa.* SINÓNIMO choque. INGLÉS bang, bump.

2 Señal que deja un golpe. También es el ruido que se oye cuando choca una cosa con otra. INGLÉS mark.

3 Desgracia que ocurre de repente y que afecta mucho, como la muerte de un familiar. INGLÉS blow.

4 Acción que consiste en robar algo de un sitio o robarle algo a una persona. SINÓNIMO robo. INGLÉS hold-up.

5 Cosa que dice una persona de forma inesperada y que tiene gracia o ingenio. Los humoristas tienen unos golpes muy buenos. INGLÉS flash of wit.

de golpe Manera de hacer o de decir una cosa de forma rápida, sin pensarla demasiado. Un jarabe que tiene mal sabor se toma de golpe. INGLÉS suddenly.

no dar golpe No hacer una persona un trabajo que tendría que hacer o no hacer nada por pereza. Los domingos generalmente no damos golpe. Es una expresión informal. INGLÉS not to lift a finger.

golpear

verbo

1 Dar uno o varios golpes a una persona o una cosa. Las ventanas golpean con el viento. INGLÉS to hit, to strike.

goma

nombre femenino

1 Tira elástica que se utiliza para sujetar cosas. Se puede usar para hacer una

a b c d e f g h i j k l m n ñ o p q r s t u v w x y z

coleta en el pelo o para cerrar una bolsa. INGLÉS rubber band.

2 Pequeño objeto sólido y flexible que se frota sobre una superficie, como el papel, para borrar lo que está escrito o dibujado en él. INGLÉS rubber [en el Reino Unido], eraser [en Estados Unidos].

3 Sustancia espesa y elástica que se obtiene de algunas plantas y que se utiliza en la industria. Los neumáticos son de goma. INGLÉS rubber.

goma de mascar Golosina hecha con goma de sabor dulce que se mastica pero no se traga. SINÓNIMO chicle. INGLÉS chewing gum.

gomina

nombre femenino

1 Producto de aseo, parecido a la gelatina, que deja el pelo pegado y brillante. INGLÉS hair gel.

góndola

nombre femenino

1 Embarcación pequeña, ligera y alargada que tiene los extremos levantados y acabados en punta y se mueve con un solo remo que está en la popa. Es la embarcación típica de los canales de Venecia. INGLÉS gondola.

gong

nombre masculino

1 Instrumento musical de percusión compuesto por un disco grande de metal que se hace sonar golpeándolo fuertemente con una maza. INGLÉS gong.

gordinflas

adjetivo y nombre masculino y femenino

1 Gordinflón. INGLÉS fat [adjetivo], fatty [nombre].

NOTA Es una palabra familiar. El plural es: gordinflas.

gordinflón, gordinflona

adjetivo y nombre

1 Se dice de la persona que está muy gorda. INGLÉS fat [adjetivo], fatty [nombre].

NOTA Es una palabra familiar. El plural de gordinflón es: gordinflones.

gordo, gorda

adjetivo y nombre

1 Se dice de la persona o animal que tiene mucha carne o mucha grasa. SINÓNIMO grueso; obeso. ANTÓNIMO delgado; flaco. INGLÉS fat.

adjetivo

2 Que es grueso o hace más bulto de lo normal, como un diccionario gordo. ANTÓNIMO delgado; fino. INGLÉS fat, thick.

3 Que es más grave o más importante de lo normal, como un error gordo. SINÓNIMO importante. ANTÓNIMO insignificante. INGLÉS serious.

nombre masculino

4 Primer premio de la lotería. INGLÉS first prize.

caer gordo Resultar desagradable o antipática una persona: *El amigo de Juan me cae gordo.* Es una expresión informal. INGLÉS not to like.

gordura

nombre femenino

1 Exceso de carne o de grasa que tienen las personas o los animales en el cuerpo. ANTÓNIMO delgadez. INGLÉS fatness.

gorila

nombre masculino

1 Mono grande y fuerte con el cuerpo recubierto de pelo negro. Vive en grupos familiares en África y se alimenta de vegetales. INGLÉS gorilla.

2 Persona que acompaña a otra para protegerla contra posibles ataques o para evitar que la gente se acerque y moleste. Es un uso informal. SINÓNIMO guardaespaldas. INGLÉS bodyguard.

gorra

nombre femenino

1 Prenda de vestir que cubre la cabeza. Suele ser redonda, de tela y con visera. INGLÉS cap.

2 Prenda del uniforme de algunas profesiones que cubre la cabeza. Suele ser plana en su parte de arriba, como la gorra de los pilotos de avión o de los policías. INGLÉS cap.

gorrino, gorrina

nombre

1 Cerdo, especialmente el de menos de cuatro meses. INGLÉS pig, [si es menor de cuatro meses: piglet].

adjetivo y nombre

2 Se dice de la persona que no está limpia y aseada o que no tiene el hábito de la limpieza. SINÓNIMO cerdo, guarro. INGLÉS filthy [adjetivo], pig [nombre].

gorrión

nombre masculino

1 Pájaro de pequeño tamaño, con el cuerpo de color marrón con manchas oscuras, que se alimenta de insectos y cereales. INGLÉS sparrow.

NOTA El plural es: gorriones.

gorro

nombre masculino

1 Prenda de vestir de tela o punto que cubre y abriga la cabeza. INGLÉS cap, bonnet.

estar hasta el gorro Estar harto o muy cansado de algo o de alguien. INGLÉS to be fed up.

gorrón, gorrona
adjetivo
1 Se dice de la persona que cuando sale con otras no paga nada y trata de que lo inviten. También se dice de la persona que utiliza y gasta las cosas de los demás. INGLÉS scrounging [adjetivo], scrounger [nombre].
NOTA El plural de gorrón es: gorrones.

gota
nombre femenino
1 Parte pequeña y redondeada de un líquido que se desprende o se deposita sobre algo. Antes de un fuerte chaparrón empiezan a caer grandes gotas de lluvia. INGLÉS drop.
2 Pequeña cantidad de algo, especialmente de un líquido. En frases negativas significa 'nada': *No me queda ni gota de pan.* INGLÉS drop.

gotear
verbo
1 Caer un líquido gota a gota: *Este grifo no cierra bien y gotea.* INGLÉS to drip.
2 Caer gotas muy pequeñas al empezar y terminar de llover. INGLÉS to drizzle.

gotera
nombre femenino
1 Paso del agua a través de una grieta o de un agujero que hay en el techo. INGLÉS leak.

goterón
nombre masculino
1 Gota grande de agua de lluvia. INGLÉS large drop.
NOTA El plural es: goterones.

gótico, gótica
adjetivo y nombre masculino
1 Se dice del estilo artístico que se desarrolló en Europa desde el siglo XII hasta el XVI. La arquitectura gótica se caracterizó por hacer edificios muy altos y por el uso de un arco terminado en punta. INGLÉS Gothic.

gozada
nombre femenino
1 Gran placer y alegría producidos por una cosa que nos gusta: *¡Qué gozada, hoy me he levantado a las doce de la mañana!* Es una palabra informal. SINÓNIMO goce. INGLÉS delight.

gozar
verbo
1 Sentir placer o alegría: *Los niños gozan en el parque zoólogico.* SINÓNIMO disfrutar. ANTÓNIMO sufrir. INGLÉS to enjoy oneself.
2 Tener una cosa agradable o beneficiosa o disponer de ella: *No goza de buena salud.* SINÓNIMO disfrutar. INGLÉS to enjoy.
NOTA Se escribe 'c' delante de 'e', como: gocé.

gozne
nombre masculino
1 Bisagra metálica de una puerta o una ventana. El gozne está formado por dos piezas que giran sobre un eje común: *La puerta chirriaba porque los goznes no estaban engrasados.* INGLÉS hinge.

gozo
nombre masculino
1 Sensación de placer y alegría que una persona siente cuando disfruta de algo o contempla alguna cosa. SINÓNIMO satisfacción. ANTÓNIMO sufrimiento. INGLÉS joy, delight.

grabación
nombre femenino
1 Recogida de imágenes o de sonidos en una cinta o en un disco para verlos o escucharlos de nuevo. A lo que se ha grabado también lo llamamos grabación. INGLÉS recording.
NOTA El plural es: grabaciones.

grabado
nombre masculino
1 Técnica artística que consiste en grabar o hacer un dibujo en una superficie dura para poder imprimirlo luego en papel cuantas veces se quiera. También es la imagen que se obtiene de esta manera. INGLÉS engraving.

grabar
verbo
1 Marcar un dibujo o unas letras en una superficie dura, como el oro u otros metales. INGLÉS to engrave.
2 Recoger sonidos o imágenes en una cinta o en un disco para poder oírlos o verlos después. INGLÉS to record.
3 grabarse Fijarse fuertemente en la memoria una cosa, como una imagen o un suceso. INGLÉS to be engraved on one's memory.

gracia
nombre femenino
1 Aquello que nos divierte o nos gusta de una persona o una cosa. Si una persona no es especialmente guapa, pero nos gusta la expresión de su cara, decimos que tiene gracia. INGLÉS charm.
2 Aquello que se hace o se dice para divertirse o para reírse de alguien. Los bromistas están todo el día haciendo gracias. SINÓNIMO broma. INGLÉS joke.
3 Habilidad que tiene una persona para hacer algo. Si una persona canta bien, decimos que tiene gracia para cantar. INGLÉS skill.

a b c d e f g h i j k l m n ñ o p q r s t u v w x y z

4 Se dice de una cosa que molesta o disgusta: *Vaya gracia tener que repetir el trabajo.* INGLÉS nuisance.

interjección **5 gracias** Expresión que se utiliza para mostrar agradecimiento por algo. INGLÉS thank you.

dar las gracias Expresar nuestro agradecimiento por algo. INGLÉS to say thank you.

gracias a Por mediación de una persona o una cosa. Los enfermos se curan gracias a los médicos. INGLÉS thanks to.

gracioso, graciosa

adjetivo y nombre **1** Se dice de las personas o las cosas que hacen reír o resultan divertidas. INGLÉS funny.

grada

nombre femenino **1** Asiento a modo de escalón largo que hay en lugares adonde acude gran cantidad de público, como estadios, plazas de toros o teatros. INGLÉS stand, terrace.

gradería

nombre femenino **1** Graderío. INGLÉS terraces.

graderío

nombre masculino **1** Conjunto de gradas que hay en lugares adonde acude gran cantidad de público, como estadios o teatros. SINÓNIMO gradería. INGLÉS terraces.

grado

nombre masculino **1** Unidad de medida, como la que se usa para medir la temperatura, la presión, los ángulos o el alcohol de las bebidas. INGLÉS degree.

2 Lugar o nivel que ocupa una persona o cosa en una clasificación o en una ordenación, de más a menos o de menos a más, como un militar en el ejército. INGLÉS rank.

3 Título que recibe la persona que termina con éxito sus estudios en la universidad. INGLÉS degree.

4 Cada una de las tres formas que tiene el adjetivo de indicar la intensidad de una cualidad. El adjetivo 'largo' está en grado positivo; 'más largo' en grado comparativo; y 'larguísimo' en grado superlativo. INGLÉS degree.

gradual

adjetivo **1** Se dice del aumento o disminución que se produce de forma continua, sin saltos bruscos. Durante la noche se produce un descenso gradual de las temperaturas. SINÓNIMO progresivo. ANTÓNIMO brusco. INGLÉS gradual.

graduar

verbo **1** Dar a una cosa el grado que se quiere de intensidad o el que es conveniente, como graduar el agua que sale de un grifo. También es determinar el grado de algo, como un defecto de la vista. INGLÉS to regulate, [si es la vista: to test].

2 Hacer o disponer una cosa de manera que aumente o disminuya de forma gradual. INGLÉS to adjust.

3 graduarse Conceder o recibir un grado o título. INGLÉS to graduate.

NOTA Se conjuga como: actuar; la 'u' se acentúa en algunos tiempos y personas, como: gradúe.

grafiti

nombre masculino **1** Es otra forma de escribir y pronunciar: grafito.

grafía

nombre femenino **1** Letra o conjunto de letras que representan un sonido. En español hay grafías que representan dos sonidos distintos, como la 'c' en 'casa' y 'fácil'. INGLÉS spelling.

gráfico, gráfica

adjetivo **1** Que está relacionado con la escritura o la imprenta: *La palabra 'día' lleva acento gráfico en la 'í'.* INGLÉS graphic, [si es un acento: written].

2 Se dice de las explicaciones y los gestos que son claros y fáciles de comprender. INGLÉS graphic.

adjetivo y nombre **3** Se dice de las cosas que se representan por medio de dibujos o signos. INGLÉS graphic [adjetivo], chart [nombre].

nombre **4** Dibujo o esquema con líneas, colores o números que ayuda a entender alguna cosa, como una gráfica de población. Puede usarse como nombre masculino y como nombre femenino. INGLÉS graph.

grafito

nombre masculino **1** Escrito o dibujo que se hace en paredes de lugares públicos. Los grafitos suelen hacerse con spray y tienen intención humorística, crítica o estética. INGLÉS piece of graffiti.

NOTA También se escribe y se pronuncia: grafiti.

gragea

nombre femenino **1** Pastilla redonda u ovalada que está

recubierta de una sustancia azucarada y se traga sin deshacer. INGLÉS pill, tablet.

gramática
nombre femenino
1 Ciencia que estudia la forma de las palabras y las reglas que hay en las lenguas para combinarlas correctamente. INGLÉS grammar.
2 Libro en el que se recogen las reglas de combinación de las palabras de una lengua, así como su forma. INGLÉS grammar.

gramatical
adjetivo
1 De la gramática o que tiene relación con ella, como las categorías gramaticales. INGLÉS grammatical.

gramo
nombre masculino
1 Medida que se usa para pesar. El símbolo del gramo es: g. INGLÉS gram, gramme.

gramófono
nombre masculino
1 Aparato antiguo que reproduce el sonido grabado en un disco, mediante una aguja situada en el extremo de un brazo móvil. Tiene un altavoz en forma de trompa. INGLÉS gramophone.

gran
adjetivo
1 Apócope de 'grande'. Se utiliza delante de un nombre masculino o femenino en singular. Normalmente añade un valor muy positivo al nombre al que acompaña: que es muy bueno, que es muy importante o que es extraordinario: *Es una gran persona.*

granada
nombre femenino
1 Fruta redonda, de piel dura, con el interior lleno de granos rojos, jugosos y de sabor dulce. INGLÉS pomegranate.
2 Explosivo que se lanza con la mano o se usa como proyectil de un cañón o mortero. INGLÉS grenade.

granadino, granadina
adjetivo y nombre
1 Se dice de la persona o cosa que es de Granada, ciudad y provincia de Andalucía.

granado
nombre masculino
1 Árbol con muchas ramas delgadas y flores rojas que tiene por fruto la granada. INGLÉS pomegranate tree.

granate
nombre masculino y adjetivo
1 Color rojo oscuro. Se obtiene al mezclar rojo y negro. INGLÉS maroon.

grande
adjetivo
1 Que tiene un tamaño mayor de lo normal. El elefante es uno de los animales más grandes que existen. ANTÓNIMO pequeño. INGLÉS large, big.
2 Que tiene mucha importancia o destaca por alguna cosa, como los grandes artistas. INGLÉS great.
3 Se dice de la persona que ya es adulta. Los niños suelen imaginar qué profesión tendrán cuando sean grandes. INGLÉS adult.
nombre masculino
4 Persona que tiene un título de nobleza. INGLÉS noble.
pasarlo en grande Divertirse mucho o pasarlo muy bien. En las fiestas de cumpleaños lo pasamos en grande. INGLÉS to have a whale of a time.

grandioso, grandiosa
adjetivo
1 Que destaca e impresiona por su tamaño o por sus características. El espectáculo del circo suele ser grandioso. INGLÉS magnificent.

grandullón, grandullona
adjetivo y nombre
1 Se dice de los niños y jóvenes que están demasiado crecidos para su edad. INGLÉS great big [adjetivo], big boy [nombre - chico], big girl [nombre - chica].
NOTA Es una palabra familiar. El plural de grandullón es: grandullones.

granero
nombre masculino
1 Lugar donde se guardan los granos de los cereales. Suelen instalarse en el desván de las casas de campo para proteger el grano de la humedad. INGLÉS granary, barn.

granito
nombre masculino
1 Roca dura que está compuesta de tres minerales: cuarzo, feldespato y mica, que se distinguen entre sí por su color y brillo. INGLÉS granite.

granívoro, granívora
adjetivo
1 Se dice de los animales que se alimentan de granos. Los pájaros son granívoros. INGLÉS granivorous.

granizada
nombre femenino
1 Lluvia abundante de granizo. Una fuerte granizada puede arruinar totalmente una buena cosecha de fruta. INGLÉS hailstorm.

granizado
nombre masculino
1 Bebida refrescante que está hecha

a b c d e f g h i j k l m n ñ o p q r s t u v w x y z

con trocitos de hielo picado y zumo de frutas o café. INGLÉS granita.

granizar
verbo
1 Caer granizo. INGLÉS to hail.
NOTA Se escribe 'c' delante de 'e', como: granice.

granizo
nombre masculino
1 Agua congelada en forma de pequeñas bolas, duras y blancas, que cae de las nubes con mucha fuerza. INGLÉS hail.

granja
nombre femenino
1 Finca de campo que tiene un huerto, una casa para las personas y establos y corrales para los animales. INGLÉS farm.
2 Terreno en el campo en el que hay edificios y todo lo necesario para la cría de algunos animales, especialmente gallinas y pollos. INGLÉS farm.
3 Establecimiento donde se venden o sirven productos derivados de la leche. INGLÉS farm.

granjero, granjera
nombre
1 Persona que trabaja en una granja en el campo. INGLÉS farmer.

grano
nombre masculino
1 Semilla o conjunto de semillas de un cereal o de otra planta. INGLÉS grain.
2 Trozo muy pequeño y redondeado de alguna cosa. La sal, la arena y el azúcar tienen granos. INGLÉS grain.
3 Bulto pequeño y rojizo que sale en la piel. En la adolescencia salen granos en la cara. INGLÉS spot.
ir al grano Dirigirse a la parte más importante y fundamental de una conversación o asunto. INGLÉS to get to the point.

granuja
adjetivo y nombre masculino y femenino
1 Se dice de la persona que roba y estafa o engaña a los demás para conseguir una cosa. INGLÉS rascal [nombre], rogue [nombre].

granulado, granulada
adjetivo
1 Se dice de la sustancia o la masa formada por granos pequeños, como el azúcar. INGLÉS granulated.

grapa
nombre femenino
1 Pieza pequeña y fina de metal con la que se mantienen sujetos o unidos papeles u otras cosas finas. Las grapas se ponen con una grapadora. INGLÉS staple.

grapadora
nombre femenino
1 Instrumento que sirve para grapar unas cosas con otras. Tiene un mecanismo que clava las grapas sobre el papel o sobre otra superficie y generalmente les dobla los extremos para impedir que se salgan. INGLÉS stapler.

grapar
verbo
1 Unir entre sí o sujetar varias cosas finas mediante grapas. INGLÉS to staple.

grasa
nombre femenino
1 Sustancia pringosa o espesa que se encuentra en el cuerpo de las personas y animales. De algunas plantas, como el girasol o el maíz, se extraen también grasas y aceites para cocinar. INGLÉS grease, fat.
2 Sustancia que se pone en las piezas de una máquina que está oxidada o funciona mal. Los mecánicos se manchan de grasa cuando arreglan motos y coches. INGLÉS grease.

graso, grasa
adjetivo
1 Que tiene grasa. El queso y la mantequilla son alimentos grasos. INGLÉS greasy, fatty.

gratis
adverbio
1 Sin cobrar o sin pagar dinero. En las galas benéficas los artistas actúan gratis. INGLÉS free.
adjetivo
2 Que no cuesta dinero. En el comedor del colegio sirven comidas gratis a los niños que tienen una beca. SINÓNIMO gratuito. INGLÉS free.
NOTA El plural es: gratis.

gratitud
nombre femenino
1 Agradecimiento hacia una persona. ANTÓNIMO ingratitud. INGLÉS gratitude.

grato, grata
adjetivo
1 Que gusta o resulta agradable. Si un trabajo es grato, se hace mejor que si es pesado. INGLÉS pleasant.

gratuito, gratuita
adjetivo
1 Que no cuesta dinero. La entrada a algunos museos o exposiciones es gratuita. SINÓNIMO gratis. INGLÉS free.
2 Que no tiene base ni razón de ser: *No hagas comentarios gratuitos sobre alguien sin saber si son ciertos.* INGLÉS gratuitous.

grava
nombre femenino
1 Conjunto de piedras pequeñas que

proceden de la erosión de las rocas. INGLÉS gravel.
2 Piedra triturada que se usa para hacer caminos y carreteras. INGLÉS gravel.

grave
adjetivo **1** Que es muy peligroso o muy importante. Si una persona tiene una enfermedad grave, hay que hospitalizarla. INGLÉS serious.
adjetivo y nombre masculino **2** Se dice del sonido que tiene un tono muy bajo, como el de la bocina de algunos grandes barcos. INGLÉS deep [adjetivo].
adjetivo y nombre femenino **3** Se dice de la palabra que lleva el acento en la penúltima sílaba, como 'cama' y 'mármol'. SINÓNIMO llana. INGLÉS stressed on the penultimate syllable [adjetivo].

gravedad
nombre femenino **1** Estado de la persona que está grave o muy enferma. Los médicos determinan la gravedad de una enfermedad. INGLÉS seriousness.
2 Importancia de una cosa o un asunto. El hambre en el mundo es un problema de mucha gravedad. INGLÉS seriousness.
3 Fuerza de atracción de la Tierra sobre los cuerpos y los objetos. La gravedad hace que se caigan las cosas al suelo cuando no se sujetan. INGLÉS gravity.

graznar
verbo **1** Emitir ciertas aves su sonido característico. Los cuervos graznan. INGLÉS to caw [el cuervo], to quack [el pato].

graznido
nombre masculino **1** Sonido característico de algunas aves, como los cuervos. INGLÉS caw [del cuervo], quack [del pato].

greca
nombre femenino **1** Tira de adorno estampada o con dibujos geómetricos que se repiten: *A lo largo de esta fachada de la catedral hay una greca con pequeñas rosetas de piedra.* INGLÉS fret.

gremio
nombre masculino **1** Conjunto de personas que tienen el mismo oficio. En la Edad Media los gremios fueron muy importantes. INGLÉS guild.
2 Conjunto de personas que están en la misma situación. Se habla del gremio de los casados, de los parados o de los que preparan oposiciones. INGLÉS group.

greña
nombre femenino **1** Cabellera o mechón de cabello despeinado y enredado. INGLÉS untidy mop of hair.
NOTA Se usa más en plural.

griego, griega
adjetivo y nombre **1** Se dice de la persona o cosa que es de Grecia, país del sur de Europa. INGLÉS Greek.
nombre masculino **2** Lengua hablada en Grecia. En español hay muchas palabras que proceden del griego antiguo. INGLÉS Greek.

grieta
nombre femenino **1** Abertura de forma alargada y estrecha que hay en una superficie. Si una pared tiene grietas, hay que arreglarla. INGLÉS crack.

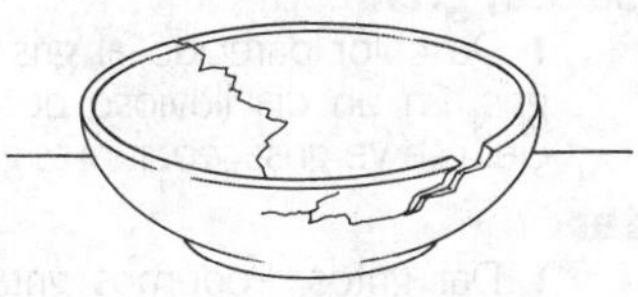
grieta

grifo
nombre masculino **1** Llave que sirve para abrir o cerrar el paso de un líquido, en especial el agua. INGLÉS tap [en el Reino Unido], faucet [en Estados Unidos].

grillo
nombre masculino **1** Insecto de color negro, con dos antenas largas y las patas posteriores adaptadas para saltar. El grillo macho tiene unas alas duras y cortas que, al frotarlas, producen un sonido agudo característico. INGLÉS cricket.
nombre masculino plural **2 grillos** Conjunto de dos anillas gruesas de hierro, unidas por una cadena, que se ponían en los pies a los presos o a los esclavos. INGLÉS shackles.

grima
nombre femenino **1** Sensación desagradable que se experimenta en los dientes al comer ciertas cosas, oír ciertos ruidos o tocar determinados objetos: *Me da grima chupar un limón.* SINÓNIMO dentera. INGLÉS displeasure.
2 Rabia, lástima o disgusto que produce alguna cosa. Da grima escuchar a las personas que se pasan todo el día quejándose. INGLÉS pity.

a b c d e f g h i j k l m n ñ o p q r s t u v w x y z

gripe
nombre femenino **1** Enfermedad infecciosa causada por un virus, que produce fiebre, dolor de cabeza, catarro y otras molestias. INGLÉS flu, influenza.

griposo, griposa
adjetivo **1** Que tiene gripe. INGLÉS who has the flu.

gris
nombre masculino y adjetivo **1** Color como el del cemento o la piel de los elefantes. La mezcla de blanco y negro da gris. El gris marengo es muy oscuro. INGLÉS grey.
adjetivo **2** Se dice de lo que es triste y apagado o no destaca en nada, como un día gris, una vida gris o una persona gris. INGLÉS grey.

grisáceo, grisácea
adjetivo **1** De color parecido al gris o de tono gris. En un día lluvioso de invierno el cielo se ve grisáceo. INGLÉS greyish.

gritar
verbo **1** Dar gritos. Podemos gritar para expresar un sentimiento o una emoción. SINÓNIMO chillar. INGLÉS to shout.
2 Levantar mucho la voz al hablar. Si queremos hablar con alguien que está lejos, gritamos para que nos oiga. SINÓNIMO chillar. INGLÉS to shout.
3 Regañar a alguien levantando la voz: *A mí no me grites, que yo no he sido.* INGLÉS to shout at.

griterío
nombre masculino **1** Conjunto de voces altas y poco claras que producen mucho ruido. Los aficionados suelen armar un gran griterío cuando su equipo marca un gol. SINÓNIMO alboroto; jaleo. INGLÉS shouting.

grito
nombre masculino **1** Sonido, palabra o expresión que se emite en voz más alta de lo normal. En las atracciones de terror de un parque la gente suele dar gritos de miedo y saltos de espanto. INGLÉS shout.
a grito pelado Indica que algo se dice dando voces. INGLÉS at the top of one's voice.
el último grito Lo más moderno o a la última moda. INGLÉS the last word.

gritón, gritona
adjetivo y nombre **1** Que levanta mucho la voz al hablar o da gritos por cualquier cosa. INGLÉS loudmouthed [adjetivo], loudmouth [nombre].
NOTA El plural de gritón es: gritones.

grogui
adjetivo **1** Se dice de la persona que está atontada o medio dormida: *Me quedé grogui viendo la televisión.* Es un uso informal. INGLÉS groggy, half-asleep.
2 En deportes de combate, como el boxeo, que ha perdido el conocimiento durante la lucha. INGLÉS groggy.

grosella
nombre femenino **1** Fruto pequeño, redondo, de color rojo o negro y sabor agridulce, con el que se hacen bebidas, mermeladas y jarabes. INGLÉS redcurrant [rojo], blackcurrant [negro].

grosería
nombre femenino **1** Acción o palabra maleducada que demuestra poco respeto hacia los demás. Un insulto o una palabrota son groserías. INGLÉS rude thing.

grosero, grosera
adjetivo **1** Se dice de la persona maleducada que trata con poco respeto a los demás. INGLÉS rude.

grosor
nombre masculino **1** Anchura de un cuerpo. Las estanterías deben tener suficiente grosor para aguantar el peso de los libros. SINÓNIMO espesor. INGLÉS thickness.

grosor

grotesco, grotesca
adjetivo **1** Que es ridículo, extravagante o absurdo, y que por eso produce risa o burla: *Hizo una caricatura grotesca del director que nos divirtió mucho.* INGLÉS hideous.

grúa
nombre femenino **1** Máquina que se utiliza para levantar grandes pesos o para llevarlos a otro lugar. Suelen tener un cable con un gancho con el que se sujetan los pesos y se levantan. INGLÉS crane.

2 Vehículo con una grúa incorporada que se utiliza para remolcar coches accidentados, estropeados o mal aparcados. INGLÉS breakdown truck [coches averiados], tow truck [coches mal aparcados].

grueso, gruesa

adjetivo **1** Que es más grande o ancho de lo normal o tiene mucho volumen. Cuando el hilo es muy grueso no entra por el ojo de la aguja. SINÓNIMO gordo. INGLÉS thick.

2 Se dice de la persona que tiene mucha carne o grasa. SINÓNIMO gordo. ANTÓNIMO delgado. INGLÉS fat, stout.

nombre masculino **3** Anchura o grosor de un cuerpo, como el grueso de un ladrillo o el grueso de un cartón. SINÓNIMO espesor. INGLÉS thickness.

4 Parte más numerosa o más importante de una cosa. En una carrera de ciclismo, el grueso del pelotón acompaña al líder del equipo. INGLÉS bulk.

grulla

nombre femenino **1** Ave de color gris, con el cuello largo y negro, las patas también largas y con un penacho de plumas en la cabeza. Tiene las alas grandes y redondas y suele mantenerse sobre una pata cuando se posa. INGLÉS crane.

grumete

nombre masculino **1** Chico que aprende el oficio de marinero. Forma parte de la tripulación del barco y ayuda a los otros marineros. INGLÉS cabin boy.

grumo

nombre masculino **1** Bola pequeña que se forma al mezclar un líquido con una sustancia sólida. Al mezclar la harina con la leche para hacer una besamel se pueden formar grumos. INGLÉS lump.

gruñido

nombre masculino **1** Sonido característico del cerdo. INGLÉS grunt.

2 Sonido que emiten algunos animales, como los perros, cuando se sienten amenazados. INGLÉS growl.

3 Sonido o palabra de enfado o protesta que emiten algunas personas. INGLÉS grumble.

gruñir

verbo **1** Emitir el cerdo su sonido característico. INGLÉS to grunt.

gruñir

INDICATIVO

presente
gruño
gruñes
gruñe
gruñimos
gruñís
gruñen

pretérito imperfecto
gruñía
gruñías
gruñía
gruñíamos
gruñíais
gruñían

pretérito perfecto simple
gruñí
gruñiste
gruñó
gruñimos
gruñisteis
gruñeron

futuro
gruñiré
gruñirás
gruñirá
gruñiremos
gruñiréis
gruñirán

condicional
gruñiría
gruñirías
gruñiría
gruñiríamos
gruñiríais
gruñirían

SUBJUNTIVO

presente
gruña
gruñas
gruña
gruñamos
gruñáis
gruñan

pretérito imperfecto
gruñera o gruñese
gruñeras o gruñeses
gruñera o gruñese
gruñéramos o gruñésemos
gruñerais o gruñeseis
gruñeran o gruñesen

futuro
gruñere
gruñeres
gruñere
gruñéremos
gruñereis
gruñeren

IMPERATIVO

gruñe	(tú)
gruña	(usted)
gruñamos	(nosotros)
gruñid	(vosotros)
gruñan	(ustedes)

FORMAS NO PERSONALES

infinitivo gruñir
gerundio gruñendo
participio gruñido

2 Dar gruñidos un animal. INGLÉS to growl.

3 Quejarse o protestar una persona por medio de sonidos o palabras de enfado o protesta. INGLÉS to grumble.

gruñón, gruñona

adjetivo **1** Se dice de la persona que gruñe y protesta por todo. SINÓNIMO cascarrabias. INGLÉS grumpy.

NOTA El plural de gruñón es: gruñones.

grupa

nombre femenino **1** Parte de atrás del lomo de algunos animales. Cuando dos personas montan a caballo, una de ellas va delante y la otra va a la grupa. INGLÉS croup, hindquarters. DIBUJO página 187.

grupo

verbo **1** Cantidad más o menos grande de personas, animales o cosas que van o están juntas, como los grupos de trabajo que se forman en la clase. INGLÉS group.

2 Conjunto de personas que se dedican a tocar música. INGLÉS group, band.

3 Palabra o conjunto de palabras que tienen una misma función en la oración. En la oración 'el chico va hacia su casa', 'el chico' es un grupo nominal y 'hacia su casa' es un grupo preposicional. INGLÉS group.

gruta
nombre femenino
1 Cueva abierta en las rocas, natural o hecha por una persona. INGLÉS grotto, cave.

guacamayo
nombre masculino
1 Ave americana parecida al papagayo, con el cuerpo de color rojo, azul y amarillo, que tiene la parte superior del pico blanca y la inferior negra y una cola muy larga y llamativa. INGLÉS macaw.

guadalajareño, guadalajareña
adjetivo y nombre
1 Se dice de la persona o cosa que es de Guadalajara, ciudad y provincia de Castilla-La Mancha.

guadaña
nombre femenino
1 Herramienta que se utiliza en las labores del campo para cortar la hierba o segar los campos. Está formada por una gran cuchilla curva y terminada en punta, sujeta por un mango largo que se maneja con las dos manos. INGLÉS scythe.

gualdo, gualda
adjetivo
1 De color amarillo dorado. La bandera española es roja y gualda. INGLÉS yellow.

guanche
adjetivo y nombre
1 Se dice de la persona o cosa que pertenecía a un antiguo pueblo indígena que vivía en las islas Canarias antes de ser conquistadas por los españoles en el siglo XV.

guantazo
nombre masculino
1 Golpe que se da a una persona en la cara con la mano abierta. SINÓNIMO bofetada; bofetón. INGLÉS slap.

guante
nombre masculino
1 Prenda que cubre la mano y tiene la forma de los dedos. INGLÉS glove.

guantera
nombre femenino
1 Cajón que tienen los automóviles delante del asiento del pasajero y que sirve para guardar papeles y otras cosas. INGLÉS glove compartment.

guaperas
nombre masculino y femenino
1 Se dice de la persona que es guapa, va bien vestida y arreglada y le gusta presumir de ello. INGLÉS good looker, looker.

NOTA Es una palabra informal. El plural es: guaperas.

guapo, guapa
adjetivo
1 Se dice de la persona que resulta muy atractiva y agradable de ver porque tiene una cara bonita. SINÓNIMO bello. ANTÓNIMO feo. INGLÉS good-looking.

2 Se dice de la persona que va muy bien vestida o arreglada. INGLÉS smart.

3 Se dice de la cosa que es bonita o de buena calidad: *Se ha comprado un piso muy guapo.* Es un uso informal. INGLÉS nice.

guarda
nombre masculino y femenino
1 Persona que cuida y vigila un lugar, en especial cuando es un lugar grande o un espacio abierto, como un aparcamiento o un bosque. INGLÉS guard, keeper.

guardabarros
nombre masculino
1 Pieza que cubre las ruedas de los vehículos y que sirve para evitar que el barro, el agua o el polvo que pisan las ruedas salpique a otras partes del vehículo o a las personas. Los coches, las bicis y las motos suelen tener guardabarros. INGLÉS mudguard.

NOTA El plural es: guardabarros.

guardabosque
nombre masculino y femenino
1 Persona que se encarga de vigilar el bosque y de evitar que la gente haga cosas que no están permitidas, como acampar. INGLÉS warden.

NOTA También se usa el plural para indicar solo una unidad.

guardacostas
nombre masculino
1 Barco pequeño, rápido y normalmente armado que utiliza el ejército o la policía para vigilar las costas e impedir el contrabando y la pesca ilegal. INGLÉS coastguard vessel.

NOTA El plural es: guardacostas.

guardaespaldas
nombre masculino y femenino
1 Persona que acompaña a otra para protegerla contra posibles ataques o para evitar que la gente se le acerque demasiado y moleste. Muchos artistas

llevan guardaespaldas. INGLÉS bodyguard.
NOTA El plural es: guardaespaldas.

guardameta
nombre masculino y femenino
1 Jugador de un deporte de equipo que juega en la portería y evita que el equipo contrario meta goles. SINÓNIMO portero. INGLÉS goalkeeper.

guardar
verbo
1 Poner algo en un sitio seguro y dejarlo allí para saber dónde está y para que no se pierda. Guardamos la ropa en el armario. INGLÉS to keep.
2 No gastar o consumir completamente una cosa y reservarla para otro momento. Guardamos la comida que nos sobra. INGLÉS to keep.
3 Reservar un sitio o un determinado derecho para otra persona. Cuando vamos al cine con un amigo que tarda en llegar, le guardamos un sitio. INGLÉS to keep.
4 Vigilar y proteger algo de un posible mal. Los perros guardan las casas. INGLÉS to guard.
5 Mantenerse en una determinada situación o estado, normalmente por obligación o por necesidad. Cuando estamos enfermos tenemos que guardar cama. INGLÉS to stay.
guardarse de Evitar algún peligro o cualquier cosa que no queremos que ocurra: *Guárdate de dormir destapado si no quieres coger un catarro.* INGLÉS to avoid.
guardársela No olvidar una persona algo malo que le ha hecho otra y querer devolvérselo en cuanto tenga oportunidad. INGLÉS not to forget something.

guardarropa
nombre masculino
1 Lugar de los hoteles, teatros y otros establecimientos públicos en el que los clientes dejan los abrigos, chaquetas y otros objetos. INGLÉS cloakroom.

guardería
nombre femenino
1 Establecimiento donde se cuida a niños pequeños que todavía no han cumplido la edad para ir al colegio. Los padres que trabajan y no pueden atender a sus hijos los llevan a la guardería. INGLÉS crèche, nursery school.

guardia
nombre femenino
1 Conjunto de personas, normalmente armadas, que se dedican a defender o vigilar algo o a alguien, como la guardia civil o la guardia urbana. INGLÉS guard, police.
nombre masculino y femenino
2 Persona que se dedica a defender o vigilar algo o a alguien. Normalmente forma parte de una guardia. INGLÉS guard, policeman [hombre], policewoman [mujer].
nombre femenino
3 Servicio de vigilancia en el que hay que cuidar algo o defenderlo. En los cuarteles militares los soldados deben hacer guardia. INGLÉS guard duty.
4 Servicio especial que se hace fuera de las horas habituales de trabajo. Por la noche o los fines de semana hay algunas farmacias de guardia. INGLÉS duty.
en guardia En actitud de defensa. INGLÉS on guard.

guardián, guardiana
nombre
1 Persona que se dedica a vigilar o proteger. Algunos museos y establecimientos comerciales tienen guardianes en la puerta. INGLÉS security guard.
NOTA El plural de guardián es: guardianes.

guarecer
verbo
1 Proteger a alguien de algo. Los paraguas nos guarecen de la lluvia. INGLÉS to protect.
NOTA Se conjuga como: agradecer; la 'c' se convierte en 'zc' delante de 'a' y 'o', como: guarezca.

guarida
nombre femenino
1 Lugar cubierto y bastante oculto que sirve de refugio, en especial para los animales salvajes. INGLÉS den, lair.

guarnición
nombre femenino
1 Comida más ligera que se sirve para acompañar el plato principal, como las patatas fritas. INGLÉS accompaniment.
2 Conjunto de soldados que protege un lugar, como un cuartel, un buque de guerra o un recinto militar. INGLÉS garrison.
NOTA El plural es: guarniciones.

guarrada
nombre femenino
1 Acción o dicho poco educado y que tiene relación con cosas sucias, como meterse los dedos en la nariz. SINÓNIMO guarrería. INGLÉS disgusting thing.
2 Acción o dicho que molesta o hace daño y que se hace con esa intención. Tirar los papeles al suelo en lugar de a

la papelera es una guarrada. INGLÉS dirty thing.
NOTA Es una palabra informal.

guarrería
nombre femenino **1** Acción o dicho poco educado y que tiene relación con cosas sucias. SINÓNIMO guarrada. INGLÉS disgusting thing.
2 Cosa o lugar muy sucio: *Llevas los zapatos hechos una guarrería.* Es un uso informal. INGLÉS dirty thing.

guarro, guarra
adjetivo y nombre **1** Se dice de la persona o cosa que están o son muy sucias. SINÓNIMO marrano. INGLÉS filthy [adjetivo], pig [nombre].
2 Se dice de la persona que hace o dice algo que perjudica a alguien, normalmente con la intención de hacerlo: *Es un guarro, me dijo que vendría a verme y ni siquiera me ha llamado.* SINÓNIMO cerdo. INGLÉS swine [nombre].
nombre **3** Mamífero doméstico que tiene las patas cortas, el cuerpo grueso, el morro aplastado y las orejas caídas sobre la cara. SINÓNIMO cerdo. INGLÉS pig.

guasa
nombre femenino **1** Cosa que se hace o se dice con intención de reírse o divertirse. También es guasa el tono divertido o irónico con que se hace o se dice algo. SINÓNIMO broma. INGLÉS jesting, joking.

guasón, guasona
adjetivo y nombre **1** Se dice de la persona que hace muchas bromas. SINÓNIMO bromista. INGLÉS funny [adjetivo], joker [nombre].
NOTA El plural de guasón es: guasones.

guatemalteco, guatemalteca
adjetivo y nombre **1** Se dice de la persona o cosa que es de Guatemala, país de América Central. INGLÉS Guatemalan.

guateque
nombre masculino **1** Fiesta que se organiza en una casa donde un grupo de amigos se reúnen para comer, beber y bailar. INGLÉS party.

guay
adjetivo **1** Muy bueno o estupendo, como una bicicleta guay o una canción guay. Es una palabra informal. SINÓNIMO chachi; chupi. INGLÉS great, cool.
NOTA El plural es: guay o guays.

gubernamental
adjetivo **1** Del gobierno o que tiene relación con él. Las Organizaciones No Gubernamentales (ONG), cuyo objetivo fundamental es trabajar para conseguir la solidaridad internacional, no dependen de ningún gobierno. INGLÉS governmental.

guepardo
nombre masculino **1** Mamífero carnívoro parecido al gato, pero mucho mayor, de color amarillento con manchas oscuras. Es el más rápido de los mamíferos, puede alcanzar los 110 km/h en unos segundos. INGLÉS cheetah.

guerra
nombre femenino **1** Lucha que mantienen los ejércitos de dos o más países o regiones durante algún tiempo, en la que se utilizan armas. INGLÉS war.
2 Situación de lucha o de enfrentamiento entre dos personas: *Los vecinos están en guerra con el ayuntamiento porque no quieren que se construya una nueva carretera.* INGLÉS war.
dar guerra Crear muchos problemas o molestias a alguien. INGLÉS to cause problems.
guerra civil Guerra en la que luchan entre sí personas de un mismo país agrupadas en dos o más bandos. En España hubo una guerra civil entre 1936 y 1939. INGLÉS civil war.

guerrero, guerrera
adjetivo y nombre **1** Se dice de la persona que hace la guerra. Los guerreros de algunas tribus indias se pintaban la cara antes de atacar al enemigo. INGLÉS warlike [adjetivo], warrior [nombre].
2 Se dice de los niños que son muy activos y traviesos. INGLÉS difficult.
3 Se dice de las personas a las que les gusta provocar discusiones o peleas: *No le hagas caso, hoy ha venido muy guerrero.* INGLÉS belligerent.

guerrilla
nombre femenino **1** Grupo de personas armadas que no forman parte de ningún ejército y que aprovechan su conocimiento del lugar donde se desarrolla una guerra para atacar al enemigo por sorpresa. También se llama guerrilla la forma de guerra que realizan estos grupos. INGLÉS guerrilla band.

guerrillero, guerrillera
nombre **1** Persona que pertenece a una guerrilla. INGLÉS guerrilla.

guía

nombre masculino y femenino **1** Persona que conoce bien un lugar y conduce a otras personas por él, como un guía turístico o el guía de un museo. INGLÉS guide.

nombre femenino **2** Libro con datos o información breve sobre un tema concreto. Podemos encontrar guías de teléfonos, de hoteles, de ciudades y de precios. Una guía de jardinería ofrece información sobre plantas. INGLÉS guide.

guiar

verbo **1** Dirigir hacia un lugar o un fin determinado: *Lo guió hacia la salida.* SINÓNIMO encaminar. INGLÉS to guide.

2 guiarse Dejarse llevar o dirigir por aquello que se indica. Para saber qué tiempo hará al día siguiente, las personas se guían por las informaciones meteorológicas. INGLÉS to be guided.

NOTA Se conjuga como: desviar; la 'i' se acentúa en algunos tiempos y personas, como: guíen.

guijarro

nombre masculino **1** Piedra pequeña y redondeada a causa de los efectos de la erosión del agua. Suelen abundar en las desembocaduras de los ríos o en la orilla del mar. INGLÉS pebble, stone.

guillotina

nombre femenino **1** Construcción de madera formada por un soporte vertical que sostiene en su parte superior una gran cuchilla deslizante. Se utilizaba para ejecutar a un condenado a muerte dejando caer de golpe la cuchilla para que le cortara el cuello. INGLÉS guillotine.

2 Aparato que sirve para cortar papel mediante una cuchilla que se hace bajar de golpe. INGLÉS guillotine.

guinda

nombre femenino **1** Fruto pequeño y redondo, de color rojo, con un hueso en el centro. Es muy parecida a la cereza pero más ácida. INGLÉS cherry.

2 Detalle que termina una cosa mejorándola o perfeccionándola. Una sobremesa agradable es la guinda de una buena comida. INGLÉS cherry.

guindilla

nombre femenino **1** Pimiento pequeño, estrecho y alargado, que pica mucho y sirve para dar sabor a las comidas. INGLÉS chilli pepper.

guiñar

verbo **1** Cerrar y abrir rápidamente un ojo dejando el otro abierto, generalmente para hacer una señal. INGLÉS to wink.

guiño

nombre masculino **1** Gesto que consiste en cerrar y abrir un ojo con rapidez dejando el otro abierto, generalmente para hacer una señal a alguien. INGLÉS wink.

guiñol

nombre masculino **1** Representación de teatro hecha con muñecos que mueven con las manos unas personas que están ocultas detrás de un pequeño escenario. INGLÉS puppet theatre.

guion

nombre masculino **1** Resumen que se hace de un tema, lección o discurso para ayudar a desarrollarlo. Antes de escribir una redacción, conviene hacer un guion. SINÓNIMO esquema. INGLÉS notes.

2 Escrito que contiene los diálogos y otras indicaciones necesarias para la realización de una película o un programa de radio o televisión. INGLÉS script.

3 Signo de ortografía en forma de raya horizontal (-). Entre otros usos, separa palabras al final del renglón y une palabras compuestas. INGLÉS hyphen.

NOTA También se escribe y se pronuncia: guión.

guión

nombre masculino **1** Es otra forma de escribir y pronunciar: guion.

NOTA El plural es: guiones.

guionista

nombre masculino y femenino **1** Persona que escribe guiones para películas o programas de radio o televisión. INGLÉS scriptwriter.

guipuzcoano, guipuzcoana

adjetivo y nombre **1** Se dice de la persona o cosa que es de Guipúzcoa, provincia del País Vasco (España).

guirigay

nombre masculino **1** Situación en la que hay mucho ruido y gran movimiento de personas. SINÓNIMO bulla; griterío; jaleo. INGLÉS racket.

NOTA El plural es: guirigáis.

guirlache

nombre masculino **1** Pasta dura y muy dulce hecha de caramelo y almendras tostadas. INGLÉS almond brittle.

guirnalda
nombre femenino **1** Tira que se utiliza como adorno y que se hace con flores, papeles de colores u otros materiales. INGLÉS garland.

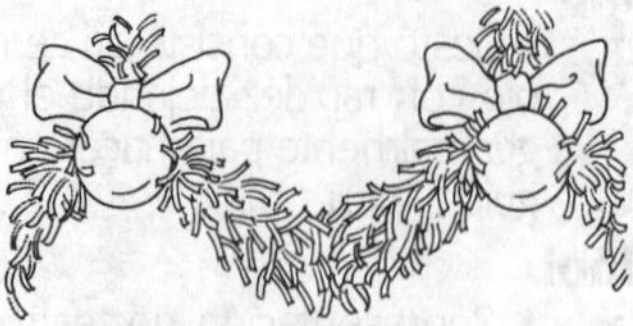

guirnalda

guisante
nombre masculino **1** Semilla de pequeño tamaño, redondeada y de color verde, que se come hervida cuando aún está verde, normalmente como acompañamiento de otros platos. Crecen en las vainas de una planta que también se llama guisante. INGLÉS pea.

guisar
verbo **1** Cocinar un alimento cociéndolo al fuego en una salsa preparada con distintos condimentos. INGLÉS to cook.

guiso
nombre masculino **1** Comida que se prepara al fuego y que lleva salsa y otros condimentos. INGLÉS stew.

guitarra
nombre femenino **1** Instrumento musical de cuerda formado por una caja de resonancia de madera con formas redondeadas y un agujero en medio, que va unida a un mástil en el que se sujetan las cuerdas. Tiene seis cuerdas y se toca con los dedos o con una púa. INGLÉS guitar.

guitarrista
nombre masculino y femenino **1** Persona que toca la guitarra. INGLÉS guitarist.

gusano
nombre masculino **1** Animal invertebrado sin patas, que tiene el cuerpo blando y alargado, normalmente cilíndrico. INGLÉS worm.
2 Animal en estado de desarrollo que ya puede ser independiente y alimentarse por sí mismo, pero que aún no ha llegado a ser adulto. SINÓNIMO larva. INGLÉS grub.
adjetivo y nombre masculino **3** Se dice de la persona que es tan mala que merece ser despreciada: *Ese gusano siempre anda metiendo cizaña entre nosotros.* INGLÉS worm [nombre].
gusano de seda Gusano que produce un hilo de seda con el que teje un capullo, donde se mete hasta convertirse en mariposa. INGLÉS silkworm.

gustar
verbo **1** Resultar una cosa o una persona bonita o agradable a alguien: *Me gusta tener amigos.* SINÓNIMO agradar. ANTÓNIMO disgustar. INGLÉS to like.

gustativo, gustativa
adjetivo **1** Del gusto o que tiene relación con este sentido. Las papilas gustativas son pequeños bultitos que tenemos en la lengua que permiten diferenciar los sabores salados, dulces, amargos y ácidos. INGLÉS gustative, taste.

gusto
nombre masculino **1** Sentido que permite notar y distinguir los sabores. INGLÉS taste.
2 Sabor que tiene una cosa. Cuando un alimento sabe mal decimos que tiene mal gusto. INGLÉS taste.
3 Sensación agradable que produce algo que gusta. Da gusto ver cómo las personas se ayudan unas a otras. SINÓNIMO satisfacción. INGLÉS pleasure.
4 Aquello que prefiere o que le gusta más a una persona. Las personas tenemos gustos diferentes. INGLÉS taste.
5 Característica de la persona que siempre sabe elegir cosas bonitas y elegantes. Decimos que alguien tiene mucho gusto para vestir cuando siempre va muy bien vestida. INGLÉS taste.
6 Agrado con que se hace algo, normalmente porque nos gusta o porque queremos hacerlo. Recibimos la visita de los amigos con mucho gusto. INGLÉS pleasure.
a gusto Bien, sin problemas y con comodidad. INGLÉS comfortable, at ease.

gustoso, gustosa
adjetivo **1** Que hace una cosa con ganas y con placer. INGLÉS willing.

a b c d e f **g** h i j k l m n ñ o p q r s t u v w x y z

h
nombre femenino
1 Octava letra del alfabeto español. En español, la 'h' no se pronuncia.

haba
nombre femenino
1 Fruto ancho y un poco aplastado, de color verde, que crece en las vainas de una planta que también se llama haba. Son parecidas a las judías blancas pero más grandes y se comen hervidas o estofadas. INGLÉS broad bean. NOTA Es un nombre femenino, pero se usan los determinantes 'el' y 'un' cuando entre el determinante y el nombre no hay otras palabras: el haba.

haber
verbo
1 Existir o estar disponible algo. En las casas hay muebles. Se usa solo en tercera persona del singular. INGLÉS to be.
2 Ocurrir o suceder algo. En algunos países hay terremotos cada cierto tiempo. Se usa solo en tercera persona del singular. INGLÉS to be.
3 Se usa como auxiliar para formar los tiempos compuestos de los verbos, como en 'ha comido' o 'había comido'. INGLÉS to have.
haber de Tener que hacer lo que se indica: *He de acabar esta redacción para mañana.* INGLÉS to have to.
haber que Ser necesario o conveniente: *Habría que levantarse pronto para no perder el tren.* INGLÉS to have to.

haber

INDICATIVO	SUBJUNTIVO
presente	**presente**
he	haya
has	hayas
ha (hay)	haya
hemos	hayamos
habéis	hayáis
han	hayan
pretérito imperfecto	**pretérito imperfecto**
había	hubiera o hubiese
habías	hubieras o hubieses
había	hubiera o hubiese
habíamos	hubiéramos o hubiésemos
habíais	hubierais o hubieseis
habían	hubieran o hubiesen
pretérito perfecto simple	**futuro**
hube	hubiere
hubiste	hubieres
hubo	hubiere
hubimos	hubiéremos
hubisteis	hubiereis
hubieron	hubieren
futuro	**IMPERATIVO**
habré	
habrás	has (tú)
habrá	ha (usted)
habremos	— (nosotros)
habréis	habed (vosotros)
habrán	han (ustedes)
condicional	**FORMAS NO PERSONALES**
habría	**infinitivo** haber
habrías	**gerundio** habiendo
habría	**participio** habido
habríamos	
habríais	
habrían	

hábil
adjetivo
1 Que tiene la capacidad o aptitud para hacer bien algo o conseguirlo. Algunas personas son muy hábiles haciendo trabajos manuales. ANTÓNIMO torpe. INGLÉS skilful, clever.

habilidad
nombre femenino
1 Capacidad para hacer algo bien o conseguir lo que se quiere: *Muestra gran habilidad jugando a las cartas.* INGLÉS skill, ability.

habitable
adjetivo
1 Se dice del lugar que reúne las condiciones para poder habitarlo. INGLÉS habitable.

habitación
nombre femenino
1 Cada una de las partes en que se divide de una casa y que está separada de las

a b c d e f g h i j k l m n ñ o p q r s t u v w x y z

demás por paredes, como la cocina o el salón. SINÓNIMO cuarto. INGLÉS room.
2 Lugar de la casa donde se duerme. SINÓNIMO dormitorio. INGLÉS bedroom.
NOTA El plural es: habitaciones.

habitante
nombre masculino y femenino **1** Persona que habita o vive en un lugar y forma parte de su población. INGLÉS inhabitant.
nombre masculino **2** Animal que vive en una zona determinada. El águila y el conejo son algunos de los habitantes de nuestros bosques. INGLÉS resident.

habitar
verbo **1** Vivir en un lugar. Las personas habitan en sus casas. En los bosques habitan muchas especies animales. INGLÉS to live in, to inhabit.

hábitat
nombre masculino **1** Lugar con unas condiciones ambientales, una flora y una fauna determinadas. El hábitat del pez es el agua. SINÓNIMO medio ambiente. INGLÉS habitat.
NOTA El plural es: hábitats.

hábito
nombre masculino **1** Actividad que se repite con frecuencia o que se hace siempre igual, como leer antes de ir a dormir. SINÓNIMO costumbre. INGLÉS habit.
2 Traje propio de una orden religiosa y que visten todos sus miembros. Las monjas y los frailes suelen vestir hábito. INGLÉS habit.

habitual
adjetivo **1** Que se repite, que se hace muy a menudo o que es costumbre: *Lo habitual es que me levante a las ocho.* INGLÉS usual, habitual.

habituar
verbo **1** Acostumbrar a alguien a hacer una cosa con frecuencia: *Mi padre me habituó a lavarme los dientes tres veces al día.* INGLÉS to accustom, to get used.

habla
nombre femenino **1** Capacidad de hablar. Cuando nos llevamos un susto nos quedamos un instante sin habla. INGLÉS speech.
2 Acción de hablar o modo de hacerlo: *Tiene un habla tan especial que se le reconoce enseguida.* INGLÉS way of speaking.
NOTA Es un nombre femenino, pero se utilizan los determinantes 'el' y 'un' cuando entre el determinante y el nombre no hay otras palabras: el habla.

hablador, habladora
adjetivo y nombre **1** Se dice de la persona que habla mucho. INGLÉS talkative.

hablante
adjetivo y nombre masculino y femenino **1** Que habla una lengua determinada. INGLÉS speaking [adjetivo], speaker [nombre].
2 Persona que habla con otra. INGLÉS speaker [nombre].

hablar
verbo **1** Utilizar la voz y expresar el pensamiento o los sentimientos por medio de palabras. INGLÉS to speak, to talk.
2 Tener una conversación: *Quiero hablar contigo del examen.* INGLÉS to speak, to talk.
3 Conocer y utilizar una lengua determinada. Las personas bilingües hablan correctamente dos idiomas. INGLÉS to speak.
4 Tratar sobre el tema o asunto que se indica, normalmente textos escritos o programas informativos: *En este documental se habla de las especies protegidas.* INGLÉS to speak, to talk.
hablar por hablar Decir cosas para no estar callado o decir cosas sin conocimiento exacto de ellas: *Eso es hablar por hablar, no lo ha dicho con ninguna intención.* INGLÉS to talk for the sake of it.
ni hablar Expresión que se usa para negar o rechazar algo: *Ni hablar, yo no pienso hacerlo.* INGLÉS no way.

hacendado, hacendada
nombre **1** Persona que tiene una hacienda o gran extensión de terreno en el campo. Suele aplicarse a la gente que tiene mucha tierra y dinero. INGLÉS landowner.

hacer
verbo **1** Crear, construir o inventar algo que no existía antes: *Haz la comida.* INGLÉS to make, to do.
2 Realizar una acción o practicar una actividad. Hacemos deporte, viajes, preguntas, pis o trabajos de clase. INGLÉS to do, to make, [si es una pregunta: to ask].
3 Causar un efecto determinado. Algunas películas nos hacen llorar; los problemas nos hacen pensar; los golpes hacen daño. INGLÉS to make.
4 Convertir a una persona en algo,

como hacerse más prudente o hacerse viejo. INGLÉS to make.

5 Estar el tiempo atmosférico o la temperatura de una manera determinada. En invierno hace frío y en verano hace sol y calor. Solo se conjuga en tercera persona del singular. INGLÉS to be.

6 Dar un aspecto determinado a una persona o una cosa: *Este pantalón me hace más gordo.* INGLÉS to make look.

7 Comportarse como se dice: *Deja de hacer el tonto.* INGLÉS to act.

8 Haber pasado un tiempo: *Hacía años que no lo pasaba tan bien.* Solo se conjuga en tercera persona del singular. INGLÉS ago.

9 Obligar a algo o mandar algo: *Mis padres me han hecho recoger las hojas del jardín.* INGLÉS to make.

10 hacerse Fingir o simular algo: *No te hagas el inocente, sé que has sido tú.* INGLÉS to play.

hacer

INDICATIVO	SUBJUNTIVO
presente	**presente**
hago	haga
haces	hagas
hace	haga
hacemos	hagamos
hacéis	hagáis
hacen	hagan
pretérito imperfecto	**pretérito imperfecto**
hacía	hiciera o hiciese
hacías	hicieras o hicieses
hacía	hiciera o hiciese
hacíamos	hiciéramos o hiciésemos
hacíais	hicierais o hicieseis
hacían	hicieran o hiciesen
pretérito perfecto simple	**futuro**
hice	hiciere
hiciste	hicieres
hizo	hiciere
hicimos	hiciéremos
hicisteis	hiciereis
hicieron	hicieren
futuro	**IMPERATIVO**
haré	haz (tú)
harás	haga (usted)
hará	hagamos (nosotros)
haremos	haced (vosotros)
haréis	hagan (ustedes)
harán	
condicional	**FORMAS NO PERSONALES**
haría	**infinitivo** hacer
harías	**gerundio** haciendo
haría	**participio** hecho
haríamos	
haríais	
harían	

hacer de Imitar o tener un papel en una función: *Hace de romano en su última película.* INGLÉS to play.

hacerse con Conseguir un objeto o un fin determinado: *El equipo se hizo con el título de Liga.* INGLÉS to win, to take.

hacha

nombre femenino

1 Herramienta que se usa para cortar una cosa con uno o más golpes, especialmente ramas o troncos de árbol. Está formada por una hoja ancha de hierro afilada por un lado y un mango de madera. INGLÉS axe.

NOTA Es un nombre femenino, pero se utilizan los determinantes 'el' y 'un' cuando entre el determinante y el nombre no hay otras palabras: el hacha.

hache

nombre femenino

1 Nombre de la letra 'h'. INGLÉS aitch.

por hache o por be Por una u otra razón: *Si por hache o por be no llegara a tiempo, empezad a comer sin mí.* INGLÉS for one reason or another.

hachís

nombre masculino

1 Droga que se obtiene de las hojas de una planta y se fuma mezclada con tabaco. Se considera una droga blanda. SINÓNIMO marihuana. INGLÉS hashish.

NOTA Se pronuncia: 'jachís'.

hacia

preposición

1 Indica la dirección o el destino: *¿Hacia dónde va este tren?* SINÓNIMO a. INGLÉS towards, to.

2 Expresa un tiempo aproximado: *Llegaré hacia las ocho de la mañana.* SINÓNIMO sobre. INGLÉS about, around.

NOTA No se acentúa. No la confundas con la forma 'hacía' del verbo 'hacer'.

hacienda

nombre femenino

1 Conjunto de propiedades o bienes de una persona. La persona con una gran hacienda es una persona rica. INGLÉS property, wealth.

2 Casa de campo que posee una persona, con tierras y ganado. INGLÉS country estate.

3 Ministerio encargado de la administración de los bienes y riquezas del estado. Con este significado se escribe con mayúscula. INGLÉS Treasury.

hacinado, hacinada

adjetivo

1 Se dice de las personas o cosas que están muy juntas en muy poco espacio:

En los suburbios de algunas ciudades pobres la población vive hacinada. SINÓNIMO amontonado. INGLÉS crowded together.

hada
nombre femenino
1 Personaje femenino imaginario que aparece en cuentos y leyendas. Suelen ser muy hermosas y tienen poderes mágicos que emplean en hacer el bien, aunque a veces en los cuentos también aparecen hadas malas. INGLÉS fairy.

¡hala!
interjección
1 Exclamación que se utiliza para animar a alguien: *¡Hala!, ya te queda poco.* INGLÉS come on!
2 Exclamación que se utiliza para expresar sorpresa o disgusto: *¡Hala!, vaya fallo más tonto.* INGLÉS wow [sorpresa], damn! [disgusto].

halagar
verbo
1 Decir cosas buenas y agradables a una persona para conseguir algo de ella: *No me halagues tanto que ya sé que quieres pedirme algo.* INGLÉS to flatter.
2 Sentirse satisfecho y contento de algo que nos hace o dice una persona, generalmente porque pensamos que nos lo merecemos. Nos halaga que la gente nos invite a una fiesta. INGLÉS to flatter.
NOTA La 'g' se convierte en 'gu' delante de 'e', como: halague.

halagüeño, halagüeña
adjetivo
1 Se dice de lo que parece que puede traer muchas satisfacciones en el futuro. Una noticia halagüeña crea esperanzas de algo bueno. INGLÉS promising.

halcón
nombre masculino
1 Ave rapaz menor que un águila, con el pico curvo, fuertes garras y alas largas y puntiagudas. Antes se utilizaba para cazar. INGLÉS falcon.
NOTA El plural es: halcones.

hall
nombre masculino
1 Parte de una casa o edificio que se encuentra junto a la puerta principal y que se usa para recibir a los que llegan. INGLÉS hall [en una casa], entrance hall [en un edificio].
NOTA Es preferible utilizar las palabras 'vestíbulo' o 'recibidor'. Se pronuncia: 'jol'. El plural es: halls.

hallar
verbo
1 Encontrar o descubrir una cosa o a una persona: *Hallé a mi hermano escondido en el armario.* INGLÉS to find.
2 Averiguar una respuesta o encontrar una solución: *En esta enciclopedia hallarás la respuesta.* INGLÉS to find.
3 Descubrir o inventar una cosa. Los médicos y científicos se encargan de hallar nuevas vacunas para prevenir enfermedades. INGLÉS to find.
4 Darse cuenta, observar o notar una cosa: *Halló muy extraño que su amigo no estuviera en casa.* SINÓNIMO encontrar. INGLÉS to find.
5 hallarse Estar o encontrarse en una situación, un estado de ánimo o un lugar determinado. África se halla al sur de Europa: *Me hallo casi extenuado, después de tanto caminar.* INGLÉS to be.

hallazgo
nombre masculino
1 Acción que consiste en hallar o encontrar una cosa, especialmente cuando se trata de algo muy importante o beneficioso: *Descubrir este restaurante ha sido un verdadero hallazgo.* INGLÉS discovery.

halógeno, halógena
adjetivo y nombre
1 Se dice de una lámpara o luz eléctrica que posee un hilo rodeado de un gas que se vuelve luminoso cuando se calienta y produce una luz muy clara y brillante. Existen faros de coche halógenos y bombillas halógenas. INGLÉS halogenous.

halterofilia
nombre femenino
1 Deporte que consiste en levantar una barra de hierro que lleva pesas en sus extremos. INGLÉS weightlifting.

hamaca
nombre femenino
1 Pieza alargada de red o tela que se cuelga por los extremos y sirve para echarse en ella. Algunas personas tienen hamacas en el jardín para echarse la siesta. INGLÉS hammock.
2 Asiento formado por una tela resistente que forma el asiento y el respaldo. En muchas playas alquilan hamacas para tumbarse a tomar el sol. SINÓNIMO tumbona. INGLÉS deck chair.

hambre
nombre femenino
1 Sensación que se produce cuando se tienen ganas de comer. Cuando lleva-

mos muchas horas sin comer sentimos hambre. INGLÉS hunger.

2 Falta o escasez de alimentos. Muchos niños mueren de hambre cada día. INGLÉS hunger.

NOTA Es un nombre femenino, pero se utilizan los determinantes 'el' y 'un' cuando entre el determinante y el nombre no hay otras palabras: el hambre.

hambriento, hambrienta

adjetivo **1** Que tiene mucha hambre o ganas de comer. INGLÉS hungry.

hambruna

nombre femenino **1** Situación de mucha hambre en una región. Las guerras provocan grandes hambrunas. INGLÉS famine.

hamburguesa

nombre femenino **1** Pieza redonda de carne picada, normalmente de vaca o de pollo, que se fríe o se asa. Suele ponerse dentro de un pan redondo acompañada de vegetales, queso y alguna salsa. INGLÉS hamburger, beefburger.

hámster

nombre masculino **1** Mamífero roedor parecido al ratón pero más grande, de color variado y cola corta. Algunas personas tienen un hámster como animal doméstico. INGLÉS hamster.

NOTA Se pronuncia: 'jámster'. El plural es: hámsteres.

hangar

nombre masculino **1** Edificio con techos altos y puertas grandes donde se revisan, reparan o guardan los aviones en un aeropuerto. INGLÉS hangar.

harapo

nombre masculino **1** Prenda de vestir o trozo de tela que está rota, sucia y muy gastada: *Cenicienta iba vestida con harapos.* INGLÉS rag, tatter.

NOTA Se usa sobre todo en plural.

hardware

nombre masculino **1** Conjunto de elementos materiales que constituyen un ordenador o un equipo informático. La pantalla, el disco duro o el teclado son elementos que forman parte del hardware. INGLÉS hardware.

NOTA Se pronuncia: 'járgüer'. El plural es: hardwares.

harina

nombre femenino **1** Polvo que se obtiene al moler los granos de trigo o de otros cereales. Con la harina se hace pan, tartas y pasteles. INGLÉS flour.

hartar

verbo **1** Molestar o cansar a una persona hasta aburrirla o hacerla enfadar. La gente pesada harta a los demás. INGLÉS to annoy, to irritate.

2 hartarse Hacer una cosa muchas veces o durante mucho tiempo hasta no poder más, especialmente comer o beber: *Me he hartado de decirle que recogiera su habitación.* INGLÉS to get fed up.

harto, harta

adjetivo **1** Que está aburrido o cansado de algo: *Estoy harto de comer puré y pollo a la plancha.* INGLÉS fed up.

hasta

preposición **1** Señala el límite en el tiempo, en el espacio o en la cantidad. Lo que viene después de 'hasta' es un punto máximo del que no se puede pasar: *Quiero quedarme hasta que acabe el partido.* INGLÉS until, till.

2 Se utiliza en expresiones de despedida seguida del momento en que se cree que se volverá a ver a la persona de que uno se despide, como en: hasta luego, hasta mañana, hasta el lunes o hasta ahora. Si estamos muy enfadados con alguien y no queremos volver a verlo, decimos 'hasta nunca'. INGLÉS until, till.

adverbio **3** Indica que se incluye algo o a alguien en lo que se ha dicho, aunque parezca sorprendente o extraño que la persona o cosa de que se habla haga lo que se dice: *¡Hasta Juan supo contestar aquella pregunta!* SINÓNIMO incluso. INGLÉS even.

hastío

nombre masculino **1** Sensación que se experimenta cuando se está completamente aburrido y no se quiere hacer nada: *Si sientes hastío de ver la televisión, sal a pasear.* Es un uso formal. SINÓNIMO aburrimiento; cansancio. INGLÉS boredom.

haya

nombre femenino **1** Árbol de tronco alto y grueso, de corteza gris, hojas ovaladas y fruto pequeño. Su madera es ligera, resistente y suele utilizarse en trabajos de carpintería. INGLÉS beech.

a b c d e f g h i j k l m n ñ o p q r s t u v w x y z

NOTA Es un nombre femenino, pero se utilizan los determinantes 'el' y 'un' cuando entre el determinante y el nombre no hay otras palabras: el haya.

hayedo
nombre masculino
1 Lugar donde hay muchas hayas. Los hayedos forman bosques frondosos en el norte de la Península. **INGLÉS** beech grove.

haz
nombre masculino
1 Conjunto de cosas largas y estrechas agrupadas y atadas por el centro. Los segadores hacen haces con el trigo segado. **INGLÉS** sheaf.
2 Conjunto de rayos de luz que salen del mismo punto, como el haz de luz de los faros de los coches. **INGLÉS** beam.
3 En una cosa de dos caras, lado superior. El haz de una hoja de árbol es la parte de arriba y el envés la de abajo. **INGLÉS** face.
NOTA El plural es: haces.

hazaña
nombre femenino
1 Acción difícil que se consigue hacer con esfuerzo y valentía. Subir a la cima del Everest es una hazaña. **SINÓNIMO** proeza. **INGLÉS** exploit, feat.

hazmerreír
nombre masculino y femenino
1 Persona, acción o cosa que por su aspecto ridículo hace reír a los demás: *Tu coche, desde que lo has pintado, es el hazmerreír del barrio.* **INGLÉS** laughing stock.

hebilla
nombre femenino
1 Pieza, generalmente de metal, que sirve para unir los dos extremos de una tira de tela o cuero. En la hebilla hay una barrita alargada que se mete en uno de los agujeros que hay en un extremo de la tira que se quiere sujetar. Los cinturones tienen hebilla. **INGLÉS** buckle.

hebra
nombre femenino
1 Trozo de hilo que se pone en una aguja para coser: *No necesito el carrete, con una hebra ya tengo para coser este botón.* **INGLÉS** thread.
2 Fibra que tienen algunos alimentos sólidos, como las judías verdes o la carne. **INGLÉS** string.

hebreo, hebrea
adjetivo y nombre
1 Se dice de la persona que habitaba antiguamente en una zona de Palestina. También se dice de sus descendientes, muchos de los cuales viven en Israel. **SINÓNIMO** judío. **INGLÉS** Hebrew.
nombre masculino
2 Lengua hablada por los hebreos. Actualmente es la lengua oficial de Israel. **INGLÉS** Hebrew.

heces
nombre femenino plural
1 Sustancia sólida que los animales y las personas expulsan por el ano. Las sustancias no nutritivas pasan al intestino grueso y, junto con parte del agua que bebemos, se forman las heces. **SINÓNIMO** excremento. **INGLÉS** faeces.

hechicero, hechicera
nombre
1 Persona que hace hechizos, como los brujos. **INGLÉS** sorcerer, wizard [hombre], sorceress, witch [mujer].

hechizar
verbo
1 Realizar un hechizo. Las hadas de los cuentos fantásticos hechizan a otros personajes que para liberarse del hechizo deben superar alguna prueba o esperar a que ocurra algo improbable. **INGLÉS** to bewitch, to cast a spell on.
2 Atraer de manera irrestible a una persona. Algunos cantantes hechizan al público con su voz. **SINÓNIMO** cautivar. **INGLÉS** to enchant.
NOTA La 'z' se convierte en 'c' delante de 'e', como: hechicen.

hechizo
nombre masculino
1 Acción mágica que se realiza para conseguir una cosa, para influir sobre una persona o para hacerle daño. En algunos cuentos los príncipes han sido convertidos en rana por medio de un hechizo. **SINÓNIMO** embrujo; encantamiento. **INGLÉS** spell.

hecho, hecha
participio
1 Participio irregular de: hacer. También se usa como adjetivo: *Ya he hecho los deberes. Los dibujos hechos a lápiz quedan mejor si después se pintan.* **INGLÉS** done, made.
adjetivo
2 Se dice de los alimentos que están cocinados, especialmente de la carne. Un filete poco hecho está rojo por dentro. **INGLÉS** done, cooked.
3 Se dice de una persona que tiene el aspecto o las características de lo que se indica a continuación, como hecho una fiera: *Mi abuelo ha vuelto de las vacaciones hecho un chaval.*
4 Se dice de las personas o las cosas que están maduras o desarrolladas: *Es*

un hombre muy hecho y responsable. INGLÉS mature.

nombre masculino **5** Acción que hace o hizo una persona: *Si tienes en cuenta todos sus hechos no es extraño que al final lo hayan juzgado.* INGLÉS act, action.

6 Cosa que ocurre o ha ocurrido: *Quiero conocer todos los hechos, contadme cómo sucedió el accidente.* INGLÉS fact.

hectárea
nombre femenino
1 Medida de superficie que equivale a 100 áreas. Su símbolo es: ha. INGLÉS hectare.

hectogramo
nombre masculino
1 Medida de masa que es igual a 100 gramos. Su símbolo es: hg. INGLÉS hectogramme.

hectolitro
nombre masculino
1 Medida de capacidad que equivale a 100 litros. Su símbolo es: hl. INGLÉS hectolitre.

hectómetro
nombre masculino
1 Medida de longitud que es igual a 100 metros. Su símbolo es: hm. INGLÉS hectometre.

hedor
nombre masculino
1 Olor fuerte y muy desagradable, como el de un animal muerto. INGLÉS stink, stench.

helada
nombre femenino
1 Fenómeno atmosférico que consiste en que la temperatura desciende por debajo de 0 grados y se forma escarcha o hielo. *Durante el invierno se producen muchas heladas.* INGLÉS frost.

heladería
nombre femenino
1 Establecimiento donde se hacen y venden helados. INGLÉS ice-cream parlour.

heladero, heladera
nombre
1 Persona que se dedica a hacer o vender helados. INGLÉS ice-cream man [hombre], ice-cream woman [mujer].

helado, helada
adjetivo
1 Que está muy frío. *En invierno el agua del mar está helada.* INGLÉS frozen.

2 Que se ha quedado sorprendido o asustado por algo. *A veces nos quedamos helados cuando oímos una noticia terrible que no nos esperábamos.* INGLÉS dumbfounded.

nombre masculino **3** Alimento dulce y frío hecho con agua o leche, azúcar y otros ingredientes, que se congela y se come sólido. INGLÉS ice-cream.

helar
verbo
1 Formar hielo en un líquido debido a una temperatura muy baja, especialmente el agua cuando forma escarcha o hielo. *En invierno suele helar por las noches en muchos lugares.* INGLÉS to freeze.

2 Hacer mucho frío: *En esta habitación hiela, pon un rato la estufa.* INGLÉS to be freezing.

3 helarse Sentir una persona mucho frío. *Si en invierno no vamos bien abrigados nos helamos de frío.* SINÓNIMO congelarse. ANTÓNIMO asarse. INGLÉS to freeze.

NOTA Se conjuga como: acertar; la 'e' se convierte en 'ie' en sílaba acentuada, como: hiela.

helecho
nombre masculino
1 Planta de hojas grandes y muy verdes, sin flores ni semillas, que crece en lugares húmedos y con sombra. INGLÉS fern.

hélice
nombre femenino
1 Pieza formada por dos o más palas o aspas que dan vueltas alrededor de un eje y hacen moverse a los helicópteros y a algunos barcos y aviones. INGLÉS propeller [de barcos, aviones], blades [de helicóptero].

helicóptero
nombre masculino
1 Vehículo volador que despega en vertical, puede moverse horizontal o verticalmente y puede quedarse parado en el aire. *Tiene una cabina para el piloto y los pasajeros, una gran hélice sobre el techo y una cola con una hélice más pequeña.* INGLÉS helicopter.

hembra
nombre femenino
1 Ser vivo de sexo femenino. *Las hembras de los animales son las que pueden quedar fecundadas y reproducir nuevos seres de su misma especie. Las plantas que solo tienen flores femeninas y que dan los frutos también son hembras, como una palmera hembra que da dátiles.* ANTÓNIMO macho. INGLÉS female.

2 Una de las dos piezas que forman un objeto o instrumento, que tiene un agujero en el que entra o encaja la otra pieza. *En un enchufe la pieza que está en la pared con dos agujeros es la hem-*

bra y la del aparato eléctrico con dos barritas metálicas es el macho. INGLÉS female [de un enchufe: socket].

hemeroteca
nombre femenino
1 Lugar o parte de una biblioteca donde se guardan revistas y periódicos. INGLÉS newspaper library.

hemiciclo
nombre masculino
1 Espacio en forma de medio círculo que puede tener gradas o asientos a su alrededor. La sala del Congreso de los Diputados en España tiene esta forma, por eso también se la llama hemiciclo. INGLÉS floor.

hemisferio
nombre masculino
1 Cada una de las dos mitades de la Tierra separadas por el Ecuador o por un meridiano. España se encuentra en el hemisferio norte y Argentina en el hemisferio sur. INGLÉS hemisphere.

hemorragia
nombre femenino
1 Salida abundante de sangre de una arteria o vena. Para detener la hemorragia de una herida se puede hacer un torniquete. INGLÉS haemorrhage.

heno
nombre masculino
1 Hierba que se corta y deja secar para dar de comer al ganado. INGLÉS hay.

hepatitis
nombre femenino
1 Inflamación del hígado. Hay diferentes tipos de hepatitis, algunos de ellos graves. INGLÉS hepatitis.
NOTA El plural es: hepatitis.

heptágono
nombre masculino
1 Figura geométrica que tiene siete lados. INGLÉS heptagon.

herbáceo, herbácea
adjetivo
1 Se dice de la planta que tiene el aspecto o las características de la hierba, como tener el tallo tierno y verde o crecer de manera silvestre en el campo. Rara vez alcanzan los dos metros de altura. INGLÉS herbaceous.

herbario
nombre masculino
1 Colección de plantas secas que se conservan y clasifican para su estudio. INGLÉS herbarium.

herbívoro, herbívora
adjetivo y nombre
1 Se dice del animal que se alimenta de hierba o vegetales, como la vaca o el conejo. INGLÉS herbivorous [adjetivo], herbivore [nombre].

herbolario
nombre masculino
1 Tienda en la que se venden hierbas y plantas medicinales. En el herbolario mezclan distintas plantas secas que alivian algunos dolores y enfermedades. SINÓNIMO herboristería. INGLÉS herbalist's.

herboristería
nombre femenino
1 Herbolario. INGLÉS herbalist's.

heredar
verbo
1 Recibir dinero o propiedades de una persona cuando esta muere. INGLÉS to inherit.
2 Tener características físicas o de carácter de los padres o de otros ascendientes: *Ha heredado esos ojos de su madre.* INGLÉS to inherit.
3 Recibir una cosa de otra persona cuando esta ya no la utiliza: *Ha heredado la chaqueta de su hermano.* INGLÉS to inherit.

heredero, heredera
adjetivo y nombre
1 Persona que recibe la herencia de otra persona o que tiene derecho a recibirla: *Felipe de Borbón es el príncipe heredero de la Corona de España.* INGLÉS heir [nombre - hombre], heiress [nombre - mujer].

hereditario, hereditaria
adjetivo
1 Se dice de las cosas que se transmiten por herencia, como algunas enfermedades o derechos. INGLÉS hereditary.

herejía
nombre femenino
1 Idea o conjunto de ideas que se consideran equivocadas o falsas dentro de una religión o doctrina. Para los católicos, es una herejía decir que Cristo no es el hijo de Dios. INGLÉS heresy.

herencia
nombre femenino
1 Propiedades, dinero o cualquier otra cosa que una persona deja a otra cuando muere. También se dice que un músico o un escritor han dejado una buena herencia cuando su obra es muy importante. INGLÉS inheritance.

herida
nombre femenino
1 Corte o abertura de la piel debidos a un corte o golpe. Una herida debe limpiarse bien para que no se infecte. INGLÉS wound.

herido, herida
adjetivo y nombre
1 Se dice de la persona o animal que tiene heridas o golpes. INGLÉS wounded,

injured [adjetivo], wounded person, injured person [nombre].

herir

verbo

1 Causar una herida en alguna parte del cuerpo a una persona o animal, con un objeto cortante, un arma o un golpe. Si no tenemos cuidado nos podemos herir con un cuchillo o con unas tijeras. INGLÉS to wound, to injure.

2 Causar un sentimiento doloroso en una persona. Podemos herir a los demás cuando decimos algo molesto o desagradable. INGLÉS to wound.

NOTA Se conjuga como: preferir; la 'e' se convierte en 'ie' en sílaba acentuada o en 'i' en algunos tiempos y personas, como: hiere, hirió.

hermafrodita

adjetivo y nombre masculino y femenino

1 Se dice del ser vivo que tiene órganos reproductores de los dos sexos, como los caracoles y las ostras. Una flor hermafrodita tiene una parte femenina, el pistilo, que produce óvulos, y una parte masculina llamada estambre, que produce polen. INGLÉS hermaphrodite.

hermanastro, hermanastra

nombre

1 Hermano con el que solo se tiene uno de los dos padres en común. También es un hermanastro el hijo de la madrastra o el padrastro. INGLÉS stepbrother [chico], stepsister [chica].

hermano, hermana

nombre

1 Son hermanas las personas que tienen los mismos padres. INGLÉS brother [chico], sister [chica].

2 Persona que pertenece a una comunidad religiosa, normalmente frailes y monjas. También se utiliza como forma de tratamiento hacia ellos. INGLÉS brother [hombre], sister [mujer].

hermético, hermética

adjetivo

1 Que cierra por completo sin dejar pasar el aire o la humedad, como las fiambreras herméticas. INGLÉS airtight.

hermoso, hermosa

adjetivo

1 Que es muy agradable de ver o de oír: *¡Qué hermoso es oír el canto de algunos pájaros!* SINÓNIMO bello; bonito. ANTÓNIMO feo. INGLÉS beautiful, lovely.

2 Se dice de los actos buenos y nobles que se hacen para ayudar a la gente. Dar algunos de nuestros juguetes a algún hospital es algo muy hermoso. INGLÉS kind.

3 Se dice de una persona, animal o planta que está bien desarrollado y tiene buen aspecto: *¡Qué bebé más hermoso!* INGLÉS beautiful, lovely.

hermosura

nombre femenino

1 Característica de las cosas o las personas hermosas: *Esta niña es una hermosura.* INGLÉS beauty, loveliness.

héroe, heroína

nombre

1 Persona famosa a la que la gente respeta y admira por haber realizado acciones importantes, difíciles o valientes. Se dice que los bomberos son héroes porque a veces arriesgan su vida para salvar las de los demás. INGLÉS hero.

2 Ser mitológico superior a los hombres pero inferior a los dioses. Hércules y Aquiles son héroes griegos. INGLÉS hero.

3 Personaje principal de una novela, una historia o una película. SINÓNIMO protagonista. INGLÉS hero [hombre], heroine [mujer].

heroico, heroica

adjetivo

1 Del héroe o que es propio de un héroe. En la mitología griega hay muchas aventuras heroicas. INGLÉS heroic.

2 Que merece ser recordado y admirado por haber exigido mucho valor o un gran esfuerzo: *Fue una hazaña heroica ganar la final.* INGLÉS heroic.

heroína

nombre femenino

1 Droga derivada del opio, que se presenta en forma de polvo blanco, crea mucha adicción y causa graves trastornos físicos y mentales. INGLÉS heroin.

2 Forma femenina de héroe. INGLÉS heroine.

heroísmo

nombre masculino

1 Conjunto de cualidades que tienen los héroes: *Poner su vida en peligro para salvar a otros fue un acto de heroísmo.* INGLÉS heroism.

herradura

nombre femenino

1 Pieza plana de hierro que se sujeta con clavos en los cascos de los caballos para evitar que se les desgasten o se les dañen al andar; tiene forma de 'U' y para algunos es símbolo de buena suerte. INGLÉS horseshoe. DIBUJO página 187.

a b c d e f g h i j k l m n ñ o p q r s t u v w x y z

herraje
nombre masculino
1 Conjunto de piezas de hierro con las que se decora o refuerza un objeto, como los herrajes de una puerta o de un baúl. INGLÉS iron fittings.

herramienta
nombre femenino
1 Objeto o aparato que se usa con las manos durante el desarrollo de un trabajo determinado, para desempeñar un oficio o una actividad, como las tijeras, el taladro o la maza. INGLÉS tool.

herrar
verbo
1 Poner herraduras a los caballos o a otros animales. INGLÉS to shoe.
2 Hacer una marca en la piel de un animal con un hierro muy caliente para que se sepa quién es su propietario. INGLÉS to brand.
NOTA Se conjuga como: acertar; la 'e' se convierte en 'ie' en sílaba acentuada, como: hierre.

herrería
nombre femenino
1 Lugar donde se fabrican o trabajan objetos de hierro. INGLÉS forge, smithy.

herrero, herrera
nombre
1 Persona que trabaja de forma artesana haciendo objetos de hierro, como rejas para las ventanas y herraduras para los caballos. INGLÉS blacksmith, smith.

hervir
verbo
1 Calentar un líquido a una temperatura tan alta que el líquido se convierte en gas. El agua hierve a 100 grados centígrados. SINÓNIMO cocer. INGLÉS to boil.
2 Poner algo en un líquido hirviendo para cocinarlo o esterilizarlo. Los chupetes de los bebés pueden esterilizarse en agua hirviendo. INGLÉS to boil.
NOTA Se conjuga como: preferir; la 'e' se convierte en 'ie' en sílaba acentuada o en 'i' en algunos tiempos y personas, como: hiervo, hirvió.

heterodoxo, heterodoxa
adjetivo y nombre
1 Que no está de acuerdo con los principios de una doctrina o religión, o que no sigue las normas o los métodos tradicionales. Una persona heterodoxa piensa o trabaja de una forma poco habitual y diferente a la mayoría de personas. INGLÉS heterodox.

heterogéneo, heterogénea
adjetivo
1 Que está formado por personas, cosas o partes de distinta clase o naturaleza. Los alumnos de un colegio son heterogéneos porque son de distintos lugares y tienen distintas costumbres. ANTÓNIMO homogéneo. INGLÉS heterogeneous.

heterosexual
adjetivo y nombre masculino y femenino
1 Se dice de la persona que se siente atraída sexualmente por personas de sexo distinto al suyo. INGLÉS heterosexual.

hexaedro
nombre masculino
1 Figura geométrica que tiene seis caras. El cubo es un hexaedro. INGLÉS hexahedron.

hexágono
nombre masculino
1 Figura geométrica que tiene seis lados. INGLÉS hexagon.

hiato
nombre masculino
1 Encuentro de dos vocales seguidas que se pronuncian en sílabas distintas. En las palabras 'proveer' y 'armonía' hay hiatos porque se pronuncian así: 'pro-veer' y 'ar-mo-ní-a'. INGLÉS hiatus.

hibernar
verbo
1 Pasar el invierno algunos animales aletargados en su madriguera, con muy poca actividad o dormidos, como hace el oso. INGLÉS to hibernate.
NOTA No lo confundas con 'invernar', que significa 'pasar el invierno en algún lugar'.

híbrido, híbrida
adjetivo y nombre masculino
1 Se dice del animal o la planta que procede de la unión de dos individuos de especies diferentes. El mulo es un híbrido de un caballo y una burra. INGLÉS hybrid.
2 Que está formado por elementos de distinto origen o naturaleza. Un automóvil híbrido tiene un motor de combustible y un motor eléctrico. INGLÉS hybrid.

hidalgo, hidalga
nombre
1 Persona que pertenecía a la baja nobleza castellana. Don Quijote era un hidalgo, es decir, un noble con pocos bienes. INGLÉS nobleman, gentleman.

hidratar
verbo
1 Dar el agua o la humedad necesaria a un cuerpo para que no se quede seco. Después de hacer ejercicio tenemos que

beber para hidratar nuestro organismo. INGLÉS to hydrate.

hidrato
nombre masculino
1 Sustancia química formada por la combinación de un elemento con agua. INGLÉS hydrate.
hidrato de carbono Sustancia química que se encuentra en algunos alimentos, como el azúcar, el pan, los cereales, las verduras, las frutas y los dulces. Son sustancias nutritivas que nos proporcionan la energía necesaria para hacer cosas. INGLÉS carbohydrate.

hidráulico, hidráulica
adjetivo
1 Que tiene relación con el agua, especialmente como fuente de energía. La energía hidráulica es la energía que posee el agua en movimiento. INGLÉS hydraulic.

hidroavión
nombre masculino
1 Avión que puede aterrizar y despegar sobre el agua. Para apagar incendios en los bosques se utilizan hidroaviones especiales que pueden cargar agua. INGLÉS seaplane.
NOTA El plural es: hidroaviones.

hidroeléctrico, hidroeléctrica
adjetivo
1 De la energía eléctrica conseguida por la fuerza del movimiento del agua o que tiene relación con esta energía. En una central hidroeléctrica se transforma la energía hidráulica en energía eléctrica. INGLÉS hydroelectric.

hidrógeno
nombre masculino
1 Gas sin color ni olor. Es el más ligero que se conoce y, combinado con el oxígeno, forma el agua. INGLÉS hydrogen.

hidrografía
nombre femenino
1 Conjunto de los mares, los ríos, los lagos y otras corrientes de agua de un lugar. Los mapas físicos representan el relieve, la hidrografía o la vegetación de un territorio. INGLÉS hydrography.

hidrográfico, hidrográfica
adjetivo
1 Que tiene relación con la hidrografía de un lugar. La península Ibérica tiene tres vertientes hidrográficas: cantábrica, atlántica y mediterránea. INGLÉS hydrographic.

hidropónico, hidropónica
adjetivo
1 Que tiene relación con el cultivo de plantas en un líquido, por lo general con una base de arena o grava. INGLÉS hydroponic.

hidrosfera
nombre femenino
1 Conjunto de las partes líquidas de la Tierra. El agua de los mares, los océanos, los ríos, los arroyos, los pantanos y el agua que discurre bajo la superficie terrestre forman la hidrosfera. INGLÉS hydrosphere.

hiedra
nombre femenino
1 Planta trepadora de hojas verdes que crece subiendo por las paredes y los árboles. INGLÉS ivy.
NOTA También se pronuncia y se escribe: yedra.

hiel
nombre femenino
1 Líquido amargo y de color amarillo verdoso que fabrica el hígado, pasa al intestino y ayuda a la digestión de alimentos. SINÓNIMO bilis. INGLÉS bile.

hielo
nombre masculino
1 Agua que está en estado sólido a causa del frío, como los cubitos de hielo. INGLÉS ice.

hiena
nombre femenino
1 Mamífero salvaje, parecido a un perro, con las patas traseras más cortas que las delanteras y el pelo gris con manchas oscuras. Se alimenta de la carne de animales muertos. INGLÉS hyena.

hierba
nombre femenino
1 Planta pequeña de tallo tierno y verde, que crece silvestre en los campos. También se llama hierba el conjunto de estas plantas. INGLÉS grass.
2 Conjunto de hojas o flores de plantas que se utilizan para hacer infusiones o para dar sabor a las comidas. La manzanilla y el té son hierbas. INGLÉS herb.
hierba buena Es otra forma de pronunciar y escribir: hierbabuena.
mala hierba Conjunto de plantas silvestres que crecen en los sembrados y los perjudican. INGLÉS weed.
NOTA También se escribe y se pronuncia: yerba.

hierbabuena
nombre femenino
1 Planta de hojas verdes muy aromáticas, que se usa para dar sabor a las comidas y buen olor al ambiente. También se toma en infusión. SINÓNIMO menta. INGLÉS mint.

NOTA También se pronuncia y se escribe: hierba buena o yerbabuena.

hierro
nombre masculino
1 Metal duro de color gris oscuro que se utiliza para hacer todo tipo de objetos y herramientas. INGLÉS iron.
2 Cualquier objeto o instrumento hecho de este metal: *Ha puesto unos hierros para sujetar la pared.* INGLÉS thing made of iron.
de hierro Que es muy fuerte o resistente. Decimos que una persona tiene una salud de hierro cuando nunca se pone enferma. INGLÉS of iron.

hígado
nombre masculino
1 Órgano del aparato digestivo de las personas y muchos animales, situado en la parte derecha del abdomen. INGLÉS liver.

higiene
nombre femenino
1 Limpieza del cuerpo, los utensilios, la casa y los lugares públicos para proteger la salud y evitar enfermedades infecciosas. INGLÉS hygiene.

higiénico, higiénica
adjetivo
1 Se dice de las cosas o las actitudes que tienen que ver con la higiene. Lavarse los dientes a diario es una costumbre muy higiénica. INGLÉS hygienic.

higo
nombre masculino
1 Fruto comestible de la higuera que tiene la piel casi negra y la carne dulce y blanda, de color rojo y blanco, con muchas semillas. Se come fresco o seco. INGLÉS fig.
estar hecho un higo Estar algo muy arrugado o estropeado. Una camisa puede salir de la lavadora hecha un higo, con muchas arrugas. Es una expresión informal. INGLÉS to be ruined [estropeado], to be wrinkled [arrugado].
higo chumbo Fruto de la chumbera, de color verde y con espinas, y pulpa anaranjada o verde. Es comestible y de sabor dulce. INGLÉS prickly pear.

higuera
nombre femenino
1 Árbol frutal, de hojas grandes, brillantes por encima y grises y ásperas por debajo, que produce higos. INGLÉS fig tree.

hijastro, hijastra
nombre
1 Hijo de la persona con la que se casa alguien, que no es un hijo propio de él, sino de una relación anterior. INGLÉS stepchild, stepson [chico], stepdaughter [chica].

hijo, hija
nombre
1 Persona que ha nacido de un padre y una madre: *Tú eres el hijo de tus padres.* INGLÉS child, son [chico], daughter [chica].
2 Una persona es hija del pueblo, ciudad, región o país donde ha nacido: *Se ha celebrado un homenaje a los hijos del pueblo que no viven en él.* INGLÉS native.

hilar
verbo
1 Transformar en hilo las fibras de origen vegetal o animal, como el algodón o la lana. INGLÉS to spin.
2 Hacer un hilo la araña para una telaraña y el gusano de seda para un capullo. INGLÉS to spin.

hilera
nombre femenino
1 Conjunto de personas o cosas colocadas una detrás de otra formando una línea. SINÓNIMO fila. INGLÉS line, row.

hilo
nombre masculino
1 Fibra de forma larga y muy delgada que se utiliza para tejer y coser. INGLÉS thread.
2 Tejido hecho con fibra de lino. El hilo se utiliza mucho para hacer lencería del hogar, como sábanas, manteles o toallas. INGLÉS linen.
3 Cualquier alambre muy fino, como el que conduce la electricidad o transmite la señal del teléfono. Los cables están formados por varios hilos metálicos. INGLÉS wire.
coger el hilo Enterarse del asunto o del tema del que se está hablando en un discurso o en una conversación: *Llegué*

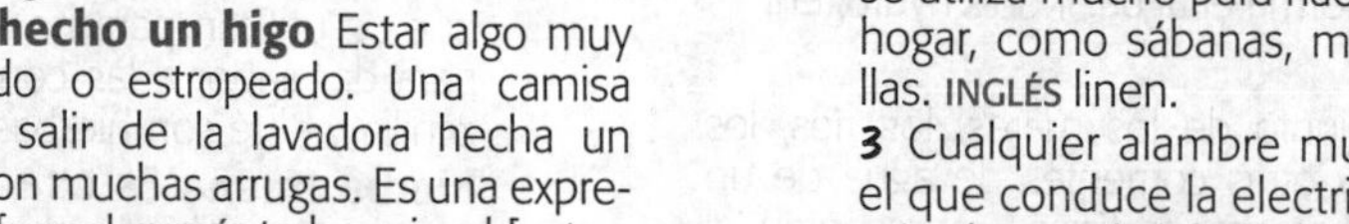

hilera

tarde a clase, pero enseguida cogí el hilo de lo que estaba explicando el profesor. INGLÉS to pick up the thread.

perder el hilo No poder seguir una conversación u olvidarse del tema o el asunto del que se está hablando: *Me distraje y perdí el hilo de la historia.* INGLÉS to lose the thread.

himno
nombre masculino

1 Canción o composición musical que se compone y se toca como alabanza de una persona, una entidad o una nación. En las competiciones internacionales se toca el himno de cada país. INGLÉS hymn, [si es el himno nacional: national anthem].

hincapié

hacer hincapié Insistir mucho en algo. Hacemos hincapié en las cosas que queremos que se recuerden y queden muy claras. INGLÉS to stress.

hincar
verbo

1 Clavar una cosa que termina en punta en otra: *Hincó el cuchillo en la mesa.* INGLÉS to drive, to stick.

NOTA Se escribe 'qu' delante de 'e', como: hinquen.

hincha
nombre masculino y femenino

1 Persona que sigue con pasión a un equipo deportivo que le gusta mucho. SINÓNIMO forofo. INGLÉS fan, supporter.

hincha

hinchar
verbo

1 Aumentar el tamaño de algo, llenándolo de aire o de gas. Hinchamos las ruedas de la bicicleta o un balón. SINÓNIMO inflar. ANTÓNIMO deshinchar. INGLÉS to inflate, to blow up.

2 Exagerar y aumentar la importancia de algo: *Los periodistas hincharon la noticia para llamar la atención del público.* SINÓNIMO inflar. INGLÉS to blow up, to exaggerate.

3 hincharse Aumentar el tamaño de una cosa, especialmente de una parte del cuerpo. Cuando tenemos paperas se nos hinchan los dos lados de la cara. Si nos damos un golpe fuerte en la pierna, se nos hinchará. INGLÉS to swell up.

4 hincharse Hacer una cosa de forma exagerada, especialmente comer mucho: *Se hinchó a pasteles.* SINÓNIMO hartarse. INGLÉS to stuff oneself.

hinchazón
nombre femenino

1 Aumento del tamaño de una parte del cuerpo, a causa de una herida, un golpe o una infección. La picadura de una abeja provoca una gran hinchazón. INGLÉS swelling.

hindú
adjetivo y nombre masculino y femenino

1 Se dice de la persona o cosa que es de la India, país del continente asiático. Sobre todo se aplica a las personas de este país que practican la religión budista. INGLÉS Hindu.

NOTA El plural es: hindúes.

híper
nombre masculino

1 Es la forma abreviada de 'hipermercado'. INGLÉS hypermarket.

NOTA El plural es: híper.

hipérbole
nombre femenino

1 Figura del lenguaje que consiste en exagerar mucho cuando se dice o se escribe algo. Decir que nos han contado una mentira como una catedral es una hipérbole, porque comparamos el tamaño de la mentira con el de una catedral. INGLÉS hyperbole.

hipercrítica
nombre femenino

1 Crítica excesiva o muy rigurosa que se hace de algo. INGLÉS severe criticism.

hipermercado
nombre masculino

1 Establecimiento comercial muy grande en el que se venden productos de todo tipo, que los clientes cogen directamente sin que nadie los sirva. Suelen estar en las afueras de las ciudades y tener un aparcamiento muy grande. INGLÉS hypermarket.

NOTA También se dice: híper.

a b c d e f g **h** i j k l m n ñ o p q r s t u v w x y z

hipermetropía
nombre femenino
1 Defecto de la vista que consiste en ver con dificultad los objetos cercanos. INGLÉS long-sightedness.

hípica
nombre femenino
1 Conjunto de deportes que se practican a caballo, como el salto de obstáculos o las carreras. INGLÉS horse riding.

hipnotizar
verbo
1 Hacer que una persona entre en un estado parecido al sueño y obedezca todas las órdenes que se le dan. INGLÉS to hypnotize.
NOTA Se escribe 'c' delante de 'e', como: hipnoticen.

hipo
nombre masculino
1 Ruido repetido que sale de la garganta de un modo involuntario y que va acompañado de un movimiento brusco del pecho. INGLÉS hiccups.

hipocondriaco, hipocondriaca
adjetivo y nombre
1 Es otra forma de escribir y pronunciar: hipocondríaco.

hipocondríaco, hipocondríaca
adjetivo y nombre
1 Se dice de la persona que se preocupa demasiado por su salud y que piensa que su estado físico es malo o es mucho peor de lo que es. La preocupación excesiva por la salud que tienen los hipocondríacos se considera una enfermedad. INGLÉS hypochondriac.
NOTA También se escribe y se pronuncia: hipocondriaco.

hipócrita
adjetivo y nombre masculino y femenino
1 Se dice de la persona que intenta parecer lo que no es y que nunca dice lo que piensa de verdad. SINÓNIMO falso. ANTÓNIMO sincero. INGLÉS hypocritical [adjetivo], hypocrite [nombre].

hipódromo
nombre masculino
1 Lugar donde se celebran carreras de caballos y otros deportes en los que participan caballos. INGLÉS racetrack, racecourse.

hipopótamo
nombre masculino
1 Mamífero de cuerpo grueso, sin pelo, que tiene las patas cortas y la cabeza y la boca muy grandes. Vive en los ríos africanos. INGLÉS hippopotamus.

hipoteca
nombre femenino
1 Modo de asegurar el pago de una deuda poniendo una propiedad como garantía. Cuando alguien quiere comprar una casa puede pedir una hipoteca al banco y, si no puede pagar, el banco se queda con ella. INGLÉS mortgage.

hipotenusa
nombre femenino
1 Lado opuesto al ángulo recto dentro de un triángulo rectángulo. INGLÉS hypotenuse.

hipótesis
nombre femenino
1 Idea o explicación que se da como buena de forma provisional, pero que no está demostrada: *La hipótesis es el punto de partida que una investigación intenta demostrar.* INGLÉS hypothesis.
NOTA El plural es: hipótesis.

hispalense
adjetivo y nombre masculino y femenino
1 Se dice de la persona o cosa que es de Sevilla, ciudad y provincia de Andalucía. SINÓNIMO sevillano.

hispánico, hispánica
adjetivo
1 Se dice de lo que está relacionado con España y los países donde se habla español. INGLÉS Hispanic.

hispano, hispana
adjetivo y nombre
1 Se dice de la persona o cosa que es de Hispanoamérica, conjunto de países americanos donde se habla español. También se dice de lo que es común a España y América, como la lengua o las costumbres. INGLÉS Spanish-American.
2 Se dice de los habitantes de origen español o hispanoamericano que viven en Estados Unidos. INGLÉS Spanish American.

hispanoamericano, hispanoamericana
adjetivo y nombre
1 Se dice de la persona o cosa que es de Hispanoamérica, conjunto de países americanos que fueron colonizados por España. INGLÉS Spanish-American.

hispanohablante
adjetivo y nombre masculino y femenino
1 Que tiene el español como lengua materna. INGLÉS Spanish-speaking [adjetivo], Spanish speaker [nombre].

histérico, histérica
adjetivo
1 Que es o está muy nervioso y excitado y no puede controlar sus actos ni sus palabras. Algunas personas gritan y lloran mucho cuando se ponen histéricas. INGLÉS hysterical.

histograma
nombre masculino
1 Gráfico utilizado en la representación

de datos que no son numéricos. INGLÉS histogram.

historia

nombre femenino

1 Conjunto de los acontecimientos y hechos que han pasado en el mundo. También es historia la ciencia que estudia esos acontecimientos y hechos. INGLÉS history.

2 Narración de un hecho inventado o real, como la historia de Blancanieves y la de Pulgarcito. INGLÉS story.

nombre femenino plural

3 historias Mentiras que se cuentan como pretexto para hacer o no hacer algo: *No me vengas con historias, lo que pasa es que no te apetecía salir.* INGLÉS excuses.

hacer historia Tener un hecho tanta importancia o ser tan excepcional que pasa a ser recordado por mucha gente. La llegada del hombre a la Luna hizo historia. INGLÉS to make history.

pasar a la historia Dejar de estar de moda o de tener actualidad una cosa. La televisión en blanco y negro ya pasó a la historia. INGLÉS to go down in history.

historiador, historiadora

nombre

1 Persona que se dedica al estudio y la investigación de la historia. INGLÉS historian.

historial

nombre masculino

1 Escrito en el que se reúnen ciertos datos sobre una persona, empresa o entidad, como el historial médico de un paciente. SINÓNIMO expediente. INGLÉS record, history.

histórico, histórica

adjetivo

1 De la historia o que tiene relación con la historia. La revolución francesa es un acontecimiento histórico muy importante. INGLÉS historical.

2 Se dice de las personas o los acontecimientos que han existido de verdad, en especial cuando aparecen en libros o películas. ANTÓNIMO imaginario. INGLÉS historical.

3 Se dice de los acontecimientos que son tan importantes o extraordinarios que merecen ser recordados. Cuando un equipo de fútbol profesional mete más de diez goles a otro decimos que ha sido una goleada histórica. INGLÉS historic.

historieta

nombre femenino

1 Historia que se cuenta por medio de una serie de dibujos, normalmente para niños y jóvenes. Los tebeos son revistas de historietas. INGLÉS comic strip.

hobby

nombre masculino

1 Actividad que se practica en tiempo libre, como la lectura y el deporte. SINÓNIMO afición. INGLÉS hobby.

NOTA Es una palabra de origen inglés y se pronuncia: 'jobi'. El plural es: hobbies, y se pronuncia: 'jobis'.

hocico

nombre masculino

1 Parte que sobresale de la cabeza de algunos animales donde están la boca y la nariz. SINÓNIMO morro. INGLÉS snout.

hockey

nombre masculino

1 Deporte que se practica entre dos equipos, que consiste en meter una pelota pequeña o un disco en la portería del contrario con la ayuda de un bastón. Hay tres tipos de hockey: sobre hierba, sobre hielo y sobre patines. INGLÉS hockey.

NOTA Es una palabra de origen inglés y se pronuncia: 'jokei'.

hogar

nombre masculino

1 Lugar en el que vive una persona, generalmente con su familia. INGLÉS home.

hogareño, hogareña

adjetivo

1 Del hogar o relacionado con él. Las tareas hogareñas son los trabajos habituales que se hacen en casa, como limpiar, fregar o lavar los platos. INGLÉS household.

2 Se dice de la persona que prefiere pasar la mayor parte del tiempo libre en su hogar y en compañía de la familia. INGLÉS home-loving.

hogaza

nombre femenino

1 Pan, generalmente redondo, de tamaño grande. INGLÉS large loaf of bread.

hoguera

nombre femenino

1 Fuego que desprende llamas altas, que se hace al aire libre y generalmente con leña. En la noche de San Juan se encienden hogueras muy grandes. SINÓNIMO fogata. INGLÉS bonfire.

hoja

nombre femenino

1 Parte de las plantas y los árboles, generalmente verde, que sale del tallo o de las ramas. Las hojas suelen ser planas y

delgadas y pueden tener diferentes formas. INGLÉS leaf.
2 Parte de la flor que forma la corola. Las hojas de las amapolas son rojas. SINÓNIMO pétalo. INGLÉS petal.
3 Lámina fina de papel, como las de los libros y los cuadernos. INGLÉS sheet.
4 Pieza de metal con un filo que corta, como las hojas de una máquina de afeitar o la hoja de un cuchillo. INGLÉS blade.
5 Parte de las puertas y de las ventanas que se abre y se cierra. Muchas ventanas son de dos hojas. INGLÉS leaf.

hojalata
nombre femenino **1** Lámina fina de metal que se utiliza para hacer botes y latas de conserva. INGLÉS tin.

hojaldre
nombre masculino **1** Masa hecha con harina y mantequilla que forma varias capas finas al cocerse en el horno. Se usa en pasteles y tartas. INGLÉS puff pastry.

hojarasca
nombre femenino **1** Conjunto de hojas secas que caen de los árboles y cubren el suelo. INGLÉS fallen leaves.

hojear
verbo **1** Pasar rápidamente las hojas de un libro, una revista u otra cosa leyendo solo algunas líneas para hacerse una idea de cómo es o de qué trata. INGLÉS to leaf through.

hola
interjección **1** Palabra que se usa para saludar: *Hola, ya estoy aquí.* INGLÉS hello.

holandés, holandesa
adjetivo y nombre **1** Se dice de la persona o cosa que es de Holanda, país del norte de Europa. INGLÉS Dutch [adjetivo], Dutchman [hombre], Dutchwoman [mujer].
nombre masculino **2** Lengua hablada en holanda y el norte de Bélgica. El holandés es parecido al alemán. INGLÉS Dutch.

holgado, holgada
adjetivo **1** Se dice de la ropa que es más ancha o grande de lo necesario y no se ajusta al cuerpo. En verano se suele llevar ropa holgada para soportar mejor el calor. SINÓNIMO suelto; amplio. ANTÓNIMO estrecho. INGLÉS loose, baggy.
2 Se dice de la situación económica de una persona que tiene para vivir sin preocupaciones y con bienestar. SINÓNIMO acomodado. INGLÉS comfortable.

holgazán, holgazana
adjetivo **1** Se dice de la persona que evita trabajar o estudiar. SINÓNIMO gandul; vago. ANTÓNIMO trabajador. INGLÉS idle, lazy.

hollín
nombre masculino **1** Polvo pegajoso de color negro que deja el humo que sale de un fuego. Las chimeneas suelen estar manchadas de hollín. INGLÉS soot.

holocausto
nombre masculino **1** Gran matanza de personas que tiene como objetivo exterminar todo un pueblo. Los judíos llaman holocausto a la persecución nazi durante la Segunda Guerra Mundial. INGLÉS holocaust.

hombre
nombre masculino **1** Persona adulta de sexo masculino: *Había un hombre, una mujer y dos niñas.* INGLÉS man.
2 Ser humano. A veces indica el conjunto de los seres humanos, tanto en singular como en plural: *Todos los hombres somos iguales.* INGLÉS man.
3 Forma utilizada para dirigirse a la persona con la que se está hablando, normalmente un amigo, o para llamar su atención: *Sí, hombre, sí, lo que tú digas.*
interjección **4** Expresión que indica sorpresa, extrañeza o disgusto: *¡Hombre, cuánto tiempo sin verte!* INGLÉS hey!
hombre rana Persona equipada con traje de goma, gafas y aletas para bucear. INGLÉS frogman.

hombrera
nombre femenino **1** Pieza de espuma que se adapta al hombro. Se usa bajo la ropa para que los hombros parezcan más grandes o, en algunos deportes como el rugby, para protegerlos de golpes. INGLÉS shoulder pad.

hombro
nombre masculino **1** Parte del cuerpo humano por donde se une el brazo con la parte superior del tronco y que llega hasta el cuello. INGLÉS shoulder.
2 Parte de una prenda de vestir que cubre esta parte del cuerpo. INGLÉS shoulder.
arrimar el hombro Ayudar o colaborar en un trabajo. Si en un edicicio se produce un incendio todos los vecinos arriman

el hombro para intentar apagarlo. INGLÉS to lend a hand.

homenaje
nombre masculino
1 Acto o fiesta que se celebra para demostrar el respeto o la admiración hacia una o varias personas: *Hicieron un homenaje al compañero que se iba.* INGLÉS tribute.

homicidio
nombre masculino
1 Delito que consiste en matar a una persona. Está castigado con la cárcel. INGLÉS homicide, murder.

homínido
adjetivo y nombre masculino
1 Se dice de los mamíferos de los que desciende el ser humano actual. El ser humano también es un homínido. La mayoría de los homínidos son prehistóricos. INGLÉS hominid.

homófono, homófona
adjetivo y nombre masculino
1 Se dice de la palabra que se pronuncia igual que otra, aunque se escriban diferente. 'Honda', tira de cuero para lanzar piedras, y 'onda', curva, son palabras homófonas. INGLÉS homophonous [adjetivo], homophone [nombre].

homogéneo, homogénea
adjetivo
1 Que está formado por personas, cosas o partes de la misma clase o naturaleza. Una tropa es un grupo homogéneo de soldados. INGLÉS homogeneous.
2 Se dice de una mezcla o sustancia que está muy ligada y no tiene partes diferenciadas. Para hacer un bizcocho hay que mezclar todos los ingredientes hasta conseguir una masa homogénea. INGLÉS smooth.

homógrafo, homógrafa
adjetivo y nombre masculino
1 Se dice de la palabra que se escribe igual que otra pero tiene un origen y un significado diferentes. 'Haya', un tipo de árbol, y 'haya', forma del verbo haber, son palabras homógrafas. INGLÉS homographic [adjetivo], homograph [nombre].

homónimo, homónima
adjetivo y nombre masculino
1 Se dice de la palabra que se escribe o se pronuncia igual que otra, pero con significado diferente. 'Banco', el lugar donde se tiene el dinero, y 'banco', el asiento, son homónimos. También son homónimos 'basto', grosero o sin acabar, y 'vasto', muy grande. INGLÉS homonymous [adjetivo], homonym [nombre].

homosexual
adjetivo y nombre masculino y femenino
1 Se dice de la persona que se siente atraída sexualmente por personas de su mismo sexo. INGLÉS homosexual.

honda
nombre femenino
1 Tira de cuero u otro material que se usa para lanzar piedras a mucha distancia y con gran fuerza. INGLÉS sling.
NOTA No lo confundas con 'onda', que significa 'curva'.

hondo, honda
adjetivo
1 Que tiene mucha distancia entre la superficie y la parte que está más adentro. Una piscina de dos metros de profundidad es más honda que otrade metro y medio. INGLÉS deep.
2 Se dice de los sentimientos o las sensaciones que afectan con mucha intensidad a una persona, como una honda tristeza. INGLÉS profound, deep.

hondureño, hondureña
adjetivo y nombre
1 Se dice de la persona o cosa que es de Honduras, país de América Central. INGLÉS Honduran.

honesto, honesta
adjetivo
1 Se dice de la persona que es honrada. Una persona honesta no engaña ni intenta perjudicar a los demás. ANTÓNIMO deshonesto. INGLÉS honest.

hongo
nombre masculino
1 Nombre que se da a los seres vivos que no son animales ni vegetales. Viven en la tierra y tienen raíces, como las plantas, pero no tienen clorofila. Algunos hongos son comestibles. INGLÉS fungus, [si es como alimento: mushroom].

honor
nombre masculino
1 Característica de las personas que se comportan siempre haciendo lo que creen que es más justo o más adecuado. A una persona que no tiene honor no le importa mentir ni hacer daño a los demás. SINÓNIMO honra. INGLÉS honour.
2 Admiración y buena opinión que alcanza una persona por sus méritos y sus buenas acciones. Algunas personas se preocupan mucho por defender su honor personal o profesional. INGLÉS honour.
3 Aquello que es motivo de orgullo o

satisfacción para una persona: *Ha tenido el honor de ser el primero en conocer la noticia.* INGLÉS honour.

nombre masculino plural **4 honores** Demostración pública del respeto o el aprecio a una persona. Cuando llega una personalidad a un país, recibe los honores de las autoridades. INGLÉS honour.

honorable

adjetivo **1** Que por sus cualidades o características es respetado y considerado de gran valor. Se puede usar, al hablar con otra persona, en sentido afectuoso: honorable amigo, honorables compañeros. INGLÉS honourable.

honra

nombre femenino **1** Respeto y buena opinión que tienen los demás de una persona: *Defendió su honra ante quienes le criticaban sin motivo.* ANTÓNIMO deshonra. INGLÉS honour.

2 Lo que es motivo de orgullo o satisfacción para una persona: *Para ellos es una honra tener unos hijos tan buenos.* INGLÉS honour.

a mucha honra Expresión con la que se muestra orgullo o satisfacción por algo, en especial si es algo de lo que se ha hablado mal: *Sí señor, soy de pueblo y a mucha honra.* INGLÉS proud of it.

honras fúnebres Actos o ceremonias que se hacen en honor a una persona muerta. INGLÉS funeral rites.

honradez

nombre femenino **1** Forma de comportarse de las personas honradas. SINÓNIMO honestidad. INGLÉS honesty.

honrado, honrada

adjetivo **1** Se dice de la persona que hace siempre lo que cree que es más justo y es incapaz de engañar o robar. SINÓNIMO honesto; íntegro. INGLÉS honest.

2 Que se hace o se obtiene sin engaños y siguiendo las leyes: *Este es un negocio honrado.* SINÓNIMO decente. INGLÉS honest.

honrar

verbo **1** Mostrar respeto o admiración por una persona o por su trabajo. Los homenajes se hacen para honrar a las personas que se respetan o se admiran. INGLÉS to honour.

2 Hacer que una persona se sienta orgullosa o satisfecha por algo o por alguien: *Tu sinceridad te honra.* INGLÉS to do credit.

hora

nombre femenino **1** Cada una de las veinticuatro partes en que se divide un día. Una hora tiene sesenta minutos. INGLÉS hour.

2 Momento determinado del día en el que sucede o hacemos algo, como la hora de almorzar o la hora de acostarse. INGLÉS time.

3 Cita que se tiene con algún profesional, como un médico o un abogado: *Mañana tengo hora con el dentista.* INGLÉS appointment.

a buenas horas Indica que algo ocurre demasiado tarde o cuando ya no es necesario: *A buenas horas me ofreces tu ayuda, cuando ya he solucionado el problema.* INGLÉS too late.

hora punta Momento del día en el que hay más movimiento de gente y tráfico en una ciudad, porque muchas personas realizan la misma actividad a la vez. INGLÉS rush hour.

ya era hora Indica que una acción ya tenía que haberse hecho o haber ocurrido: *Ya era hora, creía que no llegarías nunca.* INGLÉS it was about time.

horadar

verbo **1** Hacer un agujero, túnel o galería en un lugar atravesándolo de parte a parte. El subsuelo de la mayoría de grandes ciudades está horadado por una extensa red de túneles de metro y alcantarillas. INGLÉS to make a hole in [hacer un agujero], to drill [un túnel].

horario, horaria

adjetivo **1** De la hora o que tiene relación con ella. Al principio del invierno y del verano hay un cambio horario, se adelantan o atrasan una hora los relojes. INGLÉS time.

nombre masculino **2** Conjunto de horas durante las que se desarrolla una actividad, como el horario de trabajo. INGLÉS hours.

3 Tabla en la que se indican las horas en las que se realiza una actividad o en que sucede algo. El horario del tren indica cuándo sale de una estación y llega a otra. INGLÉS timetable.

horca

nombre femenino **1** Herramienta formada por un palo largo de madera terminado en dos o más puntas largas de madera o de hierro.

Se utiliza para amontonar la paja y para otros usos agrícolas. INGLÉS hayfork.

2 Construcción de madera formada por un palo vertical con otro horizontal en su extremo superior y una cuerda atada de este último y terminada en un lazo. Se usaba para matar a una persona haciéndole pasar la cabeza por el lazo y dejándola colgada por el cuello. INGLÉS gallows.

horchata

nombre femenino **1** Bebida de color blanco hecha con chufas o almendras, agua y azúcar.

horizontal

adjetivo **1** Que sigue la misma línea que el horizonte, que el suelo o que la línea inferior de algo. Las camas están en posición horizontal, mientras que los armarios lo están en vertical. INGLÉS horizontal.

horizonte

nombre masculino **1** Línea más lejana a la que llega la vista y donde parece que el cielo se junte con la tierra o el mar. INGLÉS horizon.

horma

nombre femenino **1** Instrumento que sirve para dar forma a un objeto o a un material, como los zapatos o los sombreros. Los zapateros usan la horma para hacer o ensanchar zapatos. INGLÉS last.

hormiga

nombre femenino **1** Insecto de pequeño tamaño, normalmente negro o rojo, que vive en grupos muy amplios, llamados colonias, y excava galerías en el interior de la tierra, donde pasa el invierno acumulando alimentos. INGLÉS ant.

2 Persona que es muy trabajadora y ahorradora. Se utiliza sobre todo en diminutivo: *Es una hormiguita, ahorra todo lo que puede.* INGLÉS hard worker.

hormigón

nombre masculino **1** Masa hecha con piedras pequeñas, cemento, agua y arena, que cuando se seca se endurece. Se usa para construir edificios. INGLÉS concrete.

hormiguero

nombre masculino **1** Lugar en el que viven las hormigas, formado por agujeros y galerías dentro de la tierra. INGLÉS ant hill [montículo], ant's nest [nido].

2 Lugar en el que hay mucha gente que se mueve con rapidez y sin orden. Los grandes almacenes son un hormiguero en rebajas. INGLÉS place seething with people.

hornada

nombre femenino **1** Cantidad de pan o de otras cosas que se cuecen en el horno al mismo tiempo. INGLÉS batch.

hornear

verbo **1** Cocer un alimento dentro del horno. Para hacer un pastel hay que preparar una masa y luego hornearla. INGLÉS to bake.

horno

nombre masculino **1** Aparato o construcción que consiste en un espacio cerrado en el que se produce calor y que se usa para cocer o calentar materias. Los artesanos tienen hornos para cocer sus objetos de barro o arcilla. INGLÉS oven, [si es para cerámica: kiln].

2 Establecimiento donde se fabrica y se vende pan y otros productos parecidos. SINÓNIMO panadería. INGLÉS bakery.

altos hornos Lugar donde se funden materiales de hierro. INGLÉS furnace.

no estar el horno para bollos No ser el momento o la situación apropiada para hacer una cosa: *No le pidas dinero a Luis porque se ha enfadado con su jefe y no está el horno para bollos.* INGLÉS to be the wrong time.

horóscopo

nombre masculino **1** Signo del zodiaco de una persona. El horóscopo de las personas nacidas entre el 21 de junio y el 22 de julio es Cáncer. INGLÉS star sign.

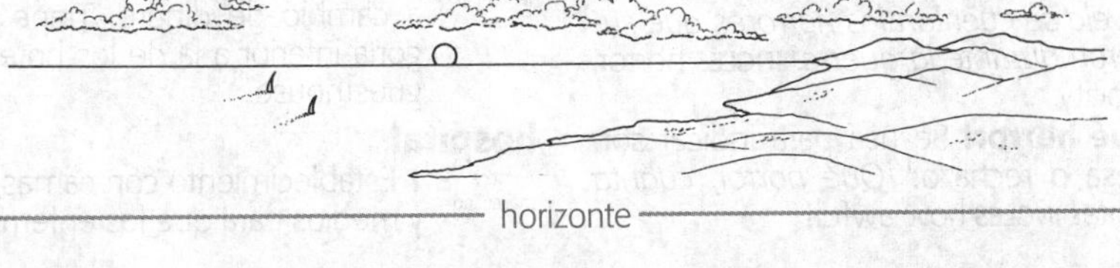

horizonte

2 Aquello que se dice que le va a ocurrir a una persona en el futuro según su signo del zodiaco. INGLÉS horoscope.

horquilla
nombre femenino
1 Varilla de metal doblada por la mitad que sirve para sujetar el pelo o un peinado. INGLÉS hairgrip, hairclip.
2 Parte del cuadro de una bicicleta o motocicleta que une el manillar con la rueda delantera. INGLÉS fork.

horrendo, horrenda
adjetivo
1 Que es muy feo o desagradable, como las brujas de los cuentos. SINÓNIMO horrible. INGLÉS horrible.
2 Que produce horror o mucho miedo o rechazo: *Tuvo una pesadilla horrenda.* SINÓNIMO horrible. INGLÉS horrible.
3 Que es muy grande o muy intenso. Si nos pasamos todo un día sin comer, tendremos un hambre horrenda. SINÓNIMO espantoso; horrible. INGLÉS awful, frightful.

horrible
adjetivo
1 Que es tan grave o tan repugnante que causa horror o miedo. Las muertes violentas son horribles. SINÓNIMO horrendo. INGLÉS horrible.
2 Que es muy feo o muy malo. Un peinado o un coche pueden resultar horribles. SINÓNIMO horrendo. INGLÉS horrible, dreadful.
3 Que es muy grande o muy intenso. En verano hace un calor horrible. SINÓNIMO horrendo. INGLÉS awful, terrible.

horripilar
verbo
1 Horrorizar. A mucha gente le horripila la sangre. SINÓNIMO espantar. INGLÉS to horrify.

horror
nombre masculino
1 Sentimiento de miedo o rechazo muy fuerte producido por algo que es o parece muy grave, muy malo o repugnante: *Le da horror tener que vacunarse porque no soporta las inyecciones.* INGLÉS horror.
2 Aquello que produce un sentimiento de miedo o rechazo muy fuerte: *En la novela se cuentan los horrores que sufrieron durante la guerra.* INGLÉS horror, atrocity.
¡qué horror! Se usa para indicar sorpresa o rechazo: *¡Qué horror, cuánta gente!* INGLÉS how awful!

horrorizar
verbo
1 Producir o sentir un miedo o rechazo muy grandes: *Le horroriza viajar en avión, porque le da miedo que se estrelle.* SINÓNIMO espantar; horripilar. INGLÉS to terrify.
NOTA Se escribe 'c' delante de 'e', como: horrorice.

horroroso, horrorosa
adjetivo
1 Que causa horror o miedo. Los monstruos de los cuentos son horrorosos. SINÓNIMO espantoso; horrible. INGLÉS ghastly, hideous.
2 Que es muy feo o muy malo: *No me gustó nada la película, es horrorosa.* SINÓNIMO espantoso; horrible. INGLÉS awful, terrible.
3 Que es muy intenso o muy grande. En Andalucía hace un calor horroroso durante el verano. SINÓNIMO terrible. INGLÉS awful, terrible.

hortaliza
nombre femenino
1 Planta comestible que se cultiva en las huertas, como las patatas, las lechugas o los tomates. INGLÉS vegetable.

hortelano, hortelana
nombre
1 Persona que tiene una huerta o se dedica a cultivarla. INGLÉS market gardener.

hortensia
nombre femenino
1 Planta de jardín que tiene una flor muy grande, rosa, azul o blanca, compuesta de pequeñas flores. INGLÉS hydrangea.

hortera
adjetivo
1 Que es o se considera vulgar y de mal gusto aunque pretenda ser elegante. INGLÉS tasteless, tacky.

hospedar
verbo
1 Dar o tomar alojamiento una persona como invitada o como huésped de pago. En vacaciones mucha gente se hospeda en casa de un familiar. SINÓNIMO alojar. INGLÉS to put up [hospedar], to stay [hospedarse].

hospedería
nombre femenino
1 Casa donde se admiten huéspedes a cambio de dinero. Tiene una categoría inferior a la de los hoteles. INGLÉS guesthouse.

hospital
nombre masculino
1 Establecimiento con camas, personas y medios para que los enfermos o heri-

dos reciban atención médica, operarlos o tenerlos ingresados. **INGLÉS** hospital.

hospitalario, hospitalaria
adjetivo
1 Se dice de la persona que recibe o acoge con amabilidad y atenciones a las personas que llegan a su casa, ciudad o país para quedarse temporalmente. **INGLÉS** hospitable.
2 Se dice de las cosas que tienen que ver con los hospitales. **INGLÉS** hospital.

hospitalidad
nombre femenino
1 Característica de la persona o del lugar que recibe y acoge con amabilidad y atenciones a las personas que llegan a su casa, ciudad o país para quedarse temporalmente. **INGLÉS** hospitality.

hospitalizar
verbo
1 Ingresar a un enfermo en un hospital. **INGLÉS** to take to hospital, to hospitalize.
NOTA La 'z' se convierte en 'c' delante de 'e', como: hospitalicen.

hostal
nombre masculino
1 Establecimiento con habitaciones que ofrece alojamiento y comida a cambio de dinero. Es de categoría inferior a un hotel. **INGLÉS** guesthouse.

hostelería
nombre femenino
1 Conjunto de actividades realizadas por los hoteles y otros establecimientos donde se ofrece habitación y comida a cambio de dinero. **INGLÉS** hotel and catering trade.

hostería
nombre femenino
1 Hostal. **INGLÉS** guesthouse.

hostia
nombre femenino
1 Trozo de pan plano y redondo que toman los católicos en la comunión y que representa el cuerpo de Jesucristo. **INGLÉS** host.
2 Golpe fuerte que se da una persona al caerse o al chocar con algo. Es un uso vulgar. **SINÓNIMO** tortazo. **INGLÉS** bang.
3 Golpe que una persona da a otra con la mano o con el puño. Es un uso vulgar. **SINÓNIMO** tortazo. **INGLÉS** slap [con la mano], punch [con el puño].

hostil
adjetivo
1 Se dice de la persona o cosa que muestra odio o rechazo o parece enemiga de alguien o algo: *Enseguida notó su actitud hostil, porque no le ayudaba en nada y casi ni le dirigía la palabra.* **INGLÉS** hostile.

hotel
nombre masculino
1 Establecimiento con habitaciones que ofrece alojamiento y comida a cambio de dinero. Los hoteles marcan su categoría con estrellas. **INGLÉS** hotel.

hoy
adverbio
1 En el día en que estamos. Si ayer fue lunes, hoy es martes. **INGLÉS** today.
2 En el tiempo o el momento actual: *Hoy tenemos más comodidades que hace unos años.* **INGLÉS** now, nowadays.
hoy en día En la actualidad: *Hoy en día mucha gente va a la universidad.* **INGLÉS** now, nowadays.

hoyo
nombre masculino
1 Agujero que hay o se hace en la tierra o en el suelo. Los baches son hoyos que hay en la carretera. **INGLÉS** hole.

hoyuelo
nombre masculino
1 Hoyo que algunas personas tienen en la barbilla o que se les forma en la mejilla cuando se ríen. **INGLÉS** dimple.

hoz
nombre femenino
1 Herramienta agrícola formada por un mango de madera y una hoja curva y cortante. Se maneja con una sola mano y se usa para segar. **INGLÉS** sickle.
2 Paso estrecho y profundo entre dos montañas. **INGLÉS** ravine, gorge.
NOTA El plural es: hoces.

hucha
nombre femenino
1 Recipiente con una abertura estrecha y larga en la parte de arriba por donde se echa dinero para ahorrar. **INGLÉS** moneybox.

hueco, hueca
adjetivo
1 Que está vacío por dentro. Las figuras de escayola que venden para pintar suelen estar huecas. **INGLÉS** hollow.
2 Que no tiene el contenido o el significado que parece tener. Las palabras huecas en realidad no dicen nada, aunque suenen muy bien. **INGLÉS** empty, hollow.
nombre masculino
3 Abertura o agujero que hay en una superficie: *Lo esconderemos aquí, en este hueco del árbol.* **INGLÉS** hollow.
4 Espacio o tiempo que no está ocupado, que está libre. Si en una clase no hay un hueco libre es que todos los asientos están ocupados. **INGLÉS** space.

huelga
nombre femenino
1 Modo de protestar o reclamar algo que tienen los trabajadores, dejando de trabajar durante cierto tiempo. INGLÉS strike.
huelga de hambre Modo de protestar o reclamar algo que tiene una persona, dejando de comer durante cierto tiempo y mostrando la decisión incluso de morir si no consigue lo que pretende. INGLÉS hunger strike.

huella
nombre femenino
1 Señal o marca que deja al pisar o tocar algo una persona o un animal. Al caminar por la playa dejamos las huellas de nuestros pies en la arena. INGLÉS footprint [con el pie], fingerprint [con los dedos].
2 Impresión muy fuerte que dura un tiempo en el recuerdo de las personas: *Como era muy buen profesor, dejó una huella profunda en sus alumnos.* INGLÉS mark, impression.

huérfano, huérfana
adjetivo y nombre
1 Persona de poca edad que no tiene padres porque han muerto, o que ha perdido a su padre o a su madre: *Quedó huérfana de padre a los 6 años.* INGLÉS orphaned [adjetivo], orphan [nombre].

huerta
nombre femenino
1 Terreno donde se cultivan verduras, legumbres, árboles frutales y otras plantas. Es más grande que el huerto. INGLÉS market garden [en el Reino Unido], truck farm [en Estados Unidos].
2 Conjunto de tierras que necesitan ser regadas con frecuencia. La huerta proporciona hortalizas ricas y variadas. INGLÉS irrigated farming region.

huerto
nombre masculino
1 Terreno pequeño, generalmente al lado de una casa, dedicado al cultivo de verduras, legumbres, árboles frutales y otras plantas. INGLÉS garden, [si es de árboles frutales: orchard].

hueso
nombre masculino
1 Cada una de las piezas duras y blanquecinas que sirven para sostener el cuerpo de las personas y de los animales vertebrados. Los huesos forman el esqueleto. INGLÉS bone.
2 Parte dura y redondeada que hay dentro de algunos frutos, como los melocotones, las cerezas y las aceitunas. INGLÉS stone [en el Reino Unido], pit [en Estados Unidos].
nombre masculino y adjetivo
3 Color blanco amarillento, como el de los huesos cuando llevan tiempo separados de la carne o el de los colmillos de un elefante. INGLÉS off-white.
adjetivo y nombre masculino
4 Se dice de una cosa o persona muy dura, estricta o antipática. Llamamos huesos a las asignaturas muy difíciles de aprobar. INGLÉS strict person, [si es una asignatura: difficult subject].

huésped, huéspeda
nombre
1 Persona que está en una casa como invitado. INGLÉS guest.
nombre masculino
2 Organismo animal o vegetal que tiene un parásito viviendo y alimentándose a sus expensas. INGLÉS host.

huesudo, huesuda
adjetivo
1 Que está muy delgado y tiene los huesos muy marcados. La cara, el cuerpo y las manos de una persona pueden ser huesudas. INGLÉS bony.

huevera
nombre femenino
1 Recipiente que sirve para guardar o transportar huevos. Las neveras suelen tener huevera. INGLÉS egg box.
2 Recipiente pequeño en forma de copa que sirve para servir en la mesa un huevo pasado por agua y sostenerlo mientras nos lo comemos. INGLÉS egg cup.

huevería
nombre femenino
1 Tienda donde se venden huevos. INGLÉS egg shop.

huevo
nombre masculino
1 Cuerpo redondo u ovalado que ponen las hembras de aves, reptiles, peces e insectos y de donde salen las crías. INGLÉS egg.
2 Célula que, en la reproducción sexual, es el resultado de la unión de las dos células reproductoras, una masculina y otra femenina. SINÓNIMO cigoto. INGLÉS egg.
3 Testículo de los hombres y de los animales machos. Es un uso vulgar. SINÓNIMO cojón. INGLÉS ball.

huida
nombre femenino
1 Acción que consiste en escapar o huir de un lugar. SINÓNIMO evasión; fuga. INGLÉS flight, escape.

huir

verbo

1 Marcharse de un sitio donde se está detenido o en peligro. INGLÉS to flee, to escape.

huir

INDICATIVO	SUBJUNTIVO
presente	**presente**
huyo	huya
huyes	huyas
huye	huya
huimos	huyamos
huis	huyáis
huyen	huyan
pretérito imperfecto	**pretérito imperfecto**
huía	huyera o huyese
huías	huyeras o huyeses
huía	huyera o huyese
huíamos	huyéramos o huyésemos
huíais	huyerais o huyeseis
huían	huyeran o huyesen
pretérito perfecto simple	**futuro**
hui	huyere
huiste	huyeres
huyó	huyere
huimos	huyéremos
huisteis	huyereis
huyeron	huyeren
futuro	**IMPERATIVO**
huiré	huye (tú)
huirás	huya (usted)
huirá	huyamos (nosotros)
huiremos	huid (vosotros)
huiréis	huyan (ustedes)
huirán	
condicional	**FORMAS NO PERSONALES**
huiría	
huirías	**infinitivo** huir · **gerundio** huyendo
huiría	
huiríamos	**participio** huido
huiríais	
huirían	

2 Evitar relacionarse o hablar con una persona o evitar una cosa. La gente vaga suele huir del trabajo. INGLÉS to avoid.

hule

nombre masculino

1 Tela que tiene un lado cubierto de una capa de plástico o de pintura impermeable. Suele ponerse debajo del mantel para proteger la mesa de manchas. INGLÉS oilcloth.

hulla

nombre femenino

1 Carbón mineral con un ochenta por ciento de carbono que se utiliza como combustible y para la producción de gas. La hulla, al quemarse, produce energía térmica. INGLÉS coal.

humanidad

nombre femenino

1 Conjunto de todos los seres humanos. INGLÉS humanity, humankind.

2 Conjunto de las características del ser humano, en especial las que tienen que ver con la compasión y el amor hacia los demás. Las personas que trabajan ayudando a los pobres y los enfermos muestran gran humanidad. INGLÉS humanity.

nombre femenino plural

3 humanidades Conjunto de los estudios y carreras dedicadas al arte, la filosofía, la historia, la lengua, la literatura, la psicología y otras ciencias. SINÓNIMO letras. INGLÉS humanities.

humanitario, humanitaria

adjetivo

1 Se dice de las personas que se preocupan por el bienestar de los demás, en especial de los más pobres o necesitados. También son humanitarias las acciones que se hacen para ayudar a los más necesitados, como enviar alimentos y medicinas a un país muy pobre. INGLÉS humanitarian.

humano, humana

adjetivo

1 Que es propio del hombre o que tiene relación con él. La inteligencia es una facultad humana. INGLÉS human.

2 Que es bueno y comprensivo con los demás, en especial con los que sufren por algo. Un trato humano es un trato amable y respetuoso. INGLÉS humane.

nombre masculino

3 Individuo perteneciente a la especie de los hombres. Los humanos son las personas. INGLÉS human.

humareda

nombre femenino

1 Gran cantidad de humo. Cuando hay muchas personas fumando en un sitio cerrado se produce una gran humareda y se respira mal. INGLÉS cloud of smoke.

humedad

nombre femenino

1 Cantidad de agua o de vapor de agua que contiene una cosa. En los días de lluvia se nota mucha humedad en el aire. INGLÉS humidity.

humedecer

verbo

1 Mojar un poco una cosa. Cuando tenemos los labios secos nos los humedecemos con la lengua. INGLÉS to moisten, to wet.

NOTA Se conjuga como: agradecer; la 'c' se convierte en 'zc' delante de 'a' y 'o', como: humedezco.

a b c d e f g h i j k l m n ñ o p q r s t u v w x y z

húmedo, húmeda
adjetivo
1 Que está un poco mojado. Algunas prendas de vestir se planchan mejor si están un poco húmedas. INGLÉS damp.
2 Se dice del clima, región o país que recibe abundantes lluvias. Europa es más húmeda que el norte de África. ANTÓNIMO seco. INGLÉS humid.

húmero
nombre masculino
1 Hueso largo de la parte superior del brazo que une el codo con el hombro. INGLÉS humerus.

humildad
nombre femenino
1 Forma de ser de una persona humilde. SINÓNIMO modestia. INGLÉS humility.

humilde
adjetivo
1 Que no se cree superior a los demás y quita importancia a las cosas buenas que hace o a lo que es. Una persona humilde suele reconocer sus errores y defectos. INGLÉS humble.
2 Que tiene poco dinero. INGLÉS humble.

humillación
nombre femenino
1 Lo que se siente cuando una persona es despreciada o ridiculizada delante de los demás: *Qué humillación que se rieran de su caída.* INGLÉS humiliation.
NOTA El plural es: humillaciones.

humillar
verbo
1 Despreciar o ridiculizar a una persona en público y hacer que sienta vergüenza. INGLÉS to humiliate.

humo
nombre masculino
1 Conjunto de gases y polvo que sale de una cosa que se está quemando. Las fábricas y los coches echan humo. INGLÉS smoke.
2 Vapor que sale de un líquido o de un cuerpo húmedo cuando está muy caliente. Los alimentos recién sacados del fuego echan humo. INGLÉS steam.
nombre masculino plural
3 humos Orgullo que tiene una persona que se cree mejor que las demás: *Tiene muchos humos porque su padre es el presidente de una gran empresa.* INGLÉS airs.

humor
nombre masculino
1 Estado de ánimo o manera de tomarse las cosas que tiene una persona. Si no estamos de humor para hacer una cosa, no nos sentimos con ganas de hacerla. Las personas que tienen buen humor suelen ser muy simpáticas. INGLÉS mood, temper.
2 Característica de las personas que ven siempre el lado divertido y alegre de las cosas o las situaciones. Los humoristas suelen tener mucho humor. INGLÉS humour.
humor negro Diversión producida por algún hecho o situación que normalmente debería producir pena o miedo. En las películas de humor negro los muertos nos hacen reír. INGLÉS black humour.

humorista
nombre masculino y femenino
1 Persona que se dedica como profesión a divertir y hacer reír al público, normalmente contando chistes. INGLÉS comedian.

humus
nombre masculino
1 Capa superior del suelo de un terreno formada por sustancias orgánicas en descomposición, como hojas secas, excrementos y restos de animales. Se usa como abono porque resulta muy fértil. INGLÉS humus.
NOTA El plural también es: humus.

hundido, hundida
adjetivo
1 Se dice de las personas que están muy tristes o preocupadas. Cuando estamos hundidos necesitamos apoyo y cariño de los demás para superar ese estado. INGLÉS demoralized.

hundimiento
nombre masculino
1 Acción en la que un barco se hunde en el agua: *Uno de los hundimientos de barcos más famosos de la historia es el del 'Titanic'.* INGLÉS sinking.

hundir
verbo
1 Meter o irse hacia abajo una cosa en algo líquido o sólido. Un barco puede hundirse en el mar. Al caminar por la playa hundimos los pies en la arena. INGLÉS to sink.
2 Hacer caer un edificio o construcción. Para hacer obras nuevas a veces hay que hundir edificios. SINÓNIMO derrumbar. INGLÉS to demolish.
3 Meter una superficie hacia dentro al golpearla o hacer presión. En un choque frontal entre dos coches se hunden los parachoques. INGLÉS to dent.
4 Arruinar o destruir algo o a alguien. Una mala dirección en una empresa

puede hacer que esta se hunda. INGLÉS to ruin.

5 hundirse Estar una persona muy triste y desanimada a causa de un disgusto o un problema y resultarle difícil recuperarse: *Se hundió cuando se le quemó la casa.* SINÓNIMO derrumbarse. INGLÉS to collapse.

húngaro, húngara

adjetivo y nombre **1** Se dice de la persona o cosa que es de Hungría, país del centro de Europa. INGLÉS Hungarian.

nombre masculino **2** Lengua hablada en Hungría. INGLÉS Hungarian.

huracán

adjetivo **1** Viento muy fuerte, generalmente acompañado de lluvias o marejadas, que avanza girando sobre sí mismo de forma muy rápida. Suelen producirse en el Caribe y el golfo de México. INGLÉS hurricane.

NOTA El plural es: huracanes.

huracanado, huracanada

adjetivo **1** Se dice del viento que sopla tan fuerte que casi parece un huracán. INGLÉS hurricane.

huraño, huraña

adjetivo **1** Se dice de las personas que evitan el trato, la relación o la conversación con otras personas. Hay también animales huraños que no dejan que se los acaricie. INGLÉS unsociable [una persona], timid [un animal].

hurgar

verbo **1** Tocar con los dedos o con un instrumento en un mismo sitio hueco de forma repetida. Hurgarse la nariz es muy feo. Si hurgamos una herida podemos hacer que se infecte. INGLÉS to poke.

2 Mirar, revolver o meterse en las cosas privadas de otra persona sin su permiso. INGLÉS to delve, to rummage.

NOTA Se escribe 'gu' delante de 'e', como: hurgué.

hurón

nombre masculino **1** Mamífero pequeño, con el cuerpo largo y delgado, la cabeza pequeña y las patas cortas. Es parecido a la comadreja. INGLÉS ferret.

NOTA El plural es: hurones.

¡hurra!

interjección **1** Exclamación que se utiliza para expresar alegría y entusiasmo: *¡Hurra, hemos ganado!* INGLÉS hurray!, hurrah!

hurtar

verbo **1** Robar una cosa de forma disimulada y sin ninguna violencia, generalmente una cosa pequeña y de poco valor: *Lo cogieron por hurtar en los grandes almacenes.* INGLÉS to steal, [si es en una tienda: to shoplift].

husmear

verbo **1** Buscar algo sirviéndose del olfato. Los perros de la policía están preparados para husmear la droga. INGLÉS to sniff out.

2 Intentar conseguir información de manera disimulada: *Un periodista husmeaba con su cámara alrededor de la casa.* INGLÉS to snoop, to sniff.

¡huy!

interjección **1** Exclamación que se utiliza para expresar dolor físico, sorpresa o disgusto: *¡Huy!, me he pillado el dedo con la puerta. ¡Huy!, qué tarde es.* INGLÉS wow! [sorpresa], ouch! [dolor físico], argh! [disgusto].

abcdefgh **i** jklmnñopqrstuvwxyz

i
nombre femenino
1 Novena letra del alfabeto español. La 'i' es una vocal.
2 En la numeración romana y escrita en mayúscula, representa el 1. INGLÉS I.
NOTA El plural es: íes.

ibérico, ibérica
adjetivo
1 Se dice de la persona o cosa que es de Iberia, antiguo nombre que tenía la región del este y sur de la península Ibérica y que actualmente se identifica con toda España y Portugal: *El lince ibérico está en peligro de extinción. En la zona sur de Aragón está la cordillera llamada Sistema Ibérico.* INGLÉS Iberian.

ibero, ibera
adjetivo y nombre
1 Se dice de la persona o cosa que pertenecía a un antiguo pueblo que habitaba en la península Ibérica, antes de la llegada de los romanos. Los iberos vivían en poblados rodeados de murallas y se dedicaban al cultivo de algunos cereales, del olivo y de la vid, y a la ganadería. INGLÉS Iberian.
NOTA También se escribe y se pronuncia: íbero.

íbero, íbera
adjetivo y nombre
1 Es otra forma de escribir y pronunciar: ibero. INGLÉS Iberian.

iberoamericano, iberoamericana
adjetivo y nombre
1 Se dice de la persona o cosa que es de Iberoamérica, conjunto de países americanos que fueron colonizados por España o Portugal. SINÓNIMO latinoamericano. INGLÉS Latin American.

ibicenco, ibicenca
adjetivo y nombre
1 Se dice de la persona o cosa que es de Ibiza, isla de las Baleares. INGLÉS Ibizan.

iceberg
nombre masculino
1 Bloque grande de hielo, desprendido de un glaciar, que flota en el mar arrastrado por las corrientes. Desde la superficie del mar solo se ve la punta del iceberg. INGLÉS iceberg.
NOTA El plural es: icebergs.

icono
nombre masculino
1 Signo que representa una cosa por medio de un dibujo muy parecido a lo que representa. Una figura humana en la puerta de un baño es un icono. INGLÉS icon.

ictiología
nombre femenino
1 Parte de la zoología que estudia y describe los peces. INGLÉS icthyology.

ida
nombre femenino
1 Acción que consiste en ir o dirigirse hacia un lugar. Los billetes de tren y de avión pueden ser solo de ida o de ida y vuelta. INGLÉS going, departure.

idea
nombre femenino
1 Representación o imagen que una persona forma en su mente de un objeto, de una persona o de cualquier cosa: *Tenía una idea distinta de cómo sería, lo imaginaba más amable.* SINÓNIMO concepto. INGLÉS idea.
2 Plan o proyecto que una persona tiene en la mente para hacer una cosa: *Tiene grandes ideas para hacer negocios.* INGLÉS idea.
3 Intención o propósito que tiene una persona de hacer una cosa. Cuando decidimos hacer una cosa con mucho entusiasmo es difícil cambiar de idea. INGLÉS idea.
4 Opinión o juicio que una persona tiene acerca de otra persona o de una cosa. A veces tenemos una idea equi-

vocada de otra persona porque no la conocemos bien. INGLÉS idea.

nombre femenino plural **5 ideas** Punto de vista o manera de pensar que una persona tiene sobre asuntos políticos, morales o religiosos: *No comparto sus ideas políticas.* INGLÉS ideas.

dar idea de Servir una cosa para conocer o comprender de forma general otra: *Mirar por la ventana puede darnos una idea de la temperatura que hace en el exterior.* INGLÉS to give an idea of.

hacerse una idea de Comprender o conocer una cosa de forma general y sin profundidad: *Después de todo lo que has contado, me hago una idea de cómo te sientes.* INGLÉS to get an idea of.

no tener ni idea No saber una persona una cosa o no saber absolutamente nada sobre un tema o un asunto: *No tengo ni idea de dónde he dejado las llaves.* INGLÉS to have no idea.

ideal

adjetivo **1** Se dice de lo que es perfecto, de lo que no puede ser mejor de lo que es, aunque puede ser solo una idea y no una realidad. La gente espera encontrar su pareja ideal. En una sociedad ideal no habría nunca guerras ni hambre. INGLÉS ideal.

nombre masculino **2** Modelo de perfección o representación perfecta de cómo tendría que ser una cosa. Algunas personas se cuidan para lograr un ideal de belleza. INGLÉS ideal.

nombre masculino plural **3 ideales** Conjunto de ideas que una persona tiene y defiende sobre temas morales, políticos o religiosos. Muchas personas han muerto luchando por unos ideales. INGLÉS ideals.

idealista

adjetivo y nombre **1** Se dice de la persona que defiende y persigue sus ideales aunque sean difíciles o imposibles de conseguir. INGLÉS idealistic [adjetivo], idealist [nombre].

idealizar

verbo **1** Considerar a una persona, una cosa o una situación como algo perfecto o como algo mejor de lo que es en realidad. Los enamorados idealizan a las personas amadas. INGLÉS to idealize.

NOTA La 'z' se convierte en 'c' delante de 'e', como: idealicé.

idear

verbo **1** Pensar o formar en la mente una idea para hacer una cosa. Los inventores idean aparatos muy útiles y prácticos. INGLÉS to conceive, to invent.

ídem

pronombre **1** Lo mismo. Se usa para no repetir lo que se ha dicho antes. También se dice 'ídem de ídem' con el mismo significado: *Ayer comí macarrones y hoy ídem de ídem.* INGLÉS ditto.

idéntico, idéntica

adjetivo **1** Que es exactamente igual o muy parecido. Los hermanos gemelos son idénticos, los mellizos no. ANTÓNIMO distinto. INGLÉS identical.

identidad

nombre femenino **1** Conjunto de características propias de una persona o cosa que la distinguen de las demás. En las aduanas la policía comprueba nuestra identidad a partir de algún documento, como el pasaporte. INGLÉS identity.

identificar

verbo **1** Reconocer y asegurar que una cosa o una persona es la que se busca o se cree que es. Los testigos tienen que identificar a los acusados en los juicios. INGLÉS to identify.

2 Considerar que dos cosas son iguales. Hay personas que identifican el dinero con la felicidad, pero no todos los ricos son felices. INGLÉS to associate.

3 identificarse Dar una persona su nombre y sus datos personales para que pueda ser reconocida. Si un policía o un guardia nos pide que nos identifiquemos, le enseñamos el carné de identidad. INGLÉS to identify oneself.

4 identificarse Estar de acuerdo con unas ideas o unas personas: *Se identifica con los ecologistas porque sabe que hay que cuidar el medioambiente.* INGLÉS to identify.

NOTA Se escribe 'qu' delante de 'e', como: identifique.

ideográfico, ideográfica

adjetivo **1** Se dice del sistema de escritura que, en vez de letras, tiene dibujos que representan ideas, como la escritura jero-

a b c d e f g h i j k l m n ñ o p q r s t u v w x y z

glífica o la escritura china. INGLÉS ideographic.

ideología

nombre femenino

1 Conjunto de ideas que son defendidas por una persona, un grupo de personas o una doctrina por considerar que son las más acertadas. La mayoría de los partidos políticos siguen una ideología determinada. INGLÉS ideology.

idílico, idílica

adjetivo

1 Del idilio o relacionado con él. INGLÉS idyllic.

2 Que es ideal por ser bello, tranquilo y muy agradable. Para mucha gente, un paisaje idílico es una larga playa sin gente, con palmeras y un mar claro y sereno. INGLÉS idyllic.

idilio

nombre masculino

1 Relación amorosa entre dos personas que es muy intensa y de corta duración: *El verano pasado tuvo un romántico idilio con un viajero.* INGLÉS idyll.

idioma

nombre masculino

1 Lengua que se habla en un país o en un lugar. El español, el vasco y el chino son idiomas. INGLÉS language.

idiota

adjetivo y nombre masculino y femenino

1 Se dice como insulto a la persona que es o consideramos muy poco inteligente. Algunas personas lo aplican con enfado a otra persona que las está molestando mucho. Es un uso informal. INGLÉS idiotic [adjetivo], idiot [nombre].

2 Se dice de la persona que padece un retraso mental muy grande. Se considera idiotas a las personas con un desarrollo físico normal, pero con una edad mental inferior a los tres años. INGLÉS mentally deficient [adjetivo], idiot [nombre].

idiotez

nombre femenino

1 Característica de la persona que es muy poco inteligente y molesta mucho a los demás con las tonterías que dice o hace. INGLÉS idiocy.

2 Cosa extremadamente absurda o estúpida que hace o dice una persona: *¡La Tierra es plana!, mira que dices idioteces.* SINÓNIMO estupidez. INGLÉS stupid thing.

NOTA El plural es: idioteces.

ido, ida

adjetivo

1 Se dice de la persona que tiene la mente trastornada y ha perdido la razón: *Ese tipo está ido, estamos a 3 grados bajo cero y sale a la calle en manga corta.* SINÓNIMO loco. INGLÉS loony.

2 Se dice de la persona que está distraída y no presta atención a lo que pasa o se dice en ese momento. INGLÉS absent-minded.

idolatrar

verbo

1 Adorar o rendir culto a un ídolo. Los pueblos antiguos idolatraban a diversas divinidades. INGLÉS to worship.

2 Amar y admirar con exceso a una persona o una cosa: *No es que le guste ese cantante, es que lo idolatra.* INGLÉS to worship, to idolize.

ídolo

nombre masculino

1 Imagen o figura a la que se adora como si fuera un dios: *Adoraban a un ídolo de barro.* INGLÉS idol.

2 Persona por la que se siente mucha admiración, respeto y cariño. Algunos deportistas se convierten en ídolos para la gente. INGLÉS idol.

idóneo, idónea

adjetivo

1 Se dice de las cosas o las personas que son las más útiles o las mejores para un fin determinado. La playa es el lugar idóneo para bañarse y tomar el sol. INGLÉS ideal.

iglesia

nombre femenino

1 Edificio donde una comunidad cristiana se reúne para rezar, oír misa o realizar ceremonias religiosas. INGLÉS church.

2 Conjunto de personas que tienen una misma religión. El máximo representante de la Iglesia católica es el Papa de Roma. Con este significado se escribe con mayúscula. INGLÉS Church.

iglú

nombre masculino

1 Casa de los esquimales construida con bloques de hielo, en forma de media esfera y con una única entrada pequeña. INGLÉS igloo.

NOTA El plural es: iglús o iglúes.

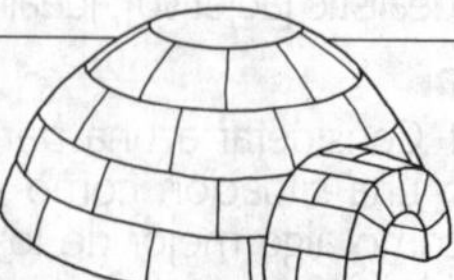

iglú

ígneo, ígnea
adjetivo **1** Se dice de la roca que se forma al enfriarse la lava de un volcán. El basalto es una roca ígnea. INGLÉS igneous.

ignominioso, ignominiosa
adjetivo **1** Que ofende gravemente o que hace perder el respeto y la dignidad. Si una persona abandona a un amigo en peligro comete una acción ignominiosa. INGLÉS ignominious.

ignorancia
nombre femenino **1** Falta de los conocimientos, la cultura o la formación que se consideran elementales o indispensables. INGLÉS ignorance.

ignorante
adjetivo y nombre masculino y femenino **1** Se dice de la persona que carece de los conocimientos, la cultura o la formación que se consideran elementales o indispensables: *No seas ignorante, piensa un poco y verás cómo sí sabes la respuesta correcta.* INGLÉS ignorant [adjetivo], ignoramus [nombre].

ignorar
verbo **1** No saber o desconocer una persona cierta cosa. Se ignora lo que ha pasado en un lugar cuando no se ha tenido ninguna noticia o información de ello. INGLÉS not to know.

2 Fingir una persona que no se da cuenta de la presencia de otra persona o de lo que le dicen. Se ignora a una persona cuando se actúa ante ella como si no existiera, sin hacerle ningún caso. INGLÉS to ignore.

igual
adjetivo **1** Se dice de la persona, animal o cosa que es muy parecida o tiene las mismas características que otra. Todas las personas son iguales ante la ley y no debe haber ningún tipo de discriminación: *Corta el pastel, pero procura hacer todos los trozos iguales.* ANTÓNIMO diferente. INGLÉS equal.

nombre masculino **2** En matemáticas, signo de la igualdad o equivalencia exacta de dos cantidades que se representa por dos rayas. Su signo es ' = '. INGLÉS equals.

adverbio **3** Indica que algo tiene o ha tenido todas las posibilidades de ocurrir: *Igual te podías haber roto una pierna.* INGLÉS maybe, perhaps.

4 De la misma manera o del mismo modo: *Este chico habla igual que su padre.* INGLÉS just like.

dar igual Ser indiferente, dar lo mismo: *Le da igual lo que digas, hará lo que quiera.* INGLÉS not to matter.

igualar
verbo **1** Hacer iguales en cualquier aspecto a dos o más personas o cosas: *El gobierno realiza un gran esfuerzo para igualar el nivel de vida de los ciudadanos.* INGLÉS to make equal.

2 Alisar una superficie o quitar las irregularidades del borde de algo para ponerlo al mismo nivel: *Iguala la madera con la lija.* INGLÉS to level, to smooth.

igualdad
nombre femenino **1** Circunstancia de ser iguales dos o más personas o cosas. Las constituciones defienden la igualdad de derechos de todos los ciudadanos. ANTÓNIMO desigualdad. INGLÉS equality.

igualitario, igualitaria
adjetivo **1** Que consigue o intenta conseguir la igualdad social. Unas normas igualitarias establecen que todas las personas son iguales en todas las circunstancias y situaciones. INGLÉS egalitarian.

iguana
nombre femenino **1** Reptil de gran tamaño parecido al lagarto, que tiene el cuerpo cubierto de escamas, papada y una larga cresta. Vive en el centro y el sur de América. INGLÉS iguana.

ilegal
adjetivo **1** Se dice de las cosas que están o se realizan en contra de la ley. Traficar con drogas es ilegal. INGLÉS illegal.

ilegible
adjetivo **1** Que no se puede leer porque no se ve bien la letra o porque está muy mal escrito. INGLÉS unreadable, illegible.

ilerdense
adjetivo y nombre masculino y femenino **1** Se dice de la persona o cosa que es de Lérida, ciudad y provincia de Cataluña. SINÓNIMO leridano.

ileso, ilesa
adjetivo **1** Se dice de la persona o animal que no ha sufrido ningún daño o lesión en una situación de peligro: *Salió ilesa de un accidente.* INGLÉS unharmed, unhurt.

ilimitado, ilimitada
adjetivo **1** Que no tiene límites. Decimos que algunas fuentes de energía, como el

a b c d e f g h i j k l m n ñ o p q r s t u v w x y z

agua o el viento, son ilimitadas porque no se agotan. INGLÉS unlimited.

ilógico, ilógica
adjetivo
1 Que no tiene lógica. Es ilógico pensar que dos es un número mayor que tres. ANTÓNIMO lógico. INGLÉS illogical.

iluminación
nombre femenino
1 Conjunto de luces que iluminan un lugar o que se ponen como decoración durante las fiestas de Navidad o las verbenas. SINÓNIMO alumbrado. INGLÉS lighting, lights.
2 Cantidad de luz artificial o natural que hay en un edificio, sala u otro lugar. La iluminación de las bibliotecas permite leer sin dificultad. INGLÉS lighting.
NOTA El plural es: iluminaciones.

iluminar
verbo
1 Dar luz sobre algo o alguien. El Sol ilumina la Tierra. INGLÉS to light.
2 Adornar con luces un objeto o lugar: *Iluminan la iglesia y el castillo durante las fiestas patronales.* INGLÉS to illuminate.

ilusión
nombre femenino
1 Sentimiento de alegría y satisfacción al conseguir algo que se espera o se desea: *¡Qué ilusión verte!* INGLÉS happiness.
2 Esperanza o deseo difícil de cumplir: *La ilusión de su vida es hacer un viaje a Australia.* INGLÉS dream.
3 Falsa imagen de algo producida por la imaginación o los sentidos: *Los magos utilizan la ilusión en algunos de sus trucos para hacernos creer cosas que no son verdad.* INGLÉS illusion.
hacerse ilusiones Creer, sin tener ninguna razón para ello, que se va a conseguir algo: *No te hagas ilusiones, que no te llamará.* INGLÉS to get one's hopes up.
NOTA El plural es: ilusiones.

ilusionar
verbo
1 Hacer que alguien tenga una ilusión o esperanza en conseguir algo: *Me ilusiona pensar que pasaremos juntos la vacaciones.* INGLÉS to build up someone's hopes [dar esperanzas], to excite [proporcionar ilusión].

ilusionista
nombre masculino y femenino
1 Persona que hace juegos de manos y trucos de magia. SINÓNIMO mago; prestidigitador. INGLÉS conjurer, illusionist.

iluso, ilusa
adjetivo y nombre
1 Que se cree fácilmente cosas que son falsas. INGLÉS naive [adjetivo], gullible [adjetivo].
2 Que se hace ilusiones sin que haya una razón que lo justifique. INGLÉS naive [adjetivo], dreamer [nombre].

ilustración
nombre femenino
1 Dibujo o fotografía que se coloca en un libro, revista u otra publicación. INGLÉS illustration.
NOTA El plural es: ilustraciones.

ilustrar
verbo
1 Poner dibujos o fotografías en un libro, revista u otra publicación. INGLÉS to illustrate.
2 Explicar una cosa o aclarar un asunto con comentarios, imágenes o ejemplos. INGLÉS to enlighten.

ilustrativo, ilustrativa
adjetivo
1 Que ilustra o sirve para explicar o aclarar algo. Cuando se explica un tema o un concepto muy difícil, es bueno poner un ejemplo ilustrativo para que todo quede más claro. INGLÉS illustrative.

ilustre
adjetivo
1 Se dice de una persona que destaca por su actividad o sus virtudes, especialmente artistas o científicos muy reconocidos. Las ciudades dedican calles a personas ilustres. INGLÉS illustrious, distinguished.

imagen
nombre femenino
1 Representación de algo o alguien en un dibujo o en una escultura. INGLÉS image.
2 Figura que se ve reflejada en un espejo o en una pantalla. Cuando nos miramos al espejo vemos nuestra imagen reflejada en él. INGLÉS image.
3 Representación de una idea por medio de palabras. 'Tus ojos son dos esmeraldas' es una imagen poética en la que se compara el color verde de la esmeralda con el color de los ojos de una persona. INGLÉS image.
4 Conjunto de rasgos que se ven de una persona y hacen que la gente tenga de ella una idea determinada: *Tiene muy buena imagen entre sus alumnos.* INGLÉS image.
NOTA El plural es: imágenes.

imaginación
nombre femenino
1 Capacidad que tienen las personas para inventar historias y cosas. Los escritores suelen tener mucha imaginación. INGLÉS imagination.
2 Capacidad que tiene una persona para representarse imágenes en la mente: *Tengo poca imaginación y no soy capaz de imaginarme lo que me describes.* INGLÉS imagination.
3 Cosa o idea que una persona imagina pero que no es verdad: *Hoy me ha parecido ver a Irene, pero han sido imaginaciones mías porque sé que no está en la ciudad.* INGLÉS imagination, fantasy.
NOTA El plural es: imaginaciones.

imaginar
verbo
1 Crear en la mente la imagen de algo que no existe o no está presente: *Me estoy imaginando cómo podría quedar la clase pintada de verde.* INGLÉS to imagine.
2 Creer o pensar algo, pero no saber con seguridad si es cierto: *Imagino que tu hijo ya habrá acabado el colegio, ¿no?* INGLÉS to imagine.

imaginario, imaginaria
adjetivo
1 Que no es real, sino que existe solo en la imaginación de una persona. Los duendes son seres imaginarios. INGLÉS imaginary.

imaginativo, imaginativa
adjetivo
1 De la imaginación o relacionado con ella. INGLÉS imaginative.
2 Se dice de la persona que tiene facilidad para imaginar cosas: *Es un chico muy imaginativo que se inventa historias fantásticas.* INGLÉS imaginative.

imán
nombre masculino
1 Mineral o pieza de metal que tiene la propiedad de atraer al hierro u otros metales. INGLÉS magnet.
NOTA El plural es: imanes.

imbatible
adjetivo
1 Que no puede ser batido o vencido. Un equipo de fútbol imbatible es un equipo muy bueno al que casi es imposible ganar. INGLÉS unbeatable.

imbécil
adjetivo y nombre masculino y femenino
1 Se dice como insulto a la persona que es o consideramos poco inteligente. También se usa para hablar de la persona que está molestando mucho. Es una palabra informal. SINÓNIMO idiota; estúpido. INGLÉS stupid [adjetivo], idiot [nombre].

imberbe
adjetivo y nombre masculino
1 Se dice del hombre que no tiene pelo en la barba o tiene muy poco, especialmente si es joven. INGLÉS beardless [adjetivo].

imborrable
adjetivo
1 Que no puede borrarse de un escrito o un dibujo. INGLÉS indelible.
2 Se dice del recuerdo que no puede ser olvidado: *Guardo un recuerdo imborrable de aquellas vacaciones.* INGLÉS unforgettable.

imitación
nombre femenino
1 Cosa falsa que se parece mucho a una verdadera a la que imita: *Este cuadro es una imitación.* SINÓNIMO copia. INGLÉS imitation.
2 Acción que consiste en hacer lo mismo que hace una persona o un animal determinado. Los humoristas hacen imitaciones de personajes famosos. INGLÉS impression.
NOTA El plural es: imitaciones.

imitar
verbo
1 Hacer lo mismo que hace una persona o un animal: *Imita muy bien a su abuelo.* INGLÉS to mimic, to do an impression of.
2 Ser una cosa muy parecida a otra de la que reproduce sus características principales: *Es una tela que imita la piel.* INGLÉS to simulate.

impaciencia
nombre femenino
1 Característica de la persona que no puede estar mucho tiempo esperando a que suceda una cosa y en seguida se pone nerviosa: *Espera las notas con impaciencia.* INGLÉS impatience.

impacientarse
verbo
1 Ponerse nerviosa una persona porque no puede soportar seguir esperando a que se produzca algo que espera desde hace tiempo. Cuando alguien con quien hemos quedado se retrasa una hora, nos impacientamos. INGLÉS to get impatient.

impaciente
adjetivo
1 Se dice de la persona que no tiene paciencia para estar esperando que su-

ceda algo: *No seas impaciente, enseguida salimos.* INGLÉS impatient.

impactante

adjetivo **1** Que causa una impresión o una emoción muy fuerte. Las noticias que llaman mucho la atención son impactantes: *El choque entre los dos camiones fue muy impactante.* INGLÉS striking.

impacto

nombre masculino **1** Choque fuerte de una cosa contra otra. Los misiles hacen explosión en el momento del impacto contra el objetivo. INGLÉS impact.

2 Señal o agujero que dejan las balas en un cuerpo o un lugar. INGLÉS impact, mark.

3 Sentimiento que produce algo que nos ha impresionado mucho: *La mala noticia fue un impacto para ella.* INGLÉS impression.

impar

adjetivo y nombre masculino **1** Se dice del número que no se puede dividir exactamente por 2. Todos los números terminados en 1, 3, 5, 7 y 9 son impares. SINÓNIMO non. ANTÓNIMO par. INGLÉS odd.

imparable

adjetivo **1** Que no se puede parar o detener: *El lanzamiento era imparable y acabó en gol.* INGLÉS unstoppable.

imparcial

adjetivo **1** Se dice de la persona que cuando juzga algo o toma parte en algún asunto que afecta a otra persona no se deja llevar por sus preferencias. Los jueces son imparciales al aplicar la ley. INGLÉS impartial.

impartir

verbo **1** Comunicar o dar a una o más personas cierta cosa, cuando se tiene capacidad o autoridad para hacerlo. Los profesores imparten clases, los jueces imparten justicia y los médicos imparten asistencia médica. INGLÉS to give.

impasible

adjetivo **1** Se dice de la persona que no demuestra ninguna emoción ante algo que normalmente debería producir alguna reacción. Es muy difícil quedarse impasible ante el hambre en el Tercer Mundo. INGLÉS impassive.

impávido, impávida

adjetivo **1** Se dice de la persona que no muestra miedo o angustia ante un peligro o problema. INGLÉS dauntless.

impecable

adjetivo **1** Se dice de las cosas que no tienen ningún fallo o mancha. Un examen impecable merece un sobresaliente. SINÓNIMO perfecto. INGLÉS impeccable.

impedir

verbo **1** Hacer muy difícil o imposible que algo ocurra: *El ruido me impide concentrarme.* INGLÉS to prevent.

NOTA Se conjuga como: servir; la 'e' se convierte en 'i' en algunos tiempos y personas, como: impidamos.

impenetrable

adjetivo **1** Se dice de una cosa que no se puede atravesar o no se puede entrar en ella, como un escudo o un castillo. INGLÉS impenetrable.

impensable

adjetivo **1** Se dice de la cosa que no se cree que sea posible que suceda o que sea llevada a cabo. Nos resulta impensable que una persona honrada robe algo. INGLÉS unthinkable.

impepinable

adjetivo **1** Que no se puede evitar que ocurra o que sea como es, que es seguro e indudable. El paso del tiempo es impepinable. Es un uso informal. SINÓNIMO inevitable. INGLÉS unavoidable.

imperativo, imperativa

adjetivo **1** Que manda o expresa una orden. 'Ven aquí ahora mismo' es una frase imperativa. INGLÉS imperative.

nombre masculino **2** Modo verbal que se utiliza para expresar órdenes. 'Sal' y 'salid' son formas del imperativo del verbo 'salir'. INGLÉS imperative.

imperceptible

adjetivo **1** Que no se puede notar o que apenas se percibe. Algunos sonidos que oyen los perros son imperceptibles para el oído humano. INGLÉS imperceptible.

imperdible

nombre masculino **1** Objeto de metal que se fija en una prenda de ropa para unir dos trozos de tela o como adorno. Es un alfiler doblado sobre sí mismo de manera que la punta se recoge en una pequeña pieza que impide que se abra. INGLÉS safety pin.

a b c d e f g h i j k l m n ñ o p q r s t u v w x y z

imperdonable
adjetivo **1** Que no puede o no debe ser perdonado: *Fue un error imperdonable olvidarse de llamar a sus padres.* INGLÉS unforgivable.

imperfección
nombre femenino **1** Aquello que hace que una cosa sea imperfecta. Las grietas que se hacen en un jarrón son imperfecciones. ANTÓNIMO perfección. INGLÉS imperfection.
NOTA El plural es: imperfecciones.

imperfectivo, imperfectiva
adjetivo y nombre masculino **1** Se dice de las formas verbales que expresan que la acción se da como no terminada o incompleta. En 'Comía cuando llamó', 'comía' es una forma imperfectiva porque presenta la acción en desarrollo. El imperfectivo es un aspecto del verbo. INGLÉS imperfective.

imperfecto, imperfecta
adjetivo **1** Que tiene algún defecto que hace que no sea perfecto. ANTÓNIMO perfecto. INGLÉS imperfect.
adjetivo y nombre masculino **2** Se dice del tiempo verbal que expresa una acción mientras ocurría en el pasado. 'Amabais' es una forma del pretérito imperfecto de indicativo del verbo 'amar'. INGLÉS imperfect.
3 Imperfectivo. INGLÉS imperfective.

imperial
adjetivo **1** Del imperio o del emperador, o relacionado con ellos. INGLÉS imperial.

imperialismo
nombre masculino **1** Forma de actuación política de un gobierno que pretende dominar otros territorios mediante el poder militar o económico. INGLÉS imperialism.

imperio
adjetivo **1** Organización política en la que un estado, gobernado por un emperador que tiene todo el poder, domina a otros países. INGLÉS empire.
2 Conjunto de territorios que están bajo la autoridad o el poder de un emperador: *El Imperio romano fue derrotado por los pueblos bárbaros.* INGLÉS empire.

imperioso, imperiosa
adjetivo **1** Que es muy urgente y no puede esperar. A veces tenemos una necesidad imperiosa de ir al servicio. INGLÉS urgent, pressing.
2 Que muestra autoridad y tiene poder sobre otras personas o cosas para que hagan lo que uno quiere o sean como a uno le interesa. Algunas personas piden las cosas utilizando una voz o gestos imperiosos. INGLÉS imperious.

impermeable
nombre masculino **1** Prenda de vestir de tela fina que no deja pasar el agua y sirve para protegerse de la lluvia. Va abierto por delante, tiene manga larga y suele cubrir todo el cuerpo hasta las rodillas. INGLÉS raincoat.
adjetivo **2** Se dice del material o la superficie que no deja pasar el agua ni ningún otro líquido. INGLÉS impermeable, [si es al agua: rainproof, waterproof].

impersonal
adjetivo **1** Se dice de las cosas que no muestran la personalidad o la manera de ser o de ver el mundo de la persona que las hace o las dice: *Su casa es muy fría e impersonal.* INGLÉS impersonal.
2 Que no hace referencia a ninguna persona en concreto. Una riña en estilo impersonal va dirigida a todos en general. INGLÉS general.
3 Se dice del verbo que no lleva sujeto, como 'nevar'. INGLÉS impersonal.

impertinente
adjetivo y nombre masculino y femenino **1** Se dice de la persona que dice o hace cosas que molestan a los demás por resultar pesadas o poco adecuadas: *¡Qué impertinente!, tu hermano no paró de hacerme preguntas indiscretas en toda la noche.* INGLÉS impertinent.

imperturbable
adjetivo **1** Se dice de la persona que no se altera o no muestra ninguna emoción ante una cosa que impresiona: *Les intenté dar un susto y continuaron imperturbables.* INGLÉS imperturbable.

ímpetu
nombre masculino **1** Fuerza o energía grande con que se hace o sucede algo: *Si no empujas con ímpetu, no podrás moverlo.* INGLÉS energy, impetus.

impetuoso, impetuosa
adjetivo **1** Se dice de la persona que actúa sin pararse a pensar en las consecuencias que puede tener su acción. Las personas impetuosas a veces hacen o dicen cosas que no tendrían que haber hecho

o dicho. SINÓNIMO impulsivo. INGLÉS impetuous.

2 Se dice de las cosas o las acciones que tienen mucha fuerza o energía. Cuando hay tormenta, el viento suele ser impetuoso. INGLÉS violent.

impío, impía

adjetivo **1** Que demuestra no tener ningún respeto hacia la religión. Las burlas en un lugar sagrado se consideran actos impíos. INGLÉS impious.

implacable

adjetivo **1** Que no se puede aplacar, calmar o suavizar de ningún modo. Los huracanes son implacables y a veces destruyen todo lo que encuentran a su paso por un lugar. INGLÉS implacable.

2 Se dice de una persona que no admite cambios y hace las cosas según unas ideas y obligaciones. Los árbitros de fútbol suelen ser implacables en sus decisiones. INGLÉS implacable.

implantar

verbo **1** Establecer algo nuevo en un lugar, como una norma, una costumbre, una creencia o una lengua. La romanización implantó la lengua latina. INGLÉS to introduce, to implant.

2 Colocar en el cuerpo un nuevo órgano o un aparato que sustituye a un órgano que no funciona correctamente para que este vuelva a funcionar. A algunas personas les tienen que implantar un riñón. INGLÉS to implant.

implicar

verbo **1** Tener una cosa como consecuencia inevitable lo que se dice a continuación. Una herida profunda suele implicar dolor. INGLÉS to imply.

2 Hacer una persona que alguien participe con ella en un asunto, generalmente negativo, o decir que lo ha hecho: *No me impliques en tus líos.* INGLÉS to implicate, to involve.

NOTA Se escribe 'qu' delante de 'e', como: impliquen.

implorar

verbo **1** Pedir una cosa con mucha fuerza y mucho sentimiento, tratando de provocar compasión en los demás: *Me imploró llorando que le dejara salir y no pude negarme.* INGLÉS to implore, to beg.

imponente

adjetivo **1** Que impresiona y provoca un gran respeto, admiración o miedo por estar muy bien arreglado o ser muy grande o muy bonito, como un paisaje imponente o una persona imponente. INGLÉS impressive.

imponer

verbo **1** Obligar a alguien a hacer una cosa o a seguir unas normas. Cuando alguien impone un castigo a otra persona, le obliga a cumplirlo. INGLÉS to impose.

2 Provocar una persona respeto o miedo a los demás. Los profesores serios imponen mucho a los alumnos. INGLÉS to command respect.

3 Darle a alguien lo que le toca o le corresponde. A los ganadores de una carrera les imponen la medalla de oro. INGLÉS to award.

4 **imponerse** Superar o ponerse por delante de los demás: *Pablo se impuso a sus compañeros y ganó la carrera.* INGLÉS to overcome.

5 **imponerse** Hacerse general una moda o una costumbre. Las autoridades hacen campañas publicitarias para que todos nos pongamos el cinturón de seguridad y el casco. INGLÉS to become widespread.

NOTA Se conjuga como: poner. El participio es: impuesto.

impopular

adjetivo **1** Que no gusta a la población o a la mayoría de gente. Los gobiernos que limitan las libertades de las personas son impopulares. INGLÉS unpopular.

importación

nombre femenino **1** Compra de productos comerciales a otros países. También son importaciones los productos que se compran al extranjero: *La importación de petróleo es necesaria para los países que no lo tienen.* ANTÓNIMO exportación. INGLÉS importation.

NOTA El plural es: importaciones.

importancia

nombre femenino **1** Valor o interés que tiene una persona o una cosa: *El descubrimiento de la penicilina fue un hecho de gran importancia para la humanidad.* INGLÉS importance.

darse importancia Presumir mucho una persona de algo: *Desde que lo han* *ascendido se da mucha importancia.* INGLÉS to think oneself important.

importante
adjetivo **1** Que tiene importancia o interés. Los políticos son gente importante porque pueden influir mucho en las cosas que ocurren en un país. INGLÉS important.

importar
verbo **1** Tener importancia o interés para alguien una persona o una cosa. Cuando una cosa nos importa nos preocupamos por ella. SINÓNIMO interesar; afectar. INGLÉS to matter, to be important.
2 Comprar un país productos comerciales a otros países. Los países importan lo que no pueden producir ellos mismos. ANTÓNIMO exportar. INGLÉS to import.

importe
nombre masculino **1** Cantidad de dinero que se debe pagar por una cosa. Cuando nos arreglan el televisor pagamos el importe de la factura. INGLÉS cost, amount.

imposibilitado, imposibilitada
adjetivo y nombre **1** Se dice de la persona que no puede realizar algún movimiento porque un defecto físico se lo impide. Debido a los accidentes de tráfico, algunas personas quedan imposibilitadas en una silla de ruedas. INGLÉS disabled [adjetivo].
adjetivo **2** Se dice de la persona que no puede hacer una cosa porque algo se lo hace imposible o lo impide: *El padre, que tenía a su hija en brazos, se vio imposibilitado para ayudar a su esposa que se cayó de la escalera.* INGLÉS unable.

imposible
adjetivo **1** Se dice de las cosas que no se pueden realizar o conseguir, o que no es posible que sucedan. Es imposible vivir sin agua. INGLÉS impossible.
adjetivo y nombre masculino **2** Se dice de las cosas que son muy difíciles de hacer o de conseguir: *Es imposible abrir este bote.* INGLÉS impossible.

impostor, impostora
adjetivo y nombre **1** Se dice de la persona que se hace pasar por otra persona o por lo que no es para engañar a los demás: *Es un impostor, decía que era médico y en realidad no lo es.* INGLÉS impostor [nombre].

impotente
adjetivo **1** Se dice de la persona que se ve sin fuerzas ni posibilidades de hacer algo que quisiera hacer. Cuando hay un incendio y no se puede parar el avance del fuego las personas se ven impotentes. INGLÉS impotent.
adjetivo y nombre masculino **2** Se dice del hombre que por algún tipo de problema no puede realizar el acto sexual. INGLÉS impotent [adjetivo].

impreciso, imprecisa
adjetivo **1** Que no es preciso o exacto. Decir que dentro de unos días vendrá alguien a casa es una forma imprecisa de hablar porque no se sabe quién vendrá ni cuándo. ANTÓNIMO preciso. INGLÉS imprecise, vague.

impredecible
adjetivo **1** Que no puede ser predicho o adivinado: *El carácter de mi hermano cambia tanto que es impredecible.* INGLÉS unpredictable.

impregnar
verbo **1** Mojar una tela, algodón o esponja hasta que no admite más líquido. Para desinfectar una herida impregnamos una gasa con alcohol. INGLÉS to impregnate.

imprenta
nombre femenino **1** Técnica de imprimir textos escritos o dibujos sobre el papel. La invención de la imprenta facilitó la difusión de la cultura. INGLÉS printing.
2 Taller donde se imprimen libros, revistas o dibujos. INGLÉS printer's.

imprescindible
adjetivo **1** Se dice de la persona o la cosa sin la cual no se puede hacer algo. Para ejercer de médico es imprescindible haber estudiado medicina. SINÓNIMO indispensable; necesario. INGLÉS essential, indispensable.

impresentable
adjetivo **1** Que es tan malo o tan feo que no es adecuado mostrarlo en público: *Entregó un trabajo impresentable lleno de errores.* INGLÉS unpresentable.
adjetivo y nombre masculino y femenino **2** Se dice de la persona que es ridícula, no cumple lo que promete o no sabe comportarse en público: *Tu prima es una impresentable: siempre llega tarde a clase.* INGLÉS disgraceful [adjetivo].

impresión
nombre femenino **1** Acción que consiste en imprimir un libro, un periódico u otra cosa. Cuando

a b c d e f g h i j k l m n ñ o p q r s t u v w x y z

un libro se agota hay que hacer una segunda impresión. INGLÉS printing.
2 Efecto muy fuerte que produce en el estado de ánimo una cosa, una persona o un suceso: *Verlo en el hospital me causó mucha impresión.* INGLÉS impression.
3 Opinión o primera idea que nos formamos sobre una persona o una cosa. Una persona bien aseada, amable y simpática nos da buena impresión al conocerla. INGLÉS impression.
tener la impresión Formarse una idea o una opinión supuesta sobre una cosa sin tener la total seguridad de ella. Tenemos la impresión de que va a llover cuando el cielo se llena de nubes. INGLÉS to have the impression.
NOTA El plural es: impresiones.

impresionante
adjetivo
1 Se dice de la persona o de la cosa que causa una fuerte impresión o provoca admiración porque se sale de lo normal. Los pilotos de motociclismo corren a una velocidad impresionante. INGLÉS impressive.
2 Que es muy grande o muy intenso: *Tengo un frío impresionante, estoy helado.* INGLÉS terrible, tremendous.

impresionar
verbo
1 Causar una persona o una cosa una fuerte impresión a alguien. A la mayoría de los niños les impresiona el circo. INGLÉS to impress.

impreso, impresa
participio
1 Participio irregular de: imprimir. También se usa como adjetivo: *Este diccionario ha sido impreso en Barcelona.* INGLÉS printed.
nombre masculino
2 Hoja o conjunto de hojas escritas o ilustradas utilizando la imprenta u otras técnicas de impresión. Un impreso puede ser un libro o cualquier otra publicación, como una revista, un periódico o un folleto. INGLÉS printed matter.
3 Hoja con una serie de cuestiones que el interesado tiene que rellenar. Para pedir una beca o hacer la matrícula en el colegio hay que rellenar un impreso. INGLÉS form.

impresor, impresora
nombre
1 Persona que tiene una imprenta o trabaja en ella. Los impresores imprimen libros y otros trabajos. INGLÉS printer.

impresora
nombre femenino
1 Máquina que, conectada a un ordenador, imprime información sobre papel. INGLÉS printer.

imprevisible
adjetivo
1 Que no puede ser previsto. El lugar donde puede caer un rayo es imprevisible. INGLÉS unforeseeable.

imprevisto, imprevista
adjetivo y nombre masculino
1 Se dice de las cosas que se hacen o suceden sin que hayan sido previstas o planeadas: *Creo que ha surgido un imprevisto y no vendrá.* INGLÉS unforeseen [adjetivo], unforeseen event [nombre].

imprimir
verbo
1 Reproducir en papel un texto o una fotografía con la ayuda del aparato adecuado. Imprimimos lo que escribimos en un ordenador metiendo una hoja de papel en la impresora. INGLÉS to print.
NOTA Tiene dos participios: imprimido e impreso.

improbable
adjetivo
1 Que es difícil o poco posible que ocurra o exista. Es muy improbable que caiga un rayo dos veces en el mismo sitio. INGLÉS improbable, unlikely.

impropio, impropia
adjetivo
1 Se dice de los comportamientos que no son los usuales o normales en una persona. La mentira y el engaño son impropios de la gente sincera. INGLÉS unbecoming.

improvisar
verbo
1 Decir o hacer una cosa en el mismo momento en que se piensa, sin haberla preparado antes. Los actores de teatro tienen que improvisar las palabras cuando se olvidan del texto. INGLÉS to improvise.

improviso
de improviso De forma inesperada, sin avisar. Si alguien va a visitar a una persona de improviso, le da una sorpresa. INGLÉS unexpectedly.

imprudencia
nombre femenino
1 Acción que se realiza sin reflexión y que supone un serio peligro. Cruzar la calle sin mirar a los dos lados es una imprudencia porque nos puede atropellar un coche. INGLÉS careless act.

imprudente
adjetivo y nombre masculino y femenino **1** Que actúa sin cuidado y sin tener en cuenta el peligro de lo que hace: *No seas imprudente y guarda bien todo ese dinero.* SINÓNIMO alocado. ANTÓNIMO prudente. INGLÉS imprudent [adjetivo], careless [adjetivo].

impúdico, impúdica
adjetivo **1** Que no tiene o no muestra vergüenza o pudor ante ciertas cosas. Las personas nudistas muestran su cuerpo de forma impúdica. INGLÉS immodest, indecent.

impuesto
nombre masculino **1** Cantidad de dinero que pagan los ciudadanos al estado o al ayuntamiento para que puedan afrontar los gastos de la comunidad, como construir y mantener colegios públicos, carreteras u hospitales. INGLÉS tax.

impulsar
verbo **1** Hacer que algo tenga movimiento, desplazándolo del lugar en que estaba. Impulsamos un columpio dándole un empujón. INGLÉS to propel.
2 Ser una cosa la causa o la finalidad que lleva a una persona a realizar determinada acción. El deseo de tener mucho dinero impulsa a algunas personas a trabajar duro. INGLÉS to impel.
3 Hacer que algo cobre fuerza o se desarrolle con mayor intensidad: *Quieren impulsar el turismo de la zona haciendo campañas publicitarias.* INGLÉS to promote.

impulsivo, impulsiva
adjetivo **1** Se dice de la persona que se deja llevar por el impulso de sus sentimientos, sin reflexionar sobre lo que hace. INGLÉS impulsive.

impulso
nombre masculino **1** Acción de impulsar o mover algo. Se da impulso a una barca con los remos. INGLÉS impulse, momentum.
2 Acción que alguien o algo ejerce sobre una cosa para que sea mejor, más activa o se desarrolle: *La empresa necesita un impulso para ganar clientes.* INGLÉS boost, impulse.
3 Sentimiento repentino que lleva a una persona a hacer una cosa sin reflexionar: *Sentí el impulso de abrazarlo, pero me contuve.* INGLÉS impulse.

impune
adjetivo **1** Se dice del delito o del delincuente que no recibe castigo. Un robo queda impune cuando no se descubre quién es el ladrón. INGLÉS unpunished.

impuntual
adjetivo **1** Que no es puntual o que hace las cosas más tarde del tiempo que debía. Un tren impuntual llega más tarde de la hora prevista. INGLÉS unpunctual.

impuro, impura
adjetivo **1** Se dice de las cosas que no están limpias o puras. El aire contaminado es impuro. SINÓNIMO sucio. INGLÉS impure.

inabarcable
adjetivo **1** Que es tan grande que no puede ser abarcado. Un gran bosque es inabarcable con una sola mirada. INGLÉS huge, vast.

inacabado, inacabada
adjetivo **1** Que no ha sido acabado: *El escritor murió y dejó una novela inacabada.* INGLÉS unfinished.

inaceptable
adjetivo **1** Que no se puede aceptar o dar por bueno. Llegar a una cita una hora tarde sin ningún motivo es inaceptable. SINÓNIMO inadmisible. INGLÉS unacceptable.

inactivo, inactiva
adjetivo **1** Que no hace ninguna actividad, trabajo o movimiento. Si apagamos una máquina, se queda inactiva. INGLÉS inactive.

inadaptado, inadaptada
adjetivo y nombre **1** Se dice de la persona que no se adapta a las condiciones en que vive o a las circunstancias que le rodean. INGLÉS maladjusted [adjetivo], misfit [nombre].

inadmisible
adjetivo **1** Que no se puede admitir o dar por bueno. Tratar mal a los ancianos o a los niños es inadmisible. SINÓNIMO inaceptable. INGLÉS unacceptable.

inagotable
adjetivo **1** Se dice de las cosas que no se agotan, que nunca se acaban, como la luz del Sol. INGLÉS inexhaustible.

inaguantable
adjetivo **1** Que no se puede aguantar o soportar. Decimos que un dolor es inaguantable cuando es muy fuerte. SINÓNIMO insoportable. INGLÉS unbearable.

a b c d e f g h i j k l m n ñ o p q r s t u v w x y z

inalámbrico
adjetivo y nombre masculino **1** Se dice del teléfono o sistema de comunicación que no usa cables o hilos para recibir y enviar mensajes, como los auriculares inalámbricos. Con un teléfono inalámbrico puedes hablar dentro de casa, pero no puedes irte muy lejos porque se pierde la señal. INGLÉS cordless.

inalámbrico

inalcanzable
adjetivo **1** Que no se puede alcanzar o conseguir: *En 1900 parecía inalcanzable que el ser humano pudiera volar.* INGLÉS unattainable, unreachable.

inalterable
adjetivo **1** Se dice de la cosa que no puede alterarse o cambiar. Algunos metales son inalterables porque no se oxidan ni se estropean. INGLÉS unchanging, immutable.

inamovible
adjetivo **1** Que no puede moverse o cambiarse. Si tomamos una decisión inamovible, no cambiaremos de opinión por ninguna razón. INGLÉS immovable.

inanimado, inanimada
adjetivo **1** Que no tiene vida o movimiento voluntario. Todos los objetos son inanimados. INGLÉS inanimate.

inapreciable
adjetivo **1** Que es muy difícil o imposible de apreciar o notar, generalmente porque es muy pequeño o es poco importante: *Es un mancha inapreciable, nadie se dará cuenta de ella.* INGLÉS imperceptible.
2 Que tiene un valor tan grande que es imposible calcularlo. El agua es inapreciable para los seres vivos. INGLÉS invaluable.

inasequible
adjetivo **1** Que es imposible de alcanzar o de conseguir. Conseguir un récord mundial es inasequible para las personas que no entrenan. INGLÉS unattainable.

inaudible
adjetivo **1** Que no se oye. El zumbido de un mosquito es inaudible a unos metros de distancia. INGLÉS inaudible.

inaudito, inaudita
adjetivo **1** Que resulta muy sorprendente por ser raro o poco oído: *He leído una noticia inaudita: ha nacido un cerdito con tres colas.* SINÓNIMO insólito. INGLÉS unprecedented.
2 Que es tan malo que no se puede tolerar o aceptar. Resulta inaudito que a día de hoy haya castigos corporales en los colegios de algunos países. INGLÉS outrageous.

inauguración
nombre femenino **1** Acto con el que se celebra el principio de una cosa, como la apertura de una nueva tienda o el comienzo de los Juegos Olímpicos. ANTÓNIMO clausura. INGLÉS opening, inauguration.
NOTA El plural es: inauguraciones.

inaugurar
verbo **1** Celebrar el principio o el comienzo de algo. En la universidad el rector inaugura el curso académico con un discurso. SINÓNIMO abrir. ANTÓNIMO clausurar. INGLÉS to inaugurate, to open.

inca
adjetivo y nombre masculino y femenino **1** Se dice de un pueblo indígena que se encontraba en Ecuador, Perú, Chile y el norte de Argentina antes de la llegada de los españoles. También se llaman incas las personas y las cosas de este pueblo. INGLÉS Inca.

incalculable
adjetivo **1** Que es tan grande o numeroso que no se puede calcular con facilidad: *Las pérdidas causadas por el terremoto son incalculables.* INGLÉS incalculable.

incandescente
adjetivo **1** Se dice del metal o el material que adquiere un color rojo o blanco por haber sido sometido a altas temperaturas. INGLÉS incandescent.

incansable
adjetivo **1** Que no se cansa de hacer una cosa o tarda mucho en cansarse. Los niños pequeños son incansables: nunca se

cansan de jugar. SINÓNIMO infatigable. INGLÉS tireless.

incapaz
adjetivo
1 Que no puede hacer algo porque no tiene los conocimientos o cualidades necesarias: *Es incapaz de trabajar con el ordenador.* ANTÓNIMO capaz. INGLÉS incapable.
2 Que por su carácter no puede hacer algo: *Es incapaz de mentir.* ANTÓNIMO capaz. INGLÉS incapable.
NOTA El plural es: incapaces.

incauto, incauta
adjetivo y nombre
1 Se dice de la persona que es ingenua y fácil de engañar: *Como es una incauta, siempre le gastan bromas.* INGLÉS gullible [adjetivo].

incendiar
verbo
1 Hacer que una cosa o un lugar se quemen. Un cigarro encendido puede incendiar todo un bosque. INGLÉS to set fire to.
NOTA Se conjuga como: cambiar; la 'i' no lleva nunca acento de intensidad.

incendio
nombre masculino
1 Fuego grande que se extiende y que puede destruir lugares como un bosque o un edificio. INGLÉS fire.

incertidumbre
nombre femenino
1 Falta de seguridad que tiene una persona de que una cosa sea cierta o de que sea de determinada manera. INGLÉS uncertainty.
2 Estado o situación de la persona que tiene dudas o no está segura de algo: *Su incertidumbre le impide tomar una decisión rápida.* INGLÉS uncertainty.

incesante
adjetivo
1 Que no cesa o no se para. En las discotecas la música es incesante. INGLÉS incessant.

incesto
nombre masculino
1 Relación sexual entre familiares muy cercanos. INGLÉS incest.

incidencia
nombre femenino
1 Influencia o impresión que causa una cosa o una acción en alguien. La moda tiene mucha incidencia entre los jóvenes y todos quieren estar a la última. INGLÉS impact.
2 Cada uno de los hechos destacables que ocurren durante un proceso o una actividad. INGLÉS incident.

incidente
nombre masculino
1 Suceso que afecta al desarrollo de un asunto, normalmente de forma negativa. Que salte un espontáneo a una plaza de toros es un incidente. INGLÉS incident.
2 Pelea o discusión fuerte entre dos o más personas. INGLÉS incident.

incienso
nombre masculino
1 Sustancia que se extrae de ciertas plantas y que cuando se quema produce un olor muy fuerte. INGLÉS incense.

incierto, incierta
adjetivo
1 Se dice de lo que no es cierto o no es verdadero. INGLÉS false, untrue.
2 Se dice de lo que no se sabe o no se conoce de manera cierta. INGLÉS uncertain, doubtful.

incinerar
verbo
1 Quemar una cosa hasta convertirla en cenizas, especialmente un cadáver. SINÓNIMO quemar. INGLÉS to incinerate, [si es un cadáver: to cremate].

incipiente
adjetivo
1 Que está empezando a desarrollarse. A muchos adolescentes les asoma un bigote incipiente sobre el labio. INGLÉS incipient.

incisivo, incisiva
adjetivo y nombre masculino
1 Se dice de los dientes planos y cortantes que se encuentran en la parte delantera de la mandíbula de los mamíferos. La dentadura de una persona adulta tiene treinta y dos dientes de los cuales ocho son incisivos. INGLÉS incisor [nombre].
adjetivo
2 Se dice de un objeto o instrumento que sirve para abrir o cortar. Las navajas son armas incisivas. INGLÉS cutting.
3 Que critica de forma irónica y cruel. Algunos periodistas publican artículos incisivos sobre la política del momento. SINÓNIMO mordaz. INGLÉS incisive.

inciso
nombre masculino
1 Comentario que se hace cuando se está hablando y que no está muy relacionado con el tema. A veces hacemos incisos para contar anécdotas mientras estamos explicando otra cosa. INGLÉS digression, passing remark.
2 Frase, generalmente explicativa, que se coloca en medio de otra. El inciso suele escribirse entre comas, paréntesis o rayas. INGLÉS interpolated clause.

a b c d e f g h i j k l m n ñ o p q r s t u v w x y z

inclemencia
nombre femenino
1 Característica del tiempo atmosférico cuando es desagradable y muy frío, como cuando llueve, nieva o graniza. INGLÉS inclemency, harshness.

inclinación
nombre femenino
1 Desviación o caída de una cosa hacia un lado. INGLÉS slant, lean.
2 Tendencia o afición a hacer algo. Las personas que tienen inclinación a la fotografía suelen hacer muchas fotos. INGLÉS penchant.
NOTA El plural es: inclinaciones.

inclinar
verbo
1 Desviar una cosa de la posición que tenía. INGLÉS to tilt.
2 Hacer que una persona se decida a hacer o decir algo. Cuando dos cosas tienen las mismas características o gustan por igual, suele ser el precio el que nos inclina a comprar una u otra. INGLÉS to incline.
3 inclinarse Tender o mostrar preferencia por una cosa o por hacer algo. INGLÉS to be inclined towards.

incluir
verbo
1 Poner una cosa dentro de otra o a una persona dentro de un grupo: *Han incluido mi nombre en la lista de espera.* ANTÓNIMO excluir. INGLÉS to include.
2 Contener una cosa a otra o llevarla consigo. El precio del hotel incluye la habitación y el desayuno. SINÓNIMO comprender. ANTÓNIMO excluir. INGLÉS to include.
NOTA Se conjuga como: huir; la 'i' se convierte en 'y' delante de 'a', 'e' y 'o', como: incluya, incluye o incluyo.

inclusión
nombre femenino
1 Acción de poner una cosa dentro de otra o poner a una persona o cosa en un conjunto. Si en un grupo de diez personas se produce la inclusión de dos personas más, el grupo estará formado por una docena de personas. INGLÉS inclusion.
NOTA El plural es: inclusiones.

inclusive
adverbio
1 Incluyendo los límites que se señalan. Si nos vamos de vacaciones del 10 al 25 de agosto, ambos inclusive, estaremos de vacaciones también los días 10 y 25. INGLÉS inclusive.

incluso
adverbio
1 Indica que se incluye a algo o alguien en lo que se ha dicho. Suele añadir fuerza a lo que se dice porque puede parecer sorprendente o extraño que la persona o cosa de que se habla haga lo que se dice: *Es tan fácil que puede hacerlo incluso un niño pequeño.* INGLÉS even.
2 Indica que la información que se dice a continuación, aunque pueda parecer sorprendente, también se produce: *Es incapaz de callar, habla incluso durmiendo.* INGLÉS even.
preposición
3 Indica que, aunque algo pueda parecer contradictorio con la acción principal, esta se cumplirá: *Incluso estando enfermo, iré a la excursión.* INGLÉS even.

incógnita
nombre femenino
1 Cosa que no se sabe o que se desconoce: *La policía tiene que aclarar muchas incógnitas en este caso.* INGLÉS mystery.
2 Cantidad que no se conoce en matemáticas y que hay que averiguar resolviendo un problema o una ecuación. La incógnita se suele representar con la letra 'x'. INGLÉS unknown quantity.

incógnito, incógnita
de incógnito Intentando no ser reconocido por nadie. Algunos famosos que viajan de incógnito se ponen gafas oscuras y evitan a los periodistas y a los fans. INGLÉS incognito.

incoherencia
nombre femenino
1 Característica de las cosas que están formadas por varias partes que no guardan una unión y una relación adecuada entre sí. Se habla de la incoherencia de un texto cuando dice cosas sin conexión y contradictorias. INGLÉS incoherence.
2 Cosa que no guarda una relación lógica con otra o que la contradice. Es una incoherencia hacer lo contrario de lo que se dice. INGLÉS inconsistency.

incoloro, incolora
adjetivo
1 Se dice de las cosas transparentes y sin color. El agua y el alcohol son incoloros. INGLÉS colourless.

incomodar
verbo
1 Hacer que una persona se sienta incómoda o intranquila: *No me mires así,*

que me incomodas. INGLÉS to make feel uncomfortable.

incomodidad

nombre femenino **1** Característica de las cosas que son incómodas: *No compró el coche por la incomodidad de los asientos.* ANTÓNIMO comodidad. INGLÉS uncomfortableness.

2 Aquello que hace que algo no resulte cómodo o agradable. Es una incomodidad tener que llevar una pierna escayolada. INGLÉS inconvenience.

incómodo, incómoda

adjetivo **1** Que hace que una persona no se sienta a gusto y experimente una sensación física desagradable. Tener que viajar de pie en un tren con mucha gente es muy incómodo. ANTÓNIMO cómodo. INGLÉS uncomfortable.

2 Que no se siente a gusto en un lugar o en una situación desagradable: *Estaba muy incómodo porque no conocía a nadie.* INGLÉS uncomfortable.

incomparable

adjetivo **1** Se dice de la cosa o persona que tiene unas características o unas cualidades tan buenas que no se puede comparar con ninguna otra cosa o persona. Una puesta de sol bonita es de una belleza incomparable. INGLÉS incomparable.

incompatible

adjetivo **1** Que no se puede hacer o no puede ocurrir o existir al mismo tiempo que otra cosa por ser muy diferentes o contrarios. El amor y el odio son incompatibles. INGLÉS incompatible.

incompetente

adjetivo y nombre masculino y femenino **1** Se dice de la persona que no tiene la capacidad suficiente para hacer cierta cosa, especialmente un trabajo. INGLÉS incompetent.

incomplejo, incompleja

adjetivo **1** Se dice de la forma que tiene una cantidad que se expresa en un solo tipo de unidad: *El tiempo 1 h 22 min 19 s está expresado en forma compleja. El tiempo 4.939 s está expresado en forma incompleja, porque se utiliza una sola unidad.* INGLÉS simple.

incompleto, incompleta

adjetivo **1** Que no está completo o que no tiene todas sus partes o elementos. Si se pierde una pieza de un puzzle, este queda incompleto. ANTÓNIMO completo. INGLÉS incomplete, unfinished.

incomprendido, incomprendida

adjetivo y nombre **1** Se dice de la persona que no es comprendida o valorada como se merece. Algunos genios, como Galileo, fueron incomprendidos por sus contemporáneos. INGLÉS misunderstood [adjetivo].

incomprensible

adjetivo **1** Que no se puede comprender o es muy difícil de comprender porque no tiene un significado claro o una razón que lo justifique. SINÓNIMO inexplicable. INGLÉS incomprehensible.

incomprensión

nombre femenino **1** Actitud de la persona que no comprende y no respeta las opiniones o los actos de otra persona: *Chocó con la incomprensión de los vecinos.* INGLÉS lack of understanding.

incomunicar

verbo **1** Hacer que dos o más personas o dos lugares no se puedan comunicar entre sí. Las nevadas fuertes incomunican los pueblos de montaña. ANTÓNIMO comunicar. INGLÉS to isolate, to cut off.

NOTA Se escribe 'qu' delante de 'e', como: incomuniquen.

inconcebible

adjetivo **1** Que no puede ser imaginado, comprendido o aceptado. Son inconcebibles las cosas asombrosas y las cosas que no son lógicas o no pueden darse como buenas: *Es inconcebible que la gente siga muriendo de hambre en el siglo* XXI. INGLÉS inconceivable, unthinkable.

inconfundible

adjetivo **1** Que se percibe de un modo tan claro que no se puede confundir con otra cosa. El olor del café es inconfundible. INGLÉS unmistakable.

incongruente

adjetivo **1** Que no tiene una relación coherente o lógica con algo. Es incongruente defender al mismo tiempo la libertad y la pena de muerte. INGLÉS incongruous.

inconsciente

adjetivo **1** Se dice de la persona que ha perdido el conocimiento o que se ha desmayado. Un fuerte golpe en la cabeza puede dejar a una persona inconsciente. INGLÉS unconscious.

a b c d e f g h i j k l m n ñ o p q r s t u v w x y z

2 Se dice de los actos que realiza una persona sin darse cuenta, sin que intervenga la voluntad. Taparse la cabeza con los brazos cuando nos cae algo encima es un movimiento inconsciente. INGLÉS unconscious.

adjetivo y nombre masculino y femenino **3** Se dice de la persona que actúa de una forma imprudente y poco sensata, sin pensar en las consecuencias de sus acciones. Las personas que conducen a mucha velocidad son unas inconscientes. INGLÉS thoughtless [adjetivo].

incontable

adjetivo **1** Que es tan numeroso que no se puede contar o numerar con facilidad. Las estrellas del cielo o los granos de arena de la playa son incontables. INGLÉS countless.

2 Se dice del tipo de nombres que se refieren a cosas que no se pueden contar. Son incontables nombres como 'aire' o 'belleza'. INGLÉS uncountable.

incontenible

adjetivo **1** Que no se puede contener o aguantar: *Tenía unas ganas incontenibles de reír.* INGLÉS uncontrollable.

inconveniente

nombre masculino **1** Cualquier cosa que hace difícil la realización de otra. Estudiar con un amigo tiene ventajas e inconvenientes: podemos consultar dudas, pero también nos podemos distraer. INGLÉS disadvantage.

incordiar

verbo **1** Causar una molestia o enfado pequeño a una persona: *Le incordia tener que salir de casa tan tarde.* SINÓNIMO fastidiar. INGLÉS to annoy.

NOTA Se conjuga como: cambiar; la 'i' no lleva nunca acento de intensidad.

incorporar

verbo **1** Unir o añadir una cosa a otra de la que pasa a formar parte: *Esta agencia de viajes ha incorporado unos nuevos países a su oferta de viajes.* INGLÉS to incorporate.

2 Levantar la cabeza o la parte superior del cuerpo. Para poder comer en la cama, los enfermos se tienen que incorporar un poco. INGLÉS to sit up.

3 incorporarse Entrar a formar parte de una empresa, una institución o una asociación: *Mañana se incorporan al banco los nuevos empleados.* INGLÉS to join.

incorrección

nombre femenino **1** Cosa que está mal hecha. Un examen en el que hay más incorrecciones que aciertos se califica como suspenso. SINÓNIMO error. INGLÉS error, mistake.

2 Falta de respeto a las normas de la buena educación. Comer con las manos está considerado una incorrección. INGLÉS bad manners.

NOTA El plural es: incorrecciones.

incorrecto, incorrecta

adjetivo **1** Que está mal hecho o que tiene incorrecciones: *La solución al ejercicio es incorrecta.* ANTÓNIMO correcto. INGLÉS incorrect, wrong.

incorregible

adjetivo **1** Que es imposible de corregir. INGLÉS uncorrectable.

2 Se dice de la persona que no puede o no quiere abandonar un determinado vicio o costumbre: *Su padre es un fumador incorregible.* INGLÉS incorrigible.

incrédulo, incrédula

adjetivo **1** Se dice de la persona que no suele creer nada de lo que le dicen. INGLÉS incredulous.

increíble

adjetivo **1** Que es tan extraordinario o está tan lejos de lo normal que no se puede creer o es muy difícil de creer: *Ha sido una casualidad increíble encontrarte aquí.* INGLÉS incredible, unbelievable.

incrementar

verbo **1** Aumentar o hacer más grande la cantidad o el tamaño de una cosa. Cuando en un país se incrementa el paro, hay más personas que no trabajan. INGLÉS to increase.

incrustar

verbo **1** Introducir un cuerpo sólido, como una piedra o un trozo de metal, dentro de una superficie y dejarlo allí. Los joyeros incrustan piedras preciosas en los anillos y collares. INGLÉS to set.

2 incrustarse Pegarse una cosa a otra muy fuertemente. Las manchas de grasa se incrustan en la ropa. INGLÉS to become embedded.

incubadora

nombre femenino **1** Aparato donde se mantiene a los bebés nacidos antes de tiempo o con problemas, para que puedan completar su desarrollo y estén protegidos de posibles enfermedades. INGLÉS incubator.

2 Aparato que sirve para calentar los huevos de las aves domésticas con el fin de que se desarrollen en ellos las crías. INGLÉS incubator.

incubar

verbo **1** Ponerse un ave sobre sus huevos para calentarlos hasta que las crías que hay dentro se desarrollen y nazcan. La gallina incuba los huevos durante tres semanas. SINÓNIMO empollar. INGLÉS to incubate.

2 Desarrollar una enfermedad sin que se note hasta que aparecen los síntomas. Cuando aparecen la tos y la fiebre ya hace días que el resfriado se estaba incubando. INGLÉS to incubate.

incuestionable

adjetivo **1** Que está tan claro o es tan evidente que no se puede poner en duda. SINÓNIMO indiscutible, indudable. INGLÉS unquestionable.

inculcar

verbo **1** Hacer que una persona piense y actúe de determinada manera a fuerza de insistir sobre ciertos consejos, ideas o actuaciones correctas. Los adultos son los encargados de inculcar a los niños el respeto a los demás. INGLÉS to inculcate.

NOTA La 'c' se convierte en 'qu' delante de 'e', como: inculqué.

inculto, inculta

adjetivo y nombre **1** Se dice de la persona ignorante o que no tiene cultura. INGLÉS uneducated [adjetivo], ignoramus [nombre].

incultura

nombre femenino **1** Falta de los conocimientos, la cultura o la formación que se consideran básicos o elementales: *Me asombra su incultura: no sabe cuál es la capital de Francia.* INGLÉS ignorance, lack of education.

incumbir

verbo **1** Estar determinada cosa a cargo de una persona. Si una persona tiene una obligación, le incumbe y se debe encargar de ella: *Es un asunto mío, así que no te incumbe.* INGLÉS to be incumbent, to concern.

incumplir

verbo **1** Dejar de cumplir una orden, una ley, una promesa o una obligación. INGLÉS to break.

incurable

adjetivo **1** Se dice de la enfermedad que no se puede curar o es muy difícil de curar. INGLÉS incurable.

incurrir

verbo **1** Cometer un error o una falta. Un delincuente habitual incurre en muchos delitos. INGLÉS to commit.

indagar

verbo **1** Intentar saber o conocer a fondo una cosa realizando para ello todas las acciones necesarias. La policía indaga para aclarar los delitos. INGLÉS to investigate.

NOTA Se escribe 'gu' delante de 'e', como: indaguemos.

indecente

adjetivo **1** Que va en contra de la moral o de lo que la mayoría de la gente considera bueno. Mentir y engañar a los amigos es indecente. SINÓNIMO inmoral. ANTÓNIMO decente. INGLÉS indecent.

2 Que está sucio y poco arreglado: *Esa camisa está indecente, échala a lavar.* ANTÓNIMO decente. INGLÉS disgraceful.

3 Que tiene una calidad o unas condiciones inferiores a las que se consideran normales: *Le pagan un sueldo indecente, mucho menor del que deberían pagarle.* INGLÉS miserable.

indecisión

nombre femenino **1** Falta de valor o seguridad para hacer algo sin dudar, especialmente para escoger entre dos o más opciones. INGLÉS indecision.

NOTA El plural es: indecisiones.

indeciso, indecisa

adjetivo **1** Se dice de la persona que actúa con inseguridad porque le cuesta mucho decidir lo que tiene que hacer. ANTÓNIMO decidido. INGLÉS indecisive, undecided.

indefenso, indefensa

adjetivo **1** Que se encuentra sin ninguna posibilidad de defenderse de un ataque o de un peligro: *El perro gruñía y yo me sentía indefenso.* INGLÉS defenceless, helpless.

indefinido, indefinida

adjetivo **1** Que no tiene un límite o un final marcado o conocido. Un contrato de trabajo indefinido no tiene fin y puede ser para toda la vida. INGLÉS indefinite.

2 Se dice de los pronombres o los determinantes que no se refieren a ninguna persona o cosa en concreto, como 'unos', 'algunos' o 'varios'. INGLÉS indefinite.

indeformable
adjetivo
1 Que no se deforma. INGLÉS which will not lose its shape.

indemne
adjetivo
1 Que no ha recibido ningún daño después de haber estado en peligro o de haber sufrido un accidente: *El coche en el que iba ella se salió de la carretera, pero salió indemne.* SINÓNIMO ileso. INGLÉS unharmed.

indemnizar
verbo
1 Dar dinero a una persona por haberle causado algún daño o perjuicio. Las empresas indemnizan a los empleados que despiden. INGLÉS to compensate.

NOTA Se escribe 'c' delante de 'e', como: indemnice.

independencia
nombre femenino
1 Característica o estado de la persona que no depende de otra para hacer las cosas y que piensa y actúa con libertad: *Dice que no se casa para mantener su independencia.* INGLÉS independence.

2 Situación del país o el territorio que se gobierna a sí mismo, que no depende de otro. INGLÉS independence.

independiente
adjetivo
1 Se dice de la persona que no depende de otra para hacer las cosas y que piensa y actúa con libertad. Las personas independientes no se dejan influir por los demás. INGLÉS independent.

2 Se dice del país o el territorio que se gobierna a sí mismo, que no depende de otro. INGLÉS independent.

independizar
verbo
1 Hacer que una persona o una cosa sea independiente y deje de depender de otra para desarrollarse. Algunos jóvenes se van a vivir solos para independizarse. INGLÉS to make independent [independizar], to become independent [independizarse].

NOTA Se escribe 'c' delante de 'e', como: independice.

indescifrable
adjetivo
1 Que no puede ser descifrado o comprendido. Si una persona tiene una caligrafía muy mala, sus escritos pueden ser indescifrables. INGLÉS indecipherable.

indescriptible
adjetivo
1 Que es tan grande o tan extraordinario que no se puede describir con palabras. Las emociones fuertes son indescriptibles. INGLÉS indescribable.

indeseable
adjetivo y nombre masculino y femenino
1 Se dice de la persona con la que nadie quiere relacionarse porque es muy mala. INGLÉS undesirable.

indestructible
adjetivo
1 Que es tan fuerte o tan duro que no se puede destruir. INGLÉS indestructible.

indeterminado, indeterminada
adjetivo
1 Que no se puede determinar o fijar con exactitud: *Vino un número indeterminado de personas.* INGLÉS indeterminate.

2 Se dice del artículo que va delante de un nombre que no se había nombrado antes o que no se conoce. 'Un', 'una', 'unos' y 'unas' son los artículos indeterminados. INGLÉS indefinite.

indicación
nombre femenino
1 Palabra, gesto o señal que sirve para indicar algo: *Una indicación de un guardia anula cualquier señal de tráfico.* INGLÉS sign, instruction.

2 Consejo o instrucción que se da a una persona para que mejore en algún aspecto. Cuando estamos enfermos debemos seguir las indicaciones del médico. INGLÉS instruction, recommendation.

NOTA El plural es: indicaciones.

indicador, indicadora
adjetivo y nombre masculino
1 Se dice de la señal que sirve para dar una información. En la carretera hay señales indicadoras de muchos tipos.

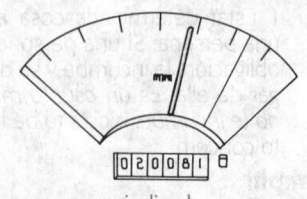

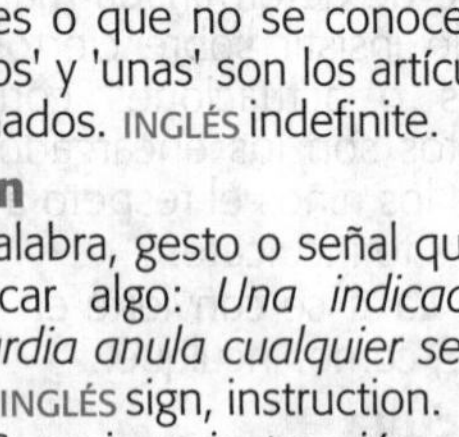

indicador

INGLÉS indicating [adjetivo], indicator [nombre].

nombre masculino **2** Aguja o luz que hay en algunos aparatos o vehículos y que indica su funcionamiento o el de alguna de sus partes. INGLÉS indicator.

indicar

verbo **1** Dar a conocer algo mediante palabras o señales. El termómetro indica la temperatura: *Me indicó con la mano que entrara.* INGLÉS to indicate, [si es con señas: to signal].

2 Ser una cosa la señal de otra. Las hojas caídas indican la llegada del otoño. INGLÉS to signal.

NOTA Se escribe 'qu' delante de 'e', como: indiquen.

indicativo

adjetivo y nombre masculino **1** Se dice del modo verbal que agrupa los tiempos que expresan acciones reales. En la frase 'Duerme mucho', 'duerme' está en indicativo. INGLÉS indicative.

índice

nombre masculino **1** Lista ordenada de las materias o de las partes de un libro o escrito. El índice nos permite encontrar con más rapidez lo que buscamos. INGLÉS index.

nombre masculino y adjetivo **2** Dedo segundo de la mano empezando por el pulgar. Se usa normalmente para señalar. INGLÉS index finger [nombre], forefinger [nombre]. DIBUJO página 339.

indicio

nombre masculino **1** Señal que sirve para descubrir la existencia de una cosa. El humo es indicio de que hay fuego. INGLÉS sign.

indiferencia

nombre femenino **1** Forma de mostrar que no se siente ni atracción ni rechazo por alguien o algo: *Me molestó que me saludara con esa indiferencia.* INGLÉS indifference.

indiferente

adjetivo **1** Se dice de una persona que no muestra ni atracción ni rechazo por una persona o cosa. INGLÉS indifferent.

2 Que no importa que sea o se haga de una u otra forma: *Haz lo que quieras para cenar, me es indiferente.* INGLÉS immaterial.

indígena

adjetivo y nombre masculino y femenino **1** Se dice del pueblo o persona que es habitante originario de una región o país. Suele decirse de los pueblos, considerados primitivos, de América, África, Oceanía y zonas de Asia. SINÓNIMO aborigen. INGLÉS native.

indigente

adjetivo y nombre masculino y femenino **1** Se dice de la persona que no tiene lo necesario para vivir. Los albergues sociales acogen a los indigentes que no tienen casa. SINÓNIMO pobre. INGLÉS poor [adjetivo].

indigestión

nombre femenino **1** Alteración de la digestión causada por comer demasiados alimentos o por no masticarlos bien. INGLÉS indigestion.

indigesto, indigesta

adjetivo **1** Se dice del alimento que sienta mal o se digiere mal por ser muy fuerte. INGLÉS indigestible.

indignado, indignada

adjetivo **1** Se dice de la persona que está muy enfadada o disgustada por algo que considera injusto. INGLÉS indignant.

indignar

verbo **1** Causar un enfado o un disgusto grande a una persona algún hecho que le parece injusto: *Le indignan las actitudes racistas.* INGLÉS to infuriate.

indigno, indigna

adjetivo **1** Que no es adecuado a la naturaleza de una persona o de una cosa. Mentir es indigno de una persona sincera. ANTÓNIMO digno. INGLÉS unworthy.

2 Que no merece aquello que se indica. ANTÓNIMO digno. INGLÉS unworthy.

indio, india

adjetivo y nombre **1** Se dice de la persona o cosa que es de la India, país del sur de Asia. INGLÉS Indian.

nombre **2** Persona que pertenece a alguno de los pueblos originarios de América antes de la llegada de Cristóbal Colón. INGLÉS Indian.

indirecta

nombre femenino **1** Cosa que se da a entender al hablar sin expresarla con claridad: *Me lanzó una indirecta para ver si le ayudaba a hacer los deberes.* INGLÉS hint.

indirecto, indirecta

adjetivo **1** Que no es directo. Si tomamos un camino indirecto para llegar a un sitio, daremos un rodeo antes de llegar. INGLÉS indirect.

a b c d e f g h i j k l m n ñ o p q r s t u v w x y z

indiscreción
nombre femenino **1** Característica de la persona que cuenta a los demás cosas que no se deberían contar, o que pretende enterarse de asuntos que no le conciernen o que se quieren mantener secretos. INGLÉS indiscretion.
2 Acción o expresión propios de la persona indiscreta. INGLÉS indiscretion.
NOTA El plural es: indiscreciones.

indiscreto, indiscreta
adjetivo y nombre **1** Se dice de la persona que cuenta a los demás cosas que no se deberían contar porque son un secreto o porque son asuntos de otras personas. INGLÉS indiscreet [adjetivo].
2 Se dice de la persona que pretende enterarse de asuntos que no le conciernen o que se quieren mantener secretos. INGLÉS indiscreet [adjetivo].
adjetivo **3** Se dice de las acciones propias de las personas indiscretas, como un comentario indiscreto. INGLÉS indiscreet.

indiscutible
adjetivo **1** Que está tan claro o es tan evidente que no se puede poner en duda. Es indiscutible que las mariposas vuelan. INGLÉS indisputable, unquestionable.

indispensable
adjetivo **1** Se dice de la persona o la cosa sin la cual no se puede hacer algo o que hace falta obligatoriamente para algo. El sol es indispensable para que crezcan las plantas. SINÓNIMO imprescindible; necesario. INGLÉS indispensable, essential.

indistinto, indistinta
adjetivo **1** Que da igual que sea de una manera o de otra. En las zonas en las que se hablan dos lenguas, los hablantes pueden utilizar una u otra lengua de forma indistinta. INGLÉS indistinct.

individual
adjetivo **1** Que es para una sola persona. Las camas individuales suelen tener 80 o 90 centímetros de ancho. INGLÉS individual, single.

individuo
nombre masculino **1** Ser que pertenece a un grupo o una especie. El leopardo es un individuo de una especie animal. INGLÉS individual.
2 Persona cuyo nombre no se dice porque no se sabe o porque no importa: *No me gusta nada ese individuo.* INGLÉS individual, person.

índole
nombre femenino **1** Característica propia de una persona o una cosa que la hace diferente de otras: *En clase hay personas de distinta índole.* SINÓNIMO naturaleza. INGLÉS type, kind.

indolente
adjetivo **1** Se dice de la persona que es perezosa o que no tiene voluntad para hacer una cosa. También es indolente la actitud de estas personas: *Pasaba las tardes, así, indolente, viendo la televisión.* INGLÉS indolent.

indoloro, indolora
adjetivo **1** Que no causa dolor. Si un médico utiliza un tratamiento indoloro, no va a hacer daño al enfermo. INGLÉS painless.

indomable
adjetivo **1** Se dice del animal salvaje que no puede ser domado o es muy difícil de domar. INGLÉS untamable.
2 Que es difícil de guiar o controlar, como un grupo rebelde o un río muy rápido y caudaloso. INGLÉS uncontrollable.

indudable
adjetivo **1** Que está tan claro que no se puede poner en duda. INGLÉS unquestionable.

indulgente
adjetivo **1** Se dice de la persona que perdona con facilidad las faltas o los errores, o que no castiga con dureza. También son indulgentes los actos propios de estas personas. INGLÉS indulgent, lenient.

indulto
nombre masculino **1** Perdón que concede una autoridad a un preso, quitándole todo el castigo o parte de él. INGLÉS pardon, amnesty.

indumentaria
nombre femenino **1** Conjunto de prendas de vestir que lleva una persona. INGLÉS clothing, clothes.

industria
nombre femenino **1** Actividad laboral que consiste en la transformación de materias primas en productos útiles y preparados para el consumo, como la industria textil o la industria del automóvil. INGLÉS industry.
2 Establecimiento con las personas y los medios necesarios para dedicarse

a esta actividad. SINÓNIMO empresa. INGLÉS factory.

industrial

adjetivo **1** Que está relacionado con la industria. INGLÉS industrial.

nombre masculino y femenino **2** Persona que tiene o dirige una industria. INGLÉS industrialist.

industrializar

verbo **1** Crear industrias o empresas nuevas en un lugar. INGLÉS to industrialize.

2 Fabricar cosas con la maquinaria y los medios propios de las industrias. Se ha industrializado la elaboración de algunos productos que eran artesanales como la miel. INGLÉS to industrialize.

NOTA Se escribe 'c' delante de 'e', como: industrialicen.

inédito, inédita

adjetivo **1** Se dice de la obra escrita que no ha sido publicada: *Ha publicado dos novelas y tiene inédita otra más.* INGLÉS unpublished.

2 Que es nuevo y desconocido, o que ocurre por primera vez. Un campeón inédito en una competición no había ganado nunca esa competición. INGLÉS unheard of, unknown.

inepto, inepta

adjetivo y nombre **1** Se dice de la persona que es completamente inútil para realizar un trabajo o una acción determinados. INGLÉS incompetent [adjetivo], inept [adjetivo].

inercia

nombre femenino **1** Fuerza que hace que un cuerpo mantenga el reposo o el movimiento mientras no haya otra fuerza contraria. Cuando se deja de empujar una cosa, la inercia hace que se siga moviendo durante un tiempo. INGLÉS inertia.

2 Hábito o costumbre que lleva a hacer o decir algo sin pensarlo. INGLÉS inertia.

inerte

adjetivo **1** Que no tiene vida. Las rocas y los minerales son inertes. INGLÉS inert.

inesperado, inesperada

adjetivo **1** Que ocurre sin que se esperara o se supiera que iba a ocurrir, como una sorpresa. INGLÉS unexpected.

inestabilidad

nombre femenino **1** Característica de las cosas o las personas que cambian de estado, que sufren cambios importantes. INGLÉS instability.

2 Característica del cuerpo que se puede caer con facilidad o que no se mantiene en equilibrio. ANTÓNIMO estabilidad. INGLÉS instability.

inestable

adjetivo **1** Se dice de la persona o la cosa que sufre cambios. En primavera, el tiempo es más inestable que en verano. ANTÓNIMO estable. INGLÉS unstable.

2 Que no mantiene el equilibrio. Los niños pequeños cuando empiezan a andar aún son muy inestables. ANTÓNIMO estable. INGLÉS unsteady.

inestimable

adjetivo **1** Que tiene tanto valor que no se puede apreciar tanto como se debería: *Tu ayuda ha sido inestimable.* INGLÉS invaluable.

inevitable

adjetivo **1** Que no se puede evitar o impedir que ocurra. SINÓNIMO impepinable. INGLÉS inevitable, unavoidable.

inexacto, inexacta

adjetivo **1** Que no es exacto o no se ajusta bien a lo que debería ser. INGLÉS inexact, inaccurate.

inexistente

adjetivo **1** Que no existe. En los países sin mar, las playas son inexistentes. INGLÉS nonexistent.

inexperto, inexperta

adjetivo **1** Que no tiene experiencia o costumbre de hacer algo. ANTÓNIMO experto. INGLÉS inexperienced.

inexplicable

adjetivo **1** Que es tan extraño que no se puede explicar ni entender o es difícil hacerlo. SINÓNIMO incomprensible. INGLÉS inexplicable.

inexpugnable

adjetivo **1** Se dice del lugar o el edificio que resulta imposible de conquistar. INGLÉS impregnable.

infalible

adjetivo **1** Se dice de las cosas o personas que nunca fallan o que no se equivocan. INGLÉS infallible.

infame

adjetivo **1** Que es muy malo o de muy mala calidad: *Vimos una película infame.* INGLÉS vile, awful.

2 Se dice de la persona que actúa con

mala intención y hace daño a los demás. INGLÉS vile, base.

infancia

nombre femenino **1** Primer período de la vida de las personas que va desde el nacimiento hasta la adolescencia. SINÓNIMO niñez. INGLÉS childhood, infancy.

infante, infanta

nombre **1** Hijo de un rey y hermano de un príncipe. INGLÉS prince.

infantería

nombre femenino **1** Conjunto de soldados de un ejército que van y luchan a pie. INGLÉS infantry.

infantil

adjetivo **1** De los niños, que tiene relación con ellos o está destinado a ellos. INGLÉS children's.

2 Se dice de la persona adulta que piensa o se comporta como si fuera un niño. INGLÉS childish.

adjetivo y nombre masculino y femenino **3** Se dice del deportista que juega en la categoría deportiva que está entre los alevines y los cadetes. INGLÉS youth.

infarto

nombre masculino **1** Daño que sufre un órgano del cuerpo al no llegarle la sangre y quedarse sin oxígeno. INGLÉS heart attack.

infatigable

adjetivo **1** Que no se cansa o tarda mucho en cansarse. INGLÉS indefatigable, tireless.

infección

nombre femenino **1** Enfermedad causada por microbios que entran en el cuerpo y que puede contagiarse. INGLÉS infection.

2 Estado de una herida infectada. INGLÉS infection.

NOTA El plural es: infecciones.

infeccioso, infecciosa

adjetivo **1** Que tiene las características de la infección o que la produce. La gripe es una enfermedad infecciosa. INGLÉS infectious.

infectar

verbo **1** Llenar de microbios una herida, una parte del cuerpo o una cosa. Una herida producida por un clavo oxidado se puede infectar. ANTÓNIMO desinfectar. INGLÉS to infect [infectar], to become infected [infectarse].

2 Contagiar una enfermedad. En los hospitales hay muchas medidas de higiene para que los pacientes no se infecten unos a otros. INGLÉS to infect.

NOTA No lo confundas con 'infestar', que quiere decir: llenar un lugar una plaga de animales o plantas.

infeliz

adjetivo **1** Que está triste o que sufre por algo. SINÓNIMO desgraciado. ANTÓNIMO feliz. INGLÉS unhappy.

NOTA El plural es: infelices.

inferior

adjetivo **1** Que está más abajo que otra cosa o por debajo de ella. En una tabla numérica, el seis es inferior al siete. ANTÓNIMO superior. INGLÉS lower.

2 Que tiene menos cantidad, calidad e importancia que otra cosa. SINÓNIMO peor. ANTÓNIMO superior. INGLÉS inferior.

adjetivo y nombre masculino y femenino **3** Se dice de la persona que está a las órdenes de otra de cargo superior. En una empresa, el subdirector es el inferior del director. SINÓNIMO subordinado. ANTÓNIMO superior. INGLÉS inferior.

inferioridad

nombre femenino **1** Situación de la persona o de la cosa que está por debajo de otra o que tiene menos cantidad, calidad o importancia: *El equipo jugó con inferioridad numérica.* INGLÉS inferiority.

infestar

verbo **1** Llenar un lugar una plaga de animales o plantas y causar daños en él. También se dice que un lugar está infestado de gente cuando hay demasiada gente. INGLÉS to infest.

NOTA No lo confundas con 'infectar', que quiere decir: causar infección.

infiel

adjetivo **1** Se dice de la persona que engaña o traiciona a otra u otras. ANTÓNIMO fiel. INGLÉS unfaithful.

nombre masculino y femenino **2** Persona que sigue una religión distinta de la que uno tiene. Suele decirlo un cristiano de un no cristiano. INGLÉS nonbeliever, infidel.

infierno

nombre masculino **1** Según ciertas religiones, lugar al que van las almas de las personas que han sido malas y mueren sin arrepentirse de lo que han hecho. INGLÉS hell.

2 Situación muy mala y desagradable y muy difícil de soportar: *Están viviendo un infierno desde que su hijo está en el hospital.* INGLÉS hell.

infijo
nombre masculino
1 Grupo de letras que se añaden entre la raíz de una palabra y un prefijo o un sufijo para formar una palabra nueva. La palabra 'humareda' se forma con la raíz 'hum-', el infijo '-ar-' y el sufijo '-eda'. SINÓNIMO interfijo. INGLÉS infix.

infiltrarse
verbo
1 Introducirse en secreto en un grupo o una organización para saber lo que hacen y decírselo a alguien. INGLÉS to infiltrate.

ínfimo, ínfima
adjetivo
1 Que es muy bajo en cantidad, calidad o importancia. Una cosa de calidad ínfima es muy mala. INGLÉS very poor [en calidad], very small [en cantidad], minimal [en importancia].
2 Que es muy pequeño o muy poco importante. Las huellas digitales se distinguen por sus diferencias ínfimas. INGLÉS tiny, minute.

infinidad
nombre femenino
1 Gran cantidad o gran número de personas, animales o cosas. En Navidad infinidad de luces adornan las calles. INGLÉS infinity.

infinitivo
nombre masculino
1 Forma no personal del verbo. Se utiliza para nombrar al verbo en general. En español, el infinitivo termina en '-ar', '-er' o '-ir'. INGLÉS infinitive.

infinito, infinita
adjetivo
1 Que no tiene fin. El mar en el horizonte parece infinito. INGLÉS infinite.
2 Se dice de lo que es muy grande o muy numeroso. En el mar hay infinitos peces. INGLÉS countless.
nombre masculino
3 Espacio sin límites. Si se pierde el control de una nave espacial, se puede perder en el infinito. INGLÉS infinity.

inflamable
adjetivo
1 Que arde en llamas fácilmente. La paja es un material muy inflamable. INGLÉS inflammable.

inflamación
nombre femenino
1 Aumento del tamaño y la temperatura de una parte del cuerpo a causa de un golpe, una herida o una infección, que suelen ir acompañados de dolor. INGLÉS inflammation.
NOTA El plural es: inflamaciones.

inflamarse
verbo
1 Arder algo en llamas. La gasolina se inflama al contacto con el fuego. INGLÉS to catch fire.
2 Hincharse y aumentar de temperatura una parte del cuerpo a causa de un golpe, una herida o una infección. Si tienes paperas, se te inflaman los dos lados de la cara. INGLÉS to become inflamed.

inflar
verbo
1 Aumentar el tamaño de algo, llenándolo de aire o de gas. Hay que inflar bien un flotador antes de tirarse al agua con él. SINÓNIMO hinchar. ANTÓNIMO desinflar. INGLÉS to blow up, to inflate.
2 Exagerar y aumentar la importancia de algo. SINÓNIMO hinchar. INGLÉS to exaggerate.
3 **inflarse** Hacer una cosa de forma exagerada, especialmente comer mucho: *Se ha inflado a comer pipas.* INGLÉS to stuff oneself.

inflexible
adjetivo
1 Que es rígido y no se puede doblar. Una barra de hierro es inflexible. ANTÓNIMO flexible. INGLÉS inflexible.
2 Se dice de la persona que no cambia de opinión o no cambia sus decisiones por considerar que su punto de vista es más justo y razonable que el que tienen los demás. INGLÉS inflexible.

influencia
nombre femenino
1 Acción de influir algo o alguien en una persona o cosa. Algunos creen que los cambios de humor de la gente se deben a la influencia de la Luna. INGLÉS influence.
nombre femenino plural
2 **influencias** Gente con poder o autoridad que una persona conoce y que la puede ayudar en algo: *Tengo influencias en esa empresa porque mi padre es el jefe.* INGLÉS influence.

influir
verbo
1 Producir algo o alguien, de manera indirecta o a distancia, un efecto determinado sobre una cosa o persona. Los grandes artistas influyen en los artistas jóvenes. INGLÉS to influence.
2 Tener una persona autoridad o poder sobre otra: *Tú eres el único que puede influir en él y hacerle cambiar de opinión.* INGLÉS to influence.
NOTA Se conjuga como: huir; la 'i' se

a b c d e f g h i j k l m n ñ o p q r s t u v w x y z

convierte en 'y' delante de 'a', 'e' y 'o', como: influyeron.

influjo

nombre masculino **1** Acción de influir algo o alguien en una persona o cosa. SINÓNIMO influencia. INGLÉS influence.

información

nombre femenino **1** Comunicación de noticias o datos a quien no los tiene. INGLÉS information.

2 Conjunto de noticias o datos sobre algo. Los periódicos recogen toda la información del día. INGLÉS information.

3 Lugar donde se informa sobre algo en concreto. Los grandes almacenes o las grandes empresas suelen tener una mesa o mostrador de información a la entrada. INGLÉS information desk.

NOTA El plural es: informaciones.

informador, informadora

adjetivo y nombre **1** Se dice de la persona que informa de algo a alguien. INGLÉS informant [nombre].

informal

adjetivo y nombre masculino y femenino **1** Que no cumple con sus obligaciones y hace lo que le parece. ANTÓNIMO formal. INGLÉS unreliable.

adjetivo **2** Se dice de las cosas o las acciones que se hacen sin seguir unas reglas o normas precisas o estrictas. ANTÓNIMO formal. INGLÉS informal.

informar

verbo **1** Dar a alguien noticias o datos sobre alguna cosa. Los periódicos nos informan de lo que sucede en el mundo. INGLÉS to inform.

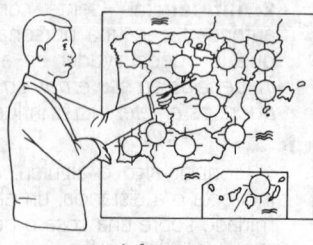

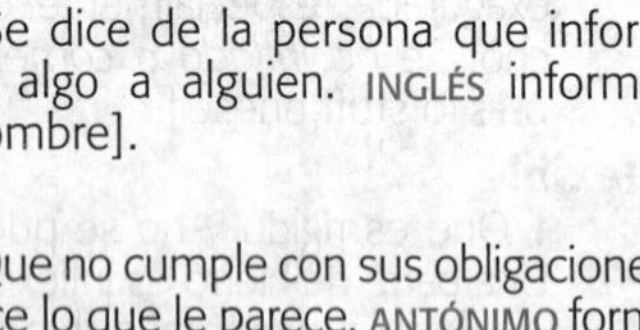

informar

informática

nombre femenino **1** Ciencia que estudia todo lo relacionado con los ordenadores. INGLÉS computer science, computing.

informático, informática

adjetivo **1** Que está relacionado con la informática o con los ordenadores. INGLÉS computer.

nombre **2** Persona que trabaja en temas relacionados con la informática, en especial con el diseño de ordenadores y la programación. INGLÉS computer expert.

informativo, informativa

adjetivo **1** Que informa sobre alguna cosa. INGLÉS informative.

nombre masculino **2** Programa de radio o televisión que da a conocer al público las noticias de actualidad. En muchas emisoras de radio hay un informativo cada hora. INGLÉS news programme.

informatizar

verbo **1** Utilizar medios informáticos para organizar o desarrollar una actividad o un trabajo. Si una biblioteca se ha informatizado, podemos consultar qué libros tiene en un ordenador. INGLÉS to computerize.

NOTA La 'z' se convierte en 'c' delante de 'e', como: informaticen.

informe

nombre masculino **1** Información detallada sobre una persona o un asunto. Suele hacerse por escrito e intenta reunir todos los datos y aspectos relacionados con el tema de que trata. INGLÉS report.

infortunio

nombre masculino **1** Desgracia que sufre una persona o cosa. Un incendio o una inundación son infortunios que pueden arruinar una fábrica. INGLÉS misfortune.

infracción

nombre femenino **1** Acción que se realiza cuando no se cumple una ley o una norma concreta o cuando se hace algo que va en contra de ellas. Saltarse un semáforo en rojo es una infracción del código de circulación. INGLÉS offence.

NOTA El plural es: infracciones.

infraestructura

nombre femenino **1** Estructura ordenada de los elementos que necesita un gobierno o una organización para poder desarrollar una actividad. Un país necesita crear infraestructuras para que todos sus habitantes puedan tener electricidad, agua o medios de comunicación. INGLÉS infrastructure.

infundir
verbo
1 Hacer que una persona sienta o piense y actúe de un modo distinto al habitual. A una persona se le puede infundir amor, cariño, valor o ánimo, pero también miedo u odio. INGLÉS to fill with.

infusión
nombre femenino
1 Bebida caliente que se prepara mezclando determinadas hierbas con agua hirviendo. El té, la manzanilla y la tila son infusiones. INGLÉS herbal tea.
NOTA El plural es: infusiones.

infusión

ingeniar
verbo
1 Hacer o idear una persona una cosa original utilizando el ingenio. Los niños ingenian muchos juegos para no aburrirse. INGLÉS to devise, to invent.
ingeniárselas Utilizar una persona el ingenio para conseguir una cosa o solucionar un problema. INGLÉS to manage, to find a way.
NOTA Se conjuga como: cambiar; la 'i' no lleva nunca acento de intensidad.

ingeniería
nombre femenino
1 Profesión y materia que tratan de la aplicación de conocimientos científicos en la construcción y el funcionamiento de las máquinas, carreteras, minas, barcos y todo lo que el ser humano puede construir. INGLÉS engineering.

ingeniero, ingeniera
nombre
1 Persona que tiene conocimientos científicos que aplica en una actividad industrial, como la construcción de puentes, electrodomésticos, carreteras y barcos. INGLÉS engineer.

ingenio
nombre masculino
1 Habilidad o capacidad que tiene una persona para inventar o idear con inteligencia cosas originales. INGLÉS ingenuity, genius.
2 Habilidad o capacidad que tiene una persona para inventar o decir cosas originales, ocurrentes y con gracia. INGLÉS wit.
3 Máquina o artilugio que están formados por diferentes mecanismos. INGLÉS device.

ingenioso, ingeniosa
adjetivo
1 Se dice de la persona que tiene ingenio para inventar o idear cosas originales y que son muy útiles para algo, o para decir cosas originales, ocurrentes y con gracia. INGLÉS ingenious, [si es ocurrente: witty].
2 Se dice de las cosas que están hechas o dichas con ingenio. INGLÉS ingenious, [si es una ocurrencia: witty].

ingente
nombre femenino
1 Que es muy grande, como una fortuna ingente. SINÓNIMO inmenso. INGLÉS enormous.

ingenuidad
nombre femenino
1 Característica que tienen las personas puras y sinceras y que no actúan con mala intención. Es propia de los niños pequeños. SINÓNIMO candor; inocencia. INGLÉS ingenuousness, innocence.

ingenuo, ingenua
adjetivo
1 Se dice de la persona sencilla, que no tiene malos sentimientos y que se lo cree todo porque no ve que pueda haber mala intención. SINÓNIMO inocente. INGLÉS ingenuous.

ingerir
verbo
1 Tragar una bebida, un alimento o una medicina. INGLÉS to eat [sólidos], to drink [líquidos].
NOTA Se conjuga como: preferir; la 'e' se convierte en 'ie' en sílaba acentuada o en 'i' en algunos tiempos y personas, como: ingiero, ingirió.

ingle
nombre femenino
1 Parte del cuerpo humano en donde se junta el muslo con el vientre. INGLÉS groin.

inglés, inglesa
adjetivo y nombre
1 Se dice de la persona o cosa que es de Inglaterra, una de las regiones que integran el Reino Unido. INGLÉS English, Englishman [hombre], Englishwoman [mujer].
nombre masculino
2 Lengua hablada en el Reino Unido, los Estados Unidos, Australia y otros países que fueron colonias británicas. INGLÉS English.
NOTA El plural de inglés es: ingleses.

a b c d e f g h i j k l m n ñ o p q r s t u v w x y z

ingratitud
nombre femenino **1** Comportamiento de la persona que no agradece un favor o beneficio recibidos. ANTÓNIMO gratitud. INGLÉS ingratitude.

ingrato, ingrata
adjetivo y nombre **1** Se dice de la persona que no reconoce el valor de los favores recibidos y no da las gracias por ellos. SINÓNIMO desagradecido. ANTÓNIMO agradecido. INGLÉS ungrateful.
adjetivo **2** Se dice del trabajo que cuesta realizar por ser desagradable, molesto o porque los demás no lo valoran lo suficiente. INGLÉS thankless.

ingrávido, ingrávida
adjetivo **1** Se dice de un cuerpo que no está sometido a la fuerza de gravedad terrestre. Los satélites ingrávidos flotan en el espacio. INGLÉS weightless.
2 Que es suave, ligero y no pesa, como la gasa o la niebla. INGLÉS very light.

ingrediente
nombre masculino **1** Cada una de las cosas o sustancias que forman una comida o un alimento preparado. INGLÉS ingredient.

ingresar
verbo **1** Entrar a formar parte de un conjunto de personas o de una asociación: *Ingresó en un convento.* SINÓNIMO entrar. INGLÉS to join.
2 Quedarse en un hospital para ser operado o recibir un tratamiento médico. INGLÉS to be admitted.
3 Meter dinero en una cuenta de un banco. INGLÉS to pay in.

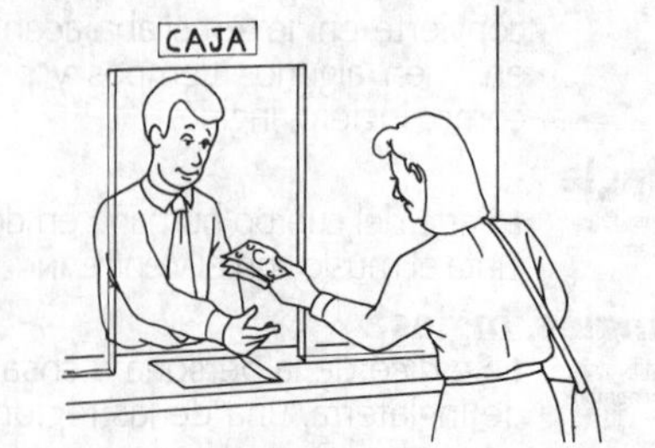

ingresar

ingreso
nombre masculino **1** Acción de ingresar o entrar una persona en un grupo, una asociación o un hospital. INGLÉS joining [si es en un hospital: admission].
2 Acción que consiste en meter una cantidad de dinero en una cuenta de un banco. INGLÉS deposit.
nombre masculino plural **3** **ingresos** Cantidad de dinero que gana una persona o una empresa o se recibe como sueldo. INGLÉS income.

inhalar
verbo **1** Aspirar un gas, un vapor o un líquido muy pulverizado. Inhalar vapores de eucalipto es bueno para la congestión nasal. INGLÉS to inhale, to breathe in.

inhumano, inhumana
adjetivo **1** Que hace sufrir o deja sufrir sin sentir compasión: *Es inhumano no ayudar a la gente que lo necesita.* INGLÉS inhuman.

inicial
adjetivo **1** Se dice de las cosas que están al inicio o comienzo. INGLÉS initial.
adjetivo y nombre femenino **2** Se dice de la primera letra de una palabra. INGLÉS initial.

iniciar
verbo **1** Hacer que una acción o un proceso comience o esté en sus primeros momentos. Al iniciar la clase, los profesores piden silencio. SINÓNIMO empezar. INGLÉS to start, to begin.
2 Enseñar a una persona algunas cosas sobre algo de lo que no sabía nada hasta ese momento. INGLÉS to initiate.
NOTA Se conjuga como: cambiar; la 'i' no lleva nunca acento de intensidad.

iniciativa
nombre femenino **1** Capacidad de tener ideas originales o empezar a hacer cosas nuevas: *Es una persona con iniciativa.* INGLÉS initiative.
2 Proposición o idea que da origen o está en el comienzo de una acción o de un proyecto. INGLÉS initiative.
tomar la iniciativa Ser la primera persona en hacer o decir algo. INGLÉS to take the initiative.

inicio
nombre masculino **1** Primera parte o primer momento de las cosas o las acciones. El inicio del curso escolar suele ser en septiembre. ANTÓNIMO fin. INGLÉS beginning, start.

inigualable
adjetivo **1** Se dice de las cosas que no se pueden igualar a otras por ser extraordinarias o muy buenas. INGLÉS unrivalled.

inimaginable
adjetivo **1** Que no puede ser imaginado. Para

la gente del siglo XIX eran inimaginables aparatos como el ordenador o el teléfono móvil. INGLÉS unimaginable.

inimitable
adjetivo
1 Que no puede ser imitado: *Tiene una manera de dibujar única e inimitable.* INGLÉS inimitable.

injertar
verbo
1 Unir una parte de una planta a una rama o tronco de otra planta para que crezcan juntas. INGLÉS to graft.
2 Colocar, mediante una operación, carne, piel u otro tejido en una parte del cuerpo que está dañada. Los médicos pueden injertar piel en una quemadura grande para que se cure. INGLÉS to graft.

injusticia
nombre femenino
1 Acción que está en contra de lo que es justo. Es una injusticia ser castigados por algo que no hemos hecho. INGLÉS injustice.
2 Característica de ser injusta una persona o una cosa. INGLÉS unfairness.

injustificable
adjetivo
1 Que no puede justificarse. Normalmente una cosa injustificable es tan mala que no hay ninguna razón posible para que exista o se produzca. INGLÉS unjustifiable, indefensible.

injusto, injusta
adjetivo y nombre
1 Se dice de las personas o de las cosas que no actúan con justicia, que no son justas porque no dan a cada cual lo que le corresponde. Es injusto castigar a alguien por algo que no ha hecho. INGLÉS unfair, unjust.

inmaculado, inmaculada
adjetivo
1 Se dice de las cosas que están perfectamente limpias y no tienen ningún defecto. INGLÉS immaculate.

inmaduro, inmadura
adjetivo y nombre
1 Se dice de la persona adulta que se comporta como si fuera un niño o como si tuviera muchos menos años de los que en realidad tiene. ANTÓNIMO maduro. INGLÉS immature.

inmediaciones
nombre femenino plural
1 Alrededores de un lugar, como las inmediaciones de una ciudad. INGLÉS surrounding area.

inmediato, inmediata
adjetivo
1 Se dice de lo que ocurre justo después de otra cosa, sin que pase nada en medio. Una respuesta inmediata se da en cuanto acaba la pregunta. INGLÉS immediate.

inmenso, inmensa
adjetivo
1 Que es muy grande. El número de estrellas es inmenso. SINÓNIMO enorme. ANTÓNIMO pequeño. INGLÉS immense, vast.

inmerso, inmersa
adjetivo
1 Se dice de la persona o de la cosa que está metida o sumergida en un líquido. INGLÉS immersed.
2 Se dice de la persona que está muy concentrada en la realización de una cosa o en un pensamiento: *Estaba tan inmersa en el trabajo que no oí el teléfono.* INGLÉS absorbed.
3 Se dice de la persona que está muy introducida en un ambiente o una situación, generalmente negativos. Algunos drogadictos están inmersos en el mundo de la delincuencia o de la prostitución. INGLÉS immersed.

inmigración
nombre femenino
1 Llegada de una o más personas de un país o zona a otro país o zona para vivir en ellos. La población de un municipio aumenta con la natalidad y la inmigración. INGLÉS immigration.
NOTA El plural es: inmigraciones.

inmigrante
nombre masculino y femenino
1 Persona que llega a un país o lugar para instalarse a vivir en él o trabajar temporalmente. INGLÉS immigrant.

inmigrar
verbo
1 Llegar a un país o población gente que procede de otro país o población para instalarse en ellos. INGLÉS to immigrate.

inminente
adjetivo
1 Se dice de lo que va a ocurrir enseguida, de un momento a otro. Cuando el cielo se pone muy negro la lluvia es inminente. INGLÉS imminent.

inmobiliaria
nombre femenino
1 Empresa que se dedica a la compra, venta o alquiler de pisos, casas, pazas de aparcamiento y locales. INGLÉS estate agent's [en el Reino Unido], real estate agency [en Estados Unidos].

inmoral
adjetivo
1 Que va en contra de lo que la mayoría de la gente considera bueno y correcto.

Es inmoral engañar y estafar a la gente. INGLÉS immoral.

inmortal
adjetivo
1 Que no muere o no puede morir. No hay ningún ser humano inmortal. ANTÓNIMO mortal. INGLÉS immortal.
2 Se dice de las cosas o las personas que han tenido tal importancia que se recuerdan siempre. Las canciones de los Beatles son inmortales. INGLÉS immortal.

inmortalizar
verbo
1 Hacer que una cosa, una persona o un lugar no se olvide nunca y permanezca siempre en la historia y en la memoria de los hombres. INGLÉS to immortalize.
NOTA Se escribe 'c' delante de 'e', como: inmortalicé.

inmóvil
adjetivo
1 Que no se mueve o no se puede mover, normalmente algo que sí tiene movimiento. El miedo puede dejar inmóvil a una persona o un animal. INGLÉS motionless.

inmueble
adjetivo y nombre masculino
1 Se dice de los bienes o propiedades que no pueden moverse del lugar donde están, como las fincas o los edificios. INGLÉS building.

inmune
adjetivo
1 Que no puede contraer una enfermedad o una infección determinadas. Las personas vacunadas contra una enfermedad son inmunes a ella. INGLÉS immune.
2 Se dice de la persona que se queda tranquila o no se molesta frente a un ataque o algo negativo: *Me da igual lo que diga, soy inmune a sus insultos.* INGLÉS immune.

inmutarse
verbo
1 Sentirse muy impresionado por algo: *No se inmutó cuando le dieron la sorpresa.* INGLÉS to be perturbed.
NOTA Se usa sobre todo en frases negativas.

innato, innata
adjetivo
1 Se dice de la cualidad o la capacidad de un ser vivo que no es aprendida y que la tiene desde su nacimiento. El instinto de reproducirse es innato en los seres vivos. INGLÉS innate, inborn.

innecesario, innecesaria
adjetivo
1 Que no hace falta de manera obligatoria para que exista, suceda o se haga algo. ANTÓNIMO necesario. INGLÉS unnecessary.

innegable
adjetivo
1 Que está tan claro o es tan evidente que no se puede negar. Es innegable para todos que el reciclaje es bueno. INGLÉS undeniable.

innumerable
adjetivo
1 Que es tan grande o numeroso que no se puede contar: *Había innumerables espectadores en el concierto.* SINÓNIMO incontable; incalculable. INGLÉS innumerable, countless.

inocencia
nombre femenino
1 Condición de la persona que ha sido declarada por un juez o un tribunal como libre de culpa respecto de una falta o un delito. INGLÉS innocence.
2 Característica de la persona que es muy fácil de engañar porque siempre actúa con buenas intenciones y cree que los demás también lo hacen. INGLÉS innocence, naivety.
3 Característica de la persona o cosa que no tiene mala intención o malicia al obrar: *No te enfades, te lo ha dicho con toda la inocencia del mundo.* INGLÉS innocence.

inocentada
nombre femenino
1 Broma que se hace o se dice para reírse de alguien. En España, la gente hace inocentadas el día 28 de diciembre, en cambio en Inglaterra las hacen el 1 de abril. INGLÉS practical joke.

inocente
nombre masculino y femenino
1 Se dice de la persona que ha sido declarada por un juez o un tribunal como libre de culpa respecto de una falta o un delito. INGLÉS not guilty [adjetivo].
2 Que es muy fácil de engañar porque siempre actúa con buenas intenciones y cree que los demás también lo hacen. INGLÉS naive [adjetivo].
adjetivo
3 Que no tiene mala intención o malicia, como una broma inocente. INGLÉS innocent.

inodoro, inodora
adjetivo
1 Se dice de la sustancia o el producto que no tiene olor, como el agua. INGLÉS odourless.

nombre masculino **2** Recipiente que hay en el servicio donde las personas hacen sus necesidades. Tiene un depósito de agua y está conectado a una tubería de desagüe, de modo que se puede limpiar cada vez que se utiliza. SINÓNIMO retrete; váter. INGLÉS toilet.

inofensivo, inofensiva

adjetivo **1** Se dice de la persona, animal o cosa que no hace ningún daño. INGLÉS harmless.

inolvidable

adjetivo **1** Que ha causado una impresión tan fuerte en una persona que no lo puede olvidar, en especial cuando la impresión es positiva: *Tengo recuerdos inolvidables de mi infancia.* INGLÉS unforgettable.

inoportuno, inoportuna

adjetivo **1** Se dice de las cosas que ocurren en un momento que no es adecuado o conveniente. ANTÓNIMO oportuno. INGLÉS inopportune.

inorgánico, inorgánica

adjetivo **1** Se dice de la materia que no tiene vida. Los minerales son inorgánicos. ANTÓNIMO orgánico. INGLÉS inorganic.

inoxidable

adjetivo **1** Que no se puede oxidar. A los metales inoxidables, como el acero, no se les forma una capa de color rojizo con la humedad. INGLÉS rustproof, [si es acero: stainless].

inquietar

verbo **1** Hacer que una persona se ponga nerviosa o empiece a tener preocupación por algo. A muchas personas les inquieta ir al médico. INGLÉS to worry.

inquieto, inquieta

adjetivo **1** Se dice de la persona que no se está quieta y siempre está moviéndose de un lado para otro. Los niños inquietos suelen hacer muchas travesuras. INGLÉS restless.

2 Que no está tranquilo porque tiene alguna preocupación o algún temor. Muchas personas están inquietas cuando viajan en avión. INGLÉS anxious, nervous.

3 Se dice de la persona que tiene mucha curiosidad o que tiene muchas ganas de aprender cosas nuevas. INGLÉS curious.

inquietud

nombre femenino **1** Característica de la persona que no está tranquila porque tiene alguna preocupación, o que se está moviendo constantemente de un lado para otro. INGLÉS restlessness.

2 Característica de la persona que tiene mucha curiosidad o interés por una cosa o muchas ganas de aprender cosas nuevas: *Tienen inquietud por la música.* INGLÉS curiosity.

inquilino, inquilina

nombre **1** Persona que vive en una casa de alquiler. INGLÉS tenant.

insaciable

adjetivo **1** Que nunca se harta de hacer lo que le gusta: *Para los dulces es insaciable.* INGLÉS insatiable.

insano, insana

adjetivo **1** Que es malo para la salud. El aire cargado de humo de un local es insano. SINÓNIMO perjudicial. INGLÉS unhealthy.

insatisfecho, insatisfecha

adjetivo **1** Que no está contento porque no tiene suficiente o no ha conseguido lo que se deseaba. INGLÉS dissatisfied.

inscribir

verbo **1** Apuntar a alguien en una lista para hacer algo determinado. Para participar en competiciones deportivas u otras actividades hace falta inscribirse. ANTÓNIMO borrarse. INGLÉS to register, to enrol.

2 Escribir algo en una superficie haciendo una señal profunda. SINÓNIMO grabar. INGLÉS to inscribe.

3 Trazar una figura geométrica dentro de otra con el mayor número de puntos de contacto posible. SINÓNIMO circunscribir. INGLÉS to inscribe.

NOTA El participio es: inscrito.

inscripción

nombre femenino **1** Escrito breve grabado sobre una superficie dura. En las ruinas romanas hay inscripciones. INGLÉS inscription.

NOTA El plural es: inscripciones.

inscrito, inscrita

participio **1** Participio irregular de: inscribir. También se usa como adjetivo: *Nos hemos inscrito en el concurso de baile.*

insecticida

nombre masculino **1** Producto que sirve para matar insectos, como moscas o mosquitos. Se presenta en spray o en aparatos eléctricos con pastillas o líquido. INGLÉS insecticide.

insectívoro, insectívora
adjetivo y nombre **1** Se dice del animal que se alimenta de insectos. INGLÉS insectivorous [adjetivo], insectivore [nombre].

insecto
nombre masculino **1** Animal invertebrado, normalmente de pequeño tamaño, con el cuerpo dividido en anillos y que tiene seis patas. Los que pueden volar tienen además dos pares de alas. La mosca y la hormiga son insectos. INGLÉS insect.

inseguridad
nombre femenino **1** Característica de las personas que nunca saben si lo que hacen o dicen está bien o mal y que tienen poca confianza en sí mismas. ANTÓNIMO seguridad. INGLÉS insecurity.
2 Característica de las cosas que no son seguras, que pueden cambiar o fallar. ANTÓNIMO seguridad. INGLÉS lack of safety.

inseguro, insegura
adjetivo **1** Se dice de las personas que tienen muy poca confianza en sí mismas y que nunca saben si lo que hacen está bien o mal. Las personas tímidas suelen ser inseguras. INGLÉS insecure.
2 Se dice de las cosas que pueden fallar o que pueden ser peligrosas. Cuando el tiempo está inseguro, en cualquier momento puede empezar a llover. ANTÓNIMO seguro. INGLÉS unsafe.

insensato, insensata
adjetivo **1** Se dice de la persona que hace o dice las cosas con imprudencia y sin pensar en sus posibles consecuencias: *No seas insensato, no puedes salir a correr en medio de esta tormenta.* INGLÉS foolish.

insensible
adjetivo **1** Que no tiene sentimientos y no siente compasión. INGLÉS unfeeling.
2 Que no puede sentir porque ha perdido la sensibilidad. Cuando se pone anestesia en una parte del cuerpo, esa parte queda insensible y no se siente dolor. INGLÉS numb.

inseparable
adjetivo **1** Que no se puede separar o que es muy difícil hacerlo: *Son inseparables, van juntos a todas partes.* INGLÉS inseparable.

insertar
verbo **1** Meter una cosa dentro de otra o entre otras, como una tarjeta en la ranura de un cajero automático, o una fotografía en un texto. INGLÉS to insert.

inservible
adjetivo **1** Se dice de las cosas que están tan estropeadas o deterioradas que ya no sirven. INGLÉS useless.

insignia
nombre femenino **1** Señal u objeto, normalmente de pequeño tamaño, que significa o simboliza algo. Suelen sujetarse a la ropa. SINÓNIMO distintivo. INGLÉS badge.

insignificante
adjetivo **1** Que es muy pequeño o tiene muy poca importancia. INGLÉS insignificant.

insinuar
verbo **1** Dar a entender una cosa sin decirla con claridad: *Me insinuó que necesitaba dinero, aunque no se atrevió a pedírmelo.* INGLÉS to hint.
2 insinuarse Dejarse ver una cosa de un modo poco claro o verse solo el principio o una parte de ella: *En la distancia se insinuaba la silueta de un barco.* INGLÉS to begin to show.
NOTA Se conjuga como: actuar; la 'u' se acentúa en algunos tiempos y personas, como: insinúen.

insípido, insípida
adjetivo **1** Se dice de las comidas o las sustancias que tienen poco o ningún sabor. El agua es insípida. INGLÉS tasteless, insipid.

insistencia
nombre femenino **1** Repetición continuada de algo que se quiere destacar. INGLÉS insistence.

insistente
adjetivo **1** Que repite lo mismo muchas veces. También es insistente aquello que se repite mucho. INGLÉS insistent.

insistir
verbo **1** Repetir algo varias veces para conseguir un determinado fin: *No insistas, no voy a dejarte salir.* INGLÉS to insist.
2 Destacar la importancia de una cosa de algún modo, normalmente repitiéndola varias veces: *El profesor insistió en este tema.* INGLÉS to stress.

insolación
nombre femenino **1** Trastorno ocasionado en una persona que ha estado mucho tiempo al sol, ca-

racterizado por fiebre, vómitos y fuerte dolor de cabeza. INGLÉS sunstroke.
NOTA El plural es: insolaciones.

insolente
adjetivo y nombre masculino y femenino
1 Que se comporta con atrevimiento, descaro y desvergüenza, especialmente con las personas mayores o con autoridad. INGLÉS insolent.

insólito, insólita
adjetivo
1 Que resulta muy sorprendente por ser raro o muy poco frecuente. INGLÉS extremely unusual.

insomnio
nombre masculino
1 Falta de sueño o dificultad para dormir cuando es necesario hacerlo. INGLÉS insomnia.

insoportable
adjetivo
1 Que no se puede soportar o aguantar por ser muy desagradable o malo: *El olor de la basura es insoportable.* INGLÉS unbearable.

inspeccionar
verbo
1 Examinar u observar una cosa con mucha atención y mucho detenimiento para comprobar que está como tiene que estar o para encontrar algo: *La policía inspeccionó el vehículo.* INGLÉS to inspect.

inspector, inspectora
nombre
1 Persona que se dedica a la inspección de algo, como un colegio o un hospital, para comprobar que todo está en orden y se siguen unas normas. INGLÉS inspector.

inspiración
nombre femenino
1 Acción que consiste en coger aire por la nariz o por la boca y llevarlo a los pulmones al respirar. SINÓNIMO aspiración. ANTÓNIMO espiración. INGLÉS inhalation.
2 Cosa o persona que supone un estímulo y ayuda y empuja a una persona a realizar una obra de arte. Para muchos poetas, la persona amada es su inspiración. INGLÉS inspiration.
NOTA El plural es: inspiraciones.

inspirar
verbo
1 Coger aire por la nariz o por la boca para llevarlo a los pulmones al respirar. SINÓNIMO aspirar. ANTÓNIMO espirar. INGLÉS to inhale, to breathe in.
2 Provocar un sentimiento determinado en una persona: *No me inspira confianza.* INGLÉS to inspire.
3 Empujar y ayudar a un artista a crear una obra de arte. Las historias de la vida real inspiran a muchos escritores. INGLÉS to inspire.

instalación
nombre femenino
1 Acción que consiste en colocar una cosa en un sitio de la forma adecuada para que pueda funcionar o para que pueda utilizarse. INGLÉS installation.
2 Conjunto de aparatos, objetos o edificios instalados en algún lugar para realizar un servicio o una función determinados. Los gimnasios tienen muchas instalaciones, como aparatos, vestuarios o piscinas. INGLÉS facilities.
NOTA El plural es: instalaciones.

instalar
verbo
1 Colocar una cosa en un sitio de la forma necesaria para que pueda realizar su función. Se puede instalar un teléfono o un ordenador. INGLÉS to install.
2 Poner a una persona en un sitio para que esté una temporada en él: *Me instalé en un hotel del centro.* SINÓNIMO acomodar. INGLÉS to install.

instancia
nombre femenino
1 Documento oficial que se usa para pedir algo: *Tuvo que rellenar una instancia para solicitar una beca para ir a la universidad.* SINÓNIMO solicitud. INGLÉS application.

instantáneo, instantánea
adjetivo
1 Que se produce o se consigue en muy poco tiempo, en un instante: *Su respuesta fue instantánea.* INGLÉS instantaneous, immediate.
2 Que solo dura un instante o un momento: *Vimos una luz instantánea en el cielo.* INGLÉS fleeting.
3 Se dice de los productos de alimentación, como el café o la sopa, que se presentan en forma de polvo y se preparan añadiéndoles leche o agua caliente. INGLÉS instant.

instante
nombre masculino
1 Período de tiempo muy breve: *Vuelvo en un instante, espera.* INGLÉS moment, instant.

instintivo, instintiva
adjetivo
1 Se dice de los actos, los sentimientos, las actitudes o las reacciones que no obedecen a la voluntad y a la reflexión, sino que se hacen o se tienen

a b c d e f g h i j k l m n ñ o p q r s t u v w x y z

por instinto. Es instintivo el llanto de los niños pequeños cuando tienen hambre. INGLÉS instinctive.

instinto
nombre masculino **1** Razón o impulso natural que hace que los animales y las personas actúen de un modo determinado de manera espontánea. Los animales cazan por instinto de conservación. INGLÉS instinct.

institución
nombre femenino **1** Organización fundada por unas personas con el fin de realizar una labor de interés público. La Cruz Roja es una institución destinada a socorrer a los necesitados. INGLÉS institution.
NOTA El plural es: instituciones.

instituto
nombre masculino **1** Establecimiento oficial dedicado a la enseñanza secundaria. INGLÉS secondary school.
2 Organización que tiene fines científicos, culturales o benéficos, como el Instituto Nacional de Meteorología. INGLÉS institute.
3 Establecimiento comercial en el que se proporcionan determinados servicios al público, como los institutos de belleza. INGLÉS institute.

instrucción
nombre femenino **1** Norma, regla u orden que se da para la correcta realización de una cosa. Los aparatos eléctricos llevan un libro de instrucciones para usarlos correctamente. INGLÉS instruction.
2 Conjunto de conocimientos que una persona posee porque los ha ido aprendiendo a lo largo de su vida. Decimos que una persona tiene mucha instrucción si esa persona tiene mucha cultura o muchos conocimientos generales. INGLÉS education.
NOTA El plural es: instrucciones.

instructivo, instructiva
adjetivo **1** Se dice de lo que sirve para enseñar o es útil para que una persona aprenda una cosa o adquiera experiencia sobre ella. Algunos juguetes, como los de construcción, son muy instructivos. INGLÉS instructive.

instructor, instructora
nombre **1** Persona que se dedica a enseñar a otra a realizar una actividad concreta, como los instructores deportivos. INGLÉS instructor.

instruir
verbo **1** Hacer que una persona adquiera conocimientos, habilidades, experiencias o hábitos. La lectura instruye a la gente. SINÓNIMO enseñar. INGLÉS to educate, to train.
NOTA Se conjuga como: huir; la 'i' se convierte en 'y' delante de 'a', 'e' y 'o', como: instruyó.

instrumento
nombre masculino **1** Objeto simple o formado por un conjunto de piezas que se utiliza para realizar un trabajo. INGLÉS instrument.

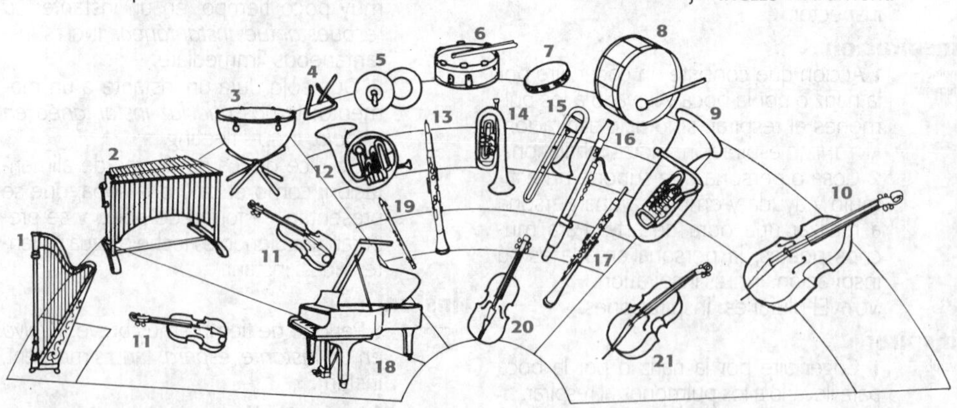

1 arpa	**4** triángulo	**7** pandereta	**10** contrabajo	**13** clarinete	**16** fagot	**19** flauta
2 xilófono	**5** platillos	**8** bombo	**11** violín	**14** trompeta	**17** oboe	**20** viola
3 timbal	**6** tambor	**9** tuba	**12** trompa	**15** trombón	**18** piano	**21** violonchelo

instrumentos

2 Objeto hecho a propósito para producir sonidos musicales. Los instrumentos musicales pueden ser de cuerda, como la guitarra; de percusión, como el tambor, o de viento, como la flauta. INGLÉS instrument.

3 Persona o cosa de la cual se sirve alguien para conseguir un fin sin importarle el perjuicio que le pueda causar: *Utilizó a la prensa como instrumento para darse a conocer.* INGLÉS means.

insuficiente

adjetivo 1 Que no llega, o que no es bastante para algo. Ducharse una vez al mes es insuficiente para mantenerse limpio. ANTÓNIMO suficiente. INGLÉS insufficient, not enough.

nombre masculino 2 Nota o calificación que indica que la persona examinada no tiene los conocimientos mínimos para aprobar. Si tenemos un insuficiente, hemos suspendido. INGLÉS fail.

insufrible

adjetivo 1 Que es tan malo o tan pesado que no se puede aguantar. Una película insufrible es un rollo. INGLÉS unbearable.

insulso, insulsa

adjetivo 1 Se dice del alimento o la sustancia que tiene poco o ningún sabor. A una sopa insulsa le podemos echar un poco de sal para que tenga más sabor. INGLÉS insipid.

2 Que no tiene gracia o interés. Una película insulsa o una persona insulsa nos aburren. INGLÉS dull.

insultar

verbo 1 Enfadar o molestar a una persona con palabras, gestos o acciones que se hacen o se dicen con la intención de ofenderla. Decirle imbécil a alguien es insultarle. INGLÉS to insult.

insulto

nombre masculino 1 Palabra o palabras que se dirigen a una persona para insultarla. INGLÉS insult.

2 Acción que ofende o molesta a una persona: *Es un insulto que a mi edad aún me traten como a un niño.* INGLÉS insult.

insuperable

adjetivo 1 Que tiene unas características tan buenas que no se pueden o son muy difíciles de superar o mejorar, como un récord. INGLÉS unbeatable.

2 Que no se puede solucionar. Un problema nos parece insuperable cuando nos preocupa mucho. INGLÉS unsurmountable.

insurrección

nombre femenino 1 Rebelión de un grupo numeroso de personas contra el gobierno o la autoridad. INGLÉS insurrection, uprising.

NOTA El plural es: insurrecciones.

insustituible

adjetivo 1 Que no se puede sustituir o es muy difícil de sustituir porque cumple bien su función. Algunas personas son insustituibles en sus trabajos. INGLÉS irreplaceable.

intacto, intacta

adjetivo 1 Que no ha sido tocado, dañado o alterado. A pesar de los años transcurridos, muchas momias se conservan intactas. SINÓNIMO entero. INGLÉS intact.

integrante

adjetivo y nombre masculino y femenino 1 Se dice de la persona o cosa que forma parte de un grupo. Para realizar algunos ejercicios en clase nos dividimos en grupos de tres o cuatro integrantes. INGLÉS member [nombre].

integrar

verbo 1 Formar o componer un grupo o conjunto. Un equipo deportivo lo integran los jugadores y el entrenador: *Los diez cuentos que integran el libro son fantásticos.* INGLÉS to make up.

2 Entrar a formar parte de un grupo y adaptarse a él: *Me costó integrarme en mi nueva clase.* INGLÉS to integrate.

integrismo

nombre masculino 1 Actitud que es contraria a una evolución o a los cambios en una ideología, una religión o un sistema. El integrismo defiende de forma extrema las ideas más tradicionales. INGLÉS fundamentalism.

íntegro, íntegra

adjetivo 1 Que está entero, que no le falta ninguna parte: *La versión íntegra de esta novela tiene 500 páginas, pero yo me he leído una versión reducida.* SINÓNIMO completo. INGLÉS whole, complete, [si es un texto: unabridged].

2 Se dice de la persona que hace siempre lo que considera que es más justo

o conveniente. Las personas íntegras no suelen engañar ni mentir. SINÓNIMO honrado; justo. INGLÉS upright.

intelectual

adjetivo **1** Se dice de las cosas que tienen que ver con la inteligencia, el entendimiento o la razón. INGLÉS intellectual.

adjetivo y nombre masculino y femenino **2** Se dice de la persona que se dedica a actividades o trabajos en los que predomina el uso de la inteligencia y de las facultades mentales, como los escritores o los filósofos. INGLÉS intellectual.

inteligencia

nombre femenino **1** Capacidad que tienen las personas para conocer, comprender y juzgar las cosas, formando ideas en la mente y relacionándolas entre sí. INGLÉS intelligence.

inteligente

adjetivo **1** Se dice de la persona que tiene una inteligencia bastante desarrollada. También se dice de algunos animales, en especial domésticos, que se comportan como si comprendieran las cosas y de algunas cosas que parece que tengan inteligencia, como un sistema informático. INGLÉS intelligent.

2 Se dice de las acciones que son fruto de la mente humana y que están hechas con mucha inteligencia y acierto, como una pregunta, un análisis, una crítica o una observación muy bien pensadas. INGLÉS intelligent.

intemperie

a la intemperie Al aire libre: *El mendigo dormía a la intemperie porque no tenía casa.* INGLÉS in the open air.

intención

nombre femenino **1** Pensamiento o idea que tiene una persona de hacer una cosa. Cuando una persona planea una cosa es porque tiene la intención de hacerla. INGLÉS intention.

2 Deseo de hacer o decir algo bueno o malo para una persona al hacerlo o al decirlo: *Lo dijo con buena intención.* INGLÉS intention.

NOTA El plural es: intenciones.

intencionado, intencionada

adjetivo **1** Se dice de la acción que realiza una persona con la voluntad de conseguir el resultado que implica esa acción. Decimos que una decisión es intencionada cuando se toma a propósito, sabiendo el daño o beneficio que puede causar. INGLÉS deliberate, intentional.

intensidad

nombre femenino **1** Fuerza o energía de algo, como un suceso, una acción, unas palabras, una sensación o un sentimiento. En verano, la intensidad del calor es mayor que en primavera. INGLÉS intensity.

intensificar

verbo **1** Hacer que una cosa sea más intensa. Cuando intensificamos el ritmo al que trabajamos, vamos a un ritmo más fuerte y rápido. INGLÉS to intensify.

NOTA Se escribe 'qu' delante de 'e', como: intensifique.

intenso, intensa

adjetivo **1** Que es muy fuerte, de modo que se nota o se percibe mucho. Los perfumes suelen tener un olor intenso. INGLÉS intense.

intentar

verbo **1** Empezar a hacer algo sin estar seguro de conseguir realizarlo o terminarlo, pero haciendo todo lo posible o lo necesario para hacerlo: *El técnico intentó arreglar la tele, pero no pudo.* INGLÉS to try.

intento

nombre masculino **1** Acción que realiza una persona cuando hace todo lo posible o lo necesario para conseguir un fin, sin estar segura de si lo conseguirá o no. INGLÉS attempt, try.

2 Acción que una persona intenta realizar, pero que no se llega a conseguir. En un intento de robo hay voluntad de cometer el delito, pero no se completa la acción. INGLÉS attempt.

intercalar

verbo **1** Poner una cosa entre otras: *Me he hecho un collar muy bonito intercalando bolas blancas con bolas negras.* INGLÉS to intersperse, to alternate.

intercambiar

verbo **1** Cambiar una cosa entre sí dos o más personas o grupos. A veces los jugadores de fútbol se intercambian las camisetas al final del partido. INGLÉS to exchange.

NOTA Se conjuga como: cambiar; la 'i' no lleva nunca acento de intensidad.

a b c d e f g h i j k l m n ñ o p q r s t u v w x y z

interceder
verbo **1** Defender a una persona, ayudarla hablando en su favor o evitarle un mal. INGLÉS to intercede.

interdependencia
nombre femenino **1** Relación entre dos o más personas o cosas que hace que dependan unas de otras. Ciertas profesiones necesitan de otras e incluso dentro de las mismas profesiones existe una interdependencia. INGLÉS interdependence.

interés
nombre masculino **1** Aquello que es útil o conveniente para alguien. Las personas estudian por su propio interés. INGLÉS interest.
2 Importancia o valor que una cosa tiene para alguien. INGLÉS interest.
3 Cantidad de dinero que da o percibe el banco por recibir o prestar dinero a sus clientes. Cuando una persona tiene dinero en una libreta de ahorro, el banco le da un interés determinado. INGLÉS interest.
NOTA El plural es: intereses.

interesado, interesada
adjetivo y nombre **1** Que tiene interés por algo: *Está muy interesado en hablar contigo.* INGLÉS interested [adjetivo].
2 Se dice de la persona que actúa solo por su propio interés, para sacar un provecho o beneficio. INGLÉS selfish [adjetivo].
nombre **3** Persona que interviene en alguna cuestión pública o lleva a cabo algún trámite oficial por su cuenta. Cuando se solicita una beca se comunica al interesado la decisión de concedérsela o no denegársela. INGLÉS interested party.

interesante
adjetivo **1** Que interesa o atrae o puede interesar. INGLÉS interesting.

interesar
verbo **1** Tener interés o resultar atrayente una cosa o una persona: *Me interesa la literatura.* INGLÉS to interest.
2 Tener importancia o afectar un asunto a una persona. INGLÉS to interest, to be interesting.
3 Ser una cosa útil o buena para alguien: *Te interesa estudiar durante el curso para intentar aprobarlo todo en junio.* INGLÉS to be a good idea.
4 interesarse Mostrar interés o curiosidad por una cosa, por una actividad o por una persona. INGLÉS to take an interest.

interferencia
nombre femenino **1** Funcionamiento o desarrollo anormal de algo producido por el cruce de otras acciones. Cuando hay interferencias en la radio o la televisión, las imágenes y los sonidos se perciben mal porque se superponen varias ondas. INGLÉS interference.

interfijo
nombre masculino **1** Grupo de letras que se añaden entre la raíz de una palabra y un prefijo o un sufijo para formar una palabra nueva. La palabra 'polvareda' se forma con la raíz 'polv-', el interfijo '-ar-' y el sufijo '-eda'. SINÓNIMO infijo. INGLÉS infix.

interfono
nombre masculino **1** Aparato telefónico que sirve para que puedan comunicarse a distancia las personas que están en diferentes habitaciones de un edificio o las personas que están en una casa con las que llaman al timbre desde el exterior. INGLÉS intercom.

interior
adjetivo y nombre masculino **1** Que está situado o queda en la parte de dentro de una cosa. SINÓNIMO interno. ANTÓNIMO exterior. INGLÉS inside, interior.
2 Se dice de las viviendas o habitaciones cuyas ventanas no dan a la calle. ANTÓNIMO exterior. INGLÉS interior.
nombre masculino **3** Parte de un continente, un país, una región o una provincia que está lejos del mar. El clima del interior suele ser más frío que el de las zonas costeras. INGLÉS interior.
4 Conjunto de sentimientos y de pensamientos de una persona.

interjección
nombre femenino **1** Clase de palabras invariables que se usa para indicar diversos tipos de impresiones del hablante, como la alegría, la sorpresa o el dolor, o para captar la atención del oyente. Siempre aparece entre signos de exclamación. INGLÉS interjection.
NOTA El plural es: interjecciones.

interlocutor, interlocutora
nombre **1** Persona que interviene en una conversación junto a otra u otras. INGLÉS speaker, interlocutor.

intermediario, intermediaria

nombre **1** Persona u organismo que interviene para poner paz entre personas o bandos enfrentados o para intentar que lleguen a un acuerdo. SINÓNIMO mediador. INGLÉS intermediary, mediator.

2 Persona que compra los productos a los agricultores o los fabricantes y los vende a las tiendas. INGLÉS middleman.

intermedio, intermedia

adjetivo **1** Se dice de lo que está en medio de dos puntos extremos de tiempo o lugar. Madrid está en un punto intermedio entre Santander y Jaén. INGLÉS intermediate, between.

2 Que está entre los extremos de una escala de cualquier tipo, compartiendo rasgos de ambos extremos. El gris es un color intermedio entre el negro y el blanco. INGLÉS between.

nombre masculino **3** Pausa que se hace hacia la mitad de un espectáculo, como teatro, cine o televisión. SINÓNIMO descanso. INGLÉS interval [en el teatro], intermission [en el cine], break [en la televisión].

interminable

adjetivo **1** Se dice de las cosas que no se pueden acabar o que parece que no acaban nunca. En una discusión interminable parece imposible que se llegue a un acuerdo. INGLÉS endless, interminable.

intermitente

adjetivo **1** Se dice de las cosas que se interrumpen y vuelven a comenzar cada cierto tiempo. El viento, un sonido o el dolor pueden ser intermitentes. INGLÉS intermittent.

nombre masculino **2** Luz que tienen los coches delante y detrás para indicar los cambios de dirección. Se apaga y se enciende varias veces seguidas. INGLÉS indicator.

internacional

adjetivo **1** Que afecta o relaciona a varios o a todos los países del mundo. SINÓNIMO mundial; universal. INGLÉS international.

adjetivo y nombre masculino y femenino **2** Se dice del deportista que representa a su país en una competición en la que participan varios países. INGLÉS international.

internado

nombre masculino **1** Centro de enseñanza en el que viven los estudiantes. INGLÉS boarding school.

internar

verbo **1** Llevar y dejar a una persona en un lugar, como un hospital o una cárcel, para que pase allí cierto tiempo. INGLÉS to send.

2 internarse Avanzar y meterse dentro de un lugar: *Se internaron en el laberinto.* INGLÉS to go in.

internauta

nombre masculino y femenino **1** Persona que utiliza internet. INGLÉS Net user.

internet

nombre **1** Red informática de nivel mundial que utiliza la línea telefónica para transmitir la información. INGLÉS Internet.

interno, interna

adjetivo **1** Que ocurre o está dentro: *Tuvo una hemorragia interna y estuvo a punto de morir.* ANTÓNIMO externo. INGLÉS internal.

nombre **2** Persona que vive en un internado o está ingresada en un hospital o en una prisión. INGLÉS boarder [en un internado], inmate [en una cárcel o manicomio], patient [en un hospital].

interponer

verbo **1** Poner una cosa o ponerse una persona entre otras dos. Cuando algo o alguien se interpone entre otras personas o cosas hace que no ocurra algo que iba a ocurrir: *Nada se interpuso en su camino al éxito.* INGLÉS to interpose [interponer], to intervene [interponerse].

NOTA Se conjuga como: poner. El participio es: interpuesto.

interpretación

nombre femenino **1** Explicación del significado de una cosa, como un poema, una palabra o una frase. INGLÉS interpretation.

2 Actuación de un actor, un cantante o un músico. SINÓNIMO ejecución. INGLÉS performance.

NOTA El plural es: interpretaciones.

interpretar

verbo **1** Explicar el significado de una cosa, como un libro o un poema. INGLÉS to interpret, to perform, to play, to sing.

2 Dar un significado determinado a unas palabras o acciones que se pueden entender de diversas maneras. INGLÉS to interpret, to perform, to play, to sing.

3 Representar un actor un papel en una

película o en una obra de teatro. INGLÉS to perform, to play.
4 Tocar una pieza musical con un instrumento o cantar una canción. SINÓNIMO ejecutar. INGLÉS to play [con un instrumento], to sing [una cantando].

intérprete
nombre masculino y femenino
1 Persona que se dedica a traducir, de un modo oral, lo que se dice en una lengua a otra. INGLÉS interpreter.
2 Persona que interpreta personajes en el cine o el teatro. INGLÉS actor [hombre], actress [mujer].
3 Persona que toca una pieza musical o canta una canción. INGLÉS performer.

interpuesto, interpuesta
participio
1 Participio irregular de: interponer. Se usa también como adjetivo: *Ha interpuesto un muro entre los dos terrenos para no discutir con los vecinos.*

interrogación
nombre femenino
1 Signo que se pone al principio y al final de una frase para indicar que es una pregunta. Los signos de interrogación se escriben así: ¿ ? SINÓNIMO interrogante. INGLÉS question mark.
2 Palabras con las que se hace una pregunta. INGLÉS question.
NOTA El plural es: interrogaciones.

interrogante
nombre
1 Aquello que se pregunta o que no se conoce. INGLÉS question.
NOTA Tiene doble género, se dice: el interrogante o la interrogante.

interrogar
verbo
1 Hacer preguntas a alguien para intentar descubrir algo. INGLÉS to question.
NOTA Se escribe 'gu' delante de 'e', como: interroguen.

interrogativo, interrogativa
adjetivo
1 Que indica o sirve para indicar una pregunta. '¿Quién está ahí?' es una frase interrogativa y 'quién' es un pronombre interrogativo. INGLÉS interrogative.

interrogatorio
nombre masculino
1 Acción que consiste en hacer una serie de preguntas a alguien para aclarar un hecho. Los acusados por algún delito son sometidos a un interrogatorio por parte de la policía. INGLÉS interrogation.

interrumpir
verbo
1 Hacer que algo o alguien no pueda continuar. Nos interrumpe alguien que no nos deja seguir hablando. Se interrumpe la emisión de un programa de radio para dar noticias importantes. INGLÉS to interrupt.

interrupción
nombre femenino
1 Acción que consiste en interrumpir algo. INGLÉS interruption.
NOTA El plural es: interrupciones.

interruptor
nombre masculino
1 Mecanismo que tiene la función de abrir o cerrar un circuito eléctrico. Se usan para encender o apagar una luz y se suelen pulsar con la mano. INGLÉS switch.

intersección
nombre femenino
1 Punto o espacio donde se juntan dos líneas o dos superficies que se entrecruzan, como la intersección de dos calles. INGLÉS intersection.
NOTA El plural es: intersecciones.

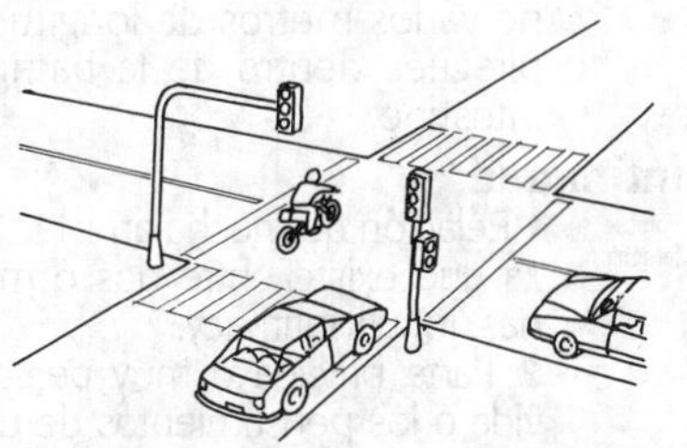

intersección

interurbano, interurbana
adjetivo
1 Que existe o se establece entre poblaciones distintas. Los autobuses y trenes interurbanos conectan ciudades o pueblos diferentes. INGLÉS inter-city.

intervalo
nombre masculino
1 Fragmento de tiempo que hay entre dos cosas. Entre el final de una clase y el comienzo de otra suele haber un intervalo de un par de minutos. INGLÉS interval, gap.
2 Distancia que hay entre dos cosas. Las semillas se plantan separadas por intervalos de unos centímetros. INGLÉS gap, interval.

intervención
nombre femenino
1 Acción que consiste en intervenir o tomar parte en algo, como una conversación o un trabajo. INGLÉS intervention.
2 Acción que consiste en abrir un cuer-

a b c d e f g h i j k l m n ñ o p q r s t u v w x y z

po para curar los órganos o tejidos que estén enfermos o para trasplantarlos. SINÓNIMO operación. INGLÉS operation.
NOTA El plural es: intervenciones.

intervenir
verbo
1 Tomar parte una persona en una acción o en un asunto, como una conversación, una reunión o un negocio. INGLÉS to take part, to participate.
2 Meterse una persona en los asuntos de otra o de otras para beneficiarlas o perjudicarlas, o meterse en un conflicto o enfrentamiento para mediar entre dos o más personas. INGLÉS to intervene.
3 Operar el médico a un enfermo. INGLÉS to operate on.
NOTA Se conjuga como: venir.

intestino
nombre masculino
1 Tubo largo y musculoso del aparato digestivo que va desde el estómago hasta el ano. El intestino humano tiene varios metros de longitud y forma pliegues dentro de la barriga. INGLÉS intestine.

intimidad
nombre femenino
1 Relación de mucha amistad y confianza que existe entre dos o más personas. INGLÉS intimacy.
2 Parte privada o muy personal de la vida o los pensamientos de una persona o un grupo de personas: *En la intimidad es menos duro que en el trabajo.* INGLÉS private life.

íntimo, íntima
adjetivo
1 Que forma parte de lo más profundo y más personal. Algunas cosas son demasiado íntimas como para contarlas incluso a los amigos. INGLÉS intimate, personal.
adjetivo y nombre
2 Se dice de los amigos con los que se tiene una relación más especial, de más confianza, que con otros amigos. INGLÉS close [adjetivo], intimate [adjetivo].
adjetivo
3 Se dice de los actos que se hacen con muy pocas personas, todas ellas amigas o familiares. En una boda íntima solo están los seres más queridos. INGLÉS intimate.

intocable
adjetivo
1 Que merece un respeto tal que no se puede o no se debe criticar ni cambiar. Entre los católicos, el Papa es intocable. INGLÉS untouchable.

intolerable
adjetivo
1 Que es tan malo o está tan mal que no se puede admitir o tolerar. Los ataques racistas son intolerables. ANTÓNIMO tolerable. INGLÉS intolerable.

intolerancia
nombre femenino
1 Actitud de la persona que no respeta las opiniones, las ideas o las actitudes de los demás si no coinciden con las propias. Las personas racistas muestran intolerancia ante personas de otras etnias. ANTÓNIMO tolerancia. INGLÉS intolerance.

intoxicación
nombre masculino
1 Daño causado en el organismo por comer, beber o respirar una sustancia venenosa o tóxica o que está en mal estado. INGLÉS poisoning.
NOTA El plural es: intoxicaciones.

intoxicar
verbo
1 Causar daño en el organismo con un veneno o una sustancia tóxica o en mal estado. Si tomamos un alimento caducado, podemos intoxicarnos y tener vómitos, diarreas o fiebre. INGLÉS to poison.
2 intoxicarse Sufrir alguien daño en el organismo debido a una sustancia venenosa o tóxica o que está en mal estado: *Se intoxicaron por comer una mayonesa en mal estado.* INGLÉS to get food poisoning.
NOTA Se escribe 'qu' delante de 'e', como: intoxiquen.

intranquilidad
nombre femenino
1 Estado de la persona que no está tranquila porque tiene alguna preocupación o algún temor. INGLÉS uneasiness.

intranquilo, intranquila
adjetivo
1 Se dice de la persona que no está tranquila o está un poco preocupada. INGLÉS uneasy.

intransitivo, intransitiva
adjetivo y nombre masculino
1 Se dice de los verbos que no necesitan complemento directo, como 'andar', 'dormir' o 'ir'. INGLÉS intransitive.

intratable
adjetivo
1 Se dice de la persona con la cual es muy difícil hablar o relacionarse, debido a su antipatía o mal carácter. INGLÉS difficult to get on with.

intrépido, intrépida
adjetivo
1 Que se atreve a hacer las cosas más

difíciles o problemáticas con valor y decisión, sin miedo al peligro o al riesgo. SINÓNIMO valiente. INGLÉS intrepid.

intriga

nombre femenino **1** Sentimiento de curiosidad que despierta una cosa que se quiere conocer. Las series de televisión nos dejan con la intriga hasta el siguiente episodio. INGLÉS curiosity.

2 Conjunto de sucesos o de acciones que despiertan y mantienen el interés y la curiosidad de las personas que los siguen, en especial los de una novela, una obra de teatro o una película. INGLÉS suspense.

3 Plan o acción que se prepara en secreto para conseguir algo, en especial algo negativo para otra persona. INGLÉS plot.

introducción

nombre femenino **1** Acción que consiste en introducir o poner una cosa dentro de otra. INGLÉS introduction.

2 Texto que va antes del cuerpo principal de una obra y que sirve como presentación. INGLÉS introduction.

NOTA El plural es: introducciones.

introducir

verbo **1** Meter una cosa en otra o en un sitio. Para que funcione un teléfono público, hay que introducir una moneda por la ranura. INGLÉS to insert.

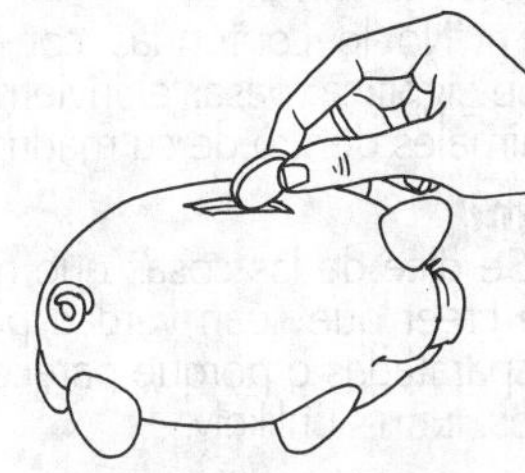

introducir

2 Hacer que una persona entre a formar parte de un grupo o se aficione o se familiarice con algo: *Introdujo a su amigo en el mundo empresarial.* INGLÉS to introduce.

3 introducirse Entrar una persona en un lugar, en especial cuando lo hace sin que nadie se dé cuenta o sin permiso: *Se introdujo por sorpresa en la reunión.* INGLÉS to get in.

NOTA Se conjuga como: conducir; la 'c' se convierte en 'zc' delante de 'a' y 'o', como: introduzca o introduzco. El pretérito perfecto simple es irregular, como: introduje.

intruso, intrusa

adjetivo y nombre **1** Se dice de la persona que se ha introducido en un lugar donde no tiene derecho a estar o disfruta de algo a lo que tampoco tiene ningún derecho. INGLÉS intruder [nombre].

intuición

nombre femenino **1** Capacidad que tienen algunas personas de comprender o conocer algunas cosas instantáneamente y con claridad, sin necesidad de razonamientos: *La intuición me dice que vendrán mañana.* INGLÉS intuition.

NOTA El plural es: intuiciones.

inundación

nombre femenino **1** Situación en que queda una casa, una ciudad o un terreno cuando el agua los ha cubierto por completo. Las fuertes lluvias y el desbordamiento de los ríos provocan graves inundaciones. INGLÉS flood.

NOTA El plural es: inundaciones.

inundar

verbo **1** Cubrir el agua un lugar. Si olvidamos cerrar el grifo de la bañera, se nos puede inundar el piso. INGLÉS to flood.

2 Llenar un lugar por completo de personas o cosas. Los turistas inundan cada año la costa. INGLÉS to flood.

inusual

adjetivo **1** Que es raro o poco frecuente. Es inusual que el teléfono de casa suene a medianoche. INGLÉS unusual.

inútil

adjetivo **1** Que no es útil o no sirve. Unas tijeras que no cortan son un instrumento inútil. ANTÓNIMO útil. INGLÉS useless.

adjetivo y nombre masculino y femenino **2** Se dice de la persona que no sirve para hacer algo porque no sabe hacerlo o porque tiene algún problema o defecto que no se lo permite. INGLÉS useless [adjetivo].

invadir

verbo **1** Entrar en un lugar o un territorio por la fuerza para quedarse en él. INGLÉS to invade.

2 Llegar gran cantidad de personas, animales o cosas a un lugar y llenarlo durante un tiempo: *Al final del concierto, los fans invadieron el escenario.* INGLÉS to invade.

3 Apoderarse de una persona un estado de ánimo determinado que la domina por completo. Cuando a una persona la invade el desánimo lo ve todo negro. INGLÉS to overcome.

inválido, inválida
adjetivo y nombre
1 Se dice de la persona que tiene un defecto físico o una enfermedad que le impide hacer determinados movimientos o trabajos. INGLÉS invalid [adjetivo y nombre - enfermo], disabled [adjetivo - con defecto físico].

invariable
adjetivo
1 Que no varía o no cambia. Las preposiciones son palabras invariables porque no tienen singular ni plural, ni masculino ni femenino. ANTÓNIMO variable. INGLÉS invariable.

invasión
nombre femenino
1 Acción que consiste en que muchas personas, animales o cosas entran en un lugar para quedarse en él o llenarlo durante un tiempo. INGLÉS invasion.
NOTA El plural es: invasiones.

invasor, invasora
adjetivo y nombre
1 Que invade o entra en un lugar o una situación de modo violento para quedarse. INGLÉS invading [adjetivo], invader [nombre].

invencible
adjetivo
1 Se dice de lo que no se puede o es muy difícil de vencer o derrotar, como un ejército que siempre sale victorioso o un equipo deportivo que siempre gana. INGLÉS invincible.

invención
nombre femenino
1 Acción de inventar una cosa. La invención del teléfono fue un hecho muy importante. INGLÉS invention.

2 Cosa inventada o creada por alguien. SINÓNIMO invento. INGLÉS invention.

3 Cosa que se dice para engañar: *Vaya invención lo que ha contado, no me creo nada.* SINÓNIMO mentira. INGLÉS fabrication.
NOTA El plural es: invenciones.

inventar
verbo
1 Crear una cosa que antes no existía. INGLÉS to invent.

2 Imaginar cosas que no existen en realidad: *Me gusta inventar cuentos.* INGLÉS to make up.

inventario
nombre masculino
1 Lista ordenada de cosas que pertenecen a una persona, empresa o institución: *Hizo un inventario de todos los libros que tenía.* INGLÉS inventory.

inventiva
nombre femenino
1 Capacidad o facilidad de algunas personas para inventar cosas. SINÓNIMO creatividad. INGLÉS inventiveness.

invento
nombre masculino
1 Cosa inventada: *La bombilla es un invento muy útil.* SINÓNIMO invención. INGLÉS invention.

inventor, inventora
nombre
1 Persona que ha inventado algo o se dedica a inventar. Graham Bell fue el inventor del teléfono. INGLÉS inventor.

invernadero
nombre masculino
1 Lugar acondicionado para mantener una temperatura adecuada en el que se cultivan flores, frutas y otros vegetales. Suele estar cubierto con cristales o plásticos que dejan pasar la luz del sol. INGLÉS greenhouse.

invernar
verbo
1 Pasar el invierno en algún lugar. Muchas aves europeas invernan en países del norte de África donde no pasan tanto frío. INGLÉS to spend the winter, to winter.
NOTA No lo confundas con 'hibernar', que significa: pasar el invierno algunos animales dentro de su madriguera.

inverosímil
adjetivo
1 Se dice de las cosas que no se puede creer que sean verdad porque son disparatadas o porque parecen imposibles. INGLÉS unlikely.

inversión
nombre femenino
1 Cantidad de dinero que se emplea en un negocio o actividad para obtener beneficios. También se llama inversión el acto de invertir. Algunas personas hacen inversiones en terrenos y viviendas. INGLÉS investment.
NOTA El plural es: inversiones.

inverso, inversa
adjetivo
1 Que es opuesto o contrario a otro. La suma y la resta son operaciones inversas. INGLÉS inverse.

a la inversa Al revés o en sentido contrario. INGLÉS the other way round.

invertebrado, invertebrada
adjetivo y nombre
1 Se dice del animal que no tiene esqueleto, como los insectos o los gusanos. ANTÓNIMO vertebrado. INGLÉS invertebrate.

invertir
verbo
1 Emplear una cantidad de dinero en un negocio o actividad para obtener beneficios. INGLÉS to invest.
2 Dedicar esfuerzo o tiempo a alguna cosa: *Invierto mi tiempo libre en escuchar música.* INGLÉS to invest, to devote.
3 Cambiar el orden, el sentido o la dirección de alguna cosa. Cuando queda poco gel en un frasco lo invertimos para que caiga y salga el gel que queda. INGLÉS to invert.
NOTA Se conjuga como: preferir; la 'e' se convierte en 'ie' en sílaba acentuada o en 'i' en algunos tiempos y personas, como: invierten.

investigación
nombre femenino
1 Acción que consiste en intentar saber o conocer a fondo una cosa preguntando, examinando y analizando lo relacionado con ella. INGLÉS investigation, research.
NOTA El plural es: investigaciones.

investigador, investigadora
nombre
1 Persona que se dedica a la investigación, en especial la científica o la policial. INGLÉS researcher, investigator.

investigar
verbo
1 Intentar saber o conocer a fondo una cosa preguntando, examinando y analizando lo relacionado con esa cosa. SINÓNIMO indagar. INGLÉS to investigate.
2 Estudiar con profundidad una ciencia, una materia o un fenómeno para conocerlo bien o para hacer algún descubrimiento. INGLÉS to investigate, to do research on.
NOTA Se escribe 'gu' delante de 'e', como: investigue.

inviable
adjetivo
1 Que no se puede hacer o llevar a cabo. Si no hay dinero suficiente para hacer un trabajo, el trabajo es inviable. SINÓNIMO irrealizable. INGLÉS unfeasible.

invierno
nombre masculino
1 Estación del año que viene después del otoño y antes de la primavera. Es la estación más fría de todas. INGLÉS winter.

invisible
adjetivo
1 Que no puede ser visto. Los hilos transparentes resultan invisibles. INGLÉS invisible.

invitación
nombre femenino
1 Acto en el que se invita a una persona a algo: *Acepté su invitación por cortesía.* INGLÉS invitation.
2 Tarjeta o carta con la que se invita a algo, como una boda. INGLÉS invitation.
NOTA El plural es: invitaciones.

invitado, invitada
adjetivo y nombre
1 Se dice de la persona que asiste a una celebración porque alguien se lo ha pedido o tiene una invitación. INGLÉS invited [adjetivo], guest [nombre].

invitar
verbo
1 Pedir a alguien que acuda a una fiesta, a una comida o a cualquier otro tipo de celebración. INGLÉS to invite.
2 Pagar lo que una o más personas toman en un establecimiento: *Nos invitó a un helado.* INGLÉS to buy.
3 Animar o convencer a una persona para que haga algo que se considera agradable. El buen tiempo invita a salir a pasear. INGLÉS to encourage.
4 Pedir a alguien que haga una cosa o animarle a hacer algo. Cuando alguien viene a nuestra casa lo invitamos a pasar y a sentarse. INGLÉS to invite.

invocar
verbo
1 Pedir ayuda a un poder superior, especialmente a Dios, a los santos o a un espíritu. INGLÉS to invoke.
NOTA La 'c' se convierte en 'qu' delante de 'e', como: invoquen.

involucrar
verbo
1 Hacer participar a una persona en un asunto, comprometiéndola. Si una persona ayuda a un ladrón a robar, se involucra en el robo. INGLÉS to involve.

involuntario, involuntaria
adjetivo
1 Que ocurre o se hace sin querer, sin que exista una voluntad clara: *Me dio un golpe involuntario.* ANTÓNIMO voluntario. INGLÉS involuntary, unintentional.

invulnerable
adjetivo
1 Que no puede ser dañado o herido.

a b c d e f g h i j k l m n ñ o p q r s t u v w x y z

Un luchador invulnerable siempre es el vencedor. INGLÉS invulnerable.

inyección

nombre femenino **1** Medicamento líquido que se introduce en el cuerpo mediante una aguja y una jeringa para curar una enfermedad. INGLÉS injection.

NOTA El plural es: inyecciones.

inyectar

verbo **1** Introducir una sustancia líquida en un cuerpo, en especial un medicamento mediante una aguja y una jeringa para curar una enfermedad. Las serpientes inyectan su veneno a sus presas a través de los colmillos. INGLÉS to inject.

ionosfera

nombre femenino **1** Capa de la atmósfera situada entre los 80 y los 400 km de altura. INGLÉS ionosphere.

ir

verbo **1** Moverse una persona o una cosa hacia un lugar determinado: *Voy al trabajo a pie.* INGLÉS to go.

2 Tener un camino o un medio de transporte una dirección determinada o llevar a un sitio: *El avión va a Nueva York.* INGLÉS to go.

3 Estar presente en un lugar o un acto: *No irá a la inauguración del restaurante.* SINÓNIMO asistir. INGLÉS to go.

4 Funcionar un aparato. Cuando la tele va mal, no se ve bien. INGLÉS to work, to go.

5 Ser o desarrollarse algo de determinada manera: *¿Cómo te va el trabajo?* INGLÉS to be.

6 Tener una persona o una cosa una actitud determinada. Se utiliza en expresiones como: ir en serio, ir en broma, ir a contracorriente. INGLÉS to be.

7 Arreglarse, vestirse o combinar prendas o adornos: *Hoy vas muy elegante.* INGLÉS to be.

8 Extenderse una cosa desde un punto o lugar hasta otro: *La avenida va desde la estación del tren hasta el parque.* INGLÉS to go.

9 Seguido de 'a' y un verbo en infinitivo, indica que se tiene la intención de hacer algo o que algo ocurrirá en el futuro: *Ahora mismo salgo.* INGLÉS to be going to.

10 Seguido de gerundio, indica que la acción se realiza poco a poco: *Ya va aprendiendo la tabla de multiplicar.*

11 irse Abandonar un lugar o salir de él: *Se fue sin despedirse.* INGLÉS to go.

12 irse Pasar algo sin aprovecharlo, como el tiempo, el dinero o los años. INGLÉS to go, to disappear.

ir a lo suyo Preocuparse solo de los propios asuntos y no de los asuntos de los demás. INGLÉS to do one's own thing.

ir de algo Parecer o querer ser como aquello que se indica: *Va de chulo; es insoportable.* INGLÉS to act.

ir sobre algo Tratar una cosa sobre lo que se indica. Las películas de amor van sobre historias de amor. INGLÉS to be about.

qué va Indica que no se está de acuerdo con lo que otra persona dice: *¿Dices que trabaja mucho? ¡Qué va! Es muy perezoso.* INGLÉS not at all, nonsense.

ir

INDICATIVO	SUBJUNTIVO
presente	**presente**
voy	vaya
vas	vayas
va	vaya
vamos	vayamos
vais	vayáis
van	vayan
pretérito imperfecto	**pretérito imperfecto**
iba	fuera o fuese
ibas	fueras o fueses
iba	fuera o fuese
íbamos	fuéramos o fuésemos
ibais	fuerais o fueseis
iban	fueran o fuesen
pretérito perfecto simple	**futuro**
fui	fuere
fuiste	fueres
fue	fuere
fuimos	fuéremos
fuisteis	fuereis
fueron	fueren

INDICATIVO	IMPERATIVO	
futuro		
iré	ve	(tú)
irás	vaya	(usted)
irá	vayamos	(nosotros)
iremos	id	(vosotros)
iréis	vayan	(ustedes)
irán		

INDICATIVO	FORMAS NO PERSONALES	
condicional	**infinitivo**	**gerundio**
iría	ir	yendo
irías	**participio**	
iría	ido	
iríamos		
iríais		
irían		

LÁMINAS ILUSTRADAS

Estas láminas ilustradas te invitan a relacionar palabras que tienen significados parecidos. Situaciones, procesos y conceptos muy cercanos se representan en ellas de manera familiar y entretenida.

Podemos pensar que las palabras son como las etiquetas de las cosas. Reconocerlas y recordar su nombre es un ejercicio fácil, que se va haciendo en las materias escolares y en las experiencias de cada día. Sin embargo, para tener un vocabulario rico y ordenado, todas esas voces nuevas tienen que quedar relacionadas. Hay que saber por qué y cómo quedan ligadas. Hay que darse cuenta de que tienen algo en común.

Esperamos que disfrutes al hojear estas páginas y que te entretengas en ver lo que representan y cómo se dice. Recuerda, además, que el diccionario resolverá siempre tus dudas.

ÍNDICE

Para distinguir unas cosas de otras, las comparamos. Gracias a ello somos capaces de entender y reconocer el mundo que nos rodea.

Paula y Jaime **comparan** estos dos animales marinos.

características comunes	diferencias
✓ El delfín y el tiburón viven en el agua.	✓ El delfín es un mamífero marino que amamanta a sus crías. El tiburón es un pez y nace de un huevo.
✓ El delfín y el tiburón son carnívoros.	✓ El delfín necesita salir del agua de vez en cuando. El tiburón, no.
✓ El delfín y el tiburón son animales.	

CLASIFICAR

Las cosas que conocemos pueden clasificarse según su forma, según la clase a la que pertenecen o el sitio que ocupan.

Podemos **clasificar** los gatos según su **forma**: los que comen del bol rojo son más delgados, los otros tienen un pelaje más abundante.

Podemos **ordenar** las cosas por la **clase** a la que pertenecen.

Podemos **ordenar en serie** las cosas y las personas.

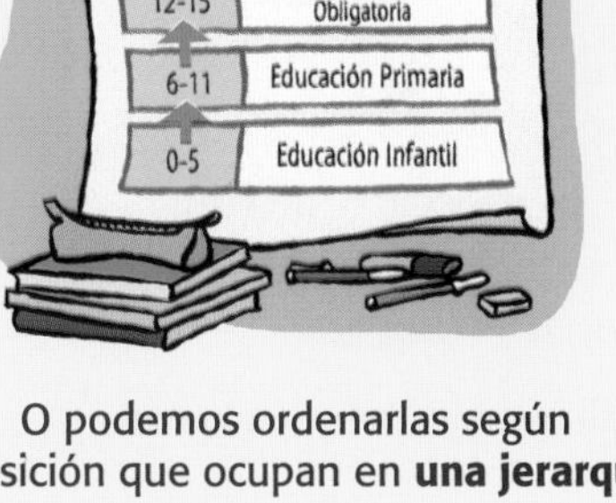

O podemos ordenarlas según la posición que ocupan en **una jerarquía**.

En una familia, se establecen relaciones de parentesco. Cada persona tiene relaciones distintas con el resto de parientes.

Marcos e Iván son **hermanos** gemelos.

«¿Así que soy **hija** de Luisa y **prima** de Marcos? ¿todo a la vez?»

En el colegio, Ana hizo **un árbol genealógico** de su familia.

Los **hijos** de los **hermanos** son nietos de los **abuelos**.

«¿Qué **relación** tiene conmigo el hermano de mi abuelo?»

Entre las cosas y las personas hay diferentes relaciones: unas son una simple correspondencia, otras son de dependencia, ...

A cada edad **corresponden** juguetes distintos: a la niña de dos años, un osito; a la chica de 14, una bicicleta; y al niño de 10, un teledirigido.

Para **emparejar** las cartas o los calcetines, juntamos los que tienen algo en común.

Cuando alguien no puede hacer las cosas por sí mismo, depende de otros para hacer ciertas cosas: el bebé, porque no sabe, y la niña, porque no puede.

Tanto los animales como las personas se unen y forman grupos naturales. A veces estos grupos reciben un nombre colectivo: rebaño, equipo, ...

una **bandada** de pájaros

un **rebaño** de ovejas

una **jauría** de perros

una **pollada** de pollos

un **banco** de peces

una **piara** de cerdos

un **equipo** de fútbol

una **banda** de música

una **pandilla** de amigos

una **tertulia** de intelectuales

Según la manera o el objetivo de la unión, podemos decir «reunir», «asociar», «cohesionar», etc.

Los alumnos de la ciudad **se unen para** reclamar el respeto a los Derechos del Niño.

Marta está **reuniendo** fotos para hacer un álbum que quiere regalar a su abuela.

Los consumidores se **asocian** para que las empresas respeten sus derechos.

Hay cosas que parecen una unidad, pero la podemos dividir. El cielo es uno y está formado por muchas estrellas. Una tortilla se puede partir en varias raciones.

La constelación de la Osa Menor está formada por varias estrellas, entre las que destaca la Estrella Polar, que señala el norte.

¿Tenemos suficientes **raciones** para los cinco? Si Jaime hace una **porción** tan grande para él, el resto serán más pequeñas.

Hay cosas que se pueden contar por unidades (sus nombres son contables) y otras no (nombres no contables).

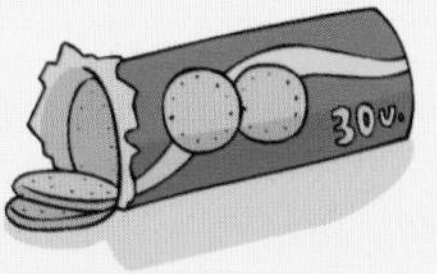

Al ir al supermercado nos damos cuenta de que ciertos productos se agrupan en **conjuntos** de distinto número de **unidades**.

Hay cosas que son difíciles de contar y separar, por eso necesitamos una **medida**: un cubo de arena, una bañera de agua, el agua de la ducha, . . .

unidades de medida			
tiempo	 segundos, minutos, horas	 días, semanas, meses, años	
longitud	 la sección del cable en milímetros	 el libro en centímetros	 la carretera en metros y kilómetros
masa	 el oro por gramos	 las patatas por kilogramos	 el carbón por toneladas

Las propiedades y las cualidades de las cosas las expresamos a través de los adjetivos.

Hay cualidades que son propias de ciertos sustantivos y se expresan con adjetivos que llamamos **epítetos** que van delante del nombre.

manso cordero

fiero león

lenta tortuga

laboriosa abeja

Hay cualidades que pueden asociarse a sustantivos distintos.
Son los adjetivos **calificativos** que van detrás del nombre.

Un vaso puede ser **alargado** o **ancho**.

El vino puede ser **blanco** o **tinto**.

La mosca será **pesada** si nos molesta mucho.

Las cualidades expresadas por los adjetivos se pueden comparar: comparación de superioridad, comparación de inferioridad y superlativo.

El bombero es **más** valiente **que** Raúl.

El abrigo de pieles es **menos** discreto **que** la americana de cuero.

El guepardo es **el** mamífero terrestre **más** rápido.

FUNCIÓN Y FINALIDAD

620

La función de las cosas y la finalidad de nuestras acciones se expresan con diferentes verbos.

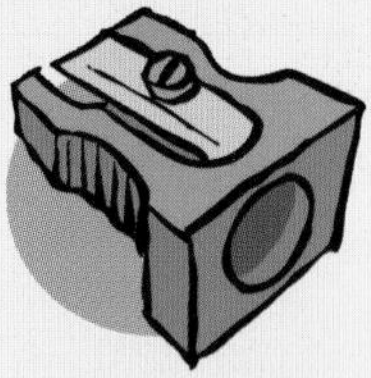

El sacapuntas **sirve para** afilar lápices.

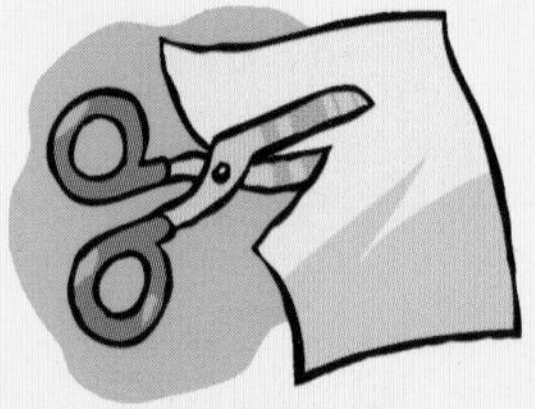

Las tijeras **sirven para** cortar.

Y esto, ¿para qué **sirve**?

Álex **sueña con** ser músico. Perfecciona su técnica gracias a las clases de composición y ensaya mucho. ¿Conseguirá lo que **pretende**?

Napoleón **planeaba** conquistar toda Europa. Las tropas del zar rechazaron el ataque francés. ¿Se cumplió lo que Napoleón **había planeado**?

La finalidad de lo que hacemos se puede expresar también con sustantivos distintos: misión, cometido, etc.

Ana y sus amigos se han **propuesto** hacer el Camino de Santiago este verano. El grupo se entrena con ahínco. ¿Conseguirán lo que se han **propuesto**?

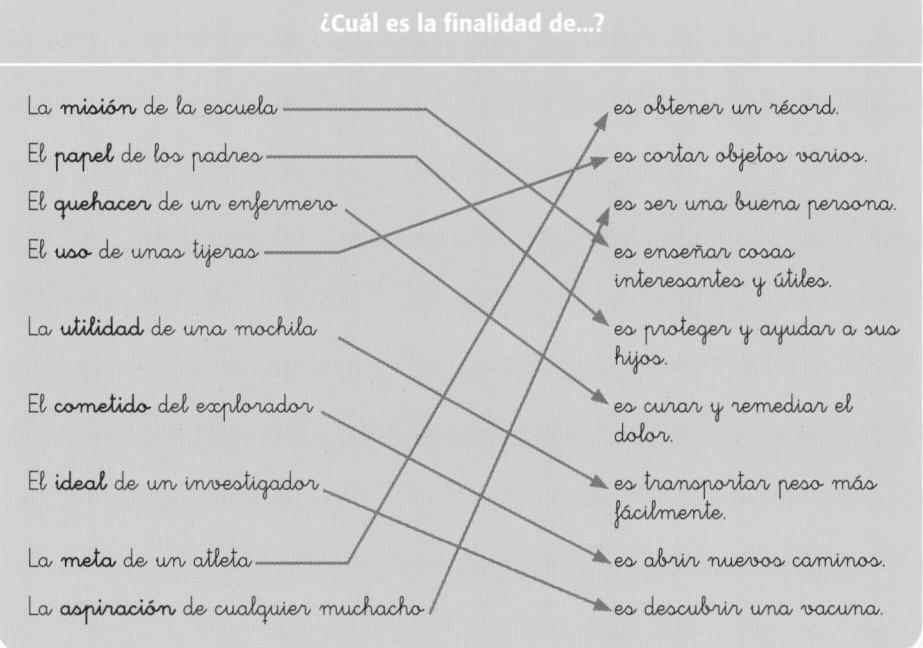

¿Cuál es la finalidad de...?

La **misión** de la escuela	es obtener un récord.
El **papel** de los padres	es cortar objetos varios.
El **quehacer** de un enfermero	es ser una buena persona.
El **uso** de unas tijeras	es enseñar cosas interesantes y útiles.
La **utilidad** de una mochila	es proteger y ayudar a sus hijos.
El **cometido** del explorador	es curar y remediar el dolor.
El **ideal** de un investigador	es transportar peso más fácilmente.
La **meta** de un atleta	es abrir nuevos caminos.
La **aspiración** de cualquier muchacho	es descubrir una vacuna.

¿Por qué?, ¿de qué? y ¿de dónde? son preguntas que nos hacemos para hablar de las causas y antecedentes de las cosas.

Las lluvias abundantes fueron **la causa de** las inundaciones.

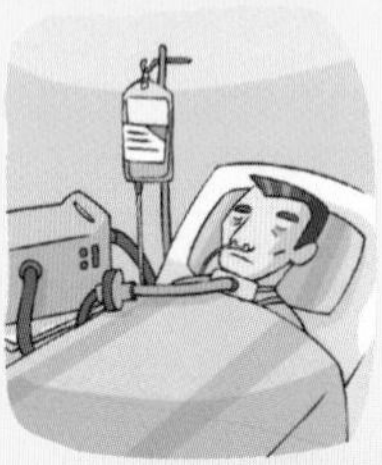

La enfermedad fue **la causa de** su muerte.

La mantequilla es grasa **de origen** animal.

El aceite es grasa **de origen** vegetal.

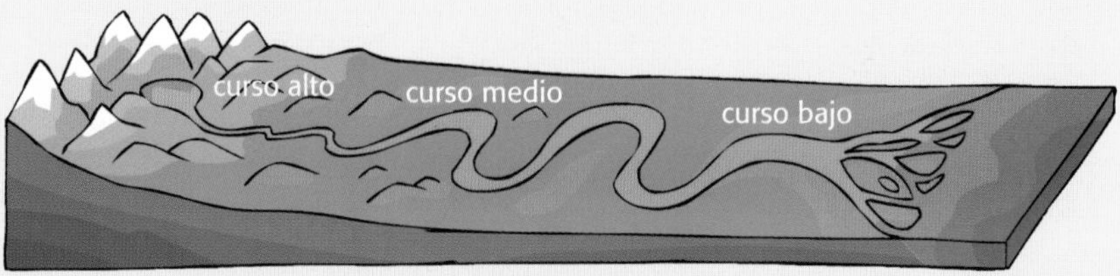

El río tiene **su origen en** un lejano manantial.

Algunos objetos que usamos hoy en día son la evolución de otros que existían antiguamente.

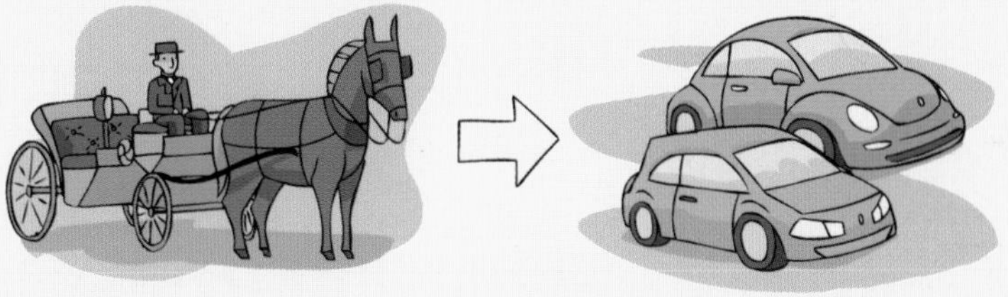

Los coches de caballos son **el antecedente de** los automóviles.

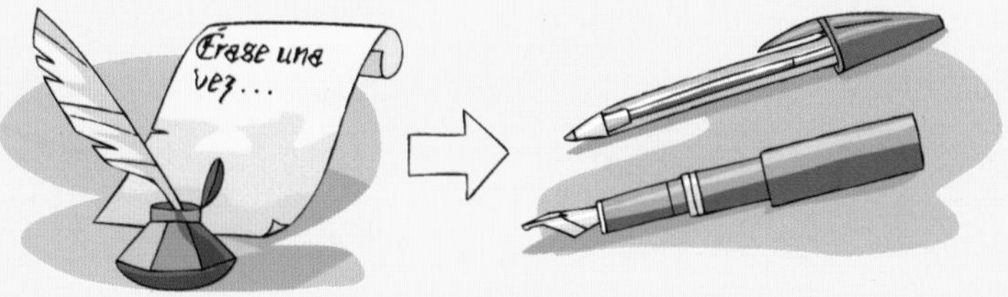

Las plumas de ave para escribir son **el antecedente de** la pluma estilográfica y el bolígrafo.

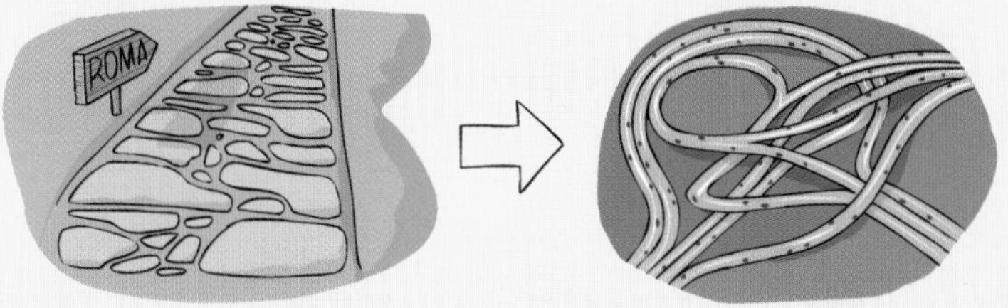

Las calzadas romanas son **el antecedente de** las carreteras y las autopistas.

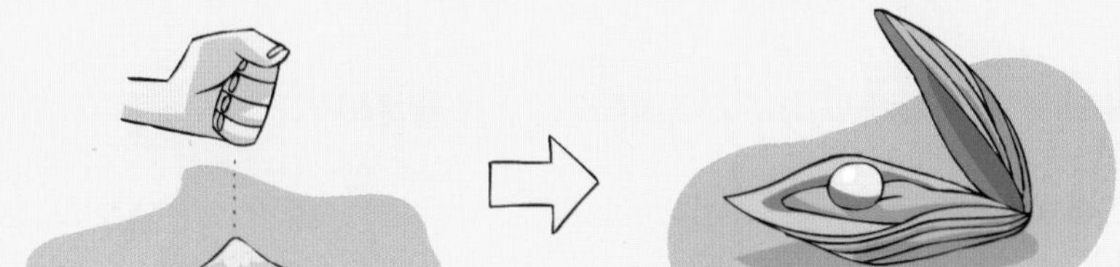

Los granitos de arena que se cuelan dentro de la ostra son **el antecedente de** las perlas.

La forma de algunas cosas es muy característica y esta se expresa con adjetivos que la recuerdan.

boca **acorazonada**

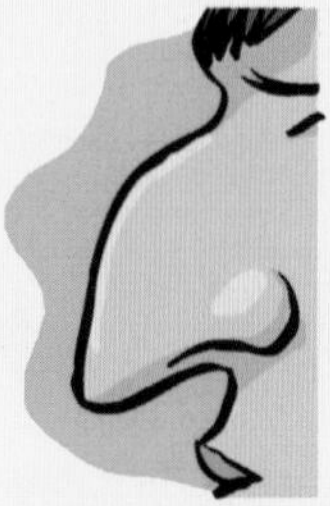

nariz **aguileña**

ojos **almendrados**

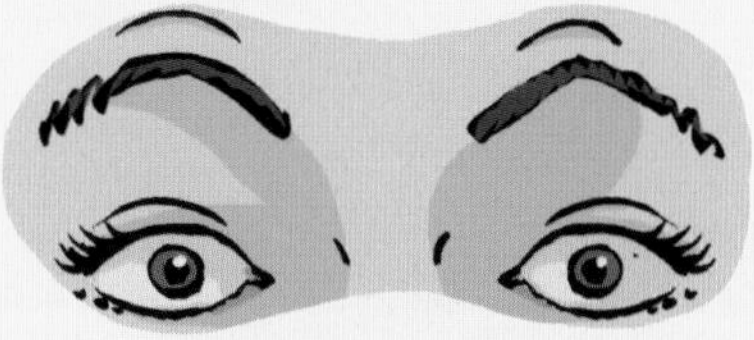

cejas **arqueadas**

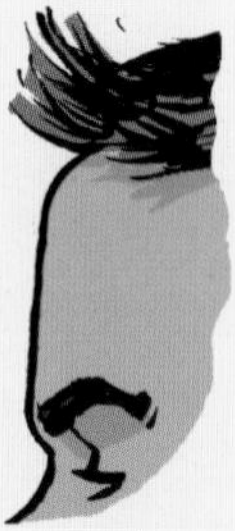

frente **plana**

rostro **ovalado**

mentón **saliente**

mandíbula **cuadrada**

La forma de algunas cosas se expresa con sustantivos que se caracterizan precisamente por su forma.

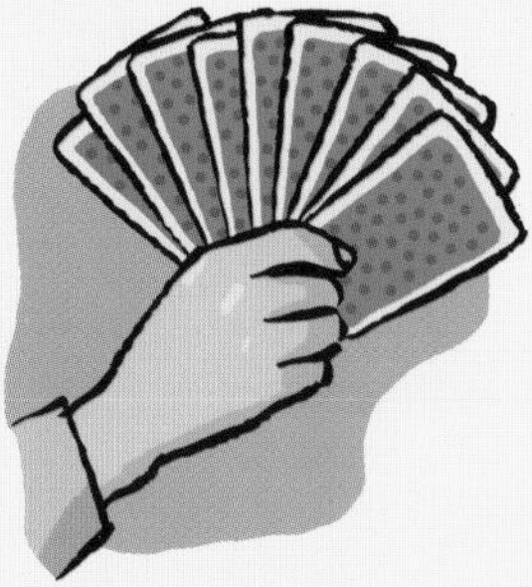

un **abanico** de naipes

un **hongo** atómico

la **concha** del apuntador

un escote **barco**

unos pantalones de **campana**

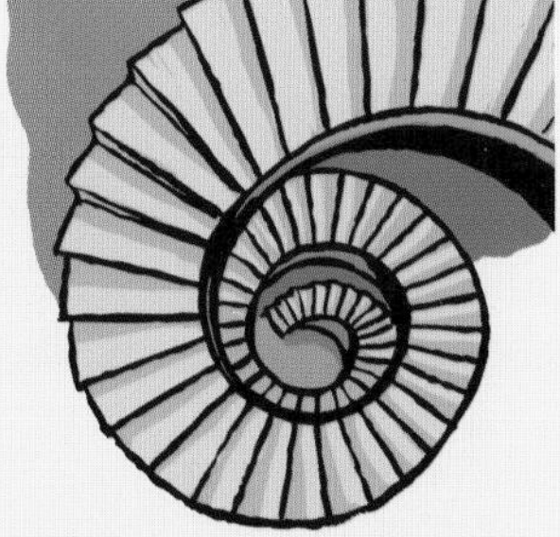

una escalera de **caracol**

Algunos fenómenos y actividades tienen diferentes etapas que conforman un ciclo o un proceso.

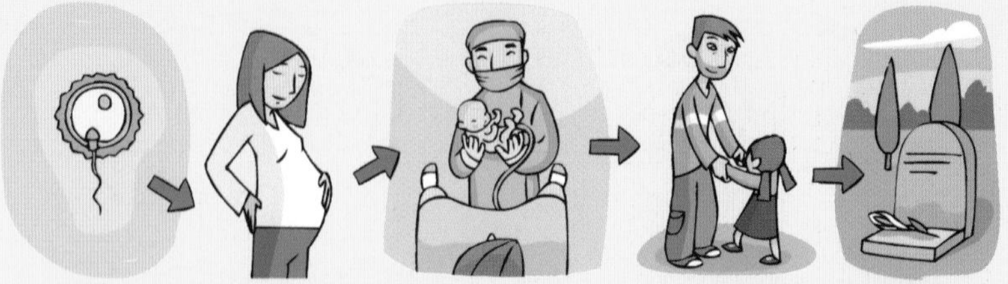

El **proceso** de la vida: fecundación, embarazo, nacimiento, crecimiento y muerte.

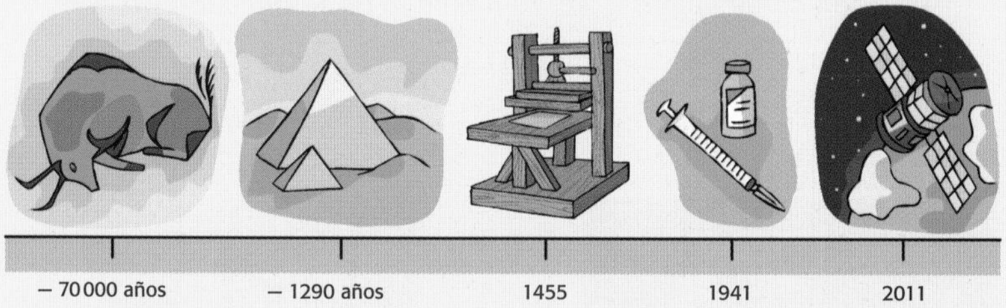

La **historia** de la Humanidad es un proceso largo con varios períodos: prehistoria, historia antigua, edad media, edad moderna y edad contemporánea.

El **proceso** de producción del pan.

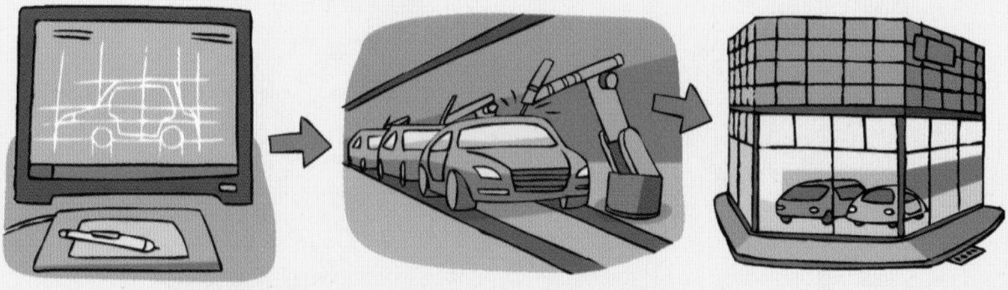

El **proceso** de producción de un automóvil.

Cuando se llega a la última etapa de un ciclo, volvemos a encontrarnos con la primera de sus etapas.

El **ciclo** de las estaciones del año es distinto según la latitud en que se encuentra el país en que vives; hay zonas que solo tienen una estación, como la ecuatorial.

En español hay sufijos que nos permiten nombrar las acciones sean físicas (soldadura) o de otro tipo (aprendizaje)

El mimo hace una imita**ción**.

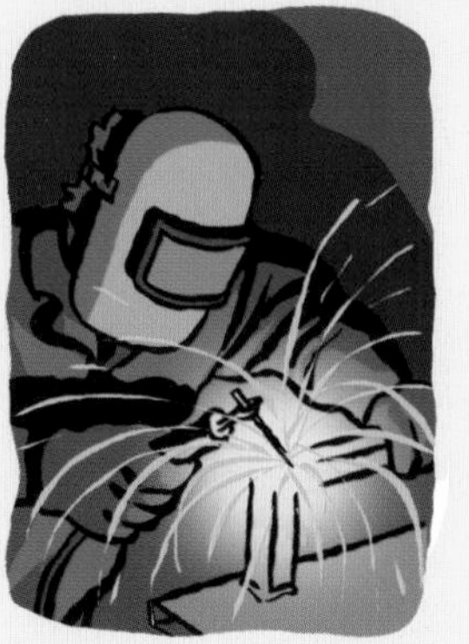

El operario hace una solda**dura** con soplete.

Los barrenderos retiraron en un barr**ido** todo el confeti del pasacalles.

El balanc**eo** del velero marea.

El monitor acompaña a los niños en el aprendiz**aje** de la técnica para nadar bien.

ACCIONES, ACTOS Y HECHOS

Acción, acto y hecho son tres sustantivos con los que nombramos lo que las personas, los animales o las cosas hacen.

La **acción** de los bomberos permitió extinguir el fuego.

El director grita «**¡Acción!**» para que los actores comiencen a actuar.

Ha realizado un **acto** de imprudencia.

El rescate de los náufragos fue un **acto** heroico.

El monumento de la plaza conmemora un **hecho** histórico.

Son signos o señales aquellas cosas que representan algo. Nosotros los percibimos y los podemos interpretar.

Raúl y Juan conocen perfectamente el **icono** que **indica** la prohibición de hacer fuego. Al ver el humo, **interpretan** que hay un incendio y salen corriendo para avisar a los guardias forestales.

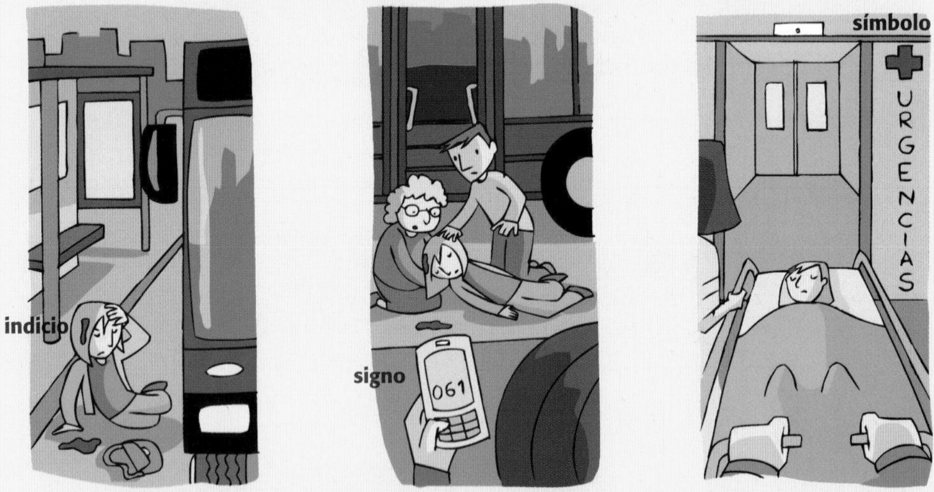

Al intentar subir al autobús, Clara se ha caído y se ha hecho una herida de la que mana abundante sangre. Una pasajera **transmite** el accidente al 061 y la ambulancia la traslada al hospital.

La comunicación puede ser verbal o no verbal. En español hay varios verbos: interpretar, informar, transmitir, advertir, denunciar, . . .

Hoy es festivo. Laura y Pedro están en casa muy aburridos. Suena el teléfono: es Mario que les llama para **informarles** de que tiene entradas para el teatro.

Juan saca de paseo a Tobi sin correa. El perro se lo pasa en grande y retoza por los parterres. El guardia **advierte** a Juan que los perros han de ir atados.

Comunicar es hacer saber algo a alguien. Podemos comunicar mensajes por diferentes medios.

Elena se **comunica** a través del **móvil** con sus abuelos para preguntarles si la invitan a ir a su casa a merendar.

El astronauta se **comunica** a través del **satélite** con la base para decirles que tendrán que hacer una reparación.

También podemos comunicar lugares o transmitir a otros sensaciones, sentimientos o enfermedades.

Para comunicar dos puntos geográficos podemos utilizar diferentes medios de comunicación.

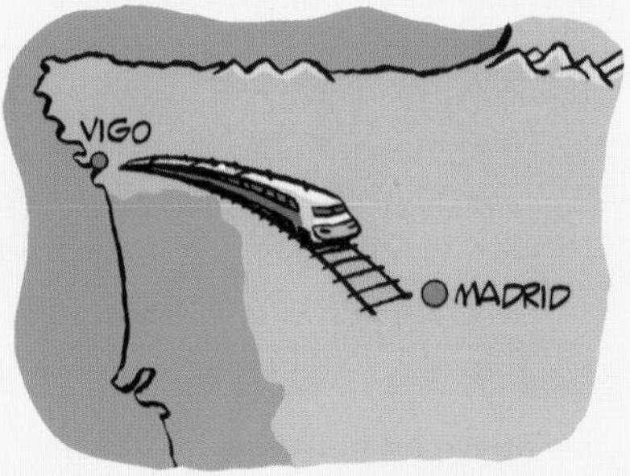

comunicación por tierra

comunicación por aire

comunicación por mar

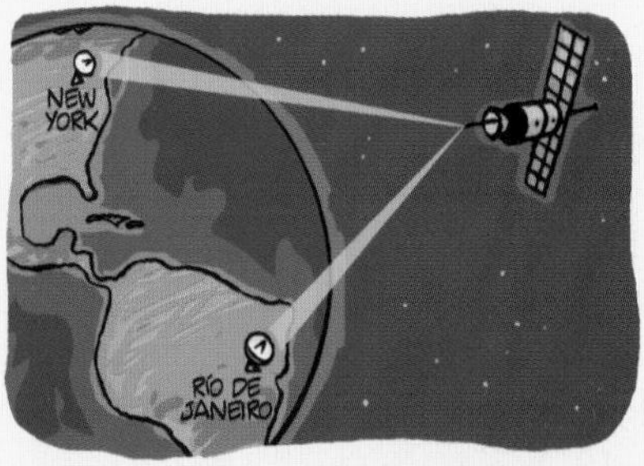

comunicación por satélite

Aparte de comunicar o transmitir información también podemos transmitir otras cosas como sentimientos o enfermedades.

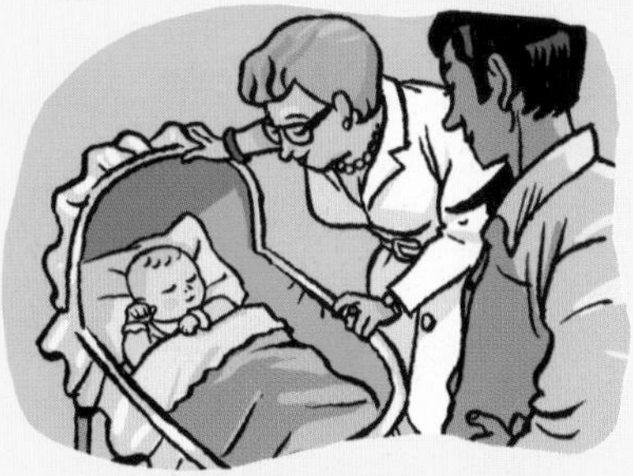
El bebé **transmite** ternura.

El mosquito **transmite** la malaria.

Nuestra vida está regulada por normas.

Es **norma** del colegio comenzar las clases a las nueve en punto de la mañana.

En nuestra familia es **costumbre** comer paella los sábados.

Es necesario conocer y dominar las **reglas** de ortografía para escribir correctamente y entendernos con el resto de hablantes de nuestra lengua.

Hay varios sustantivos que son sinónimos de norma: costumbre, regla, reglamento, obligación, deber, ley, canon, . . .

En el **reglamento** del baloncesto, los tiros desde fuera del área valen tres puntos.

Mantener las calles limpias es **deber** de todos los ciudadanos.

La Justicia se rige por la **ley** que ha aprobado el Parlamento de los Diputados.

INSTRUMENTOS, APARATOS Y ÓRGANOS 636

Los utensilios, los aparatos y las herramientas son instrumentos que nos ayudan a hacer diferentes cosas.

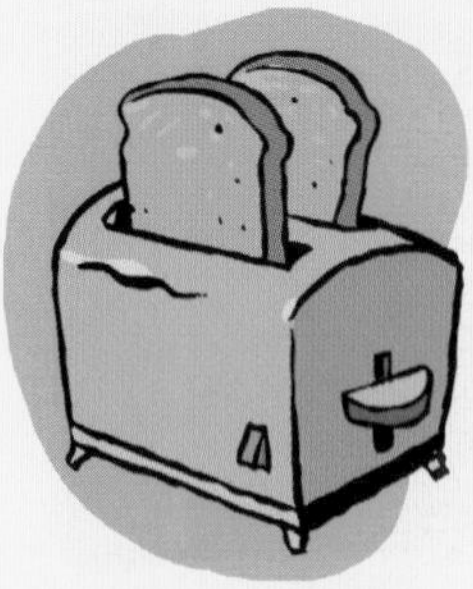

La tostadora tiene un **dispositivo** para expulsar la tostada.

El colador es un **utensilio** que no puede faltar en una cocina.

La cremallera es un tipo de **cierre** más útil que los botones.

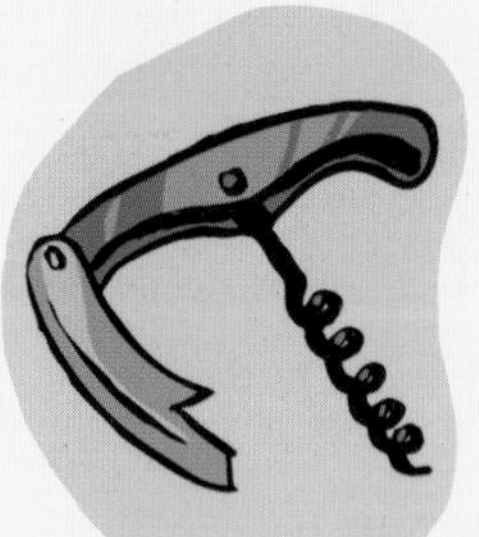

¿Para qué sirve este **chisme**?

¿Quién inventó este **artilugio**?

¿Qué **artefacto** has comprado?

Todas las **herramientas** del fontanero constituyen su **utillaje**.

INSTRUMENTOS, APARATOS Y ÓRGANOS

Aparato y órgano son palabras polisémicas. Compara su significado en los dibujos de esta lámina.

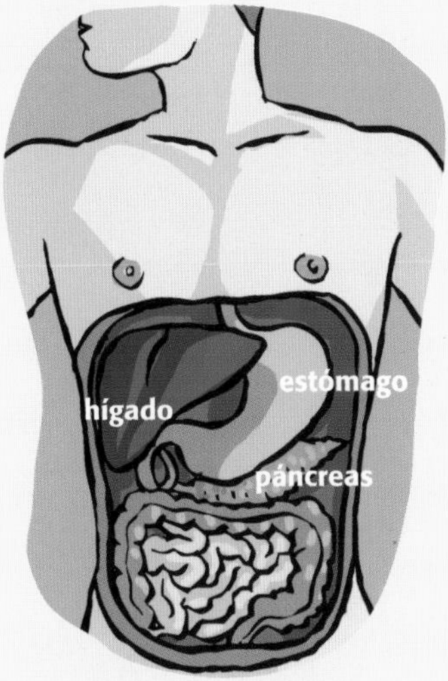

El estómago, el hígado y el páncreas son órganos del **aparato** digestivo.

El pleno de concejales del Ayuntamiento es un **órgano** del aparato de la política local.

El Consejo Escolar es un **órgano** del **aparato** de participación social en la escuela.

A través de los sentidos y del pensamiento percibimos el mundo que nos rodea.

Daniel tiene **sensación** de frío.

En el refugio todos **sienten** calor.

Daniel y sus amigos se **sienten** amenazados.

Las obras de arte nos hacen **percibir** sensaciones distintas. A veces, un mismo cuadro provoca sensaciones diferentes a personas distintas.

Con las sensaciones que experimentamos . . .

. . . **advertimos** el peligro.

. . . **apreciamos** una puesta de sol.

. . . **captamos** la inquietud de la gente.

. . . **descubrimos** las intenciones.

. . . **nos damos cuenta** de lo que está bien hecho.

. . . **distinguimos** los matices.

. . . **notamos** cualquier cambio.

. . . **percibimos** los olores.

Los gestos que hacemos expresan cuál es nuestra actitud en ese momento: estamos contentos, enfadados, alegres, interesados, . . .

actitud de **aburrimiento**

actitud de **broma**

actitud de **contrariedad**

actitud de **interés**

actitud de **ira**

actitud de **sorpresa**

actitud de **desagrado**

actitud de **alegría**

actitud **prudente**

actitud **imprudente**

ira
nombre femenino
1 Enfado muy fuerte o violento en el que la persona pierde el dominio sobre sí misma. Suele manifestarse con gran irritación, gritos e insultos e incluso con golpes y violencia física. INGLÉS wrath, rage.

iraní
adjetivo y nombre masculino y femenino
1 Se dice de la persona o cosa que es de Irán, país de Oriente Medio. INGLÉS Iranian.
nombre masculino
2 Lengua que se habla en Irán. INGLÉS Iranian.
NOTA El plural es: iranís o iraníes.

iraquí
adjetivo y nombre masculino y femenino
1 Se dice de la persona o cosa que es de Iraq, país de Oriente Medio. El árabe es la lengua oficial iraquí. INGLÉS Iraqi.
NOTA El plural es: iraquís o iraquíes.

iris
nombre masculino
1 Parte redonda de color que hay en el ojo. Puede ser negro, marrón, azul o verde. INGLÉS iris.
NOTA El plural es: iris.

irlandés, irlandesa
adjetivo y nombre
1 Se dice de la persona o cosa que es de la isla de Irlanda, de la República de Irlanda o de Irlanda del Norte. INGLÉS Irish, Irishman [hombre], Irishwoman [mujer].
nombre masculino
2 Lengua que se habla en Irlanda. El irlandés es de origen celta. INGLÉS Irish.
NOTA El plural de irlandés es: irlandeses.

ironía
nombre femenino
1 Aquello que se dice queriendo dar a entender justo lo contrario de lo que se dice. Es una ironía decir a alguien que no se canse demasiado cuando está tumbado sin hacer nada. INGLÉS irony.

irónico, irónica
adjetivo
1 Que da a entender justo lo contrario de lo que dice. INGLÉS ironic.

irracional
adjetivo
1 Se dice de los animales que, a diferencia de las personas, carecen de razón y entendimiento para poder pensar. INGLÉS irrational.
2 Se dice de lo que está en contra de la razón o del buen juicio. INGLÉS irrational.

irreal
adjetivo
1 Que no es real o verdadero. Las novelas suelen contar hechos irreales. ANTÓNIMO real. INGLÉS unreal.

irrealizable
adjetivo
1 Que no se puede hacer o realizar porque es muy difícil, no da tiempo o por cualquier otro problema. SINÓNIMO inviable. INGLÉS unfeasible.

irreconocible
adjetivo
1 Se dice de las personas, cosas o lugares que están tan diferentes de como se recordaban que casi no se pueden reconocer. INGLÉS unrecognizable.

irregular
adjetivo
1 Que no es uniforme o regular. Si una carretera tiene baches, se dice que tiene el suelo irregular. INGLÉS irregular.
2 Que no es, no se hace o no ocurre conforme a la norma, la regla, la ley o la costumbre. Los verbos irregulares se conjugan de forma distinta de como se conjugan otros verbos de su misma conjugación. INGLÉS irregular.

irrelevante
adjetivo
1 Que no es relevante o importante. Una información irrelevante no es necesario conocerla. ANTÓNIMO relevante. INGLÉS irrelevant.

irremediable
adjetivo
1 Que no se puede remediar. INGLÉS irremediable.

irreparable
adjetivo
1 Que no se puede arreglar o no se puede compensar el daño hecho. La explotación sin control de la naturaleza provoca daños irreparables, como el agotamiento de ciertos minerales, la reducción de los bosques o la contaminación. INGLÉS irreparable.

irrepetible
adjetivo
1 Que no puede ser repetido. Si hacemos un viaje irrepetible, nos parece que no podremos volver a hacer otro igual. INGLÉS unrepeatable.

irreprochable
adjetivo
1 Que no puede decirse que esté mal porque no tiene ninguna falta ni defecto: *Tiene una conducta irreprochable.* INGLÉS irreproachable.

irresistible
adjetivo
1 Que no se puede resistir o aguantar, normalmente por ser muy fuerte o por ser desagradable y molesto. INGLÉS irresistible.
2 Se dice de la persona que es muy

atractiva y gusta mucho. Es un uso informal. INGLÉS irresistible.

irrespirable
adjetivo **1** Que no puede respirarse porque es venenoso o muy dañino para la salud. El vapor del salfumán es irrespirable. INGLÉS unbreathable.
2 Que difícilmente puede respirarse. El aire de las grandes ciudades llega a ser irrespirable debido a la contaminación. INGLÉS unbreathable.
3 Se dice del ambiente o el lugar con gente en el que una persona se siente muy molesta o incómoda. INGLÉS oppressive.

irresponsable
adjetivo y nombre masculino y femenino **1** Se dice de la persona que actúa sin pensar y sin tener en cuenta las consecuencias de lo que hace. SINÓNIMO inconsciente. ANTÓNIMO responsable. INGLÉS irresponsible [adjetivo].

irritación
nombre femenino **1** Estado de una parte del cuerpo que se pone roja o hinchada y pica. El contacto con las ortigas produce irritación en la piel. INGLÉS irritation.
2 Enfado muy grande. INGLÉS irritation, annoyance.
NOTA El plural es: irritaciones.

irritar
verbo **1** Producir un enrojecimiento o hinchazón acompañados de picor en una parte del cuerpo. Si las lentillas están sucias, pueden irritar los ojos. INGLÉS to irritate.
2 Enfadar mucho a una persona. INGLÉS to irritate, to annoy.

irrompible
adjetivo **1** Que es tan duro o está hecho de tal forma que no se puede romper o es muy difícil romperlo. INGLÉS unbreakable.

irrumpir
verbo **1** Entrar en algún sitio de repente y sin avisar o pedir permiso. INGLÉS to burst.

isla
nombre femenino **1** Extensión de tierra que está rodeada de agua por todas partes. Mallorca, Córcega y Sicilia son islas del Mediterráneo. INGLÉS island.

islam
nombre masculino **1** Religión de los musulmanes fundada por el profeta Mahoma. SINÓNIMO islamismo. INGLÉS Islam.
2 Conjunto de los pueblos y países que tienen el islamismo como religión oficial o mayoritaria. Los países del norte de África forman parte del islam. INGLÉS the Islamic world.

islámico, islámica
adjetivo **1** Del islam o que está relacionado con él. SINÓNIMO mahometano; musulmán. INGLÉS Islamic.

islamismo
nombre masculino **1** Religión de los musulmanes fundada por el profeta Mahoma. SINÓNIMO islam. INGLÉS Islam.

islandés, islandesa
adjetivo y nombre **1** Se dice de la persona o cosa que es de Islandia, isla y país europeo que se encuentra cerca del polo Norte. INGLÉS Icelandic [adjetivo], Icelander [nombre].
nombre masculino **2** Lengua de origen escandinavo hablada en Islandia. INGLÉS Icelandic.
NOTA El plural de islandés es: islandeses.

islote
nombre masculino **1** Isla pequeña y desierta. Todos los archipiélagos cuentan con algunos islotes. INGLÉS islet.

isósceles
adjetivo **1** Se dice del triángulo que tiene dos de sus lados iguales. INGLÉS isosceles.
NOTA El plural es: isósceles.

israelí
adjetivo y nombre masculino y femenino **1** Se dice de la persona o cosa que es de Israel, país del sudoeste de Asia junto al Mediterráneo. INGLÉS Israeli.
NOTA El plural es: israelíes.

israelita
adjetivo y nombre masculino y femenino **1** Se dice de la persona o cosa que pertenecía a un antiguo pueblo situado en una zona de Palestina, en Oriente Medio. También se dice de sus descendientes,

isla

a b c d e f g h i j k l m n ñ o p q r s t u v w x y z

muchos de los cuales viven en Israel. INGLÉS Israelite.

istmo

nombre masculino **1** Estrecha franja de tierra que une dos continentes o una península y un continente. El istmo de Panamá une América del Norte con América del Sur. INGLÉS isthmus.

italiano, italiana

adjetivo y nombre **1** Se dice de la persona o cosa que es de Italia, país del sur de Europa. INGLÉS Italian.

nombre masculino **2** Lengua hablada en Italia. Es una lengua latina, como el español. INGLÉS Italian.

itálico, itálica

adjetivo **1** Se dice de la persona o cosa que es de la antigua Italia, y que actualmente se identifica con toda Italia. Los romanos habitaban en la península Itálica. INGLÉS Italic.

itinerante

adjetivo **1** Que va de un lugar a otro, parando un tiempo en cada sitio: *Han organizado una exposición itinerante que se podrá ver en diferentes ciudades del país.* INGLÉS itinerant.

itinerario

nombre masculino **1** Camino que se sigue para llegar a algún sitio. INGLÉS itinerary.

izar

verbo **1** Subir una bandera o la vela de un barco tirando de una cuerda o un cable. INGLÉS to hoist.

NOTA Se escribe 'c' delante de 'e', como: icemos.

izquierda

nombre femenino **1** Conjunto de personas, grupos y partidos que tienen ideas progresistas y defienden que no haya diferencias entre ciudadanos o clases sociales. INGLÉS the Left.

2 Todo lo que está situado en el lado izquierdo. El tenedor se coloca a la izquierda del plato. INGLÉS left.

izquierdo, izquierda

adjetivo **1** Se dice de la parte del cuerpo que está situada en el lado del corazón, y de las cosas que quedan en ese lado. Las personas zurdas escriben con la mano izquierda. INGLÉS left.

adjetivo y nombre femenino **2** Se dice de la mano o pierna de una persona situada en el lado del corazón. INGLÉS left [adjetivo], left hand [mano], left leg [pierna].

j
nombre femenino
1 Décima letra del alfabeto español. La 'j' es una consonante.

jabalí, jabalina
nombre
1 Animal mamífero salvaje parecido al cerdo, con dos colmillos que le salen de la boca hacia arriba. INGLÉS wild boar.
NOTA El plural de jabalí es: jabalíes o jabalís.

jabalina
nombre femenino
1 Barra larga y fina terminada en punta. Se utiliza en atletismo en una prueba de lanzamiento. INGLÉS javelin.

jabato, jabata
nombre
1 Cría del jabalí. INGLÉS young wild boar.
adjetivo y nombre
2 Se dice de una persona valiente y atrevida. INGLÉS daredevil.

jabón
nombre masculino
1 Producto que cuando se mezcla con agua produce espuma y sirve para lavar la piel, la ropa u otras cosas. INGLÉS soap.
NOTA El plural es: jabones.

jabonar
verbo
1 Mojar con agua y jabón a una persona o una cosa para lavarla. SINÓNIMO enjabonar. INGLÉS to soap.

jabonera
nombre femenino
1 Recipiente que se utiliza para dejar o para guardar la pastilla de jabón. INGLÉS soap dish.

jaca
nombre femenino
1 Hembra del caballo. SINÓNIMO yegua. INGLÉS mare.
2 Caballo que no llega al metro y medio de altura. INGLÉS pony.

jacinto
nombre masculino
1 Planta con bulbo, de hojas largas y brillantes, y flores pequeñas en forma de campana. INGLÉS hyacinth.

jactarse
verbo
1 Presumir mucho delante de otras personas de algo que se sabe hacer bien o de cosas que se tienen: *Se jactaba de haber ganado el campeonato de tenis.* INGLÉS to boast, to brag.

jadear
verbo
1 Respirar por la boca deprisa y haciendo ruido después de haber hecho un gran esfuerzo. Después de una sesión de gimnasia se acaba jadeando. INGLÉS to pant.

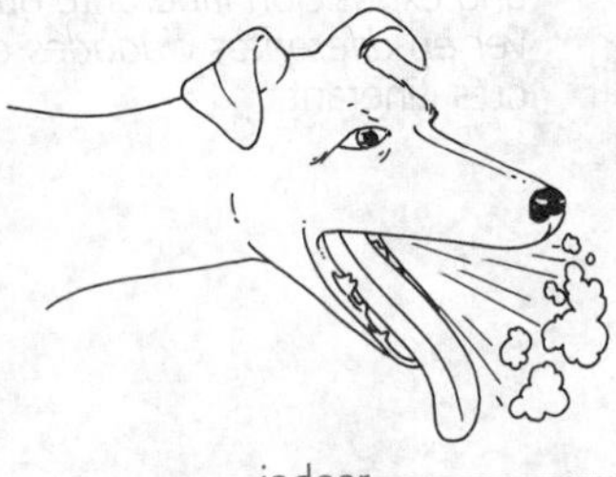

jadear

jaguar
nombre masculino
1 Mamífero felino que tiene el pelo amarillo con manchas negras y cola larga. Es rápido, ágil y habita en América. INGLÉS jaguar.

jalea
nombre femenino
1 Conserva dulce y gelatinosa que se elabora cociendo fruta o jugo de fruta en agua y azúcar. INGLÉS jelly.
jalea real Sustancia que elaboran las abejas para alimentar a las larvas y, también, a la abeja reina. Las personas tomamos a veces jalea real porque es muy nutritiva. INGLÉS royal jelly.

jaleo
nombre masculino
1 Situación en la que hay mucho ruido,

desorden, movimiento o confusión. Cuando en un lugar se reúnen muchas personas que hablan en voz alta suele haber mucho jaleo. INGLÉS row [ruido], commotion [desorden].

jamás
adverbio
1 Indica que una acción o situación no se ha producido antes en ningún momento: *Jamás he estado en el extranjero.* SINÓNIMO nunca. INGLÉS never.
2 Se utiliza para indicar que algo no debe ocurrir o hacerse: *Jamás olvides lo que te voy a decir.* INGLÉS never.

jamón
nombre masculino
1 Pata del cerdo curada y salada que sirve como alimento. También se llama jamón serrano. INGLÉS ham.
2 Pierna de una persona, sobre todo cuando es gruesa. Es un uso informal. INGLÉS leg.
jamón de York Pata del cerdo cocida. INGLÉS boiled ham.
¡y un jamón! Expresión que se usa cuando queremos negar algo que se nos ha pedido: *¿Me dejas tus guantes?; ¡Y un jamón!* Es una expresión informal. INGLÉS come off it!
NOTA El plural es: jamones.

japonés, japonesa
adjetivo y nombre
1 Se dice de la persona o cosa que es de Japón, país del este de Asia. INGLÉS Japanese.
nombre masculino
2 Lengua que se habla en Japón. INGLÉS Japanese.
NOTA El plural de japonés es: japoneses.

jaque
nombre masculino
1 Jugada del ajedrez en la que el rey o la reina están amenazados por una pieza del jugador contrario. INGLÉS check.
jaque mate Jugada con la que se gana una partida de ajedrez y que consiste en amenazar al rey de forma que no pueda defenderse. INGLÉS checkmate.

jaqueca
nombre femenino
1 Dolor fuerte de cabeza. Si tenemos jaqueca lo mejor es descansar en un lugar sin ruidos. INGLÉS migraine, headache.

jara
nombre femenino
1 Arbusto de hojas alargadas, aromáticas y pegajosas, con flores blancas, rosas o amarillas. Crece en los montes mediterráneos. INGLÉS rockrose.

jarabe
nombre masculino
1 Medicamento líquido y espeso que sirve para curar una enfermedad o la tos. INGLÉS syrup.

jardín
nombre masculino
1 Terreno en el que se cultivan árboles, plantas y flores para hacerlo un lugar agradable y bonito. INGLÉS garden.
jardín botánico Terreno en el que se cultivan plantas con fines científicos. INGLÉS botanical garden.
NOTA El plural es: jardines.

jardinera
nombre femenino
1 Recipiente o soporte, normalmente alargado, que sirve para colocar plantas o macetas. INGLÉS plant stand.

jardinería
nombre femenino
1 Cultivo y cuidado de los jardines. Puede ser una profesión o una afición. INGLÉS gardening.

jardinero, jardinera
nombre
1 Persona que se dedica a cultivar o cuidar jardines. INGLÉS gardener.

jarra
nombre femenino
1 Recipiente de boca ancha que tiene una o dos asas y sirve para contener líquidos o como adorno. Para servir el agua en la mesa usamos una jarra. INGLÉS jug.

jarro
nombre masculino
1 Recipiente de base y boca ancha, con o sin asa, que sirve para contener líquidos. En muchos restaurantes sirven el vino en un jarro de cristal o de barro. INGLÉS jug.

jarrón
nombre masculino
1 Objeto parecido a una jarra, pero sin asa, y más alto que ancho que se usa para poner flores o como adorno. INGLÉS vase.
NOTA El plural es: jarrones.

jaula
nombre femenino
1 Caja hecha con barras de metal o palos de madera, que sirve para encerrar a algunos animales. Hay gente que tiene en su casa pájaros dentro de jaulas. INGLÉS cage.

jauría
nombre femenino
1 Conjunto de perros que cazan juntos. INGLÉS pack of hounds.

jazmín
nombre masculino
1 Planta que da unas flores pequeñas, blancas o amarillas, de olor intenso y

agradable. Se usa para hacer perfumes. INGLÉS jasmine.
NOTA El plural es: jazmines.

jazz
nombre masculino
1 Género musical que concede mucha importancia a la improvisación. Se originó en Estados Unidos y al principio lo tocaban músicos de raza negra. INGLÉS jazz.
NOTA Se pronuncia 'yas'.

jeans
nombre masculino plural
1 Pantalón vaquero. INGLÉS jeans.
NOTA Se pronuncia 'yins'. El plural es: jeans.

jefatura
nombre femenino
1 Oficina de determinados cuerpos oficiales, especialmente del cuerpo de policía. La jefatura de tráfico vigila las carreteras. INGLÉS headquarters, [si es la jefatura de tráfico: traffic department].

jefe, jefa
nombre
1 Persona que manda o dirige el trabajo o la actividad de una o más personas. INGLÉS boss.
2 Forma de llamar la atención de alguien: *¡Oiga, jefe, que se olvida el cambio!* Es un uso informal.

jengibre
nombre masculino
1 Especia muy aromática y de sabor picante. Se usa para preparar medicamentos y para dar sabor a las comidas. INGLÉS ginger.

jeque
nombre masculino
1 Jefe de un territorio o de una comunidad árabe. INGLÉS sheikh.

jerarquía
nombre femenino
1 Organización por categorías o por orden de importancia de un grupo de personas o cosas. En las instituciones religiosas, militares o políticas se establece una jerarquía entre sus miembros. INGLÉS hierarchy.

jerga
nombre femenino
1 Manera de hablar propia de un determinado grupo de personas cuando hablan entre sí. Los policías, los estudiantes o los médicos tienen su propia jerga. SINÓNIMO argot. INGLÉS jargon.

jergón
nombre masculino
1 Colchón de paja o hierba. INGLÉS pallet.
NOTA El plural es: jergones.

jeringuilla
nombre femenino
1 Instrumento de cristal o plástico formado por un tubo hueco y una aguja, que sirve para introducir un medicamento líquido en el cuerpo o extraer sangre. INGLÉS syringe.

jeroglífico, jeroglífica
adjetivo
1 Se dice de la escritura que, en vez de utilizar letras, utiliza dibujos. La escritura de los antiguos egipcios era jeroglífica. INGLÉS hieroglyphic.
nombre masculino
2 Pasatiempo que consiste en averiguar el significado de un conjunto de dibujos y símbolos. INGLÉS rebus.

jersey
nombre masculino
1 Prenda de vestir de punto, con mangas, que cubre desde el cuello hasta la cintura o la cadera. INGLÉS pullover, jumper.
NOTA El plural es: jerséis.

jeta
adjetivo y nombre
1 Se dice de la persona que no tiene ninguna vergüenza ni reparo en hacer cosas que no se consideran correctas: *Tu primo es un jeta, siempre tengo que invitarlo yo.* INGLÉS cheeky [adjetivo].
nombre femenino
2 Falta de vergüenza. Las personas que se cuelan en las colas tienen mucha jeta. SINÓNIMO cara; morro; rostro. INGLÉS cheek.
3 Cara o expresión de una persona: *Tendrías que haber visto la jeta que ha puesto cuando te ha visto entrar.* INGLÉS face.
NOTA Es una palabra informal.

jienense
adjetivo y nombre
1 Se dice de la persona o cosa que es de Jaén, ciudad y provincia de Andalucía.

jilguero
nombre masculino
1 Pájaro de color marrón oscuro por encima y blanco por el vientre, con la cabeza blanca, roja y negra, y las alas amarillas y negras, muy común en España. INGLÉS goldfinch.

jinete
nombre masculino
1 Hombre que monta a caballo. INGLÉS rider, horseman.
NOTA El femenino es: amazona.

jirafa
nombre femenino
1 Animal mamífero con el cuello y las patas muy largas y la cabeza pequeña. Es de color amarillento con manchas marrones. Se alimenta de las hojas de los árboles y vive en África. INGLÉS giraffe.
2 Brazo mecánico largo y con un mi-

crófono en el extremo, que sirve para grabar conversaciones desde arriba. INGLÉS boom.

¡jo!
interjección
1 Expresa normalmente extrañeza, sorpresa o fastidio: *¡Jo, vaya bicicleta te han regalado!* Es un uso informal. SINÓNIMO jolín; jobar; jope. INGLÉS wow! [sorpresa], damn! [disgusto, fastidio].

¡jobar!
interjección
1 Expresa normalmente extrañeza, sorpresa o fastidio: *¡Jobar, cuánto sabes de ordenadores!* Es un uso informal. SINÓNIMO caray; jo. INGLÉS wow! [sorpresa], damn! [disgusto, fastidio].

joder
verbo
1 Realizar dos personas el acto sexual. INGLÉS to fuck.
2 Causar una cosa un disgusto o enfado a una persona. SINÓNIMO fastidiar. INGLÉS to fuck about [fastidiar], to piss off [enfadar].
3 Romper o estropear una cosa: *Se jodió la tele.* INGLÉS to bugger.
interjección **4 ¡joder!** Se utiliza para indicar enfado o sorpresa: *¡Joder, vaya morro, ese bocadillo era el mío!* INGLÉS bloody hell!
NOTA Es una palabra vulgar.

jolgorio
nombre masculino
1 Situación divertida con mucha gente que se lo pasa bien. Cuando hacemos una fiesta en casa con música y muchos amigos se arma un jolgorio. SINÓNIMO juerga. INGLÉS merrymaking.

¡jolín!
interjección
1 Indica normalmente extrañeza, sorpresa o fastidio: *¡Jolín, qué interesante!* SINÓNIMO jo; jope. INGLÉS wow! [sorpresa], damn! [fastidio].
NOTA Es una palabra informal.

¡jope!
interjección
1 Indica normalmente extrañeza, sorpresa o fastidio: *¡Jope, cuántos deberes tengo!* SINÓNIMO jolín; jobar; jo. INGLÉS wow! [sorpresa], damn! [fastidio].
NOTA Es una palabra informal.

jornada
nombre femenino
1 Tiempo que una persona dedica a trabajar al día o a la semana. La jornada laboral normal es de cuarenta horas a la semana. INGLÉS day.
2 Día, en especial cuando se trata de lo que ocurre desde la mañana hasta la noche. Las noticias de televisión ofrecen el resumen de la jornada. INGLÉS day.
3 Parte de una competición deportiva que se celebra durante un período de tiempo determinado, generalmente durante un día, como algunas etapas de carreras ciclistas. INGLÉS day.
jornada intensiva Jornada en que una persona trabaja de forma seguida, sin ninguna interrupción. Las personas que trabajan en jornadas intensivas no hacen una pausa para comer.

jornal
nombre masculino
1 Dinero que gana un trabajador por cada día de trabajo. INGLÉS day's wage.

jornalero, jornalera
nombre
1 Persona que trabaja por días a cambio de un jornal, especialmente en el campo. INGLÉS day labourer.

joroba
nombre femenino
1 Bulto que sale a las personas en la espalda, causado por una desviación de la columna vertebral. SINÓNIMO chepa. INGLÉS hump.
2 Bulto que tienen ciertos animales en el lomo, como el camello, el dromedario o el bisonte. INGLÉS hump.

jorobado, jorobada
adjetivo y nombre
1 Se dice de una persona o un animal que tiene joroba. INGLÉS hunchbacked [adjetivo], hunchback [nombre].

jorobar
verbo
1 Causar algo un disgusto o enfado de poca importancia a una persona: *Me joroba levantarme tan pronto todos los días.* SINÓNIMO fastidiar. INGLÉS to annoy.
2 Romper o estropear una cosa: *Se ha jorobado el dedo meñique de la mano derecha.* SINÓNIMO fastidiar. INGLÉS to break.
NOTA Es una palabra informal.

jota
nombre femenino
1 Nombre de la letra 'j'.
2 Baile popular de algunas zonas de España, como Aragón o Navarra. También es la canción que acompaña a este baile.
ni jota Nada de nada o poquísimo: *No entiende ni jota de inglés.* Es una expresión informal. INGLÉS nothing, not a word.

joven
adjetivo y nombre masculino y femenino
1 Se dice de una persona, animal o planta que tiene pocos años y ha pasado su primera época, aunque todavía no es

adulto. INGLÉS young [adjetivo], youth [nombre - persona], young man [nombre - hombre], young woman [nombre - mujer].

adjetivo **2** Se dice de lo que tiene relación con la juventud. La música joven es la que le gusta a la juventud. SINÓNIMO juvenil. INGLÉS young, for young people.

NOTA El plural es: jóvenes.

jovial

adjetivo **1** Se dice de la persona que siempre está de buen humor y es muy alegre y divertida. INGLÉS cheerful.

joya

nombre femenino **1** Objeto de oro, plata o platino, que puede llevar piedras preciosas incrustadas y que sirve de adorno, como unos pendientes o un anillo. INGLÉS piece of jewellery.

2 Persona, animal o cosa que vale mucho y tiene excelentes cualidades. SINÓNIMO alhaja. INGLÉS gem.

joyería

nombre femenino **1** Taller o tienda donde se fabrican, venden o arreglan joyas. INGLÉS jeweller's.

2 Técnica de hacer joyas. INGLÉS jewellery.

joyero, joyera

nombre **1** Persona que se dedica a fabricar, arreglar o vender joyas. INGLÉS jeweller.

nombre masculino **2** Caja en la que se guardan las joyas que se tienen en casa. INGLÉS jewellery box.

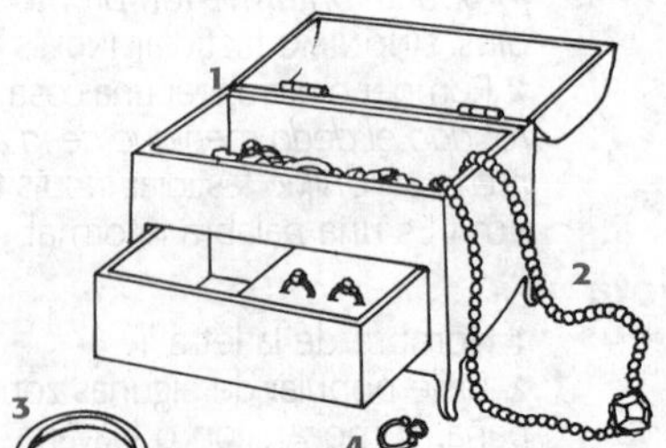

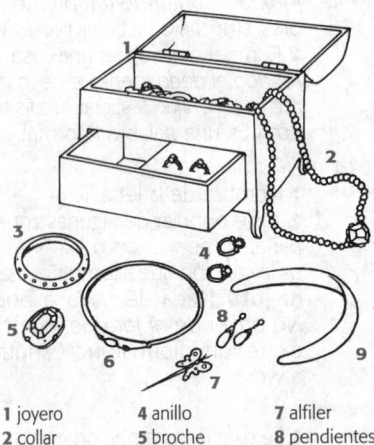

1 joyero **4** anillo **7** alfiler
2 collar **5** broche **8** pendientes
3 pulsera **6** gargantilla **9** diadema

joyero

juanete

nombre masculino **1** Deformidad o bulto del hueso del dedo gordo del pie. Los juanetes duelen al rozar con un zapato estrecho. INGLÉS bunion.

jubilación

nombre femenino **1** Retirada de una persona de su trabajo porque ha llegado a la edad de jubilarse. La edad de jubilación suele estar entre los 60 y los 70 años. SINÓNIMO retiro. INGLÉS retirement.

2 Cantidad de dinero que una persona que se ha jubilado cobra del Estado. INGLÉS pension.

NOTA El plural es: jubilaciones.

jubilado, jubilada

nombre **1** Persona que ha llegado a la edad de jubilarse o que cobra una jubilación. INGLÉS pensioner [que cobra jubilación], retired person [que está jubilado].

jubilar

verbo **1** Retirar a una persona de su trabajo porque ha llegado a cierta edad. Cuando una persona se jubila cobra una cantidad de dinero del Estado como pensión. SINÓNIMO retirar. INGLÉS to retire.

2 Dejar de usar una cosa porque está muy vieja o ya no sirve: *Voy a jubilar el viejo televisor.* INGLÉS to get rid of.

júbilo

nombre masculino **1** Alegría muy grande que se expresa exteriormente con gestos. INGLÉS jubilation, joy.

judaísmo

nombre masculino **1** Religión de los judíos. El judaísmo sigue la doctrina del Antiguo Testamento. A diferencia del cristianismo, que cree que Jesucristo es el enviado de Dios, aún espera la llegada del Hijo de Dios a la Tierra. INGLÉS Judaism.

judía

nombre femenino **1** Planta que da una legumbre en forma de vaina verde, larga y aplastada o redonda y fina con unas semillas en su interior que tienen forma de riñón o son redondeadas. Las vainas y las semillas también se llaman judías. SINÓNIMO alubia. INGLÉS bean.

judicial

adjetivo **1** Se dice de las cosas que tienen relación con un juicio o con la administración de justicia. El poder judicial del

Estado lo ejercen los jueces y magistrados. INGLÉS judicial.

judío, judía
adjetivo y nombre
1 Se dice de la persona que practica el judaísmo. Muchos judíos viven en Israel. INGLÉS Jewish [adjetivo], Jew [nombre].
2 Se dice de las personas que habitaban antiguamente en una zona de Palestina. También se dice de sus descendientes, muchos de los cuales viven en Israel. SINÓNIMO hebreo. INGLÉS Jewish [adjetivo], Jew [nombre].

judo
nombre masculino
1 Deporte de lucha de origen japonés. El luchador utiliza su agilidad y la fuerza del contrario para hacerlo caer. INGLÉS judo.
NOTA También se escribe: yudo. Se pronuncia 'yudo'.

judoka
nombre masculino y femenino
1 Persona que practica judo. El color del cinturón de los judokas indica su categoría. INGLÉS judoka.

juego
nombre masculino
1 Actividad cuyo fin es la diversión o el entretenimiento. Suelen tener unas reglas y los participantes ganan o pierden. INGLÉS game.
2 Conjunto de objetos que se utilizan para jugar a algo. El juego del parchís se compone de un tablero, dados y fichas de colores. INGLÉS set.
3 Conjunto de cosas que se utilizan para un mismo fin y tienen algo en común, como un juego de café o un juego de toallas. INGLÉS set.
4 En algunos deportes, como el tenis, cada una de las partes en que se divide un set. INGLÉS game.
5 En algunos deportes, como el fútbol o el baloncesto, manera de jugar de un equipo. INGLÉS play.
juego de azar Entretenimiento en el que una persona arriesga una cantidad de dinero y que, según la suerte que tenga, puede perder, recuperar o superar. El bingo y la lotería son juegos de azar. INGLÉS game of chance.
juego de palabras Combinación de palabras con más de un sentido o interpretación y una finalidad divertida o graciosa. 'Oro parece, plata no es' es una adivinanza a partir de un juego de palabras entre 'plata no' y 'plátano'. INGLÉS play on words.
Juegos Olímpicos Conjunto de competiciones deportivas que se celebran cada cuatro años en una ciudad y país diferentes, y donde participan deportistas de todo el mundo. Los Juegos Olímpicos de 1992 se celebraron en Barcelona. INGLÉS Olympic Games.
hacer juego Combinar bien, normalmente por ser de la misma tela o el mismo color. En los trajes, la chaqueta hace juego con el pantalón o la falda. INGLÉS to match.

juerga
nombre femenino
1 Fiesta o situación muy divertida y normalmente ruidosa. INGLÉS rave-up.

juerguista
adjetivo y nombre masculino y femenino
1 Se dice de una persona a la que le gusta mucho la juerga y la diversión, e irse de fiesta. INGLÉS party animal, raver.

jueves
nombre masculino
1 Cuarto día de la semana, entre el miércoles y el viernes. INGLÉS Thursday.
no ser nada del otro jueves No destacar por nada en concreto ni ser especial: *Estas mandarinas no son nada del otro jueves, no tienen ni sabor ni zumo.* INGLÉS to be nothing special.
NOTA El plural es: jueves.

juez, jueza
nombre
1 Persona que en un juicio dice si el acusado es culpable o inocente y le impone un castigo o lo deja en libertad. Son responsables de la correcta aplicación de las leyes. INGLÉS judge.
2 Persona que juzga a los participantes de un concurso, un examen o una oposición. INGLÉS judge.
3 En deporte, persona que hace que se respeten y cumplan las reglas: *El juez anuló el tanto.* INGLÉS judge [en gimnasia, atletismo…].
juez de línea Persona que ayuda al árbitro de fútbol o tenis indicándole las infracciones que ve. INGLÉS linesman [en fútbol], line judge [en tenis].
NOTA El plural de juez es: jueces. El femenino también puede ser la juez.

jugada
nombre femenino
1 Cada una de las intervenciones de un jugador en un juego cuando le llega su turno. INGLÉS go.
2 Cada una de las acciones destacadas

de un juego o de un partido: *¿Has visto qué jugada?* INGLÉS piece of play.

3 Acción mala que se hace contra alguien. También se llama mala jugada. INGLÉS dirty trick.

jugador, jugadora
nombre
1 Persona que participa en un juego o que forma parte de un equipo. INGLÉS player.
2 Persona que juega mucho dinero en juegos de azar. INGLÉS gambler.

jugar
verbo
1 Tomar parte en una actividad cuyo fin es la diversión o el entretenimiento, como jugar a las cartas o jugar al fútbol. INGLÉS to play.
2 Actuar sin tomar en serio o sin dar importancia a algo que sí la tiene. No hay que jugar con los sentimientos de los demás. INGLÉS to play.
3 Arriesgar una cantidad de dinero en un juego de azar determinado. En Navidad la gente juega mucho dinero a la lotería. INGLÉS to gamble.
4 jugarse Poner algo en peligro y arriesgarse a perderlo, en especial la vida de una persona. Las personas que conducen muy rápido se juegan la vida sin darse cuenta. INGLÉS to risk.
jugar limpio No hacer trampas ni engañar, tanto en el juego como en cualquier otra actividad. INGLÉS to play fair.
jugársela a alguien Engañar o perjudicar en algo a una persona que nos tenía confianza. INGLÉS to play a dirty trick on somebody.
jugar sucio Hacer trampas o engañar, tanto en el juego como en cualquier otra actividad. INGLÉS to play dirty.

jugar

INDICATIVO

presente
juego
juegas
juega
jugamos
jugáis
juegan

pretérito imperfecto
jugaba
jugabas
jugaba
jugábamos
jugabais
jugaban

pretérito perfecto simple
jugué
jugaste
jugó
jugamos
jugasteis
jugaron

futuro
jugaré
jugarás
jugará
jugaremos
jugaréis
jugarán

condicional
jugaría
jugarías
jugaría
jugaríamos
jugaríais
jugarían

SUBJUNTIVO

presente
juegue
juegues
juegue
juguemos
juguéis
jueguen

pretérito imperfecto
jugara o jugase
jugaras o jugases
jugara o jugase
jugáramos o jugásemos
jugarais o jugaseis
jugaran o jugasen

futuro
jugare
jugares
jugare
jugáremos
jugareis
jugaren

IMPERATIVO

juega	(tú)
juegue	(usted)
juguemos	(nosotros)
jugad	(vosotros)
jueguen	(ustedes)

FORMAS NO PERSONALES

infinitivo jugar
gerundio jugando
participio jugado

jugarreta
nombre femenino
1 Mala acción que una persona le hace a otra, normalmente con mala intención. Dejar plantado a un amigo es hacerle una jugarreta. Es un uso informal. SINÓNIMO faena. INGLÉS dirty trick.

juglar, juglaresa
nombre
1 Artista ambulante que antiguamente se dedicaba a divertir a la gente en las calles o en la corte y recitaba poesías, cantaba y bailaba. INGLÉS minstrel.

jugo
nombre masculino
1 Zumo que sale de un vegetal o líquido que desprende un trozo de carne o pescado. INGLÉS juice.
2 Interés y utilidad que tiene una cosa. Si decimos que un libro tiene mucho jugo es que está lleno de ideas interesantes. INGLÉS meat.
jugo gástrico Líquido que produce el estómago. Deshace los alimentos y ayuda a hacer la digestión. INGLÉS gastric juice.

jugoso, jugosa
adjetivo
1 Se dice del vegetal o el alimento que tiene mucho jugo o mucha sustancia y sabor, especialmente las frutas. ANTÓNIMO seco. INGLÉS juicy.

juguete
nombre masculino
1 Objeto que sirve para que los niños jueguen con él, como las muñecas o las pelotas. INGLÉS toy.

juguetear
verbo
1 Divertirse o distraerse con un juego o con cualquier cosa sin prestar mucha atención a lo que ocurre alrede-

dor: *¿Quieres dejar de juguetear con mis gafas de sol, que me las vas a romper?* INGLÉS to play.

juguetería
nombre femenino
1 Tienda en la que se venden juguetes. INGLÉS toy shop.

juguetón, juguetona
adjetivo
1 Se dice de la persona o el animal que juega mucho o a los que les gusta mucho jugar. INGLÉS playful.
NOTA El plural de juguetón es: juguetones.

juicio
nombre masculino
1 Acto en el que un juez juzga algo, como un delito o una denuncia, y dice qué debe hacerse según la ley. INGLÉS trial.
2 Capacidad que tienen las personas de distinguir lo que está bien de lo que está mal. INGLÉS judgement.
3 Característica de la persona que tiene un estado mental normal. Una persona pierde el juicio cuando se vuelve loca. INGLÉS sanity.
4 Opinión o idea que una persona tiene de algo después de haberlo estudiado: *Dicen que la política del gobierno les merece un juicio positivo.* INGLÉS opinion.

juicioso, juiciosa
adjetivo
1 Se dice de la persona que hace o dice las cosas con juicio o inteligencia, sin cometer locuras. SINÓNIMO sensato. INGLÉS sensible.

julio
nombre masculino
1 Séptimo mes del año, que tiene 31 días. INGLÉS July.

junco
nombre masculino
1 Planta silvestre de tallo recto, largo y flexible, y hojas como tiras delgadas. Crece a orillas de los ríos y se utiliza para hacer cestos y otros objetos. INGLÉS reed.

jungla
nombre femenino
1 Bosque de los países de clima tropical, en especial al sur de Asia, en el que crece una vegetación muy abundante. INGLÉS jungle.

junio
nombre masculino
1 Sexto mes del año, que tiene 30 días. En junio empieza el verano. INGLÉS June.

junta
nombre femenino
1 Reunión para tratar o discutir algún tema. Los vecinos de un edificio suelen celebrar juntas para decidir sobre temas que afectan a todos. INGLÉS meeting, assembly.
2 Conjunto de personas nombradas para administrar o dirigir los asuntos de otras. La junta de un club deportivo se encarga de la dirección del club en nombre de sus socios. INGLÉS board, committee.
3 Espacio por donde se unen dos cosas, y también la pieza que a veces se coloca entre dos cosas para unirlas. Algunas mangueras se unen a un grifo con una junta de plástico o de metal. INGLÉS joint [espacio], washer [pieza].

juntar
verbo
1 Poner una cosa al lado de otra. Para hacer un rompecabezas hay que juntar todas las piezas. SINÓNIMO unir. ANTÓNIMO separar. INGLÉS to join, to put together.
2 Reunir varias cosas y formar un conjunto con ellas: *Pienso juntar los cromos y completar el álbum.* INGLÉS to collect.
3 juntarse Ser amigo de una persona. No es bueno juntarse con gamberros. INGLÉS to mix.

junto, junta
adjetivo
1 Que está muy cerca o unido a otra cosa o persona: *Las vi juntas a la salida de clase.* INGLÉS together.
adverbio
2 Acompañando a una persona o cosa: *Junto con las flores iba una tarjeta.* INGLÉS together.
3 En una posición cercana a algo o alguien: *Tiene un apartamento junto a la playa.* INGLÉS next to, near.

jurado
nombre masculino
1 Grupo de personas elegidas para juzgar un delito en un juicio y decidir si el acusado es culpable o inocente. INGLÉS jury.
2 Grupo de personas que decide el ganador en un concurso o en una competición deportiva. INGLÉS jury.

juramento
nombre masculino
1 Promesa que se hace poniendo por testigo a Dios o a una persona querida o respetada. Las personas que declaran en un juicio tienen que prestar el juramento de que van a decir toda la verdad. INGLÉS oath.

jurar
verbo
1 Prometer que se hará una cosa o que lo que se dice es verdad poniendo por

testigo a Dios o a una persona querida o respetada: *Juró que él no había robado ese dinero.* INGLÉS to swear.

2 Prometer que se van a cumplir las obligaciones propias de un puesto o un cargo importante. Los ministros tienen que jurar ante el rey antes de ocupar su cargo. INGLÉS to swear.

jurásico, jurásica
adjetivo **1** Se dice de un período de la historia de la Tierra que se caracterizó por la expansión de los dinosaurios y la aparición de las aves. INGLÉS Jurassic.

jurídico, jurídica
adjetivo **1** Se dice de las cosas que tienen relación con la justicia, el derecho o la aplicación de las leyes. Un acto jurídico es un acto en el que se aplican una serie de leyes, como la firma de una escritura de compra de un piso ante un notario. INGLÉS legal.

justicia
nombre femenino **1** Virtud de las personas que son justas. Quedarse una cosa que es de otra persona no es actuar con justicia. INGLÉS fairness.

2 Forma de actuar que es justa y se hace según las leyes. Si alguien pide justicia, quiere que se aplique la ley. INGLÉS justice.

3 Organización del Estado que sirve para aplicar las leyes, encontrar y castigar al culpable de un delito y tomar decisiones sobre las disputas de los ciudadanos. INGLÉS the law.

justificante
adjetivo y nombre masculino **1** Se dice del documento o prueba que sirve para justificar algo. Un recibo es un justificante de compra, porque demuestra que se ha comprado algo en un lugar. INGLÉS note [si es del médico], receipt [si es de compra].

justificar
verbo **1** Ser una cosa la razón o la causa de otra. Si llegamos tarde a una cita, debemos justificamos nuestro retraso. INGLÉS to justify.

2 Demostrar con pruebas una cosa. Para justificar unos gastos que se quieren cobrar es necesario enseñar los recibos o las facturas de esos gastos. INGLÉS to justify.

3 Defender la inocencia de alguien o disculparlo: *No hace falta que lo justifiques, que ya sé que no ha sido él.* INGLÉS to make excuses for.

NOTA Se escribe 'qu' delante de 'e', como: justifiqué.

justo, justa
adjetivo **1** Se dice de la persona o cosa adecuada o correcta según la ley o la razón. Un juez justo es objetivo e imparcial cuando ha de dar el veredicto. INGLÉS just, fair.

2 Se dice de una cosa que es exacta, a la que no le falta ni le sobra nada. Cuando compramos algo en una tienda y damos el dinero justo no nos dan cambio. INGLÉS exact.

3 Se dice de una cosa un poco pequeña o menor de lo necesario. Los zapatos nos vienen un poco justos cuando son nuevos. INGLÉS tight, small.

adverbio **4 justo** Exactamente, en el mismo momento o de la misma manera: *Lo ha hecho justo al revés de como se lo expliqué.* INGLÉS just, exactly.

juvenil
adjetivo **1** De la juventud o que tiene relación con ella, como la ropa juvenil. SINÓNIMO joven. INGLÉS for young people.

adjetivo y nombre masculino y femenino **2** Se dice del deportista que juega en la categoría deportiva que corresponde a las personas que tienen entre 15 y 18 años. INGLÉS youth.

juventud
nombre femenino **1** Período de la vida de las personas que transcurre entre la niñez y la edad adulta. INGLÉS youth.

2 Conjunto de los jóvenes de un lugar o de una época: *La juventud de este pueblo cada vez se acuesta más tarde.* INGLÉS young people.

juzgado
nombre masculino **1** Edificio donde trabajan los jueces y se celebran los juicios. INGLÉS court.

juzgar
verbo **1** Decidir un juez o un tribunal si se debe imponer un castigo a alguien o quién tiene razón en una cosa después de estudiar el caso. INGLÉS to judge.

2 Creer o pensar una persona que algo es de determinada manera. Juzgamos a alguien capaz de algo cuando creemos que lo puede hacer. INGLÉS to judge, to consider.

NOTA Se escribe 'gu' delante de 'e', como: juzguen.

abcdefghijKlmnñopqrstuvwxyz

k
nombre femenino **1** Undécima letra del alfabeto español. La 'k' es una consonante.

ka
nombre femenino **1** Nombre de la letra 'k'. Kilómetro empieza por ka.

kamikaze
nombre masculino **1** Piloto suicida de la aviación japonesa de la Segunda Guerra Mundial que estrellaba su avión contra objetivos militares enemigos, como buques de guerra. INGLÉS kamikaze.

karaoke
nombre masculino **1** Diversión que consiste en cantar en público una canción al oír su música y leyendo la letra que se proyecta en una pantalla. INGLÉS karaoke.
2 Aparato que reproduce al mismo tiempo la música de la canción y su letra en una pantalla con unas imágenes de fondo. INGLÉS karaoke machine.
3 Establecimiento público con karaoke para que canten los clientes. INGLÉS karaoke bar.

karate
nombre masculino **1** Es otra forma de escribir y pronunciar: kárate.

kárate
nombre masculino **1** Deporte de lucha de origen japonés. Los luchadores se golpean con los bordes de las manos, los pies o los codos. INGLÉS karate.
NOTA También se escribe y se pronuncia: karate.

karateca
nombre masculino y femenino **1** Persona que practica kárate. El color del cinturón de los karatecas indica su categoría. INGLÉS karateist.

kart
nombre masculino **1** Automóvil de pequeño tamaño para una sola persona. Tiene un motor, cuatro ruedas y no tiene carrocería. INGLÉS go-kart.
NOTA El plural es: karts.

kéfir
nombre masculino **1** Alimento de sabor agridulce, líquido y espeso, parecido al yogur, que se hace con leche fermentada con un hongo que también se llama kéfir. INGLÉS kefir.

kétchup
nombre masculino **1** Salsa de tomate con vinagre y especias. Normalmente ponemos kétchup a los perritos calientes y a las hamburguesas. INGLÉS ketchup.
NOTA Se pronuncia 'quéchup'.

kilo
nombre masculino **1** Es la forma abreviada de escribir y decir: kilogramo.
NOTA También se escribe: quilo.

kilogramo
nombre masculino **1** Unidad de masa que equivale a mil gramos. Su símbolo es: kg. INGLÉS kilogram.

kilolitro
nombre masculino **1** Medida de capacidad que equivale a mil litros. Su símbolo es: kl. INGLÉS kilolitre.

kilométrico, kilométrica
adjetivo **1** Que es muy largo: *Se formó una cola kilométrica.* INGLÉS endless.

kilómetro
nombre masculino **1** Medida de longitud que equivale a mil metros. Su símbolo es: km. La distancia que recorremos en un vehículo se mide en kilómetros. INGLÉS kilometre.
NOTA También se escribe: quilómetro.

kimono
nombre masculino **1** Prenda de vestir con las mangas muy anchas, que llega hasta los pies y se cierra por delante con una faja o un cin-

a b c d e f g h i j k l m n ñ o p q r s t u v w x y z

turón de tela. Es una prenda típica del Japón. INGLÉS kimono.
2 Conjunto de chaqueta y pantalón anchos y de tela fuerte que se usa para practicar artes marciales. INGLÉS kimono.
NOTA También se escribe: quimono.

kiosco
nombre masculino
1 Es otra forma de escribir: quiosco.

kit
nombre masculino
1 Conjunto de piezas de un objeto o aparato que se venden con un folleto de instrucciones para montarlo con facilidad. Mucha gente compra muebles que se venden en kits para luego montarlos en casa. INGLÉS kit.
2 Conjunto de cosas que están destinadas a usos parecidos o relacionados entre sí, como un kit de limpieza o un kit de herramientas. INGLÉS kit, set.
NOTA El plural es: kits.

kiwi
nombre masculino
1 Fruta ovalada de piel marrón y carne verde con semillas oscuras, que tiene un sabor dulce pero un poco ácido. También se llama kiwi la planta que da esta fruta. INGLÉS kiwi.
NOTA Se pronuncia: 'quivi' o 'quiui'.

kleenex
nombre masculino
1 Pañuelo de papel. INGLÉS tissue, paper handkerchief.
NOTA Es una marca registrada. Se pronuncia: 'clínex'. El plural es: kleenex.

koala
nombre masculino
1 Mamífero pequeño y de aspecto parecido a un oso que tiene en su vientre una bolsa donde guarda a sus hijos recién nacidos. Tiene la cabeza y las orejas grandes, el hocico corto y el pelo de color gris. Vive en Australia y come hojas de eucalipto. INGLÉS koala.

kung-fu
nombre masculino
1 Sistema de combate en el que los luchadores solo usan los pies y las manos para golpear. El kung-fu es de origen chino y también se practica como deporte. INGLÉS kung-fu.
NOTA Se pronuncia: 'kunfú'.

abcdefghijkLmnñopqrstuvwxyz

l
nombre femenino
1 Decimosegunda letra del alfabeto español. La 'l' es una consonante.
2 En la numeración romana y escrita en mayúscula, representa el 50. INGLÉS L.
3 Abreviatura de: litro. INGLÉS l.

la
determinante artículo
1 Forma femenina del artículo determinado; mira **el, la**: *Mañana, si hace buen día, iré a la playa.* INGLÉS the.
nombre masculino
2 Sexta nota de la escala musical. El la sigue al sol. INGLÉS lah, A.

laberinto
nombre masculino
1 Lugar cerrado formado por numerosos caminos cruzados del que es muy difícil salir. En algunos jardines hay laberintos construidos con setos. INGLÉS labyrinth, maze.

labio
nombre masculino
1 Borde exterior carnoso y movible de la boca de los seres humanos y de algunos animales. INGLÉS lip.

labor
nombre femenino
1 Trabajo o actividad de cualquier tipo, especialmente el trabajo del campo. Sembrar y recoger frutos son labores agrícolas. INGLÉS work.
2 Obra que se hace con agujas e hilo o lana. INGLÉS needlework, [si es con lana: knitting].

laborable
adjetivo
1 Se dice de los días en que se trabaja, que no son festivos. INGLÉS working.

laboral
adjetivo
1 Del trabajo o que tiene relación con él: *Tiene problemas laborales.* INGLÉS work.

laboratorio
nombre masculino
1 Local preparado con aparatos, instrumentos y productos necesarios para realizar investigaciones, análisis y experimentos científicos o técnicos. INGLÉS laboratory.

laborioso, laboriosa
adjetivo
1 Se dice de la tarea que exige mucho trabajo y esfuerzo para hacerla bien. INGLÉS laborious.
2 Que trabaja mucho: *Las abejas y las hormigas son animales muy laboriosos.* SINÓNIMO trabajador. ANTÓNIMO vago. INGLÉS industrious.

labrador, labradora
nombre y adjetivo
1 Se dice de la persona que cultiva o trabaja la tierra. SINÓNIMO campesino; labriego. INGLÉS farmer.

labrar
verbo
1 Cultivar la tierra, en especial, abrir surcos en ella para sembrar. INGLÉS to work, to till, [si es arar: to plough].
2 Dar forma a un material o grabar algo en él. Se puede labrar la piedra, la madera o el oro. INGLÉS to work.
3 Conseguir o preparar algo, esforzándose para ello. Los jóvenes labran su porvenir estudiando. SINÓNIMO forjar. INGLÉS to build.

labriego, labriega
nombre
1 Persona que cultiva o trabaja la tierra. SINÓNIMO labrador. INGLÉS farm worker.

laca
nombre femenino
1 Sustancia que se pone en el pelo para fijar y conservar el peinado durante mucho tiempo. Las lacas se aplican con un spray. INGLÉS hairspray.
2 Sustancia líquida y espesa que sirve para dar brillo o color a los objetos de madera y a los de cerámica. INGLÉS lacquer.

lacar
verbo
1 Pintar o barnizar con laca un objeto de madera o de cerámica. Los mue-

bles que se lacan son brillantes y más resistentes. INGLÉS to lacquer.

NOTA Se escribe 'qu' delante de 'e', como: laquéis.

lacayo

nombre masculino

1 Persona que intenta agradar en todo a otro y se comporta como si fuera su criado. Es un uso despectivo. INGLÉS lackey.

2 Criado con uniforme que antiguamente debía acompañar a su señor. INGLÉS footman.

lacio, lacia

adjetivo

1 Se dice del pelo muy liso, que no tiene ningún rizo ni onda. INGLÉS straight.

2 Que está estropeado o tiene mal aspecto, como las plantas cuando no se riegan durante mucho tiempo. INGLÉS limp.

lacónico, lacónica

adjetivo

1 Que expresa una cosa en pocas y precisas palabras. Si nos preguntan '¿Vienes mañana?' y solo contestamos 'No', estamos dando una respuesta lacónica. INGLÉS laconic.

lacrimal

adjetivo

1 De las lágrimas o que tiene relación con ellas. En el ojo hay glándulas lacrimales, situadas entre el párpado superior y el ojo, que producen un líquido transparente que humedece el ojo al mover los párpados. INGLÉS tear, lachrymal.

lacrimógeno, lacrimógena

adjetivo

1 Que hace llorar. INGLÉS tear-jerking, [gas lacrimógeno: teargas].

lactancia

nombre femenino

1 Período de la vida de los mamíferos en el que se alimentan únicamente de leche, en especial de la que maman de su madre. También es este modo de alimentación. INGLÉS lactation.

lácteo, láctea

adjetivo

1 Se dice de los productos que se elaboran con leche o a partir de ella, como el queso o el yogur. INGLÉS dairy.

ladear

verbo

1 Inclinar o desviar una cosa hacia un lado: *Su madre ladeó la cabeza y lo miró fijamente esperando una respuesta más convincente.* INGLÉS to tilt.

ladera

nombre femenino

1 Lado inclinado de una montaña, entre el pie y la cima. INGLÉS slope.

ladilla

nombre femenino

1 Insecto parásito de pequeño tamaño, con el cuerpo redondo, plano y de color amarillo, que vive en la zona de las ingles sujeto al pelo de las personas. INGLÉS crab louse.

lado

nombre masculino

1 Parte derecha o izquierda de un cuerpo o una cosa. INGLÉS side.

2 Cada una de las superficies de un objeto. Un dado tiene seis lados. INGLÉS side.

3 Sitio o parte de un espacio, en especial el que hay alrededor de una persona o una cosa: *Hay una fuente al lado de mi casa.* INGLÉS side.

4 Aspecto o punto de vista que se tiene sobre alguna cosa: *Analiza los problemas desde todos los lados.* INGLÉS angle.

5 Cada una de las líneas que forman una figura o un ángulo. INGLÉS side.

al lado Muy cerca de donde se indica: *Vivo al lado de la plaza.* INGLÉS next to [justo al lado], near [cerca].

dejar de lado Excluir o no tener en cuenta a una persona o cosa para participar en algo. INGLÉS to exclude, to leave out.

estar del lado de Estar a favor de alguien o de algo en una discusión o en un asunto. INGLÉS to be on the side of.

ladrar

verbo

1 Emitir el perro su voz característica. INGLÉS to bark.

ladrido

nombre masculino

1 Voz característica del perro. INGLÉS bark.

ladrillo

nombre masculino

1 Pieza de barro cocido de forma rectangular que se utiliza en la construcción de paredes. INGLÉS brick.

ladrón, ladrona

nombre y adjetivo

1 Persona que roba: *Entraron ladrones y se llevaron las joyas.* INGLÉS thief [nombre].

nombre masculino

2 Pieza con varios agujeros que se coloca en un enchufe y permite enchufar varios aparatos a la vez. INGLÉS adaptor.

lagartija
nombre femenino
1 Reptil pequeño que tiene cuatro patas cortas y cola larga. Puede ser de color verde, marrón o gris. Vive en lugares soleados. **INGLÉS** small lizard.

lagarto, lagarta
nombre
1 Reptil parecido a una lagartija pero de mayor tamaño, que se alimenta de insectos, caracoles o gusanos. Vive en lugares soleados y trepa por los árboles para aprovechar los rayos solares. **INGLÉS** lizard.

lago
nombre masculino
1 Extensión grande de agua rodeada de tierra por todos lados. Suelen ser de agua dulce y en muchos se puede pescar, pasear en barca o nadar. **INGLÉS** lake.

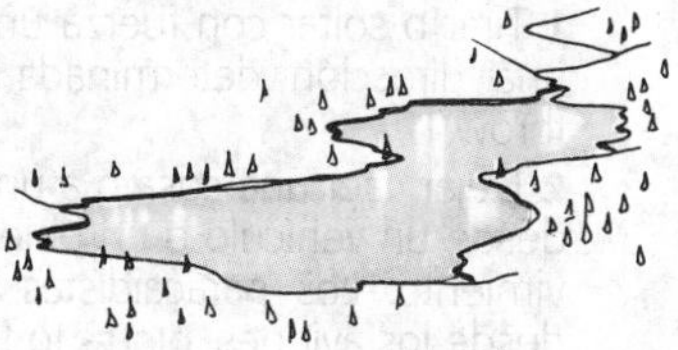

lago

lágrima
nombre femenino
1 Cada una de las gotas de líquido que nos salen de los ojos cuando lloramos. **INGLÉS** tear.
2 Cualquier cosa que tiene forma de lágrima. **INGLÉS** tear.
lágrimas de cocodrilo Lágrimas que vierte una persona cuando llora sin sentimiento, solo por llamar la atención. **INGLÉS** crocodile tears.

lagrimal
adjetivo
1 De las lágrimas o que tiene relación con ellas. Las glándulas lagrimales son las que producen las lágrimas. **INGLÉS** tear, lachrymal.
nombre masculino
2 Lado del ojo más próximo a la nariz por donde salen las lágrimas. **INGLÉS** corner of the eye.

laguna
nombre femenino
1 Lago pequeño, generalmente de agua dulce. **INGLÉS** small lake, lagoon.
2 Información que no se tiene o no se da, porque no se sabe o no se recuerda: *Tiene muchas lagunas en Historia.* **INGLÉS** gap.

laico, laica
adjetivo
1 Que es independiente de toda influencia religiosa. Un país laico no tiene ninguna religión oficial. **INGLÉS** lay, secular.
adjetivo y nombre
2 Se dice del cristiano que no pertenece al clero. **INGLÉS** lay [adjetivo], layman [nombre - hombre], laywoman [nombre - mujer].

laísmo
nombre masculino
1 Uso incorrecto de las formas pronominales 'la' y 'las' como complemento indirecto, en lugar de 'le' y 'les'. Un ejemplo de laísmo es decir 'la dije que no llamara' en vez de 'le dije que no llamara'.

lamentable
adjetivo
1 Que produce pena o dolor: *Es lamentable que tengas que irte tan pronto.* **INGLÉS** regrettable.
2 Que causa mala impresión por tener un aspecto malo o por estar roto o estropeado. **INGLÉS** pitiful.

lamentar
verbo
1 Tener o manifestar un sentimiento de pena o disgusto por una cosa negativa: *Lamentó que su amigo no viniera.* **INGLÉS** to regret.

lamento
nombre masculino
1 Conjunto de gestos, palabras o lloros con que se expresa la pena o el dolor. **INGLÉS** wailing, moaning.

lamer
verbo
1 Pasar la lengua varias veces por algo, como un objeto o un alimento. Los gatos se lamen el cuerpo para lavarse. **INGLÉS** to lick.

lametón
nombre masculino
1 Paso o roce de la lengua sobre algo, especialmente cuando se hace con fuerza. **INGLÉS** lick.
NOTA El plural es: lametones.

lámina
nombre femenino
1 Imagen dibujada, fotografiada o grabada que está impresa en un papel. **INGLÉS** plate, illustration.
2 Pieza delgada y plana de cualquier material, como la madera o el metal. **INGLÉS** sheet.

lámpara
nombre femenino
1 Objeto que sirve de soporte a una o varias bombillas. Hay lámparas de pie, de techo o de mesa. **INGLÉS** lamp.

2 Bombilla eléctrica. Es obligatorio llevar un juego de lámparas de recambio en el coche. INGLÉS bulb.

lamparilla
nombre femenino
1 Círculo pequeño de corcho con una mecha atravesándolo que se coloca flotando dentro de un recipiente con aceite y que se enciende como devoción a un santo o a la virgen. INGLÉS small lamp.

lamparón
nombre masculino
1 Mancha grande que deja un alimento, normalmente líquido, en una prenda de vestir. INGLÉS stain.
NOTA El plural es: lamparones.

lana
nombre femenino
1 Pelo que cubre el cuerpo de las ovejas y otros animales parecidos. INGLÉS wool.
2 Tejido hecho con los hilos que se extraen de la lana. INGLÉS wool.

lancha
nombre femenino
1 Embarcación pequeña descubierta con una vela o con motor. SINÓNIMO bote. INGLÉS boat.
2 Barca grande que se usa en los puertos para ayudar a otros barcos o para comunicarse con puertos que están cerca. INGLÉS launch.

langosta
nombre femenino
1 Animal crustáceo marino comestible de cuerpo alargado, de gran tamaño, que tiene la cabeza grande, diez patas y dos antenas largas. Su carne es muy apreciada. INGLÉS crawfish, spiny lobster.
2 Insecto de cuerpo alargado, ojos salientes y patas posteriores adaptadas para saltar. INGLÉS locust.

langostino
nombre masculino
1 Animal crustáceo marino comestible, parecido a la langosta pero más pequeño. Su carne es muy apreciada. INGLÉS prawn.

lanza
nombre femenino
1 Arma formada por una vara larga que tiene una punta de hierro afilada y cortante en su extremo. La lanza se arroja con la mano dando un fuerte impulso con el brazo. INGLÉS spear.

lanzado, lanzada
adjetivo
1 Que va muy rápido: *Iba lanzado con la bici y se cayó.* INGLÉS fast.
2 Se dice de las personas que se atreven a hacer cualquier cosa y sin pensárselo mucho. INGLÉS bold.

lanzallamas
nombre masculino
1 Arma que lanza un chorro de líquido inflamado. Consiste en una manguera que está conectada a un depósito de líquido inflamable. INGLÉS flame-thrower.
NOTA El plural es: lanzallamas.

lanzamiento
nombre masculino
1 Acción que consiste en lanzar algo: *El gol se produjo en el lanzamiento de la falta.* INGLÉS throwing.
2 Prueba de atletismo que consiste en lanzar distintos tipos de objetos. El lanzamiento puede ser de peso, de disco, de martillo o de jabalina. INGLÉS throwing.

lanzar
verbo
1 Tirar o soltar con fuerza una cosa en una dirección determinada. INGLÉS to throw.
2 Dejar caer una cosa o a una persona desde un vehículo o un objeto en movimiento. Los paracaidistas se lanzan desde los aviones. INGLÉS to throw.
3 Dirigir algo hacia una persona, como una mirada o un grito. INGLÉS to give.
4 Dar a conocer al público a una persona o una cosa. Las campañas publicitarias sirven para lanzar nuevos productos. INGLÉS to launch.
5 Hacer que despegue o salga para arriba un vehículo espacial. INGLÉS to launch.
6 **lanzarse** Empezar a hacer algo con muchas ganas y sin pensárselo mucho. INGLÉS to throw oneself, to launch oneself.
NOTA Se escribe 'c' delante de 'e', como: lancen.

lapa
nombre femenino
1 Molusco marino comestible que tiene la concha en forma de cono y que se pega fuertemente a las rocas. INGLÉS limpet.
adjetivo y nombre masculino y femenino
2 Se dice de la persona que es muy pesada y de la que no te puedes librar: *Se pega como una lapa.* INGLÉS nuisance, pest.

lapicero
nombre masculino
1 Lápiz, instrumento que se utiliza para escribir o dibujar. INGLÉS pencil.

a b c d e f g h i j k l m n ñ o p q r s t u v w x y z

lápida
nombre femenino
1 Piedra o pieza de mármol plana y de forma rectangular que sirve para cubrir las tumbas. INGLÉS tombstone, gravestone.

lapidar
verbo
1 Matar a una persona lanzándole piedras. Es un castigo antiguo que todavía se practica en algún país. INGLÉS to stone.

lápiz
nombre masculino
1 Instrumento que se utiliza para escribir o dibujar, formado por una barra fina de grafito o de otro material encerrada en un cilindro delgado de madera, o dentro de un tubo hueco de plástico o de metal. INGLÉS pencil.
NOTA El plural es: lápices.

lapo
nombre masculino
1 Saliva que se expulsa con fuerza por la boca. SINÓNIMO escupitajo. INGLÉS gob of spit.

largar
verbo
1 Dar a alguien una cosa negativa o desagradable, como una torta o una paliza. INGLÉS to give.
2 Hablar de manera poco adecuada o poco oportuna: *Nos largó un rollo insoportable.* INGLÉS to give.
3 Hablar demasiado sobre cualquier cosa, en especial sobre temas poco importantes. INGLÉS to go on.
4 largarse Irse de un lugar: *Ya no aguanto más, me largo.* INGLÉS to go, to leave.
NOTA Es una palabra informal. Se escribe 'gu' delante de 'e', como: larguemos.

largo, larga
adjetivo
1 Que tiene mucha longitud o más longitud de lo normal. ANTÓNIMO corto. INGLÉS long.
2 Que dura mucho tiempo. ANTÓNIMO breve. INGLÉS long.
3 Que pasa de una cantidad exacta: *Me pasé dos horas largas haciendo cola.* INGLÉS good.
nombre masculino
4 Distancia más grande de la que tiene una superficie plana. INGLÉS length.
interjección
5 ¡largo! Se usa para echar a alguien de un lugar de un modo enérgico: *¡Largo!, ya estoy harta.* INGLÉS get out!
a la larga Después de haber pasado un tiempo: *A la larga pienso construirme una casa.* INGLÉS in the long run.
a lo largo de Durante el tiempo que se indica o en algún momento del período que se indica: *A lo largo de su vida ha hecho de todo.* INGLÉS throughout.
dar largas Retrasar un hecho o acontecimiento sin decir exactamente por qué. INGLÉS to put off.
para largo Indica que algo va a durar aún mucho tiempo o que falta mucho para que se haga o se acabe: *Este proyecto va para largo, no sé cuándo se acabará.* INGLÉS for a long time.

largometraje
nombre masculino
1 Película cinematográfica de duración superior a una hora. INGLÉS feature film.

larguero
nombre masculino
1 Palo superior de la portería de fútbol y de otros deportes. INGLÉS crossbar.

larguirucho, larguirucha
adjetivo
1 Se dice de la persona que es muy alta y delgada. INGLÉS lanky.
NOTA Es una palabra familiar.

laringe
nombre femenino
1 Órgano del aparato respiratorio en forma de tubo, situado entre la faringe y la tráquea. En la laringe se encuentran las cuerdas vocales que al vibrar producen la voz. INGLÉS larynx.

laringitis
nombre femenino
1 Inflamación de la laringe que provoca afonía. INGLÉS laryngitis.
NOTA El plural es: laringitis.

larva
nombre femenino
1 Insecto que acaba de salir del huevo pero aún se está desarrollando y tiene un aspecto diferente al que tendrá de adulto. INGLÉS larva.

lasaña
nombre femenino
1 Plato que consiste en una serie de láminas de pasta entre las que se ponen diversos alimentos picados, especialmente carne. Se cocina al horno y normalmente va cubierta de besamel y queso rallado. INGLÉS lasagna, lasagne.

lascivo, lasciva
adjetivo y nombre
1 Se dice de la persona que tiene o muestra un deseo sexual muy fuerte. También se dice de la cosa que expresa este deseo sexual, como un dibujo lascivo. INGLÉS lascivious.

láser
nombre masculino
1 Rayo muy fino pero de luz intensa y de gran energía. El rayo láser se uti-

a b c d e f g h i j k l m n ñ o p q r s t u v w x y z

liza en la industria, y en medicina para hacer algunas operaciones delicadas. INGLÉS laser.
2 Aparato que produce este tipo de rayos. INGLÉS laser.
NOTA El plural es: láseres.

lástima
nombre femenino
1 Sentimiento de pena o tristeza que se tiene hacia una persona que sufre o una cosa que está mal. SINÓNIMO compasión. INGLÉS pity.
2 Aquello que produce ese sentimiento de pena o tristeza. Es una lástima que haya guerras en el mundo. INGLÉS pity.

lastimar
verbo
1 Hacer daño físico o moral a una persona. Se puede lastimar a una persona dándole un golpe o haciéndole una crítica injusta. INGLÉS to injure.

lastimoso, lastimosa
adjetivo
1 Se dice de las cosas o los hechos que producen pena o lástima porque no están bien hechos o porque ofrecen un mal aspecto: *Después de la tormenta, el jardín quedó en un estado lastimoso.* SINÓNIMO lamentable. INGLÉS pitiful.

lata
nombre femenino
1 Recipiente que está hecho con una lámina fina de metal. Muchos alimentos en conserva, como las aceitunas, se venden en latas. INGLÉS tin, can.
2 Lámina de hierro lisa y delgada, cubierta por una capa de estaño, que se utiliza para hacer recipientes y envases. SINÓNIMO hojalata. INGLÉS tin plate.
3 Actividad o cosa que aburre o que cansa mucho. SINÓNIMO rollo. INGLÉS bore, drag.
dar la lata Molestar a una persona: *Deja de darme la lata.* INGLÉS to pester.

latente
adjetivo
1 Que existe y está oculto, sin manifestarse o exteriorizarse. Una persona que tiene una enfermedad latente no sabe que está enferma porque los síntomas aún no se han manifestado. INGLÉS latent.

lateral
adjetivo y nombre masculino
1 Que está a un lado, no en el centro, como una entrada lateral. INGLÉS side.

latido
nombre masculino
1 Cada uno de los movimientos rítmicos del corazón al entrar o salir la sangre, así como los golpes que producen en el pecho estos movimientos. INGLÉS beat.

latifundio
nombre masculino
1 Terreno muy grande que es propiedad de una sola persona. INGLÉS large estate.

latigazo
nombre masculino
1 Golpe que se da con un látigo. INGLÉS lash.
2 Herida que produce un golpe dado con el látigo. INGLÉS lash.

látigo
nombre masculino
1 Instrumento que está formado por una cuerda o una correa larga y flexible y un mango por el que se sujeta. INGLÉS whip.

latín
nombre masculino
1 Lengua que se hablaba en el Imperio romano. Del latín proceden varias lenguas modernas, entre ellas el catalán, el español y el gallego. INGLÉS Latin.

latino, latina
adjetivo y nombre
1 Que está relacionado con Italia, España, Portugal o Latinoamérica. INGLÉS Latino.

latinoamericano, latinoamericana
adjetivo y nombre
1 Se dice de la persona o cosa que es de Latinoamérica, conjunto de países americanos que fueron colonizados por España o Portugal. SINÓNIMO iberoamericano. INGLÉS Latin American.

latir
verbo
1 Moverse el corazón de un modo rítmico al entrar o salir la sangre. SINÓNIMO palpitar. INGLÉS to beat.

latitud
nombre femenino
1 Distancia que hay desde un punto cualquiera de la superficie de la Tierra hasta el ecuador. INGLÉS latitude.
2 Lugar o zona. También es la extensión de un terreno. INGLÉS region.

latón
nombre masculino
1 Metal de color amarillo que está hecho con una mezcla de cobre y cinc. Se utiliza para fabricar objetos y utensilios diversos, como los cerrojos de las puertas. INGLÉS brass.

latoso, latosa
adjetivo y nombre
1 Se dice de la persona que da la lata a los demás fastidiando o molestando con cosas inoportunas o pesadas.

También son latosas algunas cosas que fastidian o molestan mucho. INGLÉS annoying [adjetivo], pain [nombre].

laúd
nombre masculino
1 Instrumento musical antiguo de cuerda formado por una caja de resonancia de forma ovalada y abombada por detrás y un mástil donde se fijan las cuerdas. INGLÉS lute.

laurel
nombre masculino
1 Árbol de tronco liso y hojas perennes, duras, ovaladas, de color verde oscuro y olor agradable, usadas como condimento en las comidas. INGLÉS bay.
dormirse en los laureles Dejar de esforzarse en un asunto por tener demasiada confianza en llevarlo adelante. INGLÉS to rest on one's laurels.

lava
nombre femenino
1 Materia espesa y muy caliente que sale del interior de un volcán cuando entra en erupción. Cuando se enfría se convierte en roca. INGLÉS lava.

lavable
adjetivo
1 Que se puede lavar sin que se estropee. INGLÉS washable.

lavabo
nombre masculino
1 Recipiente conectado a un desagüe que tiene uno o dos grifos y se usa para lavarse la cara, las manos o los dientes. INGLÉS washbasin.
2 Habitación de una casa, de un bar u otro lugar donde se encuentra este recipiente y el retrete. SINÓNIMO aseo; baño; servicio. INGLÉS bathroom.

lavadero
nombre masculino
1 Lugar o habitación donde se lava, en especial la ropa. INGLÉS laundry room [habitación], washing place [al aire libre].

lavado
nombre masculino
1 Operación de limpieza de una cosa que suele hacerse con agua y jabón. INGLÉS wash.

lavadora
nombre femenino
1 Máquina para lavar ropa. La lavadora tiene una puerta que se cierra herméticamente por donde se mete la ropa y normalmente un cajón donde se echa el detergente, la lejía y el suavizante para el lavado. INGLÉS washing machine.

lavafrutas
nombre masculino
1 Recipiente ancho y redondo que se llena de agua y se pone en la mesa para lavar frutas de pequeño tamaño, como las uvas o las cerezas. INGLÉS bowl of water.
NOTA El plural es: lavafrutas.

lavanda
nombre femenino
1 Arbusto con muchas ramas y hojas estrechas que es muy aromático. Con las hojas de la lavanda se hacen muchos perfumes y colonias. INGLÉS lavender.

lavandería
nombre femenino
1 Establecimiento con muchas lavadoras donde la gente lleva la ropa a lavar. INGLÉS launderette.

lavandero, lavandera
nombre
1 Persona que se dedica a lavar ropa para otras personas. INGLÉS laundryman [hombre], laundress [mujer].

lavaplatos
nombre masculino
1 Lavavajillas, electrodoméstico que sirve para fregar utensilios de cocina. INGLÉS dishwasher.
nombre masculino y femenino
2 Persona que se dedica a lavar platos en un restaurante. INGLÉS dishwasher.
NOTA El plural es: lavaplatos.

lavar
verbo
1 Limpiar con agua, con agua y jabón o con algún otro producto. Lavamos la fruta con agua, nos lavamos la cara con agua y jabón, y una herida con alcohol. INGLÉS to wash.

lavavajillas
nombre masculino
1 Electrodoméstico que sirve para fregar los platos, los vasos, los cubiertos y otros utensilios de cocina. SINÓNIMO lavaplatos. INGLÉS dishwasher.
2 Jabón especial para lavar los platos, los vasos, los cubiertos y otros utensilios de cocina. INGLÉS washing-up liquid [en el Reino Unido], dish soap [en Estados Unidos].
NOTA El plural es: lavavajillas.

laxante
adjetivo y nombre masculino
1 Se dice de la sustancia o el alimento que ayuda a expulsar los excrementos a las personas que tienen problemas de retención. INGLÉS laxative.

lazada
nombre femenino
1 Lazo que se puede soltar fácilmente tirando de una de sus puntas. INGLÉS knot, bow.

a b c d e f g h i j k l m n ñ o p q r s t u v w x y z

lazarillo
nombre masculino
1 Persona o animal que acompaña y guía a una persona ciega. INGLÉS guide [persona], guide dog [perro].

lazo
nombre masculino
1 Nudo que se hace con una cinta o un cordón que sirve como adorno o para sujetar algo. INGLÉS bow.
2 Cuerda con un nudo corredizo en uno de sus extremos que sirve para atrapar o sujetar a ciertos animales, como un conejo o un toro. INGLÉS lasso, snare.
3 Unión o relación entre personas: *Les unen fuertes lazos de amistad.* INGLÉS tie, bond.

le
pronombre
1 'Le' y 'les' son pronombres de complemento indirecto. Los pronombres de complemento indirecto sustituyen a nombres, normalmente de persona, que ya han sido nombrados y que hacen función de complemento indirecto: *Ya le hemos entregado los ejercicios al profesor.* INGLÉS to him [a él], to her [a ella], to you [a usted], to it [a una cosa].
NOTA No tiene variación de género.

leal
adjetivo
1 Se dice de la persona que nunca engaña ni traiciona a los demás. SINÓNIMO fiel. INGLÉS loyal, faithful.
2 Se dice del animal doméstico que siempre obedece y sigue a su amo. INGLÉS faithful.

lealtad
nombre femenino
1 Forma de comportarse de las personas o los animales que son leales. SINÓNIMO fidelidad. INGLÉS loyalty.

lección
nombre femenino
1 Cada una de las partes en que se divide un libro de texto y que forma una unidad independiente. INGLÉS lesson.
2 Conjunto de conocimientos que se enseñan y aprenden, como las lecciones de interpretación. INGLÉS lesson.
3 Experiencia de la que se obtiene alguna enseñanza. SINÓNIMO ejemplo. INGLÉS lesson.
NOTA El plural es: lecciones.

lechal
adjetivo y nombre masculino
1 Se dice del animal de poca edad que todavía mama. Se dice sobre todo de los corderos. INGLÉS sucking [adjetivo], sucking lamb [nombre].

leche
nombre femenino
1 Líquido blanco que producen las mamas de las hembras de los mamíferos y que sirve de alimento a sus crías. INGLÉS milk.
2 Cualquier sustancia parecida a este líquido, especialmente por el color, como la leche bronceadora o la leche limpiadora. INGLÉS lotion, cream.
3 Golpe fuerte que da o recibe una persona. Es un uso informal. INGLÉS bang, knock.
leche condensada Leche cocida y mezclada con azúcar que es más espesa que la leche líquida. INGLÉS condensed milk.
mala leche Mala idea o mal humor: *Siempre está de mala leche.* Es una expresión informal. INGLÉS bad mood [humor], nastiness [mala idea].

lechera
nombre femenino
1 Recipiente que sirve para guardar o transportar la leche. INGLÉS milk churn.
2 Recipiente que se utiliza para servir la leche. Un juego de café consta de tazas, platos, una cafetera, un azucarero y una lechera. INGLÉS milk jug.

lechería
nombre femenino
1 Tienda en la que se vende leche, nata, queso y otros productos derivados. Debido a la modernización de la producción y envasado de la leche, las lecherías han desaparecido casi por completo. INGLÉS dairy.

lechero, lechera
adjetivo
1 De la leche o que tiene relación con la leche. INGLÉS dairy.
2 Se dice de los animales hembra que se crían para aprovechar su leche, principalmente de las vacas. INGLÉS milk.
nombre
3 Persona que se dedica a vender o repartir leche fresca por las casas. INGLÉS milkman [hombre], milkwoman [mujer].

lecho
nombre masculino
1 Cama o cualquier superficie preparada para dormir o descansar. Es un uso formal. INGLÉS bed.
2 Lugar por el que va una corriente de agua o un río. INGLÉS river bed.

lechón, lechona
nombre
1 Cría del cerdo cuando todavía mama. SINÓNIMO gorrino. INGLÉS sucking pig.

2 Cerdo de cualquier edad. SINÓNIMO cochino. INGLÉS pig.
NOTA El plural de lechón es: lechones.

lechoso, lechosa
adjetivo
1 Que parece leche. La horchata es una bebida lechosa. INGLÉS milky.
2 Se dice de una planta o parte de una planta que tiene un jugo blanco parecido a la leche. Los higos son frutos lechosos. INGLÉS milky.

lechuga
nombre femenino
1 Planta de huerta, de hojas grandes y verdes unidas por su base, que se come en ensalada. INGLÉS lettuce.

lechuza
nombre femenino
1 Ave rapaz que tiene ojos muy grandes, pico pequeño y curvo, cara redonda y plumas blancas alrededor de los ojos que parecen una máscara. Caza de noche y se alimenta de ratones y animales pequeños. INGLÉS barn owl.

lector, lectora
adjetivo y nombre
1 Se dice de la persona que lee o es aficionada a la lectura. INGLÉS reader [adjetivo].
nombre
2 Profesor que enseña su idioma en una universidad extranjera: *Está en la Universidad de Oxford, como lector de español.* INGLÉS language assistant.
nombre masculino
3 Aparato que sirve para reproducir lo que está escrito o grabado en ciertos discos u otros soportes magnéticos: *Mi ordenador tiene lector de DVD.* INGLÉS drive.

lectura
nombre femenino
1 Actividad que consiste en leer. INGLÉS reading.
2 Texto u obra que se lee. INGLÉS reading matter.

leer
verbo
1 Comprender el significado de un texto o una frase a partir de la comprensión de los signos escritos en ellos. Leemos el periódico, libros, notas o carteles. INGLÉS to read.
2 Comprender el significado de cualquier tipo de signos. Para leer las partituras de música hay que estudiar solfeo. SINÓNIMO interpretar. INGLÉS to read.
3 Adivinar un significado o intención de una persona por los signos externos que demuestra: *En la cara de Óscar se lee la alegría.* INGLÉS to see.

legal
adjetivo
1 Se dice de las cosas que están o se realizan de acuerdo con lo que dice la ley. INGLÉS legal.
2 Se dice de las cosas que están relacionadas con la ley o con la justicia. Una disposición legal es una orden que da el gobierno respaldándose en una ley. INGLÉS legal.
3 Se dice de la persona que nunca engaña, siempre cumple lo que dice y se comporta con corrección. Es un uso informal. INGLÉS above-board.

legalizar
verbo
1 Hacer que una cosa que estaba en contra de la ley pase a ser legal. INGLÉS to legalize.
2 Decir que un documento o una firma son auténticos la persona que tiene autoridad para ello. INGLÉS to authenticate.

leer

INDICATIVO	SUBJUNTIVO
presente leo lees lee leemos leéis leen	**presente** lea leas lea leamos leáis lean
pretérito imperfecto leía leías leía leíamos leíais leían	**pretérito imperfecto** leyera o leyese leyeras o leyeses leyera o leyese leyéramos o leyésemos leyerais o leyeseis leyeran o leyesen
pretérito perfecto simple leí leíste leyó leímos leísteis leyeron	**futuro** leyere leyeres leyere leyéremos leyereis leyeren
futuro leeré leerás leerá leeremos leeréis leerán	**IMPERATIVO** lee (tú) lea (usted) leamos (nosotros) leed (vosotros) lean (ustedes)
condicional leería leerías leería leeríamos leeríais leerían	**FORMAS NO PERSONALES** **infinitivo** leer **gerundio** leyendo **participio** leído

a b c d e f g h i j k l m n ñ o p q r s t u v w x y z

NOTA Se escribe 'c' delante de 'e', como: legalicen.

legaña
nombre femenino
1 Sustancia viscosa, blanca o amarilla, que sale de los ojos. INGLÉS sleep.

legendario, legendaria
adjetivo
1 Se dice de las cosas que están relacionadas con las leyendas: *Es un personaje legendario, no se sabe si existió.* INGLÉS legendary.
2 Se dice de la persona, cosa o suceso que es muy famoso. INGLÉS legendary.

legible
adjetivo
1 Que se puede leer por estar escrito con suficiente claridad. ANTÓNIMO ilegible. INGLÉS legible.

legión
nombre femenino
1 Unidad militar compuesta por soldados profesionales que han sido entrenados para llevar a cabo misiones muy difíciles. INGLÉS legion.
2 Cantidad grande de personas o animales: *Había una legión de fans esperando la llegada del cantante.* INGLÉS crowd.
3 Cuerpo o unidad militar más importante del ejército de la antigua Roma. INGLÉS legion.
NOTA El plural es: legiones.

legionario, legionaria
adjetivo
1 De la legión o que tiene relación con ella. INGLÉS legionary.
nombre masculino
2 Soldado de la legión. Los legionarios son soldados profesionales. INGLÉS legionnaire.

legislación
nombre femenino
1 Conjunto de las leyes de un país. También conjunto de leyes sobre una materia concreta. INGLÉS legislation.

legislar
verbo
1 Redactar o establecer leyes para gobernar un país. Es necesario legislar los derechos y las libertades de las personas para que todos los respeten. INGLÉS to legislate.

legislatura
nombre femenino
1 Período de tiempo durante el cual desarrolla su actividad el órgano del gobierno encargado de aprobar y modificar las leyes. INGLÉS term of office.

legítimo, legítima
adjetivo
1 Se dice de las cosas que están establecidas por la ley o hechas de acuerdo con ella. La legítima defensa ante un ataque está permitida por la ley. SINÓNIMO legal. INGLÉS legitimate.
2 Se dice de lo que es justo o razonable: *Están en su legítimo derecho de pedir una vivienda digna.* INGLÉS legitimate.
3 Se dice de lo que es cierto, verdadero o auténtico. INGLÉS real, authentic.

legua
nombre femenino
1 Medida de longitud que equivale a 5 572,7 metros. INGLÉS league.
a la legua De forma clara y evidente. INGLÉS a mile off.

legumbre
nombre femenino
1 Fruto o semilla que crece formando con otros una hilera en el interior de una cáscara alargada. Los guisantes, los garbanzos y las habas son legumbres. INGLÉS legume, pulse.
2 Planta que se cultiva en el huerto. SINÓNIMO hortaliza. INGLÉS vegetable.

leísmo
nombre masculino
1 Uso de los pronombres 'le' o 'les' con función de objeto directo, en lugar de 'lo', 'la', 'los' o 'las'. 'Le vi muy cambiado' es un caso de leísmo.

lejanía
nombre femenino
1 Estado o situación de la persona o la cosa que está lejana. ANTÓNIMO cercanía. INGLÉS distance.
2 Lugar o lugares que se ven a gran distancia. INGLÉS distance.

lejano, lejana
adjetivo
1 Que está lejos o a gran distancia en el espacio. La India es un país lejano. ANTÓNIMO próximo. INGLÉS distant, faraway.
2 Que ocurrió hace tiempo. INGLÉS faroff.
3 Se dice de la persona o cosa que está unida a otra por una ligera relación. Un tío abuelo es un pariente lejano. ANTÓNIMO cercano. INGLÉS distant.

lejía
nombre femenino
1 Líquido compuesto por agua y productos químicos que se utiliza para desinfectar los lugares y para poner la ropa blanca. INGLÉS bleach.

lejos
adverbio
1 Indica que algo o alguien está a gran distancia en el espacio. INGLÉS far away.

2 Indica que algo ocurrió o se hacía hace mucho tiempo. INGLÉS long ago.

lema
nombre masculino
1 Frase que expresa una norma de conducta o un objetivo de una persona o un grupo de personas. Suelen ser frases cortas y fáciles de recordar: *Su lema es 'haz el bien y no mires a quién'.* INGLÉS motto, slogan.
2 Cada una de las palabras que se definen en un diccionario. SINÓNIMO entrada. INGLÉS headword.

lengua
nombre femenino
1 Órgano blando, musculoso y móvil que hay dentro de la boca. Con la lengua notamos el sabor de los alimentos y también nos ayuda a pronunciar los sonidos y las palabras. INGLÉS tongue.
2 Cualquier cosa que tiene una forma estrecha y alargada, parecida a la de la lengua de un ser humano, como los trozos de tierra alargados que entran en el mar. INGLÉS tongue.
3 Sistema de signos lingüísticos que utilizan las personas para comunicarse. Las lenguas se diferencian entre sí porque tienen gramáticas, palabras y pronunciaciones muy diferentes. SINÓNIMO idioma. INGLÉS language.
irse de la lengua Contar alguien una cosa que no se puede o no se debe decir. INGLÉS to let the cat out of the bag.
lengua materna Lengua que las personas aprenden en casa y hablan desde pequeños. INGLÉS mother tongue.
morderse la lengua Contenerse una persona y no decir algo que le gustaría decir: *Me mordí la lengua para no discutir con él.* INGLÉS to bite one's tongue.
tirar de la lengua Intentar que una persona cuente algo que no debería contar: *Me tira de la lengua para que le cuente historias de mis amigos.* INGLÉS to pump (somebody) for information.

lenguado
nombre masculino
1 Pez marino comestible con el cuerpo plano, que vive en el fondo del mar. Es de color blanquecino por el lado por el que se posa en el fondo y de color oscuro por encima. Su carne es muy apreciada. INGLÉS sole.

lenguaje
nombre masculino
1 Capacidad de las personas de comunicarse y expresar sus pensamientos mediante la combinación de palabras. INGLÉS language, speech.
2 Sistema de signos que sirve para comunicarse. Algunos animales, como las ballenas o las abejas, tienen su propio lenguaje. INGLÉS language.
3 Manera de hablar o de escribir propia de una persona o un grupo de personas. INGLÉS language.

lengüeta
nombre femenino
1 Tira que tiene el calzado de cordones que cubre el empeine del pie y queda debajo de los cordones. INGLÉS tongue.
2 Pieza plana que al entrar en una ranura une dos piezas. Algunas cajas de cereales y de galletas tienen una lengüeta en la tapa. INGLÉS tongue.
3 Pieza de metal pequeña y delgada que tienen algunos instrumentos de viento y que, al soplar, vibra y produce sonidos, como ocurre con la armónica o el clarinete. INGLÉS reed.

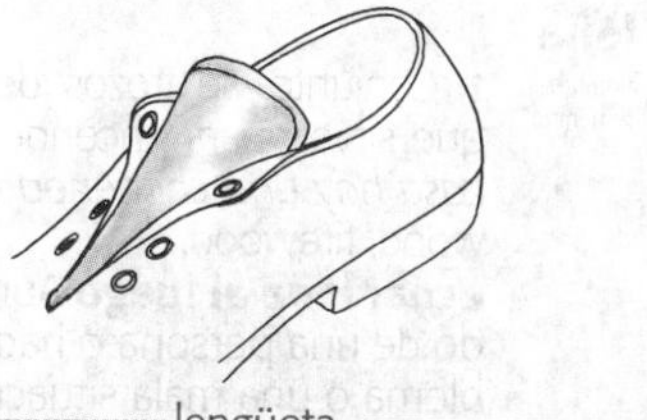
lengüeta

lengüetazo
nombre masculino
1 Movimiento hecho con la lengua para lamer o para atrapar algo con ella. Las ranas atrapan insectos con un lengüetazo de su larga lengua. INGLÉS lick.

lente
nombre
1 Cristal transparente que tiene una o las dos caras curvas y que sirve para ver mejor algo. Las lentes se utilizan para hacer lupas, gafas o microscopios. INGLÉS lens.
lente de contacto Lentilla. INGLÉS contact lens.
NOTA Puede usarse como nombre masculino o femenino: el lente o la lente.

lenteja
nombre femenino
1 Semilla de pequeño tamaño redondeada y de color marrón que se come hervida. También es la planta que produce estas semillas. INGLÉS lentil.

lentejuela
nombre femenino
1 Pieza redonda y pequeña parecida a una lenteja, y de un material brillante que se cose a la ropa pasando el hilo por un agujero que tiene en el medio. INGLÉS sequin.

lentilla
nombre femenino
1 Objeto de cristal u otro material pequeño y redondo que se pone pegado al ojo para corregir un defecto de la visión. Para dormir suelen quitarse y guardarse en una cajita con un líquido especial. SINÓNIMO lente de contacto. INGLÉS contact lens.

lentitud
nombre femenino
1 Característica de las cosas o las personas que son lentas. INGLÉS slowness.

lento, lenta
adjetivo
1 Se dice de las cosas que van o suceden muy despacio También son lentas las personas que utilizan mucho tiempo en hacer algo. ANTÓNIMO rápido. INGLÉS slow.

leña
nombre femenino
1 Conjunto de trozos de madera seca que sirven para encender un fuego: *En casa hay una chimenea de leña.* INGLÉS wood, firewood.
echar leña al fuego Aumentar el enfado de una persona o hacer que un problema o una mala situación empeoren. INGLÉS to add fuel to the fire.

leñador, leñadora
nombre
1 Persona que se dedica a cortar y recoger la leña del bosque. INGLÉS woodcutter.

leño
nombre masculino
1 Trozo de árbol cortado y sin ramas. Se usan para avivar el fuego de la chimenea. INGLÉS log.
2 Persona torpe o poco inteligente: *¡Qué leño eres!, por donde vas lo tiras todo.* INGLÉS blockhead.

leo
nombre masculino
1 Quinto signo del zodiaco. Con este significado se escribe con mayúscula. INGLÉS Leo.
nombre masculino y femenino
2 Persona nacida bajo el signo de Leo, entre el 23 de julio y el 23 de agosto. Con este significado, el plural es: los leo, las leo. INGLÉS Leo.

león, leona
1 Animal mamífero de gran tamaño, de la familia de los gatos, con el cuerpo de color marrón claro y una larga cola que tiene al final un mechón de pelo como si fuera un pincel. El macho tiene una cabellera muy espesa que le rodea la cara. INGLÉS lion [macho], lioness [hembra].
nombre y adjetivo
2 Se dice de la persona que es muy valiente o tiene mucho genio. INGLÉS lion.
león marino Mamífero marino parecido a una foca pero con la cabeza más pequeña. Vive en grupos y se alimenta de peces. INGLÉS sea lion.

leonera
nombre femenino
1 Lugar donde se encierran leones. Los circos tienen leoneras. INGLÉS lion's cage.
2 Casa o habitación que están muy desordenadas. Es un uso informal. INGLÉS tip.

leonés, leonesa
nombre y adjetivo
1 Se dice de la persona o cosa que es de León, ciudad y provincia de Castilla y León.
NOTA El plural de leonés es: leoneses.

leopardo
nombre masculino
1 Mamífero carnívoro parecido al gato, pero mucho mayor, de color amarillo con manchas oscuras. Es muy rápido y ágil y se sube a los árboles con mucha facilidad. INGLÉS leopard.

leotardo
nombre masculino
1 Prenda de vestir de lana que se ajusta a las piernas y cubre desde los pies hasta la cintura. INGLÉS tights.
NOTA También se usa el plural para indicar solo una unidad.

lepra
nombre femenino
1 Enfermedad infecciosa grave que afecta a la piel y los nervios y cubre el cuerpo de manchas, escamas y heridas que no se cierran. INGLÉS leprosy.

leproso, leprosa
nombre y adjetivo
1 Que padece la enfermedad de la lepra. INGLÉS leprous [adjetivo], leper [nombre].

leridano, leridana
nombre y adjetivo
1 Se dice de la persona o cosa que es de Lérida, ciudad y provincia de Cataluña. SINÓNIMO ilerdense.

lesbiana
nombre femenino
1 Mujer que se siente atraída sexualmente por mujeres. INGLÉS lesbian.

a b c d e f g h i j k l m n ñ o p q r s t u v w x y z

lesión
nombre femenino **1** Daño en alguna parte del cuerpo causado por una herida, un golpe o una enfermedad. INGLÉS injury.
NOTA El plural es: lesiones.

lesionar
verbo **1** Producir una lesión o daño en alguna parte del cuerpo. SINÓNIMO herir. INGLÉS to injure.

letal
adjetivo **1** Que causa o puede causar la muerte. SINÓNIMO mortal; mortífero. INGLÉS lethal, deadly.

letanía
nombre femenino **1** Oración en la que una o más personas dirigen ruegos y peticiones a Dios, la virgen o los santos, que son repetidos o contestados por otras personas. INGLÉS litany.

letargo
nombre masculino **1** Período de tiempo en el que un animal está en reposo o dormido. INGLÉS lethargy.

letón, letona
adjetivo y nombre **1** Se dice de la persona o cosa que es de Letonia, estado del nordeste de Europa. INGLÉS Latvian.
nombre masculino **2** Lengua que se habla en Letonia. INGLÉS Latvian.
NOTA El plural de letón es: letones.

letra
nombre femenino **1** Signo escrito con el que se representa un sonido. 'A' y 'b' son las dos primeras letras del alfabeto español. INGLÉS letter.
2 Manera de escribir de una persona. En los exámenes hay que hacer buena letra. INGLÉS handwriting.
3 Palabras que se dicen en una canción: *No me sé la letra de este villancico.* INGLÉS lyrics, words.
nombre femenino plural **4 letras** Conjunto de estudios relacionados con el ser humano, su lengua, su pensamiento o su historia. La filología o la filosofía son carreras de letras. SINÓNIMO humanidades. INGLÉS arts.

letrero
nombre masculino **1** Mensaje que se coloca en un lugar público y visible para indicar algo. INGLÉS sign, notice.

letrina
nombre femenino **1** Lugar destinado a evacuar los excrementos en un cuartel militar o en un campamento. INGLÉS latrine.

leucemia
nombre femenino **1** Enfermedad de la sangre provocada por un exceso de glóbulos blancos. Las personas que tienen leucemia sufren hemorragias, anemia y cansancio. INGLÉS leukaemia.

levadizo, levadiza
adjetivo **1** Se dice de las cosas que se pueden levantar con algún tipo de mecanismo. Algunos puentes sobre el mar son levadizos para que puedan pasar los barcos. INGLÉS which can be raised.

levadura
nombre femenino **1** Sustancia que se emplea en cocina y repostería para hacer que se levante y esponje la masa. INGLÉS yeast.

levantar
verbo **1** Mover una cosa de abajo hacia arriba o ponerla más arriba. INGLÉS to raise, to lift.
2 Poner de pie una cosa que se ha caído. INGLÉS to stand up, to raise.
3 Construir algo, como un edificio. INGLÉS to erect, to build.
4 Hacer que se separe una cosa de donde estaba unida o pegada. Se levanta el césped de un jardín o el parqué de una casa. INGLÉS to take up.
5 Aumentar la intensidad o la fuerza de algo. Levantamos la voz para que nos oigan mejor o para reñir a alguien. INGLÉS to raise.
6 Hacer que desaparezca un castigo o una prohibición. INGLÉS to lift.
7 levantarse Salir de la cama. INGLÉS to get up.
8 levantarse Ponerse de pie una persona. Cuando terminamos de comer nos levantamos de la mesa. INGLÉS to get up, to stand up.

levante
nombre masculino **1** Punto del horizonte por donde sale el Sol. SINÓNIMO este; oriente. INGLÉS east.
2 Viento húmedo y cálido que viene de ese punto. INGLÉS east wind.
3 Zona del este de España que comprende las provincias de Castellón, Valencia, Alicante y Murcia. Con este significado se escribe con mayúscula.

levantino, levantina
nombre y adjetivo **1** Se dice de la persona o cosa que es de la zona del Levante.

a b c d e f g h i j k l m n ñ o p q r s t u v w x y z

leve
adjetivo
1 Que tiene poca importancia, que no es grave. INGLÉS slight.
2 Que es suave o poco fuerte, como un leve temblor. INGLÉS slight, light.

levitar
verbo
1 Elevarse y mantenerse en el aire una persona o una cosa sin que intervenga ninguna fuerza física conocida. INGLÉS to levitate.

lexema
nombre masculino
1 Parte de una palabra que contiene su significado general. En la palabra 'cochecito', 'coche' es el lexema. INGLÉS lexeme.

léxico, léxica
adjetivo
1 De las palabras o que tiene relación con ellas. INGLÉS lexical.
nombre masculino
2 Conjunto de las palabras de una lengua o que conoce una persona. INGLÉS vocabulary.

ley
nombre femenino
1 Regla o conjunto de reglas que establece el gobierno de una nación para regular la conducta de las personas, ordenando, prohibiendo o indicando cómo se tienen que hacer las cosas. INGLÉS law.
2 Cada una de las reglas que cumplen siempre ciertos fenómenos de la naturaleza que están relacionados entre sí. Los planetas se atraen entre sí según la ley de la gravedad. INGLÉS law.
3 Doctrina que sigue una religión determinada, como la ley de los judíos. INGLÉS law.
de ley Indica que un objeto de oro o plata tiene la cantidad concreta de oro o plata que según la ley tiene que tener para ser auténtico. INGLÉS pure.

leyenda
nombre femenino
1 Narración antigua y tradicional sobre sucesos fabulosos o historias reales que parecen fantásticas. INGLÉS legend.
2 Persona que es muy famosa y admirada por mucha gente porque ha hecho cosas extraordinarias. INGLÉS legend.
3 Texto que aparece escrito en las monedas, anillos, escudos, mapas, dibujos y otras cosas similares. INGLÉS legend, inscription.

liana
nombre femenino
1 Planta de tallos largos y delgados que crece enredándose en los árboles de la selva. INGLÉS liana.

liante, lianta
adjetivo y nombre
1 Se dice de la persona que hace que otra participe en un asunto, especialmente si es peligroso o perjudicial: *Es una lianta que te puede convencer con sus mentiras.* INGLÉS stirrer [nombre].
NOTA Es una palabra informal.

liar
verbo
1 Atar o sujetar una cosa, como un paquete, con cuerdas o algo parecido. INGLÉS to tie up.
2 Enrollar una cosa, en especial el tabaco para hacer un cigarro. INGLÉS to roll.
3 Hacer que una situación o un asunto sean más complicados de lo que ya son. INGLÉS to confuse.
4 Hacer que una persona se quede sin entender algo o sin saber qué hacer o qué decir: *Me habéis liado con tantos consejos.* INGLÉS to confuse.
5 liarse Confundirse o equivocarse al hacer algo. INGLÉS to get confused.
6 liarse Hacer algo durante mucho tiempo y con mucha concentración: *Se lió a arreglar la puerta y perdió la noción del tiempo.* INGLÉS to get caught up.
7 liarse Empezar a tener una relación amorosa con alguien. Es un uso informal. INGLÉS to have an affair.
NOTA Se conjuga como: desviar; la 'i' se acentúa en algunos tiempos y personas, como: líen.

libélula
nombre femenino
1 Insecto de cuerpo alargado, de color brillante y metálico, con dos pares de alas transparentes y largas y dos ojos muy grandes. Vive cerca de lugares con agua, como ríos o estanques. INGLÉS dragonfly.

liberalismo
nombre masculino
1 Sistema político, social y económico que defiende la libertad del individuo en todos los aspectos sociales y religiosos, y en el que el Estado no interviene en el control de la economía. INGLÉS liberalism.

liberar
verbo
1 Hacer que una persona o un lugar recuperen la libertad. SINÓNIMO libertar. INGLÉS to free, to liberate.
2 Quitar una obligación, una preocupación o un compromiso molesto a una

persona: *Se ha liberado de su miedo.* INGLÉS to free [liberar], to get rid of [liberarse].

3 Desprender, soltar o dejar escapar una cosa algo de su interior. Los automóviles liberan partículas nocivas a la atmósfera. INGLÉS to give out, to give off.

libertad

nombre femenino **1** Facultad que tienen las personas de decidir sus acciones o pensamientos sin que nada ni nadie se lo impida. INGLÉS freedom, liberty.

2 Situación o estado de la persona que no está en la cárcel o de la persona o animal que no están retenidos o sometidos a la voluntad de otra persona. Los animales salvajes viven en libertad. INGLÉS freedom.

3 Permiso que una persona concede a otra o se concede a sí misma para decidir su manera de actuar respecto a algo: *Me he tomado la libertad de usar tu lápiz.* INGLÉS liberty.

4 Confianza que tiene una persona al tratar con otra o falta de timidez con que se comporta en determinadas situaciones. Con un amigo se suele hablar con total libertad. INGLÉS confidence.

libertar

verbo **1** Hacer que una persona o un lugar recuperen la libertad. INGLÉS to liberate, to release.

libertino, libertina

adjetivo y nombre **1** Se dice de la persona que habla o actúa con libertad excesiva, sin tener respeto por otras personas. INGLÉS dissolute [adjetivo].

2 Se dice de la persona que abusa de los placeres sexuales sin moderarse. INGLÉS licentious [adjetivo], libertine [nombre].

libio, libia

adjetivo y nombre **1** Se dice de la persona o cosa que es de Libia, país del norte de África. INGLÉS Libyan.

libra

nombre femenino **1** Moneda del Reino Unido y otros países, como Egipto, Siria, Libia, Chipre e Israel. INGLÉS pound.

2 Medida de peso antigua que equivale a algo menos de medio kilo. INGLÉS pound.

nombre masculino **3** Séptimo signo del zodiaco. Con este significado se escribe con mayúscula. INGLÉS Libra.

nombre masculino y femenino **4** Persona nacida bajo el signo de Libra, entre el 22 de septiembre y el 23 de octubre. Con este significado, el plural es: los libra, las libra. INGLÉS Libran.

librar

verbo **1** Hacer que una persona no sufra un daño o perjuicio o que no tenga que cumplir una obligación molesta: *Me libré de ir a trabajar el sábado.* INGLÉS to save [librar], to get out of [librarse].

2 Mantener dos o más personas una lucha o algo parecido. INGLÉS to fight, to wage.

3 Tener un trabajador unas horas, un día o varios días libres por corresponderle: *El dependiente libra los martes.* INGLÉS to be off.

libre

adjetivo **1** Se dice de la persona que tiene la facultad de decidir sus acciones o pensamientos sin que nada ni nadie se lo impida. INGLÉS free.

2 Se dice de la persona que ha salido de la cárcel, así como de la persona o animal que no están retenidos. INGLÉS free.

3 Que no tiene impedimentos, obstáculos o prohibiciones. Decimos que la entrada a un sitio es libre cuando es gratuita. INGLÉS free.

4 Se dice de la cosa que podemos usar en un momento determinado porque nadie la utiliza en ese momento, como un asiento vacío. INGLÉS free.

librería

nombre femenino **1** Tienda donde se venden libros. INGLÉS bookshop [en el Reino Unido], bookstore [en Estados Unidos].

2 Mueble con estantes para colocar libros. SINÓNIMO biblioteca. INGLÉS bookcase.

librero, librera

nombre **1** Persona que se dedica a vender libros. INGLÉS bookseller.

libreta

nombre femenino **1** Cuaderno que se usa para escribir notas o cuentas. INGLÉS notebook.

libro

nombre masculino **1** Conjunto de hojas encuadernadas que contienen un texto ordenado para leer y a veces fotos y dibujos. Este diccionario es un libro. INGLÉS book.

libro de texto Libro que contiene la materia de una asignatura. INGLÉS textbook.

licencia

nombre femenino

1 Documento legal que da permiso a una persona para hacer una cosa determinada, como la licencia de conducir. SINÓNIMO permiso. INGLÉS licence, permit.

licenciar

verbo

1 Conceder a una persona una licencia o el título de una carrera universitaria de más de tres años. Cuando los soldados terminan de servir en el ejército se licencian. INGLÉS to award a degree to [un estudiante], to discharge [un soldado].

NOTA Se conjuga como: cambiar; la 'i' no lleva nunca acento de intensidad.

lícito, lícita

adjetivo

1 Se dice de aquello que está permitido o se realiza de acuerdo con la ley, la moral o con lo que se considera correcto. INGLÉS licit, lawful.

licor

nombre masculino

1 Bebida alcohólica dulce que se obtiene a partir de ciertas plantas, frutas u otras sustancias. INGLÉS liqueur.

licuadora

nombre femenino

1 Electrodoméstico pequeño que sirve para extraer el zumo de las frutas y verduras. INGLÉS juice extractor.

licuar

verbo

1 Convertir en líquido cualquier sustancia sólida. INGLÉS to liquefy.

2 Convertir en líquido una sustancia gaseosa, como el aire. INGLÉS to liquefy.

NOTA Se conjuga como: actuar; la 'u' se acentúa en algunos tiempos y personas, como: licúen.

líder

nombre masculino y femenino

1 Persona que dirige o está al frente de un grupo, un partido o una asociación. INGLÉS leader.

2 Deportista o equipo deportivo que en una competición ocupa el primer puesto de la clasificación. INGLÉS leader.

3 Persona o cosa que es la más destacada o la que domina en un terreno determinado. Un producto es líder de ventas cuando es el más vendido. INGLÉS leader.

liderar

verbo

1 Dirigir o estar al frente de un grupo, un partido o una asociación: *El capitán lideraba el equipo con autoridad.* INGLÉS to lead.

2 Ocupar el primer puesto en una clasificación, generalmente deportiva. INGLÉS to lead.

lidiar

verbo

1 Realizar un torero pases y movimientos con el toro para incitarlo a que ataque, defenderse de él y finalmente matarlo. SINÓNIMO torear. INGLÉS to fight.

2 Luchar o hacer todo lo posible para conseguir un objetivo. INGLÉS to struggle against.

NOTA Se conjuga como: cambiar; la 'i' no lleva nunca acento de intensidad.

liebre

nombre femenino

1 Animal mamífero parecido a un conejo pero más grande, con el pelo suave y espeso, las orejas largas, las patas traseras más largas que las delanteras y la cola corta. Corre a gran velocidad. INGLÉS hare.

2 Corredor que en las carreras de larga distancia corre rápido para animar el ritmo de los otros corredores y que luego abandona la carrera. INGLÉS pacemaker.

lienzo

nombre masculino

1 Tela que está preparada para pintar un cuadro sobre ella. INGLÉS canvas.

2 Cuadro pintado sobre un lienzo. INGLÉS painting.

liga

nombre femenino

1 Acuerdo o unión que se hace entre varias personas, partidos políticos o países con un objetivo determinado. SINÓNIMO alianza; coalición. INGLÉS alliance.

2 Competición deportiva en la que participan equipos de la misma categoría que se enfrentan sucesivamente todos entre sí. INGLÉS league.

3 Tira elástica que sirve para sujetar a las piernas las medias que llegan hasta la mitad del muslo. INGLÉS garter.

ligamento

nombre masculino

1 Conjunto de fibras que unen entre sí los huesos y las articulaciones. INGLÉS ligament.

ligar
verbo
1 Atar o sujetar algo con una cuerda, venda, hilo u otra cosa parecida. INGLÉS to tie, to bind.
2 Tener relación una cosa o persona con otra. A dos buenos amigos los liga una estrecha amistad. INGLÉS to bind.
3 Establecer o intentar establecer una relación amorosa con una persona. Es un uso informal. INGLÉS to pick up.
NOTA Se escribe 'gu' delante de 'e', como: liguemos.

ligero, ligera
adjetivo
1 Que pesa poco. El algodón es mucho más ligero que el hierro. ANTÓNIMO pesado. INGLÉS light.
2 Que es poco fuerte o se percibe poco: *Sufrió un ligero mareo.* INGLÉS slight.
3 Que es rápido o de movimientos vivos, como un andar ligero. INGLÉS fast, quick.
4 Se dice de las comidas o los alimentos que se pueden digerir fácilmente. INGLÉS light.
5 Se dice de las prendas de vestir que abrigan poco. INGLÉS light.
a la ligera De modo rápido y sin pensarlo. Cuando se habla a la ligera se pueden decir tonterías. INGLÉS lightly.

light
adjetivo
1 Se dice de los alimentos que tienen menos calorías o no tienen azúcar. INGLÉS low-calorie, diet.
NOTA No varía en plural. Se pronuncia: 'lait'.

lignito
nombre masculino
1 Carbón mineral que produce poco calor. INGLÉS lignite.

ligón, ligona
nombre y adjetivo
1 Se dice de la persona que liga mucho o tiene muchos ligues. Es una palabra informal. INGLÉS flirt [nombre].
NOTA El plural de ligón es: ligones.

ligue
nombre masculino
1 Relación amorosa superficial y pasajera. También es la persona con la que se establece este tipo de relación. INGLÉS pick-up, date.
NOTA Es una palabra informal.

lija
nombre femenino
1 Papel fuerte y resistente que tiene una de sus dos caras cubierta por granitos duros. Sirve para pulir objetos de madera o metal. INGLÉS sandpaper.

lijar
verbo
1 Poner lisa y suave una superficie frotándola con una lija. INGLÉS to sand.

lila
nombre femenino
1 Arbusto con flores en forma de racimo, de color morado claro o blanco y olor intenso y agradable. También se llama lila a la flor. INGLÉS lilac.
nombre masculino y adjetivo
2 Color morado claro como el de esta flor. INGLÉS lilac.

liliputiense
nombre y adjetivo
1 Se dice de la persona que es más pequeña de lo normal. SINÓNIMO enano. ANTÓNIMO gigante. INGLÉS Lilliputian.

lima
nombre femenino
1 Herramienta que se usa para alisar metales, madera y otros materiales duros. Consta de una barra de acero con la superficie áspera unida a un mango. INGLÉS file.
2 Utensilio pequeño y alargado que se usa para pulir y dar forma a las uñas. INGLÉS nail file.
3 Persona que come mucho. INGLÉS hearty eater.
4 Fruta de corteza amarilla o verde muy parecida al limón pero algo más pequeña y menos ácida. También se llama de esta manera el árbol que da esta fruta. INGLÉS lime.

limar
verbo
1 Hacer que una superficie o un borde quede liso frotándolo con una lima. Nos limamos las uñas para darles una forma redonda. INGLÉS to file.

limbo
nombre masculino
1 Parte ancha de las hojas de las plantas. INGLÉS limb.
2 Según la religión católica, lugar al que van las almas de los niños que han muerto sin haber sido bautizados. INGLÉS limbo.
estar en el limbo Estar una persona distraída o despistada. INGLÉS to be in a dreamworld.

limitación
nombre femenino
1 Acción de poner límites a una cosa. Las autoridades establecen limitaciones de velocidad para los vehículos. INGLÉS limit.
2 Cosa o circunstancia que limita o im-

pide el desarrollo de algo: *Escribe muy bien, pero tiene limitaciones para dibujar.* INGLÉS limitation.
NOTA El plural es: limitaciones.

limitar
verbo
1 Poner límites a la extensión, la cantidad o la fuerza de una cosa. INGLÉS to limit.
2 Estar un lugar al lado de otro con el que comparte un límite o una frontera. SINÓNIMO lindar. INGLÉS to border.
3 **limitarse** Dedicarse a hacer una cosa exclusivamente y no hacer nada más. INGLÉS to limit oneself.

límite
nombre masculino
1 Línea real o imaginaria que marca el final de una cosa y el principio de otra. INGLÉS limit.
2 Punto o grado máximo que se puede alcanzar en alguna acción o actividad y de la que no se puede pasar. Las carreteras tienen un límite de velocidad determinado. INGLÉS limit.

limón
nombre masculino
1 Fruta amarilla de forma ovalada, con cáscara gruesa y carne de sabor ácido de la que se saca zumo. INGLÉS lemon.
NOTA El plural es: limones.

limonada
nombre femenino
1 Bebida refrescante hecha con zumo de limón, agua y azúcar. INGLÉS lemonade.

limonar
nombre masculino
1 Terreno en el que se cultivan limoneros. INGLÉS lemon grove.

limonero
nombre masculino
1 Árbol frutal que produce los limones. Tiene el tronco liso con muchas ramas y hojas de color verde brillante, y flores blancas muy olorosas. INGLÉS lemon tree.

limosna
nombre femenino
1 Dinero, comida o ropa que se da por caridad a los necesitados. Los mendigos suelen pedir limosna. INGLÉS alms.

limpiabotas
nombre masculino y femenino
1 Persona que se dedica a limpiar y dar brillo a los zapatos de otras personas. INGLÉS bootblack.
NOTA El plural es: limpiabotas.

limpiacristales
nombre masculino y femenino
1 Persona que se dedica a limpiar cristales. En los rascacielos, los limpiacristales se mueven montados en una plataforma para limpiar las ventanas por fuera. INGLÉS window cleaner.
nombre masculino
2 Producto que sirve para limpiar cristales y espejos. INGLÉS window-cleaning fluid.
NOTA El plural es: limpiacristales.

limpiaparabrisas
nombre masculino
1 Mecanismo de los coches en los cristales delantero y trasero que consiste en una varilla con una tira de goma o plástico que, al ponerse en funcionamiento, aparta el agua de los cristales. INGLÉS windscreen wiper [en el Reino Unido], windshield wiper [en Estados Unidos].
NOTA El plural es: limpiaparabrisas.

limpiar
verbo
1 Quitar la suciedad del cuerpo, de un lugar o de una cosa con la ayuda de los productos y los instrumentos necesarios. ANTÓNIMO ensuciar. INGLÉS to clean.
2 Quitar lo que estorba o no sirve para una cosa, como cuando se quita la espina de un pescado. INGLÉS to clean.
3 Dejar sin dinero a una persona sin que se dé cuenta. Es un uso informal. INGLÉS to clean out.
NOTA Se conjuga como: cambiar; la 'i' no lleva nunca acento de intensidad.

limpieza
nombre femenino
1 Acción que se realiza al limpiar algo. INGLÉS cleaning.

limpio, limpia
adjetivo
1 Se dice de las cosas o las personas que no tienen suciedad. ANTÓNIMO sucio. INGLÉS clean.
2 Que cuida de su limpieza. ANTÓNIMO sucio. INGLÉS clean.
3 Que no tiene nada de dinero: *No puedo ni ir al cine, estoy completamente limpio.* Es un uso informal. INGLÉS broke.
sacar en limpio Sacar una conclusión o una explicación de una situación determinada. INGLÉS to conclude.

limusina
nombre femenino
1 Automóvil lujoso y muy largo. Normalmente las limusinas tienen el interior dividido por un cristal que separa al conductor de los pasajeros. INGLÉS limousine.

lince
nombre masculino
1 Animal mamífero del grupo de los ga-

tos, pero más grande, de piel rojiza con manchas negras y orejas puntiagudas, terminadas en unos finos mechones de pelo negro. **INGLÉS** lynx.

adjetivo y nombre masculino **2** Se dice de la persona que es muy inteligente y que entiende las cosas enseguida. **INGLÉS** hawk-eyed [adjetivo].

linchar

verbo **1** Matar varias personas a un sospechoso de un delito grave, sin que se le haya hecho un juicio. **INGLÉS** to lynch.

lindar

verbo **1** Estar un lugar al lado de otro con el que comparte un límite o una frontera: *Mi pueblo linda con el tuyo.* **SINÓNIMO** limitar. **INGLÉS** to border.

lindo, linda

adjetivo **1** Que es bonito y agradable de ver u oír. **SINÓNIMO** bello. **ANTÓNIMO** feo. **INGLÉS** pretty, lovely.

línea

nombre femenino **1** Marca muy fina y alargada que puede ser recta o curva, larga o corta. **SINÓNIMO** raya. **INGLÉS** line.

2 Conjunto de personas o cosas colocadas una al lado de otra. Las palabras escritas en un libro forman líneas. **SINÓNIMO** fila. **INGLÉS** line.

3 Servicio de transportes públicos que siempre siguen el mismo recorrido. **INGLÉS** line.

4 Silueta o forma externa que tiene el cuerpo de una persona, en especial cuando está bien proporcionada: *Come alimentos poco grasos para cuidar la línea.* **SINÓNIMO** tipo. **INGLÉS** figure.

5 Sistema de cables y otros aparatos que permiten establecer una comunicación telefónica o telegráfica. **INGLÉS** line.

6 Conjunto de productos comerciales que tienen una misma marca o unas características similares o iguales, como una línea de trajes de baño. **INGLÉS** line.

7 Conjunto de personas con las que se tiene una relación de parentesco: *Somos primos por línea materna.* **INGLÉS** line.

en líneas generales Modo de contar algo sin entrar en detalles. **INGLÉS** in general terms.

lineal

adjetivo **1** Que tiene forma alargada y estrecha, como una línea. Las carreteras tienen forma lineal. **INGLÉS** linear.

2 Que evoluciona o se desarrolla de forma parecida a una línea recta. Una película con un desarrollo lineal explica una historia de forma ordenada, sin desviarse hacia otras historias ni dar saltos atrás en el tiempo. **INGLÉS** linear.

3 Se dice del dibujo que está formado por líneas. **INGLÉS** linear.

lingote

nombre masculino **1** Barra de metal, normalmente de oro o de otros metales nobles. **INGLÉS** ingot.

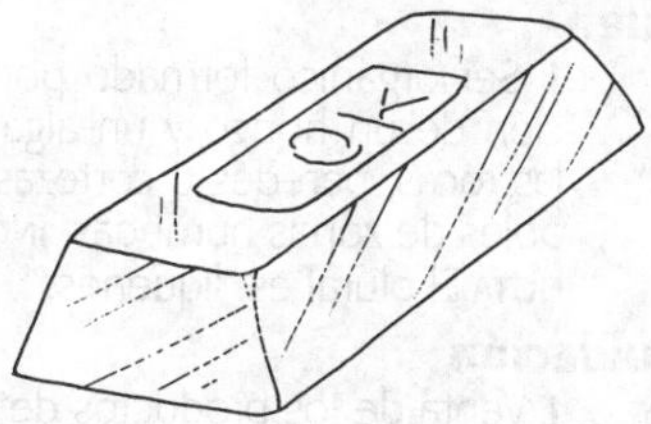

lingote

lingüístico, lingüística

adjetivo **1** Se dice de las cosas que tienen relación con el lenguaje o con las lenguas. Las lenguas se componen de signos lingüísticos, que son la asociación de un significante (sonidos o letras) con un significado. **INGLÉS** linguistic.

lino

nombre masculino **1** Planta de cuyo tallo se saca una fibra que sirve para hacer tejidos. **INGLÉS** flax.

2 Fibra vegetal que se extrae de esta planta y que sirve para hacer tejidos. **INGLÉS** linen.

linterna

nombre femenino **1** Utensilio que sirve para producir un foco de luz, formado por una bombilla, un mecanismo para encenderla y una o más pilas eléctricas. **INGLÉS** torch [en el Reino Unido], flashlight [en Estados Unidos].

lío

nombre masculino **1** Conjunto de cosas desordenadas o mezcladas: *Hay mucho lío de juguetes en tu cuarto.* **INGLÉS** mess.

2 Situación problemática o de difícil solución. Las personas que cuentan mentiras se pueden meter en un lío. **SINÓNIMO** follón. **INGLÉS** mess.

lioso, liosa
adjetivo **1** Que es muy difícil de entender o de resolver. SINÓNIMO complicado. INGLÉS confusing.
adjetivo y nombre **2** Se dice de la persona que complica un asunto o una situación más de lo que ya estaba. INGLÉS stirrer [nombre].

lípido
nombre masculino **1** Sustancia orgánica llamada comúnmente grasa. Son sustancias nutritivas que nos proporcionan energía para realizar actividades físicas y mentales. Se encuentran en el aceite, la mantequilla, el tocino o la manteca. INGLÉS lipid.

liquen
nombre masculino **1** Ser orgánico formado por la asociación de un hongo y un alga. Crece en las rocas, paredes o cortezas de los árboles de zonas húmedas. INGLÉS lichen.
NOTA El plural es: líquenes.

liquidación
nombre femenino **1** Venta de los productos de un comercio a un precio mucho más bajo de lo normal. SINÓNIMO saldo. INGLÉS clearance sale.
2 Pago completo de una deuda o de una cuenta. INGLÉS settlement, paying off.
NOTA El plural es: liquidaciones.

liquidar
verbo **1** Pagar completamente un recibo, una deuda o una cuenta. SINÓNIMO cancelar. INGLÉS to pay off, to settle.
2 Vender a un precio más bajo de lo normal los productos de un comercio para intentar venderlo todo, antes de cerrar el negocio o hacer reformas. INGLÉS to sell off.
3 Acabar con la vida de alguien: *En la película, el gángster liquida al policía.* Es un uso informal. SINÓNIMO matar; eliminar. INGLÉS to bump off.

líquido, líquida
adjetivo y nombre masculino **1** Se dice de la sustancia que, igual que el agua, no tiene forma propia y se adapta a la forma del recipiente que la contiene. Los estados de la materia son: sólido, líquido y gaseoso. INGLÉS liquid.

lira
nombre femenino **1** Instrumento musical antiguo formado por varias cuerdas tensadas sobre una estructura en forma de U. INGLÉS lyre.

lírica
nombre femenino **1** Género literario de obras escritas en verso con la intención de mostrar y provocar sentimientos. INGLÉS lyric poetry.

lírico, lírica
adjetivo **1** Se dice de las obras literarias en verso que expresan los sentimientos del autor. INGLÉS lyrical.
2 Se dice de las obras de teatro cantadas o con música, como la ópera. INGLÉS lyric.

lirio
nombre masculino **1** Planta de hojas largas y duras que salen de un tallo central, que tiene flores grandes azules, moradas o blancas con seis pétalos finos. INGLÉS lily.

lirón
nombre masculino **1** Animal mamífero roedor de pequeño tamaño que tiene el pelo suave, de color marrón, las orejas grandes y la cola larga. Pasa todo el invierno dormido. INGLÉS dormouse.
adjetivo y nombre masculino **2** Se dice de la persona que duerme mucho o que duerme profundamente. SINÓNIMO dormilón. INGLÉS heavy sleeper [nombre].
NOTA El plural es: lirones.

lisiado, lisiada
adjetivo y nombre **1** Se dice de la persona a quien le falta un miembro del cuerpo, como un brazo, o que lo tiene deformado por una enfermedad, herida o golpe. INGLÉS crippled [adjetivo], cripple [nombre].

liso, lisa
adjetivo **1** Que no tiene desniveles, asperezas o arrugas en su superficie. ANTÓNIMO arrugado; rugoso. INGLÉS smooth.
2 Se dice del pelo que no tiene rizos. SINÓNIMO lacio. ANTÓNIMO rizado. INGLÉS straight.
3 Que es de un solo color o que no tiene dibujos, como una camisa lisa. ANTÓNIMO estampado. INGLÉS plain.

lista
nombre femenino **1** Serie de nombres o de datos que se escriben ordenados, normalmente en forma de columna, como la lista de la compra. INGLÉS list.
2 Raya o línea de distinto color que decora una tela. INGLÉS stripe.
3 Pedazo largo y estrecho de tela, papel, madera u otro material que se aplica sobre una superficie. INGLÉS strip.

listín
nombre masculino **1** Libro que contiene los números de teléfono y los nombres de sus propietarios de una población o zona. SINÓNIMO guía telefónica. INGLÉS telephone directory.
NOTA El plural es: listines.

listo, lista
nombre y adjetivo **1** Se dice de la persona que es inteligente y comprende las cosas con facilidad y con rapidez. INGLÉS clever [nombre], smart [nombre].
2 Se dice de la persona que tiene habilidad para salir beneficiado de las situaciones. INGLÉS smart [nombre].
adjetivo **3** Se dice de las personas o de las cosas que están preparadas y dispuestas para hacer determinada cosa o para ser utilizadas: *Estoy listo, ¿salimos?* INGLÉS ready.

listón
nombre masculino **1** Pieza de madera larga y delgada. INGLÉS piece of wood.
2 Barra que se coloca horizontalmente a una determinada altura del suelo para que el atleta salte por encima de ella. INGLÉS bar.
NOTA El plural es: listones.

litera
nombre femenino **1** Mueble formado por dos camas colocadas una sobre otra con un espacio entre las dos. También se llama litera cada una de estas camas. INGLÉS bunk bed, bunk.

literal
adjetivo **1** Se dice del mensaje que reproduce exactamente las palabras de otro. INGLÉS literal.
2 Se dice de la traducción que dice exactamente lo mismo que el original, palabra por palabra. INGLÉS literal.

literario, literaria
adjetivo **1** De la literatura. Hay obras, personajes, autores y estilos literarios. INGLÉS literary.

literato, literata
nombre **1** Persona que se dedica a escribir o estudiar literatura. INGLÉS man of letters [hombre], woman of letters [mujer].

literatura
nombre femenino **1** Forma de arte que utiliza la palabra. Las novelas, cuentos, obras de teatro, discursos y poesías forman parte de la literatura. INGLÉS literature.
2 Estudio de las obras, autores y estilos de la literatura. INGLÉS literature.
3 Conjunto de las obras literarias de un país, época, género o estilo. INGLÉS literature.

litoral
adjetivo **1** De la orilla del mar o de su costa o que tiene relación con ella. El clima litoral es más húmedo y suave que el clima del interior. INGLÉS coastal, coast.
nombre masculino **2** Costa u orilla del mar, como el litoral mediterráneo o el litoral cantábrico. INGLÉS coastal, coast.

litro
nombre masculino **1** Unidad que sirve para medir líquidos. Un litro de agua equivale aproximadamente a un kilogramo de agua. Su símbolo es: l. INGLÉS litre.

litrona
nombre femenino **1** Botella de cerveza de un litro. INGLÉS litre bottle of beer.
NOTA Es una palabra informal.

lituano, lituana
adjetivo y nombre **1** Se dice de la persona o cosa que es de Lituania, país del nordeste de Europa. INGLÉS Lithuanian.
nombre masculino **2** Lengua que se habla en Lituania. INGLÉS Lithuanian.

liturgia
nombre femenino **1** Conjunto de celebraciones para dar culto a Dios y de reglas que se siguen en ellas. INGLÉS liturgy.

litúrgico, litúrgica
adjetivo **1** De la liturgia o relacionado con ella. La misa es una ceremonia litúrgica que celebran los cristianos. INGLÉS liturgical.

liviano, liviana
adjetivo **1** Que pesa poco. Una pluma es un objeto muy liviano. ANTÓNIMO pesado. INGLÉS light.
2 Que tiene poca importancia o que supone poca molestia: *El viaje es tan corto que se me hizo muy liviano.* ANTÓNIMO pesado. INGLÉS light, frivolous, lewd.

lívido, lívida
adjetivo **1** Se dice de una persona que está muy pálida. INGLÉS livid.

ll
nombre femenino **1** Dígrafo de la lengua española. La elle había sido considerada letra del abecedario, pero desde 2010 ya no lo es.

a b c d e f g h i j k l m n ñ o p q r s t u v w x y z

llaga
nombre femenino
1 Herida abierta en cualquier parte interior o exterior del cuerpo que escuece o duele. INGLÉS sore, ulcer.

llama
nombre femenino
1 Gas encendido que sale hacia arriba de algo que se quema y que da luz y calor. INGLÉS flame.
2 Mamífero doméstico con la cabeza pequeña, el cuello y las patas largas y el cuerpo recubierto por abundante pelo blanco o marrón claro. Es propio de los Andes, donde se utiliza como animal de carga y se aprovecha su leche. INGLÉS llama.

llamada
nombre femenino
1 Acción de llamar: *Voy a hacer una llamada telefónica.* INGLÉS call.
2 Palabra o gesto con que se llama o se avisa a alguien. INGLÉS call, knock, ring.

llamar
verbo
1 Utilizar la voz u otro medio para hacer que una persona o un animal venga o nos atienda. INGLÉS to call.
2 Hacer sonar un timbre u otra cosa para que alguien nos atienda o venga a donde estamos. INGLÉS to ring.
3 Telefonear a alguien. INGLÉS to call, to phone.
4 Poner un nombre a alguien o algo, o tener una persona, un animal o una cosa un nombre: *Mi gato se llama Tigretón.* INGLÉS to call.

llamativo, llamativa
adjetivo
1 Que llama mucho la atención. El rojo y el naranja son colores llamativos. INGLÉS showy, flashy.

llana
nombre femenino
1 Herramienta formada por una plancha de metal con un asa. Se utiliza para extender yeso u otro material en una superficie. INGLÉS float.

llano, llana
adjetivo
1 Se dice de la superficie que tiene el mismo nivel en todas sus partes o que no tiene diferencias de altura. Las mesetas son grandes extensiones de tierras llanas. INGLÉS flat.
2 Se dice de la persona que es sencilla, natural y fácil de tratar. INGLÉS straightforward.
3 Se dice de la palabra que lleva el acento en la penúltima sílaba. 'Llovizna' y 'árbol' son palabras llanas.
4 Se dice del ángulo que tiene 180 grados. INGLÉS straight.
nombre masculino
5 Extensión de terreno que tiene el mismo nivel en todas sus partes o que no tiene diferencias de altura. INGLÉS plain.

llanta
nombre femenino
1 Parte metálica de una rueda sobre la cual se coloca y queda sujeto el neumático. INGLÉS wheel rim.

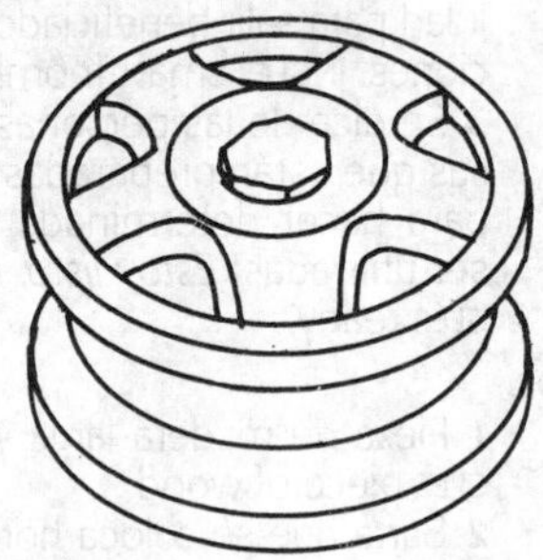

llanta

llanto
nombre masculino
1 Acción que consiste en llorar, especialmente haciendo ruido, como el llanto de los bebés. INGLÉS crying.

llanura
nombre femenino
1 Terreno llano y extenso. La Mancha ocupa una gran extensión de la llanura castellana. INGLÉS plain.

llave
nombre femenino
1 Instrumento que sirve para abrir o cerrar una cerradura. Es un objeto de metal con dientes o surcos que encajan en una única cerradura. INGLÉS key.
2 Dispositivo que sirve para abrir o cerrar el paso de una corriente eléctrica o de un líquido o gas por una cañería. INGLÉS tap, [si es de electricidad: switch].
3 Herramienta que sirve para apretar o aflojar una tuerca o un tornillo. INGLÉS spanner.
4 Signo ortográfico que se usa para encerrar un grupo de palabras o de números, colocando uno al principio y otro al final. Se representa con los signos { }. INGLÉS brace.
5 En deportes de lucha, como el judo, conjunto de movimientos con los que

un contrincante consigue dominar a su adversario, tirándolo al suelo o inmovilizándolo. INGLÉS lock.

llave inglesa Herramienta que sirve para apretar o aflojar una tuerca o un tornillo, formada por un mango y una cabeza plana con una boca que, mediante un mecanismo, se puede ajustar a tuercas o tornillos de medidas distintas. INGLÉS adjustable spanner.

llave maestra Llave que puede abrir y cerrar distintas cerraduras. INGLÉS master key.

llavero

nombre masculino

1 Objeto que sirve para poder llevar juntas varias llaves. INGLÉS key ring.

llegada

nombre femenino

1 Acción de llegar una persona o una cosa a un lugar. INGLÉS arrival.

2 Lugar o línea donde termina una carrera deportiva. SINÓNIMO meta. INGLÉS finishing line.

llegar

verbo

1 Aparecer en un lugar después de haber recorrido un camino: *Ha llegado a casa.* INGLÉS to arrive.

2 Producirse o aparecer algo que es cíclico. En marzo llega la primavera. INGLÉS to arrive, to come.

3 Durar una persona o una cosa hasta un momento determinado. Algunas personas llegan a los cien años. INGLÉS to reach.

4 Alcanzar algo un determinado punto: *La falda le llega a los tobillos.* INGLÉS to reach.

5 Alcanzar una cantidad determinada: *El jamón no llega a los seis kilos.* INGLÉS to reach.

6 Ser algo suficiente: *No me llega el dinero.* INGLÉS to be enough.

7 Alcanzar un fin o un objetivo determinado: *Por fin ha llegado a ser presidente.* INGLÉS to become.

llenar

verbo

1 Ocupar con personas o cosas un espacio que antes estaba vacío o medio vacío. La gente llena los estadios para ver partidos de fútbol. ANTÓNIMO vaciar. INGLÉS to fill.

2 Dar gran cantidad de una cosa: *Mi abuela me llena de besos.* SINÓNIMO cubrir. INGLÉS to cover.

3 Satisfacer por completo un deseo o una esperanza: *Le llena su trabajo.* SINÓNIMO colmar. INGLÉS to satisfy.

4 llenarse Comer mucha cantidad hasta no poder más. INGLÉS to stuff.

lleno, llena

adjetivo

1 Que no tiene espacio libre y no caben más personas o cosas: *El vaso está lleno de leche.* ANTÓNIMO vacío. INGLÉS full.

2 Que tiene gran cantidad de alguna cosa: *Volví de la playa con las zapatillas llenas de arena.* INGLÉS full, covered.

3 Que ha comido mucho, hasta no poder más. SINÓNIMO harto. INGLÉS full.

4 Se dice de la persona que está un poco gorda. Se usa más en diminutivo: *Está algo llenito.* INGLÉS chubby.

llevadero, llevadera

adjetivo

1 Que es fácil de soportar aunque exija esfuerzo o suponga sufrimiento: *Tengo un dolor llevadero.* INGLÉS bearable.

llevar

verbo

1 Hacer que una persona o una cosa vaya de un lugar a otro o que llegue a un destino determinado en nuestra compañía: *Llevó el coche al garaje.* INGLÉS to take.

2 Conducir o dirigir hacia un lugar o un fin: *La carretera lleva al sur.* INGLÉS to go, to lead.

3 Tener puesta una determinada prenda de vestir. INGLÉS to wear.

4 Tener o contener una cosa: *El pastel lleva crema.* INGLÉS to contain.

5 Haber pasado un tiempo en un lugar o haciendo algo: *Llevo media hora esperándote.* INGLÉS to have been [+ gerundio].

6 Ser necesario o exigir una cosa lo que se indica. Algunos trabajos llevan mucho tiempo. INGLÉS to take, to need.

7 Soportar una actividad difícil o una situación penosa: *Lleva lo mejor que puede la desgracia.* INGLÉS to bear.

8 Haber realizado o conseguido una determinada cantidad de aquello que se indica: *Lleva vistas cuatro películas en dos días.* INGLÉS to have [+ participio pasado].

9 Superar una persona o una cosa a otra en la cantidad que se indica: *Su hermano mayor le lleva dos años.*

10 llevarse Estar de moda: *Este año se lleva el color rojo.* INGLÉS to be in, to be fashionable.

11 llevarse Entenderse o tener una determinada relación dos personas: *Se llevan muy bien.* INGLÉS to get on.

12 llevarse Tener o experimentar un determinado sentimiento, como un susto o una alegría. INGLÉS to have.

llorar

verbo

1 Echar o salir lágrimas por los ojos. INGLÉS to cry, to weep.

2 Quejarse mucho de las penas o los problemas propios, con el fin de que se compadezcan de uno. Es un uso informal. INGLÉS to whinge.

llorica

nombre masculino y femenino

1 Persona que llora a menudo, normalmente por motivos poco importantes. INGLÉS crybaby.

lloriquear

verbo

1 Llorar y quejarse con poca fuerza y casi sin ganas. INGLÉS to whimper.

lloro

nombre masculino

1 Acción que consiste en llorar, generalmente haciendo ruido. Indica que una persona está triste o le duele algo. INGLÉS crying, weeping.

llorón, llorona

nombre y adjetivo

1 Se dice de la persona que llora mucho y por cualquier motivo. INGLÉS crybaby. NOTA El plural de llorón es: llorones.

llover

verbo

1 Caer agua de las nubes en forma de gotas. INGLÉS to rain.

2 Venir o producirse algo de forma abundante: *Me llovieron los regalos.* INGLÉS to rain down on.

llovizna

nombre femenino

1 Lluvia muy fina y continua. SINÓNIMO calabobos; sirimiri. INGLÉS drizzle.

lluvia

nombre femenino

1 Fenómeno atmosférico que consiste en la caída de agua de las nubes en forma de gotas. INGLÉS rain.

2 Abundancia o gran cantidad de cosas que caen, se producen o se reciben al mismo tiempo, como una lluvia de ofertas de trabajo. INGLÉS shower.

lluvioso, lluviosa

adjetivo

1 De lluvias frecuentes. Abril suele ser un mes lluvioso. INGLÉS rainy, wet.

lo

determinante

1 Determinante neutro de forma invariable que se utiliza delante de un adjetivo para indicar cosas que tienen esa característica: *Lo mejor es que estudies un poco cada día.*

2 Se utiliza delante de 'que' más un complemento o una oración: *Nadar en la playa es lo que más me gusta.*

lo, la

pronombre

1 'Lo', 'la', 'los' y 'las' son pronombres de complemento directo. Los pronombres de complemento directo sustituyen a un nombre de persona o de cosa que ya ha sido nombrada y que hace función de complemento directo: *Los helados los compro yo.* INGLÉS him [él], her [ella], it [una cosa].

lobato

nombre masculino

1 Lobezno. Una loba suele tener entre cuatro y siete lobatos. INGLÉS wolf cub.

lobezno

nombre masculino

1 Cría del lobo. SINÓNIMO lobato. INGLÉS wolf cub.

lobo, loba

nombre

1 Animal mamífero carnívoro parecido al perro, de color gris oscuro, con el hocico alargado, las orejas cortas y tiesas, y la cola larga y peluda. INGLÉS wolf.

lóbrego, lóbrega

adjetivo

1 Que es oscuro y produce miedo o tristeza. Durante la noche, un cementerio nos parece un lugar lóbrego. INGLÉS gloomy.

lóbulo

nombre masculino

1 Parte inferior de la oreja, que es blanda y redondeada. Mucha gente lleva pendientes en los lóbulos. INGLÉS lobe.

local

nombre masculino

1 Lugar cubierto y cerrado que suele encontrarse en la parte baja de un edificio y en el que se tiene o se puede instalar un negocio, tienda o industria. INGLÉS premises.

adjetivo

2 Propio o característico de un pueblo, territorio o comarca, como un periódico local. INGLÉS local.

3 Que solo afecta o se produce en una parte de un todo. El dentista nos aplica anestesia local. INGLÉS local.

localidad

nombre femenino

1 Lugar con edificios, calles y otros espacios públicos donde habita un conjunto de personas. SINÓNIMO población. INGLÉS town, place.

2 Asiento o plaza en un cine, teatro,

estadio u otro lugar donde se celebran espectáculos. INGLÉS seat.

localizar
verbo
1 Averiguar el lugar donde ha sucedido algo o se encuentra una persona o cosa. Localizamos un país en un mapa o una calle en un plano. INGLÉS to locate, to find.
2 Estar situada una persona o cosa en un lugar: *El dolor se localiza en la espalda.* INGLÉS to localize.
NOTA Se escribe 'c' delante de 'e', como: localice.

loción
nombre femenino
1 Líquido que sirve para dar masajes, especialmente en el cabello o en la piel. Muchos hombres se ponen en la cara una loción después de afeitarse. INGLÉS lotion.
NOTA El plural es: lociones.

loco, loca
nombre y adjetivo
1 Se dice de la persona que ha perdido la razón o tiene la mente trastornada. Los locos son enfermos mentales que necesitan ayuda especial. SINÓNIMO demente. ANTÓNIMO cuerdo. INGLÉS mad [adjetivo], insane [adjetivo].
2 Se dice de la persona que actúa de manera extraña o poco común y también de la que hace cosas peligrosas sin pensar en las consecuencias. INGLÉS mad [adjetivo], crazy [adjetivo].
adjetivo
3 Que experimenta un sentimiento con intensidad, como el amor, la felicidad, la alegría, el dolor o el deseo de algo. INGLÉS mad.
4 Muy grande o muy intenso: *Tiene unas ganas locas de verte.* INGLÉS tremendous.
a lo loco Sin pensar, sin razonar y con prisas o de cualquier manera: *No me contestes a lo loco, piénsalo bien.* INGLÉS madly, wildly.

locomoción
nombre femenino
1 Movimiento de un lugar a otro. El tren es un medio de locomoción. Los órganos de locomoción de un animal le permiten realizar movimientos y trasladarse. INGLÉS locomotion.

locomotor, locomotora
adjetivo
1 Que produce movimiento o está relacionado con él. Las piernas son los miembros locomotores de las personas. INGLÉS locomotive.

locomotora
nombre femenino
1 Máquina que arrastra los vagones de un tren. INGLÉS locomotive.

locuaz
adjetivo
1 Que habla mucho. SINÓNIMO hablador. INGLÉS talkative.
NOTA El plural es: locuaces.

locución
nombre femenino
1 Expresión característica de una lengua que está formada por un conjunto de palabras con una estructura fija. Las locuciones, como 'echar una mano' o 'pasarlo bomba', tienen un significado que no se puede deducir del significado de las palabras que la forman. INGLÉS idiom, expression.
NOTA El plural es: locuciones.

locura
nombre femenino
1 Enfermedad que padecen las personas que han perdido la razón o tienen trastornada la mente. INGLÉS madness, insanity.
2 Acción que comete la persona extravagante, insensata o con poco juicio. INGLÉS madness, folly.
3 Cariño exagerado por alguien o interés muy grande por algo. INGLÉS love.

locutor, locutora
nombre
1 Persona que da noticias en informativos o habla en espacios fijos de radio o televisión. INGLÉS announcer.

lodo
nombre masculino
1 Mezcla de tierra y agua que se forma en la tierra cuando llueve. SINÓNIMO barro. INGLÉS mud.

lógica
nombre femenino
1 Ciencia que estudia las operaciones que realiza el pensamiento para razonar las cosas. INGLÉS logic.
2 Característica de las cosas que tienen sentido común, que son razonables o que no tienen contradicciones. No tiene lógica que un rico robe en una tienda. INGLÉS logic.

lógico, lógica
adjetivo
1 De la lógica o que tiene relación con ella. INGLÉS logical.
2 Se dice de lo que es normal o natural, o de lo que es razonable. Es lógico que haga frío en invierno. INGLÉS logical, normal.

logo
nombre masculino
1 Es la forma abreviada de: logotipo. INGLÉS logo.

logotipo
nombre masculino
1 Imagen o símbolo que representa una determinada marca de un producto, una empresa o una institución. INGLÉS logo.
NOTA También se dice: logo.

lograr
verbo
1 Llegar a tener una cosa que se desea o se intenta obtener. Para lograr algo hay que esforzarse. SINÓNIMO conseguir. INGLÉS to manage to get, to achieve.

logro
nombre masculino
1 Éxito o resultado muy bueno que se consigue al realizar algo. La llegada del hombre a la Luna fue un logro de la humanidad. INGLÉS success, achievement.

logroñés, logroñesa
adjetivo y nombre
1 Se dice de la persona o cosa que es de Logroño, capital de la comunidad autónoma de La Rioja.
NOTA El plural de logroñés es: logroñeses.

loma
nombre femenino
1 Elevación de terreno de poca altura y bordes suaves y redondeados. INGLÉS hill.

lombriz
nombre femenino
1 Gusano largo de color blanco o rosa, con el cuerpo cilíndrico, blando y dividido en anillos. Vive bajo la tierra en las zonas húmedas. INGLÉS earthworm.
NOTA El plural es: lombrices.

lomo
nombre masculino
1 Parte superior del cuerpo de los animales de cuatro patas, entre el cuello y la cola. Al montar a caballo nos subimos en su lomo. INGLÉS back.
2 Carne de la parte superior del cuerpo de algunos animales, en especial del cerdo. INGLÉS loin.
3 Parte de un libro donde están unidas todas las hojas. En el lomo suelen estar escritos el título y el autor. INGLÉS spine.

lona
nombre femenino
1 Tela fuerte y resistente que se utiliza para fabricar toldos, hamacas o tiendas de campaña. INGLÉS canvas.

loncha
nombre femenino
1 Trozo ancho y fino de algunos alimentos, especialmente de jamón o de queso. INGLÉS slice.

longaniza
nombre femenino
1 Embutido de forma cilíndrica y alargada, que está hecho con carne picada.

longevo, longeva
adjetivo
1 Se dice de las personas o los animales que llegan a tener muchos años. INGLÉS long-lived.
NOTA Es una palabra formal.

longitud
nombre femenino
1 Distancia entre dos puntos de una superficie plana. La unidad básica de longitud es el metro. INGLÉS length.

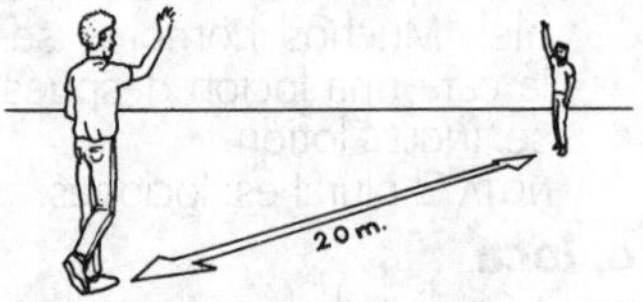

longitud

2 Distancia que hay desde un punto de la superficie de la Tierra hasta el meridiano 0 o meridiano de Greenwich. Las longitudes se cuentan positivas hacia el oeste y negativas hacia el este. INGLÉS longitude.

look
nombre masculino
1 Aspecto exterior o estilo que tiene una persona o una cosa. El look se aplica sobre todo a la manera de vestir de alguien. INGLÉS look.
NOTA Se pronuncia 'luc'. El plural es: looks.

loro
nombre masculino
1 Ave de vistosos colores, con el pico curvo y muy duro, que puede aprender a producir sonidos del habla humana. INGLÉS parrot.
2 Aparato reproductor de música, especialmente si es voluminoso: Es un uso informal. INGLÉS ghetto blaster.
adjetivo y nombre masculino
3 Se dice de la persona que no para de hablar. Es un uso informal. INGLÉS chatterbox [nombre].
4 Se dice de la persona que es fea o va mal arreglada. Es un uso informal y despectivo. INGLÉS real sight.
estar al loro Estar atento a lo que pasa, se dice o es actual. Es una expresión informal. INGLÉS to be on the ball.

los
determinante artículo **1** Forma masculina plural del artículo determinado; mira **el, la**. INGLÉS the.
pronombre **2** Forma masculina plural del pronombre de complemento directo; mira **lo, la**: *Ayer vio unos libros y esta mañana se los ha comprado.* INGLÉS them.

losa
nombre femenino **1** Piedra lisa, plana y no muy gruesa, normalmente de forma cuadrada o rectangular, que sirve para cubrir el suelo o una tumba en un cementerio o lugar sagrado. INGLÉS flagstone, [si es en una tumba: gravestone].
2 Cosa muy pesada que cuesta mucho hacer o soportar. INGLÉS burden.

loseta
nombre femenino **1** Piedra lisa, plana y delgada que es más pequeña que una losa y sirve para cubrir suelos y paredes. Algunos baños tienen las paredes cubiertas de losetas de cerámica. INGLÉS tile.

lote
nombre masculino **1** Conjunto de cosas que se agrupan para venderlas, subastarlas, sortearlas o regalárselas a alguien, como un lote de libros o un lote de Navidad. INGLÉS batch, set, [si es un lote de Navidad: Christmas hamper].

lotería
nombre femenino **1** Juego de azar en el que la persona que ha comprado el billete con el mismo número que el que sale en un sorteo recibe una determinada cantidad de dinero. El número premiado sale de un bombo que contiene una serie de bolas numeradas. INGLÉS lottery.
2 Asunto en el que interviene la suerte o el azar. Cuando en unas oposiciones se presenta mucha gente y existen pocas plazas, conseguir una es una lotería. INGLÉS lottery.

loto
nombre masculino **1** Planta acuática, de hojas grandes y brillantes que flotan en la superficie del agua, y flores generalmente blancas muy aromáticas. Los estanques de algunos parques tienen lotos. INGLÉS lotus.

loza
nombre femenino **1** Tipo de cerámica hecha con barro muy fino, cocido y barnizado con que se fabrican diversos objetos, como platos. INGLÉS china, crockery.

lubina
nombre femenino **1** Pez marino con el cuerpo alargado, de color gris plateado por encima y blanco por el vientre. Vive en los mares templados y es comestible. INGLÉS bass.

lubricante
nombre masculino **1** Sustancia grasa o aceitosa que se aplica a las piezas de una máquina o un mecanismo para que al rozarse entre ellas se muevan de manera más suave. Los motores de los vehículos llevan lubricante para que cuando estén en marcha funcionen bien. INGLÉS lubricant.

lucense
adjetivo y nombre masculino y femenino **1** Se dice de la persona o cosa que es de Lugo, ciudad y provincia de Galicia.

lucero
nombre masculino **1** Estrella que destaca en el cielo por ser más grande y brillante que las demás. INGLÉS bright star.

lucha
nombre femenino **1** Acción que realiza una persona cuando emplea la fuerza o cualquier recurso a su alcance para vencer a otra persona, salvar una dificultad o conseguir alguna cosa. INGLÉS fight, struggle.
2 Deporte que practican dos personas que se enfrentan cuerpo a cuerpo sin usar armas. INGLÉS wrestling.

luchador, luchadora
adjetivo y nombre **1** Se dice de la persona que se esfuerza para conseguir algo y no se rinde ante las dificultades. INGLÉS fighter [nombre].
nombre **2** Persona que practica lucha. INGLÉS wrestler.

luchar
verbo **1** Emplear una persona la fuerza o cualquier recurso a su alcance para vencer a otra persona, salvar una dificultad o conseguir alguna cosa: *Los huelguistas luchan para conseguir mejoras laborales.* INGLÉS to fight.
2 Pelear dos o más personas o animales utilizando la fuerza, las armas, o cualquier otro recurso. INGLÉS to fight.

lúcido, lúcida
adjetivo **1** Se dice de la persona que piensa y se expresa con gran claridad y rapidez. También son lúcidas las cosas propias

de estas personas, como un pensamiento lúcido o un escrito lúcido. INGLÉS lucid, clear-headed.

luciérnaga
nombre femenino

1 Insecto parecido a un gusano, que desprende de la parte posterior de su cuerpo una luz brillante que se ve en la oscuridad. INGLÉS glow-worm.

lucio
nombre masculino

1 Pez de río, de color amarillo verdoso, con la mandíbula inferior más grande que la superior y dientes con los que devora a otros animales. INGLÉS pike.

lucir
verbo

1 Brillar o dar luz, como hacen una estrella o una bombilla. INGLÉS to shine.

2 Dejarse ver presumiendo de alguien o algo: *Luce las joyas que heredó de su madre.* INGLÉS to wear.

3 Quedar bien una cosa: *Ese cuadro no luce nada ahí.* INGLÉS to look good.

lucir

INDICATIVO	SUBJUNTIVO
presente	**presente**
luzco	luzca
luces	luzcas
luce	luzca
lucimos	luzcamos
lucís	luzcáis
lucen	luzcan
pretérito imperfecto	**pretérito imperfecto**
lucía	luciera o luciese
lucías	lucieras o lucieses
lucía	luciera o luciese
lucíamos	luciéramos o luciésemos
lucíais	lucierais o lucieseis
lucían	lucieran o luciesen
pretérito perfecto simple	**futuro**
lucí	luciere
luciste	lucieres
lució	luciere
lucimos	luciéremos
lucisteis	luciereis
lucieron	lucieren
futuro	**IMPERATIVO**
luciré	
lucirás	luce (tú)
lucirá	luzca (usted)
luciremos	luzcamos (nosotros)
luciréis	lucid (vosotros)
lucirán	luzcan (ustedes)
condicional	**FORMAS NO PERSONALES**
luciría	
lucirías	**infinitivo** lucir — **gerundio** luciendo
luciría	
luciríamos	**participio**
luciríais	lucido
lucirían	

4 lucirse Quedar muy bien o dar una buena impresión. A veces se utiliza con ironía: *Te has lucido diciéndole que lleva un vestido horrible.* INGLÉS to be brilliant, to excel oneself.

lucrativo, lucrativa
adjetivo

1 Que produce mucho beneficio o muchas ganancias, como un negocio lucrativo. INGLÉS lucrative, profitable.

lúdico, lúdica
adjetivo

1 Que tiene relación con el juego, la diversión o el entretenimiento. INGLÉS recreational.

luego
adverbio

1 Indica que una acción se produce después de otra: *Primero se quedó muy sorprendido y luego se puso rojo como un tomate.* INGLÉS then.

2 Indica que algo está después de otra cosa: *Siga todo recto; primero verá la plaza y luego el parque.* INGLÉS then.

desde luego Indica que estamos totalmente de acuerdo con algo o que no tenemos ninguna duda de algo: *Desde luego que tenías razón.* SINÓNIMO sin duda. INGLÉS of course.

desde luego Se utiliza para expresar un pequeño enfado o desacuerdo con algo que se ha dicho o hecho: *¡Desde luego, hay que ver cómo eres!* Es un uso familiar. INGLÉS well.

hasta luego Se utiliza para despedirnos de alguien a quien pensamos ver más tarde. INGLÉS see you later.

lugar
nombre masculino

1 Parte de un espacio que se puede ocupar. Se dice de distintos tipos de espacios: el campo, una calle, una ciudad o una parte de una casa: *En esta calle hay varios lugares para aparcar.* SINÓNIMO sitio. INGLÉS place.

2 Parte de un espacio que corresponde a una persona o a una cosa o es adecuado para algo. INGLÉS place.

3 Posición que ocupa una persona o cosa en una clasificación: *Llegó en tercer lugar.* INGLÉS place.

4 Población pequeña o zona: *La gente del lugar es muy amable.* INGLÉS place.

en lugar de En vez de o en sustitución de. El teniente de alcalde ejerce en lugar del alcalde cuando este está ausente. INGLÉS instead of.

lugarteniente
nombre masculino y femenino
1 Persona que puede sustituir a otra en un cargo o empleo, normalmente cuando esta está ausente. INGLÉS deputy.

lúgubre
adjetivo
1 Que es triste y oscuro. Los lugares pequeños, viejos y con poca luz tienen un aspecto lúgubre. INGLÉS gloomy.

lujo
nombre masculino
1 Abundancia de dinero, de cosas caras o de comodidades que tiene una persona o cosa. Tener tres coches y dos casas es un lujo. INGLÉS luxury.
2 Aquello que no está al alcance de cualquier persona: *Se permitió el lujo de hacer un gran viaje.* INGLÉS luxury.
3 Abundancia o gran cantidad de cosas que no siempre son necesarias: *Me contó su vida con todo lujo de detalles.* INGLÉS wealth.

lujoso, lujosa
adjetivo
1 Se dice de la cosa que está relacionada con el lujo o es señal de lujo. Un restaurante lujoso es un local muy caro y elegante. INGLÉS luxurious.

lujuria
nombre femenino
1 Deseo y actividad sexuales muy exagerados. INGLÉS lust.

lumbago
nombre masculino
1 Dolor fuerte que afecta a los huesos o a los músculos de la parte lumbar de la espalda. INGLÉS lumbago.

lumbar
adjetivo
1 Que está relacionado con la zona de la espalda situada entre las costillas más bajas y el culo. Si tenemos un dolor lumbar, nos duele la espalda por la parte de la cintura. INGLÉS lumbar.

lumbre
nombre femenino
1 Fuego pequeño que se enciende con leña, carbón u otro material, para cocinar o para calentarse. INGLÉS fire.

luminoso, luminosa
adjetivo
1 Que tiene o despide luz. La esfera luminosa de algunos relojes permite ver la hora en la oscuridad. INGLÉS luminous.
2 Que tiene luz natural o está muy bien iluminado. Los áticos son pisos muy luminosos. ANTÓNIMO oscuro. INGLÉS bright, light.

luna
nombre femenino
1 Satélite natural de la Tierra que gira a su alrededor y se ve por la noche en el cielo porque refleja la luz del Sol. Con este significado se escribe siempre con mayúscula y lleva delante el determinante 'la': la Luna. INGLÉS Moon.
2 Cristal, generalmente grande y grueso, que se coloca en vidrieras y escaparates o con el que se hacen los espejos, por ejemplo los que se ponen en las puertas de los armarios. INGLÉS window pane, [si es un espejo: mirror].
Luna creciente Fase de la Luna cuando solo refleja luz su parte derecha. INGLÉS crescent moon.
luna de miel Período que sigue al día de la boda en el que, generalmente, los recién casados salen de viaje. INGLÉS honeymoon.
Luna llena Fase de la Luna cuando refleja luz todo su círculo. INGLÉS full moon.
Luna menguante Fase de la Luna cuando solo refleja luz su parte izquierda. INGLÉS waning moon.
Luna nueva Fase de la Luna cuando no refleja luz. INGLÉS new moon.

lunar
nombre masculino
1 Pequeña mancha redonda y de color oscuro que tienen algunas personas en la piel. INGLÉS beauty spot.
2 Dibujo en forma de círculo: *Tiene una corbata de lunares.* INGLÉS spot, dot.
adjetivo
3 De la Luna o que tiene relación con ella. INGLÉS lunar.

lunático, lunática
adjetivo y nombre
1 Se dice de la persona que tiene cambios bruscos de carácter o de humor sin explicación. Mucha gente piensa que las personas lunáticas están un poco locas. INGLÉS lunatic.

lunes
nombre masculino
1 Primer día de la semana. INGLÉS Monday.
NOTA El plural es: lunes.

lupa
nombre femenino
1 Objeto formado por una lente de aumento sujeta a un mango o soporte, que sirve para ver aumentado el tamaño de las cosas pequeñas. INGLÉS magnifying glass.

a b c d e f g h i j k l m n ñ o p q r s t u v w x y z

lustro

nombre masculino **1** Período de tiempo que dura cinco años. INGLÉS five years.

luto

nombre masculino **1** Dolor y pena por la muerte de una persona. INGLÉS mourning.

2 Ropa de color negro que se usa por la muerte de alguien. En los entierros la gente suele ir de luto en señal de dolor. INGLÉS mourning.

3 Período de tiempo durante el que se dan muestras de dolor por la muerte de alguien. INGLÉS mourning.

luxemburgués, luxemburguesa

adjetivo y nombre **1** Se dice de la persona o cosa que es de Luxemburgo, país europeo que tiene frontera con Alemania, Bélgica y Francia. INGLÉS Luxembourger [nombre].

NOTA El plural de luxemburgués es: luxemburgueses.

luz

nombre femenino **1** Forma de energía que ilumina y nos permite ver los objetos, sus formas y sus colores. En verano se suele adelantar la hora para aprovechar más la luz del Sol. INGLÉS light.

2 Dispositivo que sirve para iluminar de forma artificial. INGLÉS light.

3 Corriente eléctrica. Los fluorescentes gastan poca luz. INGLÉS electricity.

nombre femenino plural **4** **luces** Inteligencia o sentido común. Las personas que tienen pocas luces no son muy listas. INGLÉS intelligence.

a todas luces De manera clara y segura: *Su actitud agresiva fue a todas luces incorrecta.* INGLÉS whichever way you look at it.

dar a luz Tener un hijo una mujer. INGLÉS to give birth.

sacar a la luz Publicar o dar a conocer una obra, un texto o una noticia. INGLÉS to bring to light.

NOTA El plural es: luces.

abcdefghijkl**M**nñopqrstuvwxyz

m
nombre femenino
1 Decimotercera letra del alfabeto español. La 'm' es una consonante.
2 En la numeración romana y escrita en mayúscula, representa el número 1 000. INGLÉS M.
3 Abreviatura de: metro. INGLÉS m.

macabro, macabra
adjetivo
1 Que tiene relación con el aspecto más desagradable de la muerte. Si dibujamos un cementerio o un esqueleto, estamos haciendo un dibujo macabro. INGLÉS macabre.

macaco, macaca
nombre
1 Mono de cola corta y pelaje amarillento. INGLÉS macaque.

macarra
adjetivo y nombre masculino y femenino
1 Se dice de la persona que se comporta de forma vulgar y agresiva con los demás. INGLÉS loutish [adjetivo], lout [nombre].
adjetivo
2 Se dice de aquello que es vulgar y de mal gusto. SINÓNIMO hortera. INGLÉS flashy.
nombre masculino
3 Hombre que vive del dinero que ganan las prostitutas. SINÓNIMO chulo. INGLÉS pimp.

macarrón
nombre masculino
1 Pasta hecha con harina de trigo que tiene forma de tubo fino y corto. Se come hervida y con alguna salsa. INGLÉS piece of macaroni.
NOTA Se usa más en plural. El plural es: macarrones.

macedonia
nombre femenino
1 Postre frío que se hace con trozos de distintas frutas mezcladas con zumo. INGLÉS macedonia.

macedonio, macedonia
adjetivo y nombre
1 Se dice de la persona o cosa que es de Macedonia, país del sudeste de Europa. INGLÉS Macedonian.
nombre masculino
2 Lengua hablada en Macedonia. INGLÉS Macedonian.

macerar
verbo
1 Dejar durante un tiempo un alimento en una salsa o caldo para que se ablande y coja un sabor especial. Algunos cocineros maceran la carne, dejándola un día con aceite y limón, para que quede más suave. INGLÉS to marinade.
2 Ablandar una cosa por medio de golpes o apretándola. El cuero se macera para poder hacer prendas de ropa con él. INGLÉS to tenderize, to soften.

maceta
nombre femenino
1 Recipiente, normalmente de barro, que se llena de tierra para cultivar plantas. También es el conjunto que forman el recipiente, la planta y la tierra. SINÓNIMO tiesto. INGLÉS flowerpot.

machacar
verbo
1 Reducir una cosa a trozos muy pequeños, generalmente dándole golpes. Algunos alimentos, como el ajo, el perejil o las almendras se machacan para hacer salsas. INGLÉS to crush.
2 Romper o destrozar algo, golpeándolo o aplastándolo. Es un uso informal. INGLÉS to ruin.
3 Ganar a alguien de una forma muy clara, en especial en una competición deportiva. Es un uso informal. INGLÉS to thrash.
4 Insistir mucho sobre alguna cosa hasta llegar a cansar: *No deja de machacar para que lo lleve al circo.* Es un uso informal. INGLÉS to go on and on.
NOTA Se escribe 'qu' delante de 'e', como: machaquen.

a b c d e f g h i j k l m n ñ o p q r s t u v w x y z

machacón, machacona

adjetivo y nombre

1 Se dice de la persona o la cosa que se repite mucho, tanto que llega a resultar pesada. INGLÉS tiresome [adjetivo], pain [nombre].

NOTA El plural de machacón es: machacones.

machete

nombre masculino

1 Arma blanca con una hoja de metal ancha y afilada por un lado. Es parecido a un cuchillo pero más grande, y se usa como arma o para abrirse paso entre la maleza. INGLÉS machete.

machista

adjetivo y nombre masculino y femenino

1 Se dice de la persona que piensa que el hombre es superior a la mujer, especialmente en los aspectos laborales, jurídicos, morales o sociales. También se dice del comportamiento o el acto propios de estas personas. INGLÉS male chauvinist.

adjetivo

2 Se dice del comportamiento de este tipo de personas. También de las cosas que tienen relación con este comportamiento o que son un reflejo de él, como una sociedad machista o un texto machista. INGLÉS male chauvinist.

macho

nombre masculino

1 Ser vivo de sexo masculino. Los machos de los animales mamíferos, como un elefante macho o un hombre, son los que fecundan a las hembras con su esperma, pero son las hembras las que tienen las crías o los hijos. Las plantas que fecundan a otras de su especie también son machos, como una palmera macho. ANTÓNIMO hembra. INGLÉS male.

2 Una de las dos piezas que forma un objeto o instrumento, que tiene un saliente y se mete en el agujero de la otra pieza, como el macho de un enchufe. INGLÉS male.

adjetivo y nombre masculino

3 Que tiene o se comporta con valentía y fuerza, o que tiene otras cualidades que se consideran propias de los hombres. Es un uso informal. INGLÉS manly [adjetivo], man [nombre].

nombre masculino

4 Se utiliza para dirigirse a una persona, normalmente un amigo o un conocido: *Macho, no sabes lo que me han contado.* Es un uso informal.

macizo, maciza

adjetivo

1 Que está formado por una masa sólida y no tiene huecos en su interior. Los muebles de madera maciza pesan mucho y son de buena calidad. INGLÉS solid.

adjetivo y nombre

2 Se dice de la persona que tiene las carnes duras y un cuerpo muy bien formado: *¡Qué tío más guapo y macizo acaba de pasar!* Es un uso informal. INGLÉS hunky [adjetivo - hombre], hunk [nombre - hombre], gorgeous [adjetivo - mujer].

nombre masculino

3 Conjunto de montañas de características parecidas y con unos límites bien delimitados. INGLÉS massif.

4 Grupo de plantas o flores que decoran un jardín o un parque. INGLÉS bed.

macroconcierto

nombre masculino

1 Espectáculo musical en el que hay varias actuaciones de músicos o de cantantes y que se suele realizar en un gran recinto con la asistencia de miles de personas. INGLÉS mega-concert.

macuto

nombre masculino

1 Bolsa de tela fuerte que sirve para llevar cosas cuando se va de excursión, de caza o de campamento. Se lleva colgado del hombro por una tira o correa. INGLÉS backpack.

madeja

nombre femenino

1 Hilo largo que está enrollado en vueltas grandes e iguales. El hilo para hacer un jersey o para bordar se suele comprar en madejas. INGLÉS skein, hank.

madera

nombre femenino

1 Materia dura que forma los troncos y ramas de los árboles. Se usa para encender el fuego y hacer muebles y otros objetos. INGLÉS wood.

tener madera Tener capacidad o talento para realizar una determinada actividad: *Este niño tiene madera de artista.* INGLÉS to have the makings.

madero

nombre masculino

1 Trozo largo de madera. Con los maderos se hacen postes, balsas, cabañas y otras cosas. INGLÉS piece of timber.

madrastra

nombre femenino

1 Mujer que se casa con el padre de una persona y no es su madre. Cuando un hombre con hijos se vuelve a casar, su nueva esposa es la madrastra de sus hijos. INGLÉS stepmother.

madraza
nombre femenino **1** Madre que muestra mucho cariño y ternura por su hijo. INGLÉS doting mother.

madre
nombre femenino **1** Mujer que tiene uno o más hijos: *Es madre de tres hijos.* INGLÉS mother.
2 Forma en que un hijo se dirige a su madre: *¿Puedo salir, madre?* Ahora se utiliza más: mamá. INGLÉS mother.
3 Forma de tratamiento que se utiliza con las monjas: *La madre Teresa es la profesora de mi hija.* INGLÉS mother.
¡madre mía! Indica sorpresa o admiración ante algo o alguien: *¡Qué susto, madre mía!* INGLÉS my God!

madriguera
nombre femenino **1** Lugar en el que viven y se protegen algunos animales, especialmente los conejos. Es un agujero en la tierra muy largo y profundo. INGLÉS burrow, warren.
2 Lugar en el que se esconden las personas que no quieren ser encontradas. INGLÉS hide-out.

madrileño, madrileña
adjetivo y nombre **1** Se dice de la persona o cosa que es de la ciudad o de la comunidad autónoma de Madrid, en el centro de España.

madrina
nombre femenino **1** Mujer que acompaña a los novios al altar en la boda o al niño en el bautizo. Protegen a sus ahijados. INGLÉS godmother [en el bautizo].

madroño
nombre masculino **1** Fruto de forma redonda, de color rojo por fuera y amarillo por dentro, que es comestible y tiene un sabor dulce. También se llama madroño el arbusto que da este fruto. INGLÉS strawberry tree fruit.

madrugada
nombre femenino **1** Momento del día en que sale el Sol. SINÓNIMO alba; amanecer. INGLÉS dawn.
2 Parte del día que va desde las 12 de la noche hasta el amanecer: *Hoy he salido y he vuelto a casa a las tantas de la madrugada.* INGLÉS early morning.

madrugador, madrugadora
adjetivo y nombre **1** Que se levanta muy temprano. INGLÉS early riser [nombre].

madrugar
verbo **1** Levantarse muy pronto por la mañana, en especial antes de que salga el Sol. Las personas madrugamos para ir al trabajo o al colegio. INGLÉS to get up early.
NOTA Se escribe 'gu' delante de 'e', como: madruguen.

madrugón
nombre masculino **1** Acción que consiste en levantarse muy temprano por la mañana, en especial antes de la salida del Sol. INGLÉS early start.
NOTA El plural es: madrugones.

madurar
verbo **1** Ponerse madura una fruta. INGLÉS to ripen.
2 Crecer una persona, desarrollar su cuerpo y su mente y dejar de actuar como un niño. INGLÉS to mature.
3 Pensar bien una idea o preparar lentamente un proyecto. INGLÉS to develop fully.

madurez
nombre femenino **1** Estado de las cosas o las personas que están maduras o completamente desarrolladas. Las frutas se recogen cuando llegan a su madurez. INGLÉS ripeness.
2 Período de vida de las personas, entre la juventud y la vejez. INGLÉS maturity.

maduro, madura
adjetivo **1** Se dice de las frutas que ya han alcanzado su desarrollo completo y ya se pueden recoger y comer. INGLÉS ripe.
2 Se dice de la persona que ya no es joven pero tampoco vieja. INGLÉS mature.
3 Se dice de las personas que actúan pensando lo que hacen, aunque sean jóvenes. INGLÉS mature.

maestría
nombre femenino **1** Habilidad o destreza muy grande que tiene una persona en el desarrollo de una actividad. INGLÉS mastery.

maestro, maestra
adjetivo **1** Se dice de una cosa que es la principal o la más importante entre otras del mismo tipo, como una obra maestra: *Esta es la viga maestra que sujeta el peso del tejado.* INGLÉS master, main.
nombre **2** Persona que se dedica a enseñar cualquier cosa a otra persona, especialmente si es una ciencia, un arte o un oficio. SINÓNIMO profesor. INGLÉS master, teacher.

a b c d e f g h i j k l m n ñ o p q r s t u v w x y z

3 Persona que compone música o que es músico de profesión. INGLÉS composer [compositor], musician [músico].

mafia
nombre femenino
1 Organización formada por un gran número de personas, que actúa de forma ilegal y utiliza la violencia, el asesinato y el chantaje para aumentar sus riquezas y su poder. INGLÉS mafia.
2 Grupo de personas que utiliza medios ilegales o poco claros para protegerse entre ellas e impedir que otras personas participen en sus asuntos: *Este sitio es una mafia, no hay modo de enterarse de lo que hacen.* INGLÉS mafia.

mafioso, mafiosa
adjetivo
1 De la mafia o relacionado con ella. INGLÉS mafia.
adjetivo y nombre
2 Se dice de la persona que pertenece a la mafia o está relacionado con esta organización criminal. INGLÉS mafia [adjetivo], mafioso [nombre].

magacín
nombre masculino
1 Revista con ilustraciones que trata diversos temas. INGLÉS magazine.
2 Programa de televisión o de radio en el que se combinan reportajes, entrevistas y actuaciones artísticas. INGLÉS magazine programme.
NOTA También se escribe: magazín. El plural es: magacines.

magazín
nombre masculino
1 Es otra forma de escribir: magacín.
NOTA El plural es: magazines.

magdalena
nombre femenino
1 Bollo pequeño hecho con huevos, harina, aceite y azúcar, que se cuece en el horno dentro de un molde de papel. INGLÉS small sponge cake.

magenta
nombre masculino y adjetivo
1 Color rosa oscuro. Se consigue al mezclar rojo con un poco de azul. INGLÉS magenta.
NOTA Como adjetivo no varía en plural.

magia
nombre femenino
1 Arte de realizar cosas maravillosas que van en contra de las leyes naturales. En los cuentos infantiles las brujas hacen magia. INGLÉS magic.
2 Conjunto de juegos y trucos que hace una persona para hacer creer al público que está viendo algo que no es real. INGLÉS magic.
3 Gracia y atractivo que tiene una cosa o una persona y que provoca admiración en los demás: *El cine tiene mucha magia.* SINÓNIMO encanto. INGLÉS magic.
como por arte de magia De un modo que no se puede explicar o que parece inexplicable. INGLÉS as if by magic.

mágico, mágica
adjetivo
1 De la magia o que tiene relación con ella, como una varita mágica. INGLÉS magic.
2 Que gusta o atrae mucho por ser muy bueno o excepcional: *El ambiente de su casa es mágico, siempre están contentos.* SINÓNIMO fantástico; maravilloso. INGLÉS magical.

magisterio
nombre masculino
1 Profesión o actividad que desarrolla un maestro o profesor, especialmente el que enseña en la enseñanza primaria. INGLÉS teaching profession.
2 Conjunto de estudios superiores que hay que realizar para conseguir el título y poder ejercer de maestro o profesor. INGLÉS teacher training.

magistrado, magistrada
nombre
1 Juez que forma parte de un tribunal. INGLÉS judge.

magistral
adjetivo
1 Se dice de la actividad o la obra que se hace con habilidad o destreza muy grande: *Reflejó de forma magistral la sociedad de su tiempo.* INGLÉS masterly.

magma
nombre masculino
1 Masa de rocas fundidas que se encuentra en el interior de la Tierra a una temperatura muy elevada. El magma puede salir a la corteza terrestre a través de un volcán. INGLÉS magma.

magnánimo, magnánima
adjetivo
1 Se dice de la persona que se comporta con generosidad y perdona con facilidad. Un profesor magnánimo no suele castigar a los alumnos. INGLÉS magnanimous.

magnate
nombre masculino y femenino
1 Persona muy importante que ocupa una elevada posición en el mundo de los negocios y de las finanzas. INGLÉS magnate.

magnético, magnética
adjetivo **1** Que tiene la propiedad de los imanes de atraer el hierro y el acero. Los juegos de mesa magnéticos tienen fichas con una pieza de imán en la base y tablero de hierro, con lo que las piezas no se caen. INGLÉS magnetic.
2 Se dice de las cosas que tienen relación con el poder de atracción de los imanes. La zona en la que se notan las fuerzas de un imán se llama campo magnético. La Tierra se comporta como un gran imán: tiene polos magnéticos situados en las proximidades de los polos geográficos, por eso en el hemisferio norte la brújula señala el norte. INGLÉS magnetic.

magnetismo
nombre masculino **1** Propiedad que tiene el imán de atraer objetos de hierro y acero. INGLÉS magnetism.
2 Conjunto de fenómenos producidos por los imanes y por las corrientes eléctricas. Los motores eléctricos contienen imanes en su interior, es decir, cualquier aparato que contiene un motor eléctrico utiliza el magnetismo. INGLÉS magnetism.

magnetita
nombre femenino **1** Mineral muy pesado y de color negro que tiene la propiedad del imán de atraer el hierro y el acero. Es un imán natural. INGLÉS magnetite.

magnetofón
nombre masculino **1** Es otra forma de escribir y pronunciar: magnetófono.
NOTA El plural es: magnetofones.

magnetófono
nombre masculino **1** Aparato que sirve para grabar y reproducir sonidos por medio de una cinta especial que se va enrollando en unos rodillos. SINÓNIMO casete. INGLÉS tape recorder.
NOTA También se escribe y se pronuncia: magnetofón.

magnífico, magnífica
adjetivo **1** Que destaca sobre otras cosas o personas por sus buenas cualidades. SINÓNIMO excelente; extraordinario. INGLÉS magnificent, splendid.

magnitud
nombre femenino **1** Cualquier aspecto de las cosas que puede medirse, como la longitud, el peso, la velocidad, la temperatura y el tiempo. INGLÉS magnitude.
2 Tamaño o importancia de alguna cosa. Las inundaciones, incendios o terremotos provocan pérdidas de gran magnitud. SINÓNIMO dimensión; proporción. INGLÉS magnitude, size.

magnolia
nombre femenino **1** Flor de pétalos gruesos de color blanco que tiene un olor intenso. También se llama magnolia el árbol que da esta flor. INGLÉS magnolia.

mago, maga
nombre **1** Persona que hace trucos con las manos para hacer creer al público que es real algo que no lo es. SINÓNIMO ilusionista. INGLÉS magician, conjurer.
2 Personaje imaginario de los cuentos infantiles que utiliza poderes mágicos para conseguir lo que quiere. SINÓNIMO brujo; hechicero. INGLÉS wizard.

magrebí
adjetivo y nombre masculino y femenino **1** Se dice de la persona o cosa que es del Magreb, zona del norte de África en la que se incluyen los territorios de Marruecos, Argelia y Túnez. INGLÉS Maghrebi.
NOTA El plural es: magrebíes o magrebís.

magullar
verbo **1** Producir un daño sin herida en una parte del cuerpo como consecuencia de un golpe o una caída. Si nos magullamos un brazo no sangramos, aunque nos puede salir un cardenal. SINÓNIMO contusionar. INGLÉS to bruise.

mahometano, mahometana
adjetivo **1** De la religión que fue enseñada por Mahoma o que tiene relación con ella. SINÓNIMO islámico; musulmán. INGLÉS Muslim.
adjetivo y nombre **2** Que sigue la religión que fue enseñada por Mahoma. Los mahometanos creen en un único dios: Alá. SINÓNIMO musulmán. INGLÉS Muslim.

mahonesa
nombre femenino **1** Salsa espesa que se hace mezclando huevo y aceite con limón o vinagre. Se usa como condimento de muchas comidas. INGLÉS mayonnaise.
NOTA También se escribe y se pronuncia: mayonesa.

maillot
nombre masculino **1** Prenda femenina parecida a un baña-

dor y que se usa para hacer gimnasia, aeróbic y otros deportes. INGLÉS leotard.

2 Camiseta deportiva que se ajusta al cuerpo, como la que llevan los ciclistas. INGLÉS jersey.

NOTA Se pronuncia: 'mallot'.

maíz

nombre masculino **1** Cereal de tallo recto y largo, con las hojas grandes y las flores agrupadas en racimos, que da unos granos amarillos que se usan como alimento. Estos granos también se llaman maíz. INGLÉS maize, sweet corn.

maizal

nombre masculino **1** Terreno en el que se cultiva maíz. INGLÉS maize field.

majadería

nombre femenino **1** Dicho o hecho torpe, inoportuno o molesto. SINÓNIMO chorrada; tontería. INGLÉS stupid thing.

NOTA Es una palabra informal.

majadero, majadera

adjetivo y nombre **1** Que hace o dice cosas que no tienen sentido o que molestan a los demás. INGLÉS stupid [adjetivo].

NOTA Es una palabra informal.

majara

adjetivo y nombre masculino y femenino **1** Se dice de la persona que actúa de un modo poco responsable o imprudente. SINÓNIMO chalado; loco. INGLÉS loony.

NOTA Es una palabra informal.

majareta

adjetivo y nombre masculino y femenino **1** Majara: *¿Te crees que estoy majareta? No pienso dejarte mi bicicleta nueva para que hagas el bestia.* SINÓNIMO chalado; loco. INGLÉS loony.

NOTA Es una palabra informal.

majestad

nombre femenino **1** Palabra que se utiliza para nombrar a Dios o a los emperadores y reyes en señal de respeto y obediencia. INGLÉS majesty.

NOTA Se escribe con mayúscula.

majestuoso, majestuosa

adjetivo **1** Que impresiona y causa admiración por ser muy elegante o muy grande. INGLÉS majestic.

majo, maja

adjetivo **1** Se dice de la persona que es muy amable, simpática y agradable en el trato. INGLÉS nice.

2 Que es bonito o útil, aunque no sea lujoso ni muy grande. INGLÉS nice.

majorette

nombre femenino **1** Niña o mujer joven que marcha delante de una banda de música en un desfile. Las majorettes llevan uniforme y un bastón que lanzan al aire y que recogen a lo largo de la marcha. INGLÉS majorette.

NOTA Se pronuncia: 'mayoret'.

mal

adjetivo **1** Apócope de 'malo'; se usa cuando va delante de un nombre masculino: *Tiene mal humor.* ANTÓNIMO buen. INGLÉS bad.

adverbio **2** De manera contraria a la debida o de un modo que no es correcto o adecuado. Si un problema está mal es porque no hemos sabido resolverlo. ANTÓNIMO bien. INGLÉS wrong.

3 A disgusto o de forma desagradable: *Lo pasé mal en la fiesta porque no conocía a nadie.* ANTÓNIMO bien. INGLÉS badly.

4 Con problemas de salud: *Todavía estoy mal de la gripe.* INGLÉS ill, sick.

nombre masculino **5** Lo que se considera moralmente malo. No deberíamos hacer el mal a nadie. INGLÉS wrong.

6 Cosa que es mala y perjudicial para nuestra vida y nos produce insatisfacción o tristeza. La guerra es un mal que causa la muerte de muchas personas. ANTÓNIMO bien. INGLÉS evil.

7 Enfermedad o dolencia física: *Se pasa el día quejándose de sus males.* INGLÉS illness.

menos mal Se utiliza para expresar un alivio, porque no ha ocurrido algo malo o todo lo malo que podía ocurrir. INGLÉS just as well.

tomar a mal Ofenderse por algo que se dice o se hace, aunque no se haya dicho o hecho con esa intención: *No te lo tomes a mal, era una broma.* INGLÉS to be offended.

malabarista

nombre masculino y femenino **1** Persona que realiza juegos o ejercicios de habilidad que consisten en lanzar cosas al aire y recogerlas con distintas combinaciones, o en mantenerlas en equilibrio. Suelen trabajar en el circo. INGLÉS juggler.

malacitano, malacitana

adjetivo y nombre **1** Se dice de la persona o cosa que es de Málaga, ciudad y provincia de Andalucía. SINÓNIMO malagueño.

malacostumbrar

verbo **1** Hacer que una persona adquiera malos hábitos o costumbres. Unos padres que siempre dejan comer dulces a su hijo lo malacostumbran. INGLÉS to spoil, to get into bad habits.

malagueño, malagueña

adjetivo y nombre **1** Se dice de la persona o cosa que es de Málaga, ciudad y provincia de Andalucía. SINÓNIMO malacitano.

malaria

nombre femenino **1** Enfermedad que produce fiebre muy alta y que se transmite por la picadura de un mosquito que se encuentra en regiones pantanosas. INGLÉS malaria.

malcriar

verbo **1** Educar mal a un niño pequeño, normalmente porque se le consienten demasiadas cosas, se le dan todos los caprichos y no se le corrige su mal comportamiento. INGLÉS to spoil.

maldad

nombre femenino **1** Característica de las personas malas. También es la acción realizada por estas personas. ANTÓNIMO bondad. INGLÉS wickedness [característica], wicked thing [acción].

maldecir

verbo **1** Decir maldiciones de una persona o una cosa: *Maldice su suerte.* INGLÉS to curse.

NOTA Se conjuga como: predecir.

maldición

nombre femenino **1** Palabras insultantes con las que se muestra el enfado con alguien o algo. ANTÓNIMO bendición. INGLÉS curse.

2 Persona o cosa muy mala que crea muchos problemas o que se considera como un castigo: *Esta tormenta ha sido una maldición para el pueblo.* ANTÓNIMO bendición. INGLÉS curse.

NOTA El plural es: maldiciones.

maldito, maldita

adjetivo **1** Indica enfado o disgusto por algo o alguien que resulta tan malo o molesto que hace perder la paciencia: *Esta maldita cerradura nunca se abre a la primera.* INGLÉS damned.

adjetivo y nombre **2** Que es objeto de una maldición. Decimos que un lugar está maldito cuando en él pasan cosas muy raras y desagradables. INGLÉS accursed [adjetivo].

adjetivo **3** Delante de un nombre con artículo, significa nada: *Maldita la gracia que me hace salir de casa ahora que llueve.*

maleante

adjetivo y nombre masculino y femenino **1** Se dice de la persona que comete delitos de manera habitual. INGLÉS criminal [nombre].

maleducado, maleducada

adjetivo y nombre **1** Que tiene muy mala educación y se comporta sin respeto ni atención con los demás. ANTÓNIMO educado. INGLÉS bad mannered [adjetivo].

maleficio

nombre masculino **1** Daño que recibe una persona por medio de la magia: *La bruja realizó un maleficio para encantar a la princesa.* INGLÉS curse.

maléfico, maléfica

adjetivo **1** Que perjudica o hace daño. INGLÉS evil.

malentendido

nombre masculino **1** Error o fallo que una persona comete por la forma en que ha interpretado o entendido algo. Algunas películas cómicas se basan en malentendidos. INGLÉS misunderstanding.

NOTA El plural es: malentendidos.

malestar

nombre masculino **1** Sensación desagradable que tiene una persona cuando se encuentra mal o molesta. Un dolor de cabeza o de estómago provocan malestar. INGLÉS discomfort.

maleta

nombre femenino **1** Objeto que sirve para llevar la ropa y otras cosas en un viaje. INGLÉS suitcase, case.

nombre masculino y femenino **2** Persona que hace mal las cosas o se equivoca al hacerlas: *El muy maleta ha fallado el gol a puerta vacía.* Es un uso informal. INGLÉS dead loss.

maletero

nombre masculino **1** Espacio cerrado de un coche que sirve para llevar las maletas y otras cosas. Suele estar en la parte trasera de los coches. INGLÉS boot [en el Reino Unido], trunk [en Estados Unidos].

maletín

nombre masculino **1** Maleta pequeña que se usa para llevar documentos u objetos pequeños,

a b c d e f g h i j k l m n ñ o p q r s t u v w x y z

como la que llevan los ejecutivos o los médicos. INGLÉS briefcase.
NOTA El plural es: maletines.

maleza
nombre femenino
1 Conjunto de las malas hierbas que perjudican los campos de cultivo. *Hay que limpiar los sembrados para que no se llenen de maleza.* INGLÉS weeds.
2 Conjunto espeso de árboles, arbustos y plantas que crecen de manera silvestre. INGLÉS undergrowth.

malgastar
verbo
1 Gastar mal el dinero, el tiempo o el esfuerzo. *Las personas que compran cosas que no necesitan malgastan su dinero. Las personas que hacen tonterías todo el rato malgastan su tiempo y sus fuerzas.* SINÓNIMO desperdiciar. ANTÓNIMO aprovechar; ahorrar. INGLÉS to waste.

malhablado, malhablada
adjetivo y nombre
1 Que habitualmente habla empleando expresiones vulgares o palabras malsonantes. INGLÉS foul-mouthed [adjetivo].

malhechor, malhechora
adjetivo y nombre
1 Que comete delitos habitualmente. SINÓNIMO delincuente. INGLÉS wrongdoer [nombre].

malhumor
nombre masculino
1 Estado de ánimo de la persona que está enfadada o molesta. INGLÉS bad temper.
NOTA También se escribe: mal humor.

malhumorado, malhumorada
adjetivo
1 Que tiene mal humor o está enfadado por algo. INGLÉS bad-tempered.

malicia
nombre femenino
1 Intención o costumbre de una persona de hacer cosas malas sabiendo que las hace. SINÓNIMO maldad. INGLÉS malice.

maligno, maligna
adjetivo
1 Que es muy grave o perjudicial, o que no puede curarse. *Gracias a los avances de la medicina se pueden curar muchas enfermedades malignas.* ANTÓNIMO benigno. INGLÉS malignant.
2 Que tiende a hacer mal o a pensar mal. *También es maligna la persona que se alegra cuando le pasa algo malo a otra.* SINÓNIMO perverso. ANTÓNIMO bueno. INGLÉS evil.

malinterpretar
verbo
1 Interpretar de forma incorrecta lo que dice o hace alguien. *Malinterpretamos el gesto de una persona que levanta la mano para saludar cuando creemos que va a pegar a alguien.* INGLÉS to misinterpret.

malla
nombre femenino
1 Prenda parecida a un leotardo de tela elástica que se ajusta a las piernas. *Para hacer gimnasia, aeróbic o ballet se usan mallas.* Se usa sobre todo en plural. INGLÉS leotard, [si es para ballet: tights].
2 Tejido parecido a una red hecho con hilo o plástico. *A veces las naranjas se venden en bolsas de malla.* INGLÉS mesh.

mallorquín, mallorquina
adjetivo y nombre
1 Se dice de la persona o cosa que es de la isla de Mallorca. INGLÉS Majorcan.
NOTA El plural de mallorquín es: mallorquines.

malnutrición
nombre femenino
1 Alimentación insuficiente e inadecuada para el buen funcionamiento del organismo. *En la actualidad, unos 15 millones de personas mueren anualmente por malnutrición.* INGLÉS malnutrition.

malo, mala
adjetivo
1 Que no se porta bien con los demás o que, en general, causa problemas. *También se dice de las acciones y sentimientos de una persona mala.* SINÓNIMO malvado. ANTÓNIMO bueno. INGLÉS bad.
2 Que tiene poca calidad o que no es conveniente para un determinado fin. *Un bolígrafo malo no escribe bien.* ANTÓNIMO bueno. INGLÉS bad.
3 Que no es agradable a los sentidos. ANTÓNIMO bueno. INGLÉS bad.
4 Se dice de las cosas que pueden causar un perjuicio. *Las drogas son malas para la salud.* SINÓNIMO perjudicial. ANTÓNIMO beneficioso. INGLÉS bad.
5 Que tiene algún problema de salud. *Cuando estamos malos no podemos ir al colegio.* SINÓNIMO enfermo. INGLÉS ill, sick.
estar de malas Estar de mal humor. INGLÉS to be in a bad mood.
por las malas Que se hace a la fuerza: *Si no haces lo que te digo ahora por las*

buenas, tendrás que hacerlo luego por las malas. INGLÉS unwillingly.

NOTA Delante de un nombre masculino se utiliza: mal. El comparativo es: peor.

maloliente

adjetivo **1** Que tiene un olor desagradable, como la ropa muy sucia o una habitación mal ventilada. INGLÉS foul-smelling.

malpensado, malpensada

adjetivo y nombre **1** Se dice de la persona que acostumbra a ver mala intención en lo que dicen o hacen los demás. INGLÉS suspicious minded.

NOTA También se escribe: mal pensado.

malsonante

adjetivo **1** Se dice de las palabras que suenan mal por ser muy vulgares o de mal gusto. Los tacos son palabras malsonantes. INGLÉS rude.

maltratar

verbo **1** Tratar a una persona o una cosa de modo que se le cause algún daño o desperfecto. INGLÉS to ill-treat [una persona], to mistreat [una cosa].

maltrecho, maltrecha

adjetivo **1** Que está en mal estado como consecuencia de un esfuerzo o de un accidente. INGLÉS battered, damaged.

malva

nombre femenino **1** Planta de hojas de color verde intenso y grandes flores moradas. INGLÉS mallow.

nombre masculino y adjetivo **2** Color rosa con un tono morado como el de la flor de la malva. INGLÉS mauve.

criar malvas Estar una persona muerta y enterrada. Es un uso informal. INGLÉS to be pushing up daisies.

malvado, malvada

adjetivo **1** Que actúa con muy mala intención pretendiendo hacer daño a los demás. También se dice de las acciones de estas personas. SINÓNIMO maligno; perverso. ANTÓNIMO bueno. INGLÉS wicked, evil.

malversación

nombre femenino **1** Acción de quedarse una persona con el dinero que le habían confiado. Las malversaciones son delitos. INGLÉS embezzlement.

NOTA El plural es: malversaciones.

mama

nombre femenino **1** Órgano de las hembras de los mamíferos por donde sale la leche. SINÓNIMO teta. INGLÉS breast.

2 Forma en que un hijo se dirige a su madre. También se escribe y se pronuncia: mamá. INGLÉS mum, mummy.

mamá

nombre femenino **1** Forma en que una persona se refiere a su madre o se dirige a ella. Es una palabra familiar. En situaciones más formales se usa: madre. INGLÉS mum, mummy.

NOTA También se escribe y se pronuncia: mama.

mamar

verbo **1** Chupar las crías de los mamíferos la leche que sale de las mamas de su madre. Algunas mujeres dan de mamar a sus bebés. INGLÉS to suckle.

mamarracho

nombre masculino **1** Cosa mal hecha o ridícula, en especial un dibujo o una pintura. INGLÉS monstrosity.

2 Persona que viste o se comporta de forma ridícula: *Con ese traje estás hecho un mamarracho.* INGLÉS sight, mess.

mamífero, mamífera

adjetivo y nombre masculino **1** Se dice del animal vertebrado que se desarrolla en el interior del cuerpo de la hembra y se alimenta, en una primera etapa de su vida, de la leche materna. El gato y la vaca son mamíferos terrestres; el delfín y la ballena son mamíferos marinos. INGLÉS mammal.

mamitis

nombre femenino **1** Deseo exagerado de estar siempre con la madre.

NOTA Es una palabra informal.

mamón, mamona

adjetivo y nombre **1** Se dice del niño que todavía mama. INGLÉS unweaned [adjetivo].

2 Se dice de la persona despreciable o que hace algo malo. Es un uso vulgar. Se utiliza como insulto. INGLÉS pillock [nombre].

NOTA El plural de mamón es: mamones.

mamporro

nombre masculino **1** Golpe que se da a una persona con la mano cerrada. Es una palabra informal. SINÓNIMO puñetazo. INGLÉS punch, thump.

mamut

nombre masculino **1** Mamífero prehistórico parecido al

elefante, pero más grande, con dos colmillos muy largos y abundante pelo. INGLÉS mammoth.
NOTA El plural es: mamuts.

maná
nombre masculino
1 Alimento que Dios envió al pueblo hebreo en el desierto para socorrerlos cuando tenían hambre. INGLÉS manna.

manada
nombre femenino
1 Grupo de animales grandes, terrestres y de la misma especie, salvajes o domésticos, que viven juntos. Hay manadas de elefantes, de búfalos y de vacas. INGLÉS herd, flock.

mánager
nombre masculino y femenino
1 Persona que organiza y negocia los aspectos profesionales y económicos de un deportista o un artista. SINÓNIMO representante. INGLÉS manager.
2 Persona que dirige y administra una empresa u organización. INGLÉS manager.
NOTA El plural es: mánager.

manantial
nombre masculino
1 Corriente de agua que brota de la tierra o de entre las rocas de forma natural. INGLÉS spring.

manar
verbo
1 Salir un líquido de un sitio. El agua mana de las fuentes. INGLÉS to flow.

manazas
adjetivo y nombre masculino y femenino
1 Se dice de la persona que no tiene habilidad para hacer cosas en las que se emplean las manos y que estropea todo lo que toca. Es una palabra informal. INGLÉS clumsy [adjetivo], clumsy oaf [nombre].
NOTA El plural es: manazas.

mancha
nombre femenino
1 Marca de suciedad que hay en una superficie. INGLÉS stain.
2 Parte de una superficie que tiene un color diferente al resto. Las jirafas tienen manchas oscuras por todo el cuerpo. INGLÉS spot, patch.
3 Cosa que daña la fama o el honor de una persona. INGLÉS blemish.

manchar
verbo
1 Ensuciar una cosa. INGLÉS to stain, to dirty.

manchego, manchega
adjetivo y nombre
1 Se dice de la persona o cosa que es de La Mancha, región natural de la península Ibérica que se extiende por las provincias de Cuenca, Toledo, Ciudad Real y Albacete.
adjetivo y nombre masculino
2 Se dice de un tipo de queso que se hace en La Mancha con leche de oveja, aunque también se le puede añadir de vaca. INGLÉS manchego.

manco, manca
adjetivo y nombre
1 Se dice de la persona a la que le falta un brazo o una mano, o los dos, o que tiene un defecto físico en ellos y no puede usarlos. INGLÉS one-armed [adjetivo - sin un brazo], armless [adjetivo - sin los dos brazos], one-handed [adjetivo - sin una mano], without hands [adjetivo - sin las dos manos].

mandamás
nombre masculino y femenino
1 Persona que tiene poder para dirigir o mandar. El mandamás de una empresa es la persona que la dirige y controla. INGLÉS boss.
NOTA Es una palabra informal. El plural es: mandamases.

mandamiento
nombre masculino
1 Orden de un superior o una autoridad que hay que cumplir, como un mandamiento judicial que es una orden de un juzgado. INGLÉS order.
2 Reglas de conducta de algunas religiones, como los mandamientos de la ley de Dios. INGLÉS commandment.

mandar
verbo
1 Decir a alguien lo que tiene que hacer. SINÓNIMO ordenar. INGLÉS to order.
2 Dirigir una persona a los demás. En una empresa, los jefes mandan a sus subordinados. SINÓNIMO gobernar. INGLÉS to be in charge.
3 Enviar una cosa o a una persona a un lugar. Las cartas y los paquetes se mandan por correo o por medio de mensajeros. INGLÉS to send.

mandarín
nombre masculino
1 Persona que antiguamente tenía un alto cargo, civil o militar, en China. INGLÉS mandarin.
nombre masculino y adjetivo
2 Variedad dialectal del chino. El mandarín es la variedad más hablada del chino, que es la lengua con más hablantes del mundo. INGLÉS Mandarin.
NOTA El plural es: mandarines.

mandarina
nombre femenino
1 Fruta parecida a la naranja, pero más

pequeña y de sabor más dulce. Es muy aromática y se pela fácilmente con la mano. INGLÉS mandarin, tangerine.

mandato

nombre masculino

1 Aquello que manda hacer un superior o una autoridad. SINÓNIMO orden. INGLÉS order, command.

2 Período de tiempo durante el cual una persona tiene un cargo. También es la actuación de esa persona en su cargo. El mandato de un presidente de gobierno español dura cuatro años. INGLÉS mandate, term of office.

mandíbula

nombre femenino

1 Cada uno de los dos huesos que forman la boca de las personas y animales vertebrados, y donde están los dientes. Para masticar los alimentos movemos la mandíbula inferior. INGLÉS jaw.

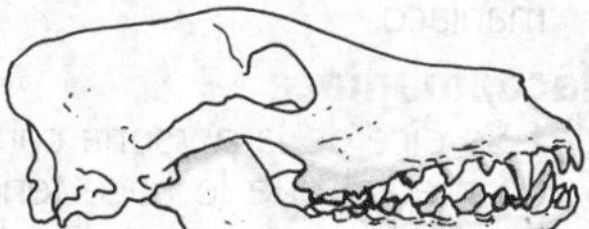

mandíbula

mandil

nombre masculino

1 Especie de delantal de tela fuerte que se cuelga del cuello y se ata a la cintura para proteger la ropa en determinados oficios. Los carniceros, pescaderos y fruteros suelen llevar mandil. INGLÉS apron.

mando

nombre masculino

1 Poder o autoridad que una persona tiene sobre otra u otras a las cuales puede dirigir y dar órdenes. El capitán ejerce el mando en una compañía. INGLÉS command.

2 Persona u organismo que tiene poder y autoridad para mandar sobre otras. Los suboficiales, los oficiales y los jefes son mandos del ejército. INGLÉS commander [persona], the command [organismo].

3 Mecanismo o dispositivo mediante los cuales se maneja, se controla o se dirige una máquina o un aparato. Los aviones tienen un cuadro de mandos. INGLÉS control.

mandón, mandona

adjetivo y nombre

1 Se dice de la persona a la que le gusta mucho mandar sobre los demás. INGLÉS bossy [adjetivo], bossy boots [nombre]. NOTA El plural de mandón es: mandones.

mandril

nombre masculino

1 Mono de color marrón que tiene la cabeza grande, el morro alargado, una cola corta y nalgas de color rojo. Vive en África. INGLÉS mandril.

manecilla

nombre femenino

1 Aguja pequeña que tienen los relojes y otros instrumentos para marcar algo. Las manecillas de las brújulas marcan el punto cardinal. INGLÉS hand.

manejable

adjetivo

1 Que es fácil de manejar o utilizar: *Las cámaras de fotos automáticas son muy manejables.* INGLÉS manageable, [si es un aparato: easy to use].

manejar

verbo

1 Usar algo, especialmente cuando se hace con las manos. Los pintores manejan bien el pincel. INGLÉS to use.

2 Organizar y dirigir un asunto: *El director maneja muy bien los asuntos del colegio.* INGLÉS to manage.

3 manejarse Saber actuar o comportarse en una determinada actividad, situación o circunstancia: *Se maneja muy bien en las reuniones de trabajo.* INGLÉS to manage, to get by.

manejo

nombre masculino

1 Uso de algo, en especial si se hace con las manos: *Es un experto en el manejo de ordenadores.* INGLÉS use.

2 Aquello que se hace de forma oculta para conseguir algo: *Se trae unos manejos rarísimos.* Se usa más en plural. SINÓNIMO maniobra. INGLÉS scheme.

manera

nombre femenino

1 Conjunto de características que hacen que una acción, una actividad o un comportamiento sean diferentes cada vez que se hacen o según la persona que los haga. SINÓNIMO modo. INGLÉS way.

nombre femenino plural

2 maneras Conjunto de características que hacen que un comportamiento sea o no sea considerado educado. SINÓNIMO modales. INGLÉS manners.

de manera que Indica la consecuencia o el resultado de lo que se dice: *No quedaban entradas, de manera que no pudimos entrar.* INGLÉS so.

de ninguna manera Se usa para negar algo con fuerza: *No dejaré que lo haga, de ninguna manera.* INGLÉS no way.

de todas maneras Indica que algo que se conoce o que se ha dicho antes no impide que sea cierto o que ocurra lo que se dice después: *No sabía si estaría, pero de todas maneras fui a su casa.* SINÓNIMO de todos modos. INGLÉS in any case.

maneta
nombre femenino

1 Pieza que tienen las bicicletas y las motocicletas en el manillar y que sirve para accionar un mecanismo, como la maneta de los frenos en la bici o la maneta del embrague en la moto. INGLÉS lever.

manga
nombre femenino

1 Parte de una prenda de vestir que cubre el brazo. La manga larga cubre todo el brazo y la manga corta no llega al codo. INGLÉS sleeve.

2 Objeto de tela en forma de cono con un agujero en la punta que sirve para decorar postres. La manga se rellena de nata o crema que después se hace salir a presión por la punta. INGLÉS icing bag.

mangar
verbo

1 Robar una cosa a una persona, sobre todo cuando se hace engañándola o sin que se dé cuenta. Es una palabra informal. SINÓNIMO robar. INGLÉS to pinch, to nick.

NOTA Se escribe 'gu' delante de 'e', como: manguen.

mango
nombre masculino

1 Parte de un utensilio o una herramienta por donde se coge con la mano. El mango de un martillo o un cuchillo es largo y estrecho. INGLÉS handle.

2 Fruta de forma ovalada, de color amarillo y de sabor muy dulce, con la piel delgada y una semilla grande y plana. Es el fruto de un árbol originario de la India que se cultiva en países cálidos que también se llama mango. INGLÉS mango.

manguera
nombre femenino

1 Tubo largo de un material flexible, generalmente de goma, que sirve para conducir por su interior un líquido de un lugar a otro. En los jardines suele haber mangueras para regar. INGLÉS hose, hosepipe.

manía
nombre femenino

1 Costumbre rara o poco normal de hacer una cosa. También es una manía un comportamiento poco adecuado o injustificado. INGLÉS peculiar habit [costumbre rara], bad habit [mala costumbre].

2 Afición exagerada que tiene una persona por una cosa o deseo muy grande que siente por ella. INGLÉS craze.

3 Rechazo o antipatía que se siente por una persona o una cosa sin ninguna causa justificada: *Se mete con él porque le tiene manía.* INGLÉS dislike.

maniaco, maniaca
adjetivo y nombre

1 Es otra forma de escribir y pronunciar: maníaco.

maníaco, maníaca
adjetivo y nombre

1 Se dice de la persona con un trastorno mental que le hace tener obsesiones y un estado constante de agitación. INGLÉS manic [adjetivo], maniac [nombre].

NOTA También se escribe y se pronuncia: maniaco.

maniático, maniática
adjetivo

1 Se dice de la persona que tiene alguna manía. INGLÉS fussy, finicky.

manicomio
nombre masculino

1 Hospital o clínica que atiende y cuida enfermos mentales. INGLÉS mental hospital.

manicura
nombre femenino

1 Cuidado y arreglo de las manos y las uñas. INGLÉS manicure.

manifestación
nombre femenino

1 Grupo de personas que se reúnen en un lugar o desfilan por la calle para hacer pública una protesta o petición. INGLÉS demonstration.

2 Comunicación de una opinión o sentimiento. En una encuesta se recogen las manifestaciones de los entrevistados. SINÓNIMO declaración. INGLÉS statement.

3 Muestra de algo. Los aplausos son la manifestación de que un espectáculo ha gustado. INGLÉS expression.

NOTA El plural es: manifestaciones.

manifestante
nombre masculino y femenino
1 Persona que participa en una manifestación. A veces, los manifestantes llevan pancartas. INGLÉS demonstrator.

manifestar
verbo
1 Expresar o dar a conocer un sentimiento, un pensamiento o una opinión. Sonreír es una forma de manifestar alegría. INGLÉS to express, to show.
2 manifestarse Participar en una manifestación: *Se han manifestado para protestar por los atentados.* INGLÉS to demonstrate.
NOTA Se conjuga como: acertar; la 'e' se convierte en 'ie' en sílaba acentuada, como: manifieste.

manillar
nombre masculino
1 Pieza de una bicicleta o de una motocicleta que está formada por una barra unida a la rueda delantera y que sirve para hacer girar el vehículo. Suele llevar las palancas que accionan los frenos. INGLÉS handlebars.

maniobra
nombre femenino
1 Cada uno de los movimientos que se hacen para mover o manejar una cosa, como un vehículo, una máquina o un instrumento. INGLÉS manoeuvre.
2 Aquello que se hace de forma oculta para conseguir algún fin determinado, normalmente negativo: *Todas sus maniobras iban dirigidas a desprestigiarle.* SINÓNIMO manejo. INGLÉS machination.

maniobrar
verbo
1 Hacer maniobras o movimientos para mover o manejar algo. INGLÉS to manoeuvre.

manipulación
nombre femenino
1 Acción de manejar o controlar una cosa. INGLÉS handling, operation.
2 Acción de influir a una persona para que haga algo. INGLÉS manipulation.
NOTA El plural es: manipulaciones.

manipular
verbo
1 Tocar o manejar una cosa con las manos. Hacer funcionar una máquina o un aparato también es manipularlo. INGLÉS to handle, to operate.
2 Influir en una persona para que haga lo que otra quiere: *Manipula a sus amigos con artimañas.* INGLÉS to manipulate.

maniquí
nombre masculino
1 Muñeco con forma y tamaño de persona que se viste para mostrar prendas de ropa en las tiendas o para confeccionarlas. INGLÉS dummy.
2 Persona que se dedica a hacer pases de ropa en público. SINÓNIMO modelo. INGLÉS model.
NOTA El plural puede ser: maniquís o maniquíes.

manitas
nombre masculino y femenino
1 Se dice de la persona que tiene habilidad para hacer cosas en las que se emplean las manos y todo lo que está estropeado lo arregla. SINÓNIMO mañoso. ANTÓNIMO manazas. INGLÉS handyman [hombre], handy woman [mujer].
hacer manitas Acariciarse mutuamente las manos dos personas como muestra de amor y cariño. INGLÉS to cuddle.
NOTA El plural es: manitas.

manivela
nombre femenino
1 Pieza que tienen algunos motores o mecanismos y que sirve para hacer girar un eje y poner en funcionamiento dicho motor o mecanismo. Es una barra de hierro doblada en ángulo recto. INGLÉS crank.

manjar
nombre masculino
1 Alimento muy bueno y apetitoso. Es una palabra formal. INGLÉS delicacy.

mano
nombre femenino
1 Parte del cuerpo humano que va desde la muñeca hasta la punta de los dedos. Con las manos cogemos y manejamos cosas. INGLÉS hand.
2 Cada una de las dos patas delanteras de algunos animales, como los caballos o los cerdos. INGLÉS forefoot.
3 Habilidad que tienen algunas personas para hacer bien ciertas cosas: *Tiene mucha mano para cocinar.* INGLÉS skill.
4 Capa de pintura, barniz o esmalte que se le da a una superficie. INGLÉS coat.
5 Objeto alargado, generalmente de madera, con el que se machacan algunos alimentos en el mortero. INGLÉS pestle.
6 Cada una de las veces en que se reparten las cartas en una partida. También es la persona a la que le toca repartir: *Vamos a jugar otra mano.* INGLÉS hand.

a b c d e f g h i j k l m n ñ o p q r s t u v w x y z

a b c d e f g h i j k l m n ñ o p q r s t u v w x y z

7 Lado en el que se encuentra algo, en especial un lugar: *El parque está a mano derecha.* INGLÉS hand.

a mano Se dice del trabajo que ha sido realizado con las manos, sin la ayuda de ninguna máquina. INGLÉS by hand.

con las manos en la masa En el mismo momento en que se está haciendo algo que no queremos que se sepa. INGLÉS red handed.

de segunda mano Se dice del objeto que ya ha sido usado, como un coche de segunda mano. INGLÉS second-hand.

echar una mano Ayudar a alguien: *le echó una mano con los deberes.* INGLÉS to lend a hand.

frotarse las manos Alegrarse una persona o sentirse contento por algo que va a pasar. INGLÉS to rub one's hands.

lavarse las manos No querer saber nada de una cosa y desentenderse de ella como si no tuviéramos nada que ver. INGLÉS to wash one's hands.

mano a mano Entre dos o más personas: *Se han comido todo el pastel mano a mano.* INGLÉS between them.

mano de obra Conjunto de obreros que trabajan en una construcción. INGLÉS workforce, workers.

mano derecha Persona de confianza que ayuda a otra en el trabajo realizando las tareas más importantes. INGLÉS right-hand man [hombre], right-hand woman [mujer].

mano dura Forma dura y severa de tratar o castigar a alguien. INGLÉS firm hand.

mano izquierda Habilidad que tiene una persona para tratar los asuntos delicados o difíciles. INGLÉS skill, tact.

manojo

nombre masculino

1 Conjunto de cosas alargadas del mismo tipo que se pueden coger con la mano o que están agrupadas, como un manojo de llaves o de flores. INGLÉS bunch.

manopla

nombre femenino

1 Prenda que cubre y protege la mano manteniendo todos los dedos juntos excepto el pulgar. La manopla de cocina sirve para no quemarse al coger cacharros que están calientes. INGLÉS mitten.

manosear

verbo

1 Tocar una cosa con las manos muchas veces. No se deben manosear los alimentos. SINÓNIMO sobar. INGLÉS to handle.

manotazo

nombre masculino

1 Golpe que se da a una persona o una cosa con la mano abierta. INGLÉS slap, smack.

mansedumbre

nombre femenino

1 Característica de las personas o los animales que son muy buenos, tranquilos e incapaces de atacar o pelear con otros. INGLÉS meekness [de una persona], tameness [de un animal].

mansión

nombre femenino

1 Casa muy grande y lujosa. INGLÉS mansion.

NOTA El plural es: mansiones.

manso, mansa

adjetivo

1 Se dice de un animal que es tranquilo y no es fiero o peligroso ni ataca. INGLÉS tame.

2 Se dice de la persona pacífica, tranquila y que no se enfada ni pelea con nadie. INGLÉS meek.

3 Se dice de lo que se mueve suave y lentamente: *Aquí el agua del río es muy mansa.* INGLÉS calm.

manta

nombre femenino

1 Pieza de tela gruesa y forma cuadrada o rectangular que sirve para abrigar. Suelen ponerse en las camas en invierno para no pasar frío. INGLÉS blanket.

2 Pez de cuerpo ancho y muy plano en forma de rombo y con una cola larga y delgada. INGLÉS manta ray.

3 Serie numerosa de golpes: *El boxeador le dio una buena manta a su adversario.* Es un uso informal. INGLÉS beating.

4 Persona que es perezosa: *Deja de hacer el manta y ponte a trabajar.* INGLÉS lazybones.

mantear

verbo

1 Lanzar al aire a una persona que está sobre una manta sujetada por las esquinas por varias personas, para celebrar algún acontecimiento o para divertirse. INGLÉS to toss in a blanket.

manteca

nombre femenino

1 Grasa de color blanco que tienen los

animales, sobre todo la de cerdo, que se usa para cocinar. INGLÉS lard.

2 Sustancia grasa que se obtiene de las semillas de ciertas plantas, como coco o cacao, que se emplea en la industria de alimentación y farmacéutica. INGLÉS butter.

mantecada

nombre femenino

1 Bollo parecido a una magdalena que se hace con huevos, azúcar, harina y manteca de cerdo, y se cuece en el horno dentro de un molde cuadrado de papel. INGLÉS small sponge cake.

NOTA También se dice: mantecado.

mantecado

nombre masculino

1 Es otra forma de decir mantecada.

2 Dulce hecho con harina, azúcar y manteca de cerdo y cocido en el horno. Se comen durante las fiestas de Navidad. INGLÉS shortbread.

3 Helado hecho con leche, huevos y azúcar. INGLÉS dairy ice cream.

mantel

nombre masculino

1 Pieza grande de tela, papel o plástico, que se pone encima de una mesa cuando se va a comer. INGLÉS tablecloth.

mantelería

nombre femenino

1 Conjunto de mantel de tela y varias servilletas. INGLÉS table linen.

mantener

verbo

1 Hacer que una cosa esté siempre de la misma manera o en el mismo estado. Las neveras mantienen los alimentos frescos. INGLÉS to keep.

2 Seguir o continuar con una acción o situación. Los buenos amigos mantienen su amistad durante toda la vida. INGLÉS to keep.

3 Proporcionar la comida y el dinero necesario para poder vivir. Los padres mantienen a sus hijos hasta que empiezan a trabajar. INGLÉS to keep.

4 Defender una idea o una opinión. Los vegetarianos mantienen que no hay que comer carne. INGLÉS to maintain.

5 mantenerse Aguantarse una cosa o una persona en una posición o en un lugar determinado. Los globos se mantienen en el aire porque están llenos de aire caliente. INGLÉS to stay.

NOTA Se conjuga como: tener.

mantequería

nombre femenino

1 Tienda en la que se vende mantequilla, queso y otros derivados de la leche. Actualmente quedan muy pocas mantequerías. INGLÉS dairy.

mantequilla

nombre femenino

1 Pasta blanda y suave, de color amarillo claro, que se obtiene de la grasa de la leche de vaca. Hay que guardarla en un sitio fresco porque con el calor se deshace. INGLÉS butter.

mantilla

nombre femenino

1 Prenda de tela fina o calada que utilizan las mujeres para cubrirse la cabeza y que a veces cae sobre los hombros y la espalda. INGLÉS mantilla.

2 Prenda que envuelve y abriga a un bebé. INGLÉS shawl.

mantis

nombre femenino

1 Insecto de cuerpo alargado, de color verde o amarillo, que tiene las patas delanteras largas, robustas y terminadas en unas pinzas con las que caza a otros insectos. También se llama: mantis religiosa. INGLÉS mantis, praying mantis.

NOTA El plural es: mantis.

manto

nombre masculino

1 Especie de capa que cubre desde la cabeza o los hombros hasta los pies. INGLÉS cloak.

2 Capa de la Tierra que está entre el núcleo y la corteza terrestre. INGLÉS layer, stratum.

mantón

nombre masculino

1 Pañuelo grande y cuadrado que se dobla en forma de triángulo y se lleva sobre los hombros. El mantón de Manila es de seda bordada y tiene flecos largos. INGLÉS shawl.

NOTA El plural es: mantones.

manual

adjetivo

1 Se dice de las cosas o los trabajos que se hacen con las manos y no con máquinas. INGLÉS manual.

nombre masculino

2 Libro donde se recoge lo más importante de una materia o se cuenta cómo funciona un aparato o una máquina. Los aparatos electrónicos suelen venir con un manual de instrucciones. INGLÉS manual, handbook.

manualidad

nombre femenino

1 Trabajo que se hace con las manos, en especial el que se hace en un centro escolar como actividad de una asignatura

artística, para desarrollar la creatividad de los niños. INGLÉS handicraft.
NOTA Se usa más en plural.

manubrio
nombre masculino
1 Pieza metálica con forma de ángulo recto que tienen algunos mecanismos o máquinas. Sirve para hacer girar un eje o poner en funcionamiento el mecanismo o la máquina. SINÓNIMO manivela. INGLÉS crank.
2 Empuñadura por donde se sujeta un instrumento u otra cosa. INGLÉS handle.

manufactura
nombre femenino
1 Proceso industrial en el que se transforma una materia prima en un producto elaborado de forma manual o con ayuda de maquinaria. En la manufactura de cigarrillos se emplean hojas de tabaco como materia prima. INGLÉS manufacture.
2 Fábrica donde se elaboran productos hechos a mano o con máquinas: *Su padre tenía una manufactura de papel.* INGLÉS factory.
3 Producto realizado a mano o con la ayuda de una máquina. INGLÉS manufactured article, product.

manuscrito, manuscrita
adjetivo y nombre masculino
1 Que está escrito a mano. Antes de la invención de la imprenta, todos los libros eran manuscritos. Actualmente entendemos por manuscrito un texto escrito que es muy antiguo o está escrito por una persona famosa. INGLÉS handwritten [adjetivo], manuscript [nombre].

manzana
nombre femenino
1 Fruta redondeada, con la piel fina y brillante de color amarillo, verde o rojo, y la carne blanca con cuatro o cinco semillas negras en su interior. Es el fruto del manzano. INGLÉS apple.
2 Conjunto de casas o solares que está limitado por calles. Suelen ser cuadradas y estar rodeadas por una misma acera que da la vuelta. Para ir de una manzana a otra hay que cruzar la calle. INGLÉS block.

manzanilla
nombre femenino
1 Planta que tiene unas flores parecidas a las margaritas, pero más pequeñas y olorosas. INGLÉS camomile.
2 Infusión que se hace hirviendo en agua flores de manzanilla. INGLÉS camomile tea.

manzano
nombre masculino
1 Árbol frutal que da manzanas; tiene el tronco con muchos nudos, ramas gruesas, hojas ovaladas y flores olorosas. INGLÉS apple tree.

maña
nombre femenino
1 Habilidad y facilidad para hacer bien una cosa. INGLÉS skill.

mañana
nombre femenino
1 Parte del día desde que sale el Sol hasta la hora de comer. INGLÉS morning.
2 Parte del día desde medianoche hasta que sale el Sol: *La fiesta duró hasta las cinco de la mañana.* SINÓNIMO madrugada. INGLÉS morning.
nombre masculino
3 Tiempo futuro, un tiempo que todavía no ha llegado pero que pensamos que vamos a vivir. Muchas personas ahorran su dinero pensando en el mañana. INGLÉS tomorrow.
adverbio
4 En el día después del de hoy. INGLÉS tomorrow.
hasta mañana Se utiliza para despedirnos de alguien a quien pensamos ver al día siguiente. INGLÉS see you tomorrow.
pasado mañana En el segundo día después de hoy. Si hoy es lunes, pasado mañana es miércoles. INGLÉS the day after tomorrow.

mañanero, mañanera
adjetivo
1 De la mañana o relacionado con ella, como el sol mañanero. INGLÉS morning.

maño, maña
nombre
1 Persona que es de Aragón. SINÓNIMO aragonés. INGLÉS Aragonese person.

mañoso, mañosa
adjetivo
1 Se dice de la persona que tiene maña o habilidad para hacer las cosas: *Es muy mañosa para las reparaciones caseras.* INGLÉS handy, skilful.
2 Que se hace con maña o habilidad. INGLÉS skilful.

mapa
nombre masculino
1 Representación dibujada de la superficie de una región, un país, un continente o el mundo entero. En los mapas físicos se pueden ver los montes, los ríos o las carreteras de un lugar y en los políticos las fronteras entre países. INGLÉS map.

mapache
nombre masculino
1 Animal mamífero que tiene la cola larga y el pelo de color gris con dos manchas negras alrededor de los ojos. Es de vida nocturna e hiberna. Vive en los bosques de América del Norte. INGLÉS racoon.

mapamundi
nombre masculino
1 Mapa que representa la imagen de toda la Tierra. Los mapamundis pueden ser figuras planas de papel o plástico o esferas que dan vueltas alrededor de un eje. INGLÉS map of the world.

maqueta
nombre femenino
1 Modelo o reproducción en tamaño pequeño que se hace de un edificio, de un vehículo o de otras cosas. INGLÉS scale model.
2 Prueba que se hace de algunas páginas de libros o revistas antes de hacer la impresión definitiva, para corregir los errores o añadir o eliminar ilustraciones. INGLÉS dummy.

maquiavélico, maquiavélica
adjetivo
1 Que es astuto y malvado y engaña para conseguir un objetivo: *El protagonista de la película descubre un plan maquiavélico para poder conquistar el mundo.* INGLÉS Machiavellian.

maquillador, maquilladora
nombre
1 Persona que se dedica a maquillar a otras personas. INGLÉS make-up assistant.

maquillaje
nombre masculino
1 Conjunto de productos que se utilizan para dar color a la cara, los ojos y los labios. INGLÉS make-up.

maquillar
verbo
1 Dar color a la cara, los ojos y los labios de una persona para que esté más guapa o para disfrazarse. INGLÉS to make up.

máquina
nombre femenino
1 Conjunto de piezas y de mecanismos que una fuerza o energía hacen que funcionen juntos y realicen un trabajo determinado. Una fotocopiadora o una excavadora son máquinas. INGLÉS machine.
2 Locomotora de un tren que arrastra los vagones. INGLÉS engine.
a máquina Indica que una cosa se hace utilizando determinada máquina y no a mano. La ropa suele lavarse a máquina. INGLÉS by machine.
a toda máquina Indica que una cosa se hace con la máxima rapidez o velocidad. Trabajar a toda máquina es hacerlo con mucha intensidad y dando el máximo rendimiento posible. INGLÉS at full pelt.

maquinación
nombre femenino
1 Acción o plan que preparan en secreto dos o más personas para conseguir algo que normalmente se considera negativo: *La policía descubrió una maquinación para robar el banco.* INGLÉS plot, scheme.
NOTA El plural es: maquinaciones.

maquinaria
nombre femenino
1 Conjunto de las máquinas que hay en un lugar. INGLÉS machinery.
2 Mecanismo que tienen algunos aparatos para ponerlos en movimiento o en funcionamiento. Los relojes tienen una maquinaria muy compleja. INGLÉS mechanism.

maquinilla
nombre femenino
1 Instrumento que sirve para afeitar la barba o el vello y que está formado por un mango sujeto a una pieza rectangular donde va una cuchilla. INGLÉS razor.
maquinilla eléctrica Aparato eléctrico que sirve para cortar la barba y el vello. INGLÉS electric razor, shaver.

maquinista
nombre masculino y femenino
1 Persona que se encarga del funcionamiento de una máquina, en especial de una máquina de tren. INGLÉS machinist.

mar
nombre
1 Masa de agua salada que cubre la mayor parte de la superficie de la Tierra. Los barcos navegan por el mar. Con este significado tiene doble género, se dice: el mar o la mar. INGLÉS sea.
nombre masculino
2 Parte en que se divide la masa de agua que cubre parte de la Tierra, de menor extensión que los océanos y situada en una región determinada. El mar Mediterráneo baña el sur de Europa. INGLÉS sea.
3 Nombre que se les da a algunos grandes lagos, como el mar Muerto, el mar Negro o el mar Caspio. INGLÉS sea.
a mares En gran cantidad, mucho: *Llovía a mares.* INGLÉS a lot.

a b c d e f g h i j k l m n ñ o p q r s t u v w x y z

alta mar Zona del mar que está muy alejada de la costa. INGLÉS high sea.

hacerse a la mar Salir un barco del puerto para navegar. INGLÉS to set sail.

marabunta

nombre femenino

1 Conjunto formado por un gran número de hormigas que van comiéndose y destruyendo todo lo que encuentran a su paso. Es muy peligrosa para los huertos y los campos de cultivo. INGLÉS plague of ants.

2 Conjunto de personas que arman mucho escándalo. INGLÉS mob, crowd.

maraca

nombre femenino

1 Instrumento musical de percusión formado por una bola hueca que tiene dentro piedrecitas o semillas. Tiene un mango para agitar la bola y hacer que suene. INGLÉS maraca.

maraña

nombre femenino

1 Conjunto de pelos, hilos o cables que están enrollados y no se pueden separar. A algunas muñecas se les hace una maraña en el pelo y es muy difícil peinarlas. SINÓNIMO enredo. INGLÉS tangle.

2 Conjunto de cosas que resulta confuso y desordenado: *Tengo una maraña de papeles encima de la mesa.* SINÓNIMO lío. INGLÉS jumble, muddle.

3 Situación o asunto complicados y difíciles de resolver. Cuando varias personas dan versiones diferentes de un mismo suceso al final se hace una maraña y resulta casi imposible saber la verdad. SINÓNIMO enredo; lío. INGLÉS jumble, muddle.

4 Conjunto espeso de plantas y arbustos que crecen muy juntos entrecruzando sus ramas: *Hay que arrancar la maraña del monte para evitar incendios.* INGLÉS undergrowth.

maratón

nombre masculino

1 Carrera de atletismo que consiste en correr una distancia de unos 42,195 kilómetros. INGLÉS marathon.

NOTA Tiene doble género, se dice: el maratón (más usual) y, también, la maratón. El plural es: maratones.

maratoniano, maratoniana

adjetivo

1 Del maratón o relacionado con esta carrera. INGLÉS marathon.

2 Se dice de la actividad o acción que es muy larga e intensa y que cansa mucho. Si una persona ha hecho en el trabajo una jornada maratoniana, ha trabajado muchas horas. INGLÉS marathon.

maravilla

nombre femenino

1 Suceso, cosa o persona extraordinaria que causa admiración: *La clase de hoy ha sido una maravilla.* INGLÉS wonder, marvel.

de maravilla Muy bien, perfectamente: *Se llevan de maravilla.* INGLÉS wonderfully.

hacer maravillas Hacer muchas cosas o hacerlas muy bien con pocos medios: *El malabarista hacía maravillas con tres pelotas.* INGLÉS to do wonders.

maravillar

verbo

1 Provocar una persona o cosa mucha sorpresa o entusiasmo. Los astrónomos se maravillan ante la inmensidad del universo. INGLÉS to astonish [maravillar], to wonder [maravillarse].

maravilloso, maravillosa

adjetivo

1 Se dice de la persona o cosa extraordinaria o que causa admiración: *Fue un día maravilloso.* INGLÉS wonderful, marvellous.

marca

nombre femenino

1 Señal que sirve para distinguir algo o para saber de quién es. Ponemos una marca en los libros y cuadernos para no confundirlos con los de algún compañero. INGLÉS mark.

2 Señal que deja un golpe, una herida u otra cosa. En la piel podemos tener marcas de arañazos o de enfermedades como la varicela. INGLÉS mark.

3 Resultado que consigue un deportista en una prueba: *Su mejor marca son 7,48 metros.* INGLÉS performance.

4 Nombre de un producto comercial: *No me gusta esta marca de cereales.* INGLÉS brand.

de marca mayor Indica que destaca o se sale de lo común. Normalmente se dice de una persona que tiene una cualidad negativa: *Es que es tonto de marca mayor.* INGLÉS terrific.

marca registrada Nombre de un producto comercial que está protegido por la ley y solo lo puede usar su fabricante. 'Coca-Cola' o 'Aspirina' son marcas registradas. INGLÉS registered trademark.

marcador

nombre masculino

1 Cuadro grande que suele haber en los campos de deporte en el que se anotan los puntos que va consiguiendo cada equipo. INGLÉS scoreboard.

marcaje

nombre masculino

1 Acción deportiva que consiste en seguir de cerca un jugador a otro del equipo contrario para dificultar o impedir su juego. INGLÉS marking.

marcapasos

nombre masculino

1 Aparato electrónico pequeño que llevan conectado las personas enfermas del corazón para que este lata y funcione bien. INGLÉS pacemaker.

NOTA El plural es: marcapasos.

marcar

verbo

1 Poner una señal en algo para distinguirlo o saber de quién es. Los propietarios de ganado marcan sus vacas u ovejas para no confundirlas con las de otros propietarios. INGLÉS to mark, [si es el ganado: to brand].

2 Dejar algo una señal: *Con esa patada le has marcado la pierna.* INGLÉS to mark, to leave a mark on.

3 Señalar un reloj las horas o un aparato una medida o cantidad: *El termómetro marca 14 grados.* INGLÉS to show, to indicate.

4 Pulsar los números de un teléfono al que se quiere llamar. INGLÉS to dial.

5 En algunos deportes, conseguir un tanto. INGLÉS to score.

6 En algunos deportes, colocarse un jugador cerca del rival para dificultar sus movimientos. En fútbol son los defensas quienes marcan a los delanteros. INGLÉS to mark.

7 Indicar, fijar o señalar algo. En un comercio los artículos en venta llevan el precio marcado en una etiqueta. INGLÉS to mark.

8 Moverse o hacer algo con cierto ritmo. Los soldados marcan el paso en un desfile. INGLÉS to set.

9 Actuar sobre una persona o cosa dejando un recuerdo o una huella. Pasar una larga temporada en el extranjero marca a mucha gente. INGLÉS to mark.

10 Peinar y dar forma al cabello con ayuda de un secador. En la peluquería lavan, tiñen y marcan el cabello. INGLÉS to set.

NOTA Se escribe 'qu' delante de 'e', como: marqué.

marcha

nombre femenino

1 Acción que consiste en marchar o moverse hacia un lugar. INGLÉS departure, leaving.

2 Movimiento de personas que caminan juntas con un fin determinado, como una protesta. INGLÉS march.

3 Modo de funcionar o de desarrollarse alguna cosa o asunto. A los políticos les preocupa la buena marcha de la economía. INGLÉS progress, performance.

4 Estado de ánimo o actitud de la persona que hace muchas cosas sin cansarse y con alegría y buen ánimo: *Lo hará muy bien, tiene mucha marcha.* SINÓNIMO energía. INGLÉS go, energy.

5 Situación en la que hay buen ambiente o diversión. En las fiestas suele haber mucha marcha. INGLÉS life.

6 Prueba de atletismo que consiste en andar muy rápido. INGLÉS walk.

7 Mecanismo que tienen los coches, las motos y algunas bicis para regular la velocidad. INGLÉS gear.

8 Composición musical de ritmo muy marcado que se interpreta en celebraciones o ceremonias, como una marcha nupcial en una boda o una marcha militar en un desfile. INGLÉS march.

a marchas forzadas Con mucha prisa y dificultad: *Tuvieron que terminar el trabajo a marchas forzadas porque se acababa el plazo.* INGLÉS against the clock.

a toda marcha Muy rápidamente. INGLÉS at top speed.

sobre la marcha A medida que se va haciendo una cosa: *Todavía no saben cómo lo harán, lo decidirán sobre la marcha.* INGLÉS as one goes along.

marchar

verbo

1 Irse o abandonar un lugar: *Me marcho a las diez.* SINÓNIMO partir. INGLÉS to leave.

2 Andar o moverse por algún lugar: *Todos los niños marchaban juntos por el camino.* INGLÉS to go, to walk.

3 Funcionar o desarrollarse algo como se indica: *Los estudios de su hijo no marchan bien.* INGLÉS to go.

marchitar

verbo

1 Secarse una planta o una flor. INGLÉS to wither.

2 Quitar la fuerza, la energía o la belleza a una persona o cosa. Un rostro se marchita por el paso de los años. **INGLÉS** to fade.

marchito, marchita
adjetivo **1** Se dice de una planta o una flor cuando empieza a secarse. **SINÓNIMO** mustio. **INGLÉS** withered.
2 Que ha perdido la fuerza, la energía o la belleza. Una mirada marchita es triste y apagada, no tiene su anterior expresividad. **INGLÉS** faded.

marchoso, marchosa
adjetivo **1** Se dice de la persona que hace las cosas con mucho ánimo, fuerza y energía. Es una palabra informal. **INGLÉS** fun-loving.

marcial
adjetivo **1** De la guerra, del ejército o relacionado con ellos. En los desfiles, los soldados caminan con paso marcial. **INGLÉS** martial.

marciano, marciana
nombre **1** Ser imaginario que vive en el planeta Marte o en cualquier otro planeta que no es la Tierra. **INGLÉS** Martian.

marco
nombre masculino **1** Pieza que rodea a un objeto, como el marco de un cuadro o el marco de una puerta. **INGLÉS** frame. **DIBUJO** página 898.
2 Situación, ambiente o escenario que rodea algo. Los conciertos de música clásica suelen celebrarse en marcos históricos o artísticos. **INGLÉS** setting.

marea
nombre femenino **1** Movimiento de subida y bajada del agua del mar. Cuando el agua del mar sube hay marea alta y cuando baja hay marea baja. **INGLÉS** tide.
marea negra Capa de petróleo que se vierte o se derrama en el mar a causa de un accidente. **INGLÉS** oil slick.

marear
verbo **1** Producir mareo o sufrir un mareo. El movimiento de los barcos marea a mucha gente. **INGLÉS** to make sick.
2 Molestar o fastidiar a una persona: *Me mareo con tantas preguntas.* Es un uso informal. **SINÓNIMO** agobiar; cansar. **INGLÉS** to make dizzy [marear], to get dizzy [marearse].

marejada
nombre femenino **1** Agitación del agua del mar con olas de gran altura, pero sin ser tan fuerte como un temporal. **INGLÉS** swell.

maremágnum
nombre masculino **1** Gran cantidad de personas o cosas en desorden. **INGLÉS** chaos, confusion.

maremoto
nombre masculino **1** Especie de terremoto que se produce en el mar. Pueden causar olas de más de 4 metros de altura. **INGLÉS** seaquake.

marengo
adjetivo **1** Se dice del color gris que es muy oscuro. **INGLÉS** dark grey.

mareo
nombre masculino **1** Malestar o trastorno que se manifiesta con vómitos, pérdida del equilibrio y sudores. En las farmacias venden chicles y pastillas para prevenir el mareo en los viajes. **INGLÉS** sickness, [si es en un vehículo: travel sickness].

mareo

marfil
nombre masculino **1** Material duro, de color amarillo muy claro, del que están hechos los colmillos de los elefantes. **INGLÉS** ivory.

margarina
nombre femenino **1** Pasta blanda, de color amarillo claro, parecida a la mantequilla pero hecha con grasas o aceites vegetales. **INGLÉS** margarine.

margarita
nombre femenino **1** Flor de pétalos alargados de color blanco, con el centro amarillo, que nace de una planta con muchas hojas que también se llama margarita. **INGLÉS** daisy.

margen
nombre **1** Parte extrema de una cosa, donde esta acaba y empieza otra. En los márgenes de las calles suele haber aceras.

Los ríos tienen una margen izquierda y otra derecha. Con este significado tiene doble género, se dice: el margen o la margen. INGLÉS side, edge.

nombre masculino **2** Espacio en blanco que hay o se deja en los lados de una página de un libro o un cuaderno. INGLÉS margin.

3 Diferencia entre dos cosas, especialmente entre el dinero que le cuesta un producto a un comerciante y el dinero por el que lo vende, que suele ser un poco superior. INGLÉS margin.

4 Espacio o período de tiempo del que dispone una persona o cosa: *Con tan poco margen no sé si podré hacer este trabajo.* INGLÉS margin.

al margen Sin tener en cuenta o sin participar en algo. Si una persona se mantiene al margen de una discusión, no toma parte en ella y se limita a escuchar. INGLÉS on the sidelines, out of something.

NOTA El plural es: márgenes.

marginado, marginada

adjetivo y nombre **1** Se dice de la persona que no está integrada en la sociedad, porque recibe un trato de inferioridad o bien porque se aísla y se separa de la vida normal. INGLÉS marginalized [adjetivo], social outcast [nombre].

marginar

verbo **1** Tratar a una persona de forma inferior al resto de la sociedad por motivo de su raza, religión, sexo, ideas o condición social. INGLÉS to marginalize.

2 Dejar al margen o apartar de un grupo a una persona o una cosa, por considerarla menos importante que las demás. Cuando una persona explica una cosa, puede marginar los detalles e ir directamente al grano. INGLÉS to leave out.

mariachi

nombre masculino **1** Músico que toca y canta una música típica popular mexicana que también se llama mariachi. Suelen llevar trajes y sombreros vistosos. INGLÉS mariachi.

marica

adjetivo y nombre masculino **1** Se dice del hombre que se siente atraído sexualmente por otros hombres, o que se mueve o habla como si fuera una mujer. SINÓNIMO gay; homosexual. INGLÉS poof, queer.

NOTA Es una palabra despectiva.

marido

nombre masculino **1** Hombre con el que está casada una mujer. SINÓNIMO esposo. INGLÉS husband.

marihuana

nombre femenino **1** Droga que se obtiene de las hojas de una planta y que se fuma mezclada con tabaco. SINÓNIMO hachís. INGLÉS marijuana.

marimandón, marimandona

adjetivo y nombre **1** Se dice de la persona a la que le gusta mucho mandar sobre los demás, que es muy autoritaria y dominante. SINÓNIMO mandón. INGLÉS bossy [adjetivo], bossy boots [nombre].

NOTA El plural de marimandón es: marimandones.

marimorena

armarse la marimorena Crearse una situación donde dos o más personas discuten fuertemente y se hace mucho ruido.

NOTA Es una expresión informal.

marina

nombre femenino **1** Conjunto de barcos de una nación o de una compañía de navegación. INGLÉS fleet.

2 Conjunto de personas que sirven en el ejército del mar. INGLÉS navy.

marinero, marinera

adjetivo **1** De la marina o que tiene relación con la marina o los marineros: *Vive en un pueblo marinero.* INGLÉS sea, [si es de pescadores: fishing].

nombre **2** Persona que trabaja en un barco u otra embarcación. INGLÉS sailor.

3 Soldado que sirve en la marina. SINÓNIMO marino. INGLÉS sailor.

adjetivo **4** Se dice de las prendas de vestir que son parecidas a las que llevan los marineros. INGLÉS sailor.

marino, marina

adjetivo **1** Del mar o que tienen relación con el mar. El delfín y la ballena son mamíferos marinos. INGLÉS marine, sea.

2 Se dice del color azul muy oscuro. INGLÉS navy.

nombre masculino **3** Persona con conocimientos en navegación que sale a navegar. Cristobal Colón fue un experto marino. INGLÉS sailor.

4 Soldado de la marina. INGLÉS sailor.

marioneta

nombre femenino **1** Muñeco que mueve una persona

tirando de unos hilos o metiendo la mano dentro de él. Los espectáculos de marionetas son como obras de teatro pero con muñecos. INGLÉS puppet, marionette.

mariposa

nombre femenino **1** Insecto con cuatro alas de vistosos colores, cuerpo alargado y dos antenas en la cabeza. INGLÉS butterfly.

2 Estilo de nadar que consiste en mover los dos brazos a la vez en círculo y hacia delante, al mismo tiempo que las piernas se agitan juntas arriba y abajo. INGLÉS butterfly.

mariquita

nombre femenino **1** Insecto de forma redondeada que tiene dos alas duras de color rojo o amarillo con manchas negras. INGLÉS ladybird.

mariscal

nombre masculino **1** Militar que tiene el grado más alto, o uno de los más altos, en el ejército de algunos países. INGLÉS marshal.

marisco

nombre masculino **1** Animal marino comestible que no tiene esqueleto, como la langosta, la gamba, el pulpo y el percebe. INGLÉS seafood.

marisma

nombre femenino **1** Terreno pantanoso que está situado por debajo del nivel del mar y que ha sido inundado por las aguas del mar o de un río. INGLÉS salt marsh.

marítimo, marítima

adjetivo **1** Del mar o que tiene relación con él, normalmente porque se hace en el mar o se encuentra cerca del mar. La vela y el surf son deportes marítimos. INGLÉS maritime, sea.

marketing

nombre masculino **1** Conjunto de técnicas y estudios que tienen como objetivo hacer que un producto se venda lo máximo posible. El marketing de las películas de cine es fundamental para conseguir que vayan muchos espectadores a verlas. INGLÉS marketing.

NOTA Se pronuncia: 'márketin'. También se escribe: márquetin.

marmita

nombre femenino **1** Recipiente de metal, redondo y profundo con dos asas y una tapadera que se ajusta, que se pone al fuego y sirve para calentar alimentos. SINÓNIMO olla. INGLÉS cooking pot.

mármol

nombre masculino **1** Piedra dura, fría y brillante, de distintos colores y con vetas, que se utiliza en la construcción y en la decoración. INGLÉS marble.

marmota

nombre femenino **1** Mamífero roedor de color marrón por la espalda y blanco por el vientre, que tiene la cola larga y fuertes uñas para excavar. Vive en las altas montañas y pasa todo el invierno dormido en su madriguera. INGLÉS marmot.

adjetivo y nombre **2** Se dice de la persona que duerme mucho o le gusta mucho dormir. INGLÉS sleepyhead [nombre].

maroma

nombre femenino **1** Cuerda gruesa hecha de fibras vegetales o artificiales: *El ladrón usó una maroma para descender por la fachada.* INGLÉS rope.

marqués, marquesa

nombre **1** Persona que es miembro de la nobleza y tiene un título entre conde y duque. INGLÉS marquis [hombre], marchioness [mujer].

NOTA El plural de marqués es: marqueses.

marranada

nombre femenino **1** Cosa o acción muy sucia o poco educada. No lavarse las manos antes de comer es una marranada. INGLÉS filthy thing.

2 Palabras o hechos que molestan o causan daño a una persona porque se hacen o se dicen con mala intención. SINÓNIMO faena. INGLÉS dirty trick.

marrano, marrana

nombre **1** Mamífero doméstico que tiene las patas cortas, el cuerpo grueso, el morro aplastado y las orejas caídas sobre la cara. SINÓNIMO cerdo; cochino. INGLÉS pig.

adjetivo y nombre **2** Se dice de la persona que no está limpia y aseada o que no tiene hábitos de limpieza. SINÓNIMO cerdo; cochino. INGLÉS filthy [adjetivo], pig [nombre].

3 Se dice de la persona que hace lo que quiere sin importarle el daño que pueda hacer a los demás. SINÓNIMO cerdo. INGLÉS swine [nombre].

marrón
nombre masculino y adjetivo
1 Color como el del barro, el chocolate o el café. La mezcla de verde y rojo da marrón. INGLÉS brown.
NOTA El plural es: marrones.

marroquí
adjetivo y nombre masculino y femenino
1 Se dice de la persona o cosa que es de Marruecos, país del norte de África. INGLÉS Moroccan.
NOTA El plural es: marroquíes o marroquís.

marrullero, marrullera
adjetivo y nombre
1 Se dice de la persona que engaña o hace trampas para conseguir algo. Las peronas marrulleras aparentan ser amables, débiles o tener buenas intenciones para engañar a los demás. También son marrulleras las cosas propias de estas personas. INGLÉS underhand [adjetivo], cheat [nombre].

marsupial
adjetivo y nombre masculino
1 Se dice de ciertos animales mamíferos cuyas hembras tienen una bolsa en el vientre donde guardan a sus crías durante varios meses, como el canguro. INGLÉS marsupial.

martes
nombre masculino
1 Segundo día de la semana. INGLÉS Tuesday.
NOTA El plural es: martes.

martillazo
nombre masculino
1 Golpe fuerte que se da con un martillo. INGLÉS blow with a hammer.

martillo
nombre masculino
1 Herramienta que se utiliza para clavar clavos o para golpear sobre una cosa. Está formado por un mango de madera con una pieza de hierro en un extremo. INGLÉS hammer.
2 Hueso pequeño con forma de martillo que se encuentra en el interior del oído y está encadenado al yunque. INGLÉS hammer.
3 Objeto que se usa en atletismo en una prueba de lanzamiento, formado por una bola de hierro unida a un cable de acero que termina en un asa. INGLÉS hammer.

mártir
nombre masculino y femenino
1 Persona que muere o sufre daños y dolores por defender su religión o sus ideas, como Juana de Arco. INGLÉS martyr.
2 Persona que sufre trabajos muy duros y pesados de realizar: *No pongas cara de mártir, que no trabajas nada.* INGLÉS martyr.

martirio
nombre masculino
1 Sufrimiento, muerte o daño que sufre una persona por defender su religión o sus ideas. INGLÉS martyrdom.
2 Trabajo o cosa que hace sufrir mucho y pasarlo muy mal. Llevar unos zapatos que nos hacen daño es un martirio. INGLÉS torture, torment.

maruja
nombre femenino
1 Mujer que se dedica a cuidar de su casa y de su familia y que no trabaja fuera de casa. INGLÉS housewife.
NOTA Es una palabra despectiva.

marxismo
nombre masculino
1 Conjunto de ideas económicas, políticas y sociales del filósofo Karl Marx, que se caracteriza por defender una sociedad sin clases sociales y en la que los bienes pertenezcan a todos los individuos. INGLÉS Marxism.

marzo
nombre masculino
1 Tercer mes del año. En marzo empieza la primavera. INGLÉS March.

mas
conjunción
1 Indica que lo que se dice a continuación se opone a lo que se ha dicho antes o es contradictorio, aunque no lo impide: *Se lo avisó en repetidas ocasiones, mas él no quiso hacerle caso.* Es una palabra formal. SINÓNIMO pero. INGLÉS but.
NOTA Como conjunción nunca se acentúa; no lo confundas con el adverbio 'más', que siempre se acentúa.

más
adverbio
1 Indica una cantidad o cualidad superior a la que decimos o a la determinada por la situación: *Fuera hace más calor que dentro.* INGLÉS more.
2 Introduce la cantidad que se suma a otra: *Ocho más siete son quince.* INGLÉS plus.
más o menos Indica una cantidad aproximada, no exacta: *Éramos, más o menos, veinte personas.* INGLÉS more or less.
NOTA Como adverbio siempre se acentúa; no lo confundas con la conjunción 'mas', que nunca se acentúa.

a b c d e f g h i j k l m n ñ o p q r s t u v w x y z

masa
nombre femenino
1 Mezcla blanda y espesa que resulta al unir un líquido a una sustancia sólida o en polvo. Para hacer un bizcocho hacemos una masa de huevos, aceite, azúcar y harina. SINÓNIMO pasta. INGLÉS dough, mixture.
2 Cantidad de materia que tiene un cuerpo. La masa se mide en kilogramos. INGLÉS mass.
3 Conjunto formado por muchos elementos o muchas personas. Cuando hace mal tiempo en el cielo se ve una masa de nubes. INGLÉS mass [cosas], crowd [personas].
en masa Todos a la vez: *Fuimos toda la clase en masa a hablar con el profesor.* INGLÉS en masse.

masacrar
verbo
1 Matar a muchas personas a la vez, generalmente indefensas. En una guerra, algunos ejércitos masacran a los habitantes de las poblaciones enemigas. INGLÉS to massacre.

masacre
nombre femenino
1 Matanza de muchas personas que no pueden defenderse. En una guerra se suelen cometer muchas masacres de civiles. INGLÉS massacre.

masaje
nombre masculino
1 Serie de movimientos de presión que se realizan con las manos sobre el cuerpo o alguna de sus partes, para quitar algún dolor muscular o para relajarse. INGLÉS massage.

masajista
nombre masculino y femenino
1 Persona que se dedica a dar masajes a otras personas. Los equipos de fútbol tienen masajista. INGLÉS masseur [hombre], masseuse [mujer].

mascar
verbo
1 Masticar una cosa muchas veces y sin llegar a tragarla para extraer su jugo o sabor. Algunas golosinas se mascan, como el chicle o los caramelos de goma. INGLÉS to chew.
NOTA Se escribe 'qu' delante de 'e', como: masqué.

máscara
nombre femenino
1 Objeto que representa la cara de una persona, un animal o un ser imaginario. Algunas máscaras se usan para taparse la cara y no ser reconocido, como las de carnaval. INGLÉS mask.
2 Objeto que se coloca sobre la nariz y la boca para protegerse de gases peligrosos para la salud y poder respirar oxígeno: *Los bomberos se pusieron las máscaras antes de entrar en el almacén en llamas.* INGLÉS mask.
3 Lo que cubre o disimula los sentimientos, la forma de ser o las intenciones de alguien: *No te fíes de su sonrisa, es solo una máscara.* INGLÉS mask.

mascarilla
nombre femenino
1 Trozo de tela u otro material que cubre la nariz y la boca y se sujeta con una goma. Permite el paso del aire pero no de los microbios, la polución o los elementos tóxicos, por eso la utilizan los médicos y enfermeros y gente que trabaja con productos tóxicos, como algunos pintores. INGLÉS mask.
2 Objeto que se coloca sobre la nariz y la boca de un paciente para hacerle respirar oxígeno o la anestesia antes de operarlo. INGLÉS mask.
3 Capa de productos de belleza con que se cubre la cara o el cabello. Se deja un rato para que haga su efecto y después se quita. INGLÉS face pack.

mascota
nombre femenino
1 Persona, animal o cosa que se supone da buena suerte a quien lo posee o sirve para representar algo. Las olimpiadas y los mundiales deportivos suelen tener mascotas oficiales que los representan. INGLÉS mascot.
2 Animal de compañía. Los perros y los gatos son mascotas habituales. INGLÉS pet.

mascota

masculino, masculina
adjetivo
1 Del hombre o que tiene relación con él. La corbata es una prenda de vestir

masculina. ANTÓNIMO femenino. INGLÉS male, man's.

adjetivo y nombre masculino **2** Se dice del género de las palabras que van con los artículos 'el' y 'los'. 'Niño' y 'lápiz' son palabras de género masculino. ANTÓNIMO femenino. INGLÉS masculine.

adjetivo **3** Se dice del ser vivo que tiene los órganos sexuales que pueden fecundar a un ser vivo femenino. INGLÉS male.

mascullar

verbo **1** Hablar entre dientes y en voz baja, sin pronunciar bien las palabras. Hay personas que mascullan sus quejas o sus insultos porque no quieren ser oídas por alguien que está cerca. INGLÉS to mumble, to mutter.

masetero

adjetivo y nombre masculino **1** Se dice del músculo que sirve para mover la mandíbula inferior y que está situado en la parte posterior de cada mejilla. Con los músculos maseteros podemos masticar los alimentos. INGLÉS masseter [nombre].

masía

nombre femenino **1** Casa de campo con tierras de cultivo y establos para el ganado, característica de Cataluña. INGLÉS farmhouse.

masivo, masiva

adjetivo **1** Que se hace en gran cantidad. La caza y la pesca de forma masiva y sin control pueden hacer que se extingan especies animales. INGLÉS mass, massive.

masticar

verbo **1** Partir y aplastar con los dientes y las muelas los alimentos sólidos. Hay que masticar bien los alimentos antes de tragarlos para hacer una buena digestión. INGLÉS to chew.

NOTA Se escribe 'qu' delante de 'e', como: mastiquen.

mástil

nombre masculino **1** Palo largo y estrecho donde se sujeta una bandera o las velas de los barcos. INGLÉS mast.

2 Pieza larga y estrecha de un instrumento de cuerda, como una guitarra o un violín. INGLÉS neck.

mastín, mastina

nombre y adjetivo **1** Perro de gran tamaño que tiene un cuerpo robusto y fuerte, cabeza grande y orejas caídas. Los mastines pueden tenen el pelo corto o largo y suelen utilizarse como perros guardianes. INGLÉS mastiff.

NOTA El plural de mastín es: mastines.

mastodonte

nombre masculino **1** Animal mamífero prehistórico parecido a un elefante pero de mayor tamaño, que tenía cuatro dientes muy grandes. INGLÉS mastodon.

adjetivo y nombre **2** Se dice de una persona o cosa de tamaño muy grande. Es un uso informal. INGLÉS enormous [adjetivo], enormous thing [nombre].

masturbarse

verbo **1** Darse una persona placer sexual a sí misma tocándose los órganos sexuales. INGLÉS to masturbate.

mata

nombre femenino **1** Hierba, planta o arbusto de poca altura y con muchas ramas. INGLÉS bush.

2 Rama de una planta o hierba. También se llama mata al conjunto de hierbas o plantas cortadas, como una mata de menta. INGLÉS sprig.

mata de pelo Gran cantidad de cabello o cabello largo y abundante. INGLÉS head of hair.

matadero

nombre masculino **1** Lugar en el que se mata a los animales que sirven para alimentar a las personas, como las terneras o los corderos. INGLÉS slaughterhouse, abattoir.

matamoscas

nombre masculino **1** Utensilio que sirve para matar moscas y otros insectos, formado por un mango largo con una pala pequeña en un extremo. INGLÉS fly swatter.

2 Producto químico que sirve para matar moscas y otros insectos. INGLÉS fly spray.

NOTA El plural es: matamoscas.

matanza

nombre femenino **1** Acto de matar a muchas personas. En las guerras se producen matanzas horribles. INGLÉS slaughter.

2 Acto de matar a un cerdo y preparar con su carne distintos productos para la alimentación humana. INGLÉS pig killing.

3 Época del año en que se hace la matanza y los productos que se obtienen, como el chorizo, el jamón, la morcilla o el lomo. INGLÉS pig-killing time.

matar

verbo **1** Quitar la vida a un ser vivo. Los insecticidas matan a los mosquitos. INGLÉS to kill.

2 Hacer que se acabe o disminuya la intensidad de algo, como la sed, el hambre o el aburrimiento. INGLÉS to quench [la sed], to stave off [el hambre], to relieve [el aburrimiento].

3 matarse Hacer un esfuerzo muy grande: *En época de exámenes, los estudiantes se matan a estudiar.* INGLÉS to work oneself into the ground.

a matar Se dice de personas que no se tratan o se llevan muy mal. INGLÉS at daggers drawn.

matarlas callando Hacer algo malo en secreto y dando la impresión de que se es muy buena persona: *Parece una santa, pero las mata callando.* INGLÉS to be a dark horse.

matarratas

nombre masculino

1 Sustancia venenosa que se usa para matar ratas y ratones. INGLÉS rat poison.

NOTA El plural es: matarratas.

matasanos

nombre masculino y femenino

1 Médico, especialmente el que no hace bien su trabajo. INGLÉS quack.

NOTA Es una palabra despectiva. El plural es: matasanos.

matasellos

nombre masculino

1 Marca que ponen en correos sobre los sellos de una carta para que no se puedan volver a utilizar. INGLÉS postmark.

NOTA El plural es: matasellos.

matasuegras

nombre masculino

1 Tubo de papel enrollado que se desenrolla cuando se sopla por la boquilla que tiene en uno de sus extremos y se vuelve a enrollar cuando se deja de soplar. En las fiestas de cumpleaños suele haber matasuegras y globos. INGLÉS party blower.

NOTA El plural es: matasuegras.

mate

adjetivo

1 Que no tiene brillo: *¿Quiere las fotos mates o brillantes?* ANTÓNIMO brillante. INGLÉS matt.

nombre masculino

2 Jugada de baloncesto en la que el jugador acompaña el balón hasta la canasta y encesta con fuerza sin soltar la pelota hasta que entra. INGLÉS dunk.

3 Bebida que se prepara hirviendo en agua las hojas secas de una planta que también se llama mate, originaria de América. Se bebe en países de América del Sur, como Argentina o Brasil. INGLÉS maté.

matemática

nombre femenino

1 Ciencia que estudia los números, sus relaciones y sus propiedades. También estudia las figuras geométricas y sus características. INGLÉS mathematics.

NOTA Se usa más en plural: matemáticas.

matemático, matemática

adjetivo

1 Que está relacionado con las matemáticas: *Para resolver el problema hay que hacer varios cálculos matemáticos.* INGLÉS mathematical.

2 Que es muy exacto: *Es de una puntualidad matemática, nunca se retrasa ni un minuto.* INGLÉS mathematical.

3 Que es seguro, que ocurre tal como se dice: *Es matemático, se olvida las llaves cada vez que sale.* INGLÉS mathematical.

nombre

4 Persona que se dedica al estudio de las matemáticas o trabaja aplicando sus conocimientos sobre las matemáticas. INGLÉS mathematician.

materia

nombre femenino

1 Sustancia de la que está hecha una cosa, como la madera, el plástico o el cristal. SINÓNIMO material. INGLÉS material, substance.

2 Tema del que se habla, se escribe o se estudia. En los colegios se enseñan varias materias, como lengua o dibujo. INGLÉS subject.

materia gris Cerebro de una persona. SINÓNIMO sustancia gris. INGLÉS grey matter.

materia prima Sustancia natural que se utiliza en la industria para transformarla en un producto elaborado. El hierro es una materia prima que se utiliza para fabricar objetos. INGLÉS raw material.

material

adjetivo

1 Se dice de las cosas que tienen cuerpo o una realidad física. Los sentimientos no son cosas materiales, los objetos sí. ANTÓNIMO espiritual. INGLÉS material, physical.

nombre masculino

2 Sustancia de la que está hecha una cosa o que sirve para construir algo. La madera es el material del que están hechos la mayoría de los muebles. SINÓNIMO materia. INGLÉS material.

3 Conjunto de los instrumentos y utensilios que se necesitan para realizar un trabajo o una actividad determinada. Los estudiantes necesitan material escolar, como lápices, libros y libretas. INGLÉS material, equipment.

materialista

adjetivo y nombre masculino y femenino

1 Se dice de la persona que concede una importancia muy grande al dinero y a los bienes materiales, y se preocupa muy poco por las cuestiones espirituales. INGLÉS materialistic [adjetivo], materialist [nombre].

materializar

verbo

1 Hacer que sea real y concreta una cosa que se había pensado o imaginado: *En verano materializó su sueño de viajar a Japón.* INGLÉS to realize.

NOTA La 'z' se convierte en 'c' delante de 'e', como: materialice.

maternal

adjetivo

1 Se dice de los sentimientos y atenciones que tienen el amor y la ternura que una madre siente hacia su hijo: *La enfermera atendía a los niños con cuidado maternal.* INGLÉS maternal, motherly.

2 Se dice de la persona que se comporta con otra como una madre o que muestra sentimientos parecidos a los de una madre con sus hijos. INGLÉS maternal, motherly.

maternidad

nombre femenino

1 Hecho de ser madre o situación de la mujer que es madre. INGLÉS maternity, motherhood.

2 Hospital o parte de un hospital donde se atiende a las mujeres en el embarazo, en el parto y en los primeros días de la vida del niño. INGLÉS maternity hospital.

materno, materna

adjetivo

1 Se dice de las cosas que son de la madre o están relacionadas con ella. Los abuelos maternos son los padres de la madre. INGLÉS maternal.

matinal

adjetivo

1 Que sucede o se hace durante la mañana. Algunos cines tienen una sesión matinal los domingos por la mañana. INGLÉS morning.

matiz

nombre masculino

1 Tono que puede tener un color. El azul del mar tiene muchos matices. INGLÉS shade.

2 Pequeño aspecto o detalle que diferencia dos cosas parecidas. INGLÉS nuance.

NOTA El plural es: matices.

matojo

nombre masculino

1 Hierba, planta o arbusto de poca altura y con muchas ramas: *El suelo se fue llenando de matojos y hierbajos.* SINÓNIMO mata. INGLÉS shrub, bush.

matón

nombre masculino

1 Hombre que presume de ser fuerte y busca continuamente pelea para intimidar a los demás y obligarles a hacer algo. INGLÉS bully.

2 Persona que está contratada por algún personaje famoso o muy conocido para que lo acompañe en los actos públicos y lo proteja de posibles ataques de otras personas. SINÓNIMO guardaespaldas. INGLÉS heavy.

NOTA El plural es: matones.

matorral

nombre masculino

1 Arbusto o conjunto de arbustos. INGLÉS bushes.

2 Terreno en el que hay muchos arbustos y plantas de poca altura. INGLÉS scrubland.

matrícula

nombre femenino

1 Placa rectangular que llevan los coches y otros vehículos en la parte delantera y en la trasera, con una combinación de letras y números. Indica el número con el que está registrado un vehículo y sirve para identificarlo. INGLÉS number plate [en el Reino Unido], license plate [en Estados Unidos].

2 Registro o anotación que se hace en una lista de una persona o de una cosa con un fin determinado. Para poder realizar un curso en un colegio, instituto o en la universidad hay que hacer primero la matrícula. INGLÉS registration, enrolment.

3 Documento oficial que acredita que una persona se ha registrado o inscrito en una lista para un fin determinado. INGLÉS registration document.

matrícula de honor Calificación o nota más alta que se puede conseguir de una asignatura o como nota global

a b c d e f g h i j k l m n ñ o p q r s t u v w x y z

de curso, superior a la de sobresaliente. INGLÉS distinction.

matricular

verbo

1 Anotar, registrar o inscribir oficialmente a una persona o una cosa en una lista o en un registro para un fin determinado. Los alumnos se matriculan en la facultad para estudiar una carrera. INGLÉS to register, to enrol.

matrimonio

nombre masculino

1 Unión legal o religiosa de dos personas ante testigos y según las leyes civiles o las normas de la Iglesia. Los matrimonios civiles los celebra un juez y los religiosos, un sacerdote. INGLÉS marriage.

2 Pareja formada por dos personas casadas. INGLÉS married couple.

matriz

nombre femenino

1 Órgano interno de reproducción de las mujeres y de las hembras de los mamíferos. En la matriz es donde se desarrolla el feto. SINÓNIMO útero. INGLÉS womb.

NOTA El plural es: matrices.

matrona

nombre femenino

1 Mujer que ayuda a una mujer embarazada en el momento del parto. SINÓNIMO comadrona. INGLÉS midwife.

matutino, matutina

adjetivo

1 Que sucede o se hace en las primeras horas de la mañana. Casi todos los periódicos tienen ediciones matutinas. INGLÉS morning.

maullar

verbo

1 Emitir el gato su voz característica. INGLÉS to mew, miaow.

maullido

nombre masculino

1 Voz característica del gato. En español, el maullido se suele representar con la palabra 'miau'. INGLÉS miaow.

mausoleo

nombre masculino

1 Monumento funerario construido sobre la tumba de una persona. Normalmente tienen un mausoleo las tumbas de personas importantes. INGLÉS mausoleum.

máxima

nombre femenino

1 Frase breve, que se dice siempre igual, que expresa un principio moral, un consejo o una enseñanza, como por ejemplo: no dejes para mañana lo que puedas hacer hoy. SINÓNIMO sentencia. INGLÉS maxim.

2 Temperatura más alta que se registra en un lugar o en un período determinado. En Sevilla se alcanzan máximas de 40 grados centígrados en verano. ANTÓNIMO mínima. INGLÉS maximum temperature.

máximo, máxima

adjetivo

1 Que es el más grande, el más importante o el más numeroso entre los de su género. La máxima puntuación en un examen es el diez. INGLÉS maximum.

nombre masculino

2 Límite más alto a que puede llegar una cosa. Cuando un embalse está al máximo de su capacidad es porque ya no cabe más agua. ANTÓNIMO mínimo. INGLÉS maximum.

maya

adjetivo y nombre masculino y femenino

1 Se dice de un pueblo indígena que se encontraba en el sur de México, norte de Guatemala y Honduras antes de la llegada de los españoles. También se dice de las personas y las cosas de este pueblo. INGLÉS Mayan.

mayar

verbo

1 Emitir el gato su voz característica: *Maullar o mayar son dos palabras onomatopéyicas que indican el sonido que hacen los gatos.* SINÓNIMO maullar. INGLÉS to miaow, to mew.

mayo

nombre masculino

1 Quinto mes del año, que tiene 31 días. INGLÉS May.

mayonesa

nombre femenino

1 Salsa espesa que se hace con huevo, aceite y limón o vinagre. Se usa para acompañar comidas, como mariscos o ensaladas. INGLÉS mayonnaise.

NOTA También se escribe y se pronuncia: mahonesa.

mayor

adjetivo

1 Que es más grande, que tiene más tamaño o importancia que otra cosa de su misma especie. La plaza mayor es la más importante de una población. Es el comparativo de 'grande'. ANTÓNIMO menor. INGLÉS bigger [más grande], main [el más importante].

2 Se dice de la persona que tiene más edad que otra. Cuando los padres están ausentes los hermanos mayores deben cuidar de los más pequeños. INGLÉS older.

adjetivo y nombre masculino **3** Se dice de la persona que ha llegado a la edad que marca la ley para tener todos los derechos de una persona adulta. También se puede decir: mayor de edad. INGLÉS adult.

4 Se dice de una persona adulta o de una persona que tiene muchos años. En un autobús hay que dejar sentarse a los mayores. INGLÉS elderly [adjetivo], old person [nombre].

nombre masculino plural **5 mayores** Personas que han nacido y vivido antes que nosotros. La herencia cultural de nuestros mayores tiene gran valor. INGLÉS elders.

al por mayor Se dice de la compra o la venta hecha en grandes cantidades porque va a venderse, después, en un comercio de venta directa al público. INGLÉS wholesaler.

mayordomo, mayordoma

nombre **1** Criado principal de una casa y encargado del resto del servicio. INGLÉS butler.

mayoría

nombre femenino **1** Parte mayor de un grupo o un conjunto de personas o cosas. Las votaciones se hacen para tomar la decisión que apoya la mayoría. ANTÓNIMO minoría. INGLÉS majority.

mayoría de edad Edad que establece la ley para que una persona tenga todos los derechos de un adulto. En muchos países, se alcanza la mayoría de edad a los 18 años. INGLÉS age of majority.

mayorista

adjetivo y nombre masculino y femenino **1** Se dice del comerciante o el establecimiento que compra o vende productos al por mayor. Los mayoristas suelen vender sus produtos a otros comerciantes, los cuales vuelven a vender el producto que habían comprado al público. INGLÉS wholesale [adjetivo], wholesaler [nombre].

mayoritario, mayoritaria

adjetivo **1** De la mayoría o relacionado con ella. El fútbol es un deporte mayoritario porque le gusta a la mayoría de gente que practica un deporte. ANTÓNIMO minoritario. INGLÉS majority.

mayúscula

nombre femenino **1** Letra que tiene un tamaño mayor de lo normal y que se emplea para escribir la primera letra de los nombres propios, como nombres de ciudades o de personas, y de la palabra que va después de un punto. ANTÓNIMO minúscula. INGLÉS capital, capital letter.

mayúsculo, mayúscula

adjetivo **1** Que es muy muy grande: *Se llevó un susto mayúsculo cuando vio que su coche había desaparecido.* ANTÓNIMO minúsculo. INGLÉS tremendous.

maza

nombre femenino **1** Herramienta que se utiliza para machacar, golpear o aplastar. La maza está formada por una pieza pesada sujeta por el centro a un mango largo de madera. INGLÉS sledgehammer.

2 Instrumento que sirve para tocar el bombo o los timbales; está formado por una bola forrada de cuero o de otro material unida a un mango de madera. INGLÉS drumstick.

mazapán

nombre masculino **1** Dulce de pequeño tamaño, hecho con azúcar y almendras molidas, que puede tener diversas formas y se cuece en el horno. Es un dulce típico de Navidad. INGLÉS marzipan.

NOTA El plural es: mazapanes.

mazazo

nombre masculino **1** Golpe que se da con una maza o un mazo. Para tirar un tabique o partir una piedra damos mazazos. INGLÉS heavy blow.

2 Acción que causa una fuerte impresión y produce un sentimiento de dolor o indignación. Los atentados terroristas son un mazazo para la sociedad. INGLÉS heavy blow.

mazmorra

nombre femenino **1** Cárcel pequeña construida bajo tierra. En los castillos medievales se construían mazmorras para encerrar a los prisioneros. INGLÉS dungeon.

mazo

nombre masculino **1** Martillo grande y pesado con un mango de madera. INGLÉS mallet.

2 Martillo pequeño de madera que se utiliza para golpear, machacar o aplastar. Se puede utilizar un mazo para partir frutos secos. INGLÉS hammer.

3 Conjunto de cosas que están agrupadas y colocadas todas juntas en la misma posición, formando un manojo o un fajo, como un mazo de papeles de cartas. INGLÉS wad.

mazorca

nombre femenino **1** Fruto del maíz, de forma alargada, gruesa y redondeada, formado por una espiga rodeada de granos amarillos muy juntos y cubierto de hojas largas y delgadas. INGLÉS cob.

me

pronombre personal **1** Pronombre personal de primera persona del singular que en la oración hace función de complemento directo o indirecto. Hace referencia a la persona que habla: *Aunque me vio, no me dijo ni hola.* INGLÉS me.

2 Se usa en la primera persona del singular en la conjugación de los verbos reflexivos: *Todos los días me lavo los dientes.* INGLÉS me, myself.

meada

nombre femenino **1** Cantidad de pis que se expulsa de una vez. También es la señal que deja el pis en el suelo. INGLÉS pee [pis], pee stain [señal].

NOTA Es una palabra informal.

meandro

nombre masculino **1** Curva que hace un río en su curso. Suelen formarse en el tramo intermedio del recorrido del río o en el tramo próximo a su desembocadura. INGLÉS meander.

mear

verbo **1** Hacer pis. SINÓNIMO orinar. INGLÉS to have a pee.

2 mearse Reírse mucho: *Nos meamos con los chistes que nos contó.* También se dice: 'mearse de risa'. Es un uso informal. INGLÉS to pee oneself laughing.

mecachis

interjección **1** Indica disgusto o enfado pequeño por algo: *¡Mecachis! Ya lo he roto otra vez.* INGLÉS damn!

NOTA Es una palabra coloquial.

mecánica

nombre femenino **1** Estudio de las máquinas y motores, de su construcción, reparación y funcionamiento. INGLÉS mechanics.

2 Manera de realizarse una actividad o reglas que han de cumplirse siempre siguiendo un orden: *Les explicó la mecánica del juego.* SINÓNIMO mecanismo. INGLÉS mechanics.

mecánico, mecánica

nombre **1** Persona que monta o repara máquinas o motores. INGLÉS mechanic.

adjetivo **2** Que tiene que ver con la construcción y reparación de máquinas y motores. En un taller mecánico reparan automóviles. INGLÉS mechanical.

3 Que es involuntario y se hace sin pensar: *Ha hecho tantas veces ese rompecabezas que ya lo hace de forma mecánica.* INGLÉS mechanical.

mecanismo

nombre masculino **1** Conjunto de piezas unidas y organizadas entre sí para transmitir un movimiento o hacer funcionar una máquina. INGLÉS mechanism.

2 Manera de realizarse una actividad o reglas que han de cumplirse siempre siguiendo un orden: *Al principio no entendía bien el mecanismo del trabajo.* SINÓNIMO mecánica. INGLÉS way of working.

mecano

nombre masculino **1** Juguete compuesto por una serie de piezas y tornillos que se pueden unir como uno quiera para hacer distintos tipos de objetos y construcciones. INGLÉS Meccano.

NOTA Es una marca registrada.

mecanografiar

verbo **1** Escribir un texto con una máquina de escribir o con el teclado de un ordenador. INGLÉS to type.

NOTA Se conjuga como: desviar; la 'i' se acentúa en algunos tiempos y personas, como: mecanografíe.

mecanógrafo, mecanógrafa

nombre **1** Persona que se dedica a pasar textos a máquina. INGLÉS typist.

mecedora

nombre femenino **1** Silla que apoya las patas sobre dos piezas de madera en forma de arco de modo que la persona sentada se puede balancear hacia delante y hacia atrás. SINÓNIMO balancín. INGLÉS rocking chair.

mecenas

nombre masculino y femenino **1** Persona o institución que utiliza su dinero y su poder para proteger y promover a los artistas y sus obras. INGLÉS patron.

NOTA El plural es: mecenas.

mecer
verbo
1 Mover suavemente de un lado a otro una cosa. Se mecen cosas que tienen un arco en lugar de patas o que están colgadas de un punto. Los padres mecen las cunas de sus bebés para que se duerman. INGLÉS to rock.
NOTA Se escribe 'z' delante de 'a' y 'o', como: meza.

mecha
nombre femenino
1 Cuerda fina formada por hilos o por algún material inflamable que se enciende para que arda con alguna finalidad. Las velas y los candiles tienen mecha para producir luz y los petardos y otros artefactos tienen mecha para encender la carga explosiva. INGLÉS wick [de vela], fuse [de explosivo].

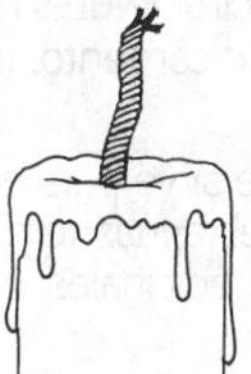

mecha

2 Mechón de pelos de la cabeza, especialmente el mechón de pelos teñidos o coloreados mediante un tinte. Con este significado se usa sobre todo en plural. INGLÉS highlight.
a toda mecha Indica que algo se hace con mucha velocidad o con mucha prisa. Es una expresión informal. INGLÉS at top speed.

mechero
nombre masculino
1 Utensilio que sirve para encender, especialmente el que se utiliza para encender cigarrillos. INGLÉS lighter.

mechón
nombre masculino
1 Conjunto de pelos, hilos o lana separado de otros de su misma clase. INGLÉS lock.
NOTA El plural es: mechones.

medalla
nombre femenino
1 Objeto de metal, plano y generalmente redondo, que lleva grabado un símbolo o una imagen y se pone en una cadena para colgarla del cuello. INGLÉS medal.
2 Objeto de metal, plano y generalmente redondo, que se entrega como premio en un concurso o una competición. En las pruebas deportivas, el tipo de metal indica el puesto obtenido: medalla de oro para el primer puesto, plata para el segundo y bronce para el tercero. INGLÉS medal.

medallón
nombre masculino
1 Joya generalmente de forma ovalada que se lleva colgada del cuello. Algunos medallones se abren por la mitad y pueden llevar dentro una foto o retrato. INGLÉS medallion, [si se abre: locket].
2 Relieve en forma redonda u ovalada que decora una pared o una fachada de un edificio. En los medallones se representan reyes, batallas y cosas parecidas. INGLÉS medallion.
3 Trozo redondo y grueso de carne o de pescado. INGLÉS slice.
NOTA El plural es: medallones.

media
nombre femenino
1 Prenda de vestir femenina de tejido elástico muy fino, que cubre la pierna desde el pie hasta más arriba de la rodilla o hasta la cintura. Con este significado se usa más en plural: medias. INGLÉS stocking.
2 Prenda de vestir de lana, algodón o punto, que cubre la pierna desde el pie hasta la rodilla, como la que llevan los jugadores de fútbol o de baloncesto. INGLÉS sock.
3 Cantidad que resulta de sumar varias cantidades y dividir el resultado por el número de ellas. Si en un grupo de amigos, uno tiene 5 euros, otro 10 y otro 3, tienen una media de 6 euros cada uno: 5 + 10 + 3 = 18 euros : 3 amigos = 6 euros. SINÓNIMO promedio. INGLÉS average.
4 Período de tiempo de treinta minutos por encima de la hora indicada: *En mi casa se come a la una y media.* INGLÉS half an hour.
a medias Entre dos o más personas: *Viven juntos y pagan los gastos de la casa a medias.* INGLÉS sharing.
a medias Sin acabar una cosa: *Dejó el trabajo a medias porque tuvo que salir de casa corriendo.* INGLÉS half finished.

mediado, mediada
adjetivo
1 Que está por la mitad: *El abuelo dejó*

a sus tres nietos, por herencia, siete barricas llenas de vino, otras siete mediadas y otras siete vacías. INGLÉS half full, half empty.

a mediados Hacia la mitad del período de tiempo que se dice. Si empezamos las vacaciones a mediados del mes de junio quiere decir que hacia mitad de mes, es decir, sobre el día quince, ya tendremos vacaciones. INGLÉS halfway through.

medialuna
nombre femenino

1 Cualquier objeto que tiene forma de luna creciente o luna menguante. INGLÉS crescent.

2 Bollo de hojaldre que tiene forma de media luna. SINÓNIMO cruasán. INGLÉS croissant.

NOTA El plural es: medialunas.

mediano, mediana
adjetivo

1 Que por su tamaño o edad está en el medio de otras dos cosas. En una familia de tres hermanos, el hermano mediano es el segundo. INGLÉS average, [si es por la edad: middle].

medianoche
nombre femenino

1 Las doce de la noche. INGLÉS midnight.

2 Parte central de la noche, entre las doce y las primeras horas de la mañana. INGLÉS middle of the night.

3 Bollo pequeño de forma ovalada que se abre por la mitad para rellenarlo de algún alimento, como queso, mermelada o mantequilla. INGLÉS sweet bun.

NOTA El plural es: medianoches.

mediante
preposición

1 Se usa delante del medio utilizado para conseguir algo o de la forma en que se consigue algo: *Consiguió gran éxito mediante algunos trucos de magia.* INGLÉS by means of.

mediático, mediática
adjetivo

1 Se dice de los medios de comunicación o de lo que está relacionado con ellos. Una persona es mediática cuando los medios de comunicación se interesan por ella. INGLÉS media.

mediatriz
nombre femenino

1 Línea recta perpendicular levantada en el punto medio de otra línea recta. La mediatriz de un segmento lo divide en dos partes iguales. Si la distancia desde uno de los extremos de un segmento a su mediatriz es de 5 cm, el segmento mide 10 cm. INGLÉS perpendicular bisector.

medicación
nombre femenino

1 Conjunto de medicinas que pueden curar una enfermedad. Es el médico el que nos dice qué medicación tomar cuando estamos enfermos. INGLÉS medication, medicine.

medicamento
nombre masculino

1 Sustancia que sirve para curar o evitar enfermedades o para calmar el dolor. SINÓNIMO medicina. INGLÉS medicine.

medicina
nombre femenino

1 Ciencia que estudia las enfermedades de las personas y la forma de curarlas, calmarlas o evitarlas. Un dentista, un oculista o un pediatra han estudiado medicina. INGLÉS medicine.

2 Medicamento. INGLÉS medicine.

medicinal
adjetivo

1 Que sirve para curar o se usa para curar. Las aguas termales tienen propiedades medicinales. INGLÉS medicinal.

medición
nombre femenino

1 Acción que consiste en medir y valorar la cantidad, el peso, la temperatura, la capacidad o la longitud de alguna cosa. SINÓNIMO medida. INGLÉS measuring, measurement.

NOTA El plural es: mediciones.

médico, médica
nombre

1 Persona que se dedica a la medicina. Los médicos procuran evitar que la gente contraiga enfermedades y ayudan a curarlas. INGLÉS doctor.

medida
nombre femenino

1 Unidad que sirve para medir. Como medida de longitud usamos el metro; para la medida de la capacidad, el litro, y para la medida de la masa, el kilogramo. INGLÉS unit of measurement.

2 Número que indica el resultado de medir una magnitud, como las medidas de una habitación o de un libro. INGLÉS measurement.

3 Acción que se hace para conseguir o para evitar alguna cosa: *En verano aumentan las medidas para prevenir incendios.* Con este significado se usa más en plural. INGLÉS measure.

4 Cuidado y equilibrio al hacer o decir algo: *No tiene medida, trabaja incluso* *los fines de semana.* INGLÉS moderation.

a medida Que es muy adecuado o está hecho con las medidas de la persona o la cosa a la que se destina: *Es tan alto que le tienen que hacer la ropa a medida.* También se dice: a la medida. INGLÉS made-to-measure.

a medida que Indica que algo ocurre o se hace al mismo tiempo que otra cosa: *A medida que llegaba la gente, íbamos sacando la comida.* INGLÉS as.

medieval

adjetivo **1** De la Edad Media o que tiene relación con ella. INGLÉS medieval.

medio, media

adjetivo **1** Que es la mitad de una cosa. Medio kilo son 500 gramos. INGLÉS half.

2 Que está entre dos extremos o en el centro de alguna cosa. Se considera que Madrid está situado en el punto medio de España. INGLÉS mid.

3 Que representa las características más comunes de un grupo social determinado. SINÓNIMO normal; corriente. INGLÉS average.

nombre masculino **4** Punto situado a igual distancia de los extremos de una cosa. Muchas plazas tienen en el medio una fuente. SINÓNIMO centro. INGLÉS middle.

5 Todo aquello que sirve para conseguir un objetivo o llevar a buen término una actividad. Los servicios de urgencias de los hospitales disponen de medios para atender a los heridos con rapidez. INGLÉS means.

6 Lugar que reúne unas condiciones ambientales determinadas y en el que viven y se desarrollan los seres vivos. Los anfibios, como la rana, necesitan un medio húmedo para vivir. SINÓNIMO hábitat. INGLÉS medium.

7 Ambiente familiar, cultural, social o económico que rodea a una persona. SINÓNIMO entorno. INGLÉS environment.

adverbio **8 medio** No del todo o de manera incompleta: *Tenía tanta prisa que salió de casa a medio vestir.* INGLÉS half, partially.

nombre masculino plural **9 medios** Cantidad de dinero o bienes que alguien posee: *No tienen muchos medios, pero viven bien.* SINÓNIMO fortuna. INGLÉS means.

en medio En la mitad o en el centro de lo que se indica: *La gente se concentró en medio de la plaza.* INGLÉS in the middle.

medioambiente Medio natural que rodea a los seres vivos. Los bosques, el aire y el agua forman parte de nuestro medioambiente. INGLÉS environment.

medios de comunicación Conjunto formado por la prensa, la radio y la televisión. INGLÉS mass media.

por medio de Utilizando aquello que se indica o con la ayuda de lo que se indica: *Se lo comunicó por medio de un telegrama.* INGLÉS via, by means of.

medioambiental

adjetivo **1** Del medioambiente o relacionado con él. INGLÉS environmental.

mediocre

adjetivo **1** Que no es ni muy bueno ni muy malo. INGLÉS mediocre.

adjetivo y nombre masculino y femenino **2** Se dice de la persona que no es muy inteligente, que no destaca en casi nada y que no es demasiado buena en el trabajo que realiza. INGLÉS mediocre [adjetivo].

mediodía

nombre masculino **1** Las doce de la mañana. INGLÉS noon, midday.

2 Parte del día que va desde las doce de la mañana hasta la hora de comer. INGLÉS middle of the day.

3 Parte de un país o de una región que está más al sur. Sevilla está en el mediodía español. INGLÉS south.

medir

verbo **1** Determinar la longitud, la extensión, la capacidad, la temperatura, el peso o el valor de alguna cosa con ayuda de algún instrumento. Medimos una pared o una mesa con un metro. INGLÉS to measure.

2 Tener una determinada altura, longitud, superficie y capacidad: *Su casa mide 100 metros cuadrados.* INGLÉS to measure.

3 Pensar sobre los distintos aspectos de algo, en especial sobre las ventajas e inconvenientes de cualquier decisión importante que tengamos que tomar. INGLÉS to weigh up, to weigh.

NOTA Se conjuga como: servir; la 'e' se convierte en 'i' en algunos tiempos y personas, como: midan.

meditación

nombre femenino **1** Acción que consiste en meditar o

a b c d e f g h i j k l m n ñ o p q r s t u v w x y z

pensar en algo con mucho detenimiento. También es el pensamiento o la idea sobre los que se medita. INGLÉS meditation.

2 Oración que se hace mentalmente y en la que se reflexiona sobre asuntos religiosos. INGLÉS meditation.

NOTA El plural es: meditaciones.

meditar
verbo

1 Pensar en algo con mucho detenimiento y con mucha concentración. Se deben meditar bien los problemas para poder resolverlos. INGLÉS to think about.

2 Rezar mentalmente una oración en la que se reflexiona sobre asuntos religiosos. Los monjes se retiran a veces a meditar en silencio y en soledad. INGLÉS to meditate.

mediterráneo, mediterránea
adjetivo

1 Del mar Mediterráneo y de sus territorios o que tiene relación con ellos. El clima mediterráneo es suave y agradable. INGLÉS Mediterranean.

médium
nombre masculino y femenino

1 Persona que afirma o cree poder comunicarse con los espíritus de los muertos. INGLÉS medium.

NOTA El plural es: médiums.

médula
nombre femenino

1 Sustancia blanda y grasa que hay en el interior de los huesos de los animales. INGLÉS marrow.

médula espinal Parte del sistema nervioso que tiene forma de cordón y está situada en el interior de la columna vertebral. La médula espinal conduce información y órdenes desde el encéfalo hasta el resto de nuestro cuerpo, y viceversa, por medio de terminaciones nerviosas. INGLÉS spinal cord.

medusa
nombre femenino

1 Animal invertebrado marino que tiene el cuerpo en forma de seta, transparente y con muchos brazos. El contacto con una medusa produce irritación e hinchazón de la piel. INGLÉS jellyfish.

megáfono
nombre masculino

1 Aparato en forma de cono que sirve para aumentar el volumen de un sonido, en especial de la voz. INGLÉS megaphone.

mejicano, mejicana
adjetivo y nombre

1 Es otra forma de escribir: mexicano. INGLÉS Mexican.

mejilla
nombre femenino

1 Cada una de las dos partes carnosas de la cara situadas bajo los ojos y a cada lado de la nariz. A los familiares los besamos en la mejilla. INGLÉS cheek.

mejillón
nombre masculino

1 Molusco marino comestible que tiene el cuerpo protegido por una concha negra azulada, dividida en dos partes. Vive sujeto a las rocas en aguas poco profundas. INGLÉS mussel.

NOTA El plural es: mejillones.

mejor
adjetivo

1 Se dice de las cosas o las personas que son más buenas que otras. El mejor juego es el que más nos gusta. ANTÓNIMO peor. INGLÉS better [comparativo], best [superlativo].

2 Se dice de las cosas que son más convenientes que otras para un determinado fin. Para dormir es mejor tener la luz de la habitación apagada. ANTÓNIMO peor. INGLÉS better [comparativo], best [superlativo].

adverbio

3 Comparativo de: bien. Indica que una acción es más buena que otra con la que se compara o está más cerca de lo que está bien: *Hoy me encuentro mejor que ayer.* ANTÓNIMO peor. INGLÉS better.

a lo mejor Indica posibilidad. INGLÉS perhaps, maybe.

NOTA Es el comparativo de: bueno.

mejorar
verbo

1 Hacer que una cosa sea mejor de lo que era. Podemos mejorar nuestras notas si estudiamos más. ANTÓNIMO empeorar. INGLÉS to improve.

2 Hacer que una persona pase a un estado de ánimo o de salud mejor que el que tenía. ANTÓNIMO empeorar. INGLÉS to improve.

3 Hacerse el tiempo más agradable: *Aunque hoy llueve, dicen que mañana mejorará el tiempo.* INGLÉS to improve.

mejoría
nombre femenino

1 Cambio o progreso de una cosa hacia un estado mejor: *No he notado ninguna mejoría en su comportamiento.* ANTÓNIMO empeoramiento. INGLÉS improvement.

2 Recuperación de la salud. Un enfermo nota cierta mejoría cuando comienza a encontrarse bien. ANTÓNIMO empeoramiento. INGLÉS improvement.
3 Cambio hacia un tiempo meteorológico más agradable. INGLÉS improvement.

mejunje
nombre masculino
1 Mezcla, normalmente líquida, de varios ingredientes, que tiene un aspecto raro o poco agradable. INGLÉS concoction.
NOTA Es una palabra despectiva.

melancolía
nombre femenino
1 Tristeza profunda que se siente durante cierto tiempo y a veces sin un motivo concreto. INGLÉS melancholy.

melena
nombre femenino
1 Pelo largo de una persona. INGLÉS long hair.
2 Pelo que tiene el león alrededor de la cabeza. Las leonas no tienen melena. INGLÉS mane.

melenudo, melenuda
adjetivo
1 Se dice de la persona que tiene mucho pelo y lo lleva largo y despeinado. INGLÉS long-haired.

melillense
adjetivo y nombre masculino y femenino
1 Se dice de la persona o cosa que es de Melilla, ciudad española que se encuentra situada en el norte de África.

mellar
verbo
1 Hacer una señal o una rotura en el borde de un objeto. Si golpeamos una espada o el borde de un plato contra una piedra los podemos mellar. INGLÉS to chip, to nick.
2 Deteriorar o dañar una cualidad positiva u otra cosa inmaterial, como el honor o la reputación. INGLÉS to dent.

mellizo, melliza
adjetivo y nombre
1 Se dice de la persona que nace en el mismo parto que otro hermano. Los mellizos se forman en óvulos diferentes y por eso no siempre son parecidos. INGLÉS twin.

melocotón
nombre masculino
1 Fruta redonda de color anaranjado, con la piel suave como el terciopelo y un hueso duro en su interior. INGLÉS peach.
NOTA El plural es: melocotones.

melocotonero
nombre masculino
1 Árbol frutal que produce los melocotones. Tiene las hojas de color verde claro y las flores blancas o rosadas. INGLÉS peach tree.

melodía
nombre femenino
1 Sucesión de notas en una composición musical que se van enlazando y que destacan por encima del acompañamiento. INGLÉS melody.

melodioso, melodiosa
adjetivo
1 Se dice de los sonidos que resultan agradables al oído, como el canto de algunos pájaros. INGLÉS melodious.

melodrama
nombre masculino
1 Obra de teatro, de cine o de televisión en la que se tratan temas muy tristes o con sentimientos muy exagerados. INGLÉS melodrama.
2 Obra de teatro en la que se combinan la música y las palabras. INGLÉS melodrama.

melón
nombre masculino
1 Fruta alargada y bastante grande, que tiene la piel dura, amarilla o verde, y la carne jugosa y dulce, con muchas semillas amarillas. También se llama melón la planta que da esta fruta. INGLÉS melon.
2 Persona torpe o poco inteligente. Es un uso informal. INGLÉS lemon.
NOTA El plural es: melones.

melonar
nombre masculino
1 Terreno en el que se cultivan melones. INGLÉS melon patch.

membrana
nombre femenino
1 Capa de tejido animal o vegetal, fina y elástica, que envuelve o limita algunos órganos. Los dedos de los patos están unidos por una membrana. INGLÉS membrane.

membrete
nombre masculino
1 Nombre y dirección de una persona o un grupo que se pone en la parte superior de un papel de escribir o de un sobre. INGLÉS letterhead.

membrillo
nombre masculino
1 Fruta de piel amarilla y carne áspera con forma de pera grande. También se llama membrillo el arbusto que da esta fruta, que tiene muchas ramas, hojas alargadas y flores rosas. INGLÉS quince [fruta], quince tree [arbusto].

a b c d e f g h i j k l m n ñ o p q r s t u v w x y z

2 Dulce que se prepara con membrillo cocido y mucho azúcar. También se dice: 'dulce de membrillo' o 'carne de membrillo'. INGLÉS quince jelly.

memo, mema

adjetivo

1 Que no comprende las cosas y siempre las hace mal. También es mema la persona que es demasiado ingenua y se deja engañar con mucha facilidad. SINÓNIMO bobo. INGLÉS stupid, dim.

memoria

nombre femenino

1 Capacidad que tienen las personas para recordar las cosas. INGLÉS memory.

2 Recuerdo que una persona tiene de otra que ha fallecido o a la cual no ve desde hace tiempo, o de algo importante que ha pasado tiempo atrás. INGLÉS memory.

3 Estudio o trabajo sobre una materia o un tema determinados que se presenta por escrito. En algunas carreras se tiene que hacer una memoria para obtener la licenciatura. INGLÉS report.

4 Parte de un ordenador donde se almacena la información, en forma de datos o de programas. INGLÉS memory.

nombre femenino plural

5 memorias Obra escrita que contiene las experiencias personales, los recuerdos y los datos relativos a la vida de una persona, contados generalmente por ella misma. INGLÉS memoirs.

de memoria Forma de hacer algo utilizando solo la memoria. Se recita o se explica algo de memoria cuando se hace sin tenerlo escrito delante. INGLÉS by heart.

memorizar

verbo

1 Aprender algo de memoria. Es mejor entender bien una lección que memorizarla sin saber lo que dice. INGLÉS to memorize.

2 Fijar algo en la memoria para que no se nos olvide. Memorizamos nuestro número de teléfono y el de los amigos. INGLÉS to memorize.

NOTA Se escribe 'c' delante de 'e', como: memoricen.

menaje

nombre masculino

1 Conjunto de muebles, vajillas y otros objetos necesarios en una casa. INGLÉS household items.

mencionar

verbo

1 Dar algún dato o nombrar algo o a alguien. Cuando el profesor pasa lista, menciona el nombre de todos los alumnos. INGLÉS to mention.

2 Referirse a algo o a alguien de pasada, sin detenerse a hablar de ellos: *El otro día te mencionaron en una conversación.* INGLÉS to mention.

mendigar

verbo

1 Pedir una persona limosna a otra. INGLÉS to beg.

2 Pedir una cosa con insistencia y humillación. Una persona que mendiga un poco de atención está suplicando que le hagan caso. INGLÉS to beg.

NOTA Se escribe 'gu' delante de 'e', como: mendiguen.

mendigo, mendiga

nombre

1 Persona que vive de la limosna. INGLÉS beggar.

mendrugo

nombre masculino

1 Trozo pequeño de pan duro que normalmente se desecha. INGLÉS hard crust.

menear

verbo

1 Mover algo de un lado a otro, como cuando los animales mueven la cola. INGLÉS to shake, to wag.

2 menearse Actuar con rapidez: *Si no te meneas, no vas a llegar.* INGLÉS to get a move on.

meneo

nombre masculino

1 Movimiento hacia un lado y otro: *Se mareó con el meneo del barco.* INGLÉS movement.

menestra

nombre femenino

1 Guiso que se prepara con diferentes verduras y hortalizas y trocitos de carne o jamón. INGLÉS vegetable stew.

mengano, mengana

nombre

1 Palabra con la que se menciona a una persona cuyo nombre se desconoce, se ha olvidado o no se quiere decir: *Todos me mandan, fulano esto, mengano lo otro.* SINÓNIMO fulano; zutano. INGLÉS so-and-so.

menguante

adjetivo

1 Se dice de la fase intermedia de la Luna, entre la Luna llena y la Luna nueva. La Luna en cuarto menguante tiene forma de 'C'. INGLÉS waning.

menguar

verbo

1 Hacer una cosa más pequeña, menos numerosa o menos importante. Si nuestro dinero mengua, es porque lo vamos gastando. SINÓNIMO disminuir. INGLÉS to diminish, to decrease.

NOTA Se conjuga como: averiguar; la 'u' no se acentúa y se escribe 'gü' delante de 'e', como: mengüen.

menhir

nombre masculino **1** Monumento prehistórico que consiste en una piedra grande y alta clavada en el suelo. INGLÉS menhir.

menisco

nombre masculino **1** Tejido elástico y muy resistente que une los huesos de la rodilla y facilita su articulación. El menisco tiene forma de media luna. INGLÉS meniscus.

menopausia

nombre femenino **1** Desaparición de la menstruación de la mujer de forma definitiva. También se llama menopausia el período de la vida en el que se produce esta desaparición, normalmente entre los 40 y los 50 años. INGLÉS menopause.

menor

adjetivo y nombre masculino y femenino **1** Que es más pequeño, que tiene menos tamaño o importancia que otra cosa de su misma especie. La talla 14 es menor que la 16. Es el comparativo de 'pequeño'. ANTÓNIMO mayor. INGLÉS smaller.

adjetivo **2** Cuando va entre 'el' o 'la' y un nombre, significa 'ningún' o 'ninguna': *No tengo la menor idea.* INGLÉS the slightest.

adjetivo y nombre masculino y femenino **3** Se dice de la persona que no ha llegado a la edad que marca la ley para tener todos los derechos de las personas adultas. Los menores no pueden votar ni conducir. También se dice: menor de edad. SINÓNIMO mayor. INGLÉS minor [nombre].

al por menor Forma de comerciar que consiste en comprar mercancías y venderlas después en pequeñas cantidades al consumidor. INGLÉS retail.

menorquín, menorquina

adjetivo y nombre **1** Se dice de la persona o cosa que es de la isla balear de Menorca. INGLÉS Minorcan.

menos

adverbio **1** Indica una cantidad o cualidad inferior o menor en comparación con otra cosa, otra situación u otra persona: *Había menos gente en la playa que otras veces.* ANTÓNIMO más. INGLÉS less [singular], fewer [plural].

2 Indica que lo que se dice a continuación no tiene que incluirse en el conjunto de la información anterior: *Puedes hacer lo que quieras menos molestar.* SINÓNIMO excepto. INGLÉS except.

3 Indica la cantidad que se resta de otra: *Ocho menos dos son seis.* INGLÉS minus.

nombre masculino **4** Signo de la resta; se representa con una raya horizontal y corta: —. INGLÉS minus sign.

al menos Indica que lo que decimos a continuación es lo mínimo que debe hacerse o tenerse en cuenta: *Si ibas a llegar tan tarde, al menos podías haber llamado.* También se puede decir: por lo menos. INGLÉS at least.

al menos Indica que la cantidad que se dice a continuación es la cantidad mínima de algo, pero que casi con seguridad la cantidad es mayor: *Al menos tiene 30 años.* SINÓNIMO como poco. INGLÉS at least.

nada menos Expresa la gran importancia que le damos a la información que le sigue: *El curso le ha ido muy bien y ha sacado nada menos que cinco sobresalientes.* INGLÉS no less.

ni mucho menos Indica que no estamos en absoluto de acuerdo con algo: *No es lo que él dice, ni mucho menos.* Es una expresión informal. INGLÉS by a long way.

ser lo de menos Indica que algo es poco importante porque lo que realmente importa es otra cosa: *El trabajo es lo de menos, lo que yo quiero es aprender.* INGLÉS to be the least important thing.

menosprecio

nombre masculino **1** Rechazo de una persona o cosa por considerar que no tiene valor o no merece respeto o consideración: *Es un soberbio, siente menosprecio hacia todos.* SINÓNIMO desprecio. INGLÉS scorn, contempt.

mensaje

nombre masculino **1** Aquello que se dice a alguien por escrito o verbalmente. En los contestadores automáticos se dejan mensajes para que los oiga la persona a quien llamamos cuando llegue a casa. INGLÉS message.

2 Idea o significado profundo de alguna cosa, como una película o una canción:

El mensaje de la película era que hay que intentar vivir lo mejor posible. INGLÉS message.

mensajero, mensajera

adjetivo y nombre **1** Que lleva un mensaje de un lugar a otro. Las palomas mensajeras llevan un mensaje a muchos kilómetros de distancia sin perder el rumbo. INGLÉS messenger, [paloma mensajera: carrier pigeon].

nombre **2** Persona que se dedica a llevar mensajes o paquetes urgentes a otras personas. En las grandes ciudades los mensajeros suelen ir en moto para evitar los atascos del tráfico. INGLÉS courier.

menstruación

nombre femenino **1** Pérdida de sangre, procedente del útero, que tienen las mujeres una vez al mes. Las mujeres tienen su primera menstruación en la adolescencia. SINÓNIMO regla. INGLÉS menstruation.

mensual

adjetivo **1** Se dice de las cosas que ocurren o se repiten cada mes, como la publicación de algunas revistas o el pago de algunos recibos. INGLÉS monthly.

2 Se dice de las cosas o acontecimientos que duran un mes. INGLÉS monthly.

mensualidad

nombre femenino **1** Cantidad de dinero que se paga o se cobra cada mes, como el sueldo que percibimos por un trabajo. INGLÉS monthly salary.

menta

nombre femenino **1** Planta de hojas verdes y muy olorosas, y flores moradas. De sus hojas se extrae una sustancia que se emplea para hacer caramelos o licores. INGLÉS mint.

2 Infusión que se obtiene hirviendo en agua las hojas de la menta. INGLÉS mint tea.

mental

adjetivo **1** Se dice de lo que tiene que ver con la mente de las personas. Las enfermedades mentales afectan a la mente, no al cuerpo. INGLÉS mental.

mentalidad

nombre femenino **1** Manera de pensar o modo determinado de ver las cosas por parte de una persona: *Tiene una mentalidad abierta, acepta las idea de todo el mundo.* INGLÉS mentality.

mentalizar

verbo **1** Hacer que una persona se dé cuenta de la importancia de un hecho, un problema o una situación para que lo resuelva de una forma adecuada. Un entrenador deportivo debe mentalizar a su equipo para ganar los partidos. INGLÉS to make aware [concienciar], to prepare mentally [preparar].

NOTA La 'z' se convierte en 'c' delante de 'e', como: mentalicé.

mente

nombre femenino **1** Conjunto de capacidades que tienen las personas para pensar y para entender las cosas. La demencia y la amnesia son enfermedades de la mente. Decimos que una persona tiene una mente privilegiada cuando entiende las cosas difíciles con facilidad. INGLÉS mind.

2 Lugar no real donde se guardan las ideas y donde se piensan las cosas. Cuando se nos va una cosa de la mente no conseguimos acordarnos de ella. INGLÉS mind.

3 Manera de pensar o modo determinado de ver las cosas por parte de una persona: *Tiene una mente cerrada, no acepta las modas innovadoras.* SINÓNIMO mentalidad. INGLÉS mind.

mentir

verbo **1** Decir algo que no es cierto sabiendo que no lo es. Las personas sinceras no mienten casi nunca. INGLÉS to lie.

NOTA Se conjuga como: preferir; la 'e' se convierte en 'ie' en sílaba acentuada o en 'i' en algunos tiempos y personas, como: mienten o mintió.

mentira

nombre **1** Cosa que se dice que no es verdad, sabiendo que no lo es. Las mentiras suelen decirse para engañar. SINÓNIMO embuste; trola. ANTÓNIMO verdad. INGLÉS lie.

mentirijillas

de mentirijillas De broma: *No te enfades, que es de mentirijillas.* INGLÉS as a joke.

mentiroso, mentirosa

adjetivo **1** Se dice de la persona que dice mentiras. SINÓNIMO embustero; farsante. ANTÓNIMO sincero. INGLÉS lying [adjetivo], liar [nombre].

mentolado, mentolada
adjetivo
1 Que tiene olor o sabor a menta. INGLÉS mentholated.

mentón
nombre masculino
1 Parte de la cara que está situada debajo de la boca y que sobresale un poco. SINÓNIMO barbilla. INGLÉS chin.
NOTA El plural es: mentones.

menú
nombre masculino
1 Conjunto de platos que forman una comida. Los menús suelen incluir dos platos, postre, pan y bebida. INGLÉS set menu.
2 Lista de comidas y bebidas que se ofrecen en un restaurante. Del menú del restaurante, tú eliges lo que quieres comer. SINÓNIMO carta. INGLÉS menu.
3 Lista que aparece en la pantalla de un ordenador con todas las cosas que se pueden hacer, de las cuales se elige la que interesa en cada momento. INGLÉS menu.

menudo, menuda
adjetivo
1 Se dice de las cosas que son de pequeño tamaño. Las semillas de las plantas suelen ser muy menudas. También se dice de las personas que son delgadas y bajas. INGLÉS small, tiny.
2 Que tiene poca importancia. En una reunión de vecinos, los detalles menudos se suelen dejar para el final. SINÓNIMO insignificante. INGLÉS minor.
3 Se usa para destacar el valor del nombre que va detrás: *¡Menudo lío has armado!* Es un uso informal. INGLÉS quite a.
a menudo Con frecuencia: *En los países tropicales llueve a menudo.* INGLÉS often.

meñique
nombre masculino y adjetivo
1 Dedo más pequeño de la mano o el pie. INGLÉS little finger [nombre]. DIBUJO página 339.

meollo
nombre masculino
1 Parte principal o más importante de un tema o asunto. Si dos personas dejan de ser amigas, el meollo del problema es la razón por la que han dejado de estar unidas. INGLÉS heart, crux.

meón, meona
adjetivo y nombre
1 Se dice de la persona o el animal que hace mucho pis y con mucha frecuencia. INGLÉS who is always wetting himself/herself [adjetivo - niños], who has a weak bladder [adjetivo - adulto].
NOTA Es una palabra informal. El plural de meón es: meones.

mequetrefe
nombre masculino y femenino
1 Persona que se comporta con poca formalidad, que siempre está metiéndose en los asuntos de los demás y estorbando a otros con sus tonterías. INGLÉS busybody.
2 Persona de aspecto débil y sin personalidad, que no impone ningún respeto ni ofrece confianza a los demás: *Si cree que me va a asustar ese mequetrefe, va listo.* INGLÉS whippersnapper.
NOTA Es una palabra informal.

mercader
nombre masculino
1 Persona que antiguamente se dedicaba a vender diversas mercancías. Actualmente se usa para referirse a comerciantes de otras épocas o lugares. INGLÉS merchant.

mercadillo
nombre masculino
1 Mercado callejero en el que se venden cosas, como ropa, zapatos o flores, a bajo precio y que se celebra un día determinado de la semana. INGLÉS streetmarket.

mercado
nombre masculino
1 Lugar o edificio público donde se compran y venden alimentos y otros productos de primera necesidad. En el mercado suele haber puestos con dependientes y el trato es personal. SINÓNIMO plaza. INGLÉS market.
2 Conjunto de operaciones de compra y venta de productos y servicios. Decimos que se lanza un producto al mercado cuando se pone a la venta. INGLÉS market.
3 Conjunto de compradores y consumidores de un producto o línea de productos: *Los productos deportivos tienen un amplio mercado entre la juventud.* INGLÉS market.

mercancía
nombre femenino
1 Cualquier cosa que se puede comprar y vender, como ropa, alimentos o electrodomésticos. SINÓNIMO género; producto. INGLÉS goods.
nombre masculino plural
2 mercancías Tren que únicamente transporta mercancías y no lleva viajeros. INGLÉS goods train.

a b c d e f g h i j k l **m** n ñ o p q r s t u v w x y z

mercante
adjetivo y nombre masculino **1** Se dice del barco que transporta mercancías. Los mercantes llevan la carga en grandes contenedores que se cargan en los puertos con grandes grúas. INGLÉS merchant [adjetivo], merchant vessel [nombre].

mercantil
adjetivo **1** Del comercio o relacionado con él. INGLÉS mercantile, commercial.

mercenario, mercenaria
adjetivo y nombre **1** Se dice del soldado que lucha solo a cambio de dinero. Los mercenarios nunca participan en una guerra por motivos patrióticos o ideológicos. INGLÉS mercenary.

mercería
nombre femenino **1** Tienda donde se venden telas, hilos, agujas, botones y otros útiles para coser y hacer labores. INGLÉS haberdasher's shop.

mercromina
nombre femenino **1** Sustancia líquida de color rojo oscuro que se pone en una herida para que no se infecte. INGLÉS Mercurochrome.
NOTA Es una marca registrada.

mercurio
nombre masculino **1** Metal líquido de color plateado brillante. Es tóxico para los seres vivos. INGLÉS mercury.

merecer
verbo **1** Tener derecho o ser justo que una persona tenga algo por su comportamiento o sus buenas cualidades. Las personas que estudian merecen aprobar. INGLÉS to deserve.
NOTA Se conjuga como: agradecer; la 'c' se convierte en 'zc' delante de 'a' y 'o', como: merezca.

merecido
nombre masculino **1** Castigo que se considera justo. Cuando alguien se porta muy mal y le castigan, decimos que tiene su merecido. INGLÉS just deserts.

merendar
verbo **1** Tomar algún alimento a media tarde, entre la comida de mediodía y la cena. INGLÉS to have an afternoon snack, to have tea.
NOTA Se conjuga como: acertar; la 'e' se convierte en 'ie' en sílaba acentuada, como: meriendan.

merendero
nombre masculino **1** Lugar al aire libre, situado en el campo o en la playa, en el que se puede comer y tomar algo. INGLÉS snack bar [tipo bar], picnic spot [espacio al aire libre].

merendola
nombre femenino **1** Merienda muy buena y abundante. Las fiestas de cumpleaños de los niños se celebran con una merendola. INGLÉS slap-up tea.
NOTA Es una palabra informal.

merengue
nombre masculino **1** Dulce de color blanco que se hace cociendo en el horno claras de huevo batidas a punto de nieve con azúcar. También se llama merengue al pastel que tiene este dulce. INGLÉS meringue.
2 Tipo de baile de origen caribeño que tiene mucho ritmo. INGLÉS merengue.

meridiano
nombre masculino **1** Cualquier línea imaginaria de la esfera de la Tierra que pasa por los polos, cortando perpendicularmente el ecuador y los paralelos. INGLÉS meridian.

meridional
adjetivo **1** Del Sur o que tiene relación con él. Argentina y Chile son los países más meridionales de América y España uno de los más meridionales de Europa. ANTÓNIMO septentrional. INGLÉS southern.

merienda
nombre femenino **1** Comida ligera que se toma a media tarde, entre la comida y la cena. INGLÉS afternoon snack, tea.

mérito
nombre masculino **1** Importancia o valor de una acción difícil o muy bien hecha. Trabajar y estudiar al mismo tiempo tiene mérito. INGLÉS merit.
2 Derecho que tiene alguien a recibir un premio o un reconocimiento por algo que ha hecho bien: *Su vida es digna de mérito, siempre ayuda a los demás.* INGLÉS merit.

merluza
nombre femenino **1** Pez marino comestible que tiene el cuerpo alargado, de color gris plateado y blanco. Su carne es muy apreciada. INGLÉS hake.

merluzo, merluza
nombre **1** Persona que demuestra poca inteligencia, poca sensatez, ingenuidad o falta de juicio en lo que hace o dice: *El*

muy merluzo, suspendió porque confundió las dos preguntas. INGLÉS fool, twit.

NOTA Es una palabra informal.

mermar

verbo

1 Disminuir la cantidad o el tamaño de una cosa, como el líquido de las salsas cuando las ponemos al fuego. INGLÉS to reduce.

mermelada

nombre femenino

1 Dulce blando y pegajoso que se hace con frutas hervidas y trituradas y azúcar. SINÓNIMO confitura. INGLÉS jam, [si es de cítricos: marmalade].

mero, mera

adjetivo

1 Que no tiene excesiva importancia ni complicación y simplemente es lo que se dice. Para renovar el pasaporte debemos hacer un mero trámite. Se coloca delante del nombre. INGLÉS mere.

nombre masculino

2 Pez marino comestible que tiene la cabeza y la boca grandes y es de color amarillo o marrón por la parte superior del cuerpo y blanco por el vientre. Vive en los fondos rocosos y su carne es muy apreciada. INGLÉS grouper.

merodear

verbo

1 Andar por los alrededores de un lugar. Las personas y los animales suelen merodear por una zona porque buscan algo, por curiosidad o porque tienen malas intenciones. INGLÉS to prowl about.

mes

nombre masculino

1 Cada una de las doce partes en las que se divide un año. INGLÉS month.

2 Período de tiempo que va desde un día cualquiera hasta el mismo día del mes siguiente. INGLÉS month.

mesa

nombre femenino

1 Mueble formado por una superficie plana que se apoya sobre una o varias patas. Se pueden usar para comer o estudiar. INGLÉS table, [si es para trabajar o estudiar: desk].

mesa redonda Reunión de varias personas para discutir sobre algún tema específico. INGLÉS round table.

meseta

nombre femenino

1 Terreno llano y de gran extensión, situado a una determinada altura. INGLÉS plateau.

mesías

nombre masculino

1 Persona que se espera que venga para que salve o ayude a los demás. En el Antiguo Testamento se anuncia la llegada de un mesías enviado por Dios, que para los cristianos es Cristo. INGLÉS Messiah.

mesilla

nombre femenino

1 Mueble en forma de pequeña mesa, con cajones, que suele colocarse a los lados de la cama. INGLÉS bedside table.

mesón

nombre masculino

1 Establecimiento donde se sirven comidas y bebidas, decorado de una forma tradicional y rústica. Suelen estar especializados en comidas regionales. INGLÉS old-style restaurant [para comidas], old-style bar [para bebidas].

NOTA El plural es: mesones.

mesonero, mesonera

nombre

1 Persona que tiene y atiende un mesón. INGLÉS innkeeper.

mestizo, mestiza

adjetivo y nombre

1 Se dice de la persona que es hijo de dos personas de razas diferentes. Normalmente indica que uno de los padres es de raza blanca y el otro indio americano. INGLÉS half-caste.

meta

nombre femenino

1 Lugar o línea donde acaba una carrera. El primer corredor que llega a la meta es el ganador. INGLÉS finishing line.

2 Portería de los campos de fútbol y otros deportes. INGLÉS goal.

3 Aquello que se quiere conseguir al hacer algo: *Su meta es aprender bien varios idiomas.* SINÓNIMO objetivo. INGLÉS goal, aim.

metabolismo

nombre masculino

1 Conjunto de los procesos químicos que se producen en los seres vivos, de los cuales obtienen la energía necesaria para vivir. Cuando una persona adelgaza aunque siga comiendo como siempre, se dice que le ha cambiado el metabolismo porque su cuerpo necesita más energía que antes. INGLÉS metabolism.

metáfora

nombre femenino

1 Figura del lenguaje que consiste en hacer una identidad entre dos palabras o utilizar una en lugar de otra cuando parece que no tienen nada que ver, pero en realidad comparten algún rasgo que se pretende destacar. 'Tus labios son una fresa' es una metáfora con la que se quiere representar el color rojo y la forma carnosa de los labios. INGLÉS metaphor.

metal

nombre masculino **1** Material duro y brillante que se extrae de los minerales. El hierro, el cobre y el acero son metales. INGLÉS metal.

metálico, metálica

adjetivo **1** Que está hecho de metal. INGLÉS metallic, metal.

en metálico Con dinero. Cuando vamos a comprar a una tienda podemos pagar en metálico o con tarjeta de crédito. INGLÉS in cash.

metalizado, metalizada

adjetivo **1** Que tiene una capa de pintura que brilla como el metal: *Mi coche es de color gris metalizado.* INGLÉS metallic.

metalúrgico, metalúrgica

adjetivo **1** Que está relacionado con la industria que se ocupa de sacar metales de los minerales y darles forma para crear productos. INGLÉS metallurgical.

nombre **2** Persona que trabaja en la industria del metal. INGLÉS metallurgist.

metamórfico, metamórfica

adjetivo **1** Se dice de la roca que se forma a partir de otras rocas sometidas a mucha presión y temperatura. El mármol es una roca metamórfica. INGLÉS metamorphic.

metamorfosis

nombre femenino **1** Serie de cambios que sufren algunos animales en su desarrollo desde que salen del huevo hasta que se hacen adultos. En la primera etapa de su metamorfosis, las ranas son renacuajos. INGLÉS metamorphosis.

2 Cambio de cualquier tipo que sufre una persona o una cosa. INGLÉS metamorphosis.

NOTA El plural es: metamorfosis.

meteorito

nombre masculino **1** Cuerpo sólido procedente del espacio que puede entrar en la atmósfera y caer sobre la superficie de la Tierra. Suelen deshacerse en pedazos cuando atraviesan la atmósfera. INGLÉS meteorite.

meteoro

nombre masculino **1** Fenómeno natural que se produce en la atmósfera. El viento, la lluvia y el granizo son meteoros. INGLÉS atmospheric phenomenon.

meteorología

nombre femenino **1** Ciencia que estudia los fenómenos naturales que suceden en la atmósfera, como la lluvia, la nieve, el viento o las nubes. INGLÉS meteorology.

metepatas

nombre masculino y femenino **1** Persona inoportuna que acostumbra hablar cuando no tiene que hablar, decir lo que no tiene que decir o hacer cosas que no tiene que hacer. INGLÉS blunderer.

NOTA El plural es: metepatas.

meter

verbo **1** Poner o dejar algo en el interior de una cosa o de un lugar: *Mete la ropa en la lavadora.* ANTÓNIMO sacar. INGLÉS to put.

2 Poner a una persona o a un animal en algún lugar. ANTÓNIMO sacar. INGLÉS to put.

3 Causar o producir algo, como miedo, ruido o prisa. INGLÉS to make.

4 Hacer que una persona esté en una situación difícil o desagradable: *Se ha metido en un lío.* INGLÉS to get.

5 Hacer que una persona aguante algo pesado o desagradable: *Nos metió un rollo insoportable.* INGLÉS to give.

6 Hacer que una persona crea algo que es falso: *Le metió una bola y él se la creyó.* INGLÉS to tell.

7 Dar o conseguir un puesto de trabajo para alguien: *Su padre lo metió en la empresa familiar.* INGLÉS to find a job for.

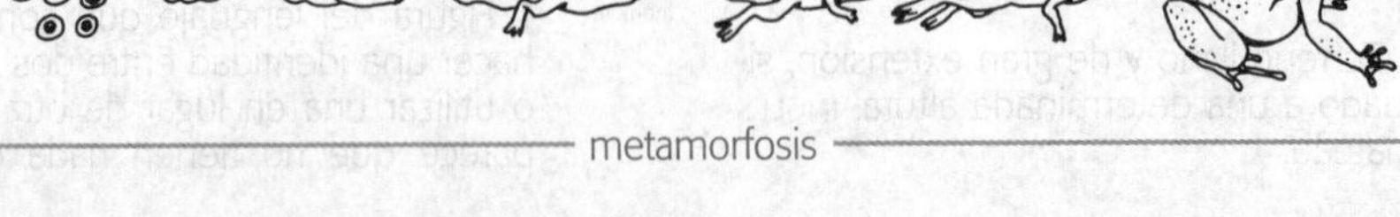

metamorfosis

8 Con palabras como 'golpe', 'patada', 'bofetada' o 'torta', darlas. Es un uso informal. INGLÉS to give.

9 meterse Participar una persona en algo a lo que no ha sido llamada o que no le afecta directamente. A los entrometidos les gusta meterse en los asuntos de los demás. INGLÉS to get involved.

10 meterse Dedicarse a alguna actividad, oficio o profesión: *Se metió a bombero.* INGLÉS to become.

11 meterse Ir a parar a un lugar determinado: *¿Dónde se habrá metido el perro?* INGLÉS to go.

a todo meter A mucha velocidad: *Bajó por la cuesta con su bici a todo meter.* INGLÉS at full pelt.

meterse con Hablar mal de una persona o hacer que se enfade: *No te metas con ella.* INGLÉS to pick on.

meticuloso, meticulosa

adjetivo y nombre

1 Se dice de la persona que hace las cosas con cuidado y teniendo en cuenta todos los detalles. También se dice de las cosas que se hacen así. INGLÉS meticulous.

metódico, metódica

adjetivo

1 Se dice de lo que se hace de una manera ordenada y bien pensada o de la persona que actúa así. INGLÉS methodical.

método

nombre masculino

1 Manera de hacer las cosas siguiendo un plan y un orden determinados. Hay muchos métodos distintos para enseñar idiomas. INGLÉS method.

metomentodo

adjetivo y nombre masculino y femenino

1 Se dice de la persona a la que le gusta meterse en los asuntos de los demás sin que nadie se lo pida. INGLÉS busybody.

NOTA Es una palabra informal.

metralleta

nombre femenino

1 Arma de fuego parecida a un fusil, que dispara muchas balas seguidas a gran velocidad y de manera automática. INGLÉS sub-machine gun.

métrica

nombre femenino

1 Estudio de la medida y la estructura de los versos de un poema, de un escritor, de una época o de un lugar. INGLÉS metrics.

metro

nombre masculino

1 Unidad de longitud que sirve para medir la distancia entre dos puntos. Su símbolo es: m. INGLÉS metre.

2 Barra o cinta de un metro de longitud que sirve para tomar medidas. El metro tiene marcados con rayas los decímetros, los centímetros y los milímetros. INGLÉS tape measure [cinta], rule [barra].

3 Tren que circula bajo tierra y transporta a los viajeros que viven en una gran ciudad. INGLÉS underground [en el Reino Unido], subway [en Estados Unidos].

metro cuadrado Unidad de superficie que es igual al área de un cuadrado que tiene un metro de lado. La superficie de las casas se mide en metros cuadrados. INGLÉS square metre.

metrópoli

nombre femenino

1 Ciudad importante de gran extensión y con muchos habitantes. INGLÉS metropolis.

NOTA El plural es: metrópolis.

metropolitano, metropolitana

adjetivo

1 De la metrópoli o relacionado con ella. INGLÉS metropolitan.

nombre masculino

2 Tren que circula bajo tierra y transporta viajeros en una gran ciudad. SINÓNIMO metro. INGLÉS underground [en el Reino Unido], subway [en Estados Unidos].

mexicano, mexicana

adjetivo y nombre

1 Se dice de la persona o cosa que es de México, país de América del Norte. INGLÉS Mexican.

NOTA Se pronuncia: 'mejicano'. También se escribe: mejicano.

mezcla

nombre femenino

1 Conjunto de varios elementos distintos que están unidos formando un todo. INGLÉS mixture, blend.

mezclar

verbo

1 Juntar varias cosas, iguales o diferentes, para que formen un todo. Para hacer un puré hay que mezclar varios ingredientes. INGLÉS to mix.

2 Hacer que un conjunto de cosas ordenadas dejen de estarlo: *Has mezclado todas las hojas de mis apuntes.* SINÓNIMO desordenar. INGLÉS to mix up.

3 Reunir o juntar en un lugar a un conjunto de cosas o personas diferentes entre sí: *No puedo mezclar a mis amigos del colegio con mi pandilla del barrio.* INGLÉS to mix.

4 Meter a una persona en un asunto que no le importa o no le interesa demasiado: *No me mezcles en tus travesuras.* INGLÉS to involve.

5 mezclarse Relacionarse y tratarse unas personas con otras: *Solo se mezcla con gente de su barrio.* INGLÉS to mix.

mezquino, mezquina

adjetivo y nombre

1 Que es miserable y merece desprecio. Las personas que traicionan a los amigos son mezquinas. INGLÉS mean.

2 Que no gasta nada o gasta lo menos posible para tener más dinero. SINÓNIMO avaro; tacaño. INGLÉS stingy, mean.

mezquita

nombre femenino

1 Edificio donde los musulmanes se reúnen para rezar y celebrar distintos actos religiosos. La mezquita de Córdoba fue construida por los árabes. INGLÉS mosque.

mi

determinante posesivo

1 Indica que el sustantivo a que acompaña pertenece a la persona que está hablando. 'Mi, mis' son determinantes posesivos de primera persona del singular y siempre van delante de un nombre: *Mi madre es una mujer estupenda.* INGLÉS my.

nombre masculino

2 Tercera nota de la escala musical. El mi va entre el re y el fa. INGLÉS mi, E.

NOTA Como determinante y como nombre nunca se acentúa; no lo confundas con la forma del pronombre personal 'mí', que siempre se acentúa.

mí

pronombre personal

1 Pronombre personal de primera persona del singular que en la oración hace función de complemento indirecto y que se usa también detrás de preposición: *A mí me parece muy fácil este ejercicio.* INGLÉS me.

NOTA Como pronombre personal siempre se acentúa; no lo confundas con la forma del determinante posesivo o con la nota musical 'mi', que nunca se acentúan.

mica

nombre femenino

1 Mineral formado por varias láminas delgadas, flexibles y brillantes. El granito es una roca que está compuesta de tres minerales: cuarzo, feldespato y mica. INGLÉS mica.

michelín

nombre masculino

1 Pliegue de grasa que se forma en la cintura de algunas personas. INGLÉS spare tyre.

NOTA Es una palabra informal. El plural es: michelines.

mico, mica

nombre

1 Mono que tiene la cola muy larga. INGLÉS long-tailed monkey.

2 Niño pequeño. Es un uso informal. INGLÉS kid.

volverse mico Ponerse nervioso y alterado por resultar una cosa muy difícil o muy complicada. INGLÉS to have real problems.

micología

nombre femenino

1 Parte de la botánica que estudia los hongos. INGLÉS mycology.

micro

nombre masculino

1 Es la forma abreviada de: micrófono. INGLÉS mike.

NOTA Es una palabra informal.

microbio

nombre masculino

1 Ser vivo tan pequeño que solo se puede ver con un microscopio. Los virus y las bacterias son microbios. INGLÉS microbe.

microbiología

nombre femenino

1 Ciencia que estudia los microbios. Es una parte de la biología. INGLÉS microbiology.

microfilme

nombre masculino

1 Película fotográfica de tamaño muy pequeño que se utiliza para fotografiar páginas, dibujos o libros enteros que luego se ven con un aparato que las amplía. INGLÉS microfilm.

NOTA También se dice: microfilm.

micrófono

nombre masculino

1 Aparato que sirve para ampliar el volumen y la fuerza de un sonido. Los cantantes utilizan micrófono para cantar. INGLÉS microphone.

microondas

nombre masculino y adjetivo

1 Horno que descongela, calienta y cocina los alimentos muy rápidamente por medio de unas ondas o radiaciones especiales. INGLÉS microwave.

NOTA El plural es: microondas.

microorganismo
nombre masculino
1 Ser vivo tan pequeño que solo se puede ver con un microscopio. INGLÉS microorganism.

microprocesador
nombre masculino
1 Pieza muy pequeña que tienen los ordenadores y que está formada por varios elementos integrados en un circuito. Puede realizar millones de cálculos por segundo, por eso es el encargado de realizar todas las operaciones de control y procesamiento de datos. Es el auténtico cerebro del ordenador. INGLÉS microprocessor.

microscopio
nombre masculino
1 Instrumento óptico que sirve para ver ampliadas cosas tan pequeñas que nuestra vista ve con mucha dificultad o no llega a ver, como las células o las bacterias. INGLÉS microscope.

miedica
adjetivo y nombre masculino y femenino
1 Se dice de la persona que siente miedo o temor por cualquier cosa. ANTÓNIMO atrevido. INGLÉS scaredy-cat [nombre].
NOTA Es una palabra informal.

miedo
nombre masculino
1 Sentimiento de intranquilidad o angustia que tiene una persona ante algo que le parece peligroso, arriesgado o perjudicial para ella. Se puede tener miedo a cosas como la oscuridad o la enfermedad. SINÓNIMO temor. ANTÓNIMO valor. INGLÉS fear.
2 Falta de esperanza o de confianza de que ocurra algo que deseamos. Las personas pesimistas siempre tienen miedo de que las cosas no les salgan como ellas desearían. INGLÉS fear.
de miedo Muy bueno o muy bien: *En el parque de atracciones nos lo hemos pasado de miedo.* INGLÉS brilliant.

miedoso, miedosa
adjetivo
1 Que siente miedo por cualquier cosa. ANTÓNIMO valiente. INGLÉS easily frightened.

miel
nombre femenino
1 Sustancia espesa de color dorado, muy dulce y pegajosa, que fabrican las abejas con el polen de las flores y que sirve para la alimentación humana. INGLÉS honey.

miembro
nombre masculino
1 Cada uno de los brazos o piernas de una persona o cada una de las patas de un animal. INGLÉS limb.
2 Persona que, junto con otras, forma parte de una organización, un colectivo o una comunidad. Algunas personas son miembros de un partido político o una asociación cultural. INGLÉS member.
3 Pene de un hombre. También se llama: miembro viril. INGLÉS male member.

mientras
conjunción
1 Indica que una acción se realiza a la vez que otra o en el mismo período de tiempo: *Necesito silencio mientras estudio.* INGLÉS while.

miércoles
nombre masculino
1 Tercer día de la semana. INGLÉS Wednesday.
NOTA El plural es: miércoles.

mierda
nombre femenino
1 Excremento sólido que expulsan las personas y los animales por el ano. SINÓNIMO caca. INGLÉS shit.
2 Suciedad que se pega a una cosa o a una parte del cuerpo. INGLÉS shit, crap.
3 Aquello que está mal hecho o es de mala calidad. Un tejado con goteras es una mierda de tejado. SINÓNIMO caca. INGLÉS rubbish.
interjección
4 ¡mierda! Indica enfado o disgusto por algo. INGLÉS shit!
irse a la mierda Estropearse o fallar algo, como unos planes o un proyecto. INGLÉS to go down the pan.
NOTA Es una palabra vulgar.

mies
nombre femenino
1 Cereal que ya está maduro y se puede segar. Con las semillas de la mies se hace el pan. INGLÉS corn, grain.
NOTA El plural es: mieses.

miga
nombre femenino
1 Parte interior y blanda del pan que está cubierta por la corteza. INGLÉS crumb.
2 Trozo muy pequeño de pan o de otra cosa: *A veces hecho migas de pan a las palomas.* SINÓNIMO migaja. INGLÉS crumb.
3 Contenido interesante e importante que tiene una cosa, generalmente referido a algo que se dice o que se escribe. Algunos artículos de periódico tienen mucha miga. INGLÉS substance.

nombre femenino plural **4 migas** Comida que consiste en trozos muy pequeños de pan duro que se humedecen y se fríen en aceite con ajo. Se pueden servir acompañadas de distintas cosas, como carne, sardinas o uva. INGLÉS fried breadcrumbs.

hacer buenas migas Llevarse muy bien dos personas, caerse bien mutuamente. INGLÉS to get on well.

migajas

nombre femenino plural **1** Trozo muy pequeño de pan u otra cosa. Después de comer quedan migajas encima del mantel. INGLÉS crumbs.

2 Restos de algo, normalmente los que uno ya no quiere y deja para otros o para tirar: *Echa esas migajas al perro.* INGLÉS scraps.

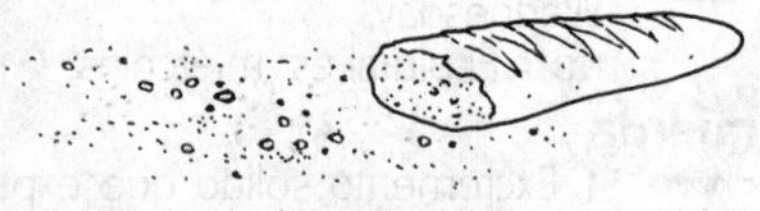

migajas

migración

nombre femenino **1** Movimiento de personas que dejan un país para irse a vivir a otro. INGLÉS migration.

2 Viaje que hacen algunas aves, peces y otros animales cada cierto tiempo. INGLÉS migration.

NOTA El plural es: migraciones.

migraña

nombre femenino **1** Dolor muy fuerte de cabeza, que generalmente se siente en un lado. INGLÉS migraine.

migrar

verbo **1** Dejar una persona su país o población para ir a vivir o trabajar a otro lugar. SINÓNIMO emigrar. INGLÉS to migrate.

2 Cambiar un animal de zona en busca de un clima adecuado. Muchas aves migran a zonas cálidas cuando llega el invierno. SINÓNIMO emigrar. INGLÉS to migrate.

mil

numeral cardinal **1** Indica que el nombre al que acompaña está 1 000 veces: *Ha ganado un premio de mil euros.* INGLÉS thousand.

2 Se utiliza para indicar una cantidad muy elevada e indeterminada: *Te lo he dicho mil veces.* INGLÉS thousands of.

numeral ordinal **3** Que ocupa el lugar número 1 000 en una serie ordenada. INGLÉS thousandth.

nombre masculino **4** Nombre del número 1 000. En números romanos el mil se representa con una M. INGLÉS thousand.

5 Conjunto formado por mil unidades. Se utiliza para indicar que hay grupos de mil, pero no para dar cifras concretas: *Han llegado miles de cartas de apoyo.* INGLÉS thousand.

milagro

nombre masculino **1** Hecho en el que se cree que ha tomado parte Dios y que no se puede explicar por causas naturales. Según el Evangelio, Jesucristo realizó muchos milagros. INGLÉS miracle.

2 Cosa extraña y difícil de que ocurra: *Fue un milagro que nuestro equipo ganara el partido.* INGLÉS miracle.

de milagro Por muy poco: *Me dormí y llegué al examen de milagro.* INGLÉS miraculously.

milagroso, milagrosa

adjetivo **1** Que hace milagros. INGLÉS miraculous.

2 Que es sorprendente y causa admiración porque no puede explicarse por las leyes de la naturaleza. Algunas personas dicen que tienen poderes sobrenaturales y milagrosos y que pueden curar a los demás sin usar medicamentos. INGLÉS miraculous.

milenario, milenaria

adjetivo **1** Se dice de las cosas que tienen o duran mil años o más. El acueducto de Segovia es una construcción milenaria. INGLÉS ancient.

nombre masculino **2** Día o año en que se celebra que se han cumplido los mil años de algún acontecimiento. INGLÉS millennium.

milenio

nombre masculino **1** Período de tiempo que dura mil años. En el año 2001 entramos en el tercer milenio después de Cristo. INGLÉS millennium.

milésimo, milésima

numeral ordinal **1** Que ocupa el lugar número 1 000 en una serie ordenada. INGLÉS thousandth.

nombre femenino **2** Cada una de las 1 000 partes iguales que resultan de dividir un todo. Un milímetro es la milésima parte del metro. INGLÉS thousandth.

milhojas

nombre masculino **1** Dulce de forma rectangular formado

por varias láminas muy finas de hojaldre, entre las que se pone nata, crema o merengue. INGLÉS puff pastry.

NOTA El plural es: milhojas.

mili

nombre femenino **1** Servicio que presta un ciudadano a su país sirviendo como soldado durante un período de tiempo determinado sin que esta sea su profesión. INGLÉS national service.

miligramo

nombre masculino **1** Medida de masa que equivale a la milésima parte de un gramo. Su símbolo es: mg. INGLÉS milligram.

mililitro

nombre masculino **1** Medida de capacidad que equivale a la milésima parte de un litro. Su símbolo es: ml. INGLÉS millilitre.

milímetro

nombre masculino **1** Medida de longitud que equivale a la milésima parte de un metro. Su símbolo es: mm. INGLÉS millimetre.

militante

adjetivo y nombre masculino y femenino **1** Se dice de la persona que pertenece a un partido político, a un sindicato o a un grupo artístico o cultural. INGLÉS militant.

militar

nombre masculino **1** Persona que forma parte del ejército. INGLÉS soldier.

adjetivo **2** Que está relacionado con el ejército. La disciplina militar es muy rígida. INGLÉS military.

verbo **3** Formar parte de un ejército, de un partido o de una asociación. La gente que milita en una asociación participa en sus actividades. INGLÉS to be an active member.

militarizar

verbo **1** Someter a una población, una actividad, un servicio, un lugar, etc., a la disciplina, el espíritu o las costumbres militares. INGLÉS to militarize.

NOTA La 'z' se convierte en 'c' delante de 'e', como: militaricen.

milla

nombre femenino **1** Medida de longitud que equivale a 1 609 metros. Se utiliza en el Reino Unido y en Estados Unidos. INGLÉS mile.

millar

nombre masculino **1** Conjunto de mil unidades. INGLÉS thousand.

millón

nombre masculino **1** Nombre del número 1 000 000. El resultado de multiplicar 1 000 por 1 000 es un millón. INGLÉS million.

2 Se utiliza para indicar una cantidad muy elevada o indeterminada: *He enviado un millón de cartas.* INGLÉS millions of.

NOTA El plural es: millones.

millonada

nombre femenino **1** Cantidad muy grande de dinero. INGLÉS fortune.

millonario, millonaria

adjetivo y nombre **1** Se dice de la persona que es muy rica o que tiene muchos millones de una unidad monetaria determinada. INGLÉS millionaire [adjetivo], millionaire [nombre - hombre], millionairess [nombre - mujer].

adjetivo **2** Se dice de la cantidad que supera el millón: *El único acertante de la quiniela ha ganado una suma millonaria.* INGLÉS worth millions.

millonésimo, millonésima

numeral ordinal **1** Que ocupa el lugar número 1 000 000 en una serie ordenada. INGLÉS millionth.

adjetivo y nombre **2** Se dice de cada una de las partes que resulta de dividir algo en 1 000 000 partes iguales. INGLÉS millionth.

mimar

verbo **1** Tratar con mucho cariño o cuidado a una persona o cosa, como un bebé o un objeto delicado. INGLÉS to spoil, to pamper.

2 Tratar a alguien o algo con excesivo mimo, en especial a los niños. INGLÉS to mollycoddle.

mimbre

nombre masculino **1** Rama larga, delgada y flexible de un arbusto que se llama también mimbre; se utiliza para hacer cestos y otros objetos. El mimbre crece en las orillas de los ríos y lagos. INGLÉS wicker.

mimetismo

nombre masculino **1** Propiedad que tienen algunos animales o plantas para cambiar de aspecto imitando el color o la forma del lugar en el que estén, de modo que no se nota que están ahí y nadie los ataca. INGLÉS mimicry.

2 Propiedad de las personas que copian o imitan algún rasgo, característica o modo de actuar de otras personas. INGLÉS mimicry.

mímica

nombre femenino **1** Arte y técnica que consiste en expresarse por medio de gestos, movimientos y posiciones del cuerpo. SINÓNIMO mimo. INGLÉS mimicry.

mimo

nombre masculino **1** Demostración de afecto, cariño o amor: *A la mayoría de los cachorros de perro les gusta que les hagan mimos y caricias.* Con este significado se usa más en plural. INGLÉS pampering.

2 Excesiva consideración o tolerancia con la que a veces se trata a los niños. INGLÉS pampering, mollycoddling.

3 Delicadeza y cuidado con que se hace o se trata algo. INGLÉS care.

4 Tipo de género teatral en el que no se usan palabras, solo gestos y movimientos del cuerpo para expresarse ante el público. INGLÉS mime.

nombre masculino y femenino **5** Persona que actúa usando gestos y movimientos del cuerpo y sin usar palabras. INGLÉS mime artist.

mimosa

nombre femenino **1** Planta que tiene unas hojas muy pequeñas y flores redondas, de color amarillo, también pequeñas. INGLÉS mimosa.

mimoso, mimosa

adjetivo **1** Que le gusta hacer mimos o que le hagan mimos. INGLÉS affectionate.

mina

nombre femenino **1** Lugar abierto o bajo tierra de donde se extraen minerales, como oro, carbón o sal. INGLÉS mine.

2 Barra de grafito, de distintos colores, que va en el interior de los lápices y sirve para escribir, dibujar o pintar. INGLÉS lead.

3 Artefacto que se coloca bajo tierra o bajo el agua y que explota al ser tocado por alguien o algo. INGLÉS mine.

4 Persona o cosa que con poco trabajo o esfuerzo ofrece muchos beneficios. Un negocio que marcha muy bien es una mina de dinero. INGLÉS gold mine.

mineral

adjetivo **1** Se dice de la materia natural que no tiene vida. El oro y la sal son sustancias minerales. INGLÉS mineral.

nombre masculino **2** Materia natural que no tiene vida, que está formada por varios elementos químicos y se encuentra en el interior o en la superficie de la tierra. El cuarzo y el azufre son minerales. INGLÉS mineral.

mineralogía

nombre femenino **1** Ciencia que estudia las propiedades físicas de los minerales y sus componentes químicos. INGLÉS mineralogy.

minería

nombre femenino **1** Conjunto de técnicas y conocimientos que se utilizan para la explotación de las minas. También conjunto de las minas de un país o región. INGLÉS mining.

minero, minera

adjetivo **1** De la mina o que tiene relación con la mina o la minería. Algunas regiones del mundo viven de la industria minera. INGLÉS mining.

nombre **2** Persona que trabaja sacando minerales en una mina. INGLÉS miner.

miniatura

nombre femenino **1** Copia de una cosa en tamaño muy pequeño. INGLÉS miniature.

2 Pintura muy pequeña pero que tiene muchos detalles. Muchos libros antiguos están ilustrados con miniaturas. INGLÉS miniature.

en miniatura En tamaño muy pequeño: *Tiene una reproducción de un avión en miniatura.* INGLÉS in miniature.

minibásquet

nombre masculino **1** Baloncesto que se juega en una pista más pequeña de lo normal y con canastas más bajas. INGLÉS minibasket.

minifalda

nombre femenino **1** Falda corta que llega como máximo a la mitad del muslo. También se dice: mini. INGLÉS mini skirt.

minigolf

nombre masculino **1** Juego parecido al golf que se practica en un campo o pista de menores dimensiones. También se llama así el campo o pista donde se practica este juego. INGLÉS crazy golf.

mínima

nombre femenino **1** Temperatura más baja que se registra en un lugar o en un período determinado. En algunas zonas de la Tierra la mínima está por debajo de los 0 grados centígrados. ANTÓNIMO máxima. INGLÉS minimum temperature.

minimizar

verbo **1** Reducir considerablemente, o al mínimo, una cosa material o inmaterial, especialmente el valor o importancia de algo o alguien. INGLÉS to minimize.

NOTA La 'z' se convierte en 'c' delante de 'e', como: minimicen.

mínimo, mínima

adjetivo **1** Que es el más pequeño, el menos importante o el menos numeroso entre los de su género: *No tengo la más mínima idea de las reglas del juego del parchís.* INGLÉS minimum.

nombre masculino **2** Límite más bajo a que puede llegar una cosa. Cuando los embalses están al mínimo debemos reducir el consumo de agua. ANTÓNIMO máximo. INGLÉS minimum.

como mínimo Significa por lo menos. Los niños en edad escolar deben dormir ocho horas diarias como mínimo. INGLÉS at least.

minino, minina

nombre **1** Es una forma familiar de llamar al gato. INGLÉS pussy, kitty.

ministerio

nombre masculino **1** Cada uno de los departamentos en que se divide el gobierno de un país para tratar un aspecto determinado de la vida política, social o económica. También es el edificio en el que trabajan el ministro y las personas responsables de cada uno de estos departamentos. Se escribe más con mayúscula. INGLÉS ministry.

ministro, ministra

nombre **1** Persona que dirige un ministerio. INGLÉS minister.

primer ministro Jefe de gobierno de algunos países. En Gran Bretaña hay primer ministro en vez de presidente del Gobierno. INGLÉS prime minister.

minoría

nombre femenino **1** Parte menos numerosa de un conjunto o grupo de personas o cosas. Si en una clase hay 20 chicos y 11 chicas, las chicas están en minoría. ANTÓNIMO mayoría. INGLÉS minority.

minoría de edad Período de tiempo en el que las personas no tienen la edad que establece la ley para tener los derechos de los mayores de edad. INGLÉS minority.

minorista

adjetivo **1** Del comercio al por menor o relacionado con él. INGLÉS retail.

adjetivo y nombre masculino y femenino **2** Se dice del comerciante que vende al por menor los productos que ha comprado al mayorista. INGLÉS retail [adjetivo], retailer [nombre].

minoritario, minoritaria

adjetivo **1** De la minoría o que tiene relación con ella. Si en unas elecciones hay un partido que saca un número de votos minoritario, es que no ha ganado. ANTÓNIMO mayoritario. INGLÉS minority.

minucioso, minuciosa

adjetivo y nombre **1** Se dice de la persona que hace las cosas con mucho cuidado y prestando mucha atención a los detalles, incluso a los más insignificantes. También se dice de las cosas que se hacen así. INGLÉS thorough, painstaking.

minuendo

nombre masculino **1** Cantidad a la que se le resta otra, el sustraendo, para obtener el resultado o la diferencia. En la resta $7 - 3 = 4$, el minuendo es 7. INGLÉS minuend.

minúscula

nombre femenino **1** Letra que es de tamaño pequeño y que se utiliza normalmente al escribir. ANTÓNIMO mayúscula. INGLÉS small letter, lower-case letter.

minúsculo, minúscula

adjetivo **1** Que es muy muy pequeño. INGLÉS minute, tiny.

minusválido, minusválida

adjetivo y nombre **1** Se dice de la persona que tiene un defecto físico o mental que le impide hacer determinados movimientos, actividades o trabajos. Cada vez hay más servicios públicos a los que pueden acceder minusválidos en sillas de ruedas. INGLÉS handicapped [adjetivo].

minutero

nombre masculino **1** Aguja del reloj que marca los minutos. INGLÉS minute hand.

minuto

nombre masculino **1** Espacio de tiempo en el que transcurren sesenta segundos. Una hora tiene sesenta minutos. INGLÉS minute.

mío, mía

determinante posesivo **1** Indica que el objeto o la persona a que acompaña pertenece a la persona que habla. Siempre va detrás de un nombre. 'Mío', 'mía', 'míos', 'mías' son determinantes posesivos de primera persona del singular: *Este niño es un amigo mío.* INGLÉS of mine.

pronombre posesivo **2** Se refiere a un objeto o persona que ya hemos nombrado e indica que pertenece a la persona que habla. 'Mío', 'mía', 'míos', 'mías' son pronombres posesivos de primera persona del singular: *Este diccionario es mío.* INGLÉS mine.

miope

adjetivo y nombre masculino y femenino **1** Se dice de la persona que tiene miopía. Para poder corregir la miopía, los miopes necesitan llevar gafas. INGLÉS short-sighted [adjetivo].

miopía

nombre femenino **1** Defecto de la vista que consiste en ver con dificultad o no ver los objetos lejanos. INGLÉS short-sightedness.

mirada

nombre femenino **1** Forma de mirar de una persona o un animal. Cuando una persona está muy triste o muy contenta, se nota en su mirada. INGLÉS look.

2 Acción que consiste en mirar algo o a alguien: *No pude leer el libro pero le di una mirada rápida.* INGLÉS look.

mirado, mirada

adjetivo **1** Se dice de la persona que tiene mucho cuidado de no molestar a los demás o tiene mucho cuidado con las cosas. INGLÉS careful [con las cosas], considerate [con las personas].

mirador

nombre masculino **1** Lugar alto y bien situado desde el que se puede contemplar una vista o paisaje. INGLÉS viewing point.

2 Balcón cubierto y cerrado con cristales. INGLÉS enclosed balcony.

miramiento

nombre masculino **1** Característica de la persona que tiene mucho cuidado de no molestar a los demás con sus acciones o su comportamiento o tiene mucho cuidado con las cosas. INGLÉS consideration.

2 Cuidado o precaución que una persona tiene con las cosas o con otras personas, para que no sufran ningún daño o no resulten perjudicadas. INGLÉS consideration.

mirar

verbo **1** Dirigir la vista hacia alguien o algo y observarlo. INGLÉS to look, to look at.

2 Pensar y considerar una cosa hasta estar seguro de ella: *Mira bien lo que haces, no te vayas a arrepentir más tarde.* INGLÉS to think about.

3 Estar una cosa situada en dirección hacia un lugar: *Esta ventana mira al mar.* INGLÉS to look out onto.

mirilla

nombre femenino **1** Agujero o abertura pequeña que tienen algunas puertas para poder ver, sin abrirlas, lo que hay al otro lado. Cuando llaman a la puerta, antes de abrir, se mira a través de la mirilla para ver quién es. INGLÉS door viewer.

mirlo

nombre masculino **1** Pájaro cantor de color negro, con el pico amarillo en el macho, y marrón en la hembra. Puede ser domesticado y aprende a repetir sonidos. Es común en Europa. INGLÉS blackbird.

mirón, mirona

adjetivo y nombre **1** Se dice de la persona que mira mucho a una persona o una cosa, con insistencia y curiosidad. INGLÉS gawper [nombre].

2 Se dice de la persona que no quiere participar en una actividad, en una acción o en un juego pero le gusta ver cómo participan los demás. INGLÉS onlooker.

NOTA El plural es: mirones.

mirra

nombre femenino **1** Sustancia espesa y pegajosa, de color rojo y muy aromática que se saca de un árbol. La mirra se emplea en perfumería y en medicina. INGLÉS myrrh.

misa

nombre femenino **1** Ceremonia religiosa de la Iglesia católica en la que un sacerdote ofrece a los fieles el cuerpo y la sangre de Cristo en forma de pan y vino. INGLÉS mass.

ir a misa Ser una cosa cierta o tenerse que hacer obligatoriamente. INGLÉS to go to mass.

misa del gallo Misa que se celebra en Nochebuena a las 12 de la noche. INGLÉS Christmas Eve midnight mass.

miserable

adjetivo y nombre masculino y femenino **1** Se dice de la persona que es muy pobre, tanto que le faltan algunas cosas básicas, como la vivienda o la comida;

también es miserable todo lo relacionado con estas personas, como su barrio o su forma de vida. INGLÉS poverty-stricken [adjetivo - persona], miserable [adjetive - vivienda, vida].

2 Se dice de la persona que está o se siente muy triste o desanimada y siente pena de sí misma. INGLÉS miserable [adjetivo].

3 Se dice de la persona que siempre trata de no gastar o gastar muy poco dinero aunque tenga bastante. SINÓNIMO avaro; tacaño. INGLÉS mean [adjetivo].

4 Se dice de la persona a la que no le importa hacer daño a los demás y verlos sufrir con tal de conseguir lo que quiere. SINÓNIMO canalla. INGLÉS swine [nombre].

adjetivo **5** Que es excesivamente pequeño o escaso: *Repartió el pastel entre veinte personas y a cada uno nos tocó un trozo miserable.* INGLÉS miserable.

miseria

nombre femenino **1** Gran escasez económica o falta de lo necesario para vivir. Las personas que viven en la miseria casi apenas tienen dinero para comprar alimentos o ropa. INGLÉS extreme poverty.

2 Cantidad muy pequeña de una cosa o cosa de poco valor. Si hemos pagado una miseria por unos zapatos es que nos han costado poco dinero. Es un uso informal. INGLÉS pittance.

misericordia

nombre femenino **1** Virtud que tienen las personas que saben ayudar y perdonar a las que lo necesitan. INGLÉS mercy.

mísero, mísera

adjetivo **1** Que es muy pobre. Los mendigos suelen llevar una vida mísera. INGLÉS wretched.

2 Que es muy infeliz y tiene muy poca suerte. INGLÉS miserable.

3 Que es muy pequeño o escaso. Después de una comida mísera, enseguida ataca el hambre. SINÓNIMO miserable. INGLÉS miserable.

misil

nombre masculino **1** Proyectil que lleva una carga explosiva y que se puede lanzar a gran distancia contra un objetivo para que estalle. INGLÉS missile.

misión

nombre femenino **1** Orden o encargo que una persona tiene la obligación de realizar. SINÓNIMO cometido. INGLÉS mission.

2 Deber moral que una persona tiene que cumplir. Los médicos tienen la misión de atender a los heridos o enfermos. INGLÉS mission.

3 Lugar donde trabajan los misioneros. Las misiones suelen ser pequeños núcleos de población en países subdesarrollados en los que hay un dispensario, una escuela, una iglesia y otros servicios para la gente del lugar. INGLÉS mission.

4 Trabajo que consiste en la enseñanza de la doctrina cristiana a los pueblos que no la conocen. INGLÉS mission.

NOTA El plural es: misiones.

misionero, misionera

nombre **1** Persona que se dedica a enseñar la doctrina cristiana en lugares donde no la conocen. INGLÉS missionary.

2 Persona que se dedica a hacer trabajos benéficos en países subdesarrollados. INGLÉS missionary.

mismo, misma

determinante indefinido **1** Se dice de la persona, cosa, circunstancia o acción que es idéntica a otra: *Practican el mismo deporte, el tenis.* INGLÉS same.

2 Que se parece mucho a otra persona, cosa o acción: *Los dos hermanos tienen la misma cara.* INGLÉS same.

3 Que no ha cambiado, que sigue siendo como era antes: *Aunque ya han pasado muchos años, sigue siendo la misma persona de siempre.* INGLÉS same.

pronombre indefinido **4** Hace referencia a una persona o cosa que es igual que otra o que sigue siendo igual que antes: *Han venido los mismos de siempre.* INGLÉS same.

determinante indefinido **5** Se usa para enfatizar o aclarar que es la persona o la cosa citada la que hace, dice o de la que se dice algo: *Me lo dijo él mismo.* SINÓNIMO propio. INGLÉS [yo mismo: myself; tú mismo: yourself; él mismo: himself; etcétera].

adverbio **6 mismo** Exacta o concretamente lo que se dice: *Te devuelvo el libro mañana mismo.*

dar lo mismo No importar algo: *Si quieres te quedas y si no te vas, me da lo mismo.* INGLÉS not to matter.

misógino, misógina

adjetivo y nombre **1** Se dice de la persona que siente odio o aversión hacia las mujeres o no confía en ellas. También se dice de los escritos o de las películas en que se trata a las mujeres como personas incapaces. INGLÉS misogynous [adjetivo].

miss
nombre femenino
1 Mujer que gana un concurso de belleza. INGLÉS miss.
NOTA El plural es: misses.

misterio
nombre masculino
1 Cosa o hecho que no se sabe o no se puede comprender. Saber si hay vida en otros planetas aún es un misterio. INGLÉS mystery.
2 Cosa o hecho que se oculta. El trabajo de un mago se basa en mantener el misterio de sus trucos. INGLÉS mystery.

misterioso, misteriosa
adjetivo
1 Que no se puede comprender, que está oculto o se mantiene en secreto. INGLÉS mysterious.

mística
nombre femenino
1 Parte de la teología y obras de teología que tratan de la unión del hombre con Dios y de su contemplación. INGLÉS mysticism.

místico, mística
adjetivo
1 De la mística o que tiene relación con ella. INGLÉS mystical.
nombre
2 Persona que dedica su vida a la contemplación y a la unión con Dios. INGLÉS mystic.

mitad
nombre femenino
1 Cada una de las dos partes iguales en que se divide una cosa o una cantidad. INGLÉS half.
2 Punto o lugar que está a la misma distancia de otros dos puntos o lugares que están uno a cada lado. INGLÉS middle.
a mitad de Durante el desarrollo de una determinada actividad o situación: *Tuvo que salir de la iglesia a mitad de la misa.* INGLÉS halfway through.

mítico, mítica
adjetivo
1 Del mito o relacionado él. INGLÉS mythical.
2 Se dice de la persona, cosa o suceso que es muy famoso. Algunos actores y cantantes son personajes míticos. SINÓNIMO legendario. INGLÉS legendary.

mitigar
verbo
1 Disminuir la importancia o la gravedad de una cosa negativa, como el dolor, el frío o el hambre. INGLÉS to relieve.
NOTA La 'g' se convierte en 'gu' delante de 'e', como: mitigue.

mitin
nombre masculino
1 Reunión donde una o varias personas pronuncian discursos de temas políticos o sociales. INGLÉS meeting, rally.
2 Celebración de diversas pruebas de atletismo. Los atletas que participan en un mitin tratan de mejorar sus marcas personales. INGLÉS meeting.
NOTA El plural es: mítines.

mito
nombre masculino
1 Historia fantástica que cuenta aventuras de dioses y héroes de la Antigüedad. INGLÉS myth.
2 Persona o cosa que forma parte de la historia por haber sido muy famosa o importante. Marilyn Monroe es un mito del cine. INGLÉS myth.

mitología
nombre femenino
1 Conjunto de historias que cuentan aventuras de dioses y héroes de la Antigüedad, especialmente de la antigua Grecia y Roma. Eros, Poseidón, Zeus y Afrodita son personajes de la mitología griega. INGLÉS mythology.

mixto, mixta
adjetivo
1 Que está formado o compuesto por dos o más personas o cosas de distinta naturaleza. En un colegio mixto estudian niños y niñas. INGLÉS mixed.

mobiliario
nombre masculino
1 Conjunto de muebles de un estilo o para un fin determinado. Los bancos y las papeleras forman parte del mobiliario urbano. INGLÉS furniture.

mocasín
nombre masculino
1 Zapato plano, muy flexible y sin cordones. INGLÉS moccasin.
NOTA El plural es: mocasines.

mochila
nombre femenino
1 Bolsa o saco de tela fuerte que sirve para llevar cosas al ir de excursión, de caza, de acampada o a clase. Se lleva a la espalda. INGLÉS backpack.

mochuelo
nombre masculino
1 Ave rapaz parecida al búho pero más pequeña, con la cabeza redonda, pico corto y en forma de gancho, y plumaje de color marrón con manchas grises y

blancas. Se alimenta de roedores e insectos. INGLÉS little owl.

moco
nombre masculino
1 Líquido viscoso y blanquecino que sale por la nariz. INGLÉS mucus, snot.
llorar a moco tendido Llorar mucho y con mucho sentimiento. INGLÉS to cry one's eyes out.
tirarse el moco Presumir mucho una persona de aquello que en realidad no tiene o no ha hecho. Es una expresión informal. INGLÉS to brag.

mocoso, mocosa
adjetivo y nombre
1 Se dice de la persona que tiene la nariz llena de mocos. INGLÉS snotty [adjetivo].
2 Se dice de la persona que no tiene experiencia en algo o se comporta como un niño pequeño: *Se cree muy mayor, pero en realidad aún es un mocoso que tiene mucho que aprender.* Es un uso informal. INGLÉS brat [nombre].

moda
nombre femenino
1 Tipo de ropa y forma de vestir en un momento determinado: *Este año la moda es llevar colores oscuros.* INGLÉS fashion.
2 Gusto, costumbre o forma de comportarse que depende del momento o del lugar: *En la década de los setenta, era moda que los chicos llevaran el pelo largo.* INGLÉS fashion.

modales
nombre masculino plural
1 Conjunto de características que hacen que un comportamiento sea o no sea educado. SINÓNIMO maneras; modos. INGLÉS manners.

modalidad
nombre femenino
1 Modo o forma de ser o de manifestarse una cosa. INGLÉS form, type.
2 Tipo, categoría o variante de una cosa; por ejemplo, en algunos deportes es el estilo, la categoría o la forma en que estos se practican. El crol es una modalidad de la natación. INGLÉS style.

modelar
verbo
1 Hacer figuras con las manos con un material blando y fácil de manejar, como el barro. INGLÉS to model.

modelismo
nombre masculino
1 Construcción de maquetas o reproducciones en tamaño pequeño de barcos, trenes, aviones, edificios, máquinas y otras cosas. Algunas personas se dedican al modelismo como afición. INGLÉS modelling, model-making.

modelo
nombre masculino
1 Persona en quien la gente se fija para imitarla. Puede usarse como nombre calificativo en aposición, como por ejemplo, un profesor modelo. SINÓNIMO ejemplo. INGLÉS model.
2 Cosa en la que la gente se fija para hacer otra igual o parecida por considerar que es buena o está bien hecha. Las personas que hacen vestidos sacan sus modelos de las revistas de moda. SINÓNIMO patrón. INGLÉS model.
nombre masculino y femenino
3 Persona que posa para que un artista la represente en un retrato o una escultura. INGLÉS model.
4 Persona que trabaja exhibiendo prendas de vestir, joyas o productos de belleza. Las modelos suelen trabajar en las pasarelas de moda, en anuncios de televisión o en fotos de publicidad. SINÓNIMO maniquí. INGLÉS model.
nombre masculino
5 Conjunto de objetos que se fabrican en serie y que tienen las mismas características. Una empresa de coches ofrece a sus clientes varios modelos distintos. INGLÉS model.
6 Prenda de vestir, en especial cuando es un conjunto completo. INGLÉS model, number.

módem
nombre masculino
1 Aparato que, conectado a un ordenador, convierte datos en señales o viceversa y que permite la comunicación

modelar

con otro ordenador a través de la línea telefónica. INGLÉS modem.

NOTA El plural es: módems.

moderado, moderada

adjetivo **1** Que no es ni mucho ni poco, que está en un término medio. Decimos que un dolor es moderado cuando duele, pero no demasiado. INGLÉS moderate.

2 Se dice de los partidos o las ideas políticas que no son radicales, que no son ni de extrema izquierda ni de extrema derecha. INGLÉS moderate.

moderador, moderadora

nombre **1** Persona que dirige una conversación dando la palabra por orden a quien quiere intervenir. En las tertulias de televisión o radio suele haber un moderador. INGLÉS chairperson.

moderar

verbo **1** Hacer que una cosa sea menos fuerte o menos intensa. La velocidad, el calor, el frío o el dolor se pueden moderar. INGLÉS to moderate.

2 Dirigir una reunión en la que varias personas hablan sobre algún tema controlando que todos puedan intervenir y que no hablen todos al mismo tiempo. INGLÉS to moderate.

modernizar

verbo **1** Hacer que una cosa o una persona tenga un aspecto moderno o actual. INGLÉS to modernize.

NOTA Se escribe 'c' delante de 'e', como: modernicen.

moderno, moderna

adjetivo **1** Que es de la época presente o tiene relación con ella. La sociedad moderna es la sociedad actual. INGLÉS modern.

2 Se dice de la cosa que existe desde hace poco tiempo y supone una mejora respecto a lo que había antes: *La medicina utiliza las técnicas más modernas para curar a los enfermos.* SINÓNIMO nuevo. INGLÉS modern.

3 Que está o se hace de acuerdo con la moda. Las personas modernas suelen vestir y actuar de acuerdo con la moda o con las tendencias más actuales. ANTÓNIMO anticuado. INGLÉS modern.

modestia

nombre femenino **1** Característica de la persona que no presume de sí misma ni se cree superior a los demás, aunque haga las cosas muy bien o sepa mucho. SINÓNIMO humildad; sencillez. ANTÓNIMO vanidad. INGLÉS modesty.

2 Falta de dinero o de los medios necesarios para vivir Las personas que viven con modestia no se pueden permitir lujos. SINÓNIMO sencillez. INGLÉS modesty.

modesto, modesta

adjetivo **1** Que no se cree mejor que los demás y quita importancia a lo que hace o a lo que es. SINÓNIMO humilde. ANTÓNIMO orgulloso. INGLÉS modest.

2 Que es de una clase social baja y con poco dinero; también se dice de las cosas que no son lujosas. SINÓNIMO humilde. INGLÉS modest.

módico, módica

adjetivo **1** Se dice de la cantidad o el precio que es bajo o moderado. INGLÉS reasonable.

modificación

nombre femenino **1** Cambio pequeño o variación que se realiza en una cosa. Cuando un trabajo no está bien, se hacen modificaciones para arreglarlo. INGLÉS modification.

NOTA El plural es: modificaciones.

modificar

verbo **1** Cambiar o alterar una cosa sin que varíen demasiado sus características principales. SINÓNIMO variar. INGLÉS to modify.

NOTA Se escribe 'qu' delante de 'e', como: modifiquen.

modismo

nombre masculino **1** Grupo de palabras de una lengua que siempre van juntas y funcionan como si fueran una palabra. 'Por los pelos' es un modismo que significa 'en el último momento'. INGLÉS idiom.

modisto, modista

nombre **1** Persona que se dedica a hacer prendas de vestir para otras personas. INGLÉS fashion designer [de alta costura], dressmaker [el que la confecciona].

modo

nombre masculino **1** Conjunto de características que hacen que una acción, una actividad o un comportamiento sea diferente cada vez que se hace o según la persona que lo haga. SINÓNIMO manera. INGLÉS way.

2 Cada uno de los grupos en que se divide la conjugación de los verbos, que expresa la actitud del hablante ante la acción expresada por el verbo, si la considera real, irreal o como una orden. En español hay tres modos: indicativo, subjuntivo e imperativo. INGLÉS mode.

nombre masculino plural **3 modos** Conjunto de características que hacen que un comportamiento sea o no sea educado. SINÓNIMO maneras; modales. INGLÉS manners.

de modo que Indica que algo es o se presenta como el resultado de lo que se ha dicho antes: *Ha pintado el cuadro por encima de modo que parezca viejo.* INGLÉS so that.

de todos modos Indica que algo que se conoce o se ha dicho antes no impide que sea cierto o que ocurra lo que se dice después: *De todos modos, aunque llueva, saldrá a pasear.* SINÓNIMO de todas maneras. INGLÉS anyway, anyhow.

modorra

nombre femenino **1** Sensación de pesadez causada por las ganas de dormir. INGLÉS drowsiness, sleepiness.

modular

verbo **1** Producir un sonido o una melodía dándole la tonalidad adecuada. Algunos cantantes modulan muy bien la voz. INGLÉS to modulate.

2 Modificar una cosa o adaptarla a algo. El entorno en que viven las personas modula su carácter y su manera de comportarse. INGLÉS to modulate.

módulo

nombre masculino **1** Parte de un conjunto que se puede separar del resto. Algunos muebles están compuestos de diferentes módulos que se unen. INGLÉS unit, module.

mofarse

verbo **1** Burlarse de una persona o de una cosa tratándolas con desprecio. No es correcto mofarse de las opiniones de los demás. INGLÉS to make fun.

mofeta

nombre femenino **1** Mamífero con el cuerpo alargado, de color negro con rayas blancas, y el hocico puntiagudo. Cuando se siente amenazado, desprende un líquido que huele muy mal. Vive en la zona norte de los Estados Unidos y en el sur de Canadá. INGLÉS skunk.

moflete

nombre masculino **1** Cada una de las dos partes carnosas de la cara situadas debajo de los ojos y a cada lado de la nariz. SINÓNIMO carrillo; mejilla. INGLÉS chubby cheek.

mofletudo, mofletuda

adjetivo **1** Se dice de la persona que tiene los mofletes muy abultados. INGLÉS chubby-cheeked.

mogollón

nombre masculino **1** Gran cantidad de cosas o personas. SINÓNIMO multitud. INGLÉS heaps, a lot.

adverbio **2** Mucho: *La peli me gustó mogollón, era chulísima.* INGLÉS heaps, a lot.

NOTA Es una palabra informal. El plural es: mogollones.

moho

nombre masculino **1** Especie de polvillo de color blanco o verdoso que sale en los alimentos y otras materias orgánicas cuando se están estropeando o pudriendo. INGLÉS mould.

mohoso, mohosa

adjetivo **1** Que está cubierto de moho. INGLÉS mouldy.

mojar

verbo **1** Cubrir o tocar el agua u otro líquido una superficie o un cuerpo, de modo que se humedece. ANTÓNIMO secar. INGLÉS to wet.

2 Meter un alimento dentro de otro que es más líquido. Mojamos pan en la yema de los huevos fritos y las galletas en el tazón de leche. INGLÉS to dunk.

3 mojarse Comprometerse en un asunto o dar la opinión que se tiene de él. Es un uso informal. SINÓNIMO implicarse. INGLÉS to commit oneself.

molar

verbo **1** Gustar o resultar agradable o atractivo: *Este plan mola, primero vamos al parque de atracciones y luego al cine.* Es un uso informal. INGLÉS to be great.

adjetivo y nombre masculino **2** Se dice del diente que está situado en la parte posterior de la boca y sirve para triturar los alimentos. Las personas tenemos doce molares. INGLÉS molar.

moldavo, moldava

adjetivo y nombre **1** Se dice de la persona o cosa que es de Moldavia, país del este de Europa. INGLÉS Moldavian.

nombre **2** Lengua hablada en Moldavia. INGLÉS Moldavian.

molde

nombre masculino **1** Recipiente hueco con una forma concreta en el que se mete alguna materia blanda para que tome la misma forma. Los cocineros utilizan moldes para hacer galletas y pasteles. SINÓNIMO horma. INGLÉS mould.

moldear
verbo
1 Hacer una figura o pieza con un molde. Para moldear una figura de cera, se echa en el molde cera caliente y se deja enfriar porque, a medida que se enfría, se endurece y toma la forma del hueco del molde. INGLÉS to mould.

moldura
nombre femenino
1 Adorno estrecho y largo que se pone en la unión de la pared con el techo y, también, en la fachada de las casas. INGLÉS moulding.

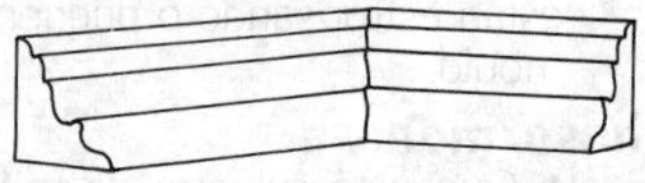
moldura

mole
nombre femenino
1 Cosa sólida de gran tamaño que ocupa mucho espacio, como un rascacielos o un avión de pasajeros. INGLÉS mass.
2 Persona o animal grandes y corpulentos. INGLÉS hulk.

molécula
nombre femenino
1 Parte más pequeña de una sustancia que tiene todas sus propiedades. Las moléculas están formadas por átomos. INGLÉS molecule.

moler
verbo
1 Reducir una cosa sólida a trozos muy pequeños o a polvo con la ayuda de una máquina. INGLÉS to grind.
2 Dejar una cosa o una actividad muy cansada a una persona. SINÓNIMO fatigar. INGLÉS to wear out.
NOTA La 'o' se convierte en 'ue' en sílaba acentuada, como: muelan.

molestar
verbo
1 Hacer que una persona se sienta mal o pierda la tranquilidad o la comodidad. INGLÉS to disturb, to bother.
2 Provocar un disgusto o enfado pequeño a una persona: *Le molestó el comentario, porque le pareció injusto.* INGLÉS to annoy, to upset.
3 Producir algo un poco de dolor. INGLÉS to hurt.
4 molestarse Esforzarse o preocuparse por hacer algo: *No te has molestado mucho en ayudarme, lo he tenido que hacer todo yo.* INGLÉS to bother, to trouble.

molestia
nombre femenino
1 Trastorno de la tranquilidad o la comodidad de una persona, causado por algún tipo de enfado o una situación que se sale de lo normal. INGLÉS bother, trouble.
2 Dolor poco intenso o de poca importancia. INGLÉS slight pain.

molesto, molesta
adjetivo
1 Que siente molestia o incomodidad: *Pasó la noche muy molesto porque la mucosidad no le dejaba respirar.* INGLÉS annoying, troublesome.
2 Que siente un enfado o disgusto poco importante. INGLÉS annoyed, upset.
3 Que siente un dolor ligero o poco importante. INGLÉS uncomfortable.

molinero, molinera
nombre
1 Persona que trabaja moliendo grano en un molino. INGLÉS miller.

molinillo
nombre masculino
1 Aparato que sirve para moler. Los granos de café y los de pimienta se muelen con el molinillo. INGLÉS grinder, mill.
2 Juguete formado por un palo largo y una pieza en forma de X en el extremo que gira con el viento. INGLÉS windmill.

molino
nombre masculino
1 Edificio donde hay instalada una máquina que sirve para moler el trigo y otros cereales. Las aspas de los molinos se mueven por la fuerza del viento o del agua. INGLÉS mill, windmill.

molleja
nombre femenino
1 Estómago muscular de las aves, especialmente las que comen grano, donde ablandan y trituran los alimentos. Las aves toman el alimento con su pico y lo almacenan en el buche sin masticar. Del buche, el alimento pasa a la molleja, que es donde se tritura. INGLÉS gizzard.
2 Parte carnosa que se forma en los órganos de algunos animales, como los corderos o las vacas, y que la gente toma como alimento. INGLÉS sweetbread.

molusco
adjetivo y nombre masculino **1** Se dice del animal invertebrado con el cuerpo blando, generalmente protegido por una concha. El caracol y el calamar son moluscos. INGLÉS mollusc.

momentáneo, momentánea
adjetivo **1** Que dura solo un momento. INGLÉS momentary.

momento
nombre masculino **1** Período de tiempo muy corto. Si alguien nos dice que volverá en un momento, quiere decir que volverá pronto, en unos minutos. SINÓNIMO instante. INGLÉS moment.
2 Espacio de tiempo más o menos largo en el que ocurre o se hace una cosa determinada. INGLÉS moment.
3 Tiempo oportuno o adecuado para hacer o para que suceda algo. INGLÉS moment.
al momento Enseguida, inmediatamente: *No tuve que esperar nada, me lo dio al momento.* INGLÉS straightaway.
de momento En el tiempo actual o hasta el tiempo actual. También se dice: por el momento: *De momento me quedo, pero ya veré lo que hago después.* INGLÉS for the moment.
de un momento a otro En un futuro muy cercano, pero sin saber exactamente cuándo: *Llegará de un momento a otro.* INGLÉS at any moment.
hace un momento Hace muy poco tiempo: *Debe de estar cerca porque solo hace un momento que salió.* INGLÉS a moment ago.

momia
nombre femenino **1** Persona muerta que se conserva sin pudrirse, bien de forma natural o porque se ha preparado el cadáver. INGLÉS mummy.

momificar
verbo **1** Hacer que el cadáver de una persona se conserve sin pudrirse, bien de forma natural o porque se ha preparado mediante alguna sustancia. Los antiguos egipcios momificaban a los faraones. INGLÉS to mummify.
NOTA La 'c' se convierte en 'qu' delante de 'e', como: momifiquen.

monada
nombre femenino **1** Persona, animal o cosa que resulta agradable, bonita o graciosa. SINÓNIMO monería. INGLÉS lovely [adjetivo - si es agradable o bonito], cute [adjetivo - si es gracioso].

monaguillo
nombre masculino **1** Niño que ayuda al sacerdote en la misa. INGLÉS altar boy.

monarca
nombre masculino **1** Jefe del estado que gobierna un país por derecho, generalmente hereditario. SINÓNIMO rey; soberano. INGLÉS monarch.

monarquía
nombre femenino **1** Sistema de gobierno en el que el jefe del Estado es un monarca o rey, que ocupa el trono generalmente por herencia. INGLÉS monarchy.
2 País que tiene un sistema de gobierno en el que el jefe del Estado es un monarca o rey. En la actualidad, España es una monarquía constitucional. INGLÉS monarchy.

monárquico, monárquica
adjetivo **1** De la monarquía o relacionado con ella. INGLÉS monarchic.
adjetivo y nombre **2** Se dice de la persona que es partidaria de la monarquía. INGLÉS monarchist.

monasterio
nombre masculino **1** Edificio en el que vive una comunidad de religiosos de la misma orden. INGLÉS monastery.

monda
nombre femenino **1** Piel o cáscara que se quita de las frutas y hortalizas. INGLÉS peel, skin.
ser la monda Ser una persona o una cosa muy graciosa y divertida. INGLÉS to be unbelievable.

mondadientes
nombre masculino **1** Palo de madera corto y muy fino, con los extremos acabados en punta, que sirve para pinchar los alimentos o para sacar los restos de comida que quedan entre los dientes. SINÓNIMO palillo. INGLÉS toothpick.
NOTA El plural es: mondadientes.

mondar
verbo **1** Quitar la piel a una fruta o a una hortaliza. SINÓNIMO pelar. INGLÉS to peel.
2 mondarse Reírse mucho una persona. Si nos cuentan un chiste muy gracioso nos mondamos de risa. Es un uso informal. INGLÉS to split one's sides laughing.

mondo, monda
adjetivo **1** Se utiliza en las expresiones 'mondo y

a b c d e f g h i j k l m n ñ o p q r s t u v w x y z

lirondo' y 'monda y lironda' para indicar que algo no tiene adornos o añadidos innecesarios. INGLÉS bare, plain.

moneda

nombre femenino **1** Pieza de metal, generalmente redonda y con inscripciones en cada cara, que sirve para comprar y vender cosas. INGLÉS coin.

2 Unidad que se utiliza en un país o conjunto de países como medida para fijar el precio de las cosas. La moneda oficial de la Unión Europea es el euro. INGLÉS currency.

monedero

nombre masculino **1** Pequeña bolsa o cartera con un departamento para monedas y billetes. INGLÉS purse.

monería

nombre femenino **1** Acción o gesto gracioso, especialmente el que hace un niño pequeño. INGLÉS cute [adjetivo].

2 Persona, animal o cosa que resulta agradable, bonita o graciosa. SINÓNIMO monada. INGLÉS lovely [adjetivo].

mongólico, mongólica

adjetivo y nombre **1** Se dice de la persona que padece una enfermedad que provoca retraso mental. INGLÉS affected by Down's syndrome [adjetivo].

monicaco, monicaca

nombre **1** Persona baja o de poca edad, como los niños. INGLÉS little squirt.

NOTA Es una palabra familiar.

monigote

nombre masculino **1** Figura ridícula que se pinta, se dibuja o se recorta. INGLÉS paper doll.

2 Muñeco muy sencillo o ridículo. INGLÉS doll.

monitor, monitora

nombre **1** Persona que dirige o ayuda a otras que están aprendiendo a realizar alguna actividad cultural, deportiva o recreativa. INGLÉS instructor, monitor.

nombre masculino **2** En informática, pantalla del ordenador. INGLÉS monitor, screen.

monje, monja

nombre **1** Persona que pertenece a una orden religiosa y vive en un monasterio. INGLÉS monk [hombre], nun [mujer].

mono, mona

nombre **1** Animal mamífero cubierto de pelo que tiene un aspecto parecido al de los humanos, como el chimpancé y el gorila. SINÓNIMO simio. INGLÉS monkey.

adjetivo **2** Que es guapo o bonito o resulta agradable a la vista. ANTÓNIMO feo. INGLÉS lovely, cute.

nombre masculino **3** Prenda de vestir de una sola pieza, de tela fuerte, que se suele utilizar para trabajar. INGLÉS overalls.

4 Malestar físico y mental que tiene un drogadicto cuando empieza a dejar la droga o cuando no la toma. También es la sensación desagradable que tiene alguien cuando no puede o deja de hacer algo a lo que está muy habituado. INGLÉS cold turkey.

ser el último mono Ser la persona menos importante en algún lugar o situación: *Acaba de llegar a la empresa y es el último mono.* INGLÉS to be a nobody.

monóculo

nombre masculino **1** Lente redonda para un solo ojo. El monóculo se usaba antiguamente. INGLÉS monocle.

monográfico, monográfica

adjetivo **1** Que trata con detalle sobre un aspecto concreto y particular de una materia: *El museo realizó una exposición monográfica del pintor.* INGLÉS monographic.

adjetivo y nombre masculino **2** Se dice del estudio o trabajo que se hace de forma detallada sobre un aspecto concreto y particular de una materia: *El último número de la revista es un monográfico sobre las investigaciones científicas más sorprendentes de este siglo.* INGLÉS monographic [adjetivo], monograph [nombre].

monolingüe

adjetivo y nombre masculino y femenino **1** Se dice de la persona que habla una sola lengua. INGLÉS monolingual [adjetivo].

adjetivo **2** Se dice del texto que está escrito en una sola lengua: *Este diccionario es monolingüe.* INGLÉS monolingual.

monolito

nombre masculino **1** Obra de piedra hecha con una sola pieza. Los monolitos son propios del arte prehistórico. INGLÉS monolith.

monólogo

nombre masculino **1** Discurso de una persona que habla sola en voz alta. INGLÉS monologue.

2 Obra literaria en la que habla solo un personaje. También es la parte de una obra, en especial de teatro, en la que solo habla un personaje. INGLÉS monologue.

monopatín
nombre masculino
1 Objeto formado por una superficie plana con ruedas debajo que permite ponerse de pie sobre él y patinar. INGLÉS skateboard.
NOTA El plural es: monopatines.

monopolio
nombre masculino
1 Derecho legal que se concede a una persona o empresa para que solo ellas exploten una industria o comercio y obtengan los beneficios. En algunos países el comercio de la gasolina es un monopolio. INGLÉS monopoly.

monopolizar
verbo
1 Tener el monopolio de un tipo de comercio o industria. INGLÉS to monopolize.
NOTA La 'z' se convierte en 'c' delante de 'e', como: monopolicen.

monosemia
nombre femenino
1 Característica de las palabras que tienen solo un significado. INGLÉS monosemy.

monosémico, monosémica
adjetivo
1 Se dice de la palabra que tiene un único significado. 'Dromedario' es una palabra monosémica. INGLÉS monosemic.

monosílabo, monosílaba
adjetivo y nombre masculino
1 Se dice de la palabra que tiene una sola sílaba. 'Sí' y 'no' son monosílabos. INGLÉS monosyllabic [adjetivo], monosyllable [nombre].

monoteísta
nombre masculino y femenino
1 Persona que cree en la existencia de un solo dios. Los cristianos, los musulmanes y los judíos son monoteístas. INGLÉS monotheistic [adjetivo], monotheist [nombre].

monótono, monótona
adjetivo
1 Que no cambia, que es siempre igual. INGLÉS monotonous.

monstruo
nombre masculino
1 Ser imaginario que da mucho miedo porque es feo y muy malo. INGLÉS monster.
2 Persona o cosa muy fea. INGLÉS monster.
3 Persona muy mala y cruel. INGLÉS monster.
4 Cosa que no es normal en la naturaleza, como un perro con seis patas. También es una cosa que resulta extraña. INGLÉS monster.
5 Persona que es muy buena y destaca mucho en una actividad determinada. Cervantes fue un monstruo de la literatura. INGLÉS genius.

monstruoso, monstruosa
adjetivo
1 Que es muy feo. INGLÉS monstrous, hideous.
2 Que es muy grande o demasiado grande: *Hoy tengo un dolor de muelas monstruoso.* INGLÉS terrible.
3 Que es muy malo o muy cruel. INGLÉS monstrous.

montacargas
nombre masculino
1 Aparato que sirve para poner cargas o cosas pesadas en él y hacer que suban o bajen de un lugar a otro. El montacargas es un ascensor destinado a transportar solo mercancías. INGLÉS goods lift.
NOTA El plural es: montacargas.

montador, montadora
nombre
1 Persona que se dedica a montar máquinas o aparatos en una fábrica. INGLÉS fitter.
2 Persona que se dedica a montar películas de cine o programas de radio y televisión. INGLÉS editor.

montaje
nombre masculino
1 Acción de montar o poner juntas las piezas o partes de una cosa. INGLÉS assembly.
2 Aquello que se hace para que parezca real pero que en realidad es fingido: *Lo de su separación es un montaje y en realidad todavía viven juntos.* SINÓNIMO farsa. INGLÉS setup.

montaña
nombre femenino
1 Elevación natural del terreno, de gran altura y generalmente de lados muy inclinados. INGLÉS mountain.
2 Región o territorio en el que abundan estas elevaciones: *Le gusta el aire de la montaña.* INGLÉS mountains.
3 Gran cantidad o número elevado de algo: *Esta Navidad me hicieron una montaña de regalos.* SINÓNIMO montón. INGLÉS heaps, piles.
4 Problema o dificultad que parece difícil de solucionar: *Hizo una montaña de un pequeño problema.* INGLÉS mountain.

montaña rusa Atracción de ferias y parques de atracciones que consiste en una vía estrecha con muchas curvas y pendientes muy pronunciadas por la que circulan pequeños vagones a gran velocidad. INGLÉS roller coaster.

montañero, montañera

nombre

1 Persona que practica montañismo. INGLÉS mountaineer.

montañés, montañesa

adjetivo

1 Que es propio de las montañas. INGLÉS mountain.

adjetivo y nombre

2 Se dice de la persona que vive en la montaña. INGLÉS highland [adjetivo], highlander [nombre].

montañismo

nombre masculino

1 Deporte que consiste en subir a las montañas y andar por los caminos que hay en ellas. INGLÉS mountaineering, mountain climbing.

montañoso, montañosa

adjetivo

1 Se dice de los lugares en los que hay muchas montañas. Suiza es un país montañoso. INGLÉS mountainous.

montar

verbo

1 Subir encima de una cosa que se puede mover o en un vehículo. Nos montamos en un tiovivo o en una moto. INGLÉS to get on, to get in.

2 Desplazarse subido a un animal, como un caballo o un burro. INGLÉS to ride.

3 Juntar las diferentes piezas que forman una cosa, como un mueble o un reloj. ANTÓNIMO desmontar. INGLÉS to put together, to assemble.

4 Hacer lo necesario para que pueda realizarse un espectáculo o una exposición. Las compañías teatrales montan obras de teatro. INGLÉS to stage.

5 Poner lo necesario en un lugar para vivir en él o para realizar alguna actividad o trabajo: *Van a montar una farmacia nueva.* INGLÉS to set up [un hogar], to open [un negocio].

6 Hacer o provocar aquello que se expresa, como un escándalo, una fiesta o un lío. Es un uso informal. INGLÉS to create [un escándalo, un lío], to throw [una fiesta].

7 Batir o remover la nata de la leche o las claras de huevo hasta que se forme una masa compacta y esponjosa. INGLÉS to whip, to whisk.

8 Seleccionar y unir las partes de una película de cine o de un programa de radio o televisión para que queden como quiera el director. INGLÉS to edit.

9 Unirse sexualmente el animal macho con la hembra. INGLÉS to mount.

montar en Experimentar y mostrar la sensación que se expresa de forma muy fuerte: *Ha montado en cólera y ha empezado a gritar.* INGLÉS to fly into a temper.

montárselo Organizar una persona su vida o alguna actividad de algún modo. Si no se añade nada, se entiende que se organiza bien: *¡Cómo te lo montas! Siempre consigues lo que quieres.* Es un uso informal. INGLÉS to have things organized.

monte

nombre masculino

1 Elevación natural del terreno de gran altura, generalmente menor que la montaña. También se utiliza para nombrar o referirse a las montañas: el monte Everest. INGLÉS mountain.

2 Terreno sin cultivar en el que hay árboles, arbustos y matas. INGLÉS scrubland [con arbustos, matas], woodland [con árboles].

montenegrino, montenegrina

adjetivo y nombre

1 Se dice de la persona o cosa que es de Montenegro, país del sudeste de Europa. INGLÉS Montenegrin.

montero, montera

nombre

1 Persona que busca y localiza animales de caza en el monte para que los cazadores sepan dónde están y puedan ir a cazarlos. INGLÉS hunter.

montés, montesa

adjetivo

1 Se dice de la planta o el animal que vive o se cría en el monte, especialmente de un tipo de gatos y cabras salvajes. INGLÉS wild.

NOTA El plural de montés es: monteses.

montículo

nombre masculino

1 Pequeña elevación del terreno, natural o hecha por una persona o un animal. INGLÉS mound, hillock.

montón

nombre masculino

1 Conjunto de cosas de cualquier forma y tamaño puestas sin orden unas encima de otras, como un montón de papeles o un montón de ropa. SINÓNIMO pila. INGLÉS heap, pile.

2 Gran número o gran cantidad de algo, en especial de personas. INGLÉS heap, stack.

del montón Muy corriente y normal: *No es especialmente guapo, yo diría que es del montón.* INGLÉS ordinary.

NOTA El plural es: montones.

montura

nombre femenino

1 Soporte sobre el que se monta una cosa, como los cristales de unas gafas. INGLÉS frame.

2 Conjunto formado por la silla de montar y todo lo necesario para montar sobre un caballo. INGLÉS saddle and harness.

3 Animal que se puede montar, como un caballo o un burro. INGLÉS mount.

monumental

adjetivo

1 De los monumentos o que tiene relación con ellos. INGLÉS monumental.

2 Que es muy grande o espectacular. INGLÉS monumental.

monumento

nombre masculino

1 Construcción de gran valor histórico, arqueológico o artístico. Se consideran monumentos la Alhambra de Granada o las pirámides de Egipto. INGLÉS monument.

2 Obra de arquitectura, escultura o grabado que se hace para recordar a una persona, un suceso o una fecha importante. INGLÉS monument.

3 Persona que es muy guapa y atractiva. Es un uso informal. INGLÉS looker.

monzón

nombre masculino

1 Viento que sopla en la zona del sur de Asia. Los meses de invierno sopla desde el continente hacia el océano con dirección nordeste y, los meses de verano, del océano al continente con dirección sudoeste. INGLÉS monsoon.

NOTA El plural es: monzones.

moño

nombre masculino

1 Peinado que consiste en recogerse todo el pelo en la nuca o encima de la cabeza, enrollándolo sobre sí mismo y dándole una forma redonda. INGLÉS bun.

estar hasta el moño Estar harto o aburrido de algo o alguien. INGLÉS to be fed up to the back teeth.

moquear

verbo

1 Echar mocos por la nariz de forma continuada. INGLÉS to have a runny nose.

moqueta

nombre femenino

1 Tejido grueso parecido a una alfombra que cubre completamente el suelo de una habitación. INGLÉS fitted carpet.

mora

nombre femenino

1 Fruto redondeado formado por bolitas agrupadas de color rojo o morado. INGLÉS blackberry, [si es del moral: mulberry].

morada

nombre femenino

1 Lugar donde vive una persona o un animal. INGLÉS dwelling.

NOTA Es una palabra formal.

morado, morada

nombre masculino y adjetivo

1 Color como el de la mora o la berenjena. La mezcla de rojo y azul da morado. INGLÉS purple.

nombre masculino

2 Mancha de color oscuro que sale en la piel debido a un golpe u otra causa. SINÓNIMO moratón; cardenal. INGLÉS bruise.

pasarlas moradas Pasarlo muy mal, tener problemas o pasar por una situación difícil de superar. INGLÉS to have a bad time of it.

pasarlas moradas

ponerse morado Comer o beber mucho de algo que nos gusta: *Me puse morada de pasteles.* INGLÉS to stuff oneself [de comida], to tank up [de bebida].

moral

adjetivo

1 Se dice de la acción o la forma de actuar que tiene en cuenta lo que es bueno y lo que es malo o lo que es justo y lo que no lo es. No es moral actuar pensando solo en uno mismo, sin tener en cuenta el daño que se puede hacer a los demás. SINÓNIMO ético. INGLÉS moral.

nombre femenino **2** Conjunto de reglas y normas que rigen el comportamiento humano, distinguiendo entre lo que está bien y lo que está mal. SINÓNIMO ética. INGLÉS morals.

3 Estado de ánimo de una persona. Cuando tenemos la moral alta estamos muy animados. INGLÉS morale, spirits.

nombre masculino **4** Árbol de tronco grueso y hojas caducas que da como fruto la mora. INGLÉS mulberry tree.

moraleja

nombre femenino **1** Consejo práctico que se puede extraer de un cuento, una fábula, una historia o una experiencia. La moraleja es un ejemplo de conducta que se puede trasladar a una situación de la vida cotidiana. INGLÉS moral.

moralidad

nombre femenino **1** Característica de las acciones que están de acuerdo con lo que se considera moral. INGLÉS morality.

moratón

nombre masculino **1** Mancha azulada o morada que sale en la piel debido a un golpe u otra causa. SINÓNIMO morado; cardenal. INGLÉS bruise.

NOTA El plural es: moratones.

morbo

nombre masculino **1** Interés especial que siente una persona hacia las cosas desagradables, crueles o prohibidas. INGLÉS morbid curiosity.

NOTA Es una palabra coloquial.

morboso, morbosa

adjetivo **1** Que muestra un excesivo gusto por las cosas desagradables, crueles o prohibidas: *Es un morboso, le encanta leer las noticias sobre crímenes.* INGLÉS morbid [adjetivo].

morcilla

nombre femenino **1** Embutido que se hace con sangre de cerdo cocida, cebolla, especias y miga de pan o arroz. INGLÉS black pudding.

mordaz

adjetivo **1** Se dice de la persona que hace comentarios irónicos y con doble intención. También se dice de los mismos comentarios. INGLÉS sarcastic.

NOTA El plural es: mordaces.

mordaza

nombre femenino **1** Trozo de tela, esparadrapo o cualquier otra cosa que se utiliza para tapar la boca de una persona y que no pueda hablar o gritar para pedir ayuda. INGLÉS gag.

morder

verbo **1** Apretar algo entre los dientes, clavándolos. INGLÉS to bite.

NOTA La 'o' se convierte en 'ue' en sílaba acentuada, como: muerden.

mordisco

nombre masculino **1** Acción que consiste en apretar con fuerza una cosa entre los dientes hasta clavarlos. INGLÉS bite.

2 Trozo pequeño de una cosa, normalmente de comida, que se ha cortado con los dientes. INGLÉS bite.

mordisquear

verbo **1** Dar mordiscos pequeños a un alimento u otra cosa con poca fuerza. INGLÉS to nibble.

moreno, morena

adjetivo **1** Se dice de la persona que tiene la piel de color oscuro o que está bronceada por el sol. INGLÉS dark [de nacimiento], brown [por el sol].

adjetivo y nombre **2** Se dice del pelo de color marrón oscuro o negro y de la persona que tiene el pelo de este color. ANTÓNIMO rubio. INGLÉS dark [adjetivo].

morfema

nombre masculino **1** En lingüística, cada una de las partes más pequeñas con significado en que se puede dividir una palabra. En la palabra 'niños' hay tres morfemas: 'niñ-', '-o', que significa masculino y '-s', que significa plural. INGLÉS morpheme.

morfología

nombre femenino **1** Parte de la gramática que estudia la forma de las palabras. La morfología estudia, entre otras cosas, cómo se forman los plurales, los diminutivos o la conjugación. INGLÉS morphology.

moribundo, moribunda

adjetivo y nombre **1** Que está muriéndose o a punto de morir. INGLÉS moribund [adjetivo], dying [adjetivo].

mordaza

morir
verbo

1 Dejar de vivir una persona o un animal. SINÓNIMO fallecer. ANTÓNIMO vivir. INGLÉS to die.
2 Llegar a su fin una cosa, un proceso o una acción. Cuando el verano muere, empieza el otoño. INGLÉS to come to an end.
3 morirse Tener un sentimiento o una sensación muy fuerte o desear mucho algo: *Me muero de frío.* INGLÉS to be dying.
NOTA La 'o' se convierte en 'ue' en sílaba acentuada o en 'u' en algunos tiempos y personas, como: muera o murió.

moro, mora
nombre

1 Persona que es originaria del norte de África, como los egipcios o los marroquíes. INGLÉS North African.
2 Persona que sigue la religión musulmana. SINÓNIMO musulmán. INGLÉS Muslim, Moslem.

moroso, morosa
adjetivo y nombre

1 Se dice de la persona que se retrasa en el pago de una deuda o en la devolución de una cosa. INGLÉS defaulting [adjetivo], defaulter [nombre].

morrada
nombre femenino

1 Golpe que se produce al chocar la cabeza de una persona con la cabeza de otra. INGLÉS bang, bump [si es adrede: butt].

morrear
verbo

1 Besar a una persona en la boca durante un rato poniendo en contacto los labios y la lengua. INGLÉS to snog.
NOTA Es una palabra coloquial.

morriña
nombre femenino

1 Sentimiento de tristeza o pena que tiene una persona cuando recuerda un lugar o a una persona que están lejos. SINÓNIMO nostalgia. INGLÉS homesickness.

morro
nombre masculino

1 Parte de la cara de algunos animales donde están la boca y la nariz. SINÓNIMO hocico. INGLÉS snout.
2 Parte delantera y alargada de algunas cosas, como el morro del coche. INGLÉS nose.

MORFEMAS

En muchas palabras, principalmente nombres, adjetivos y verbos, distinguimos dos elementos:
1. el **lexema**, que aporta significado y relaciona las familias de palabras. Por ejemplo: «pan» es el lexema de *panadero, panadería, empanar, empanada, empanadilla*;
2. el **morfema**, que aporta información de distinto tipo al lexema, como se indica en el siguiente cuadro.

Tipo	Significado	Ejemplo
morfema de género	indica si una palabra es masculina o femenina	en *gato* y *gata,* la *-o* es el morfema del masculino y la *-a* el morfema del femenino
morfema de número	indica cuando una palabra está en plural	*gato* no tiene morfema de número y es singular, pero ratones tiene *-es*, que es morfema de plural
prefijo	va delante del lexema y sirve para formar nuevas palabras	*des-* es un prefijo que significa 'hacer lo contrario', en palabras como *deshacer, desplegar, despoblar*
sufijo	va detrás del lexema y sirve para formar nuevas palabras	*-ero* es un sufijo que significa 'persona que tiene una profesión relacionada con', en palabras como *panadero, frutero, carpintero, torero*
desinencia	terminación de las formas verbales; ofrece información sobre la persona que realiza o sufre la acción (primera, segunda o tercera del singular o del plural), el tiempo (pasado, presente, futuro) y el modo (indicativo, subjuntivo)	en *mirabas*, *-abas* es una desinencia de segunda persona del singular del pretérito imperfecto de indicativo

a b c d e f g h i j k l m n ñ o p q r s t u v w x y z

3 Falta de vergüenza o de respeto que tiene una persona al decir o hacer una cosa: *¡Vaya morro! Se está colando descaradamente.* Es un uso informal. SINÓNIMO cara; jeta. INGLÉS cheek.

nombre masculino plural **4 morros** Labios de una persona. Es un uso informal. INGLÉS lips.

beber a morro Beber directamente de la jarra o de la botella, sin utilizar un vaso. INGLÉS to drink straight from the bottle.

estar de morros Estar enfadado. INGLÉS to be in a bad mood.

por el morro Sin pagar o sin vergüenza: *Entré en el concierto por el morro.* Es una expresión informal. INGLÉS without paying [sin pagar], brazenly [sin vergüenza].

morsa

nombre femenino **1** Mamífero marino de gran tamaño, con el cuerpo muy grueso y adaptado para nadar. Tiene la cabeza pequeña y sin orejas, el labio superior cubierto de largos pelos y grandes colmillos a los lados de la boca. SINÓNIMO elefante marino. INGLÉS walrus.

morse

nombre masculino **1** Código que consiste en la combinación de puntos y rayas y sirve para comunicarse a grandes distancias mediante el telégrafo. INGLÉS Morse code.

mortadela

nombre femenino **1** Embutido de color rosa con forma de cilindro grueso que se hace con carne de cerdo cocida y picada. INGLÉS mortadella.

mortaja

nombre femenino **1** Sábana, hábito o pieza de tela en que se envuelve un cadáver para enterrarlo. INGLÉS shroud.

mortal

adjetivo **1** Que se tiene que morir en algún momento. Las personas y los animales son seres mortales. INGLÉS mortal.

2 Que causa o puede causar la muerte, como las picaduras de algunas serpientes venenosas. INGLÉS deadly.

3 Que es muy fuerte o muy intenso: *Este verano hace un calor mortal, no se puede aguantar.* INGLÉS terrible.

nombre masculino **4** Ser humano: *La alegría o la tristeza son sentimientos que afectan a todos los mortales.* SINÓNIMO persona. INGLÉS mortal.

mortalidad

nombre femenino **1** Cantidad de personas que mueren en un lugar y en un tiempo determinados. La población de un municipio disminuye con la mortalidad y la emigración. INGLÉS mortality.

mortero

nombre masculino **1** Utensilio de cocina que se utiliza para moler o machacar semillas o condimentos. Está formado por un recipiente con forma de taza y un mazo con el que se machaca. SINÓNIMO almirez. INGLÉS mortar.

2 Mezcla de agua, arena y cemento que se utiliza en la construcción para fijar ladrillos o cubrir paredes. INGLÉS mortar.

3 Arma de artillería formada por un cañón ancho y corto que se coloca apoyada sobre el suelo. INGLÉS mortar.

mortífero, mortífera

adjetivo **1** Que causa o puede causar la muerte. Un arma puede ser mortífera. INGLÉS deadly, lethal.

mortificar

verbo **1** Hacer que una persona o una parte de su cuerpo sufra algún dolor de forma continuada. INGLÉS to mortify.

2 Hacer que alguien padezca disgustos o molestias de forma continuada. INGLÉS to mortify.

NOTA La 'c' se convierte en 'qu' delante de 'e', como: mortifique.

mosaico

nombre masculino **1** Obra artística formada por varias piezas de distintos materiales y colores pegadas sobre una superficie formando un dibujo. INGLÉS mosaic.

mosca

nombre femenino **1** Insecto con el cuerpo de color negro, dos alas transparentes y la boca en forma de trompa que le sirve para sorber líquidos. En verano suele haber muchas moscas. INGLÉS fly.

estar mosca Tener la sospecha de algo. También se dice: estar con la mosca detrás de la oreja. INGLÉS to smell a rat.

estar mosca Estar enfadado o sentirse molesto: *Está mosca conmigo porque se me olvidó felicitarlo.* SINÓNIMO mosquearse. INGLÉS to be annoyed.

por si las moscas Indica que una cosa se hace pensando en la posibilidad de que ocurra algo: *Yo prefiero salir con* *tiempo de casa por si las moscas, nunca se sabe cómo estará el tráfico.* SINÓNIMO por si acaso. INGLÉS just in case.

moscardón
nombre masculino
1 Insecto parecido a una mosca pero de mayor tamaño, de color marrón oscuro, con dos alas transparentes y muchos pelos. Produce un zumbido fuerte al volar. INGLÉS bluebottle.
adjetivo y nombre masculino
2 Se dice de la persona que es o resulta pesada y molesta. INGLÉS nuisance [nombre], pest [nombre].
NOTA El plural es: moscardones.

mosquear
verbo
1 Hacer que una persona tenga sospechas sobre algo a partir de algún indicio. INGLÉS to make suspicious.
2 Hacer que una persona se enfade o se moleste un poco: *Se ha mosqueado porque te estuvo esperando una hora y no apareciste.* INGLÉS to annoy.
NOTA Es una palabra informal.

mosqueo
nombre masculino
1 Sospecha o duda que se tiene sobre algo. INGLÉS suspicion.
2 Enfado poco importante. INGLÉS anger.
NOTA Es una palabra informal.

mosquetero
nombre masculino
1 Antiguo soldado que pertenecía al ejército francés. 'Los tres mosqueteros' es una novela famosa de Alejandro Dumas. INGLÉS musketeer.

mosquito
nombre masculino
1 Insecto de color oscuro, con el cuerpo delgado y las patas y las alas largas. Produce picaduras molestas. INGLÉS mosquito.

mostacho
nombre masculino
1 Bigote, especialmente si nos referimos a uno que es grande. INGLÉS moustache.

mostaza
nombre femenino
1 Salsa de color amarillo y sabor fuerte y picante que se hace con las semillas de una planta. La planta también se llama mostaza. INGLÉS mustard.
nombre masculino y adjetivo
2 Color amarillo oscuro, como el de la mostaza. INGLÉS mustard.

mosto
nombre masculino
1 Zumo de uva antes de que fermente para hacer el vino. El mosto es una bebida sin alcohol. INGLÉS grape juice.

mostrador
nombre masculino
1 Especie de mesa alta que suele haber en las tiendas, bares y otros establecimientos para poner sobre ella los productos que se venden. INGLÉS counter.

mostrar
verbo
1 Poner algo a la vista o dejarlo ver. Mostramos las cosas que queremos enseñar. INGLÉS to show.
2 Dar a conocer una cualidad o estado de ánimo. Mostramos la alegría o la tristeza con gestos, palabras y signos externos. INGLÉS to show, to express.
3 Explicar algo para que se entienda cómo es o cómo funciona o para convencer de que es cierto. INGLÉS to show.
4 mostrarse Comportarse de una manera determinada. Una persona que presta mucha atención a lo que se dice se muestra atenta. INGLÉS to be.
NOTA La 'o' se convierte en 'ue' en sílaba acentuada, como: muestran.

mota
nombre femenino
1 Porción pequeña de una cosa. INGLÉS speck, spot.
2 Dibujo o mancha en forma de círculo pequeño. INGLÉS spot.

mote
nombre masculino
1 Nombre, que no es el propio, por el que se conoce a una persona. El mote suele estar inspirado en una peculiaridad física o del carácter. SINÓNIMO apodo. INGLÉS nickname.

motear
verbo
1 Poner motas en una tela u otra superficie. INGLÉS to speck.

motel
nombre masculino
1 Establecimiento situado cerca de la carretera, que acoge a los viajeros de paso y les ofrece camas a cambio de dinero. INGLÉS motel.

motín
nombre masculino
1 Acción que consiste en volverse contra una autoridad y protestar con violencia o desobedecer, como el motín de los marineros contra el capitán. INGLÉS riot, [si es en un barco: mutiny].
NOTA El plural es: motines.

motivar
verbo
1 Ser una cosa el motivo de que una persona realice determinada acción o de que algo sea de cierta manera. El comportamiento de las personas está

motivado en parte por su personalidad. SINÓNIMO causar. INGLÉS to cause.

2 Hacer que una persona se interese por una cosa que no le interesaba o le interesaba poco. INGLÉS to motivate.

motivo

nombre masculino

1 Cosa que hace que una persona haga algo o que una cosa sea de cierta manera: *No podrá asistir por motivos familiares.* SINÓNIMO razón. INGLÉS reason.

2 Figura dibujada o escultura que se repite en la decoración de una cosa. También es el tema central de un cuadro o un dibujo. INGLÉS motif.

moto

nombre femenino

1 Es la forma abreviada del sustantivo 'motocicleta'. INGLÉS motorbike.

motocicleta

nombre femenino

1 Vehículo de dos ruedas que se mueve gracias a un motor. INGLÉS motorcycle, motorbike.

motociclismo

nombre masculino

1 Deporte que se practica montando en motocicleta. El motociclismo se practica en circuitos especiales. INGLÉS motorcycling.

motociclista

nombre masculino y femenino

1 Persona que practica motociclismo. SINÓNIMO motorista. INGLÉS motorcyclist.

motocross

nombre masculino

1 Deporte que consiste en correr con motos por terrenos con muchas subidas y bajadas. INGLÉS motocross.

motor

nombre masculino

1 Aparato que hace que funcione o se mueva un mecanismo o un vehículo. Un ascensor o un coche funcionan gracias a un motor. INGLÉS engine, [si es eléctrico: motor].

motorista

nombre masculino y femenino

1 Persona que conduce una moto. Es obligatorio que todos los motoristas lleven casco. INGLÉS motorcyclist.

2 Persona que practica motociclismo. SINÓNIMO motociclista. INGLÉS motorcyclist.

motorizar

verbo

1 Dotar a un ejército, a un grupo de personas o a un servicio de vehículos de motor. INGLÉS to motorize.

NOTA La 'z' se convierte en 'c' delante de 'e', como: motoricen.

mousse

nombre femenino

1 Postre dulce, blando y cremoso, que se hace con claras de huevo batidas, azúcar y otro ingrediente, como chocolate o limón. INGLÉS mousse.

NOTA Se pronuncia: 'mus'.

mover

verbo

1 Cambiar de lugar o de posición. INGLÉS to move.

2 Hacer movimientos con algo. INGLÉS to move.

3 Provocar una acción, un comportamiento o un sentimiento. INGLÉS to cause.

4 moverse Ir de un sitio a otro: *Se mueve en taxi por la ciudad.* INGLÉS to get about.

5 moverse Darse prisa: *Si no te mueves, perderás el tren.* INGLÉS to hurry.

6 moverse Hacer las cosas que son necesarias para conseguir algo: *Tienes*

mover

INDICATIVO

presente	**pretérito imperfecto**
muevo	movía
mueves	movías
mueve	movía
movemos	movíamos
movéis	movíais
mueven	movían

pretérito perfecto simple	**futuro**	**condicional**
moví	moveré	movería
moviste	moverás	moverías
movió	moverá	movería
movimos	moveremos	moveríamos
movisteis	moveréis	moveríais
movieron	moverán	moverían

SUBJUNTIVO

presente	**pretérito imperfecto**	**futuro**
mueva	moviera o moviese	moviere
muevas	movieras o movieses	movieres
mueva	moviera o moviese	moviere
movamos	moviéramos o moviésemos	moviéremos
mováis	movierais o movieseis	moviereis
muevan	movieran o moviesen	movieren

IMPERATIVO

mueve	(tú)
mueva	(usted)
movamos	(nosotros)
moved	(vosotros)
muevan	(ustedes)

FORMAS NO PERSONALES

infinitivo	**gerundio**
mover	moviendo
participio	
movido	

que moverte para pedir la beca. INGLÉS to do something.

movida

nombre femenino **1** Situación en la que hay mucho ruido, desorden, movimiento o confusión. SINÓNIMO jaleo. INGLÉS aggro.

NOTA Es una palabra informal.

móvil

adjetivo **1** Que puede moverse o ser movido. SINÓNIMO movible. INGLÉS movable.

nombre masculino **2** Cosa que hace o justifica que una persona realice una determinada acción: *El móvil del ladrón era que no tenía nada para comer.* SINÓNIMO motivo. INGLÉS motive.

3 Teléfono que recibe la señal por medio de ondas y no a través de un cable, por lo que se puede llevar encima y utilizar en cualquier sitio. También se llama 'teléfono móvil'. SINÓNIMO celular. INGLÉS mobile phone.

movilidad

nombre femenino **1** Capacidad para moverse o cambiar de sitio o posición. También es la facilidad para moverse. INGLÉS mobility.

movilizar

verbo **1** Poner algo o a alguien en marcha o en movimiento para conseguir una cosa. Cuando se declara un incendio importante en un bosque en seguida se movilizan bomberos e hidroaviones. INGLÉS to mobilize.

NOTA La 'z' se convierte en 'c' delante de 'e', como: movilicen.

movimiento

nombre masculino **1** Estado de los cuerpos mientras cambian de posición o de lugar. También es movimiento ese cambio de lugar o de posición. INGLÉS movement.

2 Cantidad grande de coches o de personas que se mueven en un lugar. INGLÉS activity [personas], traffic [coches].

3 Conjunto de las actividades artísticas, científicas o culturales, que surgen en un momento determinado con unas características comunes. En la primera mitad del siglo XIX dominó el movimiento romántico en el arte. INGLÉS movement.

mozárabe

adjetivo y nombre masculino y femenino **1** Se dice de la persona que vivía en el territorio musulmán de la península ibérica durante la dominación islámica: *En al-Andalus convivían tres comunidades religiosas diferentes: la musulmana, la mozárabe y la judía.* INGLÉS Mozarabic [adjetivo], Mozarab [nombre].

nombre masculino **2** Lengua románica que hablaban los cristianos que vivían en territorio musulmán. INGLÉS Mozarabic.

mozo, moza

nombre **1** Persona joven, en especial los hombres y mujeres jóvenes de un pueblo que todavía no están casados. INGLÉS young man [hombre], young woman [mujer].

adjetivo **2** Que está relacionado con los años de juventud y anteriores al matrimonio: *Al abuelo le gusta contar historias de sus años mozos.* INGLÉS young.

nombre **3** Persona que trabaja en ciertos oficios que no necesitan conocimientos especiales. INGLÉS assistant.

muchacho, muchacha

nombre **1** Niño o persona joven. INGLÉS boy [chico], girl [chica].

muchedumbre

nombre femenino **1** Conjunto muy numeroso de personas, animales o cosas: *Una muchedumbre de gente llenaba el recinto del concierto.* INGLÉS crowd.

mucho, mucha

determinante y pronombre indefinido **1** Indica gran cantidad o número de personas o cosas: *Hace mucho calor. No hay poca gente, hay mucha.* INGLÉS a lot.

adverbio **2 mucho** En gran cantidad o con gran intensidad: *Los atletas corren mucho. No es recomendable ver mucho la televisión.* INGLÉS a lot.

mucosa

nombre femenino **1** Membrana que se encuentra en ciertas cavidades interiores del cuerpo y elabora una sustancia espesa y pegajosa, parecida a un moco, para proteger un órgano o una parte del cuerpo. Hay mucosas en el aparato digestivo, en el respiratorio y en el genital. INGLÉS mucous membrane.

muda

nombre femenino **1** Conjunto de ropa interior limpia que uno se pone en lugar de la sucia: *Me cambio de muda todos los días.* INGLÉS change of clothes.

a b c d e f g h i j k l m n ñ o p q r s t u v w x y z

a b c d e f g h i j k l m n ñ o p q r s t u v w x y z

mudanza
nombre femenino **1** Cambio de cosas o personas de una casa a otra. INGLÉS move.

mudar
verbo **1** Cambiar un animal de piel, pelo o pluma. Las serpientes mudan de piel. INGLÉS to shed.
2 mudarse Cambiar de casa: *Mi amigo se ha mudado a Francia.* INGLÉS to move.
3 mudarse Cambiarse de ropa interior para ponerse una limpia. INGLÉS to change one's clothes.

mudo, muda
adjetivo y nombre **1** Se dice de la persona que no puede hablar, generalmente por algún defecto físico o lesión en las cuerdas vocales. Los mudos tienen un lenguaje de signos para comunicarse con otras personas. INGLÉS mute.
adjetivo **2** Se dice de la película de cine en la que los personajes no hablan o no se reproduce lo que hablan. Las primeras películas de cine eran mudas. ANTÓNIMO sonoro. INGLÉS silent.
3 Se dice del mapa que no lleva nada escrito. Una forma de aprender geografía física o política es completar un mapa mudo. INGLÉS blank.
adjetivo y nombre **4** Que está o se queda callado cuando debería hablar: *Se quedó mudo al recibir la noticia.* INGLÉS silent [adjetivo].

mueble
nombre masculino **1** Objeto que hay en las casas y que sirve para diversos fines, como sentarse, dormir o guardar cosas. Sillas, mesas, camas y armarios son muebles. INGLÉS piece of furniture.

mueca
nombre femenino **1** Gesto o movimiento extraño y exagerado hecho con la cara. INGLÉS grimace, face.

muela
nombre femenino **1** Cada uno de los dientes grandes y anchos situados en la parte posterior de la boca que sirven para triturar los alimentos. INGLÉS tooth, molar.

muelle
nombre masculino **1** Objeto formado por un alambre en forma de espiral que se puede estirar y encoger y luego volver a su posición normal. Muchos sofás y colchones llevan muelles. INGLÉS spring.
2 Construcción a orillas del mar, de un lago o de un río para embarcar y desembarcar pasajeros o mercancías. SINÓNIMO embarcadero. INGLÉS pier, jetty.

muermo
nombre masculino **1** Sensación de desgana o cansancio provocada por la falta de diversión. SINÓNIMO aburrimiento. INGLÉS drag.
2 Persona o cosa pesada o aburrida. INGLÉS pain, bore.
NOTA Es una palabra informal.

muerte
nombre femenino **1** Fin de la vida. INGLÉS death.
2 Figura en forma de esqueleto que representa la muerte. INGLÉS death.
a muerte Con todas las fuerzas de uno. Cuando alguien odia a muerte a una persona, la odia muchísimo. INGLÉS to the death, [odiar a la muerte: to detest].

muerto, muerta
participio **1** Participo irregular de: morir. También se usa como adjetivo: *Ha muerto. Había un gato muerto.* INGLÉS dead.
adjetivo y nombre **2** Se dice de la persona que ha dejado de vivir. En las guerras suele haber muchos muertos. ANTÓNIMO vivo. INGLÉS dead [adjetivo].
adjetivo **3** Que tiene poca actividad o animación. Las zonas turísticas se quedan muertas en invierno. ANTÓNIMO vivo. INGLÉS dead.
4 Que está muy cansado. Cuando estamos muy cansados solemos decir que estamos muertos. INGLÉS worn out.
nombre masculino **5** Aquello que resulta molesto y nadie quiere hacer: *Tenéis mucha cara, siempre me toca a mí el muerto.* INGLÉS unpleasant duty.
cargar el muerto Echarle a alguien la culpa de algo o hacerlo responsable de algo: *Le cargaron el muerto por lo del cristal, pero fueron todos.* INGLÉS to pin the blame on.

muesca
nombre femenino **1** Hueco estrecho y alargado que se hace en una cosa para introducir o encajar otra. También se utilizan para señalar la largura de algo sobre madera u otra materia. INGLÉS nick, notch.

muestra
nombre femenino **1** Parte o pequeña cantidad de una cosa que sirve para mostrar su calidad, probarla o analizarla. Con una muestra

de sangre o de orina se hacen análisis. INGLÉS sample.

2 Modelo que se debe imitar o copiar para realizar el mismo trabajo. INGLÉS model.

3 Prueba o señal por la que se conoce la existencia de algo. Damos muestras de alegría cuando recibimos una buena noticia. INGLÉS sign.

4 Exposición de un conjunto de cosas o actividades del mismo tipo. INGLÉS show, display.

muestrario

nombre masculino

1 Conjunto de muestras de un producto. Un muestrario de telas tiene trozos de distintas telas para poder ver su calidad y estampado. INGLÉS collection of samples.

mugido

nombre masculino

1 Sonido característico de la vaca y el toro. En español, se suele representar con la palabra 'mu'. INGLÉS moo [de la vaca], bellow [del toro].

mugir

verbo

1 Emitir la vaca o el toro su sonido característico. INGLÉS to moo [la vaca], to bellow [el toro].

NOTA Se escribe 'j' delante de 'a' y 'o', como: mujan.

mugre

nombre femenino

1 Grasa o suciedad que está pegada a una superficie. INGLÉS grime, filth.

mugriento, mugrienta

adjetivo

1 Que está muy graso o sucio: *Las paredes de la cocina están mugrientas.* INGLÉS grimy, filthy.

mujer

nombre femenino

1 Persona adulta del sexo femenino. En singular puede indicar el conjunto de todas las mujeres: *La mujer tiene los mismos derechos que el hombre.* INGLÉS woman.

2 Mujer con la que un hombre está casado. SINÓNIMO esposa. INGLÉS wife.

3 Forma utilizada para dirigirse a una mujer o para llamar su atención. A veces puede indicar sorpresa o extrañeza: *Mira, mujer, lo mejor es que no te preocupes.*

mujeriego, mujeriega

adjetivo y nombre masculino

1 Se dice del hombre a quien le gusta mucho estar con las mujeres para conquistarlas o enamorarlas. INGLÉS fond of the ladies [adjetivo], ladies' man [nombre].

mulato, mulata

adjetivo y nombre

1 Se dice de la persona que es hija de una persona que es de raza blanca y otra que es de raza negra. INGLÉS mulatto.

muleta

nombre femenino

1 Instrumento que sirve para que se apoye en él al andar una persona coja o que tiene alguna lesión en una pierna. Es una especie de bastón sobre el que se apoya la axila o el antebrazo. INGLÉS crutch.

2 Paño de color rojo que utilizan los toreros para torear en una parte determinada de la corrida.

muletilla

nombre femenino

1 Palabra o frase innecesaria que se repite por costumbre o como apoyo al hablar. '¿Sabes?' es una muletilla. INGLÉS pet phrase [frase], pet word [palabra].

mullir

verbo

1 Hacer que una cosa apretada se quede blanda y esponjosa, generalmente dándole algunos golpes o sacudiéndola, como hacemos con un cojín o un edredón. INGLÉS to fluff up.

NOTA Se conjuga como: zambullir.

mulo, mula

nombre

1 Animal mamífero doméstico nacido del cruce de un caballo y un burro. Se utiliza como animal de carga. INGLÉS mule.

adjetivo y nombre

2 Se dice de una persona que tiene mucha fuerza y que resiste bien los trabajos pesados. INGLÉS ox.

3 Se dice de una persona torpe o bruta que usa la fuerza en vez de la razón. SINÓNIMO burro. INGLÉS brute.

multa

nombre femenino

1 Castigo que se impone a una persona por haber realizado una falta, y que consiste en el pago de una cantidad de dinero. El exceso de velocidad al conducir se castiga con multas. INGLÉS fine.

2 Documento en que consta la falta que ha cometido una persona y el dinero que tiene que pagar como castigo. INGLÉS fine.

multar

verbo

1 Poner una multa a alguien. INGLÉS to fine.

a b c d e f g h i j k l **m** n ñ o p q r s t u v w x y z

multicolor
adjetivo
1 Que tiene muchos colores. INGLÉS multicoloured.

multimedia
adjetivo
1 Que usa distintos medios de comunicación combinados (texto, fotografías, imágenes de vídeo o sonido) como los libros de texto interactivos. INGLÉS multimedia.
NOTA El plural es: multimedia.

multimillonario, multimillonaria
adjetivo y nombre
1 Se dice de la persona que tiene muchísimo dinero. INGLÉS multimillionaire.

multinacional
adjetivo y nombre femenino
1 Se dice de las empresas que tienen negocios y actividades en varios países. INGLÉS multinational.

múltiple
adjetivo
1 Que está formado por varios elementos, que no es único: *Ha habido un choque múltiple en la autopista.* INGLÉS multiple.
adjetivo plural
2 múltiples Muchos o varios: *Este niño tiene múltiples actividades extraescolares.* INGLÉS several.

multiplicación
nombre femenino
1 Operación matemática que consiste en sumar un mismo número tantas veces como indica otro número. La multiplicación 2 × 4 = 8 es el resultado de sumar 2 + 2 + 2 + 2. INGLÉS multiplication.
NOTA El plural es: multiplicaciones.

multiplicar
verbo
1 Efectuar una multiplicación matemática para calcular el producto de dos números. INGLÉS to multiply.
2 Hacer varias veces mayor la cantidad o el número de alguna cosa. En época de rebajas los grandes almacenes multiplican sus ventas. INGLÉS to increase.
3 multiplicarse Reproducirse y aumentar en número los seres vivos. Animales como los ratones o los conejos se multiplican con mucha rapidez. INGLÉS to multiply, to reproduce.
NOTA Se escribe 'qu' delante de 'e', como: multipliqué.

múltiplo
adjetivo y nombre masculino
1 Se dice del número que contiene a otro un número exacto de veces. 25 es múltiplo de 5. INGLÉS multiple.

multitud
nombre femenino
1 Gran cantidad de personas, animales o cosas, generalmente reunidas en un mismo lugar. Los cantantes famosos actúan rodeados de una multitud de fans. SINÓNIMO muchedumbre. INGLÉS crowd.

mundano, mundana
adjetivo
1 Que está relacionado con las cosas materiales, en oposición a las cosas espirituales. Los placeres mundanos son los que proporciona el dinero. INGLÉS worldly.

mundial
adjetivo
1 Del mundo entero o que tiene relación con él. El objetivo de la ONU es conseguir la paz mundial. INGLÉS worldwide, world.
nombre masculino
2 Competición deportiva en la que participan representantes de todos los países del mundo. Los mundiales de fútbol se celebran cada cuatro años. INGLÉS world championship.

mundo
nombre masculino
1 Conjunto de todo lo que existe: los planetas, las estrellas, la humanidad. INGLÉS world.
2 La Tierra, el planeta en el que viven los seres humanos. INGLÉS world.
3 Parte de la realidad o conjunto de actividades de cualquier tipo con características comunes, como el mundo animal o el mundo de la moda. INGLÉS world.
el otro mundo Lugar al que se cree que van las almas de las personas después de la muerte. INGLÉS the next world.
no ser nada del otro mundo Ser vulgar y corriente o no tener nada especial: *Esa película no es nada del otro mundo.* INGLÉS to be nothing special.
Tercer Mundo Conjunto de los países de menor desarrollo económico e industrial. Con este significado se escribe con mayúscula. INGLÉS Third World.

munición
nombre femenino
1 Conjunto de proyectiles, como balas, cartuchos, que sirven para cargar un arma de fuego. INGLÉS ammunition.
NOTA El plural es: municiones.

municipal
adjetivo
1 Del municipio o que está relacionado con él. INGLÉS town, municipal.

adjetivo y nombre masculino y femenino **2** Se dice de la persona que pertenece a la guardia urbana de un municipio. También se llama policía municipal. SINÓNIMO urbano. INGLÉS policeman [nombre - hombre], policewoman [nombre - mujer].

municipio
nombre masculino **1** División territorial más pequeña en que se divide un estado, que está gobernada y administrada por un ayuntamiento. Los pueblos y las ciudades son municipios. INGLÉS municipality, town.
2 Territorio que depende de un ayuntamiento. INGLÉS municipality, town.
3 Conjunto formado por el alcalde y los concejales encargado de administrar ese territorio. INGLÉS town council.

muñeca
nombre femenino **1** Parte del cuerpo humano por donde se unen la mano y el brazo. La muñeca está articulada y permite el movimiento de la mano. INGLÉS wrist.

muñeco, muñeca
nombre **1** Juguete con forma de persona o de animal. INGLÉS doll, puppet.

muñequera
nombre femenino **1** Tira de tela elástica que sujeta y protege la muñeca y que utilizan sobre todo los deportistas. INGLÉS wristband.
2 Tira ancha de cuero u otro material que se lleva alrededor de la muñeca como adorno. INGLÉS wristband.

muñón
nombre masculino **1** Extremo de un miembro del cuerpo después de que este miembro haya sido cortado o amputado. INGLÉS stump. NOTA El plural es: muñones.

mural
adjetivo y nombre masculino **1** Se dice de la pintura que se hace o se pone sobre una pared. INGLÉS mural.

muralla
nombre femenino **1** Muro alto y grueso que rodea una ciudad o una fortaleza para protegerla de los ataques enemigos. Algunas ciudades aún conservan sus murallas medievales. INGLÉS wall.

murciano, murciana
adjetivo y nombre **1** Se dice de la persona o cosa que es de la ciudad o de la comunidad autónoma de Murcia.

murciélago
nombre masculino **1** Animal mamífero nocturno de pequeño tamaño con alas que le permiten volar. Es ciego y se orienta por el eco que producen los sonidos que emite. INGLÉS bat.

murga
dar la murga Molestar o resultar pesado por repetir mucho algo: *Deja ya de dar la murga, aunque insistas no iremos a la playa.* INGLÉS to be a nuisance, to pester.

murmullo
nombre masculino **1** Ruido suave y continuo, como el del agua, las hojas o dos personas que hablan muy bajo. INGLÉS murmur.

murmurar
verbo **1** Criticar a una persona que no está presente. INGLÉS to gossip.
2 Hablar en voz baja, generalmente quejándose de algo: *¿Qué estás murmurando?* INGLÉS to mutter.

muro
nombre masculino **1** Pared gruesa de una casa o un edificio o pared que sirve para rodear un terreno. INGLÉS wall.
2 Construcción que rodea una población y que sirve para protegerla de los ataques enemigos. SINÓNIMO muralla. INGLÉS wall.

musa
nombre femenino **1** Persona o cosa que sirve de inspiración a un artista. Muchas veces la persona amada es la musa de un poeta. INGLÉS muse.

musaraña
nombre femenino **1** Animal mamífero de pequeño tamaño, parecido a un ratón, que tiene el hocico puntiagudo y los ojos y las orejas muy pequeños. Se alimenta de insectos y pequeños reptiles. INGLÉS shrew.
pensar en las musarañas Estar distraído o sin prestar atención a lo que se hace o dice. INGLÉS to daydream.

pensar en las musarañas

a b c d e f g h i j k l m n ñ o p q r s t u v w x y z

muscular
adjetivo **1** Del músculo o que tiene relación con él. INGLÉS muscular.

musculatura
nombre femenino **1** Conjunto de los músculos del cuerpo o de parte del cuerpo. El ejercicio físico ayuda a tener en forma la musculatura. INGLÉS muscles.

músculo
nombre masculino **1** Órgano del cuerpo compuesto por fibras que se estiran y se encogen permitiendo el movimiento del cuerpo. Si hacemos deporte desarrollamos los músculos. INGLÉS muscle.

musculoso, musculosa
adjetivo **1** Que tiene los músculos muy fuertes y desarrollados. Los ciclistas y los futbolistas tienen las piernas muy musculosas. INGLÉS muscular.

museo
nombre masculino **1** Edificio abierto al público donde se exponen objetos artísticos, científicos o históricos. INGLÉS museum.

musgo
nombre masculino **1** Planta pequeña y tupida que crece en lugares húmedos formando una especie de alfombra verde y suave. INGLÉS moss.

música
nombre femenino **1** Sucesión de sonidos que está compuesta o interpretada por una persona según ciertas normas, de forma que resulta agradable al oído. La música se produce con instrumentos o con la voz humana. INGLÉS music.
2 Conjunto de las obras musicales y los compositores de una época, un país o un estilo: *Tienen una gran colección de música clásica.* INGLÉS music.

musical
adjetivo **1** Que tiene relación con la música. Un instrumento musical sirve para producir música. INGLÉS musical.
adjetivo y nombre masculino **2** Se dice del espectáculo de teatro o película cinematográfica que tiene música, canciones y baile. INGLÉS musical.

músico, música
nombre **1** Persona que toca un instrumento musical. Un pianista, un guitarrista o una violinista son músicos. INGLÉS musician.

musitar
verbo **1** Hablar en voz muy baja, casi susurrando. INGLÉS to murmur.

muslo
nombre masculino **1** Parte superior de la pierna de una persona que va desde la cadera hasta la rodilla. INGLÉS thigh.
2 Parte superior de la pata de un ave: *Me gusta más el muslo de pollo que la pechuga.* INGLÉS drumstick.

mustio, mustia
adjetivo **1** Se dice de la planta o la flor que está seca o estropeada. Las plantas mustias suelen tener las hojas arrugadas y marrones. INGLÉS withered [planta], faded [flor].

mustio

2 Se dice de la persona que se siente o parece triste o cansada. INGLÉS sad [triste], tired [cansado].

musulmán, musulmana
adjetivo **1** De la religión que fue enseñada por Mahoma o que tiene relación con ella. El libro sagrado musulmán es el Corán. SINÓNIMO islámico; mahometano. INGLÉS Muslim, Moslem.
adjetivo y nombre **2** Se dice de la persona que sigue la religión enseñada por Mahoma. Los musulmanes creen en un único dios: Alá. SINÓNIMO mahometano. INGLÉS Muslim, Moslem.
NOTA El plural de musulmán es: musulmanes.

mutación
nombre femenino **1** Alteración de la estructura en los genes o los cromosomas de la célula de un ser vivo que cambian su forma. Las mutaciones se transmiten a los descendientes por herencia. INGLÉS mutation.
NOTA EL plural es: mutaciones.

mutilado, mutilada
nombre **1** Persona que ha perdido una parte del

cuerpo, normalmente por un accidente o una herida: *Es un mutilado de guerra.* INGLÉS cripple.

mutilar

verbo

1 Cortar una parte del cuerpo de una persona o un animal: *La máquina le mutiló accidentalmente los dedos de la mano.* INGLÉS to maim, to mutilate.

2 Quitar una parte importante de una cosa. La censura en un país mutila las partes de los libros que considera peligrosos. INGLÉS to butcher.

mutualismo

nombre masculino

1 Relación entre seres vivos de distinta especie en la que los dos seres salen beneficiados de esa relación. Entre una anémona y cierto tipo de pez se da un caso de mutualismo: la anémona protege al pez de otros animales, y el pez atrae a pequeños animales de los que se alimenta la anémona. INGLÉS mutualism.

mutuo, mutua

adjetivo

1 Indica que dos personas sienten o piensan lo mismo la una de la otra. INGLÉS mutual.

muy

adverbio

1 Indica que el adjetivo o el adverbio al que acompaña está en un grado superior a lo normal o es mayor que lo normal: *Son unos chicos muy listos. Lo siento, tengo que irme porque es muy tarde.* INGLÉS very.

n

nombre femenino **1** Decimocuarta letra del alfabeto español. La 'n' es una consonante.

nabo

nombre masculino **1** Raíz comestible que se cultiva en las huertas; suele ser de color blanco y un poco más gruesa que una zanahoria. El nabo se come en sopas y purés. INGLÉS turnip.

nacer

verbo **1** Salir una persona o un animal del vientre de su madre o de un huevo. Los niños suelen nacer en los hospitales. ANTÓNIMO morir. INGLÉS to be born.

2 Salir una planta de su semilla o del suelo. INGLÉS to sprout.

3 Empezar a existir o tener su origen una cosa en lo que se indica: *El río Duero nace en los picos de Urbión. El fútbol nació en Inglaterra.* INGLÉS to begin [si es un río: to rise].

naciente

adjetivo **1** Que nace o empieza a existir o desarrollarse. Por ejemplo, se dice del sol cuando está saliendo al amanecer. INGLÉS rising.

nacimiento

nombre masculino **1** Acto o momento en el que nace un ser vivo. INGLÉS birth.

2 Momento en el que comienza una cosa que antes no existía, como cuando se habla del nacimiento de un nuevo país o de los ordenadores. INGLÉS birth.

3 Representación con figuras o personas de momentos y lugares relacionados con el nacimiento de Jesucristo. SINÓNIMO belén; pesebre. INGLÉS Nativity scene.

4 Lugar donde nace un río: *El nacimiento del río Tajo se encuentra en la sierra de Albarracín.* INGLÉS source.

de nacimiento Se dice de las enfermedades o defectos que se padecen desde el nacimiento: *Es sordo de nacimiento.* INGLÉS from birth.

nación

nombre femenino **1** Conjunto de personas que viven en un territorio, tienen el mismo gobierno

nacer

INDICATIVO	SUBJUNTIVO
presente	**presente**
nazco	nazca
naces	nazcas
nace	nazca
nacemos	nazcamos
nacéis	nazcáis
nacen	nazcan
pretérito imperfecto	**pretérito imperfecto**
nacía	naciera o naciese
nacías	nacieras o nacieses
nacía	naciera o naciese
nacíamos	naciéramos o naciésemos
nacíais	nacierais o nacieseis
nacían	nacieran o naciesen
pretérito perfecto simple	**futuro**
nací	naciere
naciste	nacieres
nació	naciere
nacimos	naciéremos
nacisteis	naciereis
nacieron	nacieren
futuro	**IMPERATIVO**
naceré	nace (tú)
nacerás	nazca (usted)
nacerá	nazcamos (nosotros)
naceremos	naced (vosotros)
naceréis	nazcan (ustedes)
nacerán	
condicional	**FORMAS NO PERSONALES**
nacería	**infinitivo** nacer
nacerías	**gerundio** naciendo
nacería	**participio** nacido
naceríamos	
naceríais	
nacerían	

y comparten las mismas lengua, cultura, historia y costumbres. En unas elecciones generales, los votantes eligen a los representantes políticos de la nación. INGLÉS nation.

2 Territorio de un estado independiente. En la ONU hay representantes de muchas naciones. SINÓNIMO país. INGLÉS nation.

NOTA El plural es: naciones.

nacional
adjetivo
1 Que tiene relación con la nación, en especial con la propia. INGLÉS national.

nacionalidad
nombre femenino
1 Estado jurídico de la persona que forma parte de una nación. La nacionalidad supone tener derechos y deberes en un país. INGLÉS nationality.

nacionalismo
nombre masculino
1 Movimiento político que defiende los intereses de su territorio. INGLÉS nationalism.

2 Sentimiento de apego o amor por parte de los habitantes de una nación o un territorio a todo lo que se considera propio de ella. El nacionalismo defiende las cosas que son características de una nación. INGLÉS nationalism.

nacionalista
adjetivo y nombre masculino y femenino
1 Se dice de la persona o el partido defensor del nacionalismo político. INGLÉS nationalist.

nada
pronombre indefinido
1 Hace referencia a objetos, cosas o ideas e indica que no hay ningún objeto, cosa o idea de la que se habla: *No se me ocurre nada que regalarle por su cumpleaños. No hay nada en ese cajón: está vacío.* INGLÉS nothing.

de nada Respuesta que utilizamos cuando alguien nos da las gracias por algo: *Cuando alguien te dice 'gracias' es de buena educación contestar 'de nada'.* INGLÉS don't mention it.

nadador, nadadora
nombre
1 Persona que practica el deporte de la natación. También es la persona que nada bien. INGLÉS swimmer.

nadar
verbo
1 Avanzar dentro del agua flotando y moviendo las manos y los brazos. INGLÉS to swim.

nadie
pronombre indefinido
1 Pronombre que equivale a 'ninguna persona': *Ayer por la tarde te llamé a casa, pero no había nadie.* INGLÉS nobody.

nailon
nombre masculino
1 Fibra artificial, elástica y resistente que principalmente sirve para fabricar prendas de vestir. INGLÉS nylon.

naipe
nombre masculino
1 Cartulina con dibujos o figuras impresos en uno de sus lados y que se utiliza, junto con otras, para jugar a las cartas. SINÓNIMO carta. INGLÉS playing card.

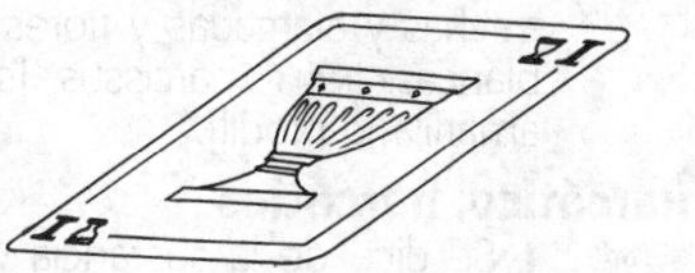

naipe

nalga
nombre femenino
1 Cada una de las dos partes redondas y carnosas situadas al final de la espalda de las personas. SINÓNIMO glúteo. INGLÉS buttock.

NOTA Se usa más en plural.

nana
nombre femenino
1 Canción que se canta a los bebés para que se duerman. INGLÉS lullaby.

nao
nombre femenino
1 Embarcación o nave, en especial si es antigua. INGLÉS vessel.

napias
nombre femenino plural
1 Nariz de una persona, normalmente nariz grande. INGLÉS snout.

NOTA Es una palabra informal.

naranja
nombre femenino
1 Fruta redonda de cáscara gruesa y carne dulce, dividida en gajos, de la que se puede sacar zumo. INGLÉS orange.

nombre masculino y adjetivo
2 Color como el de las naranjas o las mandarinas. La mezcla de rojo y amarillo da naranja. INGLÉS orange.

naranjada
nombre femenino
1 Bebida refrescante que se prepara con zumo de naranja, agua y azúcar. INGLÉS orangeade.

naranjal
nombre masculino
1 Terreno plantado de naranjos. INGLÉS orange grove.

a b c d e f g h i j k l m n ñ o p q r s t u v w x y z

naranjo
nombre masculino
1 Árbol frutal que produce las naranjas. Tiene el tronco liso y hojas perennes duras y de color verde brillante. Sus flores son blancas y olorosas y se llaman 'azahar'. INGLÉS orange tree.

narcisista
adjetivo y nombre masculino y femenino
1 Se dice de la persona que siente una gran admiración por sí misma, por su aspecto físico y por sus cualidades. INGLÉS narcissistic [adjetivo], narcissist [nombre].

narciso
nombre masculino
1 Planta de jardín que tiene hojas estrechas y alargadas y flores amarillas o blancas. INGLÉS narcissus, [si es de flor amarilla: daffodil].

narcótico, narcótica
adjetivo y nombre masculino
1 Se dice de la sustancia que elimina el dolor y produce sensación de relajación y placer: *El consumo de narcóticos crea adicción.* SINÓNIMO estupefaciente. INGLÉS narcotic.

narcotráfico
nombre masculino
1 Comercio ilegal de grandes cantidades de droga. El narcotráfico es un delito. INGLÉS drug trafficking.

nardo
nombre masculino
1 Flor de color blanco y muy olorosa, con forma de campanilla, que nace de una planta de hojas largas que también se llama nardo. INGLÉS nard, spikenard.

nariz
nombre femenino
1 Parte sobresaliente de la cara de las personas y de algunos animales situada entre los ojos y la boca. La nariz sirve para respirar y para oler. INGLÉS nose.
estar hasta las narices Estar harto o cansado de una persona o de una cosa. Es una expresión informal. INGLÉS to be fed up to the back teeth.
meter las narices Tratar de averiguar cosas sobre una persona o sobre un asunto ajeno. Es una expresión informal. INGLÉS to poke one's nose in.
NOTA El plural es: narices.

narizotas
nombre masculino y femenino
1 Persona que tiene la nariz grande y que generalmente resulta fea. INGLÉS big-nose.
NOTA El plural es: narizotas.

narración
nombre femenino
1 Historia, real o inventada, que se cuenta usando palabras. Las novelas son narraciones largas, mientras que los cuentos son narraciones breves. INGLÉS narration, story.
NOTA El plural es: narraciones.

narrador, narradora
nombre
1 Persona que narra. En el cine, a veces se utiliza a un narrador que cuenta algo relacionado con la historia, pero sin participar en ella. INGLÉS narrator.

narrar
verbo
1 Contar una historia real o inventada usando palabras. INGLÉS to tell.

narrativa
nombre femenino
1 Género literario que incluye la novela y el cuento. INGLÉS narrative.

nasal
adjetivo
1 De la nariz o que tiene relación con ella. INGLÉS nasal.

nata
nombre femenino
1 Sustancia blanca y espesa que se forma en la superficie de la leche cuando se hierve y luego se deja en reposo. INGLÉS cream.
2 Crema de color blanco que se hace mezclando la nata de la leche con azúcar. La nata se utiliza en pastelería. INGLÉS cream, skin, whipped cream.

natación
nombre femenino
1 Actividad y deporte que consisten en nadar. INGLÉS swimming.

natalidad
nombre femenino
1 Cantidad de personas que nacen en un lugar y en un tiempo determinados. La población de un municipio aumenta con la natalidad y la inmigración. INGLÉS birth rate.

natillas
nombre femenino plural
1 Postre dulce, blando y cremoso, que se hace con huevos, leche, azúcar y canela. INGLÉS custard.

nativo, nativa
adjetivo y nombre
1 Se dice de la persona que ha nacido en un lugar concreto o en el lugar del que se habla. Los nativos de Portugal son portugueses. INGLÉS native.

nato, nata
adjetivo
1 Se dice de la persona que tiene una cualidad o una característica desde siempre, de nacimiento: *Es una opti-*

mista nata. Es un goleador nato. INGLÉS born.

2 Se dice de la cualidad o la característica que existen en una persona desde siempre, desde que nació. En los niños la curiosidad es nata. INGLÉS inborn.

natural

adjetivo

1 Que tiene relación con la naturaleza o ha sido producido por ella y no por el ser humano. La lluvia y la nieve son fenómenos naturales; las ciencias naturales estudian asuntos relacionados con la naturaleza. INGLÉS natural.

2 Que está hecho sin mezclarse con productos artificiales. Un producto natural no lleva ni conservantes ni colorantes. INGLÉS natural.

3 Que es sincero y se comporta de manera sencilla: *Aunque es una persona importante es muy natural y simpático.* ANTÓNIMO artificial. INGLÉS natural.

4 Que no es extraño o que ocurre normalmente. SINÓNIMO corriente; normal. ANTÓNIMO raro; extraño. INGLÉS natural.

adjetivo y nombre masculino y femenino

5 Se dice de la persona que ha nacido en un pueblo o nación determinados. Los naturales de Suecia se llaman suecos. INGLÉS native.

naturaleza

nombre femenino

1 Conjunto de todas las cosas y seres que existen en el mundo y que no han sido hechos por el ser humano, como las plantas, los animales y las rocas. INGLÉS nature.

2 Lugar donde hay plantas, montañas y ríos, y que está lejos de las ciudades. INGLÉS nature.

3 Característica propia de una persona o una cosa que la hace diferente de otras. La inteligencia forma parte de la naturaleza humana. SINÓNIMO esencia. INGLÉS nature.

naturalidad

nombre femenino

1 Forma de ser, de actuar o de hablar sencilla y sincera, sin fingir nada. Los buenos actores actúan con naturalidad. INGLÉS naturalness.

naturista

adjetivo y nombre masculino y femenino

1 Se dice de la persona que usa medios naturales en todos los aspectos de su vida, especialmente para conservar la salud y curar las enfermedades. Los naturistas usan los elementos de la naturaleza, como las plantas, para prevenir enfermedades y para curarlas. INGLÉS naturist.

naufragar

verbo

1 Hundirse una embarcación. Las personas que van en un barco que se hunde también naufragan. INGLÉS to sink [un barco], to be wrecked [las personas].

NOTA Se escribe 'gu' delante de 'e', como: naufraguen.

naufragio

nombre masculino

1 Acción de naufragar o hundirse una embarcación. INGLÉS shipwreck.

náufrago, náufraga

nombre

1 Persona que sobrevive a un naufragio. INGLÉS shipwrecked person.

náusea

nombre femenino

1 Sensación desagradable que se tiene en el estómago cuando se quiere vomitar. SINÓNIMO arcada. INGLÉS nausea.

2 Asco que se siente hacia algo. SINÓNIMO repugnancia. INGLÉS disgust.

nauseabundo, nauseabunda

adjetivo

1 Que produce náuseas o un asco muy grande, como el olor de la basura o de un alimento estropeado. INGLÉS nauseating, sickening.

náutica

nombre femenino

1 Conjunto de los conocimientos necesarios para navegar o viajar en barco. INGLÉS navigation, seamanship.

náutico, náutica

adjetivo

1 Que tiene relación con los barcos o los viajes en barco. En las ciudades costeras suele haber clubes náuticos. INGLÉS nautical.

navaja

nombre femenino

1 Instrumento parecido al cuchillo que se utiliza para cortar. Está formado por una hoja de metal que se puede doblar y queda guardada en el mango. INGLÉS penknife.

2 Molusco marino que tiene el cuerpo alargado y está cubierto por dos conchas rectas y alargadas. La navaja es comestible. INGLÉS razor-shell.

navajazo

nombre masculino

1 Golpe que se da con una navaja, clavándola o haciendo un corte con ella. INGLÉS stab.

2 Herida o corte que produce un navajazo. INGLÉS stab wound.

a b c d e f g h i j k l m n ñ o p q r s t u v w x y z

naval
adjetivo
1 Que tiene relación con la navegación o con los barcos, como la industria naval o una escuela naval. INGLÉS naval.

navarro, navarra
adjetivo y nombre
1 Se dice de la persona o cosa que es de la Comunidad Foral de Navarra. INGLÉS Navarrese.

nave
nombre femenino
1 Cualquier barco. Antiguamente, se llamaba nave a un barco grande, con velas, con cubierta y sin remos. INGLÉS ship, vessel.
2 Aparato para viajar por el aire o por el espacio. También se llama nave aérea al avión y nave espacial al vehículo que se usa para viajar por el espacio. INGLÉS craft, [nave aérea: aircraft; nave espacial: spacecraft].
3 Edificio grande, de una sola planta, techo alto y sin divisiones en el interior, que se utiliza como fábrica o almacén. INGLÉS industrial building.
4 Espacio alargado de un edificio que está entre muros o columnas. En muchas iglesias hay una nave central entre dos filas de columnas y dos naves laterales más estrechas. INGLÉS nave.

navegable
adjetivo
1 Se dice del río o lago que tiene la profundidad suficiente para que los barcos puedan navegar por él. El río Danubio es navegable. INGLÉS navigable.

navegación
nombre femenino
1 Conjunto de conocimientos y técnicas necesarias para navegar. INGLÉS navigation.
2 Viaje que se hace por río o por mar en una embarcación. INGLÉS boat journey.
NOTA El plural es: navegaciones.

navegador
nombre masculino
1 Programa informático que permite navegar o hacer búsquedas por internet u otra red informática. El navegador debe estar instalado en el ordenador para poder entrar a internet. INGLÉS browser.

navegante
nombre masculino y femenino
1 Persona que se dedica a viajar por el mar en un barco o nave. Cristóbal Colón fue uno de los navegantes más famosos. INGLÉS navigator, seafarer.

navegar
verbo
1 Viajar o ir en una embarcación. INGLÉS to sail.
2 Moverse y avanzar una embarcación por el agua. INGLÉS to sail.
3 Hacer búsquedas de información a través de una red informática, como internet. INGLÉS to browse.
NOTA Se escribe 'gu' delante de 'e', como: naveguen.

navidad
nombre femenino
1 Día en que los cristianos celebran el nacimiento de Jesucristo: *El 25 de diciembre es Navidad.* Con este significado se escribe con mayúscula. INGLÉS Christmas.
2 Período de tiempo entre el 24 de diciembre y el 6 de enero en que se celebra el nacimiento de Jesucristo y otras fiestas relacionadas con este hecho. Con este significado se usa más en plural. INGLÉS Christmas.

navideño, navideña
adjetivo
1 De la Navidad o que tiene relación con ella. Los villancicos son canciones navideñas. INGLÉS Christmas.

navío
nombre masculino
1 Barco grande, en especial un barco de guerra. INGLÉS vessel, ship.

nazi
adjetivo y nombre masculino y femenino
1 Se dice de la persona que es partidaria de una doctrina política que tiene ideas racistas y autoritarias. Los nazis creían que hay razas superiores a otras. INGLÉS Nazi.

neblina
nombre femenino
1 Niebla baja y poco espesa. Suele aparecer por la mañana y se va disipando a lo largo del día. INGLÉS mist.

necesario, necesaria
adjetivo
1 Que hace falta de manera obligatoria para que exista, suceda o se haga algo. Es necesaria la intervención de un médico para operar a una persona. ANTÓNIMO innecesario. INGLÉS necessary.
2 Que es muy conveniente, aunque no sea obligatorio: *Es necesario que te distraigas después del trabajo.* INGLÉS necessary.

neceser
nombre masculino
1 Bolsa o maletín para guardar o llevar los objetos de aseo personal, como un

peine o un cepillo de dientes. INGLÉS toilet bag.

necesidad
nombre femenino
1 Cosa que es necesaria o hace falta de manera obligatoria para un fin. Los alimentos son artículos de primera necesidad. INGLÉS necessity.
2 Circunstancia en que a una persona le falta algo muy necesario para vivir, como alimentos o dinero. INGLÉS necessity.
hacer sus necesidades Expulsar una persona los excrementos o la orina. INGLÉS to relieve oneself.

necesitado, necesitada
adjetivo y nombre
1 Se dice de la persona que no tiene lo necesario para vivir. SINÓNIMO pobre. INGLÉS needy, poor.

necesitar
verbo
1 Tener una persona o una cosa necesidad de algo: *Necesito que me ayudes. Necesita descansar.* INGLÉS to need.

necio, necia
adjetivo y nombre
1 Se dice de la persona que demuestra poca inteligencia o falta de juicio en lo que hace o dice. SINÓNIMO tonto. INGLÉS foolish [adjetivo], fool [nombre].

néctar
nombre masculino
1 Líquido dulce que se encuentra en el interior de las flores y que chupan las abejas y otros insectos. La abejas transforman el néctar en miel. INGLÉS nectar.

neerlandés, neerlandesa
adjetivo y nombre
1 Se dice de la persona o cosa que es de los Países Bajos, país del norte de Europa. SINÓNIMO holandés. INGLÉS Dutch [adjetivo], Dutchman [nombre - hombre], Dutchwoman [nombre - mujer].
nombre masculino
2 Lengua hablada en los Países Bajos y el norte de Bélgica. SINÓNIMO holandés. INGLÉS Dutch.
NOTA El plural de neerlandés es: neerlandeses.

nefasto, nefasta
adjetivo
1 Que es muy malo o tiene consecuencias muy malas o muy tristes. Las catástrofes naturales, como inundaciones, incendios o terremotos, suelen ser nefastas. INGLÉS terrible.

negación
nombre femenino
1 Palabra o grupo de palabras que se utilizan para negar. 'No quiero' o 'no' son negaciones. INGLÉS negative.
NOTA El plural es: negaciones.

negado, negada
adjetivo y nombre
1 Que lo hace muy mal o es incapaz de hacer algo. Decimos que una persona es negada para una materia cuando le cuesta mucho asimilarla o aprenderla. INGLÉS useless [adjetivo].

negar
verbo
1 Decir que algo no existe, no es verdad o no es correcto: *Niega haber participado en los hechos.* ANTÓNIMO afirmar. INGLÉS to deny.
2 Decir que no. Negamos con palabras o con gestos, como al mover de un lado a otro la cabeza o el dedo índice. ANTÓNIMO afirmar. INGLÉS to refuse.
3 Prohibir o rechazar algo. En muchos hoteles y restaurantes niegan la entrada a los perros. INGLÉS to refuse.
4 negarse Rechazar una cosa que no se quiere hacer: *Me niego a salir a la calle a estas horas.* INGLÉS to refuse.
NOTA Se conjuga como: regar; la 'e' se convierte en 'ie' en sílaba acentuada y se escribe 'gu' delante de 'e', como: nieguen.

negativo, negativa
adjetivo
1 Que sirve para negar o indica negación. 'No' es un adverbio negativo; decir que no a una pregunta es dar una respuesta negativa. INGLÉS negative.
2 Que es malo o desfavorable para alguien. Un suspenso es un resultado negativo. INGLÉS negative.
3 Se dice de la persona que siempre ve el aspecto malo o peligroso de las cosas. INGLÉS negative.
4 Que no da el resultado que se buscaba o que confirma que algo no existe: *El análisis de orina dio negativo, no está embarazada.* INGLÉS negative.
5 En matemáticas, se dice del número que es menor que 0. Los números negativos van precedidos del signo '–'. INGLÉS negative.
nombre masculino
6 Imagen fotográfica tal como se imprime en la película o carrete. A partir del negativo se sacan las fotografías. INGLÉS negative.
7 Punto que se resta a la puntuación obtenida. Si un equipo de fútbol pierde en casa, suma negativos. INGLÉS negative point.

negligencia
nombre femenino
1 Descuido o falta de cuidado de una persona al hacer una cosa, especial-

mente al cumplir con una obligación: *Los descuidos que cometen los médicos se llaman negligencias médicas.* INGLÉS negligence.

negociar
verbo
1 Comprar, vender o cambiar mercancías u otra cosa para conseguir ganancias. SINÓNIMO comerciar. INGLÉS to deal.
2 Discutir un asunto con alguien para llegar a un acuerdo o solución que sea conveniente para todos: *Los sindicatos negocian con los empresarios una subida de sueldos.* SINÓNIMO pactar. INGLÉS to negotiate.
NOTA Se conjuga como: cambiar; la 'i' no lleva nunca acento de intensidad.

negocio
nombre masculino
1 Actividad económica relacionada con la compra y venta de productos con el fin de ganar dinero. INGLÉS business.
2 Establecimiento o local donde se venden mercancías, como los bares o las tiendas. SINÓNIMO comercio; establecimiento. INGLÉS business.

negrita
nombre femenino
1 Tipo de letra impresa que tiene el trazo grueso y se utiliza para resaltar palabras dentro de un texto. En este diccionario, están en negrita los nombres de los tiempos verbales que hay en los cuadros de verbos. INGLÉS bold.

negro, negra
nombre masculino y adjetivo
1 Color como el del carbón, el petróleo o la oscuridad total. INGLÉS black.
adjetivo
2 De color muy oscuro o más oscuro que otras cosas del mismo tipo, como la uva negra o la pimienta negra. INGLÉS black.
3 Se dice de una cosa muy sucia. INGLÉS black.
4 Se dice de cosas tristes o desgraciadas. En un día negro no pasa nada agradable y casi todo sale mal. INGLÉS black.
5 Que está muy molesto o enfadado por algo o por alguien: *Cuando oigo chillar a la gente me pongo negro.* INGLÉS angry.
nombre y adjetivo
6 Persona de piel negra o muy oscura. Se utiliza para distinguir una raza de otras de piel más clara. INGLÉS black.

negrura
nombre femenino
1 Oscuridad y falta de luminosidad del color negro. En las noches sin luna hay una gran negrura en el cielo. INGLÉS blackness.

negruzco, negruzca
adjetivo
1 De color casi negro o que está manchado de negro. Cuando hay un incendio en una montaña todo el suelo queda de color negruzco. INGLÉS blackish.

nene, nena
nombre
1 Niño pequeño. INGLÉS baby boy [niño]; baby girl [niña].
NOTA Es una palabra familiar.

nenúfar
nombre masculino
1 Planta acuática de hojas redondas que flotan en la superficie del agua y tiene flores blancas o amarillas. INGLÉS water lily.

neolítico, neolítica
adjetivo y nombre masculino
1 Se dice del período de la prehistoria en el que aparecen la agricultura, la ganadería y la cerámica y se inventan la rueda y la vela para navegar. El neolítico es posterior al paleolítico. INGLÉS Neolithic.

neologismo
nombre masculino
1 Palabra, expresión o significado que es nuevo en una lengua. Los nombres de las máquinas y los aparatos que se acaban de inventar son neologismos. INGLÉS neologism.

neozelandés, neozelandesa
adjetivo y nombre
1 Se dice de la persona o cosa que es de Nueva Zelanda, país de Oceanía que está situado junto a Australia. INGLÉS from New Zealand [adjetivo], New Zealander [nombre].
NOTA El plural de neozelandés es: neozelandeses.

nervio
nombre masculino
1 Órgano largo y delgado, compuesto por varias fibras, que sale del cerebro y recorre el cuerpo. Los nervios hacen llegar al cerebro las sensaciones externas, como el frío, el calor o el dolor. INGLÉS nerve.
2 Tejido blanco y duro que tiene la carne comestible. INGLÉS sinew.
3 Línea fina marcada en la superficie de las hojas de las plantas. INGLÉS nerve.
4 Fuerza o energía con la que se realiza una cosa: *El director dirigía la orquesta con mucho nervio.* INGLÉS energy, vitality.
nombre masculino plural
5 nervios Estado en el que se encuentra una persona cuando está intranquila o muy excitada: *Paso muchos nervios antes de un examen importante.* ANTÓNIMO tranquilidad. INGLÉS nerves.

nervioso, nerviosa
adjetivo **1** Que está relacionado con los nervios del cuerpo. El sistema nervioso está formado por neuronas. INGLÉS nervous.
2 Que está muy intranquilo o preocupado por algo: *Mi madre se pone nerviosa si llego tarde a casa.* ANTÓNIMO tranquilo. INGLÉS worried.
3 Que por su forma de ser se altera o se excita fácilmente. ANTÓNIMO tranquilo. INGLÉS nervous, excitable.

neto, neta
adjetivo y nombre **1** Se dice del peso de un producto sin contar el peso del envase o recipiente que lo contiene. ANTÓNIMO bruto. INGLÉS net.
2 Se dice de la cantidad de dinero que queda después de haberle descontado a otra los gastos, los impuestos u otras cosas: *Cobra más de dos mil euros netos al mes.* INGLÉS net.

neumático
nombre masculino **1** Tubo de goma que va alrededor de la llanta de una rueda. Los coches llevan neumáticos. INGLÉS tyre.

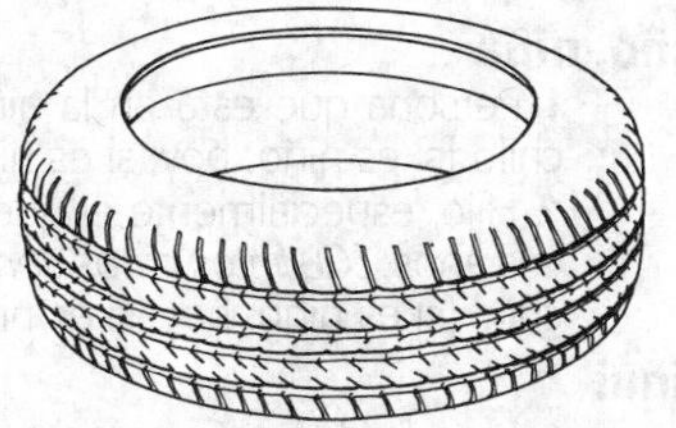
neumático

neura
nombre femenino **1** Obsesión o pensamiento constante que tiene una persona por alguna cosa: *Dice que ahora le ha entrado la neura por adelgazar.* INGLÉS obsession.
NOTA Es una palabra informal.

neurología
nombre femenino **1** Parte de la medicina que se ocupa del estudio del sistema nervioso. INGLÉS neurology.

neurona
nombre femenino **1** Célula del sistema nervioso. Las neuronas transmiten los impulsos nerviosos y están formadas por un núcleo y una serie de prolongaciones. INGLÉS neurone.

neutral
adjetivo **1** Se dice de la persona o el país que no está a favor de ninguna de las partes que intervienen en un conflicto, una competición o un enfrentamiento. En las dos guerras mundiales, Suiza fue un país neutral. Los árbitros son neutrales. INGLÉS neutral.

neutralizar
verbo **1** Disminuir o eliminar el efecto o influencia de una cosa usando algo contrario que la contrarresta. Una buena defensa neutraliza cualquier ataque. INGLÉS to neutralize.
NOTA La 'z' se convierte en 'c' delante de 'e', como: neutralicen.

neutro, neutra
adjetivo **1** Se dice del género de las palabras que no son masculinas ni femeninas. La palabra 'aquello' es de género neutro. INGLÉS neuter.

neutrón
nombre masculino **1** Partícula elemental del núcleo del átomo que no tiene carga eléctrica: *En el núcleo del átomo hay neutrones y protones.* INGLÉS neutron.
NOTA El plural es: neutrones.

nevada
nombre femenino **1** Acción de nevar. También se llama nevada la cantidad de nieve que ha caído de una sola vez. INGLÉS snowfall.

nevar
verbo **1** Caer nieve de las nubes. INGLÉS to snow.
NOTA Es impersonal; la 'e' se convierte en 'ie' en sílaba acentuada, como: nieva.

nevera
nombre femenino **1** Electrodoméstico que sirve para mantener fríos las bebidas y los alimentos. Algunas neveras tienen congelador. SINÓNIMO frigorífico. INGLÉS fridge, refrigerator.

nexo
nombre masculino **1** Palabra que une dos o más palabras o frases. Las conjunciones, como 'y', o 'porque', o las preposiciones, como 'para' o 'en', son nexos. INGLÉS connective.

ni
conjunción **1** Une dos elementos u oraciones con negación: *No ha venido ni ha llamado. No tiene pies ni cabeza.* INGLÉS nor, [si es ni … ni: neither … nor].
ni que Suele utilizarse después de algo que molesta o causa gran sorpresa, e

indica que lo que se dice a continuación es una comparación con algo imposible: *Quiere que le preste 200 euros, ¡ni que yo fuera un banco!* Es un uso informal. INGLÉS it's not as if.

nicaragüense
adjetivo y nombre masculino y femenino **1** Se dice de la persona o cosa que es de Nicaragua, país de América Central, que limita con Costa Rica, Honduras y El Salvador. INGLÉS Nicaraguan.

nicho
nombre masculino **1** Hueco construido en la pared de un cementerio para colocar el ataúd del difunto o sus cenizas. INGLÉS niche.

nicotina
nombre femenino **1** Sustancia excitante que se encuentra en las hojas de tabaco. Es muy perjudicial para la salud. INGLÉS nicotine.

nido
nombre masculino **1** Lugar que construyen las aves con ramas para poner sus huevos y criar a sus polluelos. INGLÉS nest.
2 Agujero donde viven y se reproducen algunas especies de animales, como los ratones, las lagartijas o las hormigas. INGLÉS nest.

niebla
nombre femenino **1** Nube que está en contacto con el suelo. Los días en que hay niebla, hay que circular por carretera con mucha precaución. INGLÉS fog.

nieto, nieta
nombre **1** Hijo del hijo de una persona. INGLÉS grandchild, [si es un chico: grandson; si es una chica: granddaughter].

nieve
nombre femenino **1** Agua congelada que cae de las nubes y llega a la tierra en forma de copos blancos. INGLÉS snow.

ninfa
nombre femenino **1** Diosa de la mitología griega y romana, que vivía en contacto con la naturaleza, en fuentes, bosques o montes. INGLÉS nymph.

ningún
determinante indefinido **1** Forma apocopada de 'ninguno'; se utiliza delante de un nombre masculino en singular: *Yo no he cogido ningún libro tuyo.* INGLÉS no.

ninguno, ninguna
determinante indefinido **1** Hace referencia a objetos o personas e indica que no hay ni un solo objeto o persona de los que se habla: *No he visto a ninguno de mis amigos.* INGLÉS none.
pronombre indefinido **2** Sustituye a alguien que ya se ha mencionado e indica que no hay ni una sola persona: *Ninguno se atrevió a decir nada.* INGLÉS nobody.

niña
nombre femenino **1** Círculo de color negro que está en medio del iris del ojo. Los rayos de luz pasan a la retina del ojo a través de la niña. SINÓNIMO pupila. INGLÉS pupil.
ser la niña de sus ojos Ser la persona preferida o más querida de alguien. INGLÉS to be the apple of one's eye.

niñería
nombre femenino **1** Acción que hace una persona mayor que se considera más normal que la hagan los niños. INGLÉS childishness.

niñero, niñera
nombre **1** Persona que se dedica a cuidar niños. INGLÉS child minder.

niñez
nombre femenino **1** Período de la vida de las personas que va desde el nacimiento hasta el principio de la adolescencia. SINÓNIMO infancia. INGLÉS childhood, infancy.

niño, niña
nombre **1** Persona que está en la niñez. INGLÉS child [si es niño: boy; si es niña: girl].
2 Hijo, especialmente el que tiene pocos años: *¿Cuántos niños tienen?* INGLÉS child [si es niño: boy; si es niña: girl].

niqui
nombre masculino **1** Prenda de vestir parecida a una camiseta, de manga corta, con cuello y, a veces, con botones hasta el pecho. SINÓNIMO polo. INGLÉS T-shirt.

níscalo
nombre masculino **1** Hongo comestible de color anaranjado. Suele crecer en los pinares. INGLÉS saffron milk cap.

níspero
nombre masculino **1** Fruta pequeña y ovalada de color naranja que tiene una semilla muy grande en su interior. Nace de un árbol que también se llama níspero. INGLÉS medlar [fruta], medlar tree [árbol].

nitrógeno
nombre masculino **1** Gas sin color ni olor que forma la mayor parte del aire de la atmósfera. El aire contiene abundante cantidad de nitrógeno y oxígeno, y pequeñas cantidades

a b c d e f g h i j k l m n ñ o p q r s t u v w x y z

de dióxido de carbono, vapor de agua y ozono. INGLÉS nitrogen.

nivel
nombre masculino
1 Altura o grado en que está situada o al que llega una cosa o una persona, como el nivel del agua de un embalse o el nivel cultural de una persona. INGLÉS level.
2 Aparato o instrumento que sirve para comprobar si una línea o un plano está totalmente horizontal o vertical. Los albañiles utilizan niveles para levantar las paredes completamente rectas. INGLÉS spirit level.
nivel de vida Manera de vivir de una persona según el dinero y las comodidades que se tienen. INGLÉS standard of living.

nivelar
verbo
1 Hacer que una superficie esté en posición completamente horizontal. ANTÓNIMO desnivelar. INGLÉS to level.
2 Poner a la misma altura dos o más cosas. ANTÓNIMO desnivelar. INGLÉS to level out, to level off.

no
adverbio
1 Indica la negación de una oración. Se utiliza, por ejemplo, para contestar a una pregunta de forma negativa: *No sabe nadar.* INGLÉS not.
¿no? Se utiliza al final de algo que se dice para saber si nuestro oyente está de acuerdo con lo que decimos: *El martes es fiesta, ¿no?*
a que no Se utiliza para proponer a nuestro oyente una pequeña competición o un desafío, pensando que la otra persona no será capaz de hacer lo que decimos: *¿A que no sabes quién escribió 'La isla del tesoro'?* INGLÉS I bet you don't, I bet he/she doesn't, etcétera.

noble
adjetivo y nombre masculino y femenino
1 Se dice de la persona que pertenece a la nobleza. Los barones, condes, duques y marqueses son nobles. SINÓNIMO aristócrata. INGLÉS noble.
adjetivo
2 Se dice de la persona que es muy buena, sincera e incapaz de hacer daño a nadie. También son nobles los animales que son muy fieles, como algunos perros. INGLÉS noble.

nobleza
nombre femenino
1 Clase social formada por personas que tienen o heredan un título, como barón, marqués, conde o duque. SINÓNIMO aristocracia. INGLÉS nobility.
2 Característica de las personas que son muy buenas, muy fieles e incapaces de hacer mal a nadie. La nobleza es uno de los rasgos que más se valoran en un amigo. INGLÉS nobility.

noche
nombre femenino
1 Parte del día que va desde que el Sol se pone hasta que sale, en que está oscuro y no hay luz del Sol. INGLÉS night.
2 Conjunto de horas que dedicamos a dormir. Si pasamos mala noche es que nos encontramos mal y no podemos dormir. INGLÉS night.
buenas noches Saludo que se usa al despedirnos de alguien por la noche o al ir a dormir. INGLÉS good night.
pasar la noche en blanco Pasar la noche sin dormir. INGLÉS to have a sleepless night.
ser como la noche y el día Ser completamente distintas dos cosas o dos personas. INGLÉS to be like chalk and cheese.

nochebuena
nombre femenino
1 Día y noche del 24 de diciembre, en que se celebra el nacimiento de Jesucristo. INGLÉS Christmas Eve.
NOTA Se suele escribir con mayúscula.

nochevieja
nombre femenino
1 Día y noche del 31 de diciembre, en que se celebra el final del año. INGLÉS New Year's Eve.
NOTA Se suele escribir con mayúscula.

noción
nombre femenino
1 Conocimiento básico o elemental que una persona tiene de una materia: *De informática sé poco, solo tengo nociones.* INGLÉS notion.
NOTA El plural es: nociones.

nocivo, nociva
adjetivo
1 Que causa daño o es peligroso. El alcohol y el tabaco son nocivos para la salud. Los pulgones son nocivos para las plantas. SINÓNIMO perjudicial. ANTÓNIMO beneficioso; bueno. INGLÉS harmful.

nocturno, nocturna
adjetivo
1 Que sucede o se hace durante la noche. INGLÉS night.
2 Se dice de la persona, animal o planta que realiza su actividad durante la noche. La lechuza es un ave nocturna que caza durante la noche. Las flores noc-

turnas solo se abren de noche. INGLÉS nocturnal.

nogal

nombre masculino

1 Árbol de tronco alto y fuerte, corteza lisa, copa grande, hojas caducas y flores blancas. Su fruto es la nuez. INGLÉS walnut tree.

nómada

adjetivo y nombre masculino y femenino

1 Se dice de la persona o el grupo de personas que no tiene un lugar fijo para vivir, sino que va cambiando cada cierto tiempo. Los apaches eran una tribu nómada. INGLÉS nomadic [adjetivo], nomad [nombre].

nombrar

verbo

1 Decir el nombre de una persona o cosa: *El profesor nombra a todos los alumnos al pasar lista.* SINÓNIMO mencionar. INGLÉS to mention.

2 Elegir a una persona para un cargo. SINÓNIMO nominar. INGLÉS to appoint.

nombre

nombre masculino

1 Clase de palabra que sirve para llamar a todas las cosas, concretas o abstractas. Los nombres sirven para clasificar y diferenciar entre sí diferentes tipos de cosas; 'flor', 'amor', 'persona' o 'gobierno' son nombres. SINÓNIMO sustantivo. INGLÉS noun.

2 Palabra con la que las personas llaman y distinguen entre sí a las personas, los animales y algunas cosas. 'María' es un nombre de mujer; ponemos nombre a nuestros animales. INGLÉS name.

nómina

nombre femenino

1 Sueldo fijo mensual que cobra una persona que trabaja en una empresa o administración. INGLÉS salary.

TIPOS DE NOMBRE

Hay diferentes tipos de nombres

Nombres propios	Designan a un ser concreto y determinado distinguiéndolo de otros, como nombres de personas, ciudades, países, empresas o marcas. Se escriben siempre con mayúscula inicial: *Segovia, Álvaro, Vox.*
Nombres comunes	Se refieren a cualquier ser de la misma clase, no a uno particular. *Casa* designa a cualquier vivienda, *perro* a todos los perros y no a uno concreto. En este diccionario solo hay nombres comunes.
Nombres contables	Se pueden distinguir distintos seres de la misma clase, por lo que podemos contarlos, utilizarlos con números y ponerlos en plural: *persona, objeto, favor, deseo.*
Nombres no contables	No se distingue entre seres de la misma clase, por lo que no se pueden contar, utilizarlos con números ni ponerlos en plural: *trigo, agua, humanidad, conocimiento.*
Nombres concretos	Designan cosas materiales, que tienen cuerpo, como los objetos, las personas y los animales: *tigre, botella, pan.*
Nombres abstractos	Designan cosas inmateriales, que no tienen cuerpo, pero que podemos representar en la mente. Expresan acciones, sentimientos, ideas o cualidades: *comprensión, inteligencia, justicia, medicina.*
Nombres individuales	En singular, designan un solo elemento: *diccionario, clase, camisa.*
Nombres colectivos	En singular, designan un conjunto de elementos: *asociación* (conjunto de personas), (conjunto de animales de granja), *cabello* (conjunto de pelos), *archipiélago* (conjunto de islas).

nominal
adjetivo
1 Del nombre o que tiene relación con él. El núcleo del grupo nominal es un nombre. INGLÉS nominal.

nominar
verbo
1 Elegir a una persona para un cargo: *Aquel año fue nominado gerente de la empresa.* SINÓNIMO nombrar. INGLÉS to appoint.
2 Proponer o señalar a una persona o cosa para que le sea concedido un premio: *Los actores fueron nominados para el premio a la mejor interpretación.* INGLÉS to nominate.

non
adjetivo y nombre masculino
1 Se dice del número que no se puede dividir exactamente por dos, como el uno, el tres, el siete o el nueve. SINÓNIMO impar. ANTÓNIMO par. INGLÉS odd [adjetivo], odd number [nombre].

nonagésimo, nonagésima
numeral ordinal
1 Que ocupa el lugar número 90 en una serie ordenada. INGLÉS ninetieth.
adjetivo y nombre
2 Se dice de cada una de las partes que resultan de dividir un todo en 90 partes iguales. SINÓNIMO noventavo. INGLÉS ninetieth.

nordeste
nombre masculino
1 Punto del horizonte o lugar situado entre el norte y el este. La abreviatura de nordeste es 'NE'. SINÓNIMO noreste. INGLÉS northeast.

nórdico, nórdica
adjetivo y nombre
1 Se dice de la persona o cosa que es de algún país del norte de Europa, especialmente de algún país escandinavo. Dinamarca, Finlandia, Noruega y Suecia son países nórdicos. INGLÉS Nordic [adjetivo].
nombre
2 Pieza de tela gruesa rellena de plumas de ave que sirve para cubrir la cama y abriga como un edredón. Con este significado tiene doble género, se dice: 'el nórdico' o 'la nórdica'. INGLÉS duvet.

noreste
nombre masculino
1 Nordeste. INGLÉS northeast.

noria
nombre femenino
1 Atracción de feria que consiste en una rueda grande en posición vertical con asientos que va dando vueltas. INGLÉS big wheel [en el Reino Unido], Ferris wheel [en Estados Unidos].
2 Rueda grande con cubos que se usa para sacar agua de los ríos o los estanques. Al girar la rueda los cubos se llenan de agua. INGLÉS water wheel.

norma
nombre femenino
1 Regla que se debe seguir para hacer algo bien. Las normas de tráfico indican lo que se debe hacer para conducir correctamente. INGLÉS norm, rule.

normal
adjetivo
1 Que no se sale de lo que es habitual. INGLÉS normal.

normalidad
nombre femenino
1 Cualidad de aquello que no se desvía de lo normal o habitual. INGLÉS normality.

normalizar
verbo
1 Hacer normal una cosa que no lo era o que había dejado de serlo: *Después de la avería, se han normalizado los servicios de tren en toda la costa.* INGLÉS to restore to normal.
2 Hacer que una cosa se ajuste a una norma o regla. Si hay varias maneras de escribir una palabra su ortografía no se ha normalizado. INGLÉS to standardize.
NOTA La 'z' se convierte en 'c' delante de 'e', como: normalice.

normativo, normativa
adjetivo
1 Que sirve de norma o establece normas. Las leyes son textos normativos. INGLÉS normative.

noroeste
nombre masculino
1 Punto del horizonte o lugar situado entre el norte y el oeste. La abreviatura de noroeste es 'NO'. INGLÉS northwest.

norte
nombre masculino
1 Punto del horizonte o lugar situado frente a una persona a cuya derecha se encuentra la salida del Sol. La abreviatura de norte es 'N'. Marruecos se encuentra en el norte de África. ANTÓNIMO sur. INGLÉS north.

norteamericano, norteamericana
adjetivo y nombre
1 Se dice de la persona o cosa que es de América del Norte. Los canadienses, estadounidenses y mexicanos son norteamericanos. A veces se utiliza para referirse solo a los estadounidenses. INGLÉS North American.

noruego, noruega
adjetivo y nombre
1 Se dice de la persona o cosa que es de Noruega, país del norte de Europa. INGLÉS Norwegian.
nombre masculino
2 Lengua hablada en Noruega. Es una

a b c d e f g h i j k l m n ñ o p q r s t u v w x y z

lengua germánica, como el inglés, el alemán y el sueco. INGLÉS Norwegian.

nos

pronombre personal **1** Pronombre personal de primera persona del plural que en la oración hace función de complemento directo o indirecto. Hace referencia a un grupo de personas entre las que se encuentra el que habla: *No nos lo dijo.* INGLÉS us.

2 Se usa en la primera persona de plural en la conjugación de los verbos reflexivos y recíprocos: *Nos escribimos varias veces al año.* INGLÉS ourselves [reflexivo], each other [recíproco].

nosotros, nosotras

pronombre personal **1** Pronombre personal de primera persona del plural. Se refiere a un grupo de personas entre las que se encuentra la que está hablando. En la oración, hace función de sujeto. También se usa detrás de una preposición: *Nosotros todavía no hemos terminado. A nosotras no nos han dicho nada.* INGLÉS we [sujeto], us [complemento].

nostalgia

nombre femenino **1** Sentimiento de pena o tristeza que se tiene al estar lejos de las personas o los lugares queridos o al recordar algo perdido. SINÓNIMO morriña. INGLÉS nostalgia [por los tiempos pasados], homesickness [por los lugares queridos].

nota

nombre femenino **1** Texto corto que se escribe, normalmente en un trozo de papel, para comunicar o recordar algo. INGLÉS note.

2 Información breve que se añade a otro escrito, como las notas a pie de página. INGLÉS note.

3 Calificación que se obtiene en un examen o un curso: *Estudié mucho y conseguí una nota alta.* INGLÉS mark [en el Reino Unido], grade [en Estados Unidos].

4 Papel en el que se detalla lo que se ha comprado o consumido y lo que hay que pagar. SINÓNIMO cuenta. INGLÉS bill [en el Reino Unido], check [en Estados Unidos].

5 Cada uno de los sonidos de una composición musical, así como el signo que los representa. 'Do', 're' y 'mi' son notas musicales. INGLÉS note.

dar la nota Hacer o decir algo que llama mucho la atención: *Dieron la nota en la fiesta llevándose la contraria todo el tiempo y casi acaban peleándose.* INGLÉS to draw attention to oneself.

notable

nombre masculino **1** Calificación o nota obtenida en un examen que es inferior a la de sobresaliente y superior a la de aprobado. INGLÉS pass with credit.

adjetivo **2** Se dice de la persona o la cosa que destaca porque sus cualidades son muy buenas, aunque no lleguen a excepcionales o extraordinarias: *Es un escritor notable.* INGLÉS notable.

3 Se dice de la cosa que destaca porque es bastante grande o considerable. Cuando hay bastante diferencia entre dos cosas se dice que hay una diferencia notable. INGLÉS noticeable.

notar

verbo **1** Sentir o darse cuenta de algo. Podemos notar un dolor en una parte del cuerpo, notamos si los demás tienen algún problema o notamos cuándo ha habido un cambio en un lugar. INGLÉS to notice, to feel.

2 notarse Verse algo o ser una cosa visible o evidente: *Se nota que lleva el pelo teñido.* INGLÉS to be obvious.

notario, notaria

nombre **1** Persona que tiene autoridad para garantizar que un documento u otra cosa es legal. Muchos concursos se hacen ante notario para que la gente sepa que no hay trampa. INGLÉS notary public.

noticia

nombre femenino **1** Hecho reciente que se comunica a quien lo desconoce: *Traigo noticias de tus primos: pasarán unos días con nosotros en verano.* INGLÉS piece of news.

2 Información sobre hechos recientes y actuales que da un medio de comunicación, como la radio o la televisión. INGLÉS piece of news.

notificar

verbo **1** Comunicar una cosa a una persona de forma oficial o siguiendo unas determinadas formalidades. El juzgado notifica, por ejemplo, las decisiones judiciales que se han tomado ante un caso concreto. INGLÉS to notify, to inform.

NOTA Se conjuga como: sacar; se escribe 'qu' delante de 'e', como: notifiquen.

notorio, notoria
adjetivo **1** Que es importante y muy conocido por la mayoría de las personas. INGLÉS well-known.
2 Que se ve con claridad o muy fácilmente. INGLÉS obvious.

novatada
nombre femenino **1** Broma que gastan las personas que llevan mucho tiempo en un lugar o un trabajo a las personas que acaban de llegar o empezar. INGLÉS practical joke.
2 Error o equivocación que se comete por la falta de experiencia. INGLÉS beginner's mistake.

novato, novata
adjetivo y nombre **1** Se dice de la persona que es muy inexperta en una actividad, generalmente porque hace poco tiempo que la realiza. INGLÉS inexperienced [adjetivo], novice [nombre].

novecientos, novecientas
numeral cardinal **1** Indica que el nombre al que acompaña está 900 veces. INGLÉS nine hundred.
numeral ordinal **2** Que ocupa el lugar número 900 en una serie ordenada. INGLÉS nine hundredth.
nombre masculino **3** Nombre del número 900. INGLÉS nine hundred.

novedad
nombre femenino **1** Característica de la cosa que se ha hecho o ha aparecido hace poco. INGLÉS newness, novelty.
2 Cosa o asunto que existe o se conoce desde hace poco. En las librerías suele haber un espacio para las novedades editoriales. INGLÉS new thing.

novela
nombre femenino **1** Obra literaria extensa que está escrita en prosa y que cuenta una historia real o imaginaria. Las novelas son más largas que los cuentos. INGLÉS novel.

novelesco, novelesca
adjetivo **1** De la novela o que está relacionado con ella: *Don Quijote es un personaje novelesco.* INGLÉS fictional.
2 Que parece propio de una novela por ser fantástico, interesante o lleno de imaginación. INGLÉS storybook.

novelista
nombre masculino y femenino **1** Persona que escribe novelas: *Camilo José Cela, Gabriel García Márquez y Carmen Martín Gaite son novelistas muy conocidos.* INGLÉS novelist.

noveno, novena
numeral ordinal **1** Que ocupa el lugar número 9 en una serie ordenada: *Ha llegado el noveno en la carrera.* INGLÉS ninth.
adjetivo y nombre **2** Se dice de cada una de las nueve partes iguales en que se divide un conjunto. Si en una fiesta de cumpleaños hay nueve niños, a cada uno le corresponde una novena parte del pastel. INGLÉS ninth.

noventa
numeral cardinal **1** Indica que el nombre al que acompaña está 90 veces. INGLÉS ninety.
nombre masculino **2** Nombre del número 90. INGLÉS ninety.

noventavo, noventava
adjetivo y nombre **1** Se dice de cada una de las partes que resulta de dividir un todo en 90 partes iguales. SINÓNIMO nonagésimo. INGLÉS ninetieth.

noviazgo
nombre masculino **1** Relación entre dos personas que se van a casar y tiempo que dura esta relación hasta el matrimonio. INGLÉS engagement.

novicio, novicia
nombre **1** Persona que se prepara para entrar en una orden religiosa. INGLÉS novice.

noviembre
nombre masculino **1** Undécimo mes del año. Noviembre tiene 30 días. INGLÉS November.

novillo, novilla
nombre **1** Cría de la vaca, de dos o tres años. INGLÉS young bull [toro], young cow [vaca].
hacer novillos Faltar un alumno a clase porque no quiere ir. INGLÉS to play truant.

novio, novia
nombre **1** Persona que mantiene una relación amorosa con otra con la intención de casarse. INGLÉS boyfriend [chico], girlfriend [chica].
2 Durante toda la ceremonia de la boda, persona que se casa: *Estos son los novios entrando en la iglesia, y aquí están los novios recién casados.* INGLÉS bridegroom [hombre], bride [mujer].

nubarrón
nombre masculino **1** Nube grande y oscura. Cuando va a haber tormenta se ven nubarrones en el cielo. INGLÉS black cloud.
NOTA El plural es: nubarrones.

a b c d e f g h i j k l m n ñ o p q r s t u v w x y z

nube
nombre femenino
1 Masa de color blanco o grisácea que flota en el cielo y que está formada por pequeñas gotas de agua. INGLÉS cloud.
2 Agrupación de partículas en el aire, como una nube de polvo, de humo o de ceniza. También conjunto de muchos animales que vuelan juntos, como una nube de mosquitos. INGLÉS cloud.
estar por las nubes Tener una cosa un precio muy alto. INGLÉS to be sky-high.
poner por las nubes Decir cosas positivas sobre algo o de alguien de quien se tiene muy buena opinión: *Le pregunté qué tal lo habías hecho y te puso por las nubes.* INGLÉS to praise to the skies.

nublarse
verbo
1 Cubrirse el cielo de nubes. ANTÓNIMO despejarse. INGLÉS to get cloudy.

nuboso, nubosa
adjetivo
1 Con muchas nubes. INGLÉS cloudy.

nuca
nombre femenino
1 Parte posterior del cuello de una persona. La nuca es la parte donde se une la columna vertebral con la cabeza. INGLÉS nape of the neck.

nuclear
adjetivo
1 Que utiliza la energía del núcleo de los átomos o funciona con ella. Las centrales nucleares transforman la energía nuclear en eléctrica. INGLÉS nuclear.

núcleo
nombre masculino
1 Parte central o más importante de una cosa concreta o abstracta. El núcleo de un asunto es la cuestión principal. El núcleo de la Tierra tiene una temperatura muy elevada. INGLÉS nucleus, core.

nudillo
nombre masculino
1 Cada una de las partes que sobresalen en los dedos cuando los doblamos. Para llamar a una puerta que no tiene timbre usamos los nudillos. INGLÉS knuckle.

nudista
nombre masculino y femenino
1 Persona que al aire libre va completamente desnuda para sentirse más en contacto con la naturaleza. Los nudistas toman el sol en la playa sin bañador. INGLÉS nudist.
adjetivo
2 Se dice de las cosas que están relacionadas con los nudistas. Algunas playas tienen una zona nudista donde la gente puede estar desnuda. INGLÉS nudist.

nudo
nombre masculino
1 Lazo apretado que se hace con hilo, cuerda o cable y que sirve para atar, sujetar o sostener algo. Al atarnos los zapatos hacemos un nudo. INGLÉS knot.
2 Parte abultada del tronco de un árbol o del tallo de una planta, de donde salen las ramas y las hojas. INGLÉS knot.
3 Unidad de velocidad que se usa en navegación. Un nudo equivale a una milla por hora. INGLÉS knot.
un nudo en la garganta Hecho de no poder tragar saliva o hablar debido a una emoción fuerte: *De la emoción de verlo, se le hizo un nudo en la garganta.* INGLÉS a lump in one's throat.

nuera
nombre femenino
1 Esposa del hijo de una persona: *He pasado el día con mi hijo y su esposa, o sea, mi nuera.* INGLÉS daughter-in-law.

nuestro, nuestra
determinante posesivo
1 Indica que el objeto o persona a que acompaña pertenece a un grupo de personas entre las que se encuentra la propia persona que habla. 'Nuestro', 'nuestra', 'nuestros', 'nuestras' son determinantes posesivos de primera persona del plural y pueden ir delante o detrás del nombre: *Nuestro equipo fue el campeón de baloncesto el año pasado. Aquellos chicos son amigos nuestros.* INGLÉS our.
pronombre posesivo
2 Se refiere a un objeto o persona que ya hemos nombrado e indica que pertenece a un grupo de personas entre las que se encuentra la propia persona que habla: *Estas llaves son las nuestras.* INGLÉS ours.

nueve
numeral cardinal
1 Indica que el nombre al que acompaña está 9 veces: *Hay nueve personas esperando para entrar.* INGLÉS nine.
numeral ordinal
2 Que ocupa el lugar número 9 en una serie ordenada: *Ahora le toca al nueve de la lista.* INGLÉS ninth.
nombre masculino
3 Nombre del número 9. En números romanos, el nueve se representa por IX. INGLÉS nine.

nuevo, nueva
adjetivo
1 Que ha aparecido, se ha hecho, se ha comprado o se ha conocido hace muy poco tiempo o por primera vez: *Es mi*

nuevo amigo. Tiene un abrigo nuevo. Conozco un juego nuevo. ANTÓNIMO viejo. INGLÉS new.

2 Que está sin usar o lo parece, porque no está estropeado ni gastado: *La bici tiene tres años, pero está nueva.* ANTÓNIMO viejo. INGLÉS new, like new.

adjetivo y nombre **3** Se dice de la persona que ha llegado hace muy poco tiempo a un lugar o a un trabajo: *Esa es la alumna nueva. Hay un nuevo delantero.* INGLÉS new.

de nuevo Otra vez. Si nos piden que repitamos algo, tenemos que decirlo o hacerlo de nuevo. INGLÉS again.

nuez

nombre femenino **1** Fruto del nogal. Cuando está maduro es un fruto seco de cáscara dura y rugosa, formado por dos mitades y una semilla también rugosa en su interior. La semilla es comestible y también se llama nuez. INGLÉS walnut.

2 Bulto pequeño que el hombre adulto tiene en la parte de delante del cuello. INGLÉS Adam's apple.

nuez moscada Especia de sabor fuerte que se usa para dar sabor a algunos platos y salsas, como la besamel. INGLÉS nutmeg.

NOTA El plural es: nueces.

nulo, nula

adjetivo **1** Que no tiene valor o que no tiene validez. Un documento que no lleve la firma del interesado es nulo. Un gol puede ser nulo si hay fuera de juego. ANTÓNIMO válido. INGLÉS null and void, invalid.

numeración

nombre femenino **1** Sistema de signos que se usa para expresar o representar los números y las cantidades. La numeración arábiga usa los signos introducidos por los árabes en Europa: 0, 1, 2, 3, 4, 5, 6, 7, 8, 9. La numeración romana usa letras del alfabeto latino: I, V, X, L, C, D, M. INGLÉS numerals.

NOTA El plural es: numeraciones.

numerador

nombre masculino **1** En matemáticas, número de una fracción que expresa el número de partes que se toman de la cantidad que indica el denominador. El numerador de 2/6 es 2. INGLÉS numerator.

numeral

adjetivo y nombre masculino **1** Se dice de lo que expresa o representa la idea de número. Cien, segundo y octavo son numerales. INGLÉS numeral.

LOS NUMERALES

Los numerales indican cantidad u orden.

Número	Cardinal	Ordinal
1	uno	primero
2	dos	segundo
3	tres	tercero
4	cuatro	cuarto
5	cinco	quinto
6	seis	sexto
7	siete	séptimo
8	ocho	octavo
9	nueve	noveno
10	diez	décimo
11	once	undécimo
12	doce	duodécimo
13	trece	decimotercero
14	catorce	decimocuarto
15	quince	decimoquinto
16	dieciséis	decimosexto
17	diecisiete	decimoséptimo
18	dieciocho	decimooctavo
19	diecinueve	decimonoveno
20	veinte	vigésimo

Observación

Los numerales pueden funcionar como determinante y como pronombre:
Hay doce personas.
Éramos doce para comer.

Los cardinales se usan también como ordinales, pero es preferible utilizar el ordinal:
Soy el doce de la lista.
Soy el duodécimo de la lista.

Además, los numerales cardinales también son nombres masculinos, porque son el nombre del número que representan: *El doce.*

doce

numeral cardinal **1** Indica que el nombre al que acompaña está 12 veces.

numeral ordinal **2** Que ocupa el lugar número 12 en una serie ordenada.

nombre masculino **3** Nombre del número 12.

a b c d e f g h i j k l m n ñ o p q r s t u v w x y z

numerar
verbo
1 Marcar con un número cada elemento de un conjunto. Para tener los apuntes bien ordenados es conveniente numerar las páginas. INGLÉS to number.

numérico, numérica
adjetivo
1 Que tiene relación con los números. Cuando en fútbol expulsan a un jugador, se dice que el equipo contrario juega con superioridad numérica. INGLÉS numerical.

número
nombre masculino
1 Signo que representa una cantidad, como 1, 16 o 244. SINÓNIMO cifra. INGLÉS number.
2 Cantidad indeterminada de personas, animales o cosas: *Sorprendió el gran número de participantes en la carrera.* INGLÉS number.
3 Tamaño de algunas cosas ordenadas en serie, como el de los zapatos: *¿Qué número calza?* INGLÉS size.
4 Revista o periódico que aparece en una fecha determinada y que forma parte de una serie: *Los dos primeros números se venden al precio de uno.* SINÓNIMO ejemplar. INGLÉS issue.
5 Parte de un espectáculo o de una función. Uno de los números más representativos del circo es el de los payasos. INGLÉS number, act.
6 En gramática, posibilidad que tiene una palabra de referirse a una cosa o a más de una cosa. El número puede ser singular o plural: 'niño' es de número singular y 'niños' es de número plural. INGLÉS number.
7 Billete de lotería o de otro juego de azar. INGLÉS number.

numeroso, numerosa
adjetivo
1 Que incluye gran cantidad de personas, animales o cosas. INGLÉS numerous.

numismática
nombre femenino
1 Disciplina que estudia las monedas y las medallas, especialmente las antiguas. INGLÉS numismatics, coin collecting.

nunca
adverbio
1 Indica que una acción o situación no se ha producido antes en ningún momento: *Nunca lo había pasado tan bien.* SINÓNIMO jamás. INGLÉS never.
2 Se utiliza para indicar que algo no debe ocurrir o hacerse: *Nunca te rías de la gente. Nunca le cuentes mis secretos a nadie, por favor.* INGLÉS never.

nutria
nombre femenino
1 Animal mamífero de cuerpo alargado y flexible, de color marrón oscuro, con las patas cortas y la cola larga. Vive en grupos en las orillas de los ríos. INGLÉS otter.

nutrición
nombre femenino
1 Acción de nutrir. Los padres se encargan de la adecuada nutrición de sus hijos. SINÓNIMO alimentación. INGLÉS nutrition.
NOTA El plural es: nutriciones.

nutrir
verbo
1 Dar al organismo las sustancias y alimento que necesita para su funcionamiento y desarrollo. La leche materna nutre a los bebés; los abonos nutren las plantas de los cultivos. SINÓNIMO alimentar. INGLÉS to nourish.

nutritivo, nutritiva
adjetivo
1 Que da al organismo las sustancias y alimento que necesita para su funcionamiento. La carne y la verdura son muy nutritivos. INGLÉS nutritious, nourishing.

Ñ

abcdefghijklmnÑopqrstuvwxyz

ñ

nombre femenino **1** Decimoquinta letra del alfabeto español. La 'ñ' es una consonante.

ñandú

nombre masculino **1** Ave americana parecida al avestruz, pero más pequeña, con el cuello largo, plumaje gris, las patas largas y dos dedos en cada pie. Corre mucho, pero no puede volar. INGLÉS rhea.

ñoñería

nombre femenino **1** Característica de una persona o cosa noña: *No me vengas con ñoñerías y cómete eso.* INGLÉS inanity.

ñoño, ñoña

adjetivo y nombre **1** Se dice de la persona o cosa que es cursi, sosa o excesivamente delicada. INGLÉS wet, drippy.

ñu

nombre masculino **1** Animal mamífero con el cuerpo parecido al de los caballos, la cabeza grande con cuernos curvos, una especie de barba y una cola muy larg. Se alimenta de vegetales. Los ñúes viven en manadas en las grandes llanuras de África. INGLÉS gnu.

NOTA El plural es: ñus o ñúes.

abcdefghijklmnñ O pqrstuvwxyz

o

nombre femenino **1** Decimosexta letra del alfabeto español. La 'o' es una vocal. Con este significado, el plural es: oes.

conjunción **2** Indica que dos elementos pueden aparecer o hacerse al mismo tiempo y que hay que elegir uno; también que son excluyentes y que solo puede existir o aparecer uno de ellos: *¿Qué quieres: fruta o flan?* INGLÉS or.

o sea Introduce una explicación o una identidad: *He quedado con el hijo de mi tío, o sea, mi primo.* INGLÉS that is to say.

oasis

nombre masculino **1** Lugar con plantas y agua en medio del desierto. INGLÉS oasis.

NOTA El plural es: oasis.

obedecer

verbo **1** Hacer lo que dice u ordena una persona o una cosa. Para prevenir accidentes hay que obedecer las señales de tráfico. ANTÓNIMO desobedecer. INGLÉS to obey.

2 Tener una cosa su origen en otra que se señala a continuación: *Tu dolor de cabeza obedece a la falta de sueño.* INGLÉS to be due.

NOTA Se conjuga como: agradecer; la 'c' se convierte en 'zc' delante de 'a' y 'o', como: obedezca u obedezco.

obediencia

nombre femenino **1** Acción de obedecer lo que dice o lo que manda alguien. ANTÓNIMO desobediencia. INGLÉS obedience.

obediente

adjetivo **1** Que hace todo lo que le piden o le ordenan. Los perros amaestrados son muy obedientes. ANTÓNIMO desobediente. INGLÉS obedient.

obelisco

nombre masculino **1** Monumento con forma de columna alta acabada en punta. INGLÉS obelisk.

obesidad

nombre femenino **1** Exceso de carne o de grasa que tiene una persona y que la hace estar mucho más gorda de lo que debería estar. Hay tratamientos médicos para curar la obesidad. INGLÉS obesity.

obeso, obesa

adjetivo y nombre **1** Se dice de la persona que tiene obesidad. ANTÓNIMO delgado. INGLÉS obese.

obispo

nombre masculino **1** Sacerdote que ocupa un alto cargo en la Iglesia y es el máximo responsable de una zona amplia. El cargo de obispo es inferior al de cardenal. INGLÉS bishop.

objeción

nombre femenino **1** Razón que se da para rechazar una idea o una acción determinada. Cuando se decide algo en una reunión, se hace a no ser que alguien tenga alguna objeción. INGLÉS objection.

NOTA El plural es: objeciones.

objetar

verbo **1** Ponerse en contra o rechazar una propuesta, una orden o una afirmación: *No tengo nada que objetar, estoy de acuerdo con todo.* ANTÓNIMO aceptar. INGLÉS to object.

objetivo, objetiva

adjetivo **1** Se dice de la persona que actúa o toma las decisiones sin tener en cuenta sus preferencias personales, sino haciendo lo que cree más justo en cada caso. SINÓNIMO imparcial. ANTÓNIMO subjetivo. INGLÉS objective.

nombre masculino **2** Aquello que se quiere conseguir con una actividad o al realizar una acción. El objetivo de un estudiante es aprender y aprobar. SINÓNIMO finalidad. INGLÉS objective, aim.

3 Lente o sistema de lentes de una cámara fotográfica o de otros aparatos ópticos que sirve para ver las imágenes ampliadas o reducidas. INGLÉS lens.

objeto

nombre masculino

1 Cosa material hecha por el ser humano, generalmente de pequeño tamaño y manejable. Un cepillo, un jarrón o unas herramientas son objetos. INGLÉS object.

2 Cosa o persona a la cual se dirige la acción, el pensamiento o los sentimientos de alguien. Decimos que una persona es objeto de críticas cuando las recibe. INGLÉS object.

objeto directo Complemento directo de una oración. INGLÉS direct object.

objeto indirecto Complemento indirecto de una oración. INGLÉS indirect object.

objetor

adjetivo y nombre masculino

1 Se dice del joven que se negaba a realizar el servicio militar obligatorio por razones religiosas o morales. INGLÉS objector [nombre].

oblicuo, oblicua

adjetivo

1 Que está en una posición media entre la vertical y la horizontal. La 'x' está formada por dos rayas oblicuas que se cortan en el centro. INGLÉS oblique.

2 Se dice de la línea o el plano que al cortarse con otra línea u otro plano forman un ángulo que no es recto. INGLÉS oblique.

obligación

nombre femenino

1 Aquello que se debe hacer necesariamente, aunque no guste. Todos tenemos derechos y obligaciones. INGLÉS obligation.

NOTA El plural es: obligaciones.

obligar

verbo

1 Utilizar el poder, la autoridad o la fuerza para que alguien haga algo necesariamente. INGLÉS to force, to make.

2 obligarse Forzarse una persona a hacer algo que no le gusta, pero es bueno o necesario: *Me obligo a hacer ejercicio para estar sano.* SINÓNIMO forzarse. INGLÉS to force oneself.

NOTA Se escribe 'gu' delante de 'e', como: obliguen.

obligatorio, obligatoria

adjetivo

1 Que se tiene que hacer o cumplir necesariamente. Es obligatorio parar ante un semáforo en rojo; también es obligatoria la asistencia a clase. INGLÉS compulsory, obligatory.

oblongo, oblonga

adjetivo

1 Que es más largo que ancho. Un cuchillo o un ataúd son objetos oblongos. INGLÉS oblong.

oboe

nombre masculino

1 Instrumento musical de viento formado por un tubo de madera con una boquilla en un extremo y una abertura en forma de cono pequeño en el otro. El oboe tiene 14 llaves y produce un sonido agudo. INGLÉS oboe. DIBUJO página 598.

obra

nombre femenino

1 Cosa duradera hecha por una persona y que es el resultado de una actividad, en especial artística. Un cuadro, una escultura o una película son obras de arte. INGLÉS work.

2 Trabajo de construcción o reparación de un edificio, vivienda, calle, carretera u otra cosa. INGLÉS work.

obrar

verbo

1 Actuar o comportarse de una manera determinada. SINÓNIMO portarse. INGLÉS to act, to behave.

obrero, obrera

nombre

1 Persona que trabaja en una industria o en una obra, principalmente realizando trabajos manuales o que requieren esfuerzo físico. INGLÉS worker, labourer.

adjetivo

2 Que está relacionado con los trabajadores, en especial con quienes realizan trabajos industriales físicos o manuales. INGLÉS working, labour.

obsceno, obscena

adjetivo

1 Que va contra lo que se considera moral en el comportamiento humano, especialmente en cuestiones relacionadas con el sexo. INGLÉS obscene.

obsequiar

verbo

1 Hacerle a alguien un regalo u ofrecerle muestras de cariño o aprecio. SINÓNIMO regalar. INGLÉS to give.

NOTA Se conjuga como: cambiar; la 'i' no lleva nunca acento de intensidad.

a b c d e f g h i j k l m n ñ o p q r s t u v w x y z

obsequio
nombre masculino **1** Cosa que se da o se ofrece a alguien como muestra de agradecimiento o afecto, como un ramo de flores o una fiesta de bienvenida. SINÓNIMO regalo. INGLÉS gift, present.

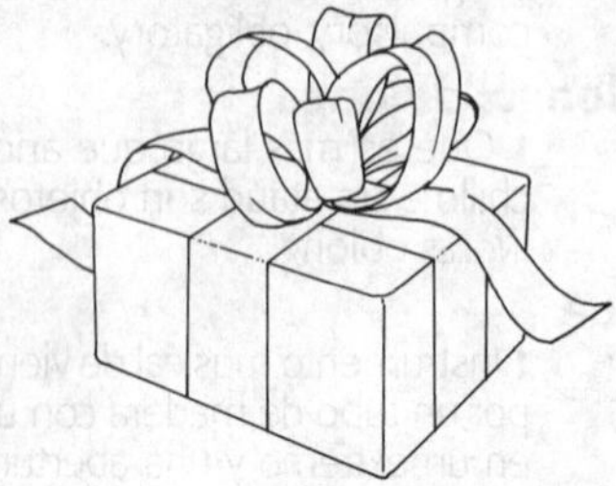

obsequio

observación
nombre femenino **1** Acción que consiste en observar o mirar detenidamente algo. INGLÉS observation.
NOTA El plural es: observaciones.

observador, observadora
adjetivo y nombre **1** Se dice de la persona que mira las cosas con mucha atención y detenimiento. INGLÉS observant [adjetivo], observer [nombre].

observar
verbo **1** Mirar a una persona o una cosa con mucha atención. INGLÉS to observe.
2 Llegar a conocer bien o darse cuenta una persona de algo que ocurre o que está en su presencia después de haberlo examinado: *Últimamente he observado un cambio en tu conducta, ¿te pasa algo?* INGLÉS to notice.

observatorio
nombre masculino **1** Lugar en el que se tienen los aparatos necesarios para observar los astros, el cielo, el clima o los terremotos, como un observatorio meteorológico. INGLÉS observatory.

obsesión
nombre femenino **1** Idea o pensamiento fijos que una persona tiene en la mente y que no puede apartar de ella. INGLÉS obsession.
NOTA El plural es: obsesiones.

obseso, obsesa
adjetivo y nombre **1** Se dice de quien padece una obsesión, especialmente sexual. INGLÉS obsessed [adjetivo], maniac [nombre].

obsoleto, obsoleta
adjetivo **1** Que no se usa en la actualidad porque se ha quedado anticuado. Las máquinas de escribir se han quedado obsoletas con la llegada de los ordenadores. INGLÉS obsolete.

obstaculizar
verbo **1** Ser una cosa o una persona un obstáculo para determinada cosa: *Los coches aparcados en doble fila obstaculizan el tráfico.* INGLÉS to obstruct, to hinder.
NOTA La 'z' se convierte en 'c' delante de 'e', como: obstaculice.

obstáculo
nombre masculino **1** Aquello que impide el paso o hace que algo resulte más difícil. INGLÉS obstacle.
2 En algunas pruebas de atletismo, barrera que hay que saltar mientras se va corriendo. INGLÉS obstacle.

obstante
no obstante Indica que lo que se dice a continuación es contrario a lo que se ha dicho antes, aunque no lo impide: *No le gustan las películas de terror; no obstante, sus amigos lo convencieron para que fuera con ellos.* SINÓNIMO sin embargo. INGLÉS nevertheless, however.

obstinado, obstinada
adjetivo **1** Se dice de la persona que mantiene con firmeza una idea, una actitud o la intención de hacer una cosa, generalmente habiendo razones en contra. INGLÉS obstinate, stubborn.

obstinarse
verbo **1** Mantener una persona con firmeza una idea, una actitud o la intención de hacer una cosa, aunque haya razones en contra. INGLÉS to persist, to insist.

obstruir
verbo **1** Tapar o cerrar una vía o conducto alguna cosa que circula por él al quedarse detenida e impedir el paso. SINÓNIMO atascar. INGLÉS to block.
NOTA Se conjuga como: huir; la 'i' se convierte en 'y' delante de 'a', 'e' y 'o', como: obstruyen.

obtención
nombre femenino **1** Acción que consiste en llegar a tener o conseguir una cosa. La obtención de una medalla olímpica es algo a lo que

aspiran muchos deportistas. INGLÉS obtaining.
NOTA El plural es: obtenciones.

obtener
verbo
1 Llegar a tener algo esforzándose para ello. Estudiando se obtienen buenas notas. SINÓNIMO conseguir. INGLÉS to get, to obtain.
2 Sacar un material o un producto a partir de otro. El papel se obtiene de los troncos de los árboles. INGLÉS to obtain.
NOTA Se conjuga como: tener.

obtusángulo
adjetivo
1 Se dice del triángulo que tiene un ángulo mayor de 90 grados. INGLÉS obtuse-angled.

obtuso, obtusa
adjetivo
1 Se dice del ángulo que tiene más de 90 grados y menos de 180. El ángulo obtuso es mayor que el ángulo recto. INGLÉS obtuse.

obús
nombre masculino
1 Arma de fuego que dispara proyectiles de gran calibre a grandes distancias. INGLÉS howitzer.
2 Proyectil disparado por una pieza de artillería, como un obús o un cañón. INGLÉS shell.
NOTA El plural es: obuses.

obviar
verbo
1 Evitar o eludir una dificultad o un problema: *Obviar los problemas no es la manera de resolverlos.* INGLÉS to avoid.
2 Dejar de nombrar o decir algo, especialmente cuando se considera obvio o evidente. INGLÉS to avoid mentioning.
NOTA Es una palabra formal.

obvio, obvia
adjetivo
1 Que está muy claro o es una verdad que no ofrece ninguna duda. INGLÉS obvious.

oca
nombre femenino
1 Ave doméstica parecida al pato pero de mayor tamaño. Tiene el pico anaranjado, casi negro en la punta, y las patas rojizas. Es apreciada por su carne y su hígado, con el que se fabrica foie-gras. SINÓNIMO ganso. INGLÉS goose.
2 Juego de mesa que consiste en mover una ficha por un tablero con el objetivo de llegar al final del recorrido antes que los demás.

ocasión
nombre femenino
1 Momento o período determinado en el que ocurre una cosa. INGLÉS occasion.
2 Momento bueno o apropiado para hacer o conseguir algo. INGLÉS opportunity.
NOTA El plural es: ocasiones.

ocasional
adjetivo
1 Se dice de la cosa que se produce o sucede por casualidad, sin estar prevista: *No lo veo casi nunca, tan solo me lo encuentro de forma ocasional.* INGLÉS occasional.
2 Que es, sucede o se hace en alguna ocasión concreta, pero no de forma habitual ni por costumbre. El conductor ocasional es aquel que conduce un vehículo en algunas ocasiones pero no habitualmente. INGLÉS occasional.

ocasionar
verbo
1 Ser una persona o una cosa la causa de que se haga u ocurra algo: *Las heladas ocasionaron pérdidas en el campo.* SINÓNIMO originar. INGLÉS to cause.

ocaso
nombre masculino
1 Momento del día en que se pone el Sol por el horizonte. ANTÓNIMO amanecer. INGLÉS sunset.
2 Final o decadencia de una cosa. INGLÉS decline.

occidental
adjetivo
1 Del occidente o que tiene relación con él. Portugal está en la zona occidental de la Península Ibérica. ANTÓNIMO oriental. INGLÉS western.
adjetivo y nombre masculino y femenino
2 Se dice de la persona o cosa que es de uno de los países de Occidente. ANTÓNIMO oriental. INGLÉS occidental.

occidente
nombre masculino
1 Punto del horizonte o lugar por donde se oculta el Sol. Irlanda está en el occidente de Europa. SINÓNIMO poniente; oeste. ANTÓNIMO este; oriente; levante. INGLÉS west.
2 Conjunto de países de la parte oeste de Europa y de América del Norte, que tienen un régimen político democrático y una forma de vida parecida. Con este significado se escribe con mayúscula. ANTÓNIMO oriente. INGLÉS the West.

oceánico, oceánica
adjetivo
1 Del océano o que tiene relación con

él, como la fauna o la flora oceánicas. INGLÉS oceanic.

océano

nombre masculino **1** Masa de agua salada que cubre casi las tres cuartas partes de la Tierra. INGLÉS ocean.

2 Cada una de las cinco partes en que se considera dividida esa masa de agua. Los océanos son: Atlántico, Pacífico, Índico, Ártico y Antártico. INGLÉS ocean.

ochenta

numeral cardinal **1** Indica que el nombre al que acompaña está 80 veces: *Su abuela tiene ochenta años.* INGLÉS eighty.

numeral ordinal **2** Que ocupa el lugar número 80 en una serie ordenada: *Llegó a la meta el ochenta.* INGLÉS eightieth.

nombre masculino **3** Nombre del número 80. INGLÉS eighty.

ochentavo, ochentava

adjetivo y nombre **1** Se dice de cada una de las 80 partes iguales en que se divide una cosa. SINÓNIMO octogésimo. INGLÉS eightieth.

ocho

numeral cardinal **1** Indica que el nombre al que acompaña está 8 veces. INGLÉS eight.

numeral ordinal **2** Que ocupa el lugar número 8 en una serie ordenada: *Te toca salir el ocho, después del siete.* INGLÉS eighth.

nombre masculino **3** Nombre del número 8. INGLÉS eight.

ochocientos, ochocientas

numeral cardinal **1** Indica que el nombre al que acompaña está 800 veces. INGLÉS eight hundred.

numeral ordinal **2** Que ocupa el lugar número 800 en una serie ordenada. INGLÉS eight hundredth.

nombre masculino **3** Nombre del número 800. INGLÉS eight hundred.

ocio

nombre masculino **1** Tiempo libre que tiene una persona en los momentos en que no tiene que trabajar o estudiar. INGLÉS leisure.

ocioso, ociosa

adjetivo **1** Se dice de la persona que está sin hacer nada porque no tiene obligaciones o porque está descansando. INGLÉS idle.

ocre

nombre masculino **1** Mineral de color amarillo oscuro que se utiliza para fabricar pinturas. INGLÉS ochre.

nombre masculino y adjetivo **2** Color amarillo oscuro, como el del mineral que también se llama ocre. INGLÉS ochre.

octaedro

nombre masculino **1** Cuerpo geométrico que tiene ocho caras. El octaedro regular está formado por ocho triángulos equiláteros iguales. INGLÉS octahedron.

octavo, octava

numeral ordinal **1** Que ocupa el lugar número ocho en una serie ordenada. INGLÉS eighth.

adjetivo y nombre masculino **2** Se dice de cada una de las ocho partes iguales en que se divide un conjunto. Cien es la octava parte de ochocientos. INGLÉS eighth.

octogésimo, octogésima

numeral ordinal **1** Que ocupa el número 80 en una serie ordenada. INGLÉS eightieth.

adjetivo y nombre **2** Se dice de cada una de las 80 partes iguales en que se divide una cosa. SINÓNIMO ochentavo. INGLÉS eightieth.

octogonal

adjetivo **1** Que tiene forma de octógono. La señal de stop es octogonal con el fondo rojo. INGLÉS octagonal.

octógono

nombre masculino **1** Figura geométrica que tiene ocho lados y ocho ángulos. INGLÉS octagon.

octosílabo, octosílaba

adjetivo y nombre masculino **1** Se dice del verso que tiene ocho sílabas. Generalmente, los versos de los romances son octosílabos. INGLÉS octosyllabic [adjetivo], octosyllable [nombre].

octubre

nombre masculino **1** Décimo mes del año. Octubre tiene 31 días. INGLÉS October.

ocular

adjetivo **1** Del ojo o que tiene relación con él. Si tenemos una infección ocular, tenemos que ir al oculista para que nos cure. INGLÉS eye, ocular.

oculista

nombre masculino y femenino **1** Médico especialista en las enfermedades relacionadas con los ojos y en problemas de visión. INGLÉS eye specialist, ophthalmologist.

ocultar

verbo **1** No dejar que algo se vea, se note o se encuentre. INGLÉS to hide.

2 No decir algo que se sabe y que debe decirse: *El periodista ocultó la información y no la publicó.* INGLÉS to hide.

ocultismo

nombre masculino **1** Conjunto de teorías y creencias que

no se basan en la experiencia científica. El ocultismo está relacionado con la magia, la alquimia, la astrología y materias semejantes. INGLÉS occultism, the occult.

oculto, oculta
adjetivo
1 Que no se puede o no se deja ver, encontrar o conocer. INGLÉS hidden.

ocupación
nombre femenino
1 Trabajo que tiene una persona para ganar dinero. SINÓNIMO empleo. INGLÉS occupation, job.
2 Cada uno de los trabajos que tiene que hacer una persona. Dar clases y atender a los alumnos son las ocupaciones de un profesor. SINÓNIMO tarea. INGLÉS job.
3 Acción que consiste en ocupar un lugar para invadirlo, quedarse en él o protestar. La ocupación de Polonia supuso el comienzo de la segunda guerra mundial. INGLÉS occupation.
NOTA El plural es: ocupaciones.

ocupante
adjetivo y nombre masculino y femenino
1 Se dice de la persona que ocupa un espacio en una casa, un coche, un territorio, un avión o cualquier otro lugar. INGLÉS occupying [adjetivo], occupant [nombre].

ocupar
verbo
1 Llenar un espacio o estar en un lugar: *Tus libros ocupan mucho sitio en la estantería.* INGLÉS to occupy, to take up.
2 Entrar en un sitio o invadir un lugar e instalarse en él durante cierto tiempo: *Los estudiantes ocuparon el despacho del rector para protestar por las tasas.* INGLÉS to occupy.
3 Estar instalado en un lugar determinado para vivir o para trabajar: *No sé quién ocupa el despacho del fondo.* INGLÉS to occupy.
4 Tener un puesto de trabajo o un cargo determinado: *Ocupa el puesto de director del colegio desde hace mucho tiempo.* INGLÉS to hold.
5 Llenar o emplear el tiempo haciendo una actividad: *Ocupa varias horas al día estudiando y luego saca muy buenas notas.* INGLÉS to spend.
6 ocuparse Encargarse de realizar una actividad o de cuidar y ayudar a otra persona. Los padres se ocupan de educar a sus hijos. INGLÉS to take care of.

ocurrencia
nombre femenino
1 Idea o cosa que a una persona se le ocurre de repente y que suele ser original o graciosa. INGLÉS idea, [si es graciosa: witty remark].

ocurrente
adjetivo
1 Se dice de la persona que tiene ideas graciosas e inesperadas. INGLÉS witty.

ocurrir
verbo
1 Pasar o producirse un hecho: *¿Qué te ha ocurrido que llegas tan tarde?* SINÓNIMO suceder. INGLÉS to happen.
2 ocurrirse Venir de repente una idea o un plan a la mente. INGLÉS to occur.

oda
nombre femenino
1 Poema largo que se escribe para alabar a la persona amada o a un personaje o un hecho importante. INGLÉS ode.

odiar
verbo
1 Experimentar un sentimiento de rechazo o desagrado hacia algo o alguien que no nos gusta nada. ANTÓNIMO amar. INGLÉS to hate.
NOTA Se conjuga como: cambiar; la 'i' no lleva nunca acento de intensidad.

odio
nombre masculino
1 Sentimiento de fuerte antipatía o rechazo hacia una persona o cosa. ANTÓNIMO amor. INGLÉS hatred, hate.

odioso, odiosa
adjetivo
1 Que provoca odio o resulta muy desagradable. Una persona resulta odiosa cuando es muy antipática y desagradable; las cosas que nos fastidian nos parecen odiosas. INGLÉS horrible.

odisea
nombre femenino
1 Serie de dificultades que pasa una persona hasta conseguir algo. INGLÉS ordeal.

odontología
nombre femenino
1 Parte de la medicina que se ocupa de la dentadura y sus enfermedades. INGLÉS dentistry, odontology.

odontólogo, odontóloga
nombre
1 Médico especialista en las enfermedades de los dientes y en su curación. Los odontólogos extraen muelas, curan caries y hacen empastes. SINÓNIMO dentista. INGLÉS dental surgeon, odontologist.

oeste
nombre masculino
1 Punto del horizonte o lugar por donde se pone el Sol. La abreviatura de oeste

es 'O'; Portugal está situado al oeste de España. SINÓNIMO occidente; poniente. ANTÓNIMO este; oriente; levante. INGLÉS west.

ofender

verbo

1 Hacer daño o herir a una persona o sus sentimientos, especialmente cuando se dice algo malo o falso sobre ella, se le falta al respeto o se la trata con desprecio. INGLÉS to offend.

ofensa

nombre femenino

1 Daño o molestia que sufre una persona cuando se dice algo malo o falso sobre ella, se le falta al respeto o se la trata con desprecio. INGLÉS offence.

ofensiva

nombre femenino

1 Acción que consiste en atacar o en llevar a cabo una acción de ataque. INGLÉS offensive.

ofensivo, ofensiva

adjetivo

1 Se dice de lo que ofende o puede llegar a ofender a una persona, como un insulto o un desprecio. INGLÉS offensive.

2 Se dice de aquello con lo que se ataca o se puede atacar a una persona. El escudo es un arma defensiva, y la espada, un arma ofensiva. INGLÉS offensive.

oferta

nombre femenino

1 Cosa que se ofrece o se pone a disposición de una persona. Cuando una empresa necesita trabajadores anuncia una oferta de trabajo en el periódico. INGLÉS offer.

2 Producto que se vende a un precio más bajo de lo normal: *Esta semana hay varios productos en oferta en el supermercado.* INGLÉS offer.

3 Cantidad de mercancías, bienes o servicios que hay en el mercado en un determinado momento. El precio de las cosas baja cuando hay mucha oferta. INGLÉS supply.

oficial

adjetivo

1 Que tiene o ha recibido la autorización necesaria para algo: *Las fotografías oficiales del acontecimiento saldrán publicadas esta semana.* INGLÉS official.

2 Del Estado, que se relaciona con él o que tiene su autorización. El presidente del Gobierno hace viajes oficiales a otros países. INGLÉS official.

nombre masculino y femenino

3 Persona que en un oficio manual o mecánico, o en el cuerpo administrativo del Estado, tiene un grado intermedio, superior al de aprendiz o auxiliar: *Como ahora es oficial de peluquería cobra más que antes.* INGLÉS skilled worker, [si es funcionario: officer].

4 Militar que tiene uno de los grados superiores del ejército. Los alféreces, tenientes y capitanes son oficiales. INGLÉS officer.

oficina

nombre femenino

1 Lugar donde se realizan trabajos administrativos o de organización. Las oficinas de información indican a los turistas los sitios de interés turístico de una ciudad. INGLÉS office.

oficinista

nombre masculino y femenino

1 Persona que trabaja en una oficina. INGLÉS office worker, clerk.

oficio

nombre masculino

1 Trabajo que se hace para ganarse la vida, especialmente si es manual. Las personas tienen distintos oficios, pueden ser albañiles, peluqueros o panaderos. INGLÉS trade.

ofrecer

verbo

1 Presentar o poner una cosa a disposición de alguien para ver si la quiere. INGLÉS to offer.

2 Dar la oportunidad o la facilidad para hacer una cosa: *Mi tío me ofreció trabajar en su bar.* INGLÉS to offer.

3 Celebrar una fiesta, un acto o una comida invitando a gente. INGLÉS to hold, to give.

4 Decir la cantidad que se está dispuesto a pagar por algo. INGLÉS to offer.

5 Dar una persona una impresión o producir un sentimiento determinado por su aspecto o alguna de sus características: *Este chico no me ofrece confianza.* INGLÉS to inspire.

6 ofrecerse Hacer saber que se está dispuesto a hacer una cosa: *Se ofreció a ayudarnos con los deberes.* INGLÉS to offer.

NOTA Se conjuga como: agradecer; la 'c' se convierte en 'zc' delante de 'a' y 'o', como: ofrezca u ofrezco.

ofrecimiento

nombre masculino

1 Cosa o idea que se ofrece o se propone: *Un amigo me hizo el ofrecimiento de llevarme a casa en coche.* INGLÉS offer.

ofrenda
nombre femenino
1 Cosa que se le ofrece a Dios, a una divinidad o a un santo como muestra de respeto y gratitud. INGLÉS offering.

oftalmología
nombre femenino
1 Parte de la medicina que estudia el ojo y sus enfermedades. INGLÉS ophthalmology.

ofuscar
verbo
1 Hacer enfadar o poner tan nerviosa a una persona que acabe perdiendo la capacidad de razonar con claridad: *Cuando discute se ofusca y no hay quien lo convenza.* INGLÉS to get worked up.
NOTA Se escribe 'qu' delante de 'e', como: ofusquen.

ogro
nombre masculino
1 Personaje imaginario de los cuentos infantiles que es muy malo y se come a las personas. Los ogros se representan como monstruos gigantes. INGLÉS ogre.
2 Persona que tiene muy mal carácter y que siempre está de mal humor. INGLÉS ogre.

¡oh!
interjección
1 Expresa mucha extrañeza, sorpresa o pena: *¡Oh, muchas gracias!, es muy bonito. ¡Oh!, ¿no vas a poder venir?* INGLÉS oh!

oídas
de oídas Que se sabe o se conoce solo por haber oído hablar de ello a otros y no por haberlo visto. INGLÉS by hearsay.

oído
nombre masculino
1 Órgano del cuerpo que sirve para oír. El oído está dentro de la oreja. INGLÉS ear.
2 Sentido que permite notar y reconocer los sonidos. Las personas tenemos cinco sentidos: oído, vista, olfato, gusto y tacto. INGLÉS hearing.
3 Capacidad que tienen algunas personas para reconocer y diferenciar los distintos sonidos musicales. INGLÉS ear.
duro de oído Se dice de la persona que no oye bien o está un poco sorda. INGLÉS hard of hearing.
entrar una cosa por un oído y salir por el otro No hacer caso una persona de una cosa que alguien le dice. INGLÉS to go in one ear and out of the other.
ser todo oídos Escuchar con ganas y atención lo que una persona está contando: *Cuenta, soy toda oídos.* INGLÉS to be all ears.

oír
verbo
1 Captar los sonidos y los ruidos por medio del oído. Los sordos no oyen. INGLÉS to hear.

oír

INDICATIVO	SUBJUNTIVO
presente	**presente**
oigo	oiga
oyes	oigas
oye	oiga
oímos	oigamos
oís	oigáis
oyen	oigan
pretérito imperfecto	**pretérito imperfecto**
oía	oyera u oyese
oías	oyeras u oyeses
oía	oyera u oyese
oíamos	oyéramos u oyésemos
oíais	oyerais u oyeseis
oían	oyeran u oyesen
pretérito perfecto simple	**futuro**
oí	oyere
oíste	oyeres
oyó	oyere
oímos	oyéremos
oísteis	oyereis
oyeron	oyeren
futuro	**IMPERATIVO**
oiré	oye (tú)
oirás	oiga (usted)
oirá	oigamos (nosotros)
oiremos	oíd (vosotros)
oiréis	oigan (ustedes)
oirán	
condicional	**FORMAS NO PERSONALES**
oiría	**infinitivo** oír
oirías	**gerundio** oyendo
oiría	**participio** oído
oiríamos	
oiríais	
oirían	

2 Hacer caso o prestar atención a lo que se dice: *He dicho que me mires, ¿me oyes?* SINÓNIMO escuchar. INGLÉS to listen.
¡oye! Se usa para llamar la atención de una persona que está lejos o de la que no se sabe el nombre. Cuando se habla de usted, se dice '¡oiga!'. INGLÉS excuse me!

ojal
nombre masculino
1 Abertura alargada hecha en una tela por la que se hace pasar un botón para abrochar o desabrochar una prenda de

ropa. Las camisas tienen ojales. INGLÉS buttonhole.

¡ojalá!

interjección

1 Indica que se tienen grandes deseos de que pase lo que se ha dicho antes o lo que se dice a continuación: *¡Ojalá pudiera ir contigo!* INGLÉS I wish, if only.

ojeada

nombre femenino

1 Mirada rápida y con poca atención. A veces, le echamos una ojeada al periódico para ver los titulares y las fotos. SINÓNIMO vistazo. INGLÉS glance, quick look.

ojear

verbo

1 Mirar algo o a alguien con rapidez y sin prestar mucha atención: *Ojeó un poco el lugar, pero no te vio.* INGLÉS to have a quick look at.

NOTA No lo confundas con 'hojear', que significa pasar rápidamente las hojas de un libro.

ojera

nombre femenino

1 Mancha oscura que se forma debajo de los ojos. Tenemos ojeras cuando estamos enfermos o hemos dormido poco. INGLÉS bags under the eyes.

NOTA Se usa más en plural.

ojiva

nombre femenino

1 Figura formada por dos arcos de círculos iguales que se cortan en uno de los extremos formando punta. Los arcos con forma de ojiva son frecuentes en la arquitectura gótica. El arco que forma esta figura también se llama ojiva. INGLÉS ogive.

ojo

nombre masculino

1 Órgano que sirve para ver. Los ojos están situados en la cabeza de las personas y de los animales. INGLÉS eye.

2 Agujero que atraviesa de lado a lado un objeto, como el ojo de la cerradura o el ojo de la aguja. INGLÉS eye [de una aguja], keyhole [de una cerradura].

3 Cuidado y atención que hay que tener al hacer una cosa. Hemos de tener ojo al cruzar la calle para que no nos atropelle un coche. INGLÉS care.

4 Capacidad que tiene una persona para notar y valorar las características de una cosa o una persona: *Este empresario tiene muy buen ojo para los negocios.* También se dice: ojo clínico. INGLÉS eye.

a ojo Aproximadamente, sin exactitud. Calculamos a ojo cuántas personas hay en una habitación cuando no las contamos. INGLÉS at a guess.

con los ojos cerrados Indica que algo se ha hecho tantas veces o es tan sencillo que se es capaz de hacerlo con seguridad y rapidez: *Soy capaz de encestar con los ojos cerrados.* INGLÉS with one's eyes closed.

costar un ojo de la cara Ser una cosa muy cara. INGLÉS to cost a fortune.

echar el ojo Fijarse en una cosa y tener ganas de conseguirla: *Le he echado el ojo a un jersey y creo que me lo voy a comprar.* INGLÉS to have one's eye on.

en un abrir y cerrar de ojos De forma muy rápida: *Resolvió el problema en un abrir y cerrar de ojos.* INGLÉS in the twinkling of an eye.

entrar por los ojos Gustar una cosa por su aspecto exterior: *Lo compré porque me entró por los ojos.* INGLÉS to look nice.

no pegar ojo No dormir nada. INGLÉS not to sleep a wink.

ojo de buey Ventana de forma redonda que hay en los barcos. INGLÉS porthole.

ser el ojo derecho Ser la persona preferida de alguien: *El pequeño es el ojo derecho de su madre.* INGLÉS to be the apple of someone's eye.

okupa

nombre masculino y femenino

1 Persona que se instala en una vivienda o local deshabitado que no es de su propiedad. Los okupas viven en los edificios sin permiso de los propietarios y sin pagar un alquiler por usarlos. INGLÉS squatter.

ola

nombre femenino

1 Onda que se produce en la superficie del mar o de un lago a causa del viento, de una corriente o de un movimiento. INGLÉS wave.

2 Bajada o subida de la temperatura en un lugar de manera brusca y repentina. INGLÉS spell.

3 Movimiento o aparición repentina de una gran cantidad de cosas, personas o acontecimientos. SINÓNIMO oleada. INGLÉS wave.

¡ole!

interjección **1** Es otra forma de escribir y pronunciar: ¡olé!

¡olé!

interjección **1** Expresa ánimo o entusiasmo: *¡Olé! ¡Qué buen trabajo has hecho!* INGLÉS bravo!

NOTA También se dice: ¡ole!

oleada

nombre femenino **1** Golpe de una ola: *El temporal produjo fuertes oleadas en la costa.* INGLÉS big wave.

2 Movimiento o aparición repentina de una gran cantidad de cosas, personas o acontecimientos, como una oleada de violencia o una oleada de despidos. SINÓNIMO ola. INGLÉS wave.

oleaje

nombre masculino **1** Movimiento continuo de las olas. No es conveniente bañarse en el mar el día que hay mucho oleaje. INGLÉS swell.

óleo

nombre masculino **1** Pintura pastosa hecha con colorantes y aceites que se utiliza para pintar cuadros. INGLÉS oil paint.

2 Cuadro que está pintado con una pintura hecha con aceites: *Ayer subastaron un óleo que representa un paisaje marino mediterráneo.* INGLÉS oil painting.

oleoducto

nombre masculino **1** Canal o tubería de gran longitud que sirve para llevar petróleo de un lugar a otro. INGLÉS pipeline.

oler

verbo **1** Sentir un olor. Cuando estamos resfriados y tenemos la nariz tapada casi no olemos nada. INGLÉS to smell.

2 Tener o desprender olor. Los contenedores de basura huelen mal. INGLÉS to smell.

3 Imaginar o sospechar algo oculto, secreto o malo. INGLÉS to sense.

oler

INDICATIVO		SUBJUNTIVO
presente		**presente**
huelo		huela
hueles		huelas
huele		huela
olemos		olamos
oléis		oláis
huelen		huelan
pretérito imperfecto		**pretérito imperfecto**
olía		oliera u oliese
olías		olieras u olieses
olía		oliera u oliese
olíamos		oliéramos u oliésemos
olíais		olierais u olieseis
olían		olieran u oliesen
pretérito perfecto simple		**futuro**
olí		oliere
oliste		olieres
olió		oliere
olimos		oliéremos
olisteis		oliereis
olieron		olieren
futuro		**IMPERATIVO**
oleré		
olerás		huele (tú)
olerá		huela (usted)
oleremos		olamos (nosotros)
oleréis		oled (vosotros)
olerán		huelan (ustedes)
condicional		**FORMAS NO PERSONALES**
olería		
olerías		**infinitivo** oler — **gerundio** oliendo
olería		
oleríamos		**participio**
oleríais		olido
olerían		

olfatear

verbo **1** Hacer aspiraciones cortas y seguidas por la nariz para sentir o reconocer un olor. Los perros son capaces de seguir el rastro olfateando un olor. INGLÉS to sniff.

olfativo, olfativa

adjetivo **1** Que tiene relación con el sentido del olfato. La nariz es un órgano olfativo. INGLÉS olfactory.

olfato

nombre masculino **1** Sentido del cuerpo que permite notar y distinguir los diferentes olores. Algunos animales, como los perros o los

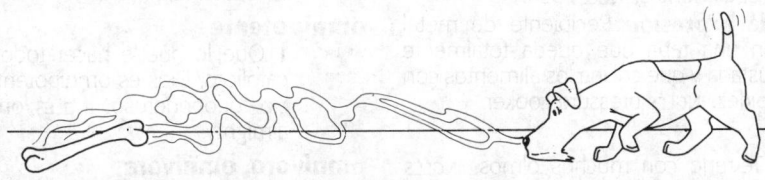

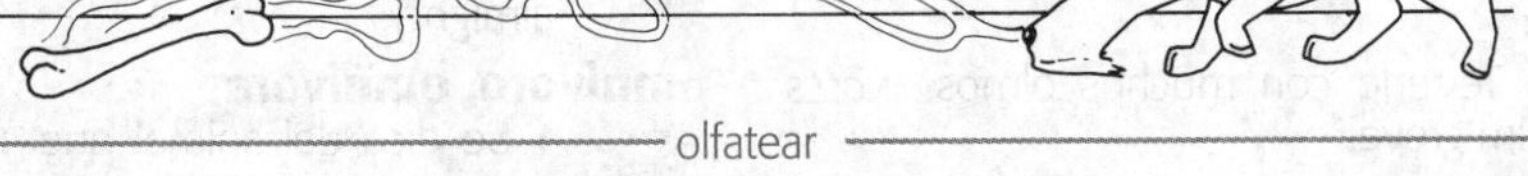

olfatear

a b c d e f g h i j k l m n ñ o p q r s t u v w x y z

leones, tienen un olfato muy desarrollado. INGLÉS sense of smell.

2 Capacidad que tienen algunas personas para descubrir cosas que están ocultas. Los detectives tienen que tener un buen olfato para hacer bien su trabajo. INGLÉS nose.

olimpiada

nombre femenino **1** Celebración deportiva que tiene lugar cada cuatro años en un lugar determinado, en la que participan deportistas de casi todos los países del mundo. INGLÉS Olympiad, Olympic Games.

NOTA Se utiliza más en plural. También se escribe y se pronuncia: olimpíada.

olimpíada

nombre femenino **1** Es otra forma de escribir y pronunciar: olimpiada.

olímpico, olímpica

adjetivo **1** Se dice de las cosas o las personas que tienen o han tenido relación con las olimpiadas. INGLÉS Olympic.

olisquear

verbo **1** Oler algo con aspiraciones cortas y rápidas. INGLÉS to sniff.

oliva

nombre femenino **1** Fruto del olivo que suele ser pequeño, redondeado, de color verde o negro y con un hueso en el centro. Las olivas se comen como aperitivo y de ellas se extrae el aceite. SINÓNIMO aceituna. INGLÉS olive.

olivar

nombre masculino **1** Terreno en el que se cultivan olivos. INGLÉS olive grove.

olivo

nombre masculino **1** Árbol de tronco grueso, corto y retorcido, con hojas pequeñas de color verde oscuro. Su fruto es la oliva o aceituna. INGLÉS olive tree.

olla

nombre femenino **1** Recipiente alto y redondo, con una o dos asas y con tapa, que sirve para cocinar alimentos. INGLÉS pan.

olla a presión Recipiente de metal con una tapa que queda totalmente ajustada y que cocina los alimentos con rapidez. INGLÉS pressure cooker.

olmedo

nombre masculino **1** Terreno con muchos olmos. INGLÉS elm grove.

olmo

nombre masculino **1** Árbol grande, de tronco fuerte y recto, hojas caducas ovaladas y flores de color blanco rosado. Su madera se usa en carpintería. INGLÉS elm tree.

olor

nombre masculino **1** Característica de las cosas que se percibe por el olfato. Las personas distinguimos miles de olores. INGLÉS smell.

oloroso, olorosa

adjetivo **1** Que tiene un olor agradable, como el del jabón o el perfume. INGLÉS fragrant.

olvidar

verbo **1** Dejar una persona de tener presente en su memoria una cosa: *Tiene mala memoria y olvida fácilmente los nombres de la gente.* INGLÉS to forget.

2 No acordarse de hacer algo que se tenía que hacer o de coger algo de un lugar. INGLÉS to forget.

3 Dejar una persona de sentir afecto por otra o dejar de tratar con ella. INGLÉS to forget.

olvido

nombre masculino **1** Acción de olvidar alguien una cosa. El resultado de esta acción también es un olvido. INGLÉS forgetting [acción], oversight [resultado].

ombligo

nombre masculino **1** Cicatriz pequeña y redonda que las personas y los demás animales mamíferos tenemos en medio del vientre y que queda al cortar el cordón umbilical después del parto. INGLÉS navel.

omisión

nombre femenino **1** Acción de omitir algo. También es una omisión el resultado de esta acción. INGLÉS omission.

NOTA El plural es: omisiones.

omitir

verbo **1** Dejar de decir o hacer una cosa que debía decirse o hacerse. Omitimos un nombre en una lista al no incluirlo voluntariamente o por error. INGLÉS to omit, to leave out.

omnipotente

adjetivo **1** Que lo puede hacer todo. Para los católicos, Dios es omnipotente. SINÓNIMO todopoderoso. INGLÉS omnipotent, almighty.

omnívoro, omnívora

adjetivo y nombre **1** Se dice del animal que se alimenta

de todo tipo de sustancias, tanto de origen animal como vegetal. El oso y el ser humano son omnívoros. INGLÉS omnivorous.

once
numeral cardinal **1** Indica que el nombre al que acompaña está 11 veces. INGLÉS eleven.
numeral ordinal **2** Que ocupa el lugar número 11 en una serie ordenada. INGLÉS eleventh.
nombre masculino **3** Nombre del número 11. En números romanos, el once se representa por XI. INGLÉS eleven.

onceavo, onceava
adjetivo y nombre **1** Se dice de cada una de las partes que resulta de dividir un todo en 11 partes iguales. INGLÉS eleventh.

onda
nombre femenino **1** Curva circular que aparece en superficies líquidas, normalmente producida por una vibración o movimiento. Cuando tiramos una piedra al agua se forman ondas. INGLÉS ripple.
2 Curva en forma de S que aparece en ciertas superficies, como las ondas del pelo. INGLÉS wave.
3 Vibración que se transmite de un punto a otro a través de algún medio, como las ondas luminosas o las de radio. INGLÉS wave.

ondear
verbo **1** Formar ondas en forma de S en algo que se mueve. Las banderas y la ropa tendida ondean con el viento. INGLÉS to fly, to flutter.

ondulación
nombre femenino **1** Onda que se forma en una superficie. INGLÉS undulation.
2 Movimiento de onda que se produce en un cuerpo flexible, especialmente en la superficie de un líquido. INGLÉS undulation.
NOTA El plural es: ondulaciones.

ondulado, ondulada
adjetivo **1** Que tiene o forma ondas en forma de S. Mucha gente tiene el pelo ondulado. Algunas patatas fritas son onduladas. INGLÉS wavy.

ondular
verbo **1** Formar una persona ondas en una superficie o en un objeto. Los peluqueros ondulan el pelo de sus clientes con ayuda de los rulos. INGLÉS to wave.

ONG
nombre femenino **1** Sigla de *organización no gubernamental*, institución que no depende del gobierno y realiza actividades de interés social. Las ONG trabajan para ayudar a muchas personas con problemas que no tienen muchos recursos económicos. INGLÉS NGO.
NOTA El plural es: ONG.

onírico, onírica
adjetivo **1** De los sueños o que tiene relación con el conjunto de imágenes que se presentan en la mente mientras dormimos. Los surrealistas pintaban a veces paisajes oníricos que no existían en la realidad. INGLÉS dream, of dreams.

onomástica
nombre femenino **1** Día del santo de una persona: *El día 19 de marzo es la onomástica de las personas que se llaman José o Josefa.* INGLÉS saint's day.

onomatopeya
nombre femenino **1** Palabra que imita un sonido producido por la naturaleza, una cosa o un animal. 'Quiquiriquí' o 'pum-pum' son onomatopeyas. INGLÉS onomatopoeia.

onubense
adjetivo y nombre masculino y femenino **1** Se dice de la persona o cosa que es de Huelva, ciudad y provincia de Andalucía.

onza
nombre femenino **1** Medida de peso utilizada antiguamente que equivale a 28,7 gramos. Una onza de azúcar son unos cinco terrones. INGLÉS ounce.
2 Cada una de las porciones con forma cuadrada o rectangular en que se divide una tableta de chocolate. INGLÉS square.

oosfera
nombre femenino **1** Célula sexual femenina de algunos vegetales. Cuando una oosfera se une con una célula sexual masculina se forma una nueva planta. INGLÉS oosphere.

opaco, opaca
adjetivo **1** Que no deja pasar la luz. El cartón o la madera son materiales opacos. INGLÉS opaque.

ópalo
nombre masculino **1** Mineral de diversos colores que se usa como piedra preciosa para fabricar joyas. INGLÉS opal.

a b c d e f g h i j k l m n ñ o p q r s t u v w x y z

opción
nombre femenino
1 Posibilidad de elegir algo. También se llama opción aquello que se elige. INGLÉS option.
2 Posibilidad o derecho de obtener alguna cosa: *Me ofrecen la opción de estudiar en el extranjero.* INGLÉS option.
NOTA El plural es: opciones.

opcional
adjetivo
1 Que se puede elegir o no. Algunas de las materias que se imparten en la universidad son opcionales y otras, obligatorias. SINÓNIMO optativo. INGLÉS optional.

ópera
nombre femenino
1 Obra musical escrita para ser cantada y representada en el teatro acompañada de música. Verdi es uno de los más famosos compositores de óperas. INGLÉS opera.
2 Teatro donde se representan obras musicales cantadas y representadas. INGLÉS opera house.

operación
nombre femenino
1 Acción de operar un cirujano a un paciente. Las operaciones se realizan en quirófanos. INGLÉS operation.
2 Acción o conjunto de acciones que se hacen siguiendo unos planes previos para conseguir un fin determinado. Algunos cuerpos especiales de la policía están preparados para realizar operaciones de rescate en caso de accidente. INGLÉS operation.
3 En matemáticas, cálculo que se hace con números para obtener un resultado. Cuando sumamos, restamos o dividimos, hacemos operaciones. INGLÉS operation.
NOTA El plural es: operaciones.

operador, operadora
nombre
1 Persona que trabaja en una central de teléfonos y facilita las comunicaciones que no son automáticas. INGLÉS operator.
2 Técnico encargado del uso de ciertos aparatos o máquinas, como un ordenador o una cámara de televisión. INGLÉS operator.

operar
verbo
1 Abrir alguna parte del cuerpo humano o de un animal con los instrumentos médicos adecuados para curar o mejorar el funcionamiento de alguno de sus órganos o para quitar algún órgano enfermo. INGLÉS to operate.
2 En matemáticas, hacer un cálculo para obtener un resultado. INGLÉS to operate.

operario, operaria
nombre
1 Persona que trabaja en una fábrica o taller realizando trabajos manuales que requieren esfuerzo físico. INGLÉS worker.

operativo, operativa
adjetivo
1 Se dice de la cosa que produce el resultado que se espera de ella. El sistema operativo de un ordenador es el conjunto de programas que controla el funcionamiento de todos los procesos informáticos. INGLÉS operating.
2 Que está listo para ser usado o entrar en acción. INGLÉS operative.

opinar
verbo
1 Tener o dar una opinión sobre alguien o algo. INGLÉS to think.

opinión
nombre femenino
1 Idea o juicio que se tiene sobre una persona o asunto. INGLÉS opinion.
opinión pública Manera de pensar de la mayoría de la gente en general. INGLÉS public opinion.
NOTA El plural es: opiniones.

opio
nombre masculino
1 Sustancia estupefaciente cuyo consumo puede causar dependencia. Se obtiene de una planta y se usa para calmar el dolor. INGLÉS opium.

oponente
adjetivo y nombre masculino y femenino
1 Se dice de la persona que tiene una opinión contraria a la de otra persona. INGLÉS opposing [adjetivo], opponent [nombre].
2 Se dice de la persona o grupo de personas que se enfrenta a otra persona o a otro grupo en una competición deportiva. INGLÉS opposing [adjetivo], opponent [nombre].

oponer
verbo
1 Exponer opiniones en contra de una idea o una propuesta. INGLÉS to put forward.
2 Poner un obstáculo o una dificultad para que no ocurra algo. INGLÉS to raise.
3 **oponerse** Estar en contra de algo, o ser una cosa contraria a otra. El bien se opone al mal. La mayoría de los ciuda-

danos se oponen a la pena de muerte. INGLÉS to oppose, to be in opposition.
NOTA Se conjuga como: poner. El participio es: opuesto.

oportunidad
nombre femenino
1 Momento o circunstancia que es la más conveniente para que ocurra algo: *Han llegado a la final y tienen la oportunidad de ganar.* INGLÉS opportunity, chance.
2 Producto que se vende a un precio más bajo del que le correspondería, normalmente por estar fuera de temporada o tener algún tipo de tara o defecto. También es el departamento comercial de un establecimiento que vende este tipo de productos. Se usa más en plural. INGLÉS bargain.

oportunista
adjetivo y nombre masculino y femenino
1 Se dice de la persona que aprovecha las circunstancias para obtener el máximo beneficio de ellas, sin tener en cuenta los principios morales. A veces las personas oportunistas consiguen lo que desean sin importarles perjudicar a los demás. INGLÉS opportunistic [adjetivo], opportunist [nombre].

oportuno, oportuna
adjetivo
1 Se dice del suceso o la acción que ocurre o se hace en el momento, lugar o circunstancia más convenientes para algo o alguien. INGLÉS opportune, timely.
2 Se dice de la persona que dice las cosas en el momento justo o que al hablar lo hace con gracia, simpatía u ocurrencia. INGLÉS clever.

oposición
nombre femenino
1 Acción de oponer u oponerse. A veces la población recurre a una manifestación para mostrar su oposición a algún plan o reforma del gobierno con el que no está de acuerdo. INGLÉS opposition.
2 Conjunto de exámenes y ejercicios que hay que hacer y aprobar para conseguir un puesto de trabajo. Para ser profesor en un colegio público hay que presentarse a una oposición. INGLÉS competitive examination.
3 Conjunto de partidos políticos que no gobiernan un país y que se oponen al que está en el poder. INGLÉS opposition.
NOTA El plural es: oposiciones.

opresión
nombre femenino
1 Molestia causada por algo que aprieta o hace presión. También es la sensación de ahogo o angustia que nos produce algo, como un disgusto o una pena. INGLÉS oppression.
2 Situación o estado de la persona o el país que vive sin libertad y está dominado por otros. INGLÉS oppression.
NOTA El plural es: opresiones.

oprimir
verbo
1 Hacer mucha presión una cosa sobre otra. Unos zapatos pequeños oprimen el pie. INGLÉS to press [so son zapatos: to pinch].
2 Mandar y dominar, abusando de la autoridad, sobre una persona o un pueblo. INGLÉS to oppress.

optar
verbo
1 Decidirse por una cosa determinada entre varias posibilidades. Cuando hay dos caminos para llegar a un lugar y tenemos prisa optamos por el más corto. INGLÉS to choose.
2 Tratar de conseguir algo, especialmente un cargo o un trabajo: *Optaron más de veinte personas al puesto de jefe de cocina.* INGLÉS to apply for.

optativo, optativa
adjetivo
1 Que se puede elegir o no. En la universidad hay algunas asignaturas que son obligatorias y otras optativas. SINÓNIMO opcional. INGLÉS optional.

óptica
nombre femenino
1 Establecimiento donde se venden lentes e instrumentos para corregir o mejorar la vista. Las gafas de sol graduadas se compran en una óptica. INGLÉS optician's.
2 Técnica y conocimientos necesarios para fabricar lentes y otros instrumentos destinados a corregir o mejorar la vista: *Me gustaría mucho estudiar óptica.* INGLÉS optics.
3 Parte de la física que estudia la luz y los fenómenos luminosos que tienen relación con ella. INGLÉS optics.

óptico, óptica
adjetivo
1 Que está relacionado con la vista o con la forma de mejorar la visión por medio de las lentes. INGLÉS optical.
nombre
2 Persona que se dedica a la fabricación o venta de objetos que sirven para mejorar la visión o para ver cosas que

no pueden verse a simple vista. Los ópticos fabrican gafas, microscopios y telescopios. INGLÉS optician.

optimismo
nombre masculino
1 Forma de ser de una persona que ve las cosas por su lado bueno y confía en que las cosas salgan de la mejor manera posible. ANTÓNIMO pesimismo. INGLÉS optimism.

optimista
adjetivo y nombre masculino y femenino
1 Se dice de la persona que ve las cosas con optimismo. ANTÓNIMO pesimista. INGLÉS optimistic [adjetivo], optimist [nombre].

optimizar
verbo
1 Conseguir que algo dé los mejores resultados posibles con los recursos que tenemos al alcance para hacerlo. INGLÉS to optimize.
NOTA La 'z' se convierte en 'c' delante de 'e', como: optimicen.

óptimo, óptima
adjetivo
1 Que es muy bueno o que no puede ser mejor. ANTÓNIMO pésimo. INGLÉS very best, optimum.
NOTA Es el superlativo de: bueno.

opuesto, opuesta
adjetivo
1 Que se opone a algo o está en contra de ello. INGLÉS opposed.

oración
nombre femenino
1 Palabras que se dirigen a Dios, a la Virgen o a los santos para alabarlos, hacer alguna petición o agradecer algo. El padre nuestro es una oración. INGLÉS prayer.
2 Conjunto de palabras que tienen un significado completo. Las oraciones constan de un sujeto y un predicado. 'La niña come un helado' es una oración. SINÓNIMO frase. INGLÉS sentence.
NOTA El plural es: oraciones.

oráculo
nombre masculino
1 Mensaje o respuesta que dan los dioses a las consultas y peticiones que los fieles les formulan. Los oráculos son propios de las civilizaciones griega y romana. INGLÉS oracle.

orador, oradora
nombre
1 Persona que da conferencias, pronuncia discursos o habla en público con intención de convencer a la gente de lo que dice. INGLÉS speaker.

oral
adjetivo
1 Que se expresa con palabras y no por escrito. Algunos exámenes son orales y otros escritos. INGLÉS oral.
2 De la boca o que tiene relación con ella. Los medicamentos que se toman por vía oral se tragan con un poco de agua. INGLÉS oral.

orangután
nombre masculino
1 Mono grande de cabeza alargada, con el pelo de color rojizo y los brazos mucho más largos y robustos que las piernas. INGLÉS orang-outang.
NOTA El plural es: orangutanes.

orar
verbo
1 Dirigirse a Dios, a la Virgen o a los santos por medio de oraciones para alabarlos, hacer alguna petición o agradecer algo. SINÓNIMO rezar. INGLÉS to pray.

oratoria
nombre femenino
1 Arte de saber hablar bien en público para convencer, agradar o conmover al auditorio. INGLÉS oratory.

órbita
nombre femenino
1 Camino que sigue un planeta al girar alrededor del Sol o un satélite al girar alrededor de un planeta. INGLÉS orbit.

orca
nombre femenino
1 Animal mamífero marino de gran tamaño, de la familia de los delfines, de color negro por la parte superior del cuerpo y blanco por el vientre, con una gran mancha blanca detrás de cada ojo. Las orcas pueden llegar a medir hasta 9 metros de largo. INGLÉS killer whale.

orden
nombre masculino
1 Colocación de las cosas en el sitio o lugar en que deben estar. INGLÉS order.
2 Serie de cosas que están relacionadas y van unas detrás de otras según algún criterio. Muchas listas de nombres van por orden alfabético. INGLÉS order.
3 Situación en la que se respetan las normas o reglas de conducta. Cuando alguien rompe cosas en la calle, grita o se pelea, no respeta el orden público. INGLÉS order.
nombre femenino
4 Lo que hay que obedecer o cumplir porque algún superior lo ha ordenado: *El capitán dio la orden de parar.* INGLÉS order.
estar a la orden del día Ser muy fre-

cuente o estar de moda algo. INGLÉS to be the order of the day.
sin orden ni concierto De cualquier manera, sin respetar unas reglas. INGLÉS without rhyme or reason.
NOTA El plural es: órdenes.

ordenación
nombre femenino **1** Colocación de las cosas en el sitio o lugar en que deben estar o ir. SINÓNIMO orden. INGLÉS ordering.
NOTA El plural es: ordenaciones.

ordenado, ordenada
adjetivo **1** Se dice de las cosas que están en orden y de una persona que hace y tiene sus cosas así: *Su habitación nunca está ordenada, hay papeles por todos lados.* INGLÉS tidy.

ordenador
nombre masculino **1** Máquina electrónica que es capaz de almacenar y tratar gran cantidad de información de manera muy rápida y con gran exactitud, por medio de programas informáticos. INGLÉS computer.

ordenanza
nombre **1** Persona que en algunas oficinas se encarga de hacer recados. INGLÉS office boy.
nombre femenino **2** Conjunto de órdenes o reglas que se dan para el buen funcionamiento de una ciudad, un ejército o una comunidad. La ordenanza municipal prohíbe aparcar un coche en doble fila. INGLÉS ordinance.

ordenar
verbo **1** Colocar unas cosas del modo adecuado o poner un sitio en orden. ANTÓNIMO desordenar. INGLÉS to put in order [del modo adecuado], to tidy up [en orden].
2 Mandar a alguien hacer una cosa. INGLÉS to order.

ordeñar
verbo **1** Sacar la leche de un animal hembra, como una vaca o una oveja, apretando sus ubres. INGLÉS to milk.

ordinal
adjetivo y nombre masculino **1** Se dice del número que indica orden de sucesión o colocación. Los números primero, segundo y tercero son ordinales. INGLÉS ordinal.

ordinario, ordinaria
adjetivo **1** Que no se sale de lo habitual ni destaca por ninguna característica especial. INGLÉS ordinary.
adjetivo y nombre **2** Que es de mal gusto o de mala educación. INGLÉS common [adjetivo], vulgar [adjetivo].

orégano
nombre masculino **1** Hierba muy arómatica, de hojas pequeñas y flores rosadas, que se usa como condimento para dar sabor a las comidas. Las pizzas llevan un poco de orégano. INGLÉS oregano.

oreja
nombre femenino **1** Cada una de las dos partes externas del oído de las personas y de algunos animales, situadas a los lados de la cabeza. INGLÉS ear.
2 Parte que sobresale de un objeto y que tiene forma parecida a la oreja de una persona. Algunos sillones tienen orejas en la parte superior del respaldo para apoyar la cabeza. INGLÉS wing.

orejera
nombre femenino **1** Cada una de las dos piezas de tela gruesa y suave que cubren las orejas y las protegen del frío. Las orejeras pueden estar cosidas a una gorra o estar unidas entre sí por una diadema. INGLÉS earflap.

orejudo, orejuda
adjetivo y nombre **1** Se dice de la persona o animal que tiene unas orejas muy grandes o largas. INGLÉS big-eared [adjetivo].

orensano, orensana
adjetivo y nombre **1** Se dice de la persona o cosa que es de Orense, ciudad y provincia de Galicia.

orfanato
nombre masculino **1** Lugar dedicado a recoger, criar y educar a niños cuyos padres han muerto, los han abandonado o no pueden hacerse cargo de ellos. INGLÉS orphanage.

orfebrería
nombre femenino **1** Técnica de hacer objetos artísticos con oro, plata u otros metales preciosos. La orfebrería es una labor artesanal. INGLÉS gold work [de oro], silver work [de plata].

orfeón
nombre masculino **1** Grupo de personas que cantan juntas. SINÓNIMO coral; coro. INGLÉS choral society.
NOTA El plural es: orfeones.

orgánico, orgánica
adjetivo **1** Se dice del cuerpo o el ser que tiene vida. Los animales y las plantas son

seres orgánicos. ANTÓNIMO inorgánico. INGLÉS organic.

2 Se dice de la sustancia o materia que ha sido parte de un ser vivo o que está formada por restos de seres vivos. El humus es una materia orgánica. INGLÉS organic.

organigrama

nombre masculino

1 Representación gráfica de la estructura de una empresa o una institución. En el organigrama se muestran los departamentos o servicios de la empresa o la institución y la función de cada uno de ellos, así como las personas que trabajan en ellos. INGLÉS organization chart.

organillo

nombre masculino

1 Instrumento musical que tiene en su interior un cilindro con unos salientes que hacen sonar unas láminas de metal al girar y se toca haciendo girar una manivela que mueve el cilindro. Suele ir en un carrito y tocarse en la calle. INGLÉS barrel organ.

organismo

nombre masculino

1 Conjunto de órganos que forman el cuerpo de un ser vivo o de un vegetal. INGLÉS organism.

2 Ser vivo. Algunos organismos solo se ven con ayuda de un microscopio. INGLÉS organism.

3 Asociación formada por un conjunto de personas que se ocupan de una actividad determinada. Las ONG son organismos que se ocupan de ayudar a las personas que lo necesitan. INGLÉS organization, body.

organización

nombre femenino

1 Acción que consiste en organizar o planear algo. También se llama organización al resultado de organizar algo. INGLÉS organization.

2 Conjunto de personas que se unen y comparten unos medios para conseguir un fin determinado, como una organización política o una organización cultural. INGLÉS organization.

NOTA El plural es: organizaciones.

organizador, organizadora

adjetivo y nombre

1 Se dice de la persona que organiza o que sabe organizar, especialmente actos públicos o el trabajo de otras personas. INGLÉS organizing [adjetivo], organizer [nombre].

organizar

verbo

1 Preparar una cosa muy bien y cuidando todos los detalles, como por ejemplo una fiesta o una excursión. ANTÓNIMO desorganizar. INGLÉS to organize.

2 Poner orden en una cosa. Antes de ponernos a estudiar tenemos que organizar bien los apuntes de clase. ANTÓNIMO desorganizar. INGLÉS to organize.

3 organizarse Hacer las cosas con orden. Las personas responsables saben organizarse y realizar bien su trabajo. INGLÉS to organize oneself.

4 organizarse Producirse una cosa de repente, sin esperarla: *Llegaron unos amigos con una guitarra y en diez minutos se organizó una fiesta.* SINÓNIMO armarse; formarse. INGLÉS to start.

NOTA Se escribe 'c' delante de 'e', como: organicé.

órgano

nombre masculino

1 Cada una de las partes que componen el cuerpo de un ser vivo y que tienen una función determinada. El corazón y el hígado son algunos de los órganos del cuerpo humano. INGLÉS organ.

2 Instrumento musical parecido a un piano que tiene varios tubos de diferentes tamaños por donde sale el aire que produce los distintos sonidos. Hay órganos en algunas iglesias. INGLÉS organ.

3 Organización formada por un conjunto de personas que tiene una función determinada. El Parlamento es un órgano de gobierno. INGLÉS organ.

orgasmo

nombre masculino

1 Momento de mayor satisfacción de la excitación sexual. INGLÉS orgasm.

orgía

nombre femenino

1 Fiesta donde se come, se bebe y se mantienen relaciones sexuales sin orden ni moderación. INGLÉS orgy.

orgullo

nombre masculino

1 Sentimiento y actitud de una persona que se cree superior o mejor que los demás. A una persona con orgullo le cuesta pedir disculpas o favores a otras personas o reconocer sus errores. INGLÉS pride.

2 Satisfacción que siente una persona por algo suyo o relacionado con ella y que se considera bueno. INGLÉS pride.

orgulloso, orgullosa

adjetivo y nombre

1 Que tiene o siente orgullo, en el sentido de que se cree superior y no reconoce sus faltas. INGLÉS proud.

2 Que tiene o siente orgullo, en el sentido de satisfacción por algo bueno que se tiene o se ha hecho: *Se siente muy orgulloso de su hija.* INGLÉS proud.

orientación

nombre femenino

1 Posición de una cosa o una persona respecto a los puntos cardinales. INGLÉS position.

2 Capacidad de una persona para saber dónde está después de haber andado o cambiado de sitio o que sirve para dirigirse a un lugar. INGLÉS sense of direction.

3 Información o consejo sobre algún asunto que ayuda a escoger entre distintas posibilidades. Los profesores suelen dar orientaciones a sus alumnos para que sigan determinadas carreras o estudios. INGLÉS advice, orientation.

NOTA El plural es: orientaciones.

oriental

adjetivo

1 Del oriente o que tiene relación con él. La Comunidad Valenciana está en la zona oriental de la Península Ibérica. ANTÓNIMO occidental. INGLÉS eastern.

adjetivo y nombre masculino y femenino

2 Se dice de la persona o cosa que es de uno de los países de Oriente. ANTÓNIMO occidental. INGLÉS Oriental.

orientar

verbo

1 Poner algo en cierta dirección respecto a los puntos cardinales o un lugar determinado. Orientamos hacia un punto determinado un telescopio, una antena o una planta. INGLÉS to point, to direct.

2 Informar a alguien sobre el punto en el que se encuentra o la dirección que debe tomar para llegar a un sitio. Un plano te orienta en la ciudad. INGLÉS to guide.

3 Informar o dar consejo a alguien sobre un asunto para que pueda elegir entre distintas opciones. INGLÉS to advise.

4 Dirigir una acción, una actividad o una conducta hacia un fin determinado: *Orientó todos sus esfuerzos a ayudar a los necesitados.* INGLÉS to direct.

5 orientarse Conocer una persona o un animal dónde se encuentra o cómo se va a algún lugar. INGLÉS to find one's bearings.

oriente

nombre masculino

1 Punto del horizonte o lugar por donde sale el Sol. SINÓNIMO este; levante. ANTÓNIMO occidente; oeste; poniente. INGLÉS the East.

2 Conjunto de países de Asia y de la parte de África y Europa más cercanas a Asia. Los países árabes forman parte del Oriente Próximo. Con este significado se escribe con mayúscula. ANTÓNIMO occidente. INGLÉS the East.

orificio

nombre masculino

1 Abertura de pequeño tamaño que hay o se hace en una superficie. SINÓNIMO agujero. INGLÉS hole.

2 Abertura del cuerpo de una persona o de un animal que comunica un órgano interior con el exterior, como los orificios de la nariz. INGLÉS orifice.

origen

nombre masculino

1 Momento o conjunto de circunstancias en que una cosa empieza a existir. INGLÉS origin.

2 Causa que hace que una cosa empiece a existir o a producirse. Una pieza mal colocada o gastada puede ser el origen de una avería. INGLÉS cause.

3 Lugar en el que ha nacido una persona o de donde procede una cosa. 'Alfombra' es una palabra de origen árabe. INGLÉS origin.

4 Clase social a la que pertenece la familia de la que desciende una persona. INGLÉS origins.

NOTA El plural es: orígenes.

original

adjetivo

1 Que es especial o poco común, que no se parece a otra cosa. Una casa circular es muy original. INGLÉS original.

2 Del origen o principio, o que tiene relación con él. En el cristianismo, el pecado original es el que está en el origen de la creación del hombre. INGLÉS original.

adjetivo y nombre masculino

3 Se dice de los textos o las obras de arte que no son copia, sino que han sido realmente producidos por su autor. INGLÉS original.

originar

verbo

1 Ser una persona o una cosa la causa, el motivo o el origen de algo. INGLÉS to cause.

2 originarse Tener su origen o principio una cosa en un momento o en unas circunstancias determinadas. Algunos incendios forestales se originan por descuido. INGLÉS to originate, to start.

originario, originaria
adjetivo
1 Del origen o principio o que tiene relación con él. INGLÉS original.
2 Se dice de la persona o cosa que procede de un lugar determinado. Los kiwis son originarios de Nueva Zelanda. INGLÉS native.

orilla
nombre femenino
1 Parte de tierra más próxima al mar, a un lago o a un río. Las personas que no saben nadar no deben alejarse de la orilla. INGLÉS shore, [si es de un río: bank].
2 Extremo o borde de una superficie: *Se sentó en la orilla de la mesa.* INGLÉS edge.

orina
nombre femenino
1 Líquido amarillento que expulsan las personas y los animales por la uretra. La orina contiene los desechos del organismo y se acumula en la vejiga. SINÓNIMO pipí; pis. INGLÉS urine.

orinal
nombre masculino
1 Recipiente que sirve para expulsar en él la orina y los excrementos, y que se puede llevar de un sitio a otro. Los niños pequeños suelen utilizar el orinal. INGLÉS chamber pot, [si es de niño: potty].

orinar
verbo
1 Expulsar la orina del cuerpo. SINÓNIMO mear. INGLÉS to urinate.

orla
nombre femenino
1 Franja o tira de adorno que se graba o se dibuja en la orilla de un papel, una tela o un objeto. INGLÉS border.
2 Cuadro en el que aparecen fotografías de los estudiantes y los profesores de una promoción, cuando terminan sus estudios. INGLÉS graduation photograph.

ornamentación
nombre femenino
1 Acción que consiste en adornar una cosa para hacerla más bella. Durante la Navidad, el ayuntamiento se encarga de la ornamentación de las calles con luces y motivos navideños. INGLÉS decoration.
2 Conjunto de cosas que sirven para adornar. INGLÉS decorations.
NOTA El plural es: ornamentaciones.

ornamental
adjetivo
1 Que sirve para adornar o decorar. Las plantas ornamentales son las que se cultivan para mostrar su belleza. SINÓNIMO decorativo. INGLÉS ornamental.

ornitología
nombre femenino
1 Parte de la zoología que estudia las aves. INGLÉS ornithology.

oro
nombre masculino
1 Metal de color amarillo, al que es muy fácil dar forma y se utiliza principalmente para hacer joyas y objetos de lujo. INGLÉS gold.
2 Color amarillo brillante, como el de los objetos de oro. INGLÉS gold.
nombre masculino plural
3 oros Carta de la baraja española que tiene dibujadas una o más monedas de oro.
como oro en paño Con mucho cuidado y atención: *Mi hermana guarda las cartas de su novio como oro en paño.*
hacerse de oro Ganar mucho dinero. INGLÉS to make a fortune.
oro negro Petróleo. INGLÉS oil.
valer su peso en oro Tener una cosa o una persona mucho valor. INGLÉS to be worth one's weight in gold.

orquesta
nombre femenino
1 Conjunto de músicos que tocan diferentes instrumentos musicales siguiendo las indicaciones de un director. INGLÉS orchestra.
2 En los teatros, lugar destinado a los músicos, que suele estar situado entre el escenario y los asientos. INGLÉS orchestra pit.

orquídea
nombre femenino
1 Flor grande, que puede ser de distintos colores, que tiene un pétalo más grande que los otros. INGLÉS orchid.

ortiga
nombre femenino
1 Planta silvestre con las hojas ovaladas y cubiertas por unos pelos que al tocarlos producen mucho picor. INGLÉS nettle.

ortodoncia
nombre femenino
1 Tratamiento dental para corregir una mala posición de los dientes. INGLÉS orthodontics.

a b c d e f g h i j k l m n ñ o p q r s t u v w x y z

ortodoxo, ortodoxa
adjetivo **1** Que sigue fielmente los principios de una doctrina o que cumple unas normas o prácticas tradicionales y aceptadas por la mayoría de las personas. Cuando decimos que alguien es poco ortodoxo en una materia es que no cumple exactamente con las normas tradicionales y aceptadas por todos los que se dedican a esa actividad. ANTÓNIMO heterodoxo. INGLÉS orthodox.

ortografía
nombre femenino **1** Conjunto de reglas que indican cómo escribir correctamente las palabras de una lengua. La ortografía enseña cómo se acentúan las palabras o cómo se utilizan algunas letras, como la 'b' y la 'v'. INGLÉS spelling.

ortográfico, ortográfica
adjetivo **1** De la ortografía o que tiene relación con ella. Al escribir hay que respetar las reglas ortográficas. INGLÉS spelling.

ortopédico, ortopédica
adjetivo **1** Se dice de los objetos o aparatos que sirven para corregir o prevenir defectos físicos del cuerpo humano. Muchas personas llevan zapatos ortopédicos para corregir la forma de apoyar el pie en el suelo. INGLÉS orthopaedic.

oruga
nombre femenino **1** Gusano que está en fase de desarrollo hasta convertirse en mariposa. SINÓNIMO larva. INGLÉS caterpillar.

orzuelo
nombre masculino **1** Bulto o inflamación que sale en el borde de un párpado debido a una infección. INGLÉS stye.

os
pronombre personal **1** Pronombre personal de segunda persona de plural que en la oración hace función de complemento directo o indirecto. Hace referencia a un grupo de personas entre las que se encuentra el oyente o los oyentes de la persona que habla: *¿Quién os ha invitado? Hoy os he preparado una sorpresa.* INGLÉS you.
2 Se usa en la primera persona del singular en la conjugación de los verbos reflexivos y recíprocos: *¿Por qué os lleváis tan mal? No os burléis de él.* INGLÉS you.

osadía
nombre femenino **1** Característica de la persona que se atreve a hacer cualquier cosa sin importarle el peligro o el riesgo que ello suponga. SINÓNIMO atrevimiento; valentía. INGLÉS daring.
2 Falta de vergüenza o de respeto al actuar o al hablar. INGLÉS effrontery, nerve.

osado, osada
adjetivo **1** Se dice de la persona que se atreve a hacer cualquier cosa sin tener miedo al riesgo o al peligro. SINÓNIMO intrépido; valiente. INGLÉS daring.
2 Se dice de la persona que actúa sin ninguna vergüenza ni respeto. SINÓNIMO sinvergüenza. INGLÉS shameless.

osar
verbo **1** Atreverse a hacer algo que es especialmente difícil o peligroso sin tener miedo. INGLÉS to dare.
2 Atreverse a hablar con alguien que tiene cierta autoridad o a contestarle de forma poco respetuosa: *¿Cómo osas hablarle así?* INGLÉS to dare.

oscense
adjetivo y nombre masculino y femenino **1** Se dice de la persona o cosa que es de Huesca, ciudad y provincia de Aragón.

oscilar
verbo **1** Moverse hacia un lado y otro algo que está colgado o apoyado en un solo punto, como un péndulo. INGLÉS to swing.
2 Cambiar o variar un valor o una cantidad dentro de unos límites determinados: *La temperatura del mar oscila entre los 20 y los 23 grados.* INGLÉS to fluctuate, to oscillate.

oscurecer
verbo **1** Poner o hacer más oscura una cosa, especialmente un color. También es disminuir la cantidad de luz de un lugar o dejarlo sin luz. ANTÓNIMO iluminar. INGLÉS to darken.
2 Empezar a desaparecer la luz del Sol. SINÓNIMO anochecer. INGLÉS to get dark.
NOTA Se conjuga como: agradecer; la 'c' se convierte en 'zc' delante de 'a' y 'o', como: oscurezca u oscurezco.

oscuridad
nombre femenino **1** Falta de luz o claridad para ver las cosas. Las noches en que no hay luna hay mucha oscuridad. ANTÓNIMO claridad. INGLÉS darkness.

a b c d e f g h i j k l m n ñ o p q r s t u v w x y z

a b c d e f g h i j k l m n ñ o p q r s t u v w x y z

2 Lugar en que hay poca luz o ninguna. En las películas, los ladrones aprovechan la oscuridad para huir de la policía. SINÓNIMO sombra. INGLÉS dark.

3 Característica de las cosas que son difíciles de entender o de captar con los sentidos. ANTÓNIMO claridad. INGLÉS obscurity.

oscuro, oscura

adjetivo

1 Que no tiene luz o que tiene poca luz. Los sótanos o las cuevas suelen ser lugares oscuros y sombríos. ANTÓNIMO claro. INGLÉS dark.

2 Se dice del color que se acerca al negro y que se opone a otro más claro de su misma clase, como el azul oscuro o marino en comparación al claro o celeste. ANTÓNIMO claro. INGLÉS dark.

3 Que es difícil de entender. Decimos que un escritor tiene un estilo oscuro cuando utiliza un lenguaje muy difícil. ANTÓNIMO claro; comprensible. INGLÉS obscure.

a oscuras Sin luz: *La tormenta dejó el pueblo a oscuras.* INGLÉS in the dark.

óseo, ósea

adjetivo

1 Del hueso o que está relacionado con él. INGLÉS bone.

osera

nombre femenino

1 Cueva o lugar donde se refugia y vive el oso. INGLÉS bear's den.

osezno

nombre masculino

1 Cría del oso. INGLÉS bear cub.

oso, osa

nombre

1 Animal mamífero de gran tamaño, con el cuerpo cubierto de pelo, las orejas pequeñas, la cola corta y fuertes uñas en las patas. En Asturias y los Pirineos hay osos. INGLÉS bear.

oso hormiguero Animal mamífero americano de color gris, con el hocico puntiagudo y largo, y una lengua también larga y pegajosa con la que coge gran cantidad de hormigas, de las que se alimenta. INGLÉS anteater.

oso panda Oso que tiene el pelo de color blanco y negro, y las orejas grandes y redondeadas. Vive en China. INGLÉS panda.

oso polar Oso que tiene todo el pelo blanco y que vive en zonas de clima muy frío. INGLÉS polar bear.

ostentación

nombre femenino

1 Demostración con orgullo de algo que se tiene y que no todo el mundo posee, como dinero, joyas o belleza. INGLÉS ostentation.

NOTA El plural es: ostentaciones.

ostentar

verbo

1 Mostrar con orgullo y satisfacción alguna cosa para que todo el mundo la vea. SINÓNIMO exhibir. INGLÉS to show off.

2 Poseer un cargo o un título: *Ostenta el cargo de presidente.* INGLÉS to hold.

ostra

nombre femenino

1 Molusco comestible que protege su cuerpo dentro de una concha formada por dos partes desiguales, gruesas y rugosas, de color gris verdoso por fuera y blanco por dentro. Las ostras se comen crudas. Algunas crean perlas en su interior. INGLÉS oyster.

aburrirse como una ostra Aburrirse mucho. INGLÉS oyster.

otear

verbo

1 Mirar a lo lejos desde un lugar alto. INGLÉS to scan.

otitis

nombre femenino

1 Inflamación del oído a causa de una infección. INGLÉS ear infection, otitis.

NOTA El plural es: otitis.

otoño

nombre masculino

1 Estación del año que viene después del verano y antes del invierno. En otoño algunos árboles pierden las hojas. INGLÉS autumn.

otorgar

verbo

1 Dar a alguien una cosa que pide o que se merece: *Le otorgaron un premio por su labor literaria.* SINÓNIMO conceder. INGLÉS to award.

NOTA Se escribe 'gu' delante de 'e', como: otorguen.

otorrinolaringología

nombre femenino

1 Parte de la medicina que se ocupa del oído, la nariz y la garganta, y de sus enfermedades. INGLÉS otolaryngology.

otorrinolaringólogo, otorrinolaringóloga

nombre

1 Médico especializado en el estudio y tratamiento de las enfermedades del oído, la nariz y la garganta. INGLÉS ear, nose and throat specialist.

otro, otra

determinante indefinido **1** Indica de forma imprecisa la identidad de ciertas personas u objetos que son distintos de otras persona u objetos de los que se ha hablado antes: *También otras personas opinan igual que tú.* INGLÉS other, another.

pronombre indefinido **2** Hace referencia de modo impreciso a la identidad de ciertas personas u objetos distintos de aquellos de los que ya hemos hablado: *Me quedo con estos tebeos, los otros te los regalo.* INGLÉS other, another.

ovación

nombre femenino **1** Aplauso fuerte y ruidoso que un grupo de personas dedica a alguien para expresar satisfacción o admiración. INGLÉS ovation.
NOTA El plural es: ovaciones.

oval

adjetivo **1** Se dice de lo que tiene forma parecida a la de un huevo. INGLÉS oval.

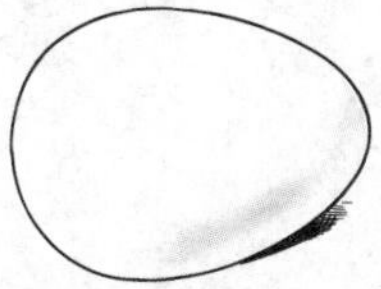

oval

ovalado, ovalada

adjetivo **1** Que tiene forma de óvalo. La cara de algunas personas es de forma ovalada. INGLÉS oval.

óvalo

nombre masculino **1** Figura delimitada por una línea cerrada con forma parecida a la de un huevo. INGLÉS oval.

ovario

nombre masculino **1** Órgano de reproducción femenino que contiene los óvulos. El aparato reproductor femenino consta de los siguientes órganos: ovarios, útero y vagina. INGLÉS ovary.
2 Órgano reproductor de las flores. INGLÉS ovary.

oveja

nombre femenino **1** Animal mamífero doméstico hembra, con el cuerpo cubierto de abundante pelo, con el que después se fabrica la lana. Vive en rebaños y su carne es comestible. INGLÉS sheep.
NOTA El macho de la oveja es el carnero.

ovetense

adjetivo y nombre masculino y femenino **1** Se dice de la persona o cosa que es de Oviedo, ciudad del norte de España y capital de Asturias.

ovillo

nombre masculino **1** Bola que se hace enrollando un hilo. Para hacer un jersey de lana se necesitan varios ovillos. INGLÉS ball of wool.
2 Lo que está envuelto o enrollado, o que da esa impresión por estar encogido: *Cuando se quita la ropa hace un ovillo y la tira dentro del armario.* INGLÉS ball.

ovino, ovina

adjetivo y nombre **1** Se dice del animal mamífero de tamaño medio que tiene lana y que se alimenta de vegetales. La oveja y la cabra son ovinos. INGLÉS ovine, sheep.

adjetivo **2** Que tiene relación con el ganado que da lana. INGLÉS ovine, sheep.

ovíparo, ovípara

adjetivo y nombre **1** Se dice del animal que pone huevos. Son ovíparos las aves, los anfibios, los reptiles, los peces y los insectos. INGLÉS oviparous.

ovni

nombre masculino **1** Objeto que vuela, pero no se sabe qué es ni de dónde viene. La palabra 'ovni' es una sigla formada con las iniciales de: Objeto Volante No Identificado. INGLÉS unidentified flying object, UFO.

ovular

verbo **1** Desprenderse el óvulo maduro del ovario en que se forma. Las mujeres ovulan aproximadamente una vez al mes. INGLÉS to ovulate.

óvulo

nombre masculino **1** Célula de reproducción femenina. Cuando el óvulo se une con un espermatozoide se crea un embrión. Los ovarios de la mujer producen un óvulo aproximadamente cada mes. INGLÉS ovule.

oxidar

verbo **1** Formar el agua o la humedad una capa de color rojizo en un objeto de metal. El hierro se oxida con la humedad. INGLÉS to rust.
2 Dejar de funcionar bien una cosa por haberla utilizado poco: *Hace mucho que no corro y tengo las piernas oxidadas.* Es un uso informal. INGLÉS to seize up.

óxido
nombre masculino
1 Capa de color rojizo que se forma en la superficie de algunos metales cuando están demasiado tiempo en contacto con el agua o con la humedad del ambiente. INGLÉS rust.

oxigenar
verbo
1 Hacer entrar aire limpio en un lugar cerrado. INGLÉS to ventilate.
2 oxigenarse Respirar aire fresco una persona: *Voy a salir a dar un paseo para oxigenarme un poco, porque llevo todo el día en casa.* INGLÉS to get some fresh air.

oxígeno
nombre masculino
1 Gas que no tiene olor ni color y que, junto con otros gases, forma parte del aire y del agua. Los seres vivos necesitamos el oxígeno para respirar. INGLÉS oxygen.

oyente
adjetivo y nombre masculino y femenino
1 Se dice de la persona que está oyendo o escuchando algo. Generalmente hablamos de oyentes para referirnos a quienes escuchan la radio. INGLÉS listener.

ozono
nombre masculino
1 Gas de color azul claro que se forma en las capas altas de la atmósfera y protege a la Tierra de las radiaciones del Sol. INGLÉS ozone.

a b c d e f g h i j k l m n ñ o p q r s t u v w x y z

abcdefghijklmnño**P**qrstuvwxyz

p
nombre femenino
1 Decimoséptima letra del alfabeto español. La 'p' es una consonante.

pabellón
nombre masculino
1 Edificio, generalmente aislado, que depende de otro mayor o que forma parte de un conjunto. INGLÉS pavilion.
pabellón auditivo Parte externa del oído. SINÓNIMO oreja. INGLÉS outer ear.
NOTA El plural es: pabellones.

pacense
adjetivo y nombre masculino y femenino
1 Se dice de la persona o cosa que es de Badajoz, ciudad y provincia de Extremadura. SINÓNIMO badajocense.

pacer
verbo
1 Comer hierba los animales en el campo. SINÓNIMO pastar. INGLÉS to graze.
NOTA Se conjuga como: nacer; la 'c' se convierte en 'zc' delante de 'a' y 'o', como: pazca o pazco.

pachanga
nombre femenino
1 Diversión o fiesta ruidosa, en la que generalmente hay música y baile. INGLÉS partying.

pachorra
nombre femenino
1 Calma o lentitud excesiva al hacer algo: *¡Qué pachorra!, llevas ya tres horas preparándote.* INGLÉS calmness [calma], slowness [lentitud].
NOTA Es una palabra informal.

pachucho, pachucha
adjetivo
1 Se dice de la persona que está débil o se encuentra mal de salud. SINÓNIMO enfermo; pocho. INGLÉS poorly.
2 Se dice de las plantas o las flores que están un poco estropeadas o no muy frescas. INGLÉS overripe.

paciencia
nombre femenino
1 Calma y tranquilidad para hacer algo que resulta aburrido o difícil, como esperar a alguien que tarda en llegar. INGLÉS patience.
2 Capacidad para mantener durante mucho tiempo una actitud tranquila ante una situación difícil o molesta. INGLÉS patience.

paciente
adjetivo
1 Se dice de la persona que tiene paciencia. ANTÓNIMO impaciente. INGLÉS patient.
nombre masculino y femenino
2 Persona que está en tratamiento para curarse. Los médicos atienden a sus pacientes. SINÓNIMO enfermo. INGLÉS patient.

pacificar
verbo
1 Establecer la paz en un lugar en que había guerra o entre varias personas o bandos que estaban enfrentados. La ONU tiene entre sus misiones ayudar a pacificar los países que están en guerra. INGLÉS to pacify.
NOTA Se conjuga como: sacar; se escribe 'qu' delante de 'e', como: pacifiquen.

pacífico, pacífica
adjetivo
1 Que no es agresivo o que ama la paz. Las personas pacíficas rechazan la violencia. ANTÓNIMO violento. INGLÉS peaceful.
2 Que se mantiene en tranquilidad o dentro de un orden, sin que se produzcan problemas. INGLÉS peaceful.

pacifista
adjetivo y nombre masculino y femenino
1 Se dice de la persona que es contraria a la guerra, a los actos violentos y a los enfrentamientos armados, y defiende la paz entre los países. También son pacifistas las acciones, las ideas y los comportamientos favorables a la paz y en contra de la guerra. INGLÉS pacifist.

pack
nombre masculino
1 Paquete o lote formado por varios

a b c d e f g h i j k l m n ñ o p q r s t u v w x y z

productos del mismo tipo, como un pack de yogures. INGLÉS pack.
NOTA El plural es: packs. Es una palabra de origen inglés.

pacotilla
de pacotilla De poca calidad o de escaso valor: *Un actor de pacotilla.* INGLÉS second-rate.
NOTA Es una expresión informal.

pactar
verbo
1 Establecer dos o más personas un acuerdo mediante el cual se obligan a cumplir una serie de condiciones. INGLÉS to agree.

pacto
nombre masculino
1 Acuerdo entre dos o más personas mediante el cual se obligan a cumplir una serie de condiciones. INGLÉS pact, agreement.

padecer
verbo
1 Sentir un dolor o daño físico, o tener una enfermedad: *Fue al médico porque padecía un fuerte dolor de oído.* INGLÉS to suffer.
2 Tener un estado de ánimo negativo por no tener algo que se necesita o que se desea mucho, o por ver sufrir a los demás: *Padecimos mucha sed en el desierto.* INGLÉS to suffer.
NOTA Se conjuga como: agradecer; la 'c' se convierte en 'zc' delante de 'a' y 'o', como: padezca.

padrastro
nombre masculino
1 Hombre que se casa con la madre de una persona y no es su padre. Cuando una mujer con hijos se vuelve a casar, su nuevo marido es el padrastro de sus hijos. INGLÉS stepfather.
2 Trozo de piel que se levanta junto a las uñas de los dedos de la mano. INGLÉS hangnail.

padrazo
nombre masculino
1 Padre que muestra mucho cariño y ternura por su hijo. INGLÉS doting father.

padre
nombre masculino
1 Hombre que tiene uno o más hijos: *Ese es el padre de Marta.* INGLÉS father.
2 Forma en que un hijo se dirige a su padre: *¿Cómo te encuentras, padre?* Ahora se utiliza más: papá. INGLÉS father.
3 Forma de tratamiento que se utiliza con curas y frailes. INGLÉS father.
4 Hombre que ha inventado algo o ha desarrollado una ciencia: *Bell y Edison son los padres del teléfono.* INGLÉS father.
nombre masculino plural
5 padres Padre y madre de una persona. INGLÉS parents.
adjetivo
6 Que es muy grande o muy fuerte: *En el recreo había un jaleo padre.* INGLÉS tremendous.

padrenuestro
nombre masculino
1 Oración cristiana dedicada a Dios que empieza con las palabras 'padre nuestro'. INGLÉS Lord's Prayer.
NOTA También se escribe: padre nuestro.

padrino
nombre masculino
1 Hombre que acompaña a los novios al altar en la boda o al niño en el bautizo. INGLÉS godfather [en un bautizo].
nombre masculino plural
2 padrinos Hombre y mujer que acompañan a los novios al altar en la boda o al niño en el bautizo. INGLÉS godparents [en un bautizo].

padrón
nombre masculino
1 Lista oficial de las personas que viven en un lugar. En los padrones municipales se recogen distintos datos de la población, como el nombre completo de cada persona, su dirección, la edad y la profesión. INGLÉS municipal register.
NOTA El plural es: padrones.

paella
nombre femenino
1 Comida que se hace con arroz y otros ingredientes, como marisco, pescado y carne. INGLÉS paella.

paellera
nombre femenino
1 Recipiente de cocina redondo y poco profundo, que tiene dos asas y sirve para hacer paellas. INGLÉS paella pan.

paga
nombre femenino
1 Cantidad de dinero que recibe una persona por un trabajo o servicio. Algunos trabajadores reciben una paga extra en Navidad. INGLÉS pay.
2 Cantidad de dinero que recibe un niño o un joven de sus padres para que se lo gaste con sus amigos. INGLÉS pocket money.

pagano, pagana
adjetivo y nombre
1 Que no es cristiano, sino de cualquier otra religión, en especial de aquellas en que se adora a varios dioses. INGLÉS pagan.

pagar
verbo
1 Dar una cantidad de dinero a cambio de un trabajo, un servicio o una cosa que compramos o para anular una deuda. **ANTÓNIMO** cobrar. **INGLÉS** to pay.
2 Cumplir una pena o castigo por un delito o una mala acción. Los ladrones pagan su delito con los castigos que impone la ley. **INGLÉS** to pay for.
NOTA Se escribe 'gu' delante de 'e', como: paguen.

pagaré
nombre masculino
1 Documento en que una persona se compromete a pagar cierta cantidad de dinero en un tiempo determinado. **INGLÉS** promissory note.

página
nombre femenino
1 Cara o lado de una hoja de libro, cuaderno o publicación. En un papel impreso por las dos caras leemos dos páginas. **INGLÉS** page.

pago
nombre masculino
1 Entrega de una cantidad de dinero por algo que se compra o por una deuda. **SINÓNIMO** abono. **INGLÉS** payment.

pagoda
nombre femenino
1 Edificio donde una comunidad budista se reúne para rezar o celebrar un acto religioso. **INGLÉS** pagoda.

país
nombre masculino
1 Territorio de un estado independiente. Francia y Alemania son dos países europeos. **SINÓNIMO** nación. **INGLÉS** country.
2 Territorio donde viven un conjunto de personas que tienen la misma lengua, historia y costumbres, como el País Vasco. **SINÓNIMO** pueblo. **INGLÉS** country.

paisaje
nombre masculino
1 Trozo de un territorio que se puede ver desde un lugar determinado. **INGLÉS** landscape.
2 Cuadro o fotografía que representa una extensión de terreno: *Fuimos al museo para ver una exposición de paisajes.* **INGLÉS** landscape.

paisajístico, paisajística
adjetivo
1 Del paisaje o que tiene relación con él: *Es un pintor especializado en pintura paisajística.* **INGLÉS** landscape.

paisano, paisana
adjetivo y nombre
1 Se dice de la persona que ha nacido en la misma población, provincia o región que otra. **INGLÉS** fellow countryman [nombre - hombre], fellow countrywoman [nombre - mujer].
de paisano Indica que un militar, un policía o un sacerdote va vestido con ropa de calle, no con uniforme o hábito. **INGLÉS** in plain clothes.

paja
nombre femenino
1 Tallo de los cereales cuando está seco y separado del grano. La paja se usa para alimentar el ganado y para confeccionar sombreros o cestos. **INGLÉS** straw.
2 Tubo delgado, normalmente de plástico flexible, que se utiliza para sorber líquidos, en especial refrescos. También se dice: pajita. **INGLÉS** straw.
3 Parte poco importante o inútil de un asunto, una conversación o un libro. **INGLÉS** waffle.
4 Acción de darse una persona placer sexual a sí misma tocándose los órganos sexuales. Es un uso vulgar. **INGLÉS** wank.

pajar
nombre masculino
1 Lugar donde se guarda paja. El pajar suele estar cerca del establo o de la era. **INGLÉS** hayloft.

pajarería
nombre femenino
1 Establecimiento donde se venden aves domésticas, como periquitos o canarios. **INGLÉS** pet shop.

pajarita
nombre femenino
1 Especie de lazo que se pone alrededor del cuello de una camisa, como el que llevan algunos camareros y directores de orquesta. **INGLÉS** bow tie.
2 Figura que se hace doblando varias veces una hoja de papel y que tiene forma de pájaro. **INGLÉS** paper bird.

pájaro, pájara
nombre masculino
1 Ave de pequeño tamaño, de movimientos rápidos, y que suele cantar de una manera agradable para el oído humano. **INGLÉS** bird.
adjetivo y nombre
2 Se dice de la persona que engaña con habilidad o que tiene malas intenciones. **INGLÉS** crafty [adjetivo], crafty devil [nombre].
pájaro bobo Pingüino. **INGLÉS** penguin.

paje
nombre masculino
1 Chico que antiguamente servía a un señor o a un rey. **INGLÉS** page.

a b c d e f g h i j k l m n ñ o p q r s t u v w x y z

pala
nombre femenino
1 Herramienta que sirve para remover o recoger tierra, arena u otra cosa. La pala está formada por una pieza de madera o metal, plana y rectangular, sujeta a un mango largo de madera y se utiliza en tareas agrícolas, de construcción y de jardinería. INGLÉS shovel, spade.
2 Nombre que se da a diversos utensilios de cocina formados por un mango unido a una superficie ancha, como una pala de pescado. INGLÉS spatula.
3 En algunos deportes, tabla de madera redonda, unida a un mango, que sirve para dar golpes a la pelota, como las palas de ping-pong. INGLÉS bat.
4 Parte ancha y delgada de algunos objetos, como la pala de un remo. INGLÉS blade.

palabra
nombre femenino
1 Sonido o grupo de sonidos que tienen un significado. Una palabra se separa de otra por un espacio en blanco; 'casa', o 'por' son palabras. INGLÉS word.
2 Promesa de que se va a hacer algo o de que lo que se dice es verdad. Cuando damos nuestra palabra, la tenemos que cumplir. INGLÉS word.
3 Derecho de una persona a hablar en una conversación, en especial cuando es formal o está moderada por alguien. El moderador de una tertulia da la palabra a quien desea hablar. INGLÉS floor.
palabra baúl Palabra con un significado poco preciso que se utiliza normalmente para referirse a una cosa de la que no se sabe el nombre o se ha olvidado. 'Cacharro' y 'chisme' son palabras baúl. INGLÉS catchall word.

palabrota
nombre femenino
1 Palabra o expresión que suena mal o es ofensiva. Decir palabrotas se considera de mala educación. SINÓNIMO taco. INGLÉS swearword.

palaciego, palaciega
adjetivo
1 Del palacio o que tiene relación con él, como la arquitectura o las costumbres. INGLÉS palace.
adjetivo y nombre
2 Se dice de la persona que formaba parte de la corte y estaba al servicio del rey o de su familia. INGLÉS courtier [nombre].

palacio
nombre masculino
1 Edificio grande y lujoso en el que suelen vivir personajes importantes, en especial los reyes. INGLÉS palace.
2 Edificio público muy grande que se destina a celebrar actos y actividades que reúnen a mucha gente, como un palacio de deportes o un palacio de exposiciones. INGLÉS centre, hall.

paladar
nombre masculino
1 Superficie que hay en la parte interior y superior de la boca. INGLÉS palate.
2 Capacidad de algunas personas para valorar y distinguir el sabor de las bebidas y los alimentos. INGLÉS palate.

paladear
verbo
1 Disfrutar poco a poco del sabor de la comida o de la bebida que se tiene en la boca. SINÓNIMO saborear. INGLÉS to savour.

paladín
nombre masculino
1 Caballero que en la guerra destacaba por sus hazañas valientes y nobles: *El emperador Carlomagno iba siempre acompañado de sus paladines.* INGLÉS paladin.
2 Persona que defiende con gran esfuerzo una causa noble: *Gandhi, pensador y político indio, fue el paladín de la paz.* INGLÉS champion.
NOTA El plural es: paladines.

palanca
nombre femenino
1 Barra que sirve para levantar un peso situado en uno de sus extremos, aplicando una fuerza hacia abajo en el otro. INGLÉS lever.

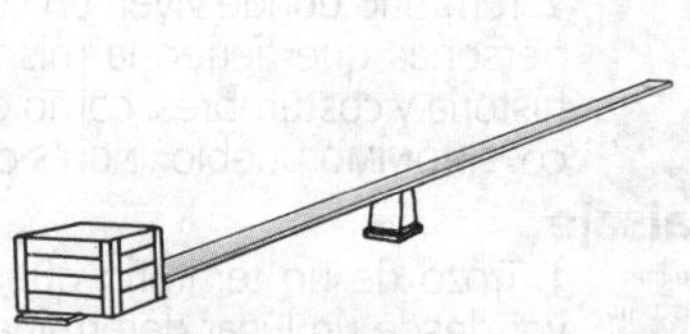

palanca

2 Pieza de algunas máquinas o aparatos que sirve para ponerlos en funcionamiento o para accionar algún mecanismo, como la palanca de cambios de un coche. INGLÉS lever.

palangana
nombre femenino
1 Recipiente redondo y poco profundo con el borde más grande que el fondo, que se usa en tareas domésticas. INGLÉS bowl.

palco
nombre masculino **1** En un teatro, espacio separado con forma de balcón en el que hay varios asientos. También es un lugar separado y reservado que hay en estadios y plazas de toros. INGLÉS box.

palentino, palentina
adjetivo y nombre **1** Se dice de la persona o cosa que es de Palencia, ciudad y provincia de Castilla y León.

paleolítico, paleolítica
adjetivo y nombre **1** Se dice de un período de la prehistoria comprendido entre la aparición de los primeros seres humanos y el descubrimiento de la agricultura y la ganadería. El paleolítico es anterior al neolítico. INGLÉS Palaeolithic.

paleontología
nombre femenino **1** Ciencia que estudia los seres vivos cuyos restos se han convertido en piedra por el paso del tiempo. INGLÉS palaeontology.

paleta
nombre femenino **1** Pala de pequeño tamaño, como la que se usa en la cocina para sacar los alimentos del fuego o darles la vuelta, o la de madera y con forma redonda que se usa para jugar al ping-pong. INGLÉS slice [de cocina], bat [de ping-pong].
2 Herramienta que usan los albañiles para recoger y extender la masa; está formada por una pieza triangular de hierro que tiene un mango de madera. INGLÉS trowel.
3 Tabla de madera con un agujero que usan los pintores que pintan cuadros para dejar montones de pintura de diferentes colores y mezclarlos para conseguir otros distintos. INGLÉS palette.
4 Cada uno de los dos dientes que las personas tienen en la parte delantera superior de la boca. INGLÉS front tooth.

paleto, paleta
adjetivo y nombre **1** Se dice de la persona que vive en una zona rural y no tiene estudios. INGLÉS country bumpkin [nombre].
adjetivo **2** Se dice despectivamente de la persona que se comporta con modales poco educados y demostrando tener muy poca cultura. INGLÉS oafish [adjetivo], oaf [nombre].

palidecer
verbo **1** Perder una persona el color de la cara y ponerse blanca. INGLÉS to turn pale.
NOTA Se conjuga como: agradecer; la 'c' se convierte en 'zc' delante de 'a' y 'o', como: palidezca.

palidez
nombre femenino **1** Característica de las personas o cosas que son o están pálidas. INGLÉS paleness.
NOTA El plural es: palideces.

pálido, pálida
adjetivo **1** Que tiene un color más claro de lo normal. Tenemos la cara pálida cuando estamos enfermos o mareados. INGLÉS pale.
2 Se dice del color que tiene un tono muy claro: *Rojo pálido.* INGLÉS pale.

palillero
nombre masculino **1** Recipiente pequeño que sirve para guardar palillos. INGLÉS toothpick holder.

palillo
nombre masculino **1** Palo de madera pequeño y fino, con los extremos acabados en punta, que sirve para pinchar los alimentos o para quitar restos de comida que quedan entre los dientes. SINÓNIMO mondadientes. INGLÉS toothpick.

palíndromo
nombre masculino **1** Palabra o grupo de palabras que se leen igual de izquierda a derecha que de derecha a izquierda. 'Ana' y 'dábale arroz a la zorra el abad' son palíndromos. INGLÉS palindrome.

paliza
nombre femenino **1** Sucesión de muchos golpes que se dan a alguien con la intención de causarle daño. INGLÉS beating, thrashing.
2 Derrota muy grande en una competición o una disputa. INGLÉS thrashing.
3 Trabajo que se realiza con mucho esfuerzo y que produce un gran cansancio. INGLÉS grind.
nombre masculino y femenino **4** Persona que insiste tanto en algo que dice o pide que resulta molesta o muy pesada. Es un uso informal. SINÓNIMO pelma; plasta. INGLÉS pain in the neck.

palma
nombre femenino **1** Parte inferior de la mano comprendida entre la muñeca y los dedos. INGLÉS palm.
2 Árbol de tronco alto y áspero, sin ramas, con grandes hojas en la parte de

arriba y flores blancas. Algunas palmas dan dátiles. SINÓNIMO palmera. INGLÉS palm tree.
3 Hoja larga y amarilla de árboles como la palmera o el coco. El Domingo de Ramos las procesiones se adornan con palmas. INGLÉS palm.
nombre femenino plural **4 palmas** Golpes que se dan haciendo chocar las palmas de las manos. SINÓNIMO aplauso; palmada. INGLÉS clapping.

palmada
nombre femenino **1** Golpe que se da con la palma de la mano. Podemos darle a un amigo palmadas en la espalda para saludarlo. INGLÉS pat.
2 Golpe que se da haciendo chocar las dos palmas de las manos. INGLÉS clapping, slap, pat.

palmar
verbo **1** Dejar de vivir. SINÓNIMO morir. INGLÉS kick the bucket.
NOTA Es una palabra informal.

palmarés
nombre masculino **1** Conjunto de éxitos, méritos o victorias que ha conseguido una persona o grupo de personas: *Es un corredor muy joven que cuenta con un magnífico palmarés.* INGLÉS list of achievements, record.
NOTA El plural es: palmareses.

palmeado, palmeada
adjetivo **1** Se dice de la pata de un animal que tiene los dedos unidos por una membrana. Los patos y las ranas, que nadan con las patas, las tienen palmeadas. INGLÉS webbed.

palmear
verbo **1** Hacer chocar las palmas de las manos. INGLÉS to clap.

palmera
nombre femenino **1** Árbol de tronco alto y áspero, sin ramas, terminado en hojas grandes perennes, con flores blancas y fruto comestible en algunas especies. SINÓNIMO palma. INGLÉS palm tree.
2 Pastel plano de hojaldre en forma de corazón.

palmeral
nombre masculino **1** Terreno con muchas palmeras. INGLÉS palm grove.

palmo
nombre masculino **1** Medida de longitud que equivale a la distancia que hay entre el extremo del dedo meñique y el del pulgar con la mano abierta. INGLÉS span.

palmotear
verbo **1** Hacer chocar las palmas de las manos en señal de alegría. INGLÉS to clap.

palo
nombre masculino **1** Trozo de madera más largo que grueso, como las ramas secas de los árboles, los travesaños de una portería de fútbol o las maderas de los barcos donde se sujetan las velas. INGLÉS stick [vara, bastón], post [poste], mast [mástil].
2 Golpe que se da con un trozo de madera: *Daba palos a la alfombra para quitarle el polvo.* INGLÉS blow with a stick.
3 Madera. Los piratas llevan una pata de palo. INGLÉS wood.
4 Cada uno de los grupos diferentes de cartas de una baraja. Los palos de la baraja española son cuatro: oros, copas, espadas y bastos. INGLÉS suit.
5 Daño o pena que se le causa a alguien: *¡Qué palo!, ha suspendido.* Es un uso informal. INGLÉS drag.

paloma
nombre femenino **1** Ave de tamaño medio con el plumaje de color blanco, gris o negro, capaz de volar durante muchas horas y de orientarse con facilidad. Antiguamente eran utilizadas para llevar mensajes a grandes distancias. INGLÉS pigeon, [si es blanca: dove].
NOTA El macho es el palomo.

palomar
nombre masculino **1** Lugar en donde se crían y van a refugiarse las palomas. INGLÉS dovecote.

palomita
nombre femenino **1** Grano de maíz que se ha reventado después de haber sido frito con un poco de aceite. Normalmente, las palomitas son de color blanco y se comen con sal o azúcar. INGLÉS popcorn.
NOTA Se usa más en plural.

palomo
nombre masculino **1** Macho de la paloma. INGLÉS cock pigeon.

palote
nombre masculino **1** Raya recta y vertical que traza una persona cuando está aprendiendo a escribir. INGLÉS stick, stroke.

palpar
verbo **1** Tocar con las manos para reconocer o

examinar algo. Los ciegos palpan las cosas para saber cómo son. INGLÉS to feel.
2 Notar o percibir algo muy claramente: *El miedo se palpaba en el ambiente.* INGLÉS to sense.

palpitante
adjetivo
1 Que despierta la atención de las personas o causa gran interés, como un tema que está de actualidad o se considera polémico. INGLÉS burning.

palpitar
verbo
1 Dar latidos el corazón. SINÓNIMO latir. INGLÉS to beat.

palurdo, palurda
adjetivo y nombre
1 Se dice de la persona que no tiene estudios y se comporta con unos modales poco finos o delicados. SINÓNIMO cateto. INGLÉS country bumpkin.

pamela
nombre femenino
1 Sombrero de ala muy ancha que usan las mujeres. INGLÉS picture hat.

pampa
nombre femenino
1 Llanura extensa y sin árboles, propia de algunos países de América del Sur, como Argentina. INGLÉS pampas.

pamplina
nombre femenino
1 Cosa que no tiene ninguna importancia: *Déjate de pamplinas y preocúpate por lo que te interesa de verdad.* INGLÉS daft thing, [pamplinas: nonsense].
NOTA Es una palabra informal. Se usa más en plural.

pamplonés, pamplonesa
adjetivo y nombre
1 Se dice de la persona o cosa que es de Pamplona, capital de Navarra. SINÓNIMO pamplonica.
NOTA El plural de pamplonés es: pamploneses.

pamplonica
adjetivo y nombre masculino y femenino
1 Pamplonés.

pan
nombre masculino
1 Alimento que se hace con harina, agua, sal y levadura, y se cuece en el horno. INGLÉS bread.
ser pan comido Ser muy fácil de realizar. INGLÉS to be a piece of cake.

pana
nombre femenino
1 Tela gruesa de algodón, con pelos cortos y suaves formando rayas en una de sus caras. INGLÉS corduroy.

panadería
nombre femenino
1 Establecimiento en el que se hace y se vende pan, bollos, cruasanes y otros alimentos. INGLÉS bakery, baker's.

panadero, panadera
nombre
1 Persona que hace o vende pan y otros productos de panadería. INGLÉS baker.

panal
nombre masculino
1 Conjunto de huecos o celdas que las abejas construyen con cera en la colmena para guardar la miel que fabrican. INGLÉS honeycomb.

panameño, panameña
adjetivo y nombre
1 Se dice de la persona o cosa que es de Panamá, país de América Central. INGLÉS Panamanian.

pancarta
nombre femenino
1 Trozo de papel o tela grande en el que se pintan frases o peticiones que se pueden leer desde lejos: *Se pueden ver pancartas en las manifestaciones.* INGLÉS placard, banner.

panceta
nombre femenino
1 Tocino de cerdo con vetas de carne magra. INGLÉS bacon.

pancho, pancha
tan pancho Se dice de la persona tranquila y que no se altera por cosas que alteran a los demás: *¿Cómo podéis estar tan panchos cuando hay tanto trabajo?* INGLÉS calm.
tan pancho Se dice de la persona que se queda tranquila y satisfecha después de hacer o decir algo que altera a otros: *Después de haberle dicho todo lo que pensaba de él se ha quedado tan pancha.* INGLÉS as if nothing had happened.
NOTA Es una expresión informal.

páncreas
nombre masculino
1 Órgano del cuerpo, situado detrás del estómago, que produce un jugo que ayuda a digerir los alimentos. INGLÉS pancreas.
NOTA El plural es: páncreas.

panda
nombre femenino
1 Pandilla o grupo de amigos que salen juntos. INGLÉS group, gang.
nombre masculino
2 Animal mamífero parecido a un oso que tiene el pelo de color blanco y negro. Los pandas se alimentan principalmente de vegetales. Son originarios de Asia. INGLÉS panda.

a b c d e f g h i j k l m n ñ o **p** q r s t u v w x y z

pandereta
nombre femenino **1** Instrumento musical formado por un aro de madera cubierto con una piel estirada y unas chapas de metal alrededor del aro. Se toca golpeándola con la mano abierta, con el puño o con los dedos. INGLÉS small tambourine. DIBUJO página 598.

pandilla
nombre femenino **1** Grupo de amigos que habitualmente salen juntos. INGLÉS group, gang.

panel
nombre masculino **1** Tabla grande que se usa en construcción para separar espacios. INGLÉS panel.
2 Superficie de madera, de corcho u otro material que se utiliza para exponer papeles o anuncios que se pegan o enganchan en ella. INGLÉS noticeboard.
panel solar Láminas o plancha delgada que acumula la energía del Sol. Los paneles solares transforman la energía solar en energía eléctrica. INGLÉS solar panel.

panera
nombre femenino **1** Recipiente que sirve para guardar el pan o para servirlo en la mesa. INGLÉS breadbin [para guardarlo], breadbasket [pera servirlo].

panfleto
nombre masculino **1** Escrito breve, generalmente de carácter político, en que se habla muy mal de alguien o de algo con la intención de perjudicarlos. INGLÉS political pamphlet.

pánico
nombre masculino **1** Sentimiento muy fuerte de miedo que no se puede controlar. INGLÉS panic.

pánico

panocha
nombre femenino **1** Espiga grande en que se crían los frutos de algunas plantas, especialmente del maíz. INGLÉS corncob.

panorama
nombre masculino **1** Vista de una extensión grande de terreno que se ve desde un lugar. INGLÉS panorama.
2 Aspecto que presenta una determinada situación. Los medios de información reflejan el panorama político, social o económico. INGLÉS panorama.

pantalla
nombre femenino **1** Superficie plana y rectangular sobre la que se proyectan imágenes de cine o de fotografía. INGLÉS screen.
2 Parte de un televisor, un ordenador u otros objetos electrónicos donde se ven las imágenes. INGLÉS screen.
3 Parte de una lámpara que se pone alrededor de la bombilla. Las pantallas pueden ser de tela, plástico, cristal u otros materiales. INGLÉS lampshade.

pantalón
nombre masculino **1** Prenda de vestir que se sujeta a la cintura y cubre cada pierna por separado. INGLÉS trousers.
NOTA El plural es: pantalones. También se usa el plural para indicar solo una unidad.

pantano
nombre masculino **1** Lago artificial, a menudo cerrado por una presa, en el que se almacenan las aguas de un río para aprovecharlas en el riego o en la obtención de electricidad. SINÓNIMO embalse. INGLÉS reservoir.
2 Terreno poco profundo cubierto de aguas estancadas y de barro. INGLÉS marsh.

pantanoso, pantanosa
adjetivo **1** Se dice del terreno poco profundo que está cubierto de agua y barro. INGLÉS marshy.

panteón
nombre masculino **1** Monumento funerario que sirve para guardar los cadáveres de varias personas, generalmente de la misma familia. Los panteones suelen estar en los cementerios. INGLÉS vault.
NOTA El plural es: panteones.

pantera
nombre femenino **1** Animal mamífero carnívoro parecido al gato, pero mucho mayor, que puede ser de color amarillo con manchas oscuras o completamente negro. Es muy rápido y ágil. INGLÉS panther.

pantomima
nombre femenino
1 Obra de teatro en la que los actores no se expresan con palabras, sino usando únicamente gestos. INGLÉS pantomime.
2 Mentira o engaño que se prepara para conseguir algo o para ocultar algo que no queremos que se sepa. SINÓNIMO comedia; farsa. INGLÉS playacting.

pantorrilla
nombre femenino
1 Parte de atrás de la pierna de las personas que va de la rodilla al tobillo. INGLÉS calf.

pantufla
nombre femenino
1 Zapatilla sin talón, de suela plana y delgada, que se usa en casa para caminar. INGLÉS slipper.

panza
nombre femenino
1 Barriga, normalmente grande y abultada, que tiene una persona o un animal. INGLÉS belly.

panzada
nombre femenino
1 Golpe dado con la barriga. INGLÉS belly flop.
2 Exceso de una acción determinada. Darse una panzada de trabajar o de comer es trabajar o comer mucho. INGLÉS blowout [de comer].

pañal
nombre masculino
1 Prenda de tela o de papel que se pone a los niños pequeños entre las piernas para absorber y retener el pis y la caca. INGLÉS nappy [en el Reino Unido], diaper [en Estados Unidos].
NOTA También se usa el plural para indicar solo una unidad.

paño
nombre masculino
1 Tejido grueso de lana que se usa principalmente para hacer prendas de vestir de abrigo. INGLÉS cloth.
2 Trozo de tela cuadrado o rectangular, como un paño de cocina o un paño para quitar el polvo. INGLÉS cloth.
en paños menores En ropa interior o casi desnudo. INGLÉS in one's underwear.

pañuelo
nombre masculino
1 Trozo cuadrado de tela o papel que sirve para limpiarse la nariz o el sudor, o para otras cosas, como limpiar los cristales de unas gafas. INGLÉS handkerchief.
2 Trozo de tela que se pone en el cuello o la cabeza para abrigar o adornar. INGLÉS scarf.

papa
nombre masculino
1 Jefe supremo de la Iglesia católica. Se escribe normalmente con mayúscula. INGLÉS pope.
2 Es otra forma de pronunciar y escribir: papá.
nombre femenino
3 Patata. Se usa en el español de Andalucía, Canarias y América. INGLÉS potato.

papá
nombre masculino
1 Forma en que una persona se refiere a su padre o se dirige a él. INGLÉS dad, daddy.
NOTA Es una palabra familiar; en situaciones formales se usa: padre. También se escribe y se pronuncia: papa.

papada
nombre femenino
1 Abultamiento de carne que se forma debajo de la barbilla en las personas que están gruesas. INGLÉS double chin.

papagayo
nombre masculino
1 Ave tropical con plumas de colores llamativos y el pico corto, fuerte y curvado. Los papagayos se encuentran en América del Sur y África, y algunos son capaces de imitar la voz humana. INGLÉS parrot.

papal
adjetivo
1 Del Papa o que tiene relación con él. Algunas personas viajan a Roma alguna vez en su vida para recibir la bendición papal. INGLÉS papal.

papaya
nombre femenino
1 Fruto tropical de forma alargada, de color naranja y con muchas semillas en su interior. La papaya es comestible y su carne es parecida a la del melón. INGLÉS papaya.

papel
nombre masculino
1 Lámina fina de un material hecho con fibras vegetales que se utiliza para escribir, dibujar, envolver u otros usos. Las páginas de los libros son de papel. INGLÉS paper.
2 Documento escrito que se necesita para hacer una cosa. Para matricularnos en una escuela tenemos que rellenar varios papeles. INGLÉS paper.
3 Personaje que un actor representa en una película u obra de teatro. INGLÉS role, part.
4 Función que tiene que desempeñar

una persona en una situación determinada: *Hizo el papel de consejero con su amigo.* INGLÉS role.

papel charol Papel brillante y de distintos colores. El papel charol se utiliza para hacer trabajos manuales. INGLÉS glazed paper.

papel higiénico Papel formado por varias capas muy suaves y finas, que se vende enrollado y se utiliza en el cuarto de baño. INGLÉS toilet paper.

papeleo
nombre masculino
1 Conjunto de papeles y documentos que se tienen que rellenar y presentar en un lugar para resolver o legalizar algo. Para obtener el carné de identidad hay que hacer un montón de papeleo y presentarlo en la comisaría. INGLÉS paperwork.

papelera
nombre femenino
1 Recipiente donde se tiran los papeles que no sirven y otras cosas de basura. En las calles y en los parques hay papeleras para que la gente no tire papeles al suelo. INGLÉS wastepaper basket [en clase o en un despacho], litter bin [por la calle].

papelería
nombre femenino
1 Tienda en la que se venden libretas, lápices y otros objetos que se utilizan en oficinas o colegios. INGLÉS stationer's.

papeleta
nombre femenino
1 Hoja pequeña de papel en la que hay escrito algún dato. Se usan papeletas para votar en las elecciones. INGLÉS slip, paper.

2 Asunto difícil de resolver: *Vaya papeleta tener que decirle al director que hemos roto el cristal.* Es un uso informal. INGLÉS bugger.

paperas
nombre femenino plural
1 Enfermedad infecciosa, causada por un virus, que consiste en que se hinchan las glándulas de la saliva que están en la parte posterior de la boca. Las paperas atacan principalmente a niños y adolescentes. INGLÉS mumps.

papila
nombre femenino
1 Bulto muy pequeño que se encuentra debajo de la piel y en la superficie de algunas membranas formado por pequeños nervios que transmiten información al cerebro. Las papilas gustativas están en la lengua y nos permiten distinguir el sabor de los alimentos. INGLÉS papilla.

papilla
nombre femenino
1 Alimento líquido y espeso preparado con harina y agua o leche que se da a los niños pequeños. También es el alimento triturado que se da a personas que tienen dificultad para masticar o tragar. INGLÉS purée, pap, [si es para bebés: baby food].

papiro
nombre masculino
1 Especie de hoja de papel sacada del tallo de una planta que antiguamente se utilizaba para escribir. Los egipcios, los griegos y los romanos escribían en papiro. INGLÉS papyrus.

papiroflexia
nombre femenino
1 Técnica de realizar figuras con hojas de papel doblándolas sucesivas veces. La papiroflexia es un arte de origen japonés. INGLÉS origami.

paquete
nombre masculino
1 Objeto envuelto para poder transportarlo. INGLÉS package, parcel.

2 Papel, plástico u otro material que envuelve o contiene un producto, como un paquete de galletas, de pipas o de arroz. INGLÉS packet.

paquidermo
adjetivo y nombre masculino
1 Se dice de un tipo de animal mamífero grande y pesado, y de piel gruesa y dura que generalmente se alimenta de vegetales, como el elefante o el hipopótamo. INGLÉS pachyderm.

par
adjetivo y nombre masculino
1 Se dice del número que se puede dividir exactamente por dos. Todos los números terminados en 2, 4, 6, 8 y 0 son pares. ANTÓNIMO impar, non. INGLÉS even [adjetivo], even number [nombre].

nombre masculino
2 Conjunto de dos personas, animales o cosas semejantes o iguales, como unos calcetines o unos zapatos. INGLÉS pair.

de par en par Indica que una puerta, ventana o cualquier cosa está abierta del todo. INGLÉS wide open.

para
preposición
1 Indica la finalidad o la utilidad de una acción o de un objeto: *Hay que estudiar durante todo el curso para apro-*

bar en junio. Este jarabe es para la tos. **INGLÉS** for [con un nombre], in order to [con un verbo].

2 Indica una dirección o un destino. También introduce quién es el destinatario de algo: *Después del partido nos fuimos para casa. Esta carta es para el director.* **INGLÉS** for [destinatario], to [destino].

3 Indica un momento aproximado en el que puede ocurrir una cosa: *Yo creo que para el día quince ya estaré de vuelta.* **INGLÉS** by.

4 Introduce una cosa que se tiene en consideración para decir si algo está bien o está mal: *Está muy alto para su edad. Habla muy bien para ser extranjero.* **INGLÉS** for [con un nombre], considering that [con un verbo].

que para qué Expresa la gran intensidad de una acción o de algo: *En la fiesta de cumpleaños de Alberto armamos una juerga que para qué.* Es una expresión informal. **INGLÉS** tremendous.

parábola

nombre femenino

1 Cuento o historia, generalmente breve, que tiene una enseñanza moral. En la Biblia hay muchas parábolas contadas por Jesucristo a sus discípulos. **INGLÉS** parable.

2 Línea curva que se puede dividir en dos partes iguales. **INGLÉS** parabola.

parabólica

nombre femenino

1 Antena que recibe imágenes y sonidos que se envían desde lugares lejanos vía satélite. **INGLÉS** satellite dish.

parabólico, parabólica

adjetivo

1 Que tiene forma de parábola o línea curva. **INGLÉS** parabolic.

adjetivo y nombre femenino

2 Se dice de la antena que capta las ondas que recibe desde un satélite y permite sintonizar emisoras de radio o de televisión que están situadas a gran distancia. Se suelen instalar en la parte superior de los edificios. **INGLÉS** satellite dish [nombre].

parabrisas

nombre masculino

1 Cristal grande que llevan los coches y otros vehículos en la parte delantera. **INGLÉS** windscreen [en el Reino Unido], windshield [en Estados Unidos].

NOTA El plural es: parabrisas.

paracaídas

nombre masculino

1 Utensilio que sirve para hacer que las personas u objetos que se tiran desde un avión caigan despacio y no se hagan daño al tocar el suelo. Un paracaídas está hecho con una pieza de tela rectangular o redonda que se sujeta con correas a la persona o al objeto. **INGLÉS** parachute.

NOTA El plural es: paracaídas.

paracaidista

nombre masculino y femenino

1 Persona que salta de un avión con paracaídas. **INGLÉS** parachutist.

parachoques

nombre masculino

1 Pieza estrecha y larga que tienen los vehículos en la parte baja delantera y trasera para protegerse de los golpes. **INGLÉS** bumper [en el Reino Unido], fender [en Estados Unidos].

NOTA El plural es: parachoques.

parada

nombre femenino

1 Lugar en el que se detienen los vehículos de transporte público para recoger o dejar viajeros. **INGLÉS** stop.

2 Interrupción o fin de un movimiento o acción. Cuando llevamos mucho rato caminando hacemos una parada para descansar. **INGLÉS** pause.

3 En fútbol y otros deportes, detención del balón por el portero. **INGLÉS** stop.

paradero

nombre masculino

1 Lugar o sitio donde está una persona o una cosa. Cuando decimos que alguien se encuentra en paradero desconocido es que no sabemos dónde está. **INGLÉS** whereabouts.

paradigma

nombre masculino

1 Ejemplo o modelo de algo. El comportamiento de los padres y los profesores es un paradigma para los niños. **INGLÉS** paradigm.

paradisiaco, paradisiaca

adjetivo

1 Es otra forma de escribir y pronunciar: paradisíaco.

paradisíaco, paradisíaca

adjetivo

1 Se dice del lugar que tiene características que se asocian al paraíso, como la belleza del paisaje o el bienestar que se siente al estar en él. **INGLÉS** heavenly.

NOTA También se escribe y se pronuncia: paradisiaco.

parado, parada

adjetivo y nombre

1 Se dice de la persona que no tiene trabajo o empleo. **INGLÉS** unemployed [adjetivo].

a b c d e f g h i j k l m n ñ o p q r s t u v w x y z

adjetivo **2** Se dice de la persona que no suele tener ideas para empezar a hacer cosas o que es muy tímida. INGLÉS shy, slow.

3 Se dice de la persona que tiene o muestra tanto asombro o sorpresa por algo que se queda quieto y sin saber reaccionar: *No me lo esperaba, me dejó parada.* INGLÉS surprised.

paradoja

nombre femenino **1** Dicho o hecho que parece contrario a la lógica. Es una paradoja pelearse para mantener la paz. INGLÉS paradox.

parador

nombre masculino **1** Hotel que presta un servicio de gran calidad y cuyas instalaciones mantienen el estilo y las tradiciones típicas del lugar en el que se encuentra. Los paradores españoles suelen ser castillos o conventos restaurados y están situados en lugares de interés turístico.

parafernalia

nombre femenino **1** Conjunto de objetos y medios que dan a una ceremonia un aire solemne, espectacular o lujoso. La inauguración oficial de un edificio suele ir acompañada de mucha parafernalia. INGLÉS paraphernalia.

NOTA Es una palabra informal.

parafrasear

verbo **1** Explicar o interpretar un texto usando palabras diferentes de las que aparecen en ese texto: *Le pedimos que parafraseara una cita de Cervantes porque no se entendía.* INGLÉS to paraphrase.

NOTA Es una palabra formal.

parágrafo

nombre masculino **1** Parte de un escrito formada por líneas separadas del resto por un punto y aparte. Actualmente se usa más párrafo que parágrafo. INGLÉS paragraph.

paraguas

nombre masculino **1** Utensilio que sirve para protegerse de la lluvia. Tiene un bastón y unas varillas, cubiertas con un trozo circular de tela impermeable, que pueden extenderse o plegarse. INGLÉS umbrella.

NOTA El plural es: paraguas.

paraguayo, paraguaya

adjetivo y nombre **1** Se dice de la persona o cosa que es de Paraguay, país de América del Sur. INGLÉS Paraguayan.

paragüero

nombre masculino **1** Recipiente alto y estrecho que sirve para dejar los paraguas. INGLÉS umbrella stand.

paraíso

nombre masculino **1** Según ciertas religiones, lugar donde se disfruta de la compañía de Dios, los ángeles y los santos para siempre. SINÓNIMO cielo. ANTÓNIMO infierno. INGLÉS paradise.

2 Según la Biblia, lugar donde fueron creados y vivían Adán y Eva antes de cometer el primer pecado. INGLÉS paradise.

3 Lugar muy bello y agradable, donde todo es perfecto y se está muy bien. INGLÉS paradise.

paraje

nombre masculino **1** Lugar al aire libre muy lejano o aislado. INGLÉS spot.

paralelismo

nombre masculino **1** Igualdad de distancia que hay entre todos los puntos de dos o más líneas o planos: *El profesor les indicó que comprobaran el paralelismo entre los dos ejes.* INGLÉS parallelism.

2 Relación de semejanza que hay entre dos o más cosas: *En la conferencia, los cuatro escritores debatirán sobre el paralelismo que existe entre sus novelas.* INGLÉS parallelism.

paralelo, paralela

adjetivo y nombre **1** Línea que está colocada al lado de otra y va en su misma dirección. Nunca se llegan a juntar porque todos sus puntos están a la misma distancia. Las vías del tren están formadas por dos raíles paralelos. INGLÉS parallel.

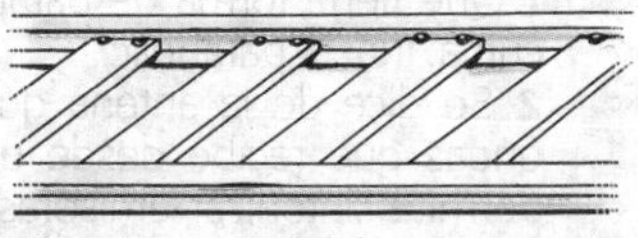

paralelo

adjetivo **2** Se dice de los hechos que son parecidos o que ocurren al mismo tiempo: *En la novela se cuentan dos historias paralelas.* INGLÉS parallel.

nombre masculino **3** En geografía, cada uno de los círculos imaginarios que rodean el planeta horizontalmente. INGLÉS parallel.

paralelogramo

nombre masculino **1** Cuadrilátero que tiene los lados opuestos iguales y paralelos entre sí.

Un rectángulo es un paralelogramo que tiene los cuatro ángulos rectos. Un rombo es un paralelogramo que tiene los cuatro lados iguales. INGLÉS parallelogram.

paralimpiada
nombre femenino
1 Celebración deportiva que tiene lugar cada cuatro años en un lugar determinado, en la que participan deportistas discapacitados físicos de casi todos los países del mundo. INGLÉS Paralympics.
NOTA Se utiliza más en plural.

paralímpico, paralímpica
adjetivo
1 Se dice de las cosas o las personas que tienen o han tenido relación con las paralimpiadas. INGLÉS Paralympic.

parálisis
nombre femenino
1 Pérdida de la capacidad de movimiento de un miembro o una parte del cuerpo, a causa de una enfermedad o un accidente. INGLÉS paralysis.
NOTA El plural es: parálisis.

paralítico, paralítica
adjetivo y nombre
1 Se dice de la persona que sufre parálisis. INGLÉS paralytic.

paralizar
verbo
1 Perder o hacer perder la capacidad de movimiento de una parte del cuerpo. INGLÉS to paralyse.
2 Detener el desarrollo de una acción o un proceso: *Han paralizado las obras.* INGLÉS to bring to a standstill.
NOTA Se escribe 'c' delante de 'e', como: paralicé.

parámetro
nombre masculino
1 Elemento o dato importante que hay que tener en cuenta al analizar un asunto. Tener en cuenta parámetros sociales, económicos y culturales es imprescindible a la hora de estudiar la historia de un país. INGLÉS parameter.

paranoia
nombre femenino
1 Enfermedad mental en la que la persona tiene ideas fijas, obsesivas y absurdas, que están basadas en hechos falsos. INGLÉS paranoia.

parapente
nombre masculino
1 Deporte que consiste en lanzarse en paracaídas desde un lugar alto y dejarse llevar por el viento. INGLÉS paragliding.

parapetado, parapetada
adjetivo
1 Que está resguardado detrás de un objeto o de un lugar que le sirve de protección. INGLÉS hiding.

parapeto
nombre masculino
1 Valla o barandilla que cierra lugares altos, como un mirador, una escalera o un puente, para que las personas se apoyen en ella y no se caigan. INGLÉS parapet.

parapsicología
nombre femenino
1 Estudio de los fenómenos mentales que no tienen una explicación científica. La parapsicología trata temas como la telepatía. INGLÉS parapsychology.
NOTA También se escribe: parasicología.

parar
verbo
1 Dejar de moverse o de hacer algo: *Para ya de molestar y estate quieta.* INGLÉS to stop.
2 Detener o impedir que siga un movimiento o una acción: *Para un momento el aspirador, que no oigo.* INGLÉS to stop.
3 Estar una persona o cosa durante un tiempo en un lugar: *¿Sabes dónde paran mis llaves?* INGLÉS to be.
ir a parar Llegar una cosa o una persona a un lugar o una situación, o a ser propiedad de alguien: *Los cuadros robados fueron a parar a un coleccionista extranjero.* INGLÉS to end up.
pararse a Seguido de un verbo en infinitivo, realizar la acción que indica ese verbo con calma y atención. Antes de responder una pregunta de un examen hay que pararse a pensar. INGLÉS to stop and…

pararrayos
nombre masculino
1 Aparato metálico que se coloca en los tejados para proteger los edificios de los rayos. INGLÉS lightning conductor.
NOTA El plural es: pararrayos.

parasicología
nombre femenino
1 Es otra forma de escribir: parapsicología.

parasitismo
nombre masculino
1 Relación entre seres vivos de distinta especie en la que uno es parásito de otro, como la relación entre la pulga y el perro. INGLÉS parasitism.

parásito
nombre masculino
1 Animal o vegetal que se alimenta de otro ser vivo, causándole un daño. Las

a b c d e f g h i j k l m n ñ o p q r s t u v w x y z

pulgas son parásitos de los perros. INGLÉS parasite.

parasol

nombre masculino **1** Objeto plegable, parecido a un paraguas, que sirve para protegerse del sol. SINÓNIMO sombrilla. INGLÉS parasol, sunshade.

parcela

nombre femenino **1** Parte en la que se divide un terreno dedicado al cultivo. INGLÉS plot.

2 Terreno que pertenece a una persona y que está registrado legalmente. INGLÉS plot of land.

3 Parte pequeña de una cosa. La geometría es una parcela de las matemáticas. INGLÉS area.

parche

nombre masculino **1** Trozo de tela o de otro material flexible y resistente que sirve para tapar un agujero o un defecto. INGLÉS patch.

2 Cosa que se añade a otra y que la estropea en vez de mejorarla. SINÓNIMO pegote. INGLÉS botched job.

3 Arreglo provisional que se hace en algo roto o defectuoso para que aguante un tiempo antes de una reparación definitiva. INGLÉS temporary solution.

parchís

nombre masculino **1** Juego de mesa que consiste en hacer avanzar cinco fichas de color amarillo, rojo, azul o verde por un tablero dividido en casillas, según el número que indica un dado que se tira. El conjunto de tablero y fichas también se llama parchís. INGLÉS ludo.

NOTA El plural es: parchises.

parcial

adjetivo **1** Que no está completo o acabado del todo, o que solo afecta a una parte de algo. Un eclipse de Sol parcial es el que solo cubre una parte del Sol. INGLÉS partial.

2 Se dice de la persona que cuando juzga un conflicto entre dos partes, se inclina injustamente por una de ellas. ANTÓNIMO imparcial. INGLÉS biased.

adjetivo y nombre masculino **3** Se dice del examen en el que entra parte del total de una asignatura. Los parciales se suelen hacer a mitad de curso. INGLÉS mid-term exam [nombre].

parco, parca

adjetivo **1** Se dice de la persona que hace lo que se expresa con moderación, sin excederse. Decimos que alguien es parco en palabras cuando habla poco. INGLÉS frugal, sparing.

pardo, parda

adjetivo **1** Se dice del color marrón como el de la tierra o la piel de algunos osos. INGLÉS brown.

pardusco, pardusca

adjetivo **1** De un color indefinido que tira a pardo o marrón. Cuando el halcón es adulto tiene el color de la pluma gris pardusco por encima del cuerpo y blanquecino por debajo. INGLÉS dull brown.

parecer

verbo **1** Tener un aspecto determinado. Una persona con tacones parece más alta de lo que es. INGLÉS to seem, to look.

2 Haber razones o indicios para creer algo: *Parece que va a llover porque el cielo está muy nublado.* Con este significado solo se utiliza en tercera persona. INGLÉS to look.

3 **parecerse** Tener características o rasgos semejantes a los de otra persona o cosa. Los hijos suelen parecerse a sus padres. INGLÉS to look like.

nombre masculino **4** Opinión o idea que se tiene sobre algo: *Le pregunté su parecer sobre la compra.* INGLÉS opinion.

al parecer Según lo que se dice o se sabe en general: *Al parecer habrá huelga de transportes.* INGLÉS apparently.

NOTA Se conjuga como: agradecer; la 'c' se convierte en 'zc' delante de 'a' y 'o', como: parezco.

parecido, parecida

adjetivo **1** Que tiene rasgos o características semejantes a los de otra persona o cosa. El cielo y el mar tienen un color parecido. INGLÉS similar.

nombre masculino **2** Conjunto de características o rasgos que hacen que dos personas o cosas se parezcan. INGLÉS resemblance.

pared

nombre femenino **1** Construcción vertical, generalmente de albañilería, que cierra o separa un espacio. INGLÉS wall.

subirse por las paredes Estar una persona muy enfadada o de muy mal humor. INGLÉS to go up the wall [enfadado], to be in a foul mood [de mal humor].

pareja
nombre femenino
1 Conjunto de dos personas, animales o cosas de la misma especie: *A la cena vamos tres parejas.* INGLÉS pair, [si son personas emparejadas: couple].
2 Cada una de las personas o cosas que forman parte de un par: *He perdido la pareja del calcetín.* SINÓNIMO compañero. INGLÉS partner.

parentela
nombre femenino
1 Conjunto de personas que pertenecen a una misma familia: *Se presentó con toda la parentela.* SINÓNIMO familia. INGLÉS relatives.
NOTA Es una palabra informal y despectiva.

parentesco
nombre masculino
1 Relación que existe entre personas que pertenecen a la misma familia. INGLÉS relationship.

paréntesis
nombre masculino
1 Signo de ortografía que se usa para aislar un grupo de palabras en un texto. Los paréntesis se escriben así: ( ). INGLÉS bracket.
2 Interrupción o cambio momentáneo en una actividad. Los trabajadores hacen un paréntesis para comer y luego siguen trabajando. INGLÉS break.
NOTA El plural es: paréntesis.

pareo
nombre masculino
1 Pañuelo grande que se ata a la cintura o debajo de los brazos y generalmente se pone cuando se va en bañador. El pareo suele usarse en la playa o en la piscina. INGLÉS sarong.

parida
nombre femenino
1 Cosa extremadamente absurda o estúpida que hace o dice una persona. SINÓNIMO idiotez. INGLÉS piece of nonsense.
NOTA Es una palabra informal.

pariente
nombre masculino y femenino
1 Persona que es de la misma familia que otra: *Pasamos la Navidad en casa de unos parientes.* SINÓNIMO familiar. INGLÉS relative.

paripé
nombre masculino
1 Aquello que se hace o se dice para engañar a alguien o para quedar bien: *Tuve que ir a la fiesta y hacer el paripé de que me divertía.* INGLÉS act.
NOTA Es una palabra informal.

parir
verbo
1 Expulsar la mujer o la hembra de algunos animales el feto que tiene en su vientre cuando ya está desarrollado. INGLÉS to give birth.

parking
nombre masculino
1 Es otra forma de escribir: parquin. SINÓNIMO aparcamiento. INGLÉS car park.
NOTA El plural es: parkings.

parlamentario, parlamentaria
adjetivo
1 Del parlamento o relacionado con el parlamento. Algunos debates parlamentarios son retransmitidos por televisión. INGLÉS parliamentary.
nombre
2 Político que forma parte de un parlamento. INGLÉS member of parliament.

parlamento
nombre masculino
1 Institución política, compuesta por miembros elegidos por los ciudadanos, que se encarga de elaborar, aprobar o reformar las leyes que rigen un país. También es el edificio donde se reúnen las personas que forman parte de esta institución. INGLÉS parliament.
NOTA Se escribe con mayúscula.

parlanchín, parlanchina
adjetivo y nombre
1 Que habla mucho. INGLÉS talkative [adjetivo], chatterbox [nombre].
NOTA El plural de parlanchín es: parlanchines. Es una palabra familiar.

parlante
adjetivo
1 Se dice de un animal que emite sonidos parecidos a los de la voz humana, como un loro. INGLÉS talking.
2 Se dice de aparatos, máquinas o juguetes que, mediante un mecanismo, pueden reproducir mensajes grabados y parece que puedan hablar. Actualmente hay ordenadores, despertadores o muñecas parlantes. INGLÉS talking.

parlotear
verbo
1 Hablar de cosas sin importancia. INGLÉS to prattle on.
NOTA Es una palabra informal.

paro
nombre masculino
1 Situación de las personas que no tienen empleo. INGLÉS unemployment.

parodia
nombre femenino
1 Imitación que se hace de una persona o cosa para reírse de ella o ponerla en ridículo. INGLÉS parody.

a b c d e f g h i j k l m n ñ o p q r s t u v w x y z

paródico, paródica
adjetivo
1 De la parodia o que tiene relación con ella: *La novela está escrita en un tono paródico.* INGLÉS parodical.

parónimo, parónima
adjetivo
1 Se dice de las palabras que tienen algún tipo de parecido formal. 'Caza' y 'casa' son parónimos. INGLÉS paronym.

parpadear
verbo
1 Abrir y cerrar los párpados en un movimiento muy rápido. INGLÉS to blink.
2 Apagarse y encenderse repetidamente una luz que está encendida: *Esta bombilla se va a fundir porque lleva un rato parpadeando.* INGLÉS to flicker.

párpado
nombre masculino
1 Cada uno de los pliegues de piel que protegen los ojos. INGLÉS eyelid.

parque
nombre masculino
1 Lugar con plantas y árboles donde se va a pasear, descansar o divertirse. INGLÉS park.
2 Especie de cuna sin patas de forma cuadrada o redonda, rodeada por una red donde se pone a los niños pequeños para que jueguen. INGLÉS playpen.
parque de atracciones Recinto donde hay muchas atracciones para divertirse. INGLÉS amusement park.

parqué
nombre masculino
1 Suelo de madera hecho con tablas estrechas que forman dibujos geométricos. INGLÉS parquet.
NOTA También se pronuncia y se escribe: parquet.

parquet
nombre masculino
1 Es otra forma de pronunciar y escribir: parqué.
NOTA El plural es: parquets.

parquímetro
nombre masculino
1 Aparato que mide el tiempo de estacionamiento de un vehículo en una zona de la vía pública en que se debe pagar para aparcar. El parquímetro cobra a las personas la cantidad de dinero que les corresponde pagar. INGLÉS parking meter.

parquin
nombre masculino
1 Lugar preparado y reservado para dejar los vehículos durante un tiempo, normalmente pagando una cantidad de dinero a cambio. SINÓNIMO aparcamiento. INGLÉS carpark.
NOTA También se escribe: parking. El plural es: párquines.

parra
nombre femenino
1 Planta de la uva, en especial la de tallos muy alargados que trepan y se sujetan sobre un armazón. SINÓNIMO vid; cepa. INGLÉS grapevine.

párrafo
nombre masculino
1 Parte de un escrito formado por líneas separadas del resto por un punto y aparte. En este diccionario cada significado está en un párrafo. INGLÉS paragraph.

parrilla
nombre femenino
1 Utensilio de cocina formado por un conjunto de barras de hierro unidas a un mango, que se coloca directamente sobre el fuego y sirve para asar alimentos. INGLÉS grill.

parrillada
nombre femenino
1 Comida que consiste en varios alimentos asados directamente en el fuego en una parrilla. INGLÉS mixed grill.

párroco
nombre masculino
1 Sacerdote que dirige una parroquia. INGLÉS parish priest.

parroquia
nombre femenino
1 Iglesia principal de una zona donde acuden de forma habitual las personas del lugar. También es el conjunto de estas personas que acuden a la iglesia. INGLÉS parish church [iglesia], parishioners [feligreses].

parsimonia
nombre femenino
1 Calma o tranquilidad excesiva con que se hace algo: *El gato se paseaba con parsimonia por la sala de estar.* INGLÉS calmness.

parte
nombre femenino
1 Cantidad de personas o cosas que pertenecen a un grupo o conjunto mayor. También es cada una de las unidades en que se puede dividir algo, como un capítulo, que es una parte de una novela. INGLÉS part.
2 Cantidad indefinida de algo que tiene que dar o recibir alguien en un reparto. Cuando queremos hacer un regalo a un amigo del grupo, cada uno pone una parte de dinero. INGLÉS share, portion.
3 Cada una de las personas o grupos que participan o tienen los mismos intereses en un asunto. INGLÉS party.

4 Sitio o lugar cualquiera. A veces cuando estamos cansados no queremos ir a ninguna parte. INGLÉS place.

nombre masculino **5** Información o noticia que se comunica cada cierto tiempo a alguien, como un parte médico o meteorológico. También es un programa de radio o televisión que da información puntual. INGLÉS report.

nombre femenino plural **6 partes** Órganos genitales de una persona o animal. INGLÉS private parts.

tomar parte Participar o intervenir en algo. INGLÉS to take part.

participación

nombre femenino **1** Intervención de una persona en un acto determinado. INGLÉS participation.

2 Cantidad de dinero que se juega y que corresponde a una parte de un décimo de lotería; también es el billete en el que se escribe la cantidad de dinero que se juega. INGLÉS ticket.

3 Aviso o noticia que se da de algún acontecimiento importante, así como la tarjeta en la que se da. Las personas suelen enviar participaciones de su boda a los amigos. INGLÉS announcement.

NOTA El plural es: participaciones.

participante

adjetivo y nombre masculino y femenino **1** Se dice de la persona o el equipo que toma parte en un concurso o en una competición. INGLÉS participating [adjetivo], participant [nombre].

participar

verbo **1** Intervenir o tomar parte en algún asunto o acción junto con otras personas. Si una persona participa en un concurso de poesía, compite con otras personas por el premio. INGLÉS to participate, to take part.

2 Comunicar una noticia a alguien. Cuando las personas tienen hijos suelen participar la noticia a los amigos. Es un uso formal. INGLÉS to announce.

participio

nombre masculino **1** Forma no personal del verbo que indica que la acción expresada por el verbo ya ha terminado y tiene la misma función que el adjetivo. El participio en español termina en '-ado' o en '-ido'; 'dormido' es el participio de 'dormir'. INGLÉS participle.

partícula

nombre femenino **1** Parte o trozo muy pequeño de algo. INGLÉS particle.

2 En gramática, palabra que no cambia de forma, como la conjunción o la preposición. INGLÉS particle.

particular

adjetivo **1** Que es característico o propio de una persona o cosa. Cada fruta tiene su sabor particular que la distingue de otras. SINÓNIMO peculiar. INGLÉS particular.

2 Que pertenece a una o varias personas o es utilizado o disfrutado por ellas de manera exclusiva. INGLÉS private.

3 Se dice de las personas o las cosas que son especiales, diferentes de lo corriente, generalmente en un sentido positivo. INGLÉS peculiar, special.

nombre masculino **4** Asunto o tema del que se habla o se trata: *No dijo nada sobre el particular.* INGLÉS matter, subject.

en particular Especialmente, en concreto. INGLÉS in particular.

partida

nombre femenino **1** Salida de un lugar. Cuando llega el momento de la partida mucha gente se emociona al despedirse de familiares o amigos. INGLÉS departure.

2 Conjunto de jugadas que se hacen en un juego desde que empieza hasta que termina. Una partida de ajedrez puede ser muy larga. INGLÉS game.

3 Conjunto de mercancías que se ponen a la venta, se envían o se reciben de una vez. INGLÉS consignment.

partidario, partidaria

adjetivo y nombre **1** Se dice de la persona que está a favor de una persona, una ideas o un partido político. INGLÉS supporter [nombre].

partido

nombre masculino **1** Conjunto de personas que comparten las mismas ideas políticas y están organizadas para defenderlas en las instituciones políticas del país. Hay partidos de izquierdas, de derechas y de centro. INGLÉS party.

2 Competición deportiva en la que juegan dos equipos o dos personas que se enfrentan. INGLÉS game, match.

sacar partido Obtener un provecho o un beneficio de alguna cosa. INGLÉS to profit.

tomar partido Mostrarse a favor de

una persona o cosa que está enfrentada a otra u otras. **INGLÉS** to take sides.

partir
verbo
1 Dividir o separar una cosa en partes. Podemos partir leña, un pastel o el pan. **INGLÉS** to cut up.
2 Romper algo: *Se ha partido la pata de la silla.* **INGLÉS** to split.
3 Ponerse en camino o marcharse de un lugar: *El tren partirá a las diez en punto.* **SINÓNIMO** salir. **INGLÉS** to leave, to depart.
4 Tener una cosa su origen en algo o alguien: *No sé de quién partió la idea.* **INGLÉS** to originate from.
5 partirse Reírse mucho y con muchas ganas. **SINÓNIMO** desternillarse. **INGLÉS** to split one's sides laughing.
a partir de Desde el momento que se indica: *A partir de mañana suben los precios.* **INGLÉS** from.

partitura
nombre femenino
1 Texto escrito de una composición musical. **INGLÉS** score.

parto
nombre masculino
1 Acción que consiste en expulsar la mujer o la hembra de algunos animales el feto que tiene en su vientre cuando está desarrollado. En las mujeres, el parto llega después de unas cuarenta semanas de embarazo. **SINÓNIMO** nacimiento. **INGLÉS** childbirth.

parvulario
nombre masculino
1 Centro educativo o escuela donde se prepara a los párvulos. Los niños de entre tres y seis años suelen ir al parvulario. **INGLÉS** nursery school.

párvulo, párvula
adjetivo y nombre
1 Se dice del niño que tiene pocos años de edad, especialmente del que está en una clase o en un centro de educación preescolar. **INGLÉS** infant.

pasa
nombre femenino
1 Grano de uva seca. Las pasas son dulces. **INGLÉS** raisin.

pasable
adjetivo
1 Que no resulta ni demasiado malo ni demasiado feo. **INGLÉS** passable.

pasacalles
nombre masculino
1 Pieza musical de ritmo vivo que tocan las bandas en las fiestas populares.
NOTA El plural es: pasacalles.

pasada
nombre femenino
1 Repaso que se hace de algo. **INGLÉS** read through [de un texto], run over [con la plancha].
2 Persona, cosa o hecho que destaca por ser o estar fuera de lo normal: *Ese chico es una pasada de guapo.* Es un uso informal.

pasadizo
nombre masculino
1 Paso estrecho y corto que se usa para pasar de un sitio a otro. **INGLÉS** passage.

pasado, pasada
adjetivo y nombre masculino
1 Se dice del tiempo que es anterior al presente y de las cosas que ocurrieron en ese tiempo. **INGLÉS** past.
adjetivo
2 Se dice del producto que está en mal estado o estropeado. Los alimentos pasados no se pueden comer. **INGLÉS** bad.
nombre masculino y adjetivo
3 Tiempo verbal que indica lo que ya ha ocurrido en un tiempo anterior al presente. 'Canté' es el pasado de 'cantar'. **SINÓNIMO** pretérito. **INGLÉS** past.

pasador
nombre masculino
1 Objeto plano que sirve para sujetar o adornar el pelo. **INGLÉS** hair slide.
2 Pieza de metal que corre dentro de otra y sirve para cerrar puertas, ventanas o cajas. **SINÓNIMO** pestillo. **INGLÉS** bolt.

pasaje
nombre masculino
1 Billete que se necesita para viajar en barco o en avión. **INGLÉS** ticket.
2 Conjunto de personas que viajan en un barco o avión. **INGLÉS** passengers.
3 Paso corto y estrecho que comunica dos calles y por el cual no pasan coches. **INGLÉS** passage.
4 Fragmento de una obra literaria o musical con contenido completo: *Nos leyó un pasaje muy divertido de la novela.* **SINÓNIMO** episodio. **INGLÉS** passage.

pasajero, pasajera
adjetivo
1 Que no dura mucho, que pasa rápido: *No te preocupes, su enfado es pasajero.* **INGLÉS** short-lived.
nombre
2 Persona que viaja en un medio de transporte público o en un vehículo que no conduce. **INGLÉS** passenger.

pasamanos
nombre masculino
1 Barra o parte superior de una barandilla que sirve para apoyar las manos. **INGLÉS** handrail.
NOTA El plural es: pasamanos.

pasamontañas
nombre masculino
1 Prenda de vestir, normalmente de lana, que cubre la cabeza y el cuello y deja al descubierto solo la cara o los ojos. **INGLÉS** balaclava.
NOTA El plural es: pasamontañas.

pasaporte
nombre masculino
1 Documento que demuestra la identidad y nacionalidad de una persona. Es necesario llevar el pasaporte para viajar a algunos países extranjeros. **INGLÉS** passport.

pasapuré
nombre masculino
1 Utensilio de cocina que sirve para triturar alimentos y convertirlos en puré. **INGLÉS** food mill.

pasar
verbo
1 Llevar de un lugar a otro: *Pasa los muebles a la otra habitación.* **INGLÉS** to move, to take.
2 Ir de un lado a otro o atravesar un lugar: *Cuidado al pasar la calle, mira bien a los dos lados.* **SINÓNIMO** cruzar. **INGLÉS** to cross.
3 Ocurrir o producirse un hecho: *¿Qué te ha pasado?* **INGLÉS** to happen.
4 Estar en un lugar, un estado o una situación determinada durante un tiempo: *Ha pasado los tres últimos años en el extranjero.* **INGLÉS** to spend.
5 Correr o transcurrir el tiempo: *Las horas pasan a veces sin que uno se dé cuenta.* **INGLÉS** to go by.
6 Acabar o dejar de suceder algo: *Ya pasó la tormenta.* **INGLÉS** to pass.
7 Entrar en un lugar: *Que pase el siguiente.* **INGLÉS** to go in, to come in.
8 Tener una enfermedad o algún tipo de desgracia o calamidad. Todos pasamos la gripe alguna vez. **INGLÉS** to catch.
9 Ir a un lugar sin quedarse mucho tiempo en él: *Si tengo un rato, pasaré por tu despacho.* **INGLÉS** to drop by.
10 No preocuparse o no interesarse por algo o por alguien: *No tengo hambre, paso de comer.* Es un uso informal. **INGLÉS** not to bother.
11 Dar o hacer llegar una cosa a alguien: *Me ha pasado su chaqueta roja. ¿Me pasas la sal?* **INGLÉS** to pass.
12 Aprobar un examen o una prueba. **INGLÉS** to pass.
13 Hacer deslizar una cosa sobre una superficie. Para quitar el polvo hay que pasar un trapo por los muebles. **INGLÉS** to wipe.
14 Poder vivir o hacer algo sin una cosa. Los drogadictos no pueden pasar sin la droga. **INGLÉS** to do without.
15 pasarse Empezar a estropearse un alimento, en especial la fruta. **INGLÉS** to go off, to go bad.
16 pasarse Hacer algo o comportarse de un modo que resulta excesivo en una situación determinada. También se dice: pasarse de la raya. **INGLÉS** to go too far.
17 pasarse Borrarse de la memoria una cosa que se debía recordar: *Se me pasó que habíamos quedado, lo siento.* **INGLÉS** to forget.

pasarela
nombre femenino
1 Puente pequeño y estrecho, hecho de materiales ligeros, para cruzar un espacio, como el que se coloca entre un barco y el muelle para que bajen los pasajeros. **INGLÉS** gangway.
2 Pasillo estrecho y elevado por el que pasan los modelos en un desfile de modas. **INGLÉS** catwalk.

pasatiempo
nombre masculino
1 Cualquier juego o diversión que sirve para pasar un rato entretenido. Los periódicos suelen tener una página con algunos pasatiempos, como crucigramas o sopas de letras. **INGLÉS** pastime, hobby.

pascua
nombre femenino
1 Fiesta cristiana con la que se celebra la resurrección de Jesucristo. **INGLÉS** Easter.
2 Fiesta judía que celebra el fin de la esclavitud de su pueblo en Egipto. **INGLÉS** Passover.
nombre femenino plural
3 pascuas Período de tiempo que va desde el 24 de diciembre hasta el 6 de enero. **SINÓNIMO** Navidad. **INGLÉS** Christmas.
como unas pascuas Se dice de la persona que está muy alegre o animada por alguna razón. **INGLÉS** over the moon.
hacer la pascua Hacer algo que molesta o perjudica a una persona. **SINÓNIMO** fastidiar. **INGLÉS** to bug someone [molestar], to do the dirty on someone [perjudicar].

pase
nombre masculino
1 Documento en el que se concede un

permiso para hacer algo, en especial para entrar o salir de un lugar. INGLÉS pass.

2 Cada una de las ocasiones en que se proyecta una película. SINÓNIMO sesión. INGLÉS showing.

3 Acto en el que unos modelos muestran al público unos trajes. SINÓNIMO desfile. INGLÉS show.

4 En algunos deportes de equipo, envío del balón de un jugador a otro de su equipo para que siga la jugada. INGLÉS pass.

5 En el toreo, acción que consiste en que el torero deja pasar al toro después de haber atraído su atención con la muleta o el capote. INGLÉS pass.

pasear
verbo
1 Andar por la calle con tranquilidad, para distraerse, tomar el aire o hacer ejercicio. SINÓNIMO caminar. INGLÉS to go for a walk.

2 Ir a caballo, en coche, en bicicleta o en barco para divertirse o hacer ejercicio: *En el lago del parque hay barcas para pasear.* INGLÉS to go for a ride.

3 Llevar de paseo a una persona o un animal. INGLÉS to take for a walk.

paseo
nombre masculino
1 Acción que consiste en andar despacio por diversión, para tomar el aire o hacer ejercicio. INGLÉS walk, stroll.

2 Calle o avenida, a menudo con árboles, por donde la gente pasea. INGLÉS avenue.

mandar a paseo Rechazar a una persona con enfado o disgusto. INGLÉS to send packing.

pasillo
nombre masculino
1 Espacio largo y estrecho que comunica unas habitaciones con otras en el interior de una casa o edificio. SINÓNIMO corredor. INGLÉS corridor.

pasión
nombre femenino
1 Sentimiento muy fuerte, tanto que no se puede controlar o analizar de forma racional, como el amor o el odio. INGLÉS passion.

2 Fuerza o intensidad de un sentimiento o una afición: *Le gusta la montaña con pasión.* INGLÉS passion.

NOTA El plural es: pasiones.

pasional
adjetivo
1 De la pasión, especialmente amorosa, o que tiene relación con ella. INGLÉS passionate.

2 Se dice de la persona que toma decisiones dejándose llevar por los sentimientos, sin pensar en las consecuencias de sus actos. ANTÓNIMO cerebral. INGLÉS passionate.

pasividad
nombre femenino
1 Característica de la persona que no hace algo que tiene que hacer o que deja que los demás actúen y tomen todas las decisiones por ella. INGLÉS passiveness, passivity.

pasivo, pasiva
adjetivo
1 Que no hace nada y deja que actúen los demás. La actitud pasiva no es buena para aprender. INGLÉS passive.

adjetivo y nombre femenino
2 Se dice de la forma verbal que indica que la acción no la hace el sujeto sino que la recibe; también son pasivas las oraciones que tienen el verbo en pasiva. 'María ha sido saludada por Juan' es una oración pasiva. INGLÉS passive.

pasmado, pasmada
adjetivo y nombre
1 Que se queda sin saber qué decir o qué hacer, o sin entender lo que pasa en una situación. INGLÉS flabbergasted [adjetivo].

adjetivo
2 Que está muy asombrado por algo: *Se quedó pasmado mirando la puesta de sol.* INGLÉS amazed.

pasmar
verbo
1 Hacer que una persona se quede muy asombrada o sorprendida por algo y no sepa qué hacer o qué decir. INGLÉS to amaze.

2 Hacer que una persona o una cosa se queden helados de frío: *Hace un frío que pasma.* INGLÉS to freeze.

pasmarote
nombre masculino
1 Persona que se queda inmóvil y no reacciona ante algo que se le dice o ante algo que pasa a su alrededor. INGLÉS idiot.

NOTA Es un uso informal.

paso
nombre masculino
1 Movimiento que se realiza al andar, levantando un pie, adelántandolo y volviéndolo a poner sobre el suelo. También es el espacio que se recorre al realizar este movimiento. INGLÉS step.

2 Modo de moverse o andar, como el paso inseguro de los niños cuando empiezan a caminar o el paso elegante de las modelos. **INGLÉS** walk.

3 Cada uno de los movimientos que se hacen al bailar. **INGLÉS** step.

4 Lugar por el que se pasa para ir de un sitio a otro: *Pasaron de un valle a otro por un paso muy estrecho.* **INGLÉS** pass.

5 Señal que deja el pie al pisar, como los pasos que dejamos sobre la arena o la nieve. Con este significado se usa más en plural. **SINÓNIMO** pisada; huella. **INGLÉS** footprint.

paso a nivel Lugar en que se cruza una vía del tren con un camino al mismo nivel por donde pueden pasar los coches. Los pasos a nivel tienen unas barreras que se cierran al pasar el tren. **INGLÉS** level crossing [en el Reino Unido], grade crossing [en Estados Unidos].

pasodoble

nombre masculino

1 Baile típico español por parejas, de ritmo vivo. **INGLÉS** paso doble.

2 Música con que se acompaña este baile. El pasodoble es la música típica de las corridas de toros y de algunos desfiles militares. **INGLÉS** paso doble.

pasota

nombre masculino y femenino

1 Persona que no se preocupa ni se interesa por nada: *Es un pasota, todo le da igual.* **INGLÉS** person who couldn't care less.

NOTA Es una palabra informal.

pasta

nombre femenino

1 Masa de harina y agua con la que se hacen los espaguetis, macarrones, fideos y otros alimentos parecidos. **INGLÉS** pasta.

2 Dulce pequeño de forma plana que se hace con harina, azúcar, huevos y otros ingredientes, y se cuece en el horno. **INGLÉS** biscuit [en el Reino Unido], cookie [en Estados Unidos].

3 Masa espesa fácil de modelar que se hace mezclando sustancias sólidas con sustancias líquidas, y que cuando se seca queda dura. El cemento es una pasta que se hace con arcilla, cal y agua. **INGLÉS** paste.

4 Dinero. Es un uso informal. **INGLÉS** money.

5 Cada una de las dos tapas que cubre las hojas de un libro. **INGLÉS** cover.

pastar

verbo

1 Comer hierba el ganado en el campo. **SINÓNIMO** pacer. **INGLÉS** to graze.

pastel

nombre masculino

1 Dulce blando y de pequeño tamaño que puede estar hecho con diversos ingredientes dulces, como chocolate o crema. **INGLÉS** cake.

adjetivo

2 Se dice del color que tiene un tono muy pálido y suave, como el rosa pastel. **INGLÉS** pastel.

pastelería

nombre femenino

1 Establecimiento en el que se elaboran y venden dulces, pasteles, bombones y tartas. **INGLÉS** cake shop.

pastelero, pastelera

nombre

1 Persona que hace o vende pasteles, pastas o cualquier otro tipo de dulces. **INGLÉS** pastrycook.

pasteurización

nombre femenino

1 Procedimiento que consiste en someter un alimento, generalmente líquido, a una temperatura aproximada de 80 grados centígrados durante un corto período de tiempo enfriándolo después rápidamente. La pasteurización se hace para destruir los gérmenes de un líquido, como la leche. **INGLÉS** pasteurization.

NOTA El plural es: pasteurizaciones.

pasteurizado, pasteurizada

adjetivo

1 Se dice del alimento que ha sido calentado a una temperatura elevada para quitarle los microbios, en especial de la leche y los productos lácteos. **INGLÉS** pasteurized.

pastilla

nombre femenino

1 Medicamento sólido, de forma redondeada y pequeña para que pueda tragarse con facilidad. **INGLÉS** tablet, pill.

2 Trozo de alguna pasta dura, de pequeño tamaño y de forma redonda o cuadrada, como una pastilla de jabón. **INGLÉS** bar.

a toda pastilla Muy rápido o a gran velocidad: *Los bomberos pasaron a toda pastilla.* Es una expresión informal. **INGLÉS** at top speed.

pastizal

nombre masculino

1 Terreno de mucho pasto para el ganado. **INGLÉS** pasture.

pasto

nombre masculino

1 Hierba que come el ganado en el

a b c d e f g h i j k l m n ñ o p q r s t u v w x y z

campo. El pasto es abundante después de las lluvias. SINÓNIMO forraje. INGLÉS pasture.
2 Campo donde crece hierba con la que se alimenta al ganado. Con este significado se usa más en plural. SINÓNIMO pastizal. INGLÉS pasture.
3 Lo que se consume o se destruye a causa de algo. Decimos que una casa ha sido pasto de las llamas cuando ha quedado destruida por el fuego.

pastor, pastora
nombre
1 Persona que se dedica a cuidar el ganado y a llevarlo a pastar al campo, especialmente si son vacas, cabras u ovejas. INGLÉS shepherd [hombre], shepherdess [mujer].
nombre masculino
2 Persona que pertenece a la iglesia y puede decir misa. INGLÉS minister.

pastoral
adjetivo
1 Se dice de las cosas que tienen relación con los sacerdotes o eclesiásticos de una iglesia. Algunos obispos realizan visitas pastorales a distintas parroquias. INGLÉS pastoral.

pastoso, pastosa
adjetivo
1 Se dice de la sustancia que es blanda y espesa, como una pasta. INGLÉS pasty.

pata
nombre femenino
1 Pierna o pie de un animal. Los mamíferos tienen cuatro patas. INGLÉS leg.
2 Cada una de las piezas verticales que sujetan un mueble o un objeto. Las sillas y las mesas suelen tener cuatro patas. INGLÉS leg.
3 Pierna de una persona. Es un uso informal. INGLÉS leg.
a cuatro patas Apoyando las rodillas o los pies y las palmas de la mano en el suelo al mismo tiempo. Los bebés que aún no saben andar se pasean por el suelo a cuatro patas. SINÓNIMO a gatas. INGLÉS on all fours.
a la pata coja Forma de andar que consiste en doblar una pierna e ir dando saltos con la otra. INGLÉS hopping.
estirar la pata Morirse una persona. Es una expresión informal. INGLÉS to kick the bucket.
meter la pata Decir o hacer una cosa que no se debe, o hacerla en un momento poco oportuno o adecuado. INGLÉS to put one's foot in it.
patas de gallo Conjunto de arrugas que van apareciendo alrededor de los ojos de las personas a medida que van envejeciendo. INGLÉS crow's feet.

patada
nombre femenino
1 Golpe dado con el pie, normalmente con la punta del pie. INGLÉS kick.

patalear
verbo
1 Dar patadas en el suelo con fuerza, generalmente en señal de protesta o enfado. INGLÉS to stamp one's feet.
2 Mover mucho las piernas, en especial en el aire o en el agua. INGLÉS to kick about.

pataleta
nombre femenino
1 Muestra de enfado fuerte pero que dura poco y no se debe a nada importante. SINÓNIMO rabieta. INGLÉS tantrum.

patata
nombre femenino
1 Parte comestible de la raíz de una planta, de forma redondeada, y carne blanca y piel marrón. La planta también se llama patata. INGLÉS potato.
2 Cosa que está mal hecha o tiene mala calidad: *Este dibujo es una patata, lo tendrás que repetir.* Es un uso informal. SINÓNIMO caca. INGLÉS load of rubbish.

patatal
nombre masculino
1 Terreno en el que se siembran patatas. INGLÉS potato field.

patatús
nombre masculino
1 Desmayo o ataque de nervios fuerte: *Empezó a ponerse blanco y le dio un patatús.* SINÓNIMO telele. INGLÉS fit.
2 Impresión o susto muy fuerte: *Cuando lo vi llegar casi me da un patatús, no me lo esperaba en absoluto.* INGLÉS fit.
NOTA El plural es: patatuses. Es una palabra informal.

paté
nombre masculino
1 Pasta blanda que se hace con el hígado, la carne y la grasa de algún animal y se suele comer untada en un trozo de pan. INGLÉS pâté.

patear
verbo
1 Dar golpes en el suelo o en otro sitio con los pies. INGLÉS to stamp one's feet.
2 Andar mucho a pie por algún lugar. Para conocer bien una ciudad hay que patearla. INGLÉS to walk around.

patente
nombre femenino
1 Documento oficial que dice quién es

el inventor o propietario de un descubrimiento o de una marca y que autoriza a quien la tiene a ser el único que puede venderla o fabricarla. INGLÉS patent.

patera
nombre femenino
1 Embarcación de madera que tiene el fondo plano y poca profundidad. Se usa para la pesca, pero también hay inmigrantes que la utilizan para llegar a las costas de un país en busca de trabajo. INGLÉS small boat.

paternal
adjetivo
1 Se dice de los sentimientos que tienen el amor y la ternura que un padre siente hacia su hijo. INGLÉS paternal.

paternidad
nombre femenino
1 Hecho de ser padre o situación del hombre que es padre. INGLÉS paternity.

paterno, paterna
nombre
1 Se dice de lo que es del padre o está relacionado con él. Los abuelos paternos son los padres del padre. INGLÉS paternal.

patético, patética
adjetivo
1 Que causa tristeza o pena. INGLÉS pathetic.

patíbulo
nombre masculino
1 Lugar, generalmente alto, en que se ejecutaba a las personas que estaban condenadas a muerte. INGLÉS gallows.

patilla
nombre femenino
1 Pelo que crece en la cara, delante de las orejas. INGLÉS sideboard.
2 Cada una de las dos piezas finas y alargadas con las que se sujetan las gafas a las orejas. INGLÉS arm.

patín
nombre masculino
1 Objeto que se pone en los pies y sirve para patinar sobre una superficie lisa y dura. Hay patines de ruedas para ir por la tierra y con cuchillas para ir sobre el hielo. INGLÉS skate.
2 Pequeña embarcación con pedales que se utiliza como diversión en playas y lagos. INGLÉS pedalo.
NOTA El plural es: patines.

patinador, patinadora
nombre
1 Persona que practica patinaje. INGLÉS skater.

patinaje
nombre masculino
1 Deporte o diversión que consiste en resbalar sobre una superficie con patines haciendo una serie de ejercicios difíciles. INGLÉS skating.

patinar
verbo
1 Resbalar o deslizarse sobre una superficie con unos patines de ruedas o de cuchillas. INGLÉS to skate.
2 Resbalar sin querer una persona o las ruedas de un coche. INGLÉS to slip [una persona], to skid [un coche].
3 Hacer o decir algo equivocado o que no se debía hacer o decir. Es un uso informal. INGLÉS to put one's foot in it.

patinazo
nombre masculino
1 Movimiento brusco, y normalmente involuntario, que se hace cuando se resbala o patina. INGLÉS slip [de una persona], skid [de un coche].
2 Equivocación que comete una persona al hacer o decir algo. Es un uso informal. INGLÉS slip, blunder.

patinete
nombre masculino
1 Juguete que consiste en una plancha con ruedas de la que sale una barra larga con un manillar para dirigirlo. INGLÉS scooter.

patinete

patio
nombre masculino
1 Espacio descubierto en el interior de un edificio, a menudo rodeado de paredes o por una galería, en el que se juega, se toma el sol o se tiende la ropa. INGLÉS courtyard [de un edificio], patio [de una casa], playground [de una escuela].
patio de butacas Planta baja de un cine o teatro en la que están los asientos para el público. INGLÉS stalls [en el Reino Unido], orchestra [en Estados Unidos].

pato, pata
nombre
1 Ave acuática que tiene las patas cor-

tas, con membranas que unen los dedos, y el pico plano. INGLÉS duck.

adjetivo y nombre masculino **2** Se dice de la persona que se mueve de manera torpe. INGLÉS clumsy [adjetivo], clumsy oaf [nombre].

pagar el pato Cargar con la culpa de un error que han cometido otras personas. INGLÉS to get the blame.

patología

nombre femenino **1** Parte de la medicina que estudia los tejidos y los órganos enfermos. También estudia los síntomas de las enfermedades y las causas que las producen. INGLÉS pathology.

2 Enfermedad física o mental que padece una persona. INGLÉS pathology.

patoso, patosa

adjetivo y nombre **1** Se dice de la persona que es torpe para moverse: *Es una patosa y baila muy mal.* INGLÉS clumsy.

2 Se dice de la persona que no tiene habilidad para hacer algo: *Es un patoso para la jardinería.* INGLÉS useless.

patraña

nombre femenino **1** Historia falsa que se cuenta como verdadera. INGLÉS story.

patria

nombre femenino **1** Lugar, tierra o país en el que ha nacido una persona. INGLÉS homeland.

patriarca

nombre masculino **1** En la Biblia, nombre dado a algunos personajes del Antiguo Testamento que tuvieron muchos descendientes, como Abraham. INGLÉS patriarch.

2 Persona que por su edad o por su experiencia es la más respetada en una gran familia o comunidad. En las comunidades gitanas, el patriarca tiene mucha importancia. INGLÉS patriarch.

patrimonio

nombre masculino **1** Conjunto de bienes o cosas de valor que tiene una persona, institución o país. INGLÉS heritage.

patriota

adjetivo y nombre masculino y femenino **1** Se dice de la persona que siente o manifiesta amor o lealtad hacia su patria y quiere su bien, llegando a hacer sacrificios por ella. INGLÉS patriot.

patriotismo

nombre masculino **1** Amor o lealtad que una persona siente hacia su patria. INGLÉS patriotism.

patrocinar

verbo **1** Pagar los costes de un programa de televisión o de cualquier acto cultural o deportivo, a cambio de publicidad. Muchas empresas patrocinan equipos de fútbol. INGLÉS to sponsor.

2 Ayudar y proteger a una persona para que haga algo. INGLÉS to sponsor.

patrón, patrona

nombre **1** Persona que manda o dirige alguna cosa, que es propietaria de una fábrica o negocio o que contrata trabajadores para realizar un trabajo físico. Hay patrones de barco y patrones de empresas. También se dice: patrono. INGLÉS boss [que manda], owner [propietario], employer [que contrata obreros], skipper [de un barco].

2 Santo o virgen que se cree que protege a un grupo de personas o un lugar: *El apóstol Santiago es el patrón de España.* INGLÉS patron saint.

nombre masculino **3** Objeto que se utiliza como modelo. Los niños utilizan patrones para hacer algunos dibujos. INGLÉS pattern.

NOTA El plural de patrón es: patrones.

patronal

adjetivo **1** Del patrón o que tiene relación con él. Para prevenir los accidentes en el trabajo es necesaria la responsabilidad patronal y la del propio trabajador. INGLÉS management.

nombre femenino **2** Conjunto de empresarios que actúa como grupo para defender unos intereses comunes frente a los obreros y el gobierno. INGLÉS employers' association.

patrulla

nombre femenino **1** Grupo pequeño de personas que tienen una misión específica, en especial de policías. INGLÉS patrol.

2 Grupo pequeño de aviones o de barcos que vigilan o defienden algún lugar de la costa. INGLÉS patrol.

patrullar

verbo **1** Recorrer un lugar para vigilarlo y ocuparse de que no ocurra nada anormal. INGLÉS to patrol.

patuco

nombre masculino **1** Prenda de lana parecida a una bota que se pone a los bebés o que se usa en la cama para abrigar los pies. INGLÉS bootee [de un bebé], bedsock [para la cama].

pausa
nombre femenino
1 Parada breve en que se deja de hacer lo que se estaba haciendo. INGLÉS pause.
2 Falta de rapidez en lo que se hace o se dice. SINÓNIMO lentitud. INGLÉS slowness.

pausado, pausada
adjetivo
1 Que habla o actúa con lentitud y sin prisas. También son pausadas las cosas que se hacen o se dicen de este modo. INGLÉS unhurried, slow.

pauta
nombre femenino
1 Modelo que alguien sigue para hacer algo. Lo que hacen los padres suele ser la pauta que siguen los hijos en su comportamiento. INGLÉS model, pattern.
2 Papel que tiene unas rayas para poder escribir sin torcerse; también son pautas esas rayas. INGLÉS ruled paper [papel], line [raya].

pavimentar
verbo
1 Cubrir el suelo con asfalto, adoquines, cemento, madera u otro material parecido para que esté firme y llano. INGLÉS to surface, [si es con asfalto: to tarmac], [si es con adoquines: to pave], [si es con baldosas: to tile].

pavimento
nombre masculino
1 Superficie llana y lisa que se pone sobre el suelo de las calles y carreteras para que se pueda circular por ellas con facilidad. INGLÉS road surface.

pavo, pava
nombre
1 Ave doméstica del mismo grupo que la gallina, de color negro, con el cuerpo robusto, las alas cortas y las patas fuertes. No tiene plumas en la cabeza y cuello, y tiene unas carnosidades rojizas en la cabeza y el pico. INGLÉS turkey.
pavo real Ave del mismo grupo que la gallina, con una cola muy grande y hermosa en el macho, de color verde brillante, que despliega para impresionar a la hembra. INGLÉS peacock.

pavonearse
verbo
1 Presumir una persona de algo que tiene o que ha hecho: *Se pavoneaba ante todos con su coche nuevo.* INGLÉS to show off.

pavor
nombre masculino
1 Miedo y angustia muy grandes ante un peligro o una situación para la que no se está preparado. INGLÉS terror.

payasada
nombre femenino
1 Acción o dicho que se considera propio de un payaso por ser poco serio y causar risa. INGLÉS stupid thing.

payaso, payasa
nombre
1 Persona que se dedica a hacer reír a los demás, especialmente a los niños en un circo. INGLÉS clown.
2 Persona que gasta bromas, no hace las cosas en serio y hace reír a los demás, normalmente haciendo tonterías. INGLÉS clown, joker.

payo, paya
nombre
1 Persona que no es de raza gitana. Es una palabra que suelen utilizar los gitanos para hablar de los que no lo son. INGLÉS non-Gypsy.

paz
nombre femenino
1 Situación en la que no hay guerra ni enfrentamientos con armas entre dos o más países o regiones. INGLÉS peace.
2 Acuerdo o pacto para poner fin a una guerra o a un conflicto armado: *Los países en guerra firmaron la paz.* INGLÉS peace treaty.
3 Tranquilidad y calma que hay en un lugar o en una situación: *Se fue de vacaciones a un pueblo pequeño en busca de paz.* INGLÉS peace and quiet.
dejar en paz No molestar o fastidiar a una persona o no toquetear o mover de sitio una cosa: *¡Deja en paz las cortinas, que las vas a estropear!* INGLÉS to leave alone.
descansar en paz Estar muerta una persona o estar enterrada en algún lugar. INGLÉS to rest in peace.
hacer las paces Volver a ser amigas o a tener una relación de buen entendimiento las personas que se habían enemistado. INGLÉS to make it up.
y en paz Expresión que se usa para dar por terminado un asunto o una discusión: *Que cada cual se pague lo suyo y en paz.* INGLÉS and that's that.
NOTA El plural es: paces.

pazo
nombre masculino
1 Casa de campo característica de Galicia. INGLÉS country house.

pe
nombre femenino
1 Nombre de la letra 'p'.

de pe a pa Del principio al final. Para sacar buenas notas hay que saberse las lecciones de pe a pa. INGLÉS from start to finish.

peaje
nombre masculino
1 Cantidad de dinero que hay que pagar para poder pasar por un lugar, en especial por una autopista. También es el lugar donde se paga esta cantidad. INGLÉS toll.

peatón, peatona
nombre
1 Persona que va a pie por una calle. INGLÉS pedestrian.
NOTA El plural de peatón es: peatones.

peatonal
adjetivo
1 Que está destinado a las personas que van a pie. En las calles peatonales no entran los coches. INGLÉS pedestrian.

peca
nombre femenino
1 Pequeña mancha de color marrón que tienen algunas personas en la piel. A algunas personas les salen pecas cuando toman el sol. INGLÉS freckle.

pecado
nombre masculino
1 Acción o palabra que va en contra de las leyes de Dios y de la Iglesia. Matar es un pecado muy grave. INGLÉS sin.

pecador, pecadora
nombre
1 Persona que peca. INGLÉS sinner.

pecar
verbo
1 Hacer o decir cosas que van en contra de las leyes de Dios o de la Iglesia, como robar o mentir. INGLÉS to sin.
2 Tener una cualidad en exceso: *A veces pecas de bueno y por eso te acaban tomando el pelo.* INGLÉS to be too?...
NOTA Se escribe 'qu' delante de 'e', como: pequen.

pecera
nombre femenino
1 Recipiente transparente lleno de agua en el que viven peces y otros animales acuáticos. INGLÉS fish tank [si es redonda: fishbowl].

pecho
nombre masculino
1 Parte del cuerpo humano y de algunos animales, que va desde el cuello hasta el vientre, en la que se encuentran el corazón y los pulmones protegidos por las costillas. INGLÉS chest.
2 Cada uno de los dos órganos de forma redondeada que tienen las mujeres situados en la parte superior del tronco. SINÓNIMO seno; teta. INGLÉS breast.

dar el pecho Dar de mamar una madre a su bebé. Las mujeres suelen dar el pecho a sus hijos durante los primeros meses de vida. INGLÉS to breast-feed.

pechuga
nombre femenino
1 Pecho de un ave: *Me gusta más la pechuga del pollo que el muslo.* INGLÉS breast.
2 Pecho de una persona, especialmente de una mujer. Es un uso informal. INGLÉS breast.

pecoso, pecosa
adjetivo y nombre
1 Se dice de la persona que tiene muchas pecas, sobre todo en la cara. Los pelirrojos suelen ser pecosos. INGLÉS freckly.

pectoral
adjetivo
1 Del pecho o que está relacionado con él. Las personas tenemos los pulmones en la región pectoral. INGLÉS pectoral.
2 Se dice del músculo que está situado en la parte delantera del pecho. Permite diversos movimientos del brazo y participa en la respiración. INGLÉS pectoral.

peculiar
adjetivo
1 Que es característico de una persona o una cosa: *Su voz es muy peculiar, se reconoce siempre.* SINÓNIMO particular. INGLÉS peculiar.

pedagogía
nombre femenino
1 Ciencia que estudia los métodos y las técnicas para educar y enseñar a los niños y jóvenes. INGLÉS pedagogy.

pedal
nombre masculino
1 Pieza de una máquina o un aparato que se acciona mediante el pie y que sirve para poner en movimiento un mecanismo, como los pedales de la bicicleta. INGLÉS pedal.
2 Pieza que tienen algunos instrumentos musicales, como el piano o el órgano, y que sirve para producir ciertos sonidos. El pedal se acciona con el pie. INGLÉS pedal.

pedalear
verbo
1 Mover empujando con los pies los pedales de un vehículo, como una bicicleta. INGLÉS to pedal.

pedante
adjetivo
1 Se dice de la persona que presume tanto de sus conocimientos ante los de-

más que resulta molesta o desagradable. **INGLÉS** pretentious, pompous.

pedantería

nombre femenino **1** Cualidad de la persona pedante. También son una pedantería las acciones o las palabras de este tipo de personas. **INGLÉS** pretentiousness, pomposity.

pedazo

nombre masculino **1** Parte de una cosa separada del todo. A la hora de comer, cada uno se coge un pedazo de pan. **SINÓNIMO** trozo. **INGLÉS** piece, bit.

ser un pedazo de pan Ser una persona muy buena y portarse muy bien. **INGLÉS** to be an angel.

pedestal

nombre masculino **1** Base no muy alta sobre la que se pone una columna, una escultura u otro objeto. **INGLÉS** pedestal.

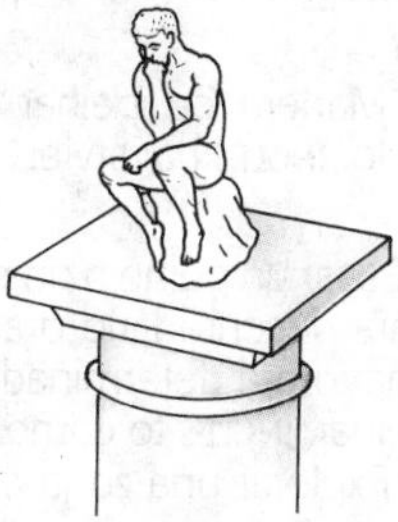

pedestal

pediatra

nombre masculino y femenino **1** Médico especialista en las enfermedades y cuidados de los niños pequeños. **INGLÉS** paediatrician.

pedido

nombre masculino **1** Encargo hecho por un cliente a un fabricante, a un vendedor o a un supermercado para que le sirva un producto. **INGLÉS** order.

pedigrí

nombre masculino **1** Conjunto de los antepasados de un animal con un origen conocido, especialmente de caballos, perros y gatos de raza. El pedigrí de un animal le da cierta calidad: *Le regalaron un perro con pedigrí.* **INGLÉS** pedigree.

2 Documento en el que aparecen la genealogía o los antepasados de un animal. **INGLÉS** pedigree.

NOTA El plural es: pedigrís o pedigríes.

pedigüeño, pedigüeña

adjetivo y nombre **1** Se dice de la persona que pide con insistencia. **INGLÉS** always asking for things [adjetivo], pest [nombre].

pedir

verbo **1** Decirle a alguien que nos dé o nos haga una cosa que queremos o necesitamos: *Ha pedido una bicicleta a los Reyes Magos. Te voy a pedir que friegues los platos.* **INGLÉS** to ask for.

2 Desear o querer una cosa: *Yo solo pido que no llueva mañana.* **INGLÉS** to ask.

3 Necesitar o exigir una cosa: *Esta pared está pidiendo una mano de pintura.* **INGLÉS** to need.

NOTA Se conjuga como: servir; la 'e' se convierte en 'i' en algunos tiempos y personas, como: pide.

pedo

nombre masculino **1** Aire o gas que se expulsa por el ano; normalmente hace ruido y huele mal. **INGLÉS** fart.

2 Estado de la persona que ha bebido demasiado alcohol y pierde el control de sí misma. Es un uso informal. **SINÓNIMO** borrachera.

adjetivo **3** Que está borracho. Es un uso informal.

pedorreta

nombre femenino **1** Sonido que se hace con la boca imitando el ruido de un pedo. **INGLÉS** raspberry.

NOTA Es una palabra informal.

pedrada

nombre femenino **1** Acción que consiste en lanzar piedras, con fuerza, contra algo o alguien. También es el golpe que se da con una piedra que hemos lanzado. **INGLÉS** blow with a stone.

2 Señal que deja en un lugar el golpe de una piedra.

pedregoso, pedregosa

adjetivo **1** Se dice del suelo o el terreno que tiene muchas piedras o está cubierto de piedras. **INGLÉS** stony, rocky.

pedrería

nombre femenino **1** Conjunto o adorno de piedras preciosas o de bisutería que las imita. **INGLÉS** precious stones.

pedrusco

nombre masculino **1** Piedra grande. **INGLÉS** stone.

NOTA Es una palabra informal.

a b c d e f g h i j k l m n ñ o p q r s t u v w x y z

pedúnculo
nombre masculino
1 Tallo que une una hoja, una flor o un fruto con la planta. INGLÉS stalk.

pega
nombre femenino
1 Dificultad que se pone para hacer o conseguir algo, con la intención de intentar pasar sin hacerlo o de retrasarlo. INGLÉS snag.
de pega De mentira, que imita la realidad. Los disfraces de vampiro suelen llevar dientes largos de pega. Es una expresión informal. INGLÉS fake.

pegadizo, pegadiza
adjetivo
1 Que enseguida se graba en la memoria y es fácil de recordar. Las canciones que se ponen de moda en verano suelen ser muy pegadizas. INGLÉS catchy.
2 Que se pega o se contagia con facilidad: *Tiene una risa muy pegadiza.* SINÓNIMO contagioso. INGLÉS contagious.

pegajoso, pegajosa
adjetivo
1 Que se pega a otras cosas con facilidad, como la grasa o el chicle. INGLÉS sticky.
2 Que se comporta con excesivo cariño o amabilidad. Es un uso informal. INGLÉS clingy.

pegamento
nombre masculino
1 Sustancia que sirve para pegar una cosa a otra. INGLÉS glue.

pegar
verbo
1 Unir una cosa a otra con una sustancia como el pegamento de forma que no puedan separarse. INGLÉS to stick.
2 Dar golpes a una persona, animal o cosa: *Se enfadó y le pegó una torta.* INGLÉS to hit.
3 Chocar con fuerza contra una cosa: *Se pegó contra la pared y se rompió la nariz.* INGLÉS to bang.
4 Colocar una persona o cosa muy cerca de otra, de manera que se toquen. Si se pegan los muebles a la pared se gana espacio. INGLÉS to put right up to.
5 Hacer que una persona tenga la misma enfermedad que otra con la que está en contacto: *A su hijo le han pegado la varicela en el colegio.* SINÓNIMO contagiar. INGLÉS to give.
6 Formar dos o más cosas o personas un conjunto armonioso o agradable. El color blanco pega con todos los demás. INGLÉS to go.
7 Hacer algo con mucha fuerza y decisión, como pegar un grito, un susto o un salto. INGLÉS to give.
8 pegarse Pelearse o luchar dos o más personas. INGLÉS to fight.
9 pegarse Quemarse un guiso de modo que parte de la comida queda unida al fondo de la cazuela. INGLÉS to stick.
NOTA Se escribe 'gu' delante de 'e', como: peguen.

pegatina
nombre femenino
1 Trozo de papel o de plástico que se puede pegar por una de sus caras. Las pegatinas suelen llevar impresa una imagen. INGLÉS sticker.

pegote
nombre masculino
1 Trozo de alguna sustancia pegajosa que se encuentra en una superficie, como un pegote de barro. INGLÉS dollop.
2 Aquello que se añade a algo y que lo estropea porque no queda bonito.

peinado
nombre masculino
1 Manera de peinar o de colocar el pelo. INGLÉS hairstyle.

peinar
verbo
1 Pasar un peine o un cepillo por el pelo para desenredarlo o arreglarlo dándole una forma determinada. ANTÓNIMO despeinar. INGLÉS to comb.
2 Explorar una zona con atención para encontrar a una persona o cosa que se está buscando. Si se escapa un criminal, la policía peina la zona donde puede estar para encontrarlo. INGLÉS to comb, to search.

peine
nombre masculino
1 Instrumento que sirve para alisar, desenredar y colocar bien el pelo de una persona. El peine está formado por una fila de púas de la misma longitud, de manera que el cabello pasa a través de ellas. INGLÉS comb.

peineta
nombre femenino
1 Objeto parecido a un peine, pero más cuadrado y con las púas más largas, que sirve para sujetar un peinado o adornar el pelo. INGLÉS ornamental comb.

peladilla
nombre femenino
1 Almendra envuelta en una pasta dura y dulce hecha de azúcar. INGLÉS sugared almond.

pelaje
nombre masculino
1 Tipo o calidad del pelo o de la lana

que tiene un animal. El pelaje del lobo es de color gris. INGLÉS coat, fur.

pelambrera
nombre femenino
1 Cantidad abundante de pelo o de vello, especialmente el que está muy largo o enredado. INGLÉS hair.

pelar
verbo
1 Quitar la piel de una fruta, normalmente con la ayuda de un cuchillo, como hacemos al comer una naranja o un plátano. SINÓNIMO mondar. INGLÉS to peel.
2 Quitarle las plumas a un ave. SINÓNIMO desplumar. INGLÉS to pluck.
3 Cortar el pelo a una persona o a un animal. INGLÉS to cut someone's hair.
4 pelarse Perder una persona parte de la capa superior de la piel. Nos pelamos después de haber tomado mucho el sol. INGLÉS to peel.

peldaño
nombre masculino
1 Supeficie llana y estrecha de una escalera donde se apoya el pie al subir o bajar: *No subas los peldaños de dos en dos.* SINÓNIMO escalón. INGLÉS step.

pelea
nombre femenino
1 Acción de pelear o pelearse con armas o golpes. INGLÉS fight, quarrel.

pelear
verbo
1 Luchar con fuerza o con armas dos o más personas o animales. Los boxeadores pelean con los puños. SINÓNIMO combatir. INGLÉS to fight.
2 Reñir o discutir con fuerza dos o más personas. INGLÉS to fight, to quarrel.
3 Trabajar con fuerza, hacer sacrificios y esforzarse para conseguir una cosa. SINÓNIMO luchar. INGLÉS to struggle.

peleón, peleona
adjetivo
1 Se dice de la persona a la que le gusta provocar peleas o se pelea con frecuencia con los demás. INGLÉS aggressive.
2 Se dice del vino que es de poca calidad. INGLÉS rough.
NOTA El plural de peleón es: peleones.

peletería
nombre femenino
1 Establecimiento en el que se venden o se fabrican prendas de vestir y otros objetos de piel. INGLÉS furrier's.

peliagudo, peliaguda
adjetivo
1 Que es muy difícil de entender o de resolver, como un asunto o un problema. INGLÉS tricky.

pelícano
nombre masculino
1 Ave acuática de gran tamaño, con las patas cortas y el pico muy largo y ancho, con una bolsa debajo de la mandíbula inferior donde puede guardar los alimentos. INGLÉS pelican.

película
nombre femenino
1 Cinta estrecha de plástico que se introduce en el interior de una cámara de fotografía o en un aparato de cine o vídeo para grabar imágenes en ella. El conjunto de las imágenes grabadas en esta cinta que se proyectan en cine o en televisión también se llama película. INGLÉS film.
2 Capa muy fina que cubre algunas cosas. Cuando la leche hervida se enfría se forma una película de nata en la superficie. INGLÉS film.
de película Que es muy bueno o que está muy bien: *Vive en una casa de película, con piscina y todo.* Es una expresión informal. INGLÉS fabulous.

peligrar
verbo
1 Estar en peligro. Algunas especies animales peligran porque pueden acabar por extinguirse. INGLÉS to be in danger.

peligro
nombre masculino
1 Situación en la que puede ocurrir algo malo. Cruzar el semáforo en rojo es un peligro porque pueden atropellarnos. INGLÉS danger.
2 Persona o cosa que puede provocar un mal o un daño a otras. Las drogas son un grave peligro para la juventud. INGLÉS danger.

peligroso, peligrosa
adjetivo
1 Que representa un peligro o que puede causar daño. INGLÉS dangerous.
2 Se dice de una persona que puede cometer un delito o puede causar daño: *La policía persigue a un delincuente muy peligroso.* INGLÉS dangerous.

pelirrojo, pelirroja
adjetivo y nombre
1 Se dice del pelo de color anaranjado o rojizo y de la persona que tiene el pelo de este color. INGLÉS red-haired [adjetivo], redhead [nombre].

pellejo
nombre masculino
1 Piel de un animal que ha sido separada del cuerpo. INGLÉS skin.
2 Trozo de piel levantada de una persona. INGLÉS skin.

jugarse el pellejo Ponerse una persona en una situación que puede ser peligrosa para su vida. Es una expresión informal. INGLÉS to risk one's neck.

pellizcar

verbo

1 Coger con dos dedos de la mano un trozo de piel y carne de una persona, apretando y retorciendo para hacerle daño. INGLÉS to pinch.

2 Coger una pequeña cantidad o un trozo pequeño de una cosa que está entera. INGLÉS to pick at.

NOTA Se escribe 'qu' delante de 'e', como: pellizque.

pellizco

nombre masculino

1 Acción que consiste en pellizcar a una persona. INGLÉS pinch, nip.

2 Señal que queda en la carne o en la piel al pellizcar. INGLÉS nip.

3 Pequeña cantidad que se coge de una cosa utilizando solo dos o tres dedos. Cogemos un pellizco de pan o echamos un pellizco de sal en las comidas. SINÓNIMO pizca. INGLÉS pinch.

pelma

adjetivo y nombre masculino y femenino

1 Se dice de la persona que es muy pesada o resulta muy molesta. SINÓNIMO pelmazo. INGLÉS boring [adjetivo], bore [nombre].

NOTA Es una palabra informal.

pelmazo, pelmaza

adjetivo y nombre

1 Pelma. INGLÉS boring [adjetivo], bore [nombre].

NOTA Es una palabra informal.

pelo

nombre masculino

1 Cada una de las fibras delgadas, parecidas a un hilo, que crecen en ciertas zonas del cuerpo de las personas y de algunos animales. INGLÉS hair.

2 Conjunto de pelos de una persona, especialmente el de la cabeza, y de algunos animales. INGLÉS hair.

3 Hilos muy finos que salen de las hebras de algunos tejidos, como la lana de angora. INGLÉS fluff.

no tener un pelo de tonto Ser una persona muy lista: *No podrás engañarlo, porque no tiene un pelo de tonto.* Es una expresión informal. INGLÉS to be nobody's fool.

poner los pelos de punta Dar miedo o impresionar a una persona. Algunas imágenes violentas que se ven en televisión ponen los pelos de punta. INGLÉS to make one's hair stand on end.

tomar el pelo Reírse de una persona para ponerla en ridículo, o hacerle creer una mentira para gastarle una broma. INGLÉS to pull someone's leg.

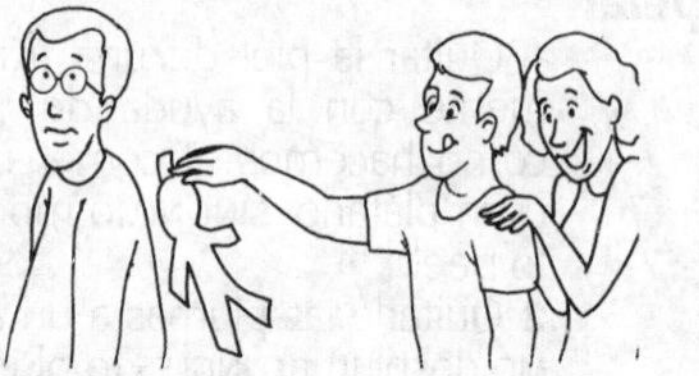

tomar el pelo

pelón, pelona

adjetivo y nombre

1 Se dice de la persona que no tiene pelo en la cabeza, que tiene muy poco o que lo lleva cortado al rape. INGLÉS bald [adjetivo].

NOTA El plural de pelón es: pelones.

pelota

nombre femenino

1 Objeto de forma redonda hecho de algún material flexible que sirve para jugar o practicar un deporte, como el baloncesto o el tenis. INGLÉS ball.

2 Juego que se juega con ese objeto redondo. Muchos niños juegan a la pelota. INGLÉS ballgame.

adjetivo y nombre masculino y femenino

3 Se dice de la persona que intenta agradar a alguien para conseguir algún favor o beneficio. Es un uso informal. INGLÉS creep [nombre], crawler [nombre].

en pelotas Se dice de una persona que está desnuda. Es una expresión vulgar. SINÓNIMO desnudo. INGLÉS naked.

hacer la pelota Intentar resultar simpático o agradable a una persona para conseguir un favor o beneficio de ella: *Le hacía la pelota al profesor para que lo aprobara.* INGLÉS to suck up to.

pelotazo

nombre masculino

1 Golpe que da una pelota cuando ha sido lanzada con fuerza. SINÓNIMO balonazo. INGLÉS blow with a ball.

pelotillero, pelotillera

adjetivo y nombre

1 Se dice de la persona que halaga a otra para intentar caerle bien y conseguir algún provecho de ella. INGLÉS creep [nombre], crawler [nombre].

NOTA Es una palabra informal.

pelotón
nombre masculino
1 Conjunto de personas que van juntas de manera desordenada; en especial conjunto de ciclistas que van juntos en una carrera. INGLÉS pack, [si son ciclistas: peloton].
2 Unidad militar pequeña compuesta por soldados de infantería que suelen estar mandados por un sargento. INGLÉS squad.
NOTA El plural es: pelotones.

peluca
nombre femenino
1 Pelo postizo que se pone en la cabeza. Los payasos llevan pelucas de colores. INGLÉS wig.

peluche
nombre masculino
1 Tejido que tiene pelos largos y suaves. El peluche se usa principalmente para hacer muñecos. INGLÉS plush.
2 Muñeco blando en forma de animal recubierto de peluche: *Tiene la habitación llena de peluches.* INGLÉS cuddly toy.

peludo, peluda
adjetivo
1 Que tiene mucho pelo. Hay razas de perros muy peludos, como el labrador o el yorkshire. INGLÉS hairy.

peluquería
nombre femenino
1 Establecimiento en el que se peina, se corta, se arregla y se cuida el cabello. INGLÉS hairdresser's.

peluquero, peluquera
nombre
1 Persona que se dedica a peinar, cortar, arreglar y cuidar el pelo de otras personas. INGLÉS hairdresser.

peluquín
nombre masculino
1 Peluca pequeña que solo tapa la parte de arriba de la cabeza. INGLÉS hairpiece.
NOTA El plural es: peluquines.

pelusa
nombre femenino
1 Pelo corto y muy fino que hay en algunas superficies, como en la piel de un melocotón. INGLÉS fluff.
2 Pelo que sueltan algunos tejidos, como la lana de angora. INGLÉS fluff.
3 Conjunto de polvo y suciedad que se forma en el suelo cuando no se barre. INGLÉS fluff.
4 Sentimiento de celos o envidia que tienen algunos niños, especialmente de sus hermanos. INGLÉS jealousy.

pelvis
nombre femenino
1 Parte del esqueleto situada al final del tronco. La pelvis contiene y protege la vejiga urinaria, el final del tubo digestivo y algunos órganos del aparato genital. INGLÉS pelvis.
NOTA El plural es: pelvis.

pena
nombre femenino
1 Castigo que debe cumplir una persona que ha hecho algo malo. INGLÉS sentence, punishment.
2 Sentimiento que se tiene cuando ocurre o se ve algo que parece injusto o que pone triste. INGLÉS pity.
a duras penas Con mucho esfuerzo y dificultad: *Con una pierna escayolada a duras penas subimos una escalera.* INGLÉS hardly.
de pena Muy mal o muy malo: *Ese chico me cae de pena.* Es una expresión informal. INGLÉS awful, terrible.

penacho
nombre masculino
1 Grupo de plumas que tienen algunas aves en la cabeza, como los pavos reales. INGLÉS crest.
2 Grupo de plumas que se ponen de adorno en sombreros o cascos. INGLÉS plume.

penal
adjetivo
1 Que tiene relación con la pena o el castigo que debe cumplir una persona que ha cometido un delito. Los abogados conocen el código penal. INGLÉS criminal.
nombre masculino
2 Edificio donde la autoridad encierra a las personas que han cometido un delito. SINÓNIMO cárcel; prisión. INGLÉS prison.

penalizar
verbo
1 Imponer una pena, sanción o castigo a alguien, generalmente en un juego o deporte: *En el fútbol, el árbitro penaliza a los jugadores que tocan el balón con las manos y no son el portero.* INGLÉS to penalize.
NOTA La 'z' se convierte en 'c' delante de 'e', como: penalicen.

penalti
nombre masculino
1 En algunos deportes, pena máxima con la que se castiga una falta que un jugador hace dentro de su área. INGLÉS penalty.
NOTA Esta palabra es de origen inglés; también se escribe: penalty.

a b c d e f g h i j k l m n ñ o p q r s t u v w x y z

pendiente
adjetivo **1** Que está sin solucionar o terminar: *Me quedaré un rato más porque tengo trabajo pendiente.* INGLÉS outstanding, pending.
2 Que está atento o prestando mucha atención a una persona o cosa: *Estaba tan pendiente de la película que me olvidé de que tenía que llamarte.* INGLÉS waiting [a la espera], absorbed in [prestando atención].
nombre masculino **3** Joya o adorno que se pone en el lóbulo de la oreja. INGLÉS earring. DIBUJO página 648.
nombre femenino **4** Terreno inclinado: *Iba por un camino, me despisté y me caí con la bici por una pendiente.* INGLÉS slope.

pendular
adjetivo **1** Del péndulo o que tiene relación con él, como el movimiento o la trayectoria. INGLÉS pendular.

péndulo
nombre masculino **1** Objeto colgado de un punto fijo que se mueve libremente de un lado a otro por su propio peso y la acción de la gravedad. Algunos relojes tienen un péndulo que cuelga y que se mueve constantemente. INGLÉS pendulum.

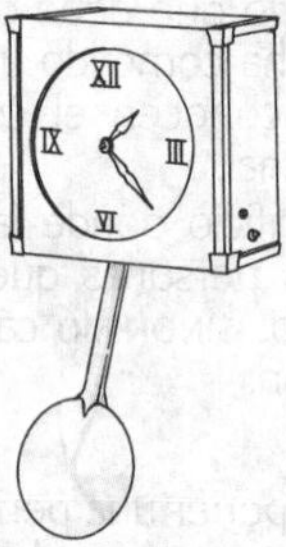

péndulo

pene
nombre masculino **1** Órgano sexual masculino. El pene y los testículos son los genitales masculinos. INGLÉS penis.

penetrante
adjetivo **1** Que entra muy dentro de una cosa. Un olor penetrante es un olor tan fuerte que entra por la nariz y parece que no sale. INGLÉS penetrating.

penetrar
verbo **1** Meterse una cosa o una persona muy dentro de otra cosa o de un lugar. INGLÉS to penetrate, to enter.

penicilina
nombre femenino **1** Antibiótico que sirve para curar muchas infecciones producidas por bacterias. INGLÉS penicillin.

península
nombre femenino **1** Extensión de tierra que está rodeada de agua por todas partes menos por una, por donde se une a otra de mayor extensión. La Península Ibérica está formada por España y Portugal. INGLÉS peninsula.

peninsular
adjetivo **1** De una península o que tiene relación con ella. INGLÉS peninsular.

penitencia
nombre femenino **1** Sacramento de la Iglesia católica por el que el sacerdote perdona los pecados de alguien en el nombre de Dios. INGLÉS penance.
2 Oración o cosa que el sacerdote pide a la persona que se confiesa para que sea perdonada por haber cometido un pecado. INGLÉS penance.

penitenciaría
nombre femenino **1** Edificio donde la autoridad encierra a las personas que han cometido un delito. SINÓNIMO cárcel; prisión. INGLÉS penitentiary.

penoso, penosa
adjetivo **1** Que da pena: *Las imágenes del accidente eran penosas.* INGLÉS awful, dreadful.
2 Que es de mala calidad, ridículo o vergonzoso: *La película de ayer fue penosa, de las peores que he visto últimamente.* INGLÉS awful, dreadful.
3 Que cuesta mucho trabajo: *Es penoso levantarse temprano.* INGLÉS hard.

pensador, pensadora
nombre **1** Persona que se dedica a pensar sobre temas profundos e importantes para la humanidad, como hacen algunos filósofos o científicos. INGLÉS thinker.

pensamiento
nombre masculino **1** Capacidad que tienen las personas para formar ideas en su mente y relacionarlas unas con otras. INGLÉS thought.
2 Lugar en el que se almacenan las ideas formadas por la mente. Cuando un problema nos preocupa mucho no

lo podemos apartar del pensamiento. INGLÉS mind.
3 Idea o cosa que piensa una persona o que tiene en su mente. INGLÉS thought.
4 Conjunto de ideas o manera de pensar propia de una persona. El pensamiento de un escritor se refleja en su obra. INGLÉS thinking.
5 Planta que se cultiva en los jardines, que tiene unas flores con cuatro pétalos abiertos de varios colores. Las flores también se llaman pensamientos. INGLÉS pansy.

pensar
verbo
1 Formar una persona ideas en su mente y relacionarlas unas con otras. Para encontrar la solución de un problema hay que pensar. INGLÉS to think.
2 Examinar con mucho cuidado un asunto o una cuestión para tomar una decisión o formarse una opinión sobre ella. INGLÉS to think about, to consider.
3 Tener una persona la intención o el propósito de hacer una cosa: *Esta tarde pienso ir al cine.* INGLÉS to intend.
4 Usar la inteligencia para encontrar un plan o un método para hacer una cosa: *Hemos pensado en todas las posibilidades y no podemos fallar.* INGLÉS to think.
5 Creer una persona una cosa o tener una opinión respecto de algo: *Yo pienso que no es para tanto, no te lo tomes así.* INGLÉS to think.
ni pensarlo Indica que no se acepta o no se permite de ninguna manera lo que dice o propone una persona: *¿Ir solo a la piscina?, ni pensarlo.* INGLÉS no way.
NOTA Se conjuga como: acertar; la 'e' se convierte en 'ie' en sílaba acentuada, como: pienso.

pensativo, pensativa
adjetivo
1 Se dice de la persona que está pensando con mucha atención en una cosa, sin atender a lo que le rodea o sin darse cuenta de ello. INGLÉS pensive.

pensión
nombre femenino
1 Cantidad de dinero que recibe cada cierto tiempo una persona por motivos que no son de trabajo, como una pensión de jubilación. INGLÉS pension.
2 Establecimiento que ofrece alojamiento y comida a precios muy económicos. Una pensión es de categoría inferior a un hostal. INGLÉS boarding house.
NOTA El plural es: pensiones.

pensionista
nombre masculino y femenino
1 Persona que recibe una pensión del estado o de una institución. Los jubilados son pensionistas. INGLÉS pensioner.

pentágono
nombre masculino
1 Figura geométrica que tiene cinco lados. INGLÉS pentagon.

pentagrama
nombre masculino
1 Serie de cinco líneas horizontales paralelas que están dibujadas en un papel y que sirve para escribir encima las notas musicales. INGLÉS stave, staff.

pentatlón
nombre masculino
1 Conjunto de cinco ejercicios atléticos que realiza un mismo atleta y que incluye las pruebas siguientes: 200 m lisos, 1 500 m lisos, salto de longitud, lanzamiento de disco y lanzamiento de jabalina. INGLÉS pentathlon.
pentatlón moderno Conjunto de cinco pruebas deportivas que realiza un mismo deportista y que incluye: equitación, natación, tiro, esgrima y carrera a campo través. INGLÉS modern pentathlon.

penúltimo, penúltima
adjetivo y nombre
1 Que ocupa el puesto anterior al último en una serie. INGLÉS penultimate [adjetivo], last but one.

penumbra
nombre femenino
1 Sombra débil entre la luz y la oscuridad: *En la penumbra no lo vi bien.* INGLÉS semidarkness.

penuria
nombre femenino
1 Situación difícil en la que se encuentra una persona que pasa por apuros económicos o a la que le falta lo necesario para vivir. SINÓNIMO pobreza. INGLÉS poverty, penury.

peña
nombre femenino
1 Piedra grande que se encuentra en la naturaleza y no ha sido trabajada por el ser humano. INGLÉS rock.
2 Grupo de personas que tienen unos mismos intereses deportivos, culturales o a los que les une la amistad. SINÓNIMO asociación; club. INGLÉS club.

a b c d e f g h i j k l m n ñ o p q r s t u v w x y z

peñascal
nombre masculino **1** Lugar en el que hay muchos peñascos. INGLÉS rocky place.

peñasco
nombre masculino **1** Roca de gran tamaño situada generalmente en un lugar alto. INGLÉS crag.

peñazo
nombre masculino **1** Persona o cosa que resulta aburrida o pesada: *Esa película es un auténtico peñazo.* INGLÉS bore.
NOTA Es una palabra informal.

peñón
nombre masculino **1** Montaña llena de rocas grandes. INGLÉS rock.
NOTA El plural es: peñones.

peón
nombre masculino **1** Persona que hace trabajos físicos que no exigen estudios o una preparación especial. INGLÉS labourer.
2 Pieza del ajedrez. Cada jugador tiene ocho peones que se colocan delante del resto de las piezas; se mueven de frente y avanzan un solo cuadro en cada movimiento. INGLÉS pawn.
NOTA El plural es: peones.

peonza
nombre femenino **1** Juguete con forma de cono redondeado y acabado en punta que se lanza al suelo o sobre una superficie para que dé vueltas sobre sí mismo. La peonza lleva una cuerda que se enrolla sobre ella y que se desenrolla al lanzarla. INGLÉS top.

peor
adjetivo **1** Se dice de la persona o la cosa que tiene menos calidad que otra. Una película es peor que otra si nos gusta menos. ANTÓNIMO mejor. INGLÉS worse [comparativo], worst [superlativo].
adverbio **2** Indica que una acción es menos buena que otra con la que se compara: *Hoy me lo he pasado peor que ayer.* ANTÓNIMO mejor. INGLÉS worse [comparativo], worst [superlativo].
NOTA Es el comparativo de: malo.

pepinillo
nombre masculino **1** Pepino pequeño que se conserva en vinagre. INGLÉS gherkin.

pepino
nombre masculino **1** Fruto alargado y redondeado que tiene la piel verde y rugosa, y la carne blanca con muchas semillas. Los pepinos se comen en ensalada y son un ingrediente esencial del gazpacho. INGLÉS cucumber.
importar un pepino Importar muy poco una cosa o una persona: *Me importa un pepino si vienes o no a mi fiesta de cumpleaños.* INGLÉS not to matter at all.

pepita
nombre femenino **1** Semilla pequeña de algunas frutas y hortalizas, como las del melón o las del tomate. SINÓNIMO pipa. INGLÉS pip.
2 Trozo pequeño de oro o de otro metal. INGLÉS nugget.

pepito
nombre masculino **1** Bocadillo de lomo de cerdo o de ternera. INGLÉS grilled meat sandwich.

pequeñez
nombre femenino **1** Cosa pequeña o de poca importancia. No merece la pena enfadarse con un amigo por una pequeñez. SINÓNIMO tontería. INGLÉS smallness.
NOTA El plural es: pequeñeces.

pequeño, pequeña
adjetivo **1** Que tiene un tamaño menor de lo normal. ANTÓNIMO grande. INGLÉS small, little.
2 Se dice de la persona que tiene poca altura. SINÓNIMO bajo. ANTÓNIMO alto. INGLÉS little, short.
adjetivo y nombre **3** Que tiene pocos años: *Es el más pequeño de los cuatro hermanos.* ANTÓNIMO mayor. INGLÉS little, young.
adjetivo **4** Que es poco importante: *Se ha hecho una herida pequeña.* INGLÉS little, small.

pera
nombre femenino **1** Fruta de forma redondeada, más ancha por abajo que por arriba, de piel amarilla o verde y carne dulce con mucha agua. INGLÉS pear.
del año de la pera De hace mucho tiempo. INGLÉS ages old.
ser la pera Destacar sobre los demás por alguna cualidad muy buena o muy mala. Es una expresión informal. INGLÉS to be something else.

peral
nombre masculino **1** Árbol frutal que produce peras. Tiene el tronco recto y liso, con espinas en las ramas, las hojas ovaladas y las flores blancas. INGLÉS pear tree.

perca
nombre femenino **1** Pez de agua dulce que tiene el cuer-

po alto en la parte media y estrecho hacia la cola. Vive en ríos y lagos de Europa y Asia, y su carne es comestible. INGLÉS perch.

2 Pez marino que tiene la cabeza grande y robusta, y la boca ancha. Su carne es comestible. INGLÉS blue-mouth.

percance

nombre masculino

1 Hecho o suceso malo que ocurre de manera inesperada y que no suele ser grave, pero retrasa algo que se iba a hacer o se estaba haciendo: *El avión no pudo despegar a tiempo por un pequeño percance mecánico.* INGLÉS mishap.

percatarse

verbo

1 Darse cuenta o enterarse bien de algo, especialmente de lo que no está demasiado claro. INGLÉS to notice.

percebe

nombre masculino

1 Crustáceo marino con el cuerpo alargado y de color oscuro, y la cabeza recubierta con cinco placas duras. Vive en grupo, sujeto a las rocas, y es comestible. INGLÉS goose barnacle.

percepción

nombre femenino

1 Conocimiento que tiene una persona de una cosa por medio de las impresiones que comunican los sentidos. INGLÉS perception.

2 Recepción de una cosa, especialmente de una cantidad de dinero. INGLÉS perception.

NOTA El plural es: percepciones.

percha

nombre femenino

1 Objeto que sirve para colgar la ropa dentro de un armario. INGLÉS hanger.

perchero

nombre masculino

1 Objeto con ganchos para colgar ropa. Hay percheros que se sujetan a la pared o a las puertas y otros que tienen un pie y se apoyan en el suelo. INGLÉS coat rack.

percibir

verbo

1 Enterarse de una cosa o tener conocimiento de ella a través de los sentidos. Por la lengua percibimos los sabores. Podemos percibir si un objeto es suave o áspero por medio del tacto. INGLÉS to perceive.

2 Recibir una persona una cantidad de dinero que le corresponde. Los empleados perciben un salario por su trabajo. INGLÉS to receive.

percusión

nombre femenino

1 Acción que consiste en golpear sobre algo. INGLÉS percussion.

2 Clase de instrumentos musicales que producen sonido al ser golpeados. El tambor y el xilófono son instrumentos de percusión. INGLÉS percussion.

NOTA El plural es: percusiones.

percutir

verbo

1 Dar uno o varios golpes, especialmente cuando se hace de manera repetida. Los tambores se pueden percutir con las manos o con unos palos especiales. INGLÉS to strike.

perdedor, perdedora

adjetivo y nombre

1 Que pierde en un concurso o una prueba deportiva. INGLÉS losing [adjetivo], loser [nombre].

perder

verbo

1 Dejar de tener una cosa que se tenía: *He perdido mi bolígrafo.* INGLÉS to lose.

2 No saber dónde está una cosa: *He perdido las llaves, no sé dónde las he metido.* ANTÓNIMO encontrar. INGLÉS to lose.

3 Ser vencida una persona o un equipo en un juego o en un deporte. ANTÓNIMO ganar. INGLÉS to lose.

4 No llegar a tiempo para coger un medio de transporte. INGLÉS to miss.

5 Ir disminuyendo poco a poco el contenido de un recipiente: *La botella pierde un poco de agua.* INGLÉS to leak, to lose.

6 Verse privado de la compañía de una persona, especialmente cuando se muere. INGLÉS to lose.

7 perderse Dejar sin querer el camino correcto y coger uno equivocado para ir a algún sitio. INGLÉS to get lost.

8 perderse Olvidarse de lo que se estaba diciendo y no poder seguir. INGLÉS to lose one's thread.

9 perderse Desaparecer una costumbre. INGLÉS to disappear.

¡piérdete! Se utiliza para expresar que se deje en paz a una persona: *¡Piérdete!, estoy harto de tus bromitas.* Es una expresión informal. INGLÉS get lost!

NOTA Se conjuga como: entender; la 'e' se convierte en 'ie' en sílaba acentuada, como: pierden.

pérdida
nombre femenino
1 Acción de perder una cosa o a una persona: *Estaban muy tristes por la pérdida de su familiar.* INGLÉS loss.
2 Cantidad de dinero o cosa que se pierde: *La tormenta produjo grandes pérdidas en el campo.* ANTÓNIMO ganancia. INGLÉS loss.
3 Mal uso de algo que no produce ningún resultado positivo. Es una pérdida de tiempo cuando hacemos algo durante mucho rato, pero que no sirve para nada. INGLÉS waste.

perdigón
nombre masculino
1 Bola de plomo muy pequeña que se dispara con algunas armas de fuego, como la escopeta. INGLÉS pellet.
NOTA El plural es: perdigones.

perdiguero, perdiguera
adjetivo y nombre
1 Se dice del perro de caza de tamaño mediano, hocico alargado y pelo suave y corto, generalmente de color blanco con manchas negras o pardas. Tiene un olfato excelente y se emplea en la caza para seguir el rastro de las presas. INGLÉS gun dog [nombre].

perdiz
nombre femenino
1 Ave del mismo grupo que la gallina, de color gris y rojo, con la garganta blanca y un collar negro. Es una pieza de caza apreciada por su carne. INGLÉS partridge.
NOTA El plural es: perdices.

perdón
nombre masculino
1 Acción que consiste en perdonar algo a alguien: *Espero su perdón. Me pidió perdón.* INGLÉS forgiveness.
NOTA El plural es: perdones.

perdonar
verbo
1 Olvidar algo malo que ha hecho una persona y no guardarle rencor ni querer castigarla por ello: *Te perdono, pero no lo vuelvas a hacer.* INGLÉS to forgive.
2 Decir a una persona que ya no debe dar o hacer algo que debía: *Me perdonó los cinco euros que me había prestado.* INGLÉS to excuse, to write off.
3 Dejar de hacer una cosa que nos apetece mucho: *No perdona el café del mediodía.* INGLÉS not to have.
4 Pedir permiso para hacer algo: *Perdone, ¿me deja pasar?* INGLÉS to excuse.

perdurar
verbo
1 Continuar existiendo u ocurriendo algo que lo hacía desde hace tiempo: *Su amor perdura.* SINÓNIMO durar; perpetuar. INGLÉS to last, to live on.

perecer
verbo
1 Dejar de vivir una persona. SINÓNIMO expirar; fallecer; morir. INGLÉS to perish, to die.
NOTA Es una palabra formal. Se conjuga como: agradecer; la 'c' se convierte en 'zc' delante de 'a' y 'o', como: perezca.

peregrinar
verbo
1 Ir a visitar un lugar sagrado por motivos religiosos, especialmente en grupo y andando. INGLÉS to go on a pilgrimage.

peregrino, peregrina
nombre
1 Persona que va a visitar un lugar sagrado por motivos religiosos. INGLÉS pilgrim.

perejil
nombre masculino
1 Planta aromática de tallos muy finos y hojas brillantes de color verde oscuro, que se usa para dar sabor a las comidas. INGLÉS parsley.

perenne
adjetivo
1 Que dura siempre, que no se interrumpe nunca. SINÓNIMO permanente. INGLÉS perennial.
2 Se dice de la planta que vive más de dos años. También son perennes las hojas de las plantas que no caen en otoño, como las de los pinos o los abetos. INGLÉS perennial.

pereza
nombre femenino
1 Sensación de la persona que no tiene ganas de trabajar ni de hacer nada. INGLÉS laziness.

perezoso, perezosa
adjetivo
1 Se dice de la persona que evita trabajar o estudiar, aunque tenga que hacerlo. SINÓNIMO gandul; vago. INGLÉS lazy.

perfección
nombre femenino
1 Cualidad o característica de lo que está tan bien que no se puede mejorar. ANTÓNIMO imperfección. INGLÉS perfection.
NOTA El plural es: perfecciones.

perfeccionar
verbo
1 Hacer que una cosa sea mejor o más perfecta de lo que es. ANTÓNIMO empeorar. INGLÉS to perfect.

perfectivo, perfectiva
adjetivo
1 Se dice de la forma verbal que indica que la acción expresada por el verbo ya está acabada. 'Amó' y 'ha amado' son formas perfectivas. El perfectivo es un aspecto del verbo. INGLÉS perfective.

perfecto, perfecta
adjetivo
1 Que no tiene ningún defecto. ANTÓNIMO imperfecto. INGLÉS perfect.
2 Que es adecuado o va bien para algo. Las sandalias son un calzado perfecto para el verano. INGLÉS perfect.
3 Se dice del tiempo verbal que indica una acción acabada. 'Cantó' y 'ha cantado' son tiempos perfectos. INGLÉS perfect.

pérfido, pérfida
adjetivo y nombre
1 Se dice de la persona que engaña y traiciona a los demás. INGLÉS perfidious [adjetivo].

perfil
nombre masculino
1 Línea exterior que rodea una figura. En algunos tebeos, las figuras tienen el perfil marcado en negro. SINÓNIMO contorno. INGLÉS profile.
2 Línea exterior de un objeto o de la cara o el cuerpo de una persona o un animal, vistos desde un lateral. Podemos hacernos fotos de frente o de perfil. INGLÉS profile.

perfilar
verbo
1 Marcar de forma precisa el perfil de una cosa: *El dibujante perfila con tinta las siluetas de los dibujos.* INGLÉS to outline.
2 Establecer claramente los aspectos particulares de una cosa para que sea más exacta y precisa, como las ideas o el conocimiento sobre algo: *Hicimos una reunión para perfilar los objetivos del trabajo.* INGLÉS to put the finishing touches to.

perforar
verbo
1 Hacer uno o más agujeros en una superficie. Para ponerse pendientes hay que perforarse las orejas. SINÓNIMO agujerear. INGLÉS to perforate.

perfumar
verbo
1 Hacer que algo tenga buen olor utilizando un perfume o una sustancia aromática. INGLÉS to perfume, to scent.

perfume
nombre masculino
1 Líquido que tiene muy buen olor y que las personas se ponen en la piel para oler bien. INGLÉS perfume.
2 Olor muy bueno o agradable. Algunas flores, como las rosas, tienen mucho perfume. INGLÉS scent.

perfumería
nombre femenino
1 Tienda en la que se venden perfumes, productos de belleza y de aseo. INGLÉS perfumery.

pergamino
nombre masculino
1 Especie de papel hecho con la piel estirada de un animal. INGLÉS parchment.
2 Documento escrito en esa piel: *Vimos pergaminos en el museo.* INGLÉS parchment.

pérgola
nombre femenino
1 Construcción formada por dos hileras paralelas de columnas que sostienen un techo sobre el que crecen plantas trepadoras. Las pérgolas adornan jardines y terrazas. INGLÉS pergola.

pericia
nombre femenino
1 Habilidad que tiene una persona para resolver con facilidad y rapidez algo difícil: *Es un buen conductor y su pericia evitó el accidente.* INGLÉS skill.

periferia
nombre femenino
1 Espacio que rodea a otro considerado como centro, como la periferia de una ciudad. INGLÉS periphery, outskirts.

periférico, periférica
adjetivo
1 De los espacios que rodean un lugar o que tiene relación con ellos. Los barrios periféricos de una ciudad son los que están situados en las afueras, lejos del centro. INGLÉS peripheral, outlying.

perífrasis
nombre femenino
1 Grupo de palabras formado por un verbo en forma personal considerado auxiliar, seguido de otro verbo en infinitivo, gerundio o participio. 'Acaba de irse' y 'se echó a reír' son perífrasis. También se dice: perífrasis verbal. INGLÉS periphrasis.
NOTA El plural es: perífrasis.

perilla
nombre femenino
1 Barba que se deja crecer solo en la barbilla. INGLÉS goatee.
de perilla Indica que algo se hace o viene muy bien: *El examen me ha salido de perilla.* INGLÉS very well.

perímetro
nombre masculino
1 Línea o conjunto de líneas que ro-

a b c d e f g h i j k l m n ñ o p q r s t u v w x y z

dean una superficie o figura geométrica. Algunas fincas tienen valla en todo su perímetro. INGLÉS perimeter.

2 Medida de la línea o conjunto de líneas que rodean una superficie o figura geométrica. Un círculo de 50 cm de circunferencia tiene un perímetro de 50 cm. Un cuadrado de 20 cm de lado tiene un perímetro de 80 cm. INGLÉS perimeter.

periódico, periódica

adjetivo **1** Que se hace o sucede cada cierto período de tiempo: *Se hace una revisión periódica de la dentadura.* INGLÉS periodical.

nombre masculino **2** Publicación de información general que se vende todos los días. INGLÉS newspaper.

periodismo

nombre masculino **1** Profesión que consiste en informar al público de las noticias que ocurren a través de la prensa, la radio o la televisión. INGLÉS journalism.

2 Carrera que hay que hacer para ejercer esta profesión. INGLÉS journalism.

periodista

nombre masculino y femenino **1** Persona que se dedica al periodismo. Los periodistas trabajan en periódicos, radio o televisión. INGLÉS journalist.

periodo

nombre masculino **1** Es otra forma de escribir y pronunciar: período.

período

nombre masculino **1** Tiempo durante el que ocurre o se hace algo. En los períodos de elecciones suele haber mucha propaganda política en las calles. INGLÉS period.

2 Fenómeno por el que la mujer y las hembras de algunos animales expulsan todos los meses sangre y otras sustancias por su aparato genital. SINÓNIMO menstruación; regla. INGLÉS period.

NOTA También se escribe y se pronuncia: periodo.

peripecia

nombre femenino **1** Circunstancia o suceso que ocurre por sorpresa y que cambia una situación. INGLÉS incident.

peripuesto, peripuesta

adjetivo **1** Se dice de la persona que va muy bien vestido y arreglado, incluso demasiado. INGLÉS all dressed up.

periquete

en un periquete En muy poco tiempo, rápidamente: *Espera, estoy lista en un periquete.* INGLÉS in a jiffy.

periquito

nombre masculino **1** Ave tropical pequeña y de colores vistosos, que tiene el pico corto, fuerte y curvado en forma de gancho. Puede aprender a repetir sonidos humanos. INGLÉS budgerigar.

periscopio

nombre masculino **1** Instrumento en forma de tubo que llevan los submarinos y que sirve para ver lo que hay en la superficie del agua cuando están sumergidos. INGLÉS periscope.

perjudicar

verbo **1** Causar un daño o perjuicio a una persona o una cosa: *La sequía ha perjudicado a los agricultores.* ANTÓNIMO beneficiar. INGLÉS to adversely affect.

NOTA Se escribe 'qu' delante de 'e', como: perjudiquen.

perjudicial

adjetivo **1** Que causa o puede causar un daño o perjuicio a una persona o una cosa. El alcohol es perjudicial para la salud. ANTÓNIMO beneficioso. INGLÉS harmful.

perjuicio

nombre masculino **1** Daño que se causa a una persona o una cosa. ANTÓNIMO beneficio. INGLÉS damage, loss.

perjurio

nombre masculino **1** Acción de asegurar mediante un juramento lo que se sabe que no es verdad. El perjurio es un delito. INGLÉS perjury.

perla

nombre femenino **1** Bola pequeña y brillante, de color blanco o gris, que se forma dentro de las conchas de las ostras. También hay perlas artificiales. Las perlas se usan para hacer joyas. INGLÉS pearl.

2 Persona que tiene muy buenas cualidades. SINÓNIMO joya. INGLÉS gem.

permanecer

verbo **1** Quedarse o mantenerse en el mismo lugar, estado o situación durante un tiempo sin moverse o cambiar: *Tuvo que permanecer de pie varias horas.* INGLÉS to stay.

NOTA Se conjuga como: agradecer; la 'c'

se convierte en 'zc' delante de 'a' y 'o', como: permanezca.

permanente

adjetivo **1** Que se mantiene en el mismo lugar, estado o situación durante mucho tiempo sin cambiar ni moverse. INGLÉS permanent.

nombre femenino **2** Ondulación del pelo que se fija con productos químicos para que dure mucho tiempo. INGLÉS perm.

permeable

adjetivo **1** Se dice del suelo, el material u otras cosas que dejan pasar el agua u otro líquido a través de ellos. Los suelos arenosos son muy permeables. INGLÉS permeable.

permisivo, permisiva

adjetivo **1** Que lo permite o lo consiente todo. Decimos que unos padres son permisivos con sus hijos hacer si les permiten siempre todo lo que quieren. INGLÉS permissive.

permiso

nombre masculino **1** Acción que consiste en dejar hacer a alguien lo que quiere o lo que pide. INGLÉS permission.

2 Autorización para poder dejar de cumplir durante uno o más días con una obligación, como ir al trabajo. INGLÉS leave.

permitir

verbo **1** Dejar a alguien que haga una cosa: *No me permiten llegar muy tarde a casa.* SINÓNIMO autorizar. INGLÉS to allow, to let.

2 Hacer posible la realización de una cosa. Los ordenadores nos permiten trabajar de forma más fácil y rápida. INGLÉS to make it possible.

permuta

nombre femenino **1** Intercambio de una cosa por otra que se hace sin dinero. En un concurso, la permuta de los números premiados por los premios se hace tras el sorteo. INGLÉS exchange.

pernicioso, perniciosa

adjetivo **1** Que causa un daño o perjuicio a una persona o una cosa: *La contaminación tiene efectos perniciosos en la salud de las personas.* SINÓNIMO nocivo; perjudicial. ANTÓNIMO beneficioso. INGLÉS harmful.

pero

conjunción **1** Indica una oposición entre lo que se ha dicho y lo que se dice a continuación: *Es una buena idea, pero difícil, ¿no?* SINÓNIMO aunque. INGLÉS but.

2 Añade fuerza o intensidad a algo que sorprende: *Pero, ¿qué haces subido ahí arriba?* INGLÉS but.

nombre masculino **3** Problema, dificultad o cosa mal hecha que alguien encuentra en lo que hace otra persona: *Nunca está contento con mi trabajo, siempre le encuentra algún pero.* INGLÉS fault.

perol

nombre masculino **1** Recipiente de cocina en forma de media esfera que sirve para cocinar alimentos. INGLÉS pan, pot.

peroné

nombre masculino **1** Hueso largo y delgado que está situado junto a la tibia en la parte inferior de la pierna, entre la rodilla y el tobillo. INGLÉS fibula.

perpendicular

adjetivo **1** Se dice de la línea o la superficie que forma un ángulo recto con otra línea o superficie. Las paredes son perpendiculares al suelo. INGLÉS perpendicular.

perpetrar

verbo **1** Cometer un delito o una falta grave, como un crimen o un atentado. INGLÉS to commit.

perpetuar

verbo **1** Hacer que una cosa dure siempre o mucho tiempo. Los seres vivos nos reproducimos para perpetuar todas las especies. SINÓNIMO perdurar. INGLÉS to perpetuate.

2 **perpetuarse** Continuar existiendo u ocurriendo algo que lo hacía desde hace tiempo. Los errores y los defectos se perpetúan si no se van corrigiendo. INGLÉS to be perpetuated.

perpetuo, perpetua

adjetivo **1** Que dura siempre o mucho tiempo. SINÓNIMO perenne. INGLÉS perpetual, permanent.

perplejidad

nombre femenino **1** Estado en el que se queda una persona que no sabe qué decir o cómo reaccionar. INGLÉS perplexity.

perplejo, perpleja

adjetivo **1** Se dice de la persona que se queda durante un momento confusa e indeci-

a b c d e f g h i j k l m n ñ o p q r s t u v w x y z

sa, sin saber qué decir o cómo reaccionar. INGLÉS perplexed.

perrera
nombre femenino **1** Lugar en el que viven los perros abandonados o sin dueño. INGLÉS dog pound.

perrito
nombre masculino **1** Bocadillo hecho con un tipo de pan blando y alargado y una salchicha asada dentro. También se dice: perrito caliente. INGLÉS hot dog.

perro, perra
nombre **1** Mamífero doméstico que tiene cuatro patas, el cuerpo cubierto de pelo, dos orejas en la parte superior de la cabeza y una cola que mueve cuando está contento. Hay varias razas de perros. SINÓNIMO can. INGLÉS dog.

adjetivo y nombre **2** Se dice de las cosas que son muy malas como la vida, el tiempo, etcétera: *Qué día tan perro, todo me ha salido mal.* INGLÉS rotten [adjetivo], lousy [adjetivo].

de perros Se dice de algo que es muy molesto o desagradable: *Hace un día de perros, no para de llover. Esta mañana está de un humor de perros.* INGLÉS rotten, lousy.

persa
adjetivo y nombre masculino y femenino **1** Se dice de la persona o cosa que era de Persia, antiguo reino del sudoeste de Asia, o que es del actual Irán. INGLÉS Persian.

persecución
nombre femenino **1** Acción que consiste en ir detrás de alguien para intentar alcanzarlo. INGLÉS pursuit.

NOTA El plural es: persecuciones.

perseguir
verbo **1** Seguir o ir detrás de una persona o un animal para intentar alcanzarlo. INGLÉS to chase.

2 Intentar conseguir algo. Todo el mundo persigue la felicidad en su vida. INGLÉS to seek.

3 Acompañar siempre a una persona alguna cosa, como un sentimiento, una sensación o unos recuerdos, en especial cuando son negativos: *Le persigue el recuerdo de la muerte de su amigo.* INGLÉS to dog.

NOTA Se conjuga como: seguir; la 'e' se convierte en 'i' en algunos tiempos y personas y se escribe 'g' delante de 'a' y 'o', como: persigan.

perseverancia
nombre femenino **1** Firmeza y constancia en la manera de ser o de actuar de una persona. Si estudiamos con perseverancia, lograremos buenos resultados en todos los cursos. INGLÉS perseverance.

persiana
nombre femenino **1** Especie de pantalla formada por láminas finas que se coloca en el hueco de las ventanas y balcones para graduar o impedir la entrada de la luz. INGLÉS blind.

persistente
adjetivo **1** Se dice de la persona que insiste o se mantiene firme en las ideas que tiene o en lo que quiere hacer. INGLÉS persistent.

persistir
verbo **1** Mantenerse firme en una idea. SINÓNIMO insistir. INGLÉS to persist, to persevere.

2 Durar una cosa durante mucho tiempo. En las zonas rurales todavía persisten costumbres antiguas. INGLÉS to survive.

persona
nombre femenino **1** Ser humano. SINÓNIMO individuo. INGLÉS person.

2 En el verbo y en los pronombres, aquello que nos indica si la forma en cuestión se refiere a quien habla, a quien escucha o a la persona o cosa de la que se habla. 'Yo' es un pronombre de primera persona. INGLÉS person.

en persona Estando presente uno mismo. INGLÉS in person.

personaje
nombre masculino **1** Persona que es muy conocida por destacar en su profesión. SINÓNIMO personalidad. INGLÉS celebrity.

2 Cada una de las personas o seres de ficción que aparecen en las novelas, los cuentos, el teatro o el cine, como Don Quijote. INGLÉS character.

personal
adjetivo **1** Que tiene relación con una sola persona, o está dirigido o afecta a una sola persona. INGLÉS personal.

2 Se dice del pronombre que indica la persona que habla, a la que se habla o de la que se habla. 'Yo', 'tú', 'él', 'ella', 'nosotros', 'vosotros', 'ellos' y 'ellas' son pronombres personales. INGLÉS personal.

nombre masculino **3** Conjunto de personas que trabajan en una empresa. SINÓNIMO plantilla. INGLÉS staff, personnel.

personalidad

nombre femenino **1** Forma de ser que tiene una persona y que la diferencia de las demás. Decimos que una persona tiene mucha personalidad cuando tiene una forma de ser muy marcada y clara. SINÓNIMO carácter; temperamento. INGLÉS personality.

2 Persona muy conocida e importante que destaca en alguna actividad. SINÓNIMO personaje. INGLÉS celebrity.

personalizar

verbo **1** Referirse a alguien en concreto al decir algo. Cuando una persona culpa a otra en vez de a todo un grupo, está personalizando la acusación. INGLÉS to personalize.

2 Adaptar una cosa a las características, al gusto o a las necesidades de una persona, como el coche o la casa. INGLÉS to personalize.

NOTA La 'z' se convierte en 'c' delante de 'e', como: personalicen.

personificar

verbo **1** Atribuir vida, acciones o cualidades propias de las personas a los animales o a las cosas inanimadas. Algunas películas personifican a los animales y a los objetos. INGLÉS to personify.

2 Servir una persona de ejemplo de algo, por tener una cualidad muy marcada o tener un papel muy destacado. El Zorro personifica la justicia. INGLÉS to personify.

NOTA Se conjuga como: sacar; se escribe 'qu' delante de 'e', como: personifiquen.

perspectiva

nombre femenino **1** Modo de dibujar las cosas en una superficie plana de manera que se noten el volumen y la profundidad de la realidad. INGLÉS perspective.

perspectiva

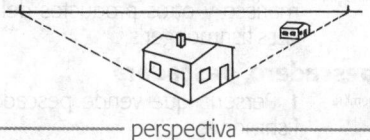

2 Modo de ver o de considerar las cosas desde un determinado punto de vista. Las mismas cosas pueden verse de distinta forma según la perspectiva que se tenga. INGLÉS point of view.

3 Situación o cosa que se ve que puede pasar en el futuro. Los jóvenes tienen muchas perspectivas para el futuro. INGLÉS prospect.

perspicaz

adjetivo **1** Se dice de la persona que es capaz de darse cuenta de cosas que acaban pasando inadvertidas para los demás. INGLÉS perspicacious.

NOTA El plural es: perspicaces.

persuadir

verbo **1** Utilizar los argumentos necesarios para que una persona llegue a hacer o a creer algo: *No pudo persuadir a su hermana para que descansara un poco.* SINÓNIMO convencer. INGLÉS to persuade.

pertenecer

verbo **1** Ser una cosa propiedad de alguien. INGLÉS to belong.

2 Formar una cosa parte de otra en la que está incluida. Las islas Azores pertenecen a Portugal. Los hijos y los padres pertenecen a la misma familia. INGLÉS to belong.

NOTA Se conjuga como: agradecer; la 'c' se convierte en 'zc' delante de 'a' y 'o', como: pertenezca.

pértiga

nombre femenino **1** Palo largo y delgado de material flexible que se utiliza para hacer saltos. El salto con pértiga es una prueba olímpica. INGLÉS pole.

pertinente

adjetivo **1** Que es adecuado u oportuno en un momento o una ocasión determinados. *Nuestra escuela hará todas las salidas culturales que estime pertinentes durante el curso.* INGLÉS appropriate, relevant.

perturbación

nombre femenino **1** Alteración o trastorno de una cosa o del desarrollo normal de un proceso: *El grupo fue acusado de perturbación del orden público, porque destruían todo lo que encontraban a su paso.* INGLÉS disruption, disturbance.

2 Alteración o trastorno de las faculta-

des mentales de una persona. INGLÉS mental disorder.
NOTA El plural es: perturbaciones.

peruano, peruana
adjetivo y nombre
1 Se dice de la persona o cosa que es de Perú, país de América del Sur. INGLÉS Peruvian.

perversidad
nombre femenino
1 Cualidad o característica de las personas perversas o malas: *En el periódico se podía leer la noticia de que el asesino había actuado con perversidad y sed de venganza.* INGLÉS wickedness.

perverso, perversa
adjetivo
1 Que actúa con mala intención y disfruta haciendo daño a los demás. También son perversas las acciones que se hacen con esta mala intención. SINÓNIMO maligno; malvado. ANTÓNIMO bueno. INGLÉS evil, wicked.

pervertir
verbo
1 Hacer que una persona se vuelva mala. INGLÉS to corrupt, to pervert.
NOTA Se conjuga como: preferir; la 'e' se convierte en 'ie' en sílaba acentuada o en 'i' en algunos tiempos y personas, como: prefiero o prefirió.

pesa
nombre femenino
1 Pieza de metal con un peso conocido que se utiliza para pesar las cosas en una balanza. INGLÉS weight.
nombre femenino plural
2 pesas Barra con distintos pesos en sus extremos que sirve para hacer gimnasia y desarrollar los músculos. INGLÉS weight.

pesadez
nombre femenino
1 Lentitud o torpeza de movimientos por estar gordo. INGLÉS sluggishness.
2 Cosa que es molesta, aburrida o difícil de soportar: *Tener que madrugar es una pesadez.* INGLÉS drag, bore.
3 Sensación de peso o cansancio que se experimenta en algunas partes del cuerpo, como la cabeza o las piernas. INGLÉS heaviness.
NOTA El plural es: pesadeces.

pesadilla
nombre femenino
1 Sueño desagradable que produce miedo o angustia. INGLÉS nightmare.

pesado, pesada
adjetivo
1 Se dice de lo que pesa mucho, como una maleta muy llena o una manta muy gruesa. ANTÓNIMO ligero. INGLÉS heavy.
2 Que molesta o aburre, como una espera muy larga o una persona que insiste demasiado en algo. SINÓNIMO latoso. ANTÓNIMO divertido. INGLÉS boring.
3 Se dice del sueño que es profundo. ANTÓNIMO ligero. INGLÉS deep.
4 Se dice de algunos órganos del cuerpo, como la cabeza o las piernas, cuando se siente en ellos sensación de cansancio. SINÓNIMO cargado. INGLÉS heavy.

pesadumbre
nombre femenino
1 Sentimiento de tristeza o disgusto muy grandes. INGLÉS sorrow, grief.

pésame
nombre masculino
1 Expresión con la que una persona comunica a la familia de un difunto que comparte el dolor y la pena por su muerte. Para dar el pésame a alguien se le puede decir "te acompaño en el sentimiento". INGLÉS condolences.

pesar
verbo
1 Tener un peso determinado. Todas las cosas pesan. INGLÉS to be heavy.
2 Determinar el peso de una persona o cosa por medio de un aparato apropiado. INGLÉS to weigh.
3 Experimentar un sentimiento de tristeza, pena o dolor por algo que se ha hecho: *Me pesa mucho no haber ido a tu fiesta.* INGLÉS to regret.
nombre masculino
4 Sentimiento de tristeza, pena o dolor: *Con mucho pesar, tuve que salir sin despedirme porque si no perdía el tren.* INGLÉS sorrow.
a pesar de Sin tener en cuenta aquello que se dice: *A pesar de ser tan pequeña, es muy espabilada.* INGLÉS in spite of.

pesca
nombre femenino
1 Actividad que consiste en pescar peces en el mar o en el río, con ayuda de una caña, una red u otro instrumento. INGLÉS fishing.

pescadería
nombre femenino
1 Tienda en la que se vende pescado, marisco y otros productos del mar. INGLÉS fishmonger's.

pescadero, pescadera
nombre
1 Persona que vende pescado. INGLÉS fishmonger.

pescadilla
nombre femenino
1 Pez marino comestible que tiene el cuerpo alargado, de color gris plateado y blanco; es parecido a la merluza pero más pequeño. INGLÉS young hake.

pescado
nombre masculino
1 Cualquier pez que se puede comer, como el salmón o el lenguado, después de sacado del agua. INGLÉS fish.

pescador, pescadora
nombre
1 Persona que se dedica a pescar. INGLÉS fisherman [hombre], fisherwoman [mujer].

pescar
verbo
1 Coger peces u otros animales del agua con ayuda de una caña, una red u otro instrumento. INGLÉS to go fishing [ir a pescar], to catch [atrapar un pez].
2 Coger una enfermedad: *Con tanta corriente he pescado un buen catarro.* Es un uso informal. INGLÉS to catch.
3 Sorprender a alguien haciendo algo a escondidas, normalmente algo que no debería hacer: *Te pesqué registrando el cajón de tu hermano.* Es un uso informal. SINÓNIMO pillar. INGLÉS to catch.
4 Entender algo, en especial con rapidez: *No he pescado el chiste.* Es un uso informal. INGLÉS to get.
NOTA Se escribe 'qu' delante de 'e', como: pesquen.

pescuezo
nombre masculino
1 Cuello de un animal. INGLÉS neck.
2 Parte trasera del cuello de una persona. INGLÉS neck.

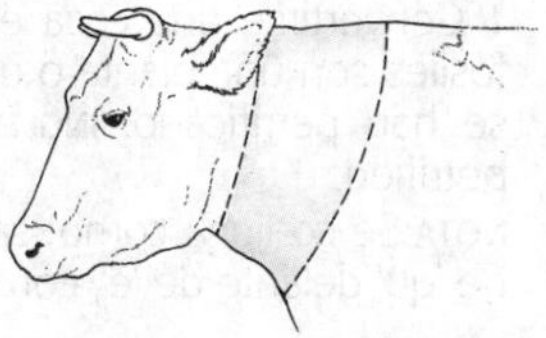
pescuezo

pesebre
nombre masculino
1 Recipiente donde comen los animales en los establos. INGLÉS manger.
2 Conjunto de figuras que representan la escena del nacimiento de Jesucristo. INGLÉS crib.

peseta
nombre femenino
1 Moneda de España hasta su sustitución por el euro. INGLÉS peseta.

pesimismo
nombre masculino
1 Forma de ser de una persona que ve las cosas por su lado malo y cree que todo saldrá de la peor de las maneras posibles. INGLÉS pessimism.

pesimista
adjetivo y nombre masculino y femenino
1 Que ve las cosas con pesimismo. INGLÉS pessimistic [adjetivo], pessimist [nombre].

pésimo, pésima
adjetivo
1 Que es muy malo o que no puede ser peor. ANTÓNIMO óptimo. INGLÉS dreadful, awful.
NOTA Es el superlativo de: malo.

peso
nombre masculino
1 Fuerza que una cosa ejerce sobre las cosas que la sostienen, por efecto de la gravedad. INGLÉS weight.
2 Valor que tiene esa fuerza: *¿Me dice el peso de estos melocotones, por favor?* INGLÉS weight.
3 Aparato que sirve para pesar cosas o personas. INGLÉS scales.
4 Moneda de algunos países hispanoamericanos y de Filipinas. INGLÉS peso.
5 Preocupación que siente una persona por una situación difícil o molesta: *Cuando le dijeron que había aprobado se quitó un peso de encima.* SINÓNIMO carga. INGLÉS weight.

pesquero, pesquera
adjetivo
1 Que está relacionado con la pesca. INGLÉS fishing.
adjetivo y nombre masculino
2 Se dice del barco que se utiliza para pescar. INGLÉS fishing boat [nombre].

pestaña
nombre femenino
1 Cada uno de lo pelos que salen del borde de los párpados del ojo. INGLÉS eyelash.
2 Trozo largo y estrecho que sobresale de ciertas cosas. Algunas cajas de cartón tienen una pestaña en el borde de la tapa para poder cerrarlas. INGLÉS tab.

pestañear
verbo
1 Abrir y cerrar los párpados en un movimiento rápido moviendo las pestañas. INGLÉS to blink.

peste
nombre femenino
1 Enfermedad grave que provoca fiebre

y hemorragias y que las ratas trasmiten a las personas. INGLÉS plague.

2 Mal olor, como el de los huevos podridos o las cloacas en verano. SINÓNIMO tufo. INGLÉS stench, stink.

3 Cosa que produce daños o molestias a una gran parte de la población, en especial cuando hay mucho de esa cosa: *El paro y la droga son una peste en nuestra sociedad.* SINÓNIMO plaga. INGLÉS plague, scourge.

pesticida

nombre masculino

1 Sustancia química que sirve para destruir las plagas de animales y plantas que son perjudiciales para las personas o para los cultivos. Uno de los inconvenientes de los pesticidas es que no solo matan a los insectos perjudiciales sino también a los beneficiosos. INGLÉS pesticide.

pestilencia

nombre femenino

1 Olor muy desagradable, como el del agua estancada y podrida. INGLÉS stink, stench.

pestillo

nombre masculino

1 Pieza que tienen algunas puertas o ventanas para cerrarlas y que no puedan ser abiertas desde el exterior. SINÓNIMO cerrojo. INGLÉS bolt. DIBUJO página 898.

2 Pieza de una cerradura que sale de ella y se mete en el hueco del marco donde está una puerta, una ventana o una tapa, para cerrarlas bien. INGLÉS bolt.

petaca

nombre femenino

1 Caja pequeña y plana que se utiliza para llevar cigarrillos. INGLÉS cigarette case.

2 Botella pequeña y plana que sirve para llevar bebidas alcohólicas en el bolsillo de la chaqueta. INGLÉS hip flask.

pétalo

nombre masculino

1 Hoja de la flor. En la flor distinguimos cuatro partes: los sépalos, los pétalos, los estambres y el pistilo. INGLÉS petal.

petanca

nombre femenino

1 Juego en el que cada jugador tira por turno dos bolas metálicas procurando acercarse todo lo posible a una bola más pequeña, llamada boliche, que se ha lanzado antes a cierta distancia. INGLÉS petanque, boules.

petardo

nombre masculino

1 Tubo pequeño lleno de pólvora que se enciende por medio de una mecha para que haga explosión y produzca un fuerte ruido o bonitos efectos de luz y color. INGLÉS firework, [si solo hace ruido: banger].

2 Persona o cosa que es muy aburrida o muy pesada. Es un uso informal. INGLÉS pain in the neck.

petición

nombre femenino

1 Acción que consiste en pedir algo: *El jefe del Gobierno hizo una petición de ayuda a los países vecinos.* INGLÉS request.

2 Escrito en el que se pide algo: *Firmó una petición de ayuda a los países del Tercer Mundo.* INGLÉS petition.

NOTA El plural es: peticiones.

petirrojo

nombre masculino

1 Ave de pequeño tamaño, de color verde, con la frente, el cuello y el pecho de color rojo. El petirrojo se encuentra en toda Europa. INGLÉS robin.

peto

nombre masculino

1 Falda o pantalón con una pieza cuadrada cosida a la cintura que cubre el pecho y se sujeta con unos tirantes. INGLÉS dungarees [pantalón], pinafore dress [falda].

petrificado, petrificada

adjetivo

1 Que se ha quedado tan sorprendido o asustado por algo que no se puede ni mover, como si fuera de piedra: *Vio a su padre con el director y se quedó petrificado.* INGLÉS petrified.

petrificarse

verbo

1 Convertirse una cosa en piedra. Los fósiles son una planta o un animal que se han petrificado. INGLÉS to become petrified.

NOTA Se conjuga como: sacar; se escribe 'qu' delante de 'e', como: petrifique.

petróleo

nombre masculino

1 Sustancia líquida y grasa de color oscuro que se extrae del fondo de la tierra. El petróleo se utiliza para hacer combustibles y otras cosas, como plástico y alquitrán. INGLÉS oil.

petrolero, petrolera

adjetivo

1 Que está relacionado con el petróleo. INGLÉS oil.

nombre masculino **2** Barco utilizado para transportar petróleo. INGLÉS oil tanker.

petrolífero, petrolífera

adjetivo **1** Que contiene petróleo. En Arabia Saudí hay muchos yacimientos petrolíferos. INGLÉS oil.

petroquímico, petroquímica

adjetivo y nombre femenino **1** Se dice de la industria que obtiene productos derivados del petróleo. Se dice también de los diferentes productos que se obtienen en estas industrias. Los combustibles, los colorantes y los plásticos son productos petroquímicos. INGLÉS petrochemical.

petulante

adjetivo y nombre masculino y femenino **1** Se dice de la persona que presume en exceso de sus buenas cualidades y desprecia la opinión de los demás. INGLÉS opinionated [adjetivo].

petunia

nombre femenino **1** Planta de pequeño tamaño, que tiene hojas ovaladas y flores grandes en forma de campanilla que son de color blanco o violeta y huelen muy bien. Las flores también se llaman petunias. INGLÉS petunia.

pez

nombre masculino **1** Animal vertebrado que vive en el agua y se reproduce por huevos; los peces tienen el cuerpo cubierto de escamas y en lugar de patas tienen aletas. INGLÉS fish.

nombre femenino **2** Sustancia de color negro, muy espesa y pegajosa, que se saca del alquitrán. INGLÉS pitch.

como pez en el agua Indica que alguien se siente a gusto en una situación o en un lugar determinado. INGLÉS in one's element.

estar pez No saber nada sobre algo: *Tienes que estudiar mucho, que estás pez en literatura.* INGLÉS to be clueless.

NOTA El plural es: peces.

pezón

nombre masculino **1** Parte redondeada que sobresale en el centro de los pechos de las mujeres y de los mamíferos hembra, y en la tetilla de los hombres y los mamíferos macho. INGLÉS nipple.

NOTA El plural es: pezones.

pezuña

nombre femenino **1** Especie de uña grande y fuerte que tienen en los pies los animales de cuatro patas, como los cerdos y las vacas. INGLÉS hoof.

pi

nombre masculino **1** Número que equivale a 3,1416 aproximadamente y representa la relación entre la longitud de una circunferencia y su diámetro. A esta cifra se le llama pi y se representa por la decimosexta letra del alfabeto griego, que se escribe: π. La longitud de la circunferencia se obtiene multiplicando el radio por dos pi: 2π r. INGLÉS pi.

piadoso, piadosa

adjetivo **1** Que ayuda a los necesitados. SINÓNIMO caritativo. INGLÉS kind-hearted.

2 Se dice de la persona que es muy religiosa. SINÓNIMO pío. INGLÉS pious.

pianista

nombre masculino y femenino **1** Músico que toca el piano. INGLÉS pianist.

2 Persona que se dedica a fabricar o vender pianos. INGLÉS piano maker [fabricante], piano seller [vendedor].

piano

nombre masculino **1** Instrumento musical formado por una caja de resonancia a manera de mueble que contiene en su interior un conjunto de cuerdas tensadas y unos martillos que producen las notas al golpear las cuerdas. El piano se toca mediante un teclado. INGLÉS piano. DIBUJO página 598.

adverbio **2** Modo de tocar una composición musical con suavidad o poca intensidad. INGLÉS piano.

piar

verbo **1** Emitir los pollos y otras aves su voz característica. INGLÉS to chirp, to tweet.

NOTA Se conjuga como: desviar; la 'i' se acentúa en algunos tiempos y personas, como: píen.

piara

nombre femenino **1** Grupo grande de cerdos que van juntos. INGLÉS herd of pigs.

picadero

nombre masculino **1** Lugar donde se adiestran caballos y donde la gente aprende a montar. INGLÉS riding school.

picadillo

nombre masculino **1** Plato que se prepara con carne picada, tocino, verduras y ajos, revolviéndolo todo con huevos batidos.

hacer picadillo *el coche se hizo picadillo en el accidente.* Es un uso infor-

a b c d e f g h i j k l m n ñ o p q r s t u v w x y z

mal. INGLÉS to smash up [una cosa], to beat up [una persona].

picador, picadora
nombre
1 Torero que va montado a caballo y pincha a los toros con un palo largo acabado en punta. INGLÉS picador.

picadora
nombre femenino
1 Electrodoméstico pequeño que sirve para picar alimentos. INGLÉS mincer.

picadura
nombre femenino
1 Pinchazo de los insectos o las aves cuando pican o mordedura de los reptiles. También es picadura la señal que dejan. INGLÉS bite [con la boca], sting [con el aguijón], peck [con el pico].
2 Agujero pequeño que se hace en una cosa, como los que dejan las polillas en los muebles. INGLÉS hole.
3 Señal o agujerito que hay en los dientes que tienen caries. INGLÉS caries, decay.

picante
adjetivo
1 Se dice de lo que tiene un sabor muy fuerte que pica en la lengua y en la garganta, como el de la pimienta o la guindilla. INGLÉS hot, spicy.

picapleitos
nombre masculino y femenino
1 Persona que se dedica a ayudar a otras en asuntos legales y a defenderlas en los juicios. SINÓNIMO abogado. INGLÉS second-rate lawyer.
NOTA Es una palabra informal y despectiva. El plural es: picapleitos.

picaporte
nombre masculino
1 Dispositivo que tienen las puertas y ventanas para cerrarlas, y que consiste en una pieza larga de hierro sujeta a la puerta o la ventana que encaja en otra pieza que hay en el marco. INGLÉS latch.
2 Pomo o manivela para poder abrir o cerrar una puerta o una ventana. INGLÉS handle. DIBUJO página 898.
3 Pieza de metal que tienen algunas puertas en la parte exterior y que sirve para llamar. INGLÉS knocker.

picar
verbo
1 Pinchar o morder un ave con el pico, un insecto con la trompa o el aguijón, o bien, un reptil con la boca. INGLÉS to bite [con la boca], to sting [con el aguijón], to peck [con el pico].
2 Morder un pez el cebo puesto en el anzuelo. INGLÉS to bite.
3 Causar un alimento o una bebida una sensación como de ardor o cosquilleo en el paladar. Pican el queso muy fuerte, la guindilla o la pimienta. INGLÉS to be strong, [si es una especia: to be hot].
4 Causar algo una sensación de molestia en la piel que nos produce ganas de rascarnos. INGLÉS to itch.
5 Comer entre horas diferentes alimentos en pequeñas cantidades: *Ha picado bastante antes de comer y ahora no tiene hambre.* INGLÉS to nibble.
6 Cortar o dividir una cosa en trozos muy pequeños, en especial alimentos, como la cebolla o la carne. SINÓNIMO trocear. INGLÉS to chop, to mince.
7 Golpear una superficie dura con una herramienta con punta para hacer agujeros o para quitarle una parte. INGLÉS to make holes in [hacer agujeros], to chip the plaster off [quitar el yeso].
8 Hacer que una persona se enfade por algo que se ha dicho o se ha hecho. Es un uso informal. INGLÉS to annoy.
9 Caer una persona en un engaño o broma, o dejarse convencer por alguna cosa: *Has picado, ¡que era broma!* Es un uso informal. INGLÉS to fall for it.
10 Hacer o decir algo para que una persona reaccione y haga algo: *Me estuvo picando toda la tarde para que se lo contara.* Es un uso informal. INGLÉS to get at.
11 **picarse** Estropearse o pudrirse un alimento o bebida. INGLÉS to go off.
12 **picarse** Agitarse el mar levantando olas pequeñas. INGLÉS to get rough.
13 **picarse** Inyectarse droga en la sangre. Es un uso informal. SINÓNIMO pincharse; chutarse. INGLÉS to shoot up.
NOTA Se escribe 'qu' delante de 'e', como: piquen.

picardía
nombre femenino
1 Habilidad para engañar a los demás y hacer o decir cosas con disimulo. SINÓNIMO astucia. INGLÉS craftiness.
2 Acción mala pero poco importante. INGLÉS mischief.

picaresco, picaresca
adjetivo
1 Del pícaro o que tiene relación con él, como una sonrisa picaresca. INGLÉS mischievous.

pícaro, pícara
adjetivo
1 Se dice de la persona que tiene mu-

cha habilidad para conseguir lo que quiere con mentiras y engaños. SINÓNIMO granuja; pillo. INGLÉS crafty.

picha
nombre femenino
1 Pene. INGLÉS prick.
NOTA Es una palabra vulgar.

pichichi
nombre masculino y femenino
1 Futbolista que más goles ha marcado en un torneo o campeonato español, especialmente el campeonato nacional de liga. INGLÉS top goal scorer.

pichón, pichona
nombre
1 Cría de la paloma. INGLÉS young pigeon.
NOTA El plural de pichón es: pichones.

picnic
nombre masculino
1 Comida que se hace en el campo, al aire libre. INGLÉS picnic.
NOTA El plural es: picnics.

pico
nombre masculino
1 Parte que sale de la boca de las aves formada por dos piezas duras que se abren para comer y emitir sonidos. INGLÉS beak.
2 Parte de un objeto que acaba en punta. INGLÉS tip.
3 Herramienta formada por un mango y una pieza de metal con dos puntas en sus extremos, que sirve para hacer agujeros en la tierra o en superficies duras. INGLÉS pickaxe.
4 Montaña que acaba en punta. También es pico la punta o el extremo más alto de una montaña. INGLÉS peak.
5 Cantidad muy pequeña que sobra de un número: *Dejé el pico que sobraba de propina.* INGLÉS bit left over.
cerrar el pico Callarse una persona: *Cierra el pico, que no dices más que tonterías.* Es una expresión informal. INGLÉS to shut one's trap.

picor
nombre masculino
1 Sensación molesta que produce en la piel algo que pica y que da ganas de rascarse. La ortiga produce muchos picores cuando la tocas. SINÓNIMO escozor. INGLÉS itch, itching.
2 Sensación desagradable que produce en la boca un alimento picante. INGLÉS burning sensation.

picotazo
nombre masculino
1 Golpe que da un ave con el pico. INGLÉS peck.
2 Acción de picar un insecto. INGLÉS bite [con la boca], sting [con el aguijón].
3 Herida o marca que deja un insecto cuando pica: *Tenía las piernas llenas de picotazos.* INGLÉS bite [con la boca], sting [con el aguijón].

picotear
verbo
1 Golpear las aves con el pico una cosa. Las gallinas cuando comen picotean los granos de trigo. INGLÉS to peck.
2 Comer cosas distintas y en pequeñas cantidades. INGLÉS to peck at.

pictograma
nombre masculino
1 Dibujo o símbolo que representa una idea o una palabra. La escritura china utiliza pictogramas en vez de letras y cada dibujo es una palabra o frase. INGLÉS pictogram.

pictórico, pictórica
adjetivo
1 De la pintura o que tiene relación con ella. El trabajo pictórico de un artista es el conjunto de obras que ha pintado: *La técnica pictórica del artista fue muy alabada por todos.* INGLÉS pictorial.

picudo, picuda
adjetivo
1 Que tiene pico o que acaba en forma de pico, como la cima de algunas montañas. SINÓNIMO puntiagudo. INGLÉS pointed.

pie
nombre masculino
1 Parte del cuerpo humano que está al final de las piernas. Los pies se apoyan en el suelo y nos permiten estar de pie y andar. INGLÉS foot.
2 Parte de un objeto que se apoya en el suelo o en cualquier superficie plana. Las copas y las estatuas tienen pie. INGLÉS base [de una estatua], stem [de una copa].
3 Parte donde empiezan las cosas que crecen hacia arriba, como una montaña o un árbol. INGLÉS foot.
4 Parte opuesta a la que se considera principal. El pie de una página es la parte de abajo. INGLÉS bottom, foot.
5 Texto que se pone debajo de las fotografías de los libros y revistas para decir lo que hay en ellas. INGLÉS caption.
a pie Andando, sin utilizar ningún tipo de vehículo. INGLÉS on foot.
dar pie Provocar o ayudar a que una cosa ocurra. Si insultamos a un amigo daremos pie a que se enfade con nosotros. INGLÉS to give cause.

de pie Levantado, en posición vertical. ANTÓNIMO sentado. INGLÉS standing.

no tener ni pies ni cabeza No tener sentido algo que se dice o se hace. INGLÉS to be ludicrous.

parar los pies Hacer que una persona deje de hacer lo que está haciendo. INGLÉS to put someone in their place.

saber de qué pie cojea alguien Conocer los defectos de una persona. Es una expresión informal. INGLÉS to know someone's weaknesses.

piedad

nombre femenino

1 Sentimiento de pena o lástima por una persona o un animal que sufren. SINÓNIMO compasión; misericordia. INGLÉS pity, mercy.

piedra

nombre femenino

1 Mineral muy duro y compacto que se encuentra en la superficie de la Tierra y que forma parte de las rocas. También son piedras los trozos de ese mineral. INGLÉS stone.

2 Acumulación de pequeños trozos de sustancia dura que se forma en algunos órganos internos del cuerpo, por ejemplo en los riñones o en la vesícula. INGLÉS stone.

3 Granizo de un tamaño mayor que el normal. INGLÉS hailstone.

de piedra Muy sorprendido ante un hecho inesperado: *Me quedé de piedra cuando supe que se divorciaban.* INGLÉS stunned.

piedra preciosa Mineral de gran valor que se usa para fabricar joyas, como el diamante y el rubí. INGLÉS precious stone.

piel

nombre femenino

1 Tejido que cubre todo el cuerpo de las personas y de la mayoría de los animales. Algunas personas tienen la piel blanca, otras negra y otras más rojiza o amarillenta. INGLÉS skin.

2 Capa exterior que cubre algunas frutas, como las manzanas o los melocotones. INGLÉS skin.

pienso

nombre masculino

1 Alimento seco para el ganado. Los ganaderos dan pienso a las vacas, los cerdos o las gallinas. INGLÉS animal food.

pierna

nombre femenino

1 Parte del cuerpo humano que va desde el tronco hasta el pie. INGLÉS leg.

2 Pata de un animal. El jamón es una pierna de cerdo: *Preparó una pierna de cordero al horno.* INGLÉS leg.

estirar las piernas Andar o dar un paseo corto después de haber estado bastante tiempo sentado. INGLÉS to stretch one's legs.

pieza

nombre femenino

1 Cada una de las partes que forman un conjunto o un mecanismo. Los puzles tienen muchas piezas. INGLÉS piece.

2 Figura de algunos juegos de mesa, como el ajedrez, la oca o el parchís. INGLÉS piece.

3 Obra de teatro o composición musical. INGLÉS piece.

4 Animal que se caza o se pesca. INGLÉS specimen [caza], catch [pesca].

5 Cada una de las habitaciones de una casa. INGLÉS room.

6 Persona que destaca por tener un comportamiento revoltoso o no muy bueno: *¡Menuda pieza!, no para aunque lo ates.* Es un uso informal. INGLÉS one.

pifia

nombre femenino

1 Acción o dicho poco acertado o equivocado: *¡Vaya pifia!, ¡mira que decir que Bruselas es la capital de Francia!* INGLÉS blunder.

NOTA Es una palabra informal.

pigmento

nombre masculino

1 Sustancia que da color y que se encuentra en las células de los seres vivos. INGLÉS pigment.

2 Sustancia artificial o natural que da color y se usa en la fabricación de pinturas. INGLÉS pigment.

pigmeo, pigmea

adjetivo y nombre

1 Se dice de la persona o cosa que pertenece a un pueblo nómada que se distribuye por África central y por el sudeste de Asia, cuyos individuos se caracterizan por ser de estatura muy baja y vivir principalmente de la caza y la recolección. INGLÉS pygmy.

pijada

nombre femenino

1 Cosa que no es necesaria o es inútil: *Se pasó la tarde comprando pijadas que no usará nunca.* SINÓNIMO chorrada. INGLÉS stupid thing, trifle.

2 Acción o expresión que resulta molesta, inoportuna o impertinente: *No me*

entretengas con pijadas, que tengo mucho trabajo. INGLÉS stupid thing.
NOTA Es una palabra informal.

pijama
nombre masculino
1 Conjunto de camiseta y pantalón que se usa para dormir. INGLÉS pyjamas.

pijo, pija
adjetivo y nombre
1 Se dice de la persona que da demasiada importancia a su aspecto exterior. INGLÉS superficial [adjetivo].
adjetivo
2 Que tiene relación con este tipo de personas o es propio de ellas: *Vive en un barrio muy pijo.* INGLÉS posh.

pila
nombre femenino
1 Objeto que produce una corriente eléctrica y que se utiliza en muchos aparatos eléctricos para que funcionen. Hay pilas de muchos tipos: las hay redondas y muy planas y también las hay con forma cilíndrica. INGLÉS battery.
2 Recipiente en el que cae y se acumula el agua para diversos usos, como el que hay en las cocinas para fregar. INGLÉS sink.
3 Conjunto de cosas que están puestas o colocadas unas encima de otras. SINÓNIMO montón. INGLÉS pile, heap.
4 Cantidad muy grande de algo: *Está agobiada porque tiene una pila de trabajo.* Es un uso informal. INGLÉS pile, heap.

pilar
nombre masculino
1 Elemento vertical de apoyo, más alto que ancho, que sirve para aguantar un techo, arco o cosa pesada. INGLÉS pillar.
2 Persona o cosa que sirve de apoyo o protección. Los padres suelen ser los pilares de la familia. INGLÉS pillar.

píldora
nombre femenino
1 Medicamento sólido, redondeado y pequeño que puede tragarse con facilidad. Las píldoras suelen tener forma de bolita. INGLÉS pill, tablet.
2 Medicamento que toman las mujeres cuando no quieren quedarse embarazadas. También se dice: píldora anticonceptiva. INGLÉS the pill.

pilila
nombre femenino
1 Pene. INGLÉS willy.
NOTA Es una palabra familiar.

pillaje
nombre masculino
1 Robo que se hace con violencia: *Acusaron a los corsarios de actos de pillaje.* INGLÉS looting.

pillar
verbo
1 Coger o alcanzar a una persona o cosa que va por delante: *El gato pilló al ratón.* INGLÉS to catch.
2 Pasar un vehículo sobre una persona o un animal, causándole heridas o daño. SINÓNIMO atropellar. INGLÉS to run over.
3 Sorprender a una persona en el momento en que está haciendo algo malo o a escondidas: *En los almacenes, llamaron a la policía porque habían pillado a una persona robando.* INGLÉS to catch.
4 Coger una enfermedad o tener un estado de ánimo negativo. En invierno, podemos pillar un resfriado si no nos abrigamos bien. INGLÉS to catch.
5 Entender algo que es difícil de entender o que tiene un doble sentido. A veces no pillamos el sentido de un chiste o de una broma y no nos hace gracia. INGLÉS to grasp, to get.
6 Quedar sujeta una cosa en un lugar sin que se pueda soltar. Cuando nos pillamos los dedos en una puerta nos hacemos mucho daño. INGLÉS to catch, to trap.
7 Estar en un determinado lugar con respecto a algo o a alguien. A algunos niños el colegio les pilla muy cerca de su casa. INGLÉS to be.

pillo, pilla
adjetivo
1 Que es muy listo y tiene mucha habilidad para conseguir lo que quiere con mentiras y engaños. También llamamos pillos a los niños que son muy traviesos. SINÓNIMO astuto; pícaro. INGLÉS cunning [astuto], naughty [travieso].

píloro
nombre masculino
1 Abertura inferior del estómago que comunica con el intestino delgado. El quimo pasa del estómago al intestino a través del píloro, que se abre y se cierra durante la digestión. INGLÉS pylorus.

pilotar
verbo
1 Conducir o dirigir un vehículo o una nave. INGLÉS to fly [un avión], to drive [un coche], to sail [un barco].

piloto
nombre masculino y femenino
1 Persona que conduce o dirige un avión. INGLÉS pilot.

2 Persona que conduce una moto o un coche de carreras. INGLÉS driver [un coche], rider [una moto].

nombre masculino **3** Luz del automóvil que sirve para hacerse ver e indicar su posición. INGLÉS tail light.

4 Luz de pequeño tamaño que indica en un aparato eléctrico si está funcionando. INGLÉS pilot light.

piltrafa

nombre femenino **1** Persona que está muy delgada y tiene mal aspecto físico: *Después de pasar la gripe se quedó hecho una piltrafa.* INGLÉS wreck.

2 Resto que tiene muy mal aspecto o no se puede aprovechar. INGLÉS scrap.

pimentón

nombre masculino **1** Especia roja y muy picante que se obtiene moliendo pimientos rojos secos. INGLÉS paprika.

NOTA El plural es: pimentones.

pimienta

nombre femenino **1** Especia en forma de bolitas pequeñas de sabor muy picante; también puede ser en polvo. Suele ser blanca o negra y se utiliza como condimento. INGLÉS pepper.

pimiento

nombre masculino **1** Fruto comestible de color verde, rojo o amarillo, que es hueco y acabado en punta, y tiene muchas semillas en su interior. También se llama pimiento la planta que da este fruto. INGLÉS pepper.

un pimiento Poco o nada: *Me importa un pimiento que te enfades.* Es una expresión informal. INGLÉS nothing.

¡y un pimiento! Se utiliza para negar o rechazar algo: *¡Y un pimiento!, yo no pienso dejarte mi bici.* Es una expresión informal. INGLÉS get lost!

pimpón

nombre masculino **1** Es otra forma de escribir y pronunciar: ping-pong. INGLÉS ping-pong.

pin

nombre masculino **1** Adorno que se pone en la ropa clavándolo y sujetándolo por detrás con otra pieza. INGLÉS pin, badge.

NOTA El plural es: pins o pines.

pinacoteca

nombre femenino **1** Edificio abierto al público en el que se conservan y exponen cuadros. El Museo del Prado es una de las pinacotecas más importantes del mundo. SINÓNIMO galería. INGLÉS art gallery.

pinar

nombre masculino **1** Terreno en el que crecen muchos pinos. INGLÉS pine grove.

pincel

nombre masculino **1** Instrumento que sirve para pintar cuadros o cosas pequeñas; está formado por un mango delgado y cilíndrico que termina en una cabeza de pelos o cerdas. INGLÉS paintbrush.

pincelada

nombre femenino **1** Cada trazo o pasada de pintura que el pintor hace con el pincel sobre lo que está pintando. INGLÉS brushstroke.

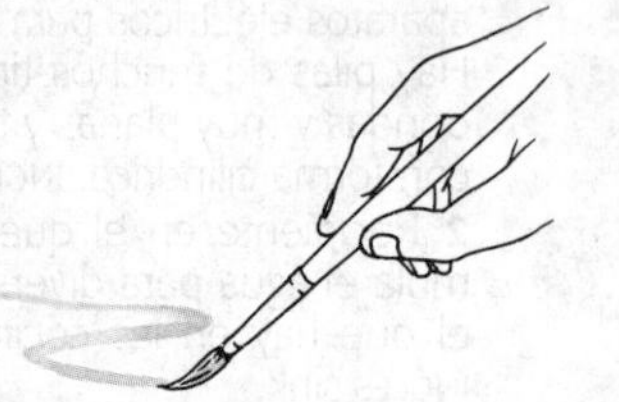

pincelada

pinchadiscos

nombre masculino y femenino **1** Persona que se dedica a poner música en un local público o en una emisora de radio. SINÓNIMO disc jockey. INGLÉS disc jockey, DJ.

NOTA El pural es: pinchadiscos.

pinchar

verbo **1** Clavar una cosa acabada en punta en una persona o cosa. Nos podemos pinchar con una aguja o con las espinas de una rosa; para comer aceitunas, se pinchan con un palillo y se llevan a la boca. INGLÉS to prick.

2 Inyectar un medicamento líquido a una persona enferma: *Voy al practicante para que me pinche.* INGLÉS to give an injection.

3 Meter un objeto acabado en punta en la superficie de la rueda de un vehículo o de un balón, de modo que se produce una pérdida de aire de su interior. INGLÉS to burst.

4 Animar a una persona a que haga o diga algo: *Si no la pinchas, no lo hará.* INGLÉS to prod.

5 Molestar a una persona hasta hacer

que se enfade: *Ya vale de pincharme, ya estoy harto.* INGLÉS to wind up.

6 pincharse Inyectarse droga en la sangre. Es un uso informal. SINÓNIMO picarse; chutarse. INGLÉS to shoot up.

pinchazo
nombre masculino
1 Herida que se hace con un instrumento acabado en punta; también es la señal que deja esta herida. INGLÉS prick.
2 Agujero que se hace al introducirse un objeto acabado en punta en la superficie de una rueda o de una pelota y que causa la salida del aire. INGLÉS puncture.
3 Dolor fuerte, repentino y de corta duración que se produce en alguna parte del cuerpo. INGLÉS stab of pain.

pincho
nombre masculino
1 Punta aguda y afilada. Los erizos y los cactus están cubiertos de pinchos. INGLÉS spine, prickle.
2 Trozo pequeño de un alimento que se toma como aperitivo; suele presentarse pinchado en un palillo. INGLÉS snack.

ping-pong
nombre masculino
1 Juego de pelota que se juega sobre una mesa rectangular dividida en dos por una red. Se juega con una pelota pequeña y palas pequeñas de madera. INGLÉS ping-pong.
NOTA También se escribe y se pronuncia: pimpón.

pingüino
nombre masculino
1 Ave marina que no vuela y tiene el pico largo, las alas cortas y el cuerpo adaptado a la natación. Su plumaje es de color negro por la espalda y blanco por el pecho y el vientre. INGLÉS penguin.

pino
nombre masculino
1 Árbol de tronco alto y rugoso, y hojas perennes en forma de aguja. Su fruto es la piña y su semilla el piñón. La madera de pino se utiliza mucho en carpintería. INGLÉS pine tree [árbol], pine [madera].

pinrel
nombre masculino
1 Pie de una persona. INGLÉS foot.
NOTA Es una palabra informal.

pinta
nombre femenino
1 Aspecto o apariencia que tiene una persona o una cosa: *Este bocadillo tiene muy buena pinta.* INGLÉS look, appearance.
2 Mancha o señal redonda y pequeña que hay sobre una superficie de otro color. Los perros dálmatas son blancos con pintas negras. INGLÉS spot.

pintada
nombre femenino
1 Mensaje escrito en letras grandes que se pinta sin permiso en una pared. Las pintadas suelen tener un objetivo político o social. INGLÉS piece of graffiti.

pintado, pintada
adjetivo
1 Se dice de una persona o cosa que es muy parecida o casi igual a otra: *El niño es pintado a su padre, tiene la misma cara.* SINÓNIMO clavado. INGLÉS identical.
que ni pintado Se dice de una persona o cosa que es muy adecuada para algo: *Me vienes que ni pintado porque necesito ayuda para pegar este plato.* INGLÉS ideal, perfect.

pintalabios
nombre masculino
1 Pasta que se usa para dar color y brillo a los labios. El pintalabios suele ir en un estuche pequeño en forma de cilindro. SINÓNIMO lápiz de labios; carmín. INGLÉS lipstick.
NOTA El plural es: pintalabios.

pintar
verbo
1 Cubrir una superficie con uno o más colores. INGLÉS to paint.
2 Hacer figuras de personas o cosas sobre una superficie con líneas o colores. INGLÉS to paint.
3 Estar una persona o una cosa en un lugar que no le corresponde o donde no tiene que estar. Se usa en oraciones negativas e interrogativas: *¿Qué pinta ese señor en medio del patio?* INGLÉS to do.
4 Dar color a la cara, en especial a las mejillas, los labios o los ojos, con pinturas. SINÓNIMO maquillar. INGLÉS to paint.

pintarrajear
verbo
1 Hacer líneas de uno o más colores sobre una superficie sin ningún cuidado o estilo. Los niños pequeños suelen pintarrajear en cualquier sitio. INGLÉS to daub.

pintaúñas
nombre masculino
1 Líquido que se usa para dar color y

brillo a las uñas. El pintaúñas se aplica con un pincel. INGLÉS nail varnish.
NOTA El plural es: pintaúñas.

pintor, pintora
nombre
1 Persona que se dedica al arte de la pintura. INGLÉS painter.
2 Persona que se dedica a pintar superficies en general, como las paredes de una casa. INGLÉS painter.

pintoresco, pintoresca
adjetivo
1 Se dice del lugar o de la situación que son muy bonitos y muy típicos, como algunos rincones de la parte antigua de las ciudades. INGLÉS picturesque.
2 Que llama la atención por ser poco corriente: *Llevaba un traje muy pintoresco, de colores muy vivos.* INGLÉS colourful.

pintura
nombre femenino
1 Producto de color que se usa para pintar. La pintura es líquida y normalmente se aplica con un pincel o con una pistola. INGLÉS paint.
2 Técnica y arte de hacer figuras de personas o cosas sobre una superficie con líneas o colores. INGLÉS painting.
3 Obra o cuadro pintado con líneas o colores. INGLÉS painting.
4 Lápiz de color que se utiliza para dibujar y pintar: *Le han regalado un estuche con pinturas.* INGLÉS crayon.
nombre femenino plural
5 pinturas Conjunto de distintos productos que sirven para dar color a la cara de una persona. INGLÉS make-up.
no poder ver ni en pintura No querer saber nada de una persona o una cosa que nos desagrada o nos enfada. INGLÉS not to be able to stand.

pinza
nombre femenino
1 Instrumento formado por dos piezas que se juntan con fuerza por los extremos para sujetar, coger o apretar alguna cosa, como las pinzas de la ropa o las que sirven para depilar. INGLÉS clothes peg [para la ropa], tweezers [para depilar].
2 Parte final de las patas de algunos animales, como los cangrejos, que está dividida en dos partes que se pueden cerrar con fuerza para coger cosas o defenderse. INGLÉS pincer.
3 Parte doblada y cosida en una prenda de vestir para darle una forma determinada. INGLÉS pleat.
NOTA También se usa el plural para indicar solo una unidad.

pinzón
nombre masculino
1 Pájaro de color pardo con manchas oscuras y dos franjas blancas en las alas. Tiene un canto muy agradable y se alimenta de insectos. INGLÉS finch.
NOTA El plural es: pinzones.

piña
nombre femenino
1 Fruto del pino y otros árboles que tiene forma de cono y está recubierto de pequeñas piezas duras que parecen escamas. INGLÉS pine cone.
2 Fruta grande y redondeada con una corteza dura y rugosa terminada en un conjunto de hojas verdes. La carne de la piña es amarilla, jugosa y un poco ácida; se come fresca o en almíbar. INGLÉS pineapple.
3 Grupo de personas o cosas unidas estrechamente. Unos hermanos que se llevan muy bien forman una piña. INGLÉS tight-knit group.

piñata
nombre femenino
1 Recipiente lleno de golosinas y sorpresas que se cuelga de un sitio para que una persona con los ojos vendados lo rompa golpeándolo con un palo.

piño
nombre masculino
1 Diente de las personas o los animales. INGLÉS tooth.
NOTA Es una palabra informal.

piñón
nombre masculino
1 Fruto del pino que, cuando está maduro, pasa a ser un fruto seco de cáscara dura y semilla alargada en su interior. A esta semilla también se le llama piñón. Algunos piñones son comestibles. INGLÉS pine nut.
2 Rueda metálica con dientes en el borde que ajusta con otra rueda, como el piñón de una bicicleta. INGLÉS pinion.
NOTA El plural es: piñones.

pío, pía
adjetivo
1 Se dice de la persona que es muy religiosa. INGLÉS pious.
nombre masculino
2 Palabra que se utiliza para imitar la voz de los pollos y de los pájaros. INGLÉS cheep, tweet.
no decir ni pío Quedarse callado. INGLÉS not to say a word.

piojo
nombre masculino
1 Insecto muy pequeño, con las ante-

nas cortas y sin alas, que vive pegado al pelo del ser humano y de otros animales, a los que chupa la sangre. **INGLÉS** louse.

piojoso, piojosa
adjetivo y nombre
1 Que tiene muchos piojos o lo parece por la suciedad que lleva encima: *Se me acercó un perro abandonado y piojoso.* **INGLÉS** lousy.

pionero, pionera
adjetivo y nombre
1 Se dice de la persona que realiza los primeros trabajos en una actividad o abre un camino que después es seguido por otros. **INGLÉS** pioneering [adjetivo], pioneer [nombre].

pipa
nombre femenino
1 Semilla de algunos frutos como el girasol, la calabaza o la sandía. Las pipas de girasol se comen. **INGLÉS** sunflower seed.
2 Utensilio que sirve para fumar formado por un recipiente de madera en el que se quema el tabaco picado y un tubo por el que se aspira el humo. **INGLÉS** pipe.

pipeta
nombre femenino
1 Tubo largo de cristal terminado en punta que se usa para pasar pequeñas cantidades de líquido de un recipiente a otro. La pipeta se utiliza en laboratorios. **INGLÉS** pipette.

pipí
nombre masculino
1 Orina de las personas o los animales. Es un uso familiar que se utiliza para evitar otros que se considera que suenan mal. **SINÓNIMO** pis. **INGLÉS** wee.
hacer pipí Orinar, expulsar la orina del cuerpo. **SINÓNIMO** mear. **INGLÉS** to go for a wee.

piqueta
nombre femenino
1 Herramienta parecida a un martillo que se utiliza en albañilería para picar piedras o paredes. **INGLÉS** pickaxe.

piquete
nombre masculino
1 Grupo de personas que van por las calles para impedir que se trabaje cuando se ha convocado una huelga: *Los piquetes cortaron las calles y obligaron a los comerciantes a cerrar las tiendas.* **INGLÉS** picket.

pirado, pirada
adjetivo y nombre
1 Que está loco o se comporta como si lo estuviera. **SINÓNIMO** chalado. **INGLÉS** loony.
NOTA Es una palabra informal.

piragua
nombre femenino
1 Embarcación larga y estrecha parecida a la canoa pero de mayor tamaño. **INGLÉS** canoe.

piragüismo
nombre masculino
1 Deporte que consiste en navegar por un río, por un canal o por el mar en una piragua. **INGLÉS** canoeing.

piramidal
adjetivo
1 Que tiene forma de pirámide. Algunos árboles, como el abeto, tienen la copa en forma piramidal. **INGLÉS** pyramidal.

pirámide
nombre femenino
1 Figura geométrica que tiene una base ancha generalmente cuadrada y varias caras con forma de triángulo que se juntan en un mismo punto. **INGLÉS** pyramid.
2 Gran construcción de piedra con forma de pirámide que realizaban los antiguos egipcios para enterrar dentro a los faraones. **INGLÉS** pyramid.
3 Construcción religiosa de los aztecas y mayas en forma de pirámide con escalones. **INGLÉS** pyramid.

piraña
nombre femenino
1 Pez tropical de agua dulce que tiene la cabeza ancha y los dientes pequeños y afilados. Las pirañas son peces carnívoros y viven en los grandes ríos de América del Sur, como el Amazonas o el Orinoco. **INGLÉS** piranha.

pirarse
verbo
1 Irse una persona de un lugar. **SINÓNIMO** marcharse. **INGLÉS** to sling one's hook.
NOTA Es una palabra informal.

pirata
nombre masculino y femenino y adjetivo
1 Marinero que asalta y roba otros barcos o ciudades de la costa. Antiguamente había piratas en el Caribe y en el Mediterráneo. También se dice de lo que está relacionado con los piratas, como un barco pirata o una bandera pirata. **INGLÉS** pirate.
nombre masculino y femenino
2 Persona que fabrica imitaciones de productos de forma ilegal y sin pagar impuestos al estado ni derechos legales a los dueños del producto. **INGLÉS** pirate.

adjetivo **3** Se dice de las cosas que se hacen ilegalmente y sin autorización. Las grabaciones piratas son copias ilegales. INGLÉS pirate.

piratear
verbo **1** Copiar programas informáticos, películas, libros o canciones sin estar autorizado legalmente para hacerlo. Piratear es un delito. INGLÉS to pirate.

pirenaico, pirenaica
adjetivo **1** De los Pirineos o que tiene relación con ellos. INGLÉS Pyrenean.

pirita
nombre femenino **1** Mineral duro, de color amarillo y de brillo metálico compuesto principalmente de azufre y hierro. INGLÉS pyrite.

pirómano, pirómana
adjetivo y nombre **1** Se dice de la persona que tiene una tendencia enfermiza a provocar incendios: *La policía detuvo al pirómano y lo ingresaron en una clínica para enfermos mentales.* INGLÉS pyromaniac [nombre].

piropo
nombre masculino **1** Palabra o frase de admiración dirigida a una persona, en especial para destacar su belleza. SINÓNIMO cumplido. INGLÉS flirtatious comment.

pirrar
verbo **1** Gustar muchísimo: *Este grupo de música me pirra.* INGLÉS to be mad about.
2 pirrarse Gustarle mucho a alguien una persona o cosa: *Me pirro por las patatas fritas.* INGLÉS to be mad about.
NOTA Es una palabra informal.

pirueta
nombre femenino **1** Salto o movimiento difícil que se hace en el aire. Los patinadores artísticos hacen piruetas. INGLÉS pirouette.

piruleta
nombre femenino **1** Caramelo redondo y plano que está sujeto a un palo para poder cogerlo mientras se chupa. INGLÉS lollipop.

pirulí
nombre masculino **1** Caramelo largo y con forma de cono que está sujeto a un palo para poder cogerlo mientras se chupa. INGLÉS lollipop.
NOTA El plural es: pirulís.

pis
nombre masculino **1** Orina de las personas o los animales. Es un uso familiar. SINÓNIMO pipí. INGLÉS wee.
hacer pis Orinar, expulsar la orina del cuerpo. SINÓNIMO mear. INGLÉS to wee.

pisada
nombre femenino **1** Cada una de las veces que se pisa con el pie; también es una pisada el ruido que se hace al pisar. INGLÉS footstep.
2 Señal que deja el pie en la superficie que pisa. INGLÉS footprint.

pisapapeles
nombre masculino **1** Objeto pesado que se utiliza para dejarlo sobre los papeles y evitar que se muevan. INGLÉS paperweight.
NOTA El plural es: pisapapeles.

pisar
verbo **1** Poner el pie sobre una cosa o una persona. INGLÉS to tread on, to step on.
2 Ir o entrar en un lugar: *Nunca ha pisado esa librería.* Se usa en frases negativas. INGLÉS to set foot.

piscina
nombre femenino **1** Construcción o recipiente grande y hondo que se llena de agua y sirve para bañarse o nadar. INGLÉS swimming pool.

piscis
nombre masculino **1** Duodécimo y último signo del zodiaco. Piscis comprende a las personas nacidas entre el 19 de febrero y el 20 de marzo. Con este significado se escribe con mayúscula. INGLÉS Pisces.
nombre masculino y femenino **2** Persona nacida bajo el signo de Piscis. INGLÉS Pisces.

piscívoro, piscívora
adjetivo **1** Se dice del animal que se alimenta de peces. INGLÉS fish-eating.

piscolabis
nombre masculino **1** Pequeña cantidad de comida que se toma entre horas. INGLÉS snack.
NOTA El plural es: piscolabis.

piso
nombre masculino **1** Cada vivienda en un edificio de varias plantas donde vive una familia. INGLÉS flat [en el Reino Unido], apartment [en Estados Unidos].
2 Cada una de las diferentes alturas que se distinguen en una casa o edificio. SINÓNIMO planta. INGLÉS floor.
3 Superficie sobre la que se pisa. SINÓNIMO suelo. INGLÉS floor.
4 Cada una de las capas de una cosa que están una encima de la otra. Algu-

nas tartas suelen ser de varios pisos. INGLÉS layer, tier.

pisotear
verbo
1 Poner el pie con fuerza y repetidamente sobre una persona o una cosa. INGLÉS to trample on.
2 Hacer daño a una persona con palabras desagradables o insultos: *Con tal de conseguir lo que quiere, no le importa pisotear a los demás.* INGLÉS to walk all over.

pisotón
nombre masculino
1 Acción de poner el pie con fuerza sobre el pie de otra persona o sobre otra cosa. INGLÉS stamp.
NOTA El plural es: pisotones.

pista
nombre femenino
1 Cualquier señal o dato que sirve para descubrir una cosa o llegar a una conclusión. INGLÉS clue.
2 Señal que queda al pasar una persona o un animal por un lugar. Los cazadores persiguen a sus presas siguiendo las pistas que dejan. SINÓNIMO rastro. INGLÉS track, trail.
3 Superficie de terreno liso y preparado para cierto uso, como una pista de aterrizaje o una pista de atletismo. INGLÉS track [de atletismo], runway [de aterrizaje].

pistacho
nombre masculino
1 Fruto seco de forma ovalada que tiene la cáscara dura de color marrón y una semilla verde en su interior. INGLÉS pistachio.

pistilo
nombre masculino
1 Órgano reproductor femenino de las flores. En el centro de la flor esta el pistilo rodeado por los estambres. En el pistilo es donde se producen los frutos y las semillas. INGLÉS pistil.

pistola
nombre femenino
1 Arma de fuego pequeña y de cañón corto, que se dispara con una sola mano. INGLÉS gun.
2 Utensilio que sirve para disparar un líquido a presión y esparcirlo sobre una superficie. Muchos pintores usan pistola en lugar de brocha. INGLÉS spray gun.

pistolero, pistolera
nombre
1 Persona que usa pistola para robar, atacar o matar. INGLÉS gunman.

pitar
verbo
1 Hacer que suene un pito soplando por él. INGLÉS to whistle.
2 Hacer que suene el claxon o la bocina de un coche o de otro vehículo para avisar de algo. INGLÉS to blow one's horn.
3 Producir una cosa un sonido muy fuerte y agudo, parecido al que hace un pito. Una olla pita cuando tiene vapor dentro. INGLÉS to whistle.
4 Producir una persona un sonido fuerte y agudo cerrando los labios y haciendo salir aire con velocidad a través de ellos. SINÓNIMO silbar. INGLÉS to whistle.
5 Hacer una persona la función de árbitro en una competición deportiva. INGLÉS to referee.
6 Señalar un árbitro una falta concreta en una competición deportiva, generalmente haciendo sonar el pito que lleva en la boca. El árbitro también pita el final del partido. INGLÉS to blow for.
pitando Forma de hacer una cosa dándose la mayor prisa posible: *Salió pitando.* INGLÉS like a shot.

pitido
nombre masculino
1 Sonido agudo y continuado que produce un pito o que se parece al que produce un pito. INGLÉS whistle.

pitillera
nombre femenino
1 Caja o estuche que se utiliza para guardar cigarrillos. INGLÉS cigarette case.

pitillo
nombre masculino
1 Tabaco picado y enrollado en forma de cilindro pequeño con un papel blanco. SINÓNIMO cigarrillo; cigarro. INGLÉS cigarette.

pito
nombre masculino
1 Instrumento pequeño y hueco que produce un sonido fuerte y agudo cuando se sopla a través de él. SINÓNIMO silbato. INGLÉS whistle.
2 Aparato que llevan los coches y otros vehículos que al tocarlo produce un ruido fuerte para avisar de un peligro. Es un uso informal. SINÓNIMO bocina. INGLÉS horn.
3 Órgano sexual masculino. Es un uso familiar. SINÓNIMO pene. INGLÉS willy.
importar un pito No importarle nada una cosa a una persona, sentir total indiferencia o incluso desprecio por ella. Es una expresión informal. INGLÉS not to matter at all.

a b c d e f g h i j k l m n ñ o p q r s t u v w x y z

pitorrearse
verbo
1 Reírse o burlarse de una persona. SINÓNIMO cachondearse. INGLÉS to make fun.
NOTA Es una palabra informal.

pitorreo
nombre masculino
1 Acción que se hace o palabras que se dicen para reírse o burlarse de alguien; también es un pitorreo la situación en la que hay gente que se ríe de otros. SINÓNIMO cachondeo. INGLÉS joking.
NOTA Es una palabra informal.

pitorro
nombre masculino
1 Tubo pequeño que sobresale de la parte de arriba de algunos recipientes, como botijos o porrones, por donde se vierte un chorro fino del líquido que contiene. INGLÉS spout.

pituitaria
nombre femenino
1 Membrana que está en el interior de las fosas nasales. La pituitaria siente el olor de las cosas y, por los nervios, transmite la información al cerebro. INGLÉS pituitary gland.

pívot
nombre masculino y femenino
1 Jugador de baloncesto que se coloca cerca del tablero de la canasta para recoger rebotes o encestar a corta distancia. INGLÉS centre.
NOTA El plural es: pívots.

pizarra
nombre femenino
1 Superficie lisa y rectangular que sirve para escribir en ella y borrar lo escrito con facilidad. SINÓNIMO encerado. INGLÉS blackboard.
2 Piedra de color negro azulado que se divide con facilidad en piezas delgadas y planas. Algunas casas tienen el tejado de pizarra. INGLÉS slate.

pizca
nombre femenino
1 Cantidad muy pequeña de una cosa material o inmaterial: *Echa una pizca de sal. No hace ni pizca de gracia.* INGLÉS bit, pinch.

pizza
nombre femenino
1 Masa redonda y plana hecha con harina y agua sobre la que se ponen trozos de cualquier alimento; se cubre de queso y se cocina al horno. INGLÉS pizza.
NOTA Se pronuncia: pitsa.

placa
nombre femenino
1 Pieza plana y delgada, generalmente de metal, en la que se escribe un texto. En algunos edificios se colocan placas para recordar la fecha de su inauguración. INGLÉS plaque.
2 Pieza plana de metal que forma parte de un aparato. Una placa solar sirve para recibir y almacenar la luz del Sol. INGLÉS sheet, plate.
3 Objeto de metal que identifica y acredita a un policía. INGLÉS badge.
4 Matrícula de un vehículo. INGLÉS number plate [en el Reino Unido], license plate [en Estados Unidos].
5 En geología, cada una de las capas internas de la Tierra. INGLÉS plate.

placenta
nombre femenino
1 Órgano de forma redondeada y aplastada que, durante un embarazo, se desarrolla en el interior del útero y a través del cual el embrión recibe de la madre alimentos y oxígeno, y elimina productos de desecho. El feto está unido a la placenta por medio del cordón umbilical. INGLÉS placenta.

placer
nombre masculino
1 Sensación de encontrarse muy a gusto en un lugar o en una situación por una cosa o una persona que nos gusta mucho. INGLÉS pleasure.
verbo
2 Resultar algo agradable. Es un uso formal. SINÓNIMO gustar; apetecer. INGLÉS to please.

plácido, plácida
adjetivo
1 Que es agradable y tranquilo. INGLÉS placid, calm.

plafón
nombre masculino
1 Lámpara plana que se coloca pegada al techo o a una pared y que sirve para ocultar la bombilla y difuminar su luz. INGLÉS ceiling light [en el techo], wall light [en la pared].
NOTA El plural es: plafones.

plaga
nombre femenino
1 Enfermedad o catástrofe que causa un daño grave a mucha gente. SINÓNIMO epidemia; peste. INGLÉS plague.
2 Cantidad grande de algo perjudicial, en especial de animales que causan un gran daño en la agricultura, como una plaga de pulgones. INGLÉS plague.
3 Abundancia de personas o cosas, especialmente si causan daño o molestan. INGLÉS invasion.

plagar
verbo
1 Llenar o cubrir algo de una cosa que hace daño o se considera molesta: *Los cultivos se plagaron de insectos que perjudicaron las cosechas.* INGLÉS to infest.
NOTA La 'g' se convierte en 'gu' delante de 'e', como: plaguen.

plagiar
verbo
1 Copiar una persona la obra de otra y decir que es suya. INGLÉS to plagiarize.
NOTA Se conjuga como: cambiar; la 'i' no lleva nunca acento de intensidad.

plan
nombre masculino
1 Intención que tiene una persona de hacer una cosa. INGLÉS plan.
2 Conjunto de cosas que se han programado para llevarlas a cabo e instrucciones que se dan sobre la manera de realizarlas: *El folleto explica todo el plan del viaje.* INGLÉS plan.
3 Forma que tiene prevista una persona de pasar el tiempo. INGLÉS plan.
4 Relación amorosa o sexual que mantiene una persona con otra de forma pasajera. Es un uso informal. INGLÉS affair.

placer

INDICATIVO

presente
plazco
places
place
placemos
placéis
placen

pretérito imperfecto
placía
placías
placía
placíamos
placíais
placían

pretérito perfecto simple
plací
placiste
plació o plugo
placimos
placisteis
placieron

futuro
placeré
placerás
placerá
placeremos
placeréis
placerán

condicional
placería
placerías
placería
placeríamos
placeríais
placerían

SUBJUNTIVO

presente
plazca
plazcas
plazca
plazcamos
plazcáis
plazcan

pretérito imperfecto
placiera o placiese
placieras o placieses
placiera o placiese o pluguiera o pluguiese
placiéramos o placiésemos
placierais o placieseis
placieran o placiesen

futuro
placiere
placieres
placiere o pluguiere
placiéremos
placiereis
placieren

IMPERATIVO

place (tú)
plazca o plegue (usted)
plazcamos (nosotros)
placed (vosotros)
plazcan (ustedes)

FORMAS NO PERSONALES

infinitivo placer
gerundio placiendo
participio placido

plancha
nombre femenino
1 Aparato con una superficie plana que se calienta y sirve para quitar las arrugas de la ropa. Las planchas suelen tener una base metálica y triangular, y un asa para cogerlas. INGLÉS iron.
2 Trozo plano y delgado de metal que se usa en la cocina para asar o tostar alimentos. INGLÉS griddle.
3 Forma de poner el cuerpo casi horizontal, como hace un portero de fútbol al tirarse para coger el balón. INGLÉS dive.
4 Error que comete una persona delante de otra y que hace que se sienta ridícula: *¡Vaya plancha!, la he confundido con una amiga mía.* Es un uso informal. INGLÉS blunder.
a la plancha Se dice de la comida que se hace sobre una plancha metálica utilizando solo un poco de aceite. INGLÉS grilled.

planchar
verbo
1 Quitar las arrugas a la ropa utilizando una plancha caliente. INGLÉS to iron.

plancton
nombre masculino
1 Conjunto de animales y vegetales muy pequeños que flotan y se desplazan en el agua del mar, los lagos y los ríos. Algunas ballenas se alimentan de plancton. INGLÉS plankton.

planeador
nombre masculino
1 Avión ligero y sin motor que vuela aprovechando las corrientes de aire. Los planeadores suben al cielo atados a un avión por medio de un cable y luego se sueltan. INGLÉS glider.

planear
verbo
1 Pensar en una posible acción futura y en cómo se puede hacer. Las personas planean con antelación sus vacaciones. INGLÉS to plan.
2 Volar un avión o algo parecido sin motor. Las alas delta planean. INGLÉS to glide.
3 Volar un pájaro sin mover las alas. INGLÉS to glide.

a b c d e f g h i j k l m n ñ o p q r s t u v w x y z

planeta
nombre masculino **1** Cuerpo sólido que gira alrededor de una estrella y que no tiene luz propia. La Tierra es un planeta que gira alrededor del Sol. INGLÉS planet.

planetario
nombre masculino **1** Aparato que representa los planetas del sistema solar y reproduce sus movimientos. También es el edificio o sala donde está este aparato. INGLÉS planetarium.

planificar
verbo **1** Hacer que una acción, una actividad o un proceso se ajusten a un plan elaborado con un objetivo determinado. INGLÉS to plan.
NOTA Se escribe 'qu' delante de 'e', como: planifiquen.

plano, plana
adjetivo **1** Se dice de la superficie que es llana y lisa y no tiene estorbos. SINÓNIMO liso; llano. INGLÉS flat.
nombre masculino **2** Papel en el que están dibujadas las líneas y las figuras que representan diferentes partes de un edificio o las calles de una población. INGLÉS plan.

planta
nombre femenino **1** Ser orgánico que vive y crece en un sitio fijo en el suelo, del que no puede moverse de manera voluntaria. SINÓNIMO vegetal. INGLÉS plant.
2 Parte inferior del pie que toca el suelo al caminar o estar de pie. INGLÉS sole.
3 Cada uno de los pisos o alturas en que se divide un edificio. SINÓNIMO piso. INGLÉS floor, storey.
4 Fábrica o instalación industrial. INGLÉS plant.

plantación
nombre femenino **1** Terreno de gran extensión dedicado al cultivo de una clase de plantas. INGLÉS plantation.
NOTA El plural es: plantaciones.

plantar
verbo **1** Poner o meter en la tierra una semilla, un tallo o una planta para que eche raíces y crezca. SINÓNIMO cultivar. INGLÉS to plant.
2 Poner una cosa en un lugar: *Podemos plantar la tienda de campaña en la playa.* INGLÉS to put, to place, [si es una tienda: to pitch].
3 Dar un fuerte beso o una bofetada de manera imprevista. INGLÉS to give.
4 Poner a una persona o a una cosa en un lugar en contra de su voluntad o por la fuerza. A un trabajador lo plantan en la calle cuando lo echan de su lugar de trabajo. INGLÉS to sack.
5 Abandonar o dejar una persona a otra. Un amigo planta a otro si no se presenta a la cita acordada. INGLÉS to stand up.
6 plantarse Llegar a un lugar en poco tiempo. Cogiendo un avión te plantas enseguida en otra ciudad. Es un uso informal. INGLÉS to get, to arrive.
7 plantarse Mantenerse firme en una idea. INGLÉS to dig one's heels in.

plantear
verbo **1** Presentar o exponer una persona un tema para que se conozca y se discuta sobre él. INGLÉS to raise.
2 Hacer que se le presente a alguien un problema que tiene que resolver. La destrucción del medio natural plantea serios problemas para la humanidad en el futuro. INGLÉS to raise.
3 Enunciar un problema, especialmente de matemáticas, para que pueda ser resuelto. INGLÉS to formulate.
4 plantearse Pensar una persona detenidamente la realización de una cosa, haciendo planes sobre ella antes de llevarla a cabo. INGLÉS to consider.

plantilla
nombre femenino **1** Conjunto que forman todas las personas que trabajan en una empresa o que juegan en un equipo. INGLÉS staff [de una empresa], squad [de un equipo].
2 Pieza con la forma de la planta del pie que se pone dentro del zapato para que el pie no toque directamente el interior del calzado. INGLÉS insole.
3 Pieza recortada según una forma determinada que se utiliza para fabricar o para pintar piezas con esa misma forma. INGLÉS pattern.

plantón
nombre masculino **1** Falta a una cita con una persona o retraso muy grande al acudir a ella. INGLÉS failure to turn up.
estar de plantón Estar esperando durante mucho rato a alguien con el que habíamos quedado. INGLÉS to be waiting.
NOTA El plural es: plantones.

plasma
nombre masculino
1 Parte líquida de la sangre compuesta fundamentalmente de agua que contiene elementos sólidos como los glóbulos o las plaquetas. INGLÉS plasma.

plasmar
verbo
1 Representar una idea por medio de palabras o explicaciones: *El escritor plasma en su novela las atrocidades de la guerra.* INGLÉS to give expression to, to reflect.

plasta
nombre femenino
1 Masa de alguna cosa que está blanda o pastosa, como el barro o un excremento poco sólido. INGLÉS soft lump.
nombre masculino y femenino
2 Persona que es muy pesada o molesta. Es un uso informal. SINÓNIMO paliza; pelma. INGLÉS pain in the neck.

plástica
nombre femenino
1 Actividad en la que se trabaja con materiales, como la madera, el papel, o el barro, para realizar objetos artísticos. En la clase de plástica, se enseña a dibujar, pintar y hacer manualidades. INGLÉS plastic arts.

plástico
nombre masculino y adjetivo
1 Material impermeable e inflamable que se obtiene del petróleo y se utiliza para fabricar todo tipo de objetos. INGLÉS plastic.

plastificar
verbo
1 Envolver una cosa con plástico para que quede protegida, como las tapas de los libros. INGLÉS to laminate.
NOTA La 'c' se convierte en 'qu' delante de 'e', como: plastifique.

plastilina
nombre femenino
1 Pasta blanda y fácil de modelar que se utiliza para hacer figuras. INGLÉS Plasticine.
NOTA Es una marca registrada.

plata
nombre femenino
1 Metal de color gris brillante que se utiliza mucho para hacer joyas y objetos de decoración. INGLÉS silver.
nombre masculino y adjetivo
2 Color gris brillante, como el de los objetos de plata. INGLÉS silver.

plataforma
nombre femenino
1 Superficie plana y horizontal elevada del suelo, donde se pueden colocar personas o cosas. INGLÉS platform.
2 Parte de un autobús, tren o tranvía, en la que no hay asientos. INGLÉS platform.

platanero
nombre masculino
1 Planta que produce los plátanos. Alcanza tres o cuatro metros de altura y tiene un tallo grueso, parecido a un tronco, con grandes hojas en la punta. SINÓNIMO plátano. INGLÉS banana tree.

plátano
nombre masculino
1 Fruta con la corteza amarilla, que tiene forma alargada y un poco curvada, y una carne blanca, blanda y dulce. El plátano se cultiva en Canarias. INGLÉS banana.
2 Platanero. INGLÉS banana tree.
3 Árbol que se cultiva en las ciudades para dar sombra en calles, paseos y jardines. Tiene las hojas grandes y produce unas bolas peludas de color marrón claro. INGLÉS plane tree.

platea
nombre femenino
1 Conjunto de asientos de la planta baja de un cine o teatro. INGLÉS stalls.

plateado, plateada
adjetivo
1 De color y brillo parecidos a la plata, como las escamas de los peces o unas tijeras. INGLÉS silvery.

platillo
nombre masculino
1 Objeto redondo, plano y poco profundo parecido a un plato, que normalmente está hecho de metal. Las balanzas tienen uno o dos platillos. INGLÉS pan.
nombre masculino plural
2 platillos Instrumento musical formado por dos discos de metal que producen un sonido al hacer chocar uno con otro. INGLÉS cymbals.
platillo volante Nave espacial que se supone que viene de otro planeta o de otra galaxia. En muchas películas de ciencia ficción los extraterrestres viajan en platillos volantes. INGLÉS flying saucer.

platino
nombre masculino
1 Metal duro parecido a la plata que se utiliza para fabricar joyas y otros objetos. INGLÉS platinum.

plato
nombre masculino
1 Recipiente redondo y poco profundo que sirve para poner alimentos y servirlos en la mesa. INGLÉS plate.
2 Alimento cocinado y listo para comer, como una ensalada de arroz o un filete

de ternera: *Hay arroz como primer plato.* INGLÉS dish.

no haber roto un plato No haber hecho nunca nada malo. INGLÉS never to have done anything wrong.

plató
nombre masculino
1 Recinto cubierto de un estudio de cine o de televisión que se usa como escenario para rodar películas o realizar programas. INGLÉS set.
NOTA El plural es: platós.

playa
nombre femenino
1 Superficie casi plana y cubierta de arena o piedras que está a la orilla del mar, de un lago o de un río. INGLÉS beach [zona arenosa], seaside [costa].

playback
nombre masculino
1 Técnica que consiste en mover los labios como si se estuviera hablando o cantando algo que en realidad suena de una grabación. En televisión a veces los cantantes cantan en playback. INGLÉS miming.
NOTA Es una palabra de origen inglés; se pronuncia: 'pléibac'. El plural es: playbacks.

playera
nombre femenino
1 Calzado de verano, de tela fuerte y suela de goma. INGLÉS canvas shoe.

playero, playera
adjetivo
1 De la playa o que tiene relación con ella. Los bolsos playeros sirven para meter todo lo necesario para ir a la playa. INGLÉS beach.

plaza
nombre femenino
1 Lugar amplio y llano dentro de una ciudad que está rodeado de casas y en el que desembocan varias calles. INGLÉS square.
2 Lugar en que se venden comestibles. En la plaza hay diversos puestos de verdura, carne y pescado. SINÓNIMO mercado. INGLÉS marketplace, market.
3 Espacio o sitio determinado que puede ocupar una persona o cosa. Los colegios y los medios de transporte tienen un número limitado de plazas. INGLÉS place.
4 Puesto de trabajo o empleo: *Ha sacado la plaza de profesor en un instituto.* INGLÉS post, position.

plaza de toros Espacio redondo y descubierto, rodeado de asientos, donde se celebran las corridas de toros. INGLÉS bullring.

plazo
nombre masculino
1 Espacio de tiempo limitado durante el cual se debe hacer una cosa: *El plazo de matrícula acaba hoy.* INGLÉS period.
2 Cada una de las partes de una cantidad de dinero que se puede pagar en varias veces. Pagamos a plazos compras grandes, como un coche o una lavadora. INGLÉS instalment.

plazoleta
nombre femenino
1 Plaza pequeña que suele haber en jardines, parques y en algunos paseos con árboles. INGLÉS small square.

pleamar
nombre femenino
1 En la marea alta, nivel máximo que alcanza el agua. ANTÓNIMO bajamar. INGLÉS high tide.

plebeyo, plebeya
adjetivo y nombre
1 Se dice de la persona que pertenece al conjunto de ciudadanos que no tiene títulos nobiliarios, cargos importantes o mucho dinero. INGLÉS plebeian.
NOTA Es una palabra informal.

plegable
adjetivo
1 Se dice del objeto que se puede plegar, como una silla o una bicicleta. INGLÉS folding, collapsible.

plegar
verbo
1 Hacer pliegues o dobleces en una cosa. Algunas prendas, como los calcetines, se pliegan para guardarlos. INGLÉS to fold.
2 Doblar y cerrar las piezas de un objeto con alguna articulación o mecanismo, generalmente para que ocupe menos espacio o se pueda manejar mejor. Algunos tipos de sillas se pueden plegar. INGLÉS to fold.
NOTA La 'e' se convierte en 'ie' en sílaba acentuada y la 'g' en 'gu' delante de 'e', como: plieguen.

plegaria
nombre femenino
1 Oración que se dirige a Dios, a la Virgen o a los santos para pedirles algo. INGLÉS prayer.

pleito
nombre masculino
1 Discusión que dos partes enfrentadas mantienen ante un juez o un tribunal para que este decida quién tiene razón. INGLÉS lawsuit.

a b c d e f g h i j k l m n ñ o p q r s t u v w x y z

pleno, plena
adjetivo
1 Que está completamente lleno de cierta cosa: *Fue un viaje pleno de sorpresas.* INGLÉS full.
2 Que está en el momento de más intensidad o fuerza: *Salió de casa con el pijama a plena luz del día.* INGLÉS full.
nombre masculino
3 Reunión de todos los miembros o dirigentes de una organización, una empresa o una institución. Las cuestiones importantes para una ciudad se deciden en el pleno del ayuntamiento. INGLÉS plenary session.

pletórico, pletórica
adjetivo
1 Se dice de la persona que tiene gran abundancia de aquello que se expresa, especialmente una característica positiva como la alegría. INGLÉS full.

pleura
nombre femenino
1 Membrana fina que recubre los pulmones. INGLÉS pleura.

pliego
nombre masculino
1 Hoja grande de papel que se vende sin doblar, como una hoja de papel charol. INGLÉS sheet of paper.

pliegue
nombre masculino
1 Parte doblada o plegada de una tela, un papel o cualquier superficie flexible. Un abanico tiene varios pliegues para poderlo abrir y cerrar. INGLÉS fold, pleat.

plinto
nombre masculino
1 Aparato de gimnasia de forma rectangular que consta de varios cajones superpuestos. INGLÉS box.

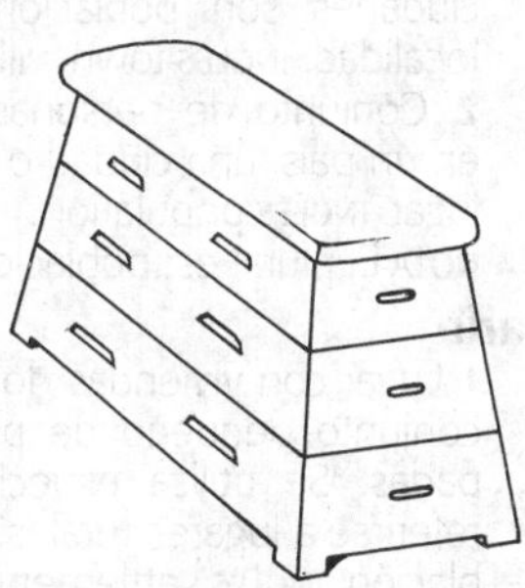
plinto

plomo
nombre masculino
1 Metal pesado de color gris oscuro que se utiliza para fabricar tubos, pinturas y balas de armas de fuego. INGLÉS lead.
2 Persona o cosa que es muy pesada y aburre a los demás. Es un uso informal. INGLÉS pain in the neck.
nombre masculino plural
3 plomos Mecanismo que conduce la corriente eléctrica y que deja de funcionar cuando pasa por él una corriente demasiado intensa. SINÓNIMO fusible. INGLÉS fuse.

pluma
nombre femenino
1 Cada una de las piezas que cubren el cuerpo de las aves; tienen una especie de varilla en el centro y pelos finos a los lados. INGLÉS feather.
2 Instrumento que sirve para escribir con tinta y es recargable. También se dice: 'pluma estilográfica'. INGLÉS fountain pen.

plumaje
nombre masculino
1 Conjunto de plumas que tiene un ave. Los pavos reales tienen en la cola un plumaje muy vistoso. INGLÉS plumage.

plumero
nombre masculino
1 Objeto que sirve para quitar el polvo de los muebles; el plumero está formado por un conjunto de plumas sujeto a un palo. INGLÉS feather duster.
verse el plumero Ser muy fácil de ver la intención de una persona. INGLÉS to see through someone.

plumier
nombre masculino
1 Caja o estuche donde se guardan los lápices, bolígrafos, gomas de borrar y sacapuntas. INGLÉS pencil case.
NOTA El plural es: plumieres.

plural
adjetivo y nombre masculino
1 Se dice del número de las palabras que expresa varias unidades, como 'perros' o 'relojes'. En español el plural se forma normalmente añadiendo una 's' o 'es' al singular. INGLÉS plural. CUADRO página siguiente.

pluralidad
nombre femenino
1 Se habla de pluralidad cuando algo es plural y hay más de una cosa, en especial para referirse a una cantidad o número grande de algo. Los nombres colectivos, aunque estén en singular, siempre se refieren a una pluralidad, por ejemplo, 'rebaño', 'coro' o 'vajilla'. INGLÉS plurality, diversity.

pluricelular
adjetivo
1 Se dice del organismo que está formado por más de una célula. Los ani-

a b c d e f g h i j k l m n ñ o p q r s t u v w x y z

LA FORMACIÓN DEL PLURAL EN LOS NOMBRES

Algunos nombres en español pueden tener un plural. Aquí tienes las reglas generales para formarlo.

Singular	Plural
plata, sed, sur	no tiene o se usa poco
no tiene o se usa poco	*víveres, añicos, cosquillas*
acaba en vocal *idea, libro, lío*	se añade *-s* *ideas, libros, líos*
acaba en *-í* o *-ú* *iglú, bisturí, bambú, rubí*	se añade *-s* o *-es* *iglúes o iglús, bisturís o bisturíes, bambús o bambúes, rubíes o rubís*
acaba en consonante *flor, verdad, intención, túnel, vez*	se añade *-es* *flores, verdades, intenciones, túneles, veces*
acaba en *-s* y lleva el acento en la última sílaba *interés, país, compás*	se añade *-es* *intereses, países, compases*
acaba en *-s* y no lleva el acento en la última sílaba *viernes, paréntesis, crisis*	no varía *viernes, paréntesis, crisis*

- Algunas palabras se usan en plural con significado singular, incluso aunque tengan singular: *tijera/tijeras, pantalón/pantalones, gafas, alicate/alicates*.
- Recuerda que los adjetivos y los determinantes concuerdan con el nombre en género y número. Las normas para la formación del plural de los adjetivos son iguales que para formar el plural de los nombres.
- En este diccionario, para buscar una palabra que tiene singular y plural tienes que buscar la forma masculina singular. Si el plural es irregular, lo encontrarás en la nota al final de la entrada.

males y las plantas son seres pluricelulares. INGLÉS multicellular.

pluriempleo
nombre masculino
1 Situación de la persona que tiene más de un trabajo. INGLÉS having more than one job.

pluscuamperfecto
adjetivo y nombre masculino
1 Se dice del tiempo verbal que expresa una acción acabada y anterior a otra ya pasada. En español se llama así a las formas 'había comido' y 'hubiera comido' o 'hubiese comido'. También se dice: pretérito pluscuamperfecto. INGLÉS pluperfect.

plusmarca
nombre femenino
1 La mejor marca conseguida en un deporte en un año o en toda la historia del deporte. SINÓNIMO récord. INGLÉS record.

pluviómetro
nombre masculino
1 Aparato que sirve para medir la cantidad de lluvia que cae en un lugar en un período determinado. INGLÉS rain gauge.

población
nombre femenino
1 Lugar con edificios, calles y otros espacios públicos, donde habita un conjunto de personas. Los pueblos y las ciudades son poblaciones. SINÓNIMO localidad. INGLÉS town, village.
2 Conjunto de personas que habitan en un país, una ciudad o cualquier otro lugar. INGLÉS population.
NOTA El plural es: poblaciones.

poblado
nombre masculino
1 Lugar con viviendas donde habita un conjunto pequeño de personas agrupadas. Se utiliza especialmente para referirse a lugares rurales. SINÓNIMO población. INGLÉS settlement, village.

poblar
verbo
1 Ocupar un lugar para quedarse a vivir en él; también se puede poblar un lugar con animales que no son propios de ese lugar. INGLÉS to settle [personas], to stock [con animales].
2 Habitar en un lugar. Los pigmeos pue-

blan la selva ecuatorial. INGLÉS to inhabit.

3 poblarse Llenarse un lugar o una cosa con gran cantidad de lo que se indica: *Se le ha poblado la cara de granos.* INGLÉS to fill.

NOTA Se conjuga como: contar; la 'o' se convierte en 'ue' en sílaba acentuada, como: pueblan.

pobre

adjetivo y nombre masculino y femenino

1 Se dice de la persona que no tiene lo necesario para vivir o que tiene muy poco. ANTÓNIMO rico. INGLÉS poor [adjetivo].

2 Que tiene muy poco dinero. ANTÓNIMO rico. INGLÉS poor [adjetivo].

adjetivo

3 Que es escaso o que tiene poco valor o calidad: *Los materiales de esta casa son pobres.* INGLÉS poor.

4 Que despierta compasión: *El pobre hombre perdió la cartera con todo su dinero.* Con este significado se utiliza delante del nombre. INGLÉS poor.

pobreza

nombre femenino

1 Gran escasez económica o falta de lo necesario para vivir. En algunos países del mundo hay mucha pobreza. SINÓNIMO miseria. INGLÉS poverty.

2 Escasez o falta de alguna cosa: *Le cuesta expresarse debido a la pobreza de su vocabulario.* INGLÉS poverty.

pocho, pocha

adjetivo

1 Se dice del alimento que está demasiado maduro y empieza a pudrirse. SINÓNIMO pasado. INGLÉS overripe.

2 Que está débil o se encuentra mal de salud: *No ha ido a trabajar porque está pocho.* Es un uso informal. SINÓNIMO pachucho. INGLÉS off-colour.

pocilga

nombre femenino

1 Lugar cubierto donde se mete a los cerdos. INGLÉS pigsty.

2 Lugar sucio y desordenado. INGLÉS pigsty.

pócima

nombre femenino

1 Bebida que se prepara cociendo hierbas y que sirve como medicina o tiene poderes especiales. En algunos cuentos, los magos preparan pócimas en grandes ollas para realizar encantamientos. INGLÉS potion.

2 Líquido de sabor y aspecto desagradables. INGLÉS concoction.

poción

nombre femenino

1 Bebida que tiene poderes mágicos o medicinales. En 'Alicia en el país de las maravillas' la protagonista se tomaba una poción mágica que la hacía disminuir de tamaño. INGLÉS potion.

NOTA El plural es: pociones.

poco, poca

determinante indefinido

1 Cantidad pequeña de personas o cosas. Si en un aula hay tres alumnos, hay muy pocos alumnos. INGLÉS little [singular], few [plural].

adverbio

2 poco Menos de lo normal o de lo necesario. Si una persona come poco, adelgazará. INGLÉS not much, little.

3 poco Indica un período de tiempo breve: *Hace poco que lo vi.* INGLÉS not long.

poco a poco Lentamente, sin prisa. Los niños aprenden a hablar poco a poco. INGLÉS gradually, little by little.

por poco Indica que algo ha estado a punto de ocurrir: *Cuando llegué a la estación el tren ya estaba allí, por poco lo pierdo.* INGLÉS almost, nearly.

un poco de Cantidad pequeña de algo: *¿Me das un poco de agua?* INGLÉS a little, some.

poda

nombre femenino

1 Trabajo de cortar algunas ramas de las plantas o los árboles para que crezcan con más fuerza. INGLÉS pruning.

podadera

nombre femenino

1 Herramienta que sirve para podar. INGLÉS pruning shears.

podar

verbo

1 Cortar o quitar ramas de las plantas o de los árboles para que crezcan con más fuerza. INGLÉS to prune.

poder

verbo

1 Tener la capacidad, la posibilidad o la fuerza suficiente para hacer algo. Los bebés no pueden comer solos. INGLÉS can [presente], could [pasado], to be able to.

2 Tener el permiso o la libertad de hacer algo. En los aviones no se puede fumar. INGLÉS can [presente], may [presente], could [pasado].

3 Ser posible que ocurra algo: *Puede que venga, puede que no.* INGLÉS perhaps, maybe.

4 Tener más fuerza que otra persona:

poder

INDICATIVO	SUBJUNTIVO
presente	**presente**
puedo	pueda
puedes	puedas
puede	pueda
podemos	podamos
podéis	podáis
pueden	puedan
pretérito imperfecto	**pretérito imperfecto**
podía	pudiera o pudiese
podías	pudieras o pudieses
podía	pudiera o pudiese
podíamos	pudiéramos o pudiésemos
podíais	pudierais o pudieseis
podían	pudieran o pudiesen
pretérito perfecto simple	**futuro**
pude	pudiere
pudiste	pudieres
pudo	pudiere
pudimos	pudiéremos
pudisteis	pudiereis
pudieron	pudieren

INDICATIVO	IMPERATIVO	
futuro		
podré	puede	(tú)
podrás	pueda	(usted)
podrá	podamos	(nosotros)
podremos	poded	(vosotros)
podréis	puedan	(ustedes)
podrán		

INDICATIVO	FORMAS NO PERSONALES	
condicional	**infinitivo**	**gerundio**
podría	poder	pudiendo
podrías	**participio**	
podría	podido	
podríamos		
podríais		
podrían		

Es el más fuerte; puede a todos los de su clase. INGLÉS to be stronger.

nombre masculino **5** Capacidad de hacer algo: *Tiene mucho poder de convicción.* INGLÉS power.

6 Autoridad para mandar o para influir sobre los demás. INGLÉS power.

a más no poder Indica que no es posible que algo sea o se haga con más intensidad: *Es lista a más no poder.*

poderoso, poderosa

adjetivo y nombre **1** Que tiene poder o influencia sobre los demás. INGLÉS powerful.

adjetivo **2** Que es muy bueno y produce los efectos deseados. Un medicamento poderoso cura rápidamente. INGLÉS powerful.

podio

nombre masculino **1** Construcción en forma de tres cubos de diferentes alturas que se pone sobre el suelo para que se suban los tres primeros clasificados en una competición deportiva. Las copas y las medallas olímpicas se reparten en el podio. INGLÉS podium.

podredumbre

nombre femenino **1** Descomposición de una materia por la acción de las bacterias: *En el puerto de la ciudad, la brisa marina trae olor a podredumbre.* INGLÉS putrefaction.

podrido, podrida

participio **1** Participio irregular de: pudrir. También se usa como adjetivo: *Se ha podrido la fruta. Tuve que tirar la comida podrida.*

podrir

verbo **1** Pudrir. INGLÉS to rot.

NOTA Solo se usan el infinitivo ('podrir') y el participio ('podrido').

poema

nombre masculino **1** Composición literaria escrita o recitada que está formada por versos y que tiene ritmo y, a menudo, rima. SINÓNIMO poesía. INGLÉS poem.

poesía

nombre femenino **1** Poema. INGLÉS poem.

2 Género literario al que pertenecen las obras escritas en verso. INGLÉS poetry.

poeta, poetisa

nombre **1** Persona que escribe poesía. INGLÉS poet.

NOTA También se utiliza 'poeta' para el femenino.

poética

nombre femenino **1** Conjunto de normas y principios para expresar la belleza, el sentimiento o las ideas por medio de palabras habladas o escritas que tienen ritmo y armonía. INGLÉS poetics.

poético, poética

adjetivo **1** Que tiene relación con la poesía. Un escritor puede ser autor de obra poética y dramática. INGLÉS poetic.

2 Que expresa la belleza o los sentimientos como lo hace la poesía. INGLÉS poetic.

poetisa

nombre femenino **1** Poeta. INGLÉS poetess.

NOTA El masculino es: poeta.

póker

nombre masculino **1** Juego de cartas que consiste en combinar de diversas formas cinco cartas, del mismo color o del mismo valor; gana la partida el jugador que obtiene la combinación de más valor. INGLÉS poker.

NOTA También se escribe: póquer.

polaco, polaca
adjetivo y nombre **1** Se dice de la persona o cosa que es de Polonia, país del norte de Europa. INGLÉS Polish [adjetivo], Pole [nombre].
nombre masculino **2** Lengua hablada en Polonia. El polaco es una lengua eslava, como el ruso. INGLÉS Polish.

polar
adjetivo **1** De los polos de la Tierra o que tiene relación con ellos. El clima polar es muy frío. INGLÉS polar.

polea
nombre femenino **1** Rueda que tiene una cuerda que se enrolla para poder levantar algo con poco esfuerzo. INGLÉS pulley.

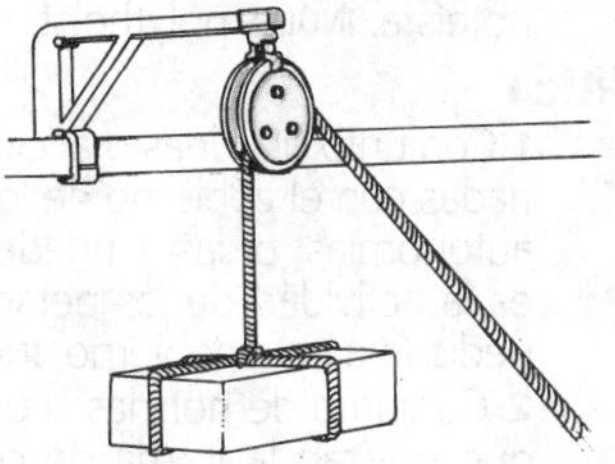

polea

polémica
nombre femenino **1** Discusión larga y bastante fuerte entre dos o más personas sobre algún tema en el que no están de acuerdo. INGLÉS controversy.

polémico, polémica
adjetivo **1** Que provoca discusión o enfrentamiento entre dos o más personas o en toda la sociedad. La legalización del aborto es un tema muy polémico, porque hay muchas personas que están a favor y otras muchas que están en contra. INGLÉS controversial.

polemizar
verbo **1** Tener una polémica o una discusión. INGLÉS to debate.
NOTA La 'z' se convierte en 'c' delante de 'e', como: polemicen.

polen
nombre masculino **1** Conjunto de granos muy pequeños que salen del estambre de la flor. El polen contiene las células masculinas necesarias para la reproducción de las plantas con flor. INGLÉS pollen.
NOTA El plural es: pólenes.

poleo
nombre masculino **1** Planta de hojas verdes aromáticas y flores de color morado, que se usa para preparar infusiones. También es poleo la infusión que se prepara hirviendo en agua las hojas de esta planta. SINÓNIMO menta. INGLÉS pennyroyal [planta], mint tea [bebida].

poli
nombre masculino y femenino **1** Policía. INGLÉS cop.
NOTA Es una palabra informal.

policía
nombre femenino **1** Conjunto de personas encargadas de vigilar el orden público y la seguridad de los ciudadanos, defender las leyes de un estado y perseguir a los delincuentes. INGLÉS police.
nombre masculino y femenino **2** Persona que pertenece a la policía. INGLÉS police officer, policeman [hombre], policewoman [mujer].

policiaco, policiaca
adjetivo **1** Es otra forma de escribir y pronunciar: policíaco.

policíaco, policíaca
adjetivo **1** De la policía o que tiene relación con ella. Las novelas policíacas tienen mucha intriga y acción. También se escribe y se pronuncia: policiaco. SINÓNIMO policial. INGLÉS detective.

policial
adjetivo **1** Policíaco. Las investigaciones policiales se realizan en secreto. INGLÉS police.

policlínica
nombre femenino **1** Clínica donde hay médicos de distintas especialidades. INGLÉS general hospital.

polideportivo
nombre masculino **1** Instalación pública en la que se practican varios deportes. INGLÉS sports centre.

poliedro
nombre masculino **1** Cuerpo geométrico formado por varias caras planas o polígonos. Los prismas y las pirámides son poliedros. INGLÉS polyhedron.

poliéster
nombre masculino **1** Material sintético que se obtiene por procesos químicos y es muy resistente a la humedad. INGLÉS polyester.

polietileno
nombre masculino **1** Material sintético que se obtiene por procesos químicos. Los tetrabrik están

hechos de cartón, polietileno y aluminio. INGLÉS polythene.

polifacético, polifacética
adjetivo
1 Se dice de la persona que es capaz de hacer muchas actividades distintas. INGLÉS versatile.

políglota
nombre masculino y femenino
1 Persona que habla varias lenguas: *Es políglota, habla español, inglés, francés, italiano y ruso.* INGLÉS polyglot.

polígono
nombre masculino
1 Figura geométrica que tiene varios lados. Un pentágono es un polígono de cinco lados. INGLÉS polygon.
polígono industrial Conjunto de fábricas y edificios comerciales situados en un lugar. INGLÉS industrial estate.

polilla
nombre femenino
1 Insecto nocturno de color marrón, con las alas estrechas y las antenas casi verticales. Las larvas de estos insectos son perjudiciales porque se comen los tejidos y la madera. INGLÉS moth.

polinizar
verbo
1 Transportar el polen de los estambres al lugar adecuado de la planta para que germine o produzca semillas. En algunas ocasiones, los insectos son los que polinizan una planta para se produzca la fecundación. INGLÉS to pollinate.
NOTA La 'z' se convierte en 'c' delante de 'e', como: polinicen.

polio
nombre femenino
1 Es la forma abreviada de: poliomielitis. INGLÉS polio.

poliomielitis
nombre femenino
1 Enfermedad infecciosa muy grave, producida por un virus que daña la médula espinal y hace que la persona afectada quede paralítica. INGLÉS poliomyelitis.
NOTA También se dice: polio. El plural es: poliomielitis.

pólipo
nombre masculino
1 Animal marino con el cuerpo en forma de tubo que está cerrado por un extremo, por el que se sujeta al fondo del mar o a las rocas, y tiene una abertura rodeada de tentáculos por el otro. INGLÉS polyp.

polisemia
nombre femenino
1 Característica de las palabras que tienen más de un significado. INGLÉS polysemy.

polisémico, polisémica
adjetivo
1 Se dice de la palabra que tiene más de un significado. 'Banco' es una palabra polisémica porque significa tanto un tipo de asiento como un establecimiento. INGLÉS polysemous.

polisílabo, polisílaba
adjetivo
1 Se dice de la palabra que tiene cuatro o más sílabas, como 'carretera' y 'diccionario'. INGLÉS polysyllabic.

politeísta
nombre masculino y femenino
1 Persona que cree en la existencia de varios dioses: *Los antiguos griegos y romanos eran politeístas.* ANTÓNIMO monoteísta. INGLÉS polytheist.

política
nombre femenino
1 Conjunto de ideas o acciones relacionadas con el gobierno de los países, las autonomías o las ciudades. También es la actividad de las personas que se dedican a este gobierno. INGLÉS politics.
2 Conjunto de normas u orientaciones que marcan la forma de comportarse. INGLÉS policy.

político, política
adjetivo
1 Que tiene relación con la política. INGLÉS political.
nombre
2 Persona que se dedica a la política. INGLÉS politician.
adjetivo
3 Se dice de la persona que es pariente de otra porque ha habido un matrimonio en la familia, pero no tienen antepasados comunes. El suegro de una persona también se llama padre político. INGLÉS -in-law.

póliza
nombre femenino
1 Documento con que se hacen ciertos contratos y operaciones comerciales. Es obligatorio que todos los vehículos tengan contratada una póliza de seguros. INGLÉS policy.

polizón
nombre masculino y femenino
1 Persona que se sube a un barco o a un avión de forma ilegal, a escondidas y sin billete. INGLÉS stowaway.
NOTA El plural es: polizones.

polla
nombre femenino
1 Órgano sexual masculino. SINÓNIMO pene. INGLÉS prick, cock.
NOTA Es una palabra vulgar.

pollería
nombre femenino
1 Tienda en la que se venden huevos y aves comestibles. INGLÉS poultry shop.

pollino, pollina
nombre
1 Animal mamífero doméstico parecido al caballo, pero más pequeño y con las orejas más largas. Se utiliza como animal de carga. SINÓNIMO asno; burro. INGLÉS donkey.

pollo
nombre masculino
1 Cría de la gallina. INGLÉS chicken.
2 Persona de poca edad. Es un uso informal. INGLÉS young lad.
NOTA No lo confundas con 'poyo', que es un banco de piedra.

polluelo, polluela
nombre
1 Cría de un ave, especialmente de la gallina. INGLÉS chick.

polo
nombre masculino
1 Cada una de las dos zonas que se encuentran en los extremos de la Tierra: el polo norte y el polo sur. INGLÉS pole.
2 Helado alargado que se chupa cogiéndolo por un palo. INGLÉS ice lolly.
3 Prenda de vestir de algodón u otro tejido ligero, de manga corta y con botones desde el cuello hasta la mitad del pecho. INGLÉS polo shirt.
4 Cada uno de los dos extremos opuestos de un cuerpo en los que se acumula una mayor cantidad de energía, como el polo positivo y el negativo de una pila. INGLÉS pole.
5 Deporte de equipo que se practica a caballo y que consiste en meter una pelota de madera en la portería contraria golpeándola con un palo largo. INGLÉS polo.

polución
nombre femenino
1 Suciedad que hay en el aire o en el medio ambiente. En las ciudades hay más polución que en los pueblos. SINÓNIMO contaminación. INGLÉS pollution.
NOTA El plural es: poluciones.

polvareda
nombre femenino
1 Cantidad de polvo que se levanta de la tierra. INGLÉS cloud of dust.
2 Efecto que produce una acción o un dicho en la gente: *Su cese provocó una polvareda de protestas.* INGLÉS wave.

polvo
nombre masculino
1 Conjunto de partículas de tierra seca u otras sustancias que flotan en el aire y caen sobre los objetos. INGLÉS dust.
2 Conjunto de partículas o granos muy pequeños que resultan de moler una sustancia sólida. INGLÉS powder.
nombre masculino plural
3 polvos Producto de belleza que se usa para dar color a la cara. INGLÉS powder.
estar hecho polvo Estar muy cansado o tener pocos ánimos. INGLÉS to be shattered.
hacer polvo Causar mucho daño o destrozar a alguien o algo. INGLÉS to shatter.

pólvora
nombre femenino
1 Sustancia explosiva en polvo, hecha con azufre, carbón y otras sustancias. INGLÉS gunpowder.

polvoriento, polvorienta
adjetivo
1 Que está cubierto de polvo. INGLÉS dusty.

polvorín
nombre masculino
1 Lugar donde se guarda la pólvora y otros explosivos. INGLÉS gunpowder magazine.
NOTA El plural es: polvorines.

polvorón
nombre masculino
1 Dulce pequeño hecho con harina, azúcar y manteca de cerdo que se deshace en polvo cuando se come. Es típico de la Navidad. INGLÉS shortcake.
NOTA El plural es: polvorones.

pomada
nombre femenino
1 Medicamento en forma de crema, hecho con grasas y otras sustancias, que se extiende sobre la piel. INGLÉS cream.

pomelo
nombre masculino
1 Fruta redonda de cáscara gruesa y amarilla, y carne de sabor ácido de la que se extrae zumo. También es pomelo el árbol que da esta fruta. INGLÉS grapefruit [fruta], grapefruit tree [árbol].

pomo
nombre masculino
1 Tirador redondo que se pone en las puertas y en los muebles para abrirlos. INGLÉS knob.

pompa
nombre femenino
1 Ahuecamiento que se forma en una superficie donde entra el aire; en especial, burbujas que se forman en el agua: *Los niños hacen pompas de jabón.* INGLÉS bubble.
2 Conjunto de medios que dan a una

ceremonia un aire solemne, espectacular o lujoso. INGLÉS pomp.

pompas fúnebres Actos y ceremonias que se organizan cuando muere una persona, como el entierro. INGLÉS funeral.

pompi

nombre masculino

1 Culo de una persona. También se dice: pompis. INGLÉS bum, bottom.

NOTA Es una palabra familiar.

pompón

nombre masculino

1 Bola de lana que adorna algunas prendas, normalmente de niños, como gorros, bufandas o patucos. INGLÉS pompom.

NOTA El plural es: pompones.

pomposo, pomposa

adjetivo

1 Que llama la atención por ser muy solemne, muy espectacular o muy lujoso: *El ministro asistió a la ceremonia vestido con un pomposo uniforme.* INGLÉS pompous.

2 Se dice del lenguaje o el estilo que está adornado en exceso con palabras demasiado formales, cultas y rebuscadas. INGLÉS pompous.

pómulo

nombre masculino

1 Cada una de las dos partes que sobresalen de la cara y que están debajo de los ojos y a cada lado de la nariz. INGLÉS cheekbone [hueso], cheek [mejilla].

ponche

nombre masculino

1 Bebida alcohólica que se prepara mezclando ron u otro licor con agua, limón, azúcar y, a veces, alguna especia o té. INGLÉS punch.

poncho

nombre masculino

1 Prenda de vestir parecida a una manta con una abertura en el centro por donde se pasa la cabeza. INGLÉS poncho.

ponderar

verbo

1 Considerar o examinar un asunto de manera objetiva o imparcial. Al plantearse un asunto es necesario ponderar todos los factores y circunstancias que influyen en él. INGLÉS to weigh up.

2 Alabar de forma exagerada las cualidades de una persona o cosa. INGLÉS to praise.

poner

verbo

1 Hacer que una cosa o una persona esté en un lugar: *Puso el sofá junto a la pared.* INGLÉS to put, to place.

2 Hacer que una persona o una cosa estén de una manera determinada. Ponemos cara de enfado o nos ponemos nerviosos. INGLÉS to put on.

3 Preparar algo para un fin determinado, como poner la mesa. INGLÉS to prepare, [si es la mesa: to lay].

4 Hacer que algo pase a formar parte de otra cosa: *Ponle más azúcar al café.* INGLÉS to put.

5 Dar algo, en especial dinero, para que se haga algo: *Pusimos seis euros cada uno para el regalo.* INGLÉS to put in.

6 Conectar un aparato para que funcione. Ponemos la lavadora, la televisión o el horno. INGLÉS to put on.

7 Hacer uso de unos conocimientos, una habilidad o una cualidad para conseguir algo. Poned cuidado al hacer el dibujo.

poner

INDICATIVO	SUBJUNTIVO
presente	**presente**
pongo	ponga
pones	pongas
pone	ponga
ponemos	pongamos
ponéis	pongáis
ponen	pongan
pretérito imperfecto	**pretérito imperfecto**
ponía	pusiera o pusiese
ponías	pusieras o pusieses
ponía	pusiera o pusiese
poníamos	pusiéramos o pusiésemos
poníais	pusierais o pusieseis
ponían	pusieran o pusiesen
pretérito perfecto simple	**futuro**
puse	pusiere
pusiste	pusieres
puso	pusiere
pusimos	pusiéremos
pusisteis	pusiereis
pusieron	pusieren

INDICATIVO	IMPERATIVO	
futuro		
pondré	pon	(tú)
pondrás	ponga	(usted)
pondrá	pongamos	(nosotros)
pondremos	poned	(vosotros)
pondréis	pongan	(ustedes)
pondrán		

INDICATIVO	FORMAS NO PERSONALES	
condicional	**infinitivo**	**gerundio**
pondría	poner	poniendo
pondrías	**participio**	
pondría	puesto	
pondríamos		
pondríais		
pondrían		

8 Cubrir con ropa a una persona: *Ponle el abrigo al niño.* INGLÉS to put on.
9 Decir o expresar algo. En los carteles de las autopistas suele poner el nombre de las ciudades. INGLÉS to put, to say.
10 Escribir algo: *Tengo que poner la dirección en el sobre.* INGLÉS to put.
11 Representar una obra de teatro o proyectar una película. INGLÉS to put on [una obra], to show [una película].
12 Imaginar que algo pueda ser de un modo determinado para analizarlo: *Pongamos que llega a las doce, ¿qué pasaría?* INGLÉS to suppose.
13 Dar un nombre o un apodo a una persona o un animal: *Le han puesto 'Chula' a la perra.* INGLÉS to call.
14 Soltar un huevo las aves. Las gallinas ponen huevos. INGLÉS to lay.
15 **ponerse** Ocultarse el Sol en el horizonte. INGLÉS to set.
ponerse a Empezar a hacer lo que se indica: *Después de cenar se puso a fregar.* INGLÉS to start.

poni
nombre masculino
1 Caballo que pertenece a una raza de poca altura y pelo largo. INGLÉS pony.
NOTA También se escribe: pony.

poniente
nombre masculino
1 Punto del horizonte por donde se pone el Sol. SINÓNIMO occidente, oeste. INGLÉS west.
2 Viento que sopla desde la parte oeste. INGLÉS west wind.

pontevedrés, pontevedresa
adjetivo y nombre
1 Se dice de la persona o cosa que es de Pontevedra, ciudad y provincia de Galicia.
NOTA El plural de pontevedrés es: pontevedreses.

pontífice
nombre masculino
1 Sacerdote que ocupa un alto puesto en la Iglesia católica, como obispo o arzobispo. Al Papa también se le llama Sumo Pontífice. INGLÉS pontiff.

pop
adjetivo y nombre masculino
1 Se dice del tipo de música moderna derivada del rock, pero más suave. INGLÉS pop.

popa
nombre femenino
1 Parte de atrás de una embarcación. INGLÉS stern.

popular
adjetivo
1 Del pueblo o que tiene relación con el pueblo. Las fiestas mayores son celebraciones populares. INGLÉS popular.
2 Que es propio de las clases sociales que tienen menos dinero y menos educación o está dirigido a ellas. En los barrios populares las casas no suelen ser lujosas. INGLÉS working-class.
3 Que es muy conocido y querido por la gente o que tiene mucha aceptación. SINÓNIMO famoso. INGLÉS popular.

popularidad
nombre femenino
1 Aceptación que tiene una cosa o una persona entre la gente. INGLÉS popularity.

popularizar
verbo
1 Hacer que una persona o cosa adquiera fama o popularidad entre la gente: *El gobierno quiere popularizar la venta de coches poco contaminantes.* INGLÉS to popularize.
NOTA La 'z' se convierte en 'c' delante de 'e', como: popularicen.

póquer
nombre masculino
1 Juego de cartas que consiste en combinar de diversas formas cinco cartas, del mismo color o del mismo valor; gana la partida el jugador que obtiene la combinación de más valor. INGLÉS poker.
NOTA También se escribe: póker.

por
preposición
1 Indica la causa o el motivo por el que sucede o se hace una cosa: *Gracias por ayudarme.* INGLÉS for.
2 Indica intercambio. Cambiamos una cosa por otra; también se utiliza para indicar precio, porque se cambia algo por dinero: *Lo he comprado por muy poco dinero.* INGLÉS for.
3 Indica el medio a través del cual se realiza algo: *Ayer recibí mi primer CD por correo.* INGLÉS by.
4 Indica el lugar por donde se pasa: *Pasé por tu casa, pero no había nadie.* INGLÉS by.
5 Indica un lugar de manera aproximada: *¿Hay alguna farmacia por aquí cerca?*
6 Indica una parte concreta de un objeto o de una persona: *Sujeta la cacerola por el asa.* INGLÉS by.
7 Indica el tiempo aproximado en que

se realizará una acción: *Volverá a casa por Navidad.* INGLÉS at.

8 Se utiliza en las multiplicaciones: *Dos por dos son cuatro.* INGLÉS times.

9 Introduce el complemento agente de una oración pasiva. El complemento agente es la persona que realiza la acción: *La carrera de relevos fue anulada por los jueces.* INGLÉS by.

10 Indica que una acción todavía no está hecha, pero se supone que se hará pronto: *¡Las doce y las camas por hacer!*

¿por qué? Se utiliza para preguntar la causa o el motivo de una cosa: *¿Por qué las aves vuelan hacia el sur en otoño?* INGLÉS why?

por si Indica que existe la posibilidad de que suceda lo que se dice a continuación y se propone algo teniendo eso en cuenta: *Te lo digo por si quieres venir con nosotros.* INGLÉS in case.

porcelana

nombre femenino

1 Material muy fino que se obtiene a partir de cierto tipo de barro que se cuece y barniza, y se usa para hacer objetos de adorno, principalmente platos, figuras y juegos de café. INGLÉS china, porcelain.

2 Objeto hecho con este material. INGLÉS piece of china, piece of porcelain.

porcentaje

nombre masculino

1 Cantidad que representa una parte de un total de cien. El porcentaje de niñas en un colegio es del 60 por 100 cuando hay 60 niñas por cada 100 alumnos. INGLÉS percentage.

porche

nombre masculino

1 Espacio cubierto con un techo, sostenido por columnas o arcos, que hay a la entrada de algunos edificios. INGLÉS verandah.

porcino, porcina

adjetivo

1 Que tiene relación con el cerdo. INGLÉS pig.

porción

nombre femenino

1 Cada uno de los trozos pequeños en que se divide una cosa más grande. INGLÉS portion, part.

NOTA El plural es: porciones.

pordiosero, pordiosera

nombre

1 Persona que pide limosna porque no tiene las cosas necesarias para vivir. SINÓNIMO mendigo. INGLÉS beggar.

pormenor

nombre masculino

1 Circunstancia poco importante que afecta a un asunto sin cambiarlo: *Nos encontramos y me contó todos los pormenores de la boda.* INGLÉS detail.

NOTA Se utiliza más en plural.

pornografía

nombre femenino

1 Característica de los libros, películas o cuadros que presentan actos sexuales con mucho realismo. INGLÉS pornography.

poro

nombre masculino

1 Agujero muy pequeño, que normalmente no se ve a simple vista, que hay en la piel de los seres vivos y de las plantas. A las personas nos sale el sudor por los poros. INGLÉS pore.

poroso, porosa

adjetivo

1 Se dice del material que tiene poros: *Los botijos están hechos con arcilla porosa.* INGLÉS porous.

porque

conjunción

1 Indica que lo que se dice a continuación es la causa de lo que se ha dicho antes. Se utiliza mucho para contestar preguntas: *No pudimos ir al campo porque llovía.* INGLÉS because.

NOTA Se escribe junto y sin acento cuando introduce una explicación; no lo confundas con 'por qué', que sirve para hacer preguntas y se escribe separado y con acento.

porqué

nombre masculino

1 Cosa que hace que una persona realice determinada acción o que una cosa sea de cierta manera. SINÓNIMO causa; razón. INGLÉS cause, reason.

porquería

nombre femenino

1 Suciedad o basura que hay en un sitio. SINÓNIMO mierda. INGLÉS dirt, rubbish.

2 Cosa que está sucia y mancha: *No cojas porquerías del suelo.* INGLÉS rubbish.

3 Cosa que funciona mal o es de mala calidad: *Este bolígrafo es una porquería, no escribe.* Es un uso informal. SINÓNIMO basura; birria. INGLÉS rubbish.

porra

nombre femenino

1 Palo de forma cilíndrica que tiene un extremo más grueso y redondeado que otro. INGLÉS club.

2 Objeto en forma de cilindro largo que utiliza la policía como arma para dar golpes. INGLÉS truncheon.
3 Churro largo y grueso. INGLÉS fritter.
mandar a la porra Rechazar a una persona o una cosa con enfado. INGLÉS to send packing.
¡una porra! Indica negación o rechazo a hacer algo. INGLÉS get lost!

porrazo
nombre masculino
1 Golpe fuerte que se produce por accidente. SINÓNIMO castaña; castañazo. INGLÉS bump, bang.
2 Golpe que se da con una porra o con otro objeto. INGLÉS blow.

porrillo
a porrillo En abundancia o en gran cantidad: *Dicen que es tan rico que tiene dinero a porrillo.* INGLÉS galore.
NOTA Es una expresión informal.

porro
nombre masculino
1 Cigarro hecho a mano que contiene tabaco mezclado con marihuana o alguna otra droga. Fumar porros es perjudicial para la salud. INGLÉS joint, spliff.

porrón
nombre masculino
1 Recipiente de cristal de base ancha, cuello estrecho y boca larga en forma de cono que sirve para beber el vino a chorro.
NOTA El plural es: porrones.

portaaviones
nombre masculino
1 Barco de guerra de gran tamaño que tiene una cubierta plana que sirve de pista de despegue y aterrizaje de aviones de combate. INGLÉS aircraft carrier.
NOTA El plural es: portaaviones.

portada
nombre femenino
1 Primera página de periódicos y revistas. INGLÉS front page.
2 Página de un libro donde aparecen el nombre del autor, el título del libro y la editorial. INGLÉS title page.
3 Fachada principal de algunos edificios importantes. INGLÉS front.

portador, portadora
adjetivo y nombre
1 Se dice de la persona que lleva o trae algo. En los desfiles militares hay soldados portadores de banderas. INGLÉS bearing [adjetivo], bearer [nombre].
nombre
2 Persona que puede contagiar una enfermedad aunque ella no la tenga. Los portadores del sida tienen el virus del sida en su cuerpo aunque no tengan la enfermedad. INGLÉS carrying [adjetivo], carrier [nombre].
al portador Indica que un documento lo puede utilizar o aprovechar la persona que lo tiene en su poder, en especial un cheque. INGLÉS to the bearer.

portaequipajes
nombre masculino
1 Espacio cerrado que suelen tener los automóviles y que se utiliza para llevar maletas, paquetes y otros bultos. SINÓNIMO maletero. INGLÉS boot [en el Reino Unido], trunk [en Estados Unidos].
2 Estructura o armazón que se coloca sobre el techo de un coche y que sirve para llevar encima maletas o bultos. SINÓNIMO baca. INGLÉS roof rack.
NOTA El plural es: portaequipajes.

portafolio
nombre masculino
1 Maletín plano o carpeta que se usa para guardar y llevar papeles. INGLÉS briefcase [maletín], file [carpeta].
NOTA También se usa el plural para indicar solo una unidad.

portal
nombre masculino
1 Parte de una casa o edificio por donde se entra y donde está la puerta principal. INGLÉS entrance.

portalámparas
nombre masculino
1 Pieza de metal en la que se enrosca una bombilla para conectarla a la electricidad. INGLÉS bulbholder.
NOTA El plural es: portalámparas.

portalápiz
nombre masculino
1 Tubo, estuche o bote para guardar lápices y otros objetos de escritura. INGLÉS pencil case.
NOTA El plural es: portalápices.

portaminas
nombre masculino
1 Instrumento que se utiliza como lápiz. Está formado por un tubo de plástico o de metal que contiene en su interior varias minas de recambio. INGLÉS propelling pencil.
NOTA El plural es: portaminas.

portátil
adjetivo
1 Que puede moverse o transportarse fácilmente, como un ordenador portátil. INGLÉS portable.

portavoz
nombre masculino y femenino
1 Persona elegida para representar a un grupo y hablar en su nombre. INGLÉS

spokesperson, spokesman [hombre], spokeswoman [mujer].
NOTA El plural es: portavoces.

portazo
nombre masculino
1 Golpe que se produce cuando una puerta o una ventana se cierra con fuerza. INGLÉS bang.
2 Golpe fuerte que una persona da al cerrar una puerta cuando sale de un sitio, para mostrar enfado o disgusto con otras personas. INGLÉS slam.

portento
nombre masculino
1 Persona que es muy buena en alguna actividad. INGLÉS genius.
2 Cosa o acción que produce admiración o sorpresa: *Contemplaban los portentos de la naturaleza tropical.* INGLÉS wonder.

portería
nombre femenino
1 Parte de un edificio por la que se accede al ascensor o las escaleras, y en la que suele estar el portero. INGLÉS porter's lodge.
2 En fútbol y otros deportes, marco rectangular formado por dos postes verticales y uno horizontal, con una red al fondo, por el que debe entrar la pelota para conseguir un gol. INGLÉS goal.

portero, portera
nombre
1 Persona que se dedica a vigilar y cuidar la entrada de un edificio. INGLÉS porter.
2 En algunos deportes, jugador que defiende la portería. INGLÉS goalkeeper.
portero automático Aparato que sirve para abrir la puerta de un edificio desde el interior de cada vivienda. INGLÉS entryphone.

pórtico
nombre masculino
1 Espacio exterior cubierto, sostenido con columnas o pilares, que hay a la entrada de algunos edificios. INGLÉS portico.

portón
nombre masculino
1 Puerta de entrada de una finca o una casa grande: *El portón de la entrada chirrió al ser empujado por Javier.* INGLÉS large door.
2 Puerta trasera de los coches y furgonetas que permite cargar el equipaje o entrar en el coche por detrás. INGLÉS tail door.
NOTA El plural es: portones.

portugués, portuguesa
adjetivo y nombre
1 Se dice de la persona o cosa que es de Portugal, país europeo al oeste de España. INGLÉS Portuguese.
nombre masculino
2 Lengua hablada en Portugal, Brasil, Angola y otros países. El portugués tiene su origen en el latín, como el español. INGLÉS Portuguese.
NOTA El plural de portugués es: portugueses.

porvenir
nombre masculino
1 Tiempo que todavía no ha llegado. También se llama porvenir a los hechos que ocurrirán en ese tiempo. SINÓNIMO mañana; futuro. INGLÉS future.

posada
nombre femenino
1 Establecimiento o casa particular con habitaciones situada en un camino donde se hospedan viajeros a cambio de dinero. INGLÉS inn.

posar
verbo
1 Estar una persona en una o unas posturas determinadas durante un tiempo para que un artista la fotografíe, la pinte o haga una escultura. INGLÉS to pose.
2 Poner suavemente una cosa sobre otra: *Posó su mano sobre el hombro de su amigo.* INGLÉS to rest.
3 posarse Detenerse suavemente en un lugar los aviones, pájaros o insectos después del vuelo. INGLÉS to land.
4 posarse Quedar alguna materia sólida en el fondo de un recipiente con líquido. INGLÉS to settle.

posavasos
nombre masculino
1 Objeto plano que se coloca debajo de los vasos cuando se sirven en una mesa, para evitar que esta se raye o se ensucie. INGLÉS coaster.
NOTA El plural es: posavasos.

posdata
nombre femenino
1 Texto breve que se añade al final de una carta después de terminada y firmada. INGLÉS postscript.

pose
nombre femenino
1 Postura o posición en la que se coloca una persona que va a ser fotografiada o pintada por otra. INGLÉS pose.

poseedor, poseedora
adjetivo y nombre
1 Que tiene o posee algo: *Es poseedor de una gran fortuna.* INGLÉS owner [nombre].

a b c d e f g h i j k l m n ñ o p q r s t u v w x y z

poseer
verbo
1 Ser dueño o propietario de algo. INGLÉS to own, to possess.
2 Tener o contar con una cosa que no se ha comprado: *El cantante posee una voz privilegiada.* INGLÉS to have.
NOTA Se conjuga como: leer.

posesión
nombre femenino
1 Acto que consiste en poseer o tener algo propio. INGLÉS possession.
2 Aquello que se posee: *Tiene muchas posesiones.* INGLÉS possession.
NOTA El plural es: posesiones.

posesivo, posesiva
adjetivo
1 Se dice de la persona que trata de proteger y dominar demasiado a los demás. INGLÉS possessive.
adjetivo y nombre masculino
2 Se dice del adjetivo o el pronombre que indica posesión o pertenencia, como 'mi', 'tu', 'su', 'mío', 'tuyo', 'suyo', 'nuestro' o 'vuestro'. INGLÉS possessive.

poseso, posesa
adjetivo y nombre
1 Se dice de la persona que está poseída por un espíritu, en especial por un espíritu maligno. INGLÉS possessed [adjetivo].

posguerra
nombre femenino
1 Período de tiempo que viene después de la terminación de una guerra. INGLÉS postwar period.

posibilidad
nombre femenino
1 Hecho o circunstancia de ser posible una cosa, de poder existir o suceder o de poderse hacer o lograr. Hay posibilidades de que haya vida en otros planetas. INGLÉS possibility, chance.
2 Capacidad que tiene una persona de hacer o no hacer una cosa. Decimos que una persona tiene varias posibilidades cuando puede escoger entre varias cosas. INGLÉS possibility.
nombre femenino plural
3 posibilidades Medios de los que dispone una persona para poder hacer una cosa, especialmente los económicos. INGLÉS means.

posibilitar
verbo
1 Hacer posible una cosa: *El agua posibilita el crecimiento de las plantas.* INGLÉS to make possible.

posible
adjetivo
1 Que puede existir o suceder, o que se puede hacer o lograr. INGLÉS possible.
nombre masculino plural
2 posibles Medios de los que dispone una persona para poder hacer una cosa, en especial medios económicos. INGLÉS means.

posición
nombre femenino
1 Lugar que ocupa una cosa o una persona en un espacio, una serie o un conjunto. El vencedor de una carrera llega en primera posición a la meta. INGLÉS position, place.
2 Manera de estar o colocarse una cosa o una persona: *Cambia mucho de posición cuando duerme.* SINÓNIMO postura. INGLÉS position.
3 Manera de pensar sobre algo. En una negociación las dos partes cambian algo sus posiciones para poder llegar a un acuerdo. INGLÉS position.
4 Situación económica o social de una persona. Una persona tiene una posición acomodada si tiene bastante dinero para vivir bien. INGLÉS situation.
NOTA El plural es: posiciones.

positivo, positiva
adjetivo
1 Que es bueno o que va bien para una persona o una cosa. La amistad es muy positiva porque nos ayuda a comprender mejor a las personas. ANTÓNIMO negativo. INGLÉS positive.
2 Se dice de la prueba o análisis que indica la existencia de una cosa, en especial de una enfermedad o un embarazo. ANTÓNIMO negativo. INGLÉS positive.
3 Que ve siempre el lado bueno de las cosas y las situaciones, y que no se desanima con facilidad. SINÓNIMO optimista. ANTÓNIMO negativo. INGLÉS positive.
4 En matemáticas, se dice del número que es mayor que 0. INGLÉS positive.

poso
nombre masculino
1 Resto de una sustancia que queda en el fondo de un recipiente, como el poso del café. INGLÉS dregs.

posponer
verbo
1 Dejar de hacer una cosa para hacerla otro día. SINÓNIMO aplazar. ANTÓNIMO adelantar; anticipar. INGLÉS to postpone, to put off.
NOTA Se conjuga como: poner. El participio es: pospuesto.

pospuesto, pospuesta
participio
1 Participio irregular de: posponer. También se usa como adjetivo: *El jefe ha pospuesto la reunión que teníamos esta mañana. El adjetivo puede apare-*

a b c d e f g h i j k l m n ñ o **p** q r s t u v w x y z

cer antepuesto al nombre o pospuesto a él.

postal
nombre femenino **1** Tarjeta ilustrada con una fotografía que se envía a alguien por correo sin necesidad de sobre. **INGLÉS** postcard.
adjetivo **2** Que está relacionado con el servicio de correos. **INGLÉS** postal.

poste
nombre masculino **1** Objeto más largo que ancho que se coloca apoyado en el suelo en vertical y que sirve como apoyo o como señal. **INGLÉS** post.

póster
nombre masculino **1** Dibujo, fotografía o reproducción de un cuadro que se cuelga o se clava en las paredes con fines decorativos. **INGLÉS** poster.
NOTA El plural puede ser: pósteres o pósters.

posteridad
nombre femenino **1** Tiempo futuro: *Picasso pasó a la posteridad como uno de los mejores pintores de la historia.* **INGLÉS** posterity.

posterior
adjetivo **1** Que ocurre, existe o se hace después que otra cosa. El miércoles es el día posterior al martes. **ANTÓNIMO** anterior. **INGLÉS** later.
2 Que está detrás de otra cosa o en la parte trasera de una cosa. Los coches tienen el maletero en la parte posterior. **ANTÓNIMO** anterior. **INGLÉS** back, rear.

postizo, postiza
adjetivo **1** Que se pone en lugar de una cosa natural y propia cuando no se tiene o se ha perdido, como una dentadura o unas pestañas. **INGLÉS** false.
nombre masculino **2** Pelo añadido que sirve para disimular la falta de pelo o para aumentar el volumen de un peinado. **INGLÉS** hairpiece.

postor, postora
nombre **1** Persona que ofrece una cantidad de dinero por un objeto en una subasta. **INGLÉS** bidder.

postrarse
verbo **1** Ponerse de rodillas ante una persona en señal de respeto, ruego, adoración o humildad. **INGLÉS** to prostrate oneself.

postre
nombre masculino **1** Alimento que se toma al final de una comida, como la fruta o el yogur. **INGLÉS** dessert, sweet.

postular
verbo **1** Defender una idea que interesa a mucha gente. Los médicos postulan una dieta sana para tener buena salud. **INGLÉS** to suggest.

póstumo, póstuma
adjetivo **1** Se dice del hijo que nace después de la muerte de su padre. **INGLÉS** posthumous.
2 Se dice de la obra que se publica después de la muerte de su autor. **INGLÉS** posthumous.

postura
nombre femenino **1** Manera de estar o de colocarse una cosa o una persona. **SINÓNIMO** posición. **INGLÉS** posture, position.
2 Manera de pensar sobre algo: *No entiendo su postura en este tema, creo que está equivocado.* **INGLÉS** position, attitude.

potable
adjetivo **1** Se dice del agua que tiene las condiciones de higiene necesarias para que se pueda beber sin que haga daño a la salud. **INGLÉS** safe to drink.

potaje
nombre masculino **1** Comida caliente que se hace guisando en el mismo recipiente varios ingredientes, normalmente verduras y legumbres. **INGLÉS** stew.

pote
nombre masculino **1** Vaso metálico con asa, que sirve para beber o para calentar un líquido. **INGLÉS** pan, [si es para beber: cup].

potencia
nombre femenino **1** Capacidad para hacer una cosa o producir un efecto determinado, como la potencia de un motor. **SINÓNIMO** fuerza. **INGLÉS** power.
2 Nación con gran poder militar y económico: *Estados Unidos es una gran potencia mundial.* **INGLÉS** power.
3 Operación matemática en que un número, llamado base, se multiplica por sí mismo las veces que indica el exponente: *8 elevado a 3 es una potencia.* **INGLÉS** power.
4 Indica el número de veces que la base de una potencia se multiplica por sí misma: *2 elevado a la cuarta potencia es 2 × 2 × 2 × 2.* **INGLÉS** power.
en potencia Indica que algo o alguien no es todavía lo que se indica, pero que

tiene grandes posibilidades de serlo: *Es una artista en potencia.* INGLÉS potentially.

potencial

adjetivo **1** Que aún no es o no existe, pero puede llegar a ser o a existir: *Son clientes potenciales de la tienda.* INGLÉS potential.

nombre masculino **2** Fuerza o poder del que se dispone para lograr un fin. El potencial industrial de algunos países es inferior al de otros. INGLÉS potential.

potenciar

verbo **1** Dar fuerza o intensidad a una cosa o aumentar la que tiene: *El calor potenciaba su cansancio.* INGLÉS to encourage.

NOTA Se conjuga como: cambiar; la 'i' no lleva nunca acento de intensidad.

potente

adjetivo **1** Que tiene mucha fuerza o mucho poder. SINÓNIMO poderoso. ANTÓNIMO débil. INGLÉS powerful.

2 Que es muy grande o fuerte, como una voz o un grito. INGLÉS powerful.

potingue

nombre masculino **1** Medicamento o producto de belleza, en especial una crema. INGLÉS concoction.

2 Cualquier bebida, comida o mezcla de aspecto desagradable. INGLÉS concoction.

NOTA Es una palabra despectiva.

potito

nombre masculino **1** Alimento pastoso preparado para los niños pequeños y envasado en un tarro de cristal. INGLÉS jar of baby food.

potro, potra

nombre **1** Cría del caballo, hasta la edad en que cambia los dientes de leche. INGLÉS colt [macho], filly [hembra].

nombre masculino **2** Aparato de gimnasia que tiene cuatro patas y un cuerpo alargado y que se usa para hacer saltos. INGLÉS horse.

poyo

nombre masculino **1** Banco de piedra pegado a la pared de una fachada. INGLÉS stone bench.

NOTA No lo confundas con 'pollo', que es un ave.

pozo

nombre masculino **1** Agujero profundo que se hace en la tierra para sacar agua, petróleo u otras sustancias. INGLÉS well.

práctica

nombre femenino **1** Realización de una actividad de forma repetida o frecuente; también es la experiencia que se adquiere de esta forma. INGLÉS practice.

2 Ejercicio que se hace para aprender a hacer algo, normalmente bajo la dirección de un profesor: *Tienen prácticas de química en el laboratorio.* INGLÉS practice.

practicante

adjetivo y nombre masculino y femenino **1** Se dice de la persona que sigue y cumple las normas de una religión: *Todos los domingos va a misa porque es católico practicante.* INGLÉS practising [adjetivo].

nombre masculino y femenino **2** Persona que ayuda a los médicos, generalmente poniendo inyecciones y haciendo curas. INGLÉS nurse.

practicar

verbo **1** Hacer muchas veces algo que se ha aprendido para adquirir habilidad. Para aprender a tocar bien el piano hay que practicar varias horas todos los días. INGLÉS to practise.

2 Hacer algo de forma habitual: *Practica el deporte.* INGLÉS to do.

3 Hacer o realizar una cosa. En los hospitales se practican operaciones. INGLÉS to do, to carry out.

4 Seguir un creyente las ideas y las reglas de su religión: *Es judío, pero no practica su religión.* INGLÉS to practise.

NOTA Se escribe 'qu' delante de 'e', como: practiquen.

práctico, práctica

adjetivo **1** Que es muy útil o va muy bien para algo: *Los toldos son prácticos para protegerse del sol.* INGLÉS practical.

2 Se dice de lo que se aprende por la experiencia y no por el estudio: *Tiene un conocimiento práctico de cocina.* INGLÉS practical.

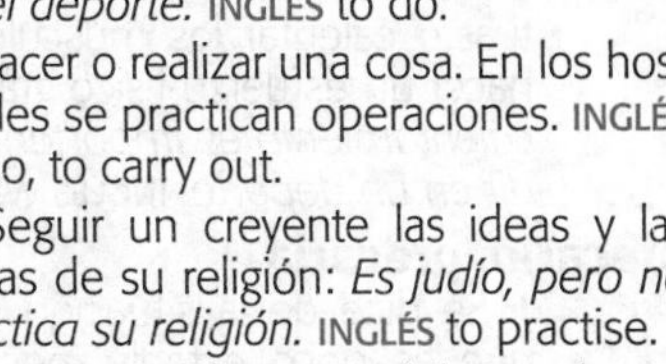

poyo

a b c d e f g h i j k l m n ñ o p q r s t u v w x y z

pradera
nombre femenino
1 Terreno llano y cubierto de hierba más grande que el prado. INGLÉS grassland, [si es en Estados Unidos: prairie].

prado
nombre masculino
1 Terreno llano, típico de las zonas húmedas, donde crece o se cultiva la hierba. INGLÉS meadow.

pragmático, pragmática
adjetivo
1 Se dice de lo que se aprende por la experiencia y no por el estudio. SINÓNIMO práctico. INGLÉS pragmatic.
2 Se dice de la persona que piensa o actúa dando mucha más importancia a las cosas prácticas y útiles. INGLÉS pragmatic.

preámbulo
nombre masculino
1 Conjunto de palabras que se dicen antes de entrar en el tema de un discurso. INGLÉS introduction.
2 Rodeo o explicación que se da antes de decir una cosa claramente. Con este significado se usa más en plural. INGLÉS preamble.

precalentamiento
nombre masculino
1 Conjunto de ejercicios que hace un deportista para preparar el cuerpo y estirar o calentar los músculos antes de hacer un esfuerzo físico grande: *El precalentamiento es importante para rendir en un deporte.* INGLÉS warming up.

precario, precaria
adjetivo
1 Se dice de la situación o el estado que es poco estable, poco seguro o poco duradero, como algunos empleos que no son fijos y están mal pagados. INGLÉS precarious.

precaución
nombre femenino
1 Atención especial que se pone al hacer algo para evitar un problema o un peligro: *Conducía con precaución porque la carretera estaba mojada.* INGLÉS care, caution.
NOTA El plural es: precauciones.

precavido, precavida
adjetivo
1 Que actúa con mucho cuidado haciendo todo lo necesario para evitar cualquier problema o peligro. INGLÉS cautious.

precedente
adjetivo
1 Que precede o va delante de una cosa o una persona. Las palabras precedentes son las que están antes que esta en el diccionario. SINÓNIMO antecedente. INGLÉS preceding.
nombre masculino
2 Hecho, circunstancia o dicho del pasado que es igual o parecido a algún otro del presente. INGLÉS precedent.

preceder
verbo
1 Estar o ir una cosa o una persona delante de otra en el espacio o en el tiempo. El verano precede al otoño; en español, el artículo precede al nombre. SINÓNIMO anteceder. INGLÉS to precede.

precepto
nombre masculino
1 Orden o mandato que impone o establece una autoridad. INGLÉS precept.

preceptor, preceptora
nombre
1 Persona que enseña: *Nuestros profesores son nuestros preceptores.* INGLÉS tutor.

preciado, preciada
adjetivo
1 Se dice de una persona o cosa a las que se quiere o se valora mucho. INGLÉS precious.

precinto
nombre masculino
1 Cuerda, tira de papel o de plástico u otro material que sirve para que un objeto o un lugar no pueda ser abierto sin que esa sujeción se rompa: *La policía cerró con precinto la puerta de la casa donde habían robado.* INGLÉS seal.

precio
nombre masculino
1 Cantidad de dinero que vale una cosa o que hay que pagar para obtenerla. INGLÉS price.
2 Esfuerzo o sufrimiento que cuesta conseguir algo: *La falta de vida privada es el precio que hay que pagar por la fama.* INGLÉS price.

preciosidad
nombre femenino
1 Persona, animal o cosa muy bellos o hermosos. SINÓNIMO belleza. INGLÉS beautiful thing.

precioso, preciosa
adjetivo
1 Que es muy bello. SINÓNIMO hermoso. ANTÓNIMO feo. INGLÉS beautiful.
2 Que tiene mucho valor, como las piedras preciosas. INGLÉS precious.

precipicio
nombre masculino
1 Corte casi vertical o muy profundo del terreno. SINÓNIMO barranco. INGLÉS precipice.

precipitación
nombre femenino
1 Manera de actuar de forma apresurada o sin reflexionar. INGLÉS haste.
2 Cantidad de agua en estado líquido o sólido que cae sobre la tierra, procedente de la atmósfera. Con este significado se usa más en plural. INGLÉS precipitation.
NOTA El plural es: precipitaciones.

precipitar
verbo
1 Hacer que un proceso o un acontecimiento suceda más deprisa o antes de lo esperado: *Ya tenía que ingresar, pero el accidente precipitó su ingreso en el hospital.* INGLÉS to hasten.
2 Hacer caer desde un lugar muy alto a una persona o una cosa: *El coche se precipitó al mar.* INGLÉS to throw, [si es precipitarse: to plunge].
3 precipitarse Hacer o decir algo sin pensárselo, con demasiada prisa. INGLÉS to be hasty.

precisar
verbo
1 Determinar o describir algo de forma exacta y completa. INGLÉS to set [determinar], to specify [especificar].
2 Necesitar algo o no poder pasar sin ello. INGLÉS to need.

precisión
nombre femenino
1 Característica de lo que es muy preciso o exacto. INGLÉS precision.

preciso, precisa
adjetivo
1 Se dice de lo que es necesario o hace falta para una cosa: *Es preciso encontrar nuevas fuentes de energía para sustituir el petróleo.* INGLÉS necessary.
2 Se dice de lo que es exacto o justo: *Es un reloj muy preciso, no adelanta ni atrasa nunca.* INGLÉS accurate.

precoz
adjetivo
1 Se dice de la persona que tiene unas cualidades físicas o intelectuales más desarrolladas de lo que le correspondería por su edad. INGLÉS precocious.
2 Que ocurre o se hace antes de lo que es normal. SINÓNIMO prematuro. INGLÉS early.
NOTA El plural es: precoces.

precursor, precursora
nombre
1 Persona o cosa que inicia o introduce ideas o teorías que se desarrollarán en un tiempo futuro: *El ratón Mickey fue el precursor del resto de los dibujos animados de Walt Disney.* INGLÉS precursor.

predecir
verbo
1 Anunciar con anticipación un hecho que va a ocurrir. La meteorología predice el tiempo atmosférico. INGLÉS to predict.

predecir

INDICATIVO	SUBJUNTIVO
presente predigo predices predice predecimos predecís predicen	**presente** prediga predigas prediga predigamos predigáis predigan
pretérito imperfecto predecía predecías predecía predecíamos predecíais predecían	**pretérito imperfecto** predijera o predijese predijeras o predijeses predijera o predijese predijéramos o predijésemos predijerais o predijeseis predijeran o predijesen
pretérito perfecto simple predije predijiste predijo predijimos predijisteis predijeron	**futuro** predijere predijeres predijere predijéremos predijereis predijeren
futuro predeciré predecirás predecirá predeciremos predeciréis predecirán	**IMPERATIVO** predice (tú) prediga (usted) predigamos (nosotros) predecid (vosotros) predigan (ustedes)
condicional predeciría predecirías predeciría predeciríamos predeciríais predecirían	**FORMAS NO PERSONALES** **infinitivo** predecir **gerundio** prediciendo **participio** predicho

predestinar
verbo
1 Decidir el destino de una persona o de una cosa. INGLÉS to predestine.

predicado
nombre masculino
1 Parte de la oración cuyo núcleo es un verbo. En la oración 'María canta una canción', 'canta una canción' es el predicado. INGLÉS predicate.

predicador, predicadora
nombre
1 Persona que enseña una doctrina religiosa. INGLÉS preacher.

predicar
verbo
1 Dar a conocer o enseñar algo de con-

tenido moral o religioso. Los misioneros predican el evangelio. **INGLÉS** to preach.

2 Decir o aconsejar a los demás lo que deberían hacer. Una persona predica con el ejemplo cuando hace lo que cree que los demás deberían hacer. **INGLÉS** to preach.

NOTA Se escribe 'qu' delante de 'e', como: prediquemos.

predicativo, predicativa

adjetivo **1** Del predicado, que hace esta función o que contiene un predicado. **INGLÉS** predicative.

adjetivo y nombre masculino **2** Se dice del complemento verbal que califica al mismo tiempo a un nombre en función de sujeto o de objeto directo y al verbo. **INGLÉS** predicative [adjetivo], predicate [nombre].

adjetivo **3** Se dice del adjetivo o el nombre que, en un predicado nominal, expresa una cualidad del sujeto. **INGLÉS** predicative.

predicción

nombre femenino **1** Anuncio de un hecho que va a ocurrir. **INGLÉS** prediction.

NOTA El plural es: predicciones.

predicho, predicha

participio **1** Participio irregular de: predecir. También se usa como adjetivo: *Algunos astrólogos habían predicho que algo malo iba a ocurrir. Para preparar la fiesta se gastó exactamente la cantidad predicha.*

predilección

nombre femenino **1** Cariño especial y preferencia por una persona o cosa entre otras. **INGLÉS** predilection.

NOTA El plural es: predilecciones.

predilecto, predilecta

adjetivo **1** Se dice de la persona o cosa que más gusta o que es la más querida entre otras. **SINÓNIMO** favorito. **INGLÉS** favourite.

predisponer

verbo **1** Influir en el ánimo de una persona para conseguir que tenga una actitud determinada ante algo o alguien: *La publicidad predispone a la gente a favor de las cosas que se anuncian para que acaben comprándolas.* **INGLÉS** to predispose.

NOTA Se conjuga como: poner. El participio es: predispuesto.

predispuesto, predispuesta

participio **1** Participio irregular de: predisponer. También se usa como adjetivo: *La noche que pasó sin dormir había predispuesto a la niña para verlo todo desde el lado más triste. El grupo de rock actuó ante un público predispuesto a pasarlo bien.*

predominar

verbo **1** Ser más abundante, importante o destacable un tipo de persona o de cosa sobre otras. En el siglo XIX predominaba la población rural sobre la población urbana. **INGLÉS** to predominate.

predominio

nombre masculino **1** Mayor fuerza, cantidad o importancia de una persona o una cosa sobre otras: *En el ejército todavía hay un predominio de hombres sobre mujeres.* **INGLÉS** predominance.

preescolar

adjetivo **1** Se dice de lo que tiene relación con la enseñanza que se imparte o se recibe antes de entrar en la escuela. **INGLÉS** preschool.

preestablecido, preestablecida

adjetivo **1** Que ya estaba decidido con anterioridad a un momento determinado. **INGLÉS** pre-established.

prefabricado, prefabricada

adjetivo **1** Que ha sido fabricado con anterioridad en un lugar distinto de aquel en que se va a colocar, como una casa. **INGLÉS** prefabricated.

prefacio

nombre masculino **1** Prólogo o introducción de un libro. **INGLÉS** preface.

preferencia

nombre femenino **1** Ventaja o derecho que tiene una persona o cosa a pasar por delante de otra o a ocupar un lugar mejor. En los pasos de peatones tiene preferencia el peatón. **SINÓNIMO** prioridad. **INGLÉS** priority, [si es por la carretera: right of way].

2 Inclinación favorable hacia una persona o cosa entre varias. **INGLÉS** preference.

preferible

adjetivo **1** Que es mejor o más conveniente que otra posibilidad. Es preferible comer sano que comer siempre cosas dulces. **INGLÉS** preferable.

preferir
verbo
1 Elegir o querer más a una persona o cosa entre otras. INGLÉS to prefer.

preferir

INDICATIVO	SUBJUNTIVO
presente prefiero prefieres prefiere preferimos preferís prefieren	**presente** prefiera prefieras prefiera prefiramos prefiráis prefieran
pretérito imperfecto prefería preferías prefería preferíamos preferíais preferían	**pretérito imperfecto** prefiriera o prefiriese prefirieras o prefirieses prefiriera o prefiriese prefiriéramos o prefiriésemos prefirierais o prefirieseis prefirieran o prefiriesen
pretérito perfecto simple preferí preferiste prefirió preferimos preferisteis prefirieron	**futuro** prefiriere prefirieres prefiriere prefiriéremos prefiriereis prefirieren
futuro preferiré preferirás preferirá preferiremos preferiréis preferirán	**IMPERATIVO** prefiere (tú) prefiera (usted) prefiramos (nosotros) preferid (vosotros) prefieran (ustedes)
condicional preferiría preferirías preferiría preferiríamos preferiríais preferirían	**FORMAS NO PERSONALES** **infinitivo** preferir **gerundio** prefiriendo **participio** preferido

prefijo
nombre masculino
1 Grupo de letras que se añaden al principio de una palabra para formar una palabra nueva. Si se une el prefijo 'sub-' a la palabra 'director' se crea la palabra 'subdirector'. INGLÉS prefix. CUADRO página siguiente.
2 Grupo de números que hay que marcar antes de un número de teléfono si se llama a otro país. INGLÉS dialling code.

pregón
nombre masculino
1 Anuncio de alguna noticia o discurso que se hace en voz alta en un lugar público para que todo el mundo lo conozca, como el pregón que se lee para inaugurar las fiestas de la ciudad. INGLÉS public announcement, [si es para inaugurar las fiestas: opening address].
NOTA El plural es: pregones.

pregonar
verbo
1 Decir algo para que todos lo sepan, en especial algo que no se debería decir. INGLÉS to announce, to proclaim.
2 Anunciar a voces una noticia o la mercancía que se lleva para vender. INGLÉS to spread [una noticia], to advertise [una mercancía].

pregonero, pregonera
nombre
1 Persona que se dedica a dar en voz alta una noticia o un pregón para que la gente los oiga. Los pregoneros de las fiestas suelen ser personajes famosos. INGLÉS town crier.

pregunta
nombre femenino
1 Expresión o palabras que utiliza una persona con una entonación particular para pedir a otra que le diga algo que desconoce, que le resuelva una duda o que le diga si una cosa es cierta o no. INGLÉS question.
2 Cuestión que se plantea en una prueba o un examen y que debe ser contestada o resuelta. INGLÉS question.

preguntar
verbo
1 Hacer una pregunta. INGLÉS to ask.
2 **preguntarse** Tener dudas una persona sobre una cosa. Los científicos se preguntan si existe vida en otros planetas. INGLÉS to wonder.

preguntón, preguntona
adjetivo y nombre
1 Se dice de la persona que hace demasiadas preguntas y con mucha insistencia. INGLÉS inquisitive [adjetivo], nosy [adjetivo].
NOTA El plural de preguntón es: preguntones.

prehistoria
nombre femenino
1 Período de la vida de los seres humanos anterior al invento de la escritura. También se llama prehistoria la ciencia que estudia este período de la humanidad. INGLÉS prehistory.

prehistórico, prehistórica
adjetivo
1 De la prehistoria o que tiene relación con ella: *Las pinturas de las cuevas de Altamira, en Cantabria, pertenecen al arte prehistórico.* INGLÉS prehistoric.

LOS PREFIJOS

En español usamos prefijos para crear nuevas palabras.

Prefijo	Significado	Ejemplo
ante-	'que ha sucedido antes' o 'que está antes'	anteayer, anteojos, antepenúltimo
anti-	'opuesto a'	anticonstitucional, antiaéreo, antiniebla
bi-	'dos'	bilingüe, bimotor, bimestre
contra-	'opuesto a'	contraatacar, contraluz, contrasentido
des-	'hacer lo contrario'	desatar, descargar, desanimar
extra-	'que se sale de'	extraescolar, extraordinario
hiper-	'mayor o superior a lo normal'	hipermercado, hipertensión
homo-	'igual'	homogéneo, homógrafo, homosexual
in- (im- ; i-)	'ausencia o negación'	incómodo, inseguro, imposible, ilegal
mono-	'uno'	monopatín, monolingüe, monoplaza
pre-	'antes de, delante de' o 'con anterioridad'	prefabricado, prefijo, prehistoria
re-	'repetición' o 'volver a'	reanimar, reconstruir, renacer
semi-	'medio' o 'mitad'	semicírculo, semifinal
sobre-	'abundancia o exceso'	sobrealimentación, sobrecargar
	'por encima de'	sobrenatural, sobresalir, sobrevolar
sub-	'debajo de'	subcampeón, subrayar, subterráneo
super-	'en exceso' o 'en grado máximo'	superdotado, superhombre, superpoblado
uni-	'uno'	unicornio, unísono

prejuicio
nombre masculino
1 Opinión negativa que se tiene sobre algo o sobre alguien antes de conocerlo. **INGLÉS** prejudice.

prejuzgar
verbo
1 Juzgar a una persona o una cosa antes de conocerla o sin tener los datos suficientes. **INGLÉS** to prejudge.
NOTA La 'g' se convierte en 'gu' delante de 'e', como: prejuzgue.

preliminar
adjetivo y nombre masculino
1 Que se hace antes de hacer otra cosa y que sirve como preparación. **INGLÉS** preliminary.
nombre masculino
2 Negociación o preparativo que pactan dos o más partes, como por ejemplo dos ejércitos, antes de hacer algo. **INGLÉS** preliminary.
NOTA Con este significado se usa más en plural.

preludio
nombre masculino
1 Cosa o acción que va antes que otra y que le sirve de entrada, preparación o comienzo: *Como preludio a la huelga, los empleados estuvieron una semana sin trabajar.* **INGLÉS** prelude.
2 Fragmento musical que se toca o se canta antes de empezar a interpretar una obra musical para probar la voz o los instrumentos. **INGLÉS** prelude.

premamá
adjetivo
1 Se dice de la ropa o los accesorios propios de la mujer embarazada. **INGLÉS** maternity.

prematuro, prematura
adjetivo
1 Que ocurre o se hace demasiado pronto: *Me parece prematuro, yo esperaría un poco más.* **INGLÉS** premature.
adjetivo y nombre
2 Se dice del niño que nace antes de que se cumplan los nueve meses del embarazo, pero que puede vivir. **INGLÉS** premature [adjetivo].

premeditación
nombre femenino
1 Acción que consiste en pensar mucho y con cuidado una cosa antes de hacerla. **INGLÉS** premeditation.
NOTA El plural es: premeditaciones.

premiar
verbo
1 Dar un premio a una persona en reconocimiento por su trabajo, por su buen comportamiento o por haber ganado un concurso o competición. **INGLÉS** to award a prize to.
NOTA Se conjuga como: cambiar; la 'i' no lleva nunca acento de intensidad.

premio
nombre masculino
1 Lo que se da a una persona en reconocimiento por su trabajo, por su buen comportamiento o por haber ganado

un concurso o competición. **SINÓNIMO** recompensa; galardón. **ANTÓNIMO** castigo. **INGLÉS** prize, reward.
2 Dinero u otra cosa que se sortea en un juego o concurso. **INGLÉS** prize.

premolar

adjetivo y nombre masculino

1 Se dice del diente que está situado entre el colmillo y los molares. Una persona adulta tiene ocho premolares. **INGLÉS** premolar.

premonición

nombre femenino

1 Sensación que tiene una persona de que una cosa va a ocurrir, sin estar segura de ello. **SINÓNIMO** presentimiento. **INGLÉS** premonition.
NOTA El plural es: premoniciones.

prenda

nombre femenino

1 Cada una de las piezas de tela, cuero u otro material que nos ponemos para vestirnos. **INGLÉS** garment.
2 Cosa que se deja a alguien como garantía de que vamos a cumplir una promesa o una obligación y que esa persona nos devuelve cuando hemos cumplido. **INGLÉS** pledge.

prendarse

verbo

1 Quedarse encantado o enamorado de una cosa o persona. **INGLÉS** to fall in love.

prender

verbo

1 Empezar a arder una cosa. **INGLÉS** to catch fire.
2 Sujetar una cosa a otra por medio de una aguja o algo parecido. **INGLÉS** to pin.
3 Encender una cosa con fuego. Prendemos las velas con una cerilla o con un mechero. **ANTÓNIMO** apagar. **INGLÉS** to light.
4 Capturar a una persona para meterla en la cárcel. **SINÓNIMO** arrestar; detener. **INGLÉS** to apprehend.
5 Echar raíces una planta: *Ya ha prendido el geranio que plantaste.* **INGLÉS** to take root.

prensa

nombre femenino

1 Máquina que sirve para imprimir letras y dibujos sobre un papel, como las que se usan para hacer los periódicos. **INGLÉS** printing press.
2 Conjunto de publicaciones periódicas. Hablamos de la prensa cuando nos referimos a los periódicos y revistas, y también a los periodistas o al periodismo. **INGLÉS** press.
3 Máquina que sirve para hacer presión sobre algo. Una prensa de vino presiona la uva para extraer su zumo. **INGLÉS** press.

preñada

adjetivo

1 Se dice de la mujer o de la hembra de un animal que va a tener un hijo. **INGLÉS** pregnant.

preñar

verbo

1 Hacer que un animal mamífero hembra quede fecundada y conciba un hijo. **INGLÉS** to make pregnant.
NOTA A veces tiene un uso informal al referirse a personas.

preocupación

nombre femenino

1 Estado de la persona que tiene un temor o una duda en la que piensa mucho: *Piensa en el futuro con preocupación.* **INGLÉS** worry.
2 Cosa, persona o situación que no nos deja estar tranquilos. **INGLÉS** worry.
NOTA El plural es: preocupaciones.

preocupar

verbo

1 Causar preocupación a una persona: *Le preocupa el examen, porque no ha estudiado lo suficiente.* **INGLÉS** to worry.
2 Tener mucho interés por una cosa. A muchos jóvenes les preocupan los movimientos pacifistas. **INGLÉS** to concern.
3 preocuparse Ocuparse mucho en cuidar o atender a una persona o una cosa. **INGLÉS** to worry.

preparación

nombre femenino

1 Acción que consiste en preparar una cosa para un fin determinado. La preparación de una comida se realiza en la cocina. **INGLÉS** preparation.
2 Acción que consiste en enseñar o educar a una persona. Los profesores se encargan de la preparación de sus alumnos. **INGLÉS** education, teaching.
3 Conjunto de conocimientos que se tienen sobre una materia. Para ciertos trabajos, es necesario tener una buena preparación. **INGLÉS** training.
NOTA El plural es: preparaciones.

preparar

verbo

1 Hacer que una persona o una cosa estén dispuestos para un fin determinado. Cuando nos vamos de viaje preparamos el equipaje. **INGLÉS** to prepare.

a b c d e f g h i j k l m n ñ o **p** q r s t u v w x y z

2 Educar a alguien o enseñarle unos conocimientos. SINÓNIMO formar. INGLÉS to teach, to train.
3 Estudiar para un examen. INGLÉS to prepare, to coach.
4 **prepararse** Haber las condiciones que indican que algo va a suceder: *Se está preparando un buen follón.* INGLÉS to brew.

preparativo
nombre masculino
1 Aquello que se hace para preparar algo, especialmente un acontecimiento importante. INGLÉS preparation.

preponderancia
nombre femenino
1 Situación de superioridad que tiene un hecho o una cosa frente a otra: *Los partidos que apoyan la ley tienen mayor preponderancia que los que no la apoyan.* INGLÉS preponderance.

preposición
nombre femenino
1 Palabra invariable que se utiliza para unir una palabra con un complemento. Las preposiciones españolas son: a, ante, bajo, con, contra, de, desde, en, entre, hacia, hasta, para, por, según, sin, sobre y tras. INGLÉS preposition.
NOTA El pural es: preposiciones.

preposicional
adjetivo
1 De la preposición o que funciona como preposición. INGLÉS prepositional.
2 Se dice del sintagma que está introducido por una preposición: *En la frase 'El parque de los columpios está lleno de niños', hay dos sintagmas preposicionales: 'de los columpios' y 'de niños'.* INGLÉS prepositional.

prepotencia
nombre femenino
1 Poder que es muy grande o más grande que el de otro, en especial cuando se ejerce con abuso o de forma indebida. INGLÉS arrogance.

presa
nombre femenino
1 Animal o persona que se atrapa por la fuerza o se caza. Los leones matan y se comen a sus presas. INGLÉS prey.
2 Muro grueso que se construye en la corriente de un río para retener sus aguas o desviarlas fuera de su cauce. INGLÉS dam.

presagio
nombre masculino
1 Anuncio de un hecho que va a ocurrir. SINÓNIMO predicción; profecía. INGLÉS omen.

presbítero
nombre masculino
1 Hombre que dedica su vida a Dios y a la Iglesia y que puede celebrar y ofrecer misa. Los presbíteros trabajan al servicio de las comunidades locales. SINÓNIMO cura; sacerdote. INGLÉS priest.

prescindir
verbo
1 Dejar de lado o no tener en cuenta a una persona o cosa al hacer algo: *Prescindieron de ella para hacer el trabajo.* INGLÉS to do without.

prescribir
verbo
1 Ordenar o decidir una cosa. INGLÉS to prescribe.
2 Mandar u ordenar el médico que un paciente se tome un medicamento o siga un determinado tratamiento. INGLÉS to prescribe.
3 Perder efectividad o valor un derecho, una acción o una responsabilidad por haber pasado el tiempo fijado por la ley. INGLÉS to expire, to lapse.
NOTA El participio es: prescrito.

prescrito, prescrita
participio
1 Participio irregular de: prescribir. También se usa como adjetivo: *El médico le ha prescrito unos analgésicos para el dolor. El juez declaró prescrita la acción debido al paso del tiempo.*

preselección
nombre femenino
1 Selección que se hace de algo y que aún no es definitiva. INGLÉS shortlist.
NOTA El plural es: preselecciones.

presencia
nombre femenino
1 Situación de encontrarse en el mismo lugar o delante de otras personas o cosas: *No me molesta tu presencia en la reunión.* INGLÉS presence.
2 Aspecto exterior de una persona: *Tenía muy buena presencia e iba muy elegante.* INGLÉS appearance.

presenciar
verbo
1 Ver un acontecimiento o estar presente en él: *Presenciamos el partido desde una tribuna.* INGLÉS to be present at, to witness.
NOTA Se conjuga como: cambiar; la 'i' no lleva nunca acento de intensidad.

presentación
nombre femenino
1 Acción que consiste en presentar a una persona o una cosa para que la conozcan otros. INGLÉS introduction [de

una persona], presentation [de una cosa].

2 Aspecto exterior de una cosa, en especial de algo que se da o se ofrece, como un regalo. **INGLÉS** presentation.

NOTA El plural es: presentaciones.

presentador, presentadora

nombre **1** Persona que presenta un espectáculo, un programa de radio o televisión o un acto público. **INGLÉS** presenter.

presentar

verbo **1** Dar a conocer al público a una persona o una cosa. Los artistas presentan sus trabajos y también se presenta un nuevo artista. **INGLÉS** to present.

2 Dar a conocer una persona a otra u otras: *Me presentó a un compañero de clase.* **INGLÉS** to introduce.

3 Dar una cosa a una persona para que la vea o para que dé una opinión o un juicio sobre ella. Presentamos los trabajos de clase a los profesores. **INGLÉS** to present.

4 Comentar o conducir un espectáculo, un programa de radio o televisión o un acto público. **INGLÉS** to present.

5 Proponer a una persona para un cargo o empleo. Un partido político presenta a su candidato a presidente en unas elecciones. **INGLÉS** to present.

6 presentarse Aparecer en un lugar o ante alguien, en especial de forma inesperada. **INGLÉS** to turn up.

7 presentarse Producirse un hecho de forma inesperada: *Se le ha presentado una buena oportunidad para lucirse.* **INGLÉS** to turn up.

8 presentarse Tener algo el aspecto que se indica: *El día se presenta gris.* **INGLÉS** to look.

presente

adjetivo **1** Que ocurre o existe en el momento actual. **INGLÉS** present.

adjetivo y nombre masculino y femenino **2** Se dice de la persona que está en un lugar al mismo tiempo que otras y normalmente las puede ver y escuchar. **ANTÓNIMO** ausente. **INGLÉS** present.

nombre masculino **3** Tiempo actual por oposición al pasado y al futuro. **INGLÉS** present.

nombre masculino y adjetivo **4** Tiempo verbal que indica lo que ocurre en el tiempo actual. 'Canto' es el presente de 'cantar'. **INGLÉS** present.

nombre masculino **5** Cosa que se da a otra persona para demostrarle agradecimiento o cariño. **SINÓNIMO** regalo. **INGLÉS** present.

presentimiento

nombre masculino **1** Sensación que tiene una persona de que una cosa va a ocurrir. **INGLÉS** premonition.

presentir

verbo **1** Tener una persona la sensación de que una cosa va a ocurrir. **INGLÉS** to have a feeling.

NOTA Se conjuga como: preferir; la 'e' se convierte en 'ie' en sílaba acentuada o en 'i' en algunos tiempos y personas, como: presienten o presintió.

preservar

verbo **1** Proteger de un daño, una molestia o un peligro. Los paraguas nos preservan de la lluvia. **INGLÉS** to preserve.

preservativo

nombre masculino **1** Funda muy fina de goma que se coloca el hombre en el pene antes de tener relaciones sexuales para evitar el embarazo de la mujer y el contagio de algunas enfermedades. **SINÓNIMO** condón. **INGLÉS** condom.

presidencia

nombre femenino **1** Cargo de presidente. También es el tiempo que dura este cargo. **INGLÉS** presidency.

presidente, presidenta

nombre **1** Persona que preside o dirige un gobierno, o que ocupa el puesto más alto en una organización o un acto. **INGLÉS** president.

presidiario, presidiaria

nombre **1** Persona que cumple condena en una cárcel. **SINÓNIMO** recluso. **INGLÉS** convict, prisoner.

presidir

verbo **1** Ser el presidente de un gobierno o de una organización. También es ocupar el puesto más importante en una reunión o un acto. **INGLÉS** to preside over.

presión

nombre femenino **1** Fuerza o empuje que se ejerce sobre una cosa. **INGLÉS** pressure.

2 Influencia que se ejerce sobre una persona para que actúe de un modo determinado. **INGLÉS** pressure.

presión arterial Empuje o fuerza de la sangre sobre las paredes de las arterias. Los médicos toman la presión arterial con un aparato que se coloca en

el brazo. SINÓNIMO tensión. INGLÉS blood pressure.
NOTA El plural es: presiones.

presionar
verbo
1 Hacer presión o fuerza sobre algo. Para sacar una foto hay que presionar el disparador de la cámara. INGLÉS to press.
2 Influir en una persona para obligarla a que actúe de una manera determinada: *Hicieron huelga con el objetivo de presionar a sus jefes y pedir un aumento de sueldo.* INGLÉS to put pressure on.

preso, presa
adjetivo y nombre
1 Que está en la cárcel o ha sido detenido. INGLÉS prisoner [nombre].

prestación
nombre femenino
1 Servicio o ayuda que una persona, una institución o una empresa ofrece a otra. INGLÉS service.
2 Conjunto de características técnicas que una máquina ofrece a quien la va a usar. Con este significado se usa más en plural. INGLÉS features.
NOTA El plural es: prestación.

préstamo
nombre masculino
1 Cantidad de dinero o de otra cosa que se presta a una persona. Para comprar una casa la gente pide un préstamo al banco. INGLÉS loan.

prestar
verbo
1 Dar dinero u otra cosa a una persona para que la use durante un tiempo y después la devuelva: *¿Me prestas tu bici para esta tarde?* SINÓNIMO dejar. INGLÉS to lend, to loan.
2 Dar u ofrecer lo que se indica, como prestar ayuda. INGLÉS to give, to offer.
3 Realizar la acción que indica el nombre al que acompaña, como prestar atención.
4 prestarse Ofrecerse para hacer alguna cosa. INGLÉS to offer.

prestidigitador, prestidigitadora
nombre
1 Persona que hace juegos de manos y otros trucos de magia. SINÓNIMO mago; ilusionista. INGLÉS conjuror, magician.

prestigio
nombre masculino
1 Buena fama o buena imagen que tiene una persona o una cosa. INGLÉS prestige.

presumido, presumida
adjetivo y nombre
1 Se dice de la persona a la que le gusta presumir de lo que tiene o de lo que hace. INGLÉS vain [adjetivo], show-off [nombre].

presumir
verbo
1 Mostrar con orgullo y satisfacción algo que se tiene o se hace para provocar admiración a otras personas. Hay gente que presume de su belleza o de su inteligencia. INGLÉS to show off.

presunción
nombre femenino
1 Característica de la persona que siente demasiado orgullo de sí misma. INGLÉS conceit.
2 Idea que se cree verdadera pero que no se ha confirmado totalmente. La presunción de inocencia consiste en que una persona es inocente hasta que se demuestre lo contrario. INGLÉS presumption.
NOTA El plural es: presunciones.

presunto, presunta
adjetivo
1 Que se supone que es cierto aunque no esté demostrado. INGLÉS presumed, alleged.

presuntuoso, presuntuosa
adjetivo y nombre
1 Se dice de la persona que siente demasiado orgullo de sí misma. INGLÉS vain [adjetivo], show-off [nombre].

presuponer
verbo
1 Suponer o dar como cierta una cosa de la cual no se está seguro. Cuando vemos la calle mojada presuponemos que ha llovido. INGLÉS to presuppose.
NOTA Se conjuga como: poner. El participio es: presupuesto.

presupuesto
participio
1 Participio irregular de: presuponer. También se usa como adjetivo.
nombre masculino
2 Cálculo anticipado de lo que va a costar una cosa. Antes de reparar una cosa es mejor pedir varios presupuestos. INGLÉS estimate.
3 Cantidad de dinero que se tiene para destinar a unos gastos. Una parte del presupuesto de una familia se destina a gastos de comida. INGLÉS budget.

pretencioso, pretenciosa
adjetivo
1 Se dice de la persona que presume y alardea de sus cualidades o pretende ser algo que no es. INGLÉS pretentious.
2 Que pretende causar impresión de

lujo, grandeza o importancia: *Aquella familia tenía poco dinero pero vivía en una casa muy pretenciosa donde todo parecía de lujo.* **INGLÉS** pretentious.
NOTA Es una palabra de uso despectivo.

pretender
verbo
1 Tener la intención de hacer o conseguir algo. **INGLÉS** to want to.

pretendiente
nombre masculino y femenino
1 Persona que intenta tener relaciones amorosas con alguien. **INGLÉS** suitor.
adjetivo y nombre masculino y femenino
2 Que pide y aspira a conseguir algo: *Hay muchos pretendientes para ese puesto de trabajo.* **INGLÉS** candidate [nombre].

pretérito, pretérita
adjetivo
1 Que existió u ocurrió en un tiempo anterior al presente. **SINÓNIMO** pasado. **INGLÉS** past.
nombre masculino y femenino
2 Tiempo verbal que indica las acciones que ya han pasado. En español hay varios pretéritos, como el imperfecto, el perfecto y el pluscuamperfecto. **INGLÉS** past, preterite.

pretexto
nombre masculino
1 Razón o motivo que una persona da para hacer o dejar de hacer una cosa. Los pretextos son excusas que a veces se inventan o no son del todo ciertas. **SINÓNIMO** excusa. **INGLÉS** pretext.

prevalecer
verbo
1 Sobresalir o imponerse una persona o una cosa entre otras: *Hizo prevalecer sus opiniones y todos hicieron lo que él quiso.* **INGLÉS** to prevail.
NOTA Se conjuga como: agradecer; la 'c' se convierte en 'zc' delante de 'a' y 'o', como: prevalezcan.

prevenir
verbo
1 Tratar de evitar un daño, peligro o molestia antes de que se produzcan. Las vacunas sirven para prevenir enfermedades. **INGLÉS** to prevent.
2 Avisar a alguien de algo malo que le puede suceder. **INGLÉS** to avoid, prevent, to warn.
NOTA Se conjuga como: venir.

prever
verbo
1 Creer o suponer que algo será de un modo determinado antes de que suceda. Algunos adivinos dicen que pueden prever el futuro. **INGLÉS** to foresee.
2 Preparar todo lo necesario para hacer algo, en especial para evitar que algo malo ocurra. **INGLÉS** to plan.
NOTA Se conjuga como: ver.

previo, previa
adjetivo
1 Que se hace antes o que va antes de otra cosa para la que sirve de ayuda o preparación. Antes de representar una obra teatral se hacen ensayos previos. **INGLÉS** previous, prior.

previsión
nombre femenino
1 Preparación de todo lo necesario para hacer frente a alguna molestia o a algo malo que se cree que va a suceder. **INGLÉS** preparation.
2 Cálculo que una persona hace de cómo va a ser una cosa, antes de saber realmente cómo es. La previsión meteorológica señala el tiempo que se cree que hará. **INGLÉS** forecast.
NOTA El plural es: previsiones.

previsor, previsora
adjetivo
1 Se dice de la persona que piensa y prepara las cosas que hará o necesitará más tarde: *Es muy previsor, si ve el cielo nublado, coge un paraguas.* **INGLÉS** prudent.

previsto, prevista
participio
1 Participio irregular de: prever. También se usa como adjetivo: *Ya ha previsto sus vacaciones. Los gastos mensuales están previstos.*

prima
nombre femenino
1 Cantidad de dinero que se concede como premio o para animar a realizar mejor un trabajo. **INGLÉS** bonus.
2 Cantidad de dinero que se paga por tener un seguro. **INGLÉS** premium.

primario, primaria
adjetivo
1 Que es necesario o más importante que otra cosa. La libertad es un derecho primario. **INGLÉS** primary.
2 Que es muy simple o está poco desarrollado: *Su forma de trabajo es bastante primaria, no utiliza el ordenador.* **SINÓNIMO** primitivo. **INGLÉS** primary.
3 Se dice del sector económico que abarca las diferentes actividades productivas que se realizan para obtener productos a partir de los seres vivos o recursos naturales. Agricultura, ganadería, y minería forman parte del sector primario. **INGLÉS** primary.
adjetivo y nombre femenino
4 Se dice de la enseñanza que se da

a b c d e f g h i j k l m n ñ o p q r s t u v w x y z

antes de la secundaria, en los primeros años de vida escolar. INGLÉS primary [adjetivo], primary education [nombre].

primavera
nombre femenino **1** Estación del año que va antes del verano y después del invierno. En el hemisferio norte empieza el 21 de marzo y termina el 21 de junio. INGLÉS spring.
nombre femenino plural **2 primaveras** Años de una persona, en especial si es joven. Es un uso informal. INGLÉS year.

primer
adjetivo **1** Apócope de 'primero'. Se utiliza delante de un nombre masculino en singular. INGLÉS first.

primero, primera
numeral ordinal **1** Que ocupa el lugar número 1 en una serie ordenada. ANTÓNIMO último. INGLÉS first.
2 Que es más importante o mejor que los demás de un conjunto o serie: *Es el primero de la clase porque estudia mucho.* INGLÉS first.
adverbio **3 primero** Antes que otra cosa o en primer lugar: *Primero cenaremos y después nos iremos a dormir.* INGLÉS first.
a primeros En los primeros días de un período de tiempo: *Las rebajas comienzan a primeros de enero.* INGLÉS at the beginning.
de primera Muy bien o muy bueno: *Este hotel es de primera.* INGLÉS first-class.

primicia
nombre femenino **1** Noticia que se hace pública por primera vez: *Los principales periódicos del país dieron la primicia en la portada.* INGLÉS scoop.

primitivo, primitiva
adjetivo **1** Que pertenece a los orígenes o los primeros tiempos de una cosa o de un lugar, o que tiene relación con ellos. Los hombres primitivos vivían en cuevas. INGLÉS primitive.
2 Que está poco desarrollado o evolucionado. INGLÉS primitive.
adjetivo y nombre **3** Se dice de la persona que tiene unos modales muy bruscos y se comporta con poca educación. INGLÉS primitive [adjetivo].

primo, prima
nombre **1** Hijo del tío de una persona. INGLÉS cousin.
2 Persona que se deja engañar fácilmente. Es un uso informal. INGLÉS mug, sucker.

primogénito, primogénita
adjetivo y nombre **1** Primero de los hijos que nace de una pareja. INGLÉS first-born.

primor
nombre masculino **1** Habilidad, cuidado y delicadeza que ponemos al hacer o decir una cosa. INGLÉS delicacy, skill.
2 Cosa muy bella o hecha con habilidad, cuidado y delicadeza. INGLÉS fine thing, lovely thing.

primordial
adjetivo **1** Que es muy importante o básico para que algo ocurra o exista. El agua es primordial para las plantas. SINÓNIMO esencial; principal. INGLÉS essential.

princesa
nombre femenino **1** Forma femenina de: príncipe. INGLÉS princess.
2 Esposa de un príncipe. INGLÉS princess.

principado
nombre masculino **1** Territorio gobernado por un príncipe o una princesa. INGLÉS principality.

principal
adjetivo **1** Que es lo más importante o lo más básico. La leche es el alimento principal de los bebés. INGLÉS main.
adjetivo y nombre masculino **2** Se dice de la planta o el piso de un edificio que está justo encima del entresuelo o de los bajos. INGLÉS first floor [nombre, en Gran Bretaña, encima de los bajos], second floor [nombre, en Gran Bretaña, encima del entresuelo], second floor [nombre, en los Estados Unidos, encima de los bajos], third floor [nombre, en los Estados Unidos, encima del entresuelo].

príncipe, princesa
nombre **1** Hijo del rey, heredero de la corona. INGLÉS prince.
2 Persona que pertenece a una familia real. INGLÉS prince.
3 Persona que gobierna en un principado. INGLÉS prince.

principiante
adjetivo y nombre masculino y femenino **1** Se dice de la persona que empieza a realizar un trabajo o una actividad y todavía no tiene experiencia. INGLÉS beginner [nombre].

principio
nombre masculino
1 Primera parte o primeros momentos de una cosa, de una acción o de una situación. SINÓNIMO comienzo; inicio. ANTÓNIMO final. INGLÉS beginning, start.
2 Idea fundamental en la que se apoya una argumentación o una disciplina científica. INGLÉS principle.
3 Norma moral que guía a las personas en su forma de pensar y de actuar. Las religiones se basan en unas creencias y unos principios. INGLÉS principle.

pringar
verbo
1 Ensuciar con grasa o con una sustancia pegajosa. La miel y los caramelos pringan mucho. INGLÉS to make greasy [con grasa], to make sticky [con algo pegajoso].
2 Hacer una persona más trabajo que los demás o hacer el trabajo más duro. INGLÉS to work hard.
3 Hacer que una persona pague las culpas de algo malo que ha hecho otra persona. INGLÉS to put the blame on.
NOTA Se escribe 'gu' delante de 'e', como: pringuen.

pringoso, pringosa
adjetivo
1 Que está grasiento, pegajoso o muy sucio. INGLÉS greasy [con grasa], sticky [pegajoso].

pringue
nombre masculino
1 Cosa grasienta o pegajosa que ensucia. INGLÉS muck.
NOTA Es una palabra informal.

prioridad
nombre femenino
1 Ventaja o trato de favor que tiene una cosa o una persona sobre otra. INGLÉS priority.
2 Cosa que se considera más importante o urgente que otra: *Mi prioridad ahora es comer algo antes de hacer cualquier otra cosa.* INGLÉS priority.

prioritario, prioritaria
adjetivo
1 Que tiene prioridad o preferencia sobre otras cosas. Los trabajos o deberes prioritarios se hacen antes que los que son menos urgentes. INGLÉS priority.

prisa
nombre femenino
1 Rapidez o velocidad grande con la que se hace una cosa: *Si no te das prisa, no llegarás.* INGLÉS speed.
2 Necesidad de hacer o decir algo rápidamente. Cuando no se tiene prisa, se pueden hacer las cosas con tranquilidad. INGLÉS hurry.
correr prisa Ser urgente una cosa. INGLÉS to be urgent.
meter prisa Hacer que una persona haga algo rápidamente o a toda prisa. INGLÉS to hurry up.

prisión
nombre femenino
1 Edificio donde las autoridades encierran a las personas que han cometido un delito. SINÓNIMO cárcel. INGLÉS prison.
NOTA El plural es: prisiones.

prisionero, prisionera
nombre
1 Persona que ha sido encerrada en la cárcel o en algún otro lugar en el que se le retiene a la fuerza. INGLÉS prisoner.

prisma
nombre masculino
1 Cuerpo sólido formado por dos bases iguales y paralelas, y por caras de cuatro lados. Un prisma hexagonal está formado por dos hexágonos y seis lados formados por rectángulos. INGLÉS prism.

prismáticos
nombre masculino plural
1 Aparato que sirve para ver más cerca las cosas que están lejos. Están formados por dos cilindros unidos que tienen lentes para aumentar la imagen. INGLÉS binoculars.

privación
nombre femenino
1 Pérdida o desaparición de una cosa que se tenía. Los presos sufren privación de libertad. INGLÉS deprivation.
nombre femenino plural
2 **privaciones** Falta de lo necesario para vivir. Los mendigos viven con muchas privaciones. INGLÉS privations.

privado, privada
adjetivo
1 Que pertenece o está reservado a una persona o a un grupo de personas. A un club de tenis privado solo pueden entrar los socios. INGLÉS private.
2 Que es propio y personal de cada uno. Cada persona tiene su vida privada. INGLÉS private.
3 Que no pertenece al estado, sino a una o varias personas. Hay empresas, colegios y hospitales privados. ANTÓNIMO público; estatal. INGLÉS private.

privar
verbo
1 Dejar a alguien sin algo que tiene, desea o necesita. Los problemas graves privan de alegría a las personas. INGLÉS to deprive.

a b c d e f g h i j k l m n ñ o **p** q r s t u v w x y z

2 Gustar mucho: *El chocolate le priva.* Es un uso informal. **INGLÉS** to love.
3 privarse Dejar de hacer voluntariamente algo agradable: *Se ha privado de algunos gastos para ahorrar.* **INGLÉS** to do without.

privatizar
verbo
1 Hacer pasar al sector privado empresas, bienes o servicios que eran propiedad del estado. **INGLÉS** to privatize.
NOTA La 'z' se convierte en 'c' delante de 'e', como: privaticen.

privilegiado, privilegiada
adjetivo
1 Que es especialmente bueno o mucho mejor que otras cosas del mismo tipo: *El clima de esa isla es privilegiado, siempre hace buen tiempo.* **INGLÉS** exceptional.
adjetivo y nombre
2 Se dice de la persona que tiene ventajas que otras no tienen. **INGLÉS** privileged [adjetivo].

privilegio
nombre masculino
1 Ventaja o beneficio que tiene una persona y que no puede tener todo el mundo. El carné de estudiante da algunos privilegios, como tener descuentos en muchos sitios. **INGLÉS** privilege.

pro
preposición
1 En favor de alguien o de algo: *Han hecho una campaña publicitaria pro tolerancia.* También se dice: en pro de. **INGLÉS** pro-, in favour of.

proa
nombre femenino
1 Parte delantera de un barco. **INGLÉS** bow, prow.

probabilidad
nombre femenino
1 Hecho o circunstancia de ser posible que algo ocurra. **INGLÉS** probability.

probable
adjetivo
1 Se dice de lo que es bastante posible que ocurra. Si se nubla el cielo, es probable que llueva. **INGLÉS** probable.

probador
nombre masculino
1 Lugar donde los clientes se prueban la ropa en las tiendas. **INGLÉS** fitting room.

probar
verbo
1 Utilizar una cosa para ver si funciona. **INGLÉS** to test, to try.
2 Demostrar con razones que una cosa es verdad. Los abogados defensores tienen que probar que sus clientes son inocentes. **INGLÉS** to prove.
3 Intentar hacer algo que no se sabe hacer o que nunca se ha hecho anteriormente. **INGLÉS** to try.
4 Tomar una pequeña cantidad de un alimento o una bebida para ver cómo sabe. **SINÓNIMO** catar. **INGLÉS** to taste, to try.
NOTA Se conjuga como: contar; la 'o' se convierte en 'ue' en sílaba acentuada, como: pruebo.

probar

probeta
nombre femenino
1 Recipiente de cristal en forma de tubo que se usa en los laboratorios para medir líquidos o gases. **INGLÉS** test tube.

problema
nombre masculino
1 Cuestión en la que hay algo que averiguar o que se debe resolver. Un problema de matemáticas se plantea para encontrar la solución correcta. **INGLÉS** problem.
2 Hecho o situación negativa o perjudicial que se tiene que resolver. Los problemas de la vista a menudo se solucionan con unas gafas. **INGLÉS** problem.

procedencia
nombre femenino
1 Lugar, persona o cosa de la que procede alguien o algo. La procedencia de un paquete normalmente aparece en el remite. **INGLÉS** origin.

proceder
verbo
1 Tener su origen una persona o una cosa en un momento, lugar o conjunto de circunstancias. **INGLÉS** to come.
2 Sacarse o venir una cosa de otra. El queso procede de la leche. **INGLÉS** to come from.
3 Comportarse una persona de una manera determinada. **INGLÉS** to proceed, to act.
nombre masculino
4 Manera de actuar o de comportarse una persona: *No me gustó tu proceder en ese asunto.* **INGLÉS** conduct, behaviour.
proceder a Empezar a hacer una cosa:

Después de la carrera, se procedió a entregar los premios. INGLÉS to proceed.

procedimiento
nombre masculino **1** Manera de hacer algo siguiendo unos determinados pasos. INGLÉS procedure.

procesador
nombre masculino **1** Programa informático que procesa o somete a una serie de operaciones la información introducida en la computadora. Un ordenador puede tener un procesador de textos y un procesador de imágenes. INGLÉS processor.

procesar
verbo **1** Someter a una persona a un proceso legal mediante el cual un juez decide si es responsable de un delito: *El juez procesó a los que habían cometido el atraco.* INGLÉS to try.
2 Someter una cosa a un proceso de elaboración o de transformación. Es necesario procesar el petróleo para obtener de él gasolina y otros productos. INGLÉS to process.
3 Someter un conjunto de datos a un determinado programa informático ejecutando instrucciones sobre él. INGLÉS to process.

procesión
nombre femenino **1** Conjunto de personas que van andando por las calles llevando imágenes y estatuas religiosas. INGLÉS procession.
NOTA El plural es: procesiones.

proceso
nombre masculino **1** Sucesión de distintas etapas por las que pasa un fenómeno natural, como una enfermedad. INGLÉS process.
2 Sucesión de las acciones necesarias para conseguir un fin determinado o un producto: *El proceso de fabricación de un avión es lento.* INGLÉS process.
3 Conjunto de los actos que se llevan a cabo para que un tribunal juzgue a una persona. En un proceso intervienen abogados y jueces. INGLÉS trial.

proclamar
verbo **1** Anunciar algo para que todo el mundo lo conozca. INGLÉS to proclaim.
2 Declarar de forma pública y en una ceremonia el comienzo de un reinado o gobierno determinado. INGLÉS to proclaim.

procrear
verbo **1** Engendrar los seres humanos o los animales otros seres de su misma especie. INGLÉS to procreate.

procurar
verbo **1** Intentar hacer o conseguir una cosa: *Procura no hacer ruido para no despertar al bebé.* INGLÉS to try.

prodigio
nombre masculino **1** Cosa extraordinaria que es inexplicable o que parece que no se puede explicar: *Fue un prodigio que no te pasara nada al caerte desde tan alto.* INGLÉS miracle.
adjetivo **2** Se dice de la persona que hace cosas extraordinarias o impropias de su edad. INGLÉS prodigy.

prodigioso, prodigiosa
adjetivo **1** Que es tan extraordinario y maravilloso que provoca admiración. Los cantantes de ópera tienen una voz prodigiosa. INGLÉS phenomenal.

producción
nombre femenino **1** Acción que consiste en hacer un producto a partir de unas materias y mediante el trabajo. INGLÉS production.
2 Conjunto de todos los productos o cosas producidas en un lugar o período de tiempo determinado. La producción total de un país incluye lo que ha producido la tierra y lo que ha producido la industria. INGLÉS output.
3 Suministro y distribución del dinero que cuestan los trabajos relacionados con una película, un programa de televisión u otro espectáculo. INGLÉS production.
4 Conjunto de personas y medios que se utilizan para la producción de una película o cualquier espectáculo. INGLÉS production team.
NOTA El plural es: producciones.

producir
verbo **1** Ser una persona o una cosa la causa de algo: *Tu llegada le produjo alegría.* INGLÉS to produce.
2 Dar la tierra o las cosas naturales frutos, materiales o sustancias. INGLÉS to produce.
3 Hacer o realizar un producto a partir de unas materias y mediante el trabajo: *En esa fábrica se producen tornillos.* INGLÉS to produce.
4 Suministrar y distribuir el dinero que cuestan los trabajos relacionados con una película u otro espectáculo. INGLÉS to produce.

5 Crear una persona obras literarias u obras de arte. INGLÉS to produce.
NOTA Se conjuga como: conducir.

productivo, productiva
adjetivo **1** Que produce o es capaz de producir. El comercio productivo es el comercio que produce muchas compras y muchas ventas. INGLÉS productive.

producto
nombre masculino **1** Cosa que se ha producido de modo natural o artificial. Los medicamentos son productos químicos. INGLÉS product.
2 Cosa que es el resultado o la consecuencia de algo. El sudor es producto del calor excesivo. INGLÉS product.
3 Resultado que da multiplicar una cifra por otra. El producto de 5 × 6 es 30. INGLÉS product.

productor, productora
adjetivo y nombre **1** Que se dedica a producir algo. Brasil es un país productor de café. INGLÉS producing [adjetivo], producer [nombre].
nombre **2** Persona o sociedad que financia los gastos de la elaboración de una película, una obra de teatro, un programa de radio o televisión o un espectáculo. INGLÉS producer.

proeza
nombre femenino **1** Acción difícil que se consigue hacer con valentía y esfuerzo. SINÓNIMO hazaña. INGLÉS feat, exploit.

profanar
verbo **1** Tratar sin respeto algo que se considera sagrado, como una iglesia o un cementerio. INGLÉS to desecrate.

profano, profana
adjetivo **1** Que no es sagrado ni religioso. INGLÉS secular.
2 Se dice de la persona que no tiene conocimientos sobre un tema determinado: *Soy profano en medicina.* INGLÉS ignorant.

profecía
nombre femenino **1** Anuncio de algo que pasará en el futuro: *La profecía dice que él llegará a ser rey.* INGLÉS prophecy.

profesar
verbo **1** Aceptar y seguir una religión, doctrina o creencia. INGLÉS to practise, to profess.
2 Tener una persona un determinado sentimiento hacia alguien. Una pareja de enamorados se profesa amor mutuamente. INGLÉS to feel.

profesión
nombre femenino **1** Trabajo de una persona, como abogado, médico o mecánico. INGLÉS profession.
NOTA El plural es: profesiones.

profesional
adjetivo y nombre masculino y femenino **1** Se dice de la persona que realiza una actividad de manera continuada y como profesión: *Es un profesional de la informática.* ANTÓNIMO aficionado. INGLÉS professional.
adjetivo **2** Que tiene relación con el trabajo de una persona. INGLÉS professional.

profesor, profesora
nombre **1** Persona que se dedica a enseñar algo. INGLÉS teacher, [si es en la universidad: lecturer].

profesorado
nombre masculino **1** Conjunto de los profesores de un centro de enseñanza. INGLÉS teaching staff.

profeta, profetisa
nombre **1** Persona que anuncia en nombre de Dios o de otra divinidad lo que va a pasar en el futuro. INGLÉS prophet.

profundidad
nombre femenino **1** Distancia que hay desde la superficie hasta el fondo de una cosa, como una piscina o un barranco. INGLÉS depth.
2 Distancia que hay desde la parte de fuera hasta la parte de dentro de algunas cosas, como un armario. INGLÉS depth.
3 Característica que tiene una idea muy importante y desarrollada o un sentimiento muy fuerte. INGLÉS depth.
nombre femenino plural **4 profundidades** Lugar muy profundo. A las profundidades del océano no suelen llegar los rayos del sol. INGLÉS depth.

profundizar
verbo **1** Estudiar o examinar un asunto con mucho detenimiento. INGLÉS to go deeply into.
2 Hacer que una cosa sea más profunda. INGLÉS to deepen.
NOTA Se escribe 'c' delante de 'e', como: profundicen.

profundo, profunda
adjetivo **1** Que tiene mucha distancia desde la superficie hasta la parte que está más adentro. SINÓNIMO hondo. INGLÉS deep.
2 Se dice del sentimiento o la sensación que afecta con mucha intensidad a una persona: *Sintió un profundo dolor al*

a b c d e f g h i j k l m n ñ o p q r s t u v w x y z

romperse el brazo. **SINÓNIMO** hondo. **ANTÓNIMO** superficial. **INGLÉS** deep, intense.
3 Se dice de la persona que trata, habla o piensa sobre temas serios y complejos, y también de sus palabras y pensamientos. **ANTÓNIMO** superficial. **INGLÉS** profound, deep.

progenitor, progenitora
nombre
1 Padre o madre de una persona. **INGLÉS** father [padre], mother [madre].
NOTA Es una palabra formal.

programa
nombre masculino
1 Proyecto ordenado de las actividades que va a realizar una persona, como el programa de un curso escolar, de una fiesta o de un espectáculo. **INGLÉS** programme, [si es de estudios: syllabus].
2 Emisión con un tema propio que se transmite por la radio o la televisión, como un informativo o un concurso. **INGLÉS** programme.
3 Conjunto de instrucciones que permite a un ordenador realizar determinados trabajos, como un programa de tratamiento de textos. **INGLÉS** program.

programación
nombre femenino
1 Acción que consiste en programar una actividad, una máquina o un ordenador. **INGLÉS** programming.
2 Conjunto de programas de radio o televisión. **INGLÉS** programmes.
NOTA El plural es: programaciones.

programar
verbo
1 Preparar el programa de una actividad determinada, como un curso o un viaje. **INGLÉS** to programme, to schedule.
2 Preparar una máquina para que haga su trabajo posteriormente. *Podemos programar el vídeo o la lavadora.* **INGLÉS** to programme.
3 Hacer programas informáticos. **INGLÉS** to program.

progresar
verbo
1 Pasar a estar en una situación o un estado mejor o más avanzado. *El estudiante que progresa cada vez sabe más.* **INGLÉS** to make progress.

progresista
adjetivo y nombre masculino y femenino
1 Se dice de la persona, el partido político o las ideas que están a favor de que haya progresos políticos, sociales y económicos en la sociedad. **INGLÉS** progressive.

progresivo, progresiva
adjetivo
1 Que avanza o progresa pasando de una etapa a otra, de forma continuada. *Las plantas crecen de forma progresiva.* **INGLÉS** progressive.

progreso
nombre masculino
1 Paso a una situación o un estado mejor o más avanzado. **INGLÉS** progress.

prohibición
nombre femenino
1 Acción que consiste en prohibir algo. **INGLÉS** prohibition, ban.

prohibir
verbo
1 No dejar hacer algo una persona con autoridad para ello. **INGLÉS** to forbid, to ban.

prohibir

INDICATIVO

presente
prohíbo
prohíbes
prohíbe
prohibimos
prohibís
prohíben

pretérito imperfecto
prohibía
prohibías
prohibía
prohibíamos
prohibíais
prohibían

pretérito perfecto simple
prohibí
prohibiste
prohibió
prohibimos
prohibisteis
prohibieron

futuro
prohibiré
prohibirás
prohibirá
prohibiremos
prohibiréis
prohibirán

condicional
prohibiría
prohibirías
prohibiría
prohibiríamos
prohibiríais
prohibirían

SUBJUNTIVO

presente
prohíba
prohíbas
prohíba
prohibamos
prohibáis
prohíban

pretérito imperfecto
prohibiera o prohibiese
prohibieras o prohibieses
prohibiera o prohibiese
prohibiéramos o prohibiésemos
prohibierais o prohibieseis
prohibieran o prohibiesen

futuro
prohibiere
prohibieres
prohibiere
prohibiéremos
prohibiereis
prohibieren

IMPERATIVO

prohíbe	(tú)
prohíba	(usted)
prohibamos	(nosotros)
prohibid	(vosotros)
prohíban	(ustedes)

FORMAS NO PERSONALES

infinitivo prohibir
gerundio prohibiendo
participio prohibido

prójimo, prójima
nombre
1 Cualquier persona respecto a otra persona. **INGLÉS** fellow man.

prole
nombre femenino
1 Conjunto de hijos que tiene una persona, especialmente cuando es numeroso. INGLÉS offspring.
2 Conjunto numeroso de personas que tienen algo en común: *Llegó una prole de turistas al museo.* INGLÉS swarm.

proletario, proletaria
adjetivo
1 De los trabajadores manuales o que tiene relación con ellos. En el siglo XIX hubo muchas protestas proletarias. INGLÉS proletarian.
nombre
2 Persona que recibe un salario a cambio de su trabajo, normalmente manual o que exige un trabajo físico. SINÓNIMO obrero. INGLÉS proletarian.

proliferar
verbo
1 Reproducirse un organismo vivo, especialmente las células por división celular. Los virus proliferan en un medio adecuado. INGLÉS to proliferate.
2 Aumentar en cantidad una cosa con mucha rapidez: *En el barrio han empezado a proliferar las librerías.* INGLÉS to proliferate.

prólogo
nombre masculino
1 Texto que va en las primeras páginas de un libro en el que se explica alguna cosa sobre la obra o el autor. INGLÉS prologue.

prolongación
nombre femenino
1 Acción que consiste en hacer más larga una cosa. INGLÉS prolongation, extension.
2 Parte que sale de algo y lo hace más largo. La cola de algunos animales es una prolongación de su espina dorsal. INGLÉS prolongation, extension.
NOTA El plural es: prolongaciones.

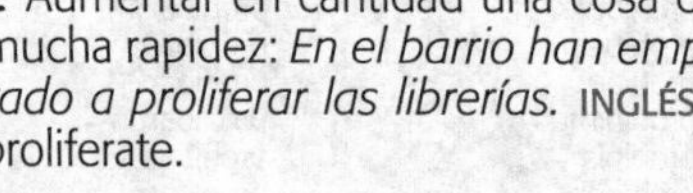
prolongación

prolongar
verbo
1 Hacer que una cosa sea más larga o que dure más: *La reunión se prolongó más de lo habitual.* SINÓNIMO alargar. ANTÓNIMO acortar. INGLÉS to prolong, to extend, [si es prolongarse: to go on].
NOTA Se escribe 'gu' delante de 'e', como: prolonguen.

promedio
nombre masculino
1 Cantidad que resulta de sumar varias cantidades y dividir el resultado por el número de ellas. Si una persona un día duerme 8 horas y otro 6, esos días duerme un promedio de 7 horas al día: 8 + 6 = 14 horas; 14 horas : 2 días = 7. INGLÉS average.

promesa
nombre femenino
1 Acción de prometer o asegurar que se va a hacer algo. INGLÉS promise.
2 Persona de la que se espera que triunfe en una actividad: *Es una promesa de la música.* INGLÉS budding talent.

prometer
verbo
1 Asegurar una persona que hará o dirá algo. Cuando prometemos alguna cosa, estamos obligados a hacerlo. INGLÉS to promise.
2 Afirmar una persona que es cierto lo que dice. INGLÉS to promise.
3 Dar muestras una persona o una cosa de que podrá triunfar o dar un buen resultado: *Este chico promete, es inteligentísimo.* INGLÉS to be promising.

prometido, prometida
nombre
1 Persona que se va a casar con otra: *Presentó su prometida a su familia.* INGLÉS fiancé [hombre], fiancée [mujer].

prominencia
nombre femenino
1 Elevación de una cosa sobre lo que está alrededor. La prominencia nasal es la nariz. INGLÉS protuberance, [si es del terreno: rise].

promoción
nombre femenino
1 Grupo de personas que empiezan, realizan o terminan juntas una actividad determinada, como los estudios o un trabajo. INGLÉS year.
2 Campaña de publicidad de un producto. INGLÉS promotion.
NOTA El plural es: promociones.

promocionar
verbo
1 Hacer subir de categoría a una persona en el trabajo o en las relaciones sociales. INGLÉS to promote.
2 Dar a conocer un producto a la gente mediante una campaña de publicidad. INGLÉS to promote.

promover
verbo
1 Hacer que se dedique más atención a algo o que se realice con más intensidad. Los ecologistas promueven el cuidado

del medioambiente. **SINÓNIMO** fomentar. **INGLÉS** to promote.

2 Hacer que se produzca una cosa como reacción o respuesta a algo. Una injusticia puede promover acciones de protesta. **INGLÉS** to cause.

NOTA Se conjuga como: mover; la 'o' se convierte en 'ue' en sílaba acentuada, como: promueven.

promulgar

verbo

1 Publicar una ley para que todos los ciudadanos la cumplan. **INGLÉS** to enact.

NOTA Se escribe 'gu' delante de 'e', como: promulguen.

pronombre

nombre masculino

1 Clase de palabras que sustituyen a una persona, un objeto o una situación que hemos nombrado antes. Hay pronombres personales, demostrativos, posesivos, indefinidos, numerales y relativos. 'Este' es un pronombre demostrativo. 'Yo' es un pronombre personal. **INGLÉS** pronoun.

pronominal

adjetivo

1 Del pronombre o que tiene relación con esta clase de palabra. **INGLÉS** pronominal.

2 Se dice del verbo que se construye en todas sus formas con uno de los pronombres: 'me', 'te', 'se', 'nos' u 'os'. El verbo 'enterarse' es pronominal. **INGLÉS** pronominal.

pronosticar

verbo

1 Anunciar a partir de indicios o señales algo que va a ocurrir en el futuro. **INGLÉS** to predict.

2 Hacer el médico un juicio sobre la posible evolución de una enfermedad o una lesión que sufre una persona. **INGLÉS** to predict.

NOTA Se escribe 'qu' delante de 'e', como: pronostiquen.

pronóstico

nombre masculino

1 Anuncio que se hace sobre algo que va a suceder en el futuro. Se hacen pronósticos del tiempo que va a hacer o de los resultados deportivos. **INGLÉS** forecast.

2 Juicio que hace un médico sobre la evolución de una enfermedad o una lesión: *Su pronóstico es grave.* **INGLÉS** prognosis.

prontitud

nombre femenino

1 Rapidez o velocidad con que se hace una cosa. **INGLÉS** promptness.

pronto, pronta

adjetivo

1 Se dice de lo que se hace con rapidez o de la persona que actúa de este modo. Una respuesta pronta se da inmediatamente después de la pregunta. **INGLÉS** swift.

nombre masculino

2 Reacción repentina y brusca de una persona: *Le dio un pronto y se puso a gritar.* **INGLÉS** sudden fit.

adverbio

3 pronto Sin que pase mucho tiempo desde el momento tomado como referencia: *No tardes, vuelve pronto.* **ANTÓNIMO** tarde. **INGLÉS** soon.

4 pronto En un tiempo anterior al que

EL PRONOMBRE PERSONAL

Los pronombres personales tienen formas distintas según la función que tienen en la frase y cambian también según se refieran a la 1.ª, 2.ª o 3.ª persona o sustituyan a nombres en singular o plural.

Persona gramatical	Función de sujeto	Función de complemento directo	Función de complemento indirecto	Unido a preposición
1.ª persona singular	yo	me	me / a mí	mí (conmigo)
2.ª persona singular	tú	te	te / a ti	ti (contigo)
2.ª persona singular (forma de cortesía)	usted	lo, la	le, se / a sí	usted / sí (consigo)
3.ª persona singular	él, ella	lo, la	le, se / a sí	él, ella / sí (consigo)
1.ª persona plural	nosotros, nosotras	nos	nos	nosotros, nosotras
2.ª persona plural	vosotros, vosotras	os	os	vosotros, vosotras
2.ª persona plural (forma de cortesía)	ustedes	los, las	les, se / a sí	ustedes / sí
3.ª persona plural	ellos, ellas	los, las	les, se / a sí	ellos, ellas / sí

es normal. Si te levantas a las 5 de la mañana, te levantas muy pronto. SINÓNIMO temprano. ANTÓNIMO tarde. INGLÉS early.
de pronto De manera brusca o inesperada. INGLÉS suddenly.
tan pronto como En el mismo momento en que se indica: *Tan pronto como llegue, te aviso.* INGLÉS as soon as.

pronunciar
verbo
1 Emitir los sonidos de una lengua al hablar. INGLÉS to pronounce.
2 Decir algo en voz alta y en público. Los políticos pronuncian discursos. INGLÉS to say [palabras], to make [un discurso].
3 pronunciarse Decir alguien públicamente lo que piensa sobre algo o alguien. INGLÉS to declare oneself, to make a pronouncement.
NOTA Se conjuga como: cambiar; la 'i' no lleva nunca acento de intensidad.

propaganda
nombre femenino
1 Conjunto de actividades y medios destinados a vender un producto o a atraer la atención del público sobre una serie de ideas. INGLÉS advertising [de un producto], propaganda [política].

propagar
verbo
1 Hacer que algo material o inmaterial llegue a muchos lugares o a un gran número de personas. El fuego se propaga con el viento. INGLÉS to spread.
NOTA Se escribe 'gu' delante de 'e', como: propaguen.

propenso, propensa
adjetivo
1 Que tiene inclinación o tendencia natural hacia algo, o que suele hacerlo. Cuando decimos que alguien es muy propenso a resfriarse es que suele resfriarse a menudo. INGLÉS inclined, prone.

propicio, propicia
adjetivo
1 Que es adecuado o bueno para algo. Las vacaciones son propicias para descansar. INGLÉS favourable, propitious.

propiedad
nombre femenino
1 Cosa que pertenece a una persona, como un terreno, un piso o un edificio. SINÓNIMO posesión. INGLÉS property.
2 Derecho que tiene una persona para poder disponer de una cosa que es suya: *Vive en una casa de propiedad.* INGLÉS ownership.
3 Característica o cualidad particular de una persona o cosa. El agua tiene como propiedades la falta de olor, color y sabor. SINÓNIMO atributo. INGLÉS property.

propietario, propietaria
adjetivo y nombre
1 Se dice de la persona a la que pertenece una cosa. SINÓNIMO dueño. INGLÉS owner.

propina
nombre femenino
1 Cantidad de dinero que se da voluntariamente al pagar algo para mostrar satisfacción por el buen trato recibido. INGLÉS tip [en el Reino Unido], gratuity [en Estados Unidos].

propinar
verbo
1 Dar un golpe o una paliza. INGLÉS to give.

propio, propia
adjetivo
1 Que pertenece a una persona y no a otras: *Tiene bici propia.* INGLÉS own.
2 Que es característico o típico de una persona o cosa. El calor es propio del verano. INGLÉS typical.
3 Se usa para enfatizar que es la persona o la cosa citada la que hace, dice o de la que se dice algo: *Es un pesado, hasta su propia hermana lo dice.* SINÓNIMO mismo. INGLÉS own.

proponer
verbo
1 Exponer una idea o un plan con la intención de que se acepte o se realice: *Nos propuso que saliéramos a cenar.* INGLÉS to propose.
2 Presentar a una persona para que haga algo, en especial para un trabajo. INGLÉS to put forward.
3 proponerse Decidirse a hacer o a conseguir algo: *Se ha propuesto dejar de fumar.* INGLÉS to decide.
NOTA Se conjuga como: poner. El participio es: propuesto.

proporción
nombre femenino
1 Relación según la cual las distintas partes de algo forman un todo en el que no hay una parte que destaque demasiado sobre otras. SINÓNIMO equilibrio. INGLÉS proportion.
2 Correspondencia entre cosas relacionadas entre sí. INGLÉS proportion.
nombre femenino plural
3 proporciones Tamaño o medidas de una cosa. SINÓNIMO dimensiones; tamaño. INGLÉS proportion.

proporcionado, proporcionada
adjetivo
1 Se dice de algo o alguien cuyas partes tienen el tamaño adecuado para que no destaque ninguna sobre las otras. Si

una persona tiene un cuerpo normal y unos brazos demasiado largos, entonces sus brazos no están proporcionados con el resto del cuerpo. ANTÓNIMO desproporcionado. INGLÉS in proportion.

proporcional
adjetivo
1 Que guarda o sigue una proporción. El precio del sello de un paquete que se envía por correo es proporcional al peso que tiene: cuanto más pesa el paquete, mayor es el precio del sello. INGLÉS proportionate, proportional.

proporcionar
verbo
1 Dar a alguien lo que necesita para un fin determinado. La naturaleza nos proporciona alimentos para vivir. INGLÉS to supply, to give.
2 Causar o producir una cosa. Las buenas noticias nos proporcionan alegría. INGLÉS to bring, to give.

proposición
nombre femenino
1 Acción de ofrecer o proponer algo. También es una proposición la cosa que se propone. INGLÉS proposal.
2 Oración que forma parte de una oración compuesta. En la oración 'Pedro limpia y María plancha' hay dos proposiciones: 'Pedro limpia' y 'María plancha'. INGLÉS clause.
NOTA El plural es: proposiciones.

propósito
nombre masculino
1 Pensamiento o idea que tiene una persona de hacer o de no hacer alguna cosa: *Tiene el propósito de leer más.* INGLÉS intention.
2 Objetivo que pretende alcanzar una persona. INGLÉS aim.
a propósito Indica que una acción se realiza con la voluntad de conseguir el resultado que implica: *El golpe no ha sido sin querer, te ha dado a propósito.* INGLÉS on purpose.
a propósito Se usa para introducir en medio de una conversación algo que tiene mucho que ver con lo que se está diciendo. INGLÉS by the way.

propuesta
nombre femenino
1 Idea o cosa que se expone con la intención de que se acepte o se realice: *Le han hecho una propuesta de trabajo.* INGLÉS proposal.

propuesto, propuesta
participio
1 Participio irregular de: proponer. También se usa como adjetivo: *Le han propuesto un viaje. Te has desviado de la ruta propuesta.*

propulsar
verbo
1 Ejercer una fuerza hacia delante para que algo se mueva. Los aviones modernos son propulsados por motores a reacción. INGLÉS to propel.

prórroga
nombre femenino
1 Período de tiempo añadido que se concede para hacer algo que tenía ya fijado un tiempo de ejecución determinado: *El partido acabó en empate y hubo prórroga.* INGLÉS extension, [si es en deporte: extra time].
2 Período de tiempo en que se aplaza algo que se tenía que hacer ya: *Tenía que volver a su país pero ha pedido una prórroga.* SINÓNIMO aplazamiento. INGLÉS postponement.

prorrogar
verbo
1 Hacer que un suceso o una acción dure más tiempo del que estaba previsto: *Le han prorrogado el contrato.* INGLÉS to postpone.
NOTA Se escribe 'gu' delante de 'e', como: prorroguen.

prosa
nombre femenino
1 Manera de escribir que se diferencia de la poesía en que no necesita ritmo ni rima. Las novelas y los libros de texto se escriben en prosa. INGLÉS prose.

proseguir
verbo
1 Continuar ocurriendo o haciendo algo que ya se había empezado. Después del recreo, prosiguen las clases. INGLÉS to continue.
NOTA Se conjuga como: seguir; la 'e' se convierte en 'i' en algunos tiempos y personas, y se escribe 'g' delante de 'a' y 'o', como: prosigan.

prospecto
nombre masculino
1 Papel escrito en que se informa sobre las características o el funcionamiento de ciertos productos, en especial farmacéuticos. INGLÉS leaflet.

prosperar
verbo
1 Ir cada vez mejor una cosa, como la economía o el nivel de conocimientos. SINÓNIMO progresar. INGLÉS to prosper.

próspero, próspera
adjetivo
1 Que se desarrolla de forma favorable,

cada vez mejor, en especial en el aspecto económico. INGLÉS prosperous.

prostitución

nombre femenino **1** Actividad de la persona que mantiene relaciones sexuales a cambio de dinero. INGLÉS prostitution.

prostituto, prostituta

nombre **1** Persona que mantiene relaciones sexuales a cambio de dinero. INGLÉS prostitute.

protagonista

nombre masculino y femenino **1** Personaje principal de una película, una serie televisiva o una narración. INGLÉS main character.

2 Persona que destaca en un hecho o acontecimiento. INGLÉS main person involved.

protagonizar

verbo **1** Representar el personaje principal de una película, serie televisiva u obra teatral. INGLÉS to star in.

NOTA Se escribe 'c' delante de 'e', como: protagonicen.

protección

nombre femenino **1** Acción de impedir que una persona reciba algún daño. INGLÉS protection.

2 Cosa que sirve para proteger de algún daño. El casco es una protección para los motoristas. INGLÉS protection.

NOTA El plural es: protecciones.

protector, protectora

adjetivo **1** Que protege o defiende de algo. Las cremas protectoras protegen de los efectos negativos del sol. INGLÉS protective [adjetivo], protector [nombre].

proteger

verbo **1** Cuidar, guardar o ayudar a una persona o cosa para que no sufra una molestia, un peligro o un daño. SINÓNIMO preservar. INGLÉS to protect.

NOTA Se escribe 'j' delante de 'a' y 'o', como: protejan o protejo.

— el caparazón protege a la tortuga —

proteína

nombre femenino **1** Sustancia química que hay en las células y que es necesaria para la vida. La carne y la leche tienen muchas proteínas. INGLÉS protein.

prótesis

nombre femenino **1** Pieza artificial que se pone en el lugar de un órgano o parte del cuerpo que falta o está dañado. INGLÉS prosthesis.

NOTA El plural es: prótesis.

protesta

nombre femenino **1** Demostración de que no se está de acuerdo con alguna cosa. También es una protesta el conjunto de palabras o gestos que se hacen para protestar. SINÓNIMO queja. INGLÉS protest.

protestantismo

nombre masculino **1** Movimiento religioso cristiano que se separó de la Iglesia católica y dio origen a muchas variantes del cristianismo. INGLÉS Protestantism.

protestar

verbo **1** Decir o expresar que no se está de acuerdo o contento con algo. INGLÉS to protest.

protocolo

nombre masculino **1** Conjunto de normas que se deben seguir en algunos actos oficiales o ceremonias. INGLÉS protocol.

2 Documento en el que figuran los acuerdos a los que han llegado dos o más países. INGLÉS protocol.

protón

nombre masculino **1** Partícula elemental del núcleo del átomo. El protón tiene carga eléctrica positiva. INGLÉS proton.

NOTA El plural es: protones.

prototipo

nombre masculino **1** Persona o cosa que tiene unas determinadas características en un grado que se considera ideal para servir como modelo. INGLÉS prototype.

2 Primer ejemplar de una figura, una máquina u otra cosa que sirve como modelo para fabricar otros. INGLÉS prototype.

provecho

nombre masculino **1** Utilidad o beneficio que una persona o una cosa obtienen de algo. Se puede sacar provecho a unos ahorros metiéndolos en el banco. INGLÉS benefit.

buen provecho Expresión que se usa para desear a una persona que le siente bien una comida que está tomando. INGLÉS enjoy your meal.

provechoso, provechosa
adjetivo **1** Que es útil o produce algún beneficio. INGLÉS beneficial.

proveer
verbo **1** Dar a alguien o poner a su alcance lo que necesita o lo que pide para un fin determinado. INGLÉS to provide.
NOTA Se conjuga como: leer. El participio es: provisto, más habitual, o proveído, menos usado.

provenir
verbo **1** Tener su origen una persona o una cosa en un momento, lugar o conjunto de circunstancias determinadas. SINÓNIMO proceder. INGLÉS to come.
NOTA Se conjuga como: venir.

proverbio
nombre masculino **1** Frase popular que contiene un pensamiento, un consejo o una enseñanza. 'No por mucho madrugar amanece más temprano' es un proverbio. SINÓNIMO refrán. INGLÉS proverb, saying.

providencial
adjetivo **1** Se dice del hecho que se produce de forma inesperada o casual y evita un daño o un suceso desgraciado: *La intervención del portero fue providencial y evitó que el equipo perdiera el partido.* INGLÉS providential.

provincia
nombre femenino **1** Cada una de las divisiones que componen el territorio de algunos países. INGLÉS province.

provincial
adjetivo **1** De la provincia o que tiene relación con ella: *El jugador recibió el premio al mejor deportista provincial que concede la Diputación.* INGLÉS provincial.

provinciano, provinciana
adjetivo y nombre **1** Que es de cualquier parte de un país excepto de una ciudad grande. INGLÉS provincial.

provisión
nombre femenino **1** Conjunto de cosas necesarias, especialmente alimentos, que se guardan o se reservan para cuando hagan falta. INGLÉS provision, supply, filling.
NOTA El plural es: provisiones.

provisional
adjetivo **1** Que no es definitivo y que posiblemente cambiará dependiendo de las circunstancias: *Los libros están en el pasillo de forma provisional, hasta que pinten el salón.* INGLÉS provisional.

provisto, provista
adjetivo **1** Participio irregular de: proveer. También se usa como adjetivo: *Le han provisto de alimentos. El salón está provisto de aire acondicionado.*

provocar
verbo **1** Ser una persona o una cosa la causa de que se haga u ocurra algo: *La tormenta provocó un apagón.* SINÓNIMO ocasionar. INGLÉS to cause.
2 Hacer una persona mediante ciertas palabras o acciones que otra persona se enfade o acabe riñendo con ella: *Sabía cómo provocar su enfado.* INGLÉS to provoke.
3 Hacer que una persona sienta deseo sexual por otra. INGLÉS to lead on.
NOTA Se escribe 'qu' delante de 'e', como: provoquen.

provocativo, provocativa
adjetivo **1** Que provoca o causa una reacción determinada, especialmente si es violenta. INGLÉS provocative.

proxeneta
nombre masculino y femenino **1** Persona que vive de lo que ganan las personas que trabajan para ella prostituyéndose. INGLÉS pimp.

proximidad
nombre femenino **1** Situación de lo que está próximo o cercano en el tiempo o en el espacio. INGLÉS proximity.

próximo, próxima
adjetivo **1** Que está o viene después de otra cosa o persona. La próxima palabra de este diccionario es 'proyección'. SINÓNIMO siguiente. INGLÉS next.
2 Que está cerca en el espacio o en el tiempo: *Tiene una tienda próxima a su casa.* SINÓNIMO cercano. ANTÓNIMO lejano. INGLÉS near.

proyección
nombre femenino **1** Acción de proyectar una cosa, en especial si es una película. INGLÉS projection, [si es de una película: screening].
NOTA El plural es: proyecciones.

proyectar
verbo **1** Pensar y decidir el modo y los medios de hacer una cosa. La gente suele

a b c d e f g h i j k l m n ñ o p q r s t u v w x y z

proyectar sus vacaciones. SINÓNIMO planear. INGLÉS to plan.
2 Exhibir una película en un cine. INGLÉS to show.
3 Reflejar una diapositiva o una transparencia sobre una pantalla o superficie, con la ayuda de un proyector. INGLÉS to project.
4 Lanzar o dirigir con fuerza una cosa hacia delante o a distancia. INGLÉS to project.

proyectil
nombre masculino
1 Objeto que se lanza con fuerza y a gran velocidad contra una persona o contra una cosa, en especial el que dispara un arma. INGLÉS projectile.

proyecto
nombre masculino
1 Idea o cosa que se piensa hacer en el futuro fijando el modo y los medios de hacerla. INGLÉS project.
2 Conjunto de escritos, dibujos o cálculos que se hacen antes de realizar una idea concreta. Los arquitectos hacen proyectos de casas. INGLÉS plan.

proyector
nombre masculino
1 Aparato que sirve para proyectar una imagen o una película sobre una pantalla o superficie plana. INGLÉS projector.

prudencia
nombre femenino
1 Característica de la persona que se comporta con mucho cuidado y atención para evitar cualquier problema o daño. SINÓNIMO precaución. ANTÓNIMO imprudencia. INGLÉS care, caution.

prudente
adjetivo
1 Se dice de la persona que actúa con mucho cuidado y atención para evitar cualquier problema o daño. También son prudentes las cosas que hacen este tipo de personas. SINÓNIMO sensato. ANTÓNIMO imprudente. INGLÉS sensible, prudent.

prueba
nombre femenino
1 Acción que consiste en probar una cosa para ver si funciona correctamente, si tiene las cualidades o características que debe tener o si va bien para algo. INGLÉS test.
2 Experimento, análisis o ensayo que se hace con algo que está en fase de desarrollo: *El médico me ha mandado que me haga unas pruebas.* INGLÉS test.
3 Actividad o ejercicio que se plantea a una persona para conocer sus aptitudes o dominio de una materia determinada. INGLÉS test.
4 Cosa que sirve para demostrar la verdad o falsedad de un hecho. En un juicio se necesitan pruebas. INGLÉS proof.
5 Señal o muestra que se da de la cosa que se expresa. Los enamorados se suelen hacer regalos como prueba de su amor. INGLÉS proof, token.
6 Operación matemática que se hace para comprobar si es correcta otra operación anterior. INGLÉS check.
a prueba de Que es capaz de resistir lo que se indica: *a prueba de bombas.* INGLÉS -proof [a prueba de bomba: bombproof].

psicoanálisis
nombre masculino
1 Teoría psicológica que da mucha importancia a los sentimientos y los impulsos que nacen de forma espontánea y que son reprimidos por la conciencia. También es un método de tratamiento de algunas enfermedades mentales. INGLÉS psychoanalysis.
NOTA También se escribe: sicoanálisis. El plural es: psicoanálisis.

psicología
nombre femenino
1 Ciencia que estudia la mente, la manera de ser y el comportamiento de las personas. También se llaman psicología los estudios universitarios en que se aprende esta ciencia. INGLÉS psychology.
2 Manera de sentir o de pensar una persona. SINÓNIMO carácter. INGLÉS psychology.
NOTA También se escribe: sicología.

psicólogo, psicóloga
nombre
1 Persona que se dedica a la psicología. INGLÉS psychologist.
NOTA También se escribe: sicólogo.

psicópata
adjetivo y nombre masculino y femenino
1 Se dice de la persona que padece una enfermedad mental por la que tiene alterada su conducta y su relación con los demás. INGLÉS psychopath.
NOTA También se escribe: sicópata.

psiquiatra
nombre masculino y femenino
1 Médico que se ha especializado en psiquiatría. INGLÉS psychiatrist.
NOTA También se escribe: siquiatra.

psiquiatría
nombre femenino
1 Parte de la medicina que estudia las

enfermedades mentales y su tratamiento. **INGLÉS** psychiatry.
NOTA También se escribe: siquiatría.

psíquico, psíquica
adjetivo
1 De la mente humana o que tiene relación con ella. Los psiquiatras curan enfermedades psíquicas. **INGLÉS** psychic.
NOTA También se escribe: síquico.

púa
nombre femenino
1 Parte delgada y dura con una punta afilada que tienen algunos animales, como los erizos. **INGLÉS** prickle, spine.
2 Diente de un peine o un cepillo. **INGLÉS** tooth.
3 Pieza pequeña y plana en forma de triángulo que se usa para tocar la guitarra y otros instrumentos de cuerda. **INGLÉS** plectrum.

pub
nombre masculino
1 Establecimiento donde se pueden tomar bebidas y escuchar música. **INGLÉS** pub.
NOTA Se pronuncia: 'pab'. El plural es: pubs.

pubertad
nombre femenino
1 Primera etapa de la adolescencia en la que los órganos sexuales se desarrollan y empiezan a ser activos. La pubertad comienza entre los 11 y los 14 años, y termina alrededor de los 16 o 18 años. **INGLÉS** puberty.

pubis
nombre masculino
1 Parte del cuerpo humano situada en la zona inferior del vientre que forma un triángulo entre los dos muslos. Durante la adolescencia, en el pubis empiezan a crecer pelos. **INGLÉS** pubis.
2 Hueso que está en la zona del pubis. **INGLÉS** pubic bone.
NOTA El plural es: pubis.

publicación
nombre femenino
1 Obra impresa, como un periódico, un libro o una revista. **INGLÉS** publication.

publicar
verbo
1 Imprimir una obra, como un periódico o un libro, y ponerla a la venta. **INGLÉS** to publish.
2 Hacer que una cosa sea conocida por mucha gente. Los medios de comunicación publican noticias. **INGLÉS** to broadcast.
NOTA Se escribe 'qu' delante de 'e', como: publique.

publicidad
nombre femenino
1 Conjunto de técnicas y medios que se usan para dar a conocer un producto o servicio. **INGLÉS** advertising.

publicitario, publicitaria
adjetivo
1 De la publicidad o que tiene relación con ella. Las campañas publicitarias se basan en los anuncios. **INGLÉS** advertising.

público, pública
adjetivo
1 Que es de todas las personas que forman una comunidad o para que lo disfruten todas ellas, como una piscina pública. **ANTÓNIMO** privado. **INGLÉS** public.
2 Que es conocido o sabido por mucha gente. **INGLÉS** public.
3 Que pertenece al Estado, como algunos colegios, hospitales o empresas. **ANTÓNIMO** privado. **INGLÉS** public.
nombre masculino
4 Conjunto de personas que asisten a un espectáculo o un acto. **INGLÉS** audience.

puchero
nombre masculino
1 Recipiente de metal o de barro que sirve para cocinar alimentos en el fuego. Es redondeado y profundo, y tiene una o dos asas. **INGLÉS** cooking pot.
hacer pucheros Poner cara de estar a punto de llorar. **INGLÉS** to pout.

púdico, púdica
adjetivo
1 Que tiene o muestra pudor, especialmente en los temas relacionados con el sexo. **ANTÓNIMO** impúdico. **INGLÉS** modest.

pudor
nombre masculino
1 Vergüenza que siente una persona ante ciertas cosas. **INGLÉS** modesty.

pudrir
verbo
1 Hacer que una materia orgánica se estropee y se descomponga. El pescado fuera de la nevera acaba pudriéndose. **INGLÉS** to rot, [si es pudrirse: to go rotten].
NOTA El participio es: podrido.

pueblo
nombre masculino
1 Población pequeña y con pocos habitantes. **INGLÉS** village.
2 Conjunto de personas de un país que no forman parte de la clase dirigente. **INGLÉS** people.
3 Conjunto de personas que forman una comunidad y tienen la misma lengua, religión y cultura, o pertenecen a la misma raza. **INGLÉS** people.

puente
nombre masculino **1** Construcción hecha sobre un río, una carretera o un barranco para pasar de un lado a otro. INGLÉS bridge.
2 Día o días de la semana en que no se trabaja por estar entre dos días festivos. A veces, si un martes es fiesta, el lunes es puente. INGLÉS day off.
3 Plataforma con una barandilla que está sobre la cubierta de un barco y desde donde el capitán dirige las maniobras. INGLÉS bridge.
4 Arco de la planta del pie. INGLÉS arch.

puerco, puerca
nombre **1** Mamífero doméstico que tiene las patas cortas, el cuerpo grueso, el morro aplastado y las orejas caídas. SINÓNIMO cerdo, cochino. INGLÉS pig.
puerco espín Animal mamífero de cuerpo pequeño y redondeado que tiene la espalda y la cola cubiertas de púas. INGLÉS porcupine.

puericultor, puericultora
nombre **1** Persona especializada en el cuidado y la educación de los niños en los primeros años de vida. INGLÉS child care specialist.

pueril
adjetivo **1** Se dice del comportamiento de una persona adulta que parece más propio de un niño. INGLÉS puerile, childish.

puerro
nombre masculino **1** Planta de huerta que tiene un bulbo alargado, blanco por abajo y verde por arriba. INGLÉS leek.

puerta
nombre femenino **1** Pieza normalmente rectangular y de madera, metal o vidrio que cierra un hueco por donde se entra y se sale de un lugar.
2 Portería de fútbol. INGLÉS goal.

puerto
nombre masculino **1** Lugar de la costa preparado para que las embarcaciones puedan embarcar y desembarcar pasajeros o carga, hacer reparaciones o estar un tiempo sin navegar. INGLÉS port, harbour.
2 Lugar por el que se puede pasar de un lado a otro de una cordillera. INGLÉS pass.

pues
conjunción **1** Se utiliza para dar más fuerza a lo que decimos, o para darnos un poco de tiempo antes de decir algo. Suele aparecer al principio de la oración: *Pues claro que sí.* INGLÉS well.
2 Indica que lo que se dice a continuación es la causa de una cosa: *No la felicité, pues no sabía que era su cumpleaños.* INGLÉS because.
3 Introduce una consecuencia de algo: *¿No lo sabes?, pues búscalo en la enciclopedia.* INGLÉS then.

puesta
nombre femenino **1** Acción de ponerse el sol en el horizonte. INGLÉS setting.
2 Acción de poner huevos las aves. También es la cantidad de huevos que pone un ave de una vez. INGLÉS laying.

puesto, puesta
participio **1** Participio irregular de: poner. También se usa como adjetivo: *¿Dónde lo has puesto? Lleva puesta su camisa nueva.*
adjetivo **2** Se dice de la persona que va bien vestida o arreglada. Es un uso informal. SINÓNIMO compuesto. INGLÉS smart.
nombre masculino **3** Lugar que ocupa una persona o cosa. Los corredores se colocan en sus puestos antes de que comience la carrera. INGLÉS place, position.
4 Cargo de una persona en un trabajo: *Ocupa el puesto de director.* SINÓNIMO trabajo; ocupación. INGLÉS post.
5 Instalación de un mercado o un mercadillo donde se vende un tipo de producto. INGLÉS stall.
puesto que Se utiliza para indicar la

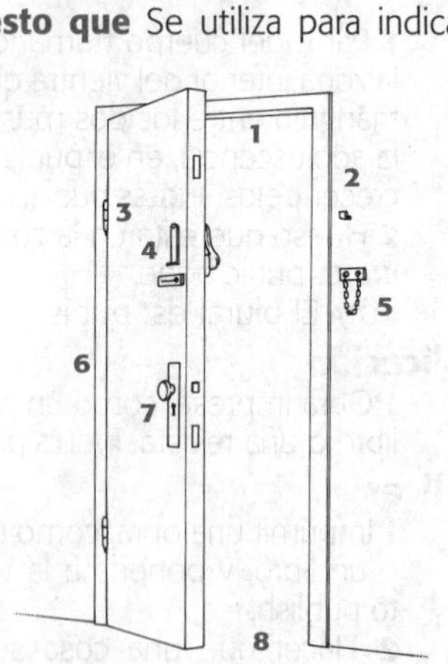

1 dintel **4** pestillo **7** picaporte
2 marco **5** cadena **8** umbral
3 bisagra **6** quicio

puerta

razón o la causa por la que se hace o pasa algo: *No iré, puesto que no quieres.* INGLÉS seeing as.

púgil
nombre masculino y femenino
1 Persona que practica el boxeo. SINÓNIMO boxeador. INGLÉS boxer.

pugna
nombre femenino
1 Lucha o enfrentamiento entre dos personas o grupos. INGLÉS fight, struggle.

pujar
verbo
1 Ofrecer una cantidad de dinero para comprar una cosa que está en venta en una subasta: *El coleccionista pujó cinco mil euros por el cuadro del famoso pintor.* INGLÉS to bid.

pulcro, pulcra
adjetivo
1 Se dice de la persona que cuida de su limpieza y de su aspecto. INGLÉS neat.
2 Que está perfectamente limpio, cuidado y ordenado. INGLÉS neat.

pulga
nombre femenino
1 Insecto parásito de mamíferos y aves, a los que chupa la sangre. INGLÉS flea.

pulgar
adjetivo y nombre masculino
1 Se dice del dedo más gordo de la mano o el pie. INGLÉS thumb. DIBUJO página 339.

pulgón
nombre masculino
1 Insecto parásito de color verde o marrón que perjudica los cultivos. INGLÉS aphid.
NOTA El plural es: pulgones.

pulir
verbo
1 Hacer que una superficie quede lisa y brillante. INGLÉS to polish.
2 Hacer un último repaso y corrección a un trabajo para que quede lo mejor posible: *Tienes que pulir la redacción porque hay frases que no se entienden bien.* INGLÉS to polish.

pulmón
nombre masculino
1 Órgano blando del sistema respiratorio de las personas y de algunos animales que respiran fuera del agua. Al respirar, los pulmones se llenan de oxígeno, que luego pasa a la sangre. INGLÉS lung.
nombre masculino plural
2 pulmones Capacidad que tiene una persona para gritar o cantar muy fuerte, o para hacer ejercicios físicos duros. INGLÉS voice.

pulmonar
adjetivo
1 De los pulmones o que tiene relación con estos órganos. El tabaco causa enfermedades pulmonares. INGLÉS lung, pulmonary.

pulmonía
nombre femenino
1 Enfermedad provocada por la inflamación de los pulmones. La pulmonía provoca fiebre, dolor de espalda y mucha tos. INGLÉS pneumonia.

pulóver
nombre masculino
1 Prenda de vestir de punto, con mangas, que cubre desde el cuello hasta la cintura o la cadera. SINÓNIMO jersey. INGLÉS pullover.

pulpa
nombre femenino
1 Carne de la fruta. De algunas frutas, como por ejemplo el melón o la sandía, solo se come la pulpa. INGLÉS pulp.

pulpo
nombre masculino
1 Animal marino con el cuerpo en forma de globo y ocho tentáculos largos con ventosas. INGLÉS octopus.
2 Cuerda elástica con ganchos de metal en sus extremos, que se usa para sujetar maletas o paquetes a la baca de un vehículo. INGLÉS spider bungee.

pulsación
nombre femenino
1 Latido producido por el movimiento de la sangre en las arterias. Notamos las pulsaciones en las muñecas y en los lados del cuello. INGLÉS beat.
2 Pequeño golpe con el que se accionan las teclas del teclado de un ordenador o de una máquina de escribir. INGLÉS keystroke.
NOTA El plural es: pulsaciones.

pulsar
verbo
1 Hacer presión con los dedos sobre una cosa. Para escribir con un teclado se tienen que pulsar las teclas. SINÓNIMO apretar. INGLÉS to press.

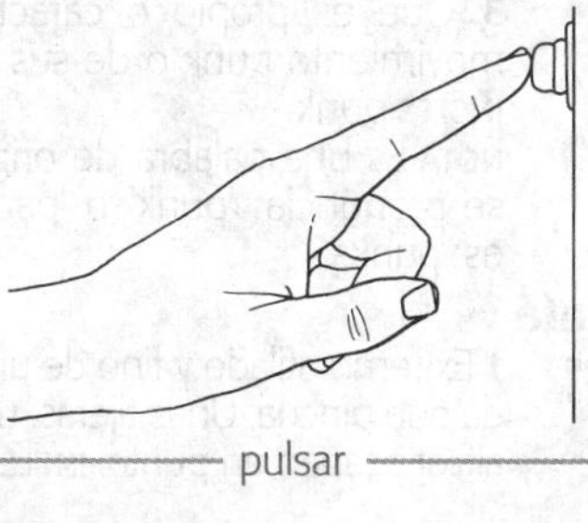

pulsar

a b c d e f g h i j k l m n ñ o p q r s t u v w x y z

pulsera

nombre femenino **1** Joya o adorno en forma de aro que se pone en la muñeca. INGLÉS bracelet. DIBUJO página 648.

2 Correa o cadena de un reloj que se lleva en la muñeca. INGLÉS strap.

pulso

nombre masculino **1** Sucesión de pequeños golpes que produce la sangre cuando circula por las arterias. El pulso se nota en distintas partes del cuerpo, especialmente en la muñeca y el cuello. INGLÉS pulse.

2 Capacidad que tiene una persona para mantener la mano firme al hacer trabajos manuales delicados. INGLÉS steady hand.

a pulso Haciendo fuerza con los brazos y las manos sin apoyarlos en ningún sitio. INGLÉS with one's bare hands.

pulverizar

verbo **1** Hacer que un líquido salga en forma de gotas muy finas. Muchos perfumes se pulverizan sobre la piel. INGLÉS to spray.

2 Hacer que algo sólido se transforme en polvo. INGLÉS to pulverize.

NOTA Se escribe 'c' delante de 'e', como: pulvericé.

puma

nombre masculino **1** Animal mamífero americano parecido al tigre, con el pelo marrón claro. Es ágil y rápido, y suele cazar de noche. INGLÉS puma.

punk

nombre masculino **1** Movimiento juvenil que se manifestó sobre todo en lo musical y que se caracteriza por unas ropas desgastadas y ajustadas, el pelo teñido de colores chillones y peinado en forma de cresta. Surgió en el Reino Unido alrededor de los años setenta. INGLÉS punk.

adjetivo y nombre masculino y femenino **2** Se dice de la persona que es seguidora del movimiento punk. INGLÉS punk.

adjetivo **3** Que es propio o característico del movimiento punk o de sus seguidores. INGLÉS punk.

NOTA Es una palabra de origen inglés y se pronuncia: 'punk' o 'pank'. El plural es: punks.

punta

nombre femenino **1** Extremo afilado y fino de una cosa aguda que pincha. Unas tijeras, un clavo y un alfiler acaban en punta. INGLÉS point.

2 Parte final de una cosa alargada, como un cabello o un lápiz. INGLÉS tip.

3 Clavo pequeño para clavar cosas de madera. INGLÉS pin.

puntada

nombre femenino **1** Cada una de las veces que al coser se pasa una aguja con hilo por la tela. INGLÉS stitch.

puntapié

nombre masculino **1** Golpe que se da con la punta del pie. INGLÉS kick.

puntear

verbo **1** Marcar o dibujar una figura con puntos. INGLÉS to dot.

puntera

nombre femenino **1** Parte del calzado, del calcetín o de la media que cubre la punta o los dedos del pie. INGLÉS toe.

puntería

nombre femenino **1** Habilidad para acertar en el blanco o en aquello donde se quiere dar cuando se dispara un arma o se lanza un objeto. INGLÉS aim.

puntero, puntera

adjetivo **1** Que destaca por ser más avanzado que otros en algo. La tecnología puntera es la más avanzada. INGLÉS leading.

nombre masculino **2** Señal o dibujo en la pantalla de un ordenador que se mueve gracias al ratón. Sirve para seleccionar cosas o saber dónde se va a escribir. INGLÉS cursor.

puntiagudo, puntiaguda

adjetivo **1** Que termina en punta. Los pinos y los abetos tienen hojas puntiagudas. INGLÉS pointed.

puntilla

nombre femenino **1** Cinta de adorno que se pone en el borde de algunas prendas de ropa. INGLÉS lace.

2 Cuchillo corto que se usa para matar a algunos animales, como los toros. INGLÉS dagger.

de puntillas Caminando sobre las puntas de los pies. INGLÉS on tiptoe.

punto

nombre masculino **1** Señal o marca redondeada y pequeña en una cosa. SINÓNIMO mota. INGLÉS dot.

2 Signo ortográfico pequeño y redondeado que indica el final de una frase. El punto y seguido separa frases de un mismo párrafo y el punto y aparte separa párrafos. INGLÉS full stop [en el Reino Unido], period [en Estados Unidos].

3 Signo gráfico pequeño y redondeado. El punto se coloca encima de la 'i' y la 'j'. INGLÉS dot.

4 Unidad con que se cuenta un resultado o se valoran pruebas o juegos: *Ganaron por diez puntos de ventaja.* INGLÉS point.

5 Asunto o materia de la que se habla o se trata. En una conversación puede haber muchos puntos de interés. INGLÉS point, topic.

6 Pasada de una aguja con un hilo que se hace a través de una tela. Las heridas también se cosen con puntos. INGLÉS stitch.

7 Cada una de las maneras de enlazar el hilo al coser. En costura se usa el punto de cruz. INGLÉS stitch.

8 Tejido que resulta de enlazar de determinada manera la lana, el algodón u otra clase de hilos. Hay telas y ropa de punto. INGLÉS knitwear.

9 Sitio o lugar concreto: *Volvimos al punto de partida.* INGLÉS point.

10 En geometría, lugar de una recta, plano o espacio que ocupa una posición pero no tiene largo, alto ni ancho. Si dos rectas se cortan, lo hacen en un solo punto. INGLÉS point.

a punto Indica que alguien o algo está preparado o en condiciones para hacer algo: *Tengo todo a punto para salir de viaje.* INGLÉS ready.

a punto Llegamos a punto a un lugar cuando lo hacemos en el momento oportuno. INGLÉS at the right time.

a punto de Indica que algo va a ocurrir inmediatamente: *Estoy a punto de salir.* INGLÉS on the point of.

dos puntos Signo ortográfico formado por dos puntos, uno encima del otro, que se utiliza para introducir enumeraciones, una cita o un diálogo. INGLÉS colon.

en punto Indica que la hora que se da es exacta: *Son las tres en punto.* INGLÉS on the dot.

estar en su punto Alcanzar un alimento que se cocina el estado ideal para poder comerlo. INGLÉS to be just right.

punto de vista Forma de pensar o de ver las cosas una persona. INGLÉS point of view.

punto y coma Signo ortográfico formado por una coma que lleva un punto encima, que se utiliza para indicar una pausa mayor que la coma y menor que el punto. INGLÉS semicolon.

puntos suspensivos Signo ortográfico consistente en tres puntos seguidos que se escriben para indicar que el sentido de la oración no queda completo. INGLÉS suspension points.

puntuación

nombre femenino

1 Conjunto de los signos de ortografía que se ponen en un escrito. El punto o la coma son signos de puntuación. INGLÉS punctuation.

2 Nota que se pone a un ejercicio o prueba para indicar si está bien o está mal. SINÓNIMO calificación. INGLÉS score, mark. NOTA El plural es: puntuaciones.

puntual

adjetivo

1 Que ocurre o se hace a la hora debida o anunciada. Un tren puntual pasa a la hora que indica el horario. INGLÉS punctual.

puntualidad

nombre femenino

1 Cualidad de las personas o las cosas que son puntuales. INGLÉS punctuality.

puntuar

verbo

1 Poner en un escrito los signos de ortografía necesarios para que se lea correctamente. INGLÉS to punctuate.

2 Calificar con puntos un ejercicio o prueba. INGLÉS to mark, to score.

NOTA Se conjuga como: actuar; la 'u' se acentúa en algunos tiempos y personas, como: puntúo.

punzón

nombre masculino

1 Herramienta terminada en una punta afilada que sirve para hacer agujeros o grabar metales. INGLÉS punch.

NOTA El plural es: punzones.

puñado

nombre masculino

1 Cantidad de una cosa que cabe en un puño, como un puñado de arroz o de caramelos. INGLÉS handful.

puñal

nombre masculino

1 Arma blanca formada por una hoja corta de metal que termina en punta. INGLÉS dagger.

puñalada

nombre femenino

1 Golpe que una persona da al clavar un puñal. También es la herida o corte que se hace al clavar un puñal. INGLÉS stab [golpe], stab wound [herida].

2 Acción que realiza a traición una persona, con la que perjudica a otra. INGLÉS stab in the back.

a b c d e f g h i j k l m n ñ o **p** q r s t u v w x y z

puñeta
nombre femenino
1 Cosa que resulta molesta o difícil: *El examen parecía fácil pero tenía muchas puñetas.* INGLÉS nuisance [cosa molesta], problem [cosa difícil].
hacer la puñeta Molestar o perjudicar a una persona. INGLÉS to be a pain.
NOTA Es una palabra informal.

puñetazo
nombre masculino
1 Golpe que se da con el puño. INGLÉS punch.

puño
nombre masculino
1 Mano cerrada de una persona. INGLÉS fist.
2 Extremo de la manga de una prenda de vestir. INGLÉS cuff.

pupa
nombre femenino
1 Herida que sale en los labios a causa de la fiebre. SINÓNIMO calentura. INGLÉS cold sore.
2 Capa seca que cubre una herida al curarse: *Las pupas de la rodilla son de la caída.* SINÓNIMO costra. INGLÉS scab.
3 Herida, daño o dolor, especialmente al darse un golpe. Se suele usar en el lenguaje infantil.

pupila
nombre femenino
1 Círculo negro que está en medio del iris del ojo. SINÓNIMO niña. INGLÉS pupil.

pupitre
nombre masculino
1 Mesa que usan los alumnos en clase. Suele tener un lugar para dejar los libros o cuadernos. INGLÉS desk.

puré
nombre masculino
1 Comida líquida y espesa que se hace triturando varios alimentos cocidos, normalmente patatas, verduras y hortalizas. INGLÉS purée.

pureza
nombre femenino
1 Característica de las cosas que mantienen todas sus propiedades sin haber sido mezcladas con otras. El agua que brota de un manantial suele tener mucha pureza. INGLÉS purity.

purgatorio
nombre masculino
1 Según la religión católica, lugar al que van las almas que han cometido algún pecado, pero no tan grave como para ir al infierno. En el purgatorio el alma se purifica. INGLÉS purgatory.

purificar
verbo
1 Hacer que una cosa sea pura quitándole todo lo que no es propio de su naturaleza. INGLÉS to purify.

puro, pura
adjetivo
1 Que es bueno, limpio y sin mala intención ni malos pensamientos: *Tiene un alma pura.* INGLÉS pure.
2 Se dice de la cosa que no está mezclada con otras. También son puras las cosas que no tienen suciedad ni sustancias perjudiciales para la salud. ANTÓNIMO impuro. INGLÉS pure.
nombre masculino
3 Cilindro que se fuma, formado por hojas de tabaco enrolladas. SINÓNIMO cigarro. INGLÉS cigar.

púrpura
nombre masculino y adjetivo
1 Color rojo fuerte con un tono morado. INGLÉS purple.

purpurina
nombre femenino
1 Polvo brillante de distintos colores que se pega sobre una superficie para adornar. INGLÉS glitter.

pus
nombre
1 Líquido espeso de color blanco amarillento que se forma en una herida infectada. INGLÉS pus.
NOTA Tiene doble género, se dice: el pus y la pus.

putada
nombre femenino
1 Acción que molesta o hace daño, normalmente hecha con mala intención. SINÓNIMO faena. INGLÉS dirty trick.
NOTA Es una palabra vulgar.

putear
verbo
1 Molestar o hacer daño a una persona, normalmente con mala intención. SINÓNIMO fastidiar. INGLÉS to fuck about.
NOTA Es una palabra vulgar.

puto, puta
nombre
1 Persona que tiene relaciones sexuales a cambio de dinero. SINÓNIMO prostituto. INGLÉS prostitute.
adjetivo
2 Se usa para indicar o destacar que algo molesta mucho o es muy desagradable: *Se me ha acabado el puto dinero.* INGLÉS bloody.
NOTA Es una palabra muy vulgar.

puzle
nombre masculino
1 Juego que consiste en juntar piezas para reconstruir un dibujo o una figura. INGLÉS puzzle.
NOTA Es una palabra de origen inglés.

abcdefghijklmnñopQrstuvwxyz

q
nombre femenino
1 Decimoctava letra del alfabeto español. La 'q' es una consonante que solo aparece en las sílabas 'que' y 'qui', donde la 'u' no suena.

que
pronombre relativo
1 Se utiliza para introducir un tipo de oración subordinada que va detrás de un nombre. En la oración 'El edificio que tiene una chimenea es mi casa', la oración subordinada es 'que tiene una chimenea'. INGLÉS which, that.
conjunción
2 Se utiliza para introducir una oración subordinada que va detrás de un verbo. En la frase: 'Me ha dicho que se encuentra mal', 'que se encuentra mal' es una oración subordinada: *Los abuelos quieren que pases una semana con ellos.* INGLÉS that.
3 Se utiliza en comparaciones: *Ocho es menor que diez.* INGLÉS than.
NOTA No lo confundas con la forma interrogativa o exclamativa 'qué', que siempre se acentúa.

qué
determinante interrogativo
1 Se utiliza para preguntar algo sobre personas o cosas concretas o abstractas. En la pregunta '¿Qué animales tienen plumas?', se quiere saber los animales concretos que tienen plumas dentro del conjunto de los animales: *¿Qué vas a hacer esta tarde? ¿Qué hora es? ¿En qué tren viene tu amigo?* INGLÉS which, what.
pronombre exclamativo
2 Expresa admiración o una emoción por la cantidad, la calidad o la intensidad de algo de lo que se habla: *¡Qué listo eres, qué notas! ¡Qué buena está la comida!*
¿por qué? Se utiliza para preguntar la razón o el motivo de algo: *¿Por qué no quieres venir con nosotros?* INGLÉS why?
¿y qué? Indica que lo que se acaba de decir o hacer no es importante para la persona que habla: *Eres más alto que yo, ¿y qué?* INGLÉS so what?
NOTA Siempre se acentúa; no lo confundas con 'que'.

quebrado
adjetivo y nombre masculino
1 Se dice del número que indica las partes proporcionales que se toman después de dividir la unidad. El número de partes que se toman se llama numerador y la unidad denominador. 1/4 y 2/3 son quebrados. SINÓNIMO fracción. INGLÉS fraction [nombre].

quebrantahuesos
nombre masculino
1 Ave de gran tamaño, de color marrón o negro, que se alimenta de animales muertos. INGLÉS lammergeier.
NOTA El plural es: quebrantahuesos.

quebrantar
verbo
1 Hacer una cosa que va en contra de una norma o una ley o no cumplir una obligación o una promesa. Los delincuentes quebrantan la ley. INGLÉS to break.

quebrar
verbo
1 Romper una cosa dura de manera violenta: *La silla se quebró por el peso de Juan.* INGLÉS to break.
2 Dejar de funcionar un negocio o una empresa porque tiene muchas pérdidas y debe mucho dinero. INGLÉS to go bankrupt.
NOTA Se conjuga como: acertar; la 'e' se convierte en 'ie' en sílaba acentuada, como: quiebran.

quedar
verbo
1 Haber o existir todavía una parte de algo que se ha ido gastando o consumiendo. En Europa quedan aún muchos edificios medievales. INGLÉS to be left.
2 Faltar algo por hacer: *Aún me quedan*

a b c d e f g h i j k l m n ñ o p q r s t u v w x y z

tres horas de trabajo. INGLÉS to be left, to have left.
3 Llegar algo a un determinado estado final: *¿Cómo ha quedado el partido? Las flores quedaron destrozadas por el granizo.* INGLÉS to end.
4 Estar una persona o una cosa en un estado determinado y mantenerse en él durante un tiempo. Para que una foto no quede borrosa es mejor quedarse quieto: *Se quedó ciego tras el accidente.* INGLÉS to be.
5 Estar una cosa situada en un lugar determinado: *Su casa queda cerca de la estación.* SINÓNIMO encontrarse. INGLÉS to be.
6 Citarse con una persona para verse a una hora y en un sitio determinado. INGLÉS to arrange to meet.
7 Ponerse dos o más personas de acuerdo en hacer algo: *Quedaron en pagar a medias.* INGLÉS to agree.
8 Producir una impresión determinada en una persona: *Quedó muy bien conmigo al invitarme a cenar.* INGLÉS to make an impression.
9 Sentar una prenda de vestir bien o mal a una persona: *¿Qué tal me queda esta camisa?* INGLÉS to look.
10 quedarse Estar en un sitio y no moverse de él durante un tiempo: *Se quedó en casa el fin de semana.* INGLÉS to stay.
11 quedarse Hacerse con la propiedad de una cosa, por haberla comprado o por otros métodos: *Quédate con la bicicleta, yo tengo otra.* INGLÉS to keep.
quedarse con alguien Hacer creer a una persona una cosa que no es verdad para bromear: *No le hagas caso, se está quedando contigo.* Es una expresión informal. INGLÉS to have somebody on.

quehacer
nombre masculino
1 Trabajo u obligación que una persona tiene que llevar a cabo. Cocinar o limpiar son quehaceres domésticos. INGLÉS chore, job.

queja
nombre femenino
1 Grito o sonido que expresa la pena o el dolor que siente una persona. INGLÉS moan, groan.
2 Protesta que se hace por algo que causa disgusto o enfado. Cuando alguien no está contento con el trato recibido en una tienda, puede presentar una queja. INGLÉS complaint.

quejarse
verbo
1 Expresar con palabras y sonidos una pena o un dolor: *Se quejaba porque se había quemado la mano.* INGLÉS to moan, to groan.
2 Expresar con palabras el disgusto o enfado que se tiene. INGLÉS to complain.

quejica
adjetivo y nombre masculino y femenino
1 Que se queja a menudo por cualquier cosa: *Es quejica, cada vez que se cae llora.* INGLÉS whining [adjetivo], whinger [nombre].

quejido
nombre masculino
1 Sonido con que se expresa la pena o el dolor que se siente. INGLÉS groan, moan.

quema
nombre femenino
1 Destrucción de algo por medio del fuego. La quema de bosques es un grave problema. INGLÉS burning.

quemadura
nombre femenino
1 Herida o señal que produce el fuego, el calor o ciertas sustancias químicas: *Estuvo mucho rato en la playa y ahora tiene quemaduras en la piel.* INGLÉS burn.

quemar
verbo
1 Destruir, estropear o dañar una cosa con fuego, calor o sustancias químicas. El fuego quema la madera y otros materiales combustibles. INGLÉS to burn.
2 Estar una cosa muy caliente y producir tanto calor que puede hacer daño. La sopa o el café recién hechos queman. SINÓNIMO abrasar. INGLÉS to be boiling hot.
3 Producir una sensación de dolor o de ardor en la boca, la garganta o el estómago. La comida picante quema la garganta. SINÓNIMO abrasar. INGLÉS to burn.
4 Secarse una planta a causa del frío o del calor demasiado fuertes. INGLÉS to scorch [el calor], to kill [el frío].
5 Producir cansancio y mal humor a una persona, dejándola sin fuerzas y sin ganas de hacer nada. El trabajo excesivo quema a muchas personas. INGLÉS to burn out.

quemazón
nombre femenino
1 Sensación de mucho calor, ardor o picor que se siente en una parte del cuerpo. Si comemos algo muy picante sentimos una quemazón en la lengua. INGLÉS burning sensation.
NOTA El plural es: quemazones.

querella
nombre femenino **1** Acusación de un delito que se presenta ante un juez o tribunal para que la juzgue: *El joyero presentó una querella contra el presunto autor del robo.* **INGLÉS** action, lawsuit.

querer
verbo **1** Tener ganas o deseo de algo. Una persona que tiene sueño quiere dormir. **INGLÉS** to want.
2 Sentir amor o cariño por alguien o algo. Las personas enamoradas quieren mucho a su pareja. **SINÓNIMO** amar. **ANTÓNIMO** odiar. **INGLÉS** to love.
sin querer De manera involuntaria o por casualidad: *Lo ha roto sin querer.* **INGLÉS** unintentionally, accidentally.

querido, querida
adjetivo **1** Palabra que se utiliza delante de un nombre al empezar una carta o mensaje personal, como 'Querido amigo'. **INGLÉS** dear.
nombre **2** Persona que mantiene una relación amorosa o relaciones sexuales con una persona casada con otra. **SINÓNIMO** amante. **INGLÉS** lover.

querer

INDICATIVO		SUBJUNTIVO	
presente		**presente**	
quiero		quiera	
quieres		quieras	
quiere		quiera	
queremos		queramos	
queréis		queráis	
quieren		quieran	
pretérito imperfecto		**pretérito imperfecto**	
quería		quisiera o quisiese	
querías		quisieras o quisieses	
quería		quisiera o quisiese	
queríamos		quisiéramos o quisiésemos	
queríais		quisierais o quisieseis	
querían		quisieran o quisiesen	
pretérito perfecto simple		**futuro**	
quise		quisiere	
quisiste		quisieres	
quiso		quisiere	
quisimos		quisiéremos	
quisisteis		quisiereis	
quisieron		quisieren	
futuro		**IMPERATIVO**	
querré		quiere	(tú)
querrás		quiera	(usted)
querrá		queramos	(nosotros)
querremos		quered	(vosotros)
querréis		quieran	(ustedes)
querrán			
condicional		**FORMAS NO PERSONALES**	
querría		**infinitivo**	**gerundio**
querrías		querer	queriendo
querría		**participio**	
querríamos		querido	
querríais			
querrían			

querubín
nombre masculino **1** Ángel que, según algunas religiones, está adorando a Dios y pertenece a los ángeles de mayor jerarquía. **INGLÉS** cherub.
2 Niño pequeño de gran belleza. Es un uso familiar. **INGLÉS** cherub.
NOTA El plural es: querubines.

quesera
nombre femenino **1** Recipiente en el que se guarda el queso, formado por un plato llano y una tapa. **INGLÉS** cheese dish.

quesito
nombre masculino **1** Trozo pequeño de queso blando que va envuelto junto con otros. Los quesitos suelen tener forma de triángulo. **INGLÉS** cheese portion.

queso
nombre masculino **1** Alimento sólido que se hace cuajando la leche de vaca, oveja o cabra. **INGLÉS** cheese.
2 Pie de una persona. Es un uso informal. **SINÓNIMO** pinrel. **INGLÉS** foot.

quicio
nombre masculino **1** Parte de una ventana o puerta donde están las bisagras. **INGLÉS** hinge side. **DIBUJO** página 898.
sacar de quicio Enfadar o poner muy nerviosa a una persona: *La música tan me saca de quicio.* **INGLÉS** to drive mad.

quiebra
nombre femenino **1** Situación de una empresa que tiene que cerrar por falta de dinero para pagar lo que debe. **INGLÉS** bankruptcy.

quien
pronombre relativo **1** Se utiliza para introducir un tipo de oración subordinada que indica la identidad o la característica de una persona: *Son ellos quienes lo dicen, no yo.* **INGLÉS** who.
NOTA Como pronombre relativo nunca se acentúa; no lo confundas con el pronombre interrogativo 'quién', que siempre se acentúa.

quién
pronombre interrogativo **1** Pregunta por la persona concreta que hace algo o interviene en algo: *¿Quién*

a b c d e f g h i j k l m n ñ o p q r s t u v w x y z

ha visto mis zapatillas? ¿Con quién ibas paseando esta mañana? INGLÉS who.
NOTA Como pronombre interrogativo siempre se acentúa; no lo confundas con el pronombre relativo 'quien', que nunca se acentúa.

quienquiera
pronombre indefinido **1** Se utiliza para indicar que no importa exactamente la persona que cumple lo que se dice a continuación: *Quienquiera que sea, no pienso abrir.* SINÓNIMO cualquiera. INGLÉS whoever.
NOTA El plural es: quienesquiera.

quieto, quieta
adjetivo **1** Que no se mueve. INGLÉS still.

quietud
nombre femenino **1** Falta de movimiento o de ruido: *Le gustaba la quietud que había en el monte.* INGLÉS stillness, calmness.

quilla
nombre femenino **1** Pieza alargada situada en la parte inferior de una embarcación, que va de proa a popa. INGLÉS keel.

quilo
nombre masculino **1** Es otra forma de escribir: kilo. INGLÉS kilo.
2 Líquido que se elabora en el intestino a partir del quimo. El quilo contiene las sustancias nutritivas que pasan a la sangre a través de las paredes del intestino delgado. INGLÉS chyle.

quilómetro
nombre masculino **1** Es otra forma de escribir: kilómetro. INGLÉS kilometre.

quimera
nombre femenino **1** Sueño imposible que una persona imagina como algo posible o verdadero: *Una de sus quimeras es hacer un viaje a la Luna.* INGLÉS chimera.

química
nombre femenino **1** Ciencia que estudia los elementos que forman parte de la naturaleza y sus transformaciones. INGLÉS chemistry.

químico, química
adjetivo **1** Que está relacionado con la química o con los elementos que forman parte de la naturaleza y sus transformaciones. La fotosíntesis es una reacción química. INGLÉS chemical.
nombre **2** Persona que se dedica a la química. INGLÉS chemist.

quimo
nombre masculino **1** Pasta en que se transforman los alimentos dentro del estómago tras la digestión. Los jugos gástricos transforman el bolo alimenticio en quimo. INGLÉS chyme.

quimono
nombre masculino **1** Es otra forma de escribir: kimono. INGLÉS kimono.

quince
numeral cardinal **1** Indica que el nombre al que acompaña está 15 veces. INGLÉS fifteen.
numeral ordinal **2** Que ocupa el lugar número 15 en una serie ordenada. INGLÉS fifteenth.
nombre masculino **3** Nombre del número 15. INGLÉS fifteen.

quinceavo, quinceava
adjetivo y nombre **1** Se dice de cada una de las 15 partes iguales en que se divide una cosa. INGLÉS fifteenth.

quincena
nombre femenino **1** Espacio de tiempo de quince días o de dos semanas. INGLÉS fortnight.

quincuagésimo, quincuagésima
numeral ordinal **1** Que ocupa el lugar número 50 en una serie ordenada. INGLÉS fiftieth.
adjetivo y nombre **2** Se dice de cada una de las 50 partes iguales en que se divide una cosa. INGLÉS fiftieth.

quiniela
nombre femenino **1** Juego de azar que consiste en rellenar un papel para intentar acertar el número máximo de resultados que se producirán en los partidos de fútbol de una jornada. Hay que acertar si un equipo que se enfrenta a otro ganará, empatará o perderá. INGLÉS football pools.

quinientos, quinientas
numeral cardinal **1** Indica que el nombre al que acompaña está 500 veces. INGLÉS five hundred.
numeral ordinal **2** Que ocupa el lugar número 500 en una serie ordenada. INGLÉS five hundredth.
nombre masculino **3** Número 500. En números romananos el quinientos se representa con una D. INGLÉS five hundred.

quinqué
nombre masculino **1** Aparato que sirve para dar luz, formado por un depósito de petróleo o aceite del que sale una llama que queda protegida por un tubo de cristal. INGLÉS oil lamp.

quinta
nombre femenino **1** Conjunto de soldados que ingresan el mismo año en el ejército. También son

de la misma quinta las personas que tienen la misma edad. **INGLÉS** call-up.

quinto, quinta

numeral ordinal **1** Que ocupa el lugar número 5 en una serie ordenada. **INGLÉS** fifth.

adjetivo y nombre masculino **2** Se dice de cada una de las cinco partes iguales en que se divide un conjunto. **INGLÉS** fifth.

nombre masculino **3** Hombre que era llamado para hacer el servicio militar cuando era obligatorio. **SINÓNIMO** recluta. **INGLÉS** conscript.

quintuplicar

verbo **1** Multiplicar por cinco o hacer cinco veces mayor una cosa o cantidad. **INGLÉS** to quintuple.

NOTA Se escribe 'qu' delante de 'e', como: quintupliquen.

quiosco

nombre masculino **1** Es otra forma de escribir: kiosco.

quirófano

nombre masculino **1** Sala de una clínica u hospital preparada para realizar operaciones quirúrgicas. **INGLÉS** operating theatre.

quirúrgico, quirúrgica

adjetivo **1** De la cirugía o que tiene relación con ella. **INGLÉS** surgical.

quisquilloso, quisquillosa

adjetivo y nombre **1** Se dice de la persona que se molesta o se siente ofendida con facilidad por cosas poco importantes. **INGLÉS** touchy [adjetivo].

2 Se dice de la persona que da demasiada importancia a detalles pequeños y nunca está contenta con las cosas. **INGLÉS** finicky [adjetivo], fussy [adjetivo].

quiste

nombre masculino **1** Bolsa pequeña de líquido o de grasa que se forma en algunas partes del cuerpo. **INGLÉS** cyst.

quitamanchas

nombre masculino **1** Producto que sirve para eliminar las manchas de la ropa y otros tejidos sin necesidad de lavarlos. **INGLÉS** stain remover.

NOTA El plural es: quitamanchas.

quitanieves

adjetivo y nombre femenino **1** Se dice de la máquina que se utiliza para quitar la nieve que cubre una calle o una carretera. **INGLÉS** snowplough.

NOTA El plural es: quitanieves.

quitar

verbo **1** Separar o apartar una cosa del lugar en el que está y dejarla en otro. Cuando vamos a dormir nos quitamos la ropa: *Quita los pies del sofá.* **ANTÓNIMO** poner. **INGLÉS** to remove.

2 Hacer desaparecer una cosa. Cuando quitan un programa de televisión, dejan de emitirlo. El agua quita la sed. **INGLÉS** to take off.

3 Coger una cosa que es de otra persona para quedarse con ella un rato o permanentemente: *¿Quién me ha quitado el lápiz?* **INGLÉS** to take.

4 quitarse Dejar de tener una costumbre negativa. Las personas que se quitan de fumar mejoran su salud. **INGLÉS** to give up.

quitarse de encima Librarse de una persona o una cosa que no gusta o que molesta: *Estoy deseando quitarme de encima a ese pesado.* **INGLÉS** to get rid of.

quitar de en medio Apartar a una persona o cosa de un lugar o una situación donde está molestando: *Quítate de en medio que no dejas pasar a la gente.* **INGLÉS** to move out of the way.

quizá

adverbio **1** Indica que es posible que ocurra lo que decimos, pero que no estamos muy seguros: *Si no hay mucho tráfico, quizá lleguemos a tiempo al cine.* **SINÓNIMO** tal vez. **INGLÉS** perhaps, maybe.

NOTA También se escribe y se pronuncia: quizás.

quizás

adverbio **1** Es otra forma de escribir y pronunciar: quizá.

quitanieves

a b c d e f g h i j k l m n ñ o p q r s t u v w x y z

abcdefghijklmnñopqRstuvwxyz

r
nombre femenino
1 Decimonovema letra del alfabeto español. La 'r' es una consonante.

rábano
nombre masculino
1 Raíz de carne blanca, piel rosa fuerte y sabor picante. Los rábanos se comen crudos en ensalada. INGLÉS radish.

rabia
nombre femenino
1 Enfado muy fuerte que puede manifestarse de forma violenta, por ejemplo dando gritos o golpes. INGLÉS rage, anger.
2 Enfermedad infecciosa muy grave que paceden ciertos animales, en especial el perro. La rabia se transmite a través de una mordedura. INGLÉS rabies.

rabiar
verbo
1 Dar muestras de un gran enfado o disgusto: *Si no dejas de molestarla, la harás rabiar.* INGLÉS to be furious.
2 Sentir un dolor muy fuerte. Hay personas que rabian por un dolor de muelas. INGLÉS to be in great pain.
a rabiar Mucho o más de lo que se considera normal. A muchos niños les gustan las golosinas a rabiar. Es una expresión informal. INGLÉS like crazy.
NOTA Se conjuga como: cambiar; la 'i' no lleva nunca acento de intensidad.

rabieta
nombre femenino
1 Enfado o llanto grande y de poca duración que se tiene por motivos insignificantes. Muchos niños cogen una rabieta cuando no se les da lo que quieren. SINÓNIMO berrinche. INGLÉS tantrum.

rabillo
nombre masculino
1 Tallo que une una hoja, un fruto o una flor con una rama o el tallo central de una planta. Las cerezas suelen venderse unidas a su rabillo. INGLÉS stalk, stem.
mirar con el rabillo del ojo Mirar de reojo y de forma disimulada: *Parecía que miraba al profesor, pero estaba mirando a su compañero con el rabillo del ojo.* INGLÉS to look out of the corner of one's eye.

rabino
nombre masculino
1 Jefe religioso de la comunidad judía. Los rabinos interpretan los textos sagrados, educan a los jóvenes judíos, pronuncian sermones y celebran bodas. INGLÉS rabbi.

rabioso, rabiosa
adjetivo
1 Que tiene la enfermedad de la rabia. INGLÉS rabid.
2 Que está muy enfadado: *Se pone rabiosa cuando no puede conseguir lo que se ha propuesto.* INGLÉS furious.

rabo
nombre masculino
1 Cola que tienen algunos animales, como el gato o la vaca. INGLÉS tail.
2 Tallo corto y delgado de las hojas y de algunos frutos. Las manzanas se sujetan al manzano por el rabo. INGLÉS stalk.
3 Órgano sexual masculino. Es un uso vulgar. SINÓNIMO cola; pene. INGLÉS cock, prick.

racanear
verbo
1 Dar o utilizar la menor cantidad de dinero posible por avaricia. Una persona que no invita nunca a nada racanea su dinero. INGLÉS to be mean with.
2 Evitar el trabajo o intentar trabajar lo menos posible: *Sabía que tenía que limpiar la casa pero estuvo racaneando todo el día.* INGLÉS to laze around.
NOTA Es una palabra familiar.

rácano, rácana
adjetivo y nombre
1 Se dice de la persona que no gasta, no da nada o da muy poco para tener más para ella, especialmente dinero:

No seas rácano y dame otra galleta, anda. SINÓNIMO avaro; tacaño. INGLÉS mean, stingy.

2 Se dice de la persona que evita trabajar o estudiar. SINÓNIMO gandul; vago. INGLÉS idle, lazy.

NOTA Es una palabra informal.

racha

nombre femenino **1** Período de tiempo, más o menos corto, en que una persona tiene buena o mala suerte: *¡Qué racha más mala, todo me sale mal!* INGLÉS run.

2 Golpe de viento fuerte y de poca duración. INGLÉS gust.

racial

adjetivo **1** De la raza o que tiene relación con ella: *Debemos evitar cualquier tipo de discriminación racial.* INGLÉS racial.

racimo

nombre masculino **1** Conjunto de frutos o flores que cuelgan de un solo tallo. Hay racimos de uvas, plátanos o lilas. INGLÉS bunch.

ración

nombre femenino **1** Cantidad determinada de alimento que se da en una comida a una persona o un animal. INGLÉS serving, portion.

NOTA El plural es: raciones.

racional

adjetivo **1** Se dice del ser vivo que tiene capacidad para pensar o razonar. El ser humano es un animal racional. INGLÉS rational.

2 Se dice de lo que está hecho de acuerdo con la razón o utilizándola. Las personas que no hacen tonterías se comportan de una manera racional. INGLÉS rational.

racionar

verbo **1** Distribuir una cosa en raciones, especialmente un alimento o una bebida. Cuando hay poca cantidad de agua o alimentos se suelen racionar para controlar mucho su consumo. INGLÉS to ration.

2 Controlar y limitar una autoridad el consumo de algún producto en venta, como alimentos o combustible. En épocas de guerra o de crisis, los gobiernos racionan los productos para que no se gasten muy rápido. INGLÉS to ration.

racismo

nombre masculino **1** Actitud o sentimiento de rechazo u odio de una persona hacia personas que pertenecen a una raza distinta de la suya. INGLÉS racism.

racista

adjetivo **1** Que tiene que ver con el racismo. Un comportamiento racista demuestra odio o desprecio hacia una persona de otra raza. INGLÉS racist.

adjetivo y nombre masculino y femenino **2** Se dice de la persona que odia o desprecia a personas de otra raza. La gente racista cree, sin ninguna razón, que su raza es superior. INGLÉS racist.

radar

nombre masculino **1** Aparato que sirve para detectar un objeto que se encuentra a cierta distancia y determinar su posición en cada momento. Los aeropuertos utilizan radares para controlar los aviones que vuelan cerca. INGLÉS radar.

radiación

nombre femenino **1** Emisión de luz, de calor, de energía magnética o de energía de otro tipo. Cuando tomamos el sol hay que vigilar que la radiación solar no nos afecte demasiado. INGLÉS radiation.

NOTA El plural es: radiaciones.

radiactividad

nombre femenino **1** Tipo de energía que emiten algunas sustancias y que procede del núcleo de sus átomos. La explosión de una bomba atómica genera radiactividad. INGLÉS radioactivity.

radiactivo, radiactiva

adjetivo **1** Se dice de la sustancia, el elemento o el mineral que emite radiactividad. El uranio y otros elementos radiactivos se utilizan para producir energía nuclear. INGLÉS radioactive.

radiador

nombre masculino **1** Aparato de calefacción hecho con tubos de metal por los que circula agua o aceite caliente y sirve para calentar un lugar. INGLÉS radiator.

2 Conjunto de tubos por los que circula el agua que enfría los cilindros en los motores de algunos vehículos, como los automóviles. INGLÉS radiator.

radiante

adjetivo **1** Que brilla mucho. La plata recién limpiada queda radiante. INGLÉS shining.

2 Que manifiesta mucha alegría o felicidad. Cuando una persona está feliz tiene la cara radiante. INGLÉS radiant.

a b c d e f g h i j k l m n ñ o p q r s t u v w x y z

a b c d e f g h i j k l m n ñ o p q r s t u v w x y z

radiar
verbo
1 Transmitir algo por la radio, como un informativo, un concierto o un debate. INGLÉS to broadcast.
NOTA Se conjuga como: cambiar; la 'i' no lleva nunca acento de intensidad.

radical
adjetivo
1 Se dice de las cosas que se hacen o se producen de manera completa y total, sin que se queden a medias: *Su cambio de aspecto ha sido tan radical que no lo reconocí.* INGLÉS radical.
adjetivo y nombre masculino y femenino
2 Se dice de la persona que sigue una ideología o unas ideas de forma exagerada y extrema. Las personas radicales expresan sus opiniones de manera enérgica y no son tolerantes con las opiniones ajenas. INGLÉS radical.

radio
nombre masculino
1 Línea recta que une el centro de una circunferencia con cualquier punto de su borde. La rueda de una bicicleta tiene radios de metal. INGLÉS radius, [si es de la rueda de una bicicleta: spoke].
2 Hueso del antebrazo que une el codo con la muñeca. Es más corto y fino que el cúbito, el otro hueso del antebrazo. INGLÉS radius.
nombre femenino
3 Aparato que recibe ondas y las transforma en sonidos. INGLÉS radio.
4 Medio de comunicación que emite señales a través del aire, las cuales son recogidas por un aparato que las convierte en sonidos destinados a un público. INGLÉS radio.
5 Empresa que se dedica a emitir programas por radio. INGLÉS radio station.

radiocasete
nombre masculino
1 Aparato que permite escuchar la radio o cintas de casete. INGLÉS radio cassette.
NOTA También se puede escribir: radiocassette.

radiocassette
nombre masculino
1 Es otra forma de escribir y pronunciar: radiocasete. Se pronuncia: 'radiocaset'.

radiodifusión
nombre femenino
1 Emisión por ondas de un programa que está destinado al público. Poco antes de inventarse la televisión, la radiodifusión era el medio de comunicación más popular. INGLÉS broadcasting.
2 Conjunto de actividades o instalaciones destinados a emitir un programa de radio: *Trabaja en una empresa de radiodifusión haciendo entrevistas.* INGLÉS broadcasting.
NOTA El plural es: radiodifusiones.

radiofónico, radiofónica
adjetivo
1 Que tiene relación con la radio. Se puede hacer publicidad de un producto mediante anuncios televisivos, radiofónicos o en prensa. INGLÉS radio.

radiografía
nombre femenino
1 Imagen que se hace utilizando rayos X. Para comprobar si una persona tiene un hueso roto, se hace una radiografía. INGLÉS X-ray.

radionovela
nombre femenino
1 Relato grabado para ser emitido en capítulos por radio. Normalmente explica las desgracias o los amores de diversos personajes. INGLÉS serial.

radiotelevisión
nombre femenino
1 Transmisión de imágenes y sonido a distancia por medio de ondas. La radiotelevisión emite programas de radio y de televisión. INGLÉS radio and television.

radiotransmisor
nombre masculino
1 Aparato que sirve para comunicarse a través de ondas que se emiten y se transforman en sonidos o señales. Los soldados utilizan para comunicarse radiotransmisores en zonas donde no hay cobertura telefónica. INGLÉS radio transmitter.

radioyente
nombre masculino y femenino
1 Persona que escucha las emisiones de radio. INGLÉS listener.

ráfaga
nombre femenino
1 Golpe de viento que aparece de pronto y tiene poca duración y mucha fuerza: *Una ráfaga de viento ha tirado la maceta al suelo.* INGLÉS gust.

raído, raída
adjetivo
1 Se dice de la tela o la prenda de ropa que está vieja y gastada por el uso. Las camisas viejas suelen tener los puños y los cuellos raídos. INGLÉS threadbare, worn.

raíl
nombre masculino
1 Cada una de las barras metálicas largas sobre las que se mueven las ruedas de un tren. INGLÉS rail.

raíz
nombre femenino
1 Parte de la planta que crece bajo la

tierra. La raíz sujeta la planta fuertemente a la tierra y absorbe agua y minerales. **INGLÉS** root.

2 Parte donde empieza a nacer algo, como el pelo, los dientes o las uñas, y que queda oculta a la vista. **INGLÉS** root.

3 Principio o causa de algo. Para encontrar la solución de un problema hay que saber cuál es su raíz. **SINÓNIMO** origen. **INGLÉS** root.

4 Número que multiplicado por sí mismo una serie de veces da otro. La raíz cuadrada de 9 es 3, porque si multiplicamos 3 por 3 da 9. **INGLÉS** root.

5 Parte de la palabra que no varía y contiene el significado. Si a una palabra se le quitan las terminaciones o los prefijos, queda la raíz. La raíz de las palabras 'comprar', 'comprador' y 'compra' es 'compr-'. **SINÓNIMO** lexema. **INGLÉS** root.

NOTA El plural es: raíces.

raja
nombre femenino

1 Abertura alargada y estrecha, a menudo producida por un objeto que corta: *Se cortó con el cuchillo y se hizo una buena raja en el brazo.* **INGLÉS** cut, slit.

2 Trozo largo y delgado que se corta de un alimento, como un limón o un melón. **INGLÉS** slice.

rajar
verbo

1 Cortar o romper una cosa haciendo una o más rajas. El melón se raja para comerlo. **INGLÉS** to slice, to cut.

2 Herir a alguien con un arma cortante, como un cuchillo. **INGLÉS** to slash, to cut.

3 rajarse No hacer una persona algo que había dicho que haría, normalmente por miedo y en el último momento: *Al final se rajó y no subió la montaña.* Es un uso informal. **INGLÉS** to back out.

ralentí
nombre masculino

1 Funcionamiento de un motor sin ninguna marcha puesta y sin acelerar. Cuando el semáforo está rojo, los automóviles frenan y se quedan en ralentí hasta que pueden volver a acelerar. **INGLÉS** idling, ticking over.

al ralentí Con el mínimo esfuerzo o trabajo, o muy lentamente y sin prisas: *Como estaba muy cansado, fue bajando las cajas al ralentí.* **INGLÉS** in slow motion.

ralentizar
verbo

1 Hacer que una actividad o un proceso sean más lentos. Cuando hay mucho tráfico la velocidad de los vehículos se ralentiza. **INGLÉS** to slow down.

NOTA Se escribe 'c' delante de 'e', como: ralenticen.

rallador
nombre masculino

1 Utensilio de cocina que sirve para rallar ciertos alimentos, como el queso o la zanahoria. El rallador está formado por una pieza plana de metal con unos agujeritos de borde saliente y cortante. **INGLÉS** grater.

rallar
verbo

1 Cortar en láminas o trocitos muy pequeños un alimento, como el queso, frotándolo sobre un rallador. **INGLÉS** to grate.

NOTA No lo confundas con 'rayar', que significa 'hacer rayas'.

rally
nombre masculino

1 Competición deportiva de automóviles, motos o camiones, que consiste en una carrera en la que se han de realizar diversas pruebas. Los rallys se suelen disputar por etapas y se recorren carreteras, caminos o pistas difíciles. **INGLÉS** rally.

NOTA El plural es: rallys o rallies. Se pronuncia: 'rali' y 'ralis'.

rama
nombre femenino

1 Parte de la planta que nace del tronco o del tallo y de la que salen las hojas, los frutos y las flores. **INGLÉS** branch.

2 Cada una de las partes en que se divide una ciencia o un arte. La medicina tiene muchas ramas, como la pediatría, la oftalmología o la otorrinolaringología. **INGLÉS** branch.

andarse por las ramas No tratar lo principal de un asunto. Alguien se anda por las ramas cuando no quiere responder a una pregunta y contesta otra cosa. **INGLÉS** to beat about the bush.

ramadán
nombre masculino

1 Noveno mes del año islámico durante el cual los musulmanes practican un ayuno estricto. **INGLÉS** Ramadan.

ramaje
nombre masculino

1 Conjunto de ramas de un árbol o arbusto. **INGLÉS** branches.

rambla
nombre femenino

1 Calle ancha o avenida de una población, a menudo con un paseo en el centro y con muchos árboles. Las ramblas son lugares ideales para pasear. **INGLÉS** boulevard, avenue.

ramificarse

verbo

1 Dividirse o extenderse en ramas o partes más pequeñas o secundarias. En el ser humano, cuando la tráquea llega a los pulmones se ramifica en unos conductos muy finos llamados bronquios. **INGLÉS** to branch.

NOTA La 'c' se convierte en 'qu' delante de 'e', como: ramifiquen.

ramillete

nombre masculino

1 Ramo pequeño de flores silvestres o pequeñas, como margaritas, campanillas o violetas. **INGLÉS** posy, bunch.

ramo

nombre masculino

1 Conjunto de flores, ramas o hierbas cortadas y agrupadas. En las bodas, las novias suelen llevar un ramo de flores. **INGLÉS** bunch, bouquet.

2 Cada una de las partes en que se divide una actividad. La fabricación de ropa forma parte del ramo de la industria textil. **INGLÉS** sector.

rampa

nombre femenino

1 Superficie inclinada que permite subir y bajar a un lugar o lo hace más fácil. En la entrada de muchos aparcamientos públicos hay rampas. **INGLÉS** ramp.

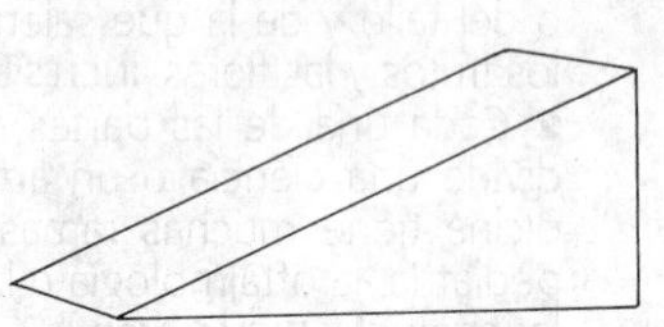

rampa

rana

nombre femenino

1 Animal anfibio de cuerpo pequeño, ojos que sobresalen de la cabeza y con las patas traseras largas y muy fuertes que se mueve dando saltos. Vive en charcas y ríos y se alimenta de insectos. **INGLÉS** frog.

ranchera

nombre femenino

1 Canción popular originaria de México, de carácter alegre. Normalmente los músicos que interpretan rancheras son mariachis.

2 Automóvil con un gran espacio trasero donde pueden ir pasajeros o carga. **INGLÉS** station wagon.

rancho

nombre masculino

1 Granja donde se crían caballos, vacas y otros animales. **INGLÉS** ranch.

2 Comida hecha para un grupo grande de personas, como soldados o presos. **INGLÉS** mess.

rancio, rancia

adjetivo

1 Se dice del alimento o la bebida que con el tiempo ha tomado un olor y un sabor más fuertes de lo normal. **INGLÉS** rancid, [si es vino: old].

rango

nombre masculino

1 Categoría o posición que ocupa una persona o una cosa dentro de una clasificación o un grupo según su importancia, sus características o su nivel. En el ejército hay diferentes rangos, como por ejemplo teniente, capitán o coronel. **INGLÉS** rank.

ranquin

nombre masculino

1 Lista de cosas o de personas que se ordenan según un criterio determinado. Las revistas y los periódicos a veces hacen ránquines con las mejores películas, los mejores discos o las novelas más vendidas. **SINÓNIMO** clasificación. **INGLÉS** list.

NOTA El plural es: ránquines. También se escribe: ranking.

ranura

nombre femenino

1 Abertura corta y estrecha que hay o se hace en una superficie. Las huchas y las máquinas automáticas que venden cosas tienen una ranura para meter las monedas. **INGLÉS** groove, slot.

rapar

verbo

1 Cortar muy corto o al cero el pelo de una persona o de un animal. **SINÓNIMO** pelar. **INGLÉS** to crop.

rapaz, rapaza

nombre

1 Persona joven. **SINÓNIMO** muchacho. **INGLÉS** youngster, lad [chico], lass [chica].

adjetivo y nombre femenino

2 Se dice del ave que se alimenta de animales a los que localiza mientras vuela. Tiene el pico fuerte, las uñas afiladas y buena vista. El águila y el halcón son aves rapaces. **INGLÉS** bird of prey [nombre].

NOTA El plural de rapaz es: rapaces.

rape
nombre masculino
1 Pez marino comestible con el cuerpo aplanado y la cabeza y la boca muy grandes. Vive en los fondos marinos medio enterrado en la arena. **INGLÉS** angler fish.
al rape Se dice del pelo que está cortado hasta la piel. **INGLÉS** close-cropped.

rapidez
nombre femenino
1 Velocidad grande con que ocurre o se hace algo. **ANTÓNIMO** lentitud. **INGLÉS** speed.

rápido, rápida
adjetivo
1 Que se mueve o se hace muy deprisa, a mucha velocidad. También son rápidas las personas y los animales que emplean poco tiempo en hacer algo. **ANTÓNIMO** lento. **INGLÉS** quick, fast.
nombre masculino
2 Parte de un río o de una corriente donde el agua corre a gran velocidad y con mucha fuerza. **INGLÉS** rapids.

rapiñar
verbo
1 Robar una cosa usando la violencia: *Se produjo una revuelta y hubo gente que rapiñó todo lo que pudo en las tiendas.* **INGLÉS** to steal.

raptar
verbo
1 Tener retenida por la fuerza a una persona en un sitio para pedir dinero u otra cosa a cambio de su libertad. **SINÓNIMO** secuestrar. **INGLÉS** to kidnap.

raqueta
nombre femenino
1 Instrumento que se utiliza en algunos juegos de pelota, como el tenis, para golpearla. Consta de un mango y una parte plana y ovalada con una red tensa en el centro. **INGLÉS** racket.
2 Objeto que se ata a los zapatos para andar sobre la nieve. Es una base ancha y ovalada con cuerdas cruzadas. **INGLÉS** snowshoe.

raquítico, raquítica
adjetivo
1 Se dice de la persona o animal que está muy débil y delgado. **INGLÉS** scrawny.
2 Que es muy pequeño: *Me puso una ración de tarta tan raquítica que casi no se veía en el plato.* Es un uso informal. **SINÓNIMO** ridículo. **INGLÉS** measly.

rareza
nombre femenino
1 Aquello que es raro o poco frecuente. Tener un mono en casa es una rareza. **INGLÉS** rarity.

raro, rara
adjetivo
1 Que sorprende por ser poco frecuente o por ser diferente de lo normal. Es raro que nieve en un desierto. **SINÓNIMO** extraño. **INGLÉS** rare.
2 Se dice de la persona que se comporta de un modo distinto del que se considera normal o habitual: *Tu hermano está raro, no sé qué le pasa.* **INGLÉS** odd, strange.

ras
a ras de Casi al mismo nivel de aquello que se indica: *El avión volaba muy bajo, a ras de suelo.* **INGLÉS** on a level with.

rascacielos
nombre masculino
1 Edificio de gran altura y de muchos pisos. En Nueva York hay muchos rascacielos. **INGLÉS** skyscraper.
NOTA El plural es: rascacielos.

rascar
verbo
1 Pasar las uñas sobre la piel. Cuando nos pica una parte del cuerpo nos rascamos. **INGLÉS** to scratch.
2 Pasar algo áspero o afilado sobre una superficie, generalmente levantando la capa que la cubre. Antes de pintar un mueble, conviene rascar la pintura vieja. **INGLÉS** to scrape.
NOTA Se escribe 'qu' delante de 'e', como: rasque.

rasgar
verbo
1 Romper una cosa, especialmente tela o papel, tirando de ella. Si se nos engancha la camisa en algún sitio y tiramos se rasgará. **INGLÉS** to tear.
NOTA Se escribe 'gu' delante de 'e', como: rasgue.

rasgo
nombre masculino
1 Línea que se hace al escribir las letras. Los rasgos de la escritura varían según la persona que escribe. **INGLÉS** stroke.
2 Forma o línea característica de la cara de una persona: *Tengo los ojos de mi madre aunque mis rasgos son distintos; yo tengo la cara más alargada.* **INGLÉS** feature.
3 Característica de una persona o cosa que la hace diferente a otras. Para hacer el retrato de una persona, debemos

a b c d e f g h i j k l m n ñ o p q r s t u v w x y z

elegir los rasgos más destacados de su aspecto físico. INGLÉS characteristic.

rasguño

nombre masculino **1** Herida o corte poco profundo y sin importancia. INGLÉS scratch.

raso, rasa

adjetivo **1** Que es totalmente liso o llano y no tiene desniveles: *Construyó la casa en un terreno raso.* INGLÉS flat, level.

nombre masculino **2** Tela brillante, ligera y suave, como la de algunas prendas de vestir o cintas del pelo. INGLÉS satin.

raspa

nombre femenino **1** Espina de pescado, en especial la espina central. INGLÉS bone.

raspar

verbo **1** Frotar una superficie con una cosa áspera o afilada, levantando la capa que la cubre. Para quitar la grasa de una sartén la raspamos con un estropajo. SINÓNIMO rascar. INGLÉS to scrape.

rastras

a rastras Arrastrando algo o a alguien por el suelo: *No lleves la mochila a rastras, que se romperá.*

rastrear

verbo **1** Seguir el rastro o las señales que dejan una persona o una cosa para encontrarla. Cuando la policía busca a un criminal rastrea las zonas donde puede esconderse. INGLÉS to comb.

rastrero, rastrera

adjetivo **1** Se dice de la persona que actúa de forma despreciable o con mala intención para conseguir sus propósitos. Una persona rastrera puede llegar a humillarse para conseguir lo que quiere. INGLÉS creeping.

2 Que es despreciable o tiene mala intención. La traición de un amigo es algo rastrero. INGLÉS despicable.

3 Que se desarrolla o se produce a ras del suelo. Las plantas rastreras crecen con el tallo pegado a la tierra. INGLÉS creeping.

rastrillo

nombre masculino **1** Herramienta que se usa para recoger hierba, paja y otras cosas. Tiene un mango largo que termina en una pieza con púas. INGLÉS rake.

rastro

nombre masculino **1** Señal o huella que deja una persona, animal o cosa al pasar por un lugar. Los perros policía están entrenados para seguir el rastro de una persona. INGLÉS scent, trail.

2 Mercado callejero donde se venden objetos, generalmente usados, ciertos días de la semana. INGLÉS flea market.

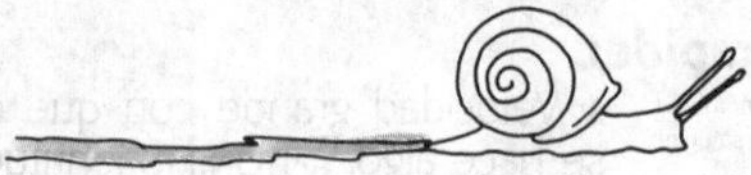

rastro

rata

nombre femenino **1** Animal mamífero roedor parecido al ratón pero más grande, con la cola larga, las patas cortas y la cabeza pequeña y alargada. INGLÉS rat.

nombre masculino y femenino **2** Persona despreciable. Es un uso informal. INGLÉS rat.

3 Persona que no quiere gastar dinero. Es un uso informal. SINÓNIMO avaro; tacaño. INGLÉS mean [adjetivo], stingy [adjetivo].

ratero, ratera

nombre **1** Persona que roba objetos de poco valor. INGLÉS petty thief.

ratificar

verbo **1** Confirmar que una cosa que se ha dicho o hecho antes es válida o verdadera. Cuando no sabemos si una noticia es cierta, debemos esperar que alguien la ratifique para estar seguros de que es verdad. INGLÉS to confirm.

NOTA Se escribe 'qu' delante de 'e', como: ratifiquéis.

rato

nombre masculino **1** Espacio de tiempo corto. Si una persona tiene que esperar un rato, normalmente sabe que no esperará mucho tiempo pero no cuánto exactamente. INGLÉS time, while.

a ratos Algunas veces sí y otras no: *Me duele la muela a ratos, sobre todo después de comer.* INGLÉS at times.

para rato Para mucho tiempo: *No nos esperes porque tenemos para rato.* INGLÉS a long time.

ratón, ratona

nombre **1** Mamífero roedor de pequeño tamaño, con el pelo suave gris o marrón, la cola larga, la cabeza pequeña y las orejas grandes. INGLÉS mouse.

nombre masculino **2** Elemento externo de un ordenador que se mueve con una sola mano y sirve para situarse en un lugar de la pantalla y realizar operaciones. INGLÉS mouse.
NOTA El plural de ratón es: ratones.

ratonera
nombre femenino **1** Trampa que se usa para cazar ratones. INGLÉS mousetrap.
2 Madriguera o agujero donde viven ratones. INGLÉS mousehole.

raudo, rauda
adjetivo **1** Que es muy rápido o se mueve a gran velocidad, como algunos vehículos o caballos de carreras. INGLÉS fast, swift.

ravioli
nombre masculino **1** Pasta en forma de empanada pequeña y cuadrada, que está rellena de carne, verdura o queso. Los raviolis se comen hervidos y acompañados de alguna salsa. INGLÉS ravioli.
NOTA El plural es: raviolis.

raya
nombre femenino **1** Línea larga y delgada marcada o pintada en una superficie. INGLÉS line, stripe.
2 Línea que se hace en el pelo al separarlo con el peine hacia los lados, de manera que queda al descubierto la piel. INGLÉS parting.
3 Pliegue vertical que se marca al planchar una prenda de vestir, como unos pantalones. INGLÉS crease.
4 Signo de ortografía que es un guion largo y se usa para indicar el comienzo de un diálogo o para añadir una explicación. INGLÉS dash.
5 Pez marino con el cuerpo plano en forma de rombo y con la cola larga y delgada. INGLÉS ray.

rayado, rayada
adjetivo **1** Que tiene rayas. Hay libretas con hojas de papel cuadriculado y otras de papel rayado. INGLÉS striped.

rayar
verbo **1** Marcar o dibujar rayas en una superficie. Podemos rayar un papel con un lápiz o el suelo con una silla. INGLÉS to draw lines on.
NOTA No lo confundas con 'rallar', que significa 'cortar con un rallador'.

rayo
nombre masculino **1** Descarga eléctrica muy intensa y luminosa que se produce en el cielo cuando hay tormenta. Se dice que después del rayo viene el trueno. INGLÉS flash of lightning.
2 Línea de luz que procede de un punto, en especial del Sol o de la Luna. En la playa hay que protegerse de los rayos del sol. INGLÉS ray.

rayuela
nombre femenino **1** Juego infantil que consiste en ir moviendo una piedra sobre unas casillas dibujadas en el suelo. La piedra se tiene que empujar a la pata coja con un pie y hay que intentar no pisar las rayas. INGLÉS hopscotch.

raza
nombre femenino **1** Cada uno de los grandes grupos en que se divide la especie humana y algunas especies animales según una serie de características físicas. Los galgos, los caniches y los dogos pertenecen a diferentes razas de perros. INGLÉS race.

razón
nombre femenino **1** Capacidad que tiene el ser humano de pensar las cosas. La razón es lo que distingue al ser humano de los animales. INGLÉS reason.
2 Cosa que hace que una persona realice determinada acción o que una cosa sea de cierta manera: *La razón por la que no vine es que estaba enfermo.* SINÓNIMO motivo. INGLÉS reason.
3 Explicación que da una persona para justificar su manera de actuar o para demostrar algo: *Quiero oír qué razones me das para explicar lo que has hecho.* INGLÉS reason.
dar la razón Decir a una persona que lo que dice es verdad o lo que ha hecho está bien. INGLÉS to say that someone is right.
perder la razón Volverse loca una persona o actuar como si lo estuviera. INGLÉS to lose one's mind.
tener razón Decir la verdad o hacer algo que está bien hecho o es acertado: *Tienes razón, lo reconozco.* INGLÉS to be right.
NOTA El plural es: razones.

razonable
adjetivo **1** Que se puede pensar que será de una determinada manera porque está de acuerdo con la razón, la lógica o la justicia: *Es razonable que lo esperemos unos minutos.* INGLÉS reasonable.
2 Se dice de la persona con la que se

puede razonar y entiende los argumentos de los demás. Una persona razonable suele ser prudente, tranquila y sensata. INGLÉS reasonable.

3 Que es adecuado y suficiente y no se considera excesivo: *En esa tienda venden el libro a un precio razonable.* INGLÉS reasonable.

razonamiento
nombre masculino
1 Conjunto de ideas o razones que se tienen o se dan para razonar. A través del razonamiento se encuentran soluciones. INGLÉS reasoning.

razonar
verbo
1 Pensar algo uniendo ideas o razones para entenderlo, explicarlo o sacar conclusiones. Para comprender un problema y resolverlo, hay que razonarlo. INGLÉS to reason out.

re
nombre masculino
1 Segunda nota de la escala musical. INGLÉS re, D.
NOTA El plural es: res.

reacción
nombre femenino
1 Cosa que se hace como respuesta a unas palabras, una acción o un acontecimiento. La reacción al recibir un golpe fuerte en la mano o en el pie suele ser un grito de dolor. INGLÉS reaction.
NOTA El plural es: reacciones.

reaccionar
verbo
1 Hacer o decir algo como respuesta a otra cosa. Cuando se conduce un automóvil hay que saber reaccionar rápidamente ante cualquier situación. INGLÉS to react.

2 Volver a la normalidad la salud o las funciones vitales de una persona: *Se desmayó y tardó mucho en reaccionar.* INGLÉS to react.

reactivar
verbo
1 Volver a hacer funcionar o moverse una cosa que se ha parado o algo que está perdiendo fuerza: *Hubo un apagón y al volver la luz se reactivaron los electrodomésticos.* INGLÉS to reactivate.

reactor
nombre masculino
1 Motor que produce gases que salen con gran fuerza. Muchos aviones llevan reactores. INGLÉS jet.

2 Avión que lleva uno o más reactores. Los reactores son más rápidos que los aviones de hélices. INGLÉS jet plane.

readmitir
verbo
1 Admitir de nuevo a una persona o cosa. Una persona que ha sido expulsada de un grupo puede ser readmitida en él si se lo merece. INGLÉS to readmit, to reinstate.

reafirmar
verbo
1 Afirmar de nuevo algo que ya se había dicho: *El acusado reafirmó su inocencia.* INGLÉS to reaffirm.

reagrupar
verbo
1 Volver a reunir o juntar en un grupo un conjunto de personas o cosas: *Se separaron por la mañana para volverse a reagrupar por la noche.* INGLÉS to regroup.

reajustar
verbo
1 Ajustar de nuevo una cosa que había dejado de estar en perfectas condiciones. Algunas máquinas y aparatos se deben reajustar cada cierto tiempo porque con el uso dejan de funcionar bien. INGLÉS to readjust.

real
adjetivo
1 Que existe o ha existido de verdad. En algunas novelas se cuentan hechos reales. INGLÉS real.

2 De los reyes o que tiene relación con ellos. Los palacios reales son muy grandes y elegantes. INGLÉS royal.

realidad
nombre femenino
1 Conjunto de todo lo que existe de verdad. Las personas pertenecemos a la realidad, en cambio los duendes no son reales. INGLÉS reality.

en realidad Indica que lo que se dice a continuación es la verdad, que no es lo que se ha dicho antes o lo que parece: *En realidad vino porque quiso, no porque le obligara su padre.* INGLÉS actually, in fact.

realismo
nombre masculino
1 Forma de exponer o de representar una cosa tal y como es en realidad. Una película tiene mucho realismo cuando todo lo que se ve parece como si perteneciera a la realidad. INGLÉS realism.

realista
adjetivo y nombre masculino y femenino
1 Se dice de la persona que ve las cosas como son en realidad. Las personas realistas no se hacen falsas ilusiones: *Tienes que ser realista, con ese resultado no podemos clasificarnos.* ANTÓNIMO

idealista. INGLÉS realistic [adjetivo], realist [nombre].

realización
nombre femenino
1 Acción que consiste en realizar una cosa. La realización de un programa de televisión depende de muchas personas. SINÓNIMO ejecución. INGLÉS production.
NOTA El plural es: realizaciones.

realizar
verbo
1 Hacer o efectuar una cosa o una actividad. Los carpinteros realizan muebles de madera. Los directores de cine realizan películas. INGLÉS to produce, to make.
2 realizarse Sentirse una persona satisfecha por haber conseguido lo que quería: *Me he realizado: tengo una familia, un buen trabajo y muchos amigos.* INGLÉS to fulfil oneself.
NOTA Se escribe 'c' delante de 'e', como: realicé.

reanimar
verbo
1 Devolver las fuerzas o la energía a alguien: *Después de pasar tanto frío, un tazón de leche caliente te reanimará.* INGLÉS to revive.

reanudar
verbo
1 Continuar con un trabajo o una actividad que se había dejado por un tiempo: *Después de comer reanudamos la partida de cartas.* INGLÉS to resume.

reaparecer
verbo
1 Volver a aparecer una persona o una cosa después de estar un tiempo retirada o sin verse. El sol reaparece después de las lluvias. INGLÉS to reappear.
NOTA Se conjuga como: agradecer; la 'c' se convierte en 'zc' delante de 'a' y 'o', como: reaparezca.

rebaja
nombre femenino
1 Disminución del precio de una cosa. SINÓNIMO descuento. INGLÉS reduction.

rebajar
verbo
1 Disminuir el precio de una cosa. Las tiendas rebajan los precios de sus productos a final de temporada. ANTÓNIMO aumentar. INGLÉS to reduce.

rebanada
nombre femenino
1 Trozo plano y no muy grueso que se corta de un alimento, especialmente de pan: *He desayunado una rebanada de pan con mantequilla.* INGLÉS slice.

rebañar
verbo
1 Acabar con los restos de comida que quedan en un plato: *Rebañó la salsa del plato con pan.* INGLÉS to mop up.

rebaño
nombre masculino
1 Conjunto de animales de ganado, en especial ovejas o cabras. Los pastores sacan su rebaño a pastar al campo. INGLÉS herd, flock.

rebasar
verbo
1 Superar un determinado límite. Si el agua rebasa los bordes de la bañera, se sale. INGLÉS to exceed.

rebeca
nombre femenino
1 Chaqueta de punto delgada, sin cuello, abierta por delante y con botones. Suele ser de manga larga. INGLÉS cardigan.

rebelarse
verbo
1 Negarse una persona a obedecer o a cumplir las órdenes de un superior o de la autoridad y enfrentarse a él. Muchos pueblos se han rebelado contra sus gobiernos. INGLÉS to rebel.
2 Oponer una persona o una cosa resistencia a algo que se quiere hacer: *Su pelo se rebela cuando está muy largo y siempre va despeinado.* INGLÉS to rebel.
NOTA No lo confundas con 'revelar', que significa 'descubrir' o 'tratar un negativo para hacer fotografías'.

rebelde
adjetivo y nombre masculino y femenino
1 Se dice de la persona que se niega a obedecer o a cumplir las órdenes de otra o de otras que tienen autoridad sobre ella. Un ejército rebelde lucha contra el gobierno de su país. INGLÉS rebel.
2 Se dice de la persona que no se deja dominar, porque no obedece o no hace caso de lo que se le dice o se le manda. INGLÉS rebellious [adjetivo], rebel [nombre].
3 Se dice de la cosa que opone resistencia y no se deja dominar con facilidad, como el cabello que es difícil de peinar. INGLÉS unmanageable.

rebeldía
nombre femenino
1 Característica de la persona que se niega a obedecer o no se deja dominar. Un soldado que se niega a cumplir las órdenes de un oficial comete un acto de rebeldía. INGLÉS rebelliousness.

a b c d e f g h i j k l m n ñ o p q r s t u v w x y z

rebelión
nombre femenino **1** Acción de rebelarse contra el gobierno o la autoridad. INGLÉS rebellion, revolt.
NOTA El plural es: rebeliones.

rebobinar
verbo **1** Hacer que una cinta, hilo, película u otra cosa se desenrolle de una bobina o un carrete y se enrolle en otro. En los vídeos y casetes antiguos, la cinta se debía rebobinar para volver atrás. INGLÉS to rewind.

rebosante
adjetivo **1** Que está lleno de un líquido hasta los bordes. INGLÉS overflowing.
2 Que tiene en gran cantidad algo que se expresa. Una persona que está rebosante de felicidad es muy feliz. INGLÉS brimming.

rebosar
verbo **1** Salirse un líquido por los bordes del recipiente en el que está contenido: *Se dejó el grifo abierto y el agua de la bañera rebosó.* INGLÉS to overflow.

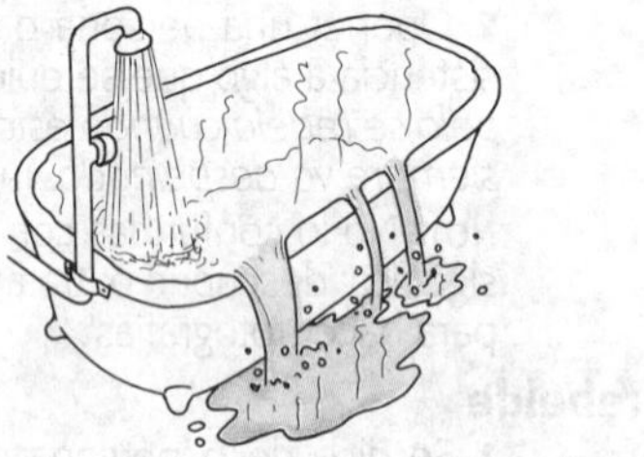

rebosar

rebotar
verbo **1** Cambiar de dirección un cuerpo al chocar contra una superficie, como hace una pelota tras lanzarla contra una pared. INGLÉS to bounce.
2 rebotarse Enfadarse o molestarse una persona por alguna cosa. Es un uso informal. INGLÉS to get cheesed off.

rebote
nombre masculino **1** Cambio de dirección de un cuerpo al chocar contra una superficie. INGLÉS bounce.
2 En baloncesto, jugada en la que el balón choca contra el aro o el tablero y no entra en la canasta. Los jugadores altos cogen muchos rebotes. INGLÉS rebound.
3 Enfado o disgusto de una persona: *Se cogió un rebote por la broma que le gastaron.* Es un uso informal.

rebozar
verbo **1** Cubrir un alimento con huevo batido, pan rallado o harina para luego freírlo. Rebozamos las croquetas antes de freírlas. INGLÉS to coat in breadcrumbs.
NOTA Se escribe 'c' delante de 'e', como: reboce.

rebrotar
verbo **1** Volver a brotar o tener fuerza algo que tenía poca fuerza o que se estaba acabando o que se creía desaparecido. Cuando una enfermedad rebrota, hay que volver a tratar y curar al enfermo. INGLÉS to reappear.

rebuscado, rebuscada
adjetivo **1** Que es tan complicado que se nota que no es natural o espontáneo: *Su excusa es tan rebuscada que es difícil de creer.* INGLÉS contrived.

rebuscar
verbo **1** Buscar una cosa con cuidado intentando no dejar ningún sitio sin revisar: *Rebuscó en su bolso hasta que encontró el móvil.* INGLÉS to search.
NOTA Se escribe 'qu' delante de 'e', como: rebusque.

rebuznar
verbo **1** Emitir el burro su sonido característico. INGLÉS to bray.

rebuzno
nombre masculino **1** Sonido característico del burro. INGLÉS bray.

recabar
verbo **1** Conseguir una cosa que requiere esfuerzo, tiempo o dedicación. Para escribir un texto científico primero hay que recabar mucha información. INGLÉS to gather.

recado
nombre masculino **1** Mensaje que se envía o se da a alguien para que haga o sepa algo: *Tengo aquí un recado de tu primo.* INGLÉS message.
2 Cosa que alguien está encargada de hacer, en especial compras para la casa: *Voy a la farmacia por un recado de mi madre.* INGLÉS errand.

recaer
verbo **1** Ponerse peor un enfermo o volver a caer enfermo de la misma enfermedad. INGLÉS to have a relapse.

2 Volver a cometer los mismos vicios o errores. Muchas personas, después de haber dejado de fumar, recaen en el tabaco y vuelven a fumar. INGLÉS to relapse.

3 Ir a parar o corresponder a una persona cierta cosa, como un premio o una responsabilidad: *El premio recayó en una joven actriz.* INGLÉS to go to.

NOTA Se conjuga como: caer.

recalcar

verbo

1 Decir algo destacándolo mucho o insistiendo para que quede muy claro. Los profesores recalcan las ideas más importantes de cada clase. INGLÉS to emphasize, to stress.

NOTA Se escribe 'qu' delante de 'e', como: recalque.

recalentar

verbo

1 Volver a calentar una cosa que se ha enfriado: *He recalentado la sopa que sobró ayer.* INGLÉS to reheat.

NOTA Se conjuga como: acertar; la 'e' se convierte en 'ie' en sílaba acentuada, como: recalienta.

recambio

nombre masculino

1 Pieza que está destinada a sustituir a otra pieza igual que se ha roto o estropeado. Hay recambios para vehículos, electrodomésticos y otros aparatos. SINÓNIMO repuesto. INGLÉS spare, [si es para un bolígrafo: refill].

recapacitar

verbo

1 Reflexionar con detenimiento sobre un asunto o un problema importante: *Recapacita, porque creo que te equivocas.* INGLÉS to reconsider.

recargable

adjetivo

1 Se dice de la cosa que puede ser recargada con más energía o material cuando ya se ha acabado el que tenía. Las baterías recargables pueden volverse a cargar y usar cuando se han agotado. INGLÉS refillable, [si es una pila o batería: rechargeable].

recargar

verbo

1 Poner demasiados adornos u objetos en un sitio. INGLÉS to overdecorate.

2 Añadir a una cosa más carga, más energía o más material, cuando ya se ha acabado el que tenía. Tenemos que recargar la batería gastada de los teléfonos móviles para volver a usarlos. INGLÉS to refill, [si es una pila o batería: to recharge].

NOTA Se escribe 'gu' delante de 'e', como: recargue.

recaudación

nombre femenino

1 Dinero que se recoge por las ventas, los impuestos o las donaciones. Cuando asiste mucha gente al cine, aumenta la recaudación. INGLÉS takings.

NOTA El plural es: recaudaciones.

recaudar

verbo

1 Recoger dinero de los impuestos, los donativos o las ventas. INGLÉS to collect.

recepción

nombre femenino

1 Lugar que hay en algunos establecimientos públicos para recibir a los clientes. Los hoteles tienen la recepción en la planta baja. INGLÉS reception.

2 Acto social que se organiza para recibir a alguien en un lugar. Los jefes de gobierno ofrecen recepciones para las personalidades extranjeras que visitan el país. INGLÉS reception.

3 Llegada de un mensaje u otra cosa a la persona o al lugar adonde se ha enviado. INGLÉS receipt.

NOTA El plural es: recepciones.

recepcionista

nombre masculino y femenino

1 Persona que atiende al público en una recepción o en la entrada a algún establecimiento. En los hoteles y en las grandes oficinas suele haber recepcionistas. INGLÉS receptionist.

receptivo, receptiva

adjetivo

1 Que recibe o tiene capacidad para recibir estímulos externos. El oído es receptivo a los ruidos y los sonidos. El público de un cine se muestra receptivo cuando presta mucha atención a la película. INGLÉS receptive.

receptor, receptora

nombre

1 Persona que recibe algo. El receptor de un mensaje es la persona que lo lee o lo escucha. INGLÉS recipient.

nombre masculino

2 Aparato que recibe una señal sonora o visual y la transmite, como un receptor de radio. INGLÉS receiver.

receta

nombre femenino

1 Información sobre los ingredientes de una comida y la forma de prepararla. Hay programas de televisión donde se dan recetas. INGLÉS recipe.

2 Nota en la que el médico escribe a

a b c d e f g h i j k l m n ñ o p q r s t u v w x y z

un paciente el nombre de la medicina que debe tomar. INGLÉS prescription.

recetar
verbo
1 Decir o escribir el médico al enfermo el medicamento que debe tomar. INGLÉS to prescribe.

rechazar
verbo
1 No aceptar o no dar por buena una cosa que se ha ofrecido o se ha propuesto: *Rechazó sus disculpas.* INGLÉS to reject.
2 Hacer que retroceda algo o alguien que va con fuerza. El portero rechaza el balón del equipo contrario. Un ejército puede rechazar un ataque. INGLÉS to repel [un ataque], to clear [el balón].
NOTA Se escribe 'c' delante de 'e', como: rechace.

rechazo
nombre masculino
1 Hecho de oponerse o no querer a alguien o algo: *Todos mostraron su rechazo a aceptar aquella idea tan mala.* INGLÉS rejection.

rechinar
verbo
1 Hacer una cosa un sonido desagradable al rozar con otra. A mucha gente le molesta que la tiza rechine en la pizarra. INGLÉS to squeak.

rechistar
verbo
1 Decir algo para protestar o mostrar el desacuerdo con algo: *Vas a lavar los platos sin rechistar.* INGLÉS to answer back.

rechoncho, rechoncha
adjetivo
1 Se dice de la persona o animal que es grueso y de poca altura. Los gorriones y las palomas tienen un cuerpo rechoncho. INGLÉS chubby, tubby.

rechupete
de rechupete Muy bueno, muy agradable. Cuando uno se divierte mucho, lo pasa de rechupete. Es una expresión informal. INGLÉS brilliant.

recibidor
nombre masculino
1 Parte de una casa que se encuentra junto a la puerta principal y que se usa para recibir a los que llegan. INGLÉS entrance hall.

recibimiento
nombre masculino
1 Acto de recibir a una persona que llega de fuera: *El campeón mundial tuvo un gran recibimiento cuando llegó a su país.* INGLÉS reception, welcome.

recibir
verbo
1 Aceptar o tomar lo que se da o se envía. A las personas les gusta recibir buenos regalos. INGLÉS to receive.
2 Ir a buscar a una persona que viene de fuera. En los aeropuertos siempre hay gente que va a recibir a sus familiares o amigos. INGLÉS to meet.
3 Atender una persona a otra que llega a su casa, su oficina o su consulta: *Recibió a sus amigos en casa.* INGLÉS to entertain.
4 Ser objeto de un golpe o un empujón. INGLÉS to receive.

recibo
nombre masculino
1 Documento o escrito en que se declara haber recibido dinero, una mercancía o haber pagado una cuenta. Cuando pagamos una factura, nos dan el recibo. INGLÉS receipt.

reciclable
adjetivo
1 Se dice del material que se puede reciclar. El vidrio, el aceite o el papel son productos reciclables. INGLÉS recyclable.

reciclado, reciclada
adjetivo
1 Se dice del producto que ha sido fabricado a partir de material reciclable. El papel reciclado se hace con papel viejo. INGLÉS recycled.
nombre masculino
2 Conjunto de acciones para transformar desperdicios o materiales usados en nuevos materiales y objetos que se puedan volver a utilizar. INGLÉS recycling.

reciclar
verbo
1 Recuperar el material de cosas usadas para volver a utilizarlo. Si reciclamos el papel, no se tendrán que cortar tantos árboles. INGLÉS to recycle.

recién
adverbio
1 En un tiempo o en un momento muy cercano al hecho que se expresa o desde hace poco tiempo. El pan recién hecho todavía está caliente. INGLÉS recently.

reciente
adjetivo
1 Se dice de las cosas, situaciones o acciones que se han hecho o han sucedido hace poco tiempo. Los periódicos publican noticias recientes. INGLÉS recent.

recinto
nombre masculino
1 Espacio generalmente cerrado y comprendido dentro de ciertos límites. Un

polideportivo es un recinto para la práctica del deporte. INGLÉS area, [si es un edificio: building].

recio, recia

adjetivo

1 Que es fuerte, firme y resistente. Los castillos y las murallas son construcciones recias. INGLÉS strong.

2 Que es duro y difícil de soportar. En el desierto, a veces sopla un viento recio y seco. INGLÉS harsh.

recipiente

nombre masculino

1 Objeto que sirve para contener o guardar cosas en su interior. Las ollas, las cacerolas y los cazos son recipientes que se usan en la cocina. INGLÉS container, receptacle.

recíproco, recíproca

adjetivo

1 Se dice de la acción, el pensamiento o el sentimiento que una persona recibe de otra en la misma medida que lo da o lo hace a la otra persona. Si dos personas se aman, su amor es recíproco. INGLÉS reciprocal.

2 Se dice del verbo o la oración en que dos personas realizan la misma acción, cada una sobre la otra. 'Juan y Luis se saludaron' es una oración recíproca, porque indica que Juan saludó a Luis y Luis saludó a Juan. INGLÉS reciprocal.

recital

nombre masculino

1 Espectáculo musical en el que interviene una sola persona o un grupo. En un recital de piano, un pianista interpreta varias obras. INGLÉS recital.

2 Acto público en el que se recitan poesías. INGLÉS reading.

recitar

verbo

1 Decir un texto en voz alta: *El profesor recitó una poesía en clase.* INGLÉS to recite.

reclamación

nombre femenino

1 Protesta que se hace por algo que se considera injusto o malo. Cuando compramos algo estropeado, podemos hacer una reclamación para pedir la devolución del dinero. INGLÉS complaint, [si es para pedir la devolución de dinero: claim].

NOTA El plural es: reclamaciones.

reclamar

verbo

1 Protestar por algo que se considera injusto o malo. Si nos tratan mal en un sitio, podemos reclamar. INGLÉS to complain.

2 Pedir una cosa, en especial algo a lo que se tiene derecho: *Los familiares reclaman la libertad del secuestrado.* INGLÉS to demand.

reclamo

nombre masculino

1 Persona, animal o cosa que se emplea para atraer o llamar la atención de alguien sobre algo. Las agencias de publicidad usan reclamos, como regalos y promociones, para vender mejor sus productos. INGLÉS gimmick.

2 Animal o instrumento que utilizan los cazadores para atraer a las aves que quieren cazar. INGLÉS decoy.

recluir

verbo

1 Encerrar a una persona en un lugar para que no salga de él. Una persona también puede recluirse en un lugar de forma voluntaria, como los religiosos que se recluyen en un monasterio: *La justicia recluyó al ladrón en una prisión de alta seguridad.* INGLÉS to imprison.

NOTA Se conjuga como: huir; la 'i' se convierte en 'y' delante de 'a', 'e' y 'o', como: recluyó o recluyan.

recluso, reclusa

nombre

1 Persona que está encerrada en la cárcel. SINÓNIMO presidiario; preso. INGLÉS prisoner.

recluta

nombre masculino y femenino

1 Persona que ha entrado en el ejército y todavía no ha acabado su instrucción. INGLÉS recruit.

reclutar

verbo

1 Llamar e inscribir a una persona para realizar el servicio militar o para formar parte de un ejército. INGLÉS to recruit.

2 Reunir gente para realizar una actividad o un fin determinado. Las asociaciones humanitarias intentan reclutar voluntarios para sus labores. INGLÉS to recruit.

recobrar

verbo

1 Volver a tener una cosa que se había perdido o que se había dejado de tener: *Cuando llegaron las vacaciones recobró el buen humor.* SINÓNIMO recuperar. INGLÉS to recover, to get back.

2 recobrarse Dejar de estar enfermo o volver a estar bien después de sufrir una desgracia, un problema o un susto: *Ya se ha recobrado de su resfriado.* SINÓNIMO recuperarse; reponerse. INGLÉS to recover.

recodo
nombre masculino
1 Curva cerrada que se forma en un lugar, como en un río o un camino. INGLÉS bend.

recogedor
nombre masculino
1 Objeto en forma de pala pequeña que sirve para recoger la suciedad del suelo, normalmente ayudándose de una escoba. SINÓNIMO cogedor. INGLÉS dustpan.

recoger
verbo
1 Ir una persona a coger una cosa o a buscar a una persona a un lugar para llevárselo consigo: *Los basureros recogen la basura. Mi padre me recoge a la salida de clase.* INGLÉS to collect.
2 Ordenar y poner las cosas en su sitio: *Después de cocinar, recogió y fregó la cocina.* INGLÉS to tidy.
3 Coger una cosa de un lugar para ponerla en un lugar más adecuado: *Recoge esos papeles del suelo y ponlos en la mesa. En otoño se recogen muchos frutos.* INGLÉS to pick up.
4 Ir juntando cosas poco a poco, como dinero, datos o información. En la campaña contra el cáncer, se recoge dinero por la calle. INGLÉS to collect.
NOTA Se escribe 'j' delante de 'a' y 'o', como: recoja o recojo.

recolección
nombre femenino
1 Trabajo que consiste en recoger los frutos de la tierra. SINÓNIMO cosecha. INGLÉS collection, gathering, harvest, harvesting.
NOTA El plural es: recolecciones.

recolectar
verbo
1 Recoger los frutos que produce la tierra. SINÓNIMO cosechar. INGLÉS to harvest.
2 Juntar dinero u otras cosas del mismo tipo, como firmas, datos, juguetes o basura: *Recolectaron muchos medicamentos para enviarlos a la zona que sufrió el terremoto.* INGLÉS to collect.

recomendación
nombre femenino
1 Consejo que se da a alguien. INGLÉS recommendation.
2 Referencia positiva que una persona da sobre otra. Una recomendación le sirve a una persona para que la gente tenga buena opinión de ella y la ayude o le dé trabajo. INGLÉS recommendation.
NOTA El plural es: recomendaciones.

recomendado, recomendada
nombre
1 Persona de la que otra persona habla bien a alguien para que le haga un favor: *Le dieron el trabajo al recomendado del director.* INGLÉS protégé [hombre], protégée [mujer].

recomendar
verbo
1 Dar un consejo a alguien. Las guías turísticas recomiendan la visita de los sitios más interesantes de un lugar. INGLÉS to recommend.
2 Hablar bien de una persona, diciendo que es buena en algo, para que otra la ayude: *El profesor la recomendó para una beca.* INGLÉS to recommend.
NOTA Se conjuga como: acertar; la 'e' se convierte en 'ie' en sílaba acentuada, como: recomiendo.

recompensa
nombre femenino
1 Regalo o dinero que se da como premio por una buena acción o comportamiento. A veces, los gobiernos ofrecen recompensas por información sobre delincuentes. INGLÉS reward.

recompensar
verbo
1 Dar a una persona dinero o un regalo como premio por una acción o comportamiento buenos. Algunos padres recompensan a sus hijos con un regalo por estudiar. INGLÉS to reward.

recomponer
verbo
1 Arreglar una cosa que estaba rota o estropeada. Los fontaneros recomponen los grifos y las cañerías. SINÓNIMO reparar. INGLÉS to repair, to mend.
NOTA Se conjuga como: poner. El participio es: recompuesto.

reconciliar
verbo
1 Hacer que dos personas vuelvan a ser amigas o a tener una relación amistosa. INGLÉS to reconcile.
NOTA Se conjuga como: cambiar; la 'i' no lleva nunca acento de intensidad.

recóndito, recóndita
adjetivo
1 Se dice de las cosas o de los lugares que están muy escondidos o que es muy difícil llegar a ellos. Muchos refugios de montaña se encuentran en parajes recónditos. INGLÉS hidden, secret.

reconfortar
verbo
1 Dar fuerzas y ánimos a una persona que está triste o cansada o se encuentra mal: *Le reconfortó mucho que fué-*

ramos a visitarla al hospital. INGLÉS to cheer up.

reconocer

verbo

1 Darse cuenta de que una persona o cosa ya se conoce y distinguirla entre varias. Reconocemos a la gente por su voz, por la cara o por otras características. INGLÉS to recognize.

2 Observar y examinar a una persona o una cosa con cuidado o atención, en especial el médico al enfermo. INGLÉS to examine.

3 Admitir o aceptar la realidad de algo que se dice, sucede o existe: *Ha reconocido que es culpa suya. Reconoce que tenemos razón.* INGLÉS to admit.

NOTA Se conjuga como: conocer; la 'c' se convierte en 'zc' delante de 'a' y 'o', como: reconozco.

reconocimiento

nombre masculino

1 Acción de reconocer u observar atentamente: *En el colegio nos harán un reconocimiento médico a todos.* INGLÉS examination, checkup.

2 Muestra de agradecimiento que se le hace a alguien por sus favores o sus buenas acciones: *Ayudé a Juan en su trabajo y como reconocimiento me invitó a cenar.* INGLÉS recognition.

reconquista

nombre femenino

1 Acción que consiste en conquistar un lugar o un territorio que se había perdido antes. INGLÉS reconquest.

reconstruir

verbo

1 Volver a construir algo que ha sido destruido o dañado. Si un edificio se incendia, hay que reconstruirlo. INGLÉS to reconstruct.

NOTA Se conjuga como: huir; la 'i' se convierte en 'y' delante de 'a', 'e' y 'o', como: reconstruyo.

recopilación

nombre femenino

1 Colección o reunión de varias obras que estaban en varios sitios. Un disco de recopilación tiene canciones de distintos discos. INGLÉS compilation.

NOTA El plural es: recopilaciones.

recopilar

verbo

1 Juntar una serie de cosas y hacer con ellas un conjunto. Muchos poetas recopilan sus poemas en un solo libro. INGLÉS to collect.

récord

nombre masculino

1 Mejor resultado que consigue un deportista en una prueba. SINÓNIMO marca. INGLÉS record.

2 Hecho o cosa que supera lo conseguido anteriormente en una actividad. Si una película es un récord de recaudación, ha ganado más dinero que cualquier otra película. INGLÉS record.

NOTA El plural es: récords.

recordar

verbo

1 Tener una persona presente en su memoria una cosa, o traer a su mente en determinado momento algo que tenía en la memoria. La gente recuerda cosas que le han pasado o cosas que estudia. SINÓNIMO acordarse. INGLÉS to remember.

2 Hacer que una persona tenga una cosa presente en su memoria y no se olvide de ella, especialmente algo que tiene que hacer: *Recuérdame que la llame luego.* INGLÉS to remind.

3 Parecerse una persona o una cosa a otra y hacer que se piense en ella: *Su voz me recuerda a la de mi primo.* INGLÉS to remind.

NOTA Se conjuga como: contar; la 'o' se convierte en 'u' en sílaba acentuada, como: recuerdo.

recordatorio

nombre masculino

1 Tarjeta en la que se recuerda un acontecimiento y la fecha de su celebración, como un aniversario o un fallecimiento. INGLÉS card.

recorrer

verbo

1 Ir o atravesar un espacio de un extremo a otro: *Los excursionistas recorrieron la cordillera de norte a sur.* INGLÉS to go round [un pueblo, un país], to go along [una calle, un río].

recorrido

nombre masculino

1 Conjunto de los lugares por los que se pasa o se debe pasar al hacer un viaje o una carrera. Cada línea de metro tiene su propio recorrido. SINÓNIMO itinerario. INGLÉS route.

2 Distancia que se recorre en un viaje o carrera: *El recorrido de la carrera es más corto este año.* INGLÉS distance.

recortable

nombre masculino

1 Hoja de papel con dibujos o figuras que se pueden recortar y utilizar para jugar o divertirse. INGLÉS cutout.

a b c d e f g h i j k l m n ñ o p q r s t u v w x y z

recortar
verbo
1 Cortar las partes que sobresalen de una cosa: *El jardinero recorta las ramas del seto.* INGLÉS to trim.
2 Cortar una figura separándola de la superficie donde está marcada o dibujada, como la foto de una revista. INGLÉS to cut out.
3 Disminuir el tamaño o la cantidad de una cosa. Cuando hay poco dinero hay que recortar gastos para ahorrar. SINÓNIMO reducir. INGLÉS to reduce.

recostar
verbo
1 Inclinar la cabeza o la parte superior del cuerpo y apoyarla sobre algo. Cuando vamos a dormir, recostamos la cabeza sobre la almohada. INGLÉS to rest.
NOTA Se conjuga como: contar; la 'o' se convierte en 'ue' en sílaba acentuada, como: recuesto.

recoveco
nombre masculino
1 Curva de una calle, una carretera, un río o cosas parecidas que son largas y en su camino tienen muchas vueltas. INGLÉS bend.
2 Rincón o lugar que queda oculto en un sitio. INGLÉS nook, corner.

recrear
verbo
1 Reproducir un ambiente determinado en una película, un cuadro u otra obra artística. Las películas de romanos recrean la arquitectura y la forma de vestir de la época. INGLÉS to recreate.
2 **recrearse** Disfrutar con alguna actividad en los momentos de descanso. Algunas personas se recrean con la lectura. INGLÉS to amuse oneself.

recreativo, recreativa
adjetivo
1 Que está destinado a divertir o entretener. Los juegos y los deportes para aficionados son actividades recreativas. INGLÉS recreational.

recreo
nombre masculino
1 Interrupción entre dos clases que hay en los colegios para que los alumnos se diviertan y descansen. INGLÉS playtime [en la escuela], break [en el instituto].

recriminar
verbo
1 Decir a una persona que algo que ha hecho o ha dicho está mal y echarle en cara que lo haya hecho. INGLÉS to reproach.
2 Responder a unas acusaciones con otras parecidas: *Le dije que era un egoísta y él me recriminó mi avaricia.* INGLÉS to reproach.

recta
nombre femenino
1 Línea que no tiene curvas ni ángulos. En la carreteras, hay que conducir más despacio en las curvas que en las rectas. INGLÉS straight line [línea], straight [tramo recto].

rectangular
adjetivo
1 Se dice del objeto que tiene forma de rectángulo. Un ladrillo o una hoja de papel suelen ser rectangulares. INGLÉS rectangular.

rectángulo
nombre masculino
1 Figura geométrica que tiene cuatro ángulos rectos y cuatro lados iguales dos a dos. INGLÉS rectangle.
adjetivo
2 Se dice del triángulo que tiene un ángulo recto. INGLÉS right-angled.

rectificar
verbo
1 Corregir una cosa quitando los errores o los defectos que tiene. INGLÉS to rectify, to correct.
2 Cambiar o mejorar una persona la forma de comportarse o de pensar por haberse dado cuenta de que estaba equivocada. INGLÉS to correct oneself.
NOTA Se escribe 'qu' delante de 'e', como: rectifique.

recto, recta
adjetivo
1 Que no tiene curvas ni ángulos. Una línea recta es la distancia más corta entre dos puntos. SINÓNIMO derecho. ANTÓNIMO torcido. INGLÉS straight.
2 Se dice del ángulo que tiene 90 grados. Un cuadrado tiene cuatro ángulos rectos. INGLÉS right.
3 Que se dirige a un sitio directamente, sin desviarse del punto hacia donde se va. Cuando alguien va recto hasta su casa, va directamente allí. SINÓNIMO directo. INGLÉS straight.
4 Se dice de la persona que siempre actúa con justicia y honradez. Los jueces tienen que ser rectos a la hora de juzgar a una persona. SINÓNIMO justo; honrado. ANTÓNIMO injusto. INGLÉS honest, upright.
nombre masculino
5 Última parte del intestino que empieza en el colon y termina en el ano. INGLÉS rectum.
adverbio
6 **recto** Todo seguido y sin torcer: *Siga recto por esta calle y llegará a la farmacia.* INGLÉS straight on.

rector, rectora
nombre **1** Persona que dirige y gobierna una comunidad o una institución, especialmente una universidad. INGLÉS vice chancellor [en el Reino Unido], president [en Estados Unidos].
nombre masculino **2** Sacerdote que dirige una parroquia. SINÓNIMO párroco. INGLÉS rector.

recuadro
nombre masculino **1** Línea cerrada con forma de cuadro dentro de la que se pone algo, como palabras o dibujos. Muchas tablas y clasificaciones van dentro de recuadros. INGLÉS box.

recubrir
verbo **1** Cubrir o envolver una cosa por completo. Las escamas recubren el cuerpo de los cocodrilos. INGLÉS to cover.

recuento
nombre masculino **1** Cuenta que se hace de una cosa para estar seguro de su cantidad: *Tuvieron que repetir el recuento de los votos.* INGLÉS count, [si se repite: recount].

recuerdo
nombre masculino **1** Cosa del pasado que una persona recuerda o trae a su memoria. Todo el mundo tiene recuerdos de su infancia. INGLÉS memory.
2 Objeto que sirve para recordar a una persona o un lugar. Cuando se va de viaje, es normal comprar recuerdos. INGLÉS souvenir.
nombre masculino plural **3** **recuerdos** Saludo que se envía a una persona que no está presente, encargándole a otra persona que se lo transmita: *Dale recuerdos a Luis.* INGLÉS regards.

recuperación
nombre femenino **1** Acción de volver a tener una cosa que se había dejado de tener. INGLÉS recovery.
2 Proceso por el cual se cura una persona enferma o lesionada: *El médico le ha recomendado descansar hasta que la recuperación sea completa.* INGLÉS recovery, recuperation.
3 Ejercicio o examen que se tiene que hacer para aprobar una asignatura o un examen que se ha suspendido antes. INGLÉS resit [examen].
NOTA El plural es: recuperaciones.

recuperar
verbo **1** Volver a tener una cosa que se había perdido o se había dejado de tener: *He recuperado el teléfono móvil que me dejé en la tienda.* SINÓNIMO recobrar. INGLÉS to recover, to get back.
2 Aprobar una asignatura que se había suspendido. INGLÉS to pass.
3 **recuperarse** Volver a un estado normal después de sufrir una enfermedad o una desgracia: *La economía empieza a recuperarse después de la crisis.* SINÓNIMO recobrarse; reponerse. INGLÉS to recover.

recurrir
verbo **1** Utilizar la ayuda de una persona o una cosa cuando se necesita. Cuando no sabemos el significado de una palabra recurrimos al diccionario. INGLÉS to turn.

recurso
nombre masculino **1** Medio que se utiliza para conseguir o solucionar algo. Los abogados siempre tienen que buscar recursos para defender a sus clientes. INGLÉS means.
nombre masculino plural **2** **recursos** Conjunto de dinero, posesiones y medios que tiene una persona, un territorio o un gobierno. El petróleo, el agua o los minerales son recursos naturales. INGLÉS resources.

red
nombre femenino **1** Tejido hecho con hilos cruzados entre sí formando cuadros que se usa para pescar, cazar, separar o cerrar espacios o sujetar cosas. Las pistas de tenis tienen una red en el medio. INGLÉS net.
2 Conjunto de cables eléctricos, carreteras o vías de tren de un lugar. La red telefónica es el conjunto de cables que unen los teléfonos. INGLÉS network.
3 Conjunto de ordenadores y aparatos conectados entre sí. La mayoría de oficinas tienen una red informática privada. INGLÉS network.
4 Internet. Es un uso informal. INGLÉS the Net.
5 Conjunto de personas o empresas de distintos lugares asociadas para hacer un trabajo: *Nuestra red de distribución llega a toda Europa.* INGLÉS network.

redacción
nombre femenino **1** Texto escrito que explica una cosa o trata sobre un tema. También es un escrito que sirve como ejercicio escolar para aprender a expresarse correctamente. INGLÉS composition, essay.
2 Lugar donde trabajan las personas que redactan en un periódico, una radio, un

canal de televisión o una editorial. También es el conjunto de personas que hace este trabajo. **INGLÉS** editorial office [el lugar], editorial staff [las personas].
NOTA El plural es: redacciones.

redactar
verbo
1 Expresar por escrito una idea, una opinión o una narración. **INGLÉS** to write.

redactor, redactora
nombre
1 Persona que redacta, especialmente la que lo hace para una editorial o un medio de comunicación. **INGLÉS** editor.

redada
nombre femenino
1 Acción que realiza la policía y que consiste en entrar por sorpresa en un lugar donde se sospecha que se realiza alguna actividad ilegal y detener a la gente que hay. **INGLÉS** raid.

redención
nombre femenino
1 Acción de librar a una persona de una obligación, un dolor o una pena. El buen comportamiento de algunos presos sirve de redención de su castigo. **INGLÉS** redemption.
2 Salvación de la humanidad que, según la Iglesia católica, se produjo por la muerte de Jesús. **INGLÉS** redemption.
NOTA El plural es: redenciones.

redicho, redicha
adjetivo y nombre
1 Se dice de la persona que habla o pronuncia las palabras de una manera excesivamente correcta o perfecta. **INGLÉS** affected [adjetivo], pretentious [adjetivo].

redil
nombre masculino
1 Terreno rodeado por una valla en el que los pastores guardan el ganado. **INGLÉS** fold.

redoblar
verbo
1 Aumentar mucho la cantidad o la intensidad de algo, como un esfuerzo o el trabajo. **INGLÉS** to redouble.
2 Tocar el tambor con los palos de forma repetida y rápida. **INGLÉS** to roll.

redondear
verbo
1 Dar forma redonda a algo con las manos o con la ayuda de un instrumento. Al hacer albóndigas se redondea la carne. **INGLÉS** to round, to make round.
2 Acabar de completar un trabajo de forma que quede perfecto, revisando y corrigiendo todos los detalles: *La redacción no estaba mal, pero te faltó redondearla.* **INGLÉS** to round off.
3 Añadir o quitar parte de una cantidad determinada para llegar a la cifra sencilla que sea más próxima. Redondeamos el precio de un libro si decimos que nos ha costado 20 euros cuando su precio exacto era 19 euros con 9 céntimos. **INGLÉS** to round up [al alza], to round down [a la baja].

redondel
nombre masculino
1 Línea curva cerrada que tiene todos sus puntos a la misma distancia del centro. Un anillo tiene forma de redondel. **SINÓNIMO** círculo; circunferencia. **INGLÉS** circle, ring.

redondo, redonda
adjetivo
1 Que tiene forma de círculo o de bola, como un disco o una pelota. **INGLÉS** round.
2 Que queda muy bien, completo o perfectamente acabado y sin defectos: *La fiesta de cumpleaños salió redonda, me divertí muchísimo.* **INGLÉS** perfect.
nombre masculino
3 Trozo de carne con forma de tubo que se saca de la parte trasera del ganado bovino. El redondo de ternera se suele cocinar con salsa. **INGLÉS** topside.

reducción
nombre femenino
1 Acción que consiste en hacer algo más pequeño disminuyendo su cantidad, su volumen o su intensidad: *Hubo una reducción de las cifras del paro.* **INGLÉS** reduction.
NOTA El plural es: reducciones.

reducido, reducida
adjetivo
1 Que es pequeño. En un jardín reducido no se pueden plantar árboles. **INGLÉS** small.

reducir
verbo
1 Hacer algo más pequeño, más corto, menos voluminoso, menos abundante o menos intenso: *He tenido que reducir el texto porque era demasiado largo.* **INGLÉS** to reduce.
2 Convertir una cosa en otra, normalmente más pequeña o de menos valor: *La explosión redujo la casa a escombros.* **INGLÉS** to reduce.
3 Atrapar a alguien e impedir que pueda utilizar la fuerza: *La policía redujo a los atracadores.* **INGLÉS** to overpower.
NOTA Se conjuga como: conducir.

redundancia
nombre femenino
1 Repetición de una palabra o de una idea que no se considera necesaria. La

frase 'subo arriba' es una redundancia porque 'arriba' repite un sentido que ya transmite el verbo 'subir'. **INGLÉS** tautology.

reelegir

verbo

1 Elegir de nuevo por votación a una persona para ocupar un cargo o para ganar un premio. Si los votantes reeligen a un presidente del gobierno, le hacen ganar dos veces las elecciones. **INGLÉS** to re-elect.

NOTA La 'e' se convierte en 'i' en algunos tiempos y personas y la 'g' en 'j' delante de 'a' y 'o', como: reelijan.

reembolsar

verbo

1 Devolver una cantidad de dinero a la persona que la había pagado. Si compramos un aparato que no funciona, vamos a la tienda para devolverlo y que nos reembolsen su precio. **INGLÉS** to reimburse, to refund.

reemplazar

verbo

1 Poner una cosa o una persona en lugar de otra para que haga la misma función. A veces reemplazamos algo o a alguien solo durante un tiempo. **SINÓNIMO** sustituir. **INGLÉS** to replace.

NOTA La 'z' se convierte en 'c' delante de 'e', como: reemplacé.

reencarnarse

verbo

1 Volver a nacer el alma en otro cuerpo después de la muerte. Es una creencia de diversas religiones. **INGLÉS** to be reincarnated.

reencontrar

verbo

1 Encontrar una cosa que hacía tiempo que no se tenía o encontrar a una persona con la que se había dejado de tener contacto. **INGLÉS** to find again.

NOTA La 'o' se convierte en 'ue' en sílaba acentuada, como: reencuentren.

reencuentro

nombre masculino

1 Reunión de dos o más personas que habían dejado de tener contacto. **INGLÉS** reunion.

reestreno

nombre masculino

1 Presentación de nuevo de una película, un espectáculo o una obra teatral cuando ya ha pasado un tiempo desde su estreno: *Voy al reestreno de esa película que me gustó tanto el año pasado.* **INGLÉS** revival, [si es de una película: rerelease].

referencia

nombre femenino

1 Cosa que se dice o se comenta sobre algo o alguien concreto cuando se habla o se escribe: *En el artículo había varias referencias a su abuelo.* **INGLÉS** reference.

2 Cosa o persona que sirve como modelo o como guía para alguien o algo: *Ha encotrado información que le sirve de referencia para hacer el trabajo.* **INGLÉS** reference.

referendo

nombre masculino

1 Consulta que se hace a los ciudadanos para que voten si están de acuerdo o no con una ley o un asunto de interés nacional: *El referendo servirá para saber si se aprueba la constitución.* **INGLÉS** referendum.

NOTA También se escribe y se pronuncia: referéndum.

referéndum

nombre masculino

1 Es otra forma de escribir y pronunciar: referendo.

NOTA El plural es: referéndums, referéndum o referendos.

referir

verbo

1 Explicar, contar o dar a conocer algo de palabra o por escrito: *El testigo refirió lo que había presenciado.* **INGLÉS** to relate.

2 referirse Hablar de una persona o cosa o citarla de manera directa o indirecta al hablar o escribir: *En su discurso se refirió al tema del nuevo colegio.* **INGLÉS** to refer.

NOTA Se conjuga como: preferir; la 'e' se convierte en 'ie' en sílaba acentuada y en 'i' en algunos tiempos y personas, como: refieren o refirió.

refilón

de refilón Indica que algo se hace de pasada, sin detenerse mucho en ello. También significa que algo se ve de lado o sin mirar directamente. **INGLÉS** briefly [de pasada], sideways [de lado], out of the corner of one's eye [sin mirar directamente].

refinado, refinada

adjetivo

1 Que se considera muy bueno, de buen gusto o elegante. **INGLÉS** refined.

2 Se dice de un producto al que se le han quitado las impurezas. El azúcar refinado es blanco. **INGLÉS** refined.

a b c d e f g h i j k l m n ñ o p q r s t u v w x y z

refinar
verbo
1 Hacer que un producto sea más fino quitándole las impurezas, aunque formen parte de ese producto. Cuando se refina el petróleo, se obtiene la gasolina. **INGLÉS** to refine.

refinería
nombre femenino
1 Instalación industrial donde se refina un producto. En las refinerías de petróleo, se obtienen gasolina y otros combustibles. **INGLÉS** refinery.

reflejar
verbo
1 Hacer que la luz, el calor o el sonido cambien de dirección. Los espejos reflejan los rayos y las imágenes. **INGLÉS** to reflect.
2 Expresar o mostrar algo de manera clara. Una persona con unas ojeras muy marcadas refleja cansancio. **INGLÉS** to show.

reflejo, refleja
adjetivo y nombre masculino
1 Que se produce de manera involuntaria como respuesta a un estímulo. Cerrar los ojos cuando estornudamos es un acto reflejo. **ANTÓNIMO** voluntario. **INGLÉS** reflex.
nombre masculino
2 Luz o imagen que se refleja en un objeto: *Le molestaba el reflejo de la luz en la mesa para leer.* **INGLÉS** reflection.
3 Lo que reproduce, muestra o expresa otra cosa. Las lágrimas suelen ser reflejo de la tristeza. **INGLÉS** reflection.
nombre masculino plural
4 reflejos Capacidad para reaccionar con rapidez ante un hecho no previsto: *Ese portero atrapa muchos balones porque tiene buenos reflejos.* **INGLÉS** reflex.

reflexión
nombre femenino
1 Acción que consiste en pensar con atención y detenimiento sobre algo para comprenderlo. **INGLÉS** reflection.
NOTA El plural es: reflexiones.

reflexionar
verbo
1 Pensar con atención y detenimiento sobre algo para comprenderlo: *Después de mucho reflexionar, decidió estudiar arquitectura.* **INGLÉS** to reflect.

reflexivo, reflexiva
adjetivo
1 Se dice de la persona que piensa mucho antes de hacer o decir algo. Las personas reflexivas no suelen ser impetuosas. **INGLÉS** thoughtful.
2 Se dice del verbo o la oración que se usa para indicar que la acción es realizada y recibida por la misma persona, que suele ser el sujeto. 'María se lava las manos' es una oración reflexiva. **INGLÉS** reflexive.

reforma
nombre femenino
1 Cambio que se hace para mejorar algo. Se hacen reformas en las casas viejas. **INGLÉS** reform, [si es en una casa: alteration].

reformar
verbo
1 Hacer cambios para mejorar alguna cosa. Las leyes se reforman para hacerlas más adecuadas. **INGLÉS** to reform, [si es una casa: to renovate].
2 reformarse Corregirse y mejorar una persona su forma de comportarse. **INGLÉS** to mend one's ways.

reformatorio
nombre masculino
1 Lugar al que se envía a los menores de edad que han cometido algún delito, para corregir su conducta. **INGLÉS** reformatory.

reforzar
verbo
1 Hacer que algo sea más fuerte, resistente o seguro: *Reforzaron la puerta con otra cerradura.* **INGLÉS** to reinforce, to make stronger.
NOTA Se conjuga como: forzar; la 'o' se convierte en 'ue' en sílaba acentuada y se escribe 'c' delante de 'e', como: refuerce.

refrán
nombre masculino
1 Frase popular que contiene un pensamiento o un consejo. 'Más vale pájaro en mano que ciento volando' es un refrán. **SINÓNIMO** proverbio. **INGLÉS** proverb, saying.
NOTA El plural es: refranes.

refrescante
adjetivo
1 Que produce una sensación de frescor agradable. Una bebida fría resulta muy refrescante en un día de mucho calor. **INGLÉS** refreshing.

refrescar
verbo
1 Hacer que baje un poco la temperatura del cuerpo de una persona o de una cosa. Las personas que se bañan en la piscina en verano se refrescan. **INGLÉS** to cool, [si es refrescarse: to cool off].
2 Bajar la temperatura del aire. En otoño ya empieza a refrescar. **INGLÉS** to get cooler.
NOTA Se escribe 'qu' delante de 'e', como: refresquen.

refresco
nombre masculino **1** Bebida sin alcohol elaborada normalmente con alguna fruta, agua y azúcar que se toma fría. Los refrescos de naranja, limón o cola son los más corrientes. INGLÉS soft drink.

refrigerador
nombre masculino **1** Electrodoméstico que mantiene las bebidas y los alimentos fríos para conservarlos. SINÓNIMO frigorífico; nevera. INGLÉS fridge, refrigerator.

refrigerar
verbo **1** Hacer que baje la temperatura de un lugar mediante procedimientos técnicos. Una habitación se puede refrigerar mediante un aparato de aire acondicionado. INGLÉS to air-condition.
2 Enfriar un alimento en una cámara especial para que se conserve. La comida se refrigera en frigoríficos y congeladores. INGLÉS to refrigerate.

refuerzo
nombre masculino **1** Aquello que hace que algo sea más fuerte, resistente o seguro: *Ha puesto un refuerzo en la maleta para que no se rompa.* INGLÉS reinforcement.
nombre masculino plural **2** **refuerzos** Conjunto de personas que van en ayuda de otras, especialmente si son soldados que se unen a otros. INGLÉS reinforcements.

refugiado, refugiada
nombre **1** Persona que va a vivir a un país extranjero, porque en el suyo hay una guerra o tiene graves problemas políticos o religiosos. INGLÉS refugee.

refugiar
verbo **1** Dar protección o ayuda a una persona que lo necesita: *Han refugiado a los exiliados de guerra en su casa.* INGLÉS to shelter.
2 **refugiarse** Ponerse a salvo de un peligro o problema en un lugar protegido: *Empezó a llover y nos refugiamos en un portal.* INGLÉS to shelter.
NOTA Se conjuga como: cambiar; la 'i' no lleva nunca acento de intensidad.

refugio
nombre masculino **1** Lugar en el que se entra para poder protegerse de cualquier peligro o del mal tiempo. Los refugios de montaña sirven para protegerse de las tormentas de nieve. Los refugios antiaéreos protegen de los bombardeos. INGLÉS shelter.

refunfuñar
verbo **1** Decir palabras o frases de enfado o protesta en voz baja. INGLÉS to grumble.

regadera
nombre femenino **1** Recipiente que sirve para regar. La regadera tiene un asa y un tubo terminado en una boca ancha con muchos agujeros por los que sale el agua. INGLÉS watering can.
estar como una regadera Estar loco o comportarse como si se estuviera loco. INGLÉS to be crackers.

regadío
nombre masculino **1** Terreno destinado al cultivo de plantas que necesitan ser regadas. Los árboles frutales son cultivos de regadío. INGLÉS irrigated land.

regalar
verbo **1** Dar una cosa a una persona sin recibir nada a cambio, como muestra de cariño o respeto. En los cumpleaños se regalan cosas. INGLÉS to give.

regaliz
nombre masculino **1** Golosina que se extrae de la raíz de una planta y que se presenta en forma de pastillas o barritas de color negro o rojo. INGLÉS liquorice.
2 Raíz de una planta que se chupa porque tiene un jugo muy dulce. También se llama regaliz la planta que produce esta raíz. INGLÉS liquorice.
NOTA El plural es: regalices.

regalo
nombre masculino **1** Cosa que se regala como muestra de cariño o respeto. SINÓNIMO obsequio. INGLÉS gift, present.

regañadientes
a regañadientes Indica que algo se hace protestando o de mala gana: *Ordenó su habitación a regañadientes porque se lo ordenó su padre.* INGLÉS grudgingly, unwillingly.

regañar
verbo **1** Llamar la atención a una persona para decirle con enfado que ha hecho algo que está mal. SINÓNIMO reñir. INGLÉS to scold, to tell off.
2 Tener una discusión o una pelea dos personas: *Aunque son hermanos a veces regañan por tonterías.* SINÓNIMO discutir; reñir. INGLÉS to argue, to quarrel.

regañina
nombre femenino **1** Llamada de atención que se hace a

una persona para decirle con enfado que ha hecho algo mal: *Se llevó una regañina por llegar muy tarde a casa.* Es un uso informal. SINÓNIMO bronca; riña. INGLÉS scolding, telling-off.

regar

verbo

1 Echar agua en la superficie de la tierra cultivada o sobre las plantas para que estas crezcan. INGLÉS to water.

2 Pasar por un territorio un río, un canal o cualquier otra corriente de agua. El río Amazonas riega las tierras brasileñas. INGLÉS to flow through.

regata

nombre femenino

1 Competición deportiva en la que participan un grupo de embarcaciones que tienen que hacer un recorrido en el menor tiempo posible. INGLÉS regatta.

regate

nombre masculino

1 Movimiento que se hace con el cuerpo para intentar evitar a una persona o un obstáculo. Los futbolistas hacen regates para que el contrario no les quite el balón. INGLÉS sidestep.

regar

INDICATIVO	SUBJUNTIVO
presente	**presente**
riego	riegue
riegas	riegues
riega	riegue
regamos	reguemos
regáis	reguéis
riegan	rieguen
pretérito imperfecto	**pretérito imperfecto**
regaba	regara o regase
regabas	regaras o regases
regaba	regara o regase
regábamos	regáramos o regásemos
regabais	regarais o regaseis
regaban	regaran o regasen
pretérito perfecto simple	**futuro**
regué	regare
regaste	regares
regó	regare
regamos	regáremos
regasteis	regareis
regaron	regaren
futuro	**IMPERATIVO**
regaré	riega (tú)
regarás	riegue (usted)
regará	reguemos (nosotros)
regaremos	regad (vosotros)
regaréis	rieguen (ustedes)
regarán	
condicional	**FORMAS NO PERSONALES**
regaría	**infinitivo** regar
regarías	**gerundio** regando
regaría	**participio** regado
regaríamos	
regaríais	
regarían	

regatear

verbo

1 Discutir el precio de una cosa con el vendedor para intentar comprarla más barata. Al regatear, comprador y vendedor hacen distintas ofertas hasta llegar al precio final. INGLÉS to haggle.

2 Hacer un movimiento con el cuerpo para evitar a una persona o un obstáculo, como hacen los futbolistas. INGLÉS to sidestep.

regazo

nombre masculino

1 Espacio que queda entre la cintura y las rodillas de una persona cuando está sentada. Los niños pequeños se sientan en el regazo de las personas adultas. INGLÉS lap.

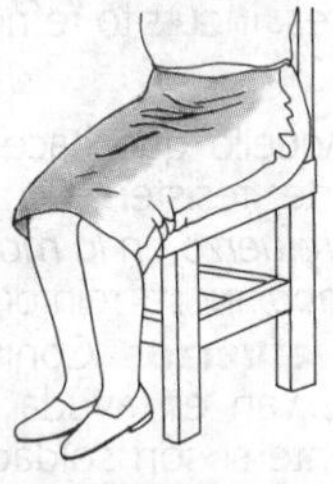

regazo

régimen

nombre masculino

1 Conjunto de normas o guías que determinan el tipo y la cantidad de alimentos que come una persona: *Tiene un régimen especial porque es diabético.* SINÓNIMO dieta. INGLÉS diet.

2 Conjunto de reglas y normas con las que se gobierna un país. En los países de la Unión Europea hay regímenes democráticos. INGLÉS regime.

NOTA El plural es: regímenes.

regimiento

nombre masculino

1 Unidad militar compuesta por varios batallones y mandada por un coronel. INGLÉS regiment.

regio, regia

adjetivo

1 De los reyes o que parece propio de reyes. La corona y el cetro son elementos regios que llevaban los reyes. SINÓNIMO real. INGLÉS royal.

2 Que es magnífico, impresiona y causa admiración por ser muy elegante o muy grande. Los palacios tienen salones regios. INGLÉS regal.

región
nombre femenino
1 Parte de un territorio o país que tiene unas características propias, como el clima, la vegetación o las tradiciones. La región levantina es rica en árboles frutales. INGLÉS region.
NOTA El plural es: regiones.

regional
adjetivo
1 Que es propio de una región o que tiene relación con ella. Las sevillanas y las jotas son bailes regionales. INGLÉS regional.

regir
verbo
1 Dirigir, mandar o gobernar algo. Cada país se rige según unas determinadas leyes. INGLÉS to govern, to rule.
NOTA La 'e' se convierte en 'i' en algunos tiempos y personas y la 'g' en 'j' delante de 'a' y 'o', como: rija.

registrar
verbo
1 Mirar y examinar algo con cuidado y atención para encontrar lo que se está buscando. La policía registra a los ladrones para buscar armas o lo que han robado. INGLÉS to search.
2 Apuntar una persona su nombre en una lista o en un libro oficial. Cuando llegamos a un hotel nos registramos en la lista de clientes. INGLÉS to register, [si es en un hotel: to check in].
3 Dejar imágenes, sonidos o datos grabados o impresos para poder reproducirlos más tarde. Los periodistas registran las entrevistas en una grabadora. INGLÉS to record.
4 registrarse Ocurrir o producirse una cosa que puede ser medida: *Se ha registrado un terremoto en el sur del país.* INGLÉS to be.

registro
nombre masculino
1 Acción que consiste en examinar con cuidado a una persona o una cosa para encontrar algo que tiene escondido: *La policía hizo un registro del lugar para ver si se escondía allí el delincuente.* INGLÉS search.
2 Libro o cuaderno en que se apuntan con regularidad hechos o informaciones de un tipo determinado. En el registro civil se recoge información sobre nacimientos, bodas y muertes de los ciudadanos. INGLÉS register.

regla
nombre femenino
1 Instrumento plano mucho más largo que ancho y con unas marcas graduadas, para medir distancias cortas y para dibujar líneas rectas. INGLÉS ruler.
2 Manera exacta en que se debe realizar una cosa o modo en que debemos comportarnos. Para jugar a las cartas debemos conocer las reglas del juego. INGLÉS rule.
3 Método o procedimiento que se usa para realizar una operación matemática. La suma, la resta, la división y la multiplicación siguen reglas matemáticas. INGLÉS rule.
4 Pérdida de sangre procedente del útero que tienen las mujeres y las hembras de algunos animales. Es un fenómeno natural que en las mujeres tiene lugar durante unos días cada mes. SINÓNIMO menstruación. INGLÉS period.
en regla Manera de estar una o más cosas en la forma correcta o tal como es debido. Nuestro pasaporte debe estar en regla cuando viajamos. INGLÉS in order.

reglamentario, reglamentaria
adjetivo
1 Que está o se realiza de acuerdo con un reglamento. Algunos deportes se deben practicar con un uniforme reglamentario. INGLÉS regulation.

reglamento
nombre masculino
1 Conjunto de reglas o normas que se establecen para regular la aplicación de una ley, el funcionamiento de un organismo o la realización de un deporte o un juego. Los árbitros deben conocer bien el reglamento de un deporte. INGLÉS regulations.

regocijo
nombre masculino
1 Alegría muy grande o gran satisfacción interior que se reflejan en la cara o con gestos, voces o de otra manera. INGLÉS delight, joy.

regresar
verbo
1 Ir otra vez al lugar de donde se partió. Las personas que estudian fuera de su población durante un tiempo regresan a casa en vacaciones. INGLÉS to return.

regreso
nombre masculino
1 Vuelta al lugar del que se partió. INGLÉS return.

reguero
nombre masculino
1 Línea que forma cualquier líquido al caer. Un vehículo que al correr pierde

aceite deja un reguero a su paso. INGLÉS trickle, trail.

regulador, reguladora
adjetivo **1** Que regula o mantiene una cosa o una actividad en un estado concreto. Los aparatos de aire acondicionado son mecanismos reguladores de la temperatura de un lugar cerrado. INGLÉS which regulates.

regular
adjetivo **1** Se dice de lo que está en un término medio y no es exagerado. Si algo tiene un tamaño regular, no es ni grande ni pequeño. Si un pastel está regular, no está ni bueno ni malo. INGLÉS average.
2 Que sigue unas reglas determinadas y no las rompe. Los verbos regulares son los que se conjugan basándose siempre en la misma estructura. ANTÓNIMO irregular. INGLÉS regular.
verbo **3** Hacer que algo siga unas normas determinadas. Los guardias urbanos y los semáforos regulan el tráfico. INGLÉS to regulate.
4 Ajustar el funcionamiento de un aparato para que se mantenga en un estado determinado. Hay grifos que regulan la temperatura a la que sale el agua por ellos. INGLÉS to regulate.
adverbio **5** Ni suficientemente bien ni demasiado mal. Si alguien canta regular es que no canta muy bien. INGLÉS so-so.

regularizar
verbo **1** Hacer que una cosa siga unas normas o reglas determinadas. Los gobiernos regularizan la entrada y la salida de las personas que están en su país. INGLÉS to regularize, to standardize.
2 Hacer que un proceso o el desarrollo de algo sea regular y uniforme. Si una persona regulariza la velocidad a la que funciona una máquina, hace que siempre tenga la misma velocidad. INGLÉS to adjust.
NOTA Se escribe 'c' delante de 'e', como: regularicen.

regusto
nombre masculino **1** Sabor que queda en la boca después de haber comido o bebido algo. Después de comer chocolate negro queda en la boca un regusto entre dulce y amargo. INGLÉS aftertaste.
2 Sensación que queda después de vivir una experiencia o de recordar una cosa. Las derrotas deportivas siempre tienen un regusto desagradable. INGLÉS aftertaste.

rehabilitación
nombre femenino **1** Acción de devolver una persona o una cosa a su antiguo estado. Después de un accidente, una enfermedad o una operación, a veces las personas hacen ejercicios de rehabilitación para recuperar sus fuerzas. INGLÉS rehabilitation.
NOTA El plural es: rehabilitaciones.

rehabilitar
verbo **1** Hacer que una persona o cosa vuelva a recuperar su antiguo estado. Un edificio antiguo que está en malas condiciones se puede rehabilitar, arreglando todo lo que está viejo y estropeado. INGLÉS to refurbish [un edificio], to rehabilitate [una persona].

rehacer
verbo **1** Volver a hacer alguna cosa que había quedado mal o que se había roto o estropeado. Si tenemos que rehacer un ejercicio es porque lo habíamos hecho mal. INGLÉS to redo.
2 rehacerse Recuperar una persona el ánimo, la tranquilidad o la salud: *Le costó rehacerse después del disgusto.* INGLÉS to recover.
NOTA Se conjuga como: hacer.

rehecho, rehecha
participio **1** Participio irregular de: rehacer. También se usa como adjetivo: *El trabajo estaba mal y lo he rehecho. No era nuevo, estaba rehecho.*

rehén
nombre masculino y femenino **1** Persona que está retenida por la fuerza y en contra de su voluntad en un lugar. Los secuestradores piden dinero u otras cosas antes de dejar en libertad a sus rehenes. INGLÉS hostage.
NOTA El plural es: rehenes.

rehuir
verbo **1** Evitar a una persona o una situación por miedo, sospecha o vergüenza. La gente muy tímida rehúye hablar en público. INGLÉS to avoid.
NOTA Se conjuga como: huir.

rehusar
verbo **1** No aceptar una cosa que alguien nos ofrece: *Rehusé el bocadillo porque no tenía hambre.* SINÓNIMO rechazar. INGLÉS to refuse.

a b c d e f g h i j k l m n ñ o p q r s t u v w x y z

reina
nombre femenino
1 Forma femenina de: rey. INGLÉS queen.
2 Esposa de un rey. INGLÉS queen.

reinado
nombre masculino
1 Período de tiempo durante el cual un rey o una reina dirigen un país. INGLÉS reign.

reinar
verbo
1 Gobernar o estar en su cargo un rey o una reina. INGLÉS to reign.
2 Tener una persona o una cosa superioridad total o predominar sobre otras. Un deportista reina en una competición cuando ocupa destacado el primer lugar. En el mar reina la calma cuando no hay olas. INGLÉS to reign.

reincidente
adjetivo y nombre masculino y femenino
1 Se dice de la persona que repite el mismo error o falta que ya había cometido antes: *No es la primera vez que roba, es un reincidente.* INGLÉS reoffender [nombre].

rehusar

INDICATIVO	SUBJUNTIVO
presente	**presente**
rehúso	rehúse
rehúsas	rehúses
rehúsa	rehúse
rehusamos	rehusemos
rehusáis	rehuséis
rehúsan	rehúsen
pretérito imperfecto	**pretérito imperfecto**
rehusaba	rehusara o rehusase
rehusabas	rehusaras o rehusases
rehusaba	rehusara o rehusase
rehusábamos	rehusáramos o rehusásemos
rehusabais	rehusarais o rehusaseis
rehusaban	rehusaran o rehusasen
pretérito perfecto simple	**futuro**
rehusé	rehusare
rehusaste	rehusares
rehusó	rehusare
rehusamos	rehusáremos
rehusasteis	rehusareis
rehusaron	rehusaren
futuro	IMPERATIVO
rehusaré	rehúsa (tú)
rehusarás	rehúse (usted)
rehusará	rehusemos (nosotros)
rehusaremos	rehusad (vosotros)
rehusaréis	rehúsen (ustedes)
rehusarán	
condicional	FORMAS NO PERSONALES
rehusaría	**infinitivo** rehusar
rehusarías	**gerundio** rehusando
rehusaría	**participio** rehusado
rehusaríamos	
rehusaríais	
rehusarían	

reino
nombre masculino
1 Territorio o estado en el que el jefe del gobierno es un rey o una reina. INGLÉS kingdom.
2 Cada una de las categorías generales en que se dividen los seres vivos y los elementos de la naturaleza, como el reino animal, el reino vegetal y el reino mineral. INGLÉS kingdom.

reintegro
nombre masculino
1 En la lotería, premio que consiste en la devolución de lo que se ha jugado. INGLÉS refund of the price of the ticket.

reír
verbo
1 Dar muestras de alegría abriendo la boca, moviendo los músculos de la cara y haciendo determinados sonidos. Nos reímos cuando un chiste nos gusta. INGLÉS to laugh. CUADRO página siguiente.
2 reírse de Burlarse de una persona o cosa, o despreciarla: *Se reían de ellos sacándoles la lengua.* INGLÉS to make fun of.

reiterar
verbo
1 Volver a decir o hacer algo que ya se había dicho o hecho: *El acusado reiteró su inocencia.* INGLÉS to repeat.

reivindicar
verbo
1 Pedir o exigir algo a lo que se tiene o se cree tener derecho. En las huelgas, los trabajadores reivindican mejoras. INGLÉS to demand.
2 Decir alguien que él es el responsable de una determinada acción: *Los terroristas reivindicaron el secuestro.* INGLÉS to claim responsibility for.
NOTA Se escribe 'qu' delante de 'e', como: reivindiquen.

reja
nombre femenino
1 Conjunto de barras metálicas que se ponen en una ventana, una puerta o un balcón para que no se pueda entrar o salir. INGLÉS bars.
entre rejas En la cárcel. Es una expresión informal. INGLÉS behind bars.

rejilla
nombre femenino
1 Red de metal, alambre o madera que se utiliza para cerrar espacios o huecos, como ventanas o puertas. INGLÉS grille.
2 Tejido hecho con fibras vegetales entrelazadas que se utiliza para hacer el respaldo y el asiento de algunas sillas. INGLÉS wickerwork.

reír

INDICATIVO	SUBJUNTIVO
presente	**presente**
río	ría
ríes	rías
ríe	ría
reímos	riamos
reís	riais
ríen	rían
pretérito imperfecto	**pretérito imperfecto**
reía	riera o riese
reías	rieras o rieses
reía	riera o riese
reíamos	riéramos o riésemos
reíais	rierais o rieseis
reían	rieran o riesen
pretérito perfecto simple	**futuro**
reí	riere
reíste	rieres
rio	riere
reímos	riéremos
reísteis	riereis
rieron	rieren
futuro	
reiré	
reirás	
reirá	
reiremos	
reiréis	
reirán	
condicional	
reiría	
reirías	
reiría	
reiríamos	
reiríais	
reirían	

IMPERATIVO	
ríe	(tú)
ría	(usted)
riamos	(nosotros)
reíd	(vosotros)
rían	(ustedes)

FORMAS NO PERSONALES	
infinitivo	**gerundio**
reír	riendo
participio	
reído	

rejuvenecer

verbo **1** Hacer que una persona vuelva a tener la fuerza o el aspecto propios de la juventud. INGLÉS to rejuvenate.

NOTA Se conjuga como: agradecer; la 'c' se convierte en 'zc' delante de 'a' y 'o', como: rejuvenezco.

relación

nombre femenino **1** Correspondencia que hay entre varias cosas o personas con alguna cosa en común. A los amigos les une una relación de amistad. INGLÉS relationship.

2 Lista de personas o cosas. Los periódicos publican la relación de los números premiados en la lotería. INGLÉS list.

nombre femenino plural **3 relaciones** Conjunto de personas que conoce alguien y que en algún momento lo pueden ayudar o hacer algún favor. INGLÉS friends and acquaintances.

relacionar

verbo **1** Poner en relación o unir una cosa, una persona, una idea o un suceso con otros con los que tienen algo en común: *Cuando vi a Clara por primera vez la relacioné con su hermana, porque se parecen muchísimo.* INGLÉS to relate, to associate.

2 relacionarse Conocer y tratar a otras personas. A la gente tímida le cuesta relacionarse. INGLÉS to mix.

relajar

verbo **1** Hacer que una persona se sienta más tranquila y descansada, olvidándose de sus problemas: *Se relaja oyendo música.* INGLÉS to relax.

2 Hacer que un músculo o una parte del cuerpo esté menos tenso o tirante. INGLÉS to relax.

relamer

verbo **1** Chupar una cosa con la lengua varias veces. Los perros muchas veces relamen su plato de comida. INGLÉS to lick.

2 relamerse Pasar la lengua por los labios varias veces. Cuando comemos chocolate nos relamemos para asegurarnos de que no nos quedan restos en los labios. INGLÉS to lick one's lips.

3 relamerse Sentir gusto o satisfacción pensando en una cosa agradable. Las personas golosas se relamen pensando en dulces. INGLÉS to lick one's lips.

relámpago

nombre masculino **1** Resplandor vivo y rápido que se produce en la atmósfera por una descarga eléctrica cuando hay tormenta. Los relámpagos van seguidos de truenos. INGLÉS flash of lightning.

relampaguear

verbo **1** Haber relámpagos. Cuando empieza a relampaguear es que la tormenta se acerca. INGLÉS to flash.

relatar

verbo **1** Expresar de palabra o por escrito un hecho, una historia o un suceso. Cuando relatamos algo que nos ha pasado procuramos contarlo sin olvidarnos de los detalles importantes. INGLÉS to recount, to tell.

relativizar

verbo **1** Dar a una cosa un valor o una importancia menor de lo que se pensaba en un primer momento. Si un coche choca y queda inservible, relativizamos el accidente al decir que por lo menos los pasajeros no se han hecho daño. INGLÉS to play down.

NOTA Se escribe 'c' delante de 'e', como: relativicé.

relativo, relativa

adjetivo **1** Que tiene relación con una persona o una cosa. A las personas les importan mucho los problemas relativos a su familia. INGLÉS relative.

2 Que no es total, sino que depende de la relación con otras cosas. La belleza siempre es relativa, depende del gusto de cada persona. ANTÓNIMO absoluto. INGLÉS relative.

relato

nombre masculino **1** Acción de explicar un acontecimiento de palabra o por escrito: *Mi abuelo me contaba relatos de su juventud.* INGLÉS story.

2 Cuento o narración breve. Un libro de relatos contiene historias de un tema, autor o época. INGLÉS story.

relax

nombre masculino **1** Estado de tranquilidad y descanso de una persona cuando se olvida de todos sus problemas o preocupaciones. En vacaciones, la gente tiene muchos momentos de relax. INGLÉS relaxation.

releer

verbo **1** Volver a leer una cosa. Mucha gente relee varias veces sus libros preferidos. INGLÉS to reread.

NOTA Se conjuga como: leer.

relevante

adjetivo **1** Que tiene importancia para algo o para alguien. La conservación del medioambiente es una cuestión relevante para todos. SINÓNIMO importante. INGLÉS important.

relevar

verbo **1** Sustituir una persona a otra en un trabajo o en una actividad. Los camareros se relevan unos a otros cuando se acaba su turno de trabajo. INGLÉS to relieve.

relevo

nombre masculino **1** Sustitución de una persona por otra en un trabajo o en cualquier actividad. El relevo se produce cuando se le acaba el turno a una persona o está cansada. INGLÉS change, takeover.

relieve

nombre masculino **1** Parte que sobresale de una superficie. Las columnas de las catedrales suelen tener relieves en el capitel. INGLÉS relief.

2 Conjunto de los accidentes geográficos de la superficie de la Tierra o de una parte de la superficie, como las montañas, los valles, las mesetas y los ríos: *Es una región de relieve montañoso.* INGLÉS relief.

3 Importancia o valor de una persona o cosa: *Es un escritor de relieve mundial.* INGLÉS importance.

poner de relieve Destacar la importancia de algo: *Los médicos ponen de relieve la importancia de una buena alimentación.* INGLÉS to emphasize.

religión

nombre femenino **1** Conjunto de ideas y creencias sobre Dios y el ser humano, y formas de comportamiento y costumbres que derivan de estas ideas. En el mundo existen muchísimas religiones, como la cristiana, la musulmana o la budista. INGLÉS religion.

NOTA El plural es: religiones.

religioso, religiosa

adjetivo **1** De la religión o relacionado con ella. Las ceremonias religiosas se celebran en lugares sagrados. INGLÉS religious.

2 Se dice de la persona que se comporta según las normas y reglas de una religión. INGLÉS religious.

nombre **3** Persona de religión cristiana que toma los hábitos y dedica su vida a la religión. Las monjas, los curas y los monjes son religiosos. INGLÉS priest [cura], monk [monje], nun [monja].

relinchar

verbo **1** Emitir el caballo su sonido característico. INGLÉS to neigh.

relincho

nombre masculino **1** Sonido característico del caballo. INGLÉS neigh.

reliquia

nombre femenino **1** Parte del cuerpo de un santo, o de algo relacionado con él, que se adora. En algunas catedrales hay reliquias. INGLÉS relic.

2 Cosa o resto que queda del pasado. Muchas veces se trata de algo que se guarda con cariño: *Ese mapa es una reliquia que perteneció a mi abuelo.* INGLÉS heirloom.

a b c d e f g h i j k l m n ñ o p q r s t u v w x y z

rellano
nombre masculino
1 Superficie llana en que termina cada tramo de una escalera y que suele dar entrada a los diferentes pisos de un edificio o una casa. SINÓNIMO descansillo. INGLÉS landing.

rellenar
verbo
1 Volver a llenar un recipiente o cualquier cosa que está vacía o medio vacía: *Limpié la botella de vino y la rellené con agua.* INGLÉS to refill.
2 Llenar un hueco o un agujero metiendo algo dentro: *El albañil rellenó la grieta con cemento.* INGLÉS to fill.
3 Meter un alimento dentro de otro: *Rellené la carne con jamón y champiñones.* INGLÉS to stuff.
4 Escribir en los espacios en blanco de una hoja de papel la información que se pide. En algunos ejercicios escritos hay que rellenar los huecos que quedan en las frases con la palabra en su forma correcta. INGLÉS to fill in.

relleno, rellena
adjetivo
1 Que tiene el interior lleno de alguna cosa, como un pastel relleno de crema o las aceitunas rellenas. INGLÉS stuffed, [si es un pastel: filled].
2 Se dice de la persona que está un poco gorda. También se dice 'rellenito'. INGLÉS chubby.
nombre masculino
3 Cosa que sirve para llenar el interior de otra: *El relleno del cojín es de un material blando.* INGLÉS stuffing, [si es de un pastel: filling].

reloj
nombre masculino
1 Instrumento que mide el tiempo o indica la hora del día. INGLÉS clock, [si es de pulsera o de bolsillo: watch].
como un reloj Indica que algo va o funciona muy bien. Un plan marcha como un reloj cuando todo sale como se había pensado. INGLÉS like clockwork.
reloj de arena Reloj formado por dos compartimentos de cristal unidos por un paso estrecho y con arena en su interior. Al dar la vuelta al reloj, la arena del tubo de arriba cae en el tubo de abajo en un tiempo determinado. INGLÉS hourglass.
reloj de pulsera Reloj que se lleva sujeto a la muñeca por medio de una correa. INGLÉS wristwatch.
reloj de sol Reloj que indica la hora por medio de una sombra que produce el sol en el suelo o en la pared. INGLÉS sundial.

relojería
nombre femenino
1 Establecimiento en el que se venden y arreglan relojes. INGLÉS watchmaker's, jeweller's.

relojero, relojera
nombre
1 Persona que se dedica a hacer, arreglar o vender relojes. INGLÉS watchmaker.

reluciente
adjetivo
1 Que está tan limpio o tan luminoso que brilla: *Lleva unos zapatos nuevos y relucientes.* SINÓNIMO resplandeciente. INGLÉS gleaming.

relucir
verbo
1 Brillar o despedir rayos de luz una cosa. Cuando el cielo está claro, el sol reluce con más intensidad. SINÓNIMO resplandecer. INGLÉS to shine.
salir a relucir Ser dicha una cosa de forma inesperada o inoportuna: *No esperábamos que saliera a relucir ese tema en la reunión.* Es una expresión informal. INGLÉS to come out.
NOTA Se conjuga como: lucir; la 'c' se convierte en 'zc' delante de 'a' y 'o', como: reluzca o reluzco.

relumbrar
verbo
1 Brillar mucho o despedir rayos de luz una cosa. Los objetos de plata relumbran cuando están acabados de limpiar. SINÓNIMO relucir; resplandecer. INGLÉS to shine.

remachar
verbo
1 Aplastar la cabeza de un clavo ya clavado para introducirlo hasta el fondo. INGLÉS to hammer in.
2 Repetir una cosa que se ha dicho o hecho insistiendo mucho: *Volvió a remachar que no le convencerían nunca de su culpabilidad.* INGLÉS to insist.

remangar
verbo
1 Subir las mangas de una prenda de vestir o el bajo de unos pantalones o de una falda: *Se remangó la camisa para no mojarla.* SINÓNIMO arremangar. INGLÉS to roll up.
NOTA Se escribe 'gu' delante de 'e', como: remanguen.

remanso
nombre masculino
1 Lugar donde se para o se hace más lenta una corriente de agua. INGLÉS pool.

remanso de paz Lugar muy tranquilo. INGLÉS oasis of peace.

remar
verbo
1 Mover los remos de una embarcación para desplazarla. INGLÉS to row.

remarcar
verbo
1 Destacar la importancia de una cosa al hablar, normalmente repitiéndola o pronunciándola con mucha claridad: *Al final remarcó los puntos más importantes del tema.* SINÓNIMO subrayar. INGLÉS to stress, to underline.

2 Hacer que una cosa se vea o se note más: *Ese vestido remarca tu figura.* SINÓNIMO destacar; resaltar. INGLÉS to emphasize.

NOTA Se escribe 'qu' delante de 'e', como: remarque.

rematar
verbo
1 Acabar completamente una actividad o un trabajo. Antes de rematar un ejercicio, lo repasamos. INGLÉS to finish off.

2 Acabar de matar a una persona o un animal que está a punto de morir. INGLÉS to finish off.

3 En algunos deportes, como el fútbol, tirar el balón hacia la portería con intención de marcar un gol. INGLÉS to shoot at goal.

remate
nombre masculino
1 Aquello que sirve para cerrar o terminar algo. El entierro de la sardina suele ser el remate del Carnaval. INGLÉS end.

2 En algunos deportes, lanzamiento de la pelota hacia la portería contraria. INGLÉS shot at goal.

remediar
verbo
1 Arreglar o dar una solución a una situación mala o difícil: *No sé cómo voy a remediar este lío.* INGLÉS to remedy.

2 Evitar que ocurra algo que se considera negativo: *No pudo remediar que se le cayera el jarrón.* INGLÉS to avoid.

NOTA Se conjuga como: cambiar; la 'i' no lleva nunca acento de intensidad.

remedio
nombre masculino
1 Medio o medicamento para curar un mal o una enfermedad. Los caramelos de menta son un buen remedio contra la tos. INGLÉS remedy.

2 Cosa que sirve para arreglar o evitar un daño o problema. Un buen remedio para conservar los bosques es utilizar papel reciclado. INGLÉS solution.

no haber más remedio Ser totalmente necesario y obligatorio lo que se expresa: *Creo que no hay más remedio que estudiar para aprobar.* INGLÉS there is/was (...) no alternative.

remendar
verbo
1 Pegar o coser un trozo de tela o de otro material en una prenda de ropa o un calzado que están gastados o rotos. INGLÉS to mend.

NOTA Se conjuga como: acertar; la 'e' se convierte en 'ie' en sílaba acentuada, como: remienden.

remendón, remendona
adjetivo y nombre
1 Se dice del zapatero que arregla zapatos gastados o rotos. INGLÉS cobbler [nombre].

NOTA El plural de remendón es: remendones.

remesa
nombre femenino
1 Envío que se hace de una cosa de una parte a otra. También se llama remesa el conjunto de cosas que se envían de una sola vez: *La tienda recibió una remesa de 100 botellas de agua.* INGLÉS shipment.

remiendo
nombre masculino
1 Trozo de tela o de otro material que se pega o se cose en una prenda de ropa o un calzado que están gastados o rotos. INGLÉS mend.

remilgado, remilgada
adjetivo y nombre
1 Se dice de la persona que muestra excesiva delicadeza, asco o temor con sus acciones palabras o gestos. Hay personas que son remilgadas con la comida y no comen platos nuevos porque les da miedo probarlos. INGLÉS fussy, finicky.

remisión
nombre femenino
1 Indicación que se hace en un escrito para enviar al lector a otra parte donde hay una explicación o una aclaración de algo. A veces, en los textos encontramos remisiones en forma de asteriscos o números pequeños para que leamos una aclaración que se hace fuera del texto. INGLÉS cross-reference.

2 Pérdida o disminución de la intensidad de una cosa, especialmente de un dolor, de una enfermedad o de un

fenómeno atmosférico, como una tempestad. INGLÉS remission.
NOTA El plural es: remisiones.

remite
nombre masculino
1 Nombre y dirección de la persona que envía una carta o un paquete. Normalmente, el remite se pone en la parte posterior de la carta. INGLÉS sender's name and address.

remitente
nombre masculino y femenino
1 Persona que envía una carta, un mensaje o un paquete. INGLÉS sender.

remitir
verbo
1 Hacer llegar algo a una persona: *Le remitieron la carta a su antigua dirección.* SINÓNIMO enviar. INGLÉS to send.
2 Perder fuerza o intensidad una cosa, como un dolor o una tormenta. INGLÉS to remit.
3 En un escrito, enviar una señal a un lugar donde hay una aclaración o una explicación más extensa de algo. Los números de pequeño tamaño que se ponen en un texto remiten a las notas que hay a pie de página o al final del capítulo. INGLÉS to refer.
4 remitirse Basarse en aquello que se expresa: *Para defenderse, se remitió a lo que dijo el cómplice.* INGLÉS to refer.

remo
nombre masculino
1 Objeto de madera en forma de pala larga que sirve para hacer que se muevan algunas embarcaciones. INGLÉS oar.
2 Deporte que consiste en recorrer una distancia en una embarcación movida por remos. El remo es un deporte olímpico. INGLÉS rowing.

remodelar
verbo
1 Arreglar los daños o desperfectos que ha sufrido una obra de arte, un edificio u otra cosa: *Han remodelado la antigua biblioteca y ahora está como nueva.* INGLÉS to renovate.
2 Modificar la estructura o la organización de una cosa: *Han remodelado la empresa para crear nuevos departamentos.* INGLÉS to reorganize.

remojar
verbo
1 Empapar o meter una cosa en un líquido, especialmente en el agua. INGLÉS to soak.

remojo
en remojo Indica que algo está dentro del agua durante cierto tiempo para que se moje bien y se ablande. Antes de cocer las lentejas hay que ponerlas en remojo. INGLÉS to soak.

remojón
nombre masculino
1 Baño corto que se da alguien cuando se mete en una piscina o en la playa. También se llama remojón el acto de caerle de repente a alguien mucha agua. INGLÉS soaking, drenching, [si es un baño corto: dip].
NOTA El plural es: remojones.

remolacha
nombre femenino
1 Raíz de color rojo o blanco y sabor dulce de la que se saca azúcar. También se come en ensalada y se usa para alimentar al ganado. INGLÉS sugar beet [de donde se saca azúcar], beetroot [para ensalada].

remolcar
verbo
1 Llevar arrastrando un vehículo tirando de él. Las grúas remolcan los automóviles averiados. INGLÉS to tow.
NOTA Se escribe 'qu' delante de 'e', como: remolquen.

remolino
nombre masculino
1 Movimiento giratorio muy rápido del aire o el agua que forma una especie de espiral. INGLÉS eddy [en el agua], whirlwind [en el aire].
2 Conjunto de pelos que nacen en distintas direcciones formando un círculo. Los remolinos son muy difíciles de peinar. INGLÉS cowlick.

remolón, remolona
adjetivo y nombre
1 Se dice de la persona que intenta evitar o retrasar un trabajo u otra cosa que tiene que hacer: *No te hagas el remolón, que tienes que ir al cole.* INGLÉS lazy [adjetivo], slacker [nombre].
NOTA El plural de remolón es: remolones.

remolque
nombre masculino
1 Plataforma con ruedas que se engancha a un vehículo que lo arrastra. Se usa para llevar carga o animales. También hay remolques que son como casas con ruedas. INGLÉS trailer.

remontar
verbo
1 Subir una cuesta o una montaña: *Los ciclistas tuvieron que remontar un puerto muy duro.* INGLÉS to go up.
2 Navegar por un río aguas arriba y con-

a b c d e f g h i j k l m n ñ o p q r s t u v w x y z

tra la corriente. Los salmones remontan los ríos para poner sus huevos. INGLÉS to go up.

3 remontarse Elevarse en el aire un ave o un avión. INGLÉS to soar.

4 remontarse Llegar al pasado con el recuerdo: *Al volver a su pueblo se remontó a su infancia.* INGLÉS to go back.

remonte

nombre masculino

1 Aparato que se utiliza para remontar o subir una pista de esquí. INGLÉS ski lift.

remordimiento

nombre masculino

1 Sentimiento de preocupación que tiene alguien después de haber hecho algo malo. Mucha gente, después de decir una mentira, tiene remordimientos. INGLÉS remorse.

remoto, remota

adjetivo

1 Que está muy alejado en el espacio o en el tiempo: *Neptuno es un planeta remoto. En tiempos remotos la Tierra estaba cubierta de hielo.* SINÓNIMO lejano. INGLÉS remote, far-off.

2 Que es muy difícil que suceda o llegue a ser verdad. Cuando llueve mucho el peligro de incendio es remoto. INGLÉS remote.

remover

verbo

1 Mover algo de forma continua, en especial un líquido. INGLÉS to stir.

2 Volver a examinar o a tratar un asunto que estaba ya olvidado. INGLÉS to dig up.

NOTA Se conjuga como: mover; la 'o' se convierte en 'ue' en sílaba acentuada, como: remueven.

remunerar

verbo

1 Pagar o recompensar a una persona por un trabajo o un servicio realizados. Los voluntarios son personas que hacen trabajos que no se remuneran. INGLÉS to pay.

renacer

verbo

1 Volver a existir o cobrar fuerza alguien o algo que había muerto o se había perdido: *Al vencer, renacieron las esperanzas de ganar la competición.* INGLÉS to be reborn.

NOTA Se conjuga como: nacer.

renacimiento

nombre masculino

1 Situación en la que vuelve a existir o a cobrar fuerza algo, como ideas o unas costumbres: *Hay un renacimiento de la moda de los sesenta.* INGLÉS revival.

2 Movimiento cultural y artístico que se desarrolló en Europa en los siglos XV y XVI. El Renacimiento se inspiró en el arte y la cultura de la Grecia y la Roma clásicas. Con este significado, suele escribirse con mayúscula. INGLÉS Renaissance.

renacuajo

nombre masculino

1 Cría de la rana y de otros anfibios que vive en el agua, no tiene patas y tiene la cabeza grande y una larga cola. INGLÉS tadpole.

2 Nombre que se da cariñosamente a un niño pequeño. INGLÉS shrimp.

renal

adjetivo

1 Del riñón o que tiene relación con él. Una persona con problemas renales tiene dañados los riñones. INGLÉS renal, kidney.

rencor

nombre masculino

1 Sentimiento de odio o antipatía que se guarda hacia otra persona por haber recibido de ella un daño o una ofensa: *No le guardes rencor, lo hizo sin querer.* INGLÉS resentment.

rencoroso, rencorosa

adjetivo y nombre

1 Que tiene o guarda rencor. Los rencorosos buscan vengarse del daño recibido. INGLÉS resentful [nombre].

rendición

nombre femenino

1 Acción de reconocer una persona o un grupo que ha sido vencido o derrotado. INGLÉS surrender.

NOTA El plural es: rendiciones.

rendija

nombre femenino

1 Hueco estrecho y alargado que queda entre dos cosas. INGLÉS crack.

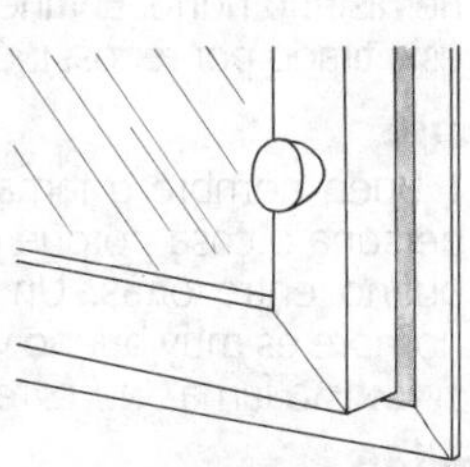

rendija

rendir

verbo

1 Producir beneficios una persona o una cosa o ser de utilidad para algo. Si decimos que una máquina rinde es porque produce algo en gran cantidad y tiene un gasto muy pequeño. **INGLÉS** to be productive.

2 Ofrecer o dar a una persona ciertas cosas, como culto, homenaje o adoración. Los musulmanes rinden culto a Mahoma. **INGLÉS** to give.

3 rendirse Dejar una persona de oponer resistencia y considerar que otro ha vencido en una lucha o en un enfrentamiento: *La guerra acabó porque los enemigos se rindieron.* **INGLÉS** to surrender.

NOTA Se conjuga como: servir; la 'e' se convierte en 'i' en algunos tiempos y personas, como: rinden.

renegar

verbo

1 Rechazar o decir que ya no se quiere saber nada de alguien o algo. Si una persona reniega de su religión, ya no cree en ella. **INGLÉS** to renounce [una religión], to disown [una persona].

2 Protestar o decir insultos o maldiciones. **INGLÉS** to swear, to curse.

NOTA Se conjuga como: regar; la 'e' se convierte en 'ie' en sílaba acentuada y se escribe 'gu' delante de 'e', como: reniegue.

renglón

nombre masculino

1 Serie de palabras o letras escritas en la misma línea. Esta definición tiene tres renglones. **SINÓNIMO** línea. **INGLÉS** line.

NOTA El plural es: renglones.

reno

nombre masculino

1 Mamífero rumiante parecido a un ciervo que vive en zonas muy frías del hemisferio norte. El trineo de Papá Noel está tirado por renos. **INGLÉS** reindeer.

renombre

nombre masculino

1 Buen nombre o fama que tiene una persona o cosa porque destaca en algo bueno entre otras. Un médico de renombre es muy bueno y muy conocido. **SINÓNIMO** fama. **INGLÉS** renown.

renovación

nombre femenino

1 Acción que consiste en cambiar una cosa por otra más nueva o mejor: *Hice una completa renovación de los muebles de casa.* **INGLÉS** renewal, renovation.

NOTA El plural es: renovaciones.

renovar

verbo

1 Cambiar una cosa por otra que es parecida o igual, pero más nueva o mejor: *Hay que renovar los ordenadores porque se han quedado anticuados.* **INGLÉS** to change.

2 Hacer que algo vuelva al estado en el que estaba: *El descanso ha renovado mis fuerzas.* **INGLÉS** to renew.

NOTA Se conjuga como: contar; la 'o' se convierte en 'ue' en sílaba acentuada, como: renuevan.

renta

nombre femenino

1 Cantidad de dinero o beneficio que da una cosa cada cierto tiempo. Por el alquiler de un piso, el propietario consigue una renta. **INGLÉS** income.

rentable

adjetivo

1 Se dice de la actividad que produce un beneficio suficiente para seguir con ella: *La tienda no era rentable y tuvieron que cerrarla.* **INGLÉS** profitable.

renunciar

verbo

1 No aceptar una persona algo que le corresponde o que se le ofrece: *Renunció al premio.* **INGLÉS** to renounce, to refuse.

2 Abandonar una cosa, en especial una idea o un plan: *Llovía tanto que renunciamos a salir.* **INGLÉS** to give up.

NOTA Se conjuga como: cambiar; la 'i' no lleva nunca acento de intensidad.

reñir

verbo

1 Pelearse o discutir dos personas. **INGLÉS** to quarrel, to argue.

2 Decir una persona a otra que ha hecho una cosa mal mostrándose enfadada o molesta. Los padres riñen a sus hijos cuando hacen alguna travesura. **SINÓNIMO** reprender. **INGLÉS** to scold, to tell off.

reo, rea

nombre

1 Persona acusada de cometer un delito que está presa en la cárcel o está siendo juzgada por un tribunal. **INGLÉS** defendant, [si ha sido declarado culpable: offender].

reojo

de reojo Mirando sin mover la cabeza pero girando los ojos hacia un lado. Cuando alguien no se atreve a mirar algo directamente, mira de reojo. **INGLÉS** out of the corner of one's eye.

a b c d e f g h i j k l m n ñ o p q r s t u v w x y z

reorganizar
verbo
1 Cambiar el orden o la organización de una cosa, normalmente para mejorarla o para que funcione mejor. INGLÉS to reorganize.
NOTA Se escribe 'c' delante de 'e', como: reorganicen.

reparación
nombre femenino
1 Arreglo que se hace de una cosa que está estropeada. En un taller hacen reparaciones de vehículos de motor. INGLÉS repair.
NOTA El plural es: reparaciones.

reparar
verbo
1 Arreglar una cosa que está estropeada. Normalmente se reparan máquinas, como un electrodoméstico, un vehículo o un ordenador. ANTÓNIMO estropear. INGLÉS to repair, to mend.
2 Hacer algo para compensar por un daño que se le ha hecho a una persona: *Quiere reparar el daño que le hizo cuando lo insultó.* INGLÉS to make up for.
3 Notar una cosa o darse cuenta de algo: *Reparé en el error y lo corregí.* SINÓNIMO advertir. INGLÉS to notice.

reñir

INDICATIVO	SUBJUNTIVO
presente	**presente**
riño	riña
riñes	riñas
riñe	riña
reñimos	riñamos
reñís	riñáis
riñen	riñan
pretérito imperfecto	**pretérito imperfecto**
reñía	riñera o riñese
reñías	riñeras o riñeses
reñía	riñera o riñese
reñíamos	riñéramos o riñésemos
reñíais	riñerais o riñeseis
reñían	riñeran o riñesen
pretérito perfecto simple	**futuro**
reñí	riñere
reñiste	riñeres
riñó	riñere
reñimos	riñéremos
reñisteis	riñereis
riñeron	riñeren

INDICATIVO	IMPERATIVO	
futuro		
reñiré	riñe	(tú)
reñirás	riña	(usted)
reñirá	riñamos	(nosotros)
reñiremos	reñid	(vosotros)
reñiréis	riñan	(ustedes)
reñirán		

INDICATIVO	FORMAS NO PERSONALES	
condicional	**infinitivo**	**gerundio**
reñiría	reñir	riñendo
reñirías	**participio**	
reñiría	reñido	
reñiríamos		
reñiríais		
reñirían		

reparo
nombre masculino
1 Comentario que se hace para señalar un defecto, un inconveniente o una falta en algo o alguien: *Puso muchos reparos para dejarle dinero.* INGLÉS objection.
2 Vergüenza que una persona siente para hacer o decir una determinada cosa: *Me da reparo decirle que salga conmigo.* INGLÉS reservation.

repartir
verbo
1 Entregar a cada persona de un grupo la parte que le corresponde de algo: *Repartimos el dinero que hemos ganado en partes iguales.* INGLÉS to divide, to share out.
2 Distribuir elementos o personas que forman parte de un conjunto, de manera que ocupen cierto lugar o hagan cierta función: *El entrenador nos distribuyó por el campo para jugar al ataque.* INGLÉS to distribute.
3 Llevar o dar una cosa a distintas personas. El cartero reparte cartas: *Trabaja repartiendo pizzas.* INGLÉS to deliver.
4 Extender algo por una superficie de manera que no esté todo en el mismo sitio. Al pintar una pared, hay que repartir bien la pintura para que quede uniforme. INGLÉS to spread out.

reparto
nombre masculino
1 Distribución de una cosa entre varias personas de forma que a cada una le toque la parte que le corresponde, como el reparto de una herencia. INGLÉS sharing out.
2 Acción de llevar una cosa a distintos sitios. Por la mañana se hace el reparto de los periódicos a los kioscos. INGLÉS delivery.
3 Conjunto de actores y actrices que trabajan en una película o en una obra de teatro. INGLÉS cast.

repasar
verbo
1 Mirar con atención una cosa que se ha hecho para comprobar que no se ha cometido ningún error o para mejorarla. Conviene repasar un trabajo antes de entregarlo. INGLÉS to go over, to check.

a b c d e f g h i j k l m n ñ o p q r s t u v w x y z

2 Volver a leer o a estudiar algo para que quede bien memorizado. Unas horas antes de hacer un examen la gente suele repasar lo que ha estudiado. INGLÉS to revise.

repaso

nombre masculino **1** Acción que consiste en repasar algo que ya se había hecho para ver si está bien o para mejorarlo. INGLÉS check.

2 Acción que consiste en volver a leer o estudiar algo para retenerlo mejor en la memoria. INGLÉS revision.

repatear

verbo **1** Molestar o fastidiar mucho a una persona. A mucha gente le repatea tener que levantarse pronto por la mañana. INGLÉS to annoy.

NOTA Es una palabra informal.

repatriar

verbo **1** Hacer que una persona regrese a su país de origen. Al final de una guerra, los gobiernos repatrían a los soldados que luchaban en el extranjero. INGLÉS to repatriate.

NOTA Se conjuga como: auxiliar; la 'i' puede acentuarse o no en algunos tiempos y personas.

repelente

adjetivo **1** Se dice de la persona que no agrada a otras personas por ser despectivo con los demás o por presumir excesivamente de algo, como de ser muy listo. INGLÉS obnoxious.

2 Se dice de la cosa que provoca un fuerte sentimiento de rechazo o de asco: *Las películas violentas me resultan repelentes.* SINÓNIMO repugnante. INGLÉS repugnant.

adjetivo y nombre masculino **3** Se dice de la sustancia que repele o evita que se acerquen algunos animales. Los repelentes de insectos evitan que nos piquen. INGLÉS repellent [nombre].

repeler

verbo **1** Apartar o hacer que retroceda una persona o animal que ataca o molesta. Un ejército que repele un ataque, obliga a retroceder al enemigo. INGLÉS to fight off.

2 Causar algo o alguien mucho asco o desagrado: *Le repelen mucho las arañas.* INGLÉS to disgust.

repelús

nombre masculino **1** Sensación de asco o miedo que se siente hacia alguna cosa. A mucha gente le produce repelús tocar una serpiente. SINÓNIMO escalofrío. INGLÉS the creeps.

NOTA El plural es: repeluses.

repente

de repente De forma rápida e inesperada: *Estaba tranquilo, pero de repente se puso a chillar.* INGLÉS suddenly, all of a sudden.

repentino, repentina

adjetivo **1** Que ocurre de manera rápida e inesperada. Los accidentes de automóviles son repentinos. INGLÉS sudden.

repercusión

nombre femenino **1** Efecto o consecuencia que tiene alguna cosa. La sequía tiene repercusiones negativas para los agricultores. INGLÉS repercussion.

NOTA El plural es: repercusiones.

repercutir

verbo **1** Producir una cosa un efecto o una consecuencia sobre otra. Una enfermedad puede repercutir en el estado de ánimo de una persona. SINÓNIMO influir. INGLÉS to affect.

repertorio

nombre masculino **1** Conjunto de obras o números que tiene preparados y ensayados un artista o una compañía para interpretarlos en público. INGLÉS repertoire.

repesca

nombre femenino **1** Segunda oportunidad que se tiene para conseguir aprobar un examen o clasificarse para una competición. En algunos campeonatos, los equipos que no se han clasificado a la primera pueden jugar una repesca para seguir compitiendo. INGLÉS resit.

repetición

nombre femenino **1** Acción que consiste en repetir o volver a hacer o decir algo que ya se ha hecho o se ha dicho. En los partidos por televisión, ponen la repetición de las mejores jugadas. INGLÉS repetition, [de una jugada: replay].

NOTA El plural es: repeticiones.

repetir

verbo **1** Volver a hacer o a decir algo que ya se había hecho o dicho. SINÓNIMO reiterar. INGLÉS to repeat.

2 Tomar más comida cuando alguien ha acabado su plato: *El postre me ha gustado tanto que voy a repetir.* INGLÉS to have a second helping.

3 Venir a la boca el sabor de alguna comida que se había comido unos minutos u horas antes. Algunos alimentos, como el pimiento o el pepino, repiten más que otros. INGLÉS to repeat.

4 repetirse Decir muchas veces las mismas cosas o hacer siempre las mismas bromas. INGLÉS to repeat oneself.

NOTA Se conjuga como: servir; la 'e' se convierte en 'i' en algunos tiempos y personas, como: repito.

repicar
verbo

1 Sonar una campana repetidas veces. INGLÉS to peal, to ring out.

NOTA Se escribe 'q' delante de 'e', como: repique.

repipi
adjetivo y nombre masculino y femenino

1 Se dice del niño repelente y presumido que habla como si lo supiera todo. INGLÉS precocious [adjetivo].

repiquetear
verbo

1 Repicar las campanas de forma muy seguida, generalmente para celebrar algo bueno. INGLÉS to peal out.

2 Golpear repetidamente sobre algo. La lluvia repiquetea sobre los cristales. INGLÉS to patter.

repisa
nombre femenino

1 Tabla que se coloca apoyada de forma horizontal en una pared para poner encima objetos, como libros, macetas o adornos. INGLÉS ledge, shelf.

repleto, repleta
adjetivo

1 Que está muy lleno o completamente lleno. INGLÉS full.

réplica
nombre femenino

1 Contestación a una persona en la que se declara que no se está de acuerdo con ella. En un debate entre personas de opiniones diferentes, se exponen ideas y réplicas a esas ideas. INGLÉS answer, reply.

2 Copia de una obra artística o de un objeto que reproduce con exactitud la obra o el objeto original: *Ese cuadro no es auténtico, es una réplica.* INGLÉS replica.

replicar
verbo

1 Responder o contestar a alguien diciendo que no se está de acuerdo con lo que ha dicho: *Replicó que le parecía una propuesta injusta.* INGLÉS to answer back.

NOTA Se escribe 'qu' delante de 'e', como: replique.

repoblación
nombre femenino

1 Acción de volver a poblar un lugar que se había quedado sin habitantes. También es la acción de cultivar plantas o liberar animales en un lugar del que habían desaparecido. INGLÉS resettlement [con personas], restocking [con animales], replanting [con plantas].

NOTA El plural es: repoblaciones.

repoblar
verbo

1 Ir un grupo de gente a vivir a un lugar que había quedado deshabitado. INGLÉS to repopulate, to resettle.

2 Plantar plantas o liberar animales en un lugar del que habían desaparecido. Muchos ríos se repueblan si los peces mueren por la sequía. INGLÉS to restock [con animales], to replant [con plantas].

NOTA Se conjuga como: contar; la 'o' se convierte en 'ue' en sílaba acentuada, como: repueblan.

repollo
nombre masculino

1 Planta redondeada de hojas comestibles de color verde claro y muy grandes. El repollo es una variedad de la col. INGLÉS cabbage.

reponer
verbo

1 Poner en un lugar una cosa igual o similar a otra que se ha gastado o sacado de allí. En las casas se van reponiendo los alimentos a medida que se van gastando. INGLÉS to replace.

2 Volver a poner una película, una obra de teatro o un programa de televisión o radio. INGLÉS to rerelease [una película], to revive [una obra de teatro], to repeat [un programa de televisión].

3 reponerse Recuperarse una persona después de una enfermedad o un problema, como un disgusto o un susto. INGLÉS to recover.

NOTA Se conjuga como: poner. El participio es: repuesto.

reportaje
nombre masculino

1 Trabajo periodístico realizado para informar en profundidad sobre un tema, noticia o personaje. INGLÉS report.

reportero, reportera
nombre
1 Periodista que se encarga de recoger noticias y especialmente de hacer reportajes. INGLÉS reporter.

reposar
verbo
1 Descansar y no realizar ningún trabajo para recuperar fuerzas. A la gente enferma le conviene reposar. INGLÉS to rest.
2 Dejar sin mover una mezcla o un guiso para que se consuma el líquido que contiene o para que adquiera la consistencia que ha de tener. La paella debe reposar antes de servirla. INGLÉS to stand.
3 Estar enterrado en un lugar: *En esta catedral reposan varios reyes.* Es un uso culto. INGLÉS to lie.

reposo
nombre masculino
1 Estado en el que una persona está sin hacer ningún trabajo o esfuerzo para descansar y recuperar fuerzas. Los médicos suelen recomendar reposo a los enfermos. INGLÉS rest.

repostar
verbo
1 Llenar de combustible el depósito de un vehículo cuando se le termina. INGLÉS to fill up.

repostería
nombre femenino
1 Conjunto de productos dulces, como tartas, pasteles o pastas. También se llama repostería el establecimiento en el que se hacen o venden dulces y pasteles. INGLÉS confectionery [productos], cake shop [tienda].

reprender
verbo
1 Decir una persona a otra que ha hecho una cosa mal mostrándose enfadada o molesta: *El profesor lo reprendió por no hacer los deberes.* SINÓNIMO reñir. INGLÉS to reprimand, to scold.

representación
nombre femenino
1 Interpretación en público de una obra de teatro, una ópera o un ballet. INGLÉS performance.

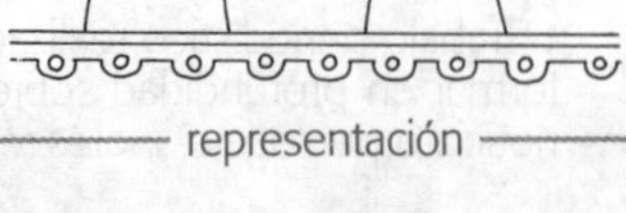

representación

2 Persona o conjunto de personas que representan o actúan en nombre de otras personas. Una representación de los trabajadores es un grupo que representa al conjunto de todos los trabajadores. INGLÉS delegation.
3 Imagen o idea que se hace de alguna cosa, persona o situación: *Esa estatua de los ojos vendados que lleva una balanza es la representación de la justicia.* INGLÉS representation.
NOTA El plural es: representaciones.

representante
nombre masculino y femenino
1 Persona que habla en nombre de otra persona o de una comunidad. Los representantes de los artistas firman los contratos en su nombre. INGLÉS representative.
2 Persona que está autorizada por una empresa para poder vender los productos que fabrica. INGLÉS representative.

representar
verbo
1 Ser la imagen o el símbolo de una cosa o imitarla de modo que parezca esa cosa. Una paloma blanca representa la paz. INGLÉS to represent.
2 Interpretar en público una obra de teatro, una ópera o un ballet. INGLÉS to perform.
3 Actuar una persona o un grupo de personas en nombre de otra u otras o de una institución. Los abogados representan a sus clientes; los embajadores representan al gobierno de su país. INGLÉS to represent.
4 Parecer tener una determinada edad: *Se conserva tan bien que representa ser más joven.* INGLÉS to appear to be, to look.
5 Ser una cosa o una persona importante para otra o ser lo que se dice a continuación: *Verte aquí representa para mí una gran alegría.* INGLÉS to be.

represión
nombre femenino
1 Acción que consiste en impedir, mediante la violencia, protestas o que la gente manifieste ideas contrarias al gobierno. INGLÉS repression.
NOTA El plural es: represiones.

reprimir
verbo
1 Hacer que un sentimiento o una pasión no se manifieste o se manifieste con menor fuerza. A veces no pode-

a b c d e f g h i j k l m n ñ o p q r s t u v w x y z

mos reprimir nuestra pena y nos ponemos a llorar. **INGLÉS** to suppress.

2 Impedir, mediante la violencia, protestas o que la gente exprese opiniones contrarias al gobierno. En una dictadura, la policía reprime a los manifestantes. **INGLÉS** to repress.

reprochar

verbo

1 Decir a alguien que ha hecho o dicho algo que no está bien: *Le reprochó que le dijera una mentira.* **INGLÉS** to reproach.

reproche

nombre masculino

1 Cosa que se dice para reprochar a alguien cuando hace o dice algo que no está bien. Si una cosa es perfecta, nadie le hace reproches. **INGLÉS** reproach, criticism.

reproducción

nombre femenino

1 Proceso por el que un ser vivo genera otro ser vivo de su misma especie. **INGLÉS** reproduction.

2 Cosa que es igual o casi igual que un original. Se pueden hacer reproducciones de cuadros, de fotografías o de objetos. **SINÓNIMO** copia. **INGLÉS** reproduction, copy.

NOTA El plural es: reproducciones.

reproducir

verbo

1 Hacer una copia o una representación de una cosa. Una revista reproduce en su portada fotos o ilustraciones. **INGLÉS** to reproduce, to show.

2 Ser una cosa copia de un original. Una postal puede reproducir un cuadro. **INGLÉS** to reproduce.

3 reproducirse Producir o generar un ser vivo otro ser vivo de su misma especie. **INGLÉS** to reproduce.

NOTA Se conjuga como: conducir.

reproductor

adjetivo

1 Se dice del órgano o conjunto de órganos que intervienen en la reproducción de los seres vivos. El aparato reproductor femenino consta de ovarios, útero y vagina. **INGLÉS** reproductive.

reptar

verbo

1 Moverse arrastrando el cuerpo por el suelo. Las serpientes reptan. **INGLÉS** to crawl, [si es una serpiente: to slither].

reptil

nombre masculino

1 Animal vertebrado que se reproduce por huevos y se mueve arrastrando el vientre por el suelo porque no tiene patas o las tiene muy cortas. La tortuga, la culebra y el cocodrilo son reptiles. **INGLÉS** reptile.

república

nombre femenino

1 Sistema de gobierno en el que el jefe del Estado es el presidente elegido por los ciudadanos o por una asamblea. En la república no hay rey. **INGLÉS** republic.

2 País que tiene este sistema de gobierno. **INGLÉS** republic.

republicano, republicana

adjetivo

1 De la república o que tiene relación con ella. **INGLÉS** republican.

adjetivo y nombre

2 Se dice de la persona que es partidaria de la república como forma de gobierno. **INGLÉS** republican.

repuesto

participio

1 Participio irregular de: reponer. También se usa como adjetivo: *Han repuesto una obra de teatro muy famosa. Ya está repuesta de su enfermedad.*

nombre masculino

2 Pieza que está destinada a sustituir a otra pieza igual que se ha roto o se ha estropeado. Los coches llevan una rueda de repuesto por si se pincha alguna. **SINÓNIMO** recambio. **INGLÉS** spare.

repugnancia

nombre femenino

1 Sensación física desagradable provocada por algo que produce ganas de vomitar. Los malos olores pueden provocar repugnancia. Un crimen también puede provocar repugnancia. **SINÓNIMO** asco. **INGLÉS** repugnance, disgust.

repugnante

adjetivo

1 Se dice de la persona o la cosa que causa mucho asco o desagrado: *La comida de aquel lugar era repugnante.* **SINÓNIMO** asqueroso. **INGLÉS** repugnant, disgusting.

reputación

nombre femenino

1 Opinión que mucha gente tiene sobre alguien o sobre algo. Un médico, un escritor o un restaurante pueden tener buena o mala reputación. **SINÓNIMO** fama. **INGLÉS** reputation.

NOTA El plural es: reputaciones.

requesón

nombre masculino

1 Queso fresco, blando, soso y de color blanco. Se suele comer con azúcar o con miel. **INGLÉS** cottage cheese.

NOTA El plural es: requesones.

requetebién
adverbio **1** Muy bien o estupendamente. INGLÉS very well.

requetemal
adverbio **1** Muy mal. INGLÉS very badly.

requisar
verbo **1** Apropiarse el gobierno o una autoridad de una propiedad o de una cosa que pertenece a alguien y que, generalmente, se considera necesaria. En una guerra, el ejército de un país puede requisar terrenos y casas que considera útiles militarmente. INGLÉS to requisition.

requisito
nombre masculino **1** Condición necesaria para hacer o conseguir algo. Uno de los requisitos para tener el carné de conducir es ser mayor de edad. INGLÉS requisite, requirement.

res
nombre femenino **1** Animal de cuatro patas de ciertas especies. Los ganaderos hablan de reses al hablar de vacas, bueyes u ovejas. SINÓNIMO cabeza. INGLÉS beast, animal.

resaca
nombre femenino **1** Movimiento de retirada que realizan las olas del mar después de tocar la orilla. INGLÉS undertow.
2 Malestar que se siente después de una borrachera. A una persona que tiene resaca, le duelen la cabeza y la barriga. INGLÉS hangover.

resaltar
verbo **1** Sobresalir una cosa o una persona entre las demás. El color rojo resalta entre los tonos claros. SINÓNIMO destacar. INGLÉS to stand out.
2 Hacer que una cosa se note más: *Esta camisa resalta tus ojos azules.* SINÓNIMO destacar; remarcar. INGLÉS to emphasize.

resbaladizo, resbaladiza
adjetivo **1** Que hace resbalar o deslizarse fácilmente. Las superficies de hielo son muy resbaladizas. INGLÉS slippery.

resbalar
verbo **1** Hacer una superficie que una persona se deslice sin poder frenar. El hielo o el suelo mojado resbalan. INGLÉS to be slippery.
2 Moverse por una superficie sin poder parar y, a veces, sin poder mantener el equilibrio. INGLÉS to slip.
3 No importar una cosa en absoluto: *Le resbala lo que le digas, seguirá haciendo lo que quiera.* Es un uso informal. INGLÉS not to matter.

resbalón
nombre masculino **1** Movimiento brusco que se produce cuando una persona se desliza sin querer sobre una superficie: *Pegó un resbalón y se rompió el tobillo.* INGLÉS slip.
NOTA El plural es: resbalones.

rescatar
verbo **1** Liberar a una persona que estaba prisionera: *La policía rescató a los rehenes.* INGLÉS to rescue.
2 Salvar a una persona de un peligro o una situación desfavorable. Los bomberos rescatan a gente en peligro. INGLÉS to rescue.

rescate
nombre masculino **1** Acción que consiste en salvar a una persona de un peligro o una situación desfavorable. INGLÉS rescue.
2 Dinero o cosa que se da a cambio de liberar a una persona secuestrada. INGLÉS ransom.

resecar
verbo **1** Hacer que una cosa pierda la humedad y se seque más de lo normal. Cuando hace mucho calor se nos reseca la boca. INGLÉS to dry up.
NOTA Se escribe 'qu' delante de 'e', como: reseque.

reseco, reseca
adjetivo **1** Que se ha secado demasiado porque ha perdido la humedad que tiene normalmente. Si en una región con poca agua hace tiempo que no llueve, los terrenos se quedan resecos. INGLÉS very dry.

resentimiento
nombre masculino **1** Sentimiento duradero de disgusto o enfado hacia una persona a la que se considera culpable de un daño, un desprecio o una humillación: *Le guarda cier-*

resbalar

a b c d e f g h i j k l m n ñ o p q r s t u v w x y z

to resentimiento porque no le invitó a la fiesta. INGLÉS resentment.

reseña

nombre femenino **1** Comentario corto que se hace o se escribe sobre un libro o una película. INGLÉS review, write-up.

reserva

nombre femenino **1** Cosa que se guarda hasta que llega el momento de utilizarla. La joroba del dromedario es una reserva de grasa. INGLÉS reserve, stock.

2 Plaza o asiento que se deja libre para que lo ocupe una persona en el momento en que ha dicho que lo ocupará. Se hacen reservas de tren o avión, de teatro, de hotel o en un restaurante. INGLÉS booking, reservation.

3 Zona natural especialmente rica en animales y plantas que está protegida para que se pueda cuidar mejor. En las reservas naturales esá prohibido cazar. INGLÉS reserve.

4 Territorio de Estados Unidos o Canadá donde pueden vivir los indios americanos según sus tradiciones. INGLÉS reservation.

5 Duda o falta de confianza que alguien tiene sobre una persona, un proyecto u otra cosa. INGLÉS reserve.

nombre masculino y femenino **6** En algunos deportes, jugador que no sale a jugar con su equipo al principio del partido, pero que puede salir en cuanto el entrenador lo decida. Los reservas suelen sentarse en el banquillo. INGLÉS reserve.

nombre femenino plural **7 reservas** Materias primas o productos que se conservan en un territorio sin haber sido utilizados. Muchos países árabes tienen reservas de petróleo. INGLÉS reserve.

reservado, reservada

adjetivo **1** Se dice de la persona que habla poco o que no le gusta manifestar sus sentimientos o ideas. SINÓNIMO discreto. INGLÉS reserved.

reservar

verbo **1** Guardar alguna cosa para más adelante o para cuando sea necesaria. Cuando se corre una maratón hay que reservar fuerzas para el final. INGLÉS to keep back.

2 Hacer que guarden un lugar o una plaza en un restaurante, un teatro, un hotel, un tren o un avión. Cuando reservamos un sitio, tenemos que decir cuándo vamos a ocuparlo. INGLÉS to book, to reserve.

3 reservarse No hacer o decir algo a la espera de hacerlo o decirlo en una ocasión mejor: *Se reservó su opinión para otra ocasión.* INGLÉS to reserve.

resfriado

nombre masculino **1** Enfermedad de poca gravedad que se produce por cambios bruscos de temperatura. Provoca tos, mocos, estornudos y dolor de cabeza. SINÓNIMO catarro; constipado. INGLÉS cold.

resfriarse

verbo **1** Coger una persona un resfriado. SINÓNIMO acatarrarse; constiparse. INGLÉS to catch a cold.

NOTA Se conjuga como: desviar; la 'i' se acentúa en algunos tiempos y personas, como: me resfrío.

resguardar

verbo **1** Proteger o defender a una persona o cosa de algo que produce un mal o un daño, especialmente fenómenos meteorológicos como la lluvia, el viento o el frío. INGLÉS to protect.

residencia

nombre femenino **1** Lugar en que una persona vive habitualmente. SINÓNIMO domicilio. INGLÉS residence, home.

2 Casa o conjunto de casas donde viven personas de la misma edad, ocupación u otra característica común. Hay residencias de estudiantes y de ancianos. INGLÉS home [de ancianos], residence [de estudiantes].

residir

verbo **1** Vivir en un lugar determinado de forma habitual. SINÓNIMO habitar; vivir. INGLÉS to live.

residuo

nombre masculino **1** Resto que queda de una cosa después de utilizarla o trabajarla. Los residuos ya no pueden usarse para nada. INGLÉS waste.

resignación

nombre femenino **1** Aceptación voluntaria de una situación negativa o que no gusta: *Tienes que estar tres días en cama, así que tómatelo con resignación.* INGLÉS resignation.

resignarse

verbo **1** Aceptar con paciencia una cosa mala

o que no gusta: *No me resigno ante esa injusticia.* SINÓNIMO conformarse. INGLÉS to resign oneself.

resina
nombre femenino
1 Sustancia transparente muy espesa y pegajosa que sale del tronco de algunos árboles, como el pino. INGLÉS resin.

resistencia
nombre femenino
1 Capacidad física y mental de las personas para soportar algo, como el esfuerzo o el sufrimiento. INGLÉS stamina.
2 Capacidad de las cosas para soportar un peso o una fuerza. Las estanterías deben tener mucha resistencia para aguantar libros. INGLÉS strength.
3 Oposición o rechazo fuerte a alguna cosa: *El país invadido mostró resistencia al ejército enemigo.* INGLÉS resistance.
4 Hilo de un aparato eléctrico que se calienta al pasar la corriente, como en un tostador o una estufa. INGLÉS element.

resistir
verbo
1 Tener una persona o una cosa fuerza suficiente para soportar algo, como el dolor, el cansancio, el peso o el calor. SINÓNIMO aguantar. INGLÉS to take, to stand.
2 resistirse Oponerse con fuerza a hacer o admitir algo: *Se resiste a aceptar la derrota.* INGLÉS to refuse.
3 resistirse Resultar una cosa difícil de entender, de hacer o de conseguir: *Se me resiste el ordenador, no sé cómo funciona.* INGLÉS to be incomprehensible.

resol
nombre masculino
1 Reflejo del sol: *Lleva gorra porque le molesta el resol.* INGLÉS glare of the sun.

resolver
verbo
1 Dar una solución a un problema o a una dificultad: *La policía resolvió el caso y detuvo al culpable.* SINÓNIMO solucionar. INGLÉS to solve.
NOTA Se conjuga como: mover; la 'o' se convierte en 'ue' en sílaba acentuada, como: resuelvo. El participio es: resuelto.

resonar
verbo
1 Sonar con eco o sonar fuerte. En una calle vacía y silenciosa los pasos resuenan. INGLÉS to echo, to ring.
NOTA Se conjuga como: contar; la 'o' se convierte en 'ue' en sílaba acentuada, como: resuena.

resoplar
verbo
1 Respirar haciendo ruido y con fuerza, generalmente por cansancio o para mostrar enfado o preocupación. INGLÉS to puff and pant.

resorte
nombre masculino
1 Alambre en forma de espiral que se puede estirar y encoger, y luego vuelve a su posición inicial. Muchos aparatos y mecanismos, como los relojes o algunos bolígrafos, tienen un resorte en su interior. SINÓNIMO muelle. INGLÉS spring.
2 Medio que le sirve a una persona para conseguir un objetivo determinado. Una pista adecuada puede servir como resorte para encontrar la solución de una cosa. INGLÉS means.

respaldar
verbo
1 Apoyar o proteger a una persona para que consiga algo, o apoyar y defender una cosa para que se desarrolle. Si apoyamos una propuesta determinada para ir de vacaciones, estamos a favor de esa idea y queremos que se cumpla. INGLÉS to support.

respaldo
nombre masculino
1 Parte de un asiento donde se apoya la espalda. Los taburetes no tienen respaldo. INGLÉS back.
2 Ayuda o protección de alguien. La gente puede contar con el respaldo de su familia. INGLÉS support.

respectivamente
adverbio
1 Se utiliza para unir cada elemento de una serie con otro que ocupa el mismo orden en otra serie. Al decir que el blanco y el verde son los colores de la paz y la esperanza respectivamente, el blanco es el color de la paz y el verde es el de la esperanza. INGLÉS respectively.

respectivo, respectiva
adjetivo
1 Se dice de la persona o cosa que se corresponde o se relaciona directamente con otra: *Los niños deberán ir con sus respectivos padres.* INGLÉS respective.

respecto
al respecto Expresa que lo que decimos está relacionado con algo de lo que ya se ha hablado: *No tengo nada*

más que añadir al respecto. INGLÉS on the subject.

respecto a Indica que lo que se va a decir está en relación con el tema de que se habla a continuación: *Respecto a tu pregunta anterior, te diré que aún no sé la respuesta.* También se dice 'con respecto a' o 'respecto de'. INGLÉS with regard to, regarding.

respetable

adjetivo **1** Que merece respeto. La democracia defiende que las opiniones de todo el mundo son respetables. INGLÉS respectable.

2 Que es grande o importante. Una suma respetable de dinero es una cantidad bastante alta. SINÓNIMO considerable. INGLÉS considerable.

nombre masculino **3** Público de un espectáculo: *El respetable aplaudió con entusiasmo.* INGLÉS audience.

respetar

verbo **1** Tratar con atención y buena educación a una persona. Tenemos que respetar a los ancianos. INGLÉS to respect.

2 Obedecer una regla o una norma. Hay que respetar las señales de tráfico para evitar accidentes. INGLÉS to obey.

3 Tratar las cosas con cuidado y sin destruirlas. Debemos respetar la naturaleza. INGLÉS to respect.

4 Admitir las ideas de los demás sin ofender a quien las dice, aunque no se esté de acuerdo. INGLÉS to respect.

respeto

nombre masculino **1** Cuidado, atención y buena educación con que se trata a una persona. INGLÉS respect.

2 Tolerancia y aceptación de las cosas, especialmente de las ideas, las opiniones y los actos de los demás: *Siente respeto por todas las religiones.* INGLÉS respect.

3 Miedo o temor que se tiene por algo o por alguien. Mucha gente siente respeto por el fuego. INGLÉS fear.

respetuoso, respetuosa

adjetivo **1** Se dice de la persona que se comporta con mucho respeto y buena educación hacia los demás. SINÓNIMO considerado. ANTÓNIMO irrespetuoso. INGLÉS respectful.

respingo

nombre masculino **1** Movimiento brusco y repentino causado por un susto o una sorpresa: *Dio un respingo al ver la cucaracha.* INGLÉS start, jump.

respingón, respingona

adjetivo **1** Se dice de la nariz que tiene la punta hacia arriba. INGLÉS turned-up.

NOTA El plural de respingón es: respingones.

respiración

nombre femenino **1** Proceso que realizan los seres vivos y que consiste en tomar el oxígeno del aire o el agua y expulsar dióxido de carbono. INGLÉS breathing.

NOTA El plural es: respiraciones.

respirar

verbo **1** Toma un ser vivo oxígeno del aire o del agua y expulsar dióxido de carbono. Los mamíferos respiran a través de los pulmones, los peces a través de las branquias. INGLÉS to breathe.

respiratorio, respiratoria

adjetivo **1** Que tiene relación con la respiración. El pulmón es el órgano más importante del aparato respiratorio. INGLÉS respiratory.

respiro

nombre masculino **1** Momento de descanso o tranquilidad en una actividad o un trabajo: *Tómate un respiro y ya acabarás el trabajo luego.* INGLÉS breather, break.

resplandecer

verbo **1** Brillar mucho o despedir rayos de luz una cosa. Las estrellas resplandecen en el cielo durante la noche. SINÓNIMO relucir. INGLÉS to shine.

2 Reflejar el rostro de una persona alegría, felicidad o satisfacción: *Su cara resplandecía al recibir el premio.* INGLÉS to shine.

NOTA Se conjuga como: agradecer; la 'c' se convierte en 'zc' delante de 'a' y 'o', como: resplandezca.

resplandeciente

adjetivo **1** Que brilla mucho por limpio, bello o luminoso. SINÓNIMO reluciente. INGLÉS shining.

resplandor

nombre masculino **1** Luz o brillo muy intenso que sale de algunos cuerpos, por ejemplo del sol o de un diamante. INGLÉS brightness, brilliance.

responder

verbo **1** Decir o escribir algo a quien habla,

a b c d e f g h i j k l m n ñ o p q r s t u v w x y z

pregunta o escribe algo. Respondemos a las preguntas de un examen, una duda, una carta o un saludo. SINÓNIMO contestar. INGLÉS to answer, to reply.

2 Hacer saber que se ha oído una llamada. Se responde al teléfono, al timbre o a otra señal. INGLÉS to answer.

3 Reaccionar una persona o una cosa de la manera que se espera. Si los mandos de un automóvil no responden, se pierde el control. INGLÉS to respond.

4 Considerarse responsable de algo. Una empresa debe responder de sus productos. INGLÉS to take responsibility for.

responsabilidad

nombre femenino

1 Característica que tiene la persona que cumple sus obligaciones. ANTÓNIMO irresponsabilidad. INGLÉS responsibility.

2 Obligación o deber que tiene que cumplir una persona. Cada trabajo tiene sus responsabilidades. INGLÉS responsibility.

responsable

adjetivo

1 Que siempre cumple con sus obligaciones y se comporta con seriedad. INGLÉS responsible.

adjetivo y nombre masculino y femenino

2 Se dice de la persona que está encargada de cuidar o de dirigir una cosa. El responsable de una biblioteca se encarga de que funcione bien. INGLÉS responsible [adjetivo], person in charge [nombre].

3 Se dice de la persona que tiene la culpa de algo: *Se busca a los responsables del robo.* INGLÉS culprit.

respuesta

nombre femenino

1 Lo que se dice o se hace para responder a alguien: *Llamé, pero no obtuve respuesta.* SINÓNIMO contestación. INGLÉS answer, reply.

resquicio

nombre masculino

1 Abertura estrecha y alargada que queda entre el quicio y la puerta: *Una delgada línea de luz entraba por el resquicio.* INGLÉS crack.

2 Ocasión u oportunidad pequeña que se puede aprovechar para conseguir algo o solucionar un problema. Un equipo deportivo tiene que buscar resquicios para conseguir la victoria. INGLÉS chance.

resta

nombre femenino

1 Operación matemática que consiste en hallar la diferencia que hay entre dos cantidades. El signo de la resta es: –. ANTÓNIMO suma. INGLÉS subtraction.

restablecer

verbo

1 Hacer que algo o alguien vuelva a estar como antes. Después de una guerra se restablece la paz. INGLÉS to restore.

2 restablecerse Curarse después de una enfermedad o volver a estar bien después de algún problema: *Tardé en restablecerme del susto que me diste.* SINÓNIMO recuperarse; reponerse. INGLÉS to recover.

NOTA Se conjuga como: agradecer; la 'c' se convierte en 'zc' delante de 'a' y 'o', como: restablezca.

restallar

verbo

1 Producir un objeto largo y flexible, como un látigo o un cinturón, un ruido seco al sacudirlo en el aire con violencia. INGLÉS to crack.

restante

adjetivo

1 Se dice de la cosa que queda después de una eliminación o resta. En unas semifinales, dos equipos quedarán eliminados y los dos equipos restantes jugarán la final. INGLÉS remaining.

restar

verbo

1 Efectuar una operación matemática para calcular la diferencia entre dos cantidades. Si a 50 le restas 10, el resultado es 40. SINÓNIMO sustraer. ANTÓNIMO sumar. INGLÉS to subtract.

2 Hacer que una cosa baje en cantidad, fuerza e intensidad: *Le restó importancia al problema.* INGLÉS to reduce.

restauración

nombre femenino

1 Acción que consiste en restaurar o volver a su estado original una cosa, como una obra de arte o un edificio. INGLÉS restoration.

2 Rama de la hostelería relacionada con los restaurantes. INGLÉS the restaurant trade.

NOTA El plural es: restauraciones.

restaurante

nombre masculino

1 Establecimiento público donde se preparan y sirven comidas. INGLÉS restaurant.

restaurar

verbo

1 Arreglar y renovar una cosa que está

vieja, como un mueble, un cuadro o un edificio, y dejarla casi como era originalmente. INGLÉS to restore.

resto

nombre masculino

1 Parte que queda de una cosa o de un todo: *Ya te contaré el resto otro día. Cuatro de ellos fueron al cine y el resto a pasear.* INGLÉS remainder, rest.

2 Resultado de restar dos números. El resto de diez menos cuatro es seis. SINÓNIMO diferencia. INGLÉS remainder.

nombre masculino plural

3 restos Parte que queda de una cosa que se ha utilizado, se ha consumido o ha desaparecido, como los restos de comida o los restos de una civilización. INGLÉS remains.

restos mortales Cuerpo de una persona muerta. INGLÉS mortal remains.

restregar

verbo

1 Frotar una cosa con otra con fuerza y repetidas veces: *Restriega los platos con el estropajo.* SINÓNIMO frotar. INGLÉS to rub hard, to scrub.

2 Rozar una cosa con el cuerpo y moverse: *Deja de restregar el suelo.* INGLÉS to scrape.

NOTA Se conjuga como: regar; la 'e' se convierte en 'ie' en sílaba acentuada y se escribe 'gu' delante de 'e', como: riegue o reguemos.

restricción

nombre femenino

1 Limitación en el uso o gasto de una cosa de la que hay poca cantidad. En época de sequía, en muchos lugares hay restricciones de agua. INGLÉS restriction.

NOTA El plural es: restricciones.

restringir

verbo

1 Limitar el uso de una cosa para evitar un efecto negativo. Los guardias de seguridad restringen la entrada a algunos edificios. INGLÉS to restrict, to limit.

NOTA Se escribe 'j' delante de 'a' y 'o', como: restrinja o restrinjo.

resucitar

verbo

1 Volver a vivir una persona después de morir. Según la Biblia, Jesucristo resucitó después de haber sido crucificado. INGLÉS to resuscitate.

resuelto, resuelta

participio

1 Participio irregular de: resolver. También se usa como adjetivo: *Ha resuelto el enigma. Es un problema aún no resuelto.*

adjetivo

2 Que tiene decisión y ánimo para hacer algo. Las personas resueltas suelen tener mucha seguridad en sí mismas. INGLÉS resolute, determined.

resultado

nombre masculino

1 Efecto o consecuencia de una acción o del dessarrollo de algo. El resultado de un partido o un examen es la puntuación. INGLÉS result.

2 Solución de una operación matemática. Cuatro es el resultado de sumar dos y dos. INGLÉS result.

dar buen resultado Ser muy útil una cosa. Un ordenador da un buen resultado cuando dura mucho y funciona bien. INGLÉS to be a good buy.

resultar

verbo

1 Ser una idea la consecuencia de algo que se hace o dice: *Resulta lógico pensar así.* INGLÉS to be.

2 Salir una cosa de la manera que se dice: *El plan ha resultado un fracaso.* INGLÉS to turn out to be.

resumen

nombre masculino

1 Explicación corta con la información más importante de un tema o un asunto. El resumen puede ser oral o escrito y no suele incluir detalles. SINÓNIMO síntesis. INGLÉS summary.

resumir

verbo

1 Explicar de forma breve los aspectos más importantes de un tema o un asunto. ANTÓNIMO ampliar. INGLÉS to summarize, to sum up.

resurrección

nombre femenino

1 Acción de resucitar o volver a vivir alguien muerto. INGLÉS resurrection.

NOTA El plural es: resurrecciones.

retablo

nombre masculino

1 Conjunto de pinturas y esculturas que representa una historia y que decora la pared que está tras el altar de una iglesia. INGLÉS altarpiece, reredos.

retaco, retaca

adjetivo y nombre

1 Se dice de la persona de baja estatura y más bien gorda. INGLÉS shorty [nombre].

NOTA Es una palabra de uso familiar y despectivo.

retaguardia

nombre femenino

1 Parte de un ejército que está en la

parte trasera. A veces, la retaguardia no entra en combate. **ANTÓNIMO** vanguardia. **INGLÉS** rearguard. **DIBUJO** página 1104.
2 Zona alejada del frente de batalla. Las oficinas y los hospitales suelen estar en la retaguardia. **ANTÓNIMO** vanguardia. **INGLÉS** rear.

retal
nombre masculino
1 Trozo de tela o de otro material que sobra después de cortar una pieza mayor. **INGLÉS** offcut, remnant.

retama
nombre femenino
1 Planta con muchas ramas largas, delgadas y flexibles, de hojas pequeñas y flores amarillas. **INGLÉS** broom.

retar
verbo
1 Provocar una persona a otra para que luche o compita con ella. Antiguamente los caballeros se retaban en un duelo para resolver sus disputas. **INGLÉS** to challenge.

retardar
verbo
1 Hacer que una cosa ocurra más tarde, o dejar algo para hacerlo más adelante: *Han retardado dos días la celebración.* **SINÓNIMO** atrasar, retrasar. **INGLÉS** to postpone.
2 retardarse Ocurrir o suceder una cosa más tarde de lo previsto o de lo normal: *Debería haber llegado ya, pero se retarda.* **INGLÉS** to be late.

retazo
nombre masculino
1 Trozo de tela que sobra después de cortar una pieza mayor. **SINÓNIMO** retal. **INGLÉS** remnant, offcut.
2 Fragmento de un discurso o de un escrito: *Solo pude oír algunos retazos de la conversación.* **INGLÉS** fragment.

retener
verbo
1 Detener una persona o una cosa e impedir que se vaya. Los pañales retienen la orina. **INGLÉS** to retain.
2 Guardar en la memoria. Todos retenemos muchos datos en la cabeza. **SINÓNIMO** memorizar. **INGLÉS** to retain.
NOTA Se conjuga como: tener.

retina
nombre femenino
1 Membrana interior del ojo en la que se recibe la luz y se representan las imágenes. **INGLÉS** retina.

retintín
nombre masculino
1 Tono o modo de hablar que se usa para herir a una persona o para dar a entender más de lo que se dice: *Me repitió con retintín que me había ganado fácilmente.* **INGLÉS** sarcastic tone.

retirada
nombre femenino
1 Acción que consiste en retirarse o abandonar un lugar o una actividad: *El general ordenó la retirada de las tropas.* **INGLÉS** retreat, withdrawal.
2 Acción que consiste en quitar algo de un lugar. Las brigadas de basureros se encargan de la retirada de las basuras. **INGLÉS** removal.

retirado, retirada
adjetivo
1 Que está alejado de una población o que está en una zona solitaria. **INGLÉS** remote.
adjetivo y nombre
2 Que no trabaja por razones de edad. **SINÓNIMO** jubilado. **INGLÉS** retired [adjetivo].

retirar
verbo
1 Hacer que una persona o una cosa se aparte o se separe del lugar donde estaba: *Se retiraron para que pudiera pasar el camión.* **INGLÉS** to move aside.
2 Decir que no se mantiene algo que se ha dicho antes. Si una persona ofende a otra, puede retirar lo dicho y pedir perdón. **INGLÉS** to withdraw.
3 retirarse Abandonar una persona una determinada actividad, en especial su trabajo. La gente se retira con 60 años o más tarde. **INGLÉS** to retire.
4 retirarse Irse a vivir a un lugar tranquilo y aislado: *Se retiró al campo porque estaba harto de la ciudad.* **INGLÉS** to move.
5 retirarse Retroceder un ejército y abandonar su posición o la lucha. **INGLÉS** to retreat, to withdraw.

retiro
nombre masculino
1 Situación de la persona que deja una actividad o que deja de trabajar por razones de edad. **INGLÉS** retirement.
2 Cantidad de dinero fija al mes que recibe una persona que ha dejado de trabajar por haber llegado a una edad avanzada. **SINÓNIMO** pensión. **INGLÉS** pension.

reto
nombre masculino
1 Acción que realiza una persona cuando incita o provoca a otra para que luche o compita con ella: *No aceptes el reto de subir a la montaña,*

a b c d e f g h i j k l m n ñ o p q r s t u v w x y z

es muy peligroso. SINÓNIMO desafío. INGLÉS challenge.

2 Tarea o trabajo difícil pero que produce mucha satisfacción si se supera. Acabar una maratón puede ser un reto. SINÓNIMO desafío. INGLÉS challenge.

retocar

verbo

1 Hacer pequeños cambios en una cosa que está casi acabada para dejarla de la mejor manera posible: *El dibujo está bien, pero retoca esta parte de aquí.* INGLÉS to touch up, to retouch.

NOTA Se escribe 'qu' delante de 'e', como: retoquen.

retomar

verbo

1 Continuar o volver con una cosa que se había interrumpido durante un tiempo, como, por ejemplo, los estudios. INGLÉS to return to.

retoque

nombre masculino

1 Corrección pequeña que se hace a algo que está casi acabado para que quede mejor. INGLÉS finishing touch.

retorcer

verbo

1 Torcer una cosa dándole vueltas. Se puede retorcer el brazo de una persona o un periódico. INGLÉS to twist.

NOTA Se conjuga como: cocer; la 'o' se convierte en 'ue' en sílaba acentuada y se escribe 'z' delante de 'a' y 'o', como: retuerza.

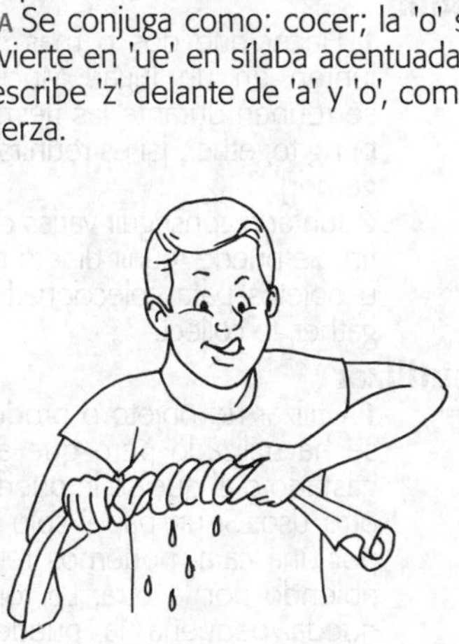

retorcer

retornar

verbo

1 Volver al lugar, a la situación o al estado en que se estaba antes. INGLÉS to return.

retorno

nombre masculino

1 Vuelta o regreso al punto de partida: *La ida hasta el puente fue rápida, pero el retorno a casa fue más lento.* INGLÉS return.

retortijón

nombre masculino

1 Dolor fuerte y breve que se siente en el vientre o en el estómago. Cuando una comida nos sienta mal tenemos retortijones. INGLÉS stomach cramp.

NOTA El plural es: retortijones.

retozar

verbo

1 Jugar dando saltos, corriendo y moviéndose con alegría. INGLÉS to frolic.

NOTA Se escribe 'c' delante de 'e', como: retoce.

retransmisión

nombre femenino

1 Acción de retransmitir una noticia o un espectáculo por radio o televisión: *Han hecho la retransmisión del programa en directo.* INGLÉS broadcast, transmission.

NOTA El plural es: retransmisiones.

retransmitir

verbo

1 Comentar o transmitir una información, un espectáculo, un partido o una competición por radio o televisión. INGLÉS to broadcast.

retrasado, retrasada

adjetivo y nombre

1 Se dice de la persona que tiene una capacidad mental que no alcanza el nivel considerado como normal. INGLÉS mentally retarded [adjetivo].

adjetivo

2 Se dice de la cosa o la persona que está más atrás de lo que deben. El tren va retrasado cuando no llega a la estación a su hora. INGLÉS late, delayed.

retrasar

verbo

1 Hacer que algo suceda más tarde de lo que estaba previsto o se esperaba: *Han retrasado el examen dos días.* SINÓNIMO atrasar. INGLÉS to postpone.

2 Dejar una cosa para hacerla más adelante: *Retrasamos las vacaciones porque mi madre tiene mucho trabajo.* INGLÉS to postpone.

3 retrasarse Llegar tarde a un lugar o una cita: *Quedamos a las ocho, no te retrases.* INGLÉS to be late.

4 retrasarse Avanzar a un ritmo más lento que los demás: *Se retrasó en matemáticas porque faltó a clase.* INGLÉS to get behind.

retraso

nombre masculino

1 Tiempo que pasa desde el momento que se creía que tenía que pasar algo o llegar alguien hasta que ocurre o llega realmente: *El avión llega con una hora de retraso.* INGLÉS delay.

2 Llegada o comienzo más tarde de la hora prevista: *El partido comenzará con retraso.* INGLÉS delay.

retratar

verbo

1 Hacer un dibujo, una pintura o una fotografía de una persona concreta: *Retrató a su tía montada a caballo.* INGLÉS to paint a portrait of [una pintura], to photograph [una foto].

retrato

nombre masculino

1 Dibujo, pintura o fotografía que representa a una persona concreta. INGLÉS portrait.

2 Descripción detallada de algo. Algunas novelas hacen retratos de la sociedad de una época determinada. INGLÉS depiction, portrayal.

ser el vivo retrato de alguien Parecerse mucho a alguien. Algunos hijos son el vivo retrato de sus padres. INGLÉS to be the spitting image of somebody.

retrete

nombre masculino

1 Recipiente que hay en el servicio donde las personas hacen sus necesidades. SINÓNIMO inodoro; váter. INGLÉS toilet, lavatory.

2 Habitación en la que se encuentra el retrete y otros elementos de aseo personal, como el lavabo. SINÓNIMO váter; servicio. INGLÉS toilet, lavatory.

retroceder

verbo

1 Volver hacia atrás en el espacio o en el tiempo: *Retrocedimos para evitar el incendio.* INGLÉS to go back, to move back.

retroceso

nombre masculino

1 Movimiento hacia atrás. Cuando dispara un cañón, puede verse el retroceso del arma. ANTÓNIMO avance. INGLÉS backward movement, [si es de un arma: recoil].

retrovisor

nombre masculino

1 Espejo pequeño que llevan algunos vehículos para que el conductor pueda ver lo que hay detrás sin tener que girar la cabeza. INGLÉS rear-view mirror.

retumbar

verbo

1 Sonar con eco o sonar muy fuerte. La música alta retumba en los altavoces. SINÓNIMO resonar. INGLÉS to resound.

2 Vibrar o moverse un objeto por efecto de las ondas de un sonido. Los truenos hacen retumbar los cristales. INGLÉS to shake.

reuma

nombre masculino

1 Enfermedad que provoca dolores en las articulaciones de los huesos y en los músculos, a veces con inflamación. El reuma afecta sobre todo a los tobillos, muñecas, rodillas y codos. INGLÉS rheumatism.

NOTA También se escribe y se pronuncia: reúma.

reúma

nombre masculino

1 Es otra forma de escribir y pronunciar: reuma.

reumatismo

nombre masculino

1 Reuma. INGLÉS rheumatism.

reunión

nombre femenino

1 Conjunto de personas reunidas para hacer algo: *En la reunión de vecinos se decidió cambiar el ascensor.* INGLÉS meeting.

NOTA El plural es: reuniones.

reunir

verbo

1 Hacer que dos o más personas se junten en un lugar. Muchas familias se reúnen durante las fiestas. INGLÉS to bring together, [si es reunirse: to get together].

2 Juntar o conseguir varias cosas con un fin. Se puede reunir dinero para gastarlo u objetos para coleccionarlos. INGLÉS to gather, to collect.

reutilizar

verbo

1 Utilizar un objeto o producto que ya se ha utilizado pero que aún no está gastado o al que se le puede encontrar otro uso. Si un papel solo está escrito por una cara, podemos reutilizarlo esribiendo por la otra. La ropa que nos queda pequeña la pueden reutilizar otras personas. INGLÉS to reuse.

revancha

nombre femenino

1 Acción con la que una persona quiere vengarse de un daño producido por otra persona. SINÓNIMO venganza. INGLÉS revenge.

2 Posibilidad que tiene el perdedor de una competición o prueba de ganar a quien le ha vencido antes: *Has ganado,* *pero quiero la revancha.* INGLÉS return game.

revelación
nombre femenino
1 Descubrimiento de algo que era secreto o no se conocía: *El entrevistado hizo algunas revelaciones.* INGLÉS revelation.
2 Persona o cosa que era poco conocida y de repente destaca porque es muy buena: *Esa actriz es una gran revelación.* INGLÉS revelation.
NOTA El plural es: revelaciones.

revelar
verbo
1 Dar a conocer o descubrir algo que era secreto o no se conocía: *El delincuente ha revelado dónde escondía las joyas.* INGLÉS to reveal.
2 Hacer que quede impresa en un papel la imagen fotográfica guardada en un carrete, una placa u otro dispositivo semejante. INGLÉS to develop.

reunir

INDICATIVO	SUBJUNTIVO
presente	**presente**
reúno	reúna
reúnes	reúnas
reúne	reúna
reunimos	reunamos
reunís	reunáis
reúnen	reúnan
pretérito imperfecto	**pretérito imperfecto**
reunía	reuniera o reuniese
reunías	reunieras o reunieses
reunía	reuniera o reuniese
reuníamos	reuniéramos o reuniésemos
reuníais	reunierais o reunieseis
reunían	reunieran o reuniesen
pretérito perfecto simple	**futuro**
reuní	reuniere
reuniste	reunieres
reunió	reuniere
reunimos	reuniéremos
reunisteis	reuniereis
reunieron	reunieren
futuro	**IMPERATIVO**
reuniré	reúne (tú)
reunirás	reúna (usted)
reunirá	reunamos (nosotros)
reuniremos	reunid (vosotros)
reuniréis	reúnan (ustedes)
reunirán	
condicional	**FORMAS NO PERSONALES**
reuniría	**infinitivo** reunir — **gerundio** reuniendo
reunirías	**participio** reunido
reuniría	
reuniríamos	
reuniríais	
reunirían	

reventar
verbo
1 Romper una cosa violentamente al hacer mucha presión desde dentro. El hielo puede reventar las cañerías del agua. INGLÉS to burst.

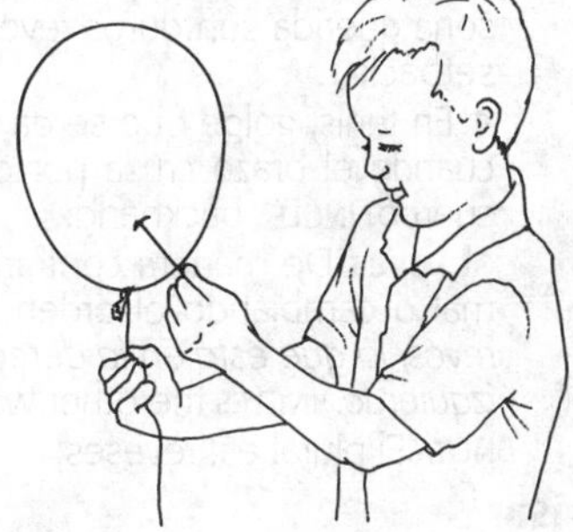
reventar

2 Expresar algo con mucha violencia por estar muy molesto y no poder aguantar: *Si no digo lo que pienso, reviento.* INGLÉS to explode.
3 Molestar mucho una persona o una cosa: *Me revientan la gente pesada.* SINÓNIMO jorobar. INGLÉS to annoy.
4 Estar una persona tan llena de comida que parece que va a estallar. INGLÉS to explode.
NOTA Se conjuga como: acertar; la 'e' se convierte en 'ie' en sílaba acentuada, como: revienta.

reverencia
nombre femenino
1 Inclinación hacia delante que se hace con la parte superior del cuerpo en señal de respeto. INGLÉS bow.

reverendo, reverenda
adjetivo y nombre
1 Se utiliza como forma de tratamiento de sacerdotes y personas que pertenecen a una orden religiosa. INGLÉS reverend.

reverso
nombre masculino
1 Cara posterior o parte opuesta de la que se considera principal de una cosa. El reverso de una moneda es la cruz. SINÓNIMO revés; dorso. ANTÓNIMO cara; anverso. INGLÉS reverse, back. DIBUJO página 100.

revés
nombre masculino
1 Parte opuesta a la que se considera principal de una cosa, como una tela o una hoja: *Mírate en el espejo,*

a b c d e f g h i j k l m n ñ o p q r s t u v w x y z

llevas la camisa al revés. ANTÓNIMO derecho. INGLÉS back.

2 Golpe que se da a alguien con la parte de la mano opuesta a la palma. SINÓNIMO bofetón; tortazo. INGLÉS slap.

3 Desgracia grande e inesperada. Quedarse sin trabajo o perder a una persona querida son duros reveses. INGLÉS setback.

4 En tenis, golpe que se da a la pelota cuando el brazo cruza por delante del cuerpo. INGLÉS backhand.

al revés De manera contraria a la normal o cambiando el orden: *Así no, al revés, lo que está en la derecha va a la izquierda.* INGLÉS the other way round.

NOTA El plural es: reveses.

revisar

verbo

1 Examinar una cosa con mucha atención y cuidado para asegurarse de que está bien, no le falta nada y no tiene ningún fallo. Un examen se revisa antes de entregarlo para ver si todo parece correcto. INGLÉS to check.

revisión

nombre femenino

1 Examen que se hace de una cosa para asegurarse de que está bien, no le falta nada y no tiene ningún fallo. INGLÉS check.

NOTA El plural es: revisiones.

revisor, revisora

nombre

1 Persona que trabaja revisando cosas, en especial la que comprueba que la gente viaja con billete en un transporte público. INGLÉS ticket inspector.

revista

nombre femenino

1 Publicación de información general o especializada, en general con fotografías, que aparece de forma periódica. Hay revistas de moda, de informática y de otras cosas. INGLÉS magazine.

2 Inspección que hace un jefe de las personas que están bajo su mando o autoridad. Los generales pasan revista a sus tropas. INGLÉS inspection.

revistero

nombre masculino

1 Mueble pequeño que sirve para guardar revistas y periódicos. INGLÉS magazine rack.

revivir

verbo

1 Volver a vivir o volver a tener fuerzas y energía para vivir. Las plantas marchitas reviven si se riegan y se cuidan bien. INGLÉS to revive.

revolcarse

verbo

1 Echarse una persona o un animal sobre una superficie y dar vueltas sobre ella. A muchos niños les gusta revolcarse en la playa. INGLÉS to roll around.

NOTA Se conjuga como: volcar; la 'o' se convierte en 'ue' en sílaba acentuada y se escribe 'qu' delante de 'e', como: revuelque o revuelco.

revolotear

verbo

1 Volar un pájaro o una mariposa dando vueltas alrededor de una cosa o en poco espacio. INGLÉS to flutter.

revoltijo

nombre masculino

1 Conjunto de cosas mezcladas y desordenadas. Cuando amontonamos ropa sin orden, se forma un revoltijo. SINÓNIMO lío. INGLÉS mess, jumble.

revoltoso, revoltosa

adjetivo

1 Que nunca está quieto y siempre está haciendo travesuras. SINÓNIMO travieso. INGLÉS naughty.

revolución

nombre femenino

1 Cambio enorme en las instituciones políticas de un país. En las revoluciones, el pueblo se levanta contra el gobierno y lo cambia, normalmente de forma violenta. INGLÉS revolution.

2 Cambio rápido y profundo en la política, la sociedad, la economía o en otro ámbito cualquiera. Los ordenadores supusieron una verdadera revolución. INGLÉS revolution.

3 Cada movimiento que realiza un cuerpo al girar alrededor de un eje. Las revoluciones por minuto de una batidora son el número de vueltas que da la cuchilla en un minuto. INGLÉS revolution.

NOTA El plural es: revoluciones.

revolucionar

verbo

1 Provocar desorden o agitación o acabar con la tranquilidad: *No revoluciones al niño, que tiene que dormir.* INGLÉS to get excited.

2 Provocar un fuerte cambio en un estado de cosas, especialmente en la política de un país o en las costumbres de una sociedad. La invención del avión revolucionó el mundo de los transportes. INGLÉS to revolutionize.

revolucionario, revolucionaria

adjetivo **1** De la revolución o que tiene relación con ella. INGLÉS revolutionary.

2 Se dice de la cosa que representa un cambio radical o profundo o una novedad importante. La electricidad fue un descubrimiento revolucionario. INGLÉS revolutionary.

revolver

verbo **1** Mover una o varias cosas de un lado a otro o dando vueltas: *El viento me revolvió el cabello.* INGLÉS to toss about.

2 Mover algunas cosas y dejarlas desordenadas. Cuando se busca algo en un cajón y no se encuentra, se revuelve todo. INGLÉS to turn upside down.

3 revolverse Darse la vuelta con rapidez hacia una persona o un animal para enfrentarse a él: *El gato se revolvió y lo arañó.* INGLÉS to turn around.

NOTA Se conjuga como: mover; la 'o' se convierte en 'ue' en sílaba acentuada, como: revuelvo.

revólver

nombre masculino **1** Arma de fuego pequeña que se sujeta y se dispara con una sola mano. Tiene un cilindro en el que se colocan las balas y que gira a cada disparo. En las películas del oeste usan revólveres. INGLÉS revolver.

revuelo

nombre masculino **1** Desorden y ruido de personas ante una situación especial. Cuando un famoso visita un lugar, se produce un gran revuelo. INGLÉS commotion, stir.

revuelta

nombre femenino **1** Movimiento violento de personas que protestan contra alguien o contra algo: *Hay una revuelta en la capital contra el presidente.* INGLÉS revolt.

revuelto, revuelta

participio **1** Participio irregular de: revolver. También se usa como adjetivo: *¿Quién ha revuelto mis papeles? Encontró la habitación revuelta.*

adjetivo **2** Se dice del tiempo que cambia constantemente, con tendencia a ser malo. INGLÉS unsettled.

nombre masculino **3** Plato que se hace friendo una mezcla de huevos batidos. INGLÉS scrambled eggs.

revulsivo, revulsiva

adjetivo y nombre masculino **1** Que produce un cambio importante, generalmente favorable. Una recompensa es un buen revulsivo para que una persona cumpla una obligación que ya tenía. INGLÉS stimulus.

rey, reina

nombre **1** Persona que gobierna en algunos países. El título de rey se hereda y dura toda la vida. INGLÉS king [hombre], queen [mujer].

2 Persona, animal o cosa que destaca entre los demás de su especie: *Con ese vestido vas a ser la reina de la noche.* INGLÉS king.

3 Pieza del ajedrez. El rey es la pieza principal a la que el resto deben defender y la reina es la pieza esencial para atacar o defender. INGLÉS king.

4 Carta de la baraja con la figura de una persona con corona. En la baraja española hay reyes pero no reinas y en la francesa hay reyes y reinas. INGLÉS king.

NOTA El plural de rey es: reyes.

rezar

verbo **1** Decir oraciones dirigiéndose a Dios, a una divinidad o a un santo. SINÓNIMO orar. INGLÉS to pray.

NOTA Se escribe 'c' delante de 'e', como: rece.

rezo

nombre masculino **1** Conjunto de palabras y frases que se dirigen a Dios, a una divinidad o a un santo al rezar. SINÓNIMO oración. INGLÉS prayer.

ría

nombre femenino **1** Desembocadura de un río donde se mezclan el agua dulce y la salada. INGLÉS ria.

riachuelo

nombre masculino **1** Río pequeño que lleva poca agua. INGLÉS brook, stream.

riada

nombre femenino **1** Crecida muy grande del caudal de un río o de un arroyo que provoca inundaciones. Las lluvias torrenciales suelen provocar riadas, a veces, incontrolables. INGLÉS flood.

ribazo

nombre masculino **1** Porción de terreno con una pendiente muy pronunciada que une dos zonas con distintos niveles, como las que hay en el borde de algunas carreteras o en las orillas de algunos ríos. INGLÉS bank.

ribera

nombre femenino **1** Orilla del mar o de un río. SINÓNIMO margen. INGLÉS shore [del mar, de un lago], bank [de un río].

2 Tierra que está cerca de un río o que se riega con agua del río. INGLÉS riverside.

ribete

nombre masculino **1** Cinta estrecha con que se refuerza o adorna el borde de una prenda de vestir. INGLÉS edging.

nombre masculino plural **2 ribetes** Indicios o señales de una característica: *La novela tiene ribetes de ciencia ficción.* INGLÉS border, trimming, edging.

rico, rica

adjetivo y nombre **1** Se dice de la persona que tiene mucho dinero o propiedades. ANTÓNIMO pobre. INGLÉS rich [adjetivo].

adjetivo **2** Que tiene gran cantidad de una cosa. La leche es rica en calcio. Una persona con un vocabulario rico emplea muchas palabras. INGLÉS rich.

3 Se dice de la comida que tiene buen sabor. SINÓNIMO bueno. INGLÉS delicious.

4 Se dice del niño pequeño guapo o simpático: *Tienen una niña muy rica.* INGLÉS adorable.

ridiculizar

verbo **1** Poner a una persona en una situación ridícula para que los demás se rían de ella. Algunas caricaturas ridiculizan a los famosos. INGLÉS to ridicule.

ridículo, ridícula

adjetivo **1** Que provoca la risa, la burla o el desprecio porque es muy raro, muy feo o extraño: *Con esa ropa resulta ridículo.* INGLÉS ridiculous.

2 Que es demasiado pequeño o demasiado poco. Si se reparte un pastel normal entre veinte personas, a cada uno le toca una cantidad ridícula. INGLÉS ridiculous.

nombre masculino **3** Situación de la que otra persona se puede reír o burlar: *Quería presumir, pero hizo el ridículo.*

riego

nombre masculino **1** Operación que consiste en echar agua a la tierra de cultivo o a una planta para que se alimente y crezca. INGLÉS irrigation, [si es de un jardín o de una maceta: watering].

rienda

nombre femenino **1** Correa que se sujeta junto a la boca del caballo u otro animal y sirve para guiarlo. El jinete debe tirar con fuerza de las riendas para que el caballo se detenga. INGLÉS rein.

nombre femenino plural **2 riendas** Gobierno o dirección de un negocio, empresa u otro asunto. El encargado lleva las riendas del negocio cuando no está el jefe. INGLÉS reins, control.

riesgo

nombre masculino **1** Posibilidad de que se produzca un daño o peligro. Cuando llueve mucho hay riesgo de inundaciones. INGLÉS risk.

rifa

nombre femenino **1** Juego en el que se reparten o venden papeletas con números y después se escoge un número por sorteo. La persona con el número premiado recibe un premio. SINÓNIMO sorteo. INGLÉS raffle.

rifar

verbo **1** Sortear una cosa entre varias personas repartiendo o vendiendo papeletas con números y escogiendo uno al azar. INGLÉS to raffle.

rifle

nombre masculino **1** Arma de fuego con culata para apoyar en el hombro y cañón largo. Se caracteriza por tener rayas en el interior del cañón. INGLÉS rifle.

rígido, rígida

adjetivo **1** Que no se puede torcer o doblar o es muy difícil conseguirlo. Los objetos de hierro son rígidos. SINÓNIMO duro; tieso. ANTÓNIMO flexible. INGLÉS rigid.

2 Que no admite cambios y hace las cosas según unas ideas u obligaciones. La disciplina militar es muy rígida. INGLÉS rigid, strict.

rigor

nombre masculino **1** Dureza excesiva con la que una persona trata a otra que está bajo su autoridad. Se juzga con rigor a alguien cuando no se consiente que cometa errores. SINÓNIMO severidad. INGLÉS strictness.

2 Exactitud o precisión al examinar o estudiar una cosa o al explicar los detalles de algo. Hacer un cálculo con rigor es hacerlo comprobando la exactitud de cada dato. **INGLÉS** precision, exactness.

riguroso, rigurosa
adjetivo
1 Se dice del castigo que es estricto y se aplica sin compasión. **INGLÉS** severe.
2 Que se hace con gran exactitud y precisión. Una explicación rigurosa se hace con todos los detalles. **INGLÉS** rigorous.

rima
nombre femenino
1 Igualdad de sonido en la terminación de dos o más palabras. La rima de la poesía y las canciones sirve para darles ritmo. **INGLÉS** rhyme.

rimar
verbo
1 Tener una palabra o verso un sonido final igual o parecido a otra palabra o verso. Las palabras 'prisa' y 'risa' riman. **INGLÉS** to rhyme.

rímel
nombre masculino
1 Cosmético que sirve para resaltar las pestañas. El rímel es una crema espesa que se aplica a las pestañas con un pequeño cepillo. **INGLÉS** mascara.

rincón
nombre masculino
1 Parte interior del ángulo que forman dos paredes al juntarse. **INGLÉS** corner.
NOTA El plural es: rincones.

ring
nombre masculino
1 Espacio cuadrado limitado por tres filas de cuerdas en el que se celebran combates de boxeo o lucha. **SINÓNIMO** cuadrilátero. **INGLÉS** ring.
NOTA El plural es: rings.

rinoceronte
nombre masculino
1 Mamífero de gran tamaño y peso, cuatro patas cortas y piel dura y sin pelos, que tiene uno o dos cuernos muy gruesos sobre el hocico. Vive en África y Asia y está en peligro de extinción. **INGLÉS** rhinoceros.

riña
nombre femenino
1 Pelea o discusión violenta entre dos personas. **INGLÉS** fight, quarrel.

riñón
nombre masculino
1 Cada uno de los dos órganos del cuerpo que producen la orina y purifican la sangre. Los riñones forman parte del aparato excretor. **INGLÉS** kidney.
nombre masculino plural
2 riñones Zona del cuerpo humano situada en la parte baja de la espalda: *No lleves tanto peso en la espalda o te dolerán los riñones.* **INGLÉS** kidneys.

riñonera
nombre femenino
1 Bolsa que se lleva atada a la cintura y sirve para llevar las llaves, el dinero y cosas pequeñas. **INGLÉS** bum bag.

río
nombre masculino
1 Corriente continua de agua que va a parar al mar, a un lago o a otra corriente de agua. El río Amazonas es el más largo del mundo. **INGLÉS** river.

riojano, riojana
adjetivo y nombre
1 Se dice de la persona o cosa que es de La Rioja.

ripio
nombre masculino
1 Palabra o conjunto de palabras que se emplean para completar un verso o lograr una rima, pero que son innecesarias y suenan mal en el conjunto. **INGLÉS** padding.

riqueza
nombre femenino
1 Abundancia de dinero, de bienes económicos o de recursos naturales: *La zona tiene gran riqueza de minerales.* **INGLÉS** wealth.
2 Abundancia de una cualidad positiva: *Es un cuadro de gran riqueza artística.* **ANTÓNIMO** escasez. **INGLÉS** richness.

risa
nombre femenino
1 Sonido que hace una persona cuando se ríe. **INGLÉS** laugh.

risueño, risueña
adjetivo
1 Que muestra en su cara una expresión de sonrisa o de alegría. Las personas de carácter alegre suelen ser risueñas. **INGLÉS** smiling, cheerful.

rítmico, rítmica
adjetivo
1 Del ritmo o relacionado con él. **INGLÉS** rhythmic.
2 Que tiene ritmo. La música que se hace con tambores es rítmica. **INGLÉS** rhythmic.

ritmo
nombre masculino
1 Orden que tienen los sonidos en la música o en la poesía que provoca una sensación de repetición y de mayor o menor velocidad. **INGLÉS** rhythm.
2 Velocidad a la que se realiza o se produce una cosa, en especial si se repite. El ritmo normal de los latidos del corazón es de 60 a 80 pulsaciones por minuto. **INGLÉS** rate.

a b c d e f g h i j k l m n ñ o p q r s t u v w x y z

rito
nombre masculino
1 Ceremonia que tiene unas reglas fijas. Las bodas religiosas suelen celebrarse siguiendo un rito determinado. **INGLÉS** rite.

rival
nombre masculino y femenino
1 Persona que compite contra otra o que se opone a otra para conseguir lo mismo que ella. Son rivales dos equipos que se enfrentan en un partido. **INGLÉS** rival.

rivalidad
nombre femenino
1 Relación que hay entre dos personas o grupos que compiten para conseguir la misma cosa. Hay una gran rivalidad entre los equipos que aspiran a ganar un campeonato. **INGLÉS** rivalry.

rizar
verbo
1 Hacer rizos en el pelo. La humedad riza el cabello. **ANTÓNIMO** alisar. **INGLÉS** to curl.
NOTA Se escribe 'c' delante de 'e', como: rices.

rizo
nombre masculino
1 Conjunto de pelos que tienen forma de espiral. Los rulos se utilizan para hacer rizos. **SINÓNIMO** onda. **INGLÉS** curl.

robar
verbo
1 Coger una persona una cosa que no le pertenece para quedársela. Se puede robar usando la violencia, amenazas, el engaño o sin que se note. **INGLÉS** to rob [una persona, un sitio], to steal [una cosa].
2 Quitar algo no material, como el tiempo o el alma: *Le tiene robado el corazón.* **INGLÉS** to steal.
3 Coger una carta de la baraja o una ficha de un montón que se ha dejado sin repartir para poder seguir jugando. Se roba en el juego del dominó y en juegos de cartas. **INGLÉS** to draw.

roble
nombre masculino
1 Árbol de tronco alto y fuerte, hojas caducas con el borde en forma de sierra y copa redondeada. Su fruto es un tipo de bellota. **INGLÉS** oak tree.

robledal
nombre masculino
1 Terreno con muchos robles. **INGLÉS** oak wood.

robo
nombre masculino
1 Acción que se realiza cuando una persona coge una cosa que no le pertenece y se queda con ella. El robo es un delito. **INGLÉS** robbery.
2 Precio excesivamente alto de una cosa. **INGLÉS** rip-off.

robot
nombre masculino
1 Máquina automática que puede realizar acciones de manera autónoma y sustituir a un ser humano en ciertas tareas, en especial las que son pesadas, repetitivas o peligrosas. **SINÓNIMO** autómata. **INGLÉS** robot.
2 Persona que hace las cosas mecánicamente, sin pensarlas, o que se deja dirigir por los demás. **SINÓNIMO** autómata. **INGLÉS** robot.
robot de cocina Electrodoméstico de cocina que puede realizar varias tareas, como pelar, amasar, triturar, batir, montar, picar y licuar. **INGLÉS** food processor.
NOTA El plural es: robots.

robusto, robusta
adjetivo
1 Se dice de la persona que tiene el cuerpo y los miembros fuertes y muy desarrollados. Los deportistas suelen ser robustos. **SINÓNIMO** duro. **ANTÓNIMO** débil. **INGLÉS** well-built.

roca
nombre femenino
1 Material duro y sólido formado por la unión de varios minerales que se encuentra en la superficie de la Tierra. **INGLÉS** rock.
2 Bloque grande de este material que se puede encontrar en la tierra y en el mar. Los pescadores se sientan al atardecer en las rocas para pescar. **SINÓNIMO** piedra. **INGLÉS** rock.

roce
nombre masculino
1 Contacto entre dos cosas o personas que se rozan. Los cuellos de las camisas se desgastan por el roce con la piel. **INGLÉS** rubbing.
2 Marca o señal que produce el contacto frecuente de una cosa con otra. Unos zapatos muy usados están llenos de roces. **INGLÉS** scuff mark, graze.
3 Trato frecuente y continuo entre dos personas. Las personas se conocen mejor con el roce. **SINÓNIMO** relación. **INGLÉS** contact.
4 Discusión de poca importancia entre dos personas: *No fue una pelea, fue solo un roce.* **INGLÉS** brush.

rociar
verbo
1 Echar sobre algo un líquido en forma de gotas pequeñas: *Esa plancha rocía agua sobre la ropa.* **INGLÉS** to spray.
NOTA Se conjuga como: desviar; la 'i' se acentúa en algunos tiempos y personas, como: rocíe.

rocío
nombre masculino
1 Conjunto de gotas de agua muy pequeñas que aparecen sobre las plantas o la tierra cuando hace frío por la noche. **INGLÉS** dew.

rock
nombre masculino
1 Tipo de música moderna de ritmo muy vivo. Suele tocarse con instrumentos eléctricos como guitarras, bajos, baterías y teclados. **INGLÉS** rock.
NOTA Se pronuncia: 'roc'.

rocoso, rocosa
adjetivo
1 Se dice del lugar que está lleno de rocas: *Es una costa rocosa que forma impresionantes acantilados.* **INGLÉS** rocky.

rodaballo
nombre masculino
1 Pez marino comestible con el cuerpo plano y redondeado, de color marrón verdoso por la parte superior y blanco por la inferior. **INGLÉS** turbot.

rodaja
nombre femenino
1 Trozo de forma redondeada que se saca de un alimento de forma alargada y circular. El chorizo y la merluza pueden cortarse en rodajas. **INGLÉS** slice.

rodaje
nombre masculino
1 Grabación de una película de cine o una serie de televisión. **INGLÉS** filming, shooting.
2 Período en el que se encuentra un vehículo nuevo en el que se controla el correcto funcionamiento del motor. También se llama rodaje el período en que se aprende a dominar una actividad o profesión: *Le falta rodaje para controlar totalmente la máquina.* **INGLÉS** running-in.

rodar
verbo
1 Dar una cosa vueltas sobre sí misma, como hace una pelota, un bote o una moneda que cae. **INGLÉS** to roll.
2 Grabar imágenes para hacer una película o una serie de televisión. Los directores de cine ruedan en exteriores y en decorados interiores. **INGLÉS** to film, to shoot.
3 Ir una persona o cosa de un lado hacia otro sin estar mucho tiempo en ningún sitio: *Ese juguete rueda por toda la casa, guárdalo.* **INGLÉS** to roll.
NOTA Se conjuga como: contar; la 'o' se convierte en 'ue' en sílaba acentuada, como: ruedo.

rodear
verbo
1 Estar o poner algo alrededor de una persona o cosa. Cuando abrazamos a alguien, lo rodeamos con nuestros brazos. **SINÓNIMO** cercar. **INGLÉS** to surround, to encircle.

rodeo
nombre masculino
1 Recorrido más largo de lo normal que se hace para llegar a algún sitio. Si una carretera está cerrada por la nieve es posible que tengamos que dar un rodeo. **SINÓNIMO** vuelta. **INGLÉS** detour.
2 Manera de decir algo que no es clara ni directa. Si una persona habla con rodeos, habla de otras cosas antes de decir lo que realmente quiere. **INGLÉS** evasiveness.
3 En algunos países de América, espectáculo que consiste en montar caballos y toros salvajes para dormarlos. **INGLÉS** rodeo.

rodilla
nombre femenino
1 Parte de la pierna por donde se dobla. La rodilla es una articulación. También se llama rodilla la parte delantera de esa zona. **INGLÉS** knee.

rodillera
nombre femenino
1 Pieza de tela cosida o pegada en la parte de la rodilla de algunos pantalones como adorno o refuerzo. **INGLÉS** knee patch.
2 Protección que se pone en una rodilla una persona, principalmente un deportista. **INGLÉS** knee pad.

rodillo
nombre masculino
1 Instrumento de cocina cilíndrico que se utiliza para aplastar una masa. Tiene forma alargada y redonda y un mango a cada lado. **INGLÉS** rolling pin.

roedor, roedora
nombre masculino y adjetivo
1 Animal mamífero de pequeño tamaño con dos dientes largos en la mandíbula superior que utiliza para roer los alimentos. El ratón y la ardilla son roedores. **INGLÉS** rodent.

a b c d e f g h i j k l m n ñ o p q r s t u v w x y z

roer
verbo
1 Cortar con los dientes una cosa en trozos muy pequeños. Los ratones roen su comida. INGLÉS to gnaw.
2 Quitar la carne que queda alrededor de un hueso usando los dientes. INGLÉS to gnaw at.

roer

INDICATIVO	SUBJUNTIVO
presente	**presente**
roo o roigo o royo	roa o roiga o roya
roes	roas o roigas o royas
roe	roa o roiga o roya
roemos	roamos o roigamos o royamos
roéis	roáis o roigáis o royáis
roen	roan o roigan o royan
pretérito imperfecto	**pretérito imperfecto**
roía	royera o royese
roías	royeras o royeses
roía	royera o royese
roíamos	royéramos o royésemos
roíais	royerais o royeseis
roían	royeran o royesen
pretérito perfecto simple	**futuro**
roí	royere
roíste	royeres
royó	royere
roímos	royéremos
roísteis	royereis
royeron	royeren
futuro	**IMPERATIVO**
roeré	roe (tú)
roerás	roa o roiga o roya (usted)
roerá	roamos o roigamos o royamos (nosotros)
roeremos	roed (vosotros)
roeréis	roan o roigan o royan (ustedes)
roerán	
condicional	**FORMAS NO PERSONALES**
roería	**infinitivo** roer
roerías	**gerundio** royendo
roería	**participio** roído
roeríamos	
roeríais	
roerían	

rogar
verbo
1 Pedir una cosa como un gran favor: *Me rogó que no lo contara.* INGLÉS to beg, to implore.
NOTA Se conjuga como: colgar; la 'o' se convierte en 'ue' en sílaba acentuada y se escribe 'gu' delante de 'e', como: ruego o roguemos.

rojizo, rojiza
adjetivo
1 De color parecido al rojo o con un tono rojo. Algunas personas tienen el pelo castaño rojizo. INGLÉS reddish.

rojo, roja
nombre masculino y adjetivo
1 Color como el de la sangre, los tomates maduros o las fresas. INGLÉS red.
adjetivo y nombre
2 Que tiene ideas políticas revolucionarias o de izquierdas, especialmente comunistas. INGLÉS red.
al rojo vivo De color rojo fuerte por el calor o el fuego. INGLÉS red hot.
al rojo vivo En estado de gran excitación, emoción o enfado: *La discusión se puso al rojo vivo cuando empezaron a gritarse.* INGLÉS at boiling point.

rollizo, rolliza
adjetivo
1 Que es un poco gordo y está fuerte. INGLÉS plump, chubby.

rollo
nombre masculino
1 Cilindro formado por un material, como papel, alambre o tela, que está doblado una o más veces sobre sí mismo. El papel higiénico y el de cocina se venden en rollos. INGLÉS roll.
2 Persona o cosa que es muy aburrida o pesada. Una película muy mala y larga es un rollo. Es un uso familiar. SINÓNIMO lata, tostón. INGLÉS bore.

romance
nombre masculino
1 Relación amorosa corta y apasionada entre dos personas que no están casadas entre sí. INGLÉS romance.
2 Poema popular en que los versos pares riman y los impares, no. INGLÉS romance.
adjetivo
3 Se dice de las lenguas que tienen su origen en el latín. El español, el catalán y el gallego son lenguas romances. SINÓNIMO románico. INGLÉS Romance.

románico, románica
adjetivo y nombre masculino
1 Se dice del estilo artístico que se desarrolló en Europa entre los siglos X y XIII. Se caracterizó por la construcción de iglesias sencillas y el arco de medio punto. INGLÉS Romanesque.
adjetivo
2 Se dice de las lenguas que derivan del latín, como el francés y el portugués. SINÓNIMO romance. INGLÉS Romance.

romanización
nombre femenino
1 Proceso de difusión y de adopción de las costumbres, la cultura y las leyes del Imperio romano, y principalmente de su lengua, el latín. INGLÉS Romanization.

romano, romana
adjetivo y nombre
1 Se dice de la persona o cosa que per-

tenecía a un antiguo imperio que tenía su capital en Roma. **INGLÉS** Roman.

2 Se dice de la persona o cosa que es de Roma, capital de Italia. **INGLÉS** Roman.

romántico, romántica

adjetivo y nombre **1** Que le da mucha importancia a los sentimientos y a las pasiones, en especial al amor. Las personas románticas se suelen enamorar con facilidad. **INGLÉS** romantic.

adjetivo **2** Se dice de la situación o la acción que provocan o expresan amor. Mucha gente llora con las películas románticas. **INGLÉS** romantic.

rombo

nombre masculino **1** Figura geométrica que tiene cuatro lados iguales y cuatro ángulos iguales dos a dos. **INGLÉS** rhombus.

romería

nombre femenino **1** Viaje que hacen varias personas a una iglesia o lugar sagrado por fe y devoción. **INGLÉS** pilgrimage.

2 Fiesta popular que se hace junto a una ermita o un lugar sagrado el día de la festividad del santo o santa de ese lugar. **INGLÉS** procession.

romero

nombre masculino **1** Arbusto muy oloroso que se utiliza para hacer perfumes, medicinas y como condimento de las comidas. **INGLÉS** rosemary.

rompecabezas

nombre masculino **1** Juego compuesto por pequeñas piezas que componen una figura y que consiste en reconstruir la figura juntando las piezas. **SINÓNIMO** puzzle. **INGLÉS** jigsaw puzzle.

2 Frase o pregunta difícil que una persona tiene que resolver con ayuda de algunas pistas. En las revistas de pasatiempos suele haber rompecabezas. **SINÓNIMO** adivinanza. **INGLÉS** puzzle.

NOTA El plural es: rompecabezas.

rompeolas

nombre masculino **1** Muro que protege un puerto o una bahía de las olas del mar. **INGLÉS** breakwater.

NOTA El plural es: rompeolas.

romper

verbo **1** Hacer trozos una cosa o separarla en partes estirándola o dándole golpes. El cristal se rompe fácilmente: *Se ha roto el muñeco.* **INGLÉS** to break.

2 Hacer que algo no funcione. Cuando se rompe el ordenador no podemos utilizarlo. **INGLÉS** to break, [si es romperse: to break down].

3 No cumplir un compromiso o una promesa: *Han roto el acuerdo que tenían.* **INGLÉS** to break.

4 Interrumpir la continuidad de algo: *Un gran ruido rompió el silencio.* **INGLÉS** to break.

romper a Empezar a hacer lo que se indica: *El niño rompió a llorar.* **INGLÉS** to burst out.

romper con Dejar de tener relación con una persona: *Ha roto con su novio.* **INGLÉS** to split up with.

NOTA El participio es: roto.

ron

nombre masculino **1** Bebida alcohólica fuerte de color transparente o marrón que se obtiene de la caña de azúcar. **INGLÉS** rum.

roncar

verbo **1** Hacer un ruido áspero y grave al respirar cuando se está durmiendo. **INGLÉS** to snore.

NOTA Se escribe 'qu' delante de 'e', como: ronquen.

ronco, ronca

adjetivo **1** Se dice de la voz o el sonido que es muy grave y muy bajo. **INGLÉS** hoarse.

2 Se dice de la persona que habla con una voz grave y áspera porque tiene la garganta irritada: *Se quedó ronco de gritar.* **SINÓNIMO** afónico. **INGLÉS** hoarse.

ronda

nombre femenino **1** Recorrido que hace una persona para vigilar un lugar. La policía hace rondas nocturnas en las ciudades. **INGLÉS** round.

2 Conjunto de alimentos o bebidas que se distribuyen de una vez entre varias personas reunidas. **INGLÉS** round.

rompeolas

a b c d e f g h i j k l m n ñ o p q r s t u v w x y z

3 Paseo o calle ancha que rodea una población. En las grandes ciudades se construyen rondas para regular el tráfico. INGLÉS ringroad.

rondar

verbo

1 Andar por un lugar para vigilarlo. INGLÉS to patrol.

2 Andar de noche por las calles, en especial cantando con otras personas. INGLÉS to wander.

3 Estar a punto de atacar a una persona algo como el hambre, el sueño o una enfermedad.

ronquera

nombre femenino

1 Irritación de la garganta que hace que la voz se vuelva más grave y áspera. INGLÉS hoarseness.

ronquido

nombre masculino

1 Ruido ronco, áspero y grave que se hace al respirar cuando se duerme. INGLÉS snore.

ronronear

verbo

1 Emitir un gato sonidos graves y suaves cuando está a gusto. INGLÉS to purr.

roña

nombre femenino

1 Suciedad que está muy pegada a una superficie. Es un uso informal. SINÓNIMO mugre. INGLÉS filth, dirt.

adjetivo y nombre masculino y femenino

2 Se dice de la persona a la que no le gusta gastar dinero y no suele invitar a los demás. Es un uso informal. SINÓNIMO roñica. INGLÉS stingy [adjetivo], skinflint [nombre].

roñica

adjetivo y nombre masculino y femenino

1 Se dice de la persona a la que no le gusta gastar dinero o dejar sus cosas. Las personas roñicas no suelen invitar a los demás. SINÓNIMO avaro; roñoso; tacaño. INGLÉS stingy [adjetivo], skinflint [nombre].

NOTA Es una palabra informal.

roñoso, roñosa

adjetivo

1 Que está cubierto de suciedad: *Tenía las manos roñosas de haber jugado en la calle.* Es un uso informal. SINÓNIMO sucio. ANTÓNIMO limpio. INGLÉS filthy, dirty.

2 Se dice de la persona a la que no le gusta gastar dinero o dar cosas. Es un uso informal. SINÓNIMO avaro; roñica; tacaño. INGLÉS stingy [adjetivo], skinflint [nombre].

ropa

nombre femenino

1 Conjunto de prendas de vestir que usamos para vestirnos o para cubrir muebles y ventanas. INGLÉS clothing, clothes.

ropa blanca Ropa que se usa para las cosas de la casa, como las cortinas, los manteles o las sábanas. INGLÉS linen.

ropa interior Ropa que se coloca encima de la piel y debajo de otras prendas de vestir, como los calzoncillos o las bragas. INGLÉS underwear.

ropaje

nombre masculino

1 Conjunto de la ropa que una persona lleva puesta. Indica normalmente ropa lujosa o para una ocasión especial. INGLÉS robes.

ropero

nombre masculino

1 Armario o habitación donde se guarda la ropa. INGLÉS wardrobe.

roque

adjetivo

1 Dormido: *Se quedó roque en el sofá viendo la tele.* SINÓNIMO frito. INGLÉS fast asleep.

NOTA Es una palabra informal.

rosa

nombre femenino

1 Flor de grandes pétalos de colores vivos que tiene espinas en el tallo y normalmente desprende muy buen olor. INGLÉS rose.

nombre masculino y adjetivo

2 Color como el de un chicle de fresa. La mezcla de rojo y blanco da rosa. INGLÉS pink.

rosáceo, rosácea

adjetivo

1 De color parecido al rosa o con un tono rosa. INGLÉS pinkish.

rosado, rosada

adjetivo

1 De color rosa o con un tono rosa. El jamón de York es rosado. INGLÉS rosy, pink.

2 Se dice del vino de color rojo claro. INGLÉS rosé.

rosal

nombre masculino

1 Arbusto que da la rosa. INGLÉS rosebush.

rosaleda

nombre femenino

1 Terreno en el que se cultivan rosales. INGLÉS rose garden.

rosario

nombre masculino

1 Conjunto de oraciones dedicadas a la Virgen que recuerdan los sucesos más importantes de su vida. INGLÉS rosary.

2 Cadena de piezas separadas en grupos de diez que se usa para rezar el rosario. INGLÉS rosary.

rosca

nombre femenino **1** Objeto que tiene forma de aro con un agujero en medio. En muchas panaderías fabrican roscas de pan. INGLÉS ring.

2 Raya de los tornillos u otras piezas que sirve para que se puedan meter dentro de otras piezas dándoles vueltas. Hay botellas con tapón de rosca. INGLÉS thread.

hacer la rosca Alabar a una persona para conseguir algo de ella. INGLÉS to suck up.

rosco

nombre masculino **1** Bollo o pan pequeño que tiene forma redonda con un agujero en el centro. INGLÉS ring-shaped bread roll.

roscón

nombre masculino **1** Bollo grande de forma redonda y con un agujero en el medio. El día de Reyes se suele comer un roscón que tiene una sorpresa dentro. INGLÉS ring-shaped bun.

NOTA El plural es: roscones.

rosetón

nombre masculino **1** Ventana redonda con cristales de colores que forman dibujos. Las catedrales suelen tener rosetones en las fachadas. INGLÉS rose window.

NOTA El plural es: rosetones.

rosquilla

nombre femenino **1** Dulce pequeño que tiene forma redonda y un agujero en medio. INGLÉS doughnut.

rostro

nombre masculino **1** Cara de una persona. INGLÉS face.

2 Falta de vergüenza de una persona: *¡Qué rostro!, coge las cosas sin pedirlas.* Es un uso informal. SINÓNIMO cara. INGLÉS cheek.

rotación

nombre femenino **1** Movimiento de un cuerpo alrededor de su eje o centro. La rotación de la Tierra sobre sí misma dura un día. SINÓNIMO vuelta. INGLÉS rotation.

NOTA El plural es: rotaciones.

rotativo, rotativa

adjetivo y nombre femenino **1** Se dice de la máquina que imprime periódicos o revistas con movimiento continuo y a gran velocidad. INGLÉS rotary [adjetivo], rotary press [nombre].

nombre masculino **2** Periódico que se imprime con esta máquina. INGLÉS newspaper.

roto, rota

participio **1** Participio irregular de: romper. También se usa como adjetivo: *He roto el cristal. El lápiz tiene la punta rota.*

nombre masculino **2** Agujero o raja que se hace en un tejido: *¿Cómo te has hecho ese roto en el pantalón?* INGLÉS tear.

rotonda

nombre femenino **1** Plaza redonda que está situada en una calle o carretera alrededor de la cual circulan los vehículos. INGLÉS roundabout [en el Reino Unido], traffic circle [en Estados Unidos].

2 Edificio o sala de forma circular generalmente cubiertos con una cúpula. INGLÉS rotonda.

rotulador

nombre masculino **1** Instrumento que sirve para escribir, dibujar o pintar, formado por un tubo que tiene en su interior una carga de tinta y en un extremo una punta que absorbe esa tinta. INGLÉS felt-tip pen.

rótulo

nombre masculino **1** Mensaje o texto que se pone en un lugar público para informar o avisar de algo. Hoteles, restaurantes y tiendas tienen rótulos en sus fachadas para anunciarse. SINÓNIMO letrero. INGLÉS sign.

rotundo, rotunda

adjetivo **1** Que es muy firme y no admite ninguna duda ni discusión. Afirmamos algo de manera rotunda cuando estamos seguros de ello. SINÓNIMO terminante. INGLÉS categorical.

rotura

nombre femenino **1** Acción de romperse algo o de hacerse pedazos de manera violenta: *El jugador sufrió una rotura de ligamentos.* INGLÉS break, breakage, [si es de ligamentos: tear].

roulotte

nombre femenino **1** Remolque que llevan algunos automóviles preparado como una casa para poder vivir en él. SINÓNIMO caravana. INGLÉS caravan.

NOTA Se pronuncia: 'rulot'.

rozadura

nombre femenino **1** Herida superficial que se produce en la piel por el roce con alguna cosa áspera o dura. Los zapatos nuevos suelen

a b c d e f g h i j k l m n ñ o p q r s t u v w x y z

hacer rozaduras en los talones. INGLÉS graze, abrasion.

rozar
verbo
1 Tocar ligeramente una superficie algo que está en movimiento: *La falda es tan larga que roza el suelo.* INGLÉS to brush.
2 Estar muy cerca de lo que se indica: *Alberto roza ya los 60 años.* INGLÉS to be almost.
NOTA Se escribe 'c' delante de 'e', como: rocen.

rubeola
nombre femenino
1 Enfermedad infecciosa que provoca la aparición de granos o manchas rojas en la piel. Se suele coger en la infancia y solo es peligrosa durante el embarazo. INGLÉS German measles, rubella.
NOTA También se escribe y se pronuncia: rubéola.

rubéola
nombre femenino
1 Es otra forma de escribir y pronunciar: rubeola.

rubí
nombre masculino
1 Piedra preciosa de color rojo que se utiliza para hacer joyas. INGLÉS ruby.
NOTA El plural es: rubíes o rubís.

rubio, rubia
adjetivo y nombre
1 Se dice del pelo que es de color parecido al amarillo, o de la persona que tiene el pelo de este color. INGLÉS blond [hombre], blonde [mujer].

ruborizar
verbo
1 Hacer que a una persona se le ponga la cara roja a causa de la vergüenza: *Lo ruborizó al decirle que era muy guapo.* SINÓNIMO avergonzarse. INGLÉS to make blush.
NOTA Se escribe 'c' delante de 'e', como: ruborice.

rudimentario, rudimentaria
adjetivo
1 Que es simple, básico y elemental porque no está muy desarrollado. Los hombres primitivos utilizaban herramientas y armas rudimentarias. INGLÉS rudimentary.

rudo, ruda
adjetivo
1 Que es seco y se comporta de forma poco delicada o cortés con los demás. SINÓNIMO bruto; tosco. ANTÓNIMO fino. INGLÉS brusque, rude.

rueda
nombre femenino
1 Objeto que tiene forma de círculo y gira sobre un eje. Las ruedas permiten que podamos mover objetos, como muebles o vehículos. INGLÉS wheel.
rueda dentada Objeto redondo con dientes en el borde que hay en la maquinaria de algunos aparatos, como en un reloj. INGLÉS cogwheel.

ruedo
nombre masculino
1 Círculo central de la plaza de toros donde se torea. El ruedo está cubierto de arena. INGLÉS bullring.

ruego
nombre masculino
1 Cosa que se pide como un gran favor. INGLÉS request.

rufián
nombre masculino
1 Hombre que no tiene honor y actúa con maldad. INGLÉS scoundrel, villain.
NOTA El plural es: rufianes.

rugby
nombre masculino
1 Deporte que se practica entre dos equipos de 15 jugadores que consiste en hacer pasar un balón de forma ovalada más allá de la línea de gol del equipo contrario o por encima de su alta portería. Los jugadores pueden agarrar y tirar al suelo al jugador que lleva el balón. INGLÉS rugby.

rugido
nombre masculino
1 Sonido fuerte y largo característico de los leones, los tigres y otros animales salvajes. INGLÉS roar.

rugir
verbo
1 Emitir un rugido los leones y otros animales salvajes. INGLÉS to roar.
NOTA Se escribe 'j' delante de 'a' y 'o', como: ruja.

rugoso, rugosa
adjetivo
1 Que tiene arrugas en su superficie. Las nueces tienen la cáscara rugosa. ANTÓNIMO liso. INGLÉS rough, wrinkled.

ruido
nombre masculino
1 Sonido o conjunto de sonidos fuertes, desagradables o que no es claro ni se sabe exactamente lo que es: *¿Qué ha sido ese ruido?* INGLÉS noise.

ruidoso, ruidosa
adjetivo
1 Que hace mucho ruido o un ruido molesto. Algunos electrodomésticos son bastante ruidosos. INGLÉS noisy.

ruin
adjetivo
1 Que es muy malo y actúa con mala intención para hacer daño a los de-

más. SINÓNIMO infame; malvado. INGLÉS despicable.

2 Se dice de la persona a la que no le gusta gastar dinero. SINÓNIMO avaro; tacaño. INGLÉS stingy, mean.

ruina

nombre femenino **1** Hundimiento de una construcción. Si una casa amenaza ruina, puede llegar a caerse. INGLÉS collapse.

2 Pérdida de todo el dinero o de los bienes de una persona o empresa: *La empresa está en la ruina y no puede pagar a los trabajadores.* INGLÉS ruin.

3 Cosa que causa la destrucción de algo o la pérdida de todo el dinero o lo bueno que se tiene. El alcohol es la ruina de mucha gente. INGLÉS ruin, downfall.

nombre femenino plural **4 ruinas** Restos de edificios caídos o derrumbados. En Italia hay muchas ruinas romanas. INGLÉS ruins.

ruinoso, ruinosa

adjetivo **1** Se dice del edificio o la construcción que está en mal estado y puede derrumbarse. INGLÉS dilapidated.

2 Que causa la destrucción o la pérdida de todo el dinero. Un negocio ruinoso tiene pérdidas muy grandes y deja sin dinero a su propietario. INGLÉS ruinous.

ruiseñor

nombre masculino **1** Pájaro pequeño y de color pardo que canta muy bien. INGLÉS nightingale.

ruleta

nombre femenino **1** Juego de azar en el que se lanza una bola pequeña sobre una rueda horizontal que gira y que está dividida en 36 casillas, numeradas y de colores negro o rojo. El jugador debe acertar el número o el color de la casilla en que se para la bola. También se llama ruleta la rueda que se utiliza para jugar. INGLÉS roulette.

rulo

nombre masculino **1** Cilindro pequeño que se utiliza para enrollar en él mechones de cabello y darles forma ondulada o rizada. INGLÉS curler, roller.

rumano, rumana

adjetivo y nombre **1** Se dice de la persona o cosa que es de Rumanía, país del este de Europa. INGLÉS Romanian.

nombre masculino **2** Lengua hablada en Rumanía. El rumano tiene su origen en el latín, como el español. INGLÉS Romanian.

rumba

nombre femenino **1** Composición musical rápida y alegre que mezcla la música flamenca con la cubana. También se llama rumba al baile que sigue el ritmo de esta composición. INGLÉS rumba.

rumbo

nombre masculino **1** Dirección que se sigue al navegar o volar: *El barco lleva rumbo norte.* SINÓNIMO ruta. INGLÉS course.

2 Dirección que se sigue para conseguir un fin o que toma una situación. Unas elecciones pueden cambiar el rumbo de la política de un país. INGLÉS course.

rumiante

adjetivo y nombre masculino **1** Se dice del animal mamífero que se alimenta de vegetales, los traga y los devuelve a la boca para masticarlos otra vez. La vaca, la jirafa y el camello son rumiantes. INGLÉS ruminant.

rumiar

verbo **1** Masticar por segunda vez los alimentos que vuelven a la boca desde el estómago. La vaca y la cabra rumian la hierba que antes han tragado. INGLÉS to chew.

2 Pensar una cosa despacio durante cierto tiempo: *Rumió el problema para encontrarle una solución.* INGLÉS to chew over.

NOTA Se conjuga como: cambiar; la 'i' no lleva nunca acento de intensidad.

rumor

nombre masculino **1** Noticia o comentario que corre de boca en boca que no se puede asegurar si es cierto. Un rumor no debe creerse hasta que se confirme. INGLÉS rumour.

2 Ruido sordo y continuado, como el de las olas o el ruido de fondo en un restaurante. INGLÉS murmur.

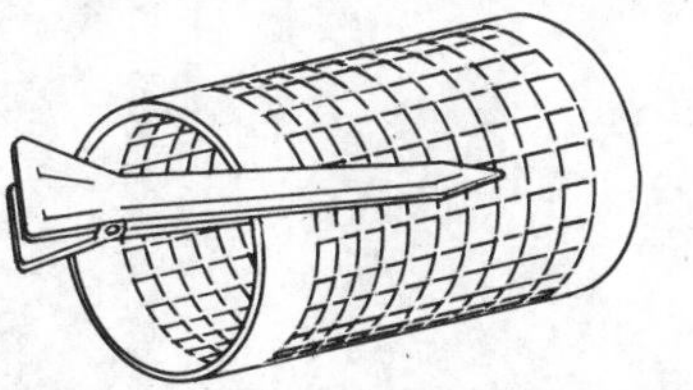

rulo

a b c d e f g h i j k l m n ñ o p q r s t u v w x y z

rumorearse
verbo **1** Correr entre la gente una información de la que no se puede asegurar si es cierta. INGLÉS to be rumoured.

rupestre
adjetivo **1** Se dice de las pinturas y dibujos prehistóricos hechos sobre las rocas. INGLÉS cave.

rural
adjetivo **1** Que está relacionado con los pueblos o el campo. La población rural está menos concentrada que la urbana. ANTÓNIMO urbano. INGLÉS rural.

ruso, rusa
adjetivo y nombre **1** Se dice de la persona o cosa que es de Rusia, país del este de Europa. INGLÉS Russian.
nombre masculino **2** Lengua que se habla en Rusia y otros países. El ruso es una lengua eslava, como el polaco. INGLÉS Russian.

rústico, rústica
adjetivo **1** Que está relacionado con los pueblos o el campo. Una finca rústica está en el campo. SINÓNIMO rural. INGLÉS country.

ruta
nombre femenino **1** Camino que se sigue para ir a un lugar. A veces, la ruta está marcada con antelación, como la ruta de un autobús o la de una carrera ciclista. INGLÉS route.

rutina
nombre femenino **1** Cosa que se hace de manera habitual y mecánica, casi sin pensar: *Mi padre tiene la rutina de comprar el pan cada mañana antes de ir a trabajar.* SINÓNIMO hábito. INGLÉS routine.

a b c d e f g h i j k l m n ñ o p q r s t u v w x y z

s

nombre femenino

1 Vigésima letra del alfabeto español. La 's' es una consonante.

sábado

nombre masculino

1 Sexto día de la semana. **INGLÉS** Saturday.

sabana

nombre femenino

1 Terreno llano y de gran extensión en el que hay muy pocos árboles. La sabana es típica de algunas regiones tropicales de África y América. **INGLÉS** savannah.

sábana

nombre femenino

1 Pieza grande de tela fina que se pone en la cama. Se usan dos sábanas: una que cubre el colchón y sobre la que nos acostamos y otra con la que nos tapamos. **INGLÉS** sheet.

sabandija

nombre femenino

1 Cualquier reptil o insecto pequeño y molesto en general: *Cierra bien la tienda de campaña para que no entren sabandijas.* **INGLÉS** bug.

2 Persona mala y despreciable: *No te fíes nunca de él, es una sabandija.* **INGLÉS** swine.

sabelotodo

adjetivo y nombre masculino y femenino

1 Se dice de la persona que cree que sabe muchas cosas y presume de ello. **SINÓNIMO** sabiondo. **INGLÉS** know-all.

NOTA Es una palabra informal. El plural es: sabelotodo (más habitual) o sabelotodos.

saber

verbo

1 Conocer algo o tener información sobre ello: *Sé que viene porque me lo ha dicho.* **INGLÉS** to know.

2 Tener conocimientos acerca de una materia o tener muchos conocimientos en general: *Sabe mucho de literatura.* **INGLÉS** to know.

3 Tener capacidad o habilidad para hacer algo: *Sabe tocar el piano.* **INGLÉS** to be able to, can.

4 Tener una cosa determinado sabor. Un alimento sabe bien si tiene buen sabor. **INGLÉS** to taste.

5 Ser capaz una persona de comportar-

saber

INDICATIVO

presente	pretérito imperfecto	pretérito perfecto simple	futuro	condicional
sé	sabía	supe	sabré	sabría
sabes	sabías	supiste	sabrás	sabrías
sabe	sabía	supo	sabrá	sabría
sabemos	sabíamos	supimos	sabremos	sabríamos
sabéis	sabíais	supisteis	sabréis	sabríais
saben	sabían	supieron	sabrán	sabrían

SUBJUNTIVO

presente	pretérito imperfecto	futuro
sepa	supiera o supiese	supiere
sepas	supieras o supieses	supieres
sepa	supiera o supiese	supiere
sepamos	supiéramos o supiésemos	supiéremos
sepáis	supierais o supieseis	supiereis
sepan	supieran o supiesen	supieren

IMPERATIVO

sabe	(tú)
sepa	(usted)
sepamos	(nosotros)
sabed	(vosotros)
sepan	(ustedes)

FORMAS NO PERSONALES

infinitivo	gerundio	participio
saber	sabiendo	sabido

a b c d e f g h i j k l m n ñ o p q r s t u v w x y z

se de determinada manera o de reaccionar de cierta forma. Hay que saber ser humilde. INGLÉS to know how.

nombre masculino **6** Sabiduría. INGLÉS knowledge.

sabiduría

nombre femenino **1** Conjunto de conocimientos sobre una ciencia o una materia que una persona ha adquirido por el estudio. SINÓNIMO saber. INGLÉS knowledge.

2 Prudencia y buen juicio con que una persona se comporta ante las situaciones o las circunstancias, normalmente como resultado de la experiencia. INGLÉS wisdom.

sabina

nombre femenino **1** Árbol de tronco retorcido, madera rojiza y olorosa y hojas perennes. La madera de sabina se utiliza en carpintería. INGLÉS juniper.

sabio, sabia

adjetivo y nombre **1** Que tiene o demuestra sabiduría. Los sabios tienen un profundo conocimiento de las cosas. INGLÉS learned [adjetivo], wise [adjetivo].

sabiondo, sabionda

adjetivo y nombre **1** Se dice de la persona que cree que sabe muchas cosas y presume de ello. INGLÉS know-all [nombre].

NOTA Es una palabra informal.

sable

nombre masculino **1** Arma blanca parecida a la espada, pero cuya hoja es algo curvada y tiene filo únicamente por un lado. INGLÉS sabre.

sabor

nombre masculino **1** Sensación que producen las cosas en el sentido del gusto. Los alimentos tienen sabores distintos, como dulce, salado o ácido. INGLÉS flavour.

2 Impresión que produce algo en el ánimo de una persona. Los momentos felices que vivimos nos dejan un buen sabor. INGLÉS feeling.

saborear

verbo **1** Disfrutar poco a poco del sabor de la comida o bebida que se tiene en la boca. SINÓNIMO paladear. INGLÉS to savour.

2 Disfrutar de algo que nos gusta con calma y tranquilidad: *Le gusta saborear su música preferida.* INGLÉS to savour.

sabotaje

nombre masculino **1** Acción que se hace para que algo no funcione correctamente con la intención de causar un perjuicio o llamar la atención sobre algún problema: *El apagón fue un sabotaje, porque los hilos eléctricos estaban cortados.* INGLÉS sabotage.

sabroso, sabrosa

adjetivo **1** Se dice de la comida que tiene muy buen sabor. SINÓNIMO apetitoso. INGLÉS tasty.

sabueso, sabuesa

nombre y adjetivo **1** Perro de caza que tiene muy buen olfato. Los sabuesos pueden pertenecer a diversas razas. INGLÉS bloodhound.

nombre **2** Policía, detective o persona que se dedica a investigar, especialmente si es bueno haciendo su trabajo porque tiene gran olfato para ello, como el de los perros de caza. INGLÉS sleuth.

sacacorchos

nombre masculino **1** Utensilio de metal con una pieza larga en forma de espiral que sirve para quitar los tapones de corcho a las botellas. INGLÉS corkscrew.

NOTA El plural es: sacacorchos.

sacapuntas

nombre masculino **1** Instrumento con una cuchilla que sirve para afilar la punta de los lápices. INGLÉS pencil sharpener.

NOTA El plural es: sacapuntas.

sacar

verbo **1** Hacer salir a una persona o una cosa del lugar o el espacio donde estaban: *Ha sacado el dinero de la cartera.* ANTÓNIMO meter. INGLÉS to take out.

2 Llegar a tener o a conseguir algo: *Ha sacado un notable.* INGLÉS to get.

3 Tener algo a partir de otra cosa. El vino se saca de la uva. INGLÉS to obtain, [si es sacarse: to be obtained].

4 Crear algo y darlo a conocer a la gente. Los escritores suelen sacar libros cada cierto tiempo. INGLÉS to bring out.

5 Comprar una entrada o un billete para ver algún espectáculo o para hacer algún viaje. INGLÉS to buy.

6 Mostrar o manifestar una cosa en público: *No ha sacado la lengua.* INGLÉS to take out, to show, [si es la lengua: to stick out].

7 Hacer más ancha o más larga una prenda de vestir aprovechando la tela de la que está hecha. INGLÉS to let out.

8 En algunos deportes, poner la pelota en juego. INGLÉS to serve.

9 Aventajar o tener más de lo que se indica: *Mi hermano mayor me saca tres centímetros.*

NOTA Se escribe 'qu' delante de 'e', como: saque.

sacarina

nombre femenino **1** Sustancia dulce y blanca parecida al azúcar pero con menos calorías. INGLÉS saccharin.

sacerdote, sacerdotisa

nombre masculino **1** Hombre que dedica su vida a Dios y a la Iglesia y que puede celebrar y ofrecer misa. SINÓNIMO cura. INGLÉS priest.

nombre **2** Persona que se dedica a celebrar ceremonias religiosas en honor de un dios. INGLÉS priest.

saciar

verbo **1** Satisfacer del todo una necesidad, generalmente el hambre y la sed. INGLÉS to satiate [el hambre], to quench [la sed].

NOTA Se conjuga como: cambiar; la 'i' no lleva nunca acento de intensidad.

saco

nombre masculino **1** Bolsa grande de tela u otro material flexible, de forma rectangular y abierto por un extremo, que sirve para guardar o llevar cosas. INGLÉS sack, bag.

saco de dormir Saco acolchado que se usa para dormir dentro de él, principalmente en tiendas de campaña o al aire libre. INGLÉS sleeping bag.

sacramento

nombre masculino **1** En la religión cristiana, signo sagrado que tiene un efecto en el alma de una persona. Hay 7 sacramentos: bautismo, confirmación, eucaristía, matrimonio, penitencia, extremaunción y orden sacerdotal. INGLÉS sacrament.

sacrificar

verbo **1** Ofrecer algo a un dios como signo de respeto u obediencia. INGLÉS to sacrifice.

2 Matar a un animal para que sirva de comida a las personas. Las terneras y los corderos se sacrifican en el matadero. INGLÉS to slaughter.

3 Dejar de hacer o tener algo para conseguir otra cosa: *Sacrificó parte de sus vacaciones para estudiar.* INGLÉS to sacrifice.

NOTA Se escribe 'qu' delante de 'e', como: sacrifiquen.

sacrificio

nombre masculino **1** Cosa que cuesta mucho trabajo o no apetece hacer, pero se hace por obligación o para merecer algo. INGLÉS sacrifice.

2 Ceremonia en la que se ofrece algo a un dios, normalmente un animal sacrificado. INGLÉS sacrifice.

sacrilegio

nombre masculino **1** Hecho que muestra falta de respeto grave hacia una cosa que se considera sagrada. Si una persona destroza una iglesia, una mezquita o una tumba comete un sacrilegio. INGLÉS sacrilege.

sacudida

nombre femenino **1** Movimiento brusco de una cosa, normalmente de un lado a otro. INGLÉS shake, jolt.

sacudir

verbo **1** Mover una cosa con fuerza o violencia de arriba abajo o de un lado a otro: *Sacudió el pañuelo para que lo vieran.* INGLÉS to shake.

2 Dar golpes en el aire a una cosa para quitarle la suciedad. INGLÉS to shake.

3 Dar golpes a una persona. Es un uso informal. INGLÉS to thump.

4 sacudirse Apartar de su lado a alguien o algo que resulta molesto o pesado: *Se sacudía las moscas con una pala.* INGLÉS to get rid of.

sádico, sádica

adjetivo y nombre **1** Se dice de la persona que disfruta haciendo sufrir o causando daño a otra persona. También son sádicos los actos propios de estas personas. INGLÉS sadistic [adjetivo], sadist [nombre].

saduceo, saducea

adjetivo y nombre **1** Se dice de la persona que pertenecía a una antigua secta judía que negaba la inmortalidad del alma. INGLÉS Sadducee.

saeta

nombre femenino **1** Arma que se dispara con un arco y que está formada por una vara delgada y ligera, con una punta afilada de hierro en uno de sus extremos. SINÓNIMO flecha. INGLÉS arrow.

safari

nombre masculino **1** Excursión que se realiza para observar

a b c d e f g h i j k l m n ñ o p q r s t u v w x y z

o cazar animales salvajes, especialmente la que se hace en África. INGLÉS safari.

saga
nombre femenino
1 Historia que abarca varias generaciones de una familia. Una saga puede ser una novela o una película que explique la historia de una familia durante mucho tiempo, por ejemplo desde la vida del bisabuelo hasta la de la persona más joven de la familia. INGLÉS saga.
2 Dinastía familiar: *Ese actor tan famoso pertenece a una saga de artistas.* INGLÉS family.

sagaz
adjetivo
1 Se dice de la persona que comprende fácilmente todo lo que pasa en una situación. INGLÉS shrewd, astute.
NOTA El plural es: sagaces.

sagitario
nombre masculino
1 Noveno signo del zodiaco. Sagitario comprende a las personas nacidas entre el 23 de noviembre y el 21 de diciembre. Con este significado se escribe con mayúscula. INGLÉS Sagittarius.
nombre masculino y femenino
2 Persona nacida bajo el signo de Sagitario. Con este significado, el plural es: los sagitario, las sagitario. INGLÉS Sagittarian.

sagrado, sagrada
adjetivo
1 Que tiene relación con un dios o está dedicado a él. Las iglesias son lugares sagrados para los cristianos. INGLÉS sacred, holy.
2 Que merece respeto y admiración: *Su madre es sagrada para él, así que no te metas con ella.* INGLÉS sacred.

sagrario
nombre masculino
1 Lugar o mueble donde los sacerdotes guardan el pan y el vino que representan el cuerpo y la sangre de Jesucristo. INGLÉS tabernacle.

sal
nombre femenino
1 Sustancia blanca en forma de pequeños granos que se usa para dar sabor a las comidas. INGLÉS salt.
2 Gracia que tiene una persona al hablar o al actuar. SINÓNIMO salero. INGLÉS wit.

sala
nombre femenino
1 Habitación principal de una casa, donde se hace vida familiar y se suele recibir a las visitas. SINÓNIMO salón. INGLÉS living room.
2 Habitación grande y espaciosa donde se llevan a cabo espectáculos, reuniones, exposiciones u otras actividades. INGLÉS room, hall.

salacot
nombre masculino
1 Sombrero de forma redondeada que está hecho con hojas de palma o con un material duro recubierto de tela. Este tipo de sombrero se usa en países en los que hace mucho calor y hay mucha humedad. INGLÉS pith helmet.
NOTA El plural es: salacots.

salado, salada
adjetivo
1 Que tiene sal o más sal de la necesaria. El agua del mar es salada, por eso la de los ríos se llama agua dulce. ANTÓNIMO soso. INGLÉS salted [que lleva sal añadida], salty [que sabe a sal].
2 Que tiene mucha gracia en la manera de hablar o de comportarse. SINÓNIMO gracioso. ANTÓNIMO soso. INGLÉS witty, funny.

salamandra
nombre femenino
1 Anfibio parecido a una lagartija, que tiene la piel lisa y brillante de color negro con manchas amarillas. INGLÉS salamander.

salami
nombre masculino
1 Embutido grueso y de forma cilíndrica que se hace con carne picada de vacuno y de cerdo y se consume después de dejarlo secar un tiempo. El salami es parecido al salchichón, pero es de origen italiano. INGLÉS salami.

salar
verbo
1 Echar sal a un alimento. INGLÉS to salt.

salario
nombre masculino
1 Cantidad de dinero que se recibe con regularidad por un trabajo o servicio prestado. Normalmente, se cobra cada mes. SINÓNIMO sueldo. INGLÉS salary.

salazón
nombre femenino
1 Acción que consiste en echar sal a la carne y el pescado para que se conserven durante mucho tiempo. INGLÉS salting.
NOTA El plural es: salazones.

salchicha
nombre femenino
1 Alimento de forma alargada hecho generalmente de carne de cerdo picada. Se comen fritas o asadas. INGLÉS sausage.

salchichón
nombre masculino
1 Embutido largo de forma cilíndrica que se hace con jamón, tocino y pimienta y se come crudo. INGLÉS salami-type sausage.
NOTA El plural es: salchichones.

saldo
nombre masculino
1 Conjunto de artículos de un comercio que se venden a un precio mucho más barato que lo normal. Con este significado se usa más en plural. SINÓNIMO liquidación. INGLÉS sale.
2 Dinero que hay disponible en una cuenta de un banco. Si el saldo es negativo, se le debe dinero al banco. INGLÉS balance.

salero
nombre masculino
1 Recipiente que tiene un tapón con agujeros y se usa para servirse la sal en la mesa. INGLÉS saltcellar.
2 Gracia que tiene una persona en su forma de hablar o de comportarse. SINÓNIMO sal. INGLÉS wit.

saleroso, salerosa
adjetivo y nombre
1 Se dice de la persona que tiene gracia por su manera de hablar o comportarse. INGLÉS witty.

salida
nombre femenino
1 Paso de dentro a fuera de un lugar, como la salida del cine o la salida del colegio. ANTÓNIMO entrada. INGLÉS exit, way out.
2 Espacio por donde se sale de un sitio. ANTÓNIMO entrada. INGLÉS exit, way out.
3 Acción que consiste en irse de un lugar: *Anunciaron la salida del tren.* ANTÓNIMO llegada. INGLÉS departure.
4 Lugar del que se sale para hacer un recorrido, especialmente una carrera deportiva. INGLÉS start.
5 Fin o solución de una situación difícil o problemática. INGLÉS way out, [si es de un problema: solution].
6 Aparición de un astro, como el sol o las estrellas. INGLÉS rising.
7 Acción o dicho que se hace o se dice en un momento y resulta divertido. INGLÉS witty remark.
8 Posibilidad que ofrece un estudio para ejercer algún trabajo: *La carrera de informática tiene muchas salidas.* INGLÉS job possibility.

saliente
nombre masculino
1 Objeto o parte de una cosa que sobresale de un lugar. Una cornisa es un saliente de la fachada de un edificio. INGLÉS projection.

salina
nombre femenino
1 Lugar en el que se obtiene la sal por evaporación del agua del mar. En las salinas el agua del mar se evapora en unos depósitos poco profundos en los que acaba quedando la sal. INGLÉS saltworks.

salino, salina
adjetivo
1 Que contiene sal o que está relacionado con la sal. Las lágrimas tienen un sabor salino. INGLÉS saline.

salir
verbo
1 Pasar de dentro a fuera: *Salimos a la calle.* INGLÉS to go out, to come out.
2 Irse o partir de un lugar: *El tren salió con retraso.* INGLÉS to leave, to depart.
3 Aparecer o dejarse ver una persona o una cosa: *Me gustaría salir por la tele.* INGLÉS to appear.

salir

INDICATIVO	SUBJUNTIVO
presente	**presente**
salgo	salga
sales	salgas
sale	salga
salimos	salgamos
salís	salgáis
salen	salgan
pretérito imperfecto	**pretérito imperfecto**
salía	saliera o saliese
salías	salieras o salieses
salía	saliera o saliese
salíamos	saliéramos o saliésemos
salíais	salierais o salieseis
salían	salieran o saliesen
pretérito perfecto simple	**futuro**
salí	saliere
saliste	salieres
salió	saliere
salimos	saliéremos
salisteis	saliereis
salieron	salieren
futuro	**IMPERATIVO**
saldré	
saldrás	sal (tú)
saldrá	salga (usted)
saldremos	salgamos (nosotros)
saldréis	salid (vosotros)
saldrán	salgan (ustedes)
condicional	**FORMAS NO PERSONALES**
saldría	
saldrías	
saldría	**infinitivo** salir — **gerundio** saliendo
saldríamos	
saldríais	**participio**
saldrían	salido

a b c d e f g h i j k l m n ñ o p q r s t u v w x y z

a b c d e f g h i j k l m n ñ o p q r s t u v w x y z

4 Ir a la calle o a otro lugar a divertirse o a pasear, solo o acompañado: *Sale con sus amigos todas las tardes.* INGLÉS to go out.
5 Mantener una relación sentimental con una persona: *Salieron durante tres años.* INGLÉS to go out.
6 Tener origen en algo o surgir una cosa. El humo sale del fuego. INGLÉS to come from.
7 Tener algo un resultado determinado: *La fiesta salió bien.* INGLÉS to turn out.
8 Ser elegida una persona o una cosa en un sorteo o una votación. INGLÉS to be.
9 Desaparecer una mancha. INGLÉS to come out.
10 Tener algo un determinado precio o valor: *La cena nos salió muy barata.* INGLÉS to work out.
salir a Parecerse a la persona que se indica: *El niño salió a su madre.* INGLÉS to take after.

saliva
nombre femenino
1 Líquido transparente o blanquecino que se produce en la boca. La saliva ayuda a tragar los alimentos. INGLÉS saliva.

salmantino, salmantina
adjetivo y nombre
1 Se dice de la persona o cosa que es de Salamanca, ciudad y provincia de Castilla y León.

salmo
nombre masculino
1 Canto o poema de las religiones cristiana y judía en el que se alaba a Dios. INGLÉS psalm.

salmón
nombre masculino
1 Pez marino de color gris azulado con manchas negras por la parte superior del cuerpo y blanco plateado por la inferior. Sube por los ríos para poner sus huevos. Es comestible. INGLÉS salmon.
nombre masculino y adjetivo
2 Color entre rosa y naranja, como el de la carne del salmón. INGLÉS salmon pink.
NOTA El plural es: salmones.

salmonela
nombre femenino
1 Bacteria que se desarrolla con facilidad en algunos alimentos, como huevos o carne, sobre todo a temperatura ambiente. El consumo de salmonela produce salmonelosis, que es una infección intestinal. INGLÉS salmonella.

salmonelosis
nombre femenino
1 Enfermedad producida por el consumo de alimentos y líquidos contaminados con la bacteria salmonela. La salmonelosis provoca vómitos, diarreas y fiebres altas. INGLÉS salmonella food poisoning.

salmonete
nombre masculino
1 Pez marino de color rojo anaranjado que abunda en el Atlántico y el Mediterráneo. Es comestible. INGLÉS red mullet.

salmuera
nombre femenino
1 Combinación de agua, mucha sal y, a veces, otros condimentos que se utiliza para conservar un alimento. Las aceitunas y los pepinillos suelen conservarse en salmuera. INGLÉS brine.

salobre
adjetivo
1 Que tiene sal por naturaleza, como el agua del mar. INGLÉS salty.

salón
nombre masculino
1 Habitación principal de una casa donde se suele recibir a las visitas. La tele suele estar en el salón. SINÓNIMO sala. INGLÉS sitting room, lounge.
2 Habitación grande y espaciosa de un edificio destinada a celebraciones y actos públicos. INGLÉS hall, room.
3 Establecimiento donde se proporcionan ciertos servicios al público, como un salón de belleza o un salón de té. INGLÉS salon, parlour, [si es un salón de té: tearoom].
4 Edificio o conjunto de instalaciones dedicadas a la exposición de algo que se vende, como un salón del automóvil. INGLÉS show.
NOTA El plural es: salones.

salpicadura
nombre femenino
1 Mancha que deja un líquido sobre una superficie cuando salpica. INGLÉS splash.

salpicar
verbo
1 Manchar o mojar a alguien o algo las gotas de un líquido que se han soltado con fuerza: *El aceite de la sartén me salpicó todo el vestido.* INGLÉS to splash.
NOTA Se escribe 'qu' delante de 'e', como: salpiquen.

salsa
nombre femenino
1 Sustancia líquida, y a veces espesa, que se hace triturando y mezclando varios

ingredientes y sirve para acompañar las comidas. INGLÉS sauce.

2 Tipo de música alegre y con mucho ritmo que proviene del Caribe. INGLÉS salsa.

3 Cosa o persona que anima o alegra algo. Los goles son la salsa del fútbol. INGLÉS spice.

salsera

nombre femenino **1** Recipiente que se usa para servir la salsa en la mesa. INGLÉS sauce boat.

saltador, saltadora

adjetivo **1** Que salta o puede saltar. El saltamontes es un insecto saltador. INGLÉS jumping.

nombre **2** Persona que practica deportes de salto, como el salto de altura o el salto de longitud. INGLÉS jumper.

nombre masculino **3** Cuerda que se usa para saltar en algunos juegos. SINÓNIMO comba. INGLÉS skipping rope.

saltamontes

nombre masculino **1** Insecto que tiene el cuerpo verde o marrón y alargado, y las patas traseras muy fuertes y largas para dar grandes saltos. INGLÉS grasshopper.

NOTA El plural es: saltamontes.

saltar

verbo **1** Levantar el cuerpo del suelo por medio de un impulso. Al saltar se puede caer en el mismo sitio o en otro diferente. INGLÉS to jump.

2 Reaccionar rápidamente y con enfado a las palabras o los gestos de alguien: *Hoy está muy nervioso y salta por cualquier tontería.* INGLÉS to lose one's temper.

3 Separarse o soltarse una cosa del sitio donde está, en especial si se separa con fuerza o violencia. Salta el aceite muy caliente, el corcho de una botella de cava o un botón de la camisa. INGLÉS to spit [el aceite caliente], to pop out [un tapón], to come off [un botón].

4 saltarse Pasar de una cosa a otra sin tener en cuenta lo que está en medio. Cuando contamos lo que pasa en una película, nos saltamos lo menos importante. INGLÉS to miss out.

5 saltarse No cumplir una ley o una obligación. Saltarse un stop es muy peligroso. INGLÉS to disregard.

saltarín, saltarina

adjetivo **1** Que da muchos saltos sucesivos o se mueve mucho. INGLÉS energetic.

NOTA El plural de saltarín es: saltarines.

saltear

verbo **1** Cocinar ligeramente un alimento en una sartén con un poco de aceite caliente. INGLÉS to sauté.

saltimbanqui

nombre masculino y femenino **1** Persona que se dedica a hacer juegos y acrobacias en un circo o en un lugar al aire libre. INGLÉS acrobat.

salto

nombre masculino **1** Movimiento que consiste en levantarse del suelo con un impulso para caer en el mismo sitio o en otro diferente. INGLÉS jump, leap.

2 Paso de una cosa a otra sin tener en cuenta o sin pararse en las etapas o las cosas intermedias. En algunas novelas suele haber saltos temporales. INGLÉS gap.

3 Prueba deportiva que consiste en saltar una altura o una longitud. INGLÉS jump.

4 Caída de agua desde una altura determinada. En los ríos de montaña suele haber muchos saltos. INGLÉS waterfall.

salud

nombre femenino **1** Estado de la persona o el animal en lo que se refiere al funcionamiento de su organismo. Hacer ejercicio físico y comer cosas sanas es bueno para la salud. INGLÉS health.

¡salud! Se utiliza para desear algo bueno a alguien. Decimos '¡Salud!' cuando brindamos; también cuando alguien estornuda. INGLÉS cheers!

saludable

adjetivo **1** Que es bueno para conservar o recuperar la salud. Es muy saludable respirar el aire puro del campo. SINÓNIMO sano. ANTÓNIMO perjudicial. INGLÉS healthy.

2 Que tiene o refleja buena salud: *Tiene un aspecto muy saludable.* SINÓNIMO sano. INGLÉS healthy.

saludar

verbo **1** Decir una expresión o hacer un gesto a una persona al encontrarse o despedirse de ella en señal de cortesía. Se puede saludar diciendo '¡hola!' o dando un beso o un abrazo. INGLÉS to greet, to say hello to.

2 Enviar saludos o recuerdos a alguien. INGLÉS to say hello to.

saludo

nombre masculino

1 Palabra o gesto que se usa para saludar. INGLÉS greeting.

salva

nombre femenino

1 Disparo o serie de disparos que se hacen en señal de saludo o en honor de alguien o algo. INGLÉS salvo.

NOTA Se usa más en plural.

salvación

nombre femenino

1 Acción que consiste en salvar a alguien de un daño o de un peligro: *La salvación del proyecto depende de tu ayuda.* INGLÉS salvation.

2 En diversas religiones, acción de conseguir el paraíso para siempre después de haber muerto. INGLÉS salvation.

NOTA El plural es: salvaciones.

salvador, salvadora

nombre y adjetivo

1 Persona que salva a otra de algún peligro. INGLÉS saviour.

salvadoreño, salvadoreña

adjetivo y nombre

1 Se dice de la persona o cosa que es de El Salvador, país de América Central. INGLÉS Salvadoran.

salvajada

nombre femenino

1 Acción o expresión violenta y cruel o irresponsable y absurda. INGLÉS atrocity, act of savagery.

salvaje

adjetivo

1 Se dice del animal que vive en libertad y no ha sido domesticado por el ser humano. INGLÉS wild.

2 Se dice de la planta que crece sin ser cultivada. SINÓNIMO silvestre. INGLÉS wild.

3 Se dice de la persona o el comportamiento que es cruel y violento y se considera más propio de un animal que de una persona. INGLÉS savage.

adjetivo y nombre masculino y femenino

4 Se dice de la persona que se comporta con poca educación o respeto hacia los demás. INGLÉS uncivilized [adjetivo].

salvamanteles

nombre masculino

1 Objeto plano que se coloca debajo de los recipientes que están muy calientes para proteger la mesa o el mantel. Los salvamanteles suelen ser de metal, de corcho o de madera. INGLÉS table mat.

NOTA El plural es: salvamanteles.

salvamento

nombre masculino

1 Acción que consiste en salvar a una persona de un peligro: *El equipo de salvamento rescató a los náufragos.* SINÓNIMO rescate. INGLÉS rescue.

salvar

verbo

1 Hacer que una persona deje de estar en peligro. INGLÉS to save, to rescue.

2 Evitar un problema o un obstáculo: *Tuvo que salvar muchas dificultades.* INGLÉS to overcome.

salvavidas

nombre masculino

1 Objeto que flota en el agua y se utiliza en casos de emergencia para que las personas puedan estar en el agua sin hundirse. INGLÉS life belt.

NOTA El plural es: salvavidas.

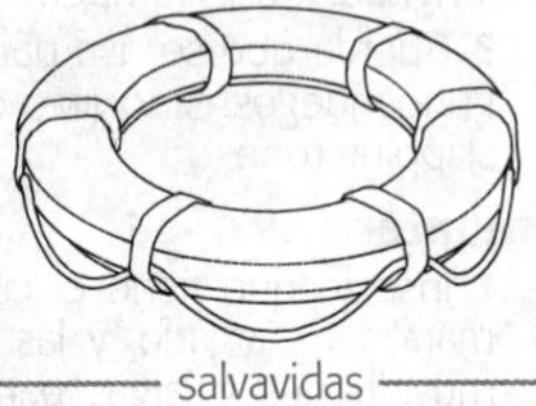

salvavidas

salvo, salva

adjetivo

1 Que no ha sufrido ningún daño físico: *Salió sano y salvo del accidente.* SINÓNIMO ileso; sano. INGLÉS safe.

adverbio

2 salvo Indica que lo que se dice a continuación se excluye de lo que se ha dicho antes o de un conjunto más general: *Vendrán a comer todos salvo mi hermana.* SINÓNIMO excepto. INGLÉS except, except for.

a salvo Indica que algo está seguro o protegido de un peligro. INGLÉS safe.

samba

nombre femenino

1 Baile típico brasileño de movimientos muy vivos y alegres. INGLÉS samba.

2 Música con que se acompaña este baile, de ritmo rápido. INGLÉS samba.

san

adjetivo

1 Apócope de 'santo'; se utiliza delante de un nombre masculino en singular, como san José o san Juan, excepto en santo Domingo, santo Tomé y santo Tomás. INGLÉS saint.

sanar

verbo

1 Recuperar la salud un enfermo o curarse una herida. SINÓNIMO curar. INGLÉS to get better.

sanatorio

nombre masculino **1** Establecimiento con camas, personas y medios para que los enfermos reciban un tratamiento. INGLÉS hospital.

sanción

nombre femenino **1** Castigo que una autoridad impone a una persona por haber cometido una falta o delito. INGLÉS penalty.

NOTA El plural es: sanciones.

sancionar

verbo **1** Imponer una autoridad un castigo a una persona por haber cometido una falta o delito: *El jugador fue sancionado con la expulsión.* INGLÉS to penalize.

2 Aprobar o autorizar algo, en especial una ley. INGLÉS to sanction.

sandalia

nombre femenino **1** Calzado formado por una suela que se sujeta al pie con correas o cintas quedando una parte del pie sin cubrir. INGLÉS sandal.

sandía

nombre femenino **1** Fruta redondeada de gran tamaño, que tiene la corteza verde y la carne roja llena de semillas negras. También se llama sandía la planta que da esta fruta. INGLÉS watermelon.

sandunguero, sandunguera

adjetivo **1** Que tiene gracia en su forma de hablar o de comportarse. INGLÉS witty.

sándwich

nombre masculino **1** Bocadillo hecho con dos o más rebanadas de pan de molde entre las que se pone algún alimento. INGLÉS sandwich.

NOTA Se pronuncia 'sángüich'. El plural es: sándwiches.

sanear

verbo **1** Dar las condiciones necesarias de higiene y seguridad a un terreno, un edificio u otro lugar. Una casa abandonada se debe sanear antes de poder vivir en ella. INGLÉS to clean, to disinfect, [si es un terreno: to drain].

2 Hacer que la economía o los bienes de una persona o de un organismo den ganancias: *La empresa tuvo algunas pérdidas pero ya la han saneado.* INGLÉS to make financially viable.

sangrar

verbo **1** Echar sangre. Las heridas sangran. INGLÉS to bleed.

sangre

nombre femenino **1** Líquido de color rojo que circula por las venas o arterias de las personas y los animales. El corazón bombea la sangre hacia todo el cuerpo. INGLÉS blood.

2 Familia o grupo social al que pertenece una persona. INGLÉS family.

sangre fría Capacidad para mantenerse tranquilo en situaciones peligrosas o difíciles. INGLÉS sang froid.

sangría

nombre femenino **1** Bebida hecha con vino, limonada, azúcar y trozos de frutas. INGLÉS sangria.

sangriento, sangrienta

adjetivo **1** Que echa sangre o está manchado de sangre. INGLÉS bloody.

2 Que es muy violento y produce muertos y heridos, como una guerra sangrienta. INGLÉS bloody.

sanguijuela

nombre femenino **1** Gusano que tiene una boca en forma de ventosa y que se alimenta de la sangre de otros animales. Es un parásito que vive en lugares de agua dulce. INGLÉS leech.

2 Persona que se aprovecha del trabajo o del dinero de otra y le impide progresar. Es un uso despectivo. INGLÉS leech.

sanguinario, sanguinaria

adjetivo y nombre **1** Que es cruel y violento, o que hace que se derrame mucha sangre. Un asesino es una persona sanguinaria. INGLÉS bloodthirsty.

sanguíneo, sanguínea

adjetivo **1** De la sangre o que tiene relación con ella. Los glóbulos rojos son células sanguíneas. INGLÉS blood.

2 Que contiene sangre. El aparato circulatorio está formado por la sangre, el corazón y los vasos sanguíneos. INGLÉS blood.

sanidad

nombre femenino **1** Conjunto de servicios, personal e instalaciones dedicados a cuidar de la salud pública de una comunidad. INGLÉS health service.

sanitario, sanitaria

adjetivo **1** De la sanidad o la salud o que tiene relación con ellas. Los médicos y enfermeros forman parte del personal sanitario de un hospital. INGLÉS health.

nombre masculino plural **2 sanitarios** conjunto formado por los aparatos de higiene que están en el cuarto de baño, como el lavabo o el bidé. INGLÉS bathroom fittings.

sano, sana

adjetivo **1** Se dice del órgano, la persona, el animal o la planta que no tiene ninguna lesión ni ninguna enfermedad. ANTÓNIMO enfermo. INGLÉS healthy.

2 Que es bueno para conservar o recuperar la salud. Una alimentación sana incluye muchas verduras. SINÓNIMO saludable. INGLÉS healthy.

3 Se dice de la persona que no tiene malas intenciones ni malas costumbres. INGLÉS healthy.

sanseacabó

interjección **1** Expresión que indica que se ha tomado una decisión y no se admiten más protestas o discusiones. INGLÉS and that's that!

NOTA Es una palabra informal.

santanderino, santanderina

adjetivo y nombre **1** Se dice de la persona o cosa que es de Santander, capital de Cantabria.

santiamén

nombre masculino **1** Período de tiempo muy breve: *Espérame un momento que salgo en un santiamén.* INGLÉS flash.

NOTA Es una palabra informal.

santidad

nombre femenino **1** Cualidad que tienen las personas santas. INGLÉS saintliness, holiness.

2 Tratamiento que se le da al Papa: *Su Santidad vive en el Vaticano.* Con este significado se escribe con mayúscula. INGLÉS Holiness.

santificar

verbo **1** Dedicar una cosa a Dios, en especial los días festivos participando en las ceremonias religiosas. INGLÉS to sanctify.

2 Declarar la Iglesia católica que una persona es santa. INGLÉS to sanctify.

NOTA La 'c' se convierte en 'qu' delante de 'e', como: santifiquen.

santiguarse

verbo **1** Hacer un cristiano la señal de la cruz moviendo la mano desde la frente al pecho y desde el hombro izquierdo hasta el derecho. INGLÉS to cross oneself.

NOTA Se conjuga como: averiguar; la 'u' no se acentúa y se escribe 'gü' delante de 'e', como: se santigüe.

santo, santa

adjetivo **1** Que está dedicado a Dios y a la religión. Las iglesias son edificios santos. INGLÉS holy, sacred.

nombre **2** Persona que ha sido canonizada por la Iglesia por haber sido muy buena durante su vida y haber realizado buenas acciones. INGLÉS saint.

3 Persona que es muy buena, tiene mucha paciencia y siempre está dispuesta a ayudar a los demás. SINÓNIMO ángel. INGLÉS saint.

nombre masculino **4** Día en el que una persona celebra la fiesta de un santo canonizado por la Iglesia, porque su nombre coincide con el de este. El 19 de marzo es el santo de los que se llaman José. INGLÉS saint's day.

NOTA Cuando va delante de un nombre masculino se utiliza 'san', excepto en santo Domingo, santo Tomé y santo Tomás.

santoral

nombre masculino **1** Lista de los santos cuya fiesta se celebra cada uno de los días del año. INGLÉS calendar of saints' feast days.

santuario

nombre masculino **1** Templo en que se adora la imagen o las reliquias de un santo, un dios u otros seres sagrados. INGLÉS sanctuary, shrine.

2 Lugar que ofrece protección a algo o a alguien: *Ese museo es un santuario de la pintura.* INGLÉS sanctuary.

sapo

nombre masculino **1** Anfibio parecido a la rana pero más grande. Tiene los ojos saltones y la piel llena de verrugas. INGLÉS toad.

saque

nombre masculino **1** En algunos deportes, primer golpe que se da a la pelota al empezar un partido o una jugada. INGLÉS serve, [si es en fútbol y es el saque inicial: kick-off; si es el saque de puerta: goal kick].

2 Capacidad que tiene una persona para comer en abundancia. Es un uso informal. INGLÉS appetite.

saquear

verbo **1** Coger o robar todo lo que se puede de un sitio. Muchas veces, los ejércitos invasores saquean las ciudades enemigas. INGLÉS to plunder, to loot.

saqueo

nombre masculino **1** Acción que consiste en saquear un lugar. INGLÉS plundering, looting.

sarampión

nombre masculino **1** Enfermedad infecciosa de poca gravedad que provoca la aparición de manchas rojas en la piel. El sarampión es una enfermedad infantil. INGLÉS measles.

sarcasmo

nombre masculino **1** Burla irónica y cruel con la que se pretende insultar o humillar: *Usa muchos sarcasmos para burlarse de mis defectos.* INGLÉS sarcasm.

sarcástico, sarcástica

adjetivo **1** Que habla con sarcasmo. INGLÉS sarcastic.

sarcófago

nombre masculino **1** Caja o construcción destinada a contener el cadáver de una persona. Suele ser de piedra o de metal. INGLÉS sarcophagus.

sardana

nombre femenino **1** Baile popular de Cataluña que se baila formando un corro varias personas que se cogen de la mano. INGLÉS sardana.

2 Música con que se acompaña este baile. INGLÉS sardana.

sardina

nombre femenino **1** Pez marino que tiene el cuerpo alargado, de color azul oscuro por la parte superior y blanco plateado por la inferior. Vive en grandes grupos o bancos y es comestible. INGLÉS sardine.

sargento

nombre masculino y femenino **1** Persona que tiene un grado militar del ejército entre el de cabo y el de brigada. INGLÉS sergeant.

2 Persona autoritaria e intransigente que siempre está mandando: *La directora es una sargento que no deja de dar órdenes.* INGLÉS tyrant.

sarta

nombre femenino **1** Serie de cosas metidas por orden en un hilo o en una cuerda, como una sarta de perlas. SINÓNIMO hilera. INGLÉS string.

2 Serie de cosas no materiales que van unas detrás de otras, como una sarta de mentiras o una sarta de disparates. INGLÉS series.

sartén

nombre femenino **1** Utensilio de cocina que sirve para freír alimentos. Consiste en un recipiente metálico poco profundo con un mango. INGLÉS frying pan.

NOTA El plural es: sartenes.

sastre, sastra

nombre **1** Persona que se dedica a hacer trajes y otras prendas de vestir, especialmente masculinas. INGLÉS tailor.

sastrería

nombre femenino **1** Establecimiento en el que se hacen, arreglan o venden prendas de vestir, en especial masculinas. INGLÉS tailor's shop.

satánico, satánica

adjetivo **1** De Satanás, príncipe de los demonios, o relacionado con él. INGLÉS satanic.

2 Que es muy perverso y malvado. SINÓNIMO diabólico. INGLÉS evil.

satélite

nombre masculino **1** Cuerpo sin luz propia que gira alrededor de un planeta. La Luna es el satélite de la Tierra. INGLÉS satellite.

satélite artificial Aparato que se pone en órbita alrededor de un planeta para transmitir señales de radio o televisión, obtener datos científicos o para explorar el espacio. INGLÉS satellite.

satén

nombre masculino **1** Tela brillante y suave parecida al raso. INGLÉS satin.

satírico, satírica

adjetivo **1** Que critica a una persona o cosa de forma cruel, intentando ponerla en ridículo. INGLÉS satirical.

satirizar

verbo **1** Criticar a una persona o una cosa con el objetivo de ponerlas en ridículo: *Nos reímos mucho al escuchar cómo satirizaba al profesor.* INGLÉS to satirize.

NOTA Se escribe 'c' delante de 'e', como: satiricé.

satisfacción

nombre femenino **1** Alegría o placer que se siente al hacer o al conseguir una cosa buena. INGLÉS satisfaction.

2 Acción que consiste en satisfacer a alguien. INGLÉS satisfaction.

NOTA El plural es: satisfacciones.

satisfacer
verbo
1 Hacer que desaparezca una necesidad. Bebemos para satisfacer la sed. INGLÉS to satisfy.

satisfacer

INDICATIVO	SUBJUNTIVO
presente satisfago satisfaces satisface satisfacemos satisfacéis satisfacen	**presente** satisfaga satisfagas satisfaga satisfagamos satisfagáis satisfagan
pretérito imperfecto satisfacía satisfacías satisfacía satisfacíamos satisfacíais satisfacían	**pretérito imperfecto** satisficiera o satisficiese satisficieras o satisficieses satisficiera o satisficiese satisficiéramos o satisficiésemos satisficierais o satisficieseis satisficieran o satisficiesen
pretérito perfecto simple satisfice satisficiste satisfizo satisficimos satisficisteis satisficieron	**futuro** satisficiere satisficieres satisficiere satisficiéremos satisficiereis satisficieren
futuro satisfaré satisfarás satisfará satisfaremos satisfaréis satisfarán	**IMPERATIVO** satisfaz (tú) satisfaga (usted) satisfagamos (nosotros) satisfaced (vosotros) satisfagan (ustedes)
condicional satisfaría satisfarías satisfaría satisfaríamos satisfaríais satisfarían	**FORMAS NO PERSONALES** **infinitivo** satisfacer **gerundio** satisfaciendo **participio** satisfecho

2 Hacer que se cumpla un deseo: *Este año satisfará uno de sus sueños: viajar a Egipto.* INGLÉS to fulfil.
3 Resultar algo bueno o agradable a alguien: *Le satisface mucho reunirse con sus amigos.* INGLÉS to please, to make happy.
4 Pagar algo que se debe: *Tiene que satisfacer sus deudas.* INGLÉS to pay.

satisfactorio, satisfactoria
adjetivo
1 Que satisface porque se considera bueno: *Su explicación resultó satisfactoria.* INGLÉS satisfactory.

satisfecho, satisfecha
participio
1 Participio irregular de: satisfacer. También se usa como adjetivo: *Ya ha satisfecho sus deudas. Está muy satisfecha de su trabajo.*

saturar
verbo
1 Llenar u ocupar una cosa hasta el límite de su capacidad: *Los turistas saturaban todos los hoteles de la costa.* INGLÉS to fill.
2 Disolver una sustancia en otra hasta que no se pueda disolver más. Saturamos el agua con azúcar cuando ya no se disuelve más azúcar en ella por mucho que la removamos. INGLÉS to saturate.

sauce
nombre masculino
1 Árbol de tronco alto con ramas flexibles y hojas estrechas y largas. Los sauces crecen a la orilla de ríos y estanques. INGLÉS willow.

sauna
nombre femenino
1 Baño de vapor que se toma en una habitación a temperatura muy alta para provocar sudor y así limpiar los poros. INGLÉS sauna.

savia
nombre femenino
1 Líquido que circula por el interior de las plantas que transporta agua y alimentos. INGLÉS sap.

saxofón
nombre masculino
1 Instrumento musical de viento compuesto por un tubo de metal con forma de 'J' y acabado en una abertura ancha. El saxofón se toca soplando por una boquilla que tiene en un extremo y moviendo unas llaves o teclas que se accionan con los dedos. INGLÉS saxophone.
NOTA El plural es: saxofones.

sazonar
verbo
1 Dar sabor a una comida añadiéndole una salsa o un condimento. Se usa especialmente cuando se echa sal o pimienta a una comida. INGLÉS to season.

se
pronombre personal
1 Pronombre personal de tercera persona, tanto de singular como de plural, que en la oración hace función de complemento indirecto cuando va junto con 'lo', 'la', 'los', 'las': *Se lo avisé. Dáselo.* INGLÉS to him [a él], to her [a ella], to you [a usted, ustedes], to them [a ellos, ellas].
2 Se usa en la tercera persona de sin-

gular y de plural en la conjugación de los verbos reflexivos y recíprocos: *Se muerde las uñas.*

3 Se usa en oraciones impersonales, en las que no se dice quién realiza la acción: *Se ruega silencio.*

NOTA Nunca se acentúa; no lo confundas con la forma del verbo 'saber': yo sé.

secador

nombre masculino

1 Aparato eléctrico que sirve para secar, como el secador de pelo. INGLÉS dryer.

secadora

nombre femenino

1 Electrodoméstico que sirve para secar la ropa. La secadora tiene una forma parecida a la de la lavadora y se usa para no tener que tender la ropa lavada. INGLÉS tumble dryer.

secano

nombre masculino

1 Tierra de cultivo que no es necesario regar y solo recibe el agua de la lluvia. El trigo y la cebada son cultivos de secano. ANTÓNIMO regadío. INGLÉS unirrigated land.

secante

adjetivo y nombre femenino

1 Se dice de la línea o el plano que corta a otra línea u otro plano. INGLÉS secant [nombre].

secar

verbo

1 Eliminar la humedad o el líquido que hay en una superficie o un cuerpo, como una planta, una fuente o un río. ANTÓNIMO humedecer; mojar. INGLÉS to dry.

NOTA Se escribe 'qu' delante de 'e', como: sequen.

sección

nombre femenino

1 Cada una de las divisiones de una empresa, un organismo, una tienda o una fábrica que tienen una función determinada. SINÓNIMO departamento. INGLÉS section, department.

2 Corte que se hace en un objeto o en un cuerpo para poder ver lo que hay en su interior. INGLÉS section.

3 Parte en que está dividida una cosa. Un periódico tiene diversas secciones, como la de política o la de deportes. INGLÉS section.

NOTA El plural es: secciones.

seco, seca

adjetivo

1 Que no tiene agua ni humedad. Cuando llueve poco, la tierra está seca. INGLÉS dry.

2 Se dice del clima o la zona que se caracterizan por la poca lluvia o humedad. ANTÓNIMO lluvioso. INGLÉS dry.

3 Se dice de la planta o de la parte de una planta que está muerta o poco verde. ANTÓNIMO verde. INGLÉS withered, dried up.

4 Se dice del fruto de cáscara dura, como las nueces o las avellanas. También se dice del fruto que ya no tiene jugo, como los higos secos. INGLÉS dried.

5 Se dice de la piel o el cabello que tiene menos grasa de lo normal. ANTÓNIMO graso. INGLÉS dry.

6 Se dice del golpe que se produce con fuerza y rapidez y que apenas retumba: *Dio un golpe seco en la mesa.* INGLÉS sharp.

7 Que es desagradable y poco cariñoso en el trato. SINÓNIMO frío. ANTÓNIMO amable. INGLÉS curt.

8 Muerto en el acto: *En la película, el vaquero dejó seco a su rival.* Es un uso informal. INGLÉS dead.

a secas Solo o sin otra cosa que añadir: *No le gusta el pan a secas.* INGLÉS by itself.

secretaría

nombre femenino

1 Oficina o lugar donde trabaja un secretario. INGLÉS secretary's office.

secretario, secretaria

nombre

1 Persona que trabaja para otra persona o para una empresa haciendo trabajos administrativos, como escribir y ordenar documentos o contestar el teléfono. INGLÉS secretary.

secreto, secreta

adjetivo y nombre masculino

1 Que no se dice o solo es conocido por una persona o un pequeño grupo: *Me tienes que guardar un secreto.* INGLÉS secret.

nombre masculino

2 Cosa o conocimiento que está oculto y que es básico para que algo sea como es: *El secreto de este plato está en el queso.* INGLÉS secret.

secta

nombre femenino

1 Conjunto de personas que se apartan de una religión y siguen unas ideas diferentes a las que son tradicionales o mayoritarias. La mayoría de la gente considera que las ideas de las sectas son falsas. INGLÉS sect.

a b c d e f g h i j k l m n ñ o p q r s t u v w x y z

a b c d e f g h i j k l m n ñ o p q r s t u v w x y z

sector
nombre masculino
1 Cada una de las partes en que se puede dividir un grupo de personas: *Un sector de la clase quería jugar a fútbol y otro no.* INGLÉS sector, group.
2 Zona o espacio de una ciudad u otro lugar. INGLÉS area.

secuaz
nombre masculino y femenino
1 Persona que es seguidora o partidaria de otra en alguna mala acción. Normalmente los secuaces acompañan a las personas de las que son partidarios. INGLÉS follower.
NOTA Es una palabra despectiva. El plural es: secuaces.

secuela
nombre femenino
1 Consecuencia de un hecho negativo, en especial de una enfermedad, un accidente o una catástrofe. INGLÉS consequence, result.

secuencia
nombre femenino
1 Serie de cosas que guardan relación entre sí y que van ordenadas. 'A, b, c, d' es una secuencia de letras. INGLÉS sequence.
2 Serie de escenas de una película que forman una acción simple, como un beso o una caída. INGLÉS sequence.

secuestrador, secuestradora
nombre
1 Persona que realiza un secuestro. INGLÉS kidnapper.

secuestrar
verbo
1 Tener retenida por la fuerza a una persona en un sitio para pedir dinero u otra cosa a cambio de su libertad. SINÓNIMO raptar. INGLÉS to kidnap.
2 Retener por la fuerza un vehículo con pasajeros impidiendo que realice su trayecto normal, con el objetivo de pedir dinero u otra cosa a cambio de la libertad de los ocupantes. INGLÉS to hijack.

secuestro
nombre masculino
1 Acción que consiste en secuestrar a una persona o un vehículo. INGLÉS kidnapping [de una persona], hijacking [de un vehículo].

secular
adjetivo
1 Que dura un siglo o que dura desde hace siglos. El cristianismo y el islam son religiones seculares. INGLÉS centuries-old.
2 Que pertenece a la sociedad laica y no a la Iglesia o al clero: *Iba vestido con traje secular, aunque era sacerdote.* INGLÉS secular, lay.
adjetivo y nombre masculino
3 Se dice del religioso que no pertenece a ninguna orden religiosa y no vive en un convento o monasterio. INGLÉS priest [nombre].

secundario, secundaria
adjetivo
1 Que no es lo principal o más importante: *Para ella las notas son algo secundario, lo principal es aprender.* SINÓNIMO accesorio. INGLÉS secondary.
adjetivo y nombre femenino
2 Se dice de la enseñanza que se recibe después de la primaria. La enseñanza secundaria es la que se recibe entre los 12 y los 16 años. INGLÉS secondary [adjetivo], secondary education [nombre].
adjetivo
3 Se dice del sector económico que transforma productos naturales en productos elaborados. La artesanía, la industria y la construcción son las principales actividades del sector secundario. INGLÉS secondary.

sed
nombre femenino
1 Necesidad y ganas de beber. INGLÉS thirst.
2 Deseo muy fuerte de hacer algo: *Tiene sed de aventura.* INGLÉS thirst.

seda
nombre femenino
1 Hilo fino y brillante que producen algunos gusanos. INGLÉS silk.
2 Tejido suave y brillante hecho con el hilo producido por algunos gusanos. INGLÉS silk.

sedal
nombre masculino
1 Hilo fino y muy resistente que se ata por un extremo al anzuelo y por el otro a la caña de pescar. Cuando el pez muerde el anzuelo se recoge el sedal. INGLÉS fishing line.

sedante
adjetivo
1 Que calma o tranquiliza. La música suave tiene un efecto sedante porque nos relaja. INGLÉS soothing.
nombre masculino
2 Medicamento que calma un dolor o disminuye el estado nervioso de una persona. SINÓNIMO calmante. INGLÉS sedative.

sede
nombre femenino
1 Lugar donde tiene su domicilio un organismo o una empresa, o en que se desarrolla una actividad. La sede de

la Unión Europea está en Bruselas. INGLÉS headquarters, central office.

sedentario, sedentaria
adjetivo
1 Se dice de la persona o animal que vive siempre en un lugar fijo, y del tipo de vida o las costumbres de estas personas o animales. Los hombres del Neolítico eran sedentarios. ANTÓNIMO nómada. INGLÉS sedentary.
2 Se dice del tipo de vida o el trabajo de poco movimiento y en el que la mayor parte del tiempo se está sentado. INGLÉS sedentary.

sediento, sedienta
adjetivo
1 Que tiene mucha sed. INGLÉS thirsty.

sedimentario, sedimentaria
adjetivo
1 Se dice de la roca que se forma al endurecerse o compactarse los sedimentos. La caliza es una roca sedimentaria. INGLÉS sedimentary.

sedimento
nombre masculino
1 Conjunto de minerales y otras sustancias que llegan a un terreno arrastrados por las corrientes de agua o de aire y que se quedan en él. INGLÉS sediment.
2 Sustancia que queda en el fondo de un recipiente con un líquido. INGLÉS sediment, deposit.

seducir
verbo
1 Hacer una persona que otra se sienta atraída o enamorada de ella. Una persona puede seducir a otra de muchas maneras, como enviándole mensajes o haciéndole promesas y alabanzas, pero también puede seducir mediante mentiras y engaños que la otra persona desconoce. INGLÉS to seduce.
2 Resultar atractiva una persona o una cosa o provocar la admiración de alguien: *Su voz suave y elegante seduce a los oyentes.* INGLÉS to captivate.
NOTA Se conjuga como: conducir.

seductor, seductora
adjetivo
1 Que atrae o gusta mucho. Una oferta seductora, como que nos propongan ir a una fiesta, es fácil aceptarla. INGLÉS tempting.
adjetivo y nombre
2 Se dice de la persona que hace que otra se sienta atraída o enamorada de ella. Los actores de cine que son muy guapos son seductores. INGLÉS seductive [adjetivo], seducer [nombre].

segador, segadora
adjetivo y nombre
1 Se dice de la persona que corta la hierba o los cereales. INGLÉS reaper [de cereales], mower [de hierba].

segadora
nombre femenino
1 Máquina que se utiliza para cortar hierba y cereales. INGLÉS mower [para hierba], reaper [para cereales].

segar
verbo
1 Cortar hierba o cereales. INGLÉS to mow [hierba], to reap [cereales].

segar

2 Cortar de un golpe algo que sobresale. INGLÉS to cut off.
NOTA Se conjuga como: regar; la 'e' se convierte en 'ie' en sílaba acentuada y se escribe 'gu' delante de 'e', como: sieguen.

seglar
adjetivo y nombre masculino y femenino
1 Se dice de la persona religiosa que no pertenece al clero. La comunidad cristiana está formada por clérigos y seglares. ANTÓNIMO religioso. INGLÉS lay [adjetivo].

segmento
nombre masculino
1 Parte de un todo que se separa o se considera separado de él. Podemos cortar un segmento de un hilo o de una cinta. INGLÉS segment.
2 En geometría, parte de una línea recta delimitada por dos puntos. INGLÉS segment.

segoviano, segoviana
adjetivo y nombre
1 Se dice de la persona o cosa que es de Segovia, ciudad y provincia de Castilla y León.

segregar
verbo
1 Elaborar y expulsar un órgano animal o vegetal determinadas sustancias líquidas. Las personas tenemos órganos

que segregan saliva, sudor o jugos gástricos. INGLÉS to secrete.

NOTA La 'g' se convierte en 'gu' delante de 'e', como: segreguen.

seguido, seguida

adjetivo **1** Que es continuo o sucesivo, sin interrupción. SINÓNIMO consecutivo. INGLÉS consecutive.

seguidor, seguidora

adjetivo y nombre **1** Se dice de la persona que sigue a una persona o una cosa o es partidario de ella, como los seguidores de un equipo de fútbol o los seguidores de una teoría científica. INGLÉS follower, [si es de un equipo de fútbol: supporter, fan].

seguir

verbo **1** Ir detrás de una persona o una cosa, haciendo el mismo camino que ella. En las visitas guiadas, las personas siguen al guía. INGLÉS to follow.

2 Ocurrir o venir algo después de otra cosa. Febrero sigue a enero. INGLÉS to follow.

3 Continuar haciendo, sucediendo o existiendo algo. INGLÉS to continue.

4 Ir por un camino o una dirección sin desviarse para llegar a algún sitio: *Siga todo recto hasta el final de la calle.* INGLÉS to carry on.

5 Actuar según lo que hace o dice alguien o algo: *Seguí tu consejo y me fue bien.* INGLÉS to follow.

6 Estudiar algo: *Sigue un curso de informática.* INGLÉS to do.

seguir

INDICATIVO	SUBJUNTIVO
presente	**presente**
sigo	siga
sigues	sigas
sigue	siga
seguimos	sigamos
seguís	sigáis
siguen	sigan
pretérito imperfecto	**pretérito imperfecto**
seguía	siguiera o siguiese
seguías	siguieras o siguieses
seguía	siguiera o siguiese
seguíamos	siguiéramos o siguiésemos
seguíais	siguierais o siguieseis
seguían	siguieran o siguiesen
pretérito perfecto simple	**futuro**
seguí	siguiere
seguiste	siguieres
siguió	siguiere
seguimos	siguiéremos
seguisteis	siguiereis
siguieron	siguieren

INDICATIVO	IMPERATIVO	
futuro		
seguiré	sigue	(tú)
seguirás	siga	(usted)
seguirá	sigamos	(nosotros)
seguiremos	seguid	(vosotros)
seguiréis	sigan	(ustedes)
seguirán		

INDICATIVO	FORMAS NO PERSONALES	
condicional	**infinitivo**	**gerundio**
seguiría	seguir	siguiendo
seguirías	**participio**	
seguiría	seguido	
seguiríamos		
seguiríais		
seguirían		

según

preposición **1** Indica que algo se hace de acuerdo con lo que se dice a continuación: *Menos mal que todo está saliendo según lo previsto.* INGLÉS as.

2 Indica la persona o el lugar del que viene una opinión o información: *Según el técnico, la televisión no se puede arreglar.* INGLÉS according to.

segundo, segunda

numeral ordinal **1** Que ocupa el lugar número 2 en una serie ordenada. INGLÉS second.

nombre masculino **2** Cada una de las sesenta partes iguales en que se divide un minuto. INGLÉS second.

3 Espacio muy breve de tiempo: *Espera un segundo.* INGLÉS second.

con segundas Indica que algo se dice o se hace con una intención distinta de la que parece a primera vista. INGLÉS with an ulterior motive.

segundón, segundona

nombre **1** Persona que ocupa un puesto que no es el principal en una clasificación o en una organización y que no tiene posibilidades de mejorar o ascender. Los segundones destacan mucho menos que otros y suelen tener menos ambición para conseguir las cosas. Es un uso despectivo. INGLÉS second fiddle.

2 Hijo que no es el primogénito de una familia. Se aplica especialmente al segundo hijo de una familia rica, que está destinado a quedarse sin la mayor parte de la herencia. INGLÉS second son.

NOTA El plural de segundón es: segundones.

seguridad

nombre femenino **1** Característica de las cosas que son seguras o no tienen peligro: *El cinturón de seguridad de los vehículos ha salvado*

a b c d e f g h i j k l m n ñ o p q r s t u v w x y z

muchas vidas. INGLÉS safety [contra los accidentes], security [contra los robos].
2 Característica de las personas que no tienen dudas. INGLÉS certainty, confidence.
seguridad social Sistema organizado por el Estado para la asistencia médica de todos los ciudadanos. INGLÉS social security.

seguro, segura
adjetivo **1** Que está libre de cualquier peligro o riesgo. Las cajas fuertes son sitios seguros para guardar dinero y cosas valiosas. INGLÉS secure, safe.
2 Que no es probable que falle, se rompa o se estropee: *Los frenos de esta bici son muy seguros.* INGLÉS reliable.
3 Que ocurrirá con seguridad, o se cree sin ninguna duda: *Con este equipo la victoria es segura.* INGLÉS certain.
4 Que tiene o demuestra tener pocas o ninguna duda: *Estoy segura de que vendrá.* INGLÉS certain.
nombre masculino **5** Contrato por el que se paga una cantidad de dinero a una empresa que se compromete a pagar los gastos en caso de que se produzca un daño determinado. Hay seguros para los vehículos, las viviendas o las personas. INGLÉS insurance.
6 Mecanismo que se pone para que algo no se pueda abrir o no funcione. Las puertas de los automóviles suelen tener seguro. INGLÉS safety device, safety catch.

seis
numeral cardinal **1** Indica que el nombre al que acompaña está 6 veces. INGLÉS six.
numeral ordinal **2** Que ocupa el lugar número 6 en una serie ordenada. INGLÉS sixth.
nombre masculino **3** Nombre del número 6. INGLÉS six.

seiscientos, seiscientas
numeral cardinal **1** Indica que el nombre al que acompaña está 600 veces. INGLÉS six hundred.
numeral ordinal **2** Que ocupa el lugar número 600 en una serie ordenada. INGLÉS six hundredth.
nombre masculino **3** Nombre del número 600. INGLÉS six hundred.

seísmo
nombre masculino **1** Movimiento violento de la superficie de la Tierra. SINÓNIMO terremoto. INGLÉS earthquake.

selección
nombre femenino **1** Acción que consiste en elegir la persona, animal o cosa más adecuada para un fin determinado. También se llama selección el conjunto de personas, animales o cosas que se eligen. INGLÉS selection.
2 Conjunto de los deportistas que se eligen para participar en una competición representando a su país. INGLÉS national team.
NOTA El plural es: selecciones.

seleccionar
verbo **1** Tomar o elegir a las personas, animales o cosas más adecuadas para algún fin determinado. INGLÉS to select.

selectividad
nombre femenino **1** Conjunto de exámenes que se hacen para seleccionar a los alumnos que son aptos para entrar en la universidad. INGLÉS university entrance examination.

selecto, selecta
adjetivo **1** Que es o se considera lo mejor entre los de su especie. INGLÉS select.

selector
nombre masculino **1** Aparato o dispositivo de una máquina que sirve para seleccionar una función. Los aparatos de aire acondicionado tienen un selector para subir o bajar la temperatura. INGLÉS selector.

self-service
nombre masculino **1** Establecimiento en que el cliente elige lo que quiere comprar o consumir. En los restaurantes con self-service los clientes van a una barra donde escogen el plato que quieren comer y después de pagar, ellos mismos se lo llevan a una mesa. INGLÉS self-service cafeteria.
NOTA Se pronuncia: 'self-servis'. El plural es: self-services.

sellar
verbo **1** Estampar o poner un sello en una carta o documento. INGLÉS to stamp.
2 Cerrar o tapar algo de modo que no se pueda abrir. INGLÉS to seal.
3 Finalizar o completar un asunto con un acto determinado: *Sellaron el pacto con un apretón de manos.* INGLÉS to seal.

sello
nombre masculino **1** Trozo pequeño de papel, generalmente cuadrado o rectangular, en el que hay un dibujo y un precio. El sello

se pega en ciertos documentos y en cartas y paquetes que se envían por correo. **INGLÉS** stamp.

2 Instrumento de goma o metal que sirve para estampar sobre un papel los dibujos, letras o números que hay grabados en él. **INGLÉS** stamp.

3 Dibujo que queda impreso con este instrumento. **INGLÉS** stamp.

selva

nombre femenino

1 Terreno extenso, sin cultivar, en el que crece una vegetación muy abundante. La selva se da en las zonas muy cálidas y lluviosas. **INGLÉS** jungle.

semáforo

nombre masculino

1 Aparato que sirve para regular la circulación de los vehículos y los peatones en las vías públicas. El semáforo tiene tres luces: la roja indica no pasar, la ámbar indica precaución, y la verde, pasar. **INGLÉS** traffic light.

semana

nombre femenino

1 Período de siete días que empieza el lunes y termina el domingo. También es un período de siete días empezando a contar desde cualquier día. **INGLÉS** week.

fin de semana Período de tiempo formado por el sábado y el domingo. **INGLÉS** weekend.

semanal

adjetivo

1 Que se hace o se repite una vez a la semana. **INGLÉS** weekly.

2 Que dura una semana. **INGLÉS** weeklong.

semanario

nombre masculino

1 Periódico o revista que aparece cada semana. **INGLÉS** weekly, weekly magazine.

semántica

nombre femenino

1 Parte de la lingüística que estudia el significado de las palabras y las frases. **INGLÉS** semantics.

semántico, semántica

adjetivo

1 Del significado de las palabras o que tiene relación con ellas. En los diccionarios se recogen los diferentes valores semánticos de cada palabra. **INGLÉS** semantic.

semblante

nombre masculino

1 Expresión que tiene la cara de una persona en una determinada situación. Si nos pasa alguna cosa agradable tenemos el semblante feliz. **INGLÉS** face, countenance.

sembrado

nombre masculino

1 Terreno en el que se han puesto semillas para que crezcan las plantas. **INGLÉS** sown field.

sembradora

nombre femenino

1 Máquina que sirve para sembrar. **INGLÉS** seed drill.

sembrar

verbo

1 Distribuir las semillas de una planta sobre un terreno para que germinen y crezcan. **INGLÉS** to sow.

2 Esparcir alguna cosa en un sitio. En otoño, el viento siembra las calles de hojas. **INGLÉS** to scatter.

3 Dar motivo o ser la causa de algo: *Sus amenazas sembraron el miedo entre la gente.* **SINÓNIMO** causar. **INGLÉS** to sow.

NOTA Se conjuga como: acertar; la 'e' se convierte en 'ie' en sílaba acentuada, como: siembren.

semejante

adjetivo

1 Que tiene unas características o propiedades iguales o muy parecidas a las de otra persona o cosa. **SINÓNIMO** similar. **INGLÉS** similar.

2 Indica que algo es muy grande o muy intenso, en especial si se trata de algo negativo: *No entiendo cómo has podido decir semejante tontería.* Va siempre delante del nombre. **SINÓNIMO** tal. **INGLÉS** such.

nombre masculino

3 Cualquier persona respecto a las demás. **SINÓNIMO** prójimo. **INGLÉS** fellow being.

semejanza

nombre femenino

1 Relación que hay entre dos personas o cosas que tienen características comunes. **SINÓNIMO** similitud. **INGLÉS** similarity, likeness.

semen

nombre masculino

1 Líquido espeso de color blanquecino producido por los órganos reproductores masculinos. El semen contiene los espermatozoides. **SINÓNIMO** esperma. **INGLÉS** semen.

semestre

nombre masculino

1 Período de tiempo que dura seis meses. **INGLÉS** six-month period, semester.

semicircular

adjetivo

1 Que tiene forma de medio círculo. La

'D' mayúscula tiene una forma semicircular. INGLÉS semicircular.

semicírculo
nombre masculino
1 Mitad de un círculo. INGLÉS semicircle.

semicircunferencia
nombre femenino
1 Mitad de una circunferencia. INGLÉS semicircumference.

semifinal
nombre femenino
1 Cada uno de los partidos o pruebas que se hacen justo antes de la final en una competición deportiva o en un concurso. INGLÉS semifinal.

semilla
nombre femenino
1 Parte del fruto que da origen a una nueva planta. El melocotón tiene solo una semilla y el melón, muchas. SINÓNIMO simiente. INGLÉS seed.

seminario
nombre masculino
1 Centro donde estudian y se forman las personas que quieren ser sacerdotes. INGLÉS seminary.
2 Conjunto de actividades en las que profesores y alumnos realizan trabajos de investigación sobre un tema. INGLÉS seminar.

semirrecta
nombre femenino
1 Cada una de las dos partes en que se divide una recta a partir de un punto. INGLÉS half-line.

sémola
nombre femenino
1 Grano que se obtiene al triturar un cereal, como el trigo, el arroz o el maíz, y que se utiliza para hacer platos y elaborar diferentes tipos de pasta. INGLÉS semolina.

senado
nombre masculino
1 Institución política compuesta por los representantes elegidos por los ciudadanos que se encarga de aceptar, modificar o rechazar las leyes aprobadas en el congreso. INGLÉS senate.
2 Edificio donde se reúnen estos representantes. INGLÉS senate.

senador, senadora
nombre
1 Persona que forma parte del senado. INGLÉS senator.

sencillez
nombre femenino
1 Falta de adornos o de lujo de una cosa o de un lugar. INGLÉS simplicity.
2 Cualidad de algo que no tiene dificultad o complicación. INGLÉS simplicity.
3 Forma de ser de una persona que trata a los demás como iguales, sin creerse superior. ANTÓNIMO vanidad; soberbia. INGLÉS simplicity.

sencillo, sencilla
adjetivo
1 Que no tiene dificultad o complicación: *El ejercicio era muy sencillo.* SINÓNIMO fácil. ANTÓNIMO difícil. INGLÉS simple, easy.
2 Que está formado por uno o pocos elementos o partes. El cuchillo es un instrumento sencillo. SINÓNIMO simple. ANTÓNIMO compuesto. INGLÉS simple.
3 Que no está muy adornado o carece de cosas que no son necesarias. Para hacer una excursión nos ponemos ropa sencilla y cómoda. INGLÉS simple.
4 Se dice de la persona que trata a los demás como iguales, sin creerse superior. SINÓNIMO llano. ANTÓNIMO vanidoso; soberbio. INGLÉS natural, unaffected.

senda
nombre femenino
1 Sendero: *Una senda conduce hasta el refugio.* INGLÉS path.

sendero
nombre masculino
1 Camino estrecho que se ha formado por el paso de personas o animales: *Llegamos a la cima de la montaña siguiendo el sendero.* SINÓNIMO senda. INGLÉS path.

sendos, sendas
adjetivo plural
1 Uno para cada una de dos o más personas o cosas: *Los dos niños salieron de excursión con sendas mochilas.* INGLÉS each.

seno
nombre masculino
1 Cada uno de los dos órganos de forma redondeada que tienen las mujeres en la parte superior del tronco. SINÓNIMO pecho; teta. INGLÉS breast.
2 Interior de algo no material, como el seno de una familia o el seno de la sociedad. INGLÉS bosom.

sensación
nombre femenino
1 Efecto que produce una cosa que llega a través de los sentidos. El frío, un olor o un ruido son sensaciones que podemos percibir. INGLÉS sensation, feeling.
2 Emoción o admiración que produce algo a una persona. INGLÉS sensation.
NOTA El plural es: sensaciones.

sensacional
adjetivo
1 Que produce una sensación o im-

a b c d e f g h i j k l m n ñ o p q r s t u v w x y z

presión muy fuerte: *La noticia es sensacional, casi no me la creo.* SINÓNIMO impresionante. INGLÉS sensational.

2 Se dice de la persona o la cosa que gusta mucho a alguien o que destaca mucho por sus buenas cualidades. INGLÉS sensational.

sensacionalista

adjetivo **1** Se dice de la persona, del programa o de la publicación que se caracteriza por destacar los aspectos más llamativos y escandalosos de las noticias. Los medios de comunicación sensacionalistas prefieren llamar la atención del público antes que informar con seriedad. INGLÉS sensationalist.

sensatez

nombre femenino **1** Característica de la persona que piensa bien las consecuencias que pueden tener sus actos o sus palabras. INGLÉS good sense, common sense.

sensato, sensata

adjetivo **1** Se dice de la persona que habla o actúa con sensatez. También se dice de los hechos o las palabras que demuestran sensatez. INGLÉS sensible.

sensibilidad

nombre femenino **1** Capacidad de los animales y las personas de captar cosas a través de los sentidos: *Ha perdido la sensibilidad en la mano a causa del accidente.* INGLÉS feeling.

2 Capacidad de los seres humanos de tener sentimientos y emocionarse. INGLÉS sensitivity.

sensible

adjetivo **1** Se dice de la persona que se emociona fácilmente o que siente determinados sentimientos con mucha rapidez y fuerza: *Es muy sensible y cuando lo critican se pone triste.* INGLÉS sensitive.

2 Que tiene capacidad de captar las cosas a través de los sentidos. Las plantas, los animales y las personas somos sensibles a factores externos como la luz y el calor. INGLÉS sensitive.

3 Que es claro o evidente porque resulta fácil de notar: *El paciente ha mostrado una sensible mejoría.* INGLÉS perceptible, appreciable.

4 Que presta atención a lo que se le dice o se le pide: *Nos hemos quejado y se ha mostrado sensible a nuestras peticiones.* ANTÓNIMO insensible. INGLÉS sympathetic.

sensiblería

nombre femenino **1** Característica de la persona o cosa que muestra una sensibilidad exagerada o falsa: *Esos lloros son sensiblería de niño mimado.* INGLÉS sentimentality.

sensorial

adjetivo **1** De los sentidos o que tiene relación con ellos. INGLÉS sensory.

sensual

adjetivo **1** Que al ser percibido por los sentidos provoca un sentimiento de placer o mucho gusto, como una música o un perfume sensual. INGLÉS sensual.

2 Que provoca una gran atracción sexual. INGLÉS sensual.

sentar

verbo **1** Apoyar el culo encima de una superficie, como una silla o un banco. INGLÉS to sit.

2 Producir una cosa un determinado efecto en el cuerpo o en la mente. Una comida muy picante nos puede sentar mal. Las felicitaciones nos sientan bien. INGLÉS to make feel.

3 Resultar bien o mal una ropa, un peinado o un maquillaje a una persona: *Ese vestido te sienta muy bien.* INGLÉS to suit.

4 Poner o establecer los fundamentos o las bases de algo. Antes de jugar a algo hay que sentar claramente las reglas del juego. INGLÉS to lay down.

NOTA Se conjuga como: acertar; la 'e' se convierte en 'ie' en sílaba acentuada, como: sientan.

sentencia

nombre femenino **1** Decisión que toma el juez al terminar un juicio en la que dice si el acusado es culpable o inocente y fija la pena. INGLÉS judgement [que fija la inocencia o culpabilidad], sentence [que fija la pena].

2 Expresión o frase corta que sirve como consejo o enseñanza moral. 'Nunca digas: de esta agua no beberé' es una sentencia. INGLÉS maxim.

sentido

nombre masculino **1** Capacidad que tienen las personas y los animales de recibir distintos tipos de estímulos externos. Los cinco sentidos son la vista, el oído, el tacto, el olfato y el gusto. INGLÉS sense.

2 Significado que tiene una palabra o una frase, en especial cuando se utiliza en un contexto o una situación determinada. INGLÉS sense, meaning.
3 Habilidad especial de una persona para entender o para notar un tipo determinado de cosas: *Tiene un gran sentido del humor.* INGLÉS sense.
4 Manera particular de entender o sentir algo. El sentido de la responsabilidad de una persona puede ser muy distinto del de otra. INGLÉS sense.
5 Cada una de las dos orientaciones que tiene un camino, una carretera o una calle. INGLÉS direction.
sentido común Capacidad de las personas para actuar de forma razonable. INGLÉS common sense.

sentimental

adjetivo y nombre masculino y femenino
1 Se dice de la persona que se emociona con facilidad. Es fácil que una persona sentimental llore al despedirse de un amigo. INGLÉS sentimental [adjetivo].
adjetivo
2 Que expresa o provoca sentimientos que emocionan o impresionan, en especial si están relacionados con el amor, la amistad y los recuerdos. INGLÉS sentimental.

sentimiento

nombre masculino
1 Lo que siente una persona y hace que tenga un estado de ánimo determinado. Son sentimientos la soledad, el amor, el odio, la angustia o la felicidad. INGLÉS feeling.
2 Lo que forma la parte afectiva de las personas o lo que sienten interiormente: *Se dejó llevar por los sentimientos y no por la razón.* INGLÉS feeling.
3 Capacidad que tiene alguien para querer o comportarse bien con los demás. INGLÉS feeling.

sentir

verbo
1 Tener una sensación física. Podemos sentir cosas como frío, hambre, dolor o un cosquilleo. INGLÉS to feel.
2 Tener un sentimiento o encontrarse de determinada manera. Sentimos alegría al ver a los amigos y amor hacia los seres queridos. INGLÉS to feel.
3 Tener pena cuando ocurre algo que no gusta o no se desea: *Siento que no puedas venir con nosotras.* INGLÉS to be sorry.
4 Tener la sensación de que algo va a ocurrir, sin tener una razón clara: *No sé por qué, pero siento que algo va a salir mal.* SINÓNIMO presentir. INGLÉS to feel.
5 Recibir una impresión a través del sentido del olfato, el oído o el tacto. Se siente un olor, un ruido o la aspereza de algo. INGLÉS to smell [un olor], to hear [un ruido], to feel [con el tacto].
6 sentirse Encontrarse de determinada manera física o en un determinado estado de ánimo. Una persona puede sentirse enferma, feliz, bien, mal o animada. INGLÉS to feel.
7 sentirse Creerse una persona que es de determinada manera. Es importante sentirse útil. INGLÉS to feel.
NOTA Se conjuga como: preferir; la 'e' se convierte en 'ie' en sílaba acentuada o en 'i' en algunos tiempos y personas, como: sientan o sintió.

seña

nombre femenino
1 Gesto que hace una persona para indicar o dar a entender algo: *Hizo una seña para pedir silencio.* INGLÉS signal, sign.
2 Característica de una persona o cosa por la que puede ser reconocida: *Si no me das más señas, no sé de quién me hablas.* Con este significado se usa mucho en plural. INGLÉS detail.
nombre femenino plural
3 señas Conjunto de datos que indican la población, la calle y el número donde vive una persona o está instalada una empresa. SINÓNIMO dirección. INGLÉS address.

señal

nombre femenino
1 Cosa que tiene o se pone en algo o alguien para distinguirlo y reconocerlo entre los demás. En los libros dejamos una señal en la página hasta la que hemos leído para continuar más tarde. INGLÉS mark.
2 Signo o gesto acordado entre varias personas para hacer o saber algo. Los corredores están atentos a la señal para iniciar la carrera. INGLÉS signal.
3 Cosa que indica o demuestra algo. Una huella, una pista o un indicio son señales que ayudan a descubrir a un ladrón. INGLÉS sign.
4 Marca o huella de una superficie. Una cicatriz es una señal que deja una herida en la piel. INGLÉS mark.
5 Cantidad de dinero que se adelanta

para reservar una compra o un servicio. INGLÉS deposit.

6 Sonido que hacen el teléfono y otros aparatos para indicar que funciona: *Si no hay señal es que la línea debe estar cortada.* INGLÉS tone.

señal de tráfico Signo que hay en la carretera o en la calle para decir a los peatones y conductores lo que pueden o deben hacer. INGLÉS road sign.

señalar

verbo

1 Poner una señal en alguna cosa para distinguirla y reconocerla entre las demás. INGLÉS to mark.

2 Indicar algo con el dedo o con otro gesto. INGLÉS to point at.

3 Ser una cosa señal o indicio de otra. El cielo despejado señala que será un día soleado. INGLÉS to indicate.

4 Determinar el lugar o el momento para hacer algo: *La profesora ya ha señalado el día del examen.* INGLÉS to set, to fix.

5 Dejar una marca en la piel o en una superficie. INGLÉS to mark.

6 señalarse Distinguirse entre los demás por alguna cualidad o circunstancia. INGLÉS to stand out.

señalización

nombre femenino

1 Acción que consiste en señalizar las vías de circulación. INGLÉS signposting.

2 Conjunto de señales de tráfico. La señalización ofrece informaciones como la velocidad adecuada en cada tramo de una carretera. INGLÉS roadsigns.

NOTA El plural es: señalizaciones.

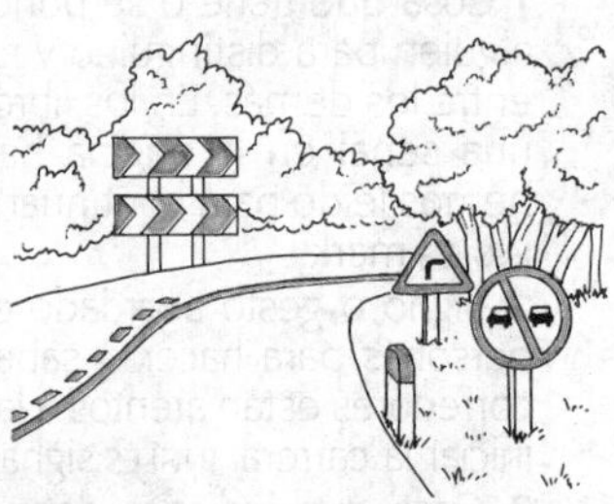

señalización

señalizar

verbo

1 Poner señales de tráfico en las vías de circulación. INGLÉS to signpost.

NOTA Se escribe 'c' delante de 'e', como: señalicen.

señor, señora

nombre

1 Persona adulta. Tambiés es una palabra que se utiliza para llamar a una persona adulta cuando no se conoce su nombre o en señal de respeto o cortesía: *Pase usted, señor.* INGLÉS sir [hombre], madam [mujer].

2 Palabra que se antepone al apellido o a la profesión de una persona adulta en señal de respeto y cortesía: *¿La señora Gómez?* INGLÉS Mr [hombre], Mrs [mujer].

3 Persona que es dueña de algo, en especial de un territorio o una casa. Los señores feudales de la edad media tenían muchas tierras. INGLÉS master [hombre], mistress [mujer].

4 Manera de llamar las personas que trabajan en el servicio de una casa a los dueños de la misma. INGLÉS master [hombre], mistress [mujer].

nombre masculino **5** Dios. Con este significado se escribe con mayúscula. INGLÉS the Lord.

nombre femenino **6** Mujer casada o esposa de un hombre: *En la fiesta, nos presentó a su señora.* INGLÉS wife.

señorial

adjetivo

1 Que es propio de la nobleza o las clases más altas y se nota en su aspecto elegante y lujoso. INGLÉS stately.

señorito, señorita

nombre

1 Manera de llamar las personas que trabajan en el servicio de una casa a los hijos de los dueños. INGLÉS master [hombre], mistress [mujer].

2 Persona joven que no está acostumbrada a trabajar. También es la persona que actúa con demasiada delicadeza, como si fuera muy rica: *¡Mira qué señorito!, resulta que no quiere que sus amigos lo vean trabajar.* INGLÉS rich kid.

nombre femenino **3** Palabra que se antepone al nombre de una mujer joven y soltera en señal de respeto y cortesía. INGLÉS Miss.

4 Mujer que realiza algunos trabajos, como maestra, dependienta, azafata u otro empleo de atención al público. INGLÉS young lady, [si es la profesora: teacher; si es cuando se habla con ella: miss].

sépalo

nombre masculino

1 Hoja que forma el cáliz de una flor. Durante la fase del capullo, los sépalos envuelven y protegen los estambres y el pistilo. INGLÉS sepal.

separación
nombre femenino
1 Acción u otra cosa que separa dos personas o cosas. Las paredes hacen de separación entre las habitaciones. INGLÉS separation.
2 Espacio que queda entre dos cosas o dos personas que no están juntas. INGLÉS space, gap.
3 Situación que se produce cuando una pareja deja de vivir en común porque ha dejado de quererse o por ciertos problemas. INGLÉS separation.
NOTA El plural es: separaciones.

separar
verbo
1 Hacer que dos o más personas o cosas que estaban cerca o juntas dejen de estarlo o lo estén menos: *Separó la ropa blanca de la negra.* INGLÉS to separate.
2 Distinguir o dividir dos cosas o dos lugares algo que está o se pone en medio de ellos: *Los Pirineos separan Francia de España.* INGLÉS to separate.
3 separarse Dejar de vivir juntas dos personas que estaban casadas o que vivían juntas. INGLÉS to separate.

sepia
nombre femenino
1 Molusco marino parecido a un calamar, pero con el cuerpo más ancho y aplanado y diez tentáculos con ventosas. Es comestible. INGLÉS cuttlefish.
nombre masculino y adjetivo
2 Color marrón claro con un tono rojizo. Las fotografías muy antiguas a veces son de color sepia. INGLÉS sepia.

septentrional
adjetivo
1 Del norte o que tiene relación con él. ANTÓNIMO meridional. INGLÉS northern.

septiembre
nombre masculino
1 Noveno mes del año. Septiembre tiene 30 días. INGLÉS September.
NOTA También se escribe y se pronuncia: setiembre.

séptimo, séptima
numeral ordinal
1 Que ocupa el lugar número 7 en una serie ordenada. El séptimo día de la semana es el domingo. INGLÉS seventh.
adjetivo y nombre masculino
2 Se dice de cada una de las 7 partes iguales en que se divide un conjunto. INGLÉS seventh.

septuagésimo, septuagésima
numeral ordinal
1 Que ocupa el número 70 en una serie ordenada. INGLÉS seventieth.
adjetivo y nombre
2 Se dice de cada una de las 70 partes iguales en que se divide una cosa. INGLÉS seventieth.

sepulcro
nombre masculino
1 Construcción de piedra levantada sobre suelo que sirve para dar sepultura a una o más personas muertas. INGLÉS tomb.

sepultar
verbo
1 Poner a un muerto en una sepultura. SINÓNIMO enterrar. INGLÉS to bury.
2 Cubrir por completo alguna cosa, de manera que quede oculta: *Un alud sepultó el refugio de montaña.* INGLÉS to bury.

sepultura
nombre femenino
1 Hoyo excavado en la tierra o construcción que sirve para enterrar a una persona muerta. INGLÉS grave.
2 Acción de enterrar a una persona muerta. INGLÉS burial.

sequedad
nombre femenino
1 Estado de una cosa cuando está muy seca por falta de agua o de otro líquido. INGLÉS dryness.

sequía
nombre femenino
1 Período largo de tiempo en el que no llueve. En tiempo de sequía debemos ser especialmente cuidadosos con el agua que gastamos. INGLÉS drought.

séquito
nombre masculino
1 Grupo de personas que acompaña a una persona más importante. SINÓNIMO comitiva. INGLÉS entourage, retinue.

ser
verbo
1 Tener una cualidad. Introduce cualquier cosa que sirve para describir a las personas, los animales o las cosas: *La mesa es de madera. Los bomberos son valientes. Eso es mentira.* INGLÉS to be.
2 Indica que una persona, animal o cosa pertenece a un grupo o tipo determinado: *Es médico. El canario es un pájaro. Es chino. Los bombones son de Bruselas.* INGLÉS to be.
3 Suceder o tener lugar un hecho en el momento que se indica: *La Navidad es en diciembre. El partido fue ayer.* SINÓNIMO ocurrir. INGLÉS to be.
4 Indica la hora, el día de la semana o

ser

INDICATIVO	SUBJUNTIVO
presente	**presente**
soy	sea
eres	seas
es	sea
somos	seamos
sois	seáis
son	sean
pretérito imperfecto	**pretérito imperfecto**
era	fuera o fuese
eras	fueras o fueses
era	fuera o fuese
éramos	fuéramos o fuésemos
erais	fuerais o fueseis
eran	fueran o fuesen
pretérito perfecto simple	**futuro**
fui	fuere
fuiste	fueres
fue	fuere
fuimos	fuéremos
fuisteis	fuereis
fueron	fueren
futuro	**IMPERATIVO**
seré	sé (tú)
serás	sea (usted)
será	seamos (nosotros)
seremos	sed (vosotros)
seréis	sean (ustedes)
serán	
condicional	**FORMAS NO PERSONALES**
sería	**infinitivo** ser — **gerundio** siendo
serías	**participio** sido
sería	
seríamos	
seríais	
serían	

la fecha: *Hoy es martes. ¿Qué hora es?* INGLÉS to be.

5 Pertenecer algo a alguien: *La bici es de tu hermano.* INGLÉS to belong, to be.

6 Valer o costar dinero: *Serán tres euros. ¿Cuánto es?* INGLÉS to be.

7 Indica el resultado de una operación matemática: *Cinco más cinco son diez.* INGLÉS to be.

8 Se usa para conjugar la voz pasiva de todos los verbos: *El abuelo es querido por todos.* INGLÉS to be.

nombre masculino **9** Persona, animal o cosa que existe o que tiene vida: *En la Tierra viven millones de seres vivos.* INGLÉS being.

ser para Servir o estar destinado a un uso o una finalidad determinados: *Las tijeras son para cortar.* INGLÉS to be for.

serbio, serbia

adjetivo y nombre **1** Se dice de la persona o cosa que es de Serbia, país del sudeste de Europa. INGLÉS Serbian.

nombre masculino **2** Lengua hablada en Serbia. El serbio es una lengua eslava, como el ruso. INGLÉS Serbian.

serenar

verbo **1** Hacer que se tranquilice una persona que está excitada o preocupada. INGLÉS to calm down.

serenata

nombre femenino **1** Composición musical que se canta o se toca por la noche en medio de la calle. La serenata se dedica a una persona que nos agrada. INGLÉS serenade.

serenidad

nombre femenino **1** Característica de la persona que está tranquila y que no pierde la calma ante una situación difícil. INGLÉS calm.

sereno, serena

adjetivo **1** Que está tranquilo, sin ruido ni movimiento. Cuando el mar está sereno, no hay olas. SINÓNIMO calmado. INGLÉS calm.

2 Que no tiene o no demuestra preocupación, ni nervios. SINÓNIMO tranquilo. INGLÉS calm.

3 Se dice del día o del cielo que está muy despejado y claro, sin nubes ni niebla. INGLÉS fine [día], clear [cielo].

4 Que no está borracho. SINÓNIMO sobrio. INGLÉS sober.

nombre masculino **5** Persona que antiguamente tenía como oficio vigilar las calles por la noche y abrir las puertas de los edificios a la gente que vivía en ellos. Los serenos siempre llevaban muchas llaves encima. INGLÉS night watchman.

serie

nombre femenino **1** Conjunto de cosas relacionadas entre sí que van u ocurren unas después de otras, como una serie de libros de una misma colección o una serie de números. INGLÉS series.

2 Obra que se emite por capítulos en la radio o en la televisión. INGLÉS series.

en serie Se dice del tipo de fabricación que consiste en hacer cosas iguales, siguiendo un mismo modelo y utilizando máquinas. INGLÉS mass.

fuera de serie Que es especialmente bueno entre los de su clase. INGLÉS outstanding.

seriedad

nombre femenino **1** Responsabilidad y formalidad con que actúa una persona o entidad. La seriedad de una empresa se demuestra con un servicio eficaz. **INGLÉS** reliability, dependability.

2 Falta de alegría o de diversión. **INGLÉS** seriousness.

serio, seria

adjetivo

1 Se dice de la persona responsable y rigurosa que cumple con sus obligaciones. Los estudiantes serios estudian mucho y sacan buenas notas. **SINÓNIMO** responsable. **INGLÉS** responsible.

2 Se dice de la persona que no se ríe ni hace bromas. Cuando estamos de mal humor estamos serios. También son serias la actitud, la cara o la mirada de estas personas. **ANTÓNIMO** cómico; gracioso. **INGLÉS** serious.

3 Que es muy importante y muy grave. El problema de la droga entre los jóvenes es muy serio. **INGLÉS** serious.

sermón

nombre masculino

1 Discurso que los sacerdotes dan en misa. **INGLÉS** sermon.

2 Regañina que se le da a una persona por su mal comportamiento, especialmente si resulta larga y pesada. **INGLÉS** ticking-off.

NOTA El plural es: sermones.

serpentina

nombre femenino

1 Tira de papel enrollada, muy larga y estrecha, que las personas se lanzan en las fiestas sujetándola por una de sus puntas. **INGLÉS** streamer.

serpiente

nombre femenino

1 Reptil sin patas que tiene el cuerpo alargado y cilíndrico, la cabeza aplanada y la piel con escamas. **INGLÉS** snake.

serrano, serrana

adjetivo

1 De la sierra, como conjunto de montañas, o relacionado con ella: *Desde la cima podremos observar el paisaje serrano.* **INGLÉS** mountain [adjetivo].

2 Que es muy sano y hermoso: *Desde que haces ejercicio, luces un cuerpo serrano.* Es un uso familiar. **INGLÉS** attractive.

serrar

verbo

1 Cortar algo con una sierra, en especial la madera. **INGLÉS** to saw.

NOTA Se conjuga como: acertar; la 'e' se convierte en 'ie' en sílaba acentuada, como: sierran.

serrín

nombre masculino

1 Polvo o conjunto de partículas pequeñas de madera que caen al serrarla. **INGLÉS** sawdust.

serrucho

nombre masculino

1 Herramienta que sirve para cortar madera y otros materiales duros. El serrucho está formado por una hoja ancha de metal con dientes cortantes en un lado, que está unida a un mango. **INGLÉS** handsaw.

servicial

adjetivo

1 Que siempre está dispuesto a hacer favores o a prestar servicios a los demás. **INGLÉS** obliging, helpful.

servicio

nombre masculino

1 Trabajo, en especial cuando se hace para otra persona. **INGLÉS** service.

2 Utilidad que tiene una cosa. Un diccionario nos hace un buen servicio al enseñarnos el significado de las palabras que buscamos. **INGLÉS** service.

3 Favor que se presta a una persona y que es de gran ayuda para quien lo recibe: *Me hiciste un gran servicio dejándome tu paraguas cuando llovía.* **INGLÉS** service.

4 Organización, con su personal y medios que se encarga de cuidar unos intereses y satisfacer las necesidades de una persona o comunidad, como el servicio de limpieza o el servicio médico. **INGLÉS** service.

5 Conjunto de objetos, como platos, vasos o tazas, que se usan para servir comidas y bebidas. **INGLÉS** service.

6 Habitación en la que se encuentra el retrete y otros elementos que sirven para el aseo personal. **SINÓNIMO** aseo; baño. **INGLÉS** toilet.

7 En algunos deportes, como el tenis, impulso que se da a la pelota para ponerla en movimiento y comenzar una jugada. **INGLÉS** service, serve.

servicio militar Servicio que se presta al Estado sirviendo como soldados en el ejército durante un tiempo determinado. **INGLÉS** national service.

servidor, servidora

nombre

1 Forma de referirse una persona a sí misma. **INGLÉS** yours truly.

nombre masculino

2 Equipo informático que controla las operaciones de un conjunto de ordenadores conectados en una red. Los programas suelen estar en el servidor. INGLÉS server.

servidumbre

nombre femenino **1** Conjunto de personas que trabajan como sirvientes en una casa. También se llama servidumbre el trabajo que hacen estas personas. INGLÉS servants [sirvientes], service [trabajo].

2 Carga o dependencia excesiva de un trabajo, un cargo o una responsabilidad o del amor o la pasión hacia una persona o una cosa. INGLÉS servitude.

servilleta

nombre femenino **1** Trozo de tela o de papel que sirve para limpiarse la boca y las manos cuando estamos comiendo. Las servilletas suelen tener forma cuadrada o rectangular. INGLÉS napkin, serviette.

servilletero

nombre masculino **1** Objeto que generalmente tiene forma de aro y que sirve para guardar la servilleta enrollada. INGLÉS napkin ring, serviette ring.

servir

verbo **1** Tener utilidad o ser adecuada una persona o una cosa para una función determinada: *La llave sirve para abrir la puerta.* INGLÉS to be used.

2 Llevar la comida o la bebida a la mesa o ponerla en los platos y en los vasos. En los restaurantes sirven los camareros. INGLÉS to serve.

3 Atender el empleado de un establecimiento a una persona que solicita alguna cosa. INGLÉS to serve.

4 Trabajar una persona para otra, especialmente haciendo trabajos domésticos o de atención personal: *Sirve de mayordomo en esa mansión.* INGLÉS to serve, to work.

5 Formar parte del ejército. INGLÉS to serve.

6 Trabajar para un organismo o una entidad desempeñando un cargo o un puesto determinado, especialmente en centros oficiales o estatales. Los cónsules sirven en las embajadas. INGLÉS to serve, to work.

7 Hacer llegar a una persona o a una empresa unas mercancías o artículos que había solicitado. INGLÉS to supply.

8 servirse Utilizar a una persona o una cosa para conseguir un fin determinado. Nos servimos de los cubiertos para comer. INGLÉS to use.

sesenta

numeral cardinal **1** Indica que el nombre al que acompaña está 60 veces. INGLÉS sixty.

numeral ordinal **2** Que ocupa el lugar número 60 en una serie ordenada. INGLÉS sixtieth.

nombre masculino **3** Nombre del número 60. INGLÉS sixty.

sesentavo, sesentava

adjetivo y nombre **1** Se dice de cada una de las 60 partes iguales en que se divide una cosa. INGLÉS sixtieth.

seseo

nombre masculino **1** Fenómeno que consiste en pronunciar la 'c' o la 'z' como 's'. El seseo es característico del español que se habla en algunas partes de Andalucía, Canarias e Hispanoamérica.

sesgo

nombre masculino **1** Orientación que toma un asunto o negocio: *La discusión tomó un ses-*

servir

INDICATIVO	SUBJUNTIVO
presente	**presente**
sirvo	sirva
sirves	sirvas
sirve	sirva
servimos	sirvamos
servís	sirváis
sirven	sirvan
pretérito imperfecto	**pretérito imperfecto**
servía	sirviera o sirviese
servías	sirvieras o sirvieses
servía	sirviera o sirviese
servíamos	sirviéramos o sirviésemos
servíais	sirvierais o sirvieseis
servían	sirvieran o sirviesen
pretérito perfecto simple	**futuro**
serví	sirviere
serviste	sirvieres
sirvió	sirviere
servimos	sirviéremos
servisteis	sirviereis
sirvieron	sirvieren

INDICATIVO	IMPERATIVO	
futuro		
serviré	sirve	(tú)
servirás	sirva	(usted)
servirá	sirvamos	(nosotros)
serviremos	servid	(vosotros)
serviréis	sirvan	(ustedes)
servirán		

INDICATIVO	FORMAS NO PERSONALES	
condicional	**infinitivo**	**gerundio**
serviría	servir	sirviendo
servirías	**participio**	
serviría	servido	
serviríamos		
serviríais		
servirían		

go desagradable, por eso cambié de tema. **INGLÉS** turn.

sesión

nombre femenino **1** Reunión de un grupo de personas que pertenecen a una organización o una institución para tratar un asunto determinado. **INGLÉS** session, meeting.

2 Cada una de las veces que se proyecta una película en un cine o se representa una obra de teatro. Los cines tienen sesiones de tarde y de noche. **INGLÉS** showing [de una película], performance [de una obra de teatro].

NOTA El plural es: sesiones.

seso

nombre masculino **1** Masa blanda de tejido nervioso que hay dentro de la cabeza de los seres humanos y los animales. **SINÓNIMO** cerebro. **INGLÉS** brain.

2 Capacidad que tiene una persona para pensar con sensatez. **SINÓNIMO** cabeza; cerebro. **INGLÉS** brains.

seta

nombre femenino **1** Hongo que tiene forma de boina sostenida por un pie. Las setas crecen en parajes sombríos y húmedos. Existen muchas variedades comestibles, pero también las hay venenosas. **INGLÉS** mushroom, [si no es comestible: toadstool].

setecientos, setecientas

numeral cardinal **1** Indica que el nombre al que acompaña está 700 veces. **INGLÉS** seven hundred.

numeral ordinal **2** Que ocupa el lugar número 700 en una serie ordenada. **INGLÉS** seven hundredth.

nombre masculino **3** Nombre del número 700. **INGLÉS** seven hundred.

setenta

numeral cardinal **1** Indica que el nombre al que acompaña está 70 veces. **INGLÉS** seventy.

numeral ordinal **2** Que ocupa el lugar número 70 en una serie ordenada. **INGLÉS** seventieth.

nombre masculino **3** Nombre del número 70. **INGLÉS** seventy.

setentavo, setentava

adjetivo y nombre **1** Se dice de cada una de las 70 partes iguales en que se divide una cosa. **INGLÉS** seventieth.

setiembre

nombre masculino **1** Es otra forma de escribir y pronunciar: septiembre. **INGLÉS** September.

seto

nombre masculino **1** Valla hecha de palos o ramas muy juntas o formada por arbustos espesos. Los jardines suelen estar bordeados de setos. **INGLÉS** hedge.

seudónimo

nombre masculino **1** Nombre que emplea una persona en lugar del suyo verdadero. Algunos escritores utilizan seudónimo. **INGLÉS** pseudonym.

severo, severa

adjetivo **1** Se dice de la persona que es muy exigente y estricta y no perdona fácilmente las faltas o los errores: *No seas tan severo, ha sido un pequeño fallo.* **INGLÉS** strict.

sevillano, sevillana

adjetivo y nombre **1** Se dice de la persona o cosa que es de Sevilla, ciudad y provincia de Andalucía.

sexagesimal

adjetivo **1** Se dice del sistema de medida que está basado en el número 60. La medida de los ángulos y del tiempo en horas, minutos y segundos está basado en el sistema sexagesimal. **INGLÉS** sexagesimal.

sexagésimo, sexagésima

numeral ordinal **1** Que ocupa el número 60 en una serie ordenada. **INGLÉS** sixtieth.

adjetivo y nombre **2** Se dice de cada una de las 60 partes iguales en que se divide una cosa. **INGLÉS** sixtieth.

sexi

adjetivo **1** Que tiene mucho atractivo sexual. **INGLÉS** sexy.

NOTA También se escribe: sexy.

sexista

adjetivo y nombre masculino y femenino **1** Se dice de la persona que trata a las personas del sexo opuesto como si fueran inferiores. También es sexista la actitud de estas personas. Un hombre que cree que hace las cosas mejor que cualquier mujer es sexista. **INGLÉS** sexist.

sexo

nombre masculino **1** Conjunto de características de los seres vivos que diferencian las hembras de los machos. **INGLÉS** sex.

2 Parte del aparato reproductor que está en la parte externa del cuerpo. El sexo de los hombres es el pene; el sexo de las mujeres es la vulva. **INGLÉS** sexual organs.

a b c d e f g h i j k l m n ñ o p q r s t u v w x y z

sexto, sexta
numeral ordinal
1 Que ocupa el lugar número 6 en una serie ordenada. INGLÉS sixth.
adjetivo y nombre masculino
2 Se dice de cada una de las 6 partes iguales en que se divide un conjunto. INGLÉS sixth.

sexual
adjetivo
1 Del sexo o que tiene relación con él. Los órganos sexuales son fundamentales para la reproducción. INGLÉS sexual.

sexualidad
nombre femenino
1 Conjunto de características, comportamientos o manifestaciones relacionados con el sexo. INGLÉS sexuality.

sexy
adjetivo
1 Es otra forma de escribir: sexi. INGLÉS sexy.

short
nombre masculino
1 Pantalón deportivo corto. INGLÉS shorts.
NOTA El plural es: shorts. Se pronuncia: 'sort'.

show
nombre masculino
1 Espectáculo de cualquier tipo, en especial cuando lo hace un artista o es divertido. INGLÉS show.
NOTA El plural es: shows. Se pronuncia: 'sou' o 'chou'.

si
conjunción
1 Introduce una condición. Cuando la condición se cumple, también se cumple la otra cosa que se dice: *Si el tiempo no mejora, no podremos salir de paseo.* INGLÉS if.
2 Se utiliza para comparar una cosa o una persona con algo que no puede ser verdad, como en los ejemplos: *Estamos en mayo y hace más frío que si estuviéramos en invierno.* INGLÉS if.
3 Introduce un deseo de algo que se considera poco probable o imposible: *Si fuera más alto. Si me tocase la lotería.* INGLÉS if.
nombre masculino
4 Séptima nota de la escala musical. El plural es: sis. INGLÉS ti, B.
NOTA Como conjunción no se acentúa; no lo confundas con el adverbio de afirmación ni con el pronombre 'sí', que siempre se acentúan.

sí
adverbio
1 Se emplea para responder afirmativamente a una pregunta: *Sí, quiero.* INGLÉS yes.
2 Se utiliza para dar más fuerza o más énfasis a una afirmación: *Esto sí que me gusta.* INGLÉS really.
pronombre personal
3 Pronombre personal de tercera persona, tanto singular como plural, que se utiliza siempre detrás de preposición. Hace referencia a una persona o unas personas distintas del hablante y del oyente: *¿Ves como sí puede hacerlo por sí solo? Hablaba para sí.* INGLÉS himself [él mismo], herself [ella misma], itself [ello mismo], yourself [usted mismo], themselves [ellos mismos, ellas mismas], yourselves [ustedes mismos], oneself [uno mismo].
NOTA Como pronombre y como adverbio de afirmación siempre se acentúa; no lo confundas con la conjunción 'si', que no se acentúa.

sicario
nombre masculino
1 Asesino que trabaja regularmente para una persona o una organización: *Detuvieron a tres sicarios del jefe mafioso.* INGLÉS hired gunman.

sicoanálisis
nombre masculino
1 Es otra forma de escribir: psicoanálisis. INGLÉS psychoanalysis.

sicología
nombre femenino
1 Es otra forma de escribir: psicología. INGLÉS psychology.

sicólogo, sicóloga
nombre
1 Es otra forma de escribir: psicólogo. INGLÉS psychologist.

sicópata
adjetivo y nombre masculino y femenino
1 Es otra forma de escribir: psicópata. INGLÉS psychopath.

sida
nombre masculino
1 Enfermedad grave producida por un virus que destruye las defensas del organismo y provoca la aparición de otras enfermedades. El sida se contagia a través de la sangre o por las relaciones sexuales. INGLÉS AIDS.
NOTA Esta palabra está formada por las iniciales de '(s)índrome de (i)nmuno (d)eficiencia (a)dquirida'. También se escribe: SIDA.

sideral
adjetivo
1 De las estrellas o los astros, o relacionado con ellos. Un viaje sideral es un viaje por el espacio hacia otros planetas o astros. INGLÉS sidereal, astral.

siderurgia
nombre femenino
1 Actividad industrial que consiste en elaborar y transformar el hierro y sus derivados. INGLÉS iron and steel industry.

sidra
nombre femenino
1 Bebida alcohólica que se obtiene del zumo de las manzanas. INGLÉS cider.

siega
nombre femenino
1 Trabajo de cortar hierba o cereales con la ayuda de instrumentos o máquinas. INGLÉS reaping.
2 Tiempo en que se hace este trabajo. INGLÉS harvest time.

siembra
nombre femenino
1 Trabajo que consiste en distribuir las semillas en una tierra que ha sido preparada para el cultivo. INGLÉS sowing.
2 Tiempo en que se hace este trabajo. INGLÉS sowing time.

siempre
adverbio
1 Indica que algo se hace o sucede en todo momento o en cualquier momento: *Siempre dice lo mismo.* ANTÓNIMO nunca. INGLÉS always.
2 Indica que algo sucede cada vez que ocurre lo que se dice: *Cuando hace frío, siempre se pone bufanda.* INGLÉS always.
3 Introduce una oposición entre dos situaciones o dos hechos: *Siempre es mejor decirle la verdad que engañarlo.* INGLÉS always.
de siempre Indica que una cosa es todas las veces igual o es la habitual: *Me dio la excusa de siempre. Tomaré lo de siempre.* INGLÉS same as usual.
siempre que Indica que algo sucede cada vez que ocurre lo que se indica: *Siempre que viene, me trae un regalo.* INGLÉS whenever.

sien
nombre femenino
1 Cada una de las dos partes de la cabeza situadas a cada lado de la cara, entre la frente y las orejas. INGLÉS temple.

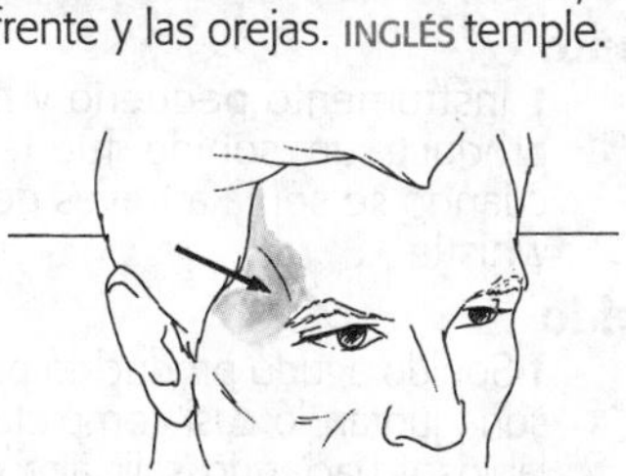
sien

sierra
nombre femenino
1 Herramienta formada por una hoja de acero con dientes que sirve para cortar cosas, en especial madera. La sierra puede tener un mango en un extremo, un mango a cada extremo o estar sujeta a una máquina para cortar. INGLÉS saw.
2 Conjunto de montañas situadas unas junto a otras. INGLÉS mountain range.

siervo, sierva
nombre
1 Persona que, antiguamente, servía a un señor o un rey. INGLÉS serf.

siesta
nombre femenino
1 Sueño o descanso corto después de comer. INGLÉS siesta, afternoon nap.

siete
numeral cardinal
1 Indica que el nombre al que acompaña está 7 veces. INGLÉS seven.
numeral ordinal
2 Que ocupa el lugar número 7 en una serie ordenada. INGLÉS seventh.
nombre masculino
3 Nombre del número 7. INGLÉS seven.
4 Roto en forma de 7 que se hace en una prenda. INGLÉS tear, rip.

sietemesino, sietemesina
adjetivo y nombre
1 Se dice del niño que nace a los siete meses del embarazo de su madre, en lugar de a los nueve. INGLÉS two months premature [adjetivo].

sifón
nombre masculino
1 Botella cerrada herméticamente que contiene agua con gas en su interior y tiene un mecanismo con una palanca en la parte superior. Al apretar la palanca el agua con gas sale a presión. INGLÉS soda siphon.
2 Agua con gas que hay en el interior de esa botella: *¿Me pones un chorrito de sifón?* INGLÉS soda water.
NOTA El plural es: sifones.

sigilo
nombre masculino
1 Silencio y cuidado de no hacer ruido: *El ladrón entró con sigilo al banco para no ser descubierto.* INGLÉS stealth.

sigla
nombre femenino
1 Palabra o nombre que se forma con la primera letra de una serie de palabras. 'ONU' es la sigla de 'Organización de las Naciones Unidas'. INGLÉS acronym.

siglo
nombre masculino
1 Período de tiempo que dura cien años. El siglo XX empezó en el año 1901 y terminó en el 2000. INGLÉS century.

2 Período de tiempo que es o nos parece muy largo: *Hace un siglo que no la veo.* INGLÉS ages.
3 Época en que sucede, aparece o se inventa algo importante y que es muy característico de esa época. El siglo XIX fue el siglo de las revoluciones. INGLÉS century.
del siglo Que es muy importante o destaca mucho sobre otras cosas de su clase: *Es la boda del siglo.* INGLÉS of the century.

significado
nombre masculino
1 Lo que quiere decir una palabra, una frase o un texto. En el diccionario están los significados de las palabras. SINÓNIMO sentido. INGLÉS meaning.

significar
verbo
1 Expresar o representar una idea o un concepto. Un semáforo en rojo significa que no se puede pasar. 'Simiente' y 'semilla' significan lo mismo. INGLÉS to mean.
2 Ser igual una palabra o una frase de un idioma a otra de otro idioma. En inglés, 'tree' significa 'árbol'. INGLÉS to mean.
3 Ser una cosa señal o indicio de otra. Si hay humo en un lugar, significa que algo se está quemando. INGLÉS to mean.
4 Ser algo o alguien importante para una persona o un grupo de personas: *Significa mucho para mí que me perdones.* INGLÉS to mean.
5 **significarse** Distinguirse alguien por alguna cualidad o alguna circunstancia. INGLÉS to be known.
NOTA Se escribe 'qu' delante de 'e', como: signifiquen.

significativo, significativa
adjetivo
1 Que es señal o indicio de algo: *Es significativo que no haya venido.* INGLÉS significant.
2 Que es muy importante. La llegada a la Luna ha sido un hecho muy significativo en la historia de la humanidad. INGLÉS significant.

signo
nombre masculino
1 Cosa que sirve para representar algo. Las letras son signos que representan sonidos. INGLÉS sign.
2 Acción o gesto que se hace y que da a entender alguna cosa. Dejarse caer en un sofá y resoplar son signos de cansancio. INGLÉS sign.
3 Cada una de las doce partes en que se divide el horóscopo. También se dice: signo del zodiaco. INGLÉS sign.

siguiente
adjetivo
1 Que se dice, se hace u ocurre después de otra cosa. El número siguiente al uno es el dos. SINÓNIMO posterior. ANTÓNIMO anterior. INGLÉS next.

sílaba
nombre femenino
1 Sonido o grupo de sonidos que se pronuncian de una sola vez. Las palabras pueden tener una o más sílabas; así, 'no' tiene una sílaba, 'pero' tiene dos y 'carretera' tiene cuatro. INGLÉS syllable.

silabear
verbo
1 Pronunciar las sílabas de una palabra marcando mucho la separación entre ellas. INGLÉS to pronounce syllable by syllable.

silábico, silábica
adjetivo
1 De la sílaba o relacionado con ella. La división silábica de 'cámara' sería 'cá-ma-ra'. INGLÉS syllabic.

silbar
verbo
1 Producir una persona un sonido agudo juntando casi completamente los labios y haciendo salir aire con fuerza por la boca. Algunas personas silban poniéndose los dedos en la boca de forma que quede un canal de salida del aire muy estrecho. INGLÉS to whistle.
2 Hacer una cosa un sonido agudo, parecido al que hace una persona cuando sopla con los labios juntos o con los dedos en la boca, como el viento. INGLÉS to whistle.
3 Mostrar un grupo de personas o el público de un espectáculo protesta o desaprobación haciendo silbidos con la boca. INGLÉS to boo.

silbato
nombre masculino
1 Instrumento pequeño y hueco que produce un sonido fuerte y agudo cuando se sopla a través de él. INGLÉS whistle.

silbido
nombre masculino
1 Sonido agudo producido por una persona juntando casi completamente los labios y haciendo salir aire con fuerza por la boca, o poniéndose los dedos en

EL SIGNIFICADO DE LAS PALABRAS

El diccionario sirve para aclarar el significado de las palabras. Para ello utiliza otras palabras que al mismo tiempo tienen su propio significado, el cual está relacionado con el de la palabra que se quiere aclarar. Estas relaciones pueden ser de diversos tipos. A continuación veremos algunas de ellas.

1. Existen muchas palabras que tienen más de un significado. Estas palabras son **polisémicas**. En este diccionario, cada significado viene explicado como una acepción. Distinguirás las diferentes acepciones de una palabra porque están separadas en párrafos y encabezadas por un número:

órgano
nombre masculino
1 Cada una de las partes que componen el cuerpo de un ser vivo y que tienen una función determinada. El corazón o el hígado son algunos de los órganos del cuerpo humano.
2 Instrumento musical parecido a un piano que tiene varios tubos de diferentes tamaños por donde sale el aire que produce los distintos sonidos. Hay órganos en algunas iglesias.
3 Organización formada por un conjunto de personas que tiene una función determinada. El Parlamento es un órgano de gobierno.

2. Otras palabras solo tienen un significado. Las palabras que solamente quieren decir una cosa son palabras **monosémicas**:

cafetería
nombre femenino
1 Establecimiento público con una barra de bar y mesas en el que se puede tomar café y algunas bebidas o alimentos.

3. Hay palabras que tienen el mismo significado o un significado muy parecido que otras palabras. Un ejemplo serían palabras como: *soportar – aguantar; apetito – hambre; cercano – próximo*. Estas palabras son **sinónimas**. En este diccionario, algunas entradas contienen sinónimos de la palabra definida, los cuales van precedidos con la indicación SINÓNIMO:

abecedario
nombre masculino
1 Serie de todas las letras de un idioma colocadas en orden alfabético. SINÓNIMO alfabeto.

4. Algunas palabras tienen significados contrarios u opuestos entre sí, como *aburrido – divertido; alto – bajo; antes – después; comprar – vender; principio – fin*. Estas palabras con significado contrario u opuesto son **antónimas**. En el diccionario se indican algunos antónimos, que van precedidos de la indicación ANTÓNIMO:

enfermo, enferma
adjetivo y nombre
1 Que tiene una enfermedad. En un hospital, tenemos que respetar los horarios de visita de los enfermos. ANTÓNIMO sano.

LA SÍLABA

Si pronunciamos en voz alta una palabra muy despacio, separaremos de una forma natural esa palabra en sílabas. Por ejemplo, prueba a pronunciar en voz alta y despacio la palabra «apagan». Seguramente has dividido la palabra en las tres sílabas que la forman y la has pronunciado: a – pa – gan.

Una sílaba es la unidad mínima que podemos pronunciar de una sola vez, y puede componerse de un sonido o de un conjunto de sonidos.

En español, en todas las sílabas siempre hay como mínimo una vocal, pero puede haber dos (hay un diptongo) o tres (hay un triptongo). La vocal o vocales de la sílaba pueden ir solas o pueden ir combinadas con una o más consonantes.

Sílabas con una sola vocal

Estas son algunas de las clases de sílabas más frecuentes con una sola vocal:

V La sílaba más sencilla se forma sin ninguna consonante: *oía* > o-í-a.
CV Consonante + vocal es el tipo de sílaba más habitual: *caballero* > ca-ba-lle-ro.
CVC Consonante + vocal + consonante también es una sílaba frecuente: *portal* > por-tal, *virtud* > vir-tud.
CCV Consonante + consonante + vocal: *problema* > pro-ble-ma.
NOTA La segunda consonante de esta combinación solo puede ser 'l' o 'r'.

También podemos encontrar sílabas con una vocal acompañada de tres o más consonantes: *constar* > cons-tar, *transporte* > trans-por-te.

Diptongo, triptongo y hiato

Dentro de una palabra puede haber dos o tres vocales juntas que pueden formar una sola sílaba (diptongo o triptongo) o pueden ir en sílabas diferentes (hiato).

Diptongo

Está formado por la unión de dos vocales en la misma sílaba. La sílaba del diptongo puede estar compuesta solo por dos vocales, pero estas también pueden ir acompañadas de una o más consonantes.
En los diptongos una de las dos vocales debe ser fuerte o abierta (**a**, **e**, **o**) y la otra débil o cerrada (**i**, **u**), o también puede producirse la unión de dos vocales débiles: *abierto, aceite, agua, aumento, buen, ciudad, cuidado, diagonal, neutral.*

Triptongo

Está formado por la unión de tres vocales en la misma sílaba, que pueden ir acompañadas de una o más consonantes.
En los triptongos siempre la primera vocal debe ser débil o cerrada (**i**, **u**), la segunda fuerte o abierta (**a**, **e**, **o**) y la tercera de nuevo débil o cerrada (**i**, **u**): *buey, cambiáis, desviéis, guay, insinuáis, miau.*

Hiato

Son dos vocales juntas que pertenecen a sílabas distintas.
Las vocales pueden ser:
– Dos vocales fuertes o abiertas (**a**, **e**, **o**): *aldea, boa, cacao, caer, otear, peón, toreo.*
– Una vocal fuerte o abierta (**a**, **e**, **o**) y otra vocal débil o cerrada (**i**, **u**), pero la débil está acentuada: *baúl, caída, púa, reír, río*. En ocasiones hay hiato pero la vocal débil no lleva tilde: *prohibir* (pro-hi-bir), *actuar* (ac-tu-ar), *cruel* (cru-el), *reunir* (re-u-nir).
– Dos vocales débiles o cerradas (**i**, **u**) que se pronuncian en sílabas diferentes: *jesuita* (je-su-i-ta), *ruina* (ru-i-na), *diurno* (di-ur-no). Encontramos también hiatos de este tipo en los infinitivos, los participios y las formas conjugadas de los verbos terminados en «-uir»: *destruir* (des-tru-ir), *excluir* (ex-clu-ir), *huir* (hu-ir), *construido* (cons-tru-i-do).

Clases de palabras por el número de sílabas

Las palabras, según el número de sílabas que tengan, pueden ser:
– **monosílabas:** cuando tienen solo una sílaba: *haz, sol, bien;*
– **polisílabas:** cuando tienen dos (*bisílabas*), tres (*trisílabas*) o más sílabas: *farol, coleta, prodigio, fantástico, entendimiento, antirreglamentario.*

la boca de forma que quede un canal de salida del aire muy estrecho. **INGLÉS** whistle.
2 Sonido agudo que produce una cosa, parecido al que hace una persona cuando sopla con los labios casi juntos o con los dedos en la boca. **INGLÉS** whistle.

silencio

nombre masculino **1** Ausencia de ruidos, de sonidos o de voces. **INGLÉS** silence.

interjección **2 ¡silencio!** Expresión con la que se pide u ordena a la gente que se calle o no haga ruido. **INGLÉS** silence!

silencioso, silenciosa

adjetivo **1** Se dice de una persona o cosa que no hace ruido o hace muy poco: *Cada vez fabrican lavadoras más silenciosas.* **INGLÉS** quiet, silent.
2 Se dice de la persona que calla o suele estar callada. **INGLÉS** quiet, silent.
3 Se dice del lugar donde hay silencio. También se dice de un período de tiempo en que se guarda silencio. **INGLÉS** quiet, silent.

silicio

nombre masculino **1** Material que forma parte de la arena y las rocas, de color amarillento, muy duro y resistente al calor. El silicio se utiliza como componente de aviones y sirve para fabricar productos electrónicos, como los que forman parte de los ordenadores. **INGLÉS** silicon.

silicona

nombre femenino **1** Sustancia cremosa o sólida creada artificialmente con diversos elementos químicos. La silicona se usa como adhesivo, para rellenar grietas y fisuras y para fabricar prótesis que se introducen en el cuerpo de un ser vivo. **INGLÉS** silicone.

silla

nombre femenino **1** Asiento con respaldo para una persona. Las sillas suelen tener cuatro patas. **INGLÉS** chair.
silla de la reina Asiento que se forma cuando dos personas cruzan sus brazos agarrándose por las muñecas. Se hace para jugar.
silla de montar Objeto que se coloca sobre el lomo de un caballo para que una persona lo monte con mayor comodidad y seguridad. **INGLÉS** saddle. **DIBUJO** página 187.
silla de ruedas Silla con brazos que en lugar de patas tiene ruedas y que sirve para que se puedan desplazar las personas que no pueden andar. **INGLÉS** wheelchair.

sillín

nombre masculino **1** Asiento pequeño que tienen las bicicletas, motocicletas y otros vehículos parecidos. **INGLÉS** saddle.
NOTA El plural es: sillines.

sillón

nombre masculino **1** Asiento con respaldo y brazos para una persona. El sillón suele ser más grande, más blando y más cómodo que una silla. **SINÓNIMO** butaca. **INGLÉS** armchair.
NOTA El plural es: sillones.

silueta

nombre femenino **1** Línea externa que forma la figura de una cosa o una persona. Si dibujamos la silueta de una persona solo dibujamos la forma externa, sin representar los rasgos de la cara o del cuerpo. **SINÓNIMO** contorno; perfil. **INGLÉS** silhouette, outline.
2 Forma del cuerpo de una persona, sin tener en cuenta la cabeza: *Tiene una silueta muy bonita porque hace mucha gimnasia.* **INGLÉS** figure.

silvestre

adjetivo **1** Se dice de la planta y el fruto que crecen de forma natural en los campos, sin que hayan sido cultivados por el ser humano. Las fresas silvestres suelen ser mucho más pequeñas y sabrosas que las de las huertas. **INGLÉS** wild.

silvicultura

nombre femenino **1** Cultivo de bosques y montes. La silvicultura sirve para cultivar y conservar bosques, y también para producir árboles y utilizar lo que producen, como su madera o sus frutos. **INGLÉS** forestry.

sima

nombre femenino **1** Hueco o grieta grande y profunda que hay en la tierra. **INGLÉS** chasm.

simbiosis

nombre femenino **1** Asociación biológica de dos organismos de especies diferentes para beneficiarse mutuamente en su desarrollo. Algunas bacterias viven en simbiosis dentro de muchos animales, a los cuales ayudan a hacer la digestión. **INGLÉS** symbiosis.
2 Relación de ayuda o apoyo mutuo

que se establece entre dos personas o dos grupos cuando realizan algo en común: *La simbiosis entre el portero y los defensas es perfecta, se entienden muy bien.* **INGLÉS** symbiosis.

NOTA El plural es: simbiosis.

simbólico, simbólica

adjetivo **1** Del símbolo o que se expresa a través de él. Damos un beso simbólico cuando hacemos el gesto de lanzarlo con la mano. **INGLÉS** symbolic.

2 Que tiene valor no por lo que es sino por lo que significa: *Su ayuda fue simbólica, lo que cuenta es el detalle.* **INGLÉS** symbolic.

simbolizar

verbo **1** Servir una cosa como símbolo de otra. La paloma blanca simboliza la paz. **INGLÉS** to symbolize.

NOTA Se escribe 'c' delante de 'e', como: simbolicen.

símbolo

nombre masculino **1** Cosa o signo que representa una idea, un concepto o una realidad. El corazón es el símbolo del amor. **INGLÉS** symbol.

simetría

nombre femenino **1** Relación de igualdad que hay entre las dos partes de una figura dividida en dos por una línea que pasa por su centro. **ANTÓNIMO** asimetría. **INGLÉS** symmetry.

simiente

nombre femenino **1** Parte del fruto que da origen a una nueva planta. **SINÓNIMO** semilla. **INGLÉS** seed.

similar

adjetivo **1** Que tiene unas características, propiedades o cualidades iguales o muy parecidas a las de otra persona o cosa. **SINÓNIMO** semejante. **INGLÉS** similar.

similitud

nombre femenino **1** Relación que hay entre dos personas o cosas que tienen características comunes. **INGLÉS** similarity.

simio, simia

nombre **1** Animal mamífero que tiene pies y manos con cinco dedos y un aspecto general bastante parecido al del ser humano. Suelen vivir en los árboles. **INGLÉS** ape.

simpatía

nombre femenino **1** Sentimiento de afecto o agrado que surge de manera natural hacia una persona o cosa que gusta: *Tienes unos padres muy cariñosos y simpáticos.* **INGLÉS** affection, warmth.

2 Modo de ser o carácter de una persona que la hace agradable a los demás. **INGLÉS** pleasantness, affinity.

simpático, simpática

adjetivo **1** Se dice de la persona que es muy agradable y abierta. **ANTÓNIMO** antipático. **INGLÉS** nice, likeable.

simpatizar

verbo **1** Sentir atracción o simpatía hacia alguien o algo que nos gusta. Las personas que tienen un carácter y una forma de pensar muy parecidos suelen simpatizar. **INGLÉS** to get on.

NOTA Se escribe 'c' delante de 'e', como: simpaticen.

simple

adjetivo **1** Que está formado por un elemento o por menos elementos que otra cosa de su mismo tipo. Un menú de un plato es más simple que uno de tres. **INGLÉS** simple.

2 Que no tiene dificultad o complicación: *El examen era muy simple, por eso aprobamos todos.* **SINÓNIMO** sencillo. **ANTÓNIMO** complicado. **INGLÉS** simple, easy.

adjetivo y nombre masculino y femenino **3** Se dice de la persona que es poco inteligente o que es fácil de engañar porque se lo cree todo. También son simples las cosas que hacen o dicen estas personas. **SINÓNIMO** ingenuo. **INGLÉS** simple.

simpleza

nombre femenino **1** Característica de la persona que es simple o poco inteligente. **INGLÉS** simple-mindedness.

2 Acción o dicho que demuestra falta de inteligencia. **SINÓNIMO** tontería. **INGLÉS** foolish thing.

3 Cosa que tiene poco valor o poca importancia. No merece la pena discutir o perder el tiempo por simplezas. **INGLÉS** trifle.

simplificar

verbo **1** Hacer que una cosa sea más sencilla y fácil. Internet simplifica mucho la búsqueda de informaciones. **ANTÓNIMO** dificultar. **INGLÉS** to simplify.

NOTA Se escribe 'qu' delante de 'e', como: simplifiquen.

simulacro
nombre masculino
1 Acción que no es auténtica y que se realiza para imitar a una verdadera y así saber cómo se tiene que actuar si la acción sucediera de verdad. A veces se hacen simulacros de incendios para enseñar a la gente lo que se tendría que hacer en caso de incendio. INGLÉS simulation.

simulador
nombre masculino
1 Dispositivo o aparato que imita el funcionamiento real de otro aparato o dispositivo. Un simulador también puede imitar las condiciones que rodean o pueden afectar a una máquina, un aparato o un material: *Tengo en el ordenador un simulador de vuelo para aprender a pilotar un avión.* INGLÉS simulator.

simular
verbo
1 Hacer creer a los demás algo que no es cierto por medio de acciones o palabras. SINÓNIMO fingir. INGLÉS to feign.

simultáneo, simultánea
adjetivo
1 Que sucede o se hace al mismo tiempo que otra cosa. INGLÉS simultaneous.

sin
preposición
1 Indica falta de lo que se dice a continuación. Si después va un infinitivo, indica que no se realiza esa acción: *Estoy sin un duro. He pasado la noche sin dormir.* INGLÉS without.
2 Indica que lo que se dice a continuación no se tiene en cuenta o no se incluye en una cosa determinada: *Este es el precio sin IVA.* INGLÉS without.

sinagoga
nombre femenino
1 Templo en el que se reúnen los judíos para rezar o celebrar actos religiosos. INGLÉS synagogue.

sinalefa
nombre femenino
1 Unión de la vocal final de una palabra con la vocal inicial de la siguiente, de modo que forman una única sílaba. Las sinalefas se producen en los versos poéticos y también al hablar. Si decimos rápido 'hasta ahora', producimos una sinalefa al unir las sílabas final ('-ta') e inicial ('a-') de las dos palabras en una sola sílaba. INGLÉS elision.

sinceridad
nombre femenino
1 Cualidad de las personas o las cosas sinceras. ANTÓNIMO falsedad. INGLÉS sincerity.

sincero, sincera
adjetivo
1 Se dice de la persona que no miente, ni finge y dice lo que piensa de verdad. SINÓNIMO franco. INGLÉS sincere.
2 Se dice de las palabras, acciones o pensamientos que son verdaderos y muestran lo que de verdad piensa una persona. INGLÉS sincere.

sincrónico, sincrónica
adjetivo
1 Se dice del hecho, el fenómeno o la circunstancia que se produce o se hace al mismo tiempo, al mismo ritmo o a la misma velocidad que otro. Dos relojes que marcan la misma hora son sincrónicos. INGLÉS synchronous.

sincronizar
verbo
1 Hacer que dos o más hechos, fenómenos o circunstancias se produzcan o se hagan al mismo tiempo, al mismo ritmo o a la misma velocidad. Los soldados que participan en un desfile militar sincronizan sus movimientos para hacer todos lo mismo. INGLÉS to synchronize.
NOTA Se escribe 'c' delante de 'e', como: sincronicen.

sindicato
nombre masculino
1 Asociación de trabajadores que se unen para defender sus derechos y sus intereses económicos. INGLÉS trade union, union.

síndrome
nombre masculino
1 Conjunto de síntomas que caracterizan una enfermedad. La tos y la fiebre son dos síntomas del síndrome de la gripe. INGLÉS syndrome.

sinfín
nombre masculino
1 Gran cantidad o número de cosas, como un sinfín de caramelos o de preguntas. SINÓNIMO infinidad. INGLÉS endless number.

sinfonía
nombre femenino
1 Composición musical hecha para ser interpretada por una orquesta. La sinfonía se divide generalmente en tres o cuatro partes. INGLÉS symphony.

sinfónico, sinfónica
adjetivo
1 De la sinfonía o relacionado con ella. Una orquesta sinfónica está formada por unos cien músicos y está preparada para interpretar sinfonías. INGLÉS symphonic.

singular
adjetivo y nombre masculino
1 En gramática, se dice del número de

las palabras que expresa una sola unidad. El singular de 'libros' es 'libro'. ANTÓNIMO plural. INGLÉS singular.

adjetivo **2** Que es raro, único o muy poco frecuente. La Luna es un astro singular porque no hay otro igual. SINÓNIMO excepcional. ANTÓNIMO corriente; normal. INGLÉS singular.

siniestro, siniestra

adjetivo **1** Que provoca miedo por su aspecto extraño o misterioso. Los malos de las películas de terror suelen ser personajes siniestros. INGLÉS sinister.

2 Que está hecho o pensado con mala intención. INGLÉS sinister.

nombre masculino **3** Accidente o catástrofe que destruye cosas y puede provocar heridos y muertos, como un accidente de tráfico o un incendio. INGLÉS accident.

sino

conjunción **1** Después de una frase negativa, introduce la información verdadera: *El partido no es el sábado sino el domingo.* INGLÉS fate, destiny.

sinónimo, sinónima

adjetivo y nombre masculino **1** Se dice de la palabra que tiene el mismo significado que otra. 'Morir' y 'fallecer' son sinónimos porque ambas palabras significan que alguien deja de vivir. INGLÉS synonymous [adjetivo], synonym [nombre].

sinopsis

nombre femenino **1** Exposición o resumen muy breve y general de una cosa, especialmente de una novela o una película. En la tapa posterior de una novela suele haber una sinopsis con el argumento de la narración. INGLÉS synopsis.

NOTA El plural es: sinopsis.

sintáctico, sintáctica

adjetivo **1** De la sintaxis o que tiene relación con ella. El análisis sintáctico de una oración consiste en dividirla en sujeto y predicado y ver qué tipo de relaciones se establecen entre los complementos. INGLÉS syntactic.

sintagma

nombre masculino **1** Palabra o conjunto de palabras que tienen una misma función dentro de una oración. En la oración 'Ana tiene un perro', 'Ana' es un sintagma y 'tiene un perro' es otro sintagma. INGLÉS phrase, syntagma.

sintaxis

nombre femenino **1** Parte de la gramática que estudia qué función tienen las palabras y los grupos de palabras en la oración y cómo se combinan entre sí. INGLÉS syntax.

NOTA El plural es: sintaxis.

síntesis

nombre femenino **1** Resumen de lo principal de un asunto: *En la parte posterior del libro hay una síntesis del contenido.* INGLÉS synthesis.

2 Combinación de varios elementos para formar un todo. Un trabajo en grupo es la síntesis del trabajo de sus componentes. INGLÉS synthesis.

NOTA El plural es: síntesis.

sintético, sintética

adjetivo **1** Que no es natural, sino que se ha realizado por medio de procesos químicos o industriales. El plástico es un material sintético. INGLÉS synthetic.

sintetizador

nombre masculino **1** Instrumento musical electrónico con un teclado parecido al del piano que imita el sonido de otros instrumentos musicales y también tiene diversos efectos sonoros. En la música electrónica a menudo se utilizan los sintetizadores. INGLÉS synthesizer.

síntoma

nombre masculino **1** Cambio en el funcionamiento normal del organismo que indica que una persona empieza a estar enferma. Las náuseas, los vómitos y la diarrea son síntomas de una intoxicación. INGLÉS symptom.

2 Señal o signo que indica que una cosa está sucediendo o va a suceder. La aparición de nubes en el cielo es un síntoma de lluvia. SINÓNIMO indicio. INGLÉS sign, symptom.

sintonía

nombre femenino **1** Música con la que empieza y termina un programa de radio o de televisión. INGLÉS signature tune.

2 Acuerdo o coincidencia entre dos o más cosas, personas, opiniones o formas de actuar. INGLÉS harmony.

sintonizador

nombre masculino **1** Botón que tienen las radios o los televisores para localizar las diferentes cadenas o emisoras. INGLÉS tuning knob.

sintonizar

verbo **1** Captar las ondas de una emisora de

radio o una cadena de televisión con un aparato de radio o de televisión. INGLÉS to tune in to.
NOTA Se escribe 'c' delante de 'e', como: sintonicen.

sinusitis
nombre femenino
1 Inflamación que se produce en la frente, justo en la parte superior de los dos lados de la nariz. La sinusitis produce dolor de cabeza e impide respirar bien por la nariz. INGLÉS sinusitis.
NOTA El plural es: sinusitis.

sinvergüenza
adjetivo
1 Que habla y actúa sin vergüenza ni respeto hacia los demás. SINÓNIMO descarado. INGLÉS shameless.

siquiatra
nombre masculino y femenino
1 Es otra forma de escribir: psiquiatra. INGLÉS psychiatrist.

siquiatría
nombre femenino
1 Es otra forma de escribir: psiquiatría. INGLÉS psychiatry.

síquico, síquica
adjetivo
1 Es otra forma de escribir: psíquico.

siquiera
adverbio
1 Indica que lo que decimos a continuación es lo mínimo que debe tenerse en cuenta: *¿Puedes callarte siquiera un minuto?* INGLÉS at least, if only.
ni siquiera Indica que no ocurre o no pasa algo que se considera mínimo, necesario o fácil: *Ni siquiera se despidió de sus amigos.* INGLÉS not even.

sirena
nombre femenino
1 Ser imaginario que vive en el mar, que tiene cabeza y tronco de mujer y cola de pez. INGLÉS mermaid.
2 Aparato que produce un sonido fuerte y largo que sirve para avisar de algo. Las ambulancias llevan sirena. INGLÉS siren.

sirimiri
nombre masculino
1 Lluvia fina y continua que cae con suavidad. SINÓNIMO calabobos; chirimiri; llovizna. INGLÉS fine drizzle.

sísmico, sísmica
adjetivo
1 Del seísmo o el terremoto o relacionado con él. Existen máquinas que registran los movimientos sísmicos de la Tierra. INGLÉS seismic.

sistema
nombre masculino
1 Conjunto de elementos, reglas o mecanismos, relacionados entre sí, por medio de los cuales funciona algo. El cerebro y los nervios forman parte del sistema nervioso. INGLÉS system.
2 Manera de hacer una cosa siguiendo un plan y un orden determinados. SINÓNIMO método; organización. INGLÉS system.
por sistema Indica que algo se hace o se dice por costumbre, sin pensar si está bien o mal. INGLÉS systematically.

sitiar
verbo
1 Rodear un lugar para atacarlo o para impedir que nadie entre o salga de él. En las guerras se suelen sitiar las ciudades. INGLÉS to besiege, to lay siege to.
NOTA Se conjuga como: cambiar; la 'i' no lleva nunca acento de intensidad.

sitio
nombre masculino
1 Espacio o lugar que puede ser ocupado por alguien o por algo. En los sofás de tres plazas hay sitio para tres personas. SINÓNIMO lugar. INGLÉS room, space.
2 Espacio concreto dentro de otro ya limitado. El sótano suele ser el sitio peor iluminado de la casa. INGLÉS place.

situación
nombre femenino
1 Posición o colocación en un lugar o un momento determinado. Un radar puede precisar con exactitud la situación de un avión durante su vuelo. INGLÉS position, location.
2 Estado en que se halla una persona o cosa en un momento determinado: *La empresa está en una situación de crisis.* INGLÉS situation.
NOTA El plural es: situaciones.

situar
verbo
1 Poner a una persona o cosa en un lugar determinado. Muchos vendedores se sitúan detrás del mostrador para atender al cliente. INGLÉS to place, to position.
2 situarse Conseguir una persona una buena posición económica, social o política. INGLÉS to do well, to be successful.
NOTA Se conjuga como: actuar; la 'u' se acentúa en algunos tiempos y personas, como: sitúen.

sketch
nombre masculino
1 Escena humorística de corta duración que se representa en una película, en un espectáculo teatral o en un programa de televisión o radio. INGLÉS sketch.

NOTA Se pronuncia: 'eskech'. El plural es: sketchs o sketches.

slip
nombre masculino
1 Calzoncillo o bañador ajustado que no cubre las piernas. **INGLÉS** underpants.
NOTA Se pronuncia: 'eslip'. El plural es: slips.

slogan
nombre masculino
1 Frase corta que se utiliza para hacer publicidad de un producto o para identificar fácilmente una empresa o un servicio. **INGLÉS** slogan.
NOTA Se pronuncia: 'eslogan'. Es preferible escribir: eslogan.

¡so!
interjección
1 Expresión que se usa para hacer que un caballo se detenga. **INGLÉS** whoa!

sobaco
nombre masculino
1 Hueco que forma el brazo por debajo al unirse con el cuerpo. **SINÓNIMO** axila. **INGLÉS** armpit.

sobar
verbo
1 Tocar una cosa o a una persona repetidas veces con las manos. **SINÓNIMO** manosear. **INGLÉS** to grope.
2 Dormir una persona. Es un uso informal. **INGLÉS** to kip.

soberano, soberana
adjetivo y nombre
1 Se dice de la persona que ejerce la máxima autoridad de un país, en especial cuando se trata de una monarquía. **INGLÉS** sovereign.
adjetivo
2 Se dice del estado que no está sometido políticamente a otro y se gobierna a sí mismo controlando con autonomía sus asuntos políticos, económicos o sociales. **INGLÉS** sovereign.
3 Se dice de algunas cosas, como una paliza, una derrota o un castigo, que se realizan con la máxima intensidad y son difíciles de superar. Es un uso informal. Con este significado, suele ir delante del nombre. **INGLÉS** tremendous.

soberbia
nombre femenino
1 Sentimiento o actitud de la persona que se cree superior o mejor que los demás. **SINÓNIMO** orgullo. **ANTÓNIMO** modestia. **INGLÉS** pride, arrogance.

soberbio, soberbia
adjetivo
1 Se dice de la persona que se comporta con mucho orgullo y se siente superior a los demás. **SINÓNIMO** altivo; orgulloso. **ANTÓNIMO** modesto. **INGLÉS** proud, arrogant.
2 Que es tan bueno que sobresale por encima de los de su especie: *Cervantes fue un escritor soberbio.* **SINÓNIMO** extraordinario. **INGLÉS** extraordinary.

sobornar
verbo
1 Ofrecer dinero a alguien con poder a cambio de un favor o un beneficio al que no se tiene derecho o que es injusto. **INGLÉS** to bribe.

soborno
nombre masculino
1 Acción de ofrecer dinero a alguien con poder a cambio de un favor o un beneficio al que no se tiene derecho. También se llama soborno el dinero o los objetos de valor con que se soborna a alguien. **INGLÉS** bribery [acción], bribe [el dinero].

sobra
nombre femenino
1 Lo que queda de una cosa después de haberla usado o consumido: *Cenó las sobras del mediodía.* **INGLÉS** leftover.
de sobra Indica que hay algo en exceso: *Hay helado de sobra para todos.* **INGLÉS** plenty of.
NOTA Con este significado, se usa más en plural.

sobrante
adjetivo y nombre masculino
1 Que sobra o que queda sin ser utilizado. Si tenemos mucho papel para envolver un regalo, utilizaremos solo una parte y guardaremos el papel sobrante para otra ocasión. **INGLÉS** spare.

sobrar
verbo
1 Haber más cantidad de la necesaria de una cosa: *Sobra pan, así que no compres más.* **INGLÉS** to be more than enough, to be too much.
2 Quedar algo de una cosa después de haber sido utilizada. **INGLÉS** to be left over.
3 Molestar o no ser necesaria una persona en un lugar: *Tú aquí sobras, te puedes ir.* **INGLÉS** not to be wanted.

sobrasada
nombre femenino
1 Embutido pastoso de color rojo que se hace con carne de cerdo picada y pimentón. Es típico de la isla de Mallorca.

sobre
nombre masculino
1 Papel doblado de tal manera que permite poner en su interior cartas, documentos u otras cosas. **INGLÉS** envelope.

preposición **2** Indica el lugar encima del que está una persona o una cosa. Puede haber contacto entre las dos cosas que se dicen, como en 'la cinta está sobre la mesa', o no, como en 'el avión volaba sobre la ciudad'. Puede tener un uso figurado, de estar pendiente o encima de alguien para que haga algo: *Si quieres que trabaje, tendrás que estar sobre él.* **INGLÉS** on.

3 Indica el tema del que trata algo: *El primer capítulo trata sobre el mar.* **SINÓNIMO** acerca de. **INGLÉS** about.

4 Indica tiempo o cantidad aproximados: *Llegará sobre las seis. Costará sobre 36 euros.* **INGLÉS** about, around.

5 Indica repetición y acumulación. La palabra que aparece delante de ella y detrás es la misma: *Todo fue error sobre error.* **INGLÉS** on top of.

sobrealimentar

verbo **1** Dar o tomar más alimento del habitual o del necesario. **INGLÉS** to overfeed.

sobreático

nombre masculino **1** Piso de un edificio situado sobre el ático. A veces, los sobreáticos se añaden al edificio mucho después de haberlo construido. **INGLÉS** penthouse.

sobrecarga

nombre femenino **1** Exceso de carga. Una barca con sobrecarga puede hundirse por pesar demasiado. **SINÓNIMO** sobrepeso. **INGLÉS** excessive load.

2 Circunstancia que se da cuando una cosa sobrepasa ciertos límites, lo que impide su funcionamiento normal. Cuando un aparato eléctrico se usa demasiado, puede sufrir una sobrecarga y estropearse. **INGLÉS** overload.

3 Dolor muscular que se siente en una parte del cuerpo al haber realizado un trabajo excesivo. Si corremos mucho sin haber entrenado, podemos sufrir una sobrecarga en las piernas. **INGLÉS** strain.

sobrecargar

verbo **1** Poner demasiada carga o peso sobre una persona o una cosa. **INGLÉS** to overload.

NOTA Se escribe 'gu' delante de 'e', como: sobrecarguen.

sobrecoger

verbo **1** Asustar o producir una sensación desagradable, especialmente de miedo o sorpresa: *Las imágenes de la catástrofe lo sobrecogieron.* **INGLÉS** to shock.

NOTA Se escribe 'j' delante de 'a' y 'o', como: sobrecojan.

sobredosis

nombre femenino **1** Cantidad excesiva de una medicina o una droga, que es peligrosa para la salud. **INGLÉS** overdose.

NOTA El plural es: sobredosis.

sobreesdrújulo, sobreesdrújula

adjetivo y nombre femenino **1** Es otra forma de escribir y pronunciar: sobresdrújulo.

sobrehumano, sobrehumana

adjetivo **1** Que es tan grande o tan fuerte que parece que no lo puede hacer un ser humano. **INGLÉS** superhuman.

sobremesa

nombre femenino **1** Tiempo posterior a la comida en el que la gente se queda en la mesa charlando.

sobrenatural

adjetivo **1** Que no es normal que ocurra según las leyes de la naturaleza. **INGLÉS** supernatural.

sobrenombre

nombre masculino **1** Nombre distinto del propio, por el que se conoce a alguien o se le suele nombrar. El sobrenombre suele estar inspirado en una peculiaridad física o del carácter. El sobrenombre de Cervantes era "el Manco de Lepanto" porque perdió el brazo en la batalla de Lepanto. **SINÓNIMO** apodo. **INGLÉS** nickname.

sobrentender

verbo **1** Entender algo que no está explícito pero que se puede deducir o suponer. Si alguien nos dice que no ve nada en una habitación oscura, se sobrentiende que quiere que encendamos la luz. **INGLÉS** to understand, [si es sobrentenderse: to be understood].

NOTA Se conjuga como: entender; la 'e' se convierte en 'ie' en sílaba acentuada, como: sobrentiende.

sobrepasar

verbo **1** Pasar o dejar atrás a una persona o cosa que está en movimiento. Los corredores se sobrepasan unos a otros a lo largo de una carrera. **SINÓNIMO** adelantar. **INGLÉS** to overtake.

2 Estar por encima de un límite o una cantidad determinados. Está prohibido sobrepasar el límite de velocidad

a b c d e f g h i j k l m n ñ o p q r s t u v w x y z

de las carreteras. SINÓNIMO superar. INGLÉS to exceed.

3 Ser superior o mejor que otra persona, o hacer una cosa mejor: *Esa chica siempre sobrepasa a todos en clase.* SINÓNIMO superar. INGLÉS to surpass.

sobrepeso

nombre masculino **1** Exceso de peso que se produce al haber un exceso de carga. Una maleta que pesa 25 kilos y no debe pesar más de 20, tiene sobrepeso. SINÓNIMO sobrecarga. INGLÉS excess weight.

2 Exceso de peso de una persona, un animal o una cosa. Una persona gorda tiene sobrepeso. INGLÉS [tener sobrepeso: to be overweight].

sobresaliente

nombre masculino **1** Calificación o nota obtenida en un examen que es más alta que la de notable e inferior a la matrícula de honor. INGLÉS excellent.

adjetivo **2** Se dice de la persona o cosa que destaca o sobresale entre otras por sus cualidades. INGLÉS outstanding, excellent.

sobresalir

verbo **1** Ser una cosa más alta que otras que están cerca, o ser una parte de algo más saliente que las demás. Los rascacielos sobresalen entre los demás edificios de una ciudad. INGLÉS to stand out.

2 Destacar más una cosa o una persona entre otras por ser mejor o por tener alguna característica mejor. Los alumnos estudiosos sobresalen en su clase por sus buenas notas. INGLÉS to stand out.

NOTA Se conjuga como: salir.

sobresaltar

verbo **1** Causar algo susto o alarma. Un ruido fuerte e inesperado nos sobresalta. INGLÉS to startle.

sobresalto

nombre masculino **1** Susto o inquietud producida por algo inesperado. INGLÉS start, fright.

sobresdrújulo, sobresdrújula

adjetivo y nombre femenino **1** Se dice de la palabra que lleva el acento en la sílaba anterior a la antepenúltima sílaba, como 'regálaselo'.

NOTA También se escribe y se pronuncia: sobreesdrújulo.

sobrevivir

verbo **1** Conseguir salir vivo de una catástrofe o de otro suceso poeligroso. INGLÉS to survive.

2 Vivir durante un tiempo después de la muerte de otra persona: *Mi abuela sobrevivió dos años al abuelo.* INGLÉS to survive, to outlive.

3 Vivir con dificultad, utilizando solo lo justo y lo necesario, sin lujos de ningún tipo. SINÓNIMO subsistir. INGLÉS to survive.

sobrevolar

verbo **1** Volar sobre un lugar determinado: *En estos momentos estamos sobrevolando Japón.* INGLÉS to fly over.

NOTA La 'o' se convierte en 'ue' en sílaba acentuada, como: sobrevuelan.

sobrino, sobrina

nombre **1** Hijo de un hermano o una hermana. INGLÉS nephew [chico], niece [chica].

sobrio, sobria

adjetivo **1** Que no llama la atención ni destaca por nada especial: *La decoración es muy sobria, casi no tiene detalles.* SINÓNIMO discreto. INGLÉS sober.

2 Que no está borracho. ANTÓNIMO ebrio. INGLÉS sober.

socavón

nombre masculino **1** Agujero grande que se hace en el suelo al hundirse el terreno. INGLÉS hole.

NOTA El plural es: socavones.

sociable

adjetivo **1** Se dice de la persona que tiene mucha facilidad para hablar con otras personas y relacionarse con ellas. También son sociables los animales que no rehúyen la compañía del ser humano. INGLÉS sociable [una persona], tame [un animal].

social

adjetivo **1** Que está relacionado o que afecta a la sociedad en conjunto. INGLÉS social.

socialismo

nombre masculino **1** Sistema político, social y económico en el que los bienes son propiedad común de todas las personas y el Estado se encarga de administrar y repartir la riqueza. INGLÉS socialism.

sociedad

nombre femenino **1** Conjunto de personas que viven juntas en un país o una zona grande, donde establecen unas relaciones organizadas según unas normas y costumbres comunes. La sociedad moderna es muy diferente de la medieval. INGLÉS society.

2 Conjunto de personas que comparten propiedades, dinero o unos objetivos determinados, en general de carácter comercial o empresarial. SINÓNIMO asociación. INGLÉS association, [si es una empresa: company].

3 Conjunto de animales que viven juntos de un modo organizado, como las abejas o las hormigas. INGLÉS society.

socio, socia

nombre **1** Persona que es miembro de una asociación de cualquier tipo: *Son socios del club de tenis.* INGLÉS member.

2 Persona que es miembro de una sociedad empresarial. INGLÉS partner, associate.

sociología

nombre femenino **1** Ciencia que estudia la sociedad y las relaciones entre las personas dentro de la sociedad. INGLÉS sociology.

socorrer

verbo **1** Prestar ayuda a una persona que está en peligro o que tiene una necesidad muy grande. INGLÉS to help.

socorrista

nombre masculino y femenino **1** Persona que está preparada para atender a las personas que lo necesitan en caso de accidente o peligro. INGLÉS lifeguard.

socorro

nombre masculino **1** Acción de prestar ayuda urgente a una persona que está en peligro o necesita algo urgentemente. INGLÉS help, assistance.

2 Cosa que sirve de ayuda a una persona que está en peligro o tiene una necesidad grande. INGLÉS help, assistance.

interjección **3 ¡socorro!** Se utiliza para pedir ayuda urgente en una situación de peligro o necesidad: *¡Socorro!, que no puedo salir.* INGLÉS help!

soda

nombre femenino **1** Bebida gaseosa, transparente y sin alcohol. Puede beberse sola o combinada con bebidas alcohólicas. INGLÉS soda water.

soez

adjetivo **1** Que es grosero y resulta desagradable y ofensivo. Las palabrotas y los insultos son palabras soeces. INGLÉS vulgar.

NOTA El plural es: soeces.

sofá

nombre masculino **1** Asiento blando y cómodo para dos o más personas, con respaldo y brazos. INGLÉS sofa, settee.

sofá cama Sofá que se puede utilizar como cama. INGLÉS sofa bed.

sofisticado, sofisticada

adjetivo **1** Se dice de la persona o la cosa que resulta muy elegante y refinada. INGLÉS sophisticated.

2 Que no es natural ni sencillo. A veces cuesta entender el lenguaje sofisticado de algunos políticos. ANTÓNIMO espontáneo. INGLÉS sophisticated.

3 Se dice del aparato que es muy complicado. SINÓNIMO complejo. ANTÓNIMO sencillo. INGLÉS sophisticated.

sofocante

adjetivo **1** Que produce una sensación de ahogo o hace difícil la respiración. En las saunas hace un calor sofocante. INGLÉS suffocating, stifling.

sofocar

verbo **1** Producir una sensación de ahogo o dar mucho calor. INGLÉS to suffocate.

2 Acabar con algo que se estaba desarrollando, como un incendio o una protesta. INGLÉS to put out [un incendio], to suppress [una protesta].

3 sofocarse Sentir vergüenza en una situación determinada: *Se sofocó cuando le gastaron la broma.* SINÓNIMO avergonzarse. INGLÉS to get embarrassed.

NOTA Se escribe 'qu' delante de 'e', como: sofoquen.

sofrito

nombre masculino **1** Conjunto de hortalizas, como el tomate y la cebolla, cortadas en trozos pequeños y fritas en aceite a fuego lento.

software

nombre masculino **1** En informática, conjunto de programas e instrucciones que permite al ordenador realizar diferentes funciones. INGLÉS software.

NOTA Se pronuncia: 'sófgüer'.

soga

nombre femenino **1** Cuerda gruesa de esparto. Los pescadores amarran las barcas con una soga. INGLÉS rope.

soja

nombre femenino **1** Planta que produce un fruto parecido

a la judía con unas semillas de las que se saca aceite. **INGLÉS** soya.

sol

nombre masculino **1** Estrella con luz propia alrededor de la cual giran la Tierra y otros planetas. El Sol es el centro del sistema solar. Con este significado se escribe con mayúscula. **INGLÉS** Sun.

2 Luz o calor que desprende el Sol. Los médicos recomiendan utilizar una crema protectora para tomar el sol. **INGLÉS** sunshine.

3 Persona muy buena: *Esa chica en un sol, siempre es muy atenta.* Es un uso familiar. **INGLÉS** angel.

4 Quinta nota de la escala musical. **INGLÉS** soh, G.

solamente

adverbio **1** Significa nada más, indica que no se incluye ninguna otra cosa además de la que se expresa: *Presta atención porque solamente lo diré una vez.* **SINÓNIMO** solo. **INGLÉS** only.

solano

nombre masculino **1** Viento que sopla del este. **INGLÉS** east wind.

solapa

nombre femenino **1** Parte de una prenda de vestir que está cosida al cuello y se dobla hacia fuera sobre el pecho. Las americanas y algunos abrigos suelen tener solapa. **INGLÉS** lapel.

2 Parte de la cubierta de un libro que se dobla hacia dentro y en la que suele haber información del autor o de la editorial. **INGLÉS** flap.

solar

adjetivo **1** Del Sol o que tiene relación con él. La energía solar no es contaminante. **INGLÉS** solar.

nombre masculino **2** Terreno en el que se construye o se puede construir un edificio. **INGLÉS** plot.

solárium

nombre masculino **1** Terraza o lugar que está reservado y preparado para tomar el sol. Algunos gimnasios y centros de salud tienen un solárium. **INGLÉS** solarium.

NOTA El plural es: soláriums.

soldado

nombre masculino **1** Persona que pertenece a un ejército y no tiene graduación. **INGLÉS** soldier, private.

soldar

verbo **1** Unir dos piezas de metal mediante la aplicación de calor muy fuerte. **INGLÉS** to weld, [si es con estaño: to solder].

NOTA Se conjuga como: contar; la 'o' se convierte en 'ue' en sílaba acentuada, como: suelden.

soleado, soleada

adjetivo **1** Se dice del día o el tiempo que presenta un cielo sin nubes y en el que brilla el sol. **INGLÉS** sunny.

2 Se dice del lugar que recibe mucha luz del sol: *La terraza es el lugar más soleado de nuestra casa.* **INGLÉS** sunny.

soledad

nombre femenino **1** Circunstancia de estar una persona sola o sin compañía. Se puede estudiar en soledad o en grupo. **INGLÉS** solitude.

solemne

adjetivo **1** Se dice del acto público que se hace de un modo muy serio, ceremonioso y elegante. El entierro de un rey es un acto solemne. **INGLÉS** solemn.

2 Que es muy serio y formal: *Me hizo la promesa solemne de que lo intentaría.* **INGLÉS** solemn.

3 Que impresiona por ser muy elegante o muy grande. **SINÓNIMO** majestuoso. **INGLÉS** majestic.

4 Se utiliza para reforzar el sentido negativo de los nombres a los que acompaña. Una solemne estupidez es una estupidez muy grande. Con este significado va delante del nombre. **INGLÉS** downright.

soler

verbo **1** Hacer una cosa por costumbre u ocurrir con frecuencia. En invierno suele nevar en las zonas de montaña. **SINÓNIMO** acostumbrar. **INGLÉS** to be in the habit of [+ gerundio].

NOTA Se conjuga como: mover; la 'o' se convierte en 'ue' en sílaba acentuada, como: suelen.

solicitar

verbo **1** Pedir algo, generalmente siguiendo una serie de formalidades. Para solicitar las becas hay que rellenar muchos papeles. **INGLÉS** to apply for.

solicitud

nombre femenino **1** Petición de algo siguiendo una serie de formalidades. También se llama solicitud el documento o escrito en el que

a b c d e f g h i j k l m n ñ o p q r s t u v w x y z

se pide algo. INGLÉS application, [si es el documento: application form].

solidaridad

nombre femenino **1** Característica de la persona que manifiesta su apoyo a los que tienen algún problema o inquietud e intenta ayudarlos. INGLÉS solidarity.

solidario, solidaria

adjetivo **1** Se dice de la persona que manifiesta su apoyo a otra o a otras que tienen algún problema o inquietud e intenta ayudarlas. También son solidarios los actos de estas personas. INGLÉS supportive.

solidez

nombre femenino **1** Característica de la cosa que es fuerte, segura o resistente. INGLÉS solidity.

solidificación

nombre femenino **1** Cambio de un líquido o un gas que pasa a estado sólido. INGLÉS solidification.

NOTA El plural es: solidificaciones.

solidificar

verbo **1** Convertir un líquido o un gas en sólido. A los 0 grados centígrados, el agua se solidifica. INGLÉS to solidify.

NOTA La 'c' se convierte en 'qu' delante de 'e', como: solidifiquen.

sólido, sólida

adjetivo **1** Que es fuerte, firme y resistente. Las columnas que sujetan los techos tienen que ser muy sólidas. INGLÉS solid, strong.

adjetivo y nombre masculino **2** Se dice del cuerpo que tiene forma propia y no es líquido ni gaseoso. Las piedras son cuerpos sólidos. INGLÉS solid.

solista

adjetivo y nombre masculino y femenino **1** Se dice de la persona que interpreta ella sola, con la voz o con un instrumento, una obra musical o una parte de ella. INGLÉS soloist.

solitaria

nombre femenino **1** Gusano parásito muy largo que vive en el intestino del ser humano y de otros vertebrados. INGLÉS tapeworm.

solitario, solitaria

adjetivo **1** Se dice de la persona que está sola o no tiene compañía. INGLÉS alone.

2 Se dice del lugar en el que no habitan personas o por el que pasan pocas personas. INGLÉS lonely.

adjetivo y nombre **3** Se dice de la persona a la que le gusta estar sola o vivir sola. También pueden ser solitarios el carácter, la forma de vida o las costumbres de este tipo de personas. INGLÉS solitary.

nombre masculino **4** Juego de cartas en el que juega únicamente una persona. INGLÉS patience [en el Reino Unido], solitaire [en Estados Unidos].

sollozar

verbo **1** Llorar respirando de manera entrecortada y ruidosa. INGLÉS to sob.

NOTA Se escribe 'c' delante de 'e', como: sollocen.

sollozo

nombre masculino **1** Respiración entrecortada y ruidosa que se hace a veces al llorar. INGLÉS sob.

solo, sola

adjetivo **1** Que está sin otra cosa o persona: *Ha venido él solo.* INGLÉS alone.

2 Que no tiene familia, ni amigos, ni nadie que le haga compañía. También está sola la persona que no tiene a nadie que la ayude para hacer una cosa. INGLÉS alone.

3 Que es único en su especie. Las religiones cristiana y musulmana tienen un solo dios. INGLÉS single.

adjetivo y nombre masculino **4** Se dice del café que se sirve sin leche. El café solo suele servirse en una taza pequeña. INGLÉS black.

adverbio **5 solo** Significa nada más, con exclusión de otra cosa. Hasta 2010 se podía escribir: sólo: *Han venido solo para saludarte.* INGLÉS only.

a solas Sin compañía de nadie. INGLÉS alone, on one's own.

sólo

adverbio **1** Era otra forma de escribir: solo.

NOTA Hasta 2010 se podía escribir con acento si se podía confundir con el adjetivo.

solomillo

nombre masculino **1** Trozo alargado de carne de vaca o de cerdo situado entre las costillas y el lomo. INGLÉS sirloin.

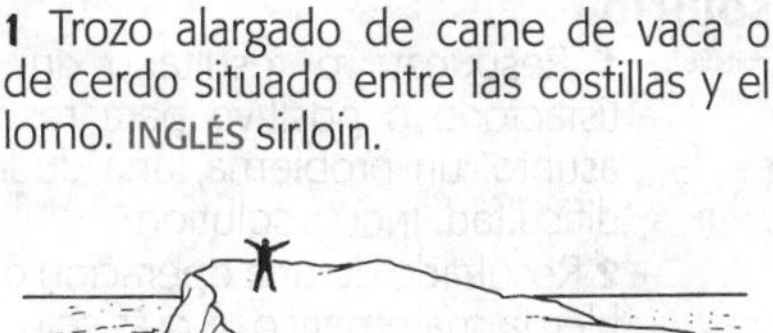

solitario

a b c d e f g h i j k l m n ñ o p q r s t u v w x y z

soltar
verbo
1 Hacer que lo que estaba atado o sujeto deje de estarlo: *Soltó el lápiz y dejó el dibujo a medias.* INGLÉS to let go of, to drop.
2 Dejar libre a una persona o un animal que estaba retenido. INGLÉS to release, to set free.
3 Despedir o echar fuera de sí aquello que se indica. La basura suelta un olor muy malo. INGLÉS to give off.
4 Decir algo de repente, especialmente algo malo o que no se debería decir: *Me soltó un rollo muy aburrido.* Es un uso informal. INGLÉS to come out with.
5 Manifestar o dejar ver una persona un sentimiento por medio de algo, como carcajadas, gritos o lágrimas. Es un uso informal. INGLÉS to let out.
6 soltarse Empezar a poder hacer algo que antes no se hacía por vergüenza o porque no se había llegado a aprender bien. Para soltarse a hablar un idioma extranjero, lo mejor es ir al país. INGLÉS to let oneself go.
NOTA Se conjuga como: contar; la 'o' se convierte en 'ue' en sílaba acentuada, como: suelten.

soltero, soltera
adjetivo y nombre
1 Se dice de la persona que no se ha casado. INGLÉS single [adjetivo], unmarried [adjetivo], bachelor [nombre - hombre], single woman [nombre - mujer].

soltura
nombre femenino
1 Capacidad para hacer algo de manera fácil y ágil. Para tocar un instrumento con soltura hay que practicar mucho. INGLÉS confidence, ease.

soluble
adjetivo
1 Se dice de la sustancia que se puede disolver al mezclarse con un líquido. El café soluble se disuelve fácilmente en agua o leche calientes. INGLÉS soluble.

solución
nombre femenino
1 Respuesta o resultado que es satisfactorio o positivo para resolver un asunto, un problema, una duda o una dificultad. INGLÉS solution.
2 Resultado de una operación o un problema matemático. INGLÉS solution.
NOTA El plural es: soluciones.

solucionar
verbo
1 Dar o encontrar una solución a un asunto, una duda, un problema o una dificultad. INGLÉS to solve.

solventar
verbo
1 Resolver o solucionar una dificultad o un problema. INGLÉS to resolve.
2 Pagar una persona una cantidad de dinero que debe. Se solventan las deudas. INGLÉS to settle.

solvente
adjetivo
1 Se dice de la persona que no tiene deudas económicas o que es capaz de pagar sus deudas sin problemas. INGLÉS solvent.
2 Que merece confianza porque cumple con las características necesarias. Una empresa solvente tiene clientes satisfechos porque cumple todas sus demandas. INGLÉS reliable.

sombra
nombre femenino
1 Imagen oscura que deja sobre una superficie un objeto opaco o una persona que se coloca entre los rayos directos de la luz y dicha superficie. Si caminamos por la calle un día soleado veremos nuestra sombra en el suelo. INGLÉS shadow.
2 Lugar en el que no hay luz porque no llegan los rayos del sol o de una lámpara: *Se sentó en la sombra.* INGLÉS shade.
3 Persona o animal que sigue a una persona por todas partes. Es un uso informal. INGLÉS shadow.

sombrero
nombre masculino
1 Prenda de vestir que cubre la cabeza y que normalmente está formada por un ala alrededor de una copa. Según su forma los sombreros tienen nombres distintos, como bombín, chistera o pamela. INGLÉS hat.
2 Parte superior de un hongo. INGLÉS cap.

sombrilla
nombre femenino
1 Objeto plegable parecido a un paraguas, que sirve para protegerse del sol. En verano se ven muchas sombrillas en la playa. SINÓNIMO parasol. INGLÉS parasol, sunshade.

sombrío, sombría
adjetivo
1 Se dice del lugar que tiene muy poca luz o donde hay sombra. ANTÓNIMO luminoso. INGLÉS gloomy.
2 Se dice de la persona que está o pa-

rece triste y melancólica. ANTÓNIMO alegre. INGLÉS sombre, gloomy.

someter

verbo

1 Obligar a alguien a obedecer las órdenes de otra persona por la fuerza. SINÓNIMO dominar. INGLÉS to subdue.

2 Presentar un proyecto, una idea o una reflexión a alguien para que diga lo que piensa de ello. Los planes de una asociación se someten a la aprobación de sus miembros. INGLÉS to submit.

3 Hacer que algo o alguien reciba los efectos de una acción o una cosa determinada. El agua se convierte en hielo cuando se somete a la acción del frío. INGLÉS to subject.

somier

nombre masculino

1 Base plana de madera o metal y con patas sobre la que se pone el colchón para dormir. INGLÉS bed base.

NOTA El plural es: somieres.

somnífero, somnífera

adjetivo y nombre masculino

1 Se dice del medicamento que produce sueño. Los médicos recetan somníferos a las personas que duermen poco o mal. INGLÉS sleeping pill.

somnolencia

nombre femenino

1 Estado intermedio entre estar dormido y estar despierto en el que todavía no se ha perdido la conciencia. Cuando tenemos somnolencia, estamos muy cansados y nos sentimos torpes: *No ha dormido en toda la noche y ahora tiene somnolencia.* SINÓNIMO sopor. INGLÉS sleepiness, drowsiness.

somontano, somontana

adjetivo y nombre

1 Se dice del terreno o región situados al pie de una montaña. INGLÉS at the foot of a mountain [adjetivo].

son

nombre masculino

1 Sonido que resulta agradable al oído, principalmente el sonido musical. INGLÉS sound.

sin ton ni son Forma de hacer una cosa sin pensarla mucho y de forma alocada: *No hice caso, hablaba sin ton ni son.* INGLÉS without rhyme or reason.

sonajero

nombre masculino

1 Juguete para bebés que consiste en un mango con cascabeles u otras cosas en su extremo que hacen ruido cuando se agita. INGLÉS rattle.

sonámbulo, sonámbula

adjetivo y nombre

1 Se dice de la persona que padece un trastorno del sueño que consiste en levantarse de la cama y andar mientras está dormida. Los sonámbulos al despertar no recuerdan nada de lo que han hecho. INGLÉS sleepwalker [nombre].

sonar

verbo

1 Producir ruido una cosa o emitir un sonido, como el despertador por la mañana, un instrumento musical o el timbre cuando llaman a la puerta. INGLÉS to sound, to ring.

2 Producir una cosa la sensación de que ya es conocida, pero sin recordar exactamente los detalles. Una persona que no hemos visto nunca no nos suena de nada. INGLÉS to be familiar.

3 Ser una cosa o una persona muy mencionada o comentada: *Su nombre sonó para ministro.* INGLÉS to be mentioned.

4 Limpiar la nariz de mocos haciendo salir aire por las fosas nasales. INGLÉS to blow.

NOTA Se conjuga como: contar; la 'o' se convierte en 'ue' en sílaba acentuada, como: suenen.

sonda

nombre femenino

1 Globo o nave espacial que se emplea para estudiar la atmósfera, el espacio o los astros del sistema solar: *Enviaron una sonda a Marte para estudiar su superficie.* INGLÉS probe.

sondeo

nombre masculino

1 Estudio destinado a averiguar algo que consiste en hacer preguntas a la gente. En época de elecciones se realizan sondeos entre los votantes para intentar averiguar quién va a ganarlas. INGLÉS poll.

soneto

nombre masculino

1 Poesía de catorce versos divididos en cuatro estrofas, las dos primeras de cuatro versos y las dos últimas de tres. INGLÉS sonnet.

sonido

nombre masculino

1 Lo que se percibe a través del oído. Las vocales y las consonantes son sonidos. El sonido del piano es distinto al de la flauta. INGLÉS sound.

soniquete

nombre masculino

1 Sonido poco fuerte y continuo que

resulta desagradable o molesto, como el de una gran máquina en funcionamiento. INGLÉS droning.

sonoro, sonora
adjetivo **1** Que suena o que tiene buen sonido, como algunos instrumentos. INGLÉS sonorous.

sonreír
verbo **1** Mover un poco los labios hacia arriba, como cuando reímos pero sin hacer ruido. INGLÉS to smile.
2 Ser algo favorable a una persona. Decimos que la vida nos sonríe cuando todo nos sale bien. INGLÉS to smile.
NOTA Se conjuga como: reír.

sonriente
adjetivo **1** Se dice de la persona que sonríe. INGLÉS smiling.

sonrisa
nombre femenino **1** Gesto que se hace curvando los labios hacia arriba como muestra de alegría o felicidad. INGLÉS smile.

sonrojar
verbo **1** Hacer que a una persona se le ponga la cara roja de vergüenza. SINÓNIMO ruborizar. INGLÉS to make blush.

sonrosado, sonrosada
adjetivo **1** Se dice de la piel rosada, especialmente la de una persona que está sana. INGLÉS rosy, pink.

soñador, soñadora
adjetivo **1** Que tiene mucha imaginación y se pasa mucho tiempo pensando en cosas que le gustaría hacer, aunque sean muy difíciles de conseguir. SINÓNIMO fantasioso. INGLÉS dreamer [nombre].

soñar
verbo **1** Imaginar historias o cosas una persona mientras duerme: *He soñado que viajaba en cohete a otros planetas.* INGLÉS to dream.
2 Desear mucho una cosa que no se tiene y que es muy difícil de conseguir. Mucha gente sueña con que le toque la lotería. INGLÉS to dream.
NOTA Se conjuga como: contar; la 'o' se convierte en 'ue' en sílaba acentuada, como: sueñen.

soñoliento, soñolienta
adjetivo **1** Que tiene sueño o que produce sueño: *Si no duermo mucho, por las mañanas estoy soñoliento.* INGLÉS drowsy, sleepy.

sopa
nombre femenino **1** Comida líquida que se hace cociendo alimentos en un recipiente con agua. Las sopas son de muchos tipos, por ejemplo de pescado, de arroz o de verduras. INGLÉS soup.
hasta en la sopa En todas partes. Si decimos que una persona está hasta en la sopa es que nos la encontramos allá donde vayamos. INGLÉS absolutely everywhere.

sopapo
nombre masculino **1** Golpe que se da en la cara con la mano abierta. SINÓNIMO bofetada. INGLÉS slap.

sopera
nombre femenino **1** Recipiente hondo que sirve para servir la sopa en la mesa. Las soperas tienen una tapadera que sirve para mantener la sopa caliente. INGLÉS soup tureen.

sopero, sopera
adjetivo **1** Que sirve para comer sopa. El plato sopero es más hondo que el resto de los platos de una vajilla. INGLÉS soup.
adjetivo y nombre **2** Se dice de una persona a la que le gusta mucho tomar sopa. INGLÉS who likes soup [adjetivo].

soplar
verbo **1** Hacer salir el aire por la boca con fuerza. Para apagar las velas de la tarta de cumpleaños hay que soplar fuerte. INGLÉS to blow.
2 Moverse el viento con fuerza, de modo que haga un poco de ruido. INGLÉS to blow.
3 Decir a alguien algo que no se le debería decir porque es secreto o porque no está permitido decirlo. A veces los alumnos intentan soplarse preguntas en los exámenes. INGLÉS to tell the answer.

soplete
nombre masculino **1** Instrumento que se utiliza para fundir metales, para soldar o para calentar un material. Está formado por una bombona de gas conectada a una pistola que lanza una llama. INGLÉS blowtorch, blowlamp.

soplido
nombre masculino **1** Cantidad de aire que se expulsa de una vez por la boca: *Apagó todas las velas de la tarta de un soplido.* SINÓNIMO soplo. INGLÉS blow, puff.

soplo
nombre masculino
1 Soplido: *Con un soplo quitó las migas de pan del mantel.* INGLÉS blow, puff.
2 Movimiento del viento. Cuando hace mucho calor un soplo de aire fresco resulta agradable. INGLÉS puff.
3 Información que se da de manera secreta a otra persona. Con frecuencia la policía detiene a los ladrones gracias al soplo de algún testigo. INGLÉS tip-off.
4 Espacio de tiempo muy corto o que lo parece: *Las vacaciones han pasado en un soplo.* INGLÉS moment.

soplón, soplona
adjetivo y nombre
1 Se dice de la persona que dice algo de manera secreta a otra persona. Los soplones suelen delatar a alguien o acusarlo de una cosa negativa. SINÓNIMO chivato. INGLÉS grass [nombre - a la policía], telltale [nombre - en el colegio].
NOTA El plural de soplón es: soplones.

soponcio
nombre masculino
1 Pérdida temporal del conocimiento o malestar pasajero: *Tenía tanta hambre que le dio un soponcio.* SINÓNIMO patatús. INGLÉS fainting fit.

sopor
nombre masculino
1 Estado intermedio entre estar dormido y estar despierto en el que todavía no se ha perdido la conciencia. Sentimos sopor cuando tenemos sueño, pero aún no nos hemos dormido. SINÓNIMO somnolencia. INGLÉS drowsiness.

soporífero, soporífera
adjetivo
1 Que es tan aburrido que provoca ganas de dormir. Una película muy larga y lenta puede resultar soporífera. INGLÉS soporific.

soportal
nombre masculino
1 Espacio exterior que rodea algunos edificios o plazas, que está cubierto y tiene arcos o columnas. INGLÉS porch, arcade.

soportar
verbo
1 Sufrir con paciencia una cosa desagradable o mala, como el hambre, el dolor o el calor. SINÓNIMO aguantar. INGLÉS to bear.
2 Sujetar o mantener una cosa, de modo que no se caiga o no se mueva. En una mesa, las patas soportan el tablero. SINÓNIMO aguantar; sostener. INGLÉS to support.

soporte
nombre masculino
1 Cosa que sirve para sujetar o sostener el peso de algo. INGLÉS support.

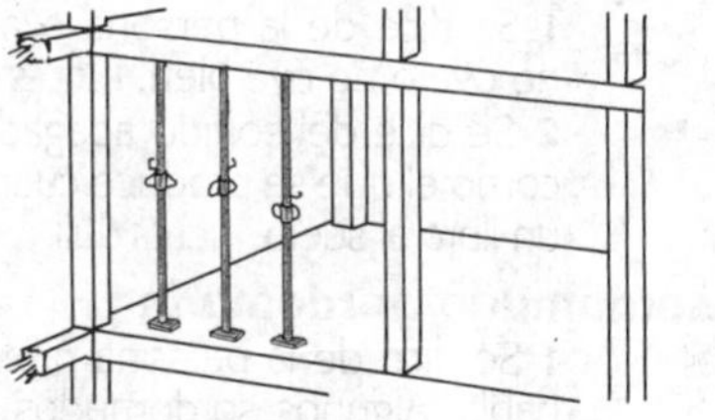

soporte

2 Aquello que sirve de apoyo o de ayuda a una persona, una institución o un país. Los amigos son el mejor soporte para mucha gente. INGLÉS support.
3 Aparato o material sobre el que se escribe o se graba información, imágenes o sonidos. Ahora se hacen libros en soporte de papel y en soporte magnético. INGLÉS medium.

soprano
nombre femenino
1 Cantante que tiene la voz más aguda de todas las voces humanas clasificadas. INGLÉS soprano.

sor
nombre femenino
1 Palabra que se antepone al nombre de las monjas. También se llama sor la monja que pertenece a una orden religiosa. INGLÉS sister.

sorber
verbo
1 Beber un líquido aspirándolo, normalmente con una pajita. Sorbemos un refresco o un batido. INGLÉS to sip.
2 Respirar con fuerza hacia adentro para retener los mocos en la nariz. Los niños pequeños se sorben los mocos cuando no saben sonarse. INGLÉS to sniff.

sorbete
nombre masculino
1 Alimento dulce y cremoso que se come helado. El sorbete suele comerse como postre y se elabora con agua, huevo, azúcar y zumo de fruta. INGLÉS sorbet.

sorbo
nombre masculino
1 Acción que consiste en sorber o beber un líquido aspirándolo: *Se tomó la sopa caliente a sorbos.* INGLÉS sip.

2 Cantidad pequeña de un líquido que se bebe de una vez. INGLÉS sip.

sordera

nombre femenino **1** Falta o disminución de la capacidad de oír. INGLÉS deafness.

sordo, sorda

adjetivo y nombre **1** Se dice de la persona o animal que no oye o no oye bien. INGLÉS deaf.

adjetivo **2** Se dice del sonido apagado o grave, como el que se produce cuando se cae un libro al suelo. INGLÉS dull.

sordomudo, sordomuda

adjetivo y nombre **1** Se dice de la persona que no oye ni habla. Algunos sordomudos lo son de nacimiento y otros lo son como consecuencia de una enfermedad. Los sordomudos tienen su propio lenguaje de signos. INGLÉS deaf and dumb [adjetivo], deaf mute [nombre].

soriano, soriana

adjetivo y nombre **1** Se dice de la persona o cosa que es de Soria, ciudad y provincia de Castilla y León.

sorprendente

adjetivo **1** Que es tan poco usual que causa sorpresa, en especial cuando es positiva: *Hace los ejercicios más difíciles con una facilidad sorprendente.* SINÓNIMO asombroso. INGLÉS surprising.

2 Que es tan poco usual que resulta difícil de creer. SINÓNIMO extraño. INGLÉS surprising.

sorprender

verbo **1** Causar sorpresa o admiración: *Me sorprendí mucho cuando me tocó el premio.* SINÓNIMO asombrar; extrañar. INGLÉS to surprise, [si es sorprenderse: to be surprised].

2 Descubrir a alguien que no desea ser visto en una situación determinada: *Le sorprendió copiando en el examen.* SINÓNIMO pillar. INGLÉS to catch.

sorpresa

nombre femenino **1** Impresión que produce una cosa que no se espera: *Es una sorpresa coincidir en el mismo hotel.* INGLÉS surprise.

2 Cosa o acción que no se espera y que pretende sorprender a alguien: *La caja contiene una sorpresa.* INGLÉS surprise.

sortear

verbo **1** Someter a la suerte la elección de una cosa o de un premio. INGLÉS to draw lots for, [si es para un premio: to raffle].

2 Evitar un obstáculo o dificultad con habilidad. INGLÉS to dodge.

sorteo

nombre masculino **1** Conjunto de acciones que se hacen para decidir un premio u otra cosa por la suerte: *Participó en el sorteo de la bici comprando varios boletos.* INGLÉS draw, raffle.

sortija

nombre femenino **1** Anillo que se lleva en un dedo, en especial el que tiene piedras preciosas. INGLÉS ring.

sosegar

verbo **1** Hacer que una persona que estaba nerviosa o preocupada se quede tranquila. INGLÉS to calm down.

NOTA Se conjuga como: regar; la 'e' se convierte en 'ie' en sílaba acentuada y se escribe 'gu' delante de 'e', como: sosieguen.

sosería

nombre femenino **1** Falta de gracia de una cosa o una persona que resultan aburridas: *La película es una sosería.* INGLÉS dull thing.

sosiego

nombre masculino **1** Estado del lugar en el que no hay ruidos ni movimiento. Algunas personas prefieren el sosiego del campo al bullicio de la ciudad. INGLÉS peace, calm.

2 Estado o situación de la persona que está tranquila. INGLÉS calmness.

soslayo

de soslayo Indica que una mirada es oblicua o se hace de forma indirecta. Cuando una persona mira de soslayo lo hace con disimulo para que no la descubra nadie mirando. INGLÉS out of the corner of one's eye.

de soslayo Indica que una persona o una cosa pasan por un sitio estrecho de lado: *La entrada de la cueva era estrecha y tuvo que meterse de soslayo.* INGLÉS sideways.

soso, sosa

adjetivo **1** Se dice del alimento que no tiene sal o tiene menos sal de la necesaria. SINÓNIMO insípido. ANTÓNIMO salado. INGLÉS tasteless, insipid.

2 Que no tiene gracia, ni energía, ni un atractivo especial. ANTÓNIMO salado. INGLÉS dull.

a b c d e f g h i j k l m n ñ o p q r s t u v w x y z

sospecha
nombre femenino **1** Suposición, generalmente negativa, que se forma una persona sobre algo a partir de algunos indicios. INGLÉS suspicion.

sospechar
verbo **1** Suponer o imaginar una cosa, generalmente negativa, a partir de ciertos indicios: *Sus ojos rojos me hicieron sopechar que había llorado.* INGLÉS to suspect.
2 Creer o pensar que una persona ha sido la autora de un delito o una acción mala: *La policía sospecha de varias personas como autoras del robo.* INGLÉS to suspect.

sospechoso, sospechosa
adjetivo **1** Que resulta tan extraño que se toma como indicio para sospechar algo: *Es muy sospechoso que esté tan callado.* INGLÉS suspicious.
adjetivo y nombre **2** Se dice de la persona que se cree que ha sido el autor de un delito o de una acción mala. INGLÉS suspected [adjetivo], suspect [nombre].

sostén
nombre masculino **1** Persona o cosa que sostiene, apoya o mantiene a otra. INGLÉS support.
2 Prenda de ropa interior femenina que sirve para sostener el pecho. SINÓNIMO sujetador. INGLÉS bra, brassiere.
NOTA El plural es: sostenes.

sostener
verbo **1** Sujetar algo de modo que no se mueva o no se caiga: *Se sostiene los pantalones con unos tirantes.* INGLÉS to support, to hold up.
2 Mantener o defender una opinión, una actitud o idea. Los ateos sostienen que Dios no existe. INGLÉS to maintain.
3 Dar a alguien lo necesario para vivir, normalmente como resultado del trabajo: *Su madre sostiene a toda la familia.* INGLÉS to support.
NOTA Se conjuga como: tener.

sota
nombre femenino **1** Carta de la baraja española que representa la figura de un paje y lleva el número diez. INGLÉS jack, knave.

sotana
nombre femenino **1** Vestido largo de color negro que usan algunos sacerdotes y otros religiosos. INGLÉS cassock.

sótano
nombre masculino **1** Parte de un edificio que está bajo el nivel de la calle. INGLÉS basement, cellar, [si es en una tienda: basement].

souvenir
nombre masculino **1** Objeto que se compra como recuerdo en un lugar turístico. INGLÉS souvenir.
NOTA Se pronuncia: 'suvenir'. El plural es: souvenires.

sponsor
nombre masculino **1** Persona o empresa que patrocina un programa de radio o televisión, un acto cultural o deportivo, o cualquier otra cosa, en general, a cambio de publicidad. INGLÉS sponsor.
NOTA Se pronuncia: 'espónsor'. El plural es: sponsors.

spot
nombre masculino **1** Anuncio publicitario que se emite por televisión o en el cine. INGLÉS advert, ad.
NOTA Se pronuncia: 'espot'. El plural es: spots.

spray
nombre masculino **1** Recipiente que tiene en su interior un líquido a presión y un mecanismo que hace que el líquido salga lanzado convertido en gotas muy pequeñas, casi como el polvo. Algunos desodorantes e insecticidas se venden en spray. INGLÉS spray.
NOTA También se escribe: espray. Se pronuncia: 'esprai'. El plural es: sprays.

sprint
nombre masculino **1** Aceleración máxima que hace un deportista al final de una carrera para ir más deprisa. INGLÉS sprint.
NOTA Se pronuncia: 'esprín'. El plural es: sprints.

squash
nombre masculino **1** Deporte que se practica entre dos jugadores que tienen que lanzar una pelota contra una pared con la ayuda de unas raquetas. El squash se juega en un recinto pequeño y cerrado. INGLÉS squash.
NOTA Se pronuncia: 'escuás'.

stock
nombre masculino **1** Conjunto de mercancías o productos que se tienen almacenados para su venta posterior. Cuando un producto se ha agotado no queda ninguno en stock. INGLÉS stock.

NOTA Se pronuncia: 'estoc'. El plural es: stocks.

stop

nombre masculino **1** Señal de tráfico que obliga a parar a los vehículos. El stop es un octógono rojo con la palabra 'stop' escrita en blanco en el centro. INGLÉS stop sign.

NOTA Se pronuncia: 'estop'. El plural es: stops.

striptease

nombre masculino **1** Espectáculo en el que una persona se va quitando la ropa poco a poco hasta quedarse desnuda. Normalmente un striptease se hace siguiendo el ritmo de una canción. INGLÉS striptease.

NOTA Se pronuncia: 'estriptis' o 'estriptís'. El plural es: stripteases.

su

determinante posesivo **1** Indica que la persona o cosa a que acompaña pertenece a una persona o grupo de personas distintas del hablante y del oyente. 'Su', 'sus' son determinantes posesivos de tercera persona, tanto de singular como de plural: *Su redacción fue la más original.* INGLÉS his [de él], her [de ella], your [de usted, ustedes], their [de ellos], its [de una cosa], one's [de uno].

suave

adjetivo **1** Se dice de la cosa que es lisa y agradable al tacto, como el terciopelo o la piel de un bebé. ANTÓNIMO áspero. INGLÉS soft, smooth.

2 Se dice de la cosa que tiene poca fuerza o intensidad y resulta agradable a los sentidos, como el viento cuando sopla con poca fuerza. INGLÉS soft, gentle.

3 Que es lento, tranquilo y no es brusco: *Hizo un gesto suave con la mano.* INGLÉS smooth, gentle.

suavidad

nombre femenino **1** Cualidad de la cosa que es suave o agradable. INGLÉS softness, smoothness.

suavizante

nombre masculino **1** Producto que se pone en la lavadora para que la ropa quede suave y con buen olor. INGLÉS fabric softener.

2 Producto que se utiliza después de lavarse el pelo para que quede suave y fácil de peinar. INGLÉS hair conditioner.

suavizar

verbo **1** Hacer que una cosa sea más suave. Hay cremas que suavizan la piel. INGLÉS to soften.

2 Hacer que una situación resulte menos brusca o menos violenta. INGLÉS to ease.

NOTA Se escribe 'c' delante de 'e', como: suavicen.

subacuático, subacuática

adjetivo **1** Que se encuentra o se desarrolla debajo del agua, como el submarinismo. INGLÉS underwater, subaquatic.

subasta

nombre femenino **1** Venta pública de objetos valiosos que consiste en dar lo que se vende a la persona que más dinero ofrece por ello. INGLÉS auction.

subastar

verbo **1** Vender en público objetos de valor que se queda la persona que más dinero ofrece por ellos. INGLÉS to auction.

subcampeón, subcampeona

adjetivo y nombre **1** Que queda en segunda posición en una competición o un concurso. INGLÉS runner-up [nombre].

NOTA El plural de subcampeón es: subcampeones.

subdelegado, subdelegada

adjetivo y nombre **1** Se dice de la persona que hace las funciones del delegado cuando este no está. INGLÉS subdelegate [nombre].

subdesarrollado, subdesarrollada

adjetivo **1** Que no está lo suficientemente desarrollado. Se aplica en especial a los países o las regiones que son pobres y tienen formas de trabajo poco evolucionadas. INGLÉS underdeveloped.

subdirector, subdirectora

nombre **1** Persona que hace las funciones de director cuando este no está. INGLÉS assistant director, [si es de un comecio: assistant manager].

súbdito, súbdita

adjetivo y nombre **1** Se dice de la persona que está bajo las órdenes de una autoridad, en especial la que está sujeta a las autoridades políticas de su país de origen. INGLÉS subject.

subdivisión

nombre femenino **1** Parte o grupo que se hace o resulta al dividir las partes obtenidas de haber dividido un todo anteriormente: *La tropa está formada por dos divisiones, que* *a su vez se componen de cuatro subdivisiones cada una.* INGLÉS subdivision. NOTA El plural es: subdivisiones.

subida
nombre femenino
1 Paso a un lugar que está más alto. SINÓNIMO ascenso. ANTÓNIMO bajada. INGLÉS ascent, climb.
2 Aumento de la cantidad o la intensidad de algo, como los precios. ANTÓNIMO descenso. INGLÉS rise, increase.
3 Terreno en cuesta, visto desde la parte de abajo hacia arriba. ANTÓNIMO bajada; descenso. INGLÉS slope, hill.

subir
verbo
1 Pasar de un lugar bajo a otro alto o más alto. ANTÓNIMO bajar. INGLÉS to go up, to come up.
2 Poner una cosa en un lugar alto o más alto. Para subir una cosa a un armario alto utilizamos una escalera. ANTÓNIMO bajar. INGLÉS to lift, to raise, to put up.
3 Hacerse más grande, más importante o más intensa una cosa, como la fiebre o el volumen de la tele. ANTÓNIMO bajar. INGLÉS to go up.
4 Entrar en un vehículo para desplazarse. ANTÓNIMO bajar. INGLÉS to get on, [si es un coche o una barca: to get in].

súbito, súbita
adjetivo
1 Que ocurre de pronto, sin preparación ni aviso: *El enfermo experimentó una súbita mejoría.* SINÓNIMO repentino. INGLÉS sudden.

subjetivo, subjetiva
adjetivo
1 Que actúa o toma decisiones según su manera de pensar o sus sentimientos, sin importarle lo que es más justo o adecuado. También son subjetivos esa forma de actuar y sus resultados. ANTÓNIMO objetivo. INGLÉS subjective.

subjuntivo
adjetivo y nombre masculino
1 Se dice del modo verbal que agrupa los tiempos que expresan que la acción no es real. En la frase 'Si hiciera buen tiempo, saldría de paseo', 'hiciera' está en modo subjuntivo. INGLÉS subjunctive.

sublevar
verbo
1 Hacer que una persona o un grupo se enfrente, usando la fuerza, a las personas que tienen el poder. INGLÉS to incite to rebellion, [si es sublevarse: to rebel].
2 Producir enfado o indignación: *Me subleva la lentitud con que hace las cosas, no lo soporto.* INGLÉS to infuriate.

sublime
adjetivo
1 Que provoca una emoción muy grande por ser muy bonito o tener una calidad o valor moral muy grandes. La buena música es sublime. INGLÉS sublime.

submarinismo
nombre masculino
1 Actividad que consiste en nadar debajo del agua para hacer deporte, divertirse u otros fines. INGLÉS scuba diving.

submarinista
nombre masculino y femenino
1 Persona que practica el submarinismo. Los submarinistas llevan un traje especial de goma que los protege del frío y una botella de oxígeno para poder respirar bajo el agua. INGLÉS scuba diver.

submarino, submarina
adjetivo
1 Del fondo del mar o que tiene relación con él. INGLÉS underwater, submarine.
nombre masculino
2 Barco que puede navegar debajo del mar. INGLÉS submarine.

submúltiplo
adjetivo y nombre masculino
1 Se dice de la cantidad o unidad de medida que está contenida en otra un número exacto de veces. El 4 es submúltiplo de 12 porque está contenido tres veces en él: 4 + 4 + 4 = 12. El centímetro es submúltiplo del metro porque está contenido cien veces en él. INGLÉS submultiple.

subnormal
adjetivo y nombre masculino y femenino
1 Se dice de la persona que tiene una capacidad mental inferior a la de la mayoría de la gente de su edad. SINÓNIMO retrasado. INGLÉS mentally handicapped [adjetivo].

subordinado, subordinada
adjetivo y nombre
1 Se dice de la persona que trabaja bajo las órdenes de otra. INGLÉS subordinate.
adjetivo y nombre femenino
2 Se dice de una oración que depende de otra oración principal a la que completa. Las oraciones subordinadas se unen a la principal mediante conjunciones o pronombres relativos o interrogativos. En la frase 'Protegen a los animales que están en peligro de extinción', la subordinada es 'que están en peligro de extinción'. INGLÉS subordinate [adjetivo], subordinate clause [nombre].

subrayado
nombre masculino
1 Palabra o conjunto de palabras de un

a b c d e f g h i j k l m n ñ o p q r s t u v w x y z

escrito marcadas debajo con una raya o línea. INGLÉS underlining.

subrayar

verbo **1** Hacer rayas o líneas debajo de una letra, palabra o frase para destacarlas y distinguirlas del resto del texto. INGLÉS to underline.

2 Destacar la importancia de algo al hablar, normalmente pronunciándolo más fuerte o repitiéndolo. SINÓNIMO remarcar. INGLÉS to emphasize, to stress.

subsanar

verbo **1** Dar un remedio o una solución a un defecto, un daño, un problema o una dificultad: *Subsanó los dos errores que había en su trabajo para que quedara perfecto.* INGLÉS to rectify, to correct.

subsidio

nombre masculino **1** Cantidad de dinero que recibe una persona, generalmente ofrecida por el Estado u otro organismo oficial, como ayuda para cubrir determinadas necesidades que tiene. Jubilados y parados reciben subsidios. INGLÉS allowance, benefit.

subsistir

verbo **1** Vivir con poco dinero y pocos medios. SINÓNIMO sobrevivir. INGLÉS to subsist, to exist.

2 Continuar existiendo u ocurriendo algo que ya ocurría o existía desde hace tiempo. SINÓNIMO perdurar. INGLÉS to survive.

subsuelo

nombre masculino **1** Conjunto de capas profundas del terreno que están debajo de la superficie de la tierra. Los yacimientos de minerales se encuentran en el subsuelo. INGLÉS subsoil.

subteniente

nombre masculino y femenino **1** Persona que tiene un grado militar entre el de brigada y el de alférez. INGLÉS second lieutenant.

subterfugio

nombre masculino **1** Pretexto o medio engañoso y hábil para escapar de una situación difícil, de un problema o de un peligro. Cuando una persona no quiere decir la verdad utiliza subterfugios para no tener que confesar ni ser descubierta. INGLÉS subterfuge.

subterráneo, subterránea

adjetivo **1** Que está bajo tierra: *Los topos viven en madrigueras subterráneas.* INGLÉS subterranean, underground.

nombre masculino **2** Lugar que está situado bajo tierra. Los garajes suelen estar situados en los subterráneos de los edificios. INGLÉS cellar [en una casa], basement [de un edificio de pisos].

subtítulo

nombre masculino **1** Título secundario que se pone debajo del título principal de un libro o un escrito. INGLÉS subtitle.

nombre masculino plural **2 subtítulos** Texto que traduce los diálogos de una película o serie a otra lengua. Suelen aparecer en la parte inferior de la pantalla de cine o de televisión. INGLÉS subtitle.

suburbano

adjetivo **1** De los suburbios de una ciudad o que tiene relación con ellos. INGLÉS suburban.

2 Se dice del edificio o terreno que está cerca de una ciudad. INGLÉS suburban.

adjetivo y nombre masculino **3** Se dice del tren que comunica el centro de una ciudad con las afueras: *Han ampliado la red del tren suburbano en cinco estaciones.* INGLÉS suburban [adjetivo], suburban train [nombre].

suburbio

nombre masculino **1** Barrio situado en las afueras de una ciudad y que suele estar habitado por personas que tienen pocos medios económicos. INGLÉS poor suburb.

subvención

nombre femenino **1** Cantidad de dinero que da el Estado u otra institución pública como ayuda para fomentar una actividad de una persona o una organización. INGLÉS subsidy.

NOTA El plural es: subvenciones.

subvencionar

verbo **1** Dar una cantidad de dinero como ayuda para fomentar una actividad. El Estado subvenciona las investigaciones científicas, los centros para minusválidos o la enseñanza básica. INGLÉS to subsidize.

subversivo, subversiva

adjetivo **1** Que intenta cambiar el orden social o acabar con la estabilidad política de un país o de un gobierno. Las manifestaciones violentas contra el poder son actos subversivos. INGLÉS subversive.

suceder
verbo
1 Ocurrir o producirse un hecho: *Ha sucedido algo imprevisto.* INGLÉS to happen.
2 Seguir o ir una persona o una cosa detrás de otra en un orden, tiempo o espacio. La primavera sucede al invierno. ANTÓNIMO anteceder; preceder. INGLÉS to follow.
3 Sustituir a una persona que ha dejado un puesto, cargo o trabajo. INGLÉS to succeed.

sucesión
nombre femenino
1 Continuación en un cargo, un trabajo o cualquier actividad: *Están preparando la sucesión del presidente.* INGLÉS succession.
2 Conjunto de cosas o elementos que van unos detrás de otros de manera ordenada. Un año es una sucesión de doce meses. INGLÉS series, succession.
3 Conjunto de hijos de una familia. INGLÉS issue, heirs.
NOTA El plural es: sucesiones.

sucesivo, sucesiva
adjetivo
1 Que sucede o va después de otra cosa. INGLÉS successive.

suceso
nombre masculino
1 Acontecimiento o hecho, en especial cuando es de cierta importancia o interés. El nacimiento de un hijo es un suceso feliz para una familia. INGLÉS event, occurrence.

sucesor, sucesora
adjetivo y nombre
1 Se dice de la persona que sucede y sustituye a otra en un cargo, un trabajo o una actividad. INGLÉS successor [nombre].

suciedad
nombre femenino
1 Estado en que se encuentran las cosas o las personas que están sucias. INGLÉS dirt.

sucio, sucia
adjetivo
1 Que tiene porquería, basura, manchas o polvo. Cuando la ropa está sucia, hay que lavarla. ANTÓNIMO limpio. INGLÉS dirty.
2 Que provoca suciedad o mancha mucho. Los cerdos son animales muy sucios. ANTÓNIMO limpio. INGLÉS dirty.
3 Que se ensucia con facilidad. Las prendas de vestir blancas son muy sucias. ANTÓNIMO limpio. INGLÉS which shows the dirt.
4 Que no se preocupa por su higiene personal. ANTÓNIMO limpio. INGLÉS dirty.
5 Que no es honrado y va en contra de la moral o de las normas. Los delincuentes están metidos en asuntos sucios. INGLÉS underhand, dirty.
adverbio
6 sucio Sin cumplir las reglas o en contra de la ley. Los que hacen trampas juegan sucio. INGLÉS dirty.
en sucio Que está escrito o dibujado de modo que se pueda cambiar o corregir por no ser la versión definitiva. INGLÉS in rough.

suculento, suculenta
adjetivo
1 Se dice de la comida muy buena y abundante. INGLÉS juicy, succulent.

sucumbir
verbo
1 Ceder o rendirse ante unas circunstancias contrarias. Si sucumbimos al desánimo no podremos sacar adelante nuestros proyectos. ANTÓNIMO resistir. INGLÉS to succumb.
2 Morir una persona como consecuencia de una desgracia. SINÓNIMO fallecer; perecer. INGLÉS to perish.

sucursal
nombre femenino
1 Establecimiento que depende de otro principal. Los bancos suelen tener varias sucursales. INGLÉS branch.

sudadera
nombre femenino
1 Prenda deportiva de vestir, normalmente de algodón, parecida a una camiseta de manga larga pero más gruesa. INGLÉS sweatshirt.

sudamericano, sudamericana
adjetivo y nombre
1 Se dice de la persona, país o cosa que es de América del Sur. INGLÉS South American.
NOTA También se escribe y se pronuncia: suramericano.

sudar
verbo
1 Salir sudor por la piel. Sudamos cuando tenemos mucho calor. INGLÉS to sweat.
2 Esforzarse o trabajar duro para conseguir algo: *Tuvo que sudar mucho para aprobar física.* INGLÉS to sweat blood.
3 Expulsar agua algunos vegetales, especialmente cuando se cocinan. INGLÉS to sweat.

a b c d e f g h i j k l m n ñ o p q r s t u v w x y z

sudeste

nombre masculino

1 Punto del horizonte o lugar que está situado entre el sur y el este. La abreviatura de sudeste es 'SE'. INGLÉS southeast.

NOTA También se escribe y se pronuncia: sureste.

sudoeste

nombre masculino

1 Punto del horizonte o lugar situado entre el sur y el oeste. La abreviatura de sudoeste es 'SO'. INGLÉS southwest.

NOTA También se escribe y se pronuncia: suroeste.

sudor

nombre masculino

1 Líquido transparente que sale por la piel de las personas y los mamíferos. Sudamos cuando tenemos mucho calor o cuando hemos hecho mucho ejercicio físico. INGLÉS sweat.

2 Esfuerzo necesario para hacer algo difícil. INGLÉS effort, hard work.

sudoríparo, sudorípara

adjetivo

1 Que produce sudor. Las glándulas sudoríparas de nuestro cuerpo producen sudor. INGLÉS sudoriferous, sweat.

sueco, sueca

adjetivo y nombre

1 Se dice de la persona o cosa que es de Suecia, país del norte de Europa. INGLÉS Swedish [adjetivo], Swede [nombre].

nombre masculino

2 Lengua hablada en Suecia. El sueco es una lengua germánica, como el inglés o el alemán. INGLÉS Swedish.

suegro, suegra

nombre

1 Padre o madre del esposo o esposa de una persona. INGLÉS father-in-law [hombre], mother-in-law [mujer].

suela

nombre femenino

1 Parte exterior del calzado que está debajo de la planta del pie y que se apoya en el suelo. Las suelas de los zapatos suelen ser de cuero y las de las zapatillas, de goma. INGLÉS sole.

sueldo

nombre masculino

1 Cantidad de dinero que se recibe con regularidad por un trabajo o servicio. SINÓNIMO salario. INGLÉS wage.

suelo

nombre masculino

1 Superficie sobre la que se anda y que puede estar recubierta de materiales diversos. INGLÉS floor [en un edificio], ground [en el exterior].

2 Terreno destinado al cultivo o a la construcción. INGLÉS land.

3 Superficie de la Tierra donde se desarrolla la vida de los seres vivos. INGLÉS land.

suelto, suelta

adjetivo

1 Que no está sujeto ni encerrado. Los perros no pueden ir sueltos por la calle. INGLÉS loose.

2 Que está separado de una serie, un grupo o un conjunto del que forma parte: *Tiene volúmenes sueltos de la enciclopedia.* INGLÉS odd.

3 Que no está pegado a otras cosas, como los granos de arena de la playa cuando está seca. INGLÉS loose.

adjetivo y nombre masculino

4 Se dice del dinero en monedas y no en billetes. INGLÉS loose [adjetivo], loose change [nombre].

sueño

nombre masculino

1 Estado de descanso en que se encuentra una persona cuando duerme. INGLÉS sleep.

2 Deseo o necesidad de dormir. Si dormimos poco, por la mañana tendremos mucho sueño. INGLÉS sleepiness.

3 Conjunto de imágenes que se presentan en la mente mientras dormimos: *Anoche tuve un sueño muy raro.* INGLÉS dream.

4 Idea, proyecto o deseo difíciles de conseguir: *Su sueño es ser actor.* INGLÉS dream.

suero

nombre masculino

1 Líquido que se inyecta en el organismo como alimento o como medicamento. Después de una operación suelen poner suero al enfermo porque todavía no puede comer. INGLÉS saline solution.

suerte

nombre femenino

1 Conjunto de circunstancias que hacen que ocurra algo de manera inesperada e imprevista: *Acerté el número correcto gracias a la suerte.* SINÓNIMO azar; casualidad. INGLÉS luck.

2 Cosa que sucede de forma imprevista y que resulta buena o mala. Si no se indica nada, se entiende que la suerte es buena: *Es una suerte que todo te salga tan bien.* INGLÉS luck.

3 Hecho o conjunto de hechos que se considera que le sucederán en el futuro a una persona o a una cosa: *Cree que*

las cartas pueden predecir su suerte. INGLÉS fortune, destiny.
echar a suertes Decidir una cosa mediante el azar, con un método que no permita predecir el resultado que va a salir. Echamos a suertes una cosa lanzando una moneda al aire. INGLÉS to toss a coin.
por suerte Indica que lo que se dice hay que considerarlo como una cosa buena y de la que conviene alegrarse. SINÓNIMO por fortuna. INGLÉS luckily.

suéter
nombre masculino **1** Prenda de vestir de punto, con mangas, que cubre desde el cuello hasta la cintura o la cadera. SINÓNIMO jersey. INGLÉS sweater.
NOTA El plural es: suéteres.

suficiente
adjetivo **1** Que es bastante para algo, que llega bien, aunque no sobre mucho: *No había suficientes vasos para todos.* INGLÉS enough.
nombre masculino **2** Nota o calificación que indica que la persona examinada tiene los conocimientos mínimos para aprobar. INGLÉS pass.

sufijo
nombre masculino **1** Grupo de letras que se añade al final de una palabra para formar una palabra nueva. Si se añade el sufijo '-dor' a la palabra 'mirar', se obtiene la palabra 'mirador'. INGLÉS suffix. CUADRO página siguiente.

sufragio
nombre masculino **1** Elección de una opción entre varias que se hace mediante una votación, como elegir un candidato para gobernar. En los países democráticos los gobernantes son elegidos por sufragio. INGLÉS suffrage, vote.

sufrimiento
nombre masculino **1** Sentimiento causado por un dolor, una pena o una angustia muy grandes. INGLÉS suffering.

sufrir
verbo **1** Sentir o aguantar un dolor físico o moral, una pena o una angustia muy grandes: *Sufre un terrible dolor de muelas.* SINÓNIMO padecer. INGLÉS to suffer.
2 Experimentar una persona una cosa negativa. Se puede sufrir un accidente. INGLÉS to have.
3 Experimentar una cosa un cambio, normalmente negativo. El hierro sufre las consecuencias de la humedad y se oxida. INGLÉS to undergo, to experience.

sugerencia
nombre femenino **1** Idea que se propone, se dice o se insinúa a una persona: *Este es mi plan, pero admito sugerencias para mejorarlo.* INGLÉS suggestion.

sugerir
verbo **1** Decir o proponer una idea o una solución para alguien: *Me sugirió que ahorrara un poco.* INGLÉS to suggest.
2 Traer a la memoria un recuerdo, una sensación o una situación ya vividos o conocidos. INGLÉS to suggest.
NOTA Se conjuga como: preferir; la 'e' se convierte en 'ie' en sílaba acentuada o en 'i' en algunos tiempos y personas, como: sugieren o sugirió.

sugestivo, sugestiva
adjetivo **1** Que sugiere o hace pensar en algo: *La forma de estas nubes es muy sugestiva, parecen un caballo.* INGLÉS stimulating.
2 Que provoca emoción y resulta muy atrayente. Una actividad sugestiva nos parece interesante y nos apetece hacerla. INGLÉS attractive.

suicida
adjetivo y nombre masculino y femenino **1** Se dice de la persona que se quita voluntariamente la vida o ha intentado quitársela. INGLÉS suicidal [adjetivo], suicide [nombre].
adjetivo **2** Se dice del acto o de la conducta que daña o destruye a uno mismo. Conducir de noche a gran velocidad es un acto suicida. INGLÉS suicidal.

suicidarse
verbo **1** Quitarse la vida una persona por propia voluntad. INGLÉS to commit suicide.

suicidio
nombre masculino **1** Acción que consiste en quitarse la vida una persona por propia voluntad. INGLÉS suicide.

suite
nombre femenino **1** Conjunto de dos o más habitaciones de un hotel de lujo que forman una unidad de alojamiento. INGLÉS suite.
2 Obra musical formada por varias composiciones de ritmo diferente. INGLÉS suite.
NOTA Se pronuncia: 'suit'.

a b c d e f g h i j k l m n ñ o p q r s t u v w x y z

SUFIJOS

Sufijos que forman NOMBRES

Sufijo	A partir de	Significado	Ejemplo
-ada	nombres	'un grupo de'	alambrada
		'lo contenido en'	cucharada
-aje	nombres	'un grupo o conjunto de'	cortinaje, plumaje
	verbos	'acción de' o 'efecto de esa acción'	aterrizaje
-al	nombres	'lugar en donde hay'	maizal, zarzal
-anza	verbos	forma nombres abstractos	confianza, tardanza
-ar	nombres	'lugar donde hay'	olivar, pajar, pinar
-azo	nombres	'golpe dado con'	codazo, puñetazo
-ción	verbos	'acción de' o 'efecto de esa acción'	admiración, continuación
-dad	adjetivos	forma nombres abstractos	habilidad, utilidad
-dor, -or	verbos	'que hace una acción'	hablador, vendedor
-encia	verbos	forma nombres abstractos	coincidencia, resistencia
-ería	nombres	'colectividad o grupo'	chiquillería, ganadería
	nombres	'tienda o comercio'	pastelería, sastrería
-eza	adjetivos	forma nombres abstractos	belleza, pobreza
-ido	verbos	forma nombres de sonidos	balido, chillido
-ista	nombres	'profesión'	dentista, violinista
-mento, -miento	verbos	'acción de' o 'efecto de esa acción'	aumento, razonamiento
-torio	verbos	'lugar'	ambulatorio, dormitorio
-tud	adjetivos	forma nombres abstractos	juventud, lentitud
-ura	adjetivos	'que tiene la cualidad de'	frescura, hermosura

Sufijos que forman ADJETIVOS

Sufijo	A partir de	Significado	Ejemplo
-al	nombres	'propio de'	colegial, teatral
-áneo, -ánea	nombres	'que está relacionado con'	instantáneo, mediterráneo
-ar	nombres	'que está relacionado con'	lanar, triangular
-ble	verbos	'que se puede'	disponible, habitable
-ico	nombres	'que está relacionado con'	alfabético, céntrico
-ivo	verbos	'que hace'	llamativo, pensativo
	nombres	'que está relacionado con'	deportivo
-oso	nombres	'abundancia de algo'	envidioso, musculoso
-voro	nombres	'que se alimenta de'	herbívoro, insectívoro

Sufijos que forman VERBOS

Sufijo	A partir de	Significado	Ejemplo
-ear	nombres	'hacer algo repetidamente'	martillear
-ecer	nombres/adjetivos	'empezar a hacer u ocurrir'	favorecer, florecer, palidecer
-izar	nombres	'hacer'	alfabetizar, memorizar

Sufijos que forman ADVERBIOS

Sufijo	A partir de	Significado	Ejemplo
-mente	adjetivos en femenino singular	'de manera'	brevemente, rápidamente

suizo, suiza

adjetivo y nombre **1** Se dice de la persona o cosa que es de Suiza, país del centro de Europa. INGLÉS Swiss.

nombre masculino **2** Bollo redondo, dulce y muy tierno al que se añade azúcar por encima. INGLÉS sugary bun.

sujeción

nombre femenino **1** Cosa o medio que sirve para sujetar o mantener una cosa de modo que no se caiga o no se mueva. La escayola es una buena sujeción para un hueso roto. INGLÉS fixing, support.

2 Acción que consiste en sujetar o mantener firme una cosa. INGLÉS fastening, fixing.

NOTA El plural es: sujeciones.

sujetador

nombre masculino **1** Prenda de ropa interior femenina que sirve para sostener los pechos. Suele ir abrochado a la espalda y llevar tirantes. INGLÉS bra, brassiere.

sujetar

verbo **1** Agarrar o mantener algo firme, de manera que no se mueva, no se caiga o no se escape. Para que no se pierdan los papeles, los sujetamos con un clip. INGLÉS to fix, to secure.

sujeto, sujeta

adjetivo **1** Que está sostenido por una persona o una cosa de modo que no se mueve: *Lleva el pelo sujeto con horquillas.* INGLÉS fastened, fixed.

2 Que depende o está bajo la influencia o el poder de una cosa o una persona. Los pacientes están sujetos a lo que diga el médico. INGLÉS subject.

nombre masculino **3** Persona cuyo nombre no se conoce o no se quiere decir: *El sujeto la atacó y después huyó.* Es un uso despectivo. INGLÉS individual, person.

4 Palabra o conjunto de palabras de una oración que van en singular cuando el verbo es singular y en plural cuando el verbo es plural. El sujeto de una oración es aquella cosa o persona de la que se dice algo. En la oración 'Ella venía de su casa', 'ella' es el sujeto. INGLÉS subject.

sultán, sultana

nombre masculino **1** Principal gobernante en algunos países musulmanes. INGLÉS sultan.

nombre femenino **2** Esposa de un sultán. INGLÉS sultana.

NOTA El plural de sultán es: sultanes.

suma

nombre femenino **1** Operación matemática que consiste en reunir varias cantidades en una sola. 70 + 50 + 80 = 200 es una suma. También se llama suma la cantidad que resulta de esta operación. El signo de la suma es: +. SINÓNIMO adición. ANTÓNIMO resta. INGLÉS addition.

2 Conjunto de muchas cosas, en especial de dinero. INGLÉS sum, amount.

sumando

nombre masculino **1** Cantidad que se añade a otra u otras para formar una suma. Para sumar dos o más números se escribe un sumando debajo de otro. INGLÉS addend.

sumar

verbo **1** Efectuar una operación matemática para calcular la suma de dos o más cantidades. ANTÓNIMO restar; sustraer. INGLÉS to add.

2 Unir varias cosas, como las fuerzas, las quejas o las protestas. INGLÉS to join.

sumario, sumaria

adjetivo **1** Que está expresado de forma breve y concisa, con pocas palabras: *Antes de empezar la clase hizo un repaso sumario al tema anterior.* INGLÉS brief.

nombre masculino **2** Exposición escrita u oral breve que sirve como resumen de algo. Los informativos suelen comenzar o finalizar con un sumario de las noticias más importantes que se dan en el programa. INGLÉS summary.

3 Índice al principio de un capítulo o un libro de los temas que se van a desarrollar. INGLÉS table of contents.

sumergir

verbo **1** Meter completamente un cuerpo dentro de un líquido. Se sumerge la ropa en agua con jabón para lavarla. INGLÉS to submerge.

NOTA Se escribe 'j' delante de 'a' y 'o', como: sumerjan o sumerjo.

suministrar

verbo **1** Proporcionar o dar a una persona, cosa o entidad lo que necesita. Las compañías eléctricas suministran electricidad. SINÓNIMO proveer. INGLÉS to provide, to supply.

suministro

nombre masculino **1** Acción que consiste en dar o proporcionar a una persona, cosa o entidad lo que necesita. Muchas veces el suministro de alimentos a los países pobres lo realizan las asociaciones humanitarias. También se llama suministro la cosa que se da. INGLÉS supply.

sumir
verbo
1 Hacer que una persona se concentre totalmente en una actividad o estado mentales: *Se sumió toda la tarde en el estudio de la asignatura de matemáticas.* INGLÉS to immerse, [si es sumirse: to immerse oneself].
2 Hacer que una persona entre en una situación difícil o negativa: *Los problemas le sumieron en una profunda preocupación.* INGLÉS to plunge.
3 Meter a una persona o una cosa en el agua o bajo tierra: *Durante la tormenta, el barco se sumió bajo las aguas.* INGLÉS to sink.

sumisión
nombre femenino
1 Actitud de las personas o animales que obedecen y se someten a otros aceptando su voluntad. Los perros amaestrados muestran sumisión a sus dueños. INGLÉS submissiveness.
NOTA El plural de sumisión es: sumisiones.

sumo, suma
adjetivo
1 Que es el más fuerte, el más grande, el más importante o el de más categoría entre los de su especie. El sumo sacerdote de una religión es el sacerdote más importante de esa religión. SINÓNIMO supremo. INGLÉS supreme, high.
2 Que es muy grande en importancia o en intensidad. Hay que hacer los exámenes con sumo cuidado para responder correctamente. INGLÉS extreme, great.
nombre masculino
3 Deporte de lucha de origen japonés en el que dos adversarios combaten dentro de un círculo dibujado en el suelo con el objetivo de derribar al rival o expulsarlo fuera del círculo. Los luchadores profesionales de sumo siguen una dieta especial para pesar muchos kilos. INGLÉS sumo.

súper
adjetivo
1 Que es muy bueno o que sobresale entre los demás: *Tu juguete nuevo es súper.* Es un uso informal. INGLÉS great.
nombre masculino
2 Es la forma abreviada de: supermercado. Es un uso informal. INGLÉS supermarket.
nombre femenino y adjetivo
3 Gasolina de calidad superior: *La mayoría de automóviles usa súper.* INGLÉS four-star.
adjetivo
4 Muy bien: *Lo pasé súper.* Es un uso informal. INGLÉS great.
NOTA El plural es: súper.

superabundancia
nombre femenino
1 Abundancia excesiva de algo. INGLÉS superabundance.

superar
verbo
1 Ser una persona o una cosa superior o mejor que otra, o hacer una cosa mejor: *La supera en simpatía y en inteligencia.* SINÓNIMO aventajar; sobrepasar. INGLÉS to surpass, to exceed.
2 Conseguir solucionar un problema o una dificultad. También es pasar un obstáculo, como un examen. INGLÉS to overcome.
3 Ir más allá de un límite. En verano, las temperaturas suelen superar los veinte grados. SINÓNIMO exceder; sobrepasar. INGLÉS to exceed.
4 superarse Hacer una cosa mejor que otras veces. Los atletas tratan de superarse corriendo cada vez más rápido. INGLÉS to improve.

superdotado, superdotada
adjetivo y nombre
1 Se dice de la persona que tiene alguna cualidad muy superior a lo que se considera normal, en especial su inteligencia. INGLÉS extremely gifted [adjetivo].

superficial
adjetivo
1 De la superficie o que tiene relación con ella. Una herida superficial solo afecta a la piel. INGLÉS superficial, surface.
2 Que no es profundo, que se queda en la superficie o la parte más visible de las cosas, sin analizarlas a fondo: *El discurso fue muy superficial, no dijo nada interesante.* INGLÉS superficial.

superficie
nombre femenino
1 Parte externa de un cuerpo que tiene longitud y anchura pero no profundidad. La superficie del mar es la parte del agua que está en contacto con el aire. ANTÓNIMO fondo. INGLÉS surface.
2 Gran extensión, normalmente de tierra. INGLÉS area.

superfluo, superflua
adjetivo
1 Que no es necesario o que no cumple ninguna función. Cuando quere-

mos ahorrar eliminamos los gastos superfluos. SINÓNIMO innecesario. INGLÉS superfluous.

superior, superiora

adjetivo **1** Que está en la parte más alta de algo o más arriba que otra cosa: *Escribe tu nombre en la parte superior de la hoja.* ANTÓNIMO inferior. INGLÉS upper, top.

2 Que tiene una cantidad, calidad o importancia mayor o mejor que otro. ANTÓNIMO inferior. INGLÉS superior.

nombre **3** Persona que dirige y gobierna una comunidad religiosa. INGLÉS superior [hombre], mother superior [mujer].

4 Persona que en un trabajo tiene autoridad sobre otras. ANTÓNIMO subordinado. INGLÉS superior.

superioridad

nombre femenino **1** Situación o circunstancia de ser superior a alguien o algo en calidad o en cantidad. ANTÓNIMO inferioridad. INGLÉS superiority.

superlativo, superlativa

adjetivo y nombre masculino **1** Se dice del adjetivo que indica una cualidad en su grado más alto o superior. El superlativo se forma añadiendo el sufijo '-ísimo' al adjetivo; así, el superlativo de 'blanco' es 'blanquísimo'. INGLÉS superlative.

supermercado

nombre masculino **1** Establecimiento comercial de grandes dimensiones donde se venden alimentos y otros productos domésticos que se sirve el mismo cliente y los paga a la salida. INGLÉS supermarket.

NOTA También se dice: súper.

superpoblado, superpoblada

adjetivo **1** Se dice del lugar que tiene demasiados habitantes. INGLÉS overpopulated.

superponer

verbo **1** Poner una cosa encima de otra de manera parcial o total. Si superponemos un cristal amarillo a uno rojo la zona donde coinciden se ve de color naranja. INGLÉS to superimpose.

NOTA Se conjuga como: poner. El participio es: superpuesto.

superproducción

nombre femenino **1** Exceso de producción de un producto, por encima de lo que puede comprar la gente. INGLÉS overproduction.

2 Película en que se gasta mucho dinero para rodarla: *El Señor de los anillos es una superproducción.* INGLÉS blockbuster.

NOTA El plural es: superproducciones.

superpuesto, superpuesta

participio **1** Participio irregular de: superponer. También se usa como adjetivo: *Ha superpuesto dos láminas de colores. Se puede hacer una estrella de seis puntas con dos triángulos superpuestos.*

supersónico, supersónica

adjetivo **1** Que tiene una velocidad superior a la del sonido: *Su padre ha pilotado un avión supersónico.* INGLÉS supersonic.

superstición

nombre femenino **1** Creencia que no tiene una explicación lógica ni razonable, como la de que los gatos negros dan mala suerte. INGLÉS superstition.

NOTA El plural es: supersticiones.

supersticioso, supersticiosa

adjetivo y nombre **1** Que cree en las supersticiones. INGLÉS superstitious.

supersticioso

supervisar

verbo **1** Vigilar o dirigir una persona con autoridad la realización de una actividad determinada. Un jefe supervisa el trabajo de sus empleados para comprobar que lo hacen todo bien. INGLÉS to supervise.

supervivencia

nombre femenino **1** Acción que consiste en seguir viviendo después sufrir un suceso grave que puede causar la muerte. INGLÉS survival.

superviviente

nombre masculino y femenino **1** Persona que sobrevive a un suceso en el que mueren otras personas, como un terremoto. INGLÉS survivor.

suplantar

verbo **1** Ocupar el lugar o el cargo de una per-

a b c d e f g h i j k l m n ñ o p q r s t u v w x y z

sona con el objetivo de engañar a otras personas y sacar un beneficio. Una persona puede suplantar a otra a la hora de hacer un examen para aprobarlo con facilidad. INGLÉS to supplant.

1 Sustituir una cosa por otra con intención de engañar: *Suplantó el cuadro original con una copia falsa.* INGLÉS to replace.

suplementario, suplementaria

adjetivo **1** Que se añade a una cosa para completarla o aumentarla. En lengua, además de usar el libro de texto siempre suele haber lecturas suplementarias. INGLÉS supplementary.

2 Se dice del ángulo que sumado a otro da un ángulo de 180 grados. INGLÉS supplementary.

suplemento

nombre masculino **1** Elemento que se añade a una cosa para hacerla más completa, aumentarla o reforzarla. En los hoteles hay que pagar un suplemento por algunos servicios extras. INGLÉS supplement.

2 Cuaderno o publicación independiente que se vende junto con un periódico o revista. INGLÉS supplement.

suplente

adjetivo y nombre masculino y femenino **1** Se dice de la persona que sustituye a otra en determinadas situaciones. En deportes de equipo, los suplentes están en el banquillo y sustituyen a los jugadores que han estado jugando. INGLÉS substitute.

súplica

nombre femenino **1** Acción de pedir una cosa con insistencia, humildad y respeto. Un hijo que quiere ir a un sitio al que sus padres no le dejan ir, intenta convencerlos mediante súplicas. INGLÉS plea.

suplicar

verbo **1** Pedir algo de un modo insistente pero con humildad y respeto: *Se puso de rodillas para suplicarle perdón.* INGLÉS to beg, to implore.

NOTA Se escribe 'qu' delante de 'e', como: supliquen.

suplicio

nombre masculino **1** Sufrimiento o daño muy grande o cosa que no gusta en absoluto: *Fue todo un suplicio oírlo cantar.* SINÓNIMO tormento. INGLÉS torture.

2 Castigo físico que se impone a una persona. Antiguamente, los esclavos sufrían muchos suplicios. SINÓNIMO tormento. INGLÉS torture.

suponer

verbo **1** Formarse una idea aproximada de algo a partir de unos datos o señales, aunque no se tenga seguridad sobre ello: *Supongo que vendrá, pero no me lo ha dicho.* INGLÉS to suppose.

2 Tener una cosa a otra como consecuencia o resultado inevitable. El fumar supone un riesgo para la salud. SINÓNIMO implicar. INGLÉS to entail.

3 Ser algo importante para alguien. Los hijos suponen mucho para los padres. INGLÉS to mean.

nombre masculino **4** Suposición: *Es un suponer, pero pienso que mañana no vendrá.* Es un uso informal. INGLÉS supposition.

NOTA Se conjuga como: poner. El participio es: supuesto.

suposición

nombre femenino **1** Idea aproximada que se forma una persona sobre algo, sin estar completamente segura de ello. INGLÉS supposition, assumption.

NOTA El plural es: suposiciones.

supositorio

nombre masculino **1** Medicamento de forma alargada y acabado en punta, que se introduce por el ano. INGLÉS suppository.

supremo, suprema

adjetivo **1** Que es el más fuerte, el más grande, el más importante o el de más alta categoría de entre los de su clase. INGLÉS supreme.

supresión

nombre femenino **1** Acción que consiste en suprimir algo. La supresión de una persona de una lista hace que la lista sea más corta. INGLÉS removal, deletion.

NOTA El plural es: supresiones.

suprimir

verbo **1** Hacer desaparecer o borrar una cosa: *Lee el texto y suprime lo que esté mal.* SINÓNIMO eliminar; quitar. INGLÉS to delete.

supuesto, supuesta

participio **1** Participio irregular de: suponer. También se usa como adjetivo: *Han detenido al supuesto ladrón.*

nombre masculino **2** Idea que se cree verdadera aunque no se ha demostrado. Los científicos demuestran sus teorías si sus supuestos son ciertos. SINÓNIMO hipótesis; suposición. INGLÉS supposition, assumption.

por supuesto Se utiliza para afirmar algo con mucha decisión y convencimiento: *Por supuesto que iré, no lo dudes.* INGLÉS of course.

sur
nombre masculino
1 Punto del horizonte o lugar situado a la espalda de una persona a cuya derecha se encuentra la salida del Sol. La abreviatura de sur es 'S'. ANTÓNIMO norte. INGLÉS south.

suramericano, suramericana
adjetivo y nombre
1 Es otra forma de escribir y pronunciar: sudamericano.

surcar
verbo
1 Avanzar navegando por el agua o volando por el aire: *El pirata surcó los siete mares.* INGLÉS to sail [los mares], to fly through [los aires].
2 Hacer señales o rayas una cosa al pasar sobre otra. Las lágrimas surcan las mejillas de quien llora. INGLÉS to line [arrugas], to trickle down [lágrimas].
NOTA Se escribe 'qu' delante de 'e', como: surquen.

surco
nombre masculino
1 Abertura larga que se deja en la tierra cuando se ara: *Los agricultores abren surcos con el arado.* INGLÉS furrow.
2 Señal o raya que deja una cosa sobre otra. Cuando un vehículo circula por un camino de barro lo deja lleno de surcos. SINÓNIMO huella. INGLÉS rut.

sureste
nombre masculino
1 Es otra forma de escribir y pronunciar: sudeste.

surf
nombre masculino
1 Deporte que consiste en deslizarse sobre las olas manteniendo el equilibrio encima de una tabla alargada. El surf se practica en el mar cerca de las playas. INGLÉS surf.

surgir
verbo
1 Hacerse notar o empezar a existir algo: *Le han surgido problemas en el trabajo.* SINÓNIMO aparecer. INGLÉS to emerge.
NOTA Se escribe 'j' delante de 'a' y 'o', como: surjan o surjo.

suroeste
nombre masculino
1 Es otra forma de escribir y pronunciar: sudoeste.

surrealista
adjetivo
1 Relacionado con un movimiento artístico que se basa en plasmar ideas inconscientes e irracionales. El movimiento surrealista se produjo en Europa durante la primera mitad del siglo XX. INGLÉS surrealist.
adjetivo y nombre masculino y femenino
2 Se dice del artista que es seguidor del movimiento artístico que se basa en plasmar ideas inconscientes e irracionales. Los pintores surrealistas pintaban cuadros que se basaban en sueños que tenían. INGLÉS surrealist.
3 Que es absurdo y parece no tener sentido: *Su aparición con chubasquero en la playa fue surrealista.* INGLÉS surreal.

surtido
nombre masculino
1 Conjunto de cosas distintas pero que son de un mismo tipo. En un surtido de galletas las hay de distintos tipos. INGLÉS assortment, selection.

surtidor
nombre masculino
1 Aparato que extrae el líquido de un depósito, como los que hay en las gasolineras para extraer la gasolina e introducirla en los vehículos. INGLÉS pump.
2 Chorro de agua que brota de una fuente o del suelo con fuerza y hacia arriba. INGLÉS fountain.

surtir
verbo
1 Dar o proporcionar a alguien algo que necesita. Los mercados centrales surten de alimentos a todas las tiendas de la ciudad. SINÓNIMO abastecer; proveer. INGLÉS to supply.

susceptible
adjetivo
1 Se dice de la persona que enseguida se molesta o se enfada por cosas de poca importancia. INGLÉS oversensitive.
2 Que puede resultar cambiado o afectado en el sentido que se expresa. Un edificio susceptible de ser vendido es un edificio que se puede vender.

suscripción
nombre femenino
1 Compromiso que tiene una persona de pagar regularmente una cantidad de dinero por recibir un servicio o una publicación periódica. Una persona puede

a b c d e f g h i j k l m n ñ o p q r **s** t u v w x y z

pagar por una suscripción a una revista o a una asociación. INGLÉS subscription.
NOTA El plural es: suscripciones.

suspender
verbo
1 No obtener la puntuación necesaria para pasar un examen o prueba. ANTÓNIMO aprobar. INGLÉS to fail.
2 Detener durante cierto tiempo el desarrollo de una acción: *El partido se suspendió por la lluvia.* INGLÉS to suspend.
3 Levantar una cosa en alto de manera que quede colgando. Las lámparas se suspenden del techo con un cable. INGLÉS to hang, to suspend.

suspense
nombre masculino
1 Misterio o emoción que provoca una situación cuyo desenlace es incierto e imprevisible. SINÓNIMO intriga. INGLÉS suspense.

suspenso
nombre masculino
1 Calificación o nota obtenida en un examen que es inferior a la de aprobado. El suspenso supone que no se ha superado un examen o prueba. INGLÉS fail.

suspicaz
adjetivo
1 Se dice de la persona que tiende a sospechar o ver mala intención en lo que dicen o hacen los demás. También son suspicaces las cosas propias de estas personas: *Es muy suspicaz y se puede molestar si no le acompañas.* INGLÉS suspicious.
NOTA El plural es: suspicaces.

suspirar
verbo
1 Dar suspiros. INGLÉS to sigh.
suspirar por Desear mucho una cosa o a una persona. INGLÉS to long for.

suspiro
nombre masculino
1 Respiración profunda y larga normalmente acompañada de un gemido y que se realiza para expresar una sensación o un sentimiento, como tristeza o alivio. INGLÉS sigh.

sustancia
nombre femenino
1 Cualquier materia sin forma determinada que puede estar en estado sólido, líquido o gaseoso. INGLÉS substance.
2 Parte más nutritiva de un alimento. INGLÉS substance.
3 Interés y utilidad que tiene una cosa. Una novela o una película sin sustancia son aburridas. INGLÉS substance.

sustantivo
nombre masculino
1 Clase de palabras que sirven para llamar a todas las cosas, los seres y las entidades del mundo, así como para clasificarlos y diferenciarlos entre sí. Los sustantivos pueden ser masculinos o femeninos, singulares o plurales; 'ventana', 'libros' y 'belleza' son sustantivos. SINÓNIMO nombre. INGLÉS noun.

sustento
nombre masculino
1 Alimento u otra cosa necesaria para vivir. Una persona tiene que ganar dinero para conseguir su sustento. INGLÉS sustenance.
2 Persona o cosa que sostiene, apoya o mantiene a otra. SINÓNIMO sostén. INGLÉS support.

sustitución
nombre femenino
1 Acción que consiste en poner una cosa o una persona en lugar de otra para que haga la misma función. INGLÉS substitution, replacement.
NOTA El plural es: sustituciones.

sustituir
verbo
1 Poner una cosa o una persona en lugar de otra para que haga la misma función: *Ha sustituido la tele vieja por una nueva.* INGLÉS to substitute.
NOTA Se conjuga como: huir; la 'i' se convierte en 'y' delante de 'a', 'e' y 'o', como: sustituya, sustituye o sustituyo.

sustituto, sustituta
nombre
1 Persona que sustituye a otra en un empleo o actividad. INGLÉS substitute, stand-in.

susto
nombre masculino
1 Impresión momentánea de miedo producida por algo inesperado: *¡Qué susto!, creía que había perdido la cartera.* INGLÉS fright, scare.

sustracción
nombre femenino
1 Operación matemática que consiste en hallar la diferencia que hay entre dos cantidades. El signo de la sustracción es: –. SINÓNIMO resta. INGLÉS subtraction.
2 Acción de robar una cosa sin que se entere el dueño. INGLÉS theft.
NOTA El plural es: sustracciones.

sustraendo
nombre masculino
1 Cantidad que se resta a otra. La diferencia más el sustraendo es igual al

minuendo. En la resta 7 – 3 = 4, el sustraendo es 3. INGLÉS subtrahend.

sustraer

verbo

1 Coger dinero u otra cosa de algún lugar sin que se entere su dueño. SINÓNIMO robar. INGLÉS to steal.

2 Hacer una resta. SINÓNIMO restar. INGLÉS to subtract.

NOTA Se conjuga como: traer.

sustrato

nombre masculino

1 Capa de terreno que está situada inmediatamente debajo de otra. Los sustratos se distinguen de otras capas geológicas por tener unas características concretas. INGLÉS substratum.

2 Lengua extinguida que se hablaba en un territorio, pero que ha influido con algunos rasgos en la lengua que se habla actualmente en ese mismo territorio. También se llama sustrato a la influencia que ha quedado de la lengua extinguida en la lengua que se habla posteriormente: *Las lenguas celta e ibera forman parte del sustrato del español.* INGLÉS substrate.

susurrar

verbo

1 Hablar en voz muy baja: *Le susurró el secreto al oído.* INGLÉS to whisper.

2 Hacer un ruido suave y continuo algunos fenómenos naturales, como las olas o el viento. INGLÉS to murmur.

susurro

nombre masculino

1 Ruido suave que se produce al hablar muy bajo. INGLÉS whisper.

2 Ruido suave y continuo que producen algunos fenómenos naturales, como el viento o las olas. INGLÉS murmur.

sutil

adjetivo

1 Que es fino y delicado, como algunas telas. INGLÉS fine, delicate.

2 Que es agudo e ingenioso: *Hace bromas muy sutiles e irónicas.* INGLÉS clever.

3 Que es difícil de percibir: *Lleva un perfume muy sutil, casi no se nota.* INGLÉS subtle.

suturar

verbo

1 Coser una herida mediante puntos. Las heridas grandes se suturan para cerrarlas y que cicatricen bien. INGLÉS to stitch.

suyo, suya

determinante posesivo

1 Indica que el objeto o la persona a que acompaña pertenece a alguien distinto del hablante y del oyente. Siempre va detrás de un nombre. 'Suyo', 'suya', 'suyos' y 'suyas' son determinantes posesivos de tercera persona, tanto del singular como del plural: *Vino con unos compañeros suyos.* INGLÉS of his [de él], of hers [de ella], of yours [de usted, ustedes], of theirs [de ellos].

pronombre posesivo

2 Se refiere a un objeto o persona que ya hemos nombrado e indica que pertenece a una o a varias personas distintas del hablante y del oyente: *Creo que ese ejercicio es suyo.* INGLÉS his [de él], hers [de ella], yours [de usted, ustedes], theirs [de ellos].

a b c d e f g h i j k l m n ñ o p q r s t u v w x y z

abcdefghijklmnñopqrs **T** uvwxyz

t

nombre femenino **1** Letra número veintitrés del alfabeto español. La 't' es una consonante.

tabaco

nombre masculino **1** Planta de hojas muy grandes que, una vez secas, se utilizan para hacer cigarros y cigarrillos. INGLÉS tobacco plant.

2 Producto elaborado con las hojas de esta planta y que se fuma de diversas formas. El tabaco es malo para la salud. INGLÉS tobacco.

adjetivo y nombre masculino **3** De un color marrón claro, parecido al de las hojas secas del tabaco. INGLÉS light brown.

tábano

nombre masculino **1** Insecto parecido a una mosca pero más grande, de cuerpo grueso y vuelo rápido. Las hembras se alimentan de sangre que chupan a los mamíferos, especialmente al ganado. INGLÉS horsefly.

tabarra

nombre femenino **1** Cosa que resulta molesta o pesada: *Tener que levantarse temprano es una tabarra.* SINÓNIMO murga. INGLÉS pain in the neck.

dar la tabarra Molestar o ser pesada una persona, insistiendo en algo. SINÓNIMO dar la murga. INGLÉS to be a pain in the neck.

taberna

nombre femenino **1** Establecimiento popular y poco lujoso en el que se venden y consumen bebidas alcohólicas. En algunas tabernas también se ofrecen comidas y tapas. SINÓNIMO tasca. INGLÉS bar.

tabique

nombre masculino **1** Pared delgada que separa las habitaciones de una casa. INGLÉS partition wall.

tabla

nombre femenino **1** Trozo de madera plano, más largo que ancho, y de poco grosor. Los carpinteros utilizan tablas para fabricar los muebles. SINÓNIMO tablón. INGLÉS board, plank.

2 Pieza plana, más larga que ancha, y de poco grosor, de cualquier material duro que se utiliza para practicar deportes acuáticos o para uso doméstico, como una tabla de windsurf o una tabla de planchar. INGLÉS board.

3 Lista ordenada de términos, nombres, números u otras cosas, como las tablas de mutiplicar o la tabla de contenidos de un libro. INGLÉS table.

4 Pliegue ancho y plano de una prenda de vestir, en especial de una falda. INGLÉS pleat.

nombre femenino plural **5 tablas** Resultado de algunos juegos cuando no hay vencedor ni ganador. Una partida de ajedrez acaba en tablas si nadie puede dar mate. INGLÉS stalemate.

6 tablas Facilidad que tiene alguien para hacer algo, como resultado de su experiencia: *Es un profesional con muchas tablas.* INGLÉS experience.

tablado

nombre masculino **1** Superficie formada por tablas pequeñas de madera, que queda elevada del suelo. Los tablados se utilizan especialmente para celebrar espectáculos y actos públicos. SINÓNIMO tarima. INGLÉS wooden platform.

tablero

nombre masculino **1** Tabla grande. INGLÉS board.

2 Superficie de madera con dibujos y colores que sirve para jugar a ciertos juegos, como el ajedrez o el parchís. INGLÉS board.

3 Superficie de madera o de corcho

que se utiliza para exponer papeles o anuncios que se pegan o se enganchan en ella. En muchos colegios las notas finales se ponen en los tableros de los pasillos. INGLÉS board, notice board.
4 En el baloncesto, superficie cuadrada a la que está unida la canasta. INGLÉS backboard.

tableta
nombre femenino
1 Pieza de chocolate o turrón de forma plana y rectangular. INGLÉS tablet, bar.
2 Medicamento de pequeño tamaño y forma plana para que pueda tragarse con facilidad. INGLÉS tablet.

tablón
nombre masculino
1 Tabla grande y gruesa. Los andamios se construyen con grandes tablones. INGLÉS plank.
tablón de anuncios Superficie en la que se fijan anuncios, noticias o avisos. INGLÉS notice board.
NOTA El plural es: tablones.

tabú
nombre masculino
1 Aquello que no se debe decir o hacer o sobre lo que no se puede hablar por estar mal considerado: *En su familia hablar de sexo es tabú.* INGLÉS taboo.
NOTA El plural es: tabúes o tabús.

taburete
nombre masculino
1 Asiento para una persona, sin respaldo ni brazos. Hay taburetes de distintas alturas. INGLÉS stool.

tacaño, tacaña
adjetivo y nombre
1 Se dice de la persona que gasta menos de lo necesario o lo menos posible para ahorrar. SINÓNIMO avaro; roñica. INGLÉS mean [adjetivo], stingy [adjetivo].

tacatá
nombre masculino
1 Aparato que sirve para que los niños pequeños aprendan a andar. El tacatá está formado por un aro con cuatro patas largas con ruedas, del que cuelga una especie de braga por donde se meten las piernas del niño. Para no caerse, el niño se sujeta al aro. SINÓNIMO tacataca. INGLÉS baby-walker.

tacataca
nombre masculino
1 Tacatá: *El niño corría por el pasillo en el tacataca.* INGLÉS baby-walker.

tachadura
nombre femenino
1 Línea o garabato que se hace sobre un escrito para que no se pueda leer: *Tengo que pasar la redacción a limpio, está llena de tachaduras.* SINÓNIMO tachón. INGLÉS crossing out.

tachar
verbo
1 Hacer rayas o garabatos sobre algo escrito para que no se pueda leer o para indicar que no vale. Si hacemos una cruz grande sobre una página la tachamos. INGLÉS to cross out.
tachar de Acusar a alguien de algo: *Nos han tachado de ladrones porque ha desaparecido un libro.* INGLÉS to accuse of.

tachón
nombre masculino
1 Tachadura. INGLÉS crossing out.
NOTA El plural es: tachones.

tachuela
nombre femenino
1 Clavo pequeño y corto que se utiliza para sujetar papeles en una superficie o para clavar cosas ligeras. Las tachuelas tienen una cabeza plana y chata y se clavan apretando con el dedo. SINÓNIMO chincheta. INGLÉS drawing pin [en el Reino Unido], thumbtack [en Estados Unidos].

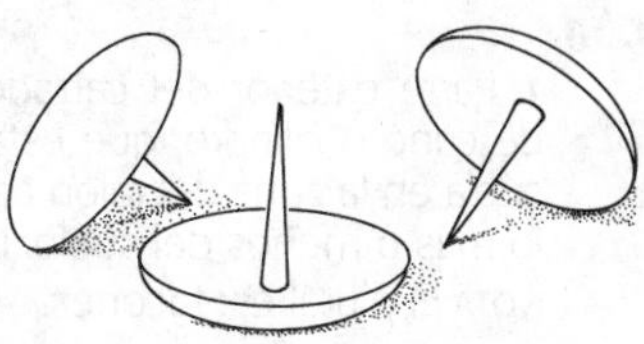

tachuela

tácito, tácita
adjetivo
1 Que no se expresa o no se dice, pero se supone o se deduce. Dos amigos tienen un acuerdo tácito para ayudarse cuando se apoyan el uno al otro ante un problema sin haber hablado antes sobre ello. INGLÉS tacit.

taciturno, taciturna
adjetivo
1 Se dice de la persona que suele ser callada o comunicarse poco con los demás. También se dice de la actitud propia de estas personas. INGLÉS taciturn.

taco
nombre masculino
1 Palabra malsonante que se dice para insultar o cuando se está enfadado. Los tacos son palabras vulgares. INGLÉS swearword.
2 Trozo de madera u otro material, corto y grueso, que se mete en algún

hueco. Cuando una silla está coja, se le pone un taco bajo una de sus patas para que no se mueva. INGLÉS wedge, block.

3 Trozo pequeño y grueso cortado de un alimento, normalmente de jamón o queso. INGLÉS cube.

4 Punta que llevan en la suela algunas zapatillas de deporte, como las de fútbol. INGLÉS stud.

5 Pieza alargada y hueca que se mete en la pared para encajar en ella un clavo o un tornillo. INGLÉS plug.

6 Mezcla desordenada de cosas o de ideas. Cuando estudiamos muchas cosas de manera desordenada nos hacemos un taco. SINÓNIMO lío. INGLÉS muddle.

7 Gran cantidad de cosas que forman un bloque, especialmente de hojas. INGLÉS pad.

8 Palo largo que se utiliza en el billar para golpear la bola. INGLÉS cue.

nombre masculino plural **9** **tacos** Años de una persona: *Tiene al menos 30 tacos.* Es un uso informal.

tacón

nombre masculino

1 Parte exterior del calzado en forma de cono o cilindro, que está unida a la suela en la zona del talón para levantarlo más o menos del suelo. INGLÉS heel.

NOTA El plural es: tacones.

taconear

verbo

1 Hacer ruido con los tacones de los zapatos. INGLÉS to click one's heels.

táctica

nombre femenino

1 Procedimiento o método que se emplea para hacer algo o conseguir un fin determinado: *Su táctica para quedarse en casa es muy sencilla: se hace el enfermo.* INGLÉS tactic.

2 Conjunto de reglas y procedimientos que se utilizan para dirigir operaciones militares. INGLÉS tactics.

táctico, táctica

adjetivo

1 Se dice de las cosas que tienen relación con la táctica o que están hechas siguiendo una táctica. INGLÉS tactical.

táctil

adjetivo

1 Del sentido del tacto o que tiene relación con él. Los ciegos tienen la percepción táctil más desarrollada que las personas que pueden ver. INGLÉS tactile.

tacto

nombre masculino

1 Sentido del cuerpo humano que permite conocer la forma, tamaño, rugosidad y temperatura de los objetos, tocándolos. INGLÉS touch.

2 Modo en que se sienten o se perciben las cosas a través de este sentido: *La lija tiene un tacto áspero.* INGLÉS feel.

3 Hecho de tocar o de usar el sentido del tacto. Los ciegos reconocen los objetos por el tacto. INGLÉS touch.

4 Habilidad para tratar con una persona o llevar un asunto con delicadeza: *Me dio las malas noticias con mucho tacto.* SINÓNIMO diplomacia. INGLÉS tact.

taekwondo

nombre masculino

1 Sistema de combate sin armas en el que dos personas luchan dándose golpes con los puños y los pies. El taekwondo es de origen coreano y actualmente se practica como deporte. INGLÉS tae kwon do.

NOTA Se pronuncia: 'taekuondo'.

tajada

nombre femenino

1 Trozo que se corta de un alimento sólido, como por ejemplo jamón o melón. INGLÉS slice.

2 Estado de la persona que ha tomado demasiadas bebidas alcohólicas y no puede controlar sus actos. Es un uso informal. SINÓNIMO borrachera.

sacar tajada Obtener provecho o ventaja de alguna situación. Es una expresión informal. INGLÉS to get something out of something.

tajante

adjetivo

1 Que no admite discusión o que corta cualquier posibilidad de respuesta. Si pedimos algo a alguien y nos contesta con un no tajante, quiere decir que no va a cambiar de opinión. INGLÉS emphatic, categorical.

tajo

nombre masculino

1 Corte profundo que se hace con un instrumento afilado, como un cuchillo. INGLÉS cut, slash.

2 Corte o hueco estrecho y profundo del terreno. SINÓNIMO barranco. INGLÉS ravine.

3 Trabajo que hay que hacer: *Aquí tenemos tajo para tres meses.* Es un uso informal. INGLÉS work.

tal

determinante indefinido

1 Se utiliza para referirnos de forma indirecta a algo de lo que se ha hablado: *Tal idea me parece un disparate.* **SINÓNIMO** semejante. **INGLÉS** such.

2 Se utiliza para no decir exactamente algo que se sabe pero que se considera que no es necesario decir: *Me dijo: 'tal día a tal hora' y todavía lo estoy esperando.* **INGLÉS** such and such.

3 Indica que algo es muy grande o muy intenso: *Me dio tal susto que todavía me dura.* Va siempre delante del nombre. **SINÓNIMO** tamaño; semejante. **INGLÉS** such.

con tal que Indica que para que se produzca una cosa, es necesario que también suceda lo que se dice a continuación: *Te dejo el coche con tal que me lo cuides.* **INGLÉS** as long as.

ser tal para cual Ser dos personas tan parecidas en ciertas cualidades que se merecen el uno al otro: *No sé cual de los dos es más despistado; son tal para cual.* Es un uso informal. **INGLÉS** to be two of a kind.

tal como Indica que algo se realiza de la misma manera que ya se había dicho o igual que antes: *Tal como vino se fue.* También se dice 'tal y como'. **INGLÉS** as.

tal cual Indica que algo se produce exactamente como se dice o como se había decidido: *Se lo pregunté tal cual, sin disimular ni nada.* Es un uso informal. **INGLÉS** just like that.

tal y tal Se utiliza al final de una explicación cuando no se quiere dar más información porque ya es conocida por el oyente o porque es poco importante: *Entonces él me dijo que no estaba de acuerdo y tal y tal.* Es un uso informal. **INGLÉS** and so on and so forth.

tala

nombre femenino

1 Acción de talar o cortar un árbol por su base. La tala sin control de árboles hace desaparecer bosques y selva. **INGLÉS** felling.

taladradora

adjetivo y nombre femenino

1 Se dice de la máquina que sirve para hacer agujeros en la tierra o en una superficie dura. Las máquinas taladradoras se utilizan en las obras de construcción. **INGLÉS** drilling [adjetivo], drill [nombre].

nombre femenino

2 Herramienta que sirve para hacer agujeros en la pared o en una superficie dura. **SINÓNIMO** taladro. **INGLÉS** drill.

taladrar

verbo

1 Hacer agujeros en una superficie dura con una taladradora. Para colgar un cuadro grande hay que taladrar la pared. **INGLÉS** to drill.

taladro

nombre masculino

1 Herramienta que sirve para hacer agujeros en la pared o en otras superficies duras. Tiene diferentes tipos de puntas para hacer agujeros de diferentes tamaños. **INGLÉS** drill.

2 Agujero que se hace con esta herramienta. **INGLÉS** hole.

talante

nombre masculino

1 Manera de ser o carácter de una persona. A las personas de talante conservador no les gustan demasiado los cambios. **INGLÉS** disposition.

2 Modo de hacer una cosa o de enfrentarse a una situación determinada. Cuando a una persona no le apetece hacer algo que se tiene que hacer a veces lo hace de mal talante. **INGLÉS** willingness.

talar

verbo

1 Cortar un árbol por su base. **INGLÉS** to fell.

talco

nombre masculino

1 Polvo muy suave y de color normalmente blanco que se extrae de un mineral y que se usa para el cuidado de la piel de las personas. También se llama 'polvos de talco'. **INGLÉS** talcum powder.

2 Mineral del que se extrae este polvo blanco. **INGLÉS** talc.

talento

nombre masculino

1 Capacidad o aptitud que tiene una persona para aprender las cosas con facilidad o desarrollar con mucha habilidad una actividad. **INGLÉS** talent.

2 Persona que tiene gran capacidad para aprender las cosas fácilmente o desarrolla con mucha habilidad una actividad. Un gran talento del cine, la música o el arte es una persona que tiene muchas aptitudes para esas actividades. **INGLÉS** talent.

talismán

nombre masculino

1 Objeto que algunas personas llevan porque creen que les da buena suerte. **SINÓNIMO** amuleto. **INGLÉS** talisman, lucky charm.

NOTA El plural es: talismanes.

a b c d e f g h i j k l m n ñ o p q r s t u v w x y z

talla
nombre femenino
1 Medida de una prenda de vestir. Si los pantalones nos quedan grandes, necesitaremos una talla más pequeña. INGLÉS size.
2 Altura de una persona de los pies a la cabeza. SINÓNIMO estatura. INGLÉS height.
3 Importancia o valor de una persona, en especial intelectual o moral: *Es un escritor de talla mundialmente reconocida.* INGLÉS stature.
4 Obra de escultura, en especial la que está hecha de madera. INGLÉS carving, sculpture.
dar la talla Tener una persona las cualidades necesarias para hacer algún trabajo o labor. En una prueba para un puesto de trabajo, los aspirantes que no dan la talla son eliminados. INGLÉS to measure up.

tallar
verbo
1 Dar la forma deseada a un trozo de material duro con un instrumento afilado. Los joyeros tallan las piedras preciosas para realizar joyas. También se talla la madera para hacer figuras o algunos utensilios. INGLÉS to shape, to cut.
2 Medir la altura de una persona, como se tallaba a los jóvenes que tenían que hacer el servicio militar. INGLÉS to measure the height of.

tallarín
nombre masculino
1 Pasta hecha de harina y agua con forma de tira larga, plana y estrecha. Los tallarines se hierven en agua y se comen acompañados de alguna salsa. INGLÉS noodle.
NOTA El plural es: tallarines.

taller
nombre masculino
1 Lugar donde se hacen trabajos manuales o artísticos, como un taller de dibujo o de teatro. INGLÉS workshop, [si es de un artista: studio].
2 Lugar donde se reparan aparatos, máquinas o automóviles. Los mecánicos trabajan en un taller. INGLÉS garage.

tallo
nombre masculino
1 Parte de la planta que crece por encima del suelo y de la que salen las hojas, las flores y los frutos. INGLÉS stem, stalk.

talón
nombre masculino
1 Parte posterior del pie de las personas que tiene una forma redondeada. INGLÉS heel.
2 Parte del zapato o del calcetín que cubre esa parte del pie. INGLÉS heel.
3 Hoja de papel pequeña en la que se escribe una cantidad de dinero determinada y que sirve para que otra persona pueda cobrar esa cantidad del banco. SINÓNIMO cheque. INGLÉS cheque.
pisar los talones Seguir muy de cerca a una persona. INGLÉS to be hot on someone's heels.
NOTA El plural es: talones.

talonario
nombre masculino
1 Libro pequeño formado por talones o cheques que se pueden cobrar en el banco. INGLÉS cheque book.

tamaño, tamaña
adjetivo
1 Indica que algo es muy grande o muy importante: *No hagas tamaña tontería.* Va siempre delante del nombre. SINÓNIMO tal; semejante. INGLÉS such.
nombre masculino
2 Medida o volumen de algo. Cuando hablamos del tamaño de un objeto decimos si es grande, mediano o pequeño. INGLÉS size.

tambalearse
verbo
1 Moverse alguien o algo de un lado a otro como si estuviera a punto de caer: *Se tambaleó y se desmayó.* INGLÉS to stagger.

también
adverbio
1 Indica que una persona o cosa hace lo mismo o es igual que lo que se ha dicho. Solo une elementos o frases afirmativas: *Si tú te vas de vacaciones, yo también.* INGLÉS too.
2 Añade información a lo que se ha dicho: *También tenemos una casa en la playa.* SINÓNIMO además. INGLÉS also, too.

tambor
nombre masculino
1 Instrumento musical de percusión formado por una caja con forma cilíndrica cerrada por una parte o por las dos con una piel estirada. El tambor se toca con dos palos finos. INGLÉS drum. DIBUJO página 598.
2 Pieza de forma cilíndrica de algunos aparatos. Es un tambor la pieza de la lavadora en la que se echa la ropa y que da vueltas. INGLÉS drum.
3 Recipiente con forma cilíndrica para guardar ciertos productos. INGLÉS drum.
4 Membrana que se encuentra en el interior del oído y que transmite las vibraciones del exterior a la zona interna

del oído. SINÓNIMO tímpano. INGLÉS eardrum.

tamborilear
verbo
1 Dar golpes suaves y repetidos con los dedos de la mano sobre una superficie. Al tamborilear se hace un ruido parecido al del toque del tambor. INGLÉS to drum.

tampoco
adverbio
1 Une ideas o frases en forma negativa e indica que una persona o cosa no hace lo que otra persona o cosa no hace: *Yo tampoco sé nada de Pablo.* INGLÉS neither, nor, not… either.

tampón
nombre masculino
1 Objeto alargado y cilíndrico, hecho con un material muy absorbente, que las mujeres utilizan para absorber el líquido de la menstruación. El tampón se introduce en la vagina. INGLÉS tampon.
2 Objeto que se utiliza para impregnar de tinta un sello. El tampón está formado por una cajita plana que tiene en su interior una almohadilla empapada en tinta. INGLÉS inkpad.
NOTA El plural es: tampones.

tan
adverbio
1 Apócope de 'tanto'. Se utiliza delante de adjetivos y adverbios para dar más intensidad a su significado: *No hables tan fuerte.* INGLÉS so.
2 Cuando aparece con la conjunción 'que', indica una relación en la que aquello que se dice en la primera parte sirve de justificación a lo que se dice en la segunda: *El tiempo era tan malo que no te esperé fuera.* INGLÉS so.
3 Cuando aparece con la conjunción 'como', indica igualdad de grado o equivalencia con otra cosa: *Cuando sea mayor este niño será tan alto como su padre.* INGLÉS as.

tanda
nombre femenino
1 Grupo en que se divide un conjunto de personas, animales o cosas para realizar una actividad por turnos: *Somos tantos que comeremos en dos tandas.* SINÓNIMO turno. INGLÉS set [si es para comer: sitting].
2 Puesto que corresponde a una persona en una cola: *Se me ha pasado la tanda de la pescadería y ahora tendré que volver a coger un número.* SINÓNIMO vez. INGLÉS turn.
3 Conjunto de cosas de la misma clase, como una tanda de ropa o una tanda de azotes. SINÓNIMO sarta. INGLÉS batch, series.

tándem
nombre masculino
1 Bicicleta para dos personas que tiene dos juegos de asientos y de pedales. INGLÉS tandem.
2 Conjunto de dos personas que trabajan juntas o que combinan sus esfuerzos en una actividad: *Los dos tenistas forman un buen tándem para jugar a dobles.* INGLÉS pair.
NOTA El plural es: tándems.

tanga
nombre femenino
1 Prenda de ropa interior o pieza del traje de baño formada por un triángulo de tela que cubre los genitales, una tira que pasa entre las nalgas y otra tira que rodea la cintura. INGLÉS tanga.

tangente
adjetivo y nombre femenino
1 Se dice de una línea o una superficie que toca a otra línea o superficie sin cortarla. Una recta tangente a una circunferencia tiene un solo punto en común con ella. INGLÉS tangential [adjetivo], tangent [nombre].
salirse por la tangente Utilizar excusas para salir de una situación difícil. INGLÉS to go off at a tangent.

tango
nombre masculino
1 Baile típico argentino que bailan dos personas muy juntas, haciendo varios pasos con movimientos lentos. INGLÉS tango.
2 Música y canto con que se acompaña este baile. INGLÉS tango.

tanque
nombre masculino
1 Recipiente cerrado de gran tamaño que sirve para contener líquidos o gases, como el tanque de gasolina de los coches o los tanques de gases que suelen tener algunas empresas químicas. SINÓNIMO depósito. INGLÉS tank.
2 Vehículo blindado y armado con ametralladoras y cañones que se mueve sobre dos cintas articuladas que le permiten circular por cualquier tipo de terrenos. INGLÉS tank.
3 Vehículo que dispone de un depósito para transportar líquidos. INGLÉS tanker.

tantear
verbo
1 Calcular de manera aproximada el

peso, el tamaño o la cantidad de una cosa guiándose solo por su apariencia: *Tanteó el peso de la maleta para ver si podría con ella.* INGLÉS to estimate.
2 Ir por un lugar oscuro tocando con las manos y los pies para no chocar. INGLÉS to feel one's way.
3 Intentar averiguar de un modo discreto o con disimulo cómo está una persona o cuáles son su intenciones antes de pedirle algo. INGLÉS to sound out.
4 Pensar bien una cosa antes de decidirse a hacerla e intentar asegurarse de que va a salir o va a quedar bien: *Los empresarios tantean el mercado antes de sacar un nuevo producto.* INGLÉS to size up.

tanteo
nombre masculino **1** Número de puntos o tantos que se obtienen en un juego o en una competición deportiva: *Perdieron por un tanteo de tres a cero.* INGLÉS score.
2 Intento de descubrir disimuladamente las intenciones o los pensamientos de alguien preguntando de forma indirecta. Si queremos ir al cine y no sabemos si nos dejarán, podemos hacer un tanteo para ver qué piensan nuestros padres sin decirles claramente qué queremos hacer. INGLÉS sounding out.
3 Prueba o ensayo que se hace antes de hacer algo para ver cuál es la mejor manera de llevarla a cabo. Para resolver un problema de lógica a veces lo mejor es hacer un tanteo, algunas operaciones previas o hacer un esquema. INGLÉS trial, test.

tanto, tanta
nombre masculino **1** En algunos deportes y juegos, punto que se cuenta a favor o en contra de uno u otro jugador o equipo. INGLÉS point.
determinante indefinido **2** Indica que hay mucho o gran cantidad de algo: *Nunca ha hecho tanto frío en primavera.* INGLÉS so much [singular], so many [plural].
3 Indica un número o una cantidad que no se puede precisar o que puede ser cualquiera. Se utiliza mucho con numerales: *Ya tiene cuarenta y tantos años.* INGLÉS odd.
adverbio **4 tanto** Indica que algo existe o se hace hasta un punto determinado o en una determinada cantidad: *No pensaba que me iba a doler tanto.* INGLÉS so much.
5 tanto Tal cantidad de tiempo: *Tardabas tanto, que me fui.* INGLÉS so much.
6 tanto Indica que algo es, ocurre o se hace igual que otra cosa, que va introducida por 'como': *Le gusta tanto el pescado como la carne.* INGLÉS both.
al tanto Indica que alguien está enterado o informado de algo: *Ya estoy al tanto de la noticia.* INGLÉS aware.
no ser para tanto No ser algo o alguien tan bueno, tan bonito o tan importante como se nos había dicho. INGLÉS not to be so good/nice/important, etcétera.
por tanto Expresa una consecuencia y equivale a 'por eso': *Está lloviendo a cántaros, por tanto no podremos salir de la casa.* INGLÉS so.
tanto por ciento Cantidad que representa una parte de un total de cien. ¿Qué tanto por ciento os gastáis en comida? SINÓNIMO porcentaje. INGLÉS percentage.

tañer
verbo **1** Tocar un instrumento musical o una campana. Normalmente el verbo tañer se usa para instrumentos musicales antiguos, como el laúd o la lira. INGLÉS to play [la lira, el laúd], to toll [una campana].

tapa
nombre femenino **1** Pieza que se encuentra en la parte superior de un objeto y que sirve para cerrarlo o cubrirlo, como la que suelen tener las cajas, los baúles y los recipientes de cocina. INGLÉS lid.
2 Cada una de las dos cubiertas que tiene un libro que ha sido encuadernado. INGLÉS cover.
3 Alimento ligero o pequeña cantidad de un alimento que se sirve en los bares o restaurantes para acompañar a una bebida. Las tapas se suelen tomar como aperitivo. INGLÉS tapa.
4 Pieza que se pone en la suela de un zapato por la parte del tacón. INGLÉS heel-plate.

tapacubos
nombre masculino **1** Pieza redonda y plana que se sujeta a la parte central y exterior de la rueda de un automóvil, para cubrir las tuercas y hacer más atractiva la rueda. Los tapa-

cubos suelen ser de metal o de plástico. **INGLÉS** hubcap.
NOTA El plural es: tapacubos.

tapadera

nombre femenino
1 Tapa de un objeto o un recipiente. **INGLÉS** lid.
2 Persona o cosa que sirve para ocultar o disimular una situación o una acción, generalmente negativa o que constituye un delito. **INGLÉS** front.

tapar

verbo
1 Cubrir o cerrar una cosa que está descubierta o abierta poniéndole algo encima, normalmente una tapa u otra cosa que haga de tapa. **INGLÉS** to put the lid on.
2 Cerrar o llenar un agujero o una grieta con alguna cosa. También es estar una cosa cerrando o impidiendo el paso por un orificio, como cuando algo tapa la salida de un desagüe. **INGLÉS** to fill.
3 Estar o poner una cosa delante o encima de otra, de manera que esta quede protegida, oculta o cubierta. En los esclipses, la Luna tapa el Sol. Hay que taparse bien para dormir cuando hace frío. **INGLÉS** to cover.
4 Hacer una persona que no se descubran las faltas cometidas por otra, para que no sea castigada. **SINÓNIMO** ocultar. **INGLÉS** to cover up.

tañer

INDICATIVO	
presente	taño, tañes, tañe, tañemos, tañéis, tañen
pretérito imperfecto	tañía, tañías, tañía, tañíamos, tañíais, tañían
pretérito perfecto simple	tañí, tañiste, tañó, tañimos, tañisteis, tañeron
futuro	tañeré, tañerás, tañerá, tañeremos, tañeréis, tañerán
condicional	tañería, tañerías, tañería, tañeríamos, tañeríais, tañerían

SUBJUNTIVO	
presente	taña, tañas, taña, tañamos, tañáis, tañan
pretérito imperfecto	tañera o tañese, tañeras o tañeses, tañera o tañese, tañéramos o tañésemos, tañerais o tañeseis, tañeran o tañesen
futuro	tañere, tañeres, tañere, tañéremos, tañereis, tañeren

IMPERATIVO	
tañe	(tú)
taña	(usted)
tañamos	(nosotros)
tañed	(vosotros)
tañan	(ustedes)

FORMAS NO PERSONALES	
infinitivo	**gerundio**
tañer	tañendo
participio	
tañido	

taparrabos

nombre masculino
1 Trozo de tela o cuero que cubre los genitales y que usan las personas de algunas tribus. **INGLÉS** loincloth.
NOTA El plural es: taparrabos.

tapete

nombre masculino
1 Pieza de tela que se pone como adorno encima de un mueble. Normalmente suele ser de ganchillo, encaje o bordado. **INGLÉS** runner.
2 Mantel de paño grueso y por lo general de color verde que se pone sobre una mesa para jugar a las cartas y a otros juegos. **INGLÉS** cloth.

tapia

nombre femenino
1 Pared o muro no muy alto que rodea una casa, jardín u otro terreno al aire libre. **INGLÉS** wall.
estar sordo como una tapia Estar muy sordo o no oír casi nada. También se dice 'estar como una tapia'. **INGLÉS** as deaf as a post.

tapiar

verbo
1 Cerrar un espacio o un hueco con una tapia o una pared: *Tapiaron la puerta y las ventanas de la casa abandonada para que nadie entrara en ella.* **INGLÉS** to brick up.
NOTA Se conjuga como: cambiar; la 'i' no lleva nunca acento de intensidad.

tapicería

nombre femenino
1 Tela con la que se forra un mueble o se utiliza para hacer cortinas. **INGLÉS** upholstery [para forrar], curtaining [para cortinas].
2 Establecimiento donde se tapizan muebles. **INGLÉS** upholsterer's.

tapiz

nombre masculino
1 Pieza de tela grande con un dibujo tejido o bordado con la que se adornan las paredes de una habitación. **INGLÉS** tapestry.
NOTA El plural es: tapices.

a b c d e f g h i j k l m n ñ o p q r s t u v w x y z

tapizar
verbo
1 Forrar con tela un mueble o parte de él. Se tapizan los sofás, los sillones y los asientos de algunas sillas. **INGLÉS** to upholster.
NOTA Se escribe 'c' delante de 'e', como: tapicen.

tapón
nombre masculino
1 Pieza que sirve para cerrar o tapar ciertos orificios, como la boca de una botella o de un frasco o el desagüe del lavabo o la bañera. **INGLÉS** stopper, [si es del desagüe].
2 Cosa que cierra o impide el paso de algo a través de un orificio, como la cera que se forma en el oído. **INGLÉS** blockage.
3 Acumulación excesiva de vehículos en un punto de una carretera o calle, de manera que dificulta o impide la circulación o el tráfico normal. **INGLÉS** traffic jam.
4 Jugada de baloncesto en la que un jugador impide con la mano que la pelota que ha lanzado un contrario llegue a la canasta. **INGLÉS** block.
5 Persona de corta estatura, especialmente si es también de cuerpo grueso o rechoncho. Es un uso informal. **INGLÉS** shorty.
NOTA El plural es: tapones.

taponar
verbo
1 Tapar con un tapón un conducto o un agujero por donde sale algún tipo de líquido o fluido. Usamos un trozo de algodón o una gasa para taponar una herida. **INGLÉS** to plug.
2 Impedir el paso o la circulación por algún lugar: *Los manifestantes taponaron la calle.* **INGLÉS** to block.

taquigrafía
nombre femenino
1 Sistema de signos especiales que sirve para escribir tan rápido como se habla. **INGLÉS** shorthand.

taquígrafo, taquígrafa
nombre
1 Persona que utiliza la taquigrafía para escribir. **INGLÉS** stenographer.

taquilla
nombre femenino
1 Lugar donde se venden entradas para un espectáculo, o billetes para un medio de transporte o para otro servicio. **INGLÉS** ticket office, [si es para un espectáculo: box office].
2 Armario alto y estrecho que se usa para guardar objetos personales durante un tiempo en algunos lugares públicos, como fábricas, colegios o gimnasios. **INGLÉS** locker.

taquillero, taquillera
nombre
1 Persona que se dedica a la venta de entradas o billetes en una taquilla. **INGLÉS** ticket clerk, [si es para un espectáculo: box office clerk].
adjetivo
2 Se dice de un espectáculo o un artista que recauda mucho dinero porque va mucha gente a verlo. **INGLÉS** popular.

tara
nombre femenino
1 Defecto físico grave que tiene una persona. Tener una pierna mucho más corta que la otra es una tara física. **INGLÉS** defect.
2 Defecto de una cosa que se ha fabricado, como una prenda de vestir. **INGLÉS** defect.
3 Peso que tiene un recipiente o un vehículo sin tener en cuenta el producto o la mercancía que lleva en el interior. La tara de un camión es el peso total del camión cuando está vacío. **INGLÉS** tare.

tarado, tarada
adjetivo y nombre
1 Se dice de la persona que está loca o que se comporta como si estuviera loca. **INGLÉS** loony.
NOTA Es una palabra informal. A veces se utiliza como insulto.

tarántula
nombre femenino
1 Araña de gran tamaño, de color negro y patas peludas, que vive entre las piedras y en agujeros que hace en el suelo. Su picadura es muy dolorosa, aunque no es peligrosa para el ser humano. **INGLÉS** tarantula.

tararear
verbo
1 Cantar una canción o imitar los sonidos de una melodía con la voz, sin pronunciar bien las palabras y cantando en voz baja. **INGLÉS** to hum.

tardanza
nombre femenino
1 Acción de tardar o emplear más tiempo del normal en hacer o suceder algo. **INGLÉS** lateness.

tardar
verbo
1 Emplear cierto tiempo en hacer algo. El avión tarda menos que el tren en ir de una ciudad a otra que está lejos. **INGLÉS** to take.
2 Emplear más tiempo del normal o del

establecido en hacer o suceder algo. Si una persona tarda en llegar a una cita, la otra persona tiene que esperar. **INGLÉS** to be late.

tarde

nombre femenino **1** Parte del día que va desde la hora de comer hasta que se pone el Sol. **INGLÉS** afternoon, [si es hacia el final de la tarde: evening].

adverbio **2** A una hora avanzada de la noche. **ANTÓNIMO** temprano. **INGLÉS** late.

3 En un momento posterior al momento o la hora señalada. Si habíamos quedado con alguien a las 3 y llegamos a las 4, llegamos muy tarde. **INGLÉS** late.

buenas tardes Forma de saludo que utilizamos por la tarde. **INGLÉS** good afternoon, good evening.

de tarde en tarde Que se hace o sucede con poca frecuencia o pasa mucho tiempo entre las distintas ocasiones en que se hace o sucede. **INGLÉS** very rarely.

tardío, tardía

adjetivo **1** Se dice de la cosa que llega a la madurez más tarde de lo normal, en especial una planta o una fruta. **INGLÉS** late.

2 Que ocurre o se hace después del tiempo que se considera adecuado o normal. **INGLÉS** belated.

3 Que se encuentra en el último período o la última parte de su evolución, en especial se dice de un estilo artístico o de un movimiento cultural. **INGLÉS** late.

tardón, tardona

adjetivo y nombre **1** Se dice de la persona que llega tarde o tarda mucho en hacer las cosas. **INGLÉS** who's always late [adjetivo - que llega tarde], slow [adjetivo - que es lento], slowcoach [nombre - que es lento]. **NOTA** El plural de tardón es: tardones.

tarea

nombre femenino **1** Trabajo o actividad que hace una persona, en especial el que se debe hacer en un tiempo determinado, por ejemplo las tareas del campo o las tareas de la casa. **SINÓNIMO** labor; faena. **INGLÉS** task, job.

tarifa

nombre femenino **1** Precio fijo que hay que pagar por recibir un servicio. La tarifa nocturna para las llamadas telefónicas es más barata que la tarifa diurna. **INGLÉS** tariff, rate.

2 Tabla de los precios que hay que pagar por diferentes servicios o productos. **INGLÉS** price list.

tarima

nombre femenino **1** Plataforma de madera situada a poca altura del suelo, sobre la que se colocan personas o cosas que se tienen que ver bien, como el profesor. **INGLÉS** platform.

tarjeta

nombre femenino **1** Papel, cartón o plástico de forma rectangular y pequeño tamaño que contiene algunos datos útiles. En la vida diaria usamos tarjetas de muchas clases: tarjetas de crédito, tarjetas de identidad o tarjetas de felicitación. **INGLÉS** card.

tarot

nombre masculino **1** Baraja de 78 cartas que se utiliza para adivinar el futuro. Está formada por una serie de cartas numeradas y por otras cartas con figuras simbólicas. **INGLÉS** tarot.

2 Práctica para adivinar el futuro que se realiza colocando las cartas de esta baraja sobre una superficie. **INGLÉS** tarot. **NOTA** El plural es: tarots.

tarraconense

adjetivo y nombre masculino y femenino **1** Se dice de la persona o cosa que es de Tarragona, ciudad y provincia de Cataluña.

tarrina

nombre femenino **1** Recipiente pequeño, de plástico o cerámica, que lleva tapadera y se usa para guardar algunos alimentos. Algunos helados y quesos frescos se venden en tarrinas. **INGLÉS** tub.

tarro

nombre masculino **1** Recipiente de cristal o de cerámica, de forma cilíndrica y con tapadera. La miel y la mermelada se suelen vender en tarros. **INGLÉS** jar, pot.

2 Cabeza de una persona. Es un uso informal. **INGLÉS** nut.

comer el tarro Intentar convencer a alguien de algo. Es una expresión informal. **INGLÉS** to try to get round.

comerse el tarro Preocuparse por una cosa y pensar mucho en ella: *No te comas el tarro, no es para tanto.* Es una expresión informal. **INGLÉS** to worry.

tarta

nombre femenino **1** Pastel grande que suele estar relleno o adornado con diversos ingredientes, como chocolate, nata, frutas o crema. **INGLÉS** tart, [si es de bizcocho: cake].

a b c d e f g h i j k l m n ñ o p q r s t u v w x y z

tartaja
adjetivo y nombre masculino y femenino **1** Se dice de la persona que tiene problemas para hablar, de modo que a veces repite las sílabas varias veces al pronunciar una palabra. SINÓNIMO tartamudo. INGLÉS stammering [adjetivo], stammerer [nombre].
NOTA Es una palabra despectiva.

tartamudear
verbo **1** Hablar sin poder pronunciar todas las palabras seguidas, repitiendo varias veces algunas sílabas. INGLÉS to stammer, to stutter.

tartamudo, tartamuda
adjetivo y nombre **1** Se dice de la persona que tiene problemas para hablar, de manera que no puede pronunciar todas las palabras seguidas y repite algunas sílabas. INGLÉS stammering [adjetivo], stammerer [nombre].

tartera
nombre femenino **1** Recipiente de plástico o metal que se cierra herméticamente y que sirve para guardar o transportar alimentos. SINÓNIMO fiambrera. INGLÉS lunchbox.

tarugo
nombre masculino **1** Persona que tiene poca inteligencia o que se comporta con torpeza. Es un uso informal. INGLÉS blockhead.
2 Trozo de madera corto y grueso. INGLÉS lump of wood.

tarumba
adjetivo **1** Que está muy atontado y no se da cuenta de lo que ocurre a su alrededor: *Tanto ruido me vuelve tarumba.* SINÓNIMO aturdido. INGLÉS mad, crazy.

tasa
nombre femenino **1** Cálculo aproximado que hace un experto del valor de una cosa. Los joyeros pueden hacer la tasa de joyas y piedras preciosas para establecer su precio. INGLÉS valuation.
2 Cantidad de dinero que se paga por el uso de determinados servicios. Los estudiantes deben pagar unas tasas de matrícula para poder estudiar en un centro de enseñanza. INGLÉS fee.
3 Precio de algunos productos que se ha establecido de forma oficial, como el precio del tabaco o el de los combustibles. INGLÉS price.

tasar
verbo **1** Decir un experto cuál es el valor o el precio de algo, como un cuadro o un piso. SINÓNIMO valorar. INGLÉS to value.

tasca
nombre femenino **1** Establecimiento popular y poco lujoso en el que se venden y consumen bebidas y tapas. SINÓNIMO taberna. INGLÉS bar.

tatarabuelo, tatarabuela
nombre **1** Abuelo del abuelo o de la abuela de una persona. INGLÉS great-great-grandfather [hombre], great-great-grandmother [mujer].

tataranieto, tataranieta
nombre **1** Nieto del nieto de una persona. INGLÉS great-great-grandson [hombre], great-great-granddaughter [mujer].

tatuaje
nombre masculino **1** Dibujo o palabra que se graba en la piel de las personas con una técnica especial para que no se borre. INGLÉS tattoo.

taurino, taurina
adjetivo **1** Se dice de las cosas o las personas que tienen relación con los toros o con las corridas de toros. INGLÉS bullfighting.

tauro
nombre masculino **1** Segundo signo del zodiaco. Con este significado se escribe con mayúscula. INGLÉS Taurus.
nombre masculino y femenino **2** Persona nacida bajo el signo de Tauro, entre el 21 de abril y el 21 de mayo. INGLÉS Taurus.

taxi
nombre masculino **1** Automóvil con conductor que una o más personas pueden coger para que los lleve al lugar donde pidan. Al llegar al destino indicado el cliente debe pagar por el recorrido. INGLÉS taxi, cab.

taxidermia
nombre femenino **1** Técnica utilizada para disecar y conservar animales muertos. En los talleres de taxidermia se disecan los animales cazados o una parte de ellos, como sus cabezas. INGLÉS taxidermy.

taxista
nombre masculino y femenino **1** Persona que conduce un taxi. Los taxistas conocen muy bien las calles de la ciudad por donde circulan. INGLÉS taxi driver.

taza
nombre femenino **1** Recipiente pequeño, de boca ancha y

con asa, que sirve para tomar líquidos, como café. INGLÉS cup.

2 Recipiente del cuarto de baño sobre el que nos sentamos para orinar y hacer de vientre. INGLÉS toilet.

tazas

tazón

nombre masculino **1** Recipiente parecido a la taza, pero más grande y sin asa, que se usa para tomar alimentos líquidos. En los tazones se suele tomar leche con cereales. INGLÉS bowl.

NOTA El plural es: tazones.

te

pronombre personal **1** Pronombre personal de segunda persona del singular que en la oración hace función de complemento directo o indirecto. Hace referencia al oyente de la persona que habla: *Te espero a las cuatro.* INGLÉS you.

2 Se usa en la segunda persona del singular en la conjugación de los verbos reflexivos: *¿Te has lavado las manos antes de comer?* INGLÉS yourself.

nombre femenino **3** Nombre de la letra 't'.

NOTA No se acentúa; no lo confundas con el nombre 'té'.

té

nombre masculino **1** Arbusto de hojas alargadas y flores pequeñas blancas, originario de China. También se llaman té las hojas de este arbusto secas y un poco tostadas, con las que se hace una infusión. INGLÉS tea.

2 Infusión que se prepara hirviendo en agua las hojas secas del té. INGLÉS tea.

NOTA Se acentúa siempre; no lo confundas con el pronombre personal 'te'.

teatral

adjetivo **1** Del teatro o que tiene relación con él. SINÓNIMO dramático. INGLÉS theatre.

2 Se dice de la actitud o el gesto exagerado con el que una persona busca llamar la atención. Algunos vendedores ambulantes utilizan un tono teatral para captar la atención del público. INGLÉS theatrical.

teatro

nombre masculino **1** Género literario que abarca las obras que se escriben en forma de diálogo para ser representadas en un escenario. INGLÉS theatre.

2 Edificio donde se representan sobre un escenario obras de este género y otro tipo de espectáculos. INGLÉS theatre.

3 Actividad que consiste en representar o en componer obras de este género literario. INGLÉS theatre.

tebeo

nombre masculino **1** Revista en la que se cuentan historietas o chistes por medio de viñetas o recuadros con dibujos. Muchos superhéroes son personajes de tebeo. SINÓNIMO cómic; historieta. INGLÉS comic.

techo

nombre masculino **1** Parte superior que cubre una habitación, un edificio o una construcción, vista desde su interior. Cuando queremos colgar una lámpara del techo nos subimos en una escalera. INGLÉS ceiling.

2 Cubierta superior y normalmente plana de un vehículo o de un espacio, como una cabaña. INGLÉS roof.

3 Casa o lugar donde vive una persona. Cuando dos personas se casan, viven bajo un mismo techo. INGLÉS roof.

tecla

nombre femenino **1** Pieza de un instrumento musical o de una máquina que se presiona con los dedos para que funcione. Las teclas del ordenador llevan impresas las letras, los números y otros signos de escritura. Los pianos tienen teclas blancas y negras. INGLÉS key.

teclado

nombre masculino **1** Conjunto de teclas de un instrumento musical, de una máquina o de un ordenador. INGLÉS keyboard.

teclear

verbo **1** Apretar las teclas de un ordenador o de otro aparato para escribir. INGLÉS to type.

2 Apretar las teclas de un instrumento musical para que suene. INGLÉS to play.

técnica

nombre femenino **1** Aplicación práctica de los conocimientos de una ciencia o un arte. La técnica tiene que ver con la construcción de aparatos o edificios, o con el desarrollo de una habilidad. INGLÉS technology.

2 Manera de hacer una cosa utilizando los conocimientos de un arte u oficio: *La técnica de pintar a la acuarela es distinta de la del óleo.* INGLÉS technique.

técnico, técnica

adjetivo **1** Que está relacionado con la aplicación práctica de una ciencia o un arte. El progreso técnico ha tenido mucha importancia en la industria. INGLÉS technical.

2 Que realiza una actividad con gran dominio de las reglas, los procedimientos o los materiales que se aplican en esa actividad. Un jugador de fútbol técnico es muy hábil y domina muy bien el balón. INGLÉS technical.

nombre **3** Persona que aplica en la práctica conocimentos especializados de una ciencia o un arte. Si se estropea la televisión llamamos al técnico. INGLÉS technical.

4 Persona que entrena a un equipo deportivo. INGLÉS coach, manager.

tecnología

nombre femenino **1** Aplicación práctica de los conocimientos de una ciencia o un arte, en especial la que se hace en la industria. La tecnología tiene que ver con la construcción y la mejora de máquinas e instrumentos. INGLÉS technology.

tedio

nombre masculino **1** Sensación de desgana, molestia o cansancio provocada por la falta de diversión. Podemos sentir tedio un fin de semana en el que no hemos podido hacer nada. SINÓNIMO aburrimiento. INGLÉS tedium.

tegumento

nombre masculino **1** Tejido orgánico que recubre ciertas partes de las plantas y de los animales. Las semillas, una vez plantadas, absorben agua por el tegumento para que el germen comience a crecer. INGLÉS integument.

teja

nombre femenino **1** Pieza alargada y curva que se utiliza para hacer tejados. Las tejas suelen ser de barro cocido, de un color rojizo. INGLÉS tile.

tejado

nombre masculino **1** Parte exterior y superior de una construcción o edificio, que suele estar cubierta por tejas, pizarra u otros materiales. INGLÉS roof.

tejano, tejana

adjetivo **1** Se dice de una tela de algodón fuerte y resistente que normalmente es de color azul o negro. También es tejana la prenda de vestir hecha con esta tela. La ropa tejana es informal y deportiva. SINÓNIMO vaquero. INGLÉS denim.

nombre masculino **2** Pantalón hecho de tela tejana. También se usa el plural para indicar solo una unidad. SINÓNIMO vaquero. INGLÉS jeans.

tejemaneje

nombre masculino **1** Actividad o trato poco claro o sospechoso que realiza una persona: *No sé qué tejemaneje se traen entre manos, pero seguro que traman algo.* INGLÉS intrigue, scheming.

NOTA Es una palabra informal.

tejer

verbo **1** Hacer una tela, un tejido o una prenda de vestir uniendo y entrecruzando hilos o fibras. INGLÉS to weave, [si es con lana y agujas: to knit].

2 Hacer telas algunos animales, como las arañas. INGLÉS to spin.

3 Pensar y preparar un plan que se quiere realizar. SINÓNIMO planear; tramar. INGLÉS to plot.

tejido

nombre masculino **1** Material que está formado por muchos hilos unidos y cruzados. La lana, el algodón y la seda son diferentes tejidos. INGLÉS fabric, cloth.

2 Conjunto de células que están organizadas para realizar una misma función. El cuerpo humano está formado por diversos tejidos, como el tejido muscular, que forma los músculos, o el tejido óseo, que forma los huesos. INGLÉS tissue.

tejón

nombre masculino **1** Mamífero con el cuerpo alargado, el hocico largo, las patas cortas y las orejas pequeñas y redondas. Es de color marrón o gris y tiene dos rayas negras a los lados de la cabeza. INGLÉS badger.

NOTA El plural es: tejones.

tela

nombre femenino **1** Material que se hace cruzando hilos o fibras textiles, como algodón o lana. La tela sirve principalmente para confeccionar ropa. INGLÉS material, cloth.

2 Capa fina que cubre alguna cosa, como la tela que queda en la leche caliente cuando se enfría. INGLÉS skin.

adverbio **3 tela** Mucho: *Había tela de gente en el concierto.* Es un uso informal. INGLÉS loads.

poner en tela de juicio Poner en duda algo que otra persona considera verdad. INGLÉS to question.

tela de araña Telaraña. INGLÉS cobweb, spider's web.

telar

nombre masculino **1** Máquina que sirve para hacer tejidos. Los telares antiguos eran de madera. INGLÉS loom.

telaraña

nombre femenino **1** Tela que tejen las arañas con una especie de hilo muy fino que ellas mismas producen. En las casas abandonadas suele haber muchas telarañas en los rincones. INGLÉS cobweb, spider's web.

NOTA También se escribe: tela de araña.

tele

nombre femenino **1** Es la forma abreviada de: televisión o televisor. INGLÉS telly, TV.

telebasura

nombre femenino **1** Programación televisiva de baja calidad. Los programas en los que los invitados gritan y se insultan son telebasura. INGLÉS junk TV.

telecomunicación

nombre femenino **1** Sistema de comunicación a distancia a través de cables o de ondas electromagnéticas. El teléfono y las emisoras de radio y televisión son telecomunicaciones. INGLÉS telecommunication.

NOTA Se usa más en plural: telecomunicaciones.

telediario

nombre masculino **1** Programa de televisión en el que se dan a conocer las noticias del día. INGLÉS television news.

teledirigido, teledirigida

adjetivo **1** Se dice del aparato o el vehículo que es dirigido o conducido mediante un control remoto. Hay mucha gente que es aficionada a los coches teledirigidos en miniatura. INGLÉS remote-controlled.

teleférico

nombre masculino **1** Medio de transporte que consiste en una cabina que se mueve colgando de un cable o de un carril en una pendiente muy inclinada. INGLÉS cable car.

telefilme

nombre masculino **1** Película que se realiza para ser emitida por televisión. Los telefilmes no se estrenan casi nunca en los cines. INGLÉS TV film.

NOTA También se escribe y se pronuncia: telefilm.

telefonazo

nombre masculino **1** Llamada de teléfono, en especial si es breve o informal: *Cuando llegues me das un telefonazo para avisarme.* INGLÉS buzz, ring.

NOTA Es una palabra informal.

telefonear

verbo **1** Llamar por teléfono. INGLÉS to phone.

telefónico, telefónica

adjetivo **1** Del teléfono o que está relacionado con él. INGLÉS telephone.

telefonillo

nombre masculino **1** Aparato parecido a un teléfono que sirve para hablar dentro de un edificio. El telefonillo suele estar conectado con el portero automático del portal y, a veces, también tiene una cámara que permite ver a las personas con las que se habla. INGLÉS entryphone.

telefonista

nombre masculino y femenino **1** Persona que se encarga de contestar las llamadas en una central de teléfonos y pasarlas a la persona que corresponda. Los grandes hoteles suelen tener telefonistas. INGLÉS telephonist.

teléfono

nombre masculino **1** Sistema de comunicación que transmite la voz y el sonido a distancia mediante hilos u ondas y aparatos eléctricos. INGLÉS telephone.

2 Aparato que sirve para hablar a larga distancia con otra persona que utiliza también un aparato similar para escuchar y hablar. Los teléfonos pueden ser fijos, inalámbricos y móviles. INGLÉS telephone, phone.

3 Número que tiene cada aparato de teléfono y que se marca para establecer

a b c d e f g h i j k l m n ñ o p q r s t u v w x y z

una comunicación telefónica: *No me sé tu teléfono.* INGLÉS telephone number.

guía de teléfonos Libro que contiene la lista de los números de teléfono de una zona y de las personas que lo tienen. SINÓNIMO listín. INGLÉS phone book.

telegrafiar

verbo

1 Comunicar un mensaje por medio del telégrafo. Se telegrafían mensajes o avisos cortos y urgentes. INGLÉS to telegraph.

telegráfico, telegráfica

adjetivo

1 Se dice del modo de hablar o de escribir breve y conciso, parecido al tipo de lenguaje que se utiliza en las comunicaciones a través del telégrafo. INGLÉS telegraphic.

telégrafo

nombre masculino

1 Sistema de comunicación que permite transmitir y recibir mensajes utilizando un código especial. INGLÉS telegraph.

2 Aparato que emite y recibe mensajes utilizando este sistema. Hoy en día el telégrafo casi no se usa. INGLÉS telegraph.

nombre masculino plural

3 telégrafos Servicio público que se encarga de transmitir este tipo de mensajes. INGLÉS telegraph.

telegrama

nombre masculino

1 Mensaje transmitido por medio del telégrafo, que normalmente es breve y urgente. El telegrama que recibe el destinatario del mensaje es un papel impreso con un texto. INGLÉS telegram.

telele

nombre masculino

1 Desmayo o ataque de nervios: *No te pongas tan nervioso, que te va a dar un telele.* SINÓNIMO soponcio; patatús. INGLÉS fit.

telenovela

nombre femenino

1 Serie que se emite en capítulos por la televisión, y que normalmente trata de temas amorosos y pasionales. INGLÉS soap opera.

telepatía

nombre femenino

1 Fenómeno que consiste en que una persona sabe qué piensa otra por medio de la mente y sin que esta le diga nada. INGLÉS telepathy.

telescopio

nombre masculino

1 Instrumento en forma de tubo provisto de lentes que sirve para observar los objetos lejanos, en especial estrellas y planetas. INGLÉS telescope.

telesilla

nombre masculino

1 Sistema de transporte que consiste en unas sillas que cuelgan de un cable que las arrastra por encima del suelo. En las pistas de esquí hay telesillas para subir a los esquiadores a las pistas. INGLÉS chair lift.

telespectador, telespectadora

nombre

1 Persona que ve la televisión. SINÓNIMO televidente. INGLÉS TV viewer.

teletexto

nombre masculino

1 Información escrita que ofrecen algunas cadenas de televisión y que se puede leer en la pantalla. En el teletexto se pueden consultar a cualquier hora las noticias, la programación, el tiempo y otros datos de interés. INGLÉS teletext.

teletipo

nombre masculino

1 Aparato provisto de un teclado para escribir que sirve para transmitir textos e imágenes por vía telegráfica, y que también los imprime. En los periódicos se instalan varios teletipos para recibir noticias. INGLÉS teleprinter.

2 Noticia que se envía o se recibe con este aparato. INGLÉS Teletype.

televidente

nombre masculino y femenino

1 Persona que ve la televisión. SINÓNIMO telespectador. INGLÉS TV viewer.

televisar

verbo

1 Emitir por televisión un programa, una película o un acontecimiento. INGLÉS to televise.

televisión

nombre femenino

1 Sistema que permite transmitir imágenes y sonidos a distancia por medio de ondas electromagnéticas. La televisión utiliza repetidores, satélites o cables para difundir sus señales. SINÓNIMO tele. INGLÉS television.

2 Aparato eléctrico con una pantalla que recibe las señales transmitidas por este sistema. SINÓNIMO tele. INGLÉS television, television set.

3 Empresa dedicada a la transmisión de imágenes y sonidos mediante esta técnica. INGLÉS television company.

NOTA El plural es: televisiones.

televisivo, televisiva

adjetivo

1 De la televisión o que tiene relación con ella. INGLÉS television.

2 Que tiene buenas condiciones para ser emitido por televisión. Un programa o un presentador televisivos atraen la atención de los telespectadores. INGLÉS telegenic [una persona], televisual [un programa].

televisor
nombre masculino
1 Aparato eléctrico con una pantalla que recibe imágenes y sonidos transmitidos por la televisión. Los primeros televisores solo emitían imágenes en blanco y negro. SINÓNIMO televisión. INGLÉS television set.

telón
nombre masculino
1 Cortina grande que cubre el escenario del teatro antes y depués del espectáculo. INGLÉS curtain.
NOTA El plural es: telones.

telonero, telonera
adjetivo
1 Se dice del artista o del grupo de artistas que actúa en primer lugar en un concierto o un espectáculo musical, antes de los artistas principales. INGLÉS support, supporting.

tema
nombre masculino
1 Asunto principal del que trata algo, como un libro, una película o una conversación. INGLÉS topic.
2 Parte de un manual o de un libro de texto que forma una unidad independiente. INGLÉS theme.
3 Canción o composición musical. INGLÉS song.

temario
nombre masculino
1 Lista de temas que se tratan en un libro, en un curso escolar, en una asignatura o en una reunión. En los índices de los libros de texto se puede consultar el temario que hay que estudiar. INGLÉS list of topics.

temblar
verbo
1 Moverse el cuerpo con pequeños movimientos rápidos e involuntarios. Temblamos cuando tenemos mucho frío o mucho miedo. SINÓNIMO tiritar. INGLÉS to shiver, [si es de frío: to tremble].
2 Moverse algo con movimientos pequeños y rápidos. Cuando hay un terremoto, tiembla la tierra. INGLÉS to shake.
3 Tener mucho miedo: *Solo de pensar que tiene que ir al médico se echa a temblar.* INGLÉS to quiver.
NOTA Se conjuga como: acertar; la 'e' se convierte en 'ie' en sílaba acentuada, como: tiemblan.

temblor
nombre masculino
1 Serie de pequeños movimientos rápidos e involuntarios. Una persona puede tener temblores a causa del frío, la fiebre o el miedo. INGLÉS trembling, [si es de frío: shivering].
temblor de tierra Movimiento violento que se produce en la superficie de la Tierra. SINÓNIMO terremoto. INGLÉS earth tremor.

tembloroso, temblorosa
adjetivo
1 Que tiembla. INGLÉS trembling.

temer
verbo
1 Tener miedo de una persona, un animal o una cosa. INGLÉS to fear, to be afraid.
2 Pensar o sospechar que va a ocurrir algo malo o que no va a ocurrir algo bueno que se esperaba: *Con esas nubes, me temo que hoy no hará día de playa.* INGLÉS to fear, to be afraid.

temerario, temeraria
adjetivo
1 Que actúa sin cuidado y sin tener en cuenta el peligro que puede correr. SINÓNIMO imprudente. INGLÉS reckless, rash.

temeroso, temerosa
adjetivo
1 Que tiene miedo o gran preocupación por algo. INGLÉS fearful.
2 Que produce miedo: *Me lanzó una temerosa mirada.* INGLÉS fearful.

temible
adjetivo
1 Que produce o puede producir miedo o temor: *Tuve una pesadilla con un monstruo temible.* INGLÉS dreadful, fearsome.

temor
nombre masculino
1 Sentimiento o sensación de intranquilidad o angustia que tiene una persona ante algo que la asusta o que cree que puede serle perjudicial o peligroso. SINÓNIMO miedo. INGLÉS fear.
2 Creencia o sospecha de que va a ocurrir algo malo o que no va a ocurrir algo bueno que se esperaba: *Mi temor es que no podamos ir de vacaciones este año.* INGLÉS worry.

témpano
nombre masculino
1 Trozo o bloque de hielo plano y delgado. Normalmente se forma en paredes

y caminos de lugares muy fríos. INGLÉS ice floe.

témpera

nombre femenino **1** Tipo de pintura en el que los colores son menos transparentes que los de la acuarela. INGLÉS tempera.

temperamento

nombre masculino **1** Forma de ser de una persona. Las personas con un temperamento alegre siempre están contentas. SINÓNIMO carácter; personalidad. INGLÉS temperament.

2 Carácter fuerte y enérgico de una persona. INGLÉS spirit.

temperatura

nombre femenino **1** Grado de calor o de frío que tiene un lugar o un cuerpo. Tenemos fiebre cuando la temperatura de nuestro cuerpo es más alta de lo normal. INGLÉS temperature.

tempestad

nombre femenino **1** Fenómeno de la atmósfera que se manifiesta con fuertes vientos acompañados de lluvia o nieve, relámpagos y truenos. Cuando se desencadena una tempestad llueve con mucha fuerza. SINÓNIMO temporal; tormenta. INGLÉS storm.

tempestuoso, tempestuosa

adjetivo **1** Se dice del viento y la lluvia muy fuertes o del tiempo que amenaza tempestad. INGLÉS stormy.

templado, templada

adjetivo **1** Que no está ni frío ni caliente. SINÓNIMO tibio. INGLÉS warm.

2 Que está calmado y tranquilo. Decimos que una persona tiene los nervios templados cuando acostumbra a estar siempre sereno. INGLÉS composed.

templar

verbo **1** Hacer que una cosa deje de estar fría. Para templar la leche la calentamos un poco. INGLÉS to warm up.

2 Preparar un instrumento musical, normalmente de cuerda, para que suene bien: *El músico templó la guitarra antes de empezar el concierto.* SINÓNIMO afinar. INGLÉS to tune.

3 Calmar los nervios o el enfado de una persona. También se templa una situación cuando se hace menos tensa: *Aunque estaba muy enfadado, consiguió templarlo con buenas palabras.* INGLÉS to calm down.

temple

nombre masculino **1** Modo de comportarse una persona con tranquilidad y valentía en las situaciones más difíciles o peligrosas. Los bomberos deben tener mucho temple. INGLÉS composure.

2 Estado de ánimo o forma de ser de una persona: *Es de temple pesimista.* INGLÉS mood [estado de ánimo], character [forma de ser].

3 Tipo de pintura que está compuesta de un color mezclado con agua y cola. INGLÉS tempera.

templo

nombre masculino **1** Edificio público donde los fieles se reúnen para rezar o celebrar actos religiosos. La iglesia es un templo cristiano, la mezquita es un templo musulmán y la sinagoga es un templo judío. INGLÉS temple.

2 Lugar real o imaginario donde se cultiva o se rinde culto a una ciencia, un saber o un arte. La universidad es el templo del saber. INGLÉS temple.

temporada

nombre femenino **1** Período de tiempo indeterminado, inferior a un año, que se considera un conjunto: *Ya hace una temporada que no voy a su casa.* INGLÉS time.

de temporada Indica que algo es propio de una época o un momento determinados. En otoño, decimos que las castañas o las uvas son frutas de temporada porque se consumen en esa época. INGLÉS in season.

temporal

adjetivo **1** Que dura solo un tiempo determinado. En verano se firman muchos contratos temporales que se acaban en otoño. INGLÉS temporary.

2 Que tiene relación con el tiempo. Las horas, los minutos, los segundos y los días son unidades temporales. ANTÓNIMO eterno. INGLÉS temporal.

nombre masculino **3** Fenómeno de la atmósfera que consiste en vientos fuertes acompañados de lluvia, granizo o nieve, así como truenos y relámpagos. Los temporales se producen tanto en tierra como en el mar. SINÓNIMO tempestad. INGLÉS storm.

temprano, temprana

adjetivo **1** Que llega, sucede o se hace muy pronto o antes del momento normal. **INGLÉS** early.

adverbio **2 temprano** En las primeras horas de la mañana. Si nos levantamos a las 7 de la mañana, decimos que nos levantamos temprano. **ANTÓNIMO** tarde. **INGLÉS** early.

3 temprano En un tiempo anterior al que se considera normal. Los niños pequeños se acuestan temprano. **SINÓNIMO** pronto. **ANTÓNIMO** tarde. **INGLÉS** early.

tenaz

adjetivo **1** Se dice de la persona que hace todo lo posible por conseguir lo que quiere o por hacer lo que cree que tiene que hacer. **SINÓNIMO** constante. **INGLÉS** tenacious.

2 Que es muy difícil de separar o de quitar de donde está. Las manchas tenaces son muy difíciles de limpiar. **INGLÉS** stubborn.

NOTA El plural es: tenaces.

tenaza

nombre femenino **1** Herramienta de metal que sirve para arrancar clavos, cortar alambre y sujetar algo con fuerza. Las tenazas están formadas por dos piezas que se unen en las puntas y que se pueden abrir y cerrar. **INGLÉS** pincers.

2 Parte final de las patas de algunos animales que tiene forma de pinza y les sirve para sujetar cosas con fuerza. El bogavante y el cangrejo tienen tenazas. **SINÓNIMO** pinza. **INGLÉS** pincer.

NOTA También se usa el plural para indicar solo una unidad.

tendedero

nombre masculino **1** Lugar con cuerdas o alambres en los que se cuelga o tiende la ropa para que se seque. **INGLÉS** drying place.

2 Objeto formado por cuerdas o alambres en los que se cuelga la ropa para que se seque. **INGLÉS** clothes drier.

tendencia

nombre femenino **1** Inclinación o disposición natural que lleva a una persona a ser de una determinada manera o a hacer determinadas cosas. Las personas optimistas tienen tendencia a ver la parte positiva de las cosas. **INGLÉS** tendency.

2 Dirección o fin hacia el que tiende alguien o algo: *En el desfile presentaron las últimas tendencias de la moda.* **INGLÉS** trend.

tender

verbo **1** Colgar la ropa húmeda al sol o al aire para que se seque. **INGLÉS** to hang out.

2 Ofrecer o dar algo a alguien. Se dice sobre todo cuando se da la mano a una persona para saludarla o ayudarla en algo. **INGLÉS** to hold out.

3 Poner o construir una cosa apoyándola en varios puntos. Se puede tender un puente sobre un río o un barranco. **INGLÉS** to build.

4 Echar o echarse sobre una superficie horizontal: *Tiéndase en la camilla, por favor.* **INGLÉS** to lie.

5 Tener tendencia a una cosa: *Los precios tienden a aumentar.* **INGLÉS** to tend.

NOTA Se conjuga como: entender; la 'e' se convierte en 'ie' en sílaba acentuada, como: tienden.

tenderete

nombre masculino **1** Puesto de venta instalado al aire libre en el que se tienen todas las mercancías expuestas a la vista de los clientes. En los mercados al aire libre hay muchos tenderetes, que pueden ser de comida, ropa, juguetes y otros objetos. **INGLÉS** stall.

tendero, tendera

nombre **1** Persona que trabaja en una tienda de comestibles. **INGLÉS** shopkeeper.

tendón

nombre masculino **1** Tejido formado por varias fibras resistentes, en forma de cordón, que une los músculos a los huesos. En el talón está el tendón de Aquiles. **INGLÉS** tendon, sinew.

NOTA El plural es: tendones.

tenebroso, tenebrosa

adjetivo **1** Que es oscuro y da miedo. Por la noche, un castillo abandonado puede ser un lugar sombrío y tenebroso. **INGLÉS** dark, gloomy, [si da miedo: sinister].

tenedor

nombre masculino **1** Utensilio formado por un mango largo y tres o cuatro puntas en su extremo que sirve para pinchar los alimentos sólidos y llevárselos a la boca. **INGLÉS** fork.

tener
verbo

1 Ser dueño de algo o disfrutar de alguna cosa: *Los niños tienen más de un juguete. En vacaciones tenemos mucho tiempo libre.* ANTÓNIMO carecer. INGLÉS to have.

2 Poseer alguna cualidad o característica física o moral: *Los toros tienen cuernos. El vinagre tiene un sabor ácido.* ANTÓNIMO carecer. INGLÉS to have.

3 Contener o incluir dentro de sí: *Su casa tiene tres habitaciones. El vino y la cerveza tienen alcohol.* SINÓNIMO abarcar; comprender. INGLÉS to have, to contain.

4 Se utiliza para expresar una relación de parentesco o de cualquier otro tipo con una persona. Los hijos únicos no tienen hermanos. INGLÉS to have.

5 Coger algo con las manos sin dejarlo caer: *¿Me tienes un momento el bolso, por favor?* SINÓNIMO sujetar; sostener. INGLÉS to hold.

6 Necesitar o estar obligado a hacer lo que se indica: *Los padres tienen reunión con los profesores al final del curso.* INGLÉS to have.

7 Experimentar o sentir una sensación, enfermedad o estado de ánimo. En verano tenemos calor. Cuando estamos tristes tenemos ganas de llorar. INGLÉS to have.

8 Haber alcanzado una edad o un período de tiempo determinado: *Su hermano tiene tres años.* INGLÉS to be.

9 tenerse Mantenerse derecho o firme. Cuando alguien está muy cansado decimos que casi no puede tenerse en pie. INGLÉS to stand up.

tener que Ser necesario u obligatorio hacer algo: *Si quiere ganar la carrera, tiene que llegar el primero a la meta.* INGLÉS to have to.

tener que ver Existir una relación o parecido: *Ella no tiene nada que ver con ese desconocido.* INGLÉS to have to do with.

tener

INDICATIVO		SUBJUNTIVO	
presente		**presente**	
tengo		tenga	
tienes		tengas	
tiene		tenga	
tenemos		tengamos	
tenéis		tengáis	
tienen		tengan	
pretérito imperfecto		**pretérito imperfecto**	
tenía		tuviera o tuviese	
tenías		tuvieras o tuvieses	
tenía		tuviera o tuviese	
teníamos		tuviéramos o tuviésemos	
teníais		tuvierais o tuvieseis	
tenían		tuvieran o tuviesen	
pretérito perfecto simple		**futuro**	
tuve		tuviere	
tuviste		tuvieres	
tuvo		tuviere	
tuvimos		tuviéremos	
tuvisteis		tuviereis	
tuvieron		tuvieren	
futuro		IMPERATIVO	
tendré			
tendrás		ten	(tú)
tendrá		tenga	(usted)
tendremos		tengamos	(nosotros)
tendréis		tened	(vosotros)
tendrán		tengan	(ustedes)
condicional		FORMAS NO PERSONALES	
tendría		**infinitivo**	**gerundio**
tendrías		tener	teniendo
tendría		**participio**	
tendríamos		tenido	
tendríais			
tendrían			

tenia
nombre femenino

1 Gusano largo y plano que vive parásito en el intestino del ser humano y de algunos animales. La tenia puede medir varios metros y se alimenta de lo que come la persona o el animal en el que vive. INGLÉS tapeworm.

teniente
nombre masculino y femenino

1 Persona que tiene un grado militar entre el de alférez y el de capitán. INGLÉS lieutenant.

2 Persona que en un trabajo sustituye a otra en su cargo o su función. El teniente de alcalde sustituye al alcalde cuando este no está. INGLÉS deputy.

teniente coronel Persona que tiene un grado militar entre el de comandante y el de coronel. INGLÉS lieutenant colonel.

tenis
nombre masculino

1 Deporte que se practica entre dos o cuatro personas y que consiste en pasar una pelota impulsada por una raqueta por encima de una red intentando que el contrario no la devuelva. INGLÉS tennis.

tenis de mesa Juego de pelota que se juega sobre una mesa rectangular divida en dos partes iguales por una red. Se juega entre dos jugadores que pegan a una pelota pequeña con unas palas redondas y pequeñas. **SINÓNIMO** ping-pong. **INGLÉS** table tennis.

tenista

nombre masculino y femenino

1 Persona que juega a tenis. **INGLÉS** tennis player.

tenor

nombre masculino

1 Cantante que tiene la voz más aguda de las voces masculinas. **INGLÉS** tenor.

tensar

verbo

1 Poner algo estirado o tirante: *Tienes que tensar las cuerdas de la guitarra.* **INGLÉS** to tighten.

tensar

tensión

nombre femenino

1 Estado del cuerpo que se encuentra muy estirado o tirante. Cuando una goma está en tensión, se puede acabar rompiendo. **INGLÉS** tension.

2 Estado de la persona que está muy preocupada o muy nerviosa por algo. **INGLÉS** tension.

3 Situación de enfrentamiento entre dos o más personas. **INGLÉS** tension.

4 Fuerza o presión que ejerce la sangre sobre los vasos sanguíneos. Los médicos suelen tomar la tensión a los pacientes para saber si está baja, alta o normal. **INGLÉS** blood pressure.

NOTA El plural es: tensiones.

tenso, tensa

adjetivo

1 Que está muy estirado o tirante. **INGLÉS** tense, taut.

2 Se dice de la persona que está muy preocupada o nerviosa por algo. Estamos tensos antes de realizar una prueba o un trabajo difícil. **INGLÉS** tense.

3 Se dice de la situación que resulta desagradable o violenta porque las personas que participan en ella no se llevan bien o porque tratan de temas difíciles o delicados. **INGLÉS** tense.

tentación

nombre femenino

1 Impulso o deseo repentino que lleva a realizar algo, en especial si es algo malo o poco adecuado: *Tuvo la tentación de ponerle una zancadilla.* **INGLÉS** temptation.

2 Atracción que ejerce alguna cosa o persona a la que es muy difícil renunciar: *Esos bombones son una tentación, quítalos de mi vista.* **INGLÉS** temptation.

NOTA El plural es: tentaciones.

tentáculo

nombre masculino

1 Cada uno de los brazos largos, flexibles y sin hueso que tienen algunos animales, como los pulpos. **INGLÉS** tentacle.

tentar

verbo

1 Tocar una cosa con las manos. Cuando estamos en una habitación a oscuras tenemos que tentar los objetos para no chocar con ellos. **SINÓNIMO** palpar. **INGLÉS** to feel.

2 Influir o atraer de algún modo la atención de una persona para que haga algo que no debe o no le conviene y a lo que le resulta muy difícil resistirse: *María me tentó con un pastel de chocolate sabiendo que no puedo comer dulces.* **INGLÉS** to tempt.

NOTA Se conjuga como: acertar; la 'e' se convierte en 'ie' en sílaba acentuada, como: tienten.

tentativa

nombre femenino

1 Acción de intentar una cosa con el fin de conseguirla: *Tienes tres tentativas para acertar la respuesta.* **SINÓNIMO** intento. **INGLÉS** attempt, try.

tentempié

nombre masculino

1 Bebida o comida ligera que se toma entre horas. **INGLÉS** snack.

tenue

adjetivo

1 Que es poco fuerte o poco intenso. Una luz tenue no es buena para leer porque no ilumina lo suficiente. **INGLÉS** dim, faint.

2 Que tiene poco grosor, que es muy fino. Los velos de los vestidos de novia suelen ser tenues. **SINÓNIMO** delgado. **INGLÉS** fine.

3 Que es poco espeso o denso, como la neblina. INGLÉS fine.

teñir

verbo

1 Dar a algo un color o un tono distinto del que tenía con un colorante o tinte. Podemos teñir una tela de un vestido o el cabello. ANTÓNIMO desteñir. INGLÉS to dye.

NOTA Se conjuga como: reñir.

teología

nombre femenino

1 Ciencia que trata sobre la naturaleza de Dios. INGLÉS theology.

teoría

nombre femenino

1 Conjunto de conocimientos que se piensan o se suponen acerca de una cosa, separados de la práctica o la experimentación de esa cosa. INGLÉS theory.

2 Conjunto de principios o razonamientos que intentan explicar un hecho o un fenómeno, o un conjunto de ellos. Einstein enunció la teoría de la relatividad. INGLÉS theory.

3 Conjunto de ideas, reglas y principios que constituyen el fundamento de una ciencia o un arte. Los matemáticos estudian la teoría matemática. INGLÉS theory.

en teoría Indica que una cosa no se ha comprobado o verificado en la práctica, pero que debería ser así: *En teoría, quien sabe nadar no le tiene miedo al agua.* INGLÉS theoretically.

tequila

nombre masculino

1 Bebida alcohólica muy fuerte de color transparente o marrón, que es originaria de México. Se obtiene a partir de una planta de hojas largas y carnosas. INGLÉS tequila.

terapeuta

nombre masculino y femenino

1 Persona que se dedica profesionalmente a dar tratamientos para curar enfermedades. INGLÉS therapist.

terapia

nombre femenino

1 Procedimiento que se utiliza para curar una enfermedad. SINÓNIMO tratamiento. INGLÉS therapy.

tercer

adjetivo

1 Apócope de 'tercero'. Se utiliza delante de un nombre masculino en singular. Marzo es el tercer mes del año. INGLÉS third.

tercermundista

adjetivo

1 Del Tercer Mundo o relacionado con los países menos desarrollados de la Tierra. Las asociaciones humanitarias trabajan para ayudar a los países tercermundistas. INGLÉS third-world.

tercero, tercera

numeral ordinal

1 Que ocupa el lugar número 3 en una serie ordenada. INGLÉS third.

adjetivo

2 Se dice de cada una de las 3 partes iguales en que se divide un conjunto. INGLÉS third.

adjetivo y nombre

3 Que está entre dos personas o que interviene entre ellas para que no lleguen a un acuerdo en un asunto o conflicto. A veces cuando dos personas no se ponen de acuerdo preguntan su opinión a un tercero. INGLÉS third.

NOTA Delante de un nombre masculino en singular, se utiliza 'tercer'.

terceto

nombre masculino

1 Conjunto musical formado por tres voces o tres instrumentos. También se llama terceto la composición musical hecha para ser interpretada por tres voces o tres instrumentos. SINÓNIMO trío. INGLÉS trio.

2 Estrofa de tres versos de más de ocho sílabas en la que riman el primero con el tercero. INGLÉS tercet.

terciar

verbo

1 Intervenir en una conversación o en un asunto difícil. Una persona tercia en una discusión entre dos personas para intentar calmarlas o resolver el problema que tienen. INGLÉS to mediate [para calmar los ánimos], to participate [intervenir].

2 Dividir una cosa en tres partes. INGLÉS to divide into three.

3 **terciarse** Presentarse la oportunidad para hacer una cosa: *Estaremos todo el día en la ciudad y, si se tercia, iremos al cine.* Con este significado, se usa solo el infinitivo, la tercera persona del singular y la tercera persona del plural.

NOTA Se conjuga como: cambiar; la 'i' no lleva nunca acento de intensidad.

terciario, terciaria

adjetivo

1 Se dice del sector económico que abarca las actividades que no producen bienes directamente, pero proporcionan servicios a la población y a los sectores primario y secundario. El

sector terciario está constituido por actividades como el comercio, las comunicaciones, el transporte, la sanidad, la educación y el turismo. INGLÉS tertiary.

tercio

nombre masculino

1 Cada una de las tres partes iguales en que se divide un conjunto. Si una cosa cuesta treinta euros y yo tengo diez, solo tengo un tercio del precio. INGLÉS third.

terciopelo

nombre masculino

1 Tejido grueso que tiene fibras cortas y muy suaves. INGLÉS velvet.

terco, terca

adjetivo y nombre

1 Se dice de la persona que se mantiene muy firme en una idea o una postura y no se deja convencer, aunque haya razones claras para que cambie de opinión. INGLÉS stubborn [adjetivo].

tergal

nombre masculino

1 Tejido sintético fuerte y resistente que no se arruga. INGLÉS Tergal.

NOTA Es una marca registrada.

tergiversar

verbo

1 Dar una interpretación errónea o falsa a una cosa, especialmente a algo que se ha dicho: *En la entrevista, el periodista tergiversó algunas declaraciones suyas que no eran ciertas.* INGLÉS to twist, to distort.

termas

nombre femenino plural

1 Baños de aguas minerales calientes que la gente toma en algunos balnearios. INGLÉS spa.

2 Baños públicos de los antiguos romanos. Para hacer vida social, los ciudadanos romanos iban a las termas, donde disponían de piscinas de agua caliente, templada y fría. INGLÉS baths.

térmico, térmica

adjetivo

1 Que tiene relación con el calor o la temperatura. La energía térmica es la energía que tienen los cuerpos debido a su temperatura. INGLÉS thermal.

terminación

nombre femenino

1 Acción que consiste en terminar o llegar al final de algo, como un trabajo, unas vacaciones o cualquier otra actividad o proceso. INGLÉS termination, completion.

2 Parte final de algo. La terminación del gerundio en español es '-ndo'. INGLÉS ending.

NOTA El plural es: terminaciones.

terminante

adjetivo

1 Que es tan firme que no se puede dudar ni discutir sobre ello. Si una persona nos dice 'he dicho que no y se acabó', nos está dando una respuesta terminante. SINÓNIMO rotundo. INGLÉS categorical.

terminar

verbo

1 Dar fin a una acción o una actividad: *Cuando termines los deberes iremos al cine.* SINÓNIMO acabar; finalizar. INGLÉS to finish.

2 Consumir o gastar algo completamente: *Se ha terminado el papel higiénico.* INGLÉS to use up.

3 Llegar algo al final o al último momento: *Las clases terminan a las cinco de la tarde.* INGLÉS to finish, to end.

4 Acabar con una relación amorosa o de amistad: *¿Sabes que Silvia y Marcos han terminado?* INGLÉS to split up.

5 Destruir o hacer que desaparezca algo completamente. También es matar a una persona o hacerle mucho daño: *La tormenta terminó con la cosecha.* INGLÉS to do away with [una persona], to destroy [una cosa].

6 Tener un lugar o una cosa algo en su parte final: *El bastón termina en punta.* INGLÉS to end.

término

nombre masculino

1 Final o momento último en que termina una cosa. SINÓNIMO fin. ANTÓNIMO comienzo. INGLÉS end, finish.

2 Último momento hasta el que se puede hacer algo. Para matricularse siempre hay un término de tiempo establecido. INGLÉS period.

3 Último punto o línea hasta la que llega o se extiende un espacio: *El término de sus propiedades está allí, donde se ve la valla.* INGLÉS boundary.

4 Palabra de una lengua, en especial la que se usa en una ciencia, técnica o actividad artística. SINÓNIMO voz; vocablo. INGLÉS term.

en último término Como última posibilidad y después de haber agotado todas las demás: *Si no encontramos las llaves, en último término podemos llamar a un cerrajero.* INGLÉS if all else fails.

término municipal Espacio que corresponde a un pueblo o municipio. INGLÉS municipal area.

termita
nombre femenino
1 Insecto parecido a la hormiga que vive en grandes grupos y se alimenta de madera. Las termitas hacen agujeros en objetos de madera, como muebles o vigas. INGLÉS termite.

termo
nombre masculino
1 Recipiente que conserva los alimentos o bebidas que contiene a la misma temperatura que tenían al principio. El café con leche se conserva caliente en el termo. INGLÉS flask, thermos flask.

termómetro
nombre masculino
1 Instrumento que sirve para medir la temperatura de una persona, una cosa o un lugar. Los termómetros tradicionales son de cristal con una cantidad de mercurio que marca la temperatura en una escala, pero actualmente se utilizan más los termómetros digitales en los que la temperatura aparece en números. INGLÉS thermometer.

ternero, ternera
nombre
1 Cría de la vaca. INGLÉS calf.

ternura
nombre femenino
1 Sentimiento de afecto y de cariño que se demuestra con una actitud dulce y delicada: *Siente gran ternura hacia los niños, los mima mucho.* INGLÉS tenderness.

terquedad
nombre femenino
1 Firmeza en las ideas o las intenciones, incluso cuando son equivocadas. INGLÉS obstinacy.

terraplén
nombre masculino
1 Terreno que tiene cierta pendiente. INGLÉS embankment.
2 Montón de tierra con el que se tapa un agujero o se hace algo, como un muro. INGLÉS embankment.
NOTA El plural es: terraplenes.

terráqueo, terráquea
adjetivo
1 De la Tierra o que tiene relación con ella. El agua cubre las tres cuartas partes de la superficie del globo terráqueo. INGLÉS of the earth.

terrario
nombre masculino
1 Lugar en el que viven reptiles que están en cautividad. En el terrario de los zoos suele haber serpientes, tortugas y cocodrilos. INGLÉS terrarium.

terrateniente
nombre masculino y femenino
1 Persona que es propietaria de una gran extensión de terreno o de una finca muy grande. INGLÉS landowner.

terraza
nombre femenino
1 Espacio descubierto y elevado que sobresale de la fachada de un edificio. A la terraza se accede desde el interior de una vivienda y está limitada por una barandilla o un muro bajo. INGLÉS balcony.
2 Espacio llano y descubierto que hay en la parte superior de un edificio y que sirve para tender la ropa o tomar el sol. SINÓNIMO azotea. INGLÉS roof terrace.
3 Espacio que tienen los cafés, bares o restaurantes en la calle, con mesas y sillas para los clientes. Cuando llega el buen tiempo a la gente le gusta sentarse en las terrazas y tomar un refresco. INGLÉS terrace.

terremoto
nombre masculino
1 Movimiento violento de la superficie de la Tierra. En los terremotos débiles solo se nota un temblor de la tierra que hace que se muevan algunas cosas, en cambio los terremotos fuertes pueden provocar la caída de edificios y árboles. SINÓNIMO seísmo. INGLÉS earthquake.

terreno
nombre masculino
1 Extensión de tierra, en especial si está bien delimitada y puede ser comprada, vendida o explotada. INGLÉS piece of land.
2 Extensión de tierra que presenta unas características determinadas. Los terrenos desérticos son poco apropiados para la agricultura. INGLÉS land.
3 Situación o ámbito en el que mejor se muestran las características o cualidades de una persona o cosa: *No te puedo ayudar a reparar la tele, ese no es mi terreno.* INGLÉS field.
4 Todo lo que tiene que ver con una determinada materia, trabajo o actividad: *Ahora dejamos la lengua y pasamos al terreno de la literatura.* INGLÉS field.
5 En algunos deportes como el fútbol o el baloncesto, campo de juego. SINÓNIMO estadio. INGLÉS field.

terrestre
adjetivo
1 De la superficie de la Tierra o que vive en ella. El transporte terrestre es más

lento que el aéreo. El león es un mamífero terrestre. INGLÉS land.

terrible
adjetivo **1** Que causa mucho miedo. SINÓNIMO terrorífico. INGLÉS terrible.
2 Que es muy grande o muy intenso: *Tengo un dolor de muelas terrible.* SINÓNIMO horrible. INGLÉS terrible.

terrícola
nombre masculino y femenino **1** Habitante de la Tierra. Esta palabra suele aparecer en relatos de ciencia ficción donde aparecen habitantes de otros planetas. INGLÉS earthling.

terrier
nombre masculino y femenino y adjetivo **1** Perro de tamaño pequeño o mediano del que existen muchas razas diferentes. Son de origen inglés y, según la raza, pueden ser perros de caza o de compañía y pueden tener el pelo largo o corto. INGLÉS terrier.
NOTA El plural es: terriers.

territorio
nombre masculino **1** Extensión amplia de tierra que ocupa un país, una provincia, una región u otra zona con límites. El territorio ruso es el más extenso del mundo. INGLÉS territory.
2 Espacio o lugar concreto donde vive un animal o grupo de animales y que defienden como propio ante cualquier invasión. INGLÉS territory.

terrón
nombre masculino **1** Masa dura y apretada de una sustancia, en especial de azúcar. INGLÉS lump.
NOTA El plural es: terrones.

terror
nombre masculino **1** Miedo muy grande. INGLÉS terror.
2 Persona o cosa que produce mucho miedo: *A María, viajar en avión le produce terror.* INGLÉS terror.

terrorífico, terrorífica
adjetivo **1** Que produce terror o miedo muy intenso. Los monstruos son seres terroríficos. INGLÉS terrifying.

terrorismo
nombre masculino **1** Forma de lucha organizada que consiste en emplear la violencia contra el poder establecido para conseguir un determinado fin. El secuestro y el asesinato son algunos de los métodos empleados en el terrorismo. INGLÉS terrorism.

terrorista
adjetivo **1** Del terrorismo o que tiene relación con él. INGLÉS terrorist.
adjetivo y nombre masculino y femenino **2** Se dice de la persona que forma parte de una organización dedicada al terrorismo. Los terroristas están fuera de la ley y son buscados por la policía. INGLÉS terrorist.

terso, tersa
adjetivo **1** Se dice de la piel o la superficie muy lisa y sin arrugas. Algunas cremas dejan la piel de la cara muy tersa. INGLÉS smooth.

tertulia
nombre femenino **1** Reunión de personas para conversar sobre cualquier tema. En la televisión y en la radio existen programas dedicados a tertulias donde los invitados hablan sobre deportes, literatura o temas de actualidad. INGLÉS get-together, [si es en la radio o televisión: talk show].

tesón
nombre masculino **1** Firmeza, decisión y ganas que se ponen al hacer un trabajo o una actividad. Cuando se estudia con tesón se obtienen buenos resultados. INGLÉS tenacity.

tesorero, tesorera
nombre **1** Persona que se encarga de guardar y administrar el dinero de un grupo de personas, por ejemplo una asociación o una comunidad de vecinos. INGLÉS treasurer.

tesoro
nombre masculino **1** Conjunto de dinero, joyas o cosas de valor reunidos y guardados en un lugar, una caja o un cofre. INGLÉS treasure.
2 Persona o cosa a la que se da gran valor o a la que se quiere mucho. La libertad es uno de los tesoros más preciados del ser humano. INGLÉS treasure.
tesoro público Conjunto de bienes de un país. Al pagar los impuestos, los ciudadanos contribuimos con nuestro dinero al tesoro público. INGLÉS Treasury.

test
nombre masculino **1** Prueba escrita en la que hay que contestar una serie de preguntas de forma muy breve o escoger una respuesta entre varias opciones que se ofrecen. INGLÉS test.
NOTA El plural es: test.

testamento
nombre masculino **1** Documento en el que una persona

a b c d e f g h i j k l m n ñ o p q r s t u v w x y z

expresa a quién quiere dejar sus propiedades, dinero y otras cosas, una vez que haya muerto. El testamento se hace ante un notario. INGLÉS will.

testarudo, testaruda

adjetivo y nombre **1** Se dice de la persona que no cambia de opinión o de actitud, aunque sus ideas no sean ciertas, y que es muy difícil de convencer. SINÓNIMO terco; tozudo. INGLÉS stubborn [adjetivo].

testículo

nombre masculino **1** Órgano redondeado en el que se producen las células reproductoras masculinas de los hombres y de algunos animales machos. Los testículos producen los espermatozoides. INGLÉS testicle.

testificar

verbo **1** Declarar en calidad de testigo en un juicio. INGLÉS to testify.

NOTA Se escribe 'qu' delante de 'e', como: testifiquen.

testigo

nombre masculino y femenino **1** Persona que declara en un juicio. Un testigo habla a favor o en contra del acusado. INGLÉS witness.

2 Persona que presencia un acto o acontecimiento. Todos los que ven cómo se produce un accidente son testigos del mismo. INGLÉS witness.

3 Persona que tiene que estar presente en un acto para que sea válido, como por ejemplo en una boda. INGLÉS witness.

nombre masculino **4** En atletismo, objeto que se pasan los corredores de relevos. INGLÉS baton.

testimonio

nombre masculino **1** Declaración que hace un testigo. INGLÉS testimony.

2 Aquello que sirve como prueba o demostración de algo. Las pirámides son testimonio de la antigua civilización egipcia. INGLÉS evidence.

teta

nombre femenino **1** Órgano de forma redondeada que tienen las mujeres y las hembras de los mamíferos, situado en la parte superior del tronco. Las tetas producen la leche que sirve para alimentar a los recién nacidos. SINÓNIMO seno. INGLÉS tit [de mujer], teat [de animal].

NOTA Es una palabra informal y familiar.

tetera

nombre femenino **1** Recipiente que sirve para preparar o servir el té. Las teteras suelen tener forma redondeada y una tapa para conservar el calor del agua. INGLÉS teapot.

tetilla

nombre femenino **1** Teta de pequeño tamaño que tienen los hombres y algunos animales machos. INGLÉS nipple.

tetina

nombre femenino **1** Pieza de goma en forma de pezón, con un agujero muy pequeño en su extremo, que se coloca en la boca del biberón para que los niños beban lo que hay dentro. INGLÉS teat.

tetrabrik

nombre masculino **1** Recipiente rectangular de cartón que sirve para contener líquidos, como zumos, leche o salsas. Tiene una lámina interior de aluminio que ayuda a conservar el alimento. INGLÉS carton.

tetraedro

nombre masculino **1** Figura geométrica de cuatro caras en forma de triángulo. Un tetraedro es un tipo de pirámide. INGLÉS tetrahedron.

tétrico, tétrica

adjetivo **1** Que es oscuro y triste, y hace pensar en la muerte. Un cementerio por la noche es un lugar tétrico. INGLÉS gloomy.

textil

adjetivo **1** Del tejido o la tela, o que está relacionado con ellos. Las industrias textiles se dedican a fabricar prendas de vestir y otras cosas de tela. INGLÉS textile.

2 Se dice de la materia que se puede tejer y sirve para fabricar tejidos. INGLÉS textile.

texto

nombre masculino **1** Conjunto de palabras y frases que tienen una relación de contenido y forman un escrito. Algunos libros solo tienen texto y otros tienen texto y fotografías. INGLÉS text.

2 Parte de un libro o una obra escrita. INGLÉS text.

textual

adjetivo **1** Del texto o relacionado con él. En un cómic es importante la calidad de los dibujos y la creación textual. INGLÉS textual.

2 Que reproduce exactamente las palabras que ha escrito o ha dicho alguien: *Lo he suspendido porque hizo una copia textual del examen de su compañero.* INGLÉS literal.

textura
nombre femenino
1 Aspecto físico de la superficie de un material o una sustancia que se puede distinguir por el tacto o la vista. Podemos apreciar distintas texturas en las telas, los cuadros o los papeles. INGLÉS texture.

tez
nombre femenino
1 Piel de la cara de una persona. En verano tenemos la tez más morena que en invierno. INGLÉS complexion.

thriller
nombre masculino
1 Película o novela de suspense o misterio que crea tensión en los espectadores o los lectores. Los thrillers despiertan mucho interés por saber cómo acabarán. INGLÉS thriller.
NOTA Se pronuncia: 'zríler'. El plural es: thrillers.

ti
pronombre personal
1 Pronombre personal de segunda persona de singular que en la oración hace función de complemento indirecto y que se usa también detrás de preposición: *Este regalo es para ti. He oído hablar mucho de ti.* INGLÉS you.

tibia
nombre femenino
1 Hueso de la pierna que está situado en la parte delantera, entre la rodilla y el pie. INGLÉS tibia, shinbone.

tibio, tibia
adjetivo
1 Que no está ni frío ni caliente. SINÓNIMO templado. INGLÉS tepid, lukewarm.
ponerse tibio Beber o comer mucho: *Me he puesto tibia de pasteles.* Es una expresión informal. INGLÉS to stuff oneself [de comida] to drink loads [de bebida].

tiburón
nombre masculino
1 Pez con el cuerpo alargado, que tiene la boca situada en la parte inferior de la cabeza, armada con varias filas de dientes, y una aleta triangular de gran tamaño en la parte superior. Se alimenta de crustáceos, moluscos y otros peces. INGLÉS shark.
NOTA El plural es: tiburones.

tic
nombre masculino
1 Movimiento rápido e involuntario que hace una persona con frecuencia, en especial con los ojos o la boca. INGLÉS twitch.
NOTA El plural es: tics.

ticket
nombre masculino
1 Es otra forma de escribir y pronunciar: tique.
NOTA El plural es: tickets.

tictac
nombre masculino
1 Ruido que hace el mecanismo de algunos relojes. INGLÉS tick-tock.

tiempo
nombre masculino
1 Duración de las cosas, las acciones o los procesos que no son infinitos. El tiempo se puede medir en segundos, minutos, horas, días, semanas, meses o años. INGLÉS time.
2 Conjunto de los fenómenos del clima que se dan en un momento y un lugar determinados. INGLÉS weather.
3 Momento o período durante el que sucede o se hace algo. Algunos trabajos nos llevan más tiempo que otros. INGLÉS time.
4 Con el verbo 'tener', se refiere al tiempo disponible para hacer algo: *No tengo tiempo para salir de compras.* INGLÉS time.
5 Período largo de tiempo: *Ya hace tiempo que vive aquí, por lo menos quince años.* INGLÉS time.
6 Edad de los niños pequeños o de las crías de los animales, que se mide en semanas o meses: *¿Cuánto tiempo tiene tu bebé?* INGLÉS age.
7 Cada una de las partes en que se divide un proceso o una actividad, como un partido de fútbol. INGLÉS part.
8 Conjunto de formas de los verbos que expresan el momento en que ocurre la acción o el proceso. Todos los tiempos verbales pertenecen al pasado, al presente o al futuro. INGLÉS tense.
9 Momento oportuno o adecuado para hacer algo, como sembrar o recoger la fruta. INGLÉS time.
10 Época de la historia que se caracteriza por algún hecho especial, como el reinado de alguien o una revolución. INGLÉS time.
a tiempo En el momento oportuno o antes de que sea tarde para lo que se indica: *Había tanto tráfico que al final no llegamos a tiempo de cenar.* INGLÉS in time.
al mismo tiempo Simultáneamente, a la vez: *Los tres salimos de casa al mis-*

a b c d e f g h i j k l m n ñ o p q r s t u v w x y z

mo tiempo, a las 8. INGLÉS at the same time.

con tiempo Sin prisa, con el tiempo suficiente: *A mi padre le gusta salir con tiempo para ir a la estación.* INGLÉS with time to spare.

del tiempo Se dice de la fruta propia de la estación en que se está. También es del tiempo la bebida que se sirve a temperatura ambiente. INGLÉS in season [fruta], at room temperature [una bebida].

hacer tiempo Entretenerse con algo mientras se espera: *Mientras te esperaba estuve haciendo tiempo mirando escaparates.* INGLÉS to kill time.

perder el tiempo Dejar que pase el tiempo sin hacer nada útil cuando se tienen cosas que hacer: *Si pierdes el tiempo viendo la tele, no aprobarás los exámenes.* INGLÉS to waste time.

tienda

nombre femenino

1 Establecimiento comercial donde se venden comestibles, ropa, muebles u otros productos de consumo. SINÓNIMO comercio. INGLÉS shop.

2 Estructura de palos o tubos cubierta con una gran pieza de tela, lona u otro material, que se sujeta al suelo con clavos o ganchos y sirve de alojamiento para dormir en el campo. También se dice 'tienda de campaña'. INGLÉS tent.

tierno, tierna

adjetivo

1 Que es muy blando y fácil de romper o de partir, como el pan recién hecho. ANTÓNIMO duro. INGLÉS soft.

2 Se dice de la persona que muestra con facilidad sus sentimientos de amor o de afecto hacia los demás. SINÓNIMO cariñoso. INGLÉS tender.

3 Que es nuevo o joven, como las primeras hojas de un árbol. Una persona es o está tierna cuando todavía tiene pocos años o poca experiencia en algo. INGLÉS young.

tierra

nombre femenino

1 Tercer planeta del sistema solar, sobre el que habitan el ser humano y los seres vivos conocidos. Con este significado se escribe con mayúscula. INGLÉS Earth.

2 Parte de la superficie de nuestro planeta no ocupada por el agua: *Tenía ganas de pisar tierra, después de tanto tiempo metido en el barco.* INGLÉS land.

3 Extensión de terreno que se dedica o se puede dedicar al cultivo. Las tierras de secano son buenas para sembrar cereales. INGLÉS land.

4 Suelo de un lugar: *Tropezó y cayó por tierra.* INGLÉS ground.

5 País o región donde vive o ha nacido una persona: *Tuvo que abandonar su tierra e irse al extranjero.* INGLÉS country, land.

echar por tierra Estropear, impedir o hacer inútil una cosa: *La lluvia echó por tierra nuestros planes de ir a la playa.* INGLÉS to ruin.

quedarse en tierra No poder hacer un viaje que se había previsto: *Perdí el autobús y me quedé en tierra.* INGLÉS to miss one's train/bus/plane, etcétera.

tomar tierra Llegar a tierra firme desde el aire o desde el agua. INGLÉS to land.

tieso, tiesa

adjetivo

1 Que es o está tan duro o tan rígido que es difícil de doblar o romper. Cuando congelamos el pan se pone tieso. INGLÉS stiff, rigid.

2 Se dice de la persona que es muy seria y que se relaciona poco con los demás porque se cree superior. INGLÉS stiff.

3 Muerto, sin vida. Es un uso informal. INGLÉS dead.

quedarse tieso Pasar o tener mucho frío. Es una expresión informal. INGLÉS to be frozen.

tiesto

nombre masculino

1 Recipiente de barro, plástico u otro material que se llena de tierra para cultivar plantas. En los balcones suele haber tiestos con plantas. SINÓNIMO maceta. INGLÉS flowerpot.

mear fuera de tiesto Decir o hacer algo inoportuno o que no viene a cuento. Es una expresión informal. INGLÉS to miss the point.

tifus

nombre masculino

1 Enfermedad infecciosa y contagiosa que produce fiebre muy alta y dolor de cabeza, y hace delirar. El tifus lo provocan algunos piojos, pulgas y garrapatas. INGLÉS typhus.

tigre, tigresa

nombre

1 Mamífero parecido al león pero más grande, con la piel amarilla con rayas negras, y con grandes y fuertes uñas y dientes que utiliza para cazar otros animales. INGLÉS tiger.

tijera
nombre femenino
1 Utensilio que sirve para cortar, que está formado por dos hojas con filo por un lado, que se cruzan por el centro formando un aspa que se cierra o se abre. Las tijeras se pueden abrir y cerrar metiendo los dedos por dos agujeros que tienen en un extremo. INGLÉS scissors.
NOTA También se usa el plural para indicar solo una unidad.

tila
nombre femenino
1 Infusión que se prepara hirviendo en agua las flores secas del tilo. La tila se bebe para calmar los nervios. También se llama tila esta flor. INGLÉS lime-blossom tea.

tildar
verbo
1 Calificar a una persona o una cosa de forma despectiva o negativa. Tildamos de inútil a la persona que no sabe hacer nada bien. INGLÉS to call.
2 Poner tildes o acentos gráficos a las palabras que lo necesitan. INGLÉS to put an accent on.

tilde
nombre femenino
1 Signo en forma de raya inclinada que se pone sobre la vocal de algunas sílabas que se pronuncian más fuerte que otras. La palabra 'violín' lleva tilde en la segunda 'i'. INGLÉS written accent.

tilo
nombre masculino
1 Árbol de tronco alto y recto, con hojas en forma de corazón y flores olorosas de color amarillo. Con sus flores se prepara una infusión que calma los nervios. INGLÉS lime tree.

timar
verbo
1 Quitar a alguien dinero u otra cosa por medio de mentiras y engaños. SINÓNIMO estafar. INGLÉS to swindle.
2 Engañar a las personas prometiéndoles cosas falsas o que luego no se cumplen: *Me han timado vendiéndome esa cámara que no funciona bien.* SINÓNIMO estafar. INGLÉS to cheat, to trick.

timbal
nombre masculino
1 Instrumento musical de percusión formado por una caja con forma de media esfera y una piel estirada que la cubre. Los timbales se tocan con dos mazas pequeñas. INGLÉS kettledrum. DIBUJO página 598.

timbrazo
nombre masculino
1 Ruido muy fuerte que hace un timbre cuando se pulsa, en especial si se aprieta mucho tiempo. INGLÉS loud ring, long ring.

timbre
nombre masculino
1 Aparato eléctrico que produce un ruido fuerte y claro, y que sirve para avisar de una cosa o llamar a un sitio. Los timbres que hay en las casas tienen un pulsador para hacerlos sonar desde fuera. INGLÉS bell.
2 Característica que tienen los sonidos o la voz y que hace que se puedan distinguir dos sonidos del mismo tono hechos por dos instrumentos musicales distintos o la voz de diferentes personas. INGLÉS timbre.
3 Sello que se pone sobre algunos documentos importantes y que indica la cantidad que se ha pagado como impuesto correspondiente. Las cartas que se han enviado llevan un timbre. INGLÉS stamp.

tímido, tímida
adjetivo
1 Se dice de la persona que se avergüenza con facilidad y a la que le cuesta relacionarse con los demás. SINÓNIMO cortado; vergonzoso. INGLÉS shy, timid.
2 Que se nota o se percibe poco porque se produce con poca fuerza: *La reacción de la gente fue muy tímida, casi no se percibía.* INGLÉS timid.

timo
nombre masculino
1 Robo de dinero u otra cosa que se hace por medio de mentiras y engaños. SINÓNIMO estafa. INGLÉS swindle.

timón
nombre masculino
1 Pieza giratoria que sirve para guiar o controlar la dirección de una embarcación. INGLÉS rudder.
NOTA El plural es: timones.

timón

timonel
nombre masculino y femenino
1 Persona que maneja el timón de una embarcación. **INGLÉS** helmsman.

tímpano
nombre masculino
1 Membrana que hay en el interior del oído y que recoge las vibraciones de los sonidos del exterior. Si se nos rompe el tímpano, nos podemos quedar sordos. **INGLÉS** eardrum.

tinaja
nombre femenino
1 Recipiente grande de barro que sirve para contener líquidos en su interior, como vino o aceite. **INGLÉS** large earthenware jar.

tinaja

tinerfeño, tinerfeña
adjetivo y nombre
1 Se dice de la persona o cosa que es de la isla de Tenerife o de la ciudad o provincia de Santa Cruz de Tenerife.

tinglado
nombre masculino
1 Situación de mucho ruido, desorden y confusión. **SINÓNIMO** lío. **INGLÉS** chaos, mess.
2 Asunto o acción con que se quiere enredar, perjudicar o confundir a alguien: *Ese programa de televisión montó todo un tinglado para ganar audiencia.* **SINÓNIMO** lío. **INGLÉS** to-do, set-up.
NOTA Es una palabra informal.

tiniebla
nombre femenino
1 Oscuridad o falta de luz. De noche las calles están en tinieblas. **ANTÓNIMO** claridad. **INGLÉS** darkness.
NOTA Se usa más en plural.

tino
nombre masculino
1 Habilidad o facilidad para acertar o hacer bien una cosa. Las personas que tienen buen tino con los dardos siempre hacen diana. **INGLÉS** good judgement, [si es puntería: good aim].
2 Habilidad para tratar un asunto con delicadeza: *Cuando llegó, le dio la mala noticia con mucho tino para que no se enfadara.* **SINÓNIMO** tacto. **INGLÉS** skill.

tinta
nombre femenino
1 Sustancia líquida que se utiliza para escribir, para imprimir o para dibujar y que puede ser de varios colores. Cuando una impresora tiene poca tinta imprime mal. **INGLÉS** ink.
2 Líquido oscuro que echan algunos animales marinos, como los calamares, para oscurecer el agua y poder escapar de un peligro. **INGLÉS** ink.
sudar tinta Realizar un trabajo con mucho esfuerzo y dificultad: *Sudé tinta para hacer el ejercicio de lengua.* **INGLÉS** to sweat blood.

tinte
nombre masculino
1 Sustancia que sirve para teñir una cosa de un color determinado. Los tintes se utilizan para cambiar el color del pelo, de la ropa o de los muebles. **INGLÉS** dye.
2 Establecimiento donde se lleva a teñir la ropa o a limpiar la ropa que no se puede lavar en casa. **SINÓNIMO** tintorería. **INGLÉS** dry-cleaner's.
3 Característica o aspecto que tiene una persona o una cosa en un momento determinado: *Esta aventura ha tomado un tinte peligroso.* **INGLÉS** overtone.

tintero
nombre masculino
1 Recipiente que se usa para guardar la tinta de escribir. Algunas plumas se recargan directamente en un tintero. **INGLÉS** inkwell.

tintinear
verbo
1 Producir un sonido agudo una campanilla al moverse o un conjunto de cosas metálicas o de vidrio al chocar. En una bolsa llena, las monedas tintinean al moverse. **INGLÉS** to tinkle [una campanilla], to clink [monedas].

tintineo
nombre masculino
1 Sonido que produce una campanilla, unas copas al chocar y otras cosas que tienen un sonido parecido. **INGLÉS** tinkling [de una campanilla], clinking [de monedas].

tinto
adjetivo y nombre masculino
1 Se dice del vino que es de color rojo oscuro. El vino tinto se hace con uvas negras. **INGLÉS** red [adjetivo], red wine [nombre].

tintorería
nombre femenino
1 Establecimiento en el que se limpian,

a b c d e f g h i j k l m n ñ o p q r s t u v w x y z

planchan y tiñen tejidos y prendas de vestir. Llevamos a la tintorería la ropa delicada que no se puede lavar a mano o en la lavadora. INGLÉS dry-cleaner's.

tío, tía
nombre
1 Hermano o hermana del padre o la madre. INGLÉS uncle [hombre], aunt [mujer].
2 Forma utilizada para dirigirse a un amigo o para llamar su atención: *Oye, tía, no te pongas nerviosa.* Es un uso informal.
3 Forma de referirse a una persona de la que no se sabe el nombre o no se quiere decir: *¡Vaya tío más simpático!* Es un uso informal. INGLÉS guy [hombre], woman [mujer].
no hay tu tía Indica que algo es difícil de hacer o de evitar: *No hay tu tía, no vendrá.* Es una expresión informal. INGLÉS there are no two ways about it.

tiovivo
nombre masculino
1 Atracción de feria formada por una superficie redonda que da vueltas sobre sí misma y en la que hay figuras de animales o vehículos en los que se montan los niños. SINÓNIMO caballitos. INGLÉS merry-go-round.

típico, típica
adjetivo
1 Que es muy característico o propio de un lugar o de un determinado tipo de cosas o personas. La paella es un plato típico español. La rebeldía es un rasgo típico de los adolescentes. INGLÉS typical.

tipo, tipa
nombre
1 Forma de referirse a una persona de la que no se sabe el nombre o no se quiere decir. Es un uso informal. SINÓNIMO tío; individuo. INGLÉS person.
nombre masculino
2 Grupo de cosas que tienen unas características iguales o parecidas: *Tiene todo tipo de flores en su jardín.* SINÓNIMO especie; clase. INGLÉS type, kind, sort.
3 Cuerpo de una persona, sin contar la cabeza, solo el tronco y las extremidades: *Como tiene muy buen tipo, trabaja de modelo.* SINÓNIMO figura; físico. INGLÉS physique, figure.
jugarse el tipo Hacer algo que supone un peligro. Los bomberos se juegan el tipo cada vez que sofocan un incendio. INGLÉS to risk one's neck.

tique
nombre masculino
1 Papel que justifica el pago de algo y que sirve como resguardo para recoger algún objeto en un establecimiento. Cuando compramos algo nos dan el tique por si necesitamos cambiarlo. INGLÉS receipt.
2 Billete que da derecho a usar un medio de transporte o entrar en un espectáculo. Debemos guardar el tique del autobús por si nos lo pide el revisor. SINÓNIMO entrada; billete. INGLÉS ticket.
NOTA También se escribe y se pronuncia: ticket.

tiquismiquis
nombre masculino y femenino
1 Persona que siempre pone pegas e inconvenientes a todo: *No seas tiquismiquis, lo haremos de otra forma y ya está.* INGLÉS fusspot.
NOTA El plural es: tiquismiquis.

tira
nombre femenino
1 Trozo largo y estrecho de alguna cosa, como papel o tela. INGLÉS strip.
la tira Mucho: *Tiene la tira de amigos. Le costó la tira hacerlo.* Es una expresión informal. INGLÉS loads.

tirabuzón
nombre masculino
1 Rizo de cabello largo que cuelga en forma de espiral. INGLÉS ringlet.
2 Salto en el que el cuerpo de un deportista imita con su movimiento la forma de un tirabuzón del cabello. Algunos saltadores de trampolín hacen tirabuzones en el aire antes de caer al agua. INGLÉS twist.
NOTA El plural es: tirabuzones.

tirachinas
nombre masculino
1 Instrumento de madera o de otro material en forma de 'Y' que tiene atado en sus extremos superiores una goma elástica. Sirve para lanzar con fuerza piedras pequeñas. INGLÉS catapult.
NOTA El plural es: tirachinas.

tirada
nombre femenino
1 Jugada que se realiza en un juego de azar y que consiste en tirar algo, como un dado o una carta. Las personas con suerte suelen sacar un cinco en la primera tirada del parchís. INGLÉS throw.
2 Distancia larga que hay de un lugar a otro: *De la ciudad a la fábrica hay una buena tirada.* SINÓNIMO tramo. INGLÉS stretch, way.
3 Conjunto de ejemplares que se pu-

blican de un libro, una revista o un periódico. Cuando un libro tiene mucho éxito entre los lectores se hacen varias tiradas. INGLÉS print run.

de una tirada De una sola vez, sin parar: *Es un viaje corto, lo podemos hacer de una tirada.* INGLÉS in one go.

tirado, tirada

adjetivo

1 Que es muy barato: *En el rastro encontré un libro tirado de precio.* INGLÉS dirt cheap.

2 Que es muy fácil de hacer o de conseguir: *El examen estaba tirado, seguro que saco buena nota.* SINÓNIMO chupado. INGLÉS dead easy.

NOTA Es una palabra informal.

tirador, tiradora

nombre

1 Persona que tira o dispara con un arma de fuego. INGLÉS marksman.

nombre masculino

2 Pieza que tienen las puertas, los cajones y otros objetos para tirar de ellos y moverlos. INGLÉS knob, handle.

tiranía

nombre femenino

1 Sistema de gobierno en el que todo el poder está en manos de una única persona, que impone lo que ella quiere a todas las demás. INGLÉS tyranny.

2 Abuso de la autoridad, del poder o de la superioridad que una persona tiene sobre otra u otras a las que causa algún perjuicio. INGLÉS tyranny.

tirano, tirana

adjetivo y nombre

1 Se dice de la persona que tiene todo el poder en el gobierno de un país y aplica la justicia como le interesa, a veces de forma cruel. INGLÉS tyrannical [adjetivo], tyrant [nombre].

2 Se dice de la persona que abusa de la autoridad, el poder o la superioridad que tiene sobre otra u otras personas. INGLÉS tyrannical [adjetivo], tyrant [nombre].

tirante

adjetivo

1 Que está estirado o tenso. Las cuerdas de la guitarra deben estar tirantes para que suenen bien. SINÓNIMO tenso. INGLÉS taut.

2 Se dice de la situación en que las personas no se sienten cómodas porque hay algún tipo de problema o enfrentamiento entre ellas. INGLÉS tense.

nombre masculino

3 Cada una de las dos tiras elásticas que pasan por encima del hombro y sirven para sujetar los pantalones. Con este significado se usa más en plural. INGLÉS braces.

4 Tira de tela u otro material que tienen algunas prendas de vestir, como sujetadores, camisetas o vestidos, que va desde la parte superior del pecho hasta la parte superior de la espalda pasando por encima de los hombros. INGLÉS strap.

tirar

verbo

1 Deshacerse de algo, normalmente de lo que ya no sirve. Cuando hacemos limpieza de armarios, tiramos las cosas inútiles. INGLÉS to throw out, to throw away.

2 Echar o lanzar una cosa, especialmente si va en una dirección determinada: *Me tiró una piedra y casi me da en la pierna.* INGLÉS to throw.

3 Dejar caer una cosa en un sitio. Tiramos la porquería al cubo de la basura. INGLÉS to throw.

4 Hacer caer a una persona o una cosa: *El viento tiró la farola.* INGLÉS to knock down, [si es el viento: to blow down].

5 Hacer fuerza para atraer algo o para que se mueva. Los animales de tiro tiran del carro. INGLÉS to pull.

6 Resultar atractiva una cosa o una persona: *No le tira el mar, por eso nunca va a la playa.* INGLÉS to attract.

7 Ir en una determinada dirección: *A la altura del semáforo tiene que tirar a la izquierda.* INGLÉS to go.

8 Cumplir un aparato o un mecanismo con la función que le corresponde: *Este ordenador no tira bien, habrá que arreglarlo.* SINÓNIMO funcionar. INGLÉS to go, to work.

9 Tener cierto parecido a algo o a alguien. El color verde azulado tira a azul.

10 tirarse Dejarse caer desde una altura. Los nadadores se tiran a la piscina desde el trampolín. INGLÉS to dive.

11 tirarse Estar durante un tiempo haciendo algo o en un determinado estado o situación: *Se tiró diez años sin trabajar.* INGLÉS to go.

tirita

nombre femenino

1 Tira pequeña de tela o plástico, con una gasa desinfectada en el centro, que se pega sobre una herida pequeña para protegerla. INGLÉS sticking plaster.

NOTA Es una marca registrada.

tiritar
verbo
1 Moverse el cuerpo con movimientos rápidos e involuntarios a causa del frío, el miedo o la fiebre. SINÓNIMO temblar. INGLÉS to shiver [de frío], to shake [de miedo].

tiro
nombre masculino
1 Disparo que se hace con un arma de fuego. INGLÉS shot.
2 Ruido que suena al efectuar un disparo con un arma de fuego o herida que produce una bala disparada con un arma de fuego. INGLÉS shot.
3 Conjunto de pruebas deportivas en las cuales hay que disparar un arma de fuego o tirar flechas con un arco para conseguir acertar en un blanco y derribarlo. El tiro con pistola y el tiro al plato son deportes olímpicos. INGLÉS shooting.
4 Conjunto de caballos, mulas o burros que tiran de un carruaje. El tiro se engancha por delante de un carro o una carreta para que pueda moverse hacia delante. INGLÉS team.
5 Lanzamiento que se efectúa con la pelota hacia la portería o la canasta contrarias. INGLÉS shot.
6 Corriente de aire que se produce en el interior de una chimenea o en una salida de humos, y que hace posible que arda el fuego. INGLÉS draft.
7 Distancia que hay en un pantalón entre el punto en que se unen las dos piernas y la cintura. INGLÉS top block.
como un tiro Indica que una cosa que ha hecho o dicho una persona le sienta o cae muy mal a otra: *Le sentó como un tiro que su amigo no lo invitara a la fiesta.*
ni a tiros Indica que una cosa no va a suceder o no se va a conseguir de ningún modo o por ningún procedimiento: *Es un cabezón, no se deja convencer ni a tiros.* Es una expresión informal. INGLÉS no way.
salir el tiro por la culata Tener una cosa un resultado negativo, contrario al que se esperaba: *Hizo trampas para ganar y le salió el tiro por la culata porque le descalificaron.* Es una expresión informal. INGLÉS to backfire.

tirolés, tirolesa
adjetivo y nombre
1 Se dice de la persona o cosa que es de Tirol, región de los Alpes perteneciente a Austria. INGLÉS Tyrolean.
NOTA El plural de tirolés es: tiroleses.

tirón
nombre masculino
1 Movimiento brusco que se realiza cuando se tira fuerte de algo: *Le dieron un tirón de orejas.* INGLÉS pull, tug.
2 Forma de robar que consiste en tirar con violencia de una cosa, en especial de un bolso o cartera. INGLÉS snatch.
3 Dolor que se siente en un músculo por haber realizado un esfuerzo muy grande para el que no se estaba preparado. Los atletas hacen ejercicios de calentamiento para no sufrir tirones. INGLÉS pull.
de un tirón De una vez y sin parar: *Le gustaba tanto el libro que se lo leyó de un tirón.* INGLÉS in one go.
NOTA El plural es: tirones.

tirotear
verbo
1 Disparar con un arma de fuego de manera repetida sobre una persona o sobre una cosa. INGLÉS to shoot at.

tiroteo
nombre masculino
1 Acción que consiste en tirotear con armas de fuego. INGLÉS shooting.

tisú
nombre masculino
1 Pañuelo de papel. INGLÉS tissue.
NOTA El plural es: tisúes o tisús.

titán
nombre masculino
1 Gigante muy fuerte de la mitología griega antigua. Según la leyenda, los titanes lucharon contra los dioses y perdieron. INGLÉS titan.
2 Persona que destaca mucho por su fuerza o por sus características extraordinarias: *El último premio Nobel es un titán de la literatura.* INGLÉS giant.
NOTA El plural es: titanes.

titánico, titánica
adjetivo
1 Que es muy grande o exagerado, como las acciones de los titanes: *Demostró tener una fuerza titánica al empujar la camioneta él solo.* INGLÉS titanic.

títere
nombre masculino
1 Muñeco que se mueve por medio de hilos o metiendo la mano en su interior. Los títeres se usan en el teatro de guiñol y representan a personajes de cuentos infantiles. SINÓNIMO marioneta. INGLÉS puppet, marionette.

2 Persona con poca voluntad que se deja manejar por los demás: *Ese hombre es un títere en manos de sus jefes.* Es un uso informal. INGLÉS puppet.

titilar
verbo
1 Brillar un cuerpo luminoso con un ligero temblor. Las estrellas titilan en el cielo. INGLÉS to twinkle.

titiritero, titiritera
nombre
1 Persona que hace teatro con títeres. INGLÉS puppeteer.

titubear
verbo
1 Tener dudas sobre qué hacer o qué decisión tomar. INGLÉS to hesitate.
2 Dudar al elegir las palabras cuando se habla. Los nervios hacen titubear a las personas. INGLÉS to falter.

titubeo
nombre masculino
1 Duda o falta de decisión al hablar o al hacer algo. Los titubeos son una muestra de inseguridad. INGLÉS hesitation.

titular
adjetivo
1 Se dice de la persona que ha sido nombrada para un cargo o profesión. Los profesores titulares tienen una plaza fija en la escuela. INGLÉS permanent.
nombre masculino
2 Frase que se escribe al comienzo de los artículos de revistas, periódicos u otras publicaciones, que aparece escrita en letras mayores que el texto. Los titulares dan una idea del contenido del texto que sigue a continuación. INGLÉS headline.
3 Conjunto de frases que resumen las noticias de radio o televisión. INGLÉS headlines.
verbo
4 Poner un título o nombre a algo, como un libro, un disco o una película. INGLÉS to entitle.
5 **titularse** Tener un título o nombre determinado una cosa, como una película, un cuadro o un disco. INGLÉS to be titled, to be called.
6 **titularse** Conseguir un título que acredita haber aprobado unos estudios. Un estudiante universitario se titula al acabar la carrera. INGLÉS to graduate.

título
nombre masculino
1 Palabra o grupo de palabras que dan nombre a una obra artística o científica. Los libros, las películas, las obras de teatro y muchos cuadros tienen título. INGLÉS title.
2 Documento oficial que se concede a una persona que ha completado un ciclo de estudios o que demuestra estar capacitada para desarrollar una actividad. INGLÉS degree.
3 Reconocimiento público que se concede a alguien que destaca en una actividad o es el mejor en ella. Un deportista que gana un mundial obtiene el título de campeón del mundo. INGLÉS title.
4 Honor o derecho que se concede a las personas que pertenecen a la clase social de los nobles: *Tiene el título de marqués.* INGLÉS title.

tiza
nombre femenino
1 Barrita blanca o de colores que sirve para escribir sobre las pizarras. INGLÉS chalk.

tizón
nombre masculino
1 Palo o trozo de madera a medio quemar. INGLÉS half-burnt piece of wood.
NOTA El plural es: tizones.

toalla
nombre femenino
1 Pieza de tela que se usa para secarse el cuerpo o una parte de él, como las manos o la cara. INGLÉS towel.
2 Tejido con el que se fabrican toallas, albornoces, trapos de cocina y otras prendas que se utilizan para secar. La toalla tiene una especie de rizos en su superficie que la hacen muy suave. INGLÉS towelling.
tirar la toalla Darse por vencido o abandonar un trabajo o actividad cuando se cree que no se puede conseguir. INGLÉS to throw in the towel.

toallero
nombre masculino
1 Objeto del cuarto de baño donde se cuelga una toalla. INGLÉS towel rail.

tobillo
nombre masculino
1 Articulación que une el pie con la pierna de las personas. INGLÉS ankle.

tobogán
nombre masculino
1 Rampa por la que la gente baja resbalando como diversión. En los parques y en las piscinas suele haber toboganes. INGLÉS slide.
NOTA El plural es: toboganes.

tocadiscos
nombre masculino
1 Aparato eléctrico que sirve para reproducir discos de vinilo que tienen sonidos grabados. Está formado por un plato plano que gira sobre un eje y en el

cual se coloca el disco, y un brazo con una aguja fina en el extremo. Funciona al poner el contacto esta aguja con el disco. INGLÉS record player.

NOTA El plural es: tocadiscos.

tocador

nombre masculino **1** Mueble parecido a una mesa, con espejo y cajones, que se usa para peinarse, maquillarse o arreglarse. INGLÉS dressing table.

2 Habitación para peinarse, maquillarse y arreglarse. INGLÉS boudoir.

tocar

verbo **1** Poner la mano u otra parte del cuerpo sobre algo. Está prohibido tocar los cuadros en los museos. INGLÉS to touch.

2 Estar dos cosas en contacto. Los libros que hay en las estanterías se tocan. INGLÉS to touch.

3 Hacer sonar un instrumento musical, como la flauta o el piano. INGLÉS to play.

4 Interpretar una obra musical, como una sinfonía o una canción. INGLÉS to play.

5 Hacer sonar un objeto para llamar o hacer una señal. Para llamar a una casa podemos tocar a la puerta o tocar el timbre. INGLÉS to ring.

6 Haber llegado el momento adecuado para hacer algo: *En vacaciones toca descansar.* INGLÉS to be the time.

7 Ser algo obligación o responsabilidad de una persona: *Te toca vigilar a ti, es tu turno.* INGLÉS to be someone's turn.

8 Corresponder a una persona algo que se sortea o se reparte: *Le tocó la lotería.* INGLÉS to win.

9 Hablar o tratar sobre algún asunto: *En la reunión se tocaron varios temas.* INGLÉS to discuss.

NOTA Se escribe 'qu' delante de 'e', como: toquen.

tocayo, tocaya

nombre **1** Persona que tiene el mismo nombre que otra. Dos personas que se llamen Guadalupe son tocayas. INGLÉS namesake.

tocho, tocha

adjetivo y nombre **1** Se dice de la persona que es tonta o que tiene dificultad para aprender algo. Es un uso informal. INGLÉS blockhead [nombre].

nombre masculino **2** Libro que es grande y grueso o que resulta pesado de leer. Es un uso informal. INGLÉS weighty tome.

3 Ladrillo basto que se utiliza en la construcción de paredes. INGLÉS brick.

tocino

nombre masculino **1** Carne grasa del cerdo. El tocino suele ser blanco y rosado, y se utiliza en cocina. INGLÉS bacon fat.

todavía

adverbio **1** Indica que algo sigue igual que estaba antes, pero que puede haber cambios: *Todavía tengo el mismo teléfono.* SINÓNIMO aún. INGLÉS still.

2 Indica que queda tiempo para hacer algo: *Todavía es posible salvar a las ballenas.* SINÓNIMO aún. INGLÉS still.

3 Se utiliza para dar mayor intensidad o fuerza a las comparaciones: *Es todavía más lista que su hermano.* SINÓNIMO aún. INGLÉS even.

todavía no Indica que no ha ocurrido una cosa, pero que estamos esperando que pase o creemos que va a ocurrir: *Todavía no he estudiado para el examen.* INGLÉS not… yet, still… not.

todo, toda

determinante indefinido y pronombre indefinido **1** Se dice del conjunto de personas o cosas que se toma entero, sin dejar ninguna parte. Podemos decir que toda la familia está reunida cuando no falta ningún miembro: *Ya han llegado todos.* INGLÉS all.

nombre masculino **2** Cosa entera que se considera como suma y conjunto de sus partes o elementos integrantes. El todo es mayor que una parte. INGLÉS whole.

adjetivo **3** Delante de un nombre o de otro adjetivo, se utiliza para intensificar su significado: *Soy toda oídos, cuéntame.* INGLÉS all.

sobre todo Se utiliza para dar importancia especial a lo que se va a decir a continuación: *Ese chico es muy buen estudiante, pero sobre todo es muy trabajador.* INGLÉS above all.

todopoderoso, todopoderosa

adjetivo **1** Que lo puede hacer todo. Para los cristianos, Dios es todopoderoso. SINÓNIMO omnipotente. INGLÉS almighty.

toga

nombre femenino **1** Manto grande y largo que los romanos llevaban sobre la túnica. INGLÉS toga.

2 Prenda de vestir larga, parecida a una túnica, que los jueces, abogados, catedráticos y otros profesionales se ponen sobre la ropa en algunos actos oficiales o académicos. INGLÉS robes, [si es un catedrático: gown].

tojo
nombre masculino
1 Arbusto de ramas con espinas y flores amarillas que alcanza hasta dos metros de altura. El tojo es característico de zonas de clima oceánico. INGLÉS gorse.

toldo
nombre masculino
1 Cubierta de una tela resistente que se pone en algunos sitios para dar sombra. Muchas tiendas tienen toldos para que el sol no dé en los escaparates. INGLÉS awning.

toledano, toledana
adjetivo y nombre
1 Se dice de la persona o cosa que es de Toledo, ciudad y provincia de Castilla-La Mancha.

tolerable
adjetivo
1 Que puede ser tolerado o permitido. Las travesuras infantiles suelen ser inocentes y tolerables. ANTÓNIMO intolerable. INGLÉS tolerable.

tolerancia
nombre femenino
1 Respeto a las ideas, las opiniones o las acciones de los demás, aunque no coincidan con las propias. ANTÓNIMO intolerancia. INGLÉS tolerance.

tolerar
verbo
1 Permitir una persona que se realice o se diga algo malo o algo que no gusta: *Su jefe no tolera que nadie llegue tarde al trabajo.* INGLÉS to tolerate.

toma
nombre femenino
1 Cantidad de un medicamento o de otra sustancia que se toma cada vez: *El médico le ha dicho que aumente la toma de leche de su bebé.* INGLÉS dose.
2 Lugar desde el que se puede realizar una desviación de una corriente eléctrica o una corriente de agua en un edificio. Para instalar una lavadora tiene que haber toma de agua y toma de corriente eléctrica. INGLÉS connection.
3 Fragmento de una película rodado de una vez. Cuando un actor se equivoca, hay que repetir la toma. INGLÉS take.

tomar
verbo
1 Coger algo, en especial con la mano o con algún objeto: *Toma, te lo doy, es tuyo. Toma un pastel de la bandeja.* INGLÉS to take.
2 Comer o beber algo. En verano tomamos mucha agua. INGLÉS to have [si es comer: to eat], [si es beber: to drink].
3 Subir en un transporte público para desplazarse. Tomamos el tren, el taxi, el autobús o el metro para ir a algún sitio. INGLÉS to take, to catch.
4 Seguir un camino o una dirección determinada. Si tomamos un camino equivocado, nos perdemos. INGLÉS to take.
5 Aceptar o recibir algo de una determinada manera: *No se tomó bien la broma.* INGLÉS to take.
6 Decidir una cosa o actuar de cierta manera. Tomamos precauciones, decisiones, notas o medidas. INGLÉS to take.
7 Ocupar un lugar por la fuerza: *Los secuestradores tomaron el avión.* INGLÉS to take.
8 Se emplea en muchas expresiones con un significado parecido a recibir, como: tomar el sol, tomar una ducha o tomar el fresco. INGLÉS to take, to have.
tomarla con Tener manía a alguien o algo y atacarlo, aunque sea sin razón. INGLÉS to have it in for.
tomar por Considerar de algún modo a una persona o una cosa: *¿Me tomas por tonto o qué?* INGLÉS to take for.

tomate
nombre masculino
1 Fruto de color rojo que tiene la piel lisa y brillante, y la carne jugosa, con muchas semillas. También se llama tomate la planta que da este fruto. INGLÉS tomato.
ponerse como un tomate Ponerse la cara roja por sentir vergüenza o por estar furioso. INGLÉS to go as red as a beetroot.

tómbola
nombre femenino
1 Sorteo en el que se pueden ganar diversos premios comprando una papeleta. INGLÉS tombola.
2 Caseta de feria donde se sortean regalos. INGLÉS tombola.

tomillo
nombre masculino
1 Planta aromática de flores blancas o rosáceas y hojas pequeñas. Se utiliza para dar sabor a las comidas. INGLÉS thyme.

tomo
nombre masculino
1 Parte de una obra escrita que se encuaderna por separado en forma de

libro. Las enciclopedias se editan en varios tomos. SINÓNIMO volumen. INGLÉS volume.

ton

sin ton ni son Sin motivo, o de una forma alocada: *Se enfadó sin ton ni son y me quedé sin saber qué decir.* INGLÉS without rhyme or reason.

tonada

nombre femenino

1 Música o melodía de una canción que tiene letra para ser cantada. INGLÉS tune, [si es una canción: song].

tonalidad

nombre femenino

1 Conjunto de colores y tonos que destacan en una cosa, como un cuadro o un paisaje. El mar tiene una tonalidad que varía entre el azul y el verde. INGLÉS tone.

tonel

nombre masculino

1 Recipiente de madera, grande y cilíndrico, que sirve para guardar líquidos, sobre todo bebidas alcohólicas. SINÓNIMO barril; cuba. INGLÉS barrel, cask.

tonelada

nombre femenino

1 Medida de masa que equivale a 1 000 kg. Su símbolo es: t. Las cargas de los barcos se miden en toneladas. INGLÉS tonne.

tongo

nombre masculino

1 Engaño o trampa que consiste en dejarse ganar en una competición a cambio de dinero. Los tongos se dan sobre todo en competiciones deportivas, por ejemplo en combates de boxeo o en partidos de deportes de equipo. INGLÉS fix.

tónica

nombre femenino

1 Bebida sin alcohol de color transparente, con burbujas y sabor amargo. INGLÉS tonic water.

tónico, tónica

adjetivo

1 Se dice de la sílaba de una palabra que lleva acento de intensidad. La sílaba tónica de 'hola' es 'ho'. INGLÉS tonic, stressed.

nombre masculino

2 Líquido que se usa para limpiar y refrescar la piel o para reforzar el cabello. INGLÉS tonic, [si es para la piel: toner].

adjetivo y nombre masculino

3 Se dice del medicamento que se toma para devolver la fuerza al organismo. INGLÉS tonic.

tono

nombre masculino

1 Grado de intensidad de un sonido por el que reconocemos si es alto o bajo, agudo o grave: *Baja el tono de voz, que la niña duerme.* INGLÉS tone.

2 Forma en que se dicen las cosas según la intención o el ánimo que se tiene. Cuando estamos enfadados utilizamos un tono más serio que cuando estamos contentos. INGLÉS tone.

3 Grado de intensidad de un color que lo hace más oscuro, más claro o parecido a otro color. Hay azules de tonos oscuros, azules de tonos claros y azules de tonos verdosos. INGLÉS tone.

tontaina

adjetivo y nombre masculino y femenino

1 Se dice de la persona que es un poco tonta o boba. Es un uso informal. INGLÉS daft [adjetivo].

tontear

verbo

1 Decir o hacer tonterías. INGLÉS to act the fool.

2 Intentar una persona gustar y atraer a otra, pero sin querer llegar a establecer una relación amorosa seria: *Estuvo tonteando con la novia de su amigo.* INGLÉS to flirt.

tontería

nombre femenino

1 Característica de la persona que es tonta, que demuestra poca inteligencia, poca sensatez o falta de juicio en lo que hace o dice. INGLÉS stupidity.

2 Acción o dicho propios de una persona tonta. Son tonterías cosas como comprar cosas que no se quieren ni se necesitan o hacer preguntas absurdas. INGLÉS stupid thing.

3 Cosa insignificante, que tiene poco valor o poca importancia: *No te enfades por esa tontería. He comprado unas tonterías.* INGLÉS trifle.

tonto, tonta

adjetivo y nombre

1 Se dice de la persona que tiene poca inteligencia o poca sensatez y de las cosas que hacen o dicen este tipo de personas: *Vaya respuesta más tonta, creía que eras más inteligente.* INGLÉS stupid [adjetivo], idiot [nombre].

adjetivo

2 Se dice de lo que se hace sin sentido, lógica ni razón: *¡Qué fallo más tonto!* Es un uso informal. INGLÉS stupid.

adjetivo y nombre

3 Se dice de la persona que actúa sin malicia, es demasiado ingenua y se deja engañar con facilidad: *¡No seas tonto! ¿No ves que te quiere engañar?*

Es un uso informal. INGLÉS foolish [adjetivo], fool [nombre].

4 Se dice de la persona que es o se pone muy pesada, molesta o fastidiosa con otra: *Cuando hay desconocidos en casa, el niño se pone tonto.* Es un uso informal. INGLÉS difficult [adjetivo].

tontorrón, tontorrona

adjetivo y nombre

1 Se dice de la persona que es muy tonta o boba. INGLÉS daft [adjetivo].

NOTA Es una palabra familiar. El plural de tontorrón es: tontorrones.

top

nombre masculino

1 Prenda de vestir femenina de tejido fino y elástico que cubre solo la parte superior del tronco. El top es una prenda de verano o deportiva que puede tener o no tener tirantes. INGLÉS top.

NOTA El plural es: tops.

tope

nombre masculino

1 Pieza que sirve para detener el movimiento de un mecanismo o para impedir que pase de un cierto punto. Detrás de la puerta hemos puesto un tope para que la maneta no toque la pared. INGLÉS stop.

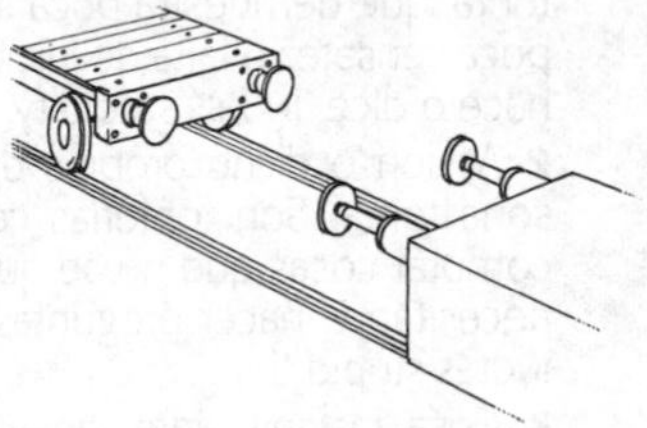

tope

2 Extremo o límite máximo al que se puede llegar y del que no se puede o no se debe pasar. Para circular en automóvil siempre hay un tope de velocidad que no hay que sobrepasar. INGLÉS limit, maximum.

a tope Al máximo posible: *El domingo, el cine estaba a tope.* Es una expresión informal. INGLÉS flat out [de velocidad], packed [atestado].

topetazo

nombre masculino

1 Golpe muy fuerte que se produce al chocar contra algo: *Al girar la esquina se dio un topetazo contra una farola.* INGLÉS bang, bump.

tópico, tópica

adjetivo y nombre masculino

1 Se dice de la idea o la opinión que la mayoría de la gente tiene sobre algo o alguien, pero que no se corresponde necesariamente con la realidad. Es un tópico decir que los estadounidenses comen siempre hamburguesas. INGLÉS clichéd [adjetivo], cliché [nombre].

2 Tema que se repite mucho o del que siempre se dice lo mismo. Hablar del tiempo en un ascensor es un tema tópico. INGLÉS cliché.

adjetivo

3 Se dice de la aplicación de un medicamento que se hace sobre la piel. La mayoría de las pomadas son de uso tópico. INGLÉS external.

topless

nombre masculino

1 Forma de bañarse o tomar el sol las mujeres que consiste en no cubrirse el pecho con ningún tipo de prenda. INGLÉS topless.

top manta

nombre masculino

1 Venta ilegal en la calle de música, películas y otros productos audiovisuales en CD y DVD. Los objetos que se venden en el top manta se exponen sobre una manta extendida en el suelo.

top model

nombre masculino y femenino

1 Modelo profesional de pasarela que se encuentra entre los mejores de su profesión. Las top model son las modelos que más cobran y, además de trabajar en desfiles, aparecen en anuncios publicitarios. INGLÉS supermodel.

NOTA El plural es: top model o top models.

topo

nombre masculino

1 Animal mamífero del tamaño de una rata con ojos muy pequeños y las patas anteriores adaptadas para excavar. Vive bajo tierra en galerías. INGLÉS mole.

2 Persona que se introduce en una organización para descubrir sus planes e informar de ellos a otras personas. INGLÉS mole.

topónimo

nombre masculino

1 Nombre propio de lugar. Nueva York, Australia, Everest, Amazonas y África son topónimos. INGLÉS place name.

toque

nombre masculino

1 Golpe suave, como los que damos en la puerta con los nudillos. INGLÉS knock.

2 Sonido que produce una campana,

una trompeta o un tambor, para avisar de alguna cosa: *El toque de corneta les indicó que era la hora de comer.* INGLÉS peal [de una campana], roll [de un tambor], call [de una corneta].

3 Modificación que se hace en una obra que casi está terminada, para mejorarla, retocarla o dejar en ella una señal personal. Damos el toque final a algo cuando lo terminamos. INGLÉS touch.

4 Cosa que se dice a una persona para avisarla de alguna cosa o hacerle una advertencia por algo que ha hecho: *Me dio un toque para que no cogiera sus cosas.* INGLÉS warning.

toquetear
verbo
1 Tocar con las manos una cosa repetidas veces: *No te toquetees más la herida, que se te va a infectar.* SINÓNIMO manosear. INGLÉS to fiddle with.

toquilla
nombre femenino
1 Pañuelo grande, generalmente de punto, que se echan las mujeres sobre los hombros o con el que se envuelve y abriga a los niños pequeños. INGLÉS shawl.

tórax
nombre masculino
1 Parte del cuerpo humano que va desde el cuello hasta el abdomen. En el tórax se encuentran el corazón y los pulmones. INGLÉS thorax.

NOTA El plural es: tórax.

torbellino
nombre masculino
1 Movimiento rápido de aire o de polvo que gira sobre sí mismo. INGLÉS whirlwind, [si es de polvo: cloud].

2 Conjunto de muchas cosas o acciones que ocurren o se hacen al mismo tiempo: *El periodista hizo un torbellino de preguntas.* INGLÉS flurry.

3 Persona muy inquieta que actúa de manera rápida y desordenada: *Este niño es un torbellino, no para un momento.* Es un uso informal. INGLÉS whirlwind.

torcer
verbo
1 Doblar o dar forma curva a un objeto. El alambre se tuerce fácilmente con las manos. INGLÉS to bend.

2 Desviar algo de su posición o su dirección normal, como un cuadro mal colocado o como cuando torcemos los ojos. INGLÉS to slant.

3 Mostrar disgusto con la cara o con la boca. Cuando algo no nos gusta podemos torcer el gesto, la boca, el morro o el rostro. INGLÉS [si es el gesto o el rostro: to pull], [si es la boca o el morro: to twist].

4 Hacer girar una cosa sobre sí misma. Si se tuerce bien un trapo mojado, se escurre mejor el agua. INGLÉS to wring.

5 Cambiar de dirección, hacia la derecha o hacia la izquierda: *En la segunda calle, tuerza a la derecha.* INGLÉS to turn.

6 Doblar algún miembro del cuerpo, como el tobillo o la muñeca, y hacerse daño: *Me torcí el tobillo al caer.* INGLÉS to twist.

7 torcerse Surgir dificultades en algún asunto: *Se ha torcido el plan, así que no sé si podremos llevarlo a cabo.* INGLÉS to go wrong.

NOTA Se conjuga como: cocer; la 'o' se convierte en 'ue' en sílaba acentuada y se escribe 'z' delante de 'a' y 'o', como: tuerza o tuerzo.

tordo
nombre masculino
1 Pájaro cantor que tiene el plumaje de color marrón por la parte superior del cuerpo, y blanquecino por la inferior. INGLÉS thrush.

torear
verbo
1 Ponerse una persona delante de un toro y evitarlo cuando ataca. Se torea con una muleta, un capote o un paño rojo. INGLÉS to fight.

2 Burlarse de una persona: *No me torees, que me enfado.* Es un uso informal. INGLÉS to tease.

toreo
nombre masculino
1 Técnica empleada al torear. SINÓNIMO lidia. INGLÉS bullfighting.

torera
nombre femenino
1 Chaqueta estrecha y corta que no llega a la cintura y no suele tener botones. INGLÉS bolero.

torero, torera
nombre
1 Persona que se dedica a torear en las corridas de toros. INGLÉS bullfighter.

saltarse a la torera No hacer caso de una obligación o un deber: *Se saltó el semáforo a la torera.* INGLÉS to flout.

tormenta
nombre femenino
1 Fenómeno de la atmósfera que se caracteriza por fuertes vientos acompañados de lluvia, nieve o granizo, y rayos,

relámpagos y truenos. SINÓNIMO temporal; tempestad. INGLÉS storm.

tormento
nombre masculino
1 Castigo, cosa o hecho que produce sufrimiento o daño: *Hacer cola al sol en verano es un tormento.* INGLÉS torment.

tornado
nombre masculino
1 Tormenta en la que se producen vientos fuertes que avanzan girando sobre sí mismos de forma rápida. Es frecuente en la costa de América Central y del Norte. INGLÉS tornado.

torneo
nombre masculino
1 Conjunto de pruebas deportivas o de juegos en los que compiten varias personas o equipos: *Es la ganadora del torneo de tenis.* INGLÉS tournament.

tornillo
nombre masculino
1 Pieza en forma de cilindro corto con rosca que se introduce, dándole vueltas, en una tuerca o en una superficie dura. Los tornillos tienen una cabeza para apretarlos y aflojarlos, y algunos acaban en punta. INGLÉS screw [tirafondo], bolt [perno].
faltar un tornillo No estar una persona en su sano juicio y decir o hacer tonterías. INGLÉS to have a screw loose.

torno
nombre masculino
1 Nombre de diversas máquinas que hacen girar un objeto que se coloca sobre ellas para trabajarlo. Los tornos de los alfareros hacen que el barro dé vueltas constantemente y se pueda modelar. INGLÉS lathe [para madera o metales], wheel [de alfarero].
2 Dispositivo en forma de aspa que puede dar vueltas y que se pone en el hueco de una pared para que se puedan pasar paquetes de un lado a otro sin necesidad de abrir ninguna puerta ni ventana. INGLÉS revolving hatch.
en torno a Indica que la cantidad que se expresa es aproximada: *Hubo en torno a cien invitados en la boda.* SINÓNIMO sobre. INGLÉS around, about.
en torno a Indica el tema del que trata algo: *No quiso hacer ningún comentario en torno a ese asunto.* SINÓNIMO sobre. INGLÉS about, on.

toro
nombre masculino
1 Animal mamífero bovino macho en edad adulta. Es de gran tamaño y tiene el pelo corto, la cola larga, la cabeza grande y dos cuernos curvos y puntiagudos. INGLÉS bull.
nombre masculino plural
2 toros Espectáculo en el que se torean, y normalmente se matan, toros. SINÓNIMO corrida. INGLÉS bullfight.
toro de lidia Toro criado para ser toreado. También se dice 'toro bravo'. INGLÉS fighting bull.
NOTA La hembra del toro es la vaca.

torpe
adjetivo
1 Se dice de la persona o el animal que se mueve de forma lenta, pesada o sin agilidad. El pingüino cuando está fuera del agua es torpe. INGLÉS clumsy.
2 Que tiene dificultades para aprender o comprender algo o tarda mucho en hacerlo: *Es algo torpe con las matemáticas, pero muy buena en lengua.* INGLÉS slow.

torpedo
nombre masculino
1 Proyectil cilíndrico y de gran potencia que lanzan los submarinos. Los torpedos explotan cuando chocan contra algo. INGLÉS torpedo.

torpeza
nombre femenino
1 Característica de las personas o los animales que son torpes. INGLÉS clumsiness.
2 Cosa que se dice o se hace en un mal momento o situación, porque puede molestar u ofender a una persona: *Fue una torpeza hacer chistes de médicos cuando su padre lo es.* INGLÉS blunder.

torre
nombre femenino
1 Construcción más alta que ancha, que está aislada o sobresale de una iglesia, castillo u otro edificio. En lo alto de la torre de algunas iglesias hay un reloj. INGLÉS tower.
2 Nombre de diversas estructuras altas, normalmente de metal, que sujetan cables, como las torres de la luz. INGLÉS pylon.
3 Pieza del juego del ajedrez que tiene forma de torre de castillo. La torre se mueve solamente en línea recta. INGLÉS rook, castle.
torre de control Construcción de los aeropuertos desde donde se controlan los aviones que entran y salen. INGLÉS control tower.

torrencial
adjetivo **1** Se dice de la lluvia muy abundante e intensa. Las lluvias torrenciales hacen aumentar el caudal de los ríos. INGLÉS torrential.

torrente
nombre masculino **1** Corriente de agua abundante que se mueve rápidamente y con fuerza y, que se forma en tiempo de muchas lluvias y deshielos. INGLÉS mountain stream.

torreón
nombre masculino **1** Torre grande que sirve para la defensa de una fortaleza o castillo. INGLÉS fortified tower.
NOTA El plural es: torreones.

torrija
nombre femenino **1** Dulce que se hace con una rebanada de pan mojada en leche y huevo, se fríe en aceite y se cubre con miel o azúcar. INGLÉS French toast.

torso
nombre masculino **1** Parte del cuerpo humano que va desde el cuello hasta la cintura. SINÓNIMO tronco. INGLÉS torso.

torta
nombre femenino **1** Dulce seco y crujiente, de forma redonda y plana, que se hace con harina y otros ingredientes, y se cuece en el horno. INGLÉS cake.
2 Golpe que se da en la cara con la mano abierta. SINÓNIMO bofetada; bofetón; tortazo. INGLÉS slap.
3 Golpe fuerte que se da una persona al caerse o chocar contra algo: *Se pegó una torta jugando al fútbol y tiene el brazo roto.* Es un uso informal. SINÓNIMO tortazo. INGLÉS bang, crack.

tortazo
nombre masculino **1** Golpe que se da en la cara con la mano abierta. SINÓNIMO torta. INGLÉS slap.
2 Golpe fuerte que se da una persona al caerse o chocar contra algo. Es un uso informal. SINÓNIMO torta. INGLÉS bang, crack.

tortícolis
nombre femenino **1** Dolor de los músculos del cuello que hace que no se pueda mover bien la cabeza: *Cogí tortícolis por dormir con el cuello torcido.* INGLÉS stiff neck.

tortilla
nombre femenino **1** Comida que se hace friendo huevos batidos en aceite y dándole forma redonda o alargada. Además del huevo puede llevar otros ingredientes, como patata, cebolla y otros vegetales. INGLÉS omelette.

tortita
nombre femenino **1** Dulce redondo y plano que se hace con harina, huevos y azúcar. Se suele comer acompañado de chocolate, mermelada o nata. INGLÉS pancake.

tórtolo, tórtola
nombre **1** Ave parecida a la paloma, algo más pequeña, de color gris o marrón, y que se alimenta de semillas y frutos. INGLÉS turtledove.
2 Persona que siempre se muestra muy cariñosa con su pareja. También se dice: tortolito. Es un uso informal. INGLÉS lovebird.

tortuga
nombre femenino **1** Reptil que tiene el cuerpo protegido por un caparazón duro dentro del cual puede esconderse completamente. Algunas especies viven en el agua y otras en la tierra. INGLÉS tortoise, [si es de agua: turtle].
2 Persona o vehículo que anda o se mueve muy despacio. INGLÉS slowcoach.

tortuoso, tortuosa
adjetivo **1** Que tiene curvas y ondulaciones irregulares y en distintos sentidos. Los caminos de montaña son tortuosos porque cambian a menudo de dirección y de nivel. INGLÉS winding.
2 Se dice de la persona que es poco clara y pretende ocultar su verdadera intención o el propósito de sus acciones. También se dice de las acciones propias de estas personas. Un plan tortuoso es un proyecto complejo con el que se quiere engañar a alguien. INGLÉS devious.

tortura
nombre femenino **1** Sufrimiento o gran dolor físico que se le provoca a alguien para castigarle o para que confiese algo cuando ya no se soporta el dolor. La tortura está prohibida en la mayoría de los países. INGLÉS torture.
2 Aquello que provoca una pena muy grande o molesta mucho: *Separarnos es una tortura.* INGLÉS torture.

torturar
verbo **1** Producir a una persona un gran dolor

físico, para castigarla o para que confiese una cosa. INGLÉS to torture.

tos
nombre femenino
1 Expulsión brusca de aire procedente de los pulmones que sale por la boca y la nariz haciendo ruido. Es uno de los signos del resfriado. INGLÉS cough.

tosco, tosca
adjetivo
1 Se dice de la persona que tiene unos modales o una forma de comportarse poco refinada o delicada, demostrando tener poca educación. INGLÉS uncouth.
2 Se dice de la cosa que está hecha con materiales de poca calidad y poco trabajada, sin pulir o sin perfeccionar. INGLÉS rough, rustic.

toser
verbo
1 Tener tos. Tosemos cuando tenemos catarro o cuando nos entra polvo en la garganta. INGLÉS to cough.

tostada
nombre femenino
1 Rebanada de pan que se calienta en una tostadora o en el fuego hasta que queda crujiente y toma un color dorado: *Desayuna tostadas con mantequilla y mermelada.* INGLÉS slice of toast.

tostadora
nombre femenino
1 Electrodoméstico pequeño que sirve para tostar pan. INGLÉS toaster.

tostar
verbo
1 Poner un alimento al fuego para que quede crujiente y de color dorado. Tostamos el pan o el pollo asado. SINÓNIMO dorar. INGLÉS to toast [el pan], to brown [la carne].
2 tostarse Ponerse morena la piel por la acción del sol: *Está tumbado en la terraza tostándose al sol.* INGLÉS to get brown.
NOTA Se conjuga como: contar; la 'o' se convierte en 'ue' en sílaba acentuada, como: tuestan.

tostón
nombre masculino
1 Cosa o persona que aburre o cansa mucho: *La película era un tostón insoportable.* Es un uso informal. INGLÉS pain in the neck, drag.
NOTA El plural es: tostones.

total
adjetivo
1 Que abarca todas las partes, elementos o aspectos de un todo. Decimos que una persona ha sufrido una transformación total, cuando ha cambiado por completo de aspecto o de manera de pensar. SINÓNIMO completo. ANTÓNIMO parcial. INGLÉS total, complete.
nombre masculino
2 Resultado de sumar dos o más cantidades. El total de la cuenta de un restaurante es la suma de todos los platos y bebidas que se han consumido. INGLÉS total.
3 Conjunto de todas las personas o cosas que forman una clase o especie: *El total de los participantes en la carrera llegó a la meta.* SINÓNIMO totalidad. INGLÉS total number.
adverbio
4 Se utiliza para introducir una conclusión: *Total, que nadie está contento con su regalo.* INGLÉS so.
5 Indica que lo que se dice o se hace da igual: *Ya puedes insistir, total, no te pienso hacer ni caso.* INGLÉS after all.

totalidad
nombre femenino
1 Conjunto de todas las personas o cosas que forman un conjunto. La totalidad de los alumnos de una clase son todos los alumnos. INGLÉS whole.

totalitario, totalitaria
adjetivo
1 Se dice del régimen político en el que el poder lo ejerce una sola persona o un único partido político, y en el que no hay libertad para pensar de otra manera. Los gobiernos totalitarios controlan todos los aspectos de la vida pública e intentan impedir que nadie se muestre contrario a sus opiniones. INGLÉS totalitarian.

tótem
nombre masculino
1 Objeto de la naturaleza, como un animal o una planta, que actúa como símbolo para un grupo o una tribu. También se llama tótem el objeto que representaba estos elementos de la naturaleza. Muchos grupos indígenas creían que los tótems les protegían de los peligros. INGLÉS totem.
NOTA El plural es: tótems.

tóxico, tóxica
adjetivo
1 Se dice de la sustancia que hace daño a la salud de un ser vivo o puede, incluso, producir su muerte. La lejía es un producto tóxico, por eso no debe dejarse al alcance de los niños. INGLÉS toxic, poisonous.

toxicómano, toxicómana
adjetivo y nombre
1 Se dice de la persona que consume drogas habitualmente y que no puede

prescindir de ellas. Hay tratamientos para que los toxicómanos abandonen el hábito de la droga. **SINÓNIMO** drogadicto. **INGLÉS** drug addict.

tozudo, tozuda

adjetivo y nombre **1** Se dice de la persona que es difícil de convencer y que nunca cambia de opinión, aunque haya motivos claros para que cambie de ideas. Los tozudos no suelen reconocer que están equivocados. **SINÓNIMO** terco; testarudo. **INGLÉS** stubborn [adjetivo].

traba

nombre femenino **1** Cosa que impide o retrasa el desarrollo de una acción o de un proceso: *Está encontrando muchas trabas para conseguir el permiso de residencia.* **SINÓNIMO** obstáculo. **INGLÉS** obstacle.

trabajador, trabajadora

adjetivo **1** Se dice de la persona que trabaja, que trabaja con dedicación o a la que le gusta trabajar: *Es una persona muy trabajadora.* **INGLÉS** hard-working.

nombre **2** Persona que trabaja a cambio de un sueldo: *Los trabajadores piden mejoras laborales.* **SINÓNIMO** empleado. **INGLÉS** worker.

trabajar

verbo **1** Realizar una actividad para la que se necesita un esfuerzo físico o mental, normalmente como profesión. Los alumnos trabajan para sacar buenas notas. Los camareros trabajan en bares y restaurantes. **INGLÉS** to work.

2 Manejar un material dándole la forma que se desea. Los carpinteros trabajan la madera. **INGLÉS** to work.

3 Funcionar una máquina o un aparato. La nevera trabaja noche y día para mantener frescos los alimentos. **INGLÉS** to work.

4 trabajarse Tratar a una persona y hacer lo necesario para convencerla de que haga algo: *Se ha trabajado a sus padres para que le dejen salir.* Es un uso informal. **INGLÉS** to work on.

trabajo

nombre masculino **1** Actividad para la que se necesita un esfuerzo mental o físico, como los trabajos del colegio o los trabajos del jardín. **SINÓNIMO** tarea. **INGLÉS** work.

2 Actividad que se realiza como profesión, a cambio de dinero. Las personas que no tienen trabajo están en el paro. **SINÓNIMO** empleo. **INGLÉS** work, job.

3 Lugar en el que se realiza una actividad cobrando un sueldo: *Va al trabajo en metro.* **INGLÉS** work.

4 Obra que resulta de realizar una actividad: *Me pusieron un 8 en mi trabajo de literatura.* **INGLÉS** piece of work.

trabalenguas

nombre masculino **1** Palabra o frase difícil de pronunciar. 'Tres tristes tigres comen trigo en un trigal' es un trabalenguas. **INGLÉS** tongue twister.

NOTA El plural es: trabalenguas.

trabar

verbo **1** Juntar ideas o palabras de modo que queden bien unidas: *Tu redacción no está mal, pero deberías trabar mejor las ideas.* **INGLÉS** to link, to connect.

2 Empezar dos o más personas una relación o una conversación: *Trabaron amistad cuando estudiaban en el instituto.* **INGLÉS** to strike up.

3 trabarse Atascarse al hablar: *Estaba tan nervioso que se trabó.* **INGLÉS** to get tongue-tied.

4 trabarse Atascarse o enredarse una cosa de modo que no se pueda mover o no funcione bien: *Se le han trabado los pies y casi se cae.* **INGLÉS** to jam [atascarse], to get caught [enredarse].

tracción

nombre femenino **1** Fuerza que mueve una cosa, en especial un vehículo. Un automóvil con tracción en la cuatro ruedas recibe fuerza en las cuatro ruedas al moverse. **INGLÉS** traction.

NOTA El plural es: tracciones.

tractor

nombre masculino **1** Vehículo con motor de mucha potencia que se utiliza en trabajos del campo. Suelen tener las ruedas traseras muy grandes. **INGLÉS** tractor.

tradición

nombre femenino **1** Conjunto de ideas y costumbres que se van transmitiendo durante años de unas generaciones a otras sin apenas cambios. Es tradición regalar algo a la persona que cumple años. **INGLÉS** tradition.

NOTA El plural es: tradiciones.

tradicional

adjetivo **1** Que se sigue haciendo como se hacía

en el pasado, como se ha hecho siempre. La Navidad es una fiesta tradicional. INGLÉS traditional.
2 Se dice de la persona que actúa respetando las costumbres y las creencias de toda la vida. INGLÉS traditional.

traducción
nombre femenino
1 Expresión en una lengua de lo que se ha dicho o escrito en otra. INGLÉS translation.
NOTA El plural es: traducciones.

traducir
verbo
1 Expresar en un idioma las mismas palabras que se han dicho o escrito en otro. Una novela escrita en una lengua se puede traducir a otros idiomas para que la puedan leer en distintos países. INGLÉS to translate.
NOTA Se conjuga como: conducir.

traductor, traductora
nombre
1 Persona que se dedica a traducir lo que otro ha dicho o ha escrito. INGLÉS translator.

traer
verbo
1 Llevar algo hasta donde está la persona que habla: *Trae aquí ese libro.* INGLÉS to bring, to fetch.
2 Contener o decir algo un libro, un periódico o una revista. Los periódicos traen noticias. INGLÉS to contain.
3 Vestir o llevar puesto algo: *Hoy traes un traje precioso.* SINÓNIMO llevar. INGLÉS to wear.
4 Tener algo unas consecuencias determinadas. Las lluvias torrenciales suelen traer inundaciones. INGLÉS to bring, to cause.
traérselas Ser una cosa más difícil o peor de lo que uno se imaginaba: *Este problema parecía muy fácil, pero se las trae.* Es una expresión informal. INGLÉS to be really difficult.

traficante
nombre masculino y femenino
1 Persona que se dedica a traficar, especialmente con drogas o con armas. INGLÉS dealer, trafficker.

traficar
verbo
1 Comerciar con productos que están prohibidos por la ley, como las drogas, o comerciar de forma ilegal. INGLÉS to deal, to traffic.
NOTA Se escribe 'qu' delante de 'e', como: trafiquen.

tráfico
nombre masculino
1 Paso de vehículos por una calle o una carretera. En una gran ciudad suele haber mucho tráfico. INGLÉS traffic.
2 Actividad que consiste en comprar y vender mercancías, en especial de manera ilegal. El tráfico de armas está prohibido. INGLÉS traffic, trade.

tragaluz
nombre masculino
1 Ventana que está situada en el techo, en la parte alta de una pared o sobre una puerta. Un tragaluz no deja pasar mucha luz. INGLÉS skylight.
NOTA El plural es: tragaluces.

tragaperras
adjetivo y nombre femenino
1 Se dice de la máquina de juego que funciona al introducirle monedas y concede premios si salen unas determinadas combinaciones de dibujos. INGLÉS slot machine.
NOTA El plural es: tragaperras.

traer

INDICATIVO	SUBJUNTIVO
presente	**presente**
traigo	traiga
traes	traigas
trae	traiga
traemos	traigamos
traéis	traigáis
traen	traigan
pretérito imperfecto	**pretérito imperfecto**
traía	trajera o trajese
traías	trajeras o trajeses
traía	trajera o trajese
traíamos	trajéramos o trajésemos
traíais	trajerais o trajeseis
traían	trajeran o trajesen
pretérito perfecto simple	**futuro**
traje	trajere
trajiste	trajeres
trajo	trajere
trajimos	trajéremos
trajisteis	trajereis
trajeron	trajeren

INDICATIVO	IMPERATIVO	
futuro		
traeré	trae	(tú)
traerás	traiga	(usted)
traerá	traigamos	(nosotros)
traeremos	traed	(vosotros)
traeréis	traigan	(ustedes)
traerán		

INDICATIVO	FORMAS NO PERSONALES	
condicional	**infinitivo**	**gerundio**
traería	traer	trayendo
traerías	**participio**	
traería	traído	
traeríamos		
traeríais		
traerían		

a b c d e f g h i j k l m n ñ o p q r s t u v w x y z

tragar
verbo
1 Hacer pasar un alimento desde la boca al estómago. Masticamos los alimentos para tragarlos mejor. INGLÉS to swallow.
2 Comer mucho: *¡Cómo traga ahora el chico que no había comido nada desde ayer!* Es un uso informal. INGLÉS to guzzle.
3 Hacer desaparecer una cosa al pasar dentro de otra: *Esta cañería no traga bien.*
4 Tener que soportar a alguien o algo que no gusta: *No tragaba a su antipático compañero de trabajo.* INGLÉS to stand.
5 tragarse Creer una mentira: *Le dije que me iba a China y se lo tragó.* INGLÉS to swallow.
NOTA Se escribe 'gu' delante de 'e', como: traguen.

tragedia
nombre femenino
1 Situación o hecho triste que produce dolor o sufrimiento: *El hambre en el mundo es una tragedia.* SINÓNIMO desgracia. INGLÉS tragedy.
2 Obra de teatro en la que se representan sufrimientos y pasiones y que suele tener un final triste. INGLÉS tragedy.

trágico, trágica
adjetivo
1 Se aplica a algo que produce mucho dolor y tristeza. Una guerra siempre es un suceso trágico. SINÓNIMO dramático. INGLÉS tragic.
2 De la tragedia o que tiene relación con ella: *Los actores trágicos interpretan con mucho sentimiento sus papeles.* ANTÓNIMO cómico. INGLÉS tragic.

trago
nombre masculino
1 Cantidad de líquido que se bebe o se traga de una vez: *Se bebió toda el agua de un solo trago.* INGLÉS swallow.
2 Bebida alcohólica: *Salieron a tomar un trago.* SINÓNIMO copa. INGLÉS drink.
3 Disgusto o situación difícil: *Fue un mal trago ir solo al médico.* INGLÉS rough time, bad experience.

tragón, tragona
adjetivo y nombre
1 Se dice de la persona o animal que come mucho. El elefante es un animal muy tragón. SINÓNIMO glotón; comilón. INGLÉS greedy [adjetivo].
NOTA El plural de tragón es: tragones.

traición
nombre femenino
1 Acción que una persona realiza al engañar a alguien que había depositado en ella su confianza o al no cumplir su palabra. INGLÉS treason.
NOTA El plural es: traiciones.

traicionar
verbo
1 Engañar una persona a otra que confiaba en ella, haciendo algo que había prometido no hacer o mintiéndole, de modo que le causa un perjuicio: *Su amigo le traicionó porque contó su secreto.* INGLÉS to betray.

traicionero, traicionera
adjetivo
1 Se dice de la persona que comete traición. SINÓNIMO traidor. INGLÉS treacherous.
2 Se dice de lo que se hace utilizando la traición o el engaño, como un golpe traicionero. INGLÉS treacherous.
3 Que no parece peligroso pero lo es: *El sol a esta hora es muy traicionero, quema la piel.* SINÓNIMO traidor. INGLÉS dangerous.

traidor, traidora
adjetivo y nombre
1 Se dice de la persona que comete traición: *Es un traidor, no respetó el pacto que teníamos.* SINÓNIMO traicionero. INGLÉS treacherous [adjetivo], traitor [nombre].
adjetivo
2 Que no parece peligroso pero lo es. SINÓNIMO traicionero. INGLÉS treacherous.

tráiler
nombre masculino
1 Camión que lleva enganchado un remolque grande. También se llama tráiler este remolque. INGLÉS articulated lorry [camión], trailer [remolque].
2 Conjunto de secuencias de una película que sirven para promocionarla y que la gente vaya a verla. En las salas de cine suelen poner tráileres antes de la película para anunciar los estrenos. INGLÉS trailer.
NOTA El plural es: tráileres.

traje
nombre masculino
1 Conjunto de chaqueta y pantalón o chaqueta y falda, generalmente hechos con la misma tela o a juego. INGLÉS suit.
2 Ropa o indumentaria propia de cierto lugar, de cierta época o de cierta actividad, como los trajes regionales, los trajes medievales o los trajes de buzo.

INGLÉS costume, [si es de buzo: diving suit].
traje de baño Bañador. INGLÉS swimming costume.

trajín
nombre masculino
1 Movimiento intenso o gran actividad que hay en un lugar o que tiene una persona. Los días de Navidad las tiendas de regalos tiene mucho trajín. SINÓNIMO ajetreo. INGLÉS bustle.
NOTA El plural es: trajines.

trama
nombre femenino
1 Argumento de un libro, una película o cualquier otra historia. INGLÉS plot.
2 Conjunto de hilos cruzados que forman un tejido. INGLÉS weft.

tramar
verbo
1 Idear y preparar algo a escondidas y con disimulo, especialmente una broma o algo perjudicial para alguien: *No sé qué travesura están tramando ahora estos niños.* INGLÉS to plot.

tramitar
verbo
1 Hacer pasar un documento o un asunto por los trámites obligatorios para resolverlo: *Tramitaron nuestra solicitud para hacernos socios del club.* INGLÉS to process.

trámite
nombre masculino
1 Acción o paso de un proceso que hay que hacer para conseguir algo: *Los trámites para conseguir una beca son rellenar una solicitud y presentar los papeles que te pidan.* INGLÉS formality.

tramo
nombre masculino
1 Cada una de las partes en que están divididas ciertas superficies largas, como un camino o una pared. INGLÉS stretch, section.
2 Parte de una escalera comprendida entre dos rellanos. El tramo está compuesto por un grupo de escalones. INGLÉS flight.

tramoya
nombre femenino
1 Conjunto de máquinas y aparatos que sirven para hacer los cambios de decorado y los efectos especiales en el escenario de un teatro. INGLÉS stage machinery.

trampa
nombre femenino
1 Instrumento o medio que se utiliza para atrapar animales, como un agujero en el suelo o una ratonera. INGLÉS trap.
2 Plan o acción que se hace para engañar a alguien: *Tendieron una trampa al ladrón.* INGLÉS trap.
3 Acción que va en contra de unas determinadas reglas o normas. Mirar las cartas de los otros jugadores sin que se den cuenta es trampa. INGLÉS cheating.

trampolín
nombre masculino
1 Tabla flexible que se coloca a cierta altura para saltar a una piscina desde ella. INGLÉS diving board.
2 Pequeña plataforma que se usa en gimnasia para que los saltadores tomen impulso para su salto. INGLÉS springboard.
3 Persona, cosa o circunstancia que sirve a alguien para pasar rápidamente a una posición o trabajo mejor: *El programa de televisión fue un trampolín para el artista.* INGLÉS springboard.
NOTA El plural es: trampolines.

tramposo, tramposa
adjetivo
1 Se dice de la persona que hace trampas. INGLÉS deceitful.

trancazo
nombre masculino
1 Gripe o catarro fuerte con fiebre y dolor de cabeza. INGLÉS flu.
NOTA Es una palabra informal.

tranquilidad
nombre femenino
1 Estado de la persona que no tiene nervios ni preocupaciones. INGLÉS calmness.
2 Situación en la que no hay ruidos ni movimientos. Se necesita mucha tranquilidad para concentrarse en el estudio. INGLÉS peace and quiet.

tranquilizante
adjetivo
1 Que calma o tranquiliza. Una música suave o saber que hemos aprobado un examen son cosas tranquilizantes porque nos calman los nervios. INGLÉS soothing [música], reassuring [que nos quita el miedo].
adjetivo y nombre masculino
2 Se dice del medicamento que tranquiliza y relaja a la persona que estaba muy nerviosa. INGLÉS tranquillizer [nombre].

tranquilizar
verbo
1 Hacer que una persona se quede tranquila o que sea menor su excitación. Tranquilizamos a alguien cuando le hacemos perder el miedo a algo. INGLÉS

to calm down [quitar la excitación], to reassure [quitar el miedo].

NOTA Se escribe 'c' delante de 'e', como: tranquilicen.

tranquillo

nombre masculino **1** Hábito o habilidad que se adquiere al repetir una actividad muchas veces y que ayuda a hacerla mejor o más fácilmente: *Se pasó el verano jugando a tenis y ya le ha pillado el tranquillo.* INGLÉS knack.

NOTA Es una palabra informal.

tranquilo, tranquila

adjetivo **1** Se dice de la persona que no está nerviosa. Una persona tiene un carácter tranquilo cuando no se altera ni se impacienta con facilidad. INGLÉS calm, relaxed.

2 Que no tiene agitación, ruidos o movimientos fuertes. El mar está tranquilo cuando no hay olas. INGLÉS calm.

transatlántico

nombre masculino **1** Barco de gran tamaño destinado al transporte de pasajeros y a realizar viajes largos. INGLÉS ocean liner.

NOTA También se escribe y se pronuncia: trasatlántico.

transbordador

nombre masculino **1** Embarcación grande utilizada para transportar personas y vehículos entre dos puertos que no están muy alejados el uno del otro. INGLÉS ferry.

transbordar

verbo **1** Trasladar personas o mercancías de un vehículo o una nave a otro. INGLÉS to transfer.

2 Cambiar una persona de un tren a otro, cuando viaja en ferrocarril o en metro. INGLÉS to change.

transbordo

nombre masculino **1** Traslado o cambio de las mercancías o las personas de un vehículo o una nave a otro. En el metro se hace transbordo al cambiar de línea. INGLÉS change.

transcribir

verbo **1** Poner por escrito algo que se ha dicho oralmente. Cuando tomamos apuntes, transcribimos las palabras del profesor. INGLÉS to transcribe.

transcrito, transcrita

participio **1** Participio irregular de: transcribir. Se usa también como adjetivo: *He transcrito tu discurso. La conversación está transcrita en ese cuaderno.*

transcurrir

verbo **1** Pasar el tiempo o algo que dura: *Transcurrieron dos semanas. La cena transcurrió tranquilamente.* INGLÉS to pass, to elapse.

transeúnte

nombre masculino y femenino **1** Persona que pasa andando por un lugar, en especial por la calle. INGLÉS pedestrian.

transferencia

nombre femenino **1** Operación que consiste en pasar una cantidad de dinero de una cuenta de un banco a otra. También se llama transferencia el paso definitivo de una persona o cosa de un lugar a otro. INGLÉS transfer.

transformación

nombre femenino **1** Cambio de forma, aspecto o costumbres que sufre una persona, animal o cosa. La transformación de las aceitunas da lugar al aceite de oliva. INGLÉS transformation.

NOTA El plural es: transformaciones.

transformar

verbo **1** Cambiar la forma o el aspecto de una persona, de un animal o de una cosa y hacer que pase a ser otra distinta. El gusano de seda se transforma en mariposa. INGLÉS to transform, [si es transformarse: to become].

transfusión

nombre femenino **1** Acción que consiste en pasar sangre de una persona a otra enferma o herida. Las transfusiones se hacen en hospitales. INGLÉS transfusion.

NOTA El plural es: transfusiones. También se escribe y se pronuncia: trasfusión.

transgresor, transgresora

adjetivo y nombre **1** Se dice de la persona que actúa en contra de una ley, una norma, un pacto o una costumbre: *El novio era un transgresor y fue vestido con tejanos a la boda.* INGLÉS transgressor.

transición

nombre femenino **1** Paso de un estado o de una situación a otro. La primavera es la estación de transición entre el frío del invierno y el calor del verano. INGLÉS transition.

NOTA El plural es: transiciones.

transistor
nombre masculino
1 Aparato de radio portátil y de pequeño tamaño. INGLÉS transistor.

transitar
verbo
1 Andar o pasar por un lugar. La gente y los vehículos transitan por las ciudades. INGLÉS to move, to go.

transitivo, transitiva
adjetivo y nombre masculino
1 Se dice del verbo que puede llevar complemento directo. El verbo 'pedir' es transitivo. INGLÉS transitive.

tránsito
nombre masculino
1 Paso o movimiento de personas o de vehículos por la calle o la carretera. SINÓNIMO circulación. INGLÉS movement.
2 Paso de un estado o una situación a otro. El anochecer es el tránsito del día a la noche. INGLÉS transition.

transitorio, transitoria
adjetivo
1 Que dura solo un tiempo determinado. Un golpe puede hacer que una persona sufra un dolor transitorio, que dura un tiempo pero se pasa. INGLÉS transitory.

transmisor, transmisora
adjetivo y nombre
1 Que transmite o puede transmitir algo. Algunos mosquitos son transmisores de enfermedades. INGLÉS transmitting [adjetivo], transmitter [nombre].
nombre masculino
2 Aparato que sirve para producir y transmitir señales de distinto tipo. Un teléfono es un transmisor y emisor a la vez. INGLÉS transmitter.

transmitir
verbo
1 Hacer llegar a alguien una noticia o una información: *Me transmitieron tu mensaje ayer.* INGLÉS to transmit.
2 Emitir programas una emisora de radio o de televisión. INGLÉS to transmit, to broadcast.
3 Pasar a una persona una enfermedad, un estado de ánimo u otra cosa: *El perro le transmitió la rabia. Tu presencia me transmitió ánimo.* INGLÉS to give.
NOTA También se escribe y se pronuncia: trasmitir.

transparencia
nombre femenino
1 Característica de los objetos o las superficies que permiten ver con claridad a través de ellos. INGLÉS transparency.
2 Hoja o lámina transparente en la que se puede dibujar o escribir y que se pone en un aparato que proyecta en una pantalla lo que está escrito o dibujado en ella. Algunos profesores utilizan transparencias para dar sus clases. INGLÉS slide.

transparentar
verbo
1 Dejar una materia o un objeto pasar la luz y ver a través de ellos: *Los cristales de ese coche son oscuros pero transparentan.* INGLÉS to be transparent.

transparente
adjetivo
1 Se dice de la materia, el objeto o la superficie que deja pasar la luz y ver a través de él, como el cristal o el agua. INGLÉS transparent.

transpirar
verbo
1 Pasar los líquidos del interior del cuerpo al exterior. Cuando hace mucho calor transpiramos. INGLÉS to perspire.

transportar
verbo
1 Llevar a una persona o una cosa de un lugar a otro, normalmente en un vehículo. Los camiones transportan mercancías. INGLÉS to transport, to carry.

transporte
nombre masculino
1 Acción que consiste en llevar personas o cosas de un sitio a otro. INGLÉS transport.
2 Medio que se utiliza para llevar cosas o personas de un lugar a otro. El autobús es un transporte público. INGLÉS transport.

transportista
nombre masculino y femenino
1 Persona que se dedica a transportar cosas, normalmente en una furgoneta o camión. INGLÉS carrier.

tranvía
nombre masculino
1 Vehículo de transporte público que circula sobre vías y funciona con electricidad. El tranvía está conectado a un cable eléctrico que va por encima de él. INGLÉS tram.

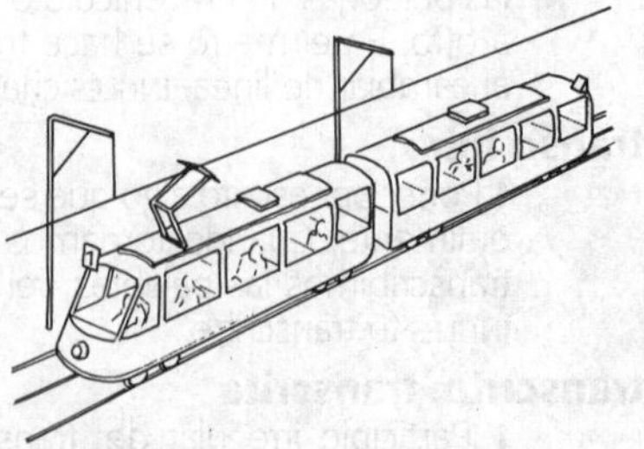

tranvía

a b c d e f g h i j k l m n ñ o p q r s t u v w x y z

trapecio
nombre masculino
1 Figura geométrica de cuatro lados, de los cuales solo dos son paralelos entre sí. INGLÉS trapezium.
2 Barra horizontal sujeta al techo por dos largas cuerdas que sirve para hacer ejercicios de gimnasia. En los circos suele haber un trapecio. INGLÉS trapeze.
3 Cada uno de los dos músculos en forma de triángulo situados entre la nuca y la parte superior de la espalda. INGLÉS trapezius.

trapecista
nombre masculino y femenino
1 Persona que hace ejercicios de equilibrio, habilidad y fuerza en un trapecio. INGLÉS trapeze artist.

trapero, trapera
nombre
1 Persona que recoge, compra y vende ropa vieja y otros objetos usados. INGLÉS rag-and-bone man [hombre], rag-and-bone woman [mujer].

trapichear
verbo
1 Hacer negocios o tratos que son ilegales o poco honrados: *Detuvieron al vecino por trapichear con objetos robados.* INGLÉS to buy and sell stolen goods.

trapo
nombre masculino
1 Trozo de tela vieja y gastada. Normalmente se aprovecha para limpiar o cubrir algo. INGLÉS cloth.
2 Pieza de tela que se utiliza para secar cosas, limpiar una superficie o coger cacharros calientes. INGLÉS cloth.
sacar los trapos sucios Comentar en público los errores, las faltas o los problemas de alguien. INGLÉS to wash one's dirty linen in public.

tráquea
nombre femenino
1 Tubo del aparato respiratorio de algunos animales vertebrados que comunica la faringe con los bronquios y lleva el aire a los pulmones. INGLÉS trachea, windpipe.
2 Órgano con el que respiran los insectos y las arañas. INGLÉS trachea.

traqueal
adjetivo
1 De la tráquea o que tiene relación con ella. Las arañas y otros arácnidos tienen respiración traqueal. INGLÉS tracheal.

traqueteo
nombre masculino
1 Movimiento continuo de un lado a otro que hace una cosa al ir de un punto a otro y que va acompañado de ruido. Los trenes viejos hacen un traqueteo característico cuando se desplazan. INGLÉS jolting.

tras
preposición
1 Indica que una persona o una cosa está detrás de otra o que algo ocurre después que otra cosa: *Tras esperarlo durante una hora, nos fuimos sin él. La policía iba tras el sospechoso.* INGLÉS after.

trasatlántico
nombre masculino
1 Es otra forma de escribir y pronunciar: transatlántico.

trascendencia
nombre femenino
1 Importancia de una cosa por las consecuencias que puede tener. El descubrimiento de la penicilina tuvo una gran trascendencia en la medicina. INGLÉS importance.

trascendental
adjetivo
1 Que es muy importante, en especial cuando tiene consecuencias importantes para el futuro: *Tiene que tomar una decisión trascendental sobre su futuro.* INGLÉS very important.

trasero, trasera
adjetivo
1 Que está en la parte de atrás. La parte trasera de un edificio es la opuesta a la fachada principal. INGLÉS back, rear.
nombre masculino
2 Parte del cuerpo humano situada entre el final de la espalda y el principio de las piernas. Cuando nos sentamos apoyamos el trasero en la silla. SINÓNIMO culo. INGLÉS bottom, bum.

trasfusión
nombre femenino
1 Es otra forma de escribir y pronunciar: transfusión.

trasladar
verbo
1 Llevar a una persona o una cosa de un lugar a otro o cambiar de lugar: *El consultorio médico se ha trasladado a la cuarta planta.* INGLÉS to move.
2 Cambiar a una persona de categoría o de puesto de trabajo: *Trabaja en un banco y la acaban de trasladar a otra oficina.* INGLÉS to transfer.

trasluz
al trasluz Forma de mirar algo colocándolo entre los ojos y la luz. Para ver cuánto líquido queda en un envase de vidrio de color oscuro, lo miramos al trasluz. INGLÉS against the light.

trasmitir
verbo
1 Es otra forma de escribir y pronunciar: transmitir.

trasnochar
verbo
1 Pasar la noche sin dormir o durmiendo muy poco. INGLÉS to stay up all night [no dormir], to stay up late [dormir poco].

traspapelar
verbo
1 No encontrar un papel o un documento que estaba junto a otros, pero mal ordenado. INGLÉS to mislay.

traspasar
verbo
1 Pasar una cosa de un lado a otro de un cuerpo: *La bala le traspasó la pierna.* SINÓNIMO atravesar. INGLÉS to go through.
2 Pasar de un lado a otro de una cosa. Se puede traspasar un río o el umbral de una puerta. INGLÉS to cross.
3 Ceder un negocio a otra persona que continúa realizando la misma actividad: *Traspasaron la tienda y se jubilaron.* INGLÉS to sell.

traspaso
nombre masculino
1 Acción de ceder a una persona un negocio, como una tienda o un bar, por el que hay que pagar una cantidad de dinero. INGLÉS sale.
2 Cantidad de dinero que se paga para ceder un negocio. INGLÉS takeover fee.

traspié
nombre masculino
1 Tropezón o resbalón que sufre una persona al andar o correr. INGLÉS stumble, trip.
2 Equivocación o error que comete una persona al hacer o decir algo inadecuado. INGLÉS blunder.

trasplantar
verbo
1 Sacar una planta con sus raíces de donde estaba plantada y plantarla en otro lugar. INGLÉS to transplant.
2 Hacer una operación que consiste en cambiar un órgano dañado de una persona o de un animal por otro sano: *Le trasplantaron un riñón.* INGLÉS to transplant.

trasplante
nombre masculino
1 Operación que consiste en cambiar un órgano enfermo o dañado de una persona o de un animal por otro sano. Hay personas que al morir donan sus órganos para que se puedan hacer trasplantes. INGLÉS transplant.

trastada
nombre femenino
1 Acción de un niño que provoca un trastorno o un daño de poca importancia: *¡Vaya trastada mezclar la ropa limpia y la sucia!* Es un uso familiar. SINÓNIMO diablura; travesura. INGLÉS piece of mischief.

trastazo
nombre masculino
1 Golpe fuerte que se da una persona o una cosa al caerse o chocar: *Se cayó de la escalera y se dio un buen trastazo.* Es una palabra informal. SINÓNIMO trompazo. INGLÉS bang, bump.

trastero
nombre masculino
1 Habitación que se usa para guardar cosas que no son útiles o que se usan poco. INGLÉS junk room.

trasto
nombre masculino
1 Cualquier objeto viejo que no sirve para nada: *Este sofá viejo es un trasto, habría que tirarlo.* SINÓNIMO cacharro; cachivache. INGLÉS piece of junk.
2 Persona inquieta, en especial si es un niño: *Es un trasto, no se está quieto ni un momento.* Es un uso familiar. INGLÉS little devil.

trastornar
verbo
1 Alterar el estado de ánimo o el comportamiento de una persona, en especial poniéndola más nerviosa o intranquila: *Tantos problemas la han trastornado, necesita descansar.* SINÓNIMO perturbar. INGLÉS to disturb, to upset.

trastorno
nombre masculino
1 Alteración del estado de salud, del comportamiento o de las facultades mentales de una persona. Una persona que padece un trastorno de la memoria es incapaz de recordar algunas cosas de su pasado. INGLÉS disorder.
2 Molestia que causa algo que supone trabajo y cambia los planes o el modo de vida normal de una persona. Perder la documentación o cambiar de casa supone un gran trastorno. SINÓNIMO fastidio. INGLÉS inconvenience, disruption.

tratado
nombre masculino
1 Acuerdo entre dos o más países para cooperar, firmar una paz o negociar otros asuntos. También se llama tratado

el documento que firman y en el que vienen las condiciones del acuerdo. INGLÉS treaty.

2 Libro que trata sobre un tema o materia en profundidad. Los tratados son libros para estudiar o consultar. INGLÉS treatise.

tratamiento

nombre masculino

1 Manera de dirigirse a una persona, según su edad, categoría o el tipo de relación que se tiene con ella. 'Usted' y 'don' son formas de tratamiento respetuosas. INGLÉS form of address.

2 Conjunto de remedios y consejos que un médico indica a un enfermo para que mejore. INGLÉS treatment.

3 Proceso al que se somete una cosa para transformarla. La leche y los productos lácteos reciben un tratamiento especial antes de envasarlos. INGLÉS treatment.

tratar

verbo

1 Intentar hacer lo que se indica: *Trato de abrir la puerta, pero no lo consigo.* INGLÉS to try.

2 Comportarse de una determinada manera con una persona o cuidar de una cosa de la manera que se indica: *Trata a la gente con mucho respeto. Si no tratas tus juguetes con cuidado, se romperán.* INGLÉS to treat.

3 Dirigirse a una persona con un determinado tratamiento. A nuestros amigos los tratamos de 'tú'. INGLÉS to address.

4 Hablar, escribir u ocuparse de cierto tema o asunto: *Los vecinos se reunieron para tratar un problema. La película trataba de vampiros.* INGLÉS to discuss.

5 Tener amistad o relación con una persona: *No se trata con sus compañeros.* SINÓNIMO relacionarse. INGLÉS to have dealings.

6 Someter una sustancia a un tratamiento para modificarla. El petróleo se trata para obtener gasolina y otros combustibles. INGLÉS to treat, to process.

7 Aplicar a un enfermo un tratamiento médico. Algunas enfermedades infecciosas se tratan con antibióticos. INGLÉS to treat.

trato

nombre masculino

1 Relación entre personas que se conocen y se hablan. Cuando una persona se pelea con otra, no quiere trato con ella. INGLÉS dealings.

2 Manera de tratar o de comportarse con alguien. Una persona recibe buen trato cuando se la atiende con amabilidad. INGLÉS treatment.

3 Acuerdo al que llegan dos o más personas en el cual cada una de las partes se compromete a algo: *El trato fue que yo iba a su casa si ella venía a la mía.* INGLÉS deal.

trauma

nombre masculino

1 Impresión o emoción muy fuerte causada por algo negativo y que deja una huella duradera en la forma de ser: *Tiene un trauma porque vio cómo atropellaban a su perro.* INGLÉS trauma.

traumatizar

verbo

1 Causar una impresión emocional negativa o un trauma muy fuerte a una persona. La muerte de un amigo o de un familiar traumatiza a las personas. INGLÉS to traumatize, to shock.

NOTA Se escribe 'c' delante de 'e', como: traumatice.

través

a través de Indica que una cosa pasa por medio de otra y llega al otro lado. También se usa hablando de cosas no concretas e indica el medio o la forma en que algo se ha transmitido: *Lo supe a través de un amigo. La voz pasa a través de las paredes muy finas.* INGLÉS through.

travesaño

nombre masculino

1 Pieza alargada de madera o de metal que atraviesa una cosa de una parte a otra. Muchas camas y muebles tienen travesaños horizontales que sirven para aguantar su estructura. INGLÉS crosspiece.

2 Palo superior de una portería deportiva, que une los dos postes. SINÓNIMO larguero. INGLÉS crossbar.

travesía

nombre femenino

1 Calle pequeña y estrecha que une dos calles o caminos más importantes. Por las travesías no pueden circular los vehículos. INGLÉS side street.

2 Viaje en un medio de transporte, en especial en barco o en avión. INGLÉS crossing, voyage, [si es en un avión: flight].

travesti
nombre masculino y femenino
1 Persona que se viste con ropa del sexo contrario. INGLÉS transvestite.
NOTA También se escribe y se pronuncia: travestí.

travestí
nombre masculino y femenino
1 Es otra forma de escribir y pronunciar: travesti.
NOTA El plural es: travestís.

travesura
nombre femenino
1 Acción que un niño realiza sin malicia para divertirse o burlarse y que ocasiona algún trastorno de poca importancia. SINÓNIMO trastada. INGLÉS piece of mischief.

traviesa
nombre femenino
1 Pieza larga de madera u otro material que une y fija los raíles del tren. INGLÉS sleeper.

travieso, traviesa
adjetivo
1 Se dice del niño que comete travesuras. SINÓNIMO trasto; revoltoso. INGLÉS naughty.

trayecto
nombre masculino
1 Espacio de cierta longitud que se recorre para ir de un lugar a otro. El trayecto entre una isla y el continente solo se puede hacer en barco o en avión. INGLÉS journey.
2 Desplazamiento que se hace de un lugar a otro, normalmente en un medio de transporte. Mucha gente se marea durante los trayectos en barco. SINÓNIMO viaje. INGLÉS journey.

trayectoria
nombre femenino
1 Recorrido o línea que dibuja en el espacio una cosa que se mueve. En un partido de tenis, seguimos con la mirada la trayectoria de la pelota. INGLÉS trajectory.
2 Evolución que se observa a lo largo del tiempo en el desarrollo o actividad de una persona o una cosa: *La trayectoria del artista hasta llegar a ser famoso fue muy dura.* INGLÉS career.

traza
nombre femenino
1 Aspecto o apariencia que presenta una persona o una cosa. Una película tiene trazas de ser divertida cuando pensamos que nos vamos a reír mucho con ella. Con este significado se suele usar en plural. INGLÉS look, appearance.
2 Huella o rastro que deja una cosa o una persona: *La policía no ha descubierto ninguna traza del preso fugado.* INGLÉS trace.
3 Habilidad que tiene una persona para hacer una cosa determinada: *Tiene mucha traza para dibujar paisajes.* INGLÉS skill, ability.

trazar
verbo
1 Dibujar líneas o figuras en una superficie. Los arquitectos trazan planos. INGLÉS to draw.
2 Idear y preparar el modo en que se va a realizar una cosa: *El prisionero trazó un plan para escaparse de la cárcel.* INGLÉS to work out.
NOTA Se escribe 'c' delante de 'e', como: tracé.

trazo
nombre masculino
1 Línea o raya que se hace al escribir o dibujar. INGLÉS line, stroke.

trébol
nombre masculino
1 Hierba silvestre que tiene tres hojas casi redondas unidas por un tallo fino. Se dice que da buena suerte encontrar un trébol de cuatro hojas. INGLÉS clover.

trece
numeral cardinal
1 Indica que el nombre al que acompaña está 13 veces: *En clase hay trece niños.* INGLÉS thirteen.
numeral ordinal
2 Que ocupa el lugar número 13 en una serie ordenada: *En la lista de clase, estás el trece.* INGLÉS thirteenth.
nombre masculino
3 Nombre del número 13. INGLÉS thirteen.
seguir en sus trece No cambiar de actitud o de opinión, aunque haya razones para ello: *Todo el mundo le dijo que se equivocaba, pero él seguía en sus trece.* INGLÉS to stick to one's guns.

treceavo, treceava
adjetivo y nombre
1 Se dice de cada una de las 13 partes iguales en que se divide una cosa. INGLÉS thirteenth.

trecho
nombre masculino
1 Espacio que se recorre o que hay de un punto a otro. Cuando decimos que de nuestra casa al colegio hay un buen trecho, es que tenemos que andar mucho para llegar. INGLÉS distance, way.

tregua
nombre femenino
1 Interrupción de una guerra o de una lucha durante un período de tiempo determinado. Las treguas suelen hacer-

se para intentar llegar a un acuerdo de paz. INGLÉS truce.

2 Interrupción de una actividad o de un proceso durante un período de tiempo. Trabajar sin tregua es trabajar sin descanso. INGLÉS break, rest.

treinta

numeral cardinal **1** Indica que el nombre al que acompaña está 30 veces: *Mañana cumple treinta años.* INGLÉS thirty.

numeral ordinal **2** Que ocupa el lugar número 30 en una serie ordenada. INGLÉS thirtieth.

nombre masculino **3** Nombre del número 30. INGLÉS thirty.

treintavo, treintava

adjetivo y nombre **1** Se dice de cada una de las 30 partes iguales en que se divide una cosa. INGLÉS thirtieth.

tremendo, tremenda

adjetivo **1** Que es de tamaño muy grande o que es muy intenso. Decimos que hace un frío tremendo cuando hace muchísimo frío. INGLÉS terrible, [si es enorme: tremendous].

2 Que impresiona mucho o que da mucho miedo. Los incendios en el bosque son algo tremendo. SINÓNIMO terrible. INGLÉS terrible.

tren

nombre masculino **1** Medio de transporte formado por una locomotora y vagones que sirve para llevar personas y mercancías de una ciudad a otra. El tren circula sobre vías de metal. INGLÉS train.

estar como un tren Ser una persona muy guapa y tener muy buen tipo. Es una expresión informal. INGLÉS to be gorgeous.

para parar un tren Indica que hay muchísimo de una cosa: *Había comida para parar un tren.* Es una expresión informal. INGLÉS loads.

tren de aterrizaje Conjunto de aparatos del avión que entran en contacto con la superficie al aterrizar. El tren de aterrizaje puede estar constituido por ruedas, pero también por esquís o flotadores en los hidroaviones. INGLÉS landing gear.

tren de vida Forma de vida de una persona en lo que se refiere a los gastos y a los lujos. Si una persona dice que no puede continuar llevando el mismo tren de vida, es que ya no puede de gastar tanto dinero como antes. INGLÉS lifestyle.

trenca

nombre femenino **1** Prenda de vestir parecida a un abrigo que llega hasta las rodillas y lleva capucha. INGLÉS duffle coat.

trenza

nombre femenino **1** Peinado que consiste en tres mechones de pelo largo que se entrelazan entre sí. INGLÉS plait.

trepar

verbo **1** Subir una persona o un animal a un lugar alto ayudándose de pies y manos. Los escaladores trepan por las montañas. INGLÉS to climb.

2 Crecer las plantas sujetándose a las paredes o a otras superficies. La hiedra trepa. INGLÉS to climb.

trepidante

adjetivo **1** Que se desarrolla de forma muy rápida, movida y emocionante. Las películas y novelas de aventuras son trepidantes cuando suceden muchísimas cosas sorprendentes e interesantes. INGLÉS frantic.

tres

numeral cardinal **1** Indica que el nombre al que acompaña está 3 veces: *Tiene tres hermanos.* INGLÉS three.

numeral ordinal **2** Que ocupa el lugar número 3 en una serie ordenada. INGLÉS third.

nombre masculino **3** Nombre del número 3. INGLÉS three.

ni a la de tres Indica dificultad o imposibilidad de conseguir hacer algo que ya se ha intentado: *Tú no lo aciertas ni a la de tres.* Es una expresión informal. INGLÉS no way.

ni a la de tres

trescientos, trescientas

numeral cardinal **1** Indica que el nombre al que acompaña está 300 veces. INGLÉS three hundred.

numeral ordinal **2** Que ocupa el lugar número 300 en

a b c d e f g h i j k l m n ñ o p q r s t u v w x y z

una serie ordenada. INGLÉS three hundredth.

nombre masculino **3** Nombre del número 300. INGLÉS three hundred.

tresillo

nombre masculino **1** Conjunto de muebles formado por un sofá y dos butacas o sillones a juego. También se llama tresillo un sofá para tres personas. INGLÉS three-piece suite.

treta

nombre femenino **1** Plan o acción que se hace con habilidad y engaño para conseguir algo: *Utiliza cualquier treta para ganar como sea.* SINÓNIMO ardid; artimaña. INGLÉS trick, ruse.

triangular

adjetivo **1** Que tiene forma de triángulo. INGLÉS triangular.

triángulo

nombre masculino **1** Figura geométrica que tiene tres lados y tres ángulos. INGLÉS triangle.

2 Instrumento musical de metal con forma de triángulo que se toca golpeándolo con una varilla metálica. INGLÉS triangle. DIBUJO página 598.

tribu

nombre femenino **1** Grupo de personas que tienen una raza, una lengua, una religión y una organización social comunes y viven en un mismo territorio. Se utiliza normalmente para referirse a sociedades consideradas primitivas. INGLÉS tribe.

2 Poblado donde vive una tribu o parte de una tribu. INGLÉS village.

tribu urbana Grupo de personas que tienen un comportamiento, ideas y una forma de vestir comunes. INGLÉS urban tribe.

tribuna

nombre femenino **1** Superficie elevada desde donde una persona habla en público. INGLÉS rostrum, dais.

2 En los campos de deportes y otros espectáculos, espacio cubierto donde están situados los mejores asientos y desde donde se ve mejor. INGLÉS grandstand.

tribunal

nombre masculino **1** Persona o conjunto de personas que pueden juzgar y hacer cumplir la justicia: *El tribunal emitió un veredicto de culpabilidad.* INGLÉS court.

2 Edificio donde se celebran los juicios. INGLÉS court.

3 Conjunto de personas que se reúnen para emitir un juicio u opinión sobre alguna cosa, por ejemplo en un concurso, en una oposición o en un examen. INGLÉS panel, board.

tributo

nombre masculino **1** Cantidad de dinero que los ciudadanos deben pagar al estado para que pueda afrontar el gasto de la comunidad. Con los tributos que pagamos se hacen colegios, hospitales, carreteras y muchas otras cosas. SINÓNIMO impuesto. INGLÉS tax.

2 Cantidad de dinero o de bienes que se tenía que entregar al señor feudal en la Edad Media. INGLÉS tribute.

3 Muestra de agradecimiento, respeto o consideración hacia una persona. Una estatua pública de una persona sirve como tributo para reconocer todo lo bueno que ha hecho. INGLÉS tribute.

tríceps

adjetivo y nombre masculino **1** Se dice del músculo que está formado por tres partes que se unen en un tendón. Los tríceps están en las extremidades superiores e inferiores y sirven para que podamos estirarlas. INGLÉS triceps.

NOTA El plural es: tríceps.

triciclo

nombre masculino **1** Vehículo que tiene tres ruedas, una delante y dos detrás, un sillín en la parte trasera y un manillar. Se mueve mediante dos pedales. INGLÉS tricycle.

tricolor

adjetivo **1** Que tiene tres colores. La bandera de Italia, que es blanca, verde y roja, es una bandera tricolor. INGLÉS tricolour.

tridente

nombre masculino **1** Arpón que tiene tres dientes o puntas. En la mitología griega y romana, el dios del mar lleva un tridente en la mano. INGLÉS trident.

trienio

nombre masculino **1** Período de tiempo que dura tres años. INGLÉS triennium.

trifulca

nombre femenino **1** Discusión o pelea en la que intervienen diversas personas: *Se produjo una trifulca porque no se pusieron de acuerdo.* INGLÉS row.

NOTA Es una palabra informal.

trigal

nombre masculino **1** Terreno en el que se cultiva trigo. INGLÉS wheat field.

trigésimo, trigésima

numeral ordinal **1** Que ocupa el número 30 en una serie ordenada. INGLÉS thirtieth.

adjetivo y nombre **2** Se dice de cada una de las treinta partes iguales en que se divide una cosa. INGLÉS thirtieth.

trigo

nombre masculino **1** Cereal de granos pequeños, de color amarillo, con flores en espiga. Con los granos de trigo molidos se obtiene la harina con la que se hace el pan. INGLÉS wheat.

trilingüe

adjetivo y nombre masculino y femenino **1** Se dice de la persona que habla tres lenguas correctamente y sin dificultad. INGLÉS trilingual [adjetivo].

adjetivo **2** Se dice del texto que está escrito en tres lenguas. Los diccionarios trilingües traducen cada palabra de un idioma a otros dos. INGLÉS trilingual.

trillar

verbo **1** Aplastar los cereales con el trillo para separar el grano de la paja. Actualmente se trilla en pocos pueblos. INGLÉS to thresh.

trillizo, trilliza

adjetivo y nombre **1** Se dice de la persona que nace en un parto en el que nacen tres niños de la misma madre: INGLÉS triplet.

trillo

nombre masculino **1** Instrumento que sirve para separar el grano de la paja aplastando los cereales cortados. El trillo está formado por una tabla ancha con trozos de piedras o cuchillas de acero en una de sus caras que se mueve sobre el cereal y está tirado por animales. INGLÉS thresher.

trilogía

nombre femenino **1** Conjunto de tres libros o tres películas de un mismo autor que tienen entre sí cierta unidad o elementos comunes: *Las tres películas de El Señor de los Anillos forman una trilogía.* INGLÉS trilogy.

trimestre

nombre masculino **1** Período de tiempo que dura tres meses. INGLÉS quarter, [del año escolar: term].

trinar

verbo **1** Emitir algunos pájaros un canto que resulta agradable. Los canarios y los ruiseñores trinan. INGLÉS to warble, to trill.

estar que trina Estar una persona muy enfadada por algo: *Miguel está que trina porque lo han echado del trabajo.* INGLÉS to be fuming.

trinchar

verbo **1** Trocear la carne u otro alimento para servirlo en platos. Los pollos enteros se trinchan para que cada persona se coma su ración cómodamente. INGLÉS to carve.

trinchera

nombre femenino **1** Zanja alargada y profunda que hacen los soldados en la tierra para protegerse de los ataques y disparos del enemigo. INGLÉS trench.

trineo

nombre masculino **1** Vehículo que tiene esquís o patines en lugar de ruedas y que sirve para desplazarse sobre la nieve. Hay trineos grandes tirados por caballos o por renos y trineos más pequeños, que pueden ser tirados por perros. INGLÉS sleigh.

2 Juguete que consiste en una tabla con esquís que sirve para bajar por la nieve montado en él. INGLÉS sledge.

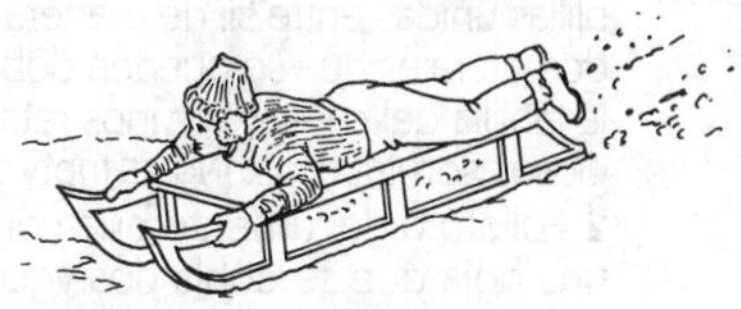

trineo

trino

nombre masculino **1** Canto de algunos pájaros, como el ruiseñor. INGLÉS warble, trill.

trío

nombre masculino **1** Conjunto de tres personas o cosas unidas por alguna relación, como un trío de cantantes. SINÓNIMO terceto. INGLÉS trio.

2 Composición musical que se toca con tres instrumentos o se canta a tres voces. SINÓNIMO terceto. INGLÉS trio.

tripa

nombre femenino **1** Parte del cuerpo humano que está entre el pecho y el comienzo de las piernas, especialmente cuando es más grande o abultada de lo normal: *No está gordo, pero sí tiene tripa.* SINÓNIMO barriga; vientre. INGLÉS belly.

2 Intestino de una persona o un animal. Las tripas de cerdo se usan para hacer embutidos. INGLÉS gut, intestine.

a b c d e f g h i j k l m n ñ o p q r s **t** u v w x y z

nombre femenino plural **3 tripas** Conjunto de las piezas y mecanismos que hay en el interior de un aparato, como las tripas de un reloj o las de un ordenador. INGLÉS innards.

triple

adjetivo y nombre masculino **1** Que resulta de multiplicar por tres una cantidad. Doce es el triple de cuatro, porque 4 × 3 = 12. INGLÉS triple.

adjetivo **2** Que consta de tres partes, elementos o unidades iguales o equivalentes, como un triple salto o una canasta triple. INGLÉS triple.

triplicar

verbo **1** Multiplicar por tres o hacer tres veces mayor una cosa o cantidad. INGLÉS to triple, to treble.

NOTA Se escribe 'qu' delante de 'e', como: tripliquen.

trípode

nombre masculino **1** Soporte de tres pies que sirve para sostener ciertas cosas, como una cámara fotográfica. INGLÉS tripod.

tríptico

nombre masculino **1** Pintura o grabado que consta de tres tablillas unidas entre sí, de manera que hay dos laterales que se pueden doblar sobre la tablilla del centro. Algunos retablos religiosos son trípticos. INGLÉS triptych.

2 Folleto o documento que consiste en una hoja que se dobla dos veces sobre sí misma y que consta de tres partes. Muchos papeles publicitarios son trípticos que se tienen que abrir para poder leerlos. INGLÉS leaflet.

3 Libro, película u obra de teatro que consta de tres partes. INGLÉS trilogy.

triptongo

nombre masculino **1** Grupo de tres vocales que se pronuncian en una misma sílaba, con un mismo golpe de voz. En la palabra 'averiguáis' hay un triptongo en la sílaba 'guáis'. INGLÉS triphthong.

tripulación

nombre femenino **1** Conjunto de personas que trabajan en un avión, un barco o una nave espacial. El piloto, el copiloto y las azafatas son la tripulación de un avión. INGLÉS crew.

NOTA El plural es: tripulaciones.

tripulante

nombre masculino y femenino **1** Persona que forma parte de la tripulación de un barco, un avión o una nave espacial. INGLÉS crew member.

tripular

verbo **1** Conducir un barco, un avión o una nave espacial. INGLÉS to man.

triquiñuela

nombre femenino **1** Truco o acción hábil y disimulada que sirve para conseguir una cosa. Normalmente se utilizan triquiñuelas para engañar a alguien o tenderle una trampa: *Es una triquiñuela, está fingiendo que no tiene lápiz para que le des el tuyo.* INGLÉS trick, dodge.

NOTA Es una palabra familiar.

trisílabo, trisílaba

adjetivo **1** Se dice de la palabra que tiene tres sílabas. 'Comeré' es una palabra trisílaba. INGLÉS trisyllabic.

triste

adjetivo **1** Que siente pena, no es feliz o no tiene alegría: *Tenemos que animarlo porque está muy triste.* ANTÓNIMO alegre. INGLÉS sad.

2 Que produce o expresa tristeza. Las películas tristes nos hacen llorar. ANTÓNIMO alegre. INGLÉS sad.

3 Indica que lo que se expresa existe en poca cantidad o tiene poco valor. Un triste sueldo es un sueldo pequeño. En oraciones negativas, se utiliza para intensificar la falta o ausencia de lo que se expresa: *No me dio ni una triste moneda.* INGLÉS miserable.

tristeza

nombre femenino **1** Sentimiento que tiene una persona cuando no es feliz, no está satisfecha o le ha pasado algo malo. Las desgracias producen tristeza. SINÓNIMO pena; pesar. ANTÓNIMO alegría. INGLÉS sadness.

triturar

verbo **1** Dividir una cosa sólida en trozos muy pequeños, en especial los alimentos. El tomate se tritura para hacer salsa. INGLÉS to crush.

triunfal

adjetivo **1** Que tiene relación con un triunfo, en especial que lo celebra: *El ganador dio una vuelta triunfal al estadio.* INGLÉS triumphant.

triunfar

verbo **1** Ganar o conseguir la victoria en una competición o lucha. SINÓNIMO vencer. ANTÓNIMO perder. INGLÉS to triumph, to win.

2 Tener éxito o conseguir una persona

lo que se había propuesto: ANTÓNIMO fracasar. INGLÉS to succeed.

triunfo
nombre masculino
1 Victoria sobre un contrincante en una competición o lucha. INGLÉS victory, win.
2 Éxito importante de una persona en una determinada actividad: *Para mí llegar a ser médico sería un gran triunfo.* INGLÉS triumph, success.
3 Carta de la baraja que tiene más valor que otras, como el as. INGLÉS trump.

trivial
adjetivo
1 Que no tiene interés ni importancia, o que es sabido por todos: *Mantuvieron una conversación trivial sobre el mal tiempo que hacía.* INGLÉS trivial.

trocar
verbo
1 Dar una cosa y recibir otra a cambio. Antes de existir la moneda, la gente trocaba lo que tenía por cosas que no tenía. INGLÉS to exchange.
NOTA La 'o' se convierte en 'ue' en sílaba acentuada y la 'c' en 'qu' delante de 'e', como: trueque.

trocear
verbo
1 Dividir una cosa en trozos. Troceamos un pollo asado para repartirlo entre las personas que se lo comerán. INGLÉS to cut up.

trofeo
nombre masculino
1 Objeto que se recibe como premio o recuerdo en una competición. INGLÉS trophy.

troglodita
adjetivo y nombre masculino y femenino
1 Se dice de la persona que vive en las cavernas. Los hombres prehistóricos eran trogloditas. INGLÉS troglodytic [adjetivo], cave dweller [nombre].
2 Se dice de la persona que actúa de forma poco civilizada: *No seas troglodita y en vez de las manos usa los cubiertos para comer.* Es un uso familiar. INGLÉS loutish [adjetivo], oaf [nombre].

trola
nombre femenino
1 Mentira muy grande. Es una palabra informal. INGLÉS lie, fib.

tromba
nombre femenino
1 Lluvia muy intensa, repentina y de corta duración. También se dice: tromba de agua. SINÓNIMO chaparrón. INGLÉS downpour.

trombón
nombre masculino
1 Instrumento musical de viento formado por un tubo fino y largo de metal doblado dos veces sobre sí mismo y terminado en una abertura ancha en forma de cono. El trombón es parecido a la trompeta, pero de mayor tamaño y sonido más grave. INGLÉS trombone. DIBUJO página 598.
NOTA El plural es: trombones.

trompa
nombre femenino
1 Prolongación alargada y hueca de la nariz de los elefantes. La trompa les sirve para beber, coger las cosas y llevarse la comida a la boca. INGLÉS trunk.
2 Nariz muy larga de una persona. Es un uso informal. INGLÉS hooter.
3 Aparato alargado y pequeño que les sale a algunos insectos de la cabeza y les sirve para absorber. Las mariposas chupan el néctar de las flores con su trompa. INGLÉS proboscis.
4 Instrumento musical de viento formado por un tubo de metal que se enrosca y se va ensanchando cada vez más. Tiene un sonido más grave que la trompeta. INGLÉS horn. DIBUJO página 598.
5 Estado en el que se encuentra una persona que ha tomado demasiadas bebidas alcohólicas. Es un uso informal. SINÓNIMO borrachera.

trompazo
nombre masculino
1 Golpe fuerte que se da una persona o una cosa al caerse o chocar: *Resbaló y se dio un trompazo.* Es un uso informal. SINÓNIMO trastazo. INGLÉS bump, bang.

trompeta
nombre femenino
1 Instrumento musical de viento formado por un tubo de metal doblado dos veces, con una boquilla en un extremo y una abertura en forma de cono en el otro. Las notas se producen accionando tres pistones que lleva el tubo. Es de sonido agudo. INGLÉS trumpet.
nombre masculino y femenino
2 Músico que toca la trompeta. SINÓNIMO trompetista. INGLÉS trumpet player.

trompetista
nombre masculino y femenino
1 Persona que toca la trompeta. SINÓNIMO trompeta. INGLÉS trumpet player.

trompicón
a trompicones Manera de hacer una cosa dando tropiezos o empujones. Cuando el cine está muy lleno a veces se sale a trompicones. INGLÉS lurching, staggering.

a trompicones Manera de hacer o de decir una cosa con dificultad e interrumpiéndose continuamente. Cuando no nos sabemos una lección la decimos a trompicones. INGLÉS in fits and starts.

trompo
nombre masculino
1 Movimiento en círculo que hace un vehículo al derrapar. INGLÉS spin.
2 Juguete en forma de cono que se enrolla en una cuerda para soltarlo sobre una superficie y hacer que dé vueltas. SINÓNIMO peonza. INGLÉS top.

tronar
verbo
1 Sonar los truenos que siguen al rayo. INGLÉS to thunder.
2 Causar una cosa un ruido fuerte parecido al del trueno. El disparo de un cañón truena. INGLÉS to thunder.
NOTA Se conjuga como: contar; la 'o' se convierte en 'ue' en sílaba acentuada, como: truenan.

tronchar
verbo
1 Romper el tallo, el tronco o las ramas de una planta u otra cosa parecida. INGLÉS to snap.
2 troncharse Reírse mucho y con muchas ganas. También se dice: troncharse de risa. Es un uso informal. INGLÉS to split one's sides laughing.

tronco
nombre masculino
1 Tallo fuerte de los árboles y arbustos. Del tronco salen las ramas. INGLÉS trunk.
2 Parte del cuerpo de una persona o animal distinta de la cabeza y las extremidades. El eje del tronco es la columna vertebral. INGLÉS trunk, torso.
como un tronco Expresión que indica que alguien está profundamente dormido. INGLÉS like a log.

trono
nombre masculino
1 Asiento donde se sienta el rey o personas de muy alta posición, en especial en ceremonias importantes. INGLÉS throne.

tropa
nombre femenino
1 Conjunto de soldados de un ejército. INGLÉS troops.
2 Grupo numeroso de personas: *De repente entró una tropa de jóvenes en el museo.* INGLÉS crowd.

tropel
nombre masculino
1 Conjunto numeroso de personas, animales o cosas que avanzan o se mueven de forma rápida, ruidosa y desordenada. A la salida de los colegios, los niños suelen salir en tropel. INGLÉS horde.

tropezar
verbo
1 Chocar con un pie contra un obstáculo al ir andando o corriendo. Cuando tropezamos podemos perder el equilibrio o caernos al suelo. INGLÉS to trip.
2 Encontrarse una persona o una cosa de forma imprevista algo o a alguien que le obliga a detenerse: *Tropezamos con un amigo y estuvimos charlando.* INGLÉS to bump into.
NOTA Se conjuga como: empezar; la 'e' se convierte en 'ie' en sílaba acentuada y se escribe 'c' delante de 'e', como: tropiecen.

tropezón
nombre masculino
1 Golpe que se da con un pie contra un obstáculo al ir andando o corriendo y que puede hacer caer. INGLÉS trip, stumble.
2 Trozo pequeño de comida que está mezclado con la sopa, el caldo u otro guiso. INGLÉS bit.
NOTA El plural es: tropezones.

tropical
adjetivo
1 Del trópico o que tiene relación con él: *La papaya y el mango son frutos tropicales.* INGLÉS tropical.

trópico
nombre masculino
1 Círculo imaginario trazado en la superficie de la Tierra que es paralelo al ecuador y separa la zona cálida de la zona templada. En la Tierra hay dos trópicos: el trópico de Cáncer, que se encuentra al norte del ecuador, y el trópico de Capricornio, al sur. INGLÉS tropic.
2 Región comprendida entre estos dos círculos. INGLÉS tropics.

tropiezo
nombre masculino
1 Obstáculo o problema que retrasa o impide avanzar el desarrollo de algo. Un equipo de fútbol tiene un tropiezo cuando pierde contra un rival fácil. INGLÉS setback.

troposfera
nombre femenino
1 Capa de la atmósfera más cercana a la superficie de la Tierra, de unos diez kilómetros de altura. En la troposfera es donde ocurren los fenómenos meteorológicos. INGLÉS troposphere.

a b c d e f g h i j k l m n ñ o p q r s t u v w x y z

trotamundos
nombre masculino y femenino
1 Persona a la que le gusta viajar y recorrer diferentes países. INGLÉS globe-trotter.
NOTA El plural es: trotamundos.

trotar
verbo
1 Andar un caballo deprisa, pero sin llegar a galopar. INGLÉS to trot.
2 Cabalgar una persona sobre un caballo que va al trote. INGLÉS to trot.

trote
nombre masculino
1 Manera de andar de un caballo cuando va deprisa dando pequeños saltos pero sin correr o galopar. INGLÉS trot.
2 Trabajo o actividad que cansa. Una persona que un día no está para muchos trotes está cansada. INGLÉS work, effort.

trovador, trovadora
nombre
1 Poeta que, en la Edad Media, componía y recitaba poemas amorosos o históricos. INGLÉS troubadour, minstrel.

trozo
nombre masculino
1 Parte o pedazo que separamos de un todo dejándolo incompleto, como por ejemplo un trozo de pan, un trozo de tela o un trozo de cristal. SINÓNIMO fragmento; cacho. INGLÉS piece, bit.

trucha
nombre femenino
1 Pez de color gris verdoso con manchas oscuras que vive en los ríos fríos y de corriente rápida. Es comestible. INGLÉS trout.

truco
nombre masculino
1 Engaño que se hace con inteligencia y habilidad y que produce una impresión falsa en la gente. Los magos hacen trucos. INGLÉS trick.
2 Acción o dicho que se hace o se dice con habilidad para conseguir una cosa: *No estás enfermo, es un truco para no ayudarme a limpiar.* INGLÉS trick.

trueno
nombre masculino
1 Ruido fuerte que sigue al rayo en las tormentas. INGLÉS clap of thunder.

trueque
nombre masculino
1 Cambio de una cosa por otra. En los tiempos en que no existía la moneda, la gente hacía trueques: se cambiaban cosas que se tenían por otras que se necesitaban. INGLÉS exchange.

trufa
nombre femenino
1 Hongo comestible que tiene forma redondeada y es de color marrón o negro. Las trufas crecen bajo tierra y son un alimento muy apreciado. INGLÉS truffle.
2 Crema hecha con chocolate y mantequilla, muy usada para hacer dulces. También se llama trufa el dulce de forma redondeada hecho con esta crema y otros ingredientes. INGLÉS truffle.

tu
determinante posesivo
1 Indica que el objeto o persona a que acompaña pertenece a nuestro oyente. Siempre va delante de un nombre. 'Tu, tus' son determinantes posesivos de segunda persona de singular: *¿Has traído tu paraguas?* INGLÉS your.
NOTA Como determinante posesivo, no se acentúa nunca; no lo confundas con la forma del pronombre personal 'tú', que siempre se acentúa.

tú
pronombre personal
1 Pronombre personal de segunda persona de singular. Se refiere a la persona con la que habla el hablante. En la oración hace función de sujeto y de predicado nominal: *¿Tú sabes qué quiere decir esto? Mi mejor amiga eres tú.* INGLÉS you.
NOTA Como pronombre personal siempre se acentúa; no lo confundas con la forma del determinante posesivo 'tu', que se escribe sin acento.

tuba
nombre femenino
1 Instrumento musical de viento de gran tamaño, que está formado por un tubo que da la vuelta sobre sí mismo y acaba en una boca ancha. INGLÉS tuba. DIBUJO página 598.

tubérculo
nombre masculino
1 Parte de una raíz o de un tallo que crece bajo la tierra y que se desarrolla considerablemente al acumularse una serie de sustancias de reserva. El boniato y la patata son tubérculos comestibles. INGLÉS tuber.

tubería
nombre femenino
1 Tubo que sirve para conducir agua, otros líquidos y gases. También es el conjunto de tubos de una instalación: *Se ha roto la tubería y ha provocado una inundación.* INGLÉS pipe.

tubo
nombre masculino
1 Objeto largo en forma de cilindro hueco y estrecho. El agua de las casas baja

por unos tubos que hay en la pared. INGLÉS pipe.

2 Recipiente largo y estrecho que se cierra con un tapón en uno de sus extremos. Hay tubos de pastillas, de pasta de dientes o de pegamento. INGLÉS tube.

tubo de ensayo Recipiente de cristal en forma cilíndrica que se usa en los laboratorios químicos para hacer experimentos. INGLÉS test tube.

tubo de escape Tubo que tienen los vehículos con motor en la parte posterior para expulsar el gas que se produce al quemar el combustible. INGLÉS exhaust pipe.

tucán
nombre masculino
1 Ave tropical que tiene un enorme pico que utiliza como defensa, plumaje de colores vivos y la cola larga. INGLÉS toucan.
NOTA El plural es: tucanes.

tuerca
nombre femenino
1 Pieza en la que se enrosca un tornillo, con un agujero en el centro que tiene un surco en forma de espiral para que se ajuste a la rosca del tornillo. INGLÉS nut.

tuerto, tuerta
adjetivo y nombre
1 Se dice de la persona o animal que no tiene visión en un ojo o que le falta uno. INGLÉS one-eyed [adjetivo - que le falta un ojo], blind in one eye [adjetivo - que es ciego de un ojo].

tufo
nombre masculino
1 Olor molesto y desagradable, como el de la basura. INGLÉS foul smell, stink.

tugurio
nombre masculino
1 Vivienda, local o bar que es muy sucio, miserable y pequeño. Los tugurios suelen ser oscuros y tener mala reputación. INGLÉS hole, dive.

tulipán
nombre masculino
1 Planta de hojas largas que tiene una flor grande, con forma de campana, de colores fuertes y brillantes. La flor también se llama tulipán. INGLÉS tulip.
NOTA El plural es: tulipanes.

tumba
nombre femenino
1 Lugar bajo tierra o construcción donde se entierra a un muerto. INGLÉS tomb [construcción], grave [hoyo en la tierra].

ser una tumba Guardar alguien muy bien un secreto. Es una expresión informal. INGLÉS not to say a word.

tumbar
verbo
1 Hacer caer a una persona o una cosa: *El boxeador tumbó al contrincante de un puñetazo.* INGLÉS to knock down.

2 Poner a una persona en posición horizontal. Los padres tumban en la cama a sus hijos pequeños. INGLÉS to lay down.

3 tumbarse Ponerse echado sobre una superficie, como la cama, el suelo o un sofá. INGLÉS to lie down.

tumbona
nombre femenino
1 Asiento bajo y alargado con respaldo y brazos. Normalmente, el respaldo se regula y la persona puede quedar casi tumbada. En la playa hay tumbonas para tomar el sol. INGLÉS lounger, sunbed.

tumor
nombre masculino
1 Bulto que se forma en determinadas partes del cuerpo, que consiste en una masa de tejido anormal. Un quiste o una verruga son tumores de poca gravedad. INGLÉS tumour.

tumulto
nombre masculino
1 Desorden y ruidos producidos por la presencia en un lugar de un gran número de personas que hacen todas lo mismo, en especial protestar por algo. INGLÉS tumult, commotion.

tuna
nombre femenino
1 Grupo musical formado por estudiantes universitarios. Las tunas cantan canciones populares y visten trajes oscuros y capa.

tunda
nombre femenino
1 Sucesión de golpes que se le dan a alguien con la intención de causarle daño. INGLÉS thrashing, beating.

2 Trabajo que se realiza con mucho esfuerzo y que produce un gran cansancio. Cuando hay que limpiar toda la casa nos damos una buena tunda. INGLÉS [darse una tunda: to slog one's guts out].
NOTA Es una palabra informal.

tundra
nombre femenino
1 Terreno llano, sin árboles, cubierto de musgo y plantas resistentes a la humedad. La tundra se da en regiones de clima muy frío, como Siberia. INGLÉS tundra.

tunecino, tunecina
adjetivo y nombre
1 Se dice de la persona o cosa que es de Túnez, país del norte de África. INGLÉS Tunisian.

túnel
nombre masculino
1 Paso o camino subterráneo que se construye para pasar por debajo de una montaña, de una ciudad o del agua. Los trenes pasan por muchos túneles cuando cruzan zonas montañosas. INGLÉS tunnel.

túnica
nombre femenino
1 Prenda de vestir parecida a un vestido, pero más ancha y suelta. Antiguamente los romanos llevaban túnicas. INGLÉS tunic.

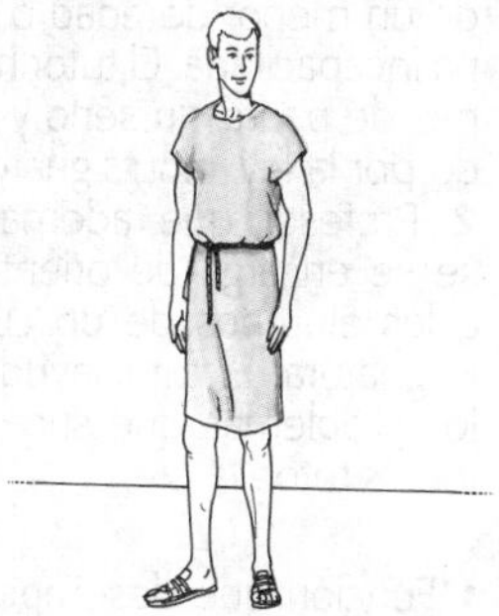
túnica

tupé
nombre masculino
1 Mechón de pelo levantado que se lleva sobre la frente. INGLÉS quiff.

tupido, tupida
adjetivo
1 Se dice de lo que está formado por elementos que están muy juntos y apretados entre sí, como una tela. INGLÉS thick.

turbante
nombre masculino
1 Prenda de vestir que consiste en una tira de tela que se enrolla a la cabeza y la cubre. Los hombres hindúes llevan turbante. INGLÉS turban.

turbar
verbo
1 Producir un cambio en la tranquilidad o normalidad de un lugar o una persona. Una gran cantidad de turistas puede turbar la tranquilidad de un pueblo. INGLÉS to disturb.

turbina
nombre femenino
1 Motor que consiste en unas palas que giran al pasar por ellas un gas o un líquido con fuerza y velocidad. En una presa, la energía que produce el agua que pasa a través de una turbina se acaba transformando, gracias a un generador, en energía eléctrica. INGLÉS turbine.

turbio, turbia
adjetivo
1 Se dice del líquido que no está transparente por tener suciedad. Si el agua del grifo sale turbia, es mejor no beberla por si acaso. ANTÓNIMO claro. INGLÉS cloudy, muddy.
2 Se dice del asunto o la actividad que parecen contrarios a la ley o a las normas: *La policía investiga los asuntos turbios del empresario.* INGLÉS shady, dubious.

turbo
nombre masculino
1 Mecanismo que se pone a algunos vehículos y que sirve para aumentar la potencia del motor. INGLÉS turbo.
adjetivo y nombre masculino
2 Se dice del motor o del vehículo, principalmente automóviles, que tiene este mecanismo para aumentar su potencia. INGLÉS turbo.

turbulencia
nombre femenino
1 Movimiento desordenado de un gas o un líquido en forma de curvas y espirales irregulares. Cuando una avión pasa por una zona de turbulencias vibra mucho porque el aire exterior forma remolinos. INGLÉS turbulence.
2 Situación de alboroto o confusión en la que pasan muchas cosas, normalmente negativas. Los tiempos de guerra son épocas de grandes turbulencias. INGLÉS turbulence.

turbulento, turbulenta
adjetivo
1 Se dice del líquido que se mueve mucho. Los ríos llevan aguas turbulentas en épocas de lluvias. INGLÉS turbulent.
2 Se dice de la situación muy agitada en la que pasan muchas cosas, normalmente malas: *Su relación es muy turbulenta, discuten mucho.* INGLÉS turbulent.

turco, turca
adjetivo y nombre
1 Se dice de la persona o cosa que es de Turquía, país del sudoeste de Asia y del sudeste de Europa. INGLÉS Turkish [adjetivo], Turk [nombre].
nombre masculino
2 Lengua que se habla en Turquía. INGLÉS Turkish.

turismo
nombre masculino
1 Actividad que consiste en viajar por

placer a un lugar para conocerlo o para descansar en él. La gente hace turismo en vacaciones. INGLÉS tourism.
2 Conjunto de las personas que visitan un lugar para pasar sus vacaciones. INGLÉS tourists.
3 Automóvil que puede transportar a cuatro o cinco personas como máximo. La mayoría de los coches son turismos. INGLÉS private car.

turista
nombre masculino y femenino **1** Persona que visita un país o lugar por placer, para descansar o conocer cosas. INGLÉS tourist.

turístico, turística
adjetivo **1** Del turismo o que tiene relación con él. Un lugar muy turístico se llena de turistas en época de vacaciones. INGLÉS tourist, of interest to tourists.

turnarse
verbo **1** Alternarse en la realización de una actividad dos o más personas siguiendo un orden determinado: *En casa nos turnamos para fregar los platos: un día lo hace uno y al siguiente friega el otro.* INGLÉS to take turns.

turno
nombre masculino **1** Manera de hacer algo alternándose varias personas en un orden determinado. En los hospitales se hace turno de mañana, turno de tarde y turno de noche para poder atender siempre a los enfermos. INGLÉS shift.
2 Momento en que a una persona le corresponde hacer algo. Cuando hacemos cola para comprar esperamos nuestro turno para pedir lo que queremos. SINÓNIMO vez. INGLÉS turn.

turolense
adjetivo y nombre masculino y femenino **1** Se dice de la persona o cosa que es de Teruel, ciudad y provincia de Aragón.

turquesa
nombre femenino **1** Piedra preciosa de color azul verdoso que se utiliza para hacer joyas. INGLÉS turquoise.
nombre masculino y adjetivo **2** Color que está entre el azul y el verde, como el de la turquesa. INGLÉS turquoise.

turrón
nombre masculino **1** Dulce típico de Navidad que está hecho con azúcar, miel y almendras trituradas y se vende en tabletas. También hay turrones de chocolate, yema, nueces y otros ingredientes.
NOTA El plural es: turrones.

turulato, turulata
adjetivo **1** Que no sabe cómo reaccionar o que no entiende lo que pasa: *Cuando le dijeron que le había tocado la lotería se quedó turulato.* INGLÉS flabbergasted.
NOTA Es una palabra informal.

tutear
verbo **1** Tratar a una persona de 'tú' y no de 'usted'. Se tutea a la gente con la que se tiene un trato de confianza. INGLÉS to address as 'tú'.

tutor, tutora
nombre **1** Persona que se encarga del cuidado de un menor de edad o de una persona incapacitada. El tutor hace las funciones de padre sin serlo y está reconocido por la ley. INGLÉS guardian.
2 Profesor que además de dar clase se encarga de orientar y aconsejar a los alumnos de un curso o de una asignatura. El tutor ayuda a solucionar los problemas que surgen en la clase. INGLÉS tutor.

tutoría
nombre femenino **1** Función que desempeña el profesor que se encarga de orientar y aconsejar a los alumnos de un curso o de una asignatura. INGLÉS tutorship.
2 Autoridad que la ley da a una persona para que se encargue del cuidado de un menor de edad o de una persona incapacitada. INGLÉS guardianship.

tutú
nombre masculino **1** Falda corta de tejido fino y ligero que usan las bailarinas de ballet. INGLÉS tutu.
NOTA El plural es: tutús.

tuyo, tuya
determinante posesivo **1** Indica que el objeto o persona a que acompaña pertenece a nuestro oyente. Siempre va detrás de un nombre. 'Tuyo', 'tuya', 'tuyos' y 'tuyas' son determinantes posesivos de segunda persona del singular: *¿Esa mujer es vecina tuya?* INGLÉS of yours.
pronombre posesivo **2** Se refiere a un objeto o persona que ya hemos nombrado e indica que pertenece a nuestro oyente: *¿Es tuya?* INGLÉS yours.

abcdefghijklmnñopqrst**U**vwxyz

u

nombre femenino **1** Letra número veinticuatro del alfabeto español. La 'u' es una vocal. La 'u' no se pronuncia en los siguientes grupos: gue, gui, que, qui, como en: guerra o quiero. El plural es: úes.

conjunción **2** Se utiliza en lugar de la conjunción 'o' cuando la palabra siguiente empieza por 'o' o por 'ho'. Se dice 'plata u oro' y 'uno u otro'. INGLÉS or.

ubicar

verbo **1** Situar a una persona o una cosa en un lugar o espacio. INGLÉS to locate, to situate.

2 ubicarse Estar una cosa situada en un lugar determinado: *El hospital se ubicará en esta zona.* SINÓNIMO encontrarse. INGLÉS to be situated.

3 ubicarse Saber una persona aproximadamente dónde se encuentra cuando está en un lugar nuevo o que no conoce bien: *Miremos el mapa de la ciudad para ubicarnos.* INGLÉS to get one's bearings.

NOTA Se escribe 'qu' delante de 'e', como: ubique.

uci

nombre femenino **1** Palabra formada con las iniciales de: Unidad de Cuidados Intensivos. La uci es el lugar del hospital donde están los pacientes que necesitan cuidados médicos constantes. SINÓNIMO uvi. INGLÉS intensive care unit, ICU.

ucraniano, ucraniana

adjetivo y nombre **1** Se dice de la persona o cosa que es de Ucrania, país del este de Europa. INGLÉS Ukrainian.

nombre masculino **2** Lengua hablada en Ucrania. El ucraniano es una lengua eslava, como el ruso y el polaco. INGLÉS Ukrainian.

ufano, ufana

adjetivo **1** Que presume y se muestra orgulloso de algo que tiene o ha conseguido: *Se mostraba muy ufano con su nueva casa.* INGLÉS proud.

úlcera

nombre femenino **1** Herida que aparece en la piel o en algún órgano interior del cuerpo, como el estómago, y tarda mucho en cicatrizar. INGLÉS ulcer.

ultimar

verbo **1** Terminar de hacer lo último que queda de una cosa. Dos personas se reúnen para ultimar un acuerdo cuando ya comentan los últimos detalles. INGLÉS to finish, to conclude.

ultimátum

nombre masculino **1** Propuesta última y con un límite de tiempo que se hace a una persona o a un país. Un ultimátum es la última oferta que hace una persona y, además, incluye una amenaza de hacer algo perjudicial o malo si no se acepta. INGLÉS ultimatum.

NOTA El plural es: ultimátums.

último, última

adjetivo **1** Se dice de la persona o cosa que está al final y no tiene detrás o después otras personas o cosas. El 31 de diciembre es el último día del año. ANTÓNIMO primero. INGLÉS last.

2 Que es muy reciente o ha ocurrido hace poco tiempo. La gente puede leer las últimas noticias en los periódicos. INGLÉS latest.

por último Se utiliza al final de un texto para decir una cosa y acabar: *Por último, solo me queda agradecer la confianza que habéis puesto en mí.* INGLÉS finally.

a b c d e f g h i j k l m n ñ o p q r s t u v w x y z

ultrajar
verbo
1 Cometer una acción muy mala contra una persona o decir algo muy malo sobre ella, de forma que se sienta muy ofendida, muy humillada o muy despreciada. INGLÉS to outrage.

ultraje
nombre masculino
1 Hecho o insulto que ofende de forma grave a una persona. Una persona sufre un ultraje cuando alguien la humilla en público o le dice que es una mentirosa o una traidora. INGLÉS outrage.

ultraligero
nombre masculino
1 Avión para una o dos personas que pesa muy poco y tiene un motor de poca potencia con los que no se pueden recorrer distancias largas. INGLÉS microlight.

ultramar
nombre masculino
1 País o territorio que está al otro lado del mar. INGLÉS overseas.

ultramarinos
nombre masculino plural
1 Tienda donde se venden comestibles que se conservan fácilmente sin estropearse, como productos en conserva, envasados o enlatados. También se llaman ultramarinos los productos comestibles que venden en esta tienda. INGLÉS grocer's.

ultravioleta
adjetivo
1 Se dice del rayo de luz que no se ve a simple vista. El Sol y algunas lámparas emiten rayos ultravioleta. INGLÉS ultraviolet.
NOTA Se usa en singular aunque el nombre al que acompañe sea plural: rayos ultravioleta.

ulular
verbo
1 Producir el lobo u otros animales un sonido largo y grave, parecido a una 'u' muy larga. INGLÉS to howl.
2 Emitir una persona o cosa sonidos largos parecidos al aullido de un animal. INGLÉS to howl.

umbilical
adjetivo
1 Que está relacionado con el ombligo. El cordón umbilical une al niño con la madre mientras está en su vientre y permite alimentar al feto. INGLÉS umbilical.

umbral
nombre masculino
1 Parte inferior del hueco de una puerta o entrada. El umbral es una línea real o imaginaria en el suelo que une los dos laterales de la puerta. INGLÉS threshold. DIBUJO página 898.
2 Comienzo de una época, un proceso o una actividad. El primer viaje a la Luna fue el umbral de la conquista del espacio. INGLÉS threshold.

un
determinante artículo
1 Forma que adopta el determinante 'uno' delante de un nombre masculino y delante de un nombre femenino que empiece por 'a' o por 'ha' con acento de intensidad: *un camión, un hacha.* INGLÉS a, an, one.

unánime
adjetivo
1 Se dice de la decisión en la que todo el mundo está de acuerdo. INGLÉS unanimous.

unanimidad
nombre femenino
1 Características de las decisiones o actuaciones en las que todos los miembros de un grupo están de acuerdo en la misma cosa. Cuando un jurado otorga un premio por unanimidad, todos los miembros del jurado han decidido lo mismo. INGLÉS unanimity.

unción
nombre femenino
1 Acción que consiste en hacer la señal de la cruz con aceite bendito sobre una parte del cuerpo de una persona. El quinto sacramento es la unción de enfermos. INGLÉS unction.
NOTA El plural es: unciones.

undécimo, undécima
numeral cardinal
1 Que ocupa el lugar número 11 en una serie ordenada. Noviembre es el undécimo mes del año. SINÓNIMO decimoprimero. INGLÉS eleventh.

ungir
verbo
1 Hacer la señal de la cruz con aceite bendito sobre una parte del cuerpo de una persona. INGLÉS to anoint.
NOTA La 'g' se convierte en 'j' delante de 'a' y 'o'.

ungüento
nombre masculino
1 Medicamento líquido o pastoso que se unta en una parte del cuerpo y sirve para calmar dolores. INGLÉS ointment.

unicelular
adjetivo
1 Se dice del organismo que está formado por una sola célula, como la ameba. INGLÉS unicellular, single-cell.

único, única
adjetivo
1 Se aplica a la persona o cosa de la

que no existe otra igual o no existe otra de su misma clase o del mismo tipo. Un hijo único no tiene hermanos. INGLÉS only.
2 Se dice de la persona o cosa que se sale de lo normal o es poco habitual y es extraordinaria, muy buena o fuera de lo común: *Contando chistes no hay quien lo supere, es único.* ANTÓNIMO común, corriente. INGLÉS unique.

unicornio
nombre masculino **1** Animal imaginario igual que un caballo, pero con un cuerno recto y largo que le sale de la frente. INGLÉS unicorn.

unidad
nombre femenino **1** Cada una de las cosas completas y diferenciadas de otras que se encuentran en un conjunto de cosas iguales que se pueden contar. En una caja de pañuelos de diez unidades hay diez pañuelos. INGLÉS unit, item.
2 Característica de las cosas que están muy unidas o no pueden dividirse. En una familia hay unidad cuando padres e hijos se llevan bien y están de acuerdo en las cosas importantes. INGLÉS unity.
3 Parte en que se divide una cosa que tiene características comunes o la misma función. Los libros de texto se dividen en unidades. El ejército y la policía se dividen en distintas unidades según su misión. INGLÉS unit.
4 Medida que se usa para medir las características de cosas como el tiempo, la longitud, el peso o el volumen. La unidad de tiempo es el segundo y la unidad de capacidad el litro. INGLÉS unit.

unificar
verbo **1** Hacer que dos o más cosas que están separadas se unan para formar una sola unidad o para lograr algo en común. Cuando dos países se unifican acaban formando un solo país. INGLÉS to unify.
NOTA Se escribe 'qu' delante de 'e', como: unifique.

uniformar
verbo **1** Hacer que dos o más cosas sean parecidas o iguales entre sí. En algunos estilos de decoración, se tiende a uniformar los colores. INGLÉS to standardize.
2 Hacer que una o varias personas lleven uniforme: *El dueño de la tienda ha uniformado a sus empleados para que los clientes sepan reconocerlos.* INGLÉS to put into uniform.

uniforme
adjetivo **1** Que no presenta cambios o tiene las mismas características. Cuando algo tiene un color uniforme es que es de un solo color con el mismo tono. INGLÉS uniform.
nombre masculino **2** Traje que visten las personas que realizan una misma actividad o trabajo. Los soldados van con uniforme. INGLÉS uniform.

unión
nombre femenino **1** Acción que consiste en unir dos o más cosas para que formen un conjunto. La unión de las piezas de un puzle se tiene que hacer bien. INGLÉS joining.
2 Lugar por donde se unen dos cosas: *La unión de los tubos está mal hecha, por eso se sale el agua.* INGLÉS joint.
3 Hecho de estar unidas dos o más personas. El matrimonio es la unión legal entre dos personas. INGLÉS union.
4 Conjunto de sociedades o personas que tienen los mismos objetivos y se unen para conseguirlos. La Unión Europea es el conjunto de algunos países europeos. INGLÉS union.
NOTA El plural es: uniones.

unir
verbo **1** Juntar dos o más personas o cosas. Podemos unir dos habitaciones si tiramos las paredes que las separan. Un equipo une sus fuerzas para conseguir su objetivo. SINÓNIMO agrupar; juntar. ANTÓNIMO separar; dividir. INGLÉS to join.
2 Ser una cosa lo que hace que dos o más personas tengan una buena relación o estén juntos para hacer algo. La amistad une a las personas. INGLÉS to unite.
3 Relacionar o comunicar dos o más personas o cosas. Una carretera puede unir dos ciudades. INGLÉS to link.

unisex
adjetivo **1** Que puede ser usado por personas de los dos sexos. A una peluquería unisex pueden ir a cortarse el pelo tanto hombres como mujeres. INGLÉS unisex.
NOTA El plural es: unisex.

unísono, unísona
adjetivo **1** Que tiene el mismo tono o sonido que otra cosa. INGLÉS unisonous.
al unísono Indica que dos cosas sue-

nan a la vez o se hacen a la vez. Cuando dos personas contestan al unísono, contestan lo mismo en el mismo momento. **INGLÉS** in unison.

universal

adjetivo **1** Que está relacionado con el universo. **INGLÉS** universal.

2 Que es común a todos los seres humanos. El amor o la amistad son sentimientos universales. Un libro de historia universal habla de la historia de todos los países. **INGLÉS** universal.

3 Que existe o es conocido en todo el mundo. Cervantes es un escritor de fama universal. **INGLÉS** universal.

universidad

nombre femenino **1** Centro de enseñanza superior donde se estudia una carrera, como medicina, historia o informática. En la universidad también se hace investigación. **INGLÉS** university.

2 Edificio e instalaciones de la universidad donde se imparte clase y se investiga. **INGLÉS** university.

universitario, universitaria

adjetivo **1** De la universidad o que tiene relación con ella. Las aulas, los laboratorios o la biblioteca forman parte de las instalaciones universitarias. **INGLÉS** university.

adjetivo y nombre **2** Se dice de la persona que estudia o ha estudiado en la universidad. **INGLÉS** university student [nombre - estudiante], university graduate [nombre - licenciado].

universo

nombre masculino **1** Conjunto de todo lo que existe y del espacio en el que está. El universo está formado por el espacio, las galaxias y los astros que hay en ellas. **SINÓNIMO** cosmos. **INGLÉS** universe.

uno, una

determinante artículo **1** 'Un', 'una', 'unos' y 'unas' son artículos indeterminados. Los artículos indeterminados indican que el nombre al que acompañan no es conocido por el hablante, por el oyente o por ninguno de los dos o es la primera vez que se habla de él: *Unas personas preguntan por ti.* **INGLÉS** one.

pronombre indefinido **2** En singular, se refiere a una persona o cosa de la que se habla dentro de un grupo. En plural, se refiere a personas o cosas no concretas o no conocidas: *Aquí hay uno. He visto entrar a unos.* **INGLÉS** one [singular], some [plural].

determinante numeral **3** Indica que una cosa o persona está o aparece en la cantidad de 1: *Solo tengo una hoja.* **INGLÉS** one.

determinante indefinido **4** Indica una cantidad poco exacta o aproximada: *Costará unos seis euros.* **INGLÉS** about.

nombre masculino **5** Nombre del número 1. **INGLÉS** one.

NOTA Como determinante, se utiliza la forma 'un' delante de un nombre masculino en singular: un amigo, un acierto. También se usa 'un' delante de un nombre femenino que comience con 'a' con acento de intensidad, como: un hada, un ave.

untar

verbo **1** Cubrir la superficie de una cosa con una sustancia blanda y grasa. Podemos untar una rebanada de pan con mantequilla o paté. **INGLÉS** to spread.

uña

nombre femenino **1** Parte del cuerpo de las personas y otros animales que cubre el extremo superior de los dedos. En las personas es una lámina dura y transparente; en algunos animales las uñas son más largas y duras, y acaban en punta, como las de los gatos o las águilas. **INGLÉS** nail, [si es de un gato o un ave: claw].

estar de uñas Estar una persona muy enfadada o molesta. **INGLÉS** to be in a foul mood.

ser uña y carne Ser dos personas muy amigas y llevarse muy bien: *Ana y Elena se pasan todo el día juntas, son uña y carne.* **INGLÉS** as thick as thieves.

uranio

nombre masculino **1** Metal de color grisáceo, pesado y duro. Se utiliza para producir energía nuclear o para fabricar bombas atómicas. **INGLÉS** uranium.

urbanidad

nombre femenino **1** Característica de la persona que se comporta de manera correcta, educada y amable al relacionarse con los demás. Ceder el asiento en el autobús a una persona mayor es un acto de urbanidad. **SINÓNIMO** cortesía. **INGLÉS** politeness.

urbanización

nombre femenino **1** Conjunto de casas y edificios que se construyen todos más o menos a la vez en una zona y tienen características comunes. **INGLÉS** housing development.

NOTA El plural es: urbanizaciones.

urbanizar

verbo

1 Preparar un terreno para poder construir un conjunto de viviendas y otras instalaciones. Cuando se urbaniza una zona, se hacen las calles y se prepara todo para que la gente tenga electricidad, agua y otros servicios. **INGLÉS** to develop.

2 Hacer que una persona aprenda a comportarse de forma correcta y educada con los demás. Las personas maleducadas y descorteses deben urbanizarse para convivir con los que les rodean. **INGLÉS** to civilize.

NOTA Se escribe 'c' delante de 'e', como: urbanicen.

urbano, urbana

adjetivo

1 Que está relacionado con la ciudad. Los autobuses, los taxis o el metro son transportes urbanos. **INGLÉS** urban, city.

adjetivo y nombre

2 Que es miembro de la policía municipal. Los urbanos controlan el tráfico en la ciudad. **INGLÉS** police [adjetivo], policeman [nombre - hombre], policewoman [nombre - mujer].

urbe

nombre femenino

1 Ciudad grande e importante. En las grandes urbes hay mucha contaminación. **INGLÉS** big city, metropolis.

urdir

verbo

1 Pensar y preparar en secreto un plan u otro tipo de acción: *Los ladrones se reunieron para urdir el robo al banco.* **INGLÉS** to plot, to plan.

uréter

nombre masculino

1 Conducto que lleva la orina de los riñones a la vejiga. El aparato excretor está formado por dos riñones, dos uréteres, la vejiga y la uretra. **INGLÉS** ureter.

NOTA El plural es: uréteres.

uretra

nombre femenino

1 Conducto que lleva la orina desde la vejiga al exterior. Cuando la vejiga está casi llena de orina, la contraemos para expulsar la orina al exterior por la uretra. **INGLÉS** urethra.

urgencia

nombre femenino

1 Asunto que se debe solucionar con rapidez. La sirena de los bomberos indica que se dirigen a una urgencia. **SINÓNIMO** emergencia. **INGLÉS** emergency.

nombre femenino plural

2 urgencias Sección de un hospital donde se atiende a los enfermos y heridos que necesitan cuidados médicos con rapidez. **INGLÉS** accident and emergency department.

urgente

adjetivo

1 Que se tiene que hacer o solucionar con mucha rapidez: *Dijo que era urgente que lo llamaras.* **INGLÉS** urgent.

2 Se dice de la carta, paquete o telegrama que se envía de una forma especial para que sea recibido lo antes posible. **INGLÉS** express.

urgir

verbo

1 Ser muy necesario conseguir una cosa o hacer algo lo más pronto posible. Cuando alguien se queda sin agua en casa por una avería, urge repararla para volver a tener agua. **INGLÉS** to be urgent.

NOTA Se escribe 'j' delante de 'a' y 'o', como: urja.

urinario, urinaria

adjetivo

1 Que tiene relación con la orina. El aparato urinario tiene la misión de formar la orina y expulsarla al exterior. **INGLÉS** urinary.

nombre masculino

2 Lugar público donde se puede orinar. En algunos parques y jardines hay urinarios. **INGLÉS** urinal.

urna

nombre femenino

1 Caja donde se depositan los votos de una votación. La urna tiene una ranura por donde la gente introduce la papeleta con su voto. **INGLÉS** ballot box.

2 Caja o recipiente que sirve para guardar algunas cosas y tenerlas protegidas. En las urnas pueden guardarse objetos valiosos o las cenizas de un muerto. **INGLÉS** urn.

urogallo

nombre masculino

1 Ave que tiene las plumas, las patas y el pico oscuros, emite un sonido característico y habita en bosques de Europa y Asia. El urogallo está en peligro de extinción. **INGLÉS** capercaillie.

urraca

nombre femenino

1 Ave con el plumaje de color negro y con el pecho y parte de las alas blancas, la cola larga y el pico corto y fuerte. **INGLÉS** magpie.

a b c d e f g h i j k l m n ñ o p q r s t u v w x y z

urticaria
nombre femenino **1** Enfermedad de la piel que se manifiesta mediante manchas o granos rosáceos en algunas partes del cuerpo que van acompañados de un fuerte picor. INGLÉS nettle rash.

uruguayo, uruguaya
adjetivo y nombre **1** Se dice de la persona o cosa que es de Uruguay, país de América del Sur. INGLÉS Uruguayan.

usar
verbo **1** Emplear una cosa para hacer algo. Usamos los cuchillos para cortar. También se pueden usar cosas no materiales, como cuando decimos usar la cabeza para resolver un problema. SINÓNIMO utilizar. INGLÉS to use.
2 Ponerse habitualmente una prenda de vestir o productos de aseo: *En invierno siempre uso camiseta. ¿Qué colonia usas?* SINÓNIMO llevar. INGLÉS to wear [una prenda de vestir], to use [un producto].
3 usarse Ser habitual, estar de moda o ser costumbre hacer una cosa determinada. El sombrero ya no se usa tanto como en el pasado. SINÓNIMO llevarse. INGLÉS to be in fashion.

uso
nombre masculino **1** Empleo que se hace de una cosa para un fin determinado. Es obligatorio el uso del cinturón de seguridad al ir en automóvil. SINÓNIMO utilización. INGLÉS use.
2 Utilidad que tiene una cosa o función que puede realizar. Materiales como la madera o el plástico tienen muchos usos. INGLÉS use.
3 Costumbre o forma habitual de hacer ciertas cosas. Algunos pueblos aún conservan antiguos usos que han desaparecido en las ciudades. SINÓNIMO hábito. INGLÉS custom.

usted
pronombre personal **1** Pronombre personal de segunda persona que se usa como forma de respeto en lugar de 'tú': *¿Es usted el señor García?* INGLÉS you.

usual
adjetivo **1** Que es normal porque ocurre muchas veces o con frecuencia: *Lo usual es que llame.* INGLÉS usual.

usuario, usuaria
nombre **1** Persona que hace uso de una cosa o de un servicio. Los usuarios del tren son las personas que viajan en tren. INGLÉS user.

usurero, usurera
nombre **1** Persona que presta dinero pero que exige que le devuelvan mucho más de lo que presta. INGLÉS usurer.

usurpar
verbo **1** Apropiarse de forma injusta del cargo, el título o la identidad de otra persona. INGLÉS to usurp.
2 Apoderarse de forma injusta y violenta de una cosa o de un derecho que pertenece a otra persona. INGLÉS to usurp.

utensilio
nombre masculino **1** Herramienta que sirve para realizar alguna actividad, trabajo u oficio. Un utensilio es un objeto simple, sin maquinaria, que se utiliza con las manos. SINÓNIMO instrumento. INGLÉS utensil.

útero
nombre masculino **1** Órgano interno de reproducción de las mujeres y de las hembras de los mamíferos. Dentro del útero se desarrolla el óvulo fecundado hasta el nacimiento del hijo. INGLÉS uterus, womb.

útil
adjetivo **1** Que sirve para algo o tiene alguna finalidad. Un ordenador es muy útil en una oficina. INGLÉS useful.
2 Que produce beneficio o provecho. Saber idiomas es muy útil. INGLÉS useful.
nombre masculino **3** Objeto simple, sin maquinaria, que se maneja con las manos y se utiliza para hacer un trabajo determinado. La sierra y el martillo son útiles de carpintería. INGLÉS tool.

utilidad
nombre femenino **1** Característica que tienen las cosas que son útiles. El paraguas es de mucha utilidad cuando llueve. INGLÉS utility, use.

utilización
nombre femenino **1** Empleo que se hace de una cosa para un fin determinado. La utilización de cremas protectoras en verano es recomendable para evitar quemaduras. SINÓNIMO uso. INGLÉS use.
NOTA El plural es: utilizaciones.

utilizar

verbo

1 Emplear una cosa para hacer algo. Utilizamos los lápices para escribir o dibujar. Utilizamos los vasos para beber. SINÓNIMO usar. INGLÉS to use, to make use of.

NOTA Se escribe 'c' delante de 'e', como: utilicé.

utopía

nombre femenino

1 Forma de gobierno que se considera ideal o muy buena pero imposible o muy difícil de conseguir en la práctica. Muchos consideran una utopía un gobierno sin ejército ni policía. INGLÉS Utopia.

2 Cosa que se desea porque es muy buena pero se cree que es imposible de realizar o conseguir: *Tu sueño de conocer a ese actor de cine es una utopía.* INGLÉS Utopia.

uva

nombre femenino

1 Fruta pequeña y redondeada que tiene la piel fina y la carne jugosa y dulce. Crece en racimos de la planta de la vid y con ella se hace el vino y el cava. INGLÉS grape.

mala uva Mal carácter o mala intención que tiene una persona al hacer algo: *Te dio con el libro a propósito porque tiene muy mala uva.*

uve

nombre femenino

1 Nombre de la letra 'v': *La palabra 'vida' se escribe con 'v'.*

uvi

nombre femenino

1 Palabra formada con las iniciales de: Unidad de Vigilancia Intensiva. La uvi es el lugar del hospital donde están los pacientes que necesitan atención médica constante. SINÓNIMO uci. INGLÉS intensive care unit, ICU.

v
nombre femenino
1 Letra número veinticinco del alfabeto del español. La 'v' es una consonante.

vaca
nombre femenino
1 Hembra del toro. Es un animal mamífero doméstico de gran tamaño, la cola larga y la cabeza grande con dos cuernos. De la vaca se aprovechan la leche, la carne y la piel. INGLÉS cow.
2 Se dice de una persona muy gorda: *Está hecho una vaca.* Es un uso informal. INGLÉS elephant.

vacaciones
nombre femenino plural
1 Período de tiempo en que una persona deja de trabajar o de estudiar para descansar. INGLÉS holiday [en el Reino Unido], vacation [en Estados Unidos].

vaciar
verbo
1 Quitar todo lo que está dentro de un recipiente. También se puede vaciar un lugar haciendo salir a toda la gente que hay en él, como cuando se produce un incendio en un edificio. ANTÓNIMO llenar. INGLÉS to empty, [si es un lugar: to clear].
NOTA Se conjuga como: desviar; la 'i' se acentúa en algunos tiempos y personas, como: vacío.

vacilación
nombre femenino
1 Falta de seguridad de una persona al hacer algo, en especial al tomar una decisión. SINÓNIMO duda. INGLÉS hesitation.
NOTA El plural es: vacilaciones.

vacilar
verbo
1 Estar indeciso o poco seguro al hacer o decidir algo: *Vaciló mucho rato antes de confesar que era culpable.* INGLÉS to hesitate.
2 Gastar bromas a alguien o intentar tomarle el pelo. Es un uso informal. INGLÉS to joke [gastar bromas], to kid [tomar el pelo].

vacío, vacía
adjetivo
1 Que no tiene nada en su interior. En una bolsa vacía no hay nada dentro. ANTÓNIMO lleno. INGLÉS empty.
2 Se dice del lugar donde no hay gente o hay muy poca gente. De noche las calles se quedan vacías. ANTÓNIMO lleno. INGLÉS empty, deserted.
3 Se dice del sitio, normalmente un asiento, en el que no hay nadie y que una persona puede ocupar: *¿Está vacía esta silla?* SINÓNIMO libre. ANTÓNIMO ocupado. INGLÉS free.
nombre masculino
4 Espacio hueco en un texto que tiene que rellenarse: *Completad los vacíos con la respuesta correcta.* INGLÉS space, blank.
5 Espacio de gran distancia entre el lugar en el que se está y el suelo. Los paracaidistas saltan al vacío desde el avión. INGLÉS void.
6 Falta de una persona querida a la que se echa de menos. INGLÉS gap.
7 En física, espacio en el que no hay nada, ni aire ni otra materia. INGLÉS vacuum.
al vacío Sin nada de aire dentro. Para que se conserven durante más tiempo, algunos alimentos, como el café o el queso, se envasan al vacío. INGLÉS vacuum-packed.

vacuna
nombre femenino
1 Sustancia que se administra a una persona para que no coja una enfermedad. Las vacunas se hacen con virus débiles de una enfermedad y se inyectan en una persona para que desarrolle una defensa natural contra la enfermedad. INGLÉS vaccine.

vacunar
verbo
1 Administrar o poner a alguien una vacuna para protegerlo de ciertas enfermedades o evitar que desarrolle una enfermedad. INGLÉS to vaccinate.

vacuno, vacuna
adjetivo
1 Que tiene relación con el toro, la vaca o animales similares, como el buey. SINÓNIMO bovino. INGLÉS bovine.

vado
nombre masculino
1 Parte de la acera que está a la misma altura que la calzada y hace un poco de rampa para facilitar que suban a la acera vehículos u objetos con ruedas, como carros de la compra o sillas de ruedas. Delante de un vado está prohibido aparcar. INGLÉS dropped kerb.
2 Parte de un río de poca profundidad y con el fondo firme por donde se puede cruzar a pie o en vehículo: *Habrá que buscar un vado para cruzar con las bicis.* INGLÉS ford.

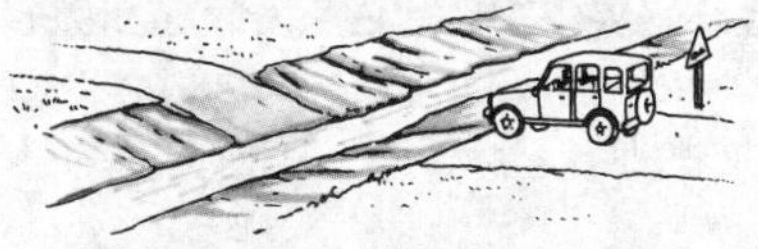

vado

vagabundo, vagabunda
nombre
1 Persona que no tiene una casa donde vivir y va de un sitio a otro. Muchos vagabundos duermen en la calle. INGLÉS tramp.
adjetivo
2 Que va de un lugar a otro sin un destino determinado. Un perro vagabundo no tiene dueño. INGLÉS stray.

vagancia
nombre femenino
1 Falta de ganas de trabajar o de hacer cosas: *No ha hecho los deberes por pura vagancia.* SINÓNIMO pereza. INGLÉS idleness, laziness.

vagar
verbo
1 Andar o ir de un lugar a otro sin tener un destino o un objetivo concreto. INGLÉS to wander.
NOTA Se escribe 'gu' delante de 'e', como: vague.

vagina
nombre femenino
1 Parte del aparato reproductor de las mujeres y de las hembras de algunos animales. La vagina es un conducto alargado que va desde la vulva hasta el útero. INGLÉS vagina.

vago, vaga
adjetivo y nombre
1 Se dice de la persona que evita trabajar o estudiar. ANTÓNIMO trabajador. INGLÉS lazy.
adjetivo
2 Que es poco claro o preciso. Cuando una persona habla de forma vaga, habla sin dar detalles. INGLÉS vague.

vagón
nombre masculino
1 Plataforma o cabina del tren que no tiene motor y se engancha a la locomotora. En los vagones viajan los pasajeros o se transporta mercancía. INGLÉS carriage [de pasajeros], wagon [de mercancías].
NOTA El plural es: vagones.

vagoneta
nombre femenino
1 Vagón pequeño y sin techo que se utiliza para transportar mercancías. Se usa principalmente en minas y obras para llevar minerales, piedras y materiales de construcción. INGLÉS wagon.

vaho
nombre masculino
1 Vapor que despide un cuerpo en algunas circunstancias. Cuando nos duchamos con agua muy caliente, el espejo del baño se llena de vaho. INGLÉS steam.

vaina
nombre femenino
1 Cáscara blanda y alargada dentro de la que crecen las semillas de algunas plantas, como las judías y los guisantes. INGLÉS pod.
2 Funda alargada en la que se guardan espadas, puñales y otras armas o instrumentos. INGLÉS sheath.

vainilla
nombre femenino
1 Fruto de una planta que se usa para dar sabor y olor muy agradables a postres, bebidas y perfumes. Hay helados, batidos y flanes de vainilla. También se llama vainilla la planta que da este fruto. INGLÉS vanilla.

vaivén
nombre masculino
1 Movimiento repetido hacia un lado y otro o hacia delante y hacia atrás. En un barco se puede sentir el vaivén de las olas. INGLÉS swaying, rocking.
NOTA El plural es: vaivenes.

vajilla
nombre femenino
1 Conjunto de platos, recipientes, vasos, copas y tazas que se usan para

presentar y servir la comida y la bebida en la mesa. INGLÉS crockery, dishes.

vale

nombre masculino **1** Papel que se puede cambiar por el dinero o la cosa que está escrita en él. Muchos productos comerciales regalan vales de descuento. INGLÉS voucher.

interjección **2 ¡vale!** Expresión que se usa para indicar que se está de acuerdo con lo que otra persona dice o hace. También se usa para preguntar si otra persona está de acuerdo: *¡Vale!, nos vemos a las cinco. Estudiamos juntos, ¿vale?* Es una forma del verbo 'valer'. INGLÉS all right, OK.

valenciano, valenciana

adjetivo y nombre **1** Se dice de la persona o cosa que es de la ciudad o provincia de Valencia o de la Comunidad Valenciana. INGLÉS Valencian.

nombre masculino **2** Variedad lingüística del grupo catalán que se habla en la Comunidad Valenciana. El valenciano es la lengua oficial de la Comunidad Valenciana junto con el español. INGLÉS Valencian.

valentía

nombre femenino **1** Característica de la persona que se atreve a hacer cosas peligrosas o arriesgadas sin tener miedo. ANTÓNIMO cobardía. INGLÉS bravery, courage.

valer

verbo **1** Tener una cosa un precio o valor determinado. Una revista vale poco dinero: *Esa película no vale nada, es muy mala.* INGLÉS to be worth [tener valor], to cost [costar].

2 Ser una cosa útil o apropiada para algo o para alguien: *Esas botas viejas pueden valer para ir al campo.* SINÓNIMO servir. INGLÉS to be useful, to be good.

3 Tener una cosa las características necesarias para considerar que está bien o es correcto. El carné que está caducado no vale: *No vale hacer trampas.* INGLÉS to be valid.

4 Tener una persona ciertas cualidades que la hacen ser apreciada. Decimos de alguien que vale mucho cuando pensamos que es una gran persona o que tiene alguna gran cualidad. INGLÉS to be good.

5 Ser una cosa la causa de que una persona reciba lo que se dice: *La protesta le valió la expulsión.* SINÓNIMO suponer. INGLÉS to win [cosas buenas], to cost [cosas malas].

6 valerse Servirse de una persona o una cosa para conseguir un fin o realizar algo. INGLÉS to use.

valeriana

nombre femenino **1** Planta que tiene el tallo recto y las flores rosadas o blancas. Con su raíz se hacen infusiones u otros preparados naturales que se toman cuando se está nervioso o se tiene insomnio. INGLÉS valerian.

valeroso, valerosa

adjetivo **1** Que se atreve a hacer una cosa peligrosa o arriesgada sin mostrar miedo. SINÓNIMO valiente. ANTÓNIMO cobarde. INGLÉS courageous, brave.

valía

nombre femenino **1** Cualidad de una persona por la que es apreciada. Una persona de gran valía es una persona extraordinaria o que hace muy bien una cosa. INGLÉS worth.

valer

INDICATIVO

presente	pretérito imperfecto	pretérito perfecto simple	futuro	condicional
valgo	valía	valí	valdré	valdría
vales	valías	valiste	valdrás	valdrías
vale	valía	valió	valdrá	valdría
valemos	valíamos	valimos	valdremos	valdríamos
valéis	valíais	valisteis	valdréis	valdríais
valen	valían	valieron	valdrán	valdrían

SUBJUNTIVO

presente	pretérito imperfecto	futuro
valga	valiera o valiese	valiere
valgas	valieras o valieses	valieres
valga	valiera o valiese	valiere
valgamos	valiéramos o valiésemos	valiéremos
valgáis	valierais o valieseis	valiereis
valgan	valieran o valiesen	valieren

IMPERATIVO

vale	(tú)
valga	(usted)
valgamos	(nosotros)
valed	(vosotros)
valgan	(ustedes)

FORMAS NO PERSONALES

infinitivo	gerundio
valer	valiendo

participio
valido

validar
verbo
1 Hacer que una cosa tenga todas las condiciones necesarias para algo. Para que unos datos se acepten como buenos primero se tienen que revisar y validar. INGLÉS to validate, to confirm.

validez
nombre femenino
1 Cualidad que hace que una cosa sea válida, correcta o adecuada para algo. Un gol en fuera de juego no tiene validez. INGLÉS validity.

valido
nombre masculino
1 Persona a la que un rey concedía mucha confianza y que se ocupaba de algunas de las tareas de gobierno. En la monarquía española los validos empezaron a tener importancia a partir de la muerte de Felipe II. INGLÉS favourite.

válido, válida
adjetivo
1 Que tiene todas las condiciones necesarias para ser considerado legal o correcto. Algunos documentos no son válidos si no van firmados. INGLÉS valid.

valiente
adjetivo
1 Que se atreve a hacer cosas sin tener miedo del posible peligro ni del riesgo. ANTÓNIMO cobarde. INGLÉS brave, courageous.

valioso, valiosa
adjetivo
1 Que tiene mucho valor o que vale mucho dinero. Una joya o un cuadro famoso son vailosos, pero también son valiosas cosas como un buen consejo, una ayuda o la amistad. INGLÉS valuable.

valla
nombre femenino
1 Pared hecha de tablas, palos u otros elementos unidos entre sí que se coloca alrededor de un terreno para protegerlo o cerrarlo. SINÓNIMO cerca. INGLÉS fence.
2 Superficie grande, normalmente rectangular, que hay en calles, carreteras o en la pared de un edificio, en la que se colocan anuncios de publicidad. INGLÉS hoarding.
3 En algunas carreras de atletismo, obstáculo que deben saltar los corredores. INGLÉS hurdle.

vallado
nombre masculino
1 Construcción de madera o de otro material que sirve para rodear una casa, un terreno o un jardín. SINÓNIMO cerca; valla. INGLÉS fence.

vallar
verbo
1 Poner una valla alrededor de un lugar para cerrarlo o protegerlo. INGLÉS to fence.

valle
nombre masculino
1 Terreno llano que hay entre montañas. A veces, por el fondo del valle pasa un río. INGLÉS valley.

vallisoletano, vallisoletana
adjetivo y nombre
1 Se dice de la persona o cosa que es de Valladolid, ciudad y provincia de Castilla y León.

valor
nombre masculino
1 Cualidad buena por la que una cosa o una persona merece ser apreciada y se considera que vale. Hay obras literarias de mucho valor. INGLÉS value.
2 Precio de una cosa. Algunas obras de arte tienen un valor incalculable. INGLÉS value.
3 Valentía que demuestra una persona ante un peligro o una situación difícil. ANTÓNIMO cobardía. INGLÉS courage, bravery.
4 Falta de vergüenza y de consideración que alguien tiene hacia los demás: *Ha tenido el valor de decirme que la culpa era mía.* INGLÉS audacity.
5 Significado o importancia que tiene una cosa: *Su promesa no tiene ningún valor después de haberme mentido.* INGLÉS value.

valoración
nombre femenino
1 Valor que una persona cree que tiene una cosa después de pensar en sus características. Cuando acaba el curso el profesor hace una valoración global de cómo ha ido todo. INGLÉS assessment, [si es del precio: valuation].
NOTA El plural es: valoraciones.

valorar
verbo
1 Dar un valor a algo después de examinarlo o pensar en lo bueno y lo malo que tiene. Se puede valorar un objeto, como una casa que se quiere comprar, o un comportamiento, por ejemplo una ayuda. INGLÉS to evaluate, [si es el precio: to value].
2 Reconocer el mérito de una persona o de lo que hace una persona: *Valoro mucho el esfuerzo que hiciste para ayudarme con aquel trabajo.* INGLÉS to value.

vals
nombre masculino
1 Baile de parejas que se cogen y van dando vueltas con un ritmo suave y elegante. El vals era un baile muy popular en el siglo XIX. También se llama vals la música que acompaña a este baile. **INGLÉS** waltz.
NOTA El plural es: valses.

válvula
nombre femenino
1 Pieza que abre o cierra el paso de un gas, de un líquido o de otro fluido por un conducto. Las ruedas, los balones de fútbol y las ollas a presión tienen válvula. **INGLÉS** valve.

vampiro
nombre masculino
1 Ser imaginario que duerme durante el día y por las noches se levanta para alimentarse con sangre de personas. El conde Drácula es el vampiro más famoso del cine y la literatura. **INGLÉS** vampire.
2 Murciélago de origen americano con dientes muy largos con los que chupa la sangre de otros animales. **INGLÉS** vampire bat.

vanagloriarse
verbo
1 Presumir mucho de tener alguna cualidad o capacidad: *Se vanagloria de ser el más rápido de todos.* **INGLÉS** to boast.
NOTA Se conjuga como: cambiar; la 'i' no lleva nunca acento de intensidad.

vandalismo
nombre masculino
1 Destrucción o inclinación a cometer acciones destructivas contra las propiedades de otras personas. **INGLÉS** vandalism.

vándalo, vándala
adjetivo y nombre
1 Se dice de la persona que pertenecía a un pueblo del norte de Europa que invadió algunos territorios del Imperio romano en el siglo V. **INGLÉS** Vandal.
nombre
2 Persona violenta que rompe y destruye cosas de otras personas, especialmente si se encuentran en la calle: *Un grupo de vándalos destrozó varios escaparates y coches.* **INGLÉS** vandal.

vanguardia
nombre femenino
1 Parte del ejército que va delante de las demás y es la primera en entrar en combate. **ANTÓNIMO** retaguardia. **INGLÉS** vanguard.
2 Movimiento artístico, literario o del pensamiento que expone unas ideas o gustos nuevos que luego serán más generales. **INGLÉS** avant-garde.

vanguardista
adjetivo y nombre masculino y femenino
1 Que renueva con nuevas ideas y técnicas una corriente artística o literaria. Los pintores vanguardistas de principios del siglo XX provocaron un cambio radical en el estilo y los temas de la pintura. **INGLÉS** avant-garde [adjetivo], member of the avant-guard [nombre].
adjetivo
2 Que es muy novedoso y avanzado, y que sirve para cambiar algo totalmente: *El nuevo profesor tiene ideas vanguardistas para renovar el colegio.* **INGLÉS** avant-garde.

vanidad
nombre femenino
1 Forma de ser de la persona vanidosa, que se gusta mucho a sí misma. **INGLÉS** vanity.

vanidoso, vanidosa
adjetivo y nombre
1 Se dice de la persona que siente una excesiva estima por sus cualidades o características. Las personas vanidosas se creen superiores a los demás y les gusta que los demás las halaguen. **INGLÉS** vain, conceited.

vano
adjetivo
1 Que no tiene razón de ser o que se basa en la imaginación. A veces se tienen vanas esperanzas de conseguir algo que en realidad es imposible. **INGLÉS** vain.
2 Que no da el resultado esperado o no sirve de nada. Si perdemos un partido en una competición decimos que los esfuerzos han sido vanos. **INGLÉS** in vain.

vanguardia

en vano Inútilmente, sin llegar a conseguir lo que se quería: *No he encontrado las llaves que perdí, las he buscado en vano durante toda la tarde.* INGLÉS in vain.

vapor
nombre masculino
1 Gas en que se convierte un líquido a causa del calor. El agua se convierte en vapor cuando llega a los 100 grados. INGLÉS vapour, [si es de agua: steam].

vaporizador
nombre masculino
1 Aparato que se utiliza para hacer que un líquido salga de un recipiente en forma de gotas muy finas. Algunos perfumes se venden en frascos con vaporizador. INGLÉS atomizer.
2 Aparato que sirve para transformar un líquido en vapor por la acción del calor. Algunas empresas de limpieza utilizan vaporizadores para limpiar y desinfectar suelos, baldosas y cristales. INGLÉS spray.

vapulear
verbo
1 Dar una paliza o muchos golpes a una persona. Un boxeador muy fuerte vapulea a otro más débil en un combate. INGLÉS to thrash.

vaquero, vaquera
adjetivo
1 Se dice de una tela de algodón, fuerte y generalmente de color azul o negro. También es vaquera la prenda de vestir hecha con esta tela. La ropa vaquera es informal y deportiva. SINÓNIMO tejano. INGLÉS denim.
nombre
2 Persona que se dedica a cuidar vacas: *En las películas del oeste suelen salir vaqueros.* INGLÉS cowherd, [si es del oeste americano: cowboy, cowgirl].
nombre masculino
3 Pantalón hecho de tela vaquera. También se usa el plural para indicar solo una unidad. SINÓNIMO tejano. INGLÉS jeans.

vaquilla
nombre femenino
1 Cría de la vaca de menos de dos años que se torea en las fiestas populares. INGLÉS heifer [vaca], young bull [toro].

vara
nombre femenino
1 Rama larga, delgada y sin hojas de una planta o un árbol. También se llama vara cualquier palo largo y delgado. INGLÉS branch [rama], rod [palo].

varar
verbo
1 Quedar parado un barco por haber tropezado el fondo con un banco de arena, con una roca o con la playa. INGLÉS to run aground.
2 Sacar una embarcación del mar y ponerla en la playa u otro lugar seco para arreglarla o para protegerla. INGLÉS to beach.

variable
adjetivo
1 Que varía o puede variar. En primavera el tiempo suele ser variable. INGLÉS variable, changeable.
2 Se dice de la palabra que puede tener formas diferentes según el género, el número y el tiempo gramatical. Los sustantivos, los verbos y los adjetivos son palabras variables, en cambio los adverbios son invariables. ANTÓNIMO invariable. INGLÉS variable.

variación
nombre femenino
1 Cambio o transformación pequeña que se produce en un estado, una cualidad o la forma de alguna cosa. Cuando una enfermedad no presenta variación es que el enfermo sigue igual. SINÓNIMO alteración. INGLÉS variation.
NOTA El plural es: variaciones.

variado, variada
adjetivo
1 Que está formado por partes o elementos de características diferentes, pero de la misma clase. La macedonia es un postre formado por frutas variadas. INGLÉS assorted.

variante
adjetivo
1 Que varía o cambia. Los ríos que no corren siempre por el mismo cauce tienen un curso variante. INGLÉS variable.
nombre femenino
2 Diferencia que tiene una cosa respecto de otra u otras: *La única variante entre estas dos chaquetas es que una tiene bolsillos y la otra no.* INGLÉS difference.
3 Desvío de un tramo de camino o de carretera. INGLÉS by-pass.

variar
verbo
1 Cambiar la forma, el estado o alguna característica de una cosa para que sea diferente de como era antes. Con el paso del tiempo varía la forma de ser y de pensar de la gente. ANTÓNIMO mantener. INGLÉS to change, to vary.
NOTA Se conjuga como: desviar; la 'i' se acentúa en algunos tiempos y personas, como: varía.

a b c d e f g h i j k l m n ñ o p q r s t u v w x y z

varicela
nombre femenino **1** Enfermedad infecciosa de poca gravedad que produce fiebre y la aparición de granos rojos en la piel. INGLÉS chickenpox.

variedad
nombre femenino **1** Gran cantidad de cosas diferentes. La variedad en la alimentación es fundamental para conservar la salud. SINÓNIMO diversidad. INGLÉS variety.
2 Conjunto de personas, animales o cosas diferentes que son distintas pero pertenecen a una misma clase. En una zapatería suele haber una gran variedad de zapatos. INGLÉS variety.
3 Cada uno de los grupos o tipos distintos que presentan algunas especies de plantas o animales. Hay muchas variedades de naranjas o de rosas. INGLÉS variety.
nombre femenino plural **4 variedades** Espectáculo teatral compuesto por distintos números, como magia, bailes, canciones, cómicos u otras actuaciones. INGLÉS variety.

varilla
nombre femenino **1** Barra larga y fina de madera o metal que sujeta la tela de los paraguas, de las sombrillas, de los abanicos y de otros objetos. INGLÉS rib.

vario, varia
adjetivo **1** Indica que hay cosas distintas o diferentes. Un vestido estampado tiene varios colores: *Tiene varios pares de zapatillas.* INGLÉS several.
NOTA Se usa más en plural.

variopinto, variopinta
adjetivo **1** Que está compuesto por cosas o personas muy distintas: *La vegetación de las regiones tropicales es muy variopinta.* INGLÉS diverse.

varita
nombre femenino **1** Palo delgado y largo que usan los magos para hacer algunos de sus trucos de magia y que llevan las hadas, los magos o los brujos para hacer sus encantamientos. INGLÉS wand.

variz
nombre femenino **1** Dilatación anormal y permanente de una vena. Se produce por una acumulación de sangre en una zona, generalmente en las piernas. INGLÉS varicose vein.
NOTA El plural es: varices.

varón
nombre masculino **1** Persona de sexo masculino. En muchos documentos, el sexo se marca con V o con H, que quiere decir 'varón' o 'hembra': *Tiene dos hijos varones.* SINÓNIMO hombre. ANTÓNIMO hembra; mujer. INGLÉS male.
NOTA El plural es: varones.

vasallo, vasalla
nombre **1** En la Edad Media, persona que estaba bajo la autoridad de un señor feudal a quien servía a cambio de protección. INGLÉS vassal.

vasco, vasca
adjetivo y nombre **1** Se dice de la persona o cosa que es del País Vasco. INGLÉS Basque.
nombre masculino **2** Lengua hablada en el País Vasco español y francés, y en zonas de Navarra. El vasco es la lengua oficial en el País Vasco y Navarra junto con el español. El vasco es una lengua muy antigua y no se sabe cuál es su origen. SINÓNIMO euskera, vascuence. INGLÉS Basque.

vascuence
nombre masculino **1** Lengua que se habla en el País Vasco español y francés y en zonas de Navarra. SINÓNIMO euskera, vasco. INGLÉS Basque.

vaselina
nombre femenino **1** Sustancia pastosa y blanquecina que se usa para engrasar máquinas y para elaborar cosméticos y productos farmacéuticos. INGLÉS Vaseline.
2 En algunos deportes, lanzamiento suave y curvo del balón que se hace para que pase por encima de uno o varios jugadores contrarios. En el fútbol y el balomano se hacen vaselinas para pasar el balón por encima del portero y marcar un gol. INGLÉS lob.
NOTA Es una marca registrada.

vasija
nombre femenino **1** Recipiente de diversos materiales y formas que sirve para contener alimentos o líquidos o se usa como adorno. INGLÉS vessel.

vaso
nombre masculino **1** Recipiente de forma cilíndrica que sirve para beber. INGLÉS glass.
2 Conducto por donde circulan la sangre de personas y animales y los líquidos de las plantas. Las arterias, las venas y los capilares son vasos sanguíneos. INGLÉS vessel.

vasto, vasta

adjetivo **1** Que es muy amplio o extenso. El Sahara es un vasto desierto. Los intelectuales poseen una vasta cultura. INGLÉS vast.

NOTA No se debe confundir con la palabra 'basto', que significa 'mal acabado' o 'grosero'.

váter

nombre masculino **1** Recipiente donde las personas orinan y evacuan el vientre. El váter tiene un depósito de agua y está conectado a una tubería de desagüe, de modo que se puede limpiar cada vez que se utiliza. SINÓNIMO inodoro; retrete. INGLÉS toilet.

2 Cuarto en el que se encuentra el váter y otros elementos que sirven para el aseo personal, como un lavabo. SINÓNIMO cuarto de baño; retrete; servicio. INGLÉS toilet.

NOTA Es una palabra de origen inglés.

vaticano, vaticana

adjetivo y nombre **1** Se dice de la persona o cosa que es de la Ciudad del Vaticano, estado independiente situado en Roma en el cual vive el Papa. INGLÉS Vatican.

¡vaya!

interjección **1** Expresión que se usa para mostrar sorpresa, admiración o desagrado por algo: *¡Vaya, ya me he vuelto a equivocar!; ¡Vaya patines te has comprado!* INGLÉS well! [sorpresa], oh no! [desagrado].

NOTA No debes confundirlo con los sustantivos 'valla' y 'baya'.

vecindario

nombre masculino **1** Conjunto de los vecinos de un lugar, como un pueblo, un edificio o un barrio. INGLÉS neighbourhood, residents.

vecino, vecina

nombre **1** Persona que vive en el mismo edificio, barrio, pueblo o ciudad que otra. INGLÉS neighbour.

adjetivo **2** Que está cercano o próximo en el espacio. España y Francia son países vecinos. INGLÉS neighbouring.

vega

nombre femenino **1** Terreno llano y fértil para el cultivo, casi siempre regado por un río. INGLÉS plain.

vegetación

nombre femenino **1** Conjunto de plantas propias de un terreno o de un clima. Los bosques, las selvas y los valles tienen distintos tipos de vegetación. INGLÉS vegetation.

nombre femenino plural **2 vegetaciones** Crecimiento anormal de unas glándulas situadas en la parte interna de la nariz. Las vegetaciones a veces se quitan mediante una sencilla operación. INGLÉS adenoids.

vegetal

adjetivo **1** De las plantas o que tiene relación con ellas. El mundo vegetal es el de las plantas. INGLÉS plant.

nombre masculino **2** Ser vivo que que no puede moverse voluntariamente y que se alimenta de agua y sustancias minerales de la tierra. SINÓNIMO planta. INGLÉS vegetable.

vegetar

verbo **1** Crecer y desarrollarse una planta. INGLÉS to grow.

2 Vivir una persona como una planta, desarrollando solo funciones vitales básicas como respirar, comer o dormir, generalmente a causa de una enfermedad. También decimos que alguien vegeta cuando no hace nada especial y lleva una vida aburrida, sin actividad ni emociones de ningún tipo. INGLÉS to vegetate.

vegetariano, vegetariana

adjetivo y nombre **1** Se dice de la persona que se alimenta principal o únicamente de productos vegetales, como fruta, verdura, cereales y legumbres. INGLÉS vegetarian.

vehemente

adjetivo **1** Se dice de la persona que actúa de forma apasionada, dejándose llevar por sus sentimientos o sus impulsos. También son vehementes los actos o las actitudes propias de estas personas. INGLÉS vehement.

vehículo

nombre masculino **1** Aparato o máquina que sirve para transportar personas o mercancías. El automóvil, el autobús, el tren, la bicicleta, el barco y el avión son vehículos. INGLÉS vehicle.

veinte

numeral cardinal **1** Indica que el nombre al que acompaña está 20 veces. INGLÉS twenty.

nombre masculino **2** Nombre del número 20. INGLÉS twenty.

veinteavo, veinteava

adjetivo y nombre **1** Se dice de cada una de las 20 partes iguales en que se divide una cosa. INGLÉS twentieth.

veinticinco

numeral cardinal **1** Indica que el nombre al que acompaña está 25 veces. INGLÉS twenty-five.

nombre masculino **2** Nombre del número 25: *El veinticinco de diciembre es Navidad.* INGLÉS twenty-five.

veinticuatro

numeral cardinal **1** Indica que el nombre al que acompaña está 24 veces. INGLÉS twenty-four.

nombre masculino **2** Nombre del número 24. INGLÉS twenty-four.

veintidós

numeral cardinal **1** Indica que el nombre al que acompaña está 22 veces. INGLÉS twenty-two.

nombre masculino **2** Nombre del número 22. INGLÉS twenty-two.

veintinueve

numeral cardinal **1** Indica que el nombre al que acompaña está 29 veces. INGLÉS twenty-nine.

nombre masculino **2** Nombre del número 29. INGLÉS twenty-nine.

veintiocho

numeral cardinal **1** Indica que el nombre al que acompaña está 28 veces. INGLÉS twenty-eight.

nombre masculino **2** Nombre del número 28. INGLÉS twenty-eight.

veintiséis

numeral cardinal **1** Indica que el nombre al que acompaña está 26 veces. INGLÉS twenty-six.

nombre masculino **2** Nombre del número 26. INGLÉS twenty-six.

veintisiete

numeral cardinal **1** Indica que el nombre al que acompaña está 27 veces. INGLÉS twenty-seven.

nombre masculino **2** Nombre del número 27. INGLÉS twenty-seven.

veintitrés

numeral cardinal **1** Indica que el nombre al que acompaña está 23 veces. INGLÉS twenty-three.

nombre masculino **2** Nombre del número 23: *El veintitrés es un número primo.* INGLÉS twenty-three.

veintiún

numeral cardinal **1** Apócope de veintiuno que se usa delante de un nombre masculino: *Veintiún días.* INGLÉS twenty-one.

veintiuno, veintiuna

numeral cardinal **1** Indica que el nombre al que acompaña está 21 veces. INGLÉS twenty-one.

nombre masculino **2** Nombre del número 21. INGLÉS twenty-one.

NOTA Delante de un nombre masculino se utiliza la forma apocopada 'veintiún'.

vejestorio

nombre masculino **1** Persona vieja: *¡Claro que ya no puede correr, si es un vejestorio!* INGLÉS old dodderer.

NOTA Es una palabra despectiva e informal.

vejez

nombre femenino **1** Período de la vida de una persona en el que tiene una edad avanzada. Es el último período de la vida. INGLÉS old age.

2 Estado de la persona que tiene una edad avanzada. INGLÉS old age.

vejiga

nombre femenino **1** Órgano del cuerpo en forma de bolsa donde se almacena la orina producida por los riñones hasta que se expulsa al exterior. INGLÉS bladder.

vela

nombre femenino **1** Objeto de cera que tiene en el centro una cuerda y que sirve para dar luz si se enciende la cuerda con fuego. INGLÉS candle.

2 Tela fuerte que se sujeta al palo de una embarcación. Cuando el viento sopla, la vela desplegada se hincha y hace que se mueva la embarcación. INGLÉS sail.

3 Deporte en el que se hacen competiciones con embarcaciones que se mueven por medio de velas. INGLÉS sailing.

en vela Sin dormir: *Pasó en vela las dos noches que estuvo en el hospital.* INGLÉS without sleep.

velada

nombre femenino **1** Reunión o fiesta que se celebra por la noche para cenar, charlar o divertirse. INGLÉS evening.

velar

verbo **1** Cuidar durante la noche a un enfermo o estar junto al cuerpo de una persona que acaba de morir. Se vela a un enfermo por si necesita alguna cosa. INGLÉS to sit up with, to watch over.

2 Tener una persona mucho cuidado o preocupación por otra persona o por una cosa. El gobierno vela por los intereses de los ciudadanos. INGLÉS to look after.

3 Hacer que la imagen impresionada en una película fotográfica se borre porque se expone a la luz antes de revelarla. Los carretes de las cámaras fotográficas tradicionales se pueden velar si se abre la tapa de la cámara. INGLÉS to fog.

velatorio

nombre masculino

1 Tiempo durante el que los familiares y amigos están junto a una persona muerta antes del entierro. INGLÉS wake, vigil.

velero

nombre masculino

1 Embarcación que tiene una o más velas. INGLÉS sailing boat.

veleta

nombre femenino

1 Objeto de metal que se coloca en lo alto de un edificio y gira para indicar la dirección del viento. La veleta tiene forma de flecha u otra figura. INGLÉS weathercock.

vello

nombre masculino

1 Conjunto de pelos cortos y finos que salen en algunas partes del cuerpo de las personas. El vello aparece en zonas como las piernas o los antebrazos. INGLÉS hair, [si es muy fino: down].

velludo, velluda

adjetivo

1 Se dice de la persona o la parte del cuerpo que tiene mucho vello. INGLÉS hairy.

velo

nombre masculino

1 Pieza de tela fina y transparente que usan las mujeres para taparse la cabeza o la cara. Muchos vestidos de novia llevan un velo blanco. INGLÉS veil.

2 Pieza de tela con el que las monjas se cubren la cabeza y los hombros. INGLÉS veil.

velo del paladar Membrana que separa la cavidad de la boca de la faringe. INGLÉS velum.

velocidad

nombre femenino

1 Rapidez en el movimiento que realizan las personas o las cosas. La velocidad de los vehículos en las carreteras está limitada. INGLÉS speed.

velódromo

nombre masculino

1 Instalación preparada para carreras de bicicletas. INGLÉS cycle track.

veloz

adjetivo

1 Que se mueve, actúa o hace una cosa deprisa, a mucha velocidad. SINÓNIMO rápido. ANTÓNIMO lento. INGLÉS fast, quick.

NOTA El plural es: veloces.

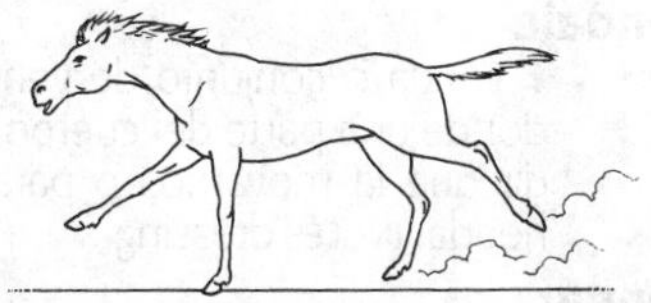

veloz

vena

nombre femenino

1 Conducto por donde circula la sangre que va al corazón. INGLÉS vein.

venado

nombre masculino

1 Animal mamífero marrón o gris, con patas largas y cola muy corta, que vive en los bosques y se alimenta de vegetales. El macho tiene una gran cornamenta dividida en ramas. SINÓNIMO ciervo. INGLÉS deer.

vencedor, vencedora

adjetivo y nombre

1 Que gana o vence. Los deportistas vencedores suben al podio. SINÓNIMO ganador. ANTÓNIMO perdedor. INGLÉS winning [adjetivo], winner [nombre].

vencer

verbo

1 Resultar ganador en una lucha, competición o juego. SINÓNIMO ganar; derrotar. ANTÓNIMO perder. INGLÉS to win [ganar], to beat [derrotar].

2 Dominar una persona un impulso, un sentimiento o un afecto. A veces las personas que hacen dieta no pueden vencer la tentación de comerse un bombón. INGLÉS to overcome.

3 Ser una sensación o un deseo tan fuerte que no se puede resistir. Nos pueden vencer el sueño, el miedo o la curiosidad. INGLÉS to overcome.

4 Terminar el plazo señalado para realizar algo. Para matricularse en una academia hay que hacerlo antes de que venza el plazo de matrícula. SINÓNIMO caducar. INGLÉS to expire.

5 **vencerse** Torcerse o ladearse una cosa por exceso de peso. Las ramas de un árbol se vencen cuando están cargadas de frutas. INGLÉS to give way.

NOTA Se escribe 'z' delante de 'a' y 'o', como: venzamos, venzo.

venda
nombre femenino
1 Tira de gasa o tela que se enrolla alrededor de una parte del cuerpo para impedir que la movamos o para tapar una herida. INGLÉS bandage.

vendaje
nombre masculino
1 Venda o conjunto de vendas alrededor de una parte del cuerpo para impedir que la movamos o para tapar una herida. INGLÉS dressing.

vendar
verbo
1 Poner una venda alrededor de una parte del cuerpo. INGLÉS to bandage.

vendaval
nombre masculino
1 Viento muy fuerte y violento. INGLÉS strong wind, gale.

vendedor, vendedora
nombre
1 Persona que se dedica a vender cosas. ANTÓNIMO comprador. INGLÉS seller, salesman [hombre], saleswoman [mujer].

vender
verbo
1 Dar una cosa a cambio de una cantidad de dinero. Los grandes almacenes venden todo tipo de productos. ANTÓNIMO comprar. INGLÉS to sell.
2 **venderse** Aceptar dinero o favores para hacer algo incorrecto que beneficia a alguien: *Ese árbitro se ha vendido y pita siempre en contra de nosotros.* INGLÉS to sell oneself.

vendimia
nombre femenino
1 Actividad que consiste en recoger la uva cuando ya está madura. También es el tiempo en el que se recoge la uva, que suele ser en septiembre. INGLÉS grape harvest.

veneno
nombre masculino
1 Sustancia que causa a un ser vivo la muerte o problemas de salud graves si se introduce en su cuerpo o se aplica sobre él. Las serpientes tienen veneno para matar a sus presas. INGLÉS poison, [si es de una serpiente: venom].

venenoso, venenosa
adjetivo
1 Que tiene veneno. Algunas setas son venenosas. INGLÉS poisonous.

venerable
adjetivo
1 Que merece ser respetado por tener una edad avanzada o por poseer una gran virtud. Las personas ancianas y sabias son gente venerable. INGLÉS venerable.

venerar
verbo
1 Demostrar gran cariño y respeto por una persona o cosa: *Desde pequeño venera a su abuelo.* INGLÉS to worship.
2 Adorar a Dios, a los santos o a las cosas sagradas: *En ese pueblo veneran a una santa poco conocida.* INGLÉS to venerate.

venezolano, venezolana
adjetivo y nombre
1 Se dice de la persona o cosa que es de Venezuela, país de América del Sur. INGLÉS Venezuelan.

¡venga!
interjección
1 Se usa para animar o para meter prisa a una persona: *¡Venga, que no llegamos!* INGLÉS come on.
2 Se usa para indicar rechazo o fastidio o para decir que no se cree lo que se nos dice: *¡Venga!, déjame trabajar. ¡Venga ya, mentiroso!* INGLÉS come on.

venganza
nombre femenino
1 Acción que consiste en vengar una persona a otra o en vengarse del daño producido por otra. INGLÉS revenge.

vengar
verbo
1 Causar una persona un daño a otra como respuesta al daño que esta persona ha causado antes: *En la película, el protagonista se venga de los que mataron a su padre.* INGLÉS to avenge, to take revenge.
NOTA Se escribe 'gu' delante de 'e', como: venguemos.

vengativo, vengativa
adjetivo
1 Se dice de la persona que quiere vengarse cuando se le causa algún daño, incluso cuando no es grave. INGLÉS vengeful.

venial
adjetivo
1 Que va ligeramente en contra de una norma o una ley y es fácil de perdonar. En la religión cristiana, un pecado venial es una falta que no se considera muy grave. INGLÉS venial.

venida
nombre femenino
1 Acción que consiste en llegar al lugar donde está la persona que habla o moverse hacia él: *No esperábamos tan pronto la venida de las lluvias este año.* SINÓNIMO llegada. INGLÉS coming, arrival.

venidero, venidera
adjetivo
1 Que va a venir o a ocurrir en el futuro: *El edificio se construirá en los meses venideros.* INGLÉS coming.

venir
verbo
1 Ir o moverse hacia donde está la persona que habla. INGLÉS to come.
2 Tener algo origen en otra cosa o en un lugar. El azúcar viene de la caña. INGLÉS to come.
3 Empezar a tener algo, como un sentimiento, una idea, una sensación o un deseo. Nos puede venir un mareo, hambre o sueño. INGLÉS to get.
4 Estar situada una cosa que forma parte de una serie o de un grupo después de otra. Mayo viene después de abril. INGLÉS to come.
5 Convenir o resultar una cosa adecuada: *A esa hora me viene mal ir a tu casa.* INGLÉS to be.
6 Quedarle la ropa a una persona de la forma que se dice a continuación: *Esta camisa me viene ancha.* INGLÉS to be.
7 Estar algo escrito o impreso en un libro, una revista o un periódico: *Mi teléfono viene en la guía.* INGLÉS to appear.
8 Venderse una cosa con lo que se dice a continuación: *El juego viene con pilas incluidas.* INGLÉS to come.
9 Estar haciendo lo que se indica durante cierto tiempo: *Viene jugando al tenis desde hace diez años.* Se utiliza seguido de un gerundio. INGLÉS to have been.

venir

INDICATIVO	SUBJUNTIVO
presente	**presente**
vengo	venga
vienes	vengas
viene	venga
venimos	vengamos
venís	vengáis
vienen	vengan
pretérito imperfecto	**pretérito imperfecto**
venía	viniera o viniese
venías	vinieras o vinieses
venía	viniera o viniese
veníamos	viniéramos o viniésemos
veníais	vinierais o vinieseis
venían	vinieran o viniesen
pretérito perfecto simple	**futuro**
vine	viniere
viniste	vinieres
vino	viniere
vinimos	viniéremos
vinisteis	viniereis
vinieron	vinieren
futuro	**IMPERATIVO**
vendré	ven (tú)
vendrás	venga (usted)
vendrá	vengamos (nosotros)
vendremos	venid (vosotros)
vendréis	vengan (ustedes)
vendrán	
condicional	**FORMAS NO PERSONALES**
vendría	**infinitivo** venir
vendrías	**gerundio** viniendo
vendría	**participio** venido
vendríamos	
vendríais	
vendrían	

venta
nombre femenino
1 Entrega de un producto a cambio de una cantidad de dinero. Las pescaderías se dedican a la venta de pescados. ANTÓNIMO compra. INGLÉS sale.
2 Cantidad de cosas que se venden. Las empresas hacen publicidad para aumentar sus ventas. INGLÉS sales.

ventaja
nombre femenino
1 Característica que hace que una cosa sea mejor que otra con la que se compara. Vivir en la ciudad tiene sus ventajas y sus inconvenientes. ANTÓNIMO desventaja; inconveniente. INGLÉS advantage.
2 Cosa buena que tiene algo, normalmente mejor que otras cosas del mismo tipo: *Si compra en nuestra tienda obtendrá muchas ventajas: calidad, precio y servicio.* INGLÉS advantage.
3 Distancia o puntos que separan a un competidor de otro que va detrás: *El líder saca tres minutos de ventaja al segundo corredor.* INGLÉS lead.

ventajoso, ventajosa
adjetivo
1 Que tiene o supone alguna ventaja o beneficio. INGLÉS advantageous.

ventana
nombre femenino
1 Abertura hecha en una pared que sirve para dar luz y ventilación al interior de un edificio o una habitación. INGLÉS window.
2 Marco de madera o metal, con una o más hojas y con cristales, que tapa el hueco de la ventana de una pared. Cuando hace mucho calor abrimos las ventanas. INGLÉS window.
3 Cada uno de los dos agujeros de la nariz. SINÓNIMO fosa nasal. INGLÉS nostril.
4 Recuadro que aparece en la pantalla del ordenador al trabajar con ciertos

programas. Puede haber varias ventanas abiertas a la vez. INGLÉS window.

ventanal
nombre masculino
1 Ventana muy grande en la pared de un edificio. Un palacio suele tener grandes ventanales. INGLÉS large window.

ventanilla
nombre femenino
1 Ventana pequeña de un vehículo. Los automóviles, autobuses, trenes o aviones tienen ventanillas. INGLÉS window.
2 Abertura pequeña que hay en una pared o una taquilla a través de la cual los empleados atienden al público en oficinas, bancos, estaciones o campos de fútbol. INGLÉS window.

ventarrón
nombre masculino
1 Viento muy fuerte. INGLÉS strong wind, gale.
NOTA El plural es: ventarrones.

ventilador
nombre masculino
1 Aparato con aspas que giran y mueven el aire y que sirve para ventilar o bajar la temperatura de un lugar cerrado. El ventilador del motor de un vehículo enfría el agua cuando pasa por el radiador. INGLÉS fan.

ventilar
verbo
1 Hacer que circule, entre o se renueve el aire en un lugar. SINÓNIMO airear. INGLÉS to ventilate.
2 Sacar algo al aire libre para que se le vaya el olor, la humedad o el polvo. SINÓNIMO airear. INGLÉS to air.
3 ventilarse Hacer algo muy deprisa o resolver un asunto con mucha rapidez. Cuando un libro nos gusta mucho nos lo ventilamos en pocos días. INGLÉS to finish off.

ventisca
nombre femenino
1 Tormenta de viento o de viento y nieve. Es frecuente en los puertos y las gargantas de montaña. INGLÉS snowstorm, blizzard.

ventolera
nombre femenino
1 Ráfaga de viento fuerte y que dura poco. INGLÉS gust of wind.

ventosa
nombre femenino
1 Objeto cóncavo de goma que se pega a una superficie lisa al presionarlo contra esta y producirse el vacío en su interior. INGLÉS suction cup.
2 Órgano que tienen ciertos animales en la boca o en las extremidades y que les permite sujetarse con fuerza a una superficie. Los pulpos se sujetan a las rocas gracias a las ventosas de sus tentáculos. INGLÉS sucker.

ventoso, ventosa
adjetivo
1 Se dice del lugar o el tiempo en que hace mucho viento. INGLÉS windy.

ventrículo
nombre masculino
1 Hueco o cavidad que hay en el corazón. Hay cuatro cavidades dentro del corazón de los mamíferos: dos ventrículos en la parte de abajo y dos aurículas en la parte de arriba. INGLÉS ventricle.

ventrílocuo, ventrílocua
nombre
1 Persona que sabe hablar sin mover los labios para que no se note que es ella la que habla. Hay ventrílocuos que tienen muñecos y hacen espectáculos en los que parece que los muñecos hablan. INGLÉS ventriloquist.

ventura
nombre femenino
1 Estado de felicidad y alegría de una persona que ha conseguido sus deseos. INGLÉS happiness.
2 Suerte o fortuna que tiene una persona. INGLÉS fortune.

ver
verbo
1 Percibir las cosas con el sentido de la vista. Sin luz no es posible ver. INGLÉS to see.
2 Entender algo o darse cuenta de ello. Cuando vemos que nos hemos equivocado lo mejor es rectificar: *Ya veo lo que quieres decir.* INGLÉS to see.
3 Considerar o juzgar una cosa de una manera determinada. Cada uno tiene su forma de ver las cosas, por eso se tienen opiniones diferentes. INGLÉS to see.
4 Visitar a una persona o encontrarse con ella. Cuando alguien está en un hospital, la familia y los amigos van a verlo. INGLÉS to see.

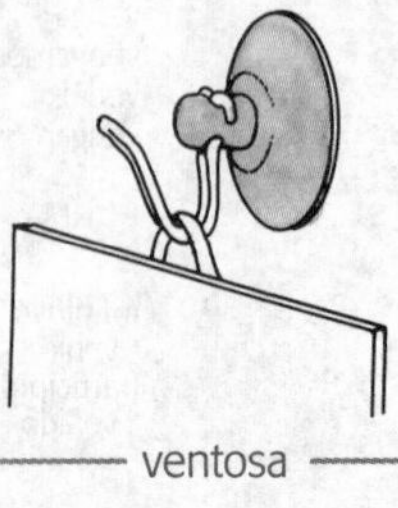

ventosa

5 Imaginar a una persona en una situación determinada: *Lo veo ganador de la carrera.* INGLÉS to see.

a ver Expresión que se usa para llamar la atención de alguien u ordenarle algo. También se usa para expresar curiosidad: *¡A ver!, cuéntame qué te pasa.* INGLÉS let's see.

veraneante

nombre masculino y femenino

1 Persona que está pasando las vacaciones de verano en un lugar diferente del lugar donde vive. INGLÉS holidaymaker [en el Reino Unido], vacationer [en Estados Unidos].

veranear

verbo

1 Pasar las vacaciones de verano en un lugar diferente del domicilio habitual. INGLÉS to spend the summer holiday [en el Reino Unido], to spend the summer vacation [en Estados Unidos].

ver

INDICATIVO	SUBJUNTIVO
presente	**presente**
veo	vea
ves	veas
ve	vea
vemos	veamos
veis	veáis
ven	vean
pretérito imperfecto	**pretérito imperfecto**
veía	viera o viese
veías	vieras o vieses
veía	viera o viese
veíamos	viéramos o viésemos
veíais	vierais o vieseis
veían	vieran o viesen
pretérito perfecto simple	**futuro**
vi	viere
viste	vieres
vio	viere
vimos	viéremos
visteis	viereis
vieron	vieren

INDICATIVO	IMPERATIVO	
futuro		
veré	ve	(tú)
verás	vea	(usted)
verá	veamos	(nosotros)
veremos	ved	(vosotros)
veréis	vean	(ustedes)
verán		

INDICATIVO	FORMAS NO PERSONALES	
condicional	**infinitivo**	**gerundio**
vería	ver	viendo
verías	**participio**	
vería	visto	
veríamos		
veríais		
verían		

veraneo

nombre masculino

1 Vacaciones de verano que se pasan en un lugar diferente del domicilio habitual. INGLÉS summer holiday [en el Reino Unido], summer vacation [en Estados Unidos].

veraniego, veraniega

adjetivo

1 Del verano o que tiene relación con él. La ropa veraniega suele ser muy ligera. INGLÉS summer.

verano

nombre masculino

1 Estación del año que va después de la primavera y antes del otoño. Es la época del año en que hace más calor. INGLÉS summer.

veras

de veras Se utiliza para indicar que una cosa que se dice es completamente cierta o que se dice sinceramente: *Te digo de veras que haré lo posible por ir.* INGLÉS really [verdaderamente], seriously [en serio].

verbal

adjetivo

1 De las palabras o que se expresa con palabras. Las personas se comunican mediante el lenguaje verbal y el no verbal o gestual. INGLÉS verbal.

2 Que se hace solo de palabra y no por escrito. Un contrato verbal se hace de palabra, sin firmar ningún papel. INGLÉS verbal.

3 Del verbo o que tiene relación con él. El pretérito imperfecto es un tiempo verbal. INGLÉS verbal.

verbena

nombre femenino

1 Fiesta popular al aire libre con música que se celebra por la noche. INGLÉS open-air party.

verbo

nombre masculino

1 Clase de palabras que expresa la acción que realiza el sujeto o un estado del sujeto. Los verbos se conjugan y cambian su forma según el tiempo, el modo, la persona y otros aspectos. 'Estar', 'beber' y 'dormir' son verbos. INGLÉS verb.

verborrea

nombre femenino

1 Utilización excesiva de palabras al hablar. Una persona con verborrea tiende a hablar demasiado en las conversaciones. INGLÉS verbosity.

verdad

nombre femenino

1 Cosa que se dice o se piensa que se

corresponde con la realidad. Una noticia es verdad cuando cuenta exactamente algo que pasó. INGLÉS truth.

2 Cosa negativa que se le dice a una persona de forma clara y directa, normalmente para corregirla o regañarla: *Cuando lo vea le voy a decir cuatro verdades.* INGLÉS home truth.

de verdad Se dice de lo que es auténtico o real, tal y como ha de ser. Los amigos de verdad son los que nunca te dejan de lado. INGLÉS real.

de verdad Se usa para indicar que una cosa que se dice es completamente cierta o que se dice seria o sinceramente: *De verdad, iré por la mañana.* INGLÉS honestly.

verdadero, verdadera

adjetivo **1** Se dice de lo que es verdad: *Esa historia es verdadera, pasó realmente hace muchos años.* INGLÉS true.

2 Se dice de la persona o de la cosa que es realmente lo que se dice de ella. Se dice de alguien que es un verdadero amigo cuando realmente lo es. INGLÉS true, real.

verde

nombre masculino y adjetivo **1** Color como el del césped o la lechuga. La mezcla de amarillo y azul da verde. INGLÉS green.

adjetivo **2** Se dice de la fruta que todavía no está madura. La fruta muy verde tiene un sabor amargo. ANTÓNIMO maduro. INGLÉS green, unripe.

3 Se dice de la planta o parte de la planta que no está seca y todavía tiene savia. ANTÓNIMO seco. INGLÉS green.

4 Se dice de una zona pública de la ciudad con árboles o plantas, como un parque, y en la que no hay edificaciones. INGLÉS green.

5 Indica que una persona está poco preparada para hacer algo: *Todavía está verde para dirigir el equipo.* INGLÉS green, immature.

6 Se dice de los chistes relacionados con el sexo. INGLÉS blue.

nombre y adjetivo **7** Persona o grupo que defiende la naturaleza y protege el medio ambiente. SINÓNIMO ecologista. INGLÉS green.

poner verde Hablar muy mal de alguien o algo. INGLÉS to slag someone off.

verdoso, verdosa

adjetivo **1** De color parecido al verde o con un tono verde. Cuando el agua de una piscina está muy sucia se ve verdosa. INGLÉS greenish.

verdugo

nombre masculino **1** Persona encargada de matar a las personas condenadas a muerte. INGLÉS executioner.

2 Gorro de lana que cubre toda la cabeza y el cuello dejando la cara al descubierto. SINÓNIMO pasamontañas. INGLÉS balaclava.

verdulería

nombre femenino **1** Tienda en la que se vende verdura y otros productos de huerta. INGLÉS greengrocer's shop.

verdulero, verdulera

nombre **1** Persona que vende verduras y otros productos de huerta. INGLÉS greengrocer.

verdura

nombre femenino **1** Planta comestible que se cultiva en una huerta, en especial la que se come cocida. Las acelgas y las espinacas son verduras. INGLÉS vegetables.

vereda

nombre femenino **1** Camino estrecho que se forma en el campo por el paso de personas o ganado. INGLÉS path.

veredicto

nombre masculino **1** Decisión final de un tribunal de justicia que está juzgando a una persona. El veredicto dice si un acusado es culpable o inocente. INGLÉS verdict.

vergonzoso, vergonzosa

adjetivo **1** Que produce vergüenza: *Fue vergonzoso ver cómo se peleaban y se insultaban.* INGLÉS shameful.

2 Que siente vergüenza con facilidad y no se atreve a hacer o decir cosas delante de otras personas. INGLÉS shy.

vergüenza

nombre femenino **1** Sentimiento desagradable que se siente cuando se hace el ridículo o se comete una falta sin querer: *Pasó mucha vergüenza al caerse delante de todos.* INGLÉS embarrassment, shame.

2 Sentimiento que hace que una persona no se atreva a hacer determinadas cosas delante de otra porque cree que se puede reír o pensar mal de ella. Muchos niños pequeños sienten ver-

a b c d e f g h i j k l m n ñ o p q r s t u v w x y z

güenza delante de extraños. SINÓNIMO timidez. INGLÉS shame, shyness.
3 Cosa que causa mucho enfado o rechazo porque se considera que no debería ocurrir o porque ofende o molesta: *Es una vergüenza que la playa esté tan sucia.* INGLÉS disgrace.
4 Persona o cosa que provoca que otra persona se avergüence y se sienta mal: *Es la vergüenza de la familia.* INGLÉS disgrace.
nombre femenino plural **5 vergüenzas** Órganos sexuales externos de una persona. Es un uso familiar. INGLÉS private parts.

verídico, verídica
adjetivo **1** Se dice de lo que es verdad o se corresponde con la realidad: *Parece de broma, pero lo que te cuento es verídico.* INGLÉS true.

verificar
verbo **1** Hacer las operaciones necesarias para confirmar si es verdad o exacto un resultado o si es correcto el funcionamiento de una cosa. Cuando resolvemos un problema de matemáticas, conviene repasarlo para verificar que está bien. SINÓNIMO comprobar. INGLÉS to verify, to check.
NOTA Se escribe 'qu' delante de 'e', como: verifique.

verja
nombre femenino **1** Reja de hierro que se usa para cerrar un lugar o se pone en las ventanas o puertas para seguridad o como adorno. Muchos jardines tienen una verja alrededor. INGLÉS railings [para cerrar un recinto], grille [en una ventana o puerta].

verosímil
adjetivo **1** Que parece verdadero porque es posible. Las historias de dragones y ogros no son verosímiles. ANTÓNIMO inverosímil. INGLÉS credible.

verruga
nombre femenino **1** Bulto redondo, pequeño y arrugado que sale en la piel. INGLÉS wart.

versátil
adjetivo **1** Que tiene un carácter que cambia a menudo y con facilidad. INGLÉS fickle.
2 Que se adapta fácilmente a diversos usos o situaciones. Los músicos versátiles pueden tocar diversos instrumentos o interpretar estilos de música diferentes. INGLÉS versatile.

versículo
nombre masculino **1** División de frases que se establece en los textos sagrados. Todas las frases de la Biblia se dividen en versículos. INGLÉS verse.

versificar
verbo **1** Componer versos y poemas, o transformar en versos un texto en prosa. Los poetas versifican siguiendo las normas de la métrica. INGLÉS to versify.
NOTA Se escribe 'qu' delante de 'e', como: versifiquéis.

versión
nombre femenino **1** Cada una de las diferentes formas en que puede presentarse o adaptarse una obra o un tema artístico o musical. En el cine se han hecho numerosas versiones de la historia de Drácula. INGLÉS version.
2 Traducción de una obra escrita. Una novela famosa tiene versiones en muchos idiomas diferentes para que la pueda leer mucha gente. INGLÉS version.
3 Cada uno de los modos diferentes de contar un mismo hecho, que pueden variar según las personas o el punto de vista: *Su versión es que la culpa es mía, pero deja que te cuente mi versión.* INGLÉS version.
NOTA El plural es: versiones.

verso
nombre masculino **1** Palabra o conjunto de palabras que forma una línea de una poesía. Los poemas están escritos en verso. ANTÓNIMO prosa. INGLÉS verse.

vértebra
nombre femenino **1** Cada uno de los huesos que forman la columna vertebral. INGLÉS vertebra.

vertebrado, vertebrada
adjetivo y nombre masculino **1** Se dice del animal que tiene un esqueleto con un eje central formado por vértebras. ANTÓNIMO invertebrado. INGLÉS vertebrate.

vertebral
adjetivo **1** Que está relacionado con las vértebras. La columna vertebral recorre la espalda de las personas de la cabeza al trasero. INGLÉS vertebral, spinal.

vertedero
nombre masculino **1** Lugar donde se tiran las basuras, escombros u otros desperdicios de una población. Los vertederos están situa-

dos en las afueras de la ciudad. SINÓNIMO basurero. INGLÉS rubbish dump, tip.

verter
verbo
1 Tirar o dejar caer un líquido o un material fuera del recipiente que lo contiene. Si se vierte una taza de café sobre un mantel, el mantel se ensucia. INGLÉS to spill.
2 Dar la vuelta a un recipiente para que caiga lo que contiene, especialmente cuando queremos pasar un líquido o un material de un recipiente a otro: *Vertió la botella de cava en la copa pero ya no quedaba nada.* INGLÉS to pour.
NOTA Se conjuga como: entender; la 'e' se convierte en 'ie' en sílaba acentuada, como: vierte.

vertical
adjetivo y nombre femenino
1 Se dice de la línea u objeto que forma un ángulo recto con una superficie plana como el suelo o el horizonte. Los rascacielos tienen una posición vertical respecto al suelo. En los crucigramas hay palabras escritas en horizontal y en vertical. INGLÉS vertical [adjetivo], vertical line [nombre].

vértice
nombre masculino
1 Punto en el que coinciden dos o más líneas. Un triángulo tiene tres vértices. INGLÉS vertex.

vertiente
nombre femenino
1 Pendiente de una montaña o de un conjunto de montañas, generalmente por donde puede correr un río o el agua de otra corriente. INGLÉS slope.

vertiginoso, vertiginosa
adjetivo
1 Que causa vértigo o sensación de pérdida del equilibrio. Algunas atracciones de feria van a una velocidad vertiginosa. INGLÉS dizzy.

vértigo
nombre masculino
1 Sensación de pérdida del equilibrio o de que el propio cuerpo y los objetos dan vueltas que se suele padecer a gran altura. Hay personas que sienten vértigo cuando se asoman a un precipicio o a un balcón alto de un edificio. INGLÉS vertigo.

vesícula
nombre femenino
1 Órgano en forma de pequeña bolsa que se encuentra en el interior del cuerpo de un animal y que contiene un líquido. La bilis o el semen se encuentran dentro de vesículas. INGLÉS vesicle.

vespertino, vespertina
adjetivo
1 De las últimas horas de la tarde o que tiene lugar en este momento del día: *Hicieron una reunión vespertina poco antes de que se pusiera el Sol.* INGLÉS evening.

vestíbulo
nombre masculino
1 Parte de una casa o edificio que se encuentra junto a la puerta principal y que se usa para recibir a los que llegan. SINÓNIMO recibidor. INGLÉS entrance hall, [si es de un hotel: foyer].

vestido
nombre masculino
1 Prenda de vestir femenina de una sola pieza en la que el cuerpo y la falda van unidos. INGLÉS dress.
2 Ropa que está destinada a cubrir el cuerpo humano: *En esa tienda venden diversas piezas de vestido y calzado.* INGLÉS clothing.

vestigio
nombre masculino
1 Señal, huella u otra cosa que queda de una persona o de una cosa que ha pasado o que ha desaparecido. Las pirámides son vestigios de la antigua civilización egipcia: *El ladrón no dejó ningún vestigio.* INGLÉS vestige, trace.

vestimenta
nombre femenino
1 Conjunto de prendas de vestir que lleva una persona. INGLÉS clothes.

vestir
verbo
1 Poner o llevar ropa encima del cuerpo: *Casi siempre viste de rojo.* INGLÉS to dress [poner ropa], to wear [llevar ropa].
2 Resultar elegante o adecuado, especialmente una prenda de vestir, un calzado o un complemento de vestir: *Una corbata de seda viste mucho.* INGLÉS to look smart.
3 Hacer o comprar la ropa a alguien: *Mi tía era modista y nos vestía cuando éramos pequeños.* INGLÉS to clothe, [si es hacer la ropa: to make clothes for].
NOTA Se conjuga como: servir; la 'e' se convierte en 'i' en algunos tiempos y personas, como: visto.

vestuario
nombre masculino
1 Conjunto de prendas de vestir de una persona. El vestuario de invierno no

se usa cuando hace calor. **INGLÉS** wardrobe, clothes.

2 Conjunto de trajes que usan los actores en una película o espectáculo. **INGLÉS** wardrobe.

3 Lugar preparado para cambiarse de ropa o para guardarla en instalaciones deportivas, teatros u otros lugares. **INGLÉS** dressing room [en el teatro], changing room [en instalaciones deportivas].

veta

nombre femenino

1 Capa de mineral que rellena una grieta o abertura de una formación rocosa y que suele ser objeto de explotación en minería. **SINÓNIMO** filón. **INGLÉS** seam.

2 Lista o franja de distinto color o materia que destaca en una superficie o producto. **INGLÉS** vein, streak.

vetar

verbo

1 Prohibir o impedir que una cosa se haga. Las personas con poder vetan una decisión o un pacto cuando no les parecen bien: *Le vetaron la entrada al local por no ir bien vestido.* **INGLÉS** to veto.

veterano, veterana

adjetivo y nombre

1 Se dice de la persona que lleva mucho tiempo desempeñando una actividad o una profesión y por eso tiene mucha experiencia en ella. También son veteranas las personas de bastante edad que realizan una actividad con otras más jóvenes. **INGLÉS** veteran.

2 Se dice del militar que lleva mucho tiempo sirviendo en el ejército o ha participado en la guerra u otro acontecimiento similar. **INGLÉS** veteran.

veterinario, veterinaria

nombre

1 Persona que trata y cura a los animales enfermos. **INGLÉS** veterinary surgeon, vet.

vetusto, vetusta

adjetivo

1 Que es muy antiguo. Las diligencias son un vetusto medio de transporte. **INGLÉS** ancient, very old.

NOTA Es una palabra formal.

vez

nombre femenino

1 Ocasión o momento en que se realiza o se repite una acción: *Viene tres veces a la semana. Aquella vez ni llamó ni vino.* **INGLÉS** time.

2 Momento en el que a una persona le corresponde hacer algo: *Esta vez te toca a ti.* **SINÓNIMO** turno. **INGLÉS** time.

3 Puesto que le corresponde a una persona en una cola. Cuando hay mucha gente en las tiendas se debe pedir la vez. **INGLÉS** turn.

a la vez Al mismo tiempo. Los corredores de una carrera deben salir a la vez. **INGLÉS** at the same time.

a veces Indica que algo ocurre en algunas ocasiones pero no siempre ni habitualmente: *A veces voy al cine.* **INGLÉS** sometimes.

de una vez De manera definitiva, sin esperar más: *Dime ya de una vez lo que te pasa.* **INGLÉS** once and for all.

de vez en cuando En algunas ocasiones, generalmente pocas: *De vez en cuando van al teatro pero prefieren el cine.* **INGLÉS** from time to time.

en vez de Indica que se prefiere una cosa distinta de la que se dice a continuación: *En vez de un refresco, prefiero leche.* **INGLÉS** instead of.

tal vez Se utiliza cuando algo es posible, pero no se tiene total seguridad: *Tal vez vaya, pero no sé si podré.* **SINÓNIMO** quizá. **INGLÉS** perhaps.

NOTA El plural es: veces.

vía

nombre femenino

1 Camino por donde circula el tren. La vía está formada por dos barras de hierro paralelas. **INGLÉS** track.

2 Camino que conduce a un lugar. Las calles y las carreteras son vías públicas. **INGLÉS** road, street.

3 Lugar o sistema a través del que se hace algo. Los medicamentos por vía oral se toman por la boca. Las imágenes de televisión las recibimos vía satélite. **INGLÉS** via.

4 Procedimiento que sirve para hacer algo o conseguir una cosa. La mejor manera de solucionar problemas entre países es por la vía de la negociación. **INGLÉS** way, means.

en vías de Que está en el camino hacia un objetivo. Los países en vías de desarrollo necesitan mejorar su economía para alcanzar el nivel económico de los países más ricos. **INGLÉS** in the process of.

vías respiratorias Conductos del cuerpo de las personas o de los animales por donde pasa el aire que se respira. INGLÉS respiratory tract.

viable
adjetivo
1 Que puede ser realizado, como un plan viable o un proyecto viable. INGLÉS viable.

viajante
nombre masculino y femenino
1 Persona que viaja a muchas ciudades para vender los productos de su empresa. INGLÉS commercial traveller.

viajar
verbo
1 Ir de un lugar a otro usando algún medio de transporte. Se viaja a sitios que están lejos. Unos viajan por vacaciones, otros por trabajo. INGLÉS to travel.

viaje
nombre masculino
1 Movimiento que se hace al ir de un lugar a otro usando un medio de transporte. En vacaciones la gente suele hacer viajes. INGLÉS journey, trip.
2 Cada una de las veces que se recorre un camino para ir a algún sitio. Los aviones hacen varios viajes al mes. INGLÉS journey, trip.

viajero, viajera
nombre
1 Persona que viaja. En las estaciones de ferrocarril casi siempre hay viajeros esperando su tren. INGLÉS traveller, [si es en transporte público: passenger].

vial
adjetivo
1 Se dice de la cosa que está relacionada con el tráfico o con la circulación. Una buena educación vial de los ciudadanos evita muchos accidentes. INGLÉS road.

viandante
nombre masculino y femenino
1 Persona que va andando por la calle. ANTÓNIMO peatón. INGLÉS pedestrian, passer-by.

víbora
nombre femenino
1 Serpiente venenosa que tiene la cabeza triangular y de la que existen muchas especies. Normalmente no son muy grandes y tienen la piel gris con manchas oscuras. INGLÉS viper.
2 Persona que actúa con mala intención o habla mal de los demás. INGLÉS nasty piece of work.

vibración
nombre femenino
1 Conjunto de movimientos pequeños y rápidos de un lado a otro que hace algo al vibrar. INGLÉS vibration.
NOTA El plural es: vibraciones.

vibrante
adjetivo
1 Que vibra o hace vibrar, como un sonido vibrante. INGLÉS vibrating.
2 Que emociona o conmueve: *El concierto fue vibrante.* INGLÉS vibrant.

vibrar
verbo
1 Moverse algo con movimientos pequeños y muy rápidos. Vibran cosas que están tensas, como una cuerda de guitarra. También vibra una cosa cuando recibe un golpe o unas ondas fuertes: vibra una casa cuando pasa el tren, vibra el suelo cuando hay un terremoto. INGLÉS to vibrate.

vicepresidente, vicepresidenta
nombre
1 Persona que ocupa el cargo inmediatamente inferior al de presidente. Los vicepresidentes sustituyen a los presidentes en algunos casos, por ejemplo cuando estos están enfermos o están de viaje. INGLÉS vice president.

viceversa
adverbio
1 Al revés de como se dice o cambiando el orden de lo que se acaba de decir. Si un avión va de París a Londres y viceversa, quiere decir que va de París a Londres y de Londres a París. INGLÉS vice versa.

vicio
nombre masculino
1 Costumbre mala o negativa que tiene una persona y que resulta muy difícil de dejar. Fumar y beber alcohol son vicios muy malos para la salud. INGLÉS bad habit.
2 Forma de ser o de comportarse mal y en contra de la moral. ANTÓNIMO virtud. INGLÉS vice.
3 Costumbre de una persona que resulta desagradable para otra: *Tiene el feo vicio de morderse las uñas.* INGLÉS bad habit.
4 Afición o cosa que gusta mucho y se hace con mucha frecuencia: *Leer es mi vicio.* INGLÉS addiction.

vicioso, viciosa
adjetivo
1 Se dice de la persona que tiene un vicio negativo. También puede significar que alguien se comporta de forma inmoral. INGLÉS depraved.

víctima
nombre femenino
1 Persona que sufre algún daño por la causa que se expresa. Es una víctima el que muere de forma violenta o que

sufre grandes daños por un accidente o un desastre natural. También es una víctima la persona que sufre algo negativo, como un atraco o una guerra. INGLÉS victim, [si es de un accidente: casualty].

victoria

nombre femenino

1 Acción que resulta de vencer una persona o grupo de personas a su adversario en una lucha o en una competición. En un partido, obtiene la victoria quien supera al contrario. INGLÉS victory, win.

cantar victoria Mostrar alegría y decir que se ha ganado: *Hasta que no consigas el triunfo no cantes victoria.* INGLÉS to claim victory.

victorioso, victoriosa

adjetivo

1 Se dice de la persona o grupo de personas que han conseguido la victoria en una lucha o una competición. INGLÉS victorious.

vid

nombre femenino

1 Planta que produce la uva. El tronco de la vid es retorcido y puede ser bajo o trepar por algún sitio. Si trepa, también se llama parra. INGLÉS grapevine, vine.

vida

nombre femenino

1 Aquello que tienen las personas, los animales y las plantas y que hace que nazcan y se reproduzcan. INGLÉS life.

2 Período de tiempo que va desde el nacimiento hasta la muerte de un ser vivo. INGLÉS life, lifetime.

3 Período de tiempo que dura una cosa. La vida de un vehículo es cada vez mayor. INGLÉS life.

4 Conjunto de cosas que se necesitan para vivir, como la vivienda, los alimentos o la ropa: *La vida es cada vez más cara. Se gana la vida con la tienda.* INGLÉS living, [coste de la vida: cost of living].

5 Modo o manera de vivir: *Lleva una vida muy dura.* INGLÉS life.

6 Cosa que hace interesante o posible la existencia de una persona o de un lugar. Para muchas personas sus hijos son su vida. El turismo da vida a muchos pueblos de la costa. INGLÉS liveliness.

7 Energía, fuerza o animación de una persona o una cosa: *Es una persona llena de vida.* INGLÉS life.

de toda la vida Desde siempre: *Somos amigos de toda la vida.* INGLÉS lifelong.

en la vida En ningún momento antes: *En la vida había visto algo así, parece increíble.* SINÓNIMO nunca. INGLÉS never.

hacer la vida imposible Molestar a una persona de forma continuada. INGLÉS to make someone's life hell.

pasar a mejor vida Morirse una persona. INGLÉS to pass on.

vidente

nombre masculino y femenino

1 Persona que predice el futuro o que pretende descubrir cosas ocultas o desconocidas por medio de la magia. SINÓNIMO adivino. INGLÉS clairvoyant.

vídeo

nombre masculino

1 Sistema de grabación de imágenes y sonidos que puede reproducirse en la televisión. INGLÉS video.

2 Película hecha por este sistema de grabación: *Tiene un montón de vídeos familiares.* INGLÉS video.

3 Aparato que sirve para grabar imágenes de la televisión o reproducir en la pantalla películas de vídeo. INGLÉS video recorder.

videocámara

nombre femenino

1 Cámara de vídeo que permite filmar imágenes y sonidos en una cinta magnética o en un disco: *Filmó la boda con una videocámara.* INGLÉS video camera.

videoclip

nombre masculino

1 Película de vídeo corta que consiste en una serie de imágenes que acompañan a una canción. El objetivo de un videoclip es promocionar una canción en televisión u otro medio audiovisual. SINÓNIMO clip. INGLÉS video, pop video.

NOTA El plural es: videoclips.

videoclub

nombre masculino

1 Establecimiento en el que se pueden comprar, alquilar y cambiar películas de vídeo. INGLÉS video rental shop.

NOTA El pluras es: videoclubes o videoclubs.

videojuego

nombre masculino

1 Juego que se practica en una pantalla de televisión. Los videojuegos vienen en un cartucho, un CD u otro soporte que se mete en una máquina especial llamada consola o en un ordenador que los reproducen en la pantalla de televisión. INGLÉS video game.

a b c d e f g h i j k l m n ñ o p q r s t u v w x y z

a b c d e f g h i j k l m n ñ o p q r s t u v w x y z

videoteca
nombre femenino **1** Colección de vídeos grabados y lugar en el que se guardan. En unos estudios de televisión suele haber un espacio reservado para la videoteca. INGLÉS video library.

vidrio
nombre masculino **1** Material duro, fácil de romper y, normalmente, transparente. El vidrio se utiliza para fabricar muchos objetos, por ejemplo ventanas, vasos y platos. SINÓNIMO cristal. INGLÉS glass.

viejo, vieja
adjetivo y nombre **1** Se dice de la persona o animal que tiene una edad avanzada. SINÓNIMO anciano. ANTÓNIMO joven. INGLÉS old.
adjetivo **2** Que hace mucho tiempo que existe o que ha sucedido: *Los une una vieja amistad. Es una versión de una vieja canción.* SINÓNIMO antiguo. ANTÓNIMO nuevo. INGLÉS old.
3 Se dice de las cosas que están gastadas o estropeadas por el uso, como la ropa. ANTÓNIMO nuevo. INGLÉS old.
nombre **4** Padre o madre de una persona. Es un uso informal. INGLÉS old man [padre], old woman [madre].

viento
nombre masculino **1** Aire en movimiento por causas naturales. Los barcos de vela se mueven empujados por el viento. INGLÉS wind.
de viento Se dice del instrumento que produce música al soplar por él. La trompeta y el clarinete son instrumentos de viento. INGLÉS wind.
ir viento en popa Funcionar o salir una cosa muy bien, sin problemas y con buena suerte: *El negocio va viento en popa.* INGLÉS to be going great guns.

vientre
nombre masculino **1** Parte del cuerpo de las personas y los animales entre el pecho y las piernas. Dentro del vientre están los órganos más importantes de los aparatos digestivo y urinario. SINÓNIMO barriga; tripa. INGLÉS belly.

viernes
nombre masculino **1** Quinto día de la semana. INGLÉS Friday.
NOTA El plural es: viernes.

viga
nombre femenino **1** Objeto alargado de madera, metal u hormigón que se pone horizontal en las construcciones para construir un edificio o sostener su techo. INGLÉS beam, [si es de hormigón o metal: girder].

vigente
adjetivo **1** Se dice de la ley, norma o costumbre que está en uso. Una ley permanece vigente mientras otra nueva ley no la anule. INGLÉS in force.

vigésimo, vigésima
numeral ordinal **1** Que ocupa el número 20 en una serie ordenada. INGLÉS twentieth.
adjetivo y nombre **2** Se dice de cada una de las 20 partes iguales en que se divide una cosa. INGLÉS twentieth.

vigía
nombre masculino y femenino **1** Persona encargada de vigilar algo desde un lugar adecuado, que generalmente es elevado, como por ejemplo una torre o un faro. INGLÉS lookout.

vigilancia
nombre femenino **1** Acción que consiste en vigilar o prestar mucha atención a una persona o cosa. La vigilancia es una de las tareas de los guardas de seguridad. INGLÉS surveillance.

vigilante
nombre masculino y femenino **1** Persona encargada de vigilar un lugar. Suele haber vigilantes en aparcamientos, bancos y aeropuertos. INGLÉS watchman, guard.

vigilar
verbo **1** Observar a una persona o una cosa y estar muy atento para que no sufra algún daño o no lo produzca. Los socorristas vigilan que nadie se ahogue. INGLÉS to watch.

vigor
nombre masculino **1** Fuerza o energía que tiene un ser vivo o una cosa. Una película de acción tiene mucho vigor. INGLÉS vigour, energy.
en vigor Se dice de la ley o costumbre que es actual o aún se aplica. Las leyes entran en vigor cuando las aprueba el Gobierno. INGLÉS in force.

vikingo, vikinga
adjetivo y nombre **1** Se dice de la persona que pertenecía a un pueblo de guerreros y navegantes de origen escandinavo. Los vikingos se extendieron por las costas atlánticas y por Europa occidental entre los siglos VII y XI. INGLÉS Viking.

vil
adjetivo **1** Se dice de la persona que actúa con

mucha maldad y de un modo despreciable. También son viles las acciones malvadas y despreciables. **INGLÉS** despicable.

villa

nombre femenino

1 Población grande o pequeña que antiguamente gozaba de privilegios. Madrid tiene el título de villa. **INGLÉS** town.

2 Casa muy grande y lujosa con jardín, en especial la que está en el campo. **INGLÉS** villa.

villancico

nombre masculino

1 Canción popular que se canta en Navidad. **INGLÉS** carol.

villano, villana

adjetivo y nombre

1 Se dice de la persona que es muy mala o cruel. Los malos de las películas son villanos. **INGLÉS** villainous [adjetivo], villain [nombre].

vinagre

nombre masculino

1 Líquido de sabor agrio y fuerte que se usa para darle sabor a algunas comidas. El vinagre se obtiene normalmente del vino, aunque también se saca de la manzana o el arroz. **INGLÉS** vinegar.

vinagrera

nombre femenino

1 Recipiente que se utiliza para guardar el vinagre y servirlo en la mesa. **INGLÉS** vinegar bottle.

nombre femenino plural

2 vinagreras Conjunto de dos recipientes para sacar a la mesa el aceite y el vinagre. **INGLÉS** cruet.

vinagreta

nombre femenino

1 Salsa fría hecha con aceite, vinagre, sal y pimienta, y a veces otros ingredientes, como cebolla, huevo duro o vegetales picados. Se usa mucho para acompañar ensaladas o mariscos. **INGLÉS** vinaigrette.

vínculo

nombre masculino

1 Unión firme entre dos o más personas. Cuando dos personas se divorcian rompen el vínculo matrimonial. Los vínculos de la amistad son fuertes. **INGLÉS** tie, bond.

vinícola

adjetivo

1 Que tiene relación con la producción y elaboración del vino. **INGLÉS** wine-producing.

vino

nombre masculino

1 Bebida alcohólica que se obtiene de la uva. Hay tres tipos de vino según su color: blanco, tinto y rosado. **INGLÉS** wine.

viña

nombre femenino

1 Terreno en que se cultivan vides para recoger la uva. **SINÓNIMO** viñedo. **INGLÉS** vineyard.

viñedo

nombre masculino

1 Terreno extenso en que se cultivan vides para recoger la uva. **SINÓNIMO** viña. **INGLÉS** vineyard.

viñeta

nombre femenino

1 Recuadro que encierra un dibujo que, junto con otros, forma la historieta de un tebeo o un cómic. **INGLÉS** cartoon frame.

viola

nombre femenino

1 Instrumento musical de cuerda parecido al violín, pero de mayor tamaño y sonido más grave. **INGLÉS** viola. **DIBUJO** página 598.

violáceo, violácea

adjetivo y nombre masculino

1 De color parecido al violeta o con un tono violeta. **INGLÉS** violet.

violación

nombre femenino

1 Acción de obligar por la fuerza a una persona a mantener relaciones sexuales. La violación es un delito grave. **INGLÉS** rape.

2 Acción contraria a una ley o norma. La ONU lucha para evitar la violación de los derechos humanos. **INGLÉS** violation, infringement.

NOTA El plural es: violaciones.

violador, violadora

nombre

1 Persona que obliga a otra a mantener relaciones sexuales por la fuerza. **INGLÉS** rapist.

violar

verbo

1 Obligar por la fuerza a una persona a mantener relaciones sexuales. **INGLÉS** to rape.

2 Actuar en contra de lo que dice una ley. Los delincuentes son personas que violan la ley. **SINÓNIMO** infringir. **INGLÉS** to violate, to break.

violencia

nombre femenino

1 Uso de la fuerza física para hacer daño a los demás o a uno mismo. **INGLÉS** violence.

2 Fuerza muy grande con la que se hace o sucede una cosa. La lluvia puede caer con mucha violencia. **INGLÉS** violence.

violento, violenta

adjetivo y nombre **1** Que utiliza la fuerza física para hacer daño. INGLÉS violent [adjetivo].

adjetivo **2** Que ocurre con mucha fuerza. Las tormentas de verano suelen ser violentas. INGLÉS violent.

3 Se dice de la situación que hace que una persona se sienta muy incómoda: *Es muy violento perdirle ese favor, porque no somos muy amigos.* INGLÉS embarrassing.

violeta

nombre femenino **1** Planta silvestre que tiene una flor pequeña de color morado claro. También se llama violeta la flor de esta planta. INGLÉS violet.

nombre masculino y adjetivo **2** Color claro como el de la violeta. El violeta es una mezcla de rojo y azul. INGLÉS violet.

violín

nombre masculino **1** Instrumento musical de cuerda que se toca sujetándolo con el hombro y la barbilla y frotando las cuerdas con un arco. Tiene una caja de resonancia de madera, un mástil pequeño y cuatro cuerdas. Su sonido es agudo. INGLÉS violin. DIBUJO página 598.

NOTA El plural es: violines.

violinista

nombre masculino y femenino **1** Persona que toca el violín. INGLÉS violinist.

violón

nombre masculino **1** Instrumento musical de cuerda de gran tamaño, con la misma forma que un violonchelo y el sonido más grave. Para tocarlo, el violón y el músico están de pie. SINÓNIMO contrabajo. INGLÉS double bass.

NOTA El plural es: violones.

violonchelo

nombre masculino **1** Instrumento musical de cuerda más grande que la viola y más pequeño que el contrabajo. Sus cuatro cuerdas se tocan con un arco. Para tocarlo, el violonchelo se coloca de pie apoyado en el suelo y el músico está sentado. INGLÉS cello. DIBUJO página 598.

virar

verbo **1** Cambiar la dirección que llevaba un vehículo o una embarcación: *El yate viró a la derecha.* INGLÉS to turn, [si es un barco: to tack].

virgen

adjetivo **1** Se dice de la persona que nunca ha realizado el acto sexual. INGLÉS virgin.

nombre femenino **2** En la religión cristiana, madre de Jesucristo. La Virgen se llamaba María. Con este significado se escribe con mayúscula. INGLÉS Virgin.

adjetivo **3** Que no ha sido cambiado ni transformado por nadie. El aceite de oliva no refinado es virgen. La selva virgen no ha sido transformada por el ser humano. INGLÉS virgin.

NOTA El plural es: vírgenes.

virgo

nombre masculino **1** Sexto signo del zodiaco. Con este significado se escribe con mayúscula. INGLÉS Virgo.

nombre masculino y femenino **2** Persona nacida bajo el signo de Virgo, entre el 24 de agosto y el 23 de septiembre. INGLÉS Virgoan.

vírico, vírica

adjetivo **1** Se dice de la enfermedad producida por algún tipo de virus. INGLÉS viral.

viril

adjetivo **1** Que es propio del hombre o que tiene alguna de las características masculinas tradicionales. Una voz viril es una voz fuerte y grave, como la que suelen tener los hombres adultos. INGLÉS manly.

virtual

adjetivo **1** Que parece que se ha conseguido o se ha realizado, pero todavía no se ha confirmado: *Es el virtual ganador de las elecciones, pero faltan los datos oficiales.* INGLÉS virtual.

2 Que parece que existe, pero no es real. Los ordenadores pueden crear imágenes de realidad virtual: parecen reales, pero no lo son. INGLÉS virtual.

virtud

nombre femenino **1** Cualidad buena que tiene una persona. La sinceridad, la honestidad y la amabilidad son virtudes. INGLÉS virtue.

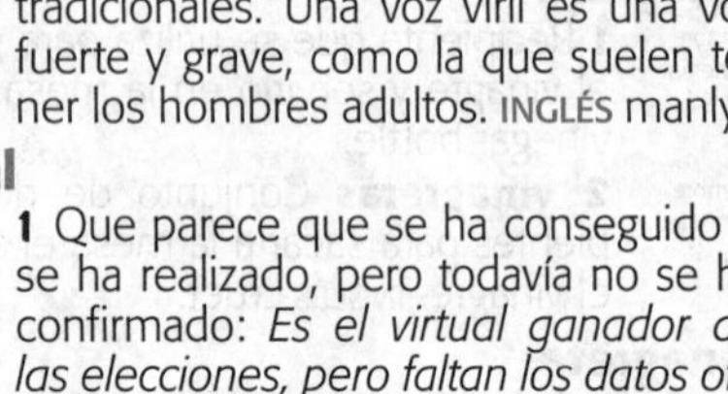

virar

2 Poder que tiene una cosa o una persona para hacer algo bueno. Algunas plantas tienen virtudes medicinales: *Tiene la virtud de hacerme reír siempre.* INGLÉS power, property.

viruela
nombre femenino
1 Enfermedad contagiosa que produce fiebre alta y ampollas con pus que, si se tocan, pueden dejar una marca en la piel: *A los niños se les vacuna contra la viruela.* INGLÉS smallpox.

virus
nombre masculino
1 Microbio que causa ciertas enfermedades, como la gripe, el sarampión o la viruela. INGLÉS virus.
2 Programa informático que daña los datos o los programas del ordenador en el que se introduce. INGLÉS virus.
NOTA El plural es: virus.

viruta
nombre femenino
1 Tira delgada y enrollada que sale de la madera, el metal u otro material. Los suelos de las carpinterías suelen estar siempre llenos de virutas. Se puede cortar el jamón o el queso muy fino, en virutas. INGLÉS shaving.

víscera
nombre femenino
1 Órgano interno del cuerpo de una persona o de un animal. Los pulmones, el estómago, el hígado o el corazón son vísceras. INGLÉS internal organ.

viscoso, viscosa
adjetivo
1 Se dice del líquido muy espeso y pegajoso, como la miel o algunos jarabes. INGLÉS viscous.

visera
nombre femenino
1 Pieza plana y semicircular que está cosida a la parte delantera de una gorra. La visera protege los ojos del sol. INGLÉS peak.
2 Pieza de plástico transparente que llevan algunos cascos en la parte delantera, y que sirve para proteger la cara del aire y la lluvia. INGLÉS visor.

visibilidad
nombre femenino
1 Posibilidad de ver una cosa a cierta distancia, que depende de la luz que haya en un lugar o de los fenómenos atmosféricos que se produzcan, como la niebla o la lluvia. INGLÉS visibility.

visible
adjetivo
1 Que se puede ver desde algún lugar. La publicidad se pone en lugares visibles. INGLÉS visible.

visigodo, visigoda
adjetivo y nombre
1 Se dice de la persona o cosa que pertenecía a un pueblo germánico que llegó a la península Ibérica en el siglo V y desapareció con la llegada de los musulmanes en el siglo VIII. INGLÉS Visigoth.

visillo
nombre masculino
1 Cortina de tela fina y casi transparente que se pone en una ventana para dejar pasar la luz e impedir que el interior se vea desde fuera. INGLÉS lace curtain.

visión
nombre femenino
1 Capacidad de ver a través de los ojos. Los ópticos tratan los problemas de la visión. INGLÉS vision, sight.
2 Imagen que se percibe a través de la vista. La visión de cosas bellas constituye un placer para los sentidos. INGLÉS sight.
3 Cosa que creemos ver como si fuera real, pero que no existe realmente. Una enfermedad o un medicamento fuerte pueden provocar visiones. SINÓNIMO alucinación. INGLÉS vision.
4 Forma de ver y comprender las cosas. Las personas optimistas tienen una visión positiva de la vida. INGLÉS view.
5 Opinión o punto de vista que se tiene sobre alguna cosa. Es difícil que personas con distinta visión sobre un asunto se pongan de acuerdo. INGLÉS view.
NOTA El plural es: visiones.

visita
nombre femenino
1 Desplazamiento que se hace a un lugar para ver a una persona o una cosa. Podemos hacer una visita a la familia, a un museo o a una población. INGLÉS visit.
2 Persona o conjunto de personas que van a ver a alguien. Los enfermos suelen recibir visitas en el hospital. INGLÉS visitor, visitors.
pasar visita Atender el médico a los pacientes. INGLÉS to see one's patients.

visitante
nombre masculino y femenino
1 Persona que visita a otra persona o un lugar. París es una ciudad que recibe muchos visitantes. INGLÉS visitor.

visitar
verbo
1 Ir a un lugar para ver a una persona y

a b c d e f g h i j k l m n ñ o p q r s t u v w x y z

estar un rato con ella: *El sábado fuimos a visitar a mis tíos.* INGLÉS to visit.
2 Ir a un lugar o un monumento para conocerlo. Muchas personas visitan las pirámides de Egipto. INGLÉS to visit.

vislumbrar
verbo
1 Ver algo con dificultad por la distancia o la falta de luz: *A lo lejos se vislumbra una ermita en la montaña.* INGLÉS to make out.
2 Sospechar lo que va a suceder por pequeños indicios o señales que se observan: *Por su cara cansada, empiezo a vislumbrar que no ha dormido mucho esta noche.* INGLÉS to see.

viso
nombre masculino
1 Apariencia o aspecto de una cosa: *Esta historia tiene visos de ser completamente falsa.* Se usa generalmente en plural. INGLÉS appearance.
2 Prenda de ropa interior femenina que cubre desde la cintura hasta las rodillas o que cubre también el cuerpo y se sujeta a los hombros con tirantes. El viso se lleva debajo de faldas o vestidos. SINÓNIMO combinación. INGLÉS underskirt.
3 Brillo que cambia de color o de lugar con el reflejo de la luz. El raso es una tela que hace visos. INGLÉS sheen.

víspera
nombre femenino
1 Día inmediatamente anterior a otro. El 24 de diciembre es la víspera de Navidad. INGLÉS day before, eve.

vista
nombre femenino
1 Sentido de las personas y los animales que permite ver. Los ojos son los órganos de la vista. INGLÉS sight.
2 Conjunto de cosas que se ven desde un sitio. Un piso alto tiene más vistas que un piso bajo. INGLÉS view.
3 Capacidad de una persona para darse cuenta en seguida de las cosas y actuar de forma inteligente: *Tiene muy buena vista para los negocios.* INGLÉS eye.
a simple vista Cuando opinamos sobre algo a simple vista, lo hacemos por la primera impresión, por lo que vemos y sin examinarlo en profundidad: *A simple vista la moto está bien, pero mejor que la vea un mecánico.* INGLÉS at first sight.
saltar a la vista Ser una cosa muy clara y evidente. Si una persona está llorando, salta a la vista que está triste o preocupada. INGLÉS to be blindingly obvious.

vistazo
nombre masculino
1 Mirada superficial y rápida: *Echa un vistazo a ver si duerme el niño.* INGLÉS glance, look.

visto, vista
participio
1 Participio irregular de: ver. También se usa como adjetivo: *No lo he visto. Está visto que sin ayuda no gana.*
adjetivo
2 Que es muy conocido y nada original: *Ese truco está muy visto.* INGLÉS old.

vistoso, vistosa
adjetivo
1 Que llama la atención por su aspecto o por sus colores. El pavo real tiene una cola muy vistosa. SINÓNIMO llamativo. INGLÉS showy, flashy.

visual
adjetivo
1 Que tiene relación con el sentido de la vista. INGLÉS visual.

vital
adjetivo
1 Que tiene relación con la vida o que es necesario para vivir. El agua es vital para las plantas. INGLÉS vital.
2 Que es imprescindible o tiene mucha importancia. El diálogo y la confianza son vitales para una buena convivencia. SINÓNIMO fundamental; esencial. INGLÉS vital.

vitalicio, vitalicia
adjetivo
1 Que dura hasta que acabe la vida de una persona determinada. Un título aristocrático, como por ejemplo el de conde o marqués, es vitalicio porque lo tiene una persona hasta que se muere: *Mi abuela cobra una pensión vitalicia.* INGLÉS life, for life.

vitalidad
nombre femenino
1 Fuerza o energía que posee una persona o un animal para vivir o desarrollarse. Las personas de gran vitalidad tienen mucho ánimo y ganas de hacer cosas. INGLÉS vitality.

vitamina
nombre femenino
1 Sustancia que se encuentra en los alimentos y que es necesaria para el desarrollo de los seres vivos. La vitamina A es buena para la vista. INGLÉS vitamin.

vitoriano, vitoriana
adjetivo y nombre
1 Se dice de la persona o cosa que es de Vitoria, capital de la provincia de Álava.

vitrina
nombre femenino
1 Mueble con puertas de cristal en el que se guardan objetos para protegerlos y para que se vean. En los museos, muchos objetos están en vitrinas. INGLÉS display case.

viudo, viuda
adjetivo y nombre
1 Se dice de la persona que no se ha vuelto a casar después de la muerte de su esposo o su esposa. INGLÉS widowed [adjetivo], widower [nombre - hombre], widow [nombre - mujer].

¡viva!
interjección
1 Expresión que se usa para mostrar alegría y entusiasmo. Se puede usar al recibir una buena noticia o para expresar admiración por una persona o cosa: *¡Viva, hemos ganado! ¡Viva la libertad!* INGLÉS cheer, shout.

víveres
nombre masculino plural
1 Alimentos que un grupo de personas tienen para hacer un viaje o pasar una situación difícil. Un grupo de exploradores o una tropa militar necesitan víveres para sobrevivir durante un período largo de tiempo. SINÓNIMO provisiones. INGLÉS provisions.

vivero
nombre masculino
1 Terreno donde se crían plantas para trasplantarlas luego a otro sitio definitivo. Algunos bosques se repueblan con especies criadas en vivero. INGLÉS nursery.
2 Lugar donde se crían peces y otros animales acuáticos. Muchas truchas de las que se venden en los mercados proceden de viveros. INGLÉS hatchery.

viveza
nombre femenino
1 Energía y pasión que demuestra tener una cosa o una persona con sus actos o con alguno de sus rasgos: *Discuten con mucha viveza sobre sus músicos favoritos.* INGLÉS liveliness, vivacity.

vivienda
nombre femenino
1 Construcción o lugar preparado para que vivan las personas. En las ciudades hay diferentes tipos de vivienda, como pisos, apartamentos o casas. INGLÉS housing, accommodation.

viviente
adjetivo
1 Que tiene vida o movimiento. En Navidad, en algunas localidades se organizan pesebres vivientes en los que la gente del lugar representa los distintos personajes: *Con este calor, no se ve un bicho viviente en toda la calle.* INGLÉS living.

vivíparo, vivípara
adjetivo y nombre masculino
1 Se dice del animal que antes de nacer se desarrolla dentro del cuerpo de la madre. Los mamíferos son animales vivíparos. INGLÉS viviparous.

vivir
verbo
1 Tener vida. Las mariposas viven muy poco tiempo, mientras que las tortugas viven muchos años. SINÓNIMO existir. ANTÓNIMO morir. INGLÉS to live.
2 Tener una persona las cosas necesarias para la vida, como casa, comida o ropa: *Mis abuelos viven de su pensión.* INGLÉS to live.
3 Pasar la vida en un lugar determinado. Hasta que son mayores, los hijos viven con sus padres. La mayoría de es-

vivir

INDICATIVO	SUBJUNTIVO
presente	**presente**
vivo	viva
vives	vivas
vive	viva
vivimos	vivamos
vivís	viváis
viven	vivan
pretérito imperfecto	**pretérito imperfecto**
vivía	viviera o viviese
vivías	vivieras o vivieses
vivía	viviera o viviese
vivíamos	viviéramos o viviésemos
vivíais	vivierais o vivieseis
vivían	vivieran o viviesen
pretérito perfecto simple	**futuro**
viví	viviere
viviste	vivieres
vivió	viviere
vivimos	viviéremos
vivisteis	viviereis
vivieron	vivieren

futuro	**IMPERATIVO**	
viviré	vive	(tú)
vivirás	viva	(usted)
vivirá	vivamos	(nosotros)
viviremos	vivid	(vosotros)
viviréis	vivan	(ustedes)
vivirán		
condicional	**FORMAS NO PERSONALES**	
viviría	**infinitivo**	**gerundio**
vivirías	vivir	viviendo
viviría	**participio**	
viviríamos	vivido	
viviríais		
vivirían		

quimales vive en el polo Norte. INGLÉS to live.

4 Pasar la vida de una manera determinada. En los pueblos se vive más tranquilo que en las ciudades: *Vive feliz y sin preocupaciones.* INGLÉS to live.

vivo, viva
adjetivo
1 Que tiene vida. Los humanos, los animales y las plantas son seres vivos. ANTÓNIMO muerto. INGLÉS living, alive.

2 Se dice del color que es muy fuerte y tiene mucha intensidad. El rojo y el amarillo son colores vivos. INGLÉS bright.

3 Se dice de una cosa que todavía existe. El español es una lengua viva. Celebrar el carnaval es una tradición que sigue viva. INGLÉS living.

4 Se dice de la persona que entiende las cosas con rapidez y actúa con inteligencia: *Es un niño muy vivo, se da cuenta de todo.* SINÓNIMO despierto. INGLÉS bright, sharp.

vizcaíno, vizcaína
adjetivo y nombre
1 Se dice de la persona o cosa que es de Vizcaya, provincia del País Vasco.

vocablo
nombre masculino
1 Sonido o grupo de sonidos que tienen un significado, como 'tranquilo', 'huella' o 'volver'. SINÓNIMO palabra. INGLÉS word, term.

vocabulario
nombre masculino
1 Conjunto de palabras que tiene una lengua. El diccionario te ayuda a aumentar tu vocabulario. INGLÉS vocabulary.

vocación
nombre femenino
1 Atracción que siente una persona hacia una forma de vida o profesión. Los curas y las monjas tienen vocación religiosa. INGLÉS vocation, calling.
NOTA El plural es: vocaciones.

vocal
nombre femenino
1 Sonido de las lenguas que se pronuncia sin que el aire encuentre ningún obstáculo al salir de la boca. También son vocales las letras que representan estos sonidos. En español hay cinco vocales: a, e, i, o, u. INGLÉS vowel.

nombre masculino y femenino
2 Persona que tiene derecho a hablar en una junta o una reunión. Algunos vocales son personas elegidas por otras para que puedan hablar en su nombre. INGLÉS member.

vocálico, vocálica
adjetivo
1 De las vocales o relacionado con ellas. Los sonidos vocálicos son los sonidos que hacen las vocales al ser pronunciadas. INGLÉS vocalic.

vocalizar
verbo
1 Pronunciar bien y con claridad las palabras y los sonidos. Cuando hablamos en público, debemos vocalizar para que todos nos entiendan. INGLÉS to vocalize.
NOTA Se escribe 'c' delante de 'e', como: vocalicé.

vocear
verbo
1 Hablar dando voces o gritos: *Los niños vocean mucho en el patio.* SINÓNIMO gritar. INGLÉS to shout.

vociferar
adjetivo
1 Levantar mucho la voz al hablar: *Los vecinos vociferaban y no me dejaron dormir.* SINÓNIMO gritar. INGLÉS to shout.

vodka
nombre
1 Bebida alcohólica muy fuerte de color transparente que es originaria de Rusia y Polonia. Se obtiene a partir de diversos cereales. INGLÉS vodka.
NOTA Tiene doble género, se dice: el vodka (más habitual) o la vodka.

volador, voladora
adjetivo
1 Que vuela o puede volar. La gallina no es un ave voladora. El avión es un aparato volador. INGLÉS flying.

volante
nombre masculino
1 Pieza redonda que sirve para dirigir un automóvil y otros vehículos, como furgonetas o camiones. Para tomar las curvas hay que girar el volante. INGLÉS steering wheel.

2 Tira de tela que va cosida a un vestido o una tela como adorno. Los vestidos de sevillanas tienen muchos volantes. INGLÉS flounce, frill.

3 Hoja de papel en la que se da alguna información. Para ir a un médico especialista se necesita un volante del médico de cabecera. INGLÉS referral note.

volar
verbo
1 Moverse por el aire usando las alas u otros medios. Los pájaros y los aviones vuelan. INGLÉS to fly.

2 Subir una cosa por el aire a causa del viento. Las cometas y las hojas de los árboles vuelan con el viento. INGLÉS to fly.

a b c d e f g h i j k l m n ñ o p q r s t u v w x y z

3 Desaparecer una cosa con mucha rapidez o gastarla muy deprisa. Los alimentos que gustan mucho vuelan del frigorífico. Vuela también una cosa cuando alguien la roba. INGLÉS to vanish.

4 Hacer algo muy deprisa o ir muy deprisa a un lugar: *O salimos volando ahora mismo o perdemos el tren.*

5 Pasar el tiempo muy deprisa. En vacaciones el tiempo pasa volando. INGLÉS to fly.

NOTA Se conjuga como: contar; la 'o' se convierte en 'ue' en sílaba acentuada, como: vuela.

volátil
adjetivo
1 Se dice de la sustancia que se evapora enseguida en contacto con el aire. El alcohol es volátil, por eso hay que tenerlo siempre en botellas cerradas para que no se evapore. INGLÉS volatile.

volcán
nombre masculino
1 Montaña con una abertura llamada cráter por la que salen gases y materiales que hay en el interior de la Tierra. Cuando un volcán entra en erupción, expulsa lava y cenizas. INGLÉS volcano.
NOTA El plural es: volcanes.

volcar
verbo
1 Caer o hacer caer una cosa hacia un lado. Vuelcan cosas como sillas, botellas o vehículos: *Se volcó el vaso lleno y se manchó el mantel.* INGLÉS to fall over [caer], to knock over [hacer caer].

2 Dar la vuelta a un recipiente para sacar lo que contiene: *Vuelca el cubo aquí en la arena.* INGLÉS to tip.

3 volcarse Poner mucho interés y esfuerzo en algo, como estudiar, ayudar a alguien o intentar gustar: *Los voluntarios se volcaron para intentar apagar el incendio.* INGLÉS to do one's utmost.

voleibol
nombre masculino
1 Deporte que se juega entre dos equipos de seis jugadores que consiste en pasar un balón por encima de una red alta intentando que el equipo contrario no pueda devolverlo. El balón solo puede tocarse con las manos. SINÓNIMO balonvolea. INGLÉS volleyball.

voltereta
nombre femenino
1 Vuelta que se da con el cuerpo sobre una superficie o en el aire. Al hacer una voltereta hay un momento en que los pies no tocan el suelo. INGLÉS somersault.

voltio
nombre masculino
1 Unidad de medida de la potencia de la corriente eléctrica. La potencia de las casas suele ser de 220 o 230 voltios. Su símbolo es: V. INGLÉS volt.

voluble
adjetivo
1 Se dice de la persona que cambia de opinión o de carácter con facilidad y frecuencia. Las personas volubles pueden mostrarse alegres un momento y poco después estar enfadadas o tristes. INGLÉS changeable, fickle.

2 Que cambia con facilidad y rapidez. Las nubes son muy volubles. INGLÉS constantly changing.

volumen
nombre masculino
1 Cantidad de espacio que ocupa una cosa. El volumen de una figura geométrica se obtiene multiplicando largo, alto y ancho. INGLÉS volume.

2 Espacio de que dispone algo para

volcar

INDICATIVO	SUBJUNTIVO
presente	**presente**
vuelco	vuelque
vuelcas	vuelques
vuelca	vuelque
volcamos	volquemos
volcáis	volquéis
vuelcan	vuelquen
pretérito imperfecto	**pretérito imperfecto**
volcaba	volcara o volcase
volcabas	volcaras o volcases
volcaba	volcara o volcase
volcábamos	volcáramos o volcásemos
volcabais	volcarais o volcaseis
volcaban	volcaran o volcasen
pretérito perfecto simple	**futuro**
volqué	volcare
volcaste	volcares
volcó	volcare
volcamos	volcáremos
volcasteis	volcareis
volcaron	volcaren
futuro	**IMPERATIVO**
volcaré	vuelca (tú)
volcarás	vuelque (usted)
volcará	volquemos (nosotros)
volcaremos	volcad (vosotros)
volcaréis	vuelquen (ustedes)
volcarán	
condicional	**FORMAS NO PERSONALES**
volcaría	**infinitivo** volcar — **gerundio** volcando
volcarías	**participio** volcado
volcaría	
volcaríamos	
volcaríais	
volcarían	

contener cosas en su interior. En un camión caben más cosas que en un automóvil porque tiene más volumen de carga. **INGLÉS** volume, space.

3 Intensidad de un sonido o de la voz. Para no molestar a nuestros vecinos, el volumen del televisor no debe estar muy alto. **INGLÉS** volume.

4 Libro encuadernado que forma parte de una obra completa. Las enciclopedias constan de varios volúmenes. **SINÓNIMO** libro. **INGLÉS** volume.

voluminoso, voluminosa

adjetivo **1** Que ocupa mucho espacio porque tiene mucho volumen. La ballena es un animal muy voluminoso. **SINÓNIMO** grande. **ANTÓNIMO** pequeño. **INGLÉS** large, bulky.

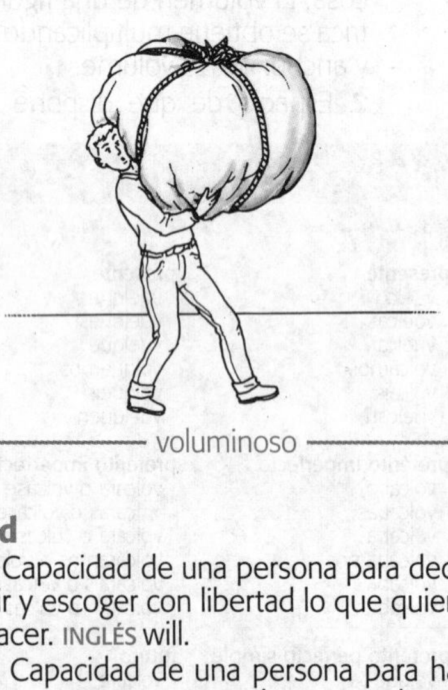

voluminoso

voluntad

nombre femenino **1** Capacidad de una persona para decidir y escoger con libertad lo que quiere hacer. **INGLÉS** will.

2 Capacidad de una persona para hacer una cosa que no le gusta y le supone un esfuerzo. Hace falta fuerza de voluntad para dejar de fumar. **INGLÉS** will, willpower.

3 Deseo o intención de una persona. Un testamento recoge la voluntad de una persona porque indica cómo quiere repartir su herencia. **INGLÉS** will.

voluntariado

nombre masculino **1** Conjunto de personas que se unen voluntariamente y sin cobrar para participar en acciones sociales o humanitarias. **INGLÉS** volunteers.

voluntario, voluntaria

adjetivo y nombre **1** Se dice de la persona que se ofrece para hacer una cosa por propia voluntad, sin tener la obligación de hacerla y sin recibir nada a cambio. **INGLÉS** voluntary [adjetivo], volunteer [nombre].

adjetivo **2** Que se hace porque se quiere y no por obligación. **INGLÉS** voluntary.

volver

verbo **1** Ir hacia el lugar de donde se salió: *Voy a comprar y vuelvo en una hora.* **INGLÉS** to return.

2 Hacer o suceder algo otra vez. Si una persona suspende un examen, tiene que volver a hacerlo: *Llovió a las tres y volvió a llover a las seis.* **INGLÉS** to do something again.

3 Girar el cuerpo o la cabeza. Si nos llaman por detrás, nos volvemos. **INGLÉS** to turn.

4 Hacer que una persona o una cosa cambie de estado, de actitud o de aspecto. La amistad puede volver más simpática a una persona. La lejía hace que la ropa se vuelva blanca. **INGLÉS** to turn, to make.

NOTA Se conjuga como: mover; la 'o' se convierte en 'ue' en sílaba acentuada, como: vuelvo.

vomitar

verbo **1** Expulsar por la boca los alimentos que se tienen en el estómago. Cuando una comida nos sienta muy mal es posible que la vomitemos. **SINÓNIMO** devolver. **INGLÉS** to vomit, to bring up.

vomitivo, vomitiva

adjetivo **1** Que hace vomitar. Una comida que está en mal estado puede ser vomitiva. **INGLÉS** emetic.

2 Que es muy desagradable o produce asco: *Ese programa de televisión es vomitivo, no lo puedo soportar.* Es un uso informal. **INGLÉS** sick-making.

vómito

nombre masculino **1** Alimento que había en el estómago y se expulsa por la boca. Las embarazadas suelen tener vómitos. **INGLÉS** vomit [aquello que se vomita], vomiting [acción de vomitar].

voraz

adjetivo **1** Se dice del animal o la persona que come mucho o que come con rapidez y ansia. **INGLÉS** voracious.

2 Se dice del hambre que es muy grande: *Después de dos días sin comer tenía un hambre voraz.* **INGLÉS** voracious.

a b c d e f g h i j k l m n ñ o p q r s t u v w x y z

3 Se dice del fenómeno que destruye completamente y con rapidez. Un incendio voraz puede arrasar un bosque en poco tiempo. INGLÉS fierce, raging.
NOTA El plural es: voraces.

vosotros, vosotras
pronombre personal
1 Pronombre personal de segunda persona del plural. Se refiere al grupo de personas a las que se dirige directamente la persona que habla. En la oración, hace función de sujeto. También se usa detrás de una preposición: *Me quedo con vosotros.* INGLÉS you.

votación
nombre femenino
1 Acción que consiste en votar entre varias opciones. En los países democráticos, los gobernantes se eligen por votación. INGLÉS vote, ballot.
NOTA El plural es: votaciones.

votante
nombre masculino y femenino
1 Persona que vota o que tiene derecho a votar en unas elecciones. INGLÉS voter.

votar
verbo
1 Decir una persona qué opción escoge entre varias para hacer lo que quiere la mayoría. Se puede votar con papeletas, levantando la mano o en voz alta. DIBUJO página siguiente. INGLÉS to vote.
NOTA No lo confundas con 'botar', que significa 'dar botes o saltos'.

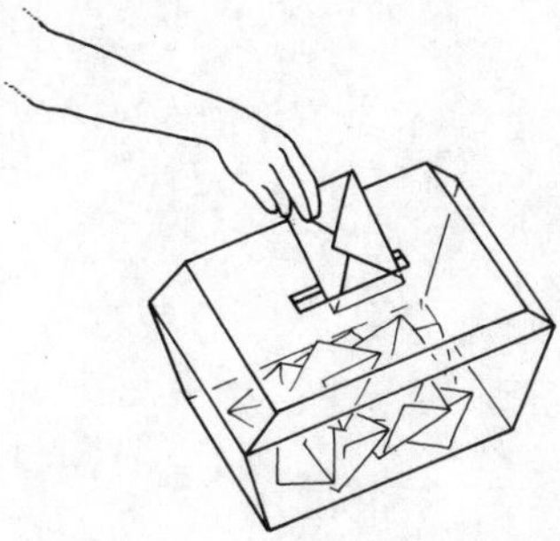

votar

voto
nombre masculino
1 Opción que elige una persona cuando vota. En una votación, gana la opción que tiene más votos. INGLÉS vote.
2 Derecho a votar que tiene una persona. En Europa tienen voto los mayores de edad. INGLÉS vote.
NOTA No lo confundas con 'botar'.

voz
nombre femenino
1 Sonido que producimos cuando hablamos. La voz la produce el aire de los pulmones que, al salir, hace vibrar las cuerdas vocales: *Habla en voz baja, el niño está dormido* INGLÉS voice.
2 Grito. Una persona habla a voces cuando está hablando muy alto. INGLÉS loud voice.
3 En gramática, forma que tiene el verbo que indica si el sujeto hace la acción o la recibe. En español hay dos voces: voz activa y voz pasiva. INGLÉS voice.
4 Palabra de una lengua. 'Oír' y 'peinado' son voces. INGLÉS word.
NOTA El plural es: voces.

vozarrón
nombre masculino
1 Voz muy fuerte y grave. INGLÉS powerful voice, booming voice.
NOTA El plural es: vozarrones.

vudú
nombre masculino
1 Religión que mezcla características del cristianismo y de algunas religiones africanas. En el vudú es habitual practicar diversos ritos y sacrificios. INGLÉS voodoo.
2 Ritual de esta religión que consiste en clavar alfileres a un muñeco que simboliza a una persona con la intención de hacerle daño. INGLÉS voodoo.
NOTA El plural es: vudús o vudúes.

vuelo
nombre masculino
1 Acción que consiste en volar o desplazarse por el aire: *El pájaro emprendió el vuelo.* INGLÉS flight.
2 Viaje que se realiza por el aire en avión o en otro tipo de nave. INGLÉS flight.
3 Amplitud del tejido de las faldas o vestidos por la parte baja que hace que tengan un movimiento especial. Las cortinas y los manteles también tienen vuelo. INGLÉS fullness.
al vuelo Que se entiende con mucha rapidez: *Es muy lista, coge las explicaciones al vuelo.* INGLÉS quickly.

vuelta
nombre femenino
1 Movimiento alrededor de un punto hasta volver a la posición en la que se había empezado. La Tierra da vueltas alrededor del Sol. INGLÉS turn, circuit.
2 Regreso al lugar de donde se salió: *He comprado un billete de ida y vuelta para el sábado.* INGLÉS return.

3 Paseo más o menos corto: *¿Damos una vuelta por el parque?* **INGLÉS** walk.
4 Dinero que sobra cuando se da una cantidad superior a lo que cuesta algo. Si una cosa cuesta nueve euros y se paga con un billete de diez, la vuelta es un euro. **INGLÉS** change.
dar la vuelta Poner delante lo que está detrás y detrás lo que está delante: *Date la vuelta, que te vea bien el vestido. Ese calcetín está al revés, dale la vuelta.* **INGLÉS** to turn round.
dar vueltas Pensar mucho en una cosa. Cuando una persona no tiene claro qué debe hacer en un asunto, suele darle muchas vueltas. **INGLÉS** to go over in one's mind.

vuelto, vuelta
participio
1 Participio irregular de: volver. También se usa como adjetivo: *Aún no ha vuelto de viaje. Se puso la camisa vuelta del revés.*

vuestro, vuestra
determinante posesivo
1 Indica que el objeto o persona a que acompaña pertenece a un grupo de personas entre las que se encuentra nuestro oyente. 'Vuestro', 'vuestra', 'vuestros' y 'vuestras' son determinantes posesivos de segunda persona del plural y pueden ir delante o detrás del nombre: *¿Son amigos vuestros? En vuestra clase no hay ventanas.* **INGLÉS** your, of yours.
pronombre posesivo
2 Se refiere a un objeto o persona que ya hemos nombrado e indica que pertenece a un grupo de personas entre las que se encuentra nuestro oyente: *A mí me gusta más el vuestro.* **INGLÉS** yours.

vulgar
adjetivo
1 Que es de mal gusto o de mala educación. Hablar con la boca llena es vulgar. **INGLÉS** vulgar, common.
2 Que es muy normal y no destaca por nada: *Llevaba un vestido vulgar y corriente.* **INGLÉS** ordinary.
3 Se dice del nombre de un animal o una planta que es corriente y que emplea la mayoría de la gente, a diferencia del nombre científico, que usan los especialistas. **INGLÉS** common.

vulnerable
adjetivo
1 Que puede ser dañado física o moralmente. Una persona es vulnerable cuando no tiene mucha fuerza física. También cuando le afectan mucho los insultos o las críticas. **INGLÉS** vulnerable.

vulva
nombre femenino
1 Parte exterior del aparato reproductor femenino. **INGLÉS** vulva.

abcdefghijklmnñopqrstuv**W**xyz

w

nombre femenino

1 Letra número veintiséis del alfabeto español. La 'w' es una consonante que solo aparece en palabras de origen extranjero.

walkie-talkie

nombre masculino

1 Aparato portátil con el que dos personas pueden hablar y comunicarse a corta distancia. Los policías usan walkie-talkies. INGLÉS walkie-talkie.

NOTA Se pronuncia 'gualkitalki'. El plural es: walkie-talkies.

walkman

nombre masculino

1 Aparato pequeño y portátil para oír casetes con unos pequeños auriculares. INGLÉS Walkman.

NOTA Es una marca registrada. Se pronuncia 'gualman' o 'guolman'.

wáter

nombre masculino

1 Es otra forma de escribir: váter. SINÓNIMO retrete; servicio. INGLÉS toilet.

waterpolo

nombre masculino

1 Deporte de equipo que se practica en una piscina y que consiste en marcar goles en la portería del contrario. INGLÉS water polo.

NOTA Se pronuncia: 'uaterpolo'.

web

nombre

1 Conjunto de información que se encuentra en una dirección determinada de internet. También se dice: página web o sitio web. INGLÉS website.

NOTA Se pronuncia: 'ueb'. Tiene doble género, sedice: el web o la web. El plural es: webs.

western

nombre masculino

1 Película ambientada en el oeste americano en el siglo XIX. En un western suelen aparecer personajes como vaqueros, indios, soldados, el sheriff, etc. INGLÉS western.

NOTA Se pronuncia: 'güéster'.

whisky

nombre masculino

1 Bebida alcohólica muy fuerte de color marrón que se obtiene a partir de la cebada u otros cereales. INGLÉS whisky.

NOTA Se pronuncia: 'güisqui'.

windsurf

nombre masculino

1 Deporte que consiste en moverse por el agua sobre una tabla de surf con una vela en la que se mantiene el equilibrio. INGLÉS windsurfing.

NOTA Se pronuncia: 'güínsurf'.

abcdefghijklmnñopqrstuvw**X**yz

x

nombre femenino **1** Letra número veintisiete del alfabeto español. La 'x' es una consonante que representa a dos sonidos juntos: 'ks'.

xenofobia

nombre femenino **1** Odio o antipatía hacia los extranjeros, su cultura y sus costumbres. La xenofobia impide conocer bien otras culturas. INGLÉS xenophobia.

xenófobo, xenófoba

adjetivo y nombre **1** Se dice de la persona que siente odio hacia los extranjeros. INGLÉS xenophobic [adjetivo], xenophobe [nombre].

xilema

nombre masculino **1** Tejido vegetal que distribuye la savia bruta desde la raíz al resto de la planta. La savia bruta circula por el xilema y la savia elaborada por el floema. INGLÉS xylem.

xilófono

nombre masculino **1** Instrumento musical de percusión formado por una serie de tablitas de madera o metal puestas de forma plana sobre una base. Las tablitas se golpean con unos palos para producir sonidos. INGLÉS xylophone. DIBUJO página 598.

y

nombre femenino **1** Letra número veintiocho del alfabeto español. La 'y' a veces es una consonante, como en 'yate', y otras una vocal, como en 'cuerpo y alma'.

conjunción **2** Se utiliza para unir palabras o frases que tienen la misma función: *Vino y se fue. Señoras y señores.* INGLÉS and.

3 Se pone al principio de una frase para dar más fuerza a lo que se dice: *¿Y ahora qué quieres? ¿Y qué quieres que yo le haga?* INGLÉS so.

ya

adverbio **1** Indica que algo ocurrió en un tiempo pasado: *Ya te lo dije el otro día.* INGLÉS already.

2 Indica que algo es verdad en el momento en que se habla. A veces significa ahora: *Ya he acabado los deberes. No grites, ya voy.* INGLÉS now.

3 En un momento del futuro del que se habla: *Ya haré el trabajo el lunes.* INGLÉS later.

interjección **4 ¡ya!** Indica que estamos escuchando y que comprendemos lo que alguien nos está diciendo. Es muy frecuente cuando hablamos por teléfono: *¡Ya!, comprendo, sí.* INGLÉS yes!

5 ¡ya! Indica que una persona no cree lo que otra acaba de decir: *¡Ya!, tú siempre con la misma historia.* También se dice: ¡ya, ya! INGLÉS oh yes!

ya que Introduce la causa o la razón por la que ocurre o se hace una cosa: *Ya que te has ofrecido, podrías echarme una mano.* INGLÉS since.

yacer

verbo **1** Estar acostada o tumbada una persona. Los enfermos yacen en las camas de los hospitales. INGLÉS to lie.

2 Estar una persona enterrada en un sitio: *En esta catedral yacen varios reyes.* SINÓNIMO reposar. INGLÉS to lie, to be buried.

NOTA Es una palabra formal.

yacimiento

nombre masculino **1** Lugar en el que hay un mineral en gran cantidad. Los yacimientos de diamantes más importantes se encuen-

yacer

INDICATIVO	SUBJUNTIVO
presente yazco o yazgo o yago yaces yace yacemos yacéis yacen	**presente** yazca o yazga o yaga yazcas o yazgas o yagas yazca o yazga o yaga yazcamos o yazgamos o yagamos yazcáis o yazgáis o yagáis yazcan o yazgan o yagan
pretérito imperfecto yacía yacías yacía yacíamos yacíais yacían	**pretérito imperfecto** yaciera o yaciese yacieras o yacieses yaciera o yaciese yaciéramos o yaciésemos yacierais o yacieseis yacieran o yaciesen
pretérito perfecto simple yací yaciste yació yacimos yacisteis yacieron	**futuro** yaciere yacieres yaciere yaciéremos yaciereis yacieren
futuro yaceré yacerás yacerá yaceremos yaceréis yacerán	**IMPERATIVO** yace o yaz (tú) yazca o yazga o yaga (usted) yazcamos o yazgamos o yagamos (nosotros) yaced (vosotros) yazcan o yazgan o yagan (ustedes)
condicional yacería yacerías yacería yaceríamos yaceríais yacerían	**FORMAS NO PERSONALES** **infinitivo** yacer **gerundio** yaciendo **participio** yacido

a b c d e f g h i j k l m n ñ o p q r s t u v w x y z

tran en el sur de África. SINÓNIMO mina; cantera. INGLÉS deposit.
2 Lugar donde se encuentran restos de antiguas culturas. En el Mediterráneo existen numerosos yacimientos romanos. INGLÉS site.

yanqui
adjetivo y nombre masculino y femenino
1 Se dice de la persona o cosa que es de los Estados Unidos. En las películas del oeste, llaman yanquis a los del norte de Estados Unidos. INGLÉS Yankee.

yate
nombre masculino
1 Barco de lujo no muy grande. INGLÉS yacht.

yayo, yaya
nombre
1 Abuelo. INGLÉS granddad [hombre], grandma [mujer].
NOTA Es una palabra familiar.

yedra
nombre femenino
1 Planta trepadora de hojas verdes que crece subiendo por las paredes o por los árboles. INGLÉS ivy.
NOTA También se escribe y se pronuncia: hiedra.

yegua
nombre femenino
1 Hembra del caballo. INGLÉS mare.

yema
nombre femenino
1 Parte redonda y amarilla de los huevos. La yema tiene más vitaminas que la clara. INGLÉS yolk.
2 Parte blanda del dedo que está en el lado opuesto a la uña. INGLÉS fingertip.
3 Parte de una planta con forma de botón que se forma cuando empiezan a salir las ramas, las hojas y las flores. INGLÉS bud.
4 Dulce hecho con yema de huevo batida con azúcar.

yen
nombre masculino
1 Moneda de Japón. INGLÉS yen.
NOTA El plural es: yenes.

yerba
nombre femenino
1 Planta pequeña de tallo tierno y verde, que crece de manera silvestre. También se llama yerba el conjunto de estas plantas. INGLÉS grass.
NOTA También se escribe y se pronuncia: hierba.

yerbabuena
nombre femenino
1 Planta de hojas verdes muy aromáticas, que se usa para dar sabor a las comidas, buen olor al ambiente o hacer infusiones. INGLÉS mint.
NOTA También se escribe y se pronuncia: hierbabuena o hierba buena.

yerno
nombre masculino
1 Marido de la hija de una persona: *Estuvimos con mi hija, mi yerno y los nietos.* INGLÉS son-in-law.
NOTA El femenino es: nuera.

yeso
nombre masculino
1 Mineral blando de color blanco que se muele y se mezcla con agua para formar una pasta que se usa para cubrir las paredes y para hacer esculturas. INGLÉS gypsum [mineral], plaster [producto].

yeti
nombre masculino
1 Ser fantástico con figura humana y cuerpo cubierto de pelo que, según la leyenda, vive en la cordillera asiática del Himalaya. INGLÉS yeti, the Abominable Snowman.

yo
pronombre personal
1 Pronombre personal de primera persona de singular. Se refiere a la persona que habla. En la oración, hace la función de sujeto o de predicado nominal: *Yo me marcho, ¿y tú? El de la foto no soy yo.* INGLÉS I.

yodo
nombre masculino
1 Sustancia de color oscuro que se encuentra en el agua del mar y las algas. Se usa para desinfectar heridas. INGLÉS iodine.

yoga
nombre masculino
1 Técnica que utiliza ejercicios físicos y de respiración para conseguir controlar la mente y el cuerpo. La práctica del yoga ayuda a relajarse. INGLÉS yoga.

yogur
nombre masculino
1 Alimento líquido y espeso que se obtiene de la fermentación de la leche. El yogur tiene un sabor un poco ácido. INGLÉS yoghurt.

yonqui
nombre masculino y femenino
1 Persona que es adicta a una droga. INGLÉS junkie.
NOTA Es una palabra vulgar.

yoyó
nombre masculino
1 Juguete formado por piezas redondas y pequeñas unidas por un eje y una cuerda atada alrededor de ese eje. Un extremo de la cuerda se coge con la mano y se hace ascender y descender el yoyó. INGLÉS yo-yo.

yuca
nombre femenino

1 Planta tropical originaria de América, de hojas verdes, largas y finas acabadas en punta y que se unen en forma de abanico. También se llama yuca la raíz de esta planta, que es comestible y muy alimenticia. INGLÉS yucca [la planta], cassava [la raíz].

yudo
nombre masculino

1 Deporte de lucha en el que una persona utiliza su agilidad de movimientos y la propia fuerza del contrario para intentar hacerle caer al suelo e inmovilizarlo. INGLÉS judo.

NOTA También se escribe: judo.

yugo
nombre masculino

1 Pieza de madera que se coloca a dos bueyes o mulos por el cuello para que tiren juntos del arado o carro. INGLÉS yoke.

yugoslavo, yugoslava
adjetivo y nombre

1 Se dice de la persona o cosa que es de Yugoslavia, antiguo país del sudeste de Europa. El antiguo país yugoslavo se acabó dividiendo en diversos países: Bosnia y Hercegovina, Croacia, Eslovenia, Macedonia, Montenegro y Serbia. INGLÉS Yugoslavian.

yugular
adjetivo y nombre femenino

1 Se dice de la vena que recoge la sangre del cerebro y la lleva al corazón. El ser humano tiene cuatro venas yugulares. INGLÉS jugular.

yunque
nombre masculino

1 Bloque de hierro que se usa como base para ayudar a dar forma a los metales. Cuando el metal está caliente se coloca encima del yunque y se le dan golpes con un martillo. Los herreros usan yunques. INGLÉS anvil.

yunta
nombre femenino

1 Pareja de animales, normalmente bueyes o mulos, que tiran juntos del arado o de un carro. INGLÉS team.

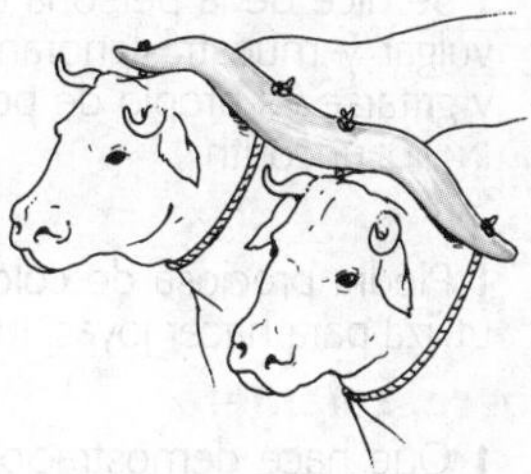

yugo

a b c d e f g h i j k l m n ñ o p q r s t u v w x y z

z
nombre femenino **1** Letra número veintinueve del alfabeto español. La 'z' es una consonante.

zafio, zafia
adjetivo **1** Se dice de la persona o cosa que es vulgar y muestra ignorancia. Insultarse y gritarse es propio de personas zafias. INGLÉS uncouth.

zafiro
nombre masculino **1** Piedra preciosa de color azul que se utiliza para hacer joyas. INGLÉS sapphire.

zalamero, zalamera
adjetivo **1** Que hace demostraciones de cariño muy exageradas o fingidas, normalmente para conseguir algo. INGLÉS flattering.

zamarra
nombre femenino **1** Chaqueta larga y gruesa de piel por un lado y de pelo o lana por el otro. INGLÉS sheepskin jacket.

zambomba
nombre femenino **1** Instrumento musical de percusión formado por una caja de forma cilíndrica y una piel estirada en uno de sus extremos. Tiene un palo clavado en el centro de la piel que produce un sonido grave al frotarlo. INGLÉS rumbling pot.

zambullida
nombre femenino **1** Acción que consiste en meter de golpe y totalmente el cuerpo en el agua. INGLÉS plunge, dive.

zambullir
verbo **1** Meter de golpe todo el cuerpo debajo del agua. INGLÉS to plunge.

zamorano, zamorana
adjetivo y nombre **1** Se dice de la persona o cosa que es de Zamora, ciudad y provincia de Castilla y León.

zampar
verbo **1** Comer en gran cantidad y muy deprisa: *Se zampó todas las galletas en un momento.* INGLÉS to gobble up.

zanahoria
nombre femenino **1** Raíz comestible de color naranja y forma alargada que se cultiva en las huertas. Es rica en vitamina A. INGLÉS carrot.

zambullir

INDICATIVO

presente
zambullo
zambulles
zambulle
zambullimos
zambullís
zambullen

pretérito imperfecto
zambullía
zambullías
zambullía
zambullíamos
zambullíais
zambullían

pretérito perfecto simple
zambullí
zambulliste
zambulló
zambullimos
zambullisteis
zambulleron

futuro
zambulliré
zambullirás
zambullirá
zambulliremos
zambulliréis
zambullirán

condicional
zambulliría
zambullirías
zambulliría
zambulliríamos
zambulliríais
zambullirían

SUBJUNTIVO

presente
zambulla
zambullas
zambulla
zambullamos
zambulláis
zambullan

pretérito imperfecto
zambullera o zambullese
zambulleras o zambulleses
zambullera o zambullese
zambulléramos o zambullésemos
zambullerais o zambulleseis
zambulleran o zambullesen

futuro
zambullere
zambulleres
zambullere
zambulléremos
zambullereis
zambulleren

IMPERATIVO

zambulle (tú)
zambulla (usted)
zambullamos (nosotros)
zambullid (vosotros)
zambullan (ustedes)

FORMAS NO PERSONALES

infinitivo zambullir
gerundio zambullendo
participio zambullido

zancada
nombre femenino **1** Paso largo. Los corredores de pruebas de velocidad dan grandes zancadas. INGLÉS stride.

zancada

zancadilla
nombre femenino **1** Acción en la que una persona pone el pie o la pierna delante de las piernas de otra persona para que tropiece y caiga. INGLÉS trip.

zanco
nombre masculino **1** Palo alto con un soporte para los pies que se usa para andar a cierta altura del suelo. En algunas fiestas hay gente que camina con zancos. INGLÉS stilt.

zancudo, zancuda
adjetivo y nombre **1** Se dice del ave que tiene las patas muy largas, como el flamenco y la cigüeña. INGLÉS wading [adjetivo], wader [nombre].

zángano, zángana
nombre masculino **1** Macho de la abeja, encargado de fecundar a la abeja reina. El zángano no produce miel ni cera. INGLÉS drone.
nombre **2** Persona que evita trabajar o estudiar. SINÓNIMO holgazán; vago. INGLÉS lazybones.

zanja
nombre femenino **1** Agujero largo y estrecho que se hace en la tierra. Se hacen zanjas al hacer los cimientos de una casa o para pasar tuberías bajo la tierra. INGLÉS trench.

zanjar
verbo **1** Resolver o terminar un asunto que presenta dificultades o inconvenientes. Las discusiones violentas se deben zanjar lo más rápido posible. INGLÉS to settle.

zapatear
verbo **1** Dar golpes en el suelo con los pies calzados, generalmente siguiendo el ritmo de una música. INGLÉS to stamp one's feet.

zapatería
nombre femenino **1** Establecimiento donde se hacen, arreglan o venden zapatos. INGLÉS shoe shop, [si es donde reparan el calzado: cobbler's].

zapatero, zapatera
nombre **1** Persona que se dedica a hacer, arreglar o vender zapatos. INGLÉS cobbler [repara el calzado], shoemaker [fabrica el calzado], shoe seller [vende el calzado].
nombre masculino **2** Mueble donde se guardan los zapatos. INGLÉS shoe cabinet.

zapatilla
nombre femenino **1** Calzado ligero y cómodo que se usa para estar en casa. INGLÉS slipper.
2 Calzado especial que se usa para practicar ciertos deportes; suele tener la suela de goma y llevar cordones: *Me he comprado unas zapatillas de tenis en las rebajas.* También se llama 'zapatilla de deporte'. INGLÉS shoe.

zapato
nombre masculino **1** Calzado que cubre el pie hasta el tobillo. INGLÉS shoe.

zapeo
nombre masculino **1** Cambio rápido y constante de una cadena de televisión a otra utilizando el mando a distancia. INGLÉS channel-hopping.
NOTA También se escribe y se pronuncia: zapping.

zapping
nombre masculino **1** Es otra forma de escribir y pronunciar: zapeo: *Haz un zapping a ver qué ponen.* INGLÉS channel-hopping.
NOTA Se pronuncia: 'zapin'.

zar, zarina
nombre **1** Emperador de Rusia. También se llamaba zar el rey de Bulgaria. INGLÉS tsar, czar.

zaragozano, zaragozana
adjetivo y nombre **1** Se dice de la persona o cosa que es de Zaragoza, ciudad y provincia de Aragón.

zarandear
verbo **1** Mover de un lado a otro a una persona o una cosa con movimientos fuertes y rápidos: *Lo zarandeó para despertarlo.* INGLÉS to shake.

zarina
nombre femenino **1** Forma femenina de: zar. INGLÉS tsarina, czarina.

a b c d e f g h i j k l m n ñ o p q r s t u v w x y z

zarpa
nombre femenino
1 Pie o mano de un animal que tiene uñas fuertes y afiladas. Los leones y los gatos tienen zarpas. SINÓNIMO garra. INGLÉS paw.
2 Mano de una persona: *Quita la zarpa del pastel.* Es un uso informal. INGLÉS mitt, paw.

zarpar
verbo
1 Dejar un barco el lugar donde está anclado para navegar. INGLÉS to set sail.

zarpazo
nombre masculino
1 Golpe o herida que un animal hace con la zarpa. INGLÉS swipe.

zarza
nombre femenino
1 Arbusto silvestre de tallos largos y ramas con espinas. Su fruto es la zarzamora. INGLÉS bramble, blackberry bush.

zarzal
nombre masculino
1 Terreno donde hay muchas zarzas. INGLÉS bramble patch.

zarzamora
nombre femenino
1 Fruto silvestre de la zarza, de sabor dulce y aspecto parecido a la mora. Con la zarzamora se hacen pasteles y mermelada. INGLÉS blackberry.

zarzuela
nombre femenino
1 Obra de teatro musical en la que los actores alternan diálogos con canciones. La zarzuela es un tipo de teatro típicamente español.
2 Plato de comida que lleva varios tipos de pescado y de marisco que se acompañan con caldo o salsa. INGLÉS fish stew.

zepelín
nombre masculino
1 Vehículo con forma de globo muy grande y alargado, que lleva una hélice y un motor para poder dirigirlo por el aire. SINÓNIMO dirigible. INGLÉS zeppelin. NOTA El plural es: zepelines.

zeta
nombre femenino
1 Nombre de la letra 'z'. INGLÉS zed [en el Reino Unido], zee [en Estados Unidos].

zigzag
nombre masculino
1 Línea compuesta por varios segmentos que van en distintos sentidos y forman ángulos. Los esquiadores bajan haciendo un zigzag. INGLÉS zigzag.

zigzaguear
verbo
1 Andar o moverse en zigzag. INGLÉS to zigzag.

zócalo
nombre masculino
1 Banda estrecha de madera, azulejos, tela o papel que cubre la parte inferior de las paredes. INGLÉS skirting board.

zoco
nombre masculino
1 Mercado de un país árabe que está situado en una plaza u otro lugar al aire libre. En los zocos suele haber mucha gente y mucho movimiento. INGLÉS souk.

zodiaco
signo del zodiaco Signo que está relacionado con una de las doce constelaciones de estrellas en que se divide una zona del cielo. A cada persona le corresponde un signo del zodiaco según la fecha de nacimiento. Mucha gente cree que el carácter y la suerte de las personas están relacionados con el signo del zodiaco. Leo, Aries y Géminis son signos del zodiaco. INGLÉS sign of the zodiac.
NOTA También se escribe y se pronuncia: zodíaco.

zodíaco
nombre masculino
1 Es otra forma de escribir y pronunciar: zodiaco.

zombi
nombre masculino
1 Muerto que resucita por arte de brujería. En algunas películas de terror aparecen zombis. INGLÉS zombie.
estar zombi Estar una persona medio dormida o atontada. INGLÉS to be groggy.

zona
nombre femenino
1 Extensión de terreno que está entre ciertos límites. Las zonas climáticas del planeta tienen un clima común: *Aplique la crema en la zona de la quemadura.* SINÓNIMO área. INGLÉS area, zone.
2 Parte del campo de baloncesto más cercana a la canasta y marcada con rayas rectas. INGLÉS key.

zoo
nombre masculino
1 Lugar que tiene instalaciones adecuadas para que puedan vivir muchas especies diferentes de animales, normalmente salvajes, y que puede ser visitado por el público. SINÓNIMO zoológico. INGLÉS zoo.

zoología
nombre femenino
1 Ciencia que estudia la vida y las costumbres de los animales. INGLÉS zoology.

zoológico, zoológica
adjetivo
1 De la zoología o que tiene relación con ella. INGLÉS zoological.

nombre masculino **2** Zoo. También se dice 'parque zoológico'. INGLÉS zoo.

zoom

nombre masculino **1** Objetivo de una cámara fotográfica, de vídeo o de otro tipo que permite que la imagen pueda verse más cercana o más alejada. INGLÉS zoom lens.

2 Movimiento de acercamiento o alejamiento de la imagen obtenido gracias a este objetivo: *Hizo un zoom con la cámara para ver la corteza del árbol más de cerca.* INGLÉS zoom.

NOTA El plural es: zooms.

zorro, zorra

nombre **1** Animal mamífero salvaje con la cola larga y peluda, las orejas tiesas y el pelo de color marrón rojizo. Se considera que es un animal muy astuto. INGLÉS fox.

nombre y adjetivo **2** Persona muy lista y hábil para conseguir lo que quiere y evitar que la engañen. SINÓNIMO astuto. INGLÉS sly old fox [nombre], sly [adj].

nombre femenino **3** Mujer que mantiene relaciones sexuales a cambio de dinero. SINÓNIMO prostituta. INGLÉS whore.

zueco

nombre masculino **1** Calzado sin talón que cubre la parte delantera del pie y tiene la suela gruesa de madera, corcho o plástico. Los enfermeros suelen llevar zuecos. INGLÉS clog.

2 Calzado de madera en el que se mete dentro el pie con un zapato y que usan los campesinos para no mancharse de barro al salir al campo. INGLÉS clog.

zulo

nombre masculino **1** Agujero o habitación ocultos y de pequeñas dimensiones que se usa para esconder a una persona o una cosa: *El terrorista escondió sus armas en un zulo en medio del bosque.* INGLÉS hideout.

zumbar

verbo **1** Producir un ruido continuo y molesto, como el que hacen algunos insectos al mover las alas. INGLÉS to buzz.

2 Pegar con fuerza a una persona: *El boxeador zumbó a su contrincante.* Es un uso informal. SINÓNIMO zurrar. INGLÉS to thump.

zumbido

nombre masculino **1** Ruido continuado y molesto. Los insectos voladores y algunos electrodomésticos producen zumbidos. INGLÉS buzzing.

zumo

nombre masculino **1** Líquido que se obtiene cuando se exprime o tritura una fruta o algunos vegetales. El zumo de naranja aporta mucha vitamina C y el zumo de zanahoria, vitamina A. INGLÉS juice.

zurcido

nombre masculino **1** Cosido que se hace en una tela o una prenda de vestir para tapar un roto. INGLÉS darn, mend.

zurcir

verbo **1** Coser el roto de una tela o una prenda de vestir intentando que no se note. INGLÉS to darn.

zurdo, zurda

adjetivo y nombre **1** Se dice de la persona que utiliza con habilidad el brazo, la mano o el pie izquierdos para cosas habituales, como comer, escribir o chutar el balón. ANTÓNIMO diestro. INGLÉS left-handed [adjetivo], left-hander [nombre].

zurra

nombre femenino **1** Sucesión de golpes que se dan a alguien: *Se llevó una buena zurra por destrozar el jardín.* INGLÉS thrashing.

NOTA Es una palabra informal.

zurrar

verbo **1** Dar a una persona muchos golpes. INGLÉS to thrash.

zurrón

nombre masculino **1** Bolsa grande de piel que se lleva colgada al hombro. Muchos pastores y cazadores llevan zurrón. INGLÉS shoulder bag.

NOTA El plural es: zurrones.

zurullo

nombre masculino **1** Trozo compacto de excremento humano que se expulsa de una sola vez. INGLÉS turd.

NOTA Es una palabra vulgar.

zutano, zutana

nombre **1** Se utiliza para referirse a una persona indeterminada. Suele usarse con las palabras 'fulano' o 'mengano': *Criticó a todo el mundo, que si fulano esto, que si zutano lo otro.* INGLÉS so-and-so.

VOCABULARY
ENGLISH-SPANISH

GLOSARIO
INGLÉS-ESPAÑOL

GUÍA DE USO DEL GLOSARIO INGLÉS-ESPAÑOL

A lo largo del diccionario te has ido encontrando con definiciones, ejemplos, sinónimos y antónimos que te han servido para entender qué quería decir una palabra o una expresión. Seguro que te has fijado en que cada uno de los sentidos lleva una traducción en inglés.

deber

nombre masculino **1** Tarea u obligación que una persona tiene que cumplir. El deber de un policía es hacer cumplir la ley y proteger a los ciudadanos. INGLÉS duty.

nombre masculino plural **2 deberes** Ejercicios escolares que los alumnos hacen en su casa y no en clase. INGLÉS homework.

verbo **3** Tener obligación de hacer algo: *Debo entrar a las ocho a trabajar.* INGLÉS to have to.

4 Tener la obligación de devolver una cosa que nos han prestado: *Le debo cien euros que me prestó. Te debo un favor.* INGLÉS to owe.

5 deberse Ser una cosa la consecuencia de una causa: *El incendio se debió a una explosión de gas.* INGLÉS to be due to.

deber de Suponer que algo ha sucedido o que algo puede ser de determinada manera: *Debe de ser su hijo, porque se parecen mucho.* INGLÉS must.

Algunas son muy familiares para ti: teacher (maestro, profesor), school (escuela), to drive (conducir), slow (lento), etc., porque las aprendiste hace tiempo. Sin embargo, habrás encontrado algunas otras que han despertado tu curiosidad, como que **polluelo** es chick y que el **pollo** (tanto el que nos comemos asado como rebozado) es chicken, pero también es el **gallina** que no es capaz de afrontar un reto o un peligro. Por otro lado, la **gallina** que picotea por el corral se dice hen y **gallo** se dice cock o rooster.

También puede resultarte chocante que embarrassed signifique **avergonzado**, pero no **embarazada**, por eso en inglés pueden estar embarrassed tanto hombres como mujeres, y en español solo pueden estar **embarazadas** las mujeres.

Esto mismo que has ido viendo con las palabras, también lo habrás observado con las expresiones. Algunas se parecen en las dos lenguas (cuando en español decimos **con los ojos cerrados** en inglés tendremos que decir **with one's eyes closed**) pero otras muchas son muy diferentes (cuando en español decimos que dos personas son **uña y carne**, en inglés tendrás que decir **as thick as thieves** (expresión que traducida literalmente significaría 'oscuro como los ladrones'). O sea, que en casos como este, o aprendes de memoria que una expresión es equivalente a la otra o no tienes manera de adivinarlo. Cada lengua organiza su vocabulario de manera diferente.

Este diccionario no estaría completo si no pudieras buscar las palabras inglesas para saber de qué sentido concreto del español es equivalente. Por ejemplo, si tú has cursado *Conocimiento del Medio* en inglés, o sea has estudiado *Science*, sabes que **célula** en inglés se dice **cell**. Si buscas **cell** en esta parte del diccionario verás que esta palabra es también equivalente de **calabozo** (Lugar seguro y vigilado de un castillo, cuartel, prisión o comisaría de policía, donde se encierra a las personas que han cometido un delito o que no cumplen una norma.) y de **celda** (Habitación pequeña y poco lujosa, especialmente las de las cárceles y los conventos.). De tal manera que a un conocimiento que tú ya tenías (que **cell** es **célula**) puedes añadir dos nuevos (que **cell** significa también **calabozo** y **celda**).

Todas estas palabras y expresiones inglesas, cerca de 16 000, las hemos reunido en esta parte de tu diccionario para que las tengas todas juntas por orden alfabético, acompañadas de una flecha (→) que indica en qué palabra española aparece ese término en inglés. Solo tienes que volver a las páginas 25-1139 para encontrar la palabra española y ver de cuál de sus sentidos es equivalente la voz inglesa.

anniversary → aniversario; efeméride

Quizá podría parecer que estas páginas que vienen a continuación forman un pequeño diccionario bilingüe de equivalencias entre el inglés y el español. Sin embargo, este glosario es un índice de voces inglesas que remiten a una o a varias entradas del diccionario en español. Precisamente porque se trata de un índice, las equivalencias están ordenadas alfabéticamente y siempre aparecen en masculino. Así podrás encontrar con mayor facilidad la palabra en el diccionario porque el masculino y el femenino son una sola entrada, cuando que en inglés son palabras distintas.

DICCIONARIO

pescador, pescadora
nombre
1 Persona que se dedica a pescar. INGLÉS fisherman [hombre], fisherwoman [mujer].

GLOSARIO

fisherman → pescador
fisherwoman → pescador

En los diccionarios bilingües inglés-español, las traducciones se presentan de otro modo. Primero, las más frecuentes y comunes y, después, las más técnicas o menos frecuentes. Por ejemplo en **life**, la traducción más común es **vida**, pero en este glosario aparece en cuarta posición, porque **life** también aparece relacionada con **ambiente** (en el sentido de 'Entorno agradable donde se encuentra mucha gente o actividad.', como el ambiente de las fiestas del barrio), **existencia** (en el sentido de 'Vida de las personas: *Tuvo una existencia llena de alegría.*'), y **marcha** (en el sentido de 'Situación en la que hay buen ambiente o diversión.', como la marcha que hay en las fiestas)

> **life** → ambiente; existencia; marcha; vida; vitalicio **for life** vitalicio **life and soul** alma **life and soul of the party** cascabel **life belt** salvavidas **life jacket** chaleco salvavidas **private life** intimidad

En estas páginas verás que hay muchas palabras que tienen una única traducción, pero también hay voces que tienen varios equivalentes en español que aparecen separados por un punto y coma.

> **robbery** → asalto; atraco; robo

También verás que las expresiones inglesas aparecen en negrita y que, a veces tienen como equivalente en español una sola palabra; y, a veces, su símil en español es un expresión, porque cada lengua tiene su propia manera de presentar el vocabulario.

> **two** → dos **to be two of a kind** ser tal para cual **two hundred** doscientos **two hundredth** doscientos

> **farm** → criadero; explotación; granja **farm worker** labriego

Después de esta larga explicación, seguro que podrás sacarle mucho jugo a este glosario, porque una palabra en inglés te dirá cuáles son sus traducciones en español y, al ir a buscar estas voces españolas en el diccionario, su equivalente en inglés se quedará para siempre en tu memoria.

A

A → la
a → a; un
aback → **to be taken aback** quedarse frío
abacus → ábaco
abandon (to) → abandonar **to abandon one's studies** colgar
abandoned → fantasma
abate (to) → aflojar; amainar
abattoir → matadero
abbey → abadía
abbot → abad
abbreviation → abreviatura
abdicate (to) → abdicar
abdomen → abdomen
abdominal → abdominal
aberration → aberración
abide (to) → atenerse
ability → competencia; habilidad; traza
able → capaz **to be able** poder; saber
abnormal → anormal
abolish (to) → abolir
abolition → abolición
abominable → abominable **the Abominable Snowman** yeti
abort (to) → abortar
abortion → aborto **to have an abortion** abortar
abound (to) → abundar
about → acerca de; alrededor; cerca; como; cosa de; de; en torno a; hacia; sobre; uno **to be about** disponer; ir sobre algo **to be about to** estar al caer; estar para
above → encima **above all** sobre todo
above-board → legal
abrasion → rozadura
abroad → extranjero
abscess → flemón
absence → ausencia; falta
absent → ausente **to be absent** ausentarse; faltar
absent-minded → despistado; distraído; ido
absolute → absoluto
absolution → absolución
absolutism → absolutismo
absolve (to) → absolver
absolved → absuelto
absorb (to) → absorber
absorbed → absorto; inmerso **absorbed in** pendiente
abstain (to) → abstenerse
abstention → abstención
abstinence → abstinencia
abstract → abstracto
abstract (to) → abstraer
absurd → absurdo; disparatado **absurd thing** disparate
abundance → abundancia; derroche **in abundance** a chorros
abundant → abundante
abuse → abuso
abuse (to) → abusar
abyss → abismo
acacia → acacia
academic → académico
academician → académico
academy → academia
accelerate (to) → acelerar; apresurar
acceleration → aceleración
accelerator → acelerador
accent → acento **slight accent** deje **to put an accent on** tildar
accentuate (to) → acentuar
accentuation → acentuación
accept (to) → aceptar; acoger; admitir; digerir; encajar **to get to accept** colocar
acceptable → aceptable
acceptance → admisión
access → acceso **to gain access to** acceder
accessible → accesible; asequible
accession → adhesión
accessory → accesorio; complemento
accident → accidente; atropello; siniestro **accident and emergency department** urgencia **to have an accident** accidentarse
accidental → accidental; casual
accidentally → sin querer
acclaim (to) → aclamar
acclimatize (to) → aclimatarse
accommodation → alojamiento; vivienda
accompaniment → acompañamiento; guarnición
accompany (to) → acompañar
accompanying → acompañante
accomplice → cómplice
accordance → **in accordance with** conforme
according to → según
accordion → acordeón **accordion pleats** fuelle
account → cuenta; exposición
accountancy → contabilidad
accountant → contable
accumulate (to) → acumular
accumulation → concentración
accuracy → exactitud; fidelidad
accurate → certero; fiel; preciso
accursed → maldito
accusation → acusación
accuse (to) → acusar
accuse of (to) → tachar de
accused → **the accused** acusado
accustom (to) → acostumbrar; habituar
accustomed → **to become accustomed** acostumbrar
ace → as; crack
achieve (to) → apuntar; cobrar; conquistar; conseguir; lograr
achievement → logro
acid → ácido
acidic → ácido
acidity → acidez
acne → acné
acorn → bellota
acoustic → acústico
acoustics → acústica
acquaintance → conocido
acquire (to) → adquirir
acquisition → adquisición
acquit (to) → absolver
acquittal → absolución
acquitted → absuelto
acrid → acre
acrobat → acróbata; saltimbanqui
acrobatics → acrobacia
acronym → sigla
acrostic → acróstico
act → acto; hecho; número; paripé
act (to) → actuar; hacer; ir de algo; obrar; proceder
action → acción; acto; hecho; querella
activate (to) → activar
active → activo
activity → actividad; ajetreo; animación; movimiento
actor → actor; comediante; intérprete
actress → comediante; intérprete
actually → en realidad
actuate (to) → accionar
acupuncture → acupuntura
acute → agudo; fino
acute-angled → acutángulo
acuteness → agudeza
ad → spot
Adam's apple → nuez
adapt (to) → acoplar; adaptar; adecuar; amoldar
adaptation → adaptación

adaptor → ladrón
add (to) → agregar; añadir; sumar **to add on** descontar
addend → sumando
addict → adicto
addicted → adicto
addiction → adicción; vicio
addition → adición; suma
additive → aditivo
address → dirección; domicilio; seña **form of address** tratamiento
address (to) → dirigir; tratar
addressee → destinatario
adenoids → vegetación
adhesive → adhesivo
adjacent → adyacente
adjective → adjetivo
adjoining → anejo
adjust (to) → graduar; regularizar
adjustable → **adjustable spanner** llave inglesa **adjustable table lamp** flexo
administer (to) → administrar
administering → administración
administration → administración
administrative → administrativo
administrator → administrador
admirable → admirable
admiral → almirante
admiration → admiración
admire (to) → admirar
admirer → admirador
admiring → admirador
admission → admisión; ingreso
admit (to) → acoger; admitir; reconocer **to be admitted** ingresar
adobe → adobe
adolescence → adolescencia
adolescent → adolescente
adopt (to) → adoptar
adopted → adoptivo
adoptive → adoptivo
adorable → adorable; rico
adoration → adoración
adore (to) → adorar; chiflar
adrift → a la deriva
adult → adulto; grande; mayor; mayor de edad
adulterate (to) → adulterar
adultery → adulterio
advance → adelanto; anticipo; avance **advance guard** avanzada **in advance** de antemano
advance (to) → adelantar; anticipar; avanzar
advantage → delantera; ventaja **not to take advantage of** desaprovechar **to take advantage of** abusar; aprovechar
advantageous → ventajoso
Advent → adviento
adventure → aventura
adventurer → aventurero
adventuress → aventurero
adventurous → aventurero
adverb → adverbio
adverbial → adverbial
adversary → adversario
adverse → adverso
adversity → adversidad
advert → anuncio; spot
advertise (to) → anunciar; pregonar
advertisement → anuncio
advertising → propaganda; publicidad; publicitario
advice → consejo; orientación **piece of advice** consejo
advisable → aconsejable; conveniente **to be advisable** convenir
advise (to) → aconsejar; asesorar; orientar **to advise against** desaconsejar
adviser → asesor; consejero
aerial → aéreo; antena
aerobics → aerobic
aeronautical → aeronáutico
aeronautics → aeronáutica
aeroplane → aeroplano **aeroplane modelling** aeromodelismo
aerosol → aerosol
aesthetic → estético
aesthetics → estética
affable → afable
affair → aventura; plan **to have an affair** enrollar; entender; liar
affect (to) → afectar; repercutir **to adversely affect** perjudicar
affected → afectado; amanerado; cursi; damnificado; redicho
affection → afecto; apego; cariño; simpatía **to win the affection of** conquistar
affectionate → afectuoso; cariñoso; mimoso
affinity → simpatía
affirmative → afirmativo
affix → afijo
afraid → **to be afraid** temer
African → africano
after → después de; tras **after all** a fin de cuentas; al fin y al cabo; total
afternoon → tarde **afternoon nap** siesta **afternoon snack** merienda **good afternoon** buenas tardes
aftertaste → regusto
afterwards → después
again → de nuevo
against → contra
agate → ágata
age → antigüedad; edad; era; tiempo **age of majority** mayoría de edad **ages** siglo **ages old** del año de la pera **to be all the rage** hacer furor
ageing → crianza; envejecimiento
agency → agencia; gestoría
agent → agente
aggravate (to) → agravar
aggression → **act of aggression** agresión
aggressive → agresivo; peleón
aggressor → agresor
aggro → movida
agile → ágil
agility → agilidad
agitate (to) → agitar
ago → atrás; hacer
agony → agonía
agrarian → agrario
agree (to) → acordar; afirmar; asentir; coincidir; concordar; convenir; pactar; quedar **to agree with** aprobar
agreement → acuerdo; asentimiento; concierto; concordancia; conformidad; convenio; pacto **in agreement** acorde **to make a verbal agreement on** apalabrar
agricultural → agrícola
agriculture → agricultura
agronomic → agrónomo
agronomist → agrónomo
ah! → ¡ah!
aha! → ¡ajá!
ahead → **ahead of one's time** adelantado
aid → auxiliar; auxilio; ayuda; concurso **to give aid** cooperar
AIDS → sida
aileron → alerón
ailment → arrechucho
aim → fin; finalidad; meta; objetivo; propósito; puntería **good aim** tino
aim (to) → dirigir
air → aéreo; aire **air force** aviación **air freshener** ambientador **air hostess** azafata **airs** humo **in the open air** a la intemperie; al aire libre **to get some fresh air** oxigenar; tomar el aire **to give oneself airs** darse aires
air (to) → airear; ventilar
airbag → airbag
airbed → colchoneta
air-condition (to) → refrigerar

air-conditioned → climatizado
aircraft → aeronave; nave **aircraft carrier** portaaviones **light aircraft** avioneta
airman → aviador
airport → aeropuerto
airship → dirigible
airtight → hermético
airwoman → aviador
aitch → hache
alarm → alarma; alerta **alarm clock** despertador
alarm (to) → alarmar
alarmed → **to be alarmed** alarmar
alarming → alarmante
Albanian → albanés
albatross → albatros
albino → albino
album → álbum
albumen → albumen
alchemy → alquimia
alcohol → alcohol
alcoholic → alcohólico
alcoholism → alcoholismo
alert → alerta
alfalfa → alfalfa
algebra → álgebra
Algerian → argelino
alias → alias
alibi → coartada
alien → alienígena
alive → vivo
all → todo **all in all** en definitiva
all right → bien; vale **all right!** de acuerdo
alleged → presunto
allegory → alegoría
allergic → alérgico
allergy → alergia
alley → callejón
alliance → alianza; liga
allied → aliado
alligator → caimán
allow (to) → consentir; permitir
allowance → subsidio
alloy → aleación
allude (to) → aludir
allusion → alusión
ally → aliado **to become allies** aliar
ally (to) → aliar
almanac → almanaque
almighty → omnipotente; todopoderoso
Almohad → almohade
Almohade → almohade
almond → almendra **almond brittle** crocanti; guirlache **almond tree** almendro
almost → casi; por poco **to be almost** rozar
alms → limosna
alone → a solas; solitario; solo **to leave alone** dejar en paz
along → **as one goes along** sobre la marcha
alopecia → alopecia
alpaca → alpaca
alphabet → abecedario; alfabeto
alphabetic → alfabético
alphabetical → alfabético
already → ya
also → además; asimismo; también
altar → altar **altar boy** monaguillo
altarpiece → retablo
alter (to) → alterar
alteration → alteración; reforma
alternate → alternativo; alterno
alternate (to) → alternar; intercalar
alternating → alterno
alternative → alternativa; alternativo **there is/was (etcétera) no alternative** no haber más remedio
alternator → alternador
although → aunque
altitude → altitud; altura
altruist → altruista
altruistic → altruista
aluminium → aluminio
alveolus → alvéolo
always → siempre
amass (to) → amasar
amateur → aficionado; amateur
amaze (to) → admirar; anonadar; asombrar; pasmar
amazed → pasmado
amazement → asombro; estupor
amazing → asombroso **amazing thing** alucine
Amazonian → amazónico
ambassador → embajador
amber → ámbar
ambiguity → ambigüedad
ambiguous → ambiguo
ambition → ambición
ambitious → ambicioso
ambulance → ambulancia
ambush → emboscada
amen → amén
American → americano; estadounidense; **Spanish American** hispano
amethyst → amatista
ammonia → amoniaco
ammunition → munición
amnesia → amnesia
amnesty → amnistía; indulto
amnion → amnios
amniotic → amniótico **amniotic fluid** líquido amniótico
amoeba → ameba
among → entre
amorphous → amorfo
amount → cifra; importe; suma **huge amount** bestialidad
amount (to) → ascender
amphetamine → anfetamina
amphibian → anfibio
amphibious → anfibio
amphitheatre → anfiteatro
amphora → ánfora
amplify (to) → amplificar
ampoule → ampolla
amputate (to) → amputar
amuse (to) → divertir **to amuse oneself** recrear
amusement park → parque de atracciones
amusing → divertido
an → un
anachronistic → anacrónico
anaconda → anaconda
anaemia → anemia
anaesthesia → anestesia
anagram → anagrama
anal → anal
analgesic → analgésico
analogy → analogía
analyse (to) → analizar
analysis → análisis
anarchy → anarquía
anatomical → anatómico
anatomy → anatomía
ancestor → antepasado; ascendiente **ancestors** antecesor
anchor → ancla
anchor (to) → anclar
anchorage → fondeadero
anchovy → anchoa; boquerón
ancient → milenario; vetusto **the ancients** antiguo
and → e; y
Andalusian → andaluz
Andorran → andorrano
android → androide
anecdote → anécdota
anemometer → anemómetro
anemone → anémona
angel → ángel; bendito; cielo; sol **to be an angel** ser un pedazo de pan
anger → cabreo; cólera; coraje; enfado; enojo; mosqueo; rabia
anger (to) → enojar
angle → ángulo; aspecto; lado **at an angle to the kerb** en batería

angler fish → rape
Anglicanism → anglicanismo
angora → angora
angry → negro **to get angry** cabrear; encabritarse; enfadar **to make angry** alterar; enfadar
anguish → angustia; congoja
animal → animal; res **animal food** pienso
animate → animado
animation → animación
anise → anís
anisette → anís
ankle → tobillo **ankle boot** botín
annexe → anejo
annihilate (to) → aniquilar
anniversary → aniversario; efeméride
announce (to) → anunciar; convocar; dictar; participar; pregonar
announcement → anuncio; convocatoria; participación
annoy (to) → cabrear; calentar; cargar; chinchar; contrariar; disgustar; fastidiar; hartar; incordiar; irritar; jorobar; molestar; mosquear; picar; poner a cien; repatear; reventar
annoyance → disgusto; enfado; enojo; irritación
annoyed → caliente; molesto **to be annoyed** estar mosca **to get annoyed** calentar
annoying → cargante; latoso; molesto
annual → anual
annular → anular
anoint (to) → ungir
anomaly → anomalía
anonymous → anónimo **anonymous letter** anónimo
anorak → anorak
anorexia → anorexia
another → otro
answer → contestación; réplica; respuesta **to tell the answer** soplar
answer (to) → contestar; responder **to answer back** contestar; rechistar; replicar
answering machine → contestador
ant → hormiga **ant hill** hormiguero **ant's nest** hormiguero
antagonist → antagonista
antagonistic → antagonista
Antarctic → antártico
anteater → oso hormiguero
antechamber → antesala
antelope → antílope
antenna → antena
antepenultimate → antepenúltimo
antherozoid → anterozoide
anthology → antología
anthracite → antracita
anthropology → antropología
anti-aircraft → antiaéreo
antibiotic → antibiótico
anticyclone → anticiclón
antidote → antídoto
anti-drug → antidroga
anti-inflammatory → antiinflamatorio
antique → antigüedad **antique dealer** anticuario **antique shop** anticuario
antiquity → antigüedad
anti-slaver → antiesclavista
anti-slavery → antiesclavista
anti-theft → antirrobo **anti-theft device** antirrobo
antithesis → antítesis
antivirus → antivirus **antivirus program** antivirus
antler → cuerno **antlers** cornamenta
antonym → antónimo
antonymous → antónimo
anus → ano
anvil → yunque
anxiety → ansiedad; desasosiego
anxious → ansioso; inquieto
anxiously → como agua de mayo
any → algún; alguno; cualquier; cualquiera; cuanto **any old how** así como así
anyhow → de todos modos
anyone → cualquiera
anything → cosa
anyway → de todos modos
aorta → aorta
Apache → apache
apart → aparte **apart from** aparte de; fuera de **apart from that** por lo demás
apartment → apartamento; piso
apathetic → apático
apathy → apatía
ape → simio
apéritif → aperitivo
apex → cúspide
aphid → pulgón
aphorism → aforismo
aplomb → aplomo
apocalypse → apocalipsis
apocopation → apócope
apogee → apogeo
apologize (to) → disculpar
apology → disculpa
apostle → apóstol
apostrophe → apóstrofo
apothem → apotema
apparent → aparente
apparently → al parecer
apparition → aparición
appeal → apelación
appeal (to) → apelar
appear (to) → aparecer; comparecer; constar; dibujar; salir; venir **to appear to be** representar
appearance → aire; aparición; apariencia; aspecto; estampa; facha; fisonomía; pinta; presencia; traza; viso
appendage → apéndice
appendicitis → apendicitis
appendix → apéndice
appetite → apetito; saque
appetizer → aperitivo
appetizing → apetitoso
applaud (to) → aplaudir
applause → aplauso
apple → manzana **apple tree** manzano **to be the apple of one's eye** ser el ojo derecho; ser la niña de sus ojos
appliance → aparato; artefacto
application → aplicación; instancia; solicitud **application form** solicitud
apply (to) → aplicar **to apply for** optar; solicitar **to apply oneself** aplicar
appoint (to) → nombrar; nominar
appointment → cita; hora **to make an appointment with** citar
apposition → aposición
appreciable → apreciable; sensible
appreciate (to) → apreciar
apprehend (to) → prender
apprehension → aprensión
apprehensive → aprensivo
apprentice → aprendiz
approach → aproximación; enfoque
approach (to) → abordar; aproximar; avecinarse; enfocar
approachable → accesible
appropriate → ajustado; apropiado; certero; digno; pertinente
approval → conformidad
approximate → aproximado
approximation → aproximación
apricot → albaricoque
April → abril
apron → delantal; mandil
apse → ábside
aptitude → aptitud
aquarium → acuario
Aquarius → acuario
aquatic → acuático

aqueduct → acueducto
aquifer → acuífero
aquiline → aguileño
Arab → árabe
Arabic → árabe
arachnid → arácnido
Aragonese → aragonés **Aragonese person** maño
arbour → glorieta
arc → arco
arcade → soportal
arch → arco; puente
arch (to) → enarcar
archaeologist → arqueólogo
archaeology → arqueología
archaic → arcaico
archangel → arcángel
archbishop → arzobispo
archipelago → archipiélago
architect → arquitecto; artífice
architecture → arquitectura
archive → archivo
Arctic → ártico
arduous → arduo
area → área; barriada; barrio; casco; comarca; parcela; recinto; sector; superficie; zona
Argentinian → argentino
argh! → ¡huy!
argon → argón
argue (to) → argumentar; discutir; disputar; regañar; reñir
argument → argumento; discusión
arid → árido
Aries → aries
arise (to) → derivar
aristocracy → aristocracia
aristocrat → aristócrata
arithmetic → aritmética; aritmético
arithmetical → aritmético
arm → brazo; patilla **with open arms** con los brazos abiertos
arm (to) → armar
armaments → armamento
armband → brazalete
armchair → butaca; sillón
armed forces → fuerzas armadas
armful → brazada
armless → manco
armour → **suit of armour** armadura
armoured car → carro de combate
armour-plate (to) → blindar
armpit → axila; sobaco
army → ejército
aroma → aroma
aromatic → aromático
around → alrededor; en torno a; hacia; sobre
arrange (to) → disponer **to arrange to meet** quedar
arrangements → arreglo
arrest → detención
arrest (to) → arrestar; detener
arrival → llegada; venida
arrive (to) → llegar; plantar
arrogance → prepotencia; soberbia
arrogant → altanero; altivo; arrogante; soberbio
arrow → flecha; saeta **arrow wound** flechazo
arsehole → culo
arsenal → arsenal
art → arte **art gallery** pinacoteca **the seventh art** séptimo arte
artery → arteria
arthritis → artritis
artichoke → alcachofa
article → artículo
articulate (to) → articular
articulated lorry → tráiler
artificial → artificial
artillery → artillería
artist → artista; dibujante
artistic → artístico
arts → letra
as → a medida que; como; conforme; según; tal como; tan **as for** en cuanto a
ascent → subida
asexual → asexual
ash → ceniza **ash tree** fresno
ashamed → avergonzado **to be ashamed** avergonzar
ashes → ceniza
ash-grey → cenizo
ashtray → cenicero
Asian → asiático
aside → aparte
ask (to) → hacer; pedir; preguntar **to ask for** pedir
asleep → **fast asleep** frito; roque **half asleep** grogui **to fall asleep** adormecer; dormir
asparagus → espárrago
asphalt → asfalto
asphalt (to) → asfaltar
asphyxia → asfixia
asphyxiate (to) → asfixiar
aspiration → aspiración
aspire (to) → aspirar
aspirin → aspirina
ass → asno; burro
assail (to) → asaltar
assemble (to) → armar; montar
assembly → asamblea; junta; montaje
assertion → afirmación
assess (to) → evaluar
assessment → balance; evaluación; valoración
asshole → culo
assign (to) → asignar; atribuir; destinar
assimilate (to) → asimilar
assist (to) → auxiliar
assistance → asistencia; socorro
assistant → adjunto; asistente; auxiliar; ayudante; mozo **assistant director** subdirector **assistant manager** subdirector
associate → socio
associate (to) → asociar; identificar; relacionar
association → agrupación; asociación; círculo; sociedad
assonant → asonante
assorted → variado
assortment → surtido
assumption → presupuesto; suposición; supuesto
assure (to) → asegurar
asterisk → asterisco
asteroid → asteroide
asthma → asma
astigmatism → astigmatismo
astonish (to) → admirar; anonadar; maravillar
astonished → atónito
astonishment → estupor
astral → sideral
astrology → astrología
astronaut → astronauta
astronomy → astronomía
Asturian → astur; asturiano **Asturian dialect** bable
astute → sagaz
asylum → asilo
at → a; en; por
atheism → ateísmo
atheist → ateo
atheistic → ateo
athlete → atleta
athletic → atlético
athletics → atletismo
Atlantic → atlántico
atlas → atlas
atmosphere → ambiente; atmósfera; clima
atmospheric → atmosférico **atmospheric phenomenon** meteoro
atom → átomo
atomic → atómico
atomizer → vaporizador
atrium → atrio

atrocious → atroz
atrocity → atrocidad; horror; salvajada
atrophied → atrofiado
atrophy (to) → atrofiar
attachment → apego
attack → asalto; ataque; atentado; crisis
attack (to) → acometer; agredir; arremeter; asaltar; atacar; atentar
attacker → agresor
attacking → agresor
attempt → intento; tentativa
attend (to) → asistir **to attend to** atender
attendance → asistencia; entrada
attending → asistente
attention → atención **to attract attention** llamar la atención **to attract someone's attention by hissing at them** chistar **to draw attention to oneself** dar la nota **to pay attention** atender; escuchar; fijar; hacer caso
attentive → atento
attentiveness → atención
attenuate (to) → atenuar
attic → buhardilla; desván **attic flat** ático
attitude → actitud; postura
attract (to) → atraer; captar; tirar
attraction → atracción
attractive → agraciado; atractivo; atrayente; serrano; sugestivo **attractive feature** atractivo
attribute → atributo
attribute (to) → achacar; atribuir
aubergine → berenjena
auction → subasta
auction (to) → subastar
audacity → valor
audience → audiencia; auditorio; entrada; público; respetable
audio-visual → audiovisual
audition → casting
auditorium → auditorio
auditory → auditivo
augmentative → aumentativo **augmentative suffix** aumentativo
augur (to) → augurar
August → agosto
aunt → tía
aura → aureola
auricle → aurícula
austere → austero
austerity → austeridad
Australian → australiano
Austrian → austriaco
authentic → auténtico; legítimo
authenticate (to) → legalizar
author → autor
authoritarian → autoritario
authority → autoridad
authorization → autorización
authorize (to) → autorizar
autism → autismo
autobiography → autobiografía
autograph → autógrafo
automate (to) → automatizar
automatic → automático
automaton → autómata
automobile → automóvil; coche
autonomous → autonómico; autónomo **autonomous region** autonomía; comunidad autónoma
autonomy → autonomía
autopsy → autopsia
autumn → otoño
auxiliary → auxiliar
available → disponible
avalanche → alud; avalancha
avant-garde → vanguardia; vanguardista
avarice → avaricia
avaricious → avaricioso; avaro
Ave Maria → avemaría
avenge (to) → vengar
avenue → avenida; paseo; rambla
average → media; mediano; medio; promedio; regular
aversion → aversión
aviation → aviación
avocado → aguacate **avocado pear** aguacate **avocado tree** aguacate
avoid (to) → esquivar; evadir; evitar; guardarse de; huir; obviar; prevenir; rehuir; remediar
await (to) → aguardar
awake → despierto **to keep awake** desvelar
awake (to) → despertar
award (to) → adjudicar; imponer; otorgar **not awarded** desierto **to award a degree to** licenciar **to award a prize to** premiar
awarding → concesión; entrega
aware → al tanto; consciente **to be aware** enterarse **to make aware** mentalizar
awareness → conciencia
away → a
awful → de pena; del diablo; fatal; horrendo; horrible; horroroso; infame; penoso; pésimo **awful thing** espanto **how awful!** ¡qué horror!
awfully → fatal
awkward → difícil
awning → toldo
axe → hacha
axis → eje
axle → eje
azalea → azalea
Aztec → azteca

B

b → b
B → si
babble (to) → balbucear
baby → bebé; cría; criatura **baby boy** nene **baby food** papilla **baby girl** nene
baby-sitter → canguro
baby-walker → tacatá; tacataca
bachelor → soltero
bacillus → bacilo
back → allá; dorsal; dorso; espalda; fondo; lomo; posterior; respaldo; reverso; revés; trasero **at the back** atrás; detrás **back of the stage** foro **on one's back** a cuestas; boca arriba **to break one's back** romperse los cuernos
back out (to) → rajar
backboard → tablero
backbone → columna vertebral; espina dorsal
backfire (to) → salir el tiro por la culata
background → antecedente; bagaje; fondo
backhand → revés
backpack → macuto; mochila
backstroke → espalda
backward movement → retroceso
backwardness → atraso
bacon → beicon; panceta **bacon fat** tocino
bacterium → bacteria
bad → desapacible; mal; malo; pasado **to go bad** corromper; pasar
badge → distintivo; insignia; pin; placa
badger → tejón
badly → mal **very badly** requetemal
bad-mannered → maleducado
bad-tempered → malhumorado
bag → bolsa; bolso; saco **bags under the eyes** ojera

baggage → equipaje
baggy → holgado **baggy trousers** bombacho
bagpipes → gaita
bailiff → alguacil
bain-marie → **in a bain-marie** al baño María
bait → cebo
bake (to) → cocción; cocer; hornear
baker → panadero **baker's** panadería
bakery → bollería; horno; panadería
balaclava → pasamontañas; verdugo
balance → equilibrio; saldo **to put out of balance** desequilibrar
balance (to) → equilibrar
balanced → equilibrado
balancing act → equilibrio
balcony → balcón; terraza
bald → calvo; pelón **bald patch** calva
baldness → calvicie
bale → bala
bale out (to) → achicar
Balearic → balear **Balearic islander** balear
ball → balón; bola; cojón; huevo; ovillo; pelota **ball of wool** ovillo **to be on the ball** estar al loro; estar en todo
ballad → balada
ballet → ballet
ballgame → pelota
balloon → globo
ballot → votación **ballot box** urna
ballpen → boli
ballpoint pen → bolígrafo
balsam → bálsamo
balustrade → balaustrada
bamboo → bambú
ban → prohibición
ban (to) → prohibir
banana → banana; plátano **banana tree** platanero; plátano
band → banda; charanga; conjunto; faja; franja; grupo
bandage → venda
bandage (to) → vendar
banderilla → banderilla
banderillero → banderillero
bandit → bandido; bandolero
bandurria → bandurria
bang → golpe; hostia; leche; morrada; porrazo; portazo; topetazo; torta; tortazo; trastazo; trompazo
bang (to) → pegar
banger → petardo
banish (to) → desterrar
banishment → destierro
banjo → banjo
bank → banco; orilla; ribazo; ribera **the bank** banca
banker → banquero
bankrupt → **to go bankrupt** quebrar
bankruptcy → bancarrota; quiebra
banner → estandarte; pancarta
banquet → banquete; festín
baobab tree → baobab
baptism → bautismo; bautizo
baptize (to) → bautizar
bar → bar; barra; barrote; compás; listón; pastilla; taberna; tableta; tasca **bar of chocolate** chocolatina **bars** enrejado; reja
bar (to) → atrancar
barbarian → bárbaro
barbaric → bárbaro
barbecue → barbacoa
barbecued → a la brasa **barbecued steak** churrasco
barbed → espinoso
barber → barbero **barber's** barbería
bard → bardo
bare → desnudo; mondo
barefoot → descalzo
barely → apenas; escaso
bargain → ganga; oportunidad
barge → barcaza
baritone → barítono
bark → corteza; ladrido
bark (to) → ladrar
barley → cebada
barn → granero **barn owl** lechuza
barometer → barómetro
baron → barón
baroque → barroco
barracks → cuartel
barrel → barril; cañón; cuba; tonel **barrel organ** organillo
barren → estéril
barricade → barricada
barrier → barrera
base → base; infame; pie
base (to) → apoyar; basar; fundar
baseball → béisbol
basement → sótano; subterráneo
basic → básico; elemental **basic rules** decálogo **basics** fundamento
basil → albahaca
basilica → basílica
basin → cuenca
basis → base; cimiento; fundamento
basket → canasta; canasto; cesta; cesto
basketball → baloncesto; básquet
Basque → euskera; eusquera; vasco; vascuence
bass → bajo; lubina **bass drum** bombo
bassoon → fagot
bastard → bastardo; cabrón
bat → bate; murciélago; pala; paleta **like a bat out of hell** como alma que lleva el diablo
batch → hornada; lote; tanda
bath → bañera; baño **baths** termas
bathe (to) → bañar
bather → bañista
bathrobe → albornoz
bathroom → aseo; baño; cuarto de baño; lavabo **bathroom fittings** sanitario
baton → batuta; testigo
battalion → batallón
battered → maltrecho
battery → batería; pila
battle → batalla
battlement → almena
battleship → acorazado
bawl (to) → berrear
bay → bahía; laurel
bayonet → bayoneta
bazaar → bazar
be (to) → andar; caer; constituir; costar; cumplir; distar; encontrar; estar; estar a; estar de; existir; figurar; haber; hacer; hallar; ir; mostrar; pararse a; pillar; quedar; registrar; representar; resultar; salir; ser; tener; venir
beach → playa; playero
beach (to) → varar
bead → cuenta
beak → pico
beam → haz; viga
bean → alubia; judía **bean stew** fabada
beanpole → fideo
bear → oso **bear cub** osezno **bear's den** osera
bear (to) → llevar; soportar
bearable → llevadero **to make more bearable** endulzar
beard → barba
bearded → barbudo **bearded darnel** cizaña
beardless → imberbe
bearer → portador **the bearer (to)** al portador
bearing → portador **to find one's bearings** orientar
bearings → **to get one's bearings** ubicar

beast → bestia; res
beat → compás; latido; pulsación
beat (to) → apalear; aporrear; batir; derrotar; ganar; latir; palpitar; vencer **to beat up** hacer picadillo
beatified → beato
beating → azote; manta; paliza; tunda
beautiful → bello; bonito; hermoso; precioso **beautiful thing** preciosidad **to make beautiful** embellecer
beautify (to) → embellecer
beauty → belleza; hermosura **beauty spot** lunar
beaver → castor
because → porque; pues **because of** a causa de
bechamel sauce → bechamel; besamel
become (to) → llegar; meter; transformar
bed → cama; cauce; lecho; macizo **bed base** canapé; somier **bed head** cabecera **to go to bed** acostar **to go to bed with** acostar **to put to bed** acostar **to stay in bed** guardar cama
bedbug → chinche
bedlam → gallinero
bedpan → cuña
bedroom → alcoba; dormitorio; habitación
bedside table → mesilla
bedsock → patuco
bedspread → colcha
bee → abeja
beech → haya **beech grove** hayedo
beefburger → hamburguesa
beehive → colmena
beekeeper → apicultor
beekeeping → apicultura
beer → cerveza
beetle → escarabajo
beetroot → remolacha
before → ante; antes; antes de
beforehand → de antemano
beg (to) → implorar; mendigar; rogar; suplicar
beggar → mendigo; pordiosero
begin (to) → comenzar; empezar; entrar; iniciar; nacer **to begin to appear** asomar **to begin to show** insinuar
beginner → principiante
beginning → comienzo; entrada; inicio; principio **at the beginning** a primeros **beginnings** conato; embrión **from beginning to end** de cabo a rabo
begonia → begonia
behave (to) → comportarse; conducir; obrar
behaviour → comportamiento; conducta; proceder
behead (to) → decapitar
behind → atrás; detrás **behind bars** entre rejas **behind someone's back** por detrás
beige → beige
being → ser
belated → tardío
belch → eructo
belch (to) → eructar
belfry → campanario
Belgian → belga
belief → creencia
believable → creíble
believe (to) → creer; dar crédito
believer → creyente; fiel
believing → creyente
bell → campana; cascabel; timbre **bell tower** campanario **small bell** campanilla
bellboy → botón
bellhop → botón
belligerent → guerrero
bellow → berrido; bramido; mugido
bellow (to) → berrear; bramar; mugir
bellows → fuelle
bell-shaped → acampanado
belly → barriga; buche; panza; tripa; vientre **belly flop** panzada
bellyful → empacho
belong (to) → pertenecer; ser **belonging to someone else** ajeno **not belonging** ajeno
belongings → enseres
below → abajo
belt → cinturón
bench → banco; banquillo; escaño
bend → curva; recodo; recoveco
bend (to) → doblar; doblegar; torcer **to bend down** agachar
bending → flexión
benefactor → bienhechor
benefactress → bienhechor
beneficial → beneficioso; provechoso
benefit → beneficio; provecho; subsidio
benefit (to) → beneficiar **to benefit from** agradecer
benign → benigno
bent → empeñado
beret → boina
Bermuda shorts → bermudas
berry → baya
besiege (to) → asediar; cercar; sitiar
best → mejor **best dress** gala **best part** flor **best seller** best seller **to be the best man for** apadrinar **very best** óptimo
best-quality → extra
bet → apuesta
bet (to) → apostar
betray (to) → traicionar
better → mejor **to get better** sanar
between → a caballo entre... y....; entre; entremedias; intermedio **between them** mano a mano
bewitch (to) → embrujar; hechizar
biased → parcial
bib → babero
Bible → Biblia
biblical → bíblico
bibliography → bibliografía
bicarbonate → bicarbonato
bicentenary → bicentenario
biceps → bíceps
bicycle → bicicleta
bid (to) → pujar
bidder → postor
bidet → bidé
big → grande **bigger** mayor **great big** grandullón
big-bellied → barrigudo
big-eared → orejudo
big-mouth → bocazas
big-nose → narizotas
bike → bici
bikini → biquini
bilberry → arándano
bile → bilis; hiel
bilingual → bilingüe
bilingualism → bilingüismo
bill → billete; cuenta; factura; nota
billiard hall → billar
billiards → billar
billy-goat → cabrón
binary → binario
bind (to) → encuadernar; ligar
bingo → bingo **bingo hall** bingo
binnacle → bitácora
binoculars → anteojos; gemelo; prismáticos
biodegradable → biodegradable
biography → biografía
biologist → biólogo
biology → biología
biosphere → biosfera
biped → bípedo
birch tree → abedul
bird → ave; pájaro **bird of prey** rapaz
birdseed → alpiste
biro → boli; bolígrafo

birth → nacimiento **birth rate** natalidad **from birth** de nacimiento **to give birth** alumbrar; dar a luz; parir
birthday → cumpleaños
birthmark → antojo
biscuit → galleta; pasta
bisector → bisectriz
bishop → alfil; obispo
bison → bisonte; búfalo
bit → broca; cacho; freno; pedazo; pizca; tropezón; trozo **bit in the bottom** culo **bit left over** pico **bits** añicos
bite → bocado; garra; mordisco; picadura; picotazo
bite (to) → morder; picar
bite one's tongue (to) → morderse la lengua
bitemark → dentellada
bitter → amargo **to make bitter** amargar **to taste bitter** amargar
bitterness → amargura
black → cerrado; negro; solo **black box** caja negra **black cloud** nubarrón **black economy** economía sumergida **black humour** humor negro **black pudding** morcilla **in black and white** en blanco y negro
blackberry → mora; zarzamora **blackberry bush** zarza
blackbird → mirlo
blackboard → pizarra
blackcurrant → grosella
blackhead → espinilla
blackish → negruzco
blackmail → chantaje
blackmailer → chantajista
blackness → negrura
blacksmith → herrero
bladder → vejiga
blade → arma blanca; brizna; cuchilla; hoja; pala **blades** hélice
blame → **to get the blame** pagar el pato **to pin the blame on** cargar el muerto **to put the blame on** pringar
blame (to) → culpar
blanch (to) → blanquear
blank → en blanco; mudo; vacío
blanket → manta
blaspheme (to) → blasfemar
blasphemy → blasfemia
blast-off → despegue
bleach → lejía
bleat → balido
bleat (to) → balar
bleed (to) → sangrar
bleed to death (to) → desangrarse
blemish → mancha
blend → mezcla
blend (to) → confundir
blender → batidora
bless (to) → bendecir
blessed → bendito; bienaventurado
blessing → bendición
blind → ciego; persiana **blind alley** callejón sin salida **blind in one eye** tuerto
blind (to) → cegar
blinded → ciego
blindly → a ciegas
blindness → ceguera
blink (to) → parpadear; pestañear
blister → ampolla
blizzard → ventisca
block → bloque; manzana; taco; tapón
block (to) → atascar; atrancar; bloquear; cortar; obstruir; taponar
blockage → tapón
blockbuster → superproducción
blocked → **to get blocked** atrancar
blocked up → ciego
blockhead → alcornoque; ceporro; cernícalo; leño; tarugo; tocho
bloke → gachó
blond → rubio
blonde → rubio
blood → sangre; sanguíneo **blood alcohol level** alcoholemia **blood circulation** circulación sanguínea **blood pressure** presión arterial; tensión **sweat blood (to)** sudar; sudar tinta
bloodhound → sabueso
bloodthirsty → sanguinario
bloody → puto; sangriento **bloody great** cojonudo **bloody hell** joder
bloom (to) → florecer
blot → borrón
blot (to) → emborronar
blouse → blusa
blow → golpe; porrazo; soplido; soplo **blow from a ball** balonazo **blow on the head** cabezada; cabezazo **blow with a ball** pelotazo **blow with a bottle** botellazo **blow with a hammer** martillazo **blow with a stick** bastonazo; estacazo; palo **blow with a stone** pedrada **heavy blow** mazazo
blow (to) → correr; fundir; sonar; soplar **blow one's horn (to)** pitar **to blow down** tirar **to blow for** pitar **to blow up** explotar; hinchar; inflar
blowlamp → soplete
blowout → atracón; comilona; panzada
blowtorch → soplete
blue → azul; verde **out of the blue** por las buenas
blueberry → arándano
bluebottle → moscardón
blue-mouth → perca
bluish → azulado
blunder → cante; patinazo; pifia; plancha; torpeza; traspié
blunderer → metepatas
blunt → contundente
blunt (to) → despuntar
blur (to) → difuminar
blurred → borroso
blush → **to make blush** ruborizar; sacar los colores; sonrojar
blush (to) → encender
blusher → colorete
boa → boa
board → consejo; junta; tabla; tablero; tribunal **on board** a bordo
board (to) → al abordaje
boarder → interno
boarding → **boarding house** pensión **boarding school** internado
boast (to) → jactarse; vanagloriarse
boat → barca; barco; bote; embarcación; lancha **boat journey** navegación **small boat** patera
boatman → barquero
boatwoman → barquero
bobbin → bobina; carrete
bodice → canesú
body → cadáver; cuerpo; entidad; organismo
body-building → culturismo
bodyguard → gorila; guardaespaldas
bodywork → carrocería
bogeyman → coco
bohemian → bohemio
boil (to) → cocer; hervir
boiled ham → jamón de York
boiler → caldera
boiling → cocción; ebullición **at boiling point** al rojo vivo **to be boiling** cocer **to be boiling hot** abrasar; achicharrar; quemar
bold → atrevido; audaz; lanzado; negrita **as bold as brass** ni corto ni perezoso
boldness → arrojo; audacia
bolero → bolero; torera
Bolivian → boliviano
Bolshevik → bolchevique
bolt → cerrojo; pasador; pestillo; tornillo
bolt (to) → desbocarse

bolus → bolo alimenticio
bomb → bomba **bomb blast** bombazo
bomb (to) → bombardear
bombard (to) → bombardear
bombardment → bombardeo
bombing → bombardeo
bombproof → a prueba
bombshell → bomba; bombazo
bond → lazo; vínculo
bone → espina; hueso; óseo; raspa
bonfire → fogata; hoguera
bonito → bonito
bonnet → capó; gorro
bonsai → bonsái
bonus → prima
bony → esquelético; huesudo
boo (to) → abuchear; silbar
book → cartilla; libro
book (to) → reservar
bookbinding → encuadernación
bookcase → estantería; librería
booking → reserva
bookrest → atril
bookseller → librero
bookshop → librería
bookstore → librería
boom → boom; jirafa
boomerang → boomerang; bumerán
booming voice → vozarrón
boost → impulso
boot → bota; maletero; portaequipajes
bootblack → limpiabotas
bootee → patuco
booth → cabina; caseta
booty → botín
border → frontera; orla; ribete
border (to) → limitar; lindar
bore → lata; muermo; pelma; pelmazo; peñazo; pesadez; rollo
bore (to) → aburrir; empachar
bored → aburrido
boredom → aburrimiento; hastío
boring → aburrido; pelma; pelmazo; pesado
born → nato **to be born** nacer **to have been born yesterday** chuparse el dedo
Bosnian → bosnio
bosom → seno
boss → amo; jefe; mandamás; patrón **local political boss** cacique
bossy → mandón; marimandón **bossy boots** mandón; marimandón
botanical → botánico **botanical garden** jardín botánico
botanist → botánico
botany → botánica
botched → chapucero **botched job** chapuza; churro; parche
botcher → chapucero
both → ambos; tanto
bother → molestia
bother (to) → molestar **not to bother** despreocuparse; pasar
bottle → botella **bottle opener** abrebotellas **bottled food** conserva **small bottle** botellín
bottle (to) → embotellar; envasar
bottling → embotellamiento
bottom → culo; fondo; pie; pompi; trasero
boudoir → tocador
bougainvillaea → buganvilla
boules → petanca
boulevard → alameda; bulevar; rambla
bounce → bote; rebote
bounce (to) → botar; rebotar
boundary → confín; término
bouquet → aroma; ramo
bourgeois → burgués
boutique → boutique
bovid → bóvido
bovine → bovino; vacuno
bow → arco; lazada; lazo; proa; reverencia **bow tie** pajarita
bowels → entraña
bowl → bol; cuenco; palangana; tazón **bowl of water** lavafrutas **large bowl** barreño
bowling → bolo
box → caja; cajetilla; casilla; estuche; palco; plinto; recuadro **box office** taquilla **box office clerk** taquillero
box (to) → boxear
boxer → boxeador; púgil
boxing → boxeo
boy → chico; muchacho; niño **big boy** grandullón
boyfriend → novio
bra → sostén; sujetador
brace → llave **braces** tirante
bracelet → brazalete; pulsera
bracket → paréntesis **square bracket** corchete
brag → farol
brag (to) → jactarse; tirarse el moco
braggart → fantoche
Braille → braille
brain → cabeza; cerebro; seso **brains** cerebro; seso
brainwash (to) → comer el coco
brake → freno
brake (to) → frenar
braking → **sudden braking** frenazo
bramble → zarza **bramble patch** zarzal
branch → rama; sucursal; vara **branches** ramaje
branch (to) → ramificarse
branchial → branquial
brand → marca
brand (to) → herrar; marcar
brand-new → flamante
brass → latón
brassiere → sostén; sujetador
brat → mocoso
bravado → **piece of bravado** chulada
brave → animoso; bravo; valeroso; valiente
bravery → bravura; valentía; valor
bravo! → bravo, ¡olé!
bray → rebuzno
bray (to) → rebuznar
brazen → desvergonzado
brazenly → por el morro
brazier → brasero
Brazilian → brasileño
breach → brecha
bread → pan **bread stick** colín
breadbasket → panera
breadbin → panera
break → cuña; intermedio; paréntesis; recreo; respiro; rotura; tregua
break (to) → cargar; desgarrar; escacharrar; fallar; fracturar; incumplir; jorobar; quebrantar; quebrar; romper; violar **to break down** averiarse; romperse **to break into** allanar **to break out** brotar; declarar; desatar **to break up** desguazar
breakable → frágil
breakage → rotura
breakaway → escapada
breakdown → avería **breakdown truck** grúa
breakfast → desayuno **to have breakfast** desayunar
breakwater → espigón; rompeolas
breast → mama; pecho; pechuga; seno
breast-feed (to) → amamantar; dar el pecho
breaststroke → braza
breath → aliento; bocanada
breathe (to) → respirar **to breathe in** aspirar; inhalar; inspirar **to breathe out** espirar; exhalar
breather → respiro
breathing → respiración
breathlessness → ahogo; fatiga

breed (to) → criar; cultivar; engendrar
breeder → criador
breeding → cría
breeze → brisa
brew → brebaje
brew (to) → preparar
bribe → soborno
bribe (to) → comprar; corromper; sobornar
bribery → soborno
brick → ladrillo; tocho
brick up (to) → tapiar
bricklayer → albañil
bricklaying → albañilería
bride → novio
bridegroom → novio
bridesmaid → dama de honor
bridge → puente
bridle → brida
brief → breve; conciso; efímero; escueto; fugaz; sumario **to be brief** abreviar
briefcase → cartera; maletín; portafolio
briefly → de refilón
brig → bergantín
brigade → cuerpo
brigantine → bergantín
bright → claro; luminoso; vivo **bright colour** colorín **bright star** lucero
brighten up (to) → aclarar; alegrar; clarear
brightness → resplandor
brilliance → fulgor; resplandor
brilliant → brillante; de miedo; de rechupete; fiera; genial **brilliant idea** genialidad **to be brilliant** lucir
brim → ala
brimming → rebosante
brine → salmuera
bring (to) → acarrear; proporcionar; traer **to bring about** determinar **to bring down** bajar; derrocar **to bring forward** adelantar; anticipar **to bring near** acercar; aproximar **to bring nearer** acercar **to bring out** sacar **to bring together** congregar; conjugar; englobar; reunir **to bring up** criar; devolver; vomitar
bristle → cerda
British → británico **British person** británico
broad bean → haba
broadcast → retransmisión
broadcast (to) → emitir; publicar; radiar; retransmitir; transmitir
broadcasting → difusión; radiodifusión
broccoli → brécol
brochure → folleto
broke → limpio
broken → discontinuo **broken down** chungo
bronchiole → bronquiolo
bronchitis → bronquitis
bronchus → bronquio
bronze → bronce
brooch → alfiler; broche
brood → camada
brook → arroyo; riachuelo
broom → escoba; retama
broth → caldo
brother → fray; hermano
brotherhood → cofradía; fraternidad
brother-in-law → cuñado
brotherly → fraternal
brought up → criado
brown → colorado; marrón; moreno; pardo **light brown** tabaco **to get brown** tostar
brown (to) → dorar; tostar
browse (to) → navegar
browser → navegador
bruise → cardenal; contusión; morado; moratón
bruise (to) → magullar
brush → cepillo; escoba; roce **small brush** escobilla
brush (to) → cepillar; rozar
brushstroke → brochazo; pincelada
brusque → brusco; cortante; rudo
brusqueness → brusquedad
brutal → brutal
brutality → brutalidad
brute → animal; bestia; bruto; mulo
bubble → borbotón; burbuja; pompa
buccal → bucal
buccaneer → bucanero; filibustero
bucket → balde; cubo
buckle → hebilla
bud → botón; brote; capullo; gema; yema
Buddhism → budismo
budding talent → promesa
budgerigar → periquito
budget → presupuesto
buffalo → búfalo
buffet → bufé; cantina
bug → sabandija
bug (to) → hacer la pascua
bugger → cabrito; papeleta
bugger (to) → joder
bugle → corneta
bugler → corneta
build (to) → construir; edificar; labrar; levantar; tender **build up (to)** aglomerarse **build up someone's hopes (to)** ilusionar
builder → constructor
building → construcción; constructor; edificio; inmueble; recinto
build-up → aglomeración
built-in → empotrado
bulb → bulbo; cebolla; lámpara
bulbholder → portalámparas
Bulgarian → búlgaro
bulge (to) → **to cause to bulge** abombar
bulimia → bulimia
bulk → grueso
bulky → voluminoso **to be bulky** abultar
bull → toro **bull's eye** diana **bull mastiff** dogo **fighting bull** toro de lidia **young bull** novillo; vaquilla
bulldog → bulldog
bullet → bala **bullet hole** balazo; disparo **bullet wound** balazo **like a bullet** como una bala
bulletin → boletín
bullfight → corrida; toro
bullfighter → torero
bullfighting → taurino; toreo
bullring → arena; plaza de toros; ruedo
bully → matón
bum → pompi; trasero **bum bag** riñonera
bumblebee → abejorro
bump → castaña; castañazo; chichón; golpe; morrada; porrazo; topetazo; trastazo; trompazo
bump (to) → **to bump into** tropezar **to bump off** liquidar
bumper → parachoques
bun → moño
bunch → atajo; manojo; racimo; ramillete; ramo
bundle → fajo; fardo
bundle (to) → apelotonar
bungalow → bungaló
bungler → chapucero
bunion → juanete
bunk → litera **bunk bed** litera
buoy → boya
burden → carga; cruz; losa
bureaucracy → burocracia
burgle (to) → desvalijar
burial → entierro; sepultura
buried → **to be buried** yacer
burlap → estopa
burn → quemadura

burn (to) → achicharrar; arder; arrebatar; carbonizar; quemar **to burn down** abrasar **to burn out** quemar
burner → fuego
burning → palpitante; quema **burning hot** ardiente **burning sensation** ardor; picor; quemazón
burnt → **to get burnt** carbonizar
burp → eructo
burp (to) → eructar
burrow → madriguera
burst → **sudden burst of growth** estirón
burst (to) → estallar; irrumpir; pinchar; reventar **to burst open** estallar **to burst out** romper a **to burst with** derrochar
bury (to) → enterrar; sepultar
bus → autobús; bus
bush → arbusto; mata; matojo **bushes** matorral **to beat about the bush** andarse por las ramas
business → asunto; comercial; negocio **to set up in business** establecer
businessman → empresario
businesswoman → empresario
bust → busto
bustard → **great bustard** avutarda
bustle → ajetreo; trajín
busy → ajetreado; atareado; concurrido
busybody → mequetrefe; metomentodo
but → mas; pero; ser lo de menos
butane → butano
butcher → carnicero **butcher's** carnicería
butcher (to) → mutilar
butler → mayordomo
butt → cabezada; cabezazo; culata; morrada
butter → manteca; mantequilla
butterfly → mariposa
buttock → nalga
button → botón
button up (to) → abotonar
buttonhole → ojal
buy (to) → adquirir; comprar; invitar; sacar **to be a good buy** dar muy buen resultado **to buy and sell** comerciar **to buy and sell stolen goods** trapichear **to get to buy** colocar
buyer → comprador
buying and selling → compraventa
buzz → telefonazo
buzz (to) → zumbar
buzzing → zumbido
by → en; para; por **by the way** a propósito; a todo esto; por cierto
bye! → ¡chao!
Byelorussian → bielorruso
by-pass → variante

C

C → c; do
cab → taxi
cabbage → berza; col; repollo
cabin → cabaña; cabina; camarote **cabin boy** grumete
cabinet → consejo; gabinete
cabinet-maker → ebanista
cable → cable **cable car** funicular; teleférico
cactus → cacto
cadence → cadencia
cadet → cadete
Caesar → césar
caesarean → cesárea
café → cafetería
caffeine → cafeína
cage → jaula
cage (to) → enjaular
cagoule → chubasquero
cake → pastel; tarta; torta **cake shop** pastelería; repostería **small sponge cake** magdalena; mantecada **to be a piece of cake** ser pan comido
calamity → calamidad
calandra lark → calandria
calcareous → calcáreo
calcite → calcita
calcium → calcio
calculate (to) → calcular
calculating → calculador
calculation → cálculo; cómputo; cuenta
calculator → calculadora
calendar → calendario
calf → becerro; pantorrilla; ternero **calf muscle** gemelo
calibrate (to) → calibrar
calibre → calibre
caliph → califa
call → convocatoria; llamada; toque
call (to) → denominar; llamar; poner; tildar **to call for** avisar
called → **to be called** apellidarse; titular
calligram → caligrama
calligraphy → caligrafía
calling → vocación
call-up → quinta
callus → callo
calm → calma; manso; plácido; serenidad; sereno; sosiego; tan pancho; tranquilo
calm down (to) → apaciguar; aplacar; calmar; serenar; sosegar; templar; tranquilizar
calmness → calma; pachorra; parsimonia; quietud; sosiego; tranquilidad
calorie → caloría
calorific → calorífico
calumny → calumnia
calyx → cáliz
camaraderie → camaradería
camel → camello
camellia → camelia
camera → cámara
camerawoman → cámara
camerman → cámara
camomile → manzanilla **camomile tea** manzanilla
camouflage (to) → camuflar
camp → campamento **camp site** cámping
camp (to) → acampar
campaign → campaña
campanula → campanilla
camping → acampada; cámping
can → bidón; bote; lata; poder; saber
can (to) → enlatar; envasar
Canaanite → cananeo
Canadian → canadiense
canal → canal
canalize (to) → canalizar
canapé → canapé
canary → canario **canary grass** alpiste **Canary Island** canario **Canary Islander** canario
cancel (to) → anular; cancelar
cancellation of membership → baja
cancer → cáncer
candelabrum → candelabro
candidacy → candidatura
candidate → aspirante; candidato; pretendiente **candidates** candidatura
candied → confitado
candle → cirio; vela
candy → **piece of candy** chuchería
cane → caña **cane plantation** cañaveral
canine → canino **canine tooth** canino; colmillo

cannelloni → canelón
canner → conservero
cannibal → caníbal
canning → conservero
cannon → cañón; carambola
canoe → canoa; piragua
canoeing → piragüismo
canonize (to) → canonizar
Cantabrian → cantábrico; cántabro
canteen → cantina
canticle → cántico
canvas → lienzo; lona **canvas shoe** playera
canyon → cañón
cap → capucha; gorra; gorro; sombrero
capable → capaz
capacity → capacidad
cape → cabo; capa; capote
capercaillie → urogallo
capillary → capilar
capital → capital; capitel; mayúscula **capital letter** mayúscula
capitalism → capitalismo
cappuccino → capuchino
capricious → caprichoso
Capricorn → capricornio
capriole → cabriola
capsule → cápsula
captain → capitán; comandante; comisario
caption → pie
captivate (to) → cautivar; seducir
captivated → cautivo
captive → cautivo
captivity → cautiverio; cautividad
capture → conquista
capture (to) → apresar; captar; capturar; conquistar
car → auto; automóvil; carro; coche **car park** aparcamiento; estacionamiento; parking **private car** turismo
caramel → caramelo
caravan → caravana; roulotte
caravel → carabela
carbine → carabina
carbohydrate → hidrato de carbono
carbon → carbono
card → carné; carta; recordatorio; tarjeta **thin card** cartulina
cardboard → cartón
cardiac → cardíaco
cardigan → rebeca
cardinal → cardenal; cardinal
care → cuidado; detenimiento; mimo; ojo; precaución; prudencia **great care** esmero **in the care of** a cargo de **to take care of** cuidar; ocupar **to take care over** cuidar
career → carrera; trayectoria
careful → cuidado; cuidadoso; mirado
carefully produced → elaborado
careless → descuidado; imprudente **careless act** imprudencia
carelessness → descuido; desidia
caress → caricia
caress (to) → acariciar
caretaker → conserje
cargo → cargamento
caricature → caricatura
caries → caries; picadura
carmine → carmín
carnation → clavel
carnival → carnaval
carnivore → carnicero; carnívoro
carnivorous → carnicero; carnívoro **carnivorous plant** planta carnívora
carob → **carob bean** algarroba **carob tree** algarrobo
carol → villancico
carp → carpa
carpark → parquin
carpenter → carpintero
carpentry → carpintería
carpet → alfombra
carriage → carroza; carruaje; coche; vagón
carrier → portador; transportista
carrion → carroña
carrot → zanahoria
carry (to) → acarrear; admitir; transportar **to carry off** alzarse con **to carry on** gastarlas; seguir **to carry out** cumplir; desarrollar; desempeñar; efectuar; ejecutar; llevar a cabo; practicar
carrying → portador **carrying out** ejecución
cart → carreta; carro
Cartesian → cartesiano
Carthaginian → cartaginés
cartography → cartografía
carton → cartón; tetrabrik
cartoon → chiste **cartoon frame** viñeta
cartoonist → dibujante
cartridge → cartucho **cartridge belt** cartuchera **cartridge holder** cartuchera
carve (to) → trinchar
carving → talla
case → caja; caso; causa; estuche; funda; maleta **in any case** de todas maneras **in case** por si **to be a case** ser un caso
cash → efectivo **cash desk** caja **cash dispenser** cajero automático **cash register** caja registradora **in cash** al contado; en metálico
cashier → cajero **cashier's desk** caja
casino → casino
cask → barrica; cuba; tonel
cassava → yuca
casserole → cazuela
cassette → casete **cassette player** casete
cassock → sotana
cast → reparto
cast a spell on (to) → encantar; hechizar
castanet → castañuela
Castilian → castellano; español
castle → castillo; torre
castrate (to) → capar; castrar
casualty → baja; víctima
cat → gato **to let the cat out of the bag** irse de la lengua
cataclysm → cataclismo
catacombs → catacumbas
Catalan → catalán
catalogue → catálogo
catapult → catapulta; tirachinas
cataract → catarata
catastrophe → catástrofe
catch → pieza
catch (to) → agarrar; apresar; atrapar; cazar; coger; contraer; pasar; pescar; pillar; sorprender; tomar **to catch up** alcanzar
catchall word → palabra baúl
catchy → pegadizo
catechism → catecismo; catequesis
categorical → categórico; rotundo; tajante; terminante
category → categoría
caterpillar → oruga
cathedral → catedral
cathetus → cateto
Catholic → católico
Catholicism → catolicismo
catwalk → pasarela
caudal → caudal
caught → **to get caught** trabar **to get caught up** enredar; liar
cauldron → caldero
cauliflower → coliflor
cause → causa; causante; culpable; origen; porqué **to give cause** dar pie
cause (to) → acarrear; armar; causar; determinar; motivar; mover; ocasionar; originar; promover; provocar; traer
causing → causante

caustic → ácido; corrosivo
caution → cautela; precaución; prudencia
cautious → cauteloso; cauto; precavido
cautiousness → cautela
cava → cava
cavalcade → cabalgata
cavalry → caballería
cave → caverna; cueva; gruta; rupestre **cave dweller** cavernícola; troglodita **small cave** covacha
cave-dwelling → cavernícola
cavern → caverna
caviar → caviar
cavity → cavidad
caw → graznido
caw (to) → graznar
CD → CD **CD-ROM** CD-ROM
cedar → cedro
cede (to) → ceder
ceiling → techo **ceiling light** plafón
celebrate (to) → celebrar; festejar
celebration → celebración
celebrity → celebridad; personaje; personalidad
celery → apio
celestial → celeste
cell → calabozo; celda; célula; celular
cellar → bodega; sótano; subterráneo
cello → violonchelo
cellophane → celofán
Cellotape → celo
cellphone → celular
cellular → celular
cellulitis → celulitis
celluloid → celuloide
Celt → celta
Celtic → celta
cement → cemento
cemetery → cementerio
censor (to) → censurar
censors → censura
censorship → censura
censure (to) → censurar
census → censo **to take a census of** censar
cent → centavo; céntimo
centaur → centauro
centenarian → centenario
centenary → centenario
centesimal → centesimal
centigrade → centígrado
centigram → centigramo
centilitre → centilitro
centimetre → centímetro
centipede → ciempiés
central → central; céntrico **central office** sede
centralize (to) → centralizar
centre → centro; palacio; pívot
centre (to) → centrar
century → siglo **centuries-old** secular
ceramics → cerámica
cereal → cereal
cerebellum → cerebelo
cerebral → cerebral
ceremonious → ceremonioso
ceremony → ceremonia
certain → determinado; seguro **a certain** cierto
certainty → certeza; convencimiento; evidencia; seguridad
certificate → certificado
certify (to) → certificar
cetacean → cetáceo
chain → cadena
chain (to) → encadenar
chair → silla
chair lift → telesilla
chairperson → moderador
chalice → cáliz
chalk → tiza **to be like chalk and cheese** ser como la noche y el día
chalkboard → encerado
challenge → desafío; reto
challenge (to) → desafiar; retar
chamber → cámara **chamber pot** orinal
chameleon → camaleón
chameleon-like → camaleónico
champagne → champán
champion → campeón; paladín
championship → campeonato
chance → azar; casual; oportunidad; posibilidad; resquicio **fat chance of that happening** no caerá esa breva
change → alteración; cambio; chatarra; relevo; transbordo; vuelta **change of clothes** muda **small change** calderilla
change (to) → alterar; cambiar; convertir; renovar; transbordar; variar
changeable → variable; voluble
changing room → vestuario
channel → canal; conducto
channel (to) → canalizar
channel-hopping → zapeo; zapping
chaos → caos; descontrol; desmadre; maremágnum; tinglado
chaotic → caótico
chapel → capilla
chaplain → capellán
chapter → capítulo
character → carácter; personaje; temple
characteristic → característica; característico; rasgo
characterize (to) → caracterizar
chard → acelga
charge → carga; cargo **in charge** encargado **to be in charge** mandar **to take charge of** encargar
charge (to) → cargar; cobrar; embestir
charger → corcel
chariot → cuadriga
charisma → carisma; garra
charitable → caritativo
charity → beneficencia; benéfico; caridad
charm → atractivo; encanto; gracia
charming → encantador
chart → carta; gráfico
chase (to) → perseguir
chasm → sima
chassis → chasis
chaste → casto
chastity → castidad
chat → charla; chat
chat (to) → charlar
chatter (to) → castañetear
chatterbox → charlatán; cotorra; loro; parlanchín
cheap → barato; económico
cheaply → barato
cheat → marrullero
cheat (to) → engañar; estafar; timar **to cheat on** engañar
cheating → trampa
check → cuenta; freno; jaque; nota; prueba; repaso; revisión
check (to) → comprobar; contrastar; controlar; repasar; revisar; verificar **to check in** registrar
checkers → dama
checkmate → jaque mate
checkup → chequeo; reconocimiento
cheek → cara; carrillo; descaro; frescura; jeta; mejilla; morro; pómulo; rostro
cheekbone → pómulo
cheeky → fresco; jeta **cheeky devil** cara; caradura; carota; frescales
cheep → pío
cheer → ¡viva!
cheer up (to) → animar; reconfortar
cheerful → alegre; jovial; risueño
cheers! → ¡chinchín!; ¡salud!
cheese → queso **cheese dish** quesera **cheese portion** quesito **to get cheesed off** rebotar

cheetah → guepardo
chef → cocinero
chemical → químico
chemist → boticario; farmacéutico; químico **chemist's** botica; farmacia
chemistry → química
cheque → cheque; talón **cheque book** talonario
cherry → cereza; guinda **cherry red** cereza **cherry tree** cerezo
cherub → querubín
chess → ajedrez
chest → arca; busto; cofre; pecho **chest of drawers** cómoda **large chest** arcón
chestnut → castaña; castaño **chestnut grove** castañar **chestnut seller** castañero **chestnut tree** castaño
chew (to) → mascar; masticar; rumiar **to chew over** rumiar
chewing gum → chicle; goma de mascar
chiaroscuro → claroscuro
chick → polluelo
chicken → cagón; gallina; pollo
chickenpox → varicela
chickpea → garbanzo
chihuahua → chihuahua
child → crío; hijo; niño **child care specialist** puericultor **child minder** niñero **child's overall** babi **youngest child** benjamín
childbirth → parto
childhood → infancia; niñez
childish → infantil; pueril **childish thing** chiquillada
childishness → niñería
children → familia **children's** infantil
Chilean → chileno
chill (to) → enfriar
chilli pepper → guindilla
chilling → escalofriante
chimera → quimera
chimney → chimenea **chimney breast** campana **chimney sweep** deshollinador
chimpanzee → chimpancé
chin → barbilla; mentón
china → loza; porcelana **piece of china** porcelana
chinchilla → chinchilla
Chinese → chino **Chinese lantern** farolillo
chip → astilla; chip
chip (to) → descascarillar; mellar **to chip the plaster off** picar
chirp (to) → chirriar; piar
chlorine → cloro
chloroform → cloroformo
chlorophyll → clorofila
chocolate → bombón; chocolate **chocolate box** bombonera **chocolate factory** chocolatería **chocolate shop** chocolatería
choice → elección
choir → coral; coro
choke (to) → atragantarse
choker → gargantilla
cholera → cólera
cholesterol → colesterol
choose (to) → elegir; escoger; optar
chop → chuleta
chop (to) → picar
chopped pork → chóped
choral → coral **choral society** orfeón
chord → acorde
chore → quehacer
choreography → coreografía
chorizo → chorizo
chorus → coro; estribillo
christen (to) → bautizar
Christendom → cristiandad
christening → bautismo; bautizo
Christian → cristiano
Christianity → cristianismo
Christmas → navidad; navideño; pascua **Christmas bonus** aguinaldo **Christmas box** aguinaldo **Christmas card** christmas **Christmas Eve** nochebuena **Christmas Eve midnight mass** misa del gallo **Christmas hamper** lote
chrome → cromo
chromium → cromo
chromosome → cromosoma
chronic → crónico
chronicle → crónica
chronological → cronológico
chronology → cronología
chronometer → cronómetro
chubby → lleno; rechoncho; relleno; rollizo **chubby cheek** moflete
chubby-cheeked → mofletudo
church → iglesia
chyle → quilo
chyme → quimo
ciao! → ¡chao!
cicada → cigarra
cider → sidra
cigar → cigarro; puro
cigarette → cigarrillo; cigarro; pitillo **cigarette case** petaca; pitillera **cigarette end** colilla **cigarette holder** boquilla
Cinderella → cenicienta
cinema → cine
cinnamon → canela
circle → círculo; corro; esfera; redondel
circuit → circuito; vuelta
circular → circular
circulate (to) → circular
circulatory → circulatorio
circumference → circunferencia
circumstance → circunstancia
circumstantial → circunstancial
circus → circense; circo
cistern → cisterna
citadel → ciudadela
citizen → ciudadano
citric → cítrico
citrus fruits → cítrico
city → ciudad; urbano **big city** urbe **city council** ayuntamiento **city hall** ayuntamiento
civic → ciudadano; cívico
civil → civil **Civil Guard** civil **civil war** guerra civil
civilian → civil
civilization → civilización
civilize (to) → civilizar; urbanizar
civilized → civilizado
claim → demanda; reclamación
clairvoyant → clarividente; vidente
clam → almeja **small clam** chirla
clamp → cepo
clan → clan
clandestine → clandestino
clap (to) → aplaudir; palmear; palmotear
clap of thunder → trueno
clapper → badajo
clapping → palma; palmada
clarify (to) → aclarar; clarificar
clarinet → clarinete
clarity → claridad
clash → colisión
clash (to) → chocar; enfrentar
class → clase; condición; estamento
classic → clásico
classical → clásico
classification → clasificación
classify (to) → clasificar
classmate → colega
classroom → aula; clase
clause → cláusula; proposición
claustrophobia → claustrofobia
clavicle → clavícula
claw → garra; uña
clay → arcilla; barro
clean → aseado; limpio
clean (to) → asear; limpiar; sanear **to clean out** limpiar
cleaning → limpieza **cleaning lady** asistenta

cleanliness → aseo
cleansing → depuración
clear → claro; despejado; sereno **as clear as day** más claro que el agua
clear (to) → allanar; desmontar; despejar; despoblar; esfumarse; rechazar; vaciar **to clear off** ahuecar; ahuecar el ala **to clear one's throat** carraspear **to clear up** despejar
clearance sale → liquidación
clear-headed → lúcido
clearing → claro
clemency → clemencia
clergy → clero
clergyman → eclesiástico
clerk → oficinista
clever → hábil; listo; oportuno; sutil
cliché → tópico
clichéd → tópico
click → clic
click (to) → chascar; chasquear; clicar
click one's heels (to) → taconear
client → cliente
cliff → acantilado; barranco
climate → clima
climatic → climático
climax → colofón; culminación
climb → subida
climb (to) → ascender; escalar; trepar **to climb up** encaramar
climber → escalador
climbing → escalada **climbing plant** enredadera
cling (to) → ceñir
clingy → pegajoso
clinic → ambulatorio; clínica; dispensario
clinical → clínico
clink (to) → entrechocar; tintinear
clinking → tintineo
clitoris → clítoris
cloak → capa; manto
cloakroom → guardarropa
clock → reloj **against the clock** a marchas forzadas
clock off (to) → fichar
clock on (to) → fichar
clockwork → **like clockwork** como un reloj
clog → zueco
cloister → claustro; clausura
clone → clon
close → cerca; cierre; estrecho; íntimo **close at hand** cercano **to move closer** arrimar
close (to) → cerrar; clausurar; echar **to close off** cerrar
close-cropped → al rape
closed → cerrado
closing → cierre
closing ceremony → clausura
closure → clausura
cloth → bayeta; paño; tapete; tejido; tela; trapo **to give up the cloth** colgar
clothe (to) → vestir
clothes → indumentaria; ropa; vestimenta; vestuario **clothes drier** tendedero **clothes peg** pinza **in plain clothes** de paisano **to change one's clothes** mudar **to make clothes for** vestir
clothing → indumentaria; ropa; vestido
cloud → nube; torbellino **cloud of dust** polvareda **cloud of smoke** humareda
cloud (to) → enturbiar
cloudy → nuboso; turbio **to get cloudy** nublarse
clove → clavo **clove of garlic** diente de ajo
clover → trébol
clown → ganso; payaso
cloying → empalagoso
club → club; peña; porra
cluck (to) → cacarear
clue → pista
clueless → **to be clueless** estar pez
clumsiness → torpeza
clumsy → chapucero; ganso; manazas; pato; patoso; torpe **clumsy oaf** manazas; pato
clutch → embrague
coach → autocar; carroza; carruaje; coche; entrenador; técnico
coach (to) → preparar
coachman → cochero
coagulate (to) → cuajar
coal → carbón; hulla
coalition → coalición
coarse → basto; chabacano
coast → costa; litoral
coastal → costero; litoral
coaster → posavasos
coastguard vessel → guardacostas
coat → abrigo; mano; pelaje **coat of arms** escudo **coat rack** perchero **short coat** chaquetón **without a coat** a cuerpo
coat (to) → bañar **to coat in breadcrumbs** empanar; rebozar
coating → baño
cob → mazorca
cobble (to) → empedrar
cobbler → remendón; zapatero **cobbler's** zapatería
cobblestone → adoquín
cobra → cobra
cobweb → tela de araña; telaraña
coca → coca
cocaine → cocaína
cochlea → caracol
cock → gallo; polla; rabo **cock pigeon** palomo
cockatoo → cacatúa
cockle → berberecho
cockroach → cucaracha
cocktail → cóctel **cocktail party** cóctel
cockup → cagada
cocky → chuleta; chulo; gallo
cocoa → cacao
coconut → coco **coconut palm** cocotero
cocoon → capullo
cod → bacalao
code → clave; código
co-driver → copiloto
coefficient → coeficiente
coexist (to) → convivir
coffee → café **coffee with a dash of milk** cortado
coffee-maker → cafetera
coffeepot → cafetera
coffin → ataúd; caja; féretro
cogs → engranaje
cogwheel → rueda dentada
coherence → coherencia
coherent → coherente
coil (to) → enroscar
coin → moneda **coin collecting** numismática
coin (to) → acuñar
coincide (to) → coincidir
coincidence → casualidad; coincidencia
coke → coca
cola → cola
colander → colador
cold → catarro; constipado; fresco; frío; resfriado **cold meat** embutido; fiambre **cold sore** calentura; pupa **cold store** cámara **cold turkey** mono **to catch a cold** acatarrarse; constiparse; enfriar; resfriarse **to catch cold** coger frío
coldness → frialdad
colic → cólico
coliseum → coliseo
colitis → colitis
collaborate (to) → colaborar
collaboration → colaboración

collapse → ruina
collapse (to) → desplomarse; hundir
collapsible → plegable
collar → collar
collarbone → clavícula
colleague → camarada; colaborador; colega
collect (to) → coleccionar; juntar; recaudar; recoger; recolectar; recopilar; reunir
collection → cobro; colección; colecta; fondo; recolección **collection of samples** muestrario
collective → colectivo
collector → cobrador; coleccionista
college → colegio
collide (to) → chocar; entrechocar
collide with (to) → abordar
collision → choque; colisión
colloquial → coloquial
cologne → colonia
Colombian → colombiano
colon → colon; dos puntos
colonel → coronel
colonization → colonización
colonize (to) → colonizar
colony → colonia
colossal → colosal
colossus → coloso
colour → color; colorido **colours** color
colour (to) → colorear
colour-blind → daltónico
colour-blindness → daltonismo
coloured → de color
colourful → pintoresco
colouring → colorante
colourless → incoloro
colt → alevín; potro
column → columna
coma → coma
Comanche → comanche
comb → cresta; peine **ornamental comb** peineta
comb (to) → batir; peinar; rastrear
combat → combate
combination → combinación; composición
combine (to) → combinar; conjugar
combine harvester → cosechadora
combustible → combustible
combustion → combustión
come (to) → acudir; clasificar; llegar; proceder; provenir; venir **come in!** ¡adelante! **come off it!** ¡y un jamón! **come on!** ¡anda!; ¡hala!; ¡venga!; adelante; ánimo **to come before** anteceder **to come from** proceder; salir **to come in** pasar **to come off** cuajar; saltar **to come out** salir; salir a relucir **to come out with** soltar **to come up** subir
comedian → humorista
comedy → comedia
comet → cometa
comfort → comodidad; confort; consuelo **comforts** comodidad
comfortable → a gusto; cómodo; confortable; holgado
comfort-loving → comodón
comic → cómic; cómico; tebeo **comic strip** cómic; historieta
comical → cómico
coming → venida; venidero
comma → coma **inverted commas** comillas **to put in inverted commas** entrecomillar
command → mandato; mando
commander → comandante; mando
commanding officer → comandante
commandment → mandamiento
commando → comando
commemorate (to) → conmemorar
commemoration → conmemoración
commensal → comensal
comment → comentario **sharp comment** exabrupto
comment on (to) → comentar
commentary → comentario
commerce → comercio
commercial → comercial; mercantil **commercial traveller** viajante
commission → comisión
commissioner → comisario
commit (to) → cometer; incurrir; perpetrar **to commit oneself** mojar **to commit suicide** suicidarse
commitment → compromiso
committee → comité; junta
committing → comisión
common → común; corriente; frecuente; ordinario; vulgar **common sense** sentido común
commotion → jaleo; revuelo; tumulto
communicate (to) → comunicar
communication → comunicación
communicative → comunicativo
Communion → **to receive Holy Communion** comulgar
communism → comunismo
community → colonia; comunidad
commutative → conmutativo
compact → compacto **compact disc** compact disc; compacto; disco compacto
compact-disc → **compact-disc player** compact disc **compact-disc system** compacto
companion → acompañante; compañero
companionship → compañerismo
company → casa; compañía; empresa; sociedad **company store** economato
comparable → comparable
comparative → comparativo
compare (to) → comparar
comparison → comparación **there's no camparison** no hay color
compartment → compartimento; departamento
compass → brújula **pair of compasses** compás
compassion → compasión
compassionate → compasivo
compatible → compatible
compatriot → compatriota
compensate (to) → compensar; indemnizar
compensation → contrapartida
compete (to) → competir; disputar
competence → competencia
competent → competente
competition → certamen; competencia; competición; concurso
competitive examination → oposición
compilation → recopilación
complain (to) → quejarse; reclamar
complaint → afección; queja; reclamación
complement → complemento
complement (to) → complementar
complementary → complementario
complete → completo; íntegro; total
complete (to) → completar
completed → completo
completion → terminación
complex → complejo **with a complex** acomplejado
complexion → tez
complicate (to) → complicar; enredar
complicated → complicado
complication → complicación
compliment → flor
component → componente
compose (to) → componer
composed → entero; templado
composer → compositor; maestro

composition → composición; redacción
composure → aplomo; temple
compote → compota
compound → complejo; compuesto
comprehension → entendimiento
compress (to) → comprimir
comprise (to) → comprender
compulsive → compulsivo
compulsory → forzoso; obligatorio
computer → computadora; informático; ordenador **computer expert** informático **computer science** informática
computerize (to) → informatizar
computing → informática
comrade → camarada
concave → cóncavo
conceal (to) → enmascarar
conceit → presunción
conceited → creído; engreído; estúpido; vanidoso
conceive (to) → concebir; idear
concentrate (to) → centrar; concentrar
concentration → concentración **concentration camp** campo de concentración **to lose one's concentration** descentrar
concept → concepto
conception → concepción
concern (to) → incumbir; preocupar
concert → concierto
concerto → concierto
concession → concesión
conch → caracola
concise → conciso
conclude (to) → concluir; sacar en limpio; ultimar
conclusion → conclusión
concoction → mejunje; pócima; potingue
concord → concordia
concrete → concreto; hormigón
concussion → conmoción
condemn (to) → condenar; denunciar
condemnation → condena
condense (to) → condensar
condensed milk → leche condensada
condition → condición **in good condition** en condiciones **on condition that** a condición de
conditional → condicional
condolences → condolencia; pésame
condom → condón; preservativo
condor → cóndor
conduct → conducta; proceder
conductor → cobrador
conductress → cobrador
cone → cono; cucurucho
confectioner's → confitería
confectionery → repostería
confederation → confederación
conference → conferencia
confess (to) → confesar
confession → confesión
confessional → confesionario; confesonario
confessor → confesor
confetti → confeti
confidence → confianza; libertad; seguridad; soltura **in confidence** en confianza **to grow in confidence** crecer
confident → confiado; desenvuelto **to be confident** confiar
confidentially → en confianza
configure (to) → configurar
confirm (to) → acreditar; confirmar; constatar; ratificar; validar
confirmation → confirmación
conflict → conflicto; contienda **to bring into conflict** enfrentar
confrontation → enfrentamiento
confuse (to) → aturdir; confundir; enmarañar; enredar; liar
confused → confuso **to get confused** liar
confusing → confuso; lioso
confusion → confusión; desbarajuste; desconcierto; maremágnum
congenital → congénito
congratulate (to) → felicitar
congratulations → enhorabuena; felicidad; felicitación
congress → congreso
conical → cónico
conjugate (to) → conjugar
conjugation → conjugación
conjunction → conjunción
conjunctivitis → conjuntivitis
conjurer → ilusionista; mago
conjuror → prestidigitador
connect (to) → comunicar; conectar; encadenar; enchufar; enlazar; trabar
connection → conexión; correspondencia; empalme; toma
connective → nexo
connector → enlace
conquer (to) → conquistar
conqueror → conquistador
conquest → conquista
conscience → conciencia
conscientious → concienzudo
conscientiously → a conciencia
conscious → consciente
consciousness → conciencia; conocimiento
conscript → quinto
consecrate (to) → consagrar
consecutive → consecutivo; seguido
consensus → consenso
consent → asentimiento; conformidad; consentimiento
consent (to) → acceder
consequence → consecuencia; secuela
consequently → en consecuencia
conservation → conservación
conservative → conservador
conserve (to) → conservar
consider (to) → barajar; considerar; contemplar; dar por; juzgar; pensar; plantear
considerable → considerable; cuantioso; estimable; respetable
considerate → considerado; delicado; mirado
consideration → consideración; miramiento
considering that → para
consignment → alijo; partida
consist (to) → consistir; constar
consistency → consistencia
consolation → consuelo
console → consola **console table** consola
console (to) → consolar
consolidate (to) → consolidar
consommé → consomé
consonant → consonante
conspiracy → complot; conspiración
conspire (to) → conspirar
constant → constante; continuo
constellation → constelación
constipate (to) → estreñir
constipated → estreñido
constipation → estreñimiento
constitute (to) → constituir
constitution → constitución
constitutional → constitucional
construct (to) → construir
construction → construcción
constructive → constructivo
consul → cónsul
consulate → consulado
consult (to) → consultar
consultancy → asesoría
consultation → consulta
consumer → consumidor
consumption → consumo
contact → contacto; roce **contact**

lens lente de contacto; lentilla **contacts** enchufe
contagion → contagio
contagious → contagioso; pegadizo
contain (to) → contener; encerrar; llevar; tener; traer
container → contenedor; recipiente
contemporary → contemporáneo
contempt → desdén; desprecio; menosprecio
contemptuous → desdeñoso; despreciativo
content → contenido **contents** contenido
content (to) → contentar
contest → certamen; combate; concurso
contestant → concursante
context → contexto
contiguous → contiguo
continent → continente
contingency → evento
continual → continuo
continuation → continuación
continue (to) → continuar; durar; proseguir; seguir
continuous → continuo
contortion → contorsión
contraceptive → anticonceptivo
contract → contrato **to sign a contract for** contratar
contract (to) → contraer; encoger **to cause to contract** contraer
contracting → contratación
contraction → contracción
contradict (to) → contradecir; desmentir; llevar la contraria
contradiction → contradicción
contradictory → contradictorio
contraindication → contraindicación
contrast → contraste
contribute (to) → aportar; colaborar; contribuir
contribution → aportación; contribución
contrived → rebuscado
control → control; dominio; mando; rienda **control tower** torre de control **controls** control
control (to) → controlar; dominar **control oneself (to)** controlar
controversial → conflictivo; polémico
controversy → controversia; polémica
convalescent → convaleciente
convenient → cómodo
conventional → convencional
conversation → conversación; diálogo
convert (to) → convertir
convertible → descapotable
convex → convexo
convey (to) → comunicar
conveyor belt → cinta
convict → presidiario
conviction → convicción
convince (to) → convencer
convinced → **to become more convinced** afianzar
convincing → contundente; convincente **to be convincing** convencer
convoy → convoy
coo (to) → arrullar
cooing → arrullo
cook → cocinero
cook (to) → cocinar; guisar
cooked → hecho
cooker → cocina
cookery → cocina
cookie → galleta; pasta
cooking → cocción; cocina **cooking pot** marmita; puchero
cool → chachi; fresco; guay **to get cooler** refrescar
cool (to) → enfriar; refrescar **to cool down** enfriar **to cool off** refrescar
coolness → frialdad
cooperate (to) → cooperar
cooperation → cooperación
cooperative → cooperativa
coordinate → coordenado **coordinate clause** coordinado **coordinates** coordenado
coordinate (to) → coordinar
coordinating → coordinador
coordinator → coordinador
cop → poli
cope → **not to be able to cope** no dar abasto
copilot → copiloto
copper → cobre
copula → cópula
copulation → cópula
copulative → copulativo
copy → calco; copia; ejemplar; reproducción
copy (to) → calcar; copiar
copycat → copión
coral → coral
cordless → inalámbrico
cordon → cordón
corduroy → pana
core → corazón; núcleo
cork → corcho **cork oak** alcornoque
corkscrew → sacacorchos
corn → callo; mies
corncob → panocha
cornea → córnea
corner → chaflán; córner; esquina; recoveco; rincón **corner of the eye** lagrimal **to put in a corner** arrinconar
corner (to) → acorralar; arrinconar
cornet → cornete; cucurucho
cornice → cornisa
corolla → corola
corporal → cabo; corporal
corporation → corporación
corpse → cadáver; fiambre
corpulent → corpulento
correct → cierto; correcto **correct prediction** acierto
correct (to) → corregir; enmendar; rectificar; subsanar **to correct oneself** rectificar
correcting → corrector
correction → corrección; enmienda
correctness → corrección
correspond (to) → cartearse
correspondence → correspondencia
correspondent → corresponsal; enviado
corresponding → correspondiente
corridor → corredor; pasillo
corrosion → corrosión
corrosive → corrosivo
corrupt (to) → corromper; pervertir
corruption → corrupción
corset → corsé; faja
cosmetic → cosmético
cosmic → cósmico
cosmonaut → cosmonauta
cosmopolitan → cosmopolita
cosmos → cosmos
Cossack → cosaco
cost → coste; importe **at all costs** a toda costa **cost of living** vida **high cost** carestía
cost (to) → costar; estar a; valer **to cost a fortune** costar un ojo de la cara
Costa Rican → costarricense
costume → traje **costume jewellery** bisutería
cosy → acogedor
cot → cuna
cottage cheese → requesón
cotton → algodón
couch → canapé; diván
cough → tos
cough (to) → toser
could → poder
council → concilio

counsel for the defence → defensor
count → conde; escrutinio; recuento
count (to) → contar **to count on** contar con
countable → contable
countenance → semblante
counter → ficha; mostrador
counteract (to) → contrarrestar
counterattack → contraataque
countermand → contraorden
counterpart → colega
counterweight → contrapeso
countless → incontable; infinito; innumerable
country → campestre; campo; país; rústico; tierra **country bumpkin** paleto; palurdo **country estate** hacienda **country house** caserío; pazo **country person** campesino
countryside → campiña
couple → pareja
coupon → boleto; cupón
courage → bravura; coraje; valentía; valor
courageous → bravo; valeroso; valiente
courgette → calabacín
courier → mensajero
course → cauce; cursillo; curso; rumbo **of course** claro; desde luego; no faltaba más; por supuesto
court → cancha; corte; cortesano; juzgado; tribunal
courtesy → cortesía
courtier → cortesano; palaciego
courting → cortejo
courtyard → patio
couscous → cuscús
cousin → primo
cove → cala
cover → carátula; cobertura; cubierta; cubierto; forro; pasta; tapa **back cover** contraportada
cover (to) → abarcar; cerrar; cubrir; envolver; forrar; llenar; recubrir; tapar **to cover one's head** cubrir **to cover up** encubrir; tapar **to cover up for** encubrir **to cover with blood** ensangrentar **to cover with mud** embarrar
coverage → cobertura
covered → lleno **covered wagon** carromato
covering → cobertura; envoltura
cow → vaca **young cow** novillo
cowardice → cobardía
cowardly → cobarde
cowbell → cencerro
cowboy → vaquero
cowgirl → vaquero
cowherd → vaquero
cowlick → remolino
cowpat → boñiga
cowshed → establo
coyote → coyote
crab → buey; cangrejo **crab louse** ladilla
crack → chasquido; grieta; rendija; resquicio; torta; tortazo
crack (to) → agrietar; cascar; chasquear; restallar
cracker → **to be crackers** estar como una regadera
crackle (to) → chisporrotear
cradle → cuna
craft → artesanía; nave
craftiness → picardía
craftsman → artesano
craftswoman → artesano
crafty → cuco; pájaro; pícaro **crafty devil** pájaro
crag → peñasco
cram together (to) → comprimir **crammed together** apiñado
cramp → calambre
crane → grúa; grulla
cranium → cráneo
crank → manivela; manubrio
crap → mierda
crash → batacazo; choque; colisión; crack; estallido; estrépito
crash (to) → entrechocar; estrellar
crate → cajón
crater → cráter
crawfish → langosta
crawl (to) → arrastrar; gatear; reptar
crawler → pelota; pelotillero
crayon → color; pintura
craze → manía
crazy → alocado; chalado; chiflado; de cabeza; descabellado; loco; tarumba **crazy golf** minigolf **like crazy** a rabiar
creak (to) → crujir
cream → crema; leche; nata; pomada
creamy → cremoso
crease → arruga; raya
crease (to) → arrugar
create (to) → crear; forjar; montar
creation → constitución; creación
creative → creativo
creator → creador
creature → bicho; criatura
credibility → credibilidad
credible → creíble; verosímil
credit → crédito **on credit** a crédito **to do credit** honrar **to give credit** fiar
creditor → acreedor
Creed → credo
creep → pelota; pelotillero **the creeps** repelús
creeping → rastrero
cremate (to) → incinerar
crepe → crepe
crescent → creciente; medialuna **crescent moon** Luna creciente
crest → cresta; penacho
crestfallen → cabizbajo
crew → tripulación **crew member** tripulante
crib → chuleta; pesebre
cricket → grillo
crime → crimen; delincuencia
criminal → criminal; delincuente; maleante; penal
crimson → carmesí
cripple → cojo; lisiado; mutilado
crippled → lisiado
crisis → crisis
criterion → criterio
critic → crítico; detractor **critics** crítica
critical → crítico
criticism → crítica; reproche **severe criticism** hipercrítica
criticize (to) → criticar
croak (to) → croar
Croat → croata
Croatian → croata
crochet → **crochet hook** ganchillo **crochet work** ganchillo
crockery → loza; vajilla
crocodile → cocodrilo **crocodile tears** lágrimas de cocodrilo
croissant → croissant; cruasán; medialuna
crook → cayado; garrota
crop → buche
crop (to) → rapar
croquette → croqueta
cross → aspa; cruce; cruz
cross (to) → atravesar; cruzar; pasar; traspasar **to cross oneself** santiguarse **to cross out** tachar
crossbar → larguero; travesaño
crossbow → ballesta
cross-country → campo a través; cross
crossed → cruzado **crossed line** cruce
cross-eyed → bizco
crossing → cruce; travesía **crossing out** tachadura; tachón

crosspiece → travesaño
cross-reference → remisión
crossroads → cruce; encrucijada
crossword → crucigrama
crouch (to) → agazaparse
crouching → en cuclillas
croup → grupa
crow → corneja **crow's feet** patas de gallo
crowd → aglomeración; basca; bulla; gentío; legión; marabunta; masa; muchedumbre; multitud; tropa
crowd (to) → agolparse; apelotonar **to crowd together** amontonar; arremolinarse
crowded → concurrido **crowded together** hacinado
crown → copa; corona **crown of the head** coronilla
crown (to) → coronar
crucifix → cristo; crucifijo
crucifixion → crucifixión
crucify (to) → crucificar
crude oil → crudo
cruel → crudo; cruel **cruel thing** bestialidad; brutalidad
cruelty → crueldad **act of cruelty** barbaridad
cruet → vinagrera
cruise → crucero
cruiser → crucero
crumb → miga **crumbs** migajas
crunch (to) → crujir
crush (to) → aplastar; estrujar; machacar; triturar
crust → corteza; costra **crust of bread** cuscurro **hard crust** mendrugo
crustacean → crustáceo
crutch → muleta
crux → meollo
cry (to) → llorar **to cry one's eyes out** llorar a moco tendido **to cry out** clamar **to cry out for** clamar
crybaby → llorica; llorón
crying → llanto; lloro
cryptogam → criptógamo
cryptogamous → criptógamo
crystal-clear → cristalino
cub → cachorro
Cuban → cubano
cube → cubo; taco
cubic → cúbico
cubicle → cabina
cubitus → cúbito
cuckoo → cuclillo; cuco
cucumber → pepino
cuddle (to) → hacer manitas
cuddly toy → peluche

cue → taco
cuff → bocamanga; puño
cufflink → gemelo
cuirass → coraza
cul-de-sac → callejón sin salida
culminating → álgido; culminante
culmination → culminación
culprit → culpable; responsable
cultivate (to) → cultivar
cultivation → cultivo
cultural → cultural
culture → cultivo; cultura
cultured → culto
cumin → comino
cunning → astucia; astuto; pillo
cup → copa; pote; taza
cup (to) → ahuecar
cupboard → alacena; armario
cupola → cúpula
curative → curativo
curb → freno
curd → cuajada
curdle (to) → cortar
cure → cura; curación
cure (to) → curar
curing → curación
curiosity → curiosidad; inquietud; intriga
curious → curioso; inquieto
curl → bucle; rizo
curl (to) → rizar **to curl up** acurrucarse
curler → rulo
curly → encrespado **curly endive** escarola
currency → moneda **foreign currency** divisa
current → actual; corriente; fluido **current account** cuenta corriente **current affairs** actualidad **current time** actualidad
curriculum → currículo; currículum **curriculum vitae** currículo; currículum
curse → maldición; maleficio
curse (to) → maldecir; renegar
cursor → cursor; puntero
curt → seco
curtain → cortina; telón
curtaining → tapicería
curve → curva
curved → curvo
cushion → almohadón; cojín **small cushion** almohadilla
cushion (to) → amortiguar
cushy number → chollo
custard → natillas **custard apple** chirimoya

custom → costumbre; uso
customer → cliente **customers** clientela
customs → aduana
cut → corte; raja; tajo
cut (to) → cortar; rajar; tallar **to cut a piece out of** calar **to cut into** abrir **to cut off** incomunicar; segar **to cut out** recortar **to cut someone's hair** pelar **to cut up** descuartizar; partir; trocear
cutaneous → cutáneo
cute → monada; monería; mono
cutlery → cubertería **piece of cutlery** cubierto
cutlet → chuleta
cutout → recortable
cutting → corte; esqueje; incisivo
cuttlefish → sepia
cybernetics → cibernética
cycle → ciclista; ciclo **cycle track** velódromo
cycling → ciclismo; ciclista
cyclist → ciclista
cyclone → ciclón
Cyclops → cíclope
cylinder → bombona; cilindro
cymbals → platillo
cypress → ciprés
Cyrillic → cirílico
cyst → quiste
czar → zar
czarina → zarina
Czech → checo

D

D → d; re
dad → papá
daddy → papá
daffodil → narciso
daft → ganso; tontaina; tontorrón **daft thing** pamplina
dagger → daga; puñal; puntilla **at daggers drawn** a matar **to look daggers at (somebody)** fulminar
daily → cotidiano; diario
dairy → lácteo; lechería; lechero; mantequería **dairy ice cream** mantecado
dais → tribuna

daisy → margarita **to be pushing up daisies** criar malvas
Dalmatian → dálmata
dam → presa
damage → daño; desperfecto; destrozo; perjuicio
damage (to) → dañar; estropear
damaged → maltrecho
damn! → ¡hala!; ¡jo!; ¡jobar!; ¡jolín!; ¡jope!; dichoso; mecachis
damn (to) → estancar
damned → dichoso; maldito **to be damned** condenar
damp → húmedo
dance → baile; danza
dance (to) → bailar; danzar; mover el esqueleto
dancer → bailarín
dandruff → caspa
Dane → danés
danger → peligro **to be in danger** peligrar
dangerous → arriesgado; expuesto; peligroso; traicionero
Danish → danés
dare (to) → atreverse; osar
daredevil → jabato
daring → arriesgado; atrevido; audacia; audaz; osadía; osado
dark → moreno; oscuridad; oscuro; tenebroso **in the dark** a oscuras **to get dark** anochecer; atardecer; oscurecer
darken (to) → oscurecer
darkness → oscuridad; tiniebla
darn → zurcido
darn (to) → zurcir
dart → dardo
dash → arrojo; raya
database → banco de datos
date → cita; dátil; fecha; ligue **to be up to date** estar al día **to bring up to date** actualizar **to put the date on** fechar **up to date** al corriente
date (to) → datar; fechar **to date from** datar de
datum → dato
daub (to) → pintarrajear
daughter → hijo
daughter-in-law → nuera
dauntless → impávido
dawn → alba; amanecer; aurora; despertar; madrugada **to be at dawn** amanecer
dawn (to) → amanecer; clarear
day → día; jornada **day before** víspera **day labourer** jornalero **day off** puente **day pupil** externo **day's wage** jornal **the day after tomorrow** pasado mañana **the day before yesterday** anteayer
daydream (to) → pensar en las musarañas
daytime → diurno
daze → **in a daze** atontolinado
dazzle (to) → deslumbrar
dazzling → deslumbrante
deacon → diácono
dead → muerto; seco; tieso **dead easy** chupado; tirado **dead loss** maleta
deadly → letal; mortal; mortífero
deaf → sordo **deaf and dumb** sordomudo **deaf mute** sordomudo **to be as deaf as a post** estar sordo como una tapia
deafening → atronador; ensordecedor; estrepitoso
deafness → sordera
deal → trato
deal (to) → girar; negociar; traficar **to deal with** atender; despachar
dealer → concesionario; traficante
dealings → trato **to have dealings** tratar
dear → caro; entrañable; querido
death → defunción; muerte **death throes** agonía **the death (to)** a muerte
debate → debate
debate (to) → debatir; polemizar
debt → deuda **in debt** empeñado **to get into debt** empeñar
debut → debut **to make one's debut** debutar
decade → década; decenio
decadence → decadencia
decadent → decadente
decaffeinated → descafeinado **decaffeinated coffee** descafeinado
decagon → decágono
decagram → decagramo
decalitre → decalitro
Decalogue → decálogo
decametre → decámetro
decapitate (to) → decapitar
decay → corrupción; picadura
decease → fallecimiento
deceased → difunto
deceitful → tramposo
deceive (to) → engañar **to deceive oneself** engañar
deceiving → **to be deceiving** engañar
December → diciembre
decency → decencia
decent → decente; digno
decentralize (to) → descentralizar
decide (to) → decidir; determinar; disponer; proponer
decided → empeñado
deciduous → caduco
decigram → decigramo
decilitre → decilitro
decimal → decimal
decimetre → decímetro
decipher (to) → descifrar
decision → decisión; fallo
decisive → decisivo; definitivo; determinante
deck → cubierta **deck chair** hamaca
declaration → declaración
declarative → enunciativo
declare (to) → declarar **to declare one's love** declarar **to declare oneself** pronunciar
decline → declive; ocaso **in decline** decadente
decline (to) → decaer
decode (to) → descodificar
decontaminate (to) → descontaminar
decorate (to) → adornar; condecorar; decorar
decoration → adorno; condecoración; decoración; ornamentación
decorative → decorativo
decorator → decorador
decoy → reclamo
decrease (to) → menguar
decreasing → decreciente
decree (to) → decretar
decrepit → decrépito
dedicate (to) → consagrar; dedicar **to dedicate oneself** dedicar
dedication → dedicatoria
deduce (to) → deducir; desprender
deduct (to) → descontar
deed → escritura
deep → grave; hondo; pesado; profundo **deep fat fryer** freidora **to go deep** ahondar
deepen (to) → ahondar; ahuecar; profundizar
deeply → **to go deeply into** profundizar
deer → ciervo; venado
defaulter → moroso
defaulting → moroso
defeat → derrota
defeat (to) → derrotar
defecate (to) → defecar
defecation → deposición
defect → defecto; desperfecto; tara
defective → defectuoso
defector → desertor

defence → apología; defensa
defenceless → indefenso
defences → defensa
defend (to) → defender
defendant → acusado; reo
defender → defensa; defensor
defending → defensor
defensive → defensivo **to be on the defensive** estar a la defensiva
deference → distinción
deficiency → deficiencia
deficient → deficiente
deficit → déficit
define (to) → definir **to define one's position** definir
defining → especificativo
definite → en firme; fijo
definitely → fijo
definition → definición
definitive → definitivo
deflate (to) → deshinchar; desinflar
deform (to) → deformar
deformation → deformación
defraud (to) → estafar
defuse (to) → desactivar
defy (to) → desafiar
degrade (to) → degradar
degree → carrera; grado; título
dehydrate (to) → deshidratar
deign (to) → dignarse
dejection → desánimo
delay → retraso
delay (to) → atrasar
delayed → retrasado
delegate → delegado
delegate (to) → delegar
delegation → representación
delete (to) → suprimir
deletion → supresión
deliberate → intencionado
deliberate (to) → deliberar
deliberately → adrede
delicacy → delicadeza; manjar; primor
delicate → delicado; sutil
delicious → rico
delight → delicia; gozada; gozo; regocijo
delight (to) → encantar
delightful → coqueto; delicioso
delimit (to) → delimitar
delirious → **to be delirious** delirar
delirium → desvarío
deliver (to) → distribuir; entregar; repartir
delivery → distribución; reparto
delta → delta
deluge → diluvio
delve (to) → escarbar; hurgar
demand → demanda; exigencia
demand (to) → exigir; reclamar; reivindicar
demanding → exigente
demijohn → garrafa; garrafón
demise → fallecimiento
democracy → democracia
democrat → demócrata
democratic → demócrata
demolish (to) → demoler; derribar; derruir; derrumbar; hundir
demon → demonio; diablo
demonstrate (to) → demostrar; manifestar
demonstration → demostración; manifestación
demonstrative → demostrativo
demonstrator → manifestante
demoralize (to) → desmoralizar
demoralized → hundido
demote (to) → degradar
den → cubil; guarida
denim → tejano; vaquero
denominator → denominador
dense → compacto; denso; espeso
density → densidad
dent → abolladura; bollo
dent (to) → abollar; hundir; mellar
dental → dental **dental surgeon** odontólogo
dented → **to get dented** abollar
dentist → dentista
dentistry → odontología
deny (to) → desmentir; negar
deodorant → desodorante
depart (to) → partir; salir
department → departamento; sección **department store** grandes almacenes
departure → ida; marcha; partida; salida
depend (to) → depender
dependability → seriedad
dependable → cumplidor
dependence → dependencia
depiction → retrato
deploy (to) → desplegar
deployment → despliegue
depopulate (to) → despoblar
deposit → ingreso; sedimento; señal; yacimiento
deposit (to) → depositar
depot → cochera
depraved → depravado; vicioso
depredatory → depredador
depress (to) → abatir; deprimir
depressed → abatido; decaído; deprimido
depression → borrasca; depresión
deprivation → privación
deprive (to) → despojar; privar
depth → fondo; profundidad **in depth** a fondo
deputy → diputado; lugarteniente; teniente
derailed → **to be derailed** descarrilar
derby → derbi
derivative → derivado
derived → derivado **to be derived** derivar
dermatologist → dermatólogo
dermis → dermis
derogatory → despectivo
descend (to) → descender
descendant → descendiente **descendants** descendencia
descending → descendente
descent → bajada; descenso
describe (to) → calificar; describir
described → descrito
description → descripción
descriptive → descriptivo
desecrate (to) → profanar
desert → desértico; desierto **to turn into a desert** desertizar
desert (to) → desertar
deserted → desierto; fantasma; vacío
deserter → desertor
desertification → desertización
deserve (to) → ganar; merecer
deserving → digno
desiderative → desiderativo
design → diseño
design (to) → diseñar
designate (to) → designar
designer → diseñador
desire → afán; deseo; gana
desire (to) → desear
desist (to) → desistir
desk → escritorio; mesa; pupitre
despair → desesperación
despair (to) → desesperar
despicable → rastrero; ruin; vil
despise (to) → despreciar
despondency → desánimo
despot → déspota
despotic → dictador
dessert → postre
destination → destino
destiny → destino; sino; suerte
destitute → desvalido
destroy (to) → acabar con; arrasar; destrozar; destruir; terminar

destroyer → destructor
destruction → destrucción
destructive → destrozón
detach (to) → desprender
detached house → chalé
detachment → desprendimiento
detail → detalle; pormenor; seña **to tell in detail** detallar
detain (to) → detener
detect (to) → detectar
detective → detective; policíaco
detention → detención
detergent → detergente
deteriorate (to) → empeorar
deterioration → desgaste; empeoramiento
determination → empeño
determine (to) → determinar
determined → animoso; decidido; resuelto
determiner → determinante
detest (to) → a muerte; detestar
dethrone (to) → destronar
detour → rodeo **to make a detour** dar
detoxicate (to) → desintoxicar
detoxify (to) → desintoxicar
detractor → detractor
devastate (to) → destrozar
devastated → deshecho
devastating → devastador
develop (to) → construir; desarrollar; revelar; urbanizar
develop fully (to) → madurar
development → cultivo; desarrollo; elaboración
device → aparato; artefacto; artilugio; dispositivo; ingenio
devil → demonio; diablo **a poor devil** diablo **like the devil** como un demonio **little devil** bicho; trasto
devious → tortuoso
devise (to) → ingeniar
devote (to) → invertir
devote oneself (to) → dar; entregar
devoted → devoto
devotee → devoto
devotion → amor; devoción; entrega
devour (to) → devorar
devout → beato; devoto
dew → rocío
diabetes → diabetes
diabetic → diabético
diabolic → diabólico
diacritical → diacrítico **diacritical mark** diacrítico
diaeresis → diéresis
diagnose (to) → diagnosticar
diagnosis → diagnóstico
diagonal → diagonal
diagram → diagrama
dial (to) → marcar
dialect → dialecto
dialling code → prefijo
dialogue → diálogo
diameter → diámetro
diamond → brillante; diamante
diaper → pañal
diarrhoea → diarrea
diary → agenda; diario
dice → dado **dice cup** cubilete
dickhead → capullo
dictate (to) → dictar
dictates → dictado
dictation → dictado
dictator → dictador
dictatorship → dictadura
dictionary → diccionario
didactic → didáctico
die (to) → morir; perecer
die down (to) → calmar
diesel oil → gasoil; gasóleo
diet → dieta; light; régimen
differ (to) → diferenciar; diferir
difference → diferencia; distancia; distinción; variante **difference in height** desnivel **vast difference** abismo
different → diferente; distinto **to be different** diferenciar; diferir; distar
differentiate (to) → diferenciar; distinguir
difficult → chungo; conflictivo; difícil; escabroso; espinoso; guerrero; tonto **difficult situation** compromiso; conflicto **difficult to get on with** intratable **to be really difficult** traérselas **to make difficult** dificultar
difficulty → dificultad; dureza; escollo
dig → excavación
dig (to) → cavar; escarbar; excavar **to dig one's heels in** cerrar; emperrarse; plantar **to dig out** desempolvar **to dig up** desenterrar; remover
digest (to) → digerir
digestion → digestión
digestive → digestivo
digger → excavadora
digital → digital
dignitary → dignidad
dignity → dignidad
digraph → dígrafo
digress (to) → divagar
digression → inciso
dilapidated → decrépito; destartalado; ruinoso
dilate (to) → dilatar
dilemma → dilema
diligent → diligente
dilute (to) → diluir; disolver
dim → borrico; corto; memo; tenue
dim (to) → atenuar
dimension → dimensión
diminish (to) → ceder; menguar
diminutive → diminutivo
dimple → hoyuelo
dimwit → borrico
din → alboroto; algarabía; bulla; escándalo; estrépito; estruendo
diner → comensal
dining room → comedor
dinner → cena **dinner jacket** esmoquin **to have dinner** cenar
dinosaur → dinosaurio
dint → **by dint of** a costa de; a fuerza de
diocese → diócesis
dioptre → dioptría
dioxide → dióxido
dip → chapuzón; remojón
diphthong → diptongo
diploma → diploma
diplomacy → diplomacia
diplomat → diplomático
diplomatic → diplomático **diplomatic corps** diplomacia
dipteran → díptero
direct → directo **direct object** complemento directo; objeto directo
direct (to) → dirigir; encaminar; fijar; orientar
direction → dirección; sentido **sense of direction** orientación
director → director
dirigible → dirigible
dirt → porquería; roña; suciedad **dirt cheap** tirado
dirty → cochambroso; roñoso; sucio **dirty mark** churrete **dirty thing** guarrada; guarrería **dirty trick** faena; jugada; jugarreta; marranada; putada **to do the dirty on someone** hacer la pascua
dirty (to) → ensuciar; manchar
disability → discapacidad
disabled → discapacitado; disminuido; imposibilitado; inválido
disadvantage → desventaja; inconveniente
disagreement → desacuerdo
disappear (to) → desaparecer; esfumarse; ir; perder

disappearance → desaparición
disappoint (to) → chasquear; decepcionar; desilusionar
disappointed → **to be disappointed** desilusionar
disappointment → chasco; decepción; desengaño; desilusión
disarm (to) → desarmar
disarmament → desarme
disaster → calamidad; desastre; descalabro
disc → disco **disc jockey** disc jockey; pinchadiscos
discard (to) → descartar; desechar
discern (to) → atisbar
discharge → expulsión; flujo **discharge note** alta
discharge (to) → licenciar
disciple → discípulo
discipline → disciplina
discomfort → malestar
disconcert (to) → desconcertar
disconnect (to) → desconectar
discontent → descontento
discord → discordia
discotheque → discoteca
discount → descuento
discourage (to) → desanimar
discouragement → desaliento
discourse → discurso
discover (to) → cazar; descubrir
discoverer → descubridor
discovery → descubrimiento; hallazgo
discredit → desprestigio
discredit (to) → desacreditar
discreet → discreto
discretion → discreción
discriminate (to) → discriminar
discrimination → discriminación
discus → disco
discuss (to) → discutir; tocar; tratar
discussion → coloquio
disease → enfermedad
disembark (to) → desembarcar
disembarkation → desembarco
disembowel (to) → destripar
disenchant (to) → desencantar
disgrace → vergüenza
disgraceful → impresentable; indecente
disguise → disfraz
disguise (to) → disfrazar
disgust → asco; náusea; repugnancia
disgust (to) → asquear; repeler
disgusting → asqueroso; repugnante **disgusting thing** asco; guarrada; guarrería
dish → fuente; plato **dish soap** lavavajillas **dishes** vajilla
dishearten (to) → desinflar
dishonour → deshonra
dishwasher → friegaplatos; lavaplatos; lavavajillas
disinfect (to) → desinfectar; sanear
disinfectant → desinfectante
disintegrate (to) → desintegrar
disinterested → desinteresado
disk → disco **disk drive** CD-ROM; disquetera
diskette → disquete
dislike → aversión; manía
dislike (to) → desagradar; disgustar
dislocated → **to be dislocated** dislocarse
dismantle (to) → desactivar; desmantelar
dismiss (to) → despedir; destituir
dismissal → despido
dismount (to) → desmontar
disobedience → desobediencia
disobedient → desobediente
disobey (to) → desobedecer
disorder → desconcierto; descontrol; desorden; trastorno
disorder (to) → descolocar
disorganize (to) → desorganizar
disorientate (to) → desorientar
disown (to) → renegar
dispatch → despacho; envío
dispatch (to) → expedir
dispel (to) → disipar
dispensary → dispensario
disperse (to) → desvanecer; dispersar
dispersed → disperso
display → alarde; muestra **display case** vitrina
display (to) → exponer
displease (to) → desagradar
displeasure → desagrado; disgusto; grima
disposition → talante
disproportionate → desproporcionado
dispute → disputa
disregard (to) → saltar
disruption → perturbación; trastorno
dissatisfaction → descontento
dissatisfied → descontento; insatisfecho
dissolute → libertino
dissolution → disolución
dissolve (to) → deshacer; diluir; disolver
distance → alejamiento; distancia; lejanía; recorrido; trecho **in the distance** a distancia **to keep one's distance** guardar las distancias
distant → apartado; distante; lejano **distant sound** eco
distinction → distinción; matrícula de honor
distinctive → distintivo
distinguish (to) → diferenciar; discernir; distinguir
distinguished → distinguido; ilustre
distort (to) → tergiversar
distortion → distorsión
distract (to) → descentrar; despistar; distraer; entretener
distracted → **to be distracted** entretenerse
distraction → distracción
distress → ahogo; angustia; desconsuelo
distress (to) → afligir
distressing → angustioso; doloroso
distribute (to) → distribuir; repartir
distribution → distribución
distributive → distributivo
district → distrito
distrust → desconfianza
distrust (to) → desconfiar
distrustful → desconfiado
disturb (to) → molestar; trastornar; turbar
disturbance → perturbación
disuse → desuso **to fall into disuse** caducar
ditch → acequia; cuneta
ditto → ídem
diurnal → diurno
divan → diván
dive → plancha; tugurio; zambullida
dive (to) → bucear; tirar
diver → buceador; buzo
diverse → variopinto
diversify (to) → diversificar
diversion → desvío
diversity → diversidad; pluralidad
divert (to) → desviar
divide (to) → dividir; repartir **to divide into three** terciar
dividend → dividendo
divine → divino
diving → buceo **diving board** trampolín **diving suit** escafandra; traje
divinity → divinidad
division → división
divisor → divisor
divorce → divorcio
divorced → **to get divorced** divorciarse

DIY → bricolaje
dizzy → vertiginoso **to get dizzy** marear **to make dizzy** marear
DJ → pinchadiscos
do (to) → hacer; pintar; practicar; seguir **doing nothing** de brazos cruzados **to do all one can** desvelar **to do away with** desterrar; terminar **to do perfectly** bordar **to do something** mover **to do something again** volver **to do up** abrochar **to do without** pasar; prescindir; privar
do well (to) → **to do well** situar
docile → dócil
dock → banquillo; dique
dockyard → astillero
doctor → doctor; médico **doctor's certificate** baja
doctrine → doctrina
document → documento
documentary → documental
documentation → documentación
dodderer → vejestorio
doddery → **to be doddery** chochear
dodecahedron → dodecaedro
dodge → triquiñuela
dodge (to) → burlar; esquivar; sortear
dog → can; perro **dog pound** perrera
dog (to) → perseguir
dogma → dogma
doh → do
do-it-yourself → bricolaje
doll → monigote; muñeco
dollar → dólar
dollop → pegote
dolmen → dolmen
dolphin → delfín
dome → cúpula
domestic → doméstico
domesticate (to) → domesticar
dominate (to) → dominar
domineering → dominante
Dominican → dominicano
dominion → dominio
domino → ficha **dominoes** dominó
don Juan → conquistador
donate (to) → donar
donation → donación; donativo
done → hecho
donkey → asno; borrico; burro; pollino
donor → donante
doodle → garabato
door → puerta **door knocker** aldaba **door viewer** mirilla **large door** portón
doormat → felpudo
dopey → **to make dopey** atontar
doping → doping
dormitory town → ciudad dormitorio
dormouse → lirón
dorsal → dorsal
dose → dosis; toma
dose (to) → dosificar
dossier → dosier; expediente
dot → lunar; punto **on the dot** en punto
dot (to) → puntear
dote (to) → caérsele a alguien la baba; chochear
doting → **doting father** padrazo **doting mother** madraza
double → doble **double bass** contrabajo; violón **double chin** papada
double (to) → doblar; duplicar
doubt → duda
doubt (to) → dudar
doubtful → dubitativo; dudoso; incierto
dough → masa
doughnut → dónut; rosquilla
dove → paloma
dovecote → palomar
down → abajo; chuchurrío; vello **down with!** ¡abajo!
downfall → ruina
downpour → aguacero; chaparrón; chubasco; tromba
downright → solemne
Down's syndrome → **affected by Down's syndrome** mongólico
downtown → centro
downward → descendente **downward slope** bajada
dowry → dote
doze (to) → adormilarse; dormitar
dozen → docena
draft → tiro
drag → calada; gaita; lata; muermo; palo; pesadez; tostón
drag (to) → arrastrar
dragon → dragón
dragonfly → libélula
drain → alcantarilla; desagüe
drain (to) → escurrir; sanear
drainpipe → canalón
drama → drama
dramatic → dramático
dramatize (to) → dramatizar
drastic → drástico
draught → calado
draughts → dama
draughtsman → delineante
draughtswoman → delineante
draw → empate; sorteo
draw (to) → atraer; correr; dibujar; empatar; robar; trazar
drawer → cajón
drawing → dibujo **drawing pin** chincheta; tachuela
dreadful → de espanto; de mil demonios; espantoso; horrible; penoso; pésimo; temible
dream → de ensueño; ilusión; onírico; sueño **of dreams** onírico
dream (to) → soñar
dreamer → iluso; soñador
dreamworld → **to be in a dreamworld** estar en el limbo
dregs → poso
drench (to) → calar
drenching → remojón
dress → atuendo; vestido **dress coat** frac
dress (to) → aderezar; aliñar; vestir **all dressed up** peripuesto **to dress up** caracterizar; disfrazar; engalanar
dressing → aliño; vendaje **dressing gown** batín **dressing room** camerino; vestuario **dressing table** tocador
dressmaker → costurero; modisto
dressmaking → confección; costura
drib → **in dribs and drabs** con cuentagotas
dribble (to) → babear
dried → seco **dried fruit** fruto seco **dried up** seco
drill → broca; taladradora; taladro
drill (to) → horadar; taladrar
drilling → taladradora
drink → bebida; copa; trago
drink (to) → beber; consumir; ingerir; tomar **to drink straight from the bottle** beber a morro
drinker → bebedor
drinking → bebida **drinking trough** abrevadero
drip (to) → chorrear; gotear
drippy → ñoño
drive → empuje; lector
drive (to) → conducir; hincar; pilotar **drive away (to)** ahuyentar
driver → automovilista; chófer; conductor; piloto
driving school → autoescuela
drizzle → calabobos; llovizna **fine drizzle** sirimiri
drizzle (to) → chispear; gotear
dromedary → dromedario
drone → zángano
droning → soniquete
drool (to) → babear

drop → bajada; chispa; gota **large drop** goterón
drop (to) → descender; soltar
drop by (to) → pasar
dropped kerb → vado
dropper → cuentagotas
dropping → cagarruta
drought → sequía
drown (to) → ahogar
drowned → ahogado
drowning → ahogo
drowse (to) → adormilarse
drowsiness → modorra; somnolencia; sopor
drowsy → soñoliento
drug → antidoping; droga **drug addict** drogadicto; toxicómano **drug addiction** drogadicción **drug dealer** camello **drug test** antidoping **drug trafficking** narcotráfico **to take drugs** drogar
drug (to) → drogar
druid → druida
drum → bidón; bombo; tambor **drums** batería
drum (to) → tamborilear
drummer → batería
drumstick → maza; muslo
drunk → bebido; borracho; ebrio **to get drunk** emborrachar **to make drunk** colocar; emborrachar
drunkard → borracho
drunken state → borrachera
dry → árido; seco **very dry** reseco
dry (to) → enjugar; secar **to dry up** resecar
dry-cleaner's → tinte; tintorería
dryer → secador
drying place → tendedero
dryness → sequedad
dual → dual **dual carriageway** autovía
dub (to) → doblar
dubbing → doblaje
dubious → turbio
Dublin Bay prawn → cigala
duchess → duque
duck → pato
ducking → ahogadilla
due → **to be due** corresponder; obedecer **to be due to** deber
duel → duelo
duet → dúo
duffle coat → trenca
duke → duque
dull → apagado; insulso; sordo; soso **dull brown** pardusco **dull thing** sosería
dumbfounded → estupefacto; helado
dummy → chupete; maniquí; maqueta
dune → duna
dung → estiércol
dungarees → peto
dungeon → mazmorra
dunk → mate
dunk (to) → mojar
duo → dúo
duodenum → duodeno
duplex → dúplex
duplicate (to) → duplicar
durable → duradero
duration → duración; extensión
during → durante
dusk → atardecer
dust → polvo
dust (to) → desempolvar
duster → borrador
dustman → basurero
dustpan → cogedor; recogedor
dusty → polvoriento
Dutch → holandés; neerlandés
Dutchman → holandés; neerlandés
Dutchwoman → holandés; neerlandés
duty → cometido; deber; función; guardia
duvet → nórdico
DVD → DVD **DVD player** DVD
dwarf → enano
dwelling → morada
dye → tinte
dye (to) → teñir
dying → moribundo **to be dying** agonizar; morir
dyke → dique
dynamic → dinámico
dynamite → dinamita
dynamo → dinamo
dynasty → dinastía

E

E → mi
each → cada; sendos **each one** cada uno **each other** nos
eager → ávido
eagerness → ahínco
eagle → águila
eaglet → aguilucho
ear → espiga; oído; oreja; otorrinolaringólogo **ear infection** otitis **to be all ears** ser todo oídos **to go in one ear and out of the other** entrar una cosa por un oído y salir por el otro
eardrum → tambor; tímpano
earflap → orejera
early → precoz; pronto; temprano **early morning** madrugada **early riser** madrugador **early start** madrugón **to be early** adelantar **to come early** anticipar
earn (to) → cobrar; ganar
earpiece → auricular
earring → pendiente
Earth → tierra **earth tremor** temblor de tierra **earth's crust** corteza terrestre
earth → **of the earth** terráqueo
earthenware jar → botijo
earthling → terrícola
earthquake → seísmo; terremoto
earthworm → lombriz
ease → soltura **at ease** a gusto
ease (to) → calmar; suavizar
easel → caballete
easily → **easily comprehensible** accesible **easily frightened** asustadizo; miedoso
east → este; levante **east wind** levante; solano **the East** oriente
Easter → pascua
eastern → oriental
easy → fácil; manejable; sencillo; simple **to make easy** facilitar
eat (to) → comer; consumir; ingerir; tomar **not to eat a thing** no probar bocado **to eat away** comer **to eat away at** consumir
eau de vie → aguardiente
eaves → alero
ebony → ébano
eccentric → excéntrico
ecclesiastic → eclesiástico
echo → eco
echo (to) → resonar
eclectic → ecléctico
eclipse → eclipse
ecological → ecológico; ecologista
ecologist → ecologista
ecology → ecología
economic → económico
economical → económico
economics → economía
economize (to) → economizar
economy → economía
ecosystem → ecosistema
ecstasy → éxtasis

Ecuadorian → ecuatoriano
eddy → remolino
edelweiss → edelweiss
edge → arista; borde; canto; corte; filo; margen; orilla **to take the edge off** engañar
edging → ribete
edible → comestible
edict → bando
edit (to) → montar
edition → edición
editor → montador; redactor
editorial → editorial **editorial office** redacción **editorial staff** redacción
educate (to) → educar; formar; instruir
education → educación; enseñanza; formación; instrucción; preparación
educational → educativo
eel → anguila
effect → efecto **to have an effect on** calar
effective → efectivo
effeminate → afeminado **effeminate man** afeminado
effervescent → efervescente
efficient → eficaz; eficiente
effigy → efigie
effort → empeño; empujón; esfuerzo; sudor; trote **to make a special effort** apretar **to make an effort** esforzar
effrontery → osadía
effusive → efusivo
egalitarian → igualitario
egg → huevo **egg box** huevera **egg cup** huevera **egg shop** huevería
eggplant → berenjena
eggshell → cascarón
egocentric → egocéntrico
egoism → egoísmo
egoistic → egoísta
egotist → egoísta
Egyptian → egipcio
eiderdown → edredón
eight → ocho **eight hundred** ochocientos **eight hundredth** ochocientos
eighteen → dieciocho
eighteenth → decimoctavo; dieciocho; dieciochoavo
eighth → ocho; octavo
eightieth → ochenta; ochentavo; octogésimo
eighty → ochenta
either → **not either** tampoco
ejection → expulsión
elapse (to) → transcurrir
elastic → elástico
elbow → codo **elbow pad** codera **elbow patch** codera
elderly → de edad; mayor **elderly person** anciano
elders → mayor
elect → electo
elect (to) → elegir
election → elección
elections → comicios
elector → elector
electoral roll → censo electoral
electorate → electorado
electric → eléctrico **electric razor** maquinilla eléctrica **electric shock** calambre; descarga eléctrica
electrical → eléctrico **electrical appliance** electrodoméstico **electrical goods and hardware shop** bazar
electrician → electricista
electricity → electricidad; luz
electrocute (to) → electrocutar
electromagnet → electroimán
electron → electrón
electronic → electrónico
electronics → electrónica
elegance → elegancia
elegant → elegante
element → elemento; resistencia **in one's element** como pez en el agua
elementary → elemental
elephant → elefante; vaca **elephant seal** elefante marino
eleven → once
eleventh → decimoprimero; once; onceavo; undécimo
elf → elfo
eliminate (to) → eliminar
elimination → eliminación
eliminatory → eliminatorio
elision → sinalefa
elite → élite
elixir → elixir
elk → alce
ellipse → elipse
elm → **elm grove** olmedo **elm tree** olmo
elongated → alargado
eloquence → elocuencia
eloquent → expresivo
else → **to be something else** ser la pera
elver → angula
emaciated → escuálido
embalm (to) → embalsamar
embankment → terraplén
embargo → embargo
embark (to) → embarcar
embark on (to) → emprender
embarrass (to) → abochornar
embarrassed → avergonzado **to get embarrassed** cortar; sofocar
embarrassing → bochornoso; embarazoso; violento
embarrassment → bochorno; corte; embarazo; vergüenza
embassy → embajada
embedded → **to become embedded** incrustar
ember → brasa
embezzlement → malversación
embitter (to) → agriar
emblem → emblema
emblematic → emblemático
embrace → abrazo
embrace (to) → abarcar; abrazar
embroider (to) → bordar
embroidery → bordado
embryo → embrión
emerald → esmeralda
emerge (to) → emerger; surgir
emergency → emergencia; urgencia
emetic → vomitivo
emigrant → emigrante
emigrate (to) → emigrar
emigration → emigración
eminent → eminente
emissary → emisario
emission → emisión
emit (to) → emitir
emotion → emoción
emotional → afectivo; emotivo
emperor → emperador
emphasis → énfasis
emphasize (to) → poner de relieve; recalcar; remarcar; resaltar; subrayar
emphatic → tajante
empire → imperio
employ (to) → desplegar; emplear
employee → empleado
employer → patrón **employers' association** patronal
employment → empleo **in employment** en activo
empress → emperatriz
empty → casco; hueco; vacío **half empty** mediado
empty (to) → apurar; vaciar
en masse → en masa
enact (to) → promulgar
enamel → esmalte
encephalon → encéfalo
enchant (to) → encantar; hechizar
enchanting → encantador
encircle (to) → rodear
enclosed → adjunto **enclosed balcony** mirador

encode (to) → codificar
encore → bis
encourage (to) → dar cuerda; estimular; fomentar; invitar; potenciar
encouragement → aliento
encyclical → encíclica
encyclopaedia → enciclopedia
end → cabo; cierre; conclusión; confín; extremo; fin; final; remate; término **to come to an end** morir
end (to) → acabar; culminar; finalizar; quedar; terminar **to end up** ir a parar; pararse a
endanger (to) → comprometer
ending → desenlace; desinencia; terminación
endive → endibia
endless → interminable; kilométrico **endless number** sinfín
endow (to) → dotar
enemy → enemigo **to become enemies** enemistar **to make enemies of** enemistar
energetic → enérgico; saltarín
energy → ánimo; empuje; energético; energía; ímpetu; marcha; nervio; vigor
engaged → **to be engaged** comunicar
engagement → compromiso; noviazgo
engender (to) → engendrar
engine → máquina; motor
engineer → ingeniero
engineering → ingeniería
English → inglés
Englishman → inglés
Englishwoman → inglés
engrave (to) → esculpir; grabar
engraved → **to be engraved on one's memory** grabar
engraving → grabado
enigma → enigma
enjoy (to) → disfrutar; gozar **enjoy oneself (to)** gozar **enjoy your meal** buen provecho; que aproveche
enjoyable → ameno
enlarge (to) → agrandar; engrandecer
enlargement → ampliación
enlighten (to) → ilustrar
enlist (to) → alistarse; enrolar
enmity → enemistad
enormous → descomunal; enorme; ingente; mastodonte **enormous thing** mastodonte
enough → bastante; suficiente **enough!** ¡basta! **not enough** insuficiente **that's enough** ya está bien **to be enough** bastar; llegar **to be more than enough** sobrar
enrage (to) → enfurecer
enrich (to) → enriquecer
enriching → enriquecedor
enrol (to) → inscribir; matricular
enrolment → matrícula
ensemble → conjunto
enslave (to) → esclavizar
entail (to) → conllevar; suponer
enter (to) → entrar; penetrar
enterprising → emprendedor
entertain (to) → distraer; divertir; entretener; recibir
entertaining → ameno; distraído; divertido
entertainment → distracción; diversión; entretenimiento **entertainment section** cartelera
enthusiasm → ahínco; entusiasmo; furor **to fill with enthusiasm** entusiasmar
enthusiast → aficionado; entusiasta
enthusiastic → entusiasta
entire → entero
entitle (to) → titular
entity → entidad
entomology → entomología
entourage → cortejo; séquito
entrance → boca; entrada; portal **entrance hall** hall; recibidor; vestíbulo
entrecote → entrecot
entrust (to) → encomendar
entry → artículo; entrada
entryphone → portero automático; telefonillo
enumerate (to) → enumerar
enumeration → enumeración
envelope → sobre
envious → envidioso **to be envious of** envidiar
environment → ambiente; entorno; medio; medio ambiente
environmental → ambiental; medioambiental
envoy → enviado
envy → envidia
envy (to) → envidiar
ephemeral → efímero
epic → épico **epic poem** epopeya
epicene → epiceno
epicentre → epicentro
epidemic → epidemia
epidermis → epidermis
epiglottis → epiglotis
epilepsy → epilepsia
epilogue → epílogo
episcopal → episcopal
episode → episodio
epistle → epístola
epithet → epíteto
equal → igual **to make equal** equiparar; igualar
equality → igualdad
equation → ecuación
equator → ecuador
equatorial → ecuatorial
equilateral → equilátero
equip (to) → equipar
equipment → apero; enseres; equipamiento; equipo; material
equipping → equipamiento
equivalent → equivalente **to be equivalent** equivaler
era → era
erase (to) → borrar
eraser → borrador; goma
erect (to) → levantar
erection → erección
ermine → armiño
erosion → erosión
erotic → erótico
errand → encargo; recado **errand boy** chico **errand girl** chico
erroneous → erróneo
error → equivocación; error; incorrección
erudite → erudito
eruption → erupción
escalation → escalada
escalope → escalope
escape → escapada; evasión; fuga; huida
escape (to) → escapar; evadir; fugarse; huir
escort → escolta
escort (to) → escoltar
Eskimo → esquimal
espadrille → alpargata
esparto → esparto **esparto grass** esparto
Esperanto → esperanto
espionage → espionaje
esplanade → explanada
essay → ensayo; redacción
essence → esencia
Essene → esenio
Essenian → esenio
essential → capital; esencial; imprescindible; indispensable; primordial
establish (to) → consagrar; establecer
establishment → establecimiento
estate → **large estate** latifundio
estate agent's → inmobiliaria
esteem → estima

estimate (to) → estimar; tantear
Estonian → estonio
Estremaduran → extremeño
etcetera → etcétera
eternal → eterno
eternity → eternidad
ethical → ético
ethics → ética
Ethiopian → etíope
ethnic → étnico **ethnic group** etnia
etiquette → etiqueta
eucalyptus → eucalipto
Eucharist → eucaristía
euphoria → euforia
euro → euro
European → europeo
euthanasia → eutanasia
evacuate (to) → desalojar; evacuar
evade (to) → burlar; evadir
evaluate (to) → calibrar; evaluar; valorar
evaluation → balance; evaluación
evangelist → evangelista
evaporate (to) → evaporar
evaporation → evaporación
evasive answer → evasiva
evasiveness → rodeo
eve → víspera
even → aun; hasta; incluso; par; todavía **even number** par **even though** aunque **not even** ni siquiera
even up (to) → emparejar
evening → tarde; velada; vespertino **good evening** buenas tardes
event → acontecimiento; evento; suceso
eventful → accidentado
eventuality → evento
every → cada **every five minutes** cada dos por tres
everyday → cotidiano
everyone → cada uno
everywhere → por doquier **absolutely everywhere** hasta en la sopa
eviction → desahucio
evidence → constancia; testimonio
evident → evidente
evil → mal; maléfico; maligno; malvado; perverso; satánico
evoke (to) → evocar
evolution → evolución
evolutionary → evolutivo
evolve (to) → evolucionar
ex → ex
exact → exacto; justo
exactly → justo **exactly like** exacto
exactness → exactitud; rigor
exaggerate (to) → abultar; exagerar; hinchar; inflar
exaggeration → exageración
exalt (to) → exaltar
exam → evaluación; examen
examination → examen; exploración; reconocimiento **to take an examination** examinar
examine (to) → examinar; explorar; reconocer
example → ejemplo **for example** por ejemplo
exasperate (to) → desesperar; exasperar
exasperated → **to become exasperated** desesperar
exasperation → desesperación
excavate (to) → excavar
excavation → excavación
exceed (to) → exceder; rebasar; sobrepasar; superar
excel oneself (to) → lucir
excellent → excelente; sobresaliente
except → excepto; menos; salvo; ser lo de menos **except for** salvo
except (to) → exceptuar
exception → excepción
exceptional → excepcional; privilegiado
excess → exceso **excess weight** sobrepeso
excessive → abusivo; desmesurado; exagerado; excesivo **excessive load** sobrecarga
excessively → excesivamente
exchange → permuta; trueque **exchange rate** cambio **in exchange for** a cambio de
exchange (to) → cambiar; canjear; cruzar; descambiar; intercambiar; trocar
excitable → nervioso
excite (to) → agitar; apasionar; emocionar; excitar; ilusionar
excited → **to get excited** acalorar; emocionar; entusiasmar; revolucionar
excitement → excitación
exciting → apasionante; emocionante; excitante
exclaim (to) → exclamar
exclamation → exclamación **exclamation mark** admiración; exclamación
exclamatory → exclamativo
exclude (to) → arrinconar; dejar de lado; excluir
exclusive → exclusiva; exclusivo
excrement → excremento
excretion → excreción
excursion → excursión
excuse → disculpa; excusa **excuses** historia **to make excuses for** justificar
excuse (to) → disculpar; perdonar **excuse me!** ¡oye!
execute (to) → ajusticiar; ejecutar
execution → ejecución
executioner → verdugo
executive → ejecutivo **executive committee** ejecutiva
exemplary → ejemplar
exempt → exento
exercise → ejercicio **exercise book** cuaderno
exercise (to) → ejercer; ejercitar
exert (to) → ejercer
exfoliation → exfoliación
exhalation → exhalación
exhale (to) → exhalar
exhaust (to) → agotar; destrozar; extenuar
exhaust pipe → tubo de escape
exhausted → exhausto; extenuado **to be utterly exhausted** no poder con el alma
exhaustion → agotamiento
exhaustive → exhaustivo
exhibit (to) → exhibir; exponer
exhibition → exhibición; exposición
exhibitionist → exhibicionista
exhortative → exhortativo
exile → destierro; exiliado; exilio
exile (to) → desterrar
exiled → exiliado **to be exiled** exiliarse
exist (to) → existir; subsistir
existence → existencia
exit → salida
exodus → éxodo
exorbitant → abusivo
exorcism → exorcismo
exosphere → exosfera
exotic → exótico
expand (to) → dilatar
expansion → ampliación; dilatación; expansión
expect (to) → esperar
expectation → expectación
expedition → expedición
expel (to) → echar
expenditure → gasto
expense → gasto **expenses** dieta
expensive → caro; costoso **to be expensive** costar caro
experience → bagaje; experiencia; tabla **bad experience** trago
experience (to) → sufrir

experiment → experiencia; experimento
experiment (to) → experimentar
expert → conocedor; entendido; erudito; experto
expire (to) → expirar; prescribir; vencer
expiry → caducidad
explain (to) → explicar
explanation → aclaración; cuenta; explicación; exposición
explanatory → explicativo; expositivo
explicit → explícito
explode (to) → estallar; explosionar; explotar; reventar
exploit → gesta; hazaña; proeza
exploit (to) → explotar
exploitation → explotación
exploration → exploración
explore (to) → explorar
explorer → explorador
explosion → bombazo; estallido; explosión
explosive → explosivo
exponent → exponente
export → exportación **exports** exportación
export (to) → exportar
expose (to) → exponer; impresionar
exposed → expuesto
express → exprés; expreso; urgente
express (to) → enunciar; expresar; formular; manifestar; mostrar **express outwardly (to)** exteriorizar
expression → expresión; giro; locución; manifestación **to give expression to** plasmar
expressivity → expresividad
expropriate (to) → expropiar
exquisite → exquisito
extend (to) → dilatar; prolongar
extension → extensión; prolongación; prórroga
extensive → extenso
extent → extensión
exterior → exterior **exteriors** exterior
exterminate (to) → exterminar
extermination → exterminio
external → externo; tópico
extinct → **to become extinct** extinguir
extinction → extinción
extinguish (to) → apagar; extinguir
extra → extra **extra time** prórroga
extract (to) → arrancar; extraer
extractor → extractor **extractor hood** campana extractora
extraordinary → colosal; extraordinario; soberbio
extraterrestrial → extraterrestre
extravagant → extravagante
extreme → extremo; sumo **extreme unction** extremaunción
extremity → extremidad
exuberant → exuberante
eye → ocular; ojo; vista **eye specialist** oculista **in the twinkling of an eye** en un abrir y cerrar de ojos **to have one's eye on** echar el ojo **to look out of the corner of one's eye** de refilón; de reojo; de soslayo **to open the eyes of** desengañar **with one's eyes closed** con los ojos cerrados
eyebrow → ceja
eyelash → pestaña
eyelid → párpado **not to bat an eyelid** quedarse tan ancho **without batting an eyelid** como si tal cosa

F

F → fa
fable → fábula
fabric → tejido **fabric softener** suavizante
fabrication → invención
fabulous → de película; fabuloso
façade → fachada
face → cara; esfera; faz; gesto; haz; jeta; mueca; rostro; semblante **a sour look on one's face** cara de pocos amigos **face down** boca abajo **face pack** mascarilla **in the face of** ante
face (to) → enfrentar; hacer frente **to face the consequences** dar la cara **to face up to** afrontar
facet → faceta
facial → facial
facilitate (to) → facilitar
facilities → equipamiento; facilidad; instalación
fact → hecho **in fact** en realidad
faction → bando; clan; fracción
factor → factor
factory → fábrica; factoría; industria; manufactura
faculty → facultad
fade (to) → comer; desteñir; marchitar
faded → descolorido; marchito; mustio
faecal → fecal
faeces → deposición; heces
fah → fa
fail → calabaza; cate; insuficiente; suspenso
fail (to) → cargar; catear; fallar; fracasar; suspender
failure → fracaso **failure to turn up** plantón
faint → tenue
faint (to) → desmayarse; desvanecer
fainting fit → desmayo; soponcio
fair → feria; justo
fairness → justicia
fairy → hada
faith → fe **in good or bad faith** de buena o mala fe
faithful → fiel; leal
fake → de pega; farsante
fakir → faquir
falcon → halcón
fall → bajada; caída; descenso **sharp fall** bajón
fall (to) → bajar; caer; descender **to fall for it** picar **to fall in** formar **to fall over** volcar **to fall over a cliff** despeñar
fallen → caído **fallen leaves** hojarasca
fallow → **fallow deer** gamo **fallow system** barbecho **piece of fallow land** barbecho
false → falso; incierto; postizo **false note** gallo
falsehood → falsedad
falter (to) → titubear
fame → celebridad; fama
familiar → familiar **to be familiar** sonar
familiarity → confianza; familiaridad
familiarize oneself (to) → familiarizarse
family → familia; familiar; gente; saga; sangre **family name** apellido **family tree** árbol genealógico
family-sized → familiar
famine → hambruna
famished → famélico
famous → célebre; famoso **famous person** celebridad **most famous** celebérrimo **to make famous** acreditar
fan → abanico; aficionado; extractor; fan; forofo; hincha; seguidor; ventilador **fans** afición
fanatic → fanático
fanatical → fanático

fancy → antojo; capricho **fancy dress** disfraz **to take a fancy on** encapricharse
fancy (to) → antojarse; apetecer
fang → colmillo
fanny → coño
fantastic → bárbaro; fantástico
fantasy → ensueño; fantasía; imaginación
far → **far away** lejos **to go too far** exceder; pasar
faraway → distante; lejano
farce → comedia; farsa
farewell → despedida
farm → criadero; explotación; granja **farm worker** labriego
farmer → agricultor; granjero; labrador
farmhouse → cortijo; masía
farming → agricultura; cultivo
farmyard → corral
far-off → lejano; remoto
fart → pedo
fascinate (to) → apasionar; fascinar
fascinating → apasionante; fascinante
fascination → embeleso; embrujo
fascist → facha; fascista
fashion → moda **fashion designer** modisto **in fashion** en boga **to be in fashion** usar
fashionable → actual **to be fashionable** llevar
fast → ayuno; lanzado; ligero; rápido; raudo; veloz
fast (to) → ayunar
fastened → sujeto
fastener → broche; cierre; enganche
fastening → sujeción
fat → gordinflas; gordinflón; gordo; grasa; grueso **fat lump** foca
fatal → fatal
fate → destino; estrella; fortuna; sino
father → padre; progenitor
father-in-law → suegro
fathom → braza
fatigue → fatiga
fatness → gordura
fatten (to) → engordar
fatten up (to) → cebar
fatty → gordinflas; gordinflón; graso
faucet → grifo
fault → culpa; defecto; falla; fallo; falta; pero **fault finder** criticón **fault finding** criticón
faulty → defectuoso
fauna → fauna
favela → favela
favour → favor **in favour of** pro
favour (to) → favorecer
favourable → favorable; propicio
favourite → favorito; predilecto; valido
fax → fax **fax machine** fax
fear → miedo; respeto; temor
fear (to) → temer
fearful → temeroso
fearsome → temible
feasible → factible
feast → convite; festín **feast day** festividad
feat → hazaña; proeza
feather → pluma **feather duster** plumero
feature → rasgo **feature film** largometraje **features** facciones; prestación
February → febrero
fed → **fed up** harto **to be fed up** estar hasta el gorro; estar hasta la coronilla **to be fed up to the back teeth** estar hasta el moño; estar hasta las narices **to get fed up** hartar
federation → federación
fee → cuota; tasa
feed (to) → alimentar
feeding → **feeding bottle** biberón **feeding trough** comedero
feel → tacto **to make feel** sentar
feel (to) → notar; palpar; profesar; sentir; tentar **to feel like** antojarse; apetecer; dar la gana **to feel one's way** tantear
feeling → corazonada; sabor; sensación; sensibilidad; sentimiento **feeling of guilt** cargo de conciencia **feeling of not being able to cope** agobio **to have a feeling** presentir
feign (to) → fingir; simular
feint → finta
feldspar → feldespato
feline → felino
fell (to) → talar
felling → tala
fellow → **fellow being** semejante **fellow countryman** paisano **fellow countrywoman** paisano **fellow man** prójimo
felt-tip pen → rotulador
female → femenino; hembra
feminine → femenino
feminism → feminismo
femme fatale → conquistador
femur → fémur
fence → cerca; valla; vallado
fence (to) → cercar; vallar
fencing → esgrima
fender → parachoques
ferment (to) → fermentar
fern → helecho
ferocious → bravo; feroz; fiero
ferocity → bravura
ferret → hurón
Ferris wheel → noria
ferry → ferry; transbordador
fertile → fecundo; fértil
fertility → fertilidad
fertilization → fecundación
fertilize (to) → abonar; fecundar
fertilizer → abono; fertilizante
fervour → celo; fervor
festival → festival
festive → festivo
festivities → festejo
fetch (to) → traer
fetish → fetiche
feudal → feudal
fever → calentura; fiebre
few → contado; poco **just a few** cuatro
fewer → menos; ser lo de menos
fewest → ser lo de menos
fiancé → prometido
fiancée → prometido
fib → bola; embuste; trola
fibber → cuentista
fibre → fibra
fibula → peroné
fickle → versátil; voluble
fiction → ficción
fictional → novelesco
fictitious → ficticio
fiddle → chanchullo **second fiddle** segundón
fiddle with (to) → toquetear
fidelity → fidelidad
field → ámbito; campo; césped; terreno
fiendish → diabólico
fierce → bravo; feroz; fiero; voraz
fierceness → bravura
fifteen → quince
fifteenth → decimoquinto; quince; quinceavo
fifth → cinco; quinto
fiftieth → cincuenta; cincuentavo; quincuagésimo
fifty → cincuenta
fig → higo **early fig** breva **fig tree** higuera
fight → combate; lucha; pelea; pugna; riña
fight (to) → batir; combatir; librar;

lidiar; luchar; pegar; pelear; torear **to fight off** repeler
fighter → caza; luchador
figure → cifra; figura; línea; silueta; tipo
figure out (to) → descifrar
filament → filamento
file → archivador; archivo; carpeta; fichero; lima; portafolio **in single file** fila india **to open a file on** fichar
file (to) → archivar; limar
filial → filial
filing cabinet → archivador; archivo
Filipino → filipino
fill (to) → colmar; cubrir; empastar; llenar; poblar; rellenar; saturar; tapar **to fill in** rellenar **to fill out** cumplimentar **to fill to the brim** colmar **to fill up** repostar **to fill with** infundir
filled → relleno
fillet → filete
filling → provisión; relleno
filly → potro
film → film; filme; película **film editor** montador **film institute** filmoteca **film library** filmoteca
film (to) → filmar; rodar
filming → rodaje
film-making → cinematografía
filter → filtro
filter (to) → filtrar
filth → mugre; roña
filthy → cochambroso; cochino; gorrino; guarro; marrano; mugriento; roñoso **filthy thing** marranada
fin → aleta
final → final
finalist → finalista
finally → al fin; por fin; por último
finance (to) → financiar
finances → finanzas
finch → pinzón
find (to) → dar con; encontrar; hallar; localizar **to find again** reencontrar **to find out** averiguar; descubrir; enterarse
fine → claro; fino; multa; sereno; sutil; tenue **fine arts** bellas artes **fine thing** primor **to be fine** hacer bueno
fine (to) → multar
fineness → finura
finery → gala
finger → dátil; dedo; digital **not to lift a finger** no dar golpe
fingermark → dátil
fingerprint → huella
fingertip → yema
finicky → escrupuloso; finolis; maniático; quisquilloso; remilgado
finish → acabado; término
finish (to) → acabar; concluir; culminar; cumplir; finalizar; terminar; ultimar **to finish off** acabar; apurar; cepillar; rematar; ventilar
finished → acabado **half finished** a medias
finishing → **finishing line** llegada; meta **finishing touch** retoque **to put the finishing touches to** coronar; perfilar
Finn → finés; finlandés
Finnish → finés; finlandés
fir tree → abeto
fire → fuego; incendio; lumbre **fire extinguisher** extintor **to catch fire** inflamarse; prender **to play with fire** jugar con fuego **to set fire to** incendiar
fire (to) → descargar; despedir; disparar
firearm → arma de fuego
firebreak → cortafuegos
firefighter → bombero
fireplace → chimenea
firewall → cortafuegos
firewood → leña
firework → petardo **fireworks** fuegos artificiales
firm → compañía; empresa; enérgico; firma; firme
firmament → firmamento
firmness → firmeza
first → primer; primero **first floor** principal **first light** crepúsculo **first prize** gordo **first use** estreno **to come first** abrir
first-aid kit → botica; botiquín
first-born → primogénito
first-class → de primera
fish → pescado; pez **fish stew** zarzuela **fish tank** pecera
fish-eating → piscívoro
fisherman → pescador
fisherwoman → pescador
fishing → marinero; pesca; pesquero **fishing boat** pesquero **fishing line** sedal **fishing rod** caña de pescar **to go fishing** pescar
fishmonger → pescadero **fishmonger's** pescadería
fist → puño
fit → acceso; apto; arranque; arrebato; crisis; patatús; telele **in fits and starts** a trompicones **sudden fit** pronto **to be fit** estar en forma **to keep fit** conservar
fit (to) → ajustar; caber; encajar; entrar **not to fit in** desentonar **to fit tight** ajustar **to fit together** casar
fitted → empotrado **fitted carpet** moqueta
fitter → montador
fitting → digno **fitting room** probador
five → cinco **five hundred** quinientos **five hundredth** quinientos **five years** lustro
fix → aprieto; apuro; atolladero; tongo
fix (to) → afianzar; asentar; concretar; fijar; señalar; sujetar
fixed → fijo; sujeto
fixing → sujeción
fizzy → gaseoso
flabbergasted → pasmado; turulato
flabby → fofo
flag → bandera
flagstone → losa
flake → copo; escama
flamenco → flamenco
flame-thrower → lanzallamas
flamingo → flamenco
flange → brida
flank → flanco
flannel → franela
flap → solapa
flap its wings (to) → aletear
flare → bengala
flared → acampanado
flash → chispazo; destello; flash; fogonazo; santiamén **flash of lightning** centella; rayo; relámpago **flash of wit** golpe **in a flash** en menos que canta un gallo
flash (to) → relampaguear
flashlight → linterna
flashy → llamativo; macarra; vistoso
flask → frasco; termo
flat → llano; piso; plano; raso **flat out** a tope **flat roof** azotea **small flat** apartamento **to go flat** descargar
flatten (to) → achatar; allanar; arrollar
flatter (to) → adular; halagar
flattering → adulador; zalamero
flatulence → flatulencia
flautist → flautista
flavour → sabor
flax → lino
flea → pulga **flea market** rastro
flee (to) → huir
fleece (to) → desplumar
fleet → escuadra; flota; marina
fleeting → fugaz; instantáneo
fleetingness → fugacidad

flesh → carne
fleshy → carnoso
flex → cordón
flexible → flexible
flexion → flexión
flicker (to) → parpadear
flight → huida; tramo; travesía; vuelo **flight attendant** auxiliar de vuelo
flightless → corredor
fling → **to have a fling** echar una cana al aire
fling (to) → estampar
flip-flop → chancla
flipper → aleta
flirt → ligón
flirt (to) → coquetear; tontear
flirtatious comment → piropo
float → boya; carroza; flotador; llana
float (to) → flotar
flock → bandada; manada; rebaño
flood → aluvión; crecida; inundación; riada
flood (to) → encharcar; inundar
floodgate → compuerta
floodlight → foco
floor → hemiciclo; palabra; piso; planta; suelo **second floor** principal **top floor** ático
floppy disk → disquete
flora → flora
florid → florido
florist → florista **florist's** floristería
flounce → volante
flour → harina
flour (to) → enharinar
flourish (to) → florecer
flout (to) → saltarse a la torera
flow → caudal; flujo **having a large flow** caudaloso
flow (to) → correr; fluir; manar **to flow into** desembocar **to flow through** regar
flower → flor **full of flowers** florido **great big flower** floripondio
flower (to) → florecer
flowerpot → maceta; tiesto
flowery → florido
flu → gripe; trancazo
fluctuate (to) → oscilar
fluent → fluido
fluff → pelo; pelusa
fluff up (to) → ahuecar; mullir
fluid → fluido
fluke → carambola; chiripa; churro
fluorescent → fluorescente **fluorescent light** fluorescente
fluorine → flúor
flurry → torbellino
fluster (to) → aturullar
flustered → **to get flustered** aturullar
flute → flauta **flute player** flautista
flute-like → aflautado
flutter (to) → ondear; revolotear
fly → bragueta; mosca **flies** bragueta **fly spray** matamoscas **fly swatter** matamoscas
fly (to) → gobernar; ondear; pilotar; volar **fly over (to)** sobrevolar **to fly through** surcar
flying → volador **flying saucer** platillo volante
foam → espuma
focal point → foco
focus → enfoque
focus (to) → enfocar
foetus → feto
fog → antiniebla; niebla
fog (to) → velar
fogey → carroza
foie-gras → foie-gras
fold → doblez; pliegue; redil
fold (to) → abatir; doblar; plegar
folder → carpeta
folding → plegable **folding top** capota
foliage → follaje; fronda
folk → **folk healer** curandero **folks** gente
folklore → folclore
follow (to) → seguir; suceder
follow on (to) → empalmar
follower → adepto; secuaz; seguidor
folly → locura
fond → entrañable **fond of** amigo **fond of joking** bromista **fond of kissing** besucón **fond of singing** cantarín **fond of the ladies** mujeriego **fond of walking** andariego **to be fond of** apreciar **to become fond of** aficionar; encariñarse **to make fond** aficionar
fondness → aprecio
food → alimentación; alimentario; alimenticio; alimento; comestible; comida **food mill** pasapuré **food processor** robot de cocina **frozen food** congelado **to get food poisoning** intoxicar
fool → bobo; merluzo; necio; tonto **to act the fool** tontear **to be nobody's fool** no tener un pelo de tonto
fooling around → cachondeo
foolish → insensato; necio; tonto **foolish thing** simpleza
foot → pie; pinrel; queso **at the foot of a mountain** somontano **on foot** a pie **to put one's foot in it** meter la pata; patinar **to set foot** pisar
football → balompié; fútbol **football pools** quiniela
footballer → futbolista
footman → lacayo
footprint → huella; paso; pisada
footstep → pisada
footwear → calzado
for → para; por **to be for** ser para
forbid (to) → prohibir
force → cuerpo; empuje; fuerza **in force** en vigor; vigente
force (to) → esforzar; forzar; obligar **force oneself (to)** obligar
forceful → contundente
ford → vado
fore → anterior
forearm → antebrazo
forecast → previsión; pronóstico
forefinger → índice
forefoot → mano
forehead → frente
foreign → exterior; extranjero
foreigner → extranjero
foreman → capataz
forensic scientist → forense
foresee (to) → prever
forest → bosque; forestal
forestry → silvicultura
foretell (to) → adivinar
forewoman → capataz
forge → fragua; herrería
forge (to) → falsificar; forjar
forgery → falsificación
forget (to) → dejar; olvidar; pasar **not to forget something** guardársela
forgetful → desmemoriado
forgetting → olvido
forgive (to) → disculpar; perdonar
forgiveness → perdón
fork → horquilla; tenedor
fork (to) → bifurcarse
form → clase; forma; impreso; modalidad
form (to) → configurar; constituir; forjar; formar
formal → de etiqueta; formal
formality → formalidad; trámite
format → formato
format (to) → formatear
formation → formación
former → antiguo
formerly → antaño; antes
formidable → de armas tomar
formula → fórmula
formulate (to) → formular; plantear
formulation → enunciado

fort → fuerte
forthright → directo
fortieth → cuadragésimo; cuarenta; cuarentavo
fortification → fortificación
fortified tower → torreón
fortitude → fortaleza
fortnight → quincena
fortress → alcázar; ciudadela; fortaleza
fortunate → afortunado; dichoso; feliz
fortune → caudal; dineral; fortuna; millonada; suerte; ventura **to make a fortune** forrar; hacerse de oro
fortune-teller → adivino
forty → cuarenta **about forty** cuarentena **forty days** cuarentena **forty months** cuarentena **forty years** cuarentena
forum → foro
forward → adelante; alero; delantero **forward line** delantera **to move forward** adelantar
fossil → fósil
foul → falta **foul smell** tufo
foul-mouthed → malhablado
foul-smelling → maloliente
found (to) → fundar
foundation → cimiento; fundación
founding → establecimiento
foundry → fundición
fountain → fuente; surtidor **fountain pen** pluma
four → cuatro **four hundred** cuatrocientos **four hundredth** cuatrocientos **four-month period** cuatrimestre **four-year period** cuatrienio **on all fours** a cuatro patas; a gatas
four-eyed → gafotas
four-eyes → gafotas
four-star → súper
fourteen → catorce
fourteenth → catorce; catorceavo; decimocuarto
fourth → cuarto; cuatro
fox → zorro **fox terrier** fox terrier
foyer → vestíbulo
fraction → quebrado
fractional → fraccionario
fracture → fractura
fracture (to) → fracturar
fragile → frágil
fragility → fragilidad
fragment → fragmento; retazo
fragrance → fragancia
fragrant → aromático; oloroso
frail → frágil
frame → bastidor; marco; montura
frame (to) → enmarcar
framework → armazón; esqueleto
franc → franco
frank → franco
frankness → franqueza
frantic → frenético; trepidante
fraternal → fraternal
fraternity → fraternidad
fraud → comediante; estafa; fraude
freak → adefesio; engendro
freckle → peca
freckly → pecoso
free → de balde; gratis; gratuito; libre; vacío **to set free** soltar
free (to) → liberar
freedom → libertad
free-flowing → fluido
freelancer → colaborador
freeway → autopista
freeze (to) → bloquear; colgar; congelar; helar; pasmar
freezer → congelador
freezing → congelación **to be freezing** congelar; helar
freighter → carguero
French → francés; galo **French person** francés **French toast** torrija
Frenchman → francés
Frenchwoman → francés
frenzied → frenético
frenzy → frenesí
frequency → frecuencia
frequent → frecuente
frequent (to) → frecuentar
fresco → fresco
fresh → fresco
freshness → frescura
fret → greca
fretwork → **to do fretwork on** calar
friar → fraile
Friday → viernes
fridge → frigorífico; nevera; refrigerador
fried → frito **fried breadcrumbs** miga
friend → amigo **friends** amistad **friends and acquaintances** relación **to be friends** ajuntar
friendliness → cordialidad
friendly → acogedor; amistoso; cordial; familiar
friendship → amistad
frieze → cenefa; friso
frigate → fragata
fright → espanto; sobresalto; susto
frighten (to) → asustar; atemorizar; espantar **to frighten away** espantar
frightened → asustado
frightful → horrendo
frill → volante
fringe → fleco; flequillo
fritter → buñuelo; porra
frivolous → frívolo; liviano
frock coat → casaca
frog → rana
frogman → hombre rana
frolic (to) → retozar
from → a partir de; de; desde
front → delantero; fachada; frente; frontal; portada; tapadera **front leg** brazo **front page** portada **front tooth** paleta **in front** delante **in front of** ante; delante de
frontal → frontal
frontier → frontera
frost → escarcha; helada
froth → espuma
frown → ceño
frozen → congelado; helado **to be frozen** quedarse tieso
frugal → parco
fruit → fruta; frutal; fruto **fruit bowl** frutero **fruit dish** frutero **fruit seller** frutero **fruit shop** frutería
fruiterer → frutero
fruitful → fructífero
fruity → afrutado
frustrate (to) → frustrar
fry → alevín
fry (to) → freír
frying pan → sartén
fuchsia → fucsia
fuck (to) → follar; joder **to fuck about** joder; putear
fuel → carburante; combustible **to add fuel to the fire** echar leña al fuego
fuel (to) → alimentar
fuggy → **to get fuggy** cargar
fugitive → fugitivo
fulfil (to) → cumplir; satisfacer **to fulfil oneself** realizar
full → completo; lleno; pleno; pletórico; repleto **full moon** Luna llena **full stop** punto **half full** mediado
fullness → vuelo
fumigate (to) → fumigar
fuming → **to be fuming** estar que trina
fun → diversión **to make fun** burlar; mofarse; pitorrearse; reír
function → acto; función
functional → funcional
fund → fondo
fundamental → fundamental
fundamentalism → integrismo

funeral → entierro; funeral; pompas fúnebres **funeral chapel** capilla ardiente **funeral rites** honras fúnebres
funereal → fúnebre
fungus → hongo
funicular railway → funicular
fun-loving → marchoso
funnel → embudo
funny → cachondo; chistoso; cómico; gracioso; guasón; salado
fur → pelaje
furious → frenético; furibundo; furioso; rabioso **to be furious** rabiar
furnace → altos hornos
furnish (to) → amueblar
furniture → mobiliario **piece of furniture** mueble
furrier's → peletería
furrow → surco
further on → más adelante
furthest → extremo
furtive → furtivo
fury → furia; furor
fuse → fusible; mecha; plomo
fusion → fusión
fusspot → tiquismiquis
fussy → escrupuloso; especial; finolis; maniático; quisquilloso; remilgado **fussy about one's appearance** coqueto
future → futuro; porvenir
futuristic → futurista

G

G → sol
gabardine → gabardina
gabble (to) → atropellar
gadget → artilugio; dispositivo
Gaelic → gaélico
gag → gag; mordaza
gag (to) → amordazar
gain → ganancia
gain (to) → ganar con
gala → gala
galactic → galáctico
galaxy → galaxia
gale → vendaval; ventarrón
Galician → galaico; gallego
gallantry → galantería
galleon → galeón
gallery → galería
galley → galera
gallon → galón
gallop → galope
gallop (to) → galopar
gallows → horca; patíbulo
galore → a porrillo
gamble (to) → jugar
gambler → jugador
game → caza; juego; partida; partido **game of chance** juego de azar
gamete → gameto
gang → banda; cuadrilla; panda; pandilla
ganglion → ganglio
gangster → gángster
gangway → escalerilla; pasarela
gap → distancia; intervalo; laguna; salto; separación; vacío
garage → garaje; taller
garbage → basura **load of garbage** birria; bodrio; caca; cagarruta
garden → huerto; jardín
gardener → jardinero
gardening → jardinería
gargle (to) → hacer gárgaras
garish → estridente
garland → guirnalda
garlic → ajo **garlic mayonnaise** alioli
garment → prenda
garrison → guarnición
garrotte → garrote
garter → liga
gas → gas **gas station** gasolinera
gaseous → gaseoso
gash → brecha
gasoline → gasolina
gastric → gástrico **gastric juice** jugo gástrico
gastroenteritis → gastroenteritis
gastronomy → gastronomía
gastrovascular → gastrovascular
gather (to) → aglomerarse; recabar; reunir **to gather together** concentrar
gathering → concentración; recolección
gaucho → gaucho
gaudy → chillón
gauge (to) → calibrar
Gaulish → galo
gauze → gasa
gawper → mirón
gay → gay
gazelle → gacela
gazette → boletín; gaceta
gazpacho → gazpacho
gear → marcha **gears** cambio; engranaje
gee up! → ¡arre!
gel → gel
gelatine → gelatina
gem → alhaja; gema; joya; perla
Gemini → géminis
gender → género
gene → gen
genealogy → genealogía
general → general; impersonal **in general** en general **in general terms** en líneas generales
generalize (to) → generalizar
generally → generalmente
generate (to) → generar
generation → generación
generator → generador
generosity → desprendimiento; generosidad
generous → espléndido; generoso
genesis → génesis
genet → gineta
genetic → genético
genie → genio
genital → genital **genitals** genital
genius → águila; fenómeno; genialidad; genio; ingenio; monstruo; portento
genre → género
gentle → suave
gentleman → caballero; hidalgo
genuine → auténtico
genus → género
geographer → geógrafo
geographic → geográfico
geographical → geográfico **geographical feature** accidente
geography → geografía
geologist → geólogo
geology → geología
geometric → geométrico
geometrical → geométrico
geometry → geometría
geothermal → geotérmico
geranium → geranio
germ → germen
German → alemán **German measles** rubeola
Germanic → germánico
germinate (to) → germinar
gerund → gerundio
gestation → gestación
gesticulate (to) → gesticular
gesticulation → **wild gesticulation** aspaviento
gesture → ademán; gesto
get (to) → cazar; coger; colar; meter; obtener; pescar; pillar; plantar; sacar; venir **to get about** mover **to get all one can out of** exprimir **to get at** picar **to get back** recobrar;

recuperar **to get behind** retrasar **to get by** defender; manejar **to get in** introducir; montar; subir **to get off** apear; bajar **to get off to sleep** dormir **to get on** congeniar; entender; llevar; montar; simpatizar; subir **to get on well** hacer buenas migas **to get out** bajar **to get out of** librar **to get out!** largo **to get up** levantar **to get up early** madrugar **try to get round (to)** comer el tarro
getting on → entrado en años
get-together → tertulia
ghastly → horroroso
gherkin → pepinillo
ghetto blaster → loro
ghost → espectro; fantasma
giant → coloso; gigante; gigantesco; titán
giddy up! → ¡arre!
gift → don; facilidad; obsequio; regalo
gifted → **extremely gifted** superdotado
gigantic → gigante; gigantesco
gild (to) → dorar
gill → agalla; branquia
gimmick → reclamo
gin → ginebra
ginger → jengibre
gipsy → gitano
giraffe → jirafa
girder → viga
girdle → faja
girl → muchacho **big girl** grandullón
girlfriend → novio
give → donar
give (to) → arrear; atizar; conceder; dar; dotar; emitir; facilitar; impartir; lanzar; largar; meter; obsequiar; ofrecer; pegar; plantar; prestar; propinar; proporcionar; regalar; rendir; transmitir **to give away** acusar; delatar **to give back** devolver **to give in** ceder; dar el brazo a torcer **to give off** despedir; desprender; difundir; liberar; soltar **to give oneself up** entregar **to give out** despedir; desprender; difundir; liberar **to give up** abandonar; quitar; renunciar
giving up → abandono
gizzard → molleja
glacial → glacial
glaciation → glaciación
glacier → glaciar
gladiator → gladiador
glamour → glamur
glance → ojeada; vistazo
gland → glándula
glare of the sun → resol
glass → caña; copa; cristal; vaso; vidrio **small glass** chato
glasses → anteojos; gafas
glassware → cristalería **glassware shop** cristalería
glazed paper → papel charol
gleaming → reluciente
glide (to) → planear
glider → planeador
glimpse (to) → entrever
glitter → purpurina
global → global
globe → globo
globe-trotter → trotamundos
globule → glóbulo
gloomy → lóbrego; lúgubre; sombrío; tenebroso; tétrico
glory → gloria
glossary → glosario
glove → guante **glove compartment** guantera
glow-worm → luciérnaga
glue → cola; pegamento
glue (to) → encolar
gluteus → glúteo
glutton → glotón
gnaw (to) → roer
gnaw at (to) → roer
gnome → gnomo
gnu → ñu
go → brío; jugada; marcha **in one go** de un tirón; de una tirada
go (to) → acudir; andar; caber; circular; correr; dirigir; discurrir; ir; largar; llevar; marchar; meter; pegar; tirar; transitar **to go along** recorrer **to go back** remontar; retroceder **to go back on what one said** desdecirse **to go by** avanzar; correr; discurrir; pasar **to go down** bajar; descender; deshinchar **to go in** internar; pasar **to go into** adentrarse; ahondar **to go off** alterar; pasar; picar **to go on** alargar; largar; prolongar **to go on and on** enrollar; extender; machacar **to go out** salir **to go over** repasar **to go over in one's mind** dar vueltas **to go round** correr; girar; recorrer **to go through** atravesar; fundir; traspasar **to go to** recaer **to go up** remontar; subir **to go with** acompañar; corresponder
goal → gol; meta; portería; puerta **goal kick** saque
goalkeeper → guardameta; portero
goat → cabra; cabrío; caprino
goatee → perilla
gob of spit → escupitajo; lapo
gobble up (to) → zampar
go-between → alcahuete; enlace
goblin → duende
gobsmacked → **to be gobsmacked** alucinar
god → dios **God** dios **my God!** ¡madre mía! **the gods** gallinero
goddaughter → ahijado
godfather → padrino **to act as godfather to** apadrinar
godmother → madrina
godparents → padrino
godsend → **like a godsend** como agua de mayo
godson → ahijado
go-getter → buscavidas
going → ida **to be going on** cocer **to be going to** ir **to be something fishy going on** haber gato encerrado **to get going** poner a cien
go-kart → kart
gold → oro **gold mine** filón; mina **gold work** orfebrería
golden → dorado **golden wedding** bodas de oro
goldfinch → jilguero
golf → golf
gondola → góndola
gong → gong
good → bien; bondadoso; buen; bueno; largo **to be good** valer **to look good** lucir
goodbye → adiós; despedida **to say goodbye to** despedir
good-for-nothing → un cero a la izquierda
good-looking → apuesto; guapo **to be good-looking** estar bueno
good-natured → bonachón
goodness → bondad
goods → bien; género; mercancía **goods lift** montacargas **goods train** mercancía
goose → ganso; oca **goose barnacle** percebe **goose pimples** carne de gallina
gooseflesh → carne de gallina
gorge → hoz
gorgeous → macizo **to be gorgeous** estar como un tren
gorilla → gorila
gorse → tojo
goshawk → azor
gospel → evangelio
gossip → alcahuete; chismoso;

correveidile; cotilla **piece of gossip** chisme
gossip (to) → chismorrear; murmurar
gossipy → chismoso
Gothic → gótico
govern (to) → administrar; gobernar; regir
government → administración; gobierno **government building** gobierno **government employee** funcionario
governmental → gubernamental
governor → gobernador
gown → toga
grab (to) → agarrar; asir
grace → garbo
grade → nota **grade crossing** paso a nivel
grade (to) → corregir
gradual → gradual
gradually → poco a poco
graduate (to) → graduar; titular
graduation photograph → orla
graffiti → **piece of graffiti** grafito; pintada
graft (to) → injertar
grain → grano; mies
gram → gramo
grammar → gramática
grammatical → gramatical
gramme → gramo
gramophone → gramófono
granary → granero
grand finale → apoteosis
grandchild → nieto
granddad → yayo
granddaughter → nieto
grandfather → abuelo
grandma → yayo
grandmother → abuelo
grandparent → abuelo
grandson → nieto
grandstand → tribuna
granita → granizado
granite → granito
granivorous → granívoro
grant → beca **grant holder** becario
grant (to) → conceder
granting → concesión
granulated → granulado
grape → uva **grape harvest** vendimia **grape juice** mosto
grapefruit → pomelo **grapefruit tree** pomelo
grapevine → parra; vid
graph → gráfico
graphic → gráfico
grasp (to) → empuñar; pillar
grass → césped; hierba; soplón; yerba
grasshopper → saltamontes
grassland → pradera
grate (to) → rallar
grateful → agradecido
grater → rallador
gratitude → agradecimiento; gratitud
gratuitous → gratuito
gratuity → propina
grave → fosa; sepultura; tumba
gravel → grava
gravestone → lápida; losa
graveyard → cementerio
gravity → gravedad
graze → roce; rozadura
graze (to) → pacer; pastar
grease → grasa
grease (to) → engrasar
greasing → engrase
greasy → aceitoso; graso; pringoso **to make greasy** pringar
great → chupi; fenomenal; genial; grande; guay; sumo; súper **to be great** molar
great-grandchild → bisnieto
great-granddaughter → bisnieto
great-grandfather → bisabuelo
great-grandmother → bisabuelo
great-grandparent → bisabuelo
great-grandson → bisnieto
great-great-granddaughter → tataranieto
great-great-grandfather → tatarabuelo
great-great-grandmother → tatarabuelo
great-great-grandson → tataranieto
greed → codicia
greedy → codicioso; comilón; glotón; tragón
Greek → griego
green → verde
greengrocer → verdulero **greengrocer's shop** verdulería
greenhouse → invernadero
greenish → verdoso
greet (to) → saludar
greeting → saludo **greetings card** felicitación
grenade → granada
grey → cano; gris **dark grey** marengo **grey hair** cana **grey matter** materia gris
greyhound → galgo
greyish → grisáceo
griddle → plancha
grief → dolor; pesadumbre **to come to grief** estrellar
grill → parrilla
grille → rejilla; verja
grilled → a la plancha
grimace → gesto; mueca
grime → mugre
grimy → mugriento
grin and bear it (to) → aguantar; apechugar; fastidiar
grind → paliza
grind (to) → moler
grinder → molinillo
groan → gemido; queja; quejido
groan (to) → gemir; quejarse
grocer's → ultramarinos
groggy → grogui **to be groggy** estar zombi
groin → ingle
groove → ranura
grope (to) → sobar
gross → bruto
grotto → gruta
grotty → cutre
grouch → cascarrabias
ground → suelo; tierra **ground floor** bajo
group → agrupación; clan; conjunto; gremio; grupo; panda; pandilla; sector **group of people in fancy dress** comparsa **small group of people** corrillo
group (to) → agrupar
grouper → mero
grouping → agrupación
grow (to) → crecer; estirar; vegetar **to grow up** criar
growing → creciente **growing old** envejecimiento
growl → gruñido
growl (to) → gruñir
growth → crecimiento
grub → gusano
grudgingly → a regañadientes
grumble → gruñido
grumble (to) → gruñir; refunfuñar
grumpy → gruñón
grunt → gruñido
grunt (to) → gruñir
guarantee → aval; garantía **guarantee of origin** denominación de origen
guarantee (to) → garantizar
guard → base; guarda; guardia; vigilante **guard duty** guardia **on guard** en guardia
guard (to) → custodiar; guardar

guardian → tutor **guardian angel** ángel de la guarda
guardianship → tutoría
Guatemalan → guatemalteco
guerrilla → guerrillero **guerrilla band** guerrilla
guess → **at a guess** a ojo
guess (to) → adivinar **guess what!** ¡agárrate!
guest → convidado; huésped; invitado
guesthouse → hospedería; hostal; hostería
guide → guía; lazarillo **guide dog** lazarillo
guide (to) → guiar; orientar
guided → **to be guided** guiar
guild → cofradía; gremio
guillotine → guillotina
guilt → culpabilidad
guilty → culpable **not guilty** inocente
guitar → guitarra
guitarist → guitarrista
gulf → golfo
gull → gaviota
gullet → gaznate
gullible → iluso; incauto
gully → barranco
gum → encía
gun → pistola **gun dog** perdiguero **to be going great guns** ir viento en popa
gunman → pistolero
gunpowder → pólvora **gunpowder magazine** polvorín
gunwale → borda
gush (to) → chorrear
gushing out → a borbotones
gust → racha; ráfaga **gust of wind** ventolera
gustative → gustativo
gut → tripa **guts** agalla
gutter → canalón; cuneta
guy → gachó; tío
guzzle (to) → tragar
gym → gimnasio
gymkhana → gincana
gymnasium → gimnasio
gymnast → gimnasta
gymnastics → gimnasia
gynaecology → ginecología
gypsum → yeso
gypsy → calé; gitano **gypsy dialect** caló
gyratory → giratorio

H

haberdasher's shop → mercería
habit → costumbre; hábito **bad habit** manía; vicio **peculiar habit** manía **to be in the habit of** acostumbrar; soler **to get into bad habits** malacostumbrar
habitable → habitable
habitat → hábitat
habitual → habitual
haemorrhage → hemorragia
haggle (to) → regatear
hail → granizo
hail (to) → granizar
Hail Mary → avemaría
hailstone → piedra
hailstorm → granizada
hair → cabellera; cabello; capilar; pelambrera; pelo; vello **hair conditioner** suavizante **hair gel** gomina **hair slide** pasador **long hair** melena **to make one's hair stand on end** poner los pelos de punta
hairband → diadema
hairclip → horquilla
hairdresser → peluquero **hairdresser's** peluquería
hairgrip → horquilla
hairpiece → peluquín; postizo
hair-raising → escalofriante; espeluznante
hairspray → laca
hairstyle → peinado
hairy → peludo; velludo
hake → merluza **young hake** pescadilla
half → medio; mitad **to half close** entornar; entrecerrar **to half open** entreabrir
half-caste → mestizo
half-line → semirrecta
half-open → entreabierto
halfway through → a mediados; a mitad de
hall → entrada; hall; palacio; sala; salón
hallelujah → aleluya
hallucinate (to) → alucinar
hallucination → alucinación
halo → aureola; corona
halogenous → halógeno
halt → alto; apeadero
halting → detención

ham → jamón
hamburger → hamburguesa
hammer → martillo; mazo
hammer (to) → golear **to hammer in** clavar; remachar
hammock → hamaca
hamster → hámster
hand → manecilla; mano **by hand** a mano **firm hand** mano dura **to give a hand** echar un cable **to lend a hand** arrimar el hombro; echar una mano **with one's bare hands** a pulso **without hands** manco
hand over (to) → ceder
handbag → bolso
handball → balonmano
handbook → manual
handcuff (to) → esposar
handcuffs → esposas
handful → puñado
handicapped → minusválido
handicraft → manualidad
handkerchief → pañuelo
handle → asa; empuñadura; mango; manubrio; picaporte; tirador **to fly off the handle** perder los estribos
handle (to) → manipular; manosear
handlebars → manillar
handling → manipulación
handmade → artesano
handrail → baranda; barandilla; pasamanos
handsaw → serrucho
handshake → apretón
handwriting → caligrafía; letra
handwritten → manuscrito
handy → mañoso **handy woman** manitas
handyman → manitas
hang → caída **hang glider** ala delta
hang (to) → ahorcar; colgar; suspender **to hang out** tender **to hang up** colgar **to hang up one's boots** colgar
hangar → hangar
hanger → percha
hanging → colgante
hangnail → padrastro
hangover → resaca
hank → madeja
happen (to) → ocurrir; pasar; suceder
happiness → alegría; dicha; felicidad; ilusión; ventura
happy → alegre; contento; dichoso; feliz **happy birthday** felicidad **to be happy** celebrar **to make happy** alegrar; satisfacer

harass (to) → acosar; asediar
harassment → acoso
harbour → puerto
hard → chungo; costoso; crudo; difícil; duro; fuerte; penoso **hard disk** disco duro **hard of hearing** duro de oído **hard shoulder** arcén **to be hard of hearing** ser duro de oído
hard-drinking → bebedor
harden (to) → curtir; endurecer
hardened → aguerrido
hardly → a duras penas; apenas
hardness → dureza
hardship → fatiga
hardware → hardware **hardware shop** droguería **hardware store** ferretería
hard-working → aplicado; trabajador
hare → liebre
harm → daño
harmful → dañino; dañoso; nocivo; perjudicial; pernicioso
harmless → inofensivo
harmonic → armónico
harmonica → armónica
harmonious → armonioso
harmony → armonía; concordia; consonancia; sintonía
harp → arpa
harpoon → arpón
harrier → aguilucho
harsh → crudo; recio
harshness → inclemencia
harvest → cosecha; recolección **harvest time** cosecha; siega
harvest (to) → cosechar; recolectar
harvesting → recolección
hashish → hachís
haste → precipitación
hasten (to) → precipitar
hasty → **to be hasty** precipitar
hat → sombrero **to put one's hat on** cubrir
hatch → escotilla
hatch (to) → empollar
hatchery → vivero
hatchway → escotilla
hate → odio
hate (to) → detestar; odiar
hatred → odio
haughty → altanero; altivo
haunch → anca
haute couture → alta costura
have (to) → albergar; contar; disponer de; echar; estar de; haber; llevar; poseer; sufrir; tener; tomar **not to have** perdonar **to have been** llevar **to have it in for** tomarla con **to have somebody on** quedarse con alguien **to have to** deber; haber de; haber que; tener que **to have to do with** tener que ver
have been (to) → **to have been** venir
havoc → estropicio
hawk-eyed → lince
hay → heno
hayfork → horca
hayloft → pajar
haze → calima
hazel tree → avellano
hazelnut → avellana
he → él
head → cabecera; cabeza; cabezal; cara; caudillo **head of department** catedrático **head of hair** mata de pelo **head office** central **not to be right in the head** estar mal de la cabeza **to get something into someone's head** meter en la cabeza **to lose one's head** perder la cabeza **with a big head** cabezón; cabezudo
head (to) → encabezar **to head the ball** cabecear
headache → jaqueca
headboard → cabecera; cabecero; cabezal
heading → cabecera; encabezamiento **heading for** camino de
headlight → faro
headline → titular
headphones → auricular; casco
headquarters → central; cuartel general; jefatura; sede
headword → lema
heal (to) → cicatrizar; curar **to heap up** amontonar
healing → curación
health → salud; sanitario **health service** sanidad
healthy → saludable; sano
heap → montón; pila **heaps** mogollón; montaña
hear (to) → enterarse; oír; sentir
hearing → audición; audiencia; oído
hearsay → **by hearsay** de oídas
heart → cardíaco; cogollo; corazón; entraña; meollo **by heart** de carrerilla; de memoria **heart attack** infarto **to win the heart of** enamorar
heartburn → acidez
heartthrob → galán
hearty eater → lima
heat → calor; celo; eliminatoria
heat (to) → calentar
heater → calentador; estufa
heather → brezo
heating → calefacción
heaven → cielo **good heavens!** ¡caramba!; ¡caray! **to be in heaven** estar en la gloria **to move heaven and earth** remover cielo y tierra
heavenly → celeste; paradisíaco **heavenly body** astro
heaven-sent → llovido del cielo
heaviness → pesadez
heavy → matón; pesado **to be heavy** pesar
Hebrew → hebreo
hectare → hectárea
hectic → ajetreado
hectogramme → hectogramo
hectolitre → hectolitro
hectometre → hectómetro
hedge → seto
hedgehog → erizo
heel → tacón; talón **to be hot on someone's heels** pisar los talones
heel-plate → tapa
heifer → vaquilla
height → altitud; alto; altura; colmo; estatura; talla
heir → heredero **heirs** sucesión
heiress → heredero
heirloom → reliquia
helicopter → helicóptero
hell → infierno **to make someone's life hell** hacer la vida imposible
hello → ¿diga?; hola **to say hello to** saludar
helmet → casco
helmsman → timonel
help → auxilio; ayuda; facilidad; socorro
help (to) → asistir; auxiliar; ayudar; favorecer; socorrer
helpful → complaciente; servicial
helping → **to have a second helping** repetir
helpless → indefenso
hem → bajo; dobladillo
hemisphere → hemisferio
hemp → cáñamo
hen → gallina
henhouse → gallinero
hepatitis → hepatitis
heptagon → heptágono
her → ella; su **to her** le; se **with her** consigo
herald (to) → anunciar
herb → hierba
herbaceous → herbáceo
herbal tea → infusión

herbalist's → herbolario; herboristería
herbarium → herbario
herbivore → herbívoro
herbivorous → herbívoro
herd → manada; rebaño **herd of pigs** piara
here → acá; aquí
hereditary → hereditario
heresy → herejía
heritage → patrimonio
hermaphrodite → hermafrodita
hermit → ermitaño
hero → héroe
heroic → heroico **heroic deed** gesta
heroin → heroína
heroine → héroe; heroína
heroism → heroísmo
heron → garza
herring → arenque
hers → suyo **of hers** suyo
herself → sí
hesitant → dudoso
hesitate (to) → titubear; vacilar
hesitation → titubeo; vacilación
heterodox → heterodoxo
heterogeneous → heterogéneo
heterosexual → heterosexual
hexagon → hexágono
hexahedron → hexaedro
hey! → ¡eh!; hombre
hiatus → hiato
hibernate (to) → aletargar; hibernar
hiccups → hipo
hidden → escondido; oculto; recóndito
hide (to) → disimular; encubrir; esconder; ocultar
hide-and-seek → escondite
hideous → grotesco; horroroso; monstruoso
hide-out → madriguera; zulo
hiding → parapetado **hiding place** escondite; escondrijo
hierarchy → jerarquía
hieroglyphic → jeroglífico
high → alto; elevado; sumo **to give a high to** colocar
highland → montañés
highlander → montañés
highlight → mecha
highlight (to) → destacar
highlighter → fosforito
highness → alteza
high-pressure area → anticiclón
high-quality → fino
high-ranking official → alto cargo
hijack (to) → secuestrar
hijacking → secuestro
hiker → excursionista
hill → cerro; colina; loma; subida
hillock → altozano; montículo
him → él; lo **to him** le; se **with him** consigo
himself → mismo; sí
hinder (to) → contrariar; entorpecer; estorbar; obstaculizar
hindquarters → grupa
hindrance → estorbo
Hindu → hindú
hinge → bisagra; gozne **hinge side** quicio
hint → indirecta
hint (to) → insinuar
hip → cadera **hip flask** petaca
hippopotamus → hipopótamo
hire (to) → alquilar; contratar
hired gunman → sicario
hiring → contratación
his → su; suyo **of his** suyo
Hispanic → hispánico
histogram → histograma
historian → historiador
historic → histórico
historical → histórico
history → historia; historial **to go down in history** pasar a la historia **to make history** hacer historia
hit → **to get hit** cobrar
hit (to) → acertar; calentar; dar; golpear; pegar **to hit severely** castigar
hitch → contratiempo
hitchhiking → autostop
hoard (to) → acaparar; atesorar
hoarding → cartelera; valla
hoarse → afónico; ronco
hoarseness → ronquera
hobby → hobby; pasatiempo
hockey → hockey
hoe → azada
hog → chupón
hoist (to) → izar
hold → bodega
hold (to) → ocupar; ofrecer; ostentar; tener **to hold out** tender **to hold tight** aprisionar **to hold up** entretener; sostener
hold-up → golpe
hole → agujero; boquete; hoyo; orificio; picadura; socavón; taladro; tugurio **to make a hole in** agujerear; horadar **to make holes in** picar
holiday → festivo; fiesta; vacaciones
holiday-maker → veraneante
holiness → santidad
hollow → hueco
hollow out (to) → ahuecar
holm oak → encina **holm-oak grove** encinar
holocaust → holocausto
holster → **to put in its holster** enfundar
holy → bendito; sagrado; santo **Holy Communion** comunión
home → asilo; hogar; residencia **home help** empleada del hogar **home truth** verdad
home-grown → casero
homeland → patria
home-loving → casero; hogareño
home-made → casero
home-reared → casero
homesickness → añoranza; morriña; nostalgia
homespun → de andar por casa
homework → deber
homicide → homicidio
hominid → homínido
homogeneous → homogéneo
homograph → homógrafo
homographic → homógrafo
homonym → homónimo
homonymous → homónimo
homophone → homófono
homophonous → homófono
homosexual → homosexual
Honduran → hondureño
honest → decente; honesto; honrado; recto
honestly → de verdad
honesty → honradez
honey → miel
honeycomb → panal
honeymoon → luna de miel
honour → honor; honra
honour (to) → distinguir; honrar
honourable → honorable
hood → caperuza; capó; capucha
hooded → encapuchado
hoof → pezuña
hook → alcayata; anzuelo; enganche; escarpia; gancho; garfio **hook and eye** corchete
hook (to) → enganchar
hooked → **to get hooked** enganchar
hooligan → gamberro
hooliganism → **act of hooliganism** gamberrada
hoop → aro
hoopoe → abubilla
hooter → bocina; trompa
hop → brinco
hop (to) → brincar

hope → esperanza **to get one's hopes up** hacerse ilusiones
hope (to) → esperar
hopping → a la pata coja
hopscotch → rayuela
horde → batallón; tropel
horizon → horizonte
horizontal → horizontal
horn → asta; bocina; claxon; cuerno; pito; trompa **horn thrust** cornada **horn wound** cornada **horns** cornamenta
horny → cachondo
horoscope → horóscopo
horrible → horrendo; horrible; odioso
horrify (to) → horripilar
horror → horror
hors d'oeuvre → entremés
horse → caballo; potro **horse riding** equitación; hípica **to be a dark horse** matarlas callando
horseback → **on horseback** a caballo
horsefly → tábano
horseman → jinete
horsepower → caballo de vapor
horseshoe → herradura
horsewoman → amazona
hose → manguera
hosepipe → manguera
hospitable → hospitalario
hospital → hospital; hospitalario; sanatorio **general hospital** policlínica **to take to hospital** hospitalizar
hospitality → hospitalidad
hospitalize (to) → hospitalizar
host → anfitrión; hostia; huésped
hostage → rehén
hostel → albergue
hostess → anfitrión; azafata
hostile → hostil
hostility → enemistad
hot → caliente; caluroso; picante **hot dog** perrito **to be hot** picar **to be very hot** arder **to make hot** acalorar
hotel → hotel **hotel and catering trade** hostelería
hound (to) → acosar
hour → hora **half an hour** media **hours** horario
hourglass → reloj de arena
house → casa **big rambling house** caserón **house of God** casa de Dios **large house** casona
housecoat → bata
household → hogareño **household items** menaje
housewife → ama de casa; maruja
housing → vivienda **housing development** urbanización
hovel → cuchitril
hover (to) → flotar
how → como; cómo; **how long** cuánto **how many** cuánto **how much** cuánto **how?** cómo
however → embargo; en cambio; no obstante
howitzer → obús
howl → aullido; berrido
howl (to) → aullar; ulular
hubcap → tapacubos
huff → **to get in a huff** enfurruñarse
hug → abrazo **to give a hug** dar **hug (to)** → achuchar; estrechar **hug** abrazar
huge → descomunal; enorme; inabarcable
hulk → mole
hum (to) → canturrear; tararear
human → humano **human hurricane** ciclón
humane → humano
humanitarian → humanitario
humanity → humanidad **humanities** humanidad
humankind → humanidad
humble → humilde
humerus → húmero
humid → húmedo
humidity → humedad
humiliate (to) → humillar
humiliation → humillación
humility → humildad
humming bird → colibrí
humour → humor
hump → chepa; joroba
humus → humus
hunch → corazonada
hunchback → jorobado
hunchbacked → jorobado
hundred → centena; centenar; ciento **a hundred** cien; ciento
hundredth → centésimo; cien
Hungarian → húngaro
hunger → hambre **hunger strike** huelga de hambre
hungry → hambriento
hunk → macizo
hunky → macizo
hunt → cacería
hunt (to) → cazar
hunter → buscador; cazador; montero
hunting → caza; cazador
huntress → cazador
hurdle → valla
hurrah! → ¡hurra!
hurray! → ¡hurra!
hurricane → huracán; huracanado
hurry → prisa **in a hurry** a la carrera
hurry (to) → correr; mover **to hurry up** achuchar; apresurar; apurar; arrear; despabilar; espabilar; meter prisa
hurt → daño
hurt (to) → doler; molestar
husband → esposo; marido
hut → barracón; caseta; choza
hyacinth → jacinto
hybrid → híbrido
hydrangea → hortensia
hydrate → hidrato
hydrate (to) → hidratar
hydraulic → hidráulico
hydroelectric → hidroeléctrico
hydrogen → hidrógeno **hydrogen peroxide** agua oxigenada
hydrographic → hidrográfico
hydrography → hidrografía
hydroponic → hidropónico
hydrosphere → hidrosfera
hyena → hiena
hygiene → higiene
hygienic → higiénico
hymn → canto; himno
hype → bombo
hyperbole → hipérbole
hypermarket → híper; hipermercado
hyphen → guion
hypnotize (to) → hipnotizar
hypochondriac → hipocondríaco
hypocrite → falso; hipócrita
hypocritical → falso; hipócrita
hypotenuse → hipotenusa
hypothesis → hipótesis
hysterical → histérico

I

I → i; yo
Iberian → ibérico; ibero; íbero
Ibizan → ibicenco
ice → hielo **ice cube** cubito **ice floe** témpano **ice lolly** polo
iceberg → iceberg
ice-cream → helado **ice-cream man** heladero **ice-cream parlour** heladería **ice-cream woman** heladero
Icelander → islandés
Icelandic → islandés

icicle → carámbano
icing bag → manga
icon → icono
icthyology → ictiología
ICU → uci; uvi
icy → gélido
idea → concepto; idea; ocurrencia **to be a good idea** interesar **to get an idea of** hacerse una idea de **to get one's ideas straight** aclarar **to give an idea of** dar idea de **to have no idea** no tener ni idea
ideal → ideal; idóneo; que ni pintado **ideals** ideal
idealist → idealista
idealistic → idealista
idealize (to) → idealizar
identical → idéntico; pintado
identify (to) → identificar **to identify oneself** identificar
identity → identidad
ideographic → ideográfico
ideology → ideología
idiocy → idiotez
idiom → frase hecha; locución; modismo
idiot → besugo; chorra; cretino; estúpido; idiota; imbécil; pasmarote; tonto
idiotic → idiota
idle → gandul; holgazán; ocioso; rácano
idleness → vagancia
idling → ralentí
idol → ídolo
idolize (to) → idolatrar
idyll → idilio
idyllic → idílico
if → como; de; si **if all else fails** en último término **if only** ¡ojalá!; siquiera
igloo → iglú
igneous → ígneo
ignominious → ignominioso
ignoramus → analfabeto; ignorante; inculto
ignorance → ignorancia; incultura
ignorant → analfabeto; ignorante; profano **ignorant fool** bestia
ignore (to) → desoír; hacer caso omiso; ignorar
iguana → iguana
ill → enfermo; mal; malo **to fall ill** enfermar
illegal → ilegal
illegible → ilegible
illegitimate → bastardo
ill-fated → funesto
illiterate → analfabeto
illness → enfermedad; mal
illogical → ilógico
ill-treat (to) → maltratar
illuminate (to) → iluminar
illusion → ilusión
illusionist → ilusionista
illustrate (to) → ilustrar
illustration → ilustración; lámina
illustrative → ilustrativo
illustrious → ilustre
image → imagen **to be the spitting image of somebody** ser el vivo retrato de alguien
imaginary → fantástico; imaginario
imagination → fantasma; imaginación
imaginative → fantasioso; imaginativo
imagine (to) → figurar; imaginar
imam → imán
imitation → imitación
immaculate → inmaculado
immaterial → indiferente
immature → inmaduro; verde
immediate → inmediato; instantáneo
immediately → en el acto
immense → inmenso
immerse (to) → sumir **to immerse oneself** sumir
immersed → inmerso
immigrant → inmigrante
immigrate (to) → inmigrar
immigration → inmigración
imminent → inminente
immodest → impúdico
immoral → inmoral
immortal → inmortal
immortalize (to) → inmortalizar
immovable → inamovible
immune → inmune
immutable → inalterable
impact → impacto; incidencia
impartial → imparcial
impassive → impasible
impatience → impaciencia
impatient → impaciente **to get impatient** impacientarse
impeccable → impecable
impel (to) → impulsar
impenetrable → impenetrable
imperative → imperativo
imperceptible → imperceptible; inapreciable
imperfect → imperfecto
imperfection → imperfección
imperfective → imperfectivo; imperfecto
imperial → imperial
imperialism → imperialismo
imperious → imperioso
impermeable → impermeable
impersonal → impersonal
impertinent → impertinente
imperturbable → imperturbable
impetuous → impetuoso
impetus → ímpetu
impious → impío
implacable → implacable
implant (to) → implantar
implement → apero
implicate (to) → complicar; enredar; implicar
implore (to) → implorar; rogar; suplicar
imply (to) → implicar
impoliteness → brusquedad
import (to) → importar
importance → alcance; calibre; envergadura; importancia; relieve; trascendencia
important → importante; relevante **not to be important** dar igual **to be important** importar **very important** trascendental
importation → importación
impose (to) → imponer
impossible → imposible **to be impossible to understand** no caber en la cabeza
impostor → farsante; impostor
impotent → impotente
impoverish (to) → empobrecer
imprecise → impreciso
impregnable → inexpugnable
impregnate (to) → impregnar
impress (to) → impresionar
impression → huella; imitación; impacto; impresión **to do an impression of** imitar **to have the impression** tener la impresión **to make an impression** quedar
impressive → imponente; impresionante
imprison (to) → encarcelar; recluir
improbable → improbable
improve (to) → mejorar; superar
improvement → mejoría
improvise (to) → improvisar
imprudent → imprudente
impudence → atrevimiento
impulse → impulso
impulsive → impulsivo
impure → impuro
in → adentro; dentro de; en **to be in** llevar
inaccurate → inexacto

inactive → inactivo
inanimate → inanimado
inanity → ñoñería
inaudible → inaudible
inaugurate (to) → inaugurar
inauguration → inauguración
inborn → innato; nato
Inca → inca
incalculable → incalculable
incandescent → incandescente
incapable → incapaz
incense → incienso
incentive → aliciente; estímulo
incessant → incesante
incest → incesto
incident → incidencia; incidente; peripecia
incidental → accesorio
incinerate (to) → incinerar
incipient → incipiente
incisive → incisivo
incisor → incisivo
incite (to) → **to incite to mutiny** amotinar **to incite to rebellion** sublevar
inclemency → inclemencia
incline → declive
incline (to) → inclinar
inclined → propenso **to be inclined towards** inclinar
include (to) → incluir
inclusion → inclusión
inclusive → inclusive
incognito → de incógnito
incoherence → incoherencia
income → ingreso; renta
incomparable → incomparable
incompatible → incompatible
incompetent → incompetente; inepto
incomplete → cojo; incompleto
incomprehensible → incomprensible **to be incomprehensible** resistir
inconceivable → inconcebible
incongruous → incongruente
inconsistency → incoherencia
inconvenience → incomodidad; trastorno
incorporate (to) → incorporar
incorrect → incorrecto
incorrigible → incorregible
increase → alza; ampliación; aumento; subida
increase (to) → acentuar; ampliar; aumentar; elevar; incrementar; multiplicar
incredible → increíble
incredulous → incrédulo
incubate (to) → incubar
incubator → incubadora
inculcate (to) → inculcar
incumbent → **to be incumbent** incumbir
incurable → incurable
indecent → impúdico; indecente
indecipherable → indescifrable
indecision → indecisión
indecisive → indeciso
indeed → en efecto
indefatigable → infatigable
indefensible → injustificable
indefinite → indefinido; indeterminado
indelible → imborrable
independence → independencia
independent → independiente **to become independent** independizar **to make independent** independizar
indescribable → indescriptible
indestructible → indestructible
indeterminate → indeterminado
index → índice **index card** ficha **index finger** índice
Indian → indio
indicate (to) → indicar; marcar; señalar
indicating → indicador
indicative → indicativo
indicator → indicador; intermitente
indifference → indiferencia
indifferent → indiferente
indigestible → indigesto
indigestion → empacho; indigestión **to give indigestion** empachar
indignant → indignado
indigo → añil
indirect → indirecto **indirect object** complemento indirecto; objeto indirecto
indiscreet → indiscreto
indiscretion → indiscreción
indispensable → imprescindible; indispensable
indisputable → indiscutible
indistinct → indistinto
individual → individual; individuo; sujeto
indoctrinate (to) → adoctrinar
indolent → indolente
indoor five-a-side → futbito; fútbol sala
indulgent → indulgente
industrial → industrial **industrial building** nave **industrial estate** polígono industrial
industrialist → industrial
industrialize (to) → industrializar
industrious → laborioso
industry → industria
inept → inepto
inequality → desigualdad
inert → inerte
inertia → inercia
inevitable → fatal; inevitable
inexact → inexacto
inexhaustible → inagotable
inexperienced → inexperto; novato
inexplicable → inexplicable
infallible → infalible
infancy → infancia; niñez
infant → párvulo
infantry → infantería
infect (to) → infectar
infected → **to become infected** infectar
infection → contagio; infección
infectious → contagioso; infeccioso
inferior → inferior
inferiority → inferioridad
infest (to) → infestar; plagar
infidel → infiel
infiltrate (to) → infiltrarse
infinite → infinito
infinitive → infinitivo
infinity → infinidad; infinito
infirmary → enfermería
infix → infijo; interfijo
inflamed → **to become inflamed** inflamarse
inflammable → inflamable
inflammation → inflamación
inflate (to) → hinchar; inflar
inflection → flexión
inflexible → inflexible
influence → influencia; influjo
influence (to) → influir
influenza → gripe
influx → afluencia
inform (to) → avisar; informar; notificar **to inform on** delatar
informal → informal
informant → informador
information → información **information desk** información **piece of information** dato
informative → informativo
informer → chivato
infrastructure → infraestructura
infringement → violación
infuriate (to) → enfurecer; indignar; sublevar
ingenious → ingenioso
ingenuity → ingenio
ingenuous → cándido; ingenuo
ingenuousness → ingenuidad

ingot → lingote
ingratitude → ingratitud
ingredient → ingrediente
inhabit (to) → habitar; poblar
inhabitant → habitante
inhalation → aspiración; inspiración
inhale (to) → aspirar; inhalar; inspirar
inherit (to) → heredar
inheritance → herencia
inhibited → cohibido
inhuman → inhumano
inimitable → inimitable
initial → inicial
initiate (to) → iniciar
initiative → iniciativa **to take the initiative** tomar la iniciativa
inject (to) → inyectar
injection → inyección **to give an injection** pinchar
injure (to) → herir; lastimar; lesionar
injured → accidentado; herido **injured person** accidentado; herido
injury → daño; lesión **injury time** descuento
injustice → injusticia
ink → tinta
inkpad → tampón
inkwell → tintero
-in-law → político
inlet → ensenada
inmate → interno
inn → fonda; posada
innards → tripa
innate → innato
inner tube → cámara
innkeeper → mesonero
innocence → candor; ingenuidad; inocencia
innocent → inocente
innumerable → innumerable
inopportune → inoportuno
inorganic → inorgánico
inquiry → expediente
inquisitive → preguntón
insane → loco
insanity → locura
insatiable → insaciable
inscribe (to) → inscribir
inscription → inscripción; leyenda
insect → insecto
insecticide → insecticida
insectivore → insectívoro
insectivorous → insectívoro
insecure → inseguro
insecurity → inseguridad
inseparable → inseparable
insert (to) → insertar; introducir
inside → adentro; dentro; interior
insignificant → insignificante
insincere → falso
insipid → insípido; insulso; soso
insist (to) → empeñar; insistir; obstinarse; remachar
insistence → insistencia
insistent → insistente
insole → plantilla
insolence → atrevimiento
insolent → insolente
insomnia → insomnio
inspect (to) → inspeccionar
inspection → revista
inspector → inspector
inspiration → inspiración
inspire (to) → inspirar; ofrecer
instability → inestabilidad
install (to) → instalar
installation → instalación
instalment → entrega; fascículo; plazo
instant → instantáneo; instante
instantaneous → fulminante; instantáneo
instantly → en el acto
instead of → en lugar de; en vez de
instep → empeine
instinct → instinto
instinctive → instintivo
institute → instituto
institution → institución
instruction → indicación; instrucción
instructive → instructivo
instructor → instructor; monitor
instrument → instrumento
insufficient → deficiente; insuficiente
insulate (to) → aislar
insulating → aislante **insulating tape** cinta aislante
insulator → aislante
insult → agravio; insulto
insult (to) → faltar; insultar
insurance → seguro
insure (to) → asegurar
insurrection → alzamiento; insurrección
intact → intacto
integrate (to) → integrar
integument → tegumento
intellectual → intelectual
intelligence → entendimiento; inteligencia; luz
intelligent → inteligente
intend (to) → pensar
intense → intenso; profundo
intensify (to) → avivar; intensificar
intensity → intensidad
intensive care unit → uci; uvi
intention → ánimo; intención; propósito
intentional → intencionado
intercede (to) → interceder
interchange → enlace
inter-city → interurbano
intercom → interfono
interdependence → interdependencia
interest → interés **to take an interest** interesar
interest (to) → interesar
interested → interesado **interested party** interesado
interesting → interesante **to be interesting** interesar
interfere (to) → entrometerse
interference → cruce; interferencia
interior → interior
interjection → interjección
interlocutor → interlocutor
intermediary → intermediario
intermediate → intermedio
interminable → interminable
intermission → intermedio
intermittent → intermitente
internal → interno **internal organ** entraña; víscera
international → internacional
Internet → internet
interpolated clause → inciso
interpose (to) → interponer
interpret (to) → interpretar
interpretation → interpretación
interpreter → intérprete
interrogation → interrogatorio
interrogative → interrogativo
interrupt (to) → cortar; interrumpir
interruption → interrupción
intersect (to) → cortar
intersection → intersección
intersperse (to) → intercalar
intertwine (to) → entrelazar; entretejer
interval → descanso; entreacto; intermedio; intervalo
intervene (to) → interponer; intervenir **to intervene in something** tomar cartas en un asunto
intervention → intervención
interview → entrevista
interview (to) → entrevistar
interviewed → entrevistado
interviewee → entrevistado
interviewer → entrevistador
interweave (to) → entretejer

intestine → intestino; tripa
intimacy → intimidad
intimate → íntimo
intimidate (to) → acobardar
intimidated → **to be intimidated** encoger
intolerable → intolerable
intolerance → intolerancia
intonation → entonación
intoxicating → embriagador
intransigent → cerrado
intransitive → intransitivo
intrepid → intrépido
intrigue → tejemaneje
introduce (to) → implantar; introducir; presentar
introduction → introducción; preámbulo; presentación
intruder → intruso
intuition → intuición
invade (to) → invadir
invader → invasor
invading → invasor
invalid → inválido; nulo
invaluable → inapreciable; inestimable
invariable → invariable
invasion → invasión; plaga
invent (to) → idear; ingeniar; inventar
invention → invención; invento
inventiveness → inventiva
inventor → inventor
inventory → inventario
inverse → inverso
invert (to) → invertir
invertebrate → invertebrado
invest (to) → invertir
investigate (to) → indagar; investigar
investigation → investigación
investigator → investigador
investment → inversión
invincible → invencible
invisible → invisible
invitation → invitación
invite (to) → convidar; invitar
invited → invitado
invoice → factura
invoke (to) → invocar
involuntary → involuntario
involve (to) → complicar; comprometer; conllevar; enredar; enrollar; envolver; implicar; involucrar; mezclar
involved → enrevesado **to be involved** en el ajo **to get involved** enrollar; enzarzar; meter **to get involved in** enredar
invulnerable → invulnerable
iodine → yodo
ionosphere → ionosfera
Iranian → iraní
Iraqi → iraquí
iris → iris
Irish → irlandés
Irishman → irlandés
Irishwoman → irlandés
iron → férreo; hierro; plancha **iron and steel industry** siderurgia **iron fittings** herraje
iron (to) → planchar
ironic → irónico
ironmonger's → ferretería
irony → ironía
irrational → irracional
irregular → irregular
irrelevant → irrelevante
irremediable → irremediable
irreparable → irreparable
irreplaceable → insustituible
irreproachable → irreprochable
irresistible → irresistible
irresponsible → irresponsable
irrigated → **irrigated farming region** huerta **irrigated land** regadío
irrigation → riego **irrigation channel** acequia
irritate (to) → hartar; irritar
irritation → irritación
Islam → islam; islamismo
Islamic → islámico **the Islamic world** islam
island → isla
islet → islote
isolate (to) → aislar; incomunicar
isosceles → isósceles
Israeli → israelí
Israelite → israelita
issue → número; sucesión
issue (to) → emitir; expedir; extender
isthmus → istmo
it → aquello; él; ella; ello; lo **to it** le **with it** consigo
Italian → italiano
Italic → itálico
italics → cursiva
itch → picor
itch (to) → picar
itching → picor
item → artículo; unidad **item of luggage** bulto
itinerant → itinerante
itinerary → itinerario
its → su
itself → sí **by itself** a secas
ivory → marfil
ivy → hiedra; yedra

J

jack → gato; sota
jacket → americana; cazadora; chaqueta
jackpot → bote
jaguar → jaguar
jail → cárcel
jailer → carcelero
jam → atolladero; confitura; mermelada
jam (to) → bloquear; trabar
jam-packed → de bote en bote
January → enero
Japanese → japonés
jar → bote; tarro **jar of baby food** potito **large earthenware jar** tinaja
jargon → argot; jerga
jasmine → jazmín
javelin → jabalina
jaw → mandíbula **jaws** fauces
jazz → jazz
jealous → celoso
jealousy → celo; pelusa
jeans → jeans; tejano; vaquero
jelly → gelatina; jalea
jellyfish → medusa
jerk → estirón; gilipollas
jersey → maillot
jester → bufón
jesting → guasa
jet → azabache; chorro; reactor **jet plane** reactor
jetty → embarcadero; muelle
Jew → judío
jewel → alhaja
jeweller → joyero **jeweller's** joyería; relojería
jewellery → joyería **jewellery box** joyero **piece of jewellery** joya
Jewish → judío
jiffy → **in a jiffy** en un periquete
jigsaw puzzle → rompecabezas
jinx → cenizo; gafe
job → colocación; empleo; encargo; faena; ocupación; quehacer; tarea; trabajo **having more than one job** pluriempleo **job possibility** salida **to find a job for** colocar; meter
join (to) → adherir; afiliarse; em-

palmar; entrar; incorporar; ingresar; juntar; sumar; unir **to join together** asociar
joining → ingreso; unión
joint → articulación; canuto; conjunto; junta; porro; unión
joke → broma; burla; chiste; gracia **as a joke** de mentirijillas; en broma
joke (to) → bromear; vacilar
joker → bromista; chistoso; comodín; guasón; payaso
joking → cachondeo; guasa; pitorreo
jolt → sacudida
jolting → traqueteo
journalism → periodismo
journalist → periodista
journey → trayecto; viaje
joy → gozo; júbilo; regocijo
jubilation → júbilo
Judaism → judaísmo
judge → juez; magistrado
judge (to) → juzgar
judgement → entendimiento; juicio; sentencia **good judgement** acierto; tino
judicial → judicial
judo → judo; yudo
judoka → judoka
jug → jarra; jarro
juggler → malabarista
jugular → yugular
juice → jugo; zumo **juice extractor** licuadora
juicy → jugoso; suculento
July → julio
jumble → amasijo; maraña; revoltijo
jump → respingo; salto
jump (to) → botar; dar; saltar **to jump the queue** colar
jumper → jersey; saltador
jumping → saltador
June → junio
jungle → jungla; selva
juniper → sabina
junk → **junk room** trastero **junk TV** telebasura **piece of junk** cacharro; cachivache; trasto
junkie → yonqui
Jurassic → jurásico
jury → jurado
just → justo **just as well** menos mal **just deserts** merecido **just in case** por si acaso; por si las moscas **just like** igual **just like that** así como así; tal cual **to have just** acabar de
justice → justicia
justify (to) → justificar

K

kaleidoscope → caleidoscopio; calidoscopio
kamikaze → kamikaze
kangaroo → canguro
karaoke → karaoke **karaoke bar** karaoke **karaoke machine** karaoke
karate → kárate
karateist → karateca
keel → quilla
keen → aficionado
keenness → afán; agudeza
keep (to) → ceñir; conservar; guardar; mantener; quedar **to keep back** reservar
keeper → guarda
kefir → kéfir
kennel → caseta
kerb → bordillo
kestrel → cernícalo
ketchup → ketchup
kettledrum → timbal
key → clave; llave; tecla; zona **key person** clave **key ring** llavero
keyboard → teclado
keyhole → ojo
keystroke → pulsación
khaki → caqui
kick → coz; patada; puntapié
kick (to) → **to kick about** patalear **to kick the bucket** estirar la pata; irse al otro barrio; palmar **to kick the habit** desenganchar
kick-off → saque
kid → cabrito; chaval; chico; chiquillo; chivo; churumbel; crío; enano; mico
kid (to) → vacilar
kidnap (to) → raptar; secuestrar
kidnapper → secuestrador
kidnapping → secuestro
kidney → renal; riñón
kill (to) → abatir; acabar con; cargar; cepillar; eliminar; matar; quemar **killed in action** caído
killer whale → orca
killing → **to make a killing** hacer su agosto
killjoy → aguafiestas
kiln → horno
kilo → quilo
kilogram → kilogramo
kilolitre → kilolitro
kilometre → kilómetro; quilómetro
kimono → kimono; quimono
kind → amable; benévolo; bondadoso; bueno; calaña; delicado; gentil; hermoso; índole; tipo
kind-hearted → piadoso
kindness → amabilidad; atención; bondad
kinetic → cinético
king → rey
kingdom → reino
kip (to) → sobar
kiss → beso **kiss curl** caracol
kiss (to) → besar
kit → kit
kitchen → cocina **kitchen sink** fregadero
kite → cometa
kitten → cachorro
kitty → minino
kiwi → kiwi
knack → tranquillo
knapsack → alforja
knave → sota
knead (to) → amasar
knee → rodilla **knee pad** rodillera **knee patch** rodillera
kneel down (to) → arrodillarse
knickers → braga
knick-knack → baratija
knife → cuchillo
knight → caballo
knit (to) → fruncir; tejer
knitting → calceta; labor
knitwear → punto
knob → pomo; tirador
knock → leche; llamada; toque **knock on the head** coscorrón
knock (to) → **knocked out** fuera de combate **to knock down** abatir; atropellar; tirar; tumbar **to knock over** derribar; volcar
knocker → picaporte
knocking down → atropello
knot → lazada; nudo **to tie a knot in** anudar
knot (to) → anudar
know (to) → caer; conocer; dominar; entender; saber **not to know** desconocer; ignorar **to know for a fact** constar **to know how** saber **to know something by heart** carrerilla
know-all → sabelotodo; sabiondo
knowledge → conocimiento; saber; sabiduría
known → **to be known** significar
knuckle → nudillo
knuckle under (to) → pasar por el aro

koala → koala
Korean → coreano
kung-fu → kung-fu

L

I → I
label → etiqueta
label (to) → etiquetar
laboratory → laboratorio
laborious → laborioso
labour → obrero
labourer → obrero; peón
labyrinth → laberinto
lace → cordón; encaje; puntilla **lace curtain** visillo
lachrymal → lacrimal; lagrimal
lack → carencia; carestía; deficiencia; déficit; escasez; falta **lack of appetite** desgana **lack of education** incultura **lack of emotion** frialdad **lack of interest** desinterés **lack of safety** inseguridad **lack of understanding** incomprensión
lack (to) → carecer
lackey → lacayo
lacking → desprovisto; falto **to be lacking** faltar
laconic → lacónico
lacquer → laca
lacquer (to) → lacar
lactation → lactancia
lad → rapaz **young lad** pollo
ladder → escala; escalera; escalerilla
ladle → cazo; cucharón
lady → dama **ladies' man** mujeriego **young lady** señorito
ladybird → mariquita
lady-in-waiting → dama de honor
lagoon → albufera; laguna
lah → la
lair → cubil; guarida
lake → estanque; lago **small lake** laguna
lamb → borrego; cordero
lame → cojo
laminate (to) → plastificar
lammergeier → quebrantahuesos
lamp → farol; lámpara **small lamp** lamparilla
lampshade → pantalla
land → suelo; terreno; terrestre; tierra **piece of land** terreno **piece of open land** descampado
land (to) → aterrizar; posar; tomar tierra **to land on the moon** alunizar
landing → aterrizaje; descansillo; rellano **landing gear** tren de aterrizaje
landowner → hacendado; terrateniente
landscape → apaisado; paisaje; paisajístico
lane → calle; carril
language → idioma; lengua; lenguaje **language assistant** lector
lanky → larguirucho
lantern → farol
lap → falda; regazo
lapel → solapa
lapse (to) → prescribir
lapse in concentration → distracción
lard → manteca
larder → despensa
large → grande; voluminoso **to make larger** engrandecer
larva → larva
laryngitis → laringitis
larynx → laringe
lasagne → lasaña
lascivious → lascivo
laser → láser
lash → azote; latigazo
lash (to) → azotar; fustigar
lass → rapaz
lasso → lazo
last → final; horma; último **last but one** penúltimo **to come last in** cerrar
last (to) → durar; extender; perdurar
lasting → duradero
latch → picaporte
late → retrasado; tarde; tardío **to be late** atrasar; retardar; retrasar; tardar
lateness → tardanza
latent → latente
later → al cabo de; más adelante; posterior; ya
latest → último
lathe → torno
Latin → latín **Latin American** iberoamericano; latinoamericano
Latino → latino
latitude → latitud
latrine → letrina
Latvian → letón
laugh → risa
laugh (to) → reír
laughing stock → hazmerreír
laughter → **burst of laughter** carcajada
launch → lancha
launch (to) → botar; lanzar **to launch oneself** lanzar
launderette → lavandería
laundress → lavandero
laundry → colada **laundry room** lavadero
laundryman → lavandero
lava → lava
lavatory → retrete
lavender → lavanda
law → derecho; ley **the law** justicia
lawful → lícito
lawn → césped
lawsuit → causa; demanda; pleito; querella
lawyer → abogado **second-rate lawyer** picapleitos
laxative → laxante
lay → laico; secular; seglar
lay (to) → poner **to lay down** echar; sentar; tumbar
layabout → golfo
layer → capa; manto; piso
layette → canastilla
laying → puesta
layman → laico
layout → distribución
laywoman → laico
laze around (to) → racanear
laziness → pereza; vagancia
lazy → gandul; golfo; holgazán; perezoso; rácano; remolón; vago
lazybones → manta; zángano
lead → correa; mina; plomo; ventaja **in the lead** a la cabeza **lead sulphide** galena
lead (to) → conducir; encabezar; liderar; llevar **to lead on** provocar **to lead onto** desembocar
leader → cabecilla; caudillo; dirigente; gobernante; líder
leading → puntero **leading man** galán
leaf → fronda; hoja **leaves** follaje
leaf through (to) → hojear
leaflet → folleto; prospecto; tríptico
leafy → frondoso
league → clasificación; legua; liga
leak → escape; fuga; gotera
leak (to) → escapar; filtrar; perder
lean → enjuto; inclinación
lean (to) → apoyar
lean-to → cobertizo
leap → bisiesto; salto **leap year** año bisiesto; bisiesto
learn (to) → aprender **to learn one's lesson** escarmentar

learned → culto; sabio
learning → aprendizaje
least → ser lo de menos **at least** al menos; como mínimo; ser lo de menos; siquiera
leather → cuero
leave → permiso
leave (to) → abandonar; dejar; largar; marchar; partir; salir **to leave behind** dejar **to leave out** dejar de lado; marginar; omitir **to leave to be desired** dejar que desear **to leave without someone** escapar
leaving → abandono; baja; marcha
lectern → atril
lecture → conferencia
lecturer → profesor
ledge → cornisa; repisa
leech → sanguijuela
leek → puerro
left → izquierda; izquierdo **left hand** izquierdo **left leg** izquierdo **the left** izquierda **to be left** faltar; quedar **to be left over** sobrar **to have left** quedar
left-handed → zurdo
left-hander → zurdo
left-luggage office → consigna
leftover → sobra
leg → jamón; pata; pierna **to pull someone's leg** tomar el pelo
legal → jurídico; legal **legal practice** bufete
legalize (to) → legalizar
legend → leyenda
legendary → legendario; mítico
legible → legible
legion → legión
legionary → legionario
legionnaire → legionario
legislate (to) → legislar
legislation → legislación
legitimate → legítimo
legume → legumbre
legwarmers → calentador
leisure → ocio
lemon → limón; melón **lemon blossom** azahar **lemon grove** limonar **lemon squeezer** exprimidor **lemon tree** limonero
lemonade → limonada
lend (to) → dejar; prestar
length → duración; eslora; largo; longitud
lengthen (to) → alargar
lenient → indulgente
lens → lente; objetivo
Lent → cuaresma
lentil → lenteja
Leo → leo
leopard → leopardo
leotard → maillot; malla
leper → leproso
leprosy → lepra
leprous → leproso
lesbian → lesbiana
less → menos; ser lo de menos
lesson → enseñanza; escarmiento; lección
let (to) → dejar; permitir **let's see** a ver **to let down** deshinchar; desinflar **to let drop** dejar caer **to let go of** soltar **to let oneself go** abandonar; soltar **to let out** exhalar; sacar; soltar
lethal → letal; mortífero
lethargy → letargo
letter → carta; epístola; letra **letter box** buzón
letterhead → membrete
letter-opener → abrecartas
lettuce → lechuga
leukaemia → leucemia
level → altura; escalón; nivel; raso **level crossing** paso a nivel **on a level with** a ras de
level (to) → allanar; aplanar; igualar **to level off** nivelar **to level out** nivelar
lever → maneta; palanca
levitate (to) → levitar
lewd → liviano
lexeme → lexema
lexical → léxico
liana → liana
liar → embustero; mentiroso
liberalism → liberalismo
liberate (to) → liberar; libertar
libertine → libertino
liberty → libertad
Libra → libra
Libran → libra
librarian → bibliotecario
library → biblioteca
Libyan → libio
licence → licencia **license plate** matrícula; placa
licentious → libertino
lichen → liquen
licit → lícito
lick → lametón; lengüetazo
lick (to) → lamer; relamer **to lick one's lips** relamer
lid → tapa; tapadera **to put the lid on** tapar
lie → embuste; engaño; falsedad; mentira; trola
lie (to) → consistir; mentir; reposar; tender; yacer **to lie down** tumbar
lieutenant → teniente **lieutenant colonel** teniente coronel **second lieutenant** alférez; subteniente
life → ambiente; existencia; marcha; vida; vitalicio **for life** vitalicio **life and soul** alma **life and soul of the party** cascabel **life belt** salvavidas **life jacket** chaleco salvavidas **private life** intimidad
lifeguard → socorrista
lifelong → de toda la vida
lifestyle → tren de vida
lifetime → vida
lift → ascensor
lift (to) → levantar; subir **to lift up** aupar; encaramar; erguir
ligament → ligamento
light → claridad; claro; disco; fresco; leve; ligero; liviano; luminoso; luz **against the light** a trasluz **back light** contraluz **light bulb** bombilla **lights** iluminación **to bring to light** sacar a la luz **to make lighter** aclarar **very light** ingrávido
light (to) → alumbrar; encender; iluminar; prender
lighten (to) → aligerar
lighter → barcaza; encendedor; mechero
lighthouse → faro
lighting → alumbrado; iluminación
lightly → a la ligera
lightning conductor → pararrayos
lignite → lignito
like → **like that** así **to be like** asemejarse
like (to) → agradar; caer; enrollar; gustar **not to like** caer; caer gordo
likeable → simpático
likely → fácil
likeness → aire; semejanza
liking → afición
lilac → lila
Lilliputian → liliputiense
lily → lirio
limb → limbo; miembro
limbo → limbo
lime → cal; lima **lime tree** tilo
lime-blossom tea → tila
limestone → caliza
limit → limitación; límite; tope
limit (to) → limitar; restringir **to limit oneself** limitar
limitation → limitación
limousine → limusina
limp → cojera; lacio

limp (to) → cojear
limpet → lapa
linchpin → eje
line → cola; fila; hilera; línea; pauta; raya; renglón; trazo **line judge** juez de línea **to draw lines on** rayar **vertical line** vertical
line (to) → forrar; surcar
linear → lineal
linen → hilo; lino; ropa blanca **wash one's dirty linen in public (to)** sacar los trapos sucios
linesman → juez de línea
line-up → alineación
linguistic → lingüístico
lining → forro
link → comunicación; enlace; eslabón
link (to) → comunicar; enlazar; trabar; unir **to link up** encadenar
lintel → dintel
lion → león **lion's cage** leonera
lioness → león
lip → labio **lip salve** cacao **lips** morro
lipid → lípido
lipstick → carmín; pintalabios
liquefy (to) → licuar
liqueur → licor
liquid → líquido
liquorice → regaliz
lisp → ceceo
list → lista; ranking; relación **list of achievements** palmarés **list of topics** cuestionario; temario **to put on a list** apuntar
listen (to) → escuchar; oír
listener → oyente; radioyente
listening → escucha
listing → enumeración
litany → letanía
literal → literal; textual
literary → literario
literature → literatura
Lithuanian → lituano
litre → litro **litre bottle of beer** litrona
litter → camada **litter bin** papelera
little → pequeño; poco **a little** un poco de **little by little** poco a poco **little finger** meñique **little owl** mochuelo
liturgical → litúrgico
liturgy → liturgia
live (to) → residir; vivir **to live in** habitar **to live on** perdurar **to live together** convivir
liveliness → animación; vida; viveza
lively → animado; bullicioso
liven up (to) → animar; avivar
liver → hígado
livestock → cabaña; ganadería; ganado **livestock raising** ganadería
livid → lívido
living → vida; viviente; vivo **living room** sala **living together** convivencia
lizard → lagarto **small lizard** lagartija
llama → llama
load → carga; cargamento **loads** barbaridad; burrada; la tira; para parar un tren; tela
load (to) → armar; cargar
loaf → barra **large loaf of bread** hogaza
loan → crédito; préstamo
loan (to) → prestar
loathe (to) → aborrecer
lob → vaselina
lobe → lóbulo
local → local
localize (to) → localizar
locate (to) → localizar; ubicar
location → situación
lock → cerradura; llave; mechón
locker → taquilla
locket → medallón
locksmith → cerrajero
locomotion → locomoción
locomotive → locomotor; locomotora
locust → langosta
lodge (to) → alojar
loft → desván
log → leño **like a log** como un tronco
logbook → cuaderno de bitácora
logic → lógica
logical → lógico
logo → anagrama; logo; logotipo
loin → lomo
loincloth → taparrabos
lollipop → chupa-chups; piruleta; pirulí
lonely → solitario
long → alargado; largo **as long as** con tal que **long ago** lejos **long dress** faldón **Long live!** arriba **not long** poco **not long ago** ayer
long for (to) → anhelar; ansiar; suspirar por
long-distance call → conferencia
long-haired → melenudo
longing → ansia
longitude → longitud
long-lived → longevo
long-sightedness → hipermetropía
long-tailed monkey → mico
look → cara; facha; look; mirada; pinta; traza; vistazo **quick look** ojeada **to have a quick look at** ojear
look (to) → aparentar; mirar; parecer; presentar; quedar; representar **to look after** cuidar; encargar; velar **to look after oneself** cuidar **to look at** mirar **to look for** buscar **to look like** parecer **to look onto** dar **to look out of the corner of one's eye** mirar con el rabillo del ojo **to look out onto** mirar **to look up** consultar
looker → guaperas; monumento **good looker** guaperas
lookout → centinela; vigía
loom → telar
loony → chalado; chiflado; colgado; ido; majara; majareta; pirado; tarado
loose → flojo; holgado; suelto **loose change** suelto
loose-bowelled → cagón
loose-fitting → ancho
loosen (to) → aflojar
loosening → desprendimiento
loot (to) → saquear
looting → pillaje; saqueo
lord → **the Lord** señor
Lord's Prayer → padrenuestro
lorry → camión **lorry driver** camionero
lose (to) → perder
loser → perdedor
losing → perdedor
loss → pérdida; perjuicio **loss of voice** afonía
lost → **lost in thought** ausente **to become lost in thought** abstraer; ensimismarse **to get lost** perder **to get lost!** ¡piérdete!; ¡una porra!; ¡y un pimiento!
lot → **a lot** a base de bien; a mares; cantidad; mogollón; mucho **a lot of** cantidad de **to draw lots for** sortear
lotion → leche; loción
lottery → lotería
lotus → loto
loud → alto; chillón; estridente; fuerte
loudly → alto; fuerte
loudmouth → gritón
loudmouthed → gritón
loudspeaker → altavoz; bafle
lounge → salón
lounger → tumbona
louse → piojo
lousy → de perros; perro; piojoso
lout → macarra
loutish → gamberro; macarra; troglodita
love → amor; amoroso; cariño; devoción; locura **for the love of it** por amor al arte **in love** enamorado **love affair** amorío **love at first sight**

flechazo **to be madly in love** estar colado **to fall in love with** enamorar; prendarse **to make love** hacer el amor
love (to) → amar; enloquecer; privar; querer
lovebird → tórtolo
loved one → amado
loveliness → hermosura
lovely → entrañable; hermoso; lindo; monada; monería; mono **lovely thing** chulada; primor
lover → amante; enamorado; forofo; querido
loving → amoroso; cariñoso **loving care** cariño
low → bajo
low-calorie → light
lower → bajo; inferior **lower slope** falda
lower (to) → agachar; arriar; bajar; descolgar
lower-case letter → minúscula
low-fat → desnatado
low-pressure area → borrasca
loyal → fiel; leal
loyalty → fidelidad; lealtad
lubricant → lubricante
lucerne → alfalfa
lucid → lúcido
luck → chorra; fortuna; suerte **bad luck** desgracia
luckily → por suerte
lucky → afortunado **lucky charm** amuleto; talismán
lucrative → lucrativo
ludicrous → **to be ludicrous** no tener ni pies ni cabeza
ludo → parchís
luggage → equipaje
lukewarm → tibio
lullaby → arrullo; nana
lumbago → lumbago
lumbar → lumbar
luminous → luminoso
lump → bulto; chichón; grumo; terrón **a lump in one's throat** un nudo en la garganta **lump of wood** tarugo
lunar → lunar
lunatic → demente; lunático
lunch → almuerzo; comida **lunch box** fiambrera; tartera **to have lunch** almorzar; comer
lung → pulmón; pulmonar
lurch → **in the lurch** colgado
lurching → a trompicones
lure → cebo
lush → exuberante
lust → lujuria
lute → laúd
Luxembourger → luxemburgués
luxuriant → frondoso
luxurious → lujoso
luxury → lujo
lying → embustero; farsante; mentiroso
lynch (to) → linchar
lynx → lince
lyre → lira
lyric → lírico **lyric poetry** lírica **lyrics** letra
lyrical → lírico

M

m → m
macabre → macabro
macaque → macaco
macaroni → **piece of macaroni** macarrón
macaw → guacamayo
macedonia → macedonia
Macedonian → macedonio
machete → machete
Machiavellian → maquiavélico
machination → maniobra
machine → máquina **by machine** a máquina **machine gun** ametralladora
machinery → maquinaria
machinist → maquinista
mackerel → caballa
mad → chalado; loco; tarumba **mad woman** energúmeno **to be hopping mad** echar chispas **to be mad about** pirrar **to drive mad** desquiciar; enloquecer; sacar de quicio **to go mad** llevarse a alguien los demonios
madam → señor
made → hecho **made of** de
made-to-measure → a medida
madhouse → gallinero
madly → a lo loco
madman → energúmeno
madness → locura
mafia → mafia; mafioso
mafioso → mafioso
magazine → magacín; revista **magazine programme** magacín **magazine rack** revistero
magenta → magenta
Maghrebi → magrebí
magic → magia; mágico **as if by magic** como por arte de magia
magical → mágico
magician → encantador; mago; prestidigitador
magma → magma
magnanimous → magnánimo
magnate → magnate
magnetic → magnético
magnetism → magnetismo
magnetite → magnetita
magnification → aumento
magnificence → esplendor
magnificent → espléndido; grandioso; magnífico
magnifying glass → lupa
magnitude → magnitud
magnolia → magnolia
magpie → urraca
mahogany → caoba
maid → chacha; chico
maiden → doncella
maidservant → doncella
mail → correo
maim (to) → mutilar
main → central; maestro; mayor; principal **main character** protagonista **main person involved** protagonista
maintain (to) → mantener; sostener
maize → maíz **maize field** maizal
majestic → majestuoso; solemne
majesty → majestad
major → comandante
Majorcan → mallorquín
majorette → majorette
majority → mayoría; mayoritario
make (to) → cometer; confeccionar; convertir; elaborar; fabricar; formar; hacer; meter; obligar; pronunciar; realizar; volver **to make as if to** amagar **to make go off** alterar **to make it up** hacer las paces **to make look** hacer **to make look old** envejecer **to make look older** avejentar **to make look sad** entristecer **to make out** atisbar; divisar; vislumbrar **to make up** componer; conformar; constituir; integrar; inventar; maquillar **to make up for** compensar; desquitarse; reparar
maker → fabricante
make-up → maquillaje; pintura **make-up assistant** maquillador
making → **to have the makings** tener madera
maladjusted → inadaptado
malaria → malaria
male → macho; masculino; varón **male chauvinist** machista **male**

member miembro **male nurse** enfermero
malice → malicia
malignant → maligno
mall → galería
mallet → mazo
mallow → malva
malnutrition → desnutrición; malnutrición
mammal → mamífero
mammoth → mamut
man → hombre; macho **man of letters** literato **man's** masculino **young man** joven; mozo
man (to) → tripular
manage (to) → administrar; arreglar; desenvolver; dirigir; gobernar; ingeniárselas; manejar **to manage to get** lograr **to manage to hit** atinar
manageable → manejable
management → administración; dirección; gestión; patronal
manager → directivo; director; encargado; gerente; mánager; técnico **manager's office** dirección
manageress → encargado; gerente
managing → directivo
manchego → manchego
mandarin → mandarín; mandarina
mandate → mandato
mandril → mandril
mane → crin; melena
manger → pesebre
mango → mango
maniac → maníaco; obseso
manic → maníaco
manicure → manicura
manipulate (to) → manipular
manipulation → manipulación
mankind → humanidad
manly → macho; viril
manna → maná
manners → educación; forma; manera; modales; modo **bad manners** incorrección
manoeuvre → maniobra
manoeuvre (to) → maniobrar
mansion → mansión
manta ray → manta
mantilla → mantilla
mantis → mantis
manual → manual
manufacture → confección; elaboración; fabricación; manufactura
manufacture (to) → fabricar
manufactured → elaborado **manufactured article** manufactura
manufacturer → fabricante
manure → estiércol
manuscript → manuscrito
map → carta; mapa **map of the world** mapamundi
maraca → maraca
marathon → maratón; maratoniano
marble → canica; mármol **marbles** canica
march → marcha
March → marzo
marchioness → marqués
mare → jaca; yegua
margarine → margarina
margin → margen
marginalize (to) → marginar
marginalized → marginado
mariachi → mariachi
marijuana → marihuana
marinade (to) → macerar
marine → marino
marionette → marioneta; títere
maritime → marítimo
mark → calificación; golpe; huella; impacto; marca; nota; puntuación; señal **to leave a mark on** marcar
mark (to) → calificar; corregir; marcar; puntuar; señalar
marked → acusado
market → mercado; plaza **market garden** huerta **market gardener** hortelano **to put on the market** poner en circulación **to take off the market** retirar de la circulación
marketing → marketing
marketplace → plaza
marking → marcaje
marksman → tirador
marmalade → mermelada
marmot → marmota
maroon → granate
marquee → carpa
marquis → marqués
marriage → casamiento; enlace; matrimonio
married → **married couple** matrimonio **to get married** desposar
marrow → médula
marry (to) → casar; desposar
marsh → pantano
marshal → mariscal
marshy → pantanoso
marsupial → marsupial
martial → marcial
Martian → marciano
martyr → mártir
martyrdom → martirio
marvel → maravilla
marvellous → estupendo; maravilloso
Marxism → marxismo
marzipan → mazapán
mascara → rímel
mascot → mascota
masculine → masculino
mask → antifaz; careta; máscara; mascarilla
mask (to) → enmascarar
masked → enmascarado
mass → en serie; masa; masivo; misa; mole **mass media** medios de comunicación **to go to mass** ir a misa
massacre → masacre
massacre (to) → masacrar
massage → masaje
masseter → masetero
masseur → masajista
masseuse → masajista
massif → macizo
massive → masivo
mast → mástil; palo
master → maestro; señor; señorito **master key** llave maestra
master (to) → dominar
masterly → magistral
mastery → dominio; maestría
mastiff → mastín
mastodon → mastodonte
masturbate (to) → masturbarse
mat → estera
matador → diestro; espada
match → cerilla; encuentro; fósforo; partido
match (to) → casar; corresponder; cuadrar; hacer juego
mate → compañero; compinche
maté → mate
material → materia; material; tela
materialist → materialista
materialistic → materialista
maternal → maternal; materno
maternity → maternidad; premamá **maternity hospital** maternidad
mathematical → matemático
mathematician → matemático
mathematics → matemática
matt → mate
matter → asunto; particular **matter of no importance** anécdota
matter (to) → importar **not to matter** dar igual; dar lo mismo; resbalar; traer al fresco **not to matter at all** importar un pepino; importar un pito
mattock → azadón
mattress → colchón **small mattress** colchoneta

mature → hecho; maduro
mature (to) → madurar
maturity → madurez
mausoleum → mausoleo
mauve → malva
maxim → máxima; sentencia
maximum → máximo; tope **maximum temperature** máxima
May → mayo
may → poder
Mayan → maya
maybe → a lo mejor; acaso; igual; poder; quizá
mayonnaise → mahonesa; mayonesa
mayor → alcalde
mayoralty → alcaldía
mayoress → alcalde
maze → laberinto
me → me; mí **with me** conmigo
meadow → dehesa; prado
meal → **big meal** comilona
mean → mezquino; miserable; rácano; rata; ruin; tacaño **to be mean with** racanear
mean (to) → significar; suponer **without really meaning it** con la boca pequeña
meander → meandro
meaning → acepción; sentido; significado
meaningful → expresivo
means → instrumento; medio; posibilidad; posible; recurso; resorte; vía **by means of** a base de; mediante; por medio de
meanwhile → entretanto
measles → sarampión
measly → raquítico
measure → gestión; medida
measure (to) → medir **to measure the height of** tallar **to measure up** dar la talla
measurement → medición; medida
measuring → medición
meat → carne; chicha; jugo
meatball → albóndiga
Meccano → mecano
mechanic → mecánico
mechanical → mecánico
mechanics → mecánica
mechanism → maquinaria; mecanismo
medal → condecoración; medalla
medallion → medallón
meddle (to) → entrometerse **to meddle in other people's business** meterse en camisa de once varas
media → mediático
mediate (to) → terciar
mediator → intermediario
medication → medicación
medicinal → medicinal
medicine → fármaco; medicación; medicamento; medicina
medieval → medieval
mediocre → mediocre
meditate (to) → meditar
meditation → meditación
Mediterranean → mediterráneo
medium → medio; médium; soporte
medlar → níspero **medlar tree** níspero
medulla oblongata → bulbo raquídeo
meek → manso
meekness → mansedumbre
meet (to) → encontrar; recibir
meeting → asamblea; encuentro; junta; mitin; reunión; sesión **to have a meeting** entrevistar
mega-concert → macroconcierto
megaphone → bocina; megáfono
megrim → gallo
melancholy → melancolía
melodious → melodioso
melodrama → melodrama
melody → melodía
melon → melón **melon patch** melonar
melt (to) → derretir; fundir
melting → fusión
member → integrante; miembro; socio; vocal **member of an academy** académico **member of parliament** parlamentario **member of the audience** espectador **member of the avant-guard** vanguardista **member of the middle class** burgués **to be an active member** militar
membership → alta
membrane → membrana
memoirs → memoria
memorize (to) → memorizar
memory → memoria; recuerdo
mend → remiendo; zurcido
mend (to) → recomponer; remendar; reparar **to mend one's ways** reformar
menhir → menhir
meniscus → menisco
menopause → menopausia
menstruation → menstruación
mental → mental **mental disorder** perturbación **mental hospital** manicomio
mentality → mentalidad
mentally → **mentally deficient** idiota **mentally handicapped** subnormal **mentally retarded** deficiente; retrasado **mentally unbalanced** desequilibrado
mentholated → mentolado
mention (to) → mencionar; nombrar **don't mention it** de nada **to avoid mentioning** obviar **to be mentioned** sonar
menu → carta; menú
mercantile → mercantil
mercenary → mercenario
merchant → mercader; mercante **merchant vessel** mercante
merciless → despiadado
Mercurochrome → mercromina
mercury → mercurio
mercy → clemencia; misericordia; piedad **to show no mercy** cebar
mere → mero
merengue → merengue
merge (to) → fundir; fusionar
meridian → meridiano
meringue → merengue
merit → mérito
mermaid → sirena
merry-go-round → caballito; tiovivo
merrymaking → jolgorio
mesh → malla
mess → barullo; cacao; desbarajuste; embrollo; enredo; estropicio; follón; lío; mamarracho; rancho; revoltijo; tinglado **to get oneself into a mess** meterse en camisa de once varas
mess (to) → **to mess about** enredar
mess up (to) → **to mess up** desordenar; fastidiar
mess up someone's hair (to) → **to mess up someone's hair** despeinar
message → despacho; mensaje; recado
messenger → mensajero
Messiah → mesías
metabolism → metabolismo
metal → metal; metálico
metallic → metálico; metalizado
metallurgical → metalúrgico
metallurgist → metalúrgico
metamorphic → metamórfico
metamorphosis → metamorfosis
metaphor → metáfora
meteorite → meteorito
meteorology → meteorología
meter → contador
method → método
methodical → metódico
meticulous → meticuloso

metre → metro **square metre** metro cuadrado
metrics → métrica
metropolis → metrópoli; urbe
metropolitan → metropolitano **metropolitan area** área metropolitana
mew (to) → maullar; mayar
Mexican → mejicano; mexicano
mezzanine → entresuelo
mi → mi
miaow → maullar; maullido
miaow (to) → mayar
mica → mica
mickey → **to take the mickey** cachondearse
microbe → microbio
microbiology → microbiología
microfilm → microfilme
microlight → ultraligero
microorganism → microorganismo
microphone → micrófono
microprocessor → microprocesador
microscope → microscopio
microwave → microondas
mid → medio
midday → mediodía
middle → mediano; medio; mitad **in the middle** en medio **middle class** burguesía **middle finger** corazón **middle of the day** mediodía **middle of the night** medianoche
middle-class → burgués
middleman → intermediario
midfield player → centrocampista
mid-morning snack → almuerzo
midnight → medianoche
mid-term exam → parcial
midwife → comadrona; matrona
migraine → jaqueca; migraña
migrate (to) → emigrar; migrar
migration → migración
mike → micro
mile → milla **a mile off** a la legua
mileometer → cuentakilómetros
militant → militante
militarize (to) → militarizar
military → militar
milk → leche; lechero **milk churn** lechera **milk jug** lechera **milk shake** batido **milk tooth** diente de leche
milk (to) → ordeñar
milkman → lechero
milkwoman → lechero
milky → lechoso
mill → molinillo; molino
millennium → milenario; milenio
miller → molinero
milligram → miligramo
millilitre → mililitro
millimetre → milímetro
milling cutter → fresa
million → millón **millions of** millón **worth millions** millonario
millionaire → millonario
millionairess → millonario
millionth → millonésimo
millonaire → millonario
mime → mimo **mime artist** mimo
mimic (to) → imitar
mimicry → mimetismo; mímica
miming → playback
mimosa → mimosa
mince (to) → picar
mincer → picadora
mind → mente; pensamiento **to change one's mind** arrepentirse **to give somebody a piece of one's mind** cantar las cuarenta **to have a mind to** estar por **to have in mind** acariciar **to lose one's mind** perder la razón **to make up one's mind** animar; decidir
mind-blowing → alucinante
mine → explotación; mina; mío **of mine** mío
miner → minero
mineral → mineral **mineral water** agua mineral
mineralogy → mineralogía
mini skirt → minifalda
miniature → miniatura **in miniature** en miniatura
minibasket → minibásquet
minimal → ínfimo
minimize (to) → minimizar
minimum → mínimo **minimum temperature** mínima
mining → minería; minero **mining region** cuenca
minister → ministro; pastor
ministry → ministerio
minor → menor; menor de edad; menudo
Minorcan → menorquín
minority → minoría; minoría de edad; minoritario
minstrel → juglar; trovador
mint → hierbabuena; menta; yerbabuena **mint tea** menta; poleo
mint (to) → acuñar
minuend → minuendo
minus → menos; ser lo de menos **minus sign** menos
minute → diminuto; ínfimo; minúsculo; minuto **minute hand** minutero **minutes** acta
miracle → milagro; prodigio
miraculous → milagroso
miraculously → de milagro
mirage → espejismo
mirror → espejo; luna
miscarriage → aborto **to have a miscarriage** abortar
mischief → diablura; enredo; picardía **piece of mischief** trastada; travesura
mischievous → picaresco
misdeed → fechoría
misdemeanour → fechoría
miserable → indecente; miserable; mísero; triste
misery → **to make somebody's life a misery** traer por la calle de la amargura
misfit → inadaptado
misfortune → desdicha; desgracia; desventura; infortunio
mishap → percance
misinterpret (to) → malinterpretar
mislaid → **to get mislaid** extraviar
mislay (to) → extraviar; traspapelar
mislead (to) → despistar
misleading → engañoso
misogynous → misógino
misprint → errata; gazapo
miss → miss; señorito
miss (to) → añorar; echar de menos; echar en falta; extrañar; fallar; perder **to miss one's train/bus/plane** quedarse en tierra **to miss out** comer; saltar **to miss the point** mear fuera de tiesto
missile → misil
missing → **to be missing** faltar
mission → misión
missionary → misionero
mist → bruma; calima; neblina
mistake → confusión; equivocación; error; fallo; falta; incorrección **beginner's mistake** novatada **to make a mistake** equivocarse **to make a mistake with** errar
mistake (to) → confundir
mistreat (to) → maltratar
mistress → señor; señorito
misunderstanding → malentendido
misunderstood → incomprendido
misuse (to) → abusar
mite → ácaro
mitt → zarpa
mitten → manopla
mix (to) → juntar; mezclar; relacionar **to mix up** mezclar
mixed → mixto **mixed grill** parrillada

mixer → batidora
mixture → masa; mezcla
mix-up → enredo
moan → gemido; queja; quejido
moan (to) → gemir; quejarse
moaning → lamento
moat → foso
mob → marabunta
mobile phone → celular; móvil
mobility → movilidad
mobilize (to) → movilizar
moccasin → mocasín
mocking → burlón
mode → modo
model → ejemplar; maniquí; modelo; muestra; pauta
model (to) → modelar
modelling → modelismo
model-making → modelismo
modem → módem
moderate → moderado
moderate (to) → moderar
moderation → medida
modern → moderno
modernize (to) → modernizar
modest → modesto; púdico
modesty → modestia; pudor
modification → modificación
modify (to) → modificar
modulate (to) → modular
module → módulo
moisten (to) → humedecer
molar → molar; muela
Moldavian → moldavo
mole → topo
molecule → molécula
mollusc → molusco
mollycoddle (to) → mimar
mollycoddling → mimo
moment → instante; momento; soplo **a moment ago** hace un momento **at any moment** de un momento a otro **for the moment** de momento; por ahora **just a moment ago** ahora mismo **on the spur of the moment** a bote pronto
momentary → momentáneo
momentum → impulso
monarch → monarca
monarchic → monárquico
monarchist → monárquico
monarchy → monarquía
monastery → convento; monasterio
Monday → lunes
money → cuarto; dinero; pasta **money order** giro **to get one's money's worth out of** amortizar
moneybox → hucha
monitor → monitor
monk → monje; religioso
monkey → mono
monocle → monóculo
monograph → monográfico
monographic → monográfico
monolingual → monolingüe
monolith → monolito
monologue → monólogo
monopolize (to) → acaparar; monopolizar
monopoly → monopolio
monosemic → monosémico
monosemy → monosemia
monosyllabic → monosílabo
monosyllable → monosílabo
monotheist → monoteísta
monotheistic → monoteísta
monotonous → monótono
monsoon → monzón
monster → monstruo
monstrosity → adefesio; armatoste; mamarracho
monstrous → monstruoso
Montenegrin → montenegrino
month → mes **period of two months** bimestre
monthly → mensual
monument → monumento
monumental → monumental
moo → mugido
moo (to) → mugir
mood → humor; temple **bad mood** mala leche **to be in a bad mood** estar de malas; estar de morros **to be in a foul mood** estar de uñas; subirse por las paredes **to be in a good mood** estar de buenas
moon → luna **moon landing** alunizaje
moor (to) → atracar
mooring → **mooring chain** amarra **mooring rope** amarra
moose → alce
mop → fregona **untidy mop of hair** greña
mop up (to) → rebañar
moral → moral; moraleja
morale → moral
morality → moralidad
morbid → morboso **morbid curiosity** morbo
more → más **more or less** más o menos
moribund → moribundo
morning → mañana; mañanero; matinal; matutino **morning coat** chaqué
Moroccan → marroquí
morpheme → morfema
morphology → morfología
Morse code → morse
mortadella → mortadela
mortal → mortal **mortal remains** restos mortales
mortality → mortalidad
mortar → almirez; mortero
mortgage → hipoteca
mortify (to) → mortificar
mosaic → mosaico
Moslem → moro; musulmán
mosque → mezquita
mosquito → mosquito
moss → musgo
motel → motel
moth → polilla
mother → madre; progenitor **mother superior** superior **mother tongue** lengua materna
motherhood → maternidad
mother-in-law → suegro
motherly → maternal
motif → motivo
motion → **in slow motion** al ralentí
motionless → inmóvil
motivate (to) → motivar
motive → móvil **with an ulterior motive** con segundas
motocross → motocross
motor → motor **motor racing** automovilismo
motorbike → moto; motocicleta
motorcycle → motocicleta
motorcycling → motociclismo
motorcyclist → motociclista; motorista
motorist → automovilista
motorize (to) → motorizar
motorway → autopista
motto → lema
mould → moho; molde
mould (to) → moldear
moulding → moldura
mouldy → mohoso
mound → montículo
mount → caballería; montura
mount (to) → montar
mountain → montaña; montañés; monte; serrano **mountain climbing** montañismo **mountain range** cordillera; sierra **mountain stream** torrente
mountaineer → alpinista; escalador; montañero
mountaineering → alpinismo; montañismo
mountainous → montañoso
mourning → duelo; luto

mouse → ratón
mousehole → ratonera
mousetrap → ratonera
mousse → mousse
moustache → bigote; mostacho
mouth → boca; desembocadura **mouth organ** armónica **to make one's mouth water** hacerse la boca agua
mouthful → bocado
mouthpiece → boquilla
mouthwash → elixir
movable → móvil
move → mudanza **to get a move on** menear
move (to) → conmover; correr; desplazar; enternecer; mover; mudar; pasar; retirar; transitar; trasladar **to move aside** retirar **to move away** alejar **to move back** retroceder
movement → evolución; meneo; movimiento; tránsito
movie theatre → cine
movie-making → cinematografía
moving → conmovedor
mow (to) → segar
mower → segador; segadora
Mozarab → mozárabe
Mozarabic → mozárabe
Mr → don; señor
Mrs → doña; señor
much → **not much** poco
muck → pringue
mucous membrane → mucosa
mucus → moco
mud → barro; fango; lodo
muddle → barullo; embrollo; enredo; maraña; taco
muddle (to) → embarullar **to muddle up** enmarañar
muddled → **to get muddled up** embarullar
muddy → turbio **to make muddy** enturbiar
mudguard → guardabarros
muffle (to) → amortiguar
mug → primo
mug (to) → atracar
mugging → atraco
mulatto → mulato
mulberry → mora **mulberry tree** moral
mule → mulo
multicellular → pluricelular
multicoloured → multicolor
multimedia → multimedia
multimillionaire → multimillonario
multinational → multinacional
multiple → múltiple; múltiplo
multiplication → multiplicación
multiply (to) → multiplicar
mum → mama; mamá
mumble (to) → mascullar
mummify (to) → momificar
mummy → mama; mamá; momia
mumps → paperas
municipal → municipal **municipal area** término municipal **municipal register** padrón
municipality → municipio
mural → mural
murder → asesinato; asesino; homicidio
murder (to) → asesinar
murderer → asesino
murderous → asesino
murmur → murmullo; rumor; susurro
murmur (to) → musitar; susurrar
muscle → músculo **muscles** musculatura
muscular → muscular; musculoso
muse → musa
museum → museo
mushroom → champiñón; hongo; seta
music → música **music stand** atril
musical → musical
musician → maestro; músico
musketeer → mosquetero
Muslim → mahometano; moro; musulmán
mussel → mejillón
must → deber de
mustachioed → bigotudo
mustard → mostaza
mutation → mutación
mute → mudo
mutilate (to) → mutilar
mutiny → motín
mutiny (to) → amotinar
mutt → chucho
mutter (to) → hablar entre dientes; mascullar; murmurar
mutual → mutuo
muzzle → bozal
my → mi
mycology → micología
myrrh → mirra
myself → me; mismo
mysterious → misterioso
mystery → enigma; incógnita; misterio
mystic → místico
mystical → místico
mysticism → mística
myth → mito
mythical → mítico
mythology → mitología

N

nail → clavo; uña **nail clippers** cortaúñas **nail file** lima **nail varnish** esmalte; pintaúñas **to hit the nail on the head** dar en el clavo
nail (to) → clavar
naive → iluso; inocente
naivety → inocencia
naked → desnudo; en cueros; en pelotas
name → apelativo; denominación; nombre **great name** gloria
namesake → tocayo
nap → **to have a nap** echar una cabezada
nape of the neck → cogote; nuca
napkin → servilleta **napkin ring** servilletero
nappy → pañal
narcissist → narcisista
narcissistic → narcisista
narcissus → narciso
narcotic → estupefaciente; narcótico
nard → nardo
narration → narración
narrative → narrativa
narrator → narrador
narrow → angosto; estrecho **to make narrower** estrechar
narrowing → estrechamiento
narrowness → estrechez
nasal → nasal
nastiness → mala baba; mala leche
nasty → desapacible; feo **nasty piece of work** víbora
nation → nación
national → nacional **national service** mili; servicio militar **national team** selección
nationalism → nacionalismo
nationalist → nacionalista
nationality → nacionalidad
native → aborigen; autóctono; hijo; indígena; nativo; natural; originario
Nativity scene → belén; nacimiento
natter (to) → cascar
natural → natural; sencillo
naturalness → naturalidad
nature → naturaleza
naturist → naturista
naughty → pillo; revoltoso; travieso
nausea → náusea
nauseating → nauseabundo

nautical → náutico
naval → naval
Navarrese → navarro
nave → nave
navel → ombligo
navigable → navegable
navigation → náutica; navegación
navigator → navegante
navy → armada; marina; marino
Nazi → nazi
neanderthal → cavernícola
near → al lado; cerca; junto; próximo **to get near** acercar **to get nearer** acercar
nearby → cercano
nearly → casi; por poco
nearness → cercanía
neat → chachi; cuco; curioso; pulcro
necessarily → a la fuerza
necessary → necesario; preciso **not to be necessary** estar de más **to be necessary** hacer falta
necessity → necesidad
neck → cuello; mástil; pescuezo
necklace → collar
neckline → escote
nectar → néctar
need → estrechez
need (to) → llevar; necesitar; pedir; precisar
needle → aguja
needlework → labor
needy → desvalido; necesitado
negative → negación; negativo
neglect → abandono
neglect (to) → descuidar
negligence → descuido; negligencia
negotiate (to) → negociar
neigh → relincho
neigh (to) → relinchar
neighbour → vecino
neighbourhood → barriada; barrio; vecindario
neighbouring → vecino
neither → ni; tampoco
Neolithic → neolítico
neologism → neologismo
nephew → sobrino
nerve → frescura; nervio; osadía **nerves** nervio
nervous → inquieto; nervioso
nest → nido
nest (to) → anidar
net → neto; red **Net user** internauta
nettle → ortiga **nettle rash** urticaria
network → red
neurology → neurología
neurone → neurona
neuter → neutro
neutral → neutral
neutralize (to) → neutralizar
neutron → neutrón
never → en la vida; jamás; nunca
nevertheless → embargo; no obstante
new → nuevo **from New Zealand** neozelandés **like new** nuevo **new moon** Luna nueva **new thing** novedad **New Year's Eve** nochevieja **New Zealander** neozelandés
newness → novedad
news → **news preview** avance **news programme** informativo **piece of news** noticia
newspaper → periódico; rotativo **newspaper library** hemeroteca
next → a continuación; próximo; siguiente **next to** al lado; junto
NGO → ONG
nib → gavilán
nibble (to) → mordisquear; picar
Nicaraguan → nicaragüense
nice → agradable; amable; bien; bueno; guapo; majo; simpático **nice gesture** detalle **nice thing** chulada **nice thought** detalle **not nice** feo **really nice** chulo **to be nice** enrollar **to look nice** entrar por los ojos
nicely → por las buenas
niche → nicho
nick → muesca
nick (to) → afanar; mangar; mellar
nickname → apodo; mote; sobrenombre
nicotine → nicotina
niece → sobrino
night → noche; nocturno **good night** buenas noches **last night** anoche **night watchman** sereno **the night before last** anteanoche
nightclub → discoteca
nightdress → camisón
nightfall → anochecer **to be at nightfall** anochecer
nightie → camisón
nightingale → ruiseñor
nightmare → pesadilla
nine → nueve **nine hundred** novecientos
nineteen → diecinueve
nineteenth → decimonoveno; diecinueve; diecinueveavo
ninetieth → nonagésimo; noventavo
ninety → noventa
ninth → noveno; nueve
nip → chupito; pellizco
nipper → churumbel
nipple → pezón; tetilla
nitrogen → nitrógeno
no → ningún **no less** nada menos **no way** de ninguna manera; ni a la de tres; ni a tiros; ni hablar; ni pensarlo
nobility → nobleza
noble → bello; grande; noble
nobleman → hidalgo
nobody → cristo; nadie; ninguno **to be a nobody** ser el último mono
nocturnal → nocturno
nod → cabezada
nod (to) → cabecear **to nod one's head** cabecear
noise → ruido
noisy → bullicioso; escandaloso; estrepitoso; ruidoso
nomad → nómada
nomadic → nómada
nominal → nominal
nominate (to) → nominar
nonbeliever → infiel
none → ninguno
nonexistent → inexistente
non-Gypsy → payo
nonsense → desvarío; pamplina; qué va **piece of nonsense** absurdo; barbaridad; bobada; contrasentido; parida
noodle → fideo; tallarín
nook → recoveco
noon → mediodía
nor → ni; tampoco
Nordic → nórdico
norm → norma
normal → corriente; lógico; normal
normality → normalidad
normative → normativo
north → boreal; norte **North African** moro **North American** norteamericano
northeast → nordeste; noreste
northern → boreal; septentrional
northwest → noroeste
Norwegian → noruego
nose → morro; nariz; olfato **nose and throat specialist** otorrinolaringólogo **to have a runny nose** moquear
nostalgia → añoranza; nostalgia
nostril → fosa nasal; ventana
nosy → preguntón
not → no **not at all** en absoluto; qué va
notable → notable **notary public** notario
notch → muesca

note → anotación; apunte; billete; justificante; nota **notes** guion
note down (to) → anotar; apuntar
notebook → cuaderno; libreta
notepad → bloc
nothing → cosa; nada; ni jota; un pimiento **as if nothing had happened** como si tal cosa; tan campante; tan pancho **to be nothing special** no ser nada del otro jueves; no ser nada del otro mundo
notice → aviso; letrero **notice board** panel; tablero; tablón de anuncios
notice (to) → advertir; fijar; notar; observar; percatarse; reparar
noticeable → notable
notify (to) → notificar
notion → noción
nought → cero
noun → nombre; sustantivo
nourish (to) → nutrir
nourishing → nutritivo
novel → novela
novelist → novelista
novelty → novedad
November → noviembre
novice → novato; novicio
now → ahora; aquí; hoy; hoy en día; ya **from now on** de aquí en adelante
nowadays → hoy; hoy en día
nuance → matiz
nuclear → nuclear
nucleus → núcleo
nude → desnudo
nudist → nudista
nugget → pepita
nuisance → chinche; engorro; estorbo; fastidio; gracia; lapa; moscardón; puñeta **to be a nuisance** dar la murga
null and void → nulo
numb → insensible **to go numb** adormecer; dormir **to make numb** entumecer
numb (to) → entumecer
number → cantidad; cifra; dorsal; modelo; número **number plate** matrícula; placa
number (to) → numerar
numeral → numeral **numerals** numeración
numerator → numerador
numerical → numérico
numerous → numeroso
numismatics → numismática
nun → monje; religioso
nunnery → convento
nurse → enfermero; practicante
nurse (to) → criar
nursemaid → chacha
nursery → cantera; criadero; vivero **nursery school** guardería; parvulario
nursing → crianza
nut → coco; fruto seco; tarro; tuerca **to be nuts** estar como un cencerro
nutcrackers → cascanueces
nutmeg → nuez moscada
nutrition → nutrición
nutritious → nutritivo
nylon → nailon
nymph → ninfa

O

oaf → bruto; paleto; troglodita
oafish → paleto
oak → **oak tree** roble **oak wood** robledal
oar → remo
oasis → oasis **oasis of peace** remanso de paz
oath → juramento
oats → avena
obedience → obediencia
obedient → dócil; obediente
obelisk → obelisco
obese → obeso
obesity → obesidad
obey (to) → acatar; obedecer; respetar
obituary notice → esquela
object → objeto
object (to) → objetar
objection → objeción; reparo
objective → objetivo
objector → objetor
obligation → obligación
obligatory → forzoso; obligatorio
obliging → complaciente; servicial
oblique → oblicuo
oblong → oblongo
obnoxious → repelente
oboe → oboe
obscene → obsceno
obscure → oscuro
obscurity → oscuridad
observant → observador
observation → observación
observatory → observatorio
observe (to) → observar
observer → observador
obsessed → obseso
obsession → fiebre; neura; obsesión
obsolete → obsoleto
obstacle → obstáculo; traba
obstinacy → terquedad
obstinate → obstinado
obstruct (to) → contrariar; entorpecer; obstaculizar
obtain (to) → conseguir; obtener; sacar
obtaining → obtención
obtuse → obtuso
obtuse-angled → obtusángulo
obverse → anverso
obvious → evidente; notorio; obvio **to be blindingly obvious** saltar a la vista **to be obvious** notar
occasion → ocasión
occasional → ocasional
occidental → occidental
occult → **the occult** ocultismo
occultism → ocultismo
occupant → ocupante
occupation → ocupación
occupy (to) → extender; ocupar
occupying → ocupante
occur (to) → ocurrir
occurrence → suceso
ocean → océano **ocean liner** transatlántico
oceanic → oceánico
ochre → ocre
octagon → octógono
octagonal → octogonal
octahedron → octaedro
October → octubre
octopus → pulpo
octosyllabic → octosílabo
octosyllable → octosílabo
ocular → ocular
odd → impar; non; raro; suelto; tanto **odd job** chapuza **odd number** non
oddball → bicho raro
ode → oda
odontologist → odontólogo
odontology → odontología
odourless → inodoro
oesophagus → esófago
of → de; entre
off → apagado **to be off** abrir; librar
off-centre → **to put off-centre** descentrar
off-colour → pocho
offcut → retal; retazo
offence → agravio; delito; infracción; ofensa

offend (to) → ofender
offended → **to be offended** tomar a mal
offender → reo
offensive → ofensiva; ofensivo
offer → oferta; ofrecimiento
offer (to) → brindar; ofrecer; prestar
offering → ofrenda
office → despacho; oficina **office boy** ordenanza **office worker** administrativo; oficinista
officer → oficial
official → oficial
offload (to) → descargar
offspring → prole
off-white → crudo; hueso
often → a menudo
ogive → ojiva
ogre → ogro
oh! → ¡ah!; ¡ay!; ¡oh! **oh no!** ¡vaya! **oh yes!** ya
oil → aceite; oro negro; petróleo; petrolero; petrolífero **oil bottle** aceitera **oil can** aceitera **oil lamp** candil; quinqué **oil paint** óleo **oil painting** óleo **oil slick** marea negra **oil tanker** petrolero
oil (to) → engrasar
oilcloth → hule
oiling → engrase
oily → aceitoso
ointment → ungüento
OK → bien; de acuerdo; vale
old → antiguo; rancio; viejo; visto **old age** tercera edad; vejez **old man** abuelo; viejo **old person** mayor **old woman** viejo **to grow old** envejecer **to look older** avejentar **very old** vetusto
older → mayor
old-fashioned → anticuado; carroza
old-style → **old-style bar** mesón **old-style restaurant** mesón
oleander → adelfa
olfactory → olfativo
olive → aceituna; oliva **olive grove** olivar **olive tree** olivo
Olympiad → olimpiada
Olympic → olímpico **Olympic Games** Juegos Olímpicos; olimpiada
ombudsman → defensor del pueblo
omelette → tortilla
omen → augurio; presagio
omission → omisión
omit (to) → omitir
omnipotent → omnipotente
omnivorous → omnívoro
on → a; al; en; en cartel; en torno a; sobre
once → **at once** enseguida **once and for all** de una vez
one → elemento; pieza; un; uno **one's** su
one-act play → entremés
one-armed → manco
one-eyed → tuerto
one-handed → manco
oneself → sí
onion → cebolla
onlooker → mirón
only → solamente; solo; único
only just → apenas
onomatopoeia → onomatopeya
oosphere → oosfera
opal → ópalo
opaque → opaco
open → abierto **in the open** al descubierto
open (to) → abrir; destapar; inaugurar; montar
open-air party → verbena
opened → abierto
opener → abridor
opening → abertura; apertura; entrada; inauguración **opening address** pregón
open-minded → abierto
open-mouthed → boquiabierto
openwork → calado **to do openwork on** calar
opera → ópera **opera house** ópera
operate (to) → manipular; operar **to operate on** intervenir
operating → operativo **operating theatre** quirófano
operation → explotación; funcionamiento; intervención; manipulación; operación
operative → operativo
operator → operador
ophthalmologist → oculista
ophthalmology → oftalmología
opinion → criterio; dictamen; juicio; opinión; parecer
opinionated → petulante
opium → opio
opponent → adversario; contrario; contrincante; oponente
opportune → oportuno
opportunist → aprovechado; oportunista
opportunistic → aprovechado; oportunista
opportunity → ocasión; oportunidad
oppose (to) → oponer
opposed → contrario; opuesto
opposing → adversario; contrario; oponente
opposite → contrario; enfrente **to put opposite** enfrentar
opposition → oposición **to be in opposition** oponer
oppress (to) → agobiar; oprimir
oppressed → **to feel oppressed** agobiar
oppression → opresión
oppressive → agobio; irrespirable
optical → óptico
optician → óptico **optician's** óptica
optics → óptica
optimism → optimismo
optimist → optimista
optimistic → optimista
optimize (to) → optimizar
optimum → óptimo
option → alternativa; opción
optional → opcional; optativo
or → o; u
oracle → oráculo
oral → bucal; oral
orange → naranja **orange blossom** azahar **orange grove** naranjal **orange tree** naranjo
orangeade → naranjada
orangey → anaranjado
orang-outang → orangután
oratory → oratoria
orbit → órbita
orchard → huerto
orchestra → orquesta; patio de butacas **orchestra pit** orquesta
orchid → orquídea
ordeal → calvario; odisea
order → consigna; encargo; mandamiento; mandato; orden; pedido **in order** en regla **in order to** para **to be the order of the day** estar a la orden del día **to put in order** ordenar
order (to) → decretar; encargar; mandar; ordenar
ordering → ordenación
ordinal → ordinal
ordinance → ordenanza
ordinary → corriente; del montón; ordinario; vulgar
oregano → orégano
organ → órgano
organic → orgánico
organism → organismo
organization → organismo; organización **organization chart** organigrama
organize (to) → organizar **to**

have things organized montárselo
to organize oneself organizar
organizer → organizador
organizing → organizador
orgasm → orgasmo
orgy → orgía
Oriental → oriental
orientation → orientación
orifice → orificio
origami → papiroflexia
origin → origen; procedencia
original → original; originario
originate (to) → originar to originate from partir
ornamental → ornamental
ornate → barroco
ornithology → ornitología
orphan → huérfano
orphanage → orfanato
orphaned → huérfano
orthodontics → ortodoncia
orthodox → ortodoxo
orthopaedic → ortopédico
oscillate (to) → oscilar
ostentation → ostentación
ostrich → avestruz
other → demás; otro
otherwise → por lo demás
otitis → otitis
otolaryngology → otorrinolaringología
otter → nutria
ouch! → ¡huy!
ounce → onza
our → nuestro
ours → nuestro
ourselves → nos
out → afuera; apagado; fuera out of something al margen
outbreak → brote; estallido
outburst → arranque; arrebato; estallido; explosión sudden outburst exabrupto
outcast → social outcast marginado
outcome → desenlace
outdated → caduco
outer → exterior outer ear pabellón auditivo
outlandish → estrafalario
outlaw → forajido
outline → boceto; bosquejo; contorno; esquema; silueta
outline (to) → perfilar
outlive (to) → sobrevivir
outlying → periférico
output → producción
outrage → abuso; atropello; ultraje
outrage (to) → ultrajar
outrageous → inaudito
outside → afuera; corteza; exterior; fuera; fuera de
outsider → forastero
outskirts → afuera; periferia
outstanding → aventajado; fuera de serie; pendiente; sobresaliente to be outstanding brillar
oval → oval; ovalado; óvalo
ovary → ovario
ovation → ovación
oven → horno
over → over the moon como unas pascuas over there allá
overall → bata; global
overalls → mono
overcome (to) → doblegar; imponer; invadir; salvar; superar; vencer
overdecorate (to) → recargar
overdose → atracón; sobredosis
overexcited → to get overexcited exaltar to get overexcited acelerar
overfeed (to) → sobrealimentar
overflow (to) → desbordar; rebosar
overflowing → rebosante
overload → sobrecarga
overload (to) → sobrecargar
overpopulated → superpoblado
overpower (to) → reducir
overpowering → to be overpowering atufar
overproduction → superproducción
overripe → pachucho; pocho
overseas → ultramar
oversensitive → susceptible
oversight → olvido
overtake (to) → adelantar; sobrepasar overtaking manoeuvre adelantamiento
overtime → extra
overtone → tinte
overweight → to be overweight sobrepeso
overwhelm (to) → agobiar; apabullar overwhelmed by work ahogado
overwhelming → aplastante
ovine → ovino
oviparous → ovíparo
ovulate (to) → ovular
ovule → óvulo
owe (to) → adeudar; deber
owl → búho
own → propio on one's own a solas to get one's own back desquitarse
own (to) → poseer
owner → amo; dueño; patrón; poseedor; propietario
ownership → propiedad
ox → buey; mulo
oxygen → oxígeno
oyster → aburrirse como una ostra; ostra
ozone → ozono

P

pacemaker → liebre; marcapasos
pachyderm → paquidermo
pacifist → pacifista
pacify (to) → pacificar
pack → baraja; fardo; pack; pelotón pack of hounds jauría
pack (to) → abarrotar; embalar; empaquetar
package → envío; paquete
packaging → envase
packed → a tope
packet → cajetilla; paquete
pact → pacto
pad → bloc; taco
padding → ripio
padlock → candado
paediatrician → pediatra
paella → paella paella pan paellera
pagan → pagano
page → página; paje back page contraportada
pagoda → pagoda
pail → cubo
pain → dolor; gaita; latoso; machacón; muermo pain in the neck paliza; petardo; plasta; plomo; tabarra; tostón slight pain molestia to be a pain hacer la puñeta to be a pain in the neck dar la tabarra to be in great pain rabiar to take great pains esmerarse
painful → doloroso
painless → indoloro
painstaking → minucioso
paint → pintura
paint (to) → pintar to paint a portrait of retratar
paintbrush → brocha; pincel
painter → autor; pintor
painting → cuadro; lienzo; pintura
pair → compañero; par; pareja; tándem to put into pairs emparejar
pair off (to) → emparejar

pal → compinche
palace → palaciego; palacio
paladin → paladín
Palaeolithic → paleolítico
palaeontology → paleontología
palate → paladar
pale → amarillo; pálido **to turn pale** palidecer
paleness → palidez
palette → paleta **palette knife** espátula
palindrome → palíndromo
palindromic → capicúa
pallet → jergón
palm → palma **palm grove** palmeral **palm tree** palma; palmera
pampas → pampa
pamper (to) → mimar
pampering → mimo
pan → cacerola; olla; perol; platillo; pote **to go down the pan** irse a la mierda
Panamanian → panameño
pancake → crepe; tortita
pancreas → páncreas
panda → oso panda; panda
panel → panel; tribunal **panel beater** chapista
panic → pánico
panorama → panorama
pan pipes → flauta de Pan
pansy → pensamiento
pant (to) → jadear
panther → pantera
pantomime → pantomima
pantry → despensa
pap → papilla
papal → papal
papaya → papaya
paper → papel; papeleta **paper bird** pajarita **paper clip** clip **paper doll** monigote **paper handkerchief** kleenex **papers** documentación
paper (to) → empapelar
paperknife → abrecartas
paperweight → pisapapeles
paperwork → papeleo
papilla → papila
paprika → pimentón
papyrus → papiro
parable → parábola
parabola → parábola
parabolic → parabólico
parachute → paracaídas
parachutist → paracaidista
parade → desfile
parade (to) → desfilar
paradigm → paradigma
paradise → paraíso
paradox → paradoja
paragliding → parapente
paragraph → parágrafo; párrafo
Paraguayan → paraguayo
parallel → paralelo
parallelism → paralelismo
parallelogram → paralelogramo
Paralympic → paralímpico
Paralympics → paralimpiada
paralyse (to) → paralizar
paralysis → parálisis
paralytic → paralítico
parameter → parámetro
paranoia → paranoia
parapet → parapeto
paraphernalia → parafernalia
paraphrase (to) → parafrasear
parapsychology → parapsicología
parasite → parásito
parasitism → parasitismo
parasol → parasol; sombrilla
parcel → paquete
parchment → pergamino
pardon → indulto
parents → padre
parish → **parish church** parroquia **parish priest** párroco
parishioners → parroquia
park → parque
park (to) → aparcar; estacionar
parking → estacionamiento **parking meter** parquímetro **parking place** aparcamiento
parliament → congreso; parlamento
parliamentary → parlamentario
parlour → salón
parodical → paródico
parody → parodia
paronym → parónimo
parquet → parqué
parrot → cotorra; loro; papagayo
parsley → perejil
part → casco; papel; parte; porción; tiempo **part of speech** categoría **private parts** parte; vergüenza **to take part** intervenir; participar; tomar parte **to take part in** concursar
partial → parcial
partially → medio
participant → participante
participate (to) → intervenir; participar; terciar
participating → participante
participation → participación
participle → participio
particle → partícula
particular → determinado; particular **in particular** en particular
parting → raya
partition wall → tabique
partner → asociado; pareja; socio
partridge → perdiz
party → convite; fiesta; guateque; parte; partido **party animal** juerguista **party blower** matasuegras
partying → pachanga
paso doble → pasodoble
pass → aprobado; apto; pase; paso; puerto; suficiente **narrow pass** desfiladero **pass with credit** notable
pass (to) → alcanzar; aprobar; cruzar; pasar; recuperar; transcurrir **to pass away** fallecer **to pass its use-by date** caducar **to pass on** contagiar; pasar a mejor vida
passable → pasable
passage → pasadizo; pasaje
passenger → pasajero; viajero **passengers** pasaje
passer-by → viandante
passing remark → inciso
passion → pasión
passionate → pasional
passive → pasivo **passive smoker** fumador pasivo
passiveness → pasividad
passivity → pasividad
Passover → pascua
passport → pasaporte
password → contraseña
past → pasado; pretérito **past its best** caduco **the past** ayer
pasta → pasta
paste → pasta
pastel → pastel
pasteurization → pasteurización
pasteurized → pasteurizado
pastime → pasatiempo
pastoral → pastoral
pastries → bollería
pastrycook → pastelero
pasture → dehesa; pastizal; pasto **to put out to pasture** apacentar
pasty → empanada; empanadilla; pastoso
pat → palmada
patch → culera; mancha; parche **bad patch** bache **patch of hard skin** dureza
pâté → paté
patent → patente **patent leather** charol
paternal → paternal; paterno
paternity → paternidad

path → camino; senda; sendero; vereda
pathetic → patético
pathology → patología
patience → aguante; paciencia; solitario
patient → interno; paciente
patio → patio
patriarch → patriarca
patriot → patriota
patriotism → patriotismo
patrol → patrulla
patrol (to) → patrullar; rondar
patron → mecenas **patron saint** patrón
patter (to) → repiquetear
pattern → estampado; patrón; pauta; plantilla
patterned → estampado
pause → parada; pausa
pave (to) → empedrar; pavimentar
pavement → acera
pavilion → pabellón
paw → zarpa
pawn → peón **in pawn** empeñado
pawn (to) → empeñar
pawned → empeñado
pay → paga
pay (to) → abonar; pagar; remunerar; satisfacer **to pay for** pagar **to pay for itself** amortizar **to pay in** ingresar **to pay off** liquidar **without paying** por el morro
paying off → liquidación
payment → desembolso; pago
pea → guisante
peace → paz; sosiego **peace and quiet** paz; tranquilidad **peace treaty** paz
peaceful → apacible; pacífico
peach → melocotón **peach tree** melocotonero
peacock → pavo real
peak → auge; cima; cumbre; cúspide; pico; visera
peal → toque
peal (to) → repicar **to peal out** repiquetear
peanut → cacahuete
pear → pera **pear tree** peral
pearl → perla
pebble → canto; china; guijarro
peck → picadura; picotazo
peck (to) → picar; picotear **to peck at** picotear
pectoral → pectoral
peculiar → particular; peculiar
pedagogy → pedagogía
pedal → pedal
pedal (to) → pedalear
pedalo → patín
pedestal → pedestal
pedestrian → peatón; peatonal; transeúnte; viandante
pedigree → pedigrí
pediment → frontón
pee → meada **pee stain** meada **to have a pee** mear
pee (to) → **to pee oneself laughing** mear
peel → monda
peel (to) → despellejar; mondar; pelar
peg → clavija
pejorative → despectivo
pelican → pelícano
pellet → perdigón
pelota court → frontón
peloton → pelotón
pelt → **at full pelt** a toda máquina; a todo meter
pelvis → pelvis
pen in (to) → acorralar
penalize (to) → penalizar; sancionar
penalty → penalti; sanción
penance → penitencia
penchant → inclinación
pencil → lapicero; lápiz **pencil case** plumier; portalápiz **pencil sharpener** sacapuntas
pendant → colgante
pending → pendiente
pendular → pendular
pendulum → péndulo
penetrate (to) → adentrarse; penetrar
penetrating → penetrante
penguin → pájaro bobo; pingüino
penicillin → penicilina
peninsula → península
peninsular → peninsular
penis → pene
penitentiary → penitenciaría
penknife → navaja
pennant → banderín
penniless → **to be penniless** estar sin un céntimo
pennyroyal → poleo
pension → jubilación; pensión; retiro
pensioner → jubilado; pensionista
pensive → pensativo
pentagon → pentágono
pentathlon → pentatlón **modern pentathlon** pentatlón moderno
penthouse → sobreático
penultimate → penúltimo
penury → penuria
people → gente; pueblo **for young people** joven; juvenil **young people** juventud
pepper → pimienta; pimiento
per cent → por ciento
perceive (to) → captar; percibir
percentage → porcentaje; tanto por ciento
perceptible → sensible
perception → percepción
perch → perca
percussion → percusión
perennial → perenne
perfect → bordado; perfecto; que ni pintado; redondo
perfect (to) → afinar; perfeccionar
perfection → perfección
perfective → perfectivo
perfidious → pérfido
perforate (to) → perforar
perform (to) → desarrollar; ejecutar; interpretar; representar
performance → actuación; ejecución; faena; función; interpretación; marca; marcha; representación; sesión **to give the first performance of** estrenar
performer → intérprete
perfume → perfume
perfume (to) → perfumar
perfumery → perfumería
pergola → pérgola
perhaps → a lo mejor; acaso; igual; poder; quizá; tal vez
perimeter → perímetro
period → de época; época; era; período; plazo; punto; regla; término
periodical → periódico
peripheral → periférico
periphery → periferia
periphrasis → perífrasis
periscope → periscopio
perish (to) → perecer; sucumbir
perjury → perjurio
perk up (to) → entonar
perm → permanente
permanent → fijo; permanente; perpetuo; titular
permeable → permeable
permission → permiso
permissive → permisivo
permit → licencia
permit (to) → consentir
perpendicular → perpendicular **perpendicular bisector** mediatriz
perpetration → comisión
perpetrator → autor
perpetual → perpetuo

perpetuate (to) → perpetuar
perpetuated → **to be perpetuated** perpetuar
perplexed → perplejo
perplexity → perplejidad
perseverance → constancia; perseverancia
persevere (to) → persistir
persevering → constante
Persian → persa
persimmon → caqui
persist (to) → obstinarse; persistir
persistent → persistente
person → individuo; persona; sujeto; tipo **in person** en persona **person in charge** responsable **person who couldn't care less** pasota **person with a complex** acomplejado
personal → íntimo; personal
personality → personalidad
personalize (to) → personalizar
personify (to) → personificar
personnel → personal
perspective → perspectiva
perspicacious → perspicaz
perspire (to) → transpirar
persuade (to) → convencer; persuadir
pertinent → **to be pertinent** venir a cuento
perturbed → **to be perturbed** inmutarse
Peruvian → peruano
pervert (to) → pervertir
peseta → peseta
peso → peso
pessimism → pesimismo
pessimist → pesimista
pessimistic → pesimista
pest → alimaña; chinche; lapa; moscardón; pedigüeño
pester (to) → atosigar; dar la lata; dar la murga
pesticide → pesticida
pestle → mano
pet → mascota **pet phrase** muletilla **pet shop** pajarería **pet word** muletilla
petal → hoja; pétalo
petanque → petanca
petition → petición
petrified → petrificado **to become petrified** petrificarse
petrochemical → petroquímico
petrol → gasolina **petrol station** gasolinera
petticoat → enagua
petty thief → ratero
petunia → petunia
phanerogam → fanerógamo
phanerogamic → fanerógamo
phantasmagoric → fantasmagórico
pharaoh → faraón
pharisee → fariseo
pharmaceutical → farmacéutico
pharmacist → boticario; farmacéutico
pharmacy → botica; farmacia
pharyngitis → faringitis
pharynx → faringe
phase → ciclo; fase
pheasant → faisán
phenomenal → fenomenal; prodigioso
phenomenon → fenómeno
phial → ampolla
philately → filatelia
Philistine → filisteo
philosophy → filosofía
phloem → floema
Phoenician → fenicio
phone → teléfono **phone book** guía de teléfonos **phone tapping** escucha
phone (to) → llamar; telefonear
phone-in → consultorio
phonetics → fonética
phonograph → fonógrafo
phosphorescence → fosforescencia
phosphorus → fósforo
photo → foto
photocopier → fotocopiadora
photocopy → fotocopia
photocopy (to) → fotocopiar
photograph → fotografía
photograph (to) → fotografiar; retratar
photographer → fotógrafo
photography → fotografía
photosynthesis → fotosíntesis
phrase → sintagma
physical → físico; material **physical education** educación física
physicist → físico
physics → física
physique → físico; tipo
pi → pi
pianist → pianista
piano → piano **piano maker** pianista **piano seller** pianista
picador → picador
pick (to) → escarbar; recoger **to pick at** pellizcar **to pick on** meterse con **to pick up** coger; descolgar; ligar
pickaxe → pico; piqueta
picket → piquete
pickle → escabeche
picklock → ganzúa
pickpocket → carterista
pick-up → ligue
picnic → picnic **picnic spot** merendero
pictogram → pictograma
pictorial → pictórico
picture → estampa; foto **picture card** cromo **picture hat** pamela
picturesque → pintoresco
pie → empanada
piece → cacho; ficha; pedazo; pieza; trozo **pieces** añicos **to break into little pieces** desmenuzar **to go to pieces** derrumbar **to take to pieces** desmontar
pier → muelle
piercing → chillón
pig → cerdo; cochino; gorrino; guarro; lechón; marrano; porcino; puerco **pig killing** matanza
pigeon → paloma **carrier pigeon** mensajero **young pigeon** pichón
pigeonhole → casilla **pigeonholes** casillero
pig-headed → cabezón; cabezota **pig-headed thing to do** cabezonada
pig-headedness → cabezonería
pig-killing time → matanza
piglet → gorrino
pigment → pigmento
pigsty → cloaca; cochiquera; pocilga
pigtail → coleta
pike → lucio
pile → montón; pila **piles** montaña
pile up (to) → amontonar; apelotonar; apilar
pilgrim → peregrino
pilgrimage → romería **to go on a pilgrimage** peregrinar
pill → gragea; pastilla; píldora **the pill** píldora
pillar → pilar
pillock → mamón
pillow → almohada
pilot → piloto **pilot light** piloto
pimp → chulo; macarra; proxeneta
pin → alfiler; clavija; pin; punta **like a new pin** como los chorros del oro
pin (to) → prender
pinafore → delantal **pinafore dress** peto
pincer → pinza; tenaza
pinch → pellizco; pizca
pinch (to) → afanar; mangar; pellizcar
pine → pino **pine cone** piña **pine**

grove pinar **pine nut** piñón **pine tree** pino
pineapple → piña
ping-pong → pimpón; ping-pong
pinion → piñón
pink → rosa; rosado; sonrosado
pinkish → rosáceo
pioneer → pionero
pioneering → pionero
pious → piadoso; pío
pip → pepita
pipe → cañería; caño; conducto; pipa; tubería; tubo
pipeline → oleoducto
pipette → pipeta
piranha → piraña
pirate → pirata
pirate (to) → piratear
pirouette → pirueta
Pisces → piscis
piss (to) → **piss off (to)** joder **to piss oneself laughing** descojonarse
pistachio → **to pistachio** pistacho
pistil → pistilo
pit → foso; hueso
pitch → pez
pitch (to) → plantar
pitcher → cántaro
pitfall → escollo
pith helmet → salacot
pitiful → lamentable; lastimoso
pittance → miseria
pituitary gland → pituitaria
pity → compasión; grima; lástima; pena; piedad **to take pity** apiadarse
pity (to) → compadecer
pizza → pizza
placard → pancarta
place → localidad; lugar; parte; plaza; posición; puesto; sitio **place name** topónimo **place setting** cubierto **to put someone in their place** parar los pies **to take place** desarrollar; discurrir
place (to) → asentar; colocar; depositar; plantar; poner; situar
placenta → placenta
placid → apacible; plácido
plagiarize (to) → fusilar; plagiar
plague → peste; plaga **plague of ants** marabunta
plain → liso; llano; llanura; mondo; vega
plait → trenza
plan → plan; plano; proyecto
plan (to) → planear; planificar; prever; proyectar; urdir
plane → avión; cepillo **plane tree** plátano
plane (to) → cepillar
planet → planeta
planetarium → planetario
plank → tabla; tablón
plankton → plancton
plant → factoría; planta; vegetal **plant stand** jardinera
plant (to) → plantar
plantation → plantación
plaque → placa
plasma → plasma
plaster → escayola; yeso **to put in plaster** enyesar; escayolar
plaster (to) → enyesar
plastic → plástico **plastic arts** plástica
Plasticine → plastilina
plate → chapa; lámina; placa; plato **plate rack** escurreplatos
plateau → meseta **high plateau** altiplano
platform → andén; plataforma; tarima
plating → baño
platinum → platino
play → juego **piece of play** jugada **play on words** juego de palabras **to be child's play** ser coser y cantar
play (to) → caracterizar; disputar; hacer; hacer de; interpretar; jugar; juguetear; tañer; teclear; tocar **to play along** seguir la corriente **to play dirty** jugar sucio **to play down** relativizar **to play fair** jugar limpio **to play in tune** afinar
playacting → pantomima
player → jugador
playful → juguetón
playground → patio
playing card → naipe
playpen → parque
playtime → recreo
plea → súplica
pleasant → agradable; grato
pleasantness → simpatía
please (to) → agradar; complacer; contentar; placer; satisfacer
pleased → contento
pleasure → agrado; goce; gusto; placer **pleasure boat** golondrina
pleat → pinza; pliegue; tabla
plebeian → plebeyo
plectrum → púa
pledge → prenda
pledge (to) → empeñar
plenary session → pleno
plentiful → abundante
plenty of → de sobra
pleura → pleura
pliers → alicate
plot → argumento; complot; conspiración; intriga; maquinación; parcela; solar; trama **plot of land** parcela
plot (to) → conspirar; tejer; tramar; urdir
plough → arado
plough (to) → arar; labrar
plover → chorlito
pluck (to) → desplumar; pelar
plug → enchufe; taco
plug (to) → taponar **to plug in** conectar; enchufar
plum → ciruela **plum tree** ciruelo
plumage → plumaje
plumber → fontanero
plume → penacho
plump → rollizo
plunder (to) → saquear
plundering → saqueo
plunge → zambullida
plunge (to) → precipitar; sumir; zambullir
plunger → desatascador
pluperfect → pluscuamperfecto
plural → plural
plurality → pluralidad
plus → más
plush → felpa; peluche
pneumonia → pulmonía
poach (to) → escalfar
poacher → furtivo
pocket → bolsillo; de bolsillo **pocket money** paga
pocket (to) → embolsarse
pod → vaina
podium → podio
poem → cantar; poema; poesía
poet → poeta
poetess → poetisa
poetic → poético
poetics → poética
poetry → poesía
point → punta; punto; tanto **high point** elevación **on the point of** a punto de **point of view** perspectiva; punto de vista **to get to the point** ir al grano
point (to) → apuntar; orientar **to point at** encañonar; señalar **to point to** acusar
pointed → afilado; picudo; puntiagudo **pointed hat** cucurucho
poison → veneno
poison (to) → envenenar; intoxicar
poisoning → intoxicación

poisonous → tóxico; venenoso
poke (to) → atizar; hurgar **to poke one's nose in** meter las narices
poke with one's elbow → codazo
poker → póker; póquer
polar → polar **polar bear** oso polar
pole → asta; pértiga
Pole → polaco
pole → polo
police → guardia; policía; policial; urbano **police officer** policía **police station** comisaría
policeman → agente; guardia; municipal; policía; urbano
policewoman → agente; guardia; municipal; policía; urbano
policy → política; póliza
polio → polio
poliomyelitis → poliomielitis
Polish → polaco
polish (to) → abrillantar; encerar; pulir
polite → atento; correcto; cortés; educado
politeness → cortesía; urbanidad
political → político **political pamphlet** panfleto
politician → político
politics → política
poll → encuesta; sondeo
pollen → polen
pollinate (to) → polinizar
pollute (to) → contaminar
polluting → contaminante
pollution → contaminación; polución
polo → polo **polo shirt** polo
polyester → poliéster
polyglot → políglota
polygon → polígono
polyhedron → poliedro
polyp → pólipo
polysemous → polisémico
polysemy → polisemia
polysyllabic → polisílabo
polytheist → politeísta
polythene → polietileno
pomegranate → granada **pomegranate tree** granado
pomp → pompa
pompom → pompón
pomposity → pedantería
pompous → pedante; pomposo
poncho → poncho
pond → charca; estanque
ponder (to) → cavilar
pontiff → pontífice
pony → jaca; poni
ponytail → cola de caballo
poo → cagada **to have a poo** cagar
poodle → caniche
poof → marica
pooh → caca
pool → balsa; charca; remanso
poor → flojo; indigente; necesitado; pobre **to make poorer** empobrecer **very poor** ínfimo
poorly → pachucho
pop → gaseosa; pop **pop video** videoclip
pop out (to) → saltar
popcorn → palomita
pope → papa
poplar → álamo; chopo **poplar grove** alameda
poppy → amapola
popular → popular; taquillero **popular song** copla
popularity → popularidad
popularize (to) → popularizar
population → población **population density** densidad de población
porcelain → porcelana **piece of porcelain** porcelana
porch → soportal
porcupine → puerco espín
pore → poro
pork → **pork butcher's shop** charcutería **pork scratching** corteza
pornography → pornografía
porous → poroso
porridge → gachas
port → babor; puerto
portable → portátil
porter → bedel; conserje; portero **porter's lodge** conserjería; garita; portería
portfolio → cartera
porthole → ojo de buey
portico → atrio; pórtico
portion → parte; porción; ración
portrait → retrato
portrayal → retrato
Portuguese → portugués
pose → actitud; pose
pose (to) → posar
posh → pijo
position → cargo; colocación; orientación; plaza; posición; postura; puesto; situación
position (to) → situar
positioning → colocación
positive → positivo
possess (to) → poseer
possessed → poseso
possession → posesión **to take possession** adueñarse
possessive → posesivo
possibility → posibilidad
possible → posible **to be possible** caber **to make it possible** permitir **to make possible** posibilitar
post → cargo; correo; cuartelillo; estaca; palo; plaza; poste; puesto **important post** alto cargo **post office** correo **post office box** apartado
post (to) → destinar
postal → postal
postcard → postal
postcode → código postal
poster → cartel; póster
posterity → posteridad
posthumous → póstumo
posting → destino
postman → cartero
postmark → matasellos
postmortem → autopsia
postpone (to) → aplazar; posponer; prorrogar; retardar; retrasar
postponement → aplazamiento; prórroga
postscript → posdata
posture → postura
postwar period → posguerra
postwoman → cartero
posy → ramillete
pot → cacharro; perol; tarro
potato → papa; patata **potato field** patatal
potential → potencial
potentially → en potencia
pothole → bache
potholing → espeleología
potion → brebaje; pócima; poción
potter → alfarero
pottery → alfarería; cerámica **piece of pottery** cerámica
potty → orinal
poultry → avícola **poultry farming** avicultura **poultry keeping** avicultura **poultry shop** pollería
pounce on (to) → abalanzarse
pound → libra
pour (to) → chorrear; verter **to pour with rain** diluviar
pout (to) → hacer pucheros
poverty → penuria; pobreza **extreme poverty** miseria
poverty-stricken → miserable
powder → polvo
power → facultad; fluido; poder; potencia; virtud **power cut** apagón

power of attraction gancho **power station** central
powerful → poderoso; potente
practical → práctico **practical joke** broma pesada; inocentada; novatada
practice → ejercicio; práctica
practise (to) → cultivar; ejercer; practicar; profesar
practising → practicante
pragmatic → pragmático
prairie → pradera
praise → alabanza; elogio
praise (to) → alabar; elogiar; exaltar; ponderar **to praise to the skies** poner por las nubes
prattle on (to) → cotorrear; parlotear
prawn → gamba; langostino
pray (to) → orar; rezar
prayer → oración; plegaria; rezo
praying mantis → mantis
preach (to) → predicar
preacher → predicador
preamble → preámbulo
precarious → precario
precede (to) → preceder
precedent → precedente
preceding → antecedente; precedente
precept → precepto
precious → preciado; precioso **precious stone** piedra preciosa **precious stones** pedrería
precipice → barranco; precipicio
precipitation → precipitación
precision → precisión; rigor
precocious → adelantado; precoz; repipi
precursor → precursor
predator → depredador
predecessor → antecesor
predestine (to) → predestinar
predicate → atributo; predicado; predicativo
predicative → predicativo
predict (to) → predecir; pronosticar
prediction → predicción
predilection → predilección
predispose (to) → predisponer
predominance → predominio
predominant → dominante
predominate (to) → predominar
pre-empt (to) → anticipar
pre-established → preestablecido
prefabricated → prefabricado
preface → prefacio
prefer (to) → preferir
preferable → preferible
preference → preferencia
prefix → prefijo
pregnancy → embarazo
pregnant → embarazada; en estado; encinta; preñada **to make pregnant** preñar
prehistoric → prehistórico
prehistory → prehistoria
prejudge (to) → prejuzgar
prejudice → prejuicio
preliminary → preliminar
prelude → preludio
premature → prematuro **two months premature** sietemesino
premeditation → alevosía; premeditación
premiere → estreno
premiere (to) → estrenar
premises → local
premium → prima
premolar → premolar
premonition → premonición; presentimiento
preparation → preparación; preparativo; previsión
prepare (to) → acondicionar; poner; preparar **to prepare mentally** mentalizar
preponderance → preponderancia
preposition → preposición
prepositional → preposicional
preschool → preescolar
prescribe (to) → prescribir; recetar
prescription → receta
presence → presencia
present → asistente; cortesía; obsequio; presente; regalo **those present** asistencia **to be present at** presenciar
present (to) → presentar
presentation → entrega; presentación
presenter → presentador
preservative → conservante
preserve → confitura; coto
preserve (to) → conservar; preservar
preside over (to) → presidir
presidency → presidencia
president → presidente; rector
press → prensa
press (to) → apretar; oprimir; presionar; pulsar
pressing → imperioso
pressure → presión **pressure cooker** olla a presión **to put pressure on** apurar; presionar
prestige → prestigio
presumed → presunto
presumption → presunción
presuppose (to) → presuponer
pretence → disimulo
pretend (to) → aparentar; disimular; fingir
pretentious → cursi; pedante; pretencioso; redicho **pretentious thing** cursilada
pretentiousness → pedantería
preterite → pretérito
pretext → pretexto
pretty → lindo
prevail (to) → prevalecer
prevent → prevenir
prevent (to) → impedir; prevenir
previous → antecedente; anterior; previo
prey → presa
price → cotización; precio; tasa **at any price** a toda costa **price list** tarifa
prick → picha; pinchazo; polla; rabo
prick (to) → pinchar **to prick up one's ears** poner la antena
prickle → pincho; púa
prickly pear → chumbera; higo chumbo
pride → orgullo; soberbia
priest → clérigo; cura; presbítero; religioso; sacerdote; secular
primary → primario **primary education** primario
prime minister → primer ministro
primer → cartilla; cebo
primitive → primitivo
prince → infante; príncipe
princess → princesa
principality → principado
principle → principio
print → estampa
print (to) → estampar; imprimir
print run → tirada
printed → impreso **printed matter** impreso
printer → impresor; impresora **printer's** imprenta
printing → imprenta; impresión **printing press** prensa
prior → previo
priority → preferencia; prioridad; prioritario
prism → prisma
prison → cárcel; penal; prisión **prison governor** alcaide **to put in prison** aprisionar
prisoner → presidiario; preso; prisionero; recluso

private → particular; privado; soldado
privateer → corsario
privations → privación
privatize (to) → privatizar
privilege → privilegio
privileged → privilegiado
prize → galardón; premio
pro- → pro
probability → probabilidad
probable → fácil; probable
probe → sonda
problem → problema; puñeta **problem page** consultorio **to cause problems** dar guerra **to have real problems** volverse mico
proboscis → trompa
procedure → procedimiento
proceed (to) → proceder; proceder a
process → proceso **in the process of** en vías de
process (to) → procesar; tramitar; tratar
procession → procesión; romería
processor → procesador
proclaim (to) → pregonar; proclamar
proclamation → bando
procreate (to) → procrear
prod (to) → pinchar
prodigy → prodigio
produce (to) → echar; elaborar; producir; realizar
producer → productor
producing → productor
product → derivado; manufactura; producto
production → elaboración; emisión; fabricación; producción; realización **production team** producción
productive → productivo **to be productive** rendir
profess (to) → profesar
profession → profesión
professional → profesional
profile → perfil
profit → beneficio; ganancia
profit (to) → sacar partido
profitable → lucrativo; rentable
profound → hondo; profundo
prognosis → pronóstico
program → programa
program (to) → programar
programme → espacio; programa **programmes** programación
programme (to) → programar
programming → programación
progress → marcha; progreso **to make progress** avanzar; progresar
progress (to) → adelantar
progressive → progresista; progresivo
prohibition → prohibición
project → proyecto
project (to) → proyectar
projectile → proyectil
projection → proyección; saliente
projector → proyector
proletarian → proletario
proliferate (to) → proliferar
prolific → fecundo; fértil
prologue → prólogo
prolong (to) → dilatar; prolongar
prolongation → prolongación
promenade → alameda
promise → promesa
promise (to) → prometer
promising → halagüeño **to be promising** prometer
promissory note → pagaré
promote (to) → ascender; impulsar; promocionar; promover
promotion → promoción
promptness → prontitud
prone → propenso
pronominal → pronominal
pronoun → pronombre
pronounce (to) → pronunciar
pronouncement → **to make a pronouncement** pronunciar
proof → constancia; prueba
-proof → a prueba de
proofreader → corrector
propaganda → propaganda
propel (to) → impulsar; propulsar
propeller → hélice
propelling pencil → portaminas
proper → como Dios manda
properly → como Dios manda
property → bien; cualidad; efecto; finca; hacienda; propiedad; virtud
prophecy → profecía
prophet → profeta
propitious → propicio
proportion → proporción **in proportion** proporcionado
proportional → proporcional
proportionate → proporcional
proposal → proposición; propuesta
propose (to) → proponer
prose → prosa
prosecution → acusación
prospect → expectativa; perspectiva
prospector → buscador
prosper (to) → prosperar
prosperous → próspero
prosthesis → prótesis
prostitute → puto
prostitution → prostitución
prostrate oneself (to) → postrarse
protect (to) → amparar; arropar; defender; guarecer; proteger; resguardar **protected species** animal protegido
protection → amparo; protección
protective → protector
protector → protector
protégé → recomendado
protégée → recomendado
protein → proteína
protest → protesta
protest (to) → protestar
Protestantism → protestantismo
protocol → protocolo
proton → protón
prototype → prototipo
protuberance → prominencia
proud → orgulloso; soberbio; ufano **proud of it** a mucha honra **to be proud** enorgullecerse **to be proud of something** tener a gala
prove (to) → acreditar; demostrar; probar **to prove to be false** desmentir
proverb → proverbio; refrán
provide (to) → abastecer; proveer; suministrar **to provide with** facilitar
providential → providencial
province → provincia
provincial → provincial; provinciano
provision → provisión
provisional → eventual; provisional
provisions → víveres
provocative → provocativo
provoke (to) → provocar
prow → proa
prowl about (to) → merodear
proximity → cercanía; proximidad
prudent → previsor; prudente
prune (to) → podar
pruning → poda **pruning shears** podadera
pry (to) → curiosear; fisgar; fisgonear
psalm → salmo
pseudonym → seudónimo
psychiatrist → psiquiatra; siquiatra
psychiatry → psiquiatría; siquiatría
psychic → psíquico
psychoanalysis → psicoanálisis; sicoanálisis
psychologist → psicólogo; sicólogo
psychology → psicología; sicología
psychopath → psicópata; sicópata
pub → pub

puberty → pubertad
pubic bone → pubis
pubis → pubis
public → público **public announcement** pregón **public opinion** opinión pública **public prosecutor** fiscal
publication → publicación
public-spiritedness → civismo
publish (to) → editar; publicar
publisher → editor; editorial
publishing → edición; editorial
puddle → charco
puerile → pueril
puff → soplido; soplo **puff pastry** hojaldre; milhojas
puff and pant (to) → resoplar
pull → tirón
pull (to) → tirar; torcer **to pull away** descolgar **to pull on** calar **to pull out** arrancar
pulley → polea
pullover → jersey; pulóver
pulmonary → pulmonar
pulp → pulpa
pulse → legumbre; pulso
pulverize (to) → pulverizar
puma → puma
pump → bomba; surtidor
pump (to) → bombear
pumpkin → calabaza
punch → hostia; mamporro; ponche; puñetazo; punzón
punctual → puntual
punctuality → puntualidad
punctuate (to) → puntuar
punctuation → puntuación
puncture → pinchazo
punish (to) → castigar
punishment → castigo; pena
punk → punk
puny → canijo; enclenque; escuchimizado; esmirriado
pupil → alumno; niña; pupila **pupils** alumnado
puppet → fantoche; marioneta; muñeco; títere **puppet theatre** guiñol
puppeteer → titiritero
puppy → cachorro
purchase → adquisición; compra
purchaser → comprador
pure → de ley; puro
purée → papilla; puré
purgatory → purgatorio
purge → depuración
purging → depuración
purification → depuración
purify (to) → depurar; purificar
purity → pureza
purple → morado; púrpura
purpose → fin; finalidad **on purpose** a propósito; adrede; aposta
purr (to) → ronronear
purse → monedero
pursuit → acoso; persecución
pus → pus
push → empellón; empujón
push (to) → apretar; empujar
pussy → minino
put (to) → acomodar; colar; colocar; depositar; disponer; echar; meter; plantar; poner **to put across** atravesar **to put aside** desechar **to put away** alejar **to put back** atrasar; devolver **to put before** anteponer **to put forward** adelantar; alegar; exponer; oponer; proponer **to put in** poner **to put it there** chocar **to put off** dar largas; posponer **to put on** echar; poner **to put out** apagar; extinguir; sofocar **to put right up to** pegar **to put together** acoplar; juntar; montar **to put up** albergar; alojar; hospedar; subir **to put up with** chupar
put-down → corte
putrefaction → podredumbre
putting out → extinción
puzzle → enigma; puzzle; rompecabezas
pygmy → pigmeo
pyjamas → pijama
pylon → torre
pylorus → píloro
pyramid → pirámide
pyramidal → piramidal
Pyrenean → pirenaico
pyrite → pirita
pyromaniac → pirómano

Q

quack → graznido; matasanos
quack (to) → graznar
quadrangular → cuadrangular
quadrant → cuadrante
quadrennium → cuatrienio
quadrilateral → cuadrilátero
quadruped → cuadrúpedo
quadruple → cuádruple
quagmire → barrizal
quail → codorniz
qualification → clasificación
qualified → cualificado
qualifier → calificativo
qualify (to) → clasificar
qualifying → calificativo **qualifying round** eliminatoria
qualitative → cualitativo
quality → calidad; cualidad **qualities** dote
quantitative → cuantitativo
quantity → cantidad; cuantía **quantity surveyor** aparejador
quarantine → cuarentena
quarrel → altercado; bronca; disgusto; disputa; pelea; riña
quarrel (to) → pelear; regañar; reñir
quarry → cantera
quarter → cuarto; trimestre
quartet → cuarteto
quartz → cuarzo
quatrain → cuarteto
quay → embarcadero
queen → reina
queer → marica
quench (to) → apagar; matar; saciar
question → consulta; cuestión; duda; interrogación; interrogante; pregunta **question mark** interrogación
question (to) → cuestionar; interrogar; poner en tela de juicio
questionnaire → cuestionario
queue → cola
quick → ligero; rápido; veloz **as quick as a flash** como una exhalación
quicken (to) → aligerar
quickly → al vuelo; aprisa; deprisa
quiet → callado; silencioso **to be quiet** callar
quiff → tupé
quill → cañón
quince → membrillo **quince jelly** membrillo **quince tree** membrillo
quintuple (to) → quintuplicar
quite → bastante **quite a** menudo
quiver (to) → temblar
quota → cuota
quotation → cita
quote (to) → citar
quotient → cociente; coeficiente

R

rabbi → rabino
rabbit → conejo **young rabbit** gazapo
rabble → chusma
rabid → rabioso
rabies → rabia
race → carrera; género; raza
racecourse → hipódromo
racetrack → hipódromo
racial → racial
racing car → bólido
racism → racismo
racist → racista
rack one's brains (to) → romperse la cabeza
rack-and-pinion railway → cremallera
racket → alboroto; algarabía; barullo; bulla; bullicio; chanchullo; escándalo; guirigay; raqueta **to make a racket** alborotar
racoon → mapache
radar → radar
radiant → radiante
radiation → radiación
radiator → radiador
radical → radical
radio → radio; radiofónico **radio and television** radiotelevisión **radio cassette** radiocasete **radio station** radio **radio transmitter** radiotransmisor
radioactive → radiactivo
radioactivity → radiactividad
radish → rábano
radius → radio
raffle → rifa; sorteo
raffle (to) → rifar; sortear
raft → balsa
rag → harapo
rag-and-bone → **rag-and-bone man** trapero **rag-and-bone woman** trapero
rage → berrinche; furia; furor; ira; rabia **to fly into a rage** montar en cólera
ragged → andrajoso; desharrapado
raging → furioso; voraz
raid → asalto; redada
raid (to) → asaltar
rail → carril; raíl
railings → enrejado; verja **to put railings on** enrejar
railway → ferrocarril; ferroviario **railway worker** ferroviario
rain → lluvia **rain gauge** pluviómetro
rain (to) → llover **to rain down on** llover **to stop raining** escampar
rainbow → arco iris
raincoat → gabardina; impermeable
rainproof → impermeable
rainy → lluvioso
raise (to) → alzar; elevar; empinar; enarcar; encaramar; erguir; levantar; oponer; plantear; subir
raisin → pasa
raising → elevación
rake → calavera; rastrillo
rally → concentración; mitin; rally
ram → carnero
Ramadan → ramadán
ramble (to) → divagar
rambler → excursionista
ramp → rampa
ramshackle → destartalado
ranch → rancho
rancid → rancio
random → aleatorio **at random** al azar
randy → cachondo
range → abanico; alcance; autonomía; gama
rank → fila; grado; rango; ranquin **ranks** fila
ransom → rescate
rape → violación
rape (to) → forzar; violar
rapids → rápido
rapist → violador
rapturous → cerrado
rare → raro
rarely → **very rarely** de tarde en tarde
rarity → rareza
rascal → golfo; granuja
rash → erupción; temerario
raspberry → frambuesa; pedorreta
rat → rata **rat poison** matarratas
rate → ritmo; tarifa
ration (to) → racionar
rational → racional
rattle → sonajero
rattle its beak (to) → crotorar
raven → cuervo
raver → juerguista
rave-up → juerga
ravine → barranco; hoz; tajo
ravioli → ravioli
raw → crudo; en bruto; en carne viva **raw material** materia prima
ray → raya; rayo
razor → maquinilla **razor blade** cuchilla
razor-shell → navaja
re → re
reach → **out of reach** fuera del alcance
reach (to) → alcanzar; cerrar; ganar; llegar **to reach a peak** culminar **to reach port** arribar **to reach the top of** coronar
react (to) → reaccionar **not to be able to react** bloquear; quedarse en blanco
reaction → reacción
reactivate (to) → reactivar
read (to) → leer **to read the riot act** leer la cartilla
read through → pasada
reader → lector
reading → lectura; recital **reading matter** lectura
readjust (to) → reajustar
readmit (to) → readmitir
ready → a punto; listo **to get ready** arreglar
reaffirm (to) → reafirmar
real → de carne y hueso; de verdad; legítimo; real; verdadero **real estate agency** inmobiliaria
realism → realismo
realist → realista
realistic → realista
reality → realidad
realize (to) → caer en la cuenta; entender; materializar **to be realized** cumplir
really → de veras; sí
reap (to) → cosechar; segar
reaper → segador; segadora
reaping → siega
reappear (to) → reaparecer; rebrotar
rear → posterior; retaguardia; trasero
rear (to) → criar **to rear up** encabritarse
rearguard → retaguardia
rearing → crianza
rear-view mirror → retrovisor
reason → motivo; porqué; razón **for no apparent reason** sin motivo aparente **for no reason** por las buenas **for one reason or another** por hache o por be
reason out (to) → razonar
reasonable → módico; razonable

reasoning → razonamiento
reassure (to) → tranquilizar
reassuring → tranquilizante
rebel → rebelde
rebel (to) → rebelarse; sublevar
rebellion → rebelión
rebellious → rebelde
rebelliousness → rebeldía
reborn → **to be reborn** renacer
rebound → rebote
rebus → jeroglífico
receding hairline → entrada
receipt → justificante; recepción; recibo; tique
receive (to) → acoger; captar; percibir; recibir
receiver → receptor
recent → fresco; reciente
recently → recién
receptacle → recipiente
reception → acogida; banquete; recepción; recibimiento
receptionist → recepcionista
receptive → receptivo
recharge (to) → recargar
rechargeable → recargable
recipe → receta
recipient → receptor
reciprocal → recíproco
recital → recital
recite (to) → declamar; recitar
reckless → temerario
recluse → ermitaño
reclusion → encierro
recognition → reconocimiento
recognize (to) → conocer; reconocer
recoil → retroceso
recommend (to) → recomendar
recommendation → indicación; recomendación
reconcile (to) → reconciliar
reconquest → reconquista
reconsider (to) → recapacitar
reconstruct (to) → reconstruir
record → disco; expediente; historial; palmarés; plusmarca; récord **record collection** discoteca **record player** tocadiscos
record (to) → grabar; registrar
recorder → flauta dulce
recording → grabación
recount → recuento
recount (to) → relatar
recover (to) → recobrar; recuperar; rehacer; reponer; restablecer
recovery → curación; recuperación
recreate (to) → recrear
recreation ground → columpio
recreational → lúdico; recreativo
recruit → recluta
recruit (to) → reclutar
rectangle → rectángulo
rectangular → rectangular
rectify (to) → rectificar; subsanar
rector → rector
rectum → recto
recuperation → recuperación
recyclable → reciclable
recycle (to) → reciclar
recycled → reciclado
recycling → reciclado
red → colorado; encarnado; rojo; tinto **red hot** al rojo vivo **red mullet** salmonete **red tape** burocracia **red wine** tinto **to go as red as a beetroot** ponerse como un tomate **to go red** encender **to turn red** enrojecer
redcurrant → grosella
redden (to) → enrojecer
reddish → rojizo
redeem (to) → desempeñar
redemption → redención
red-haired → pelirrojo
red-handed → con las manos en la masa
redhead → pelirrojo
redo (to) → rehacer
redouble (to) → redoblar
reduce (to) → disminuir; mermar; rebajar; recortar; reducir; restar **to reduce the price of** abaratar **to reduce to ashes** abrasar
reduction → disminución; rebaja; reducción
reed → caña; junco; lengüeta
reef → arrecife; escollo
reel → bobina; carrete
re-elect (to) → reelegir
refer (to) → referir; remitir
referee → árbitro **referee's report** acta
referee (to) → pitar
reference → alusión; referencia
referendum → referendo
referral note → volante
refill → recambio
refill (to) → recargar; rellenar
refillable → recargable
refine (to) → refinar
refined → exquisito; fino; refinado
refinement → finura
refinery → refinería
reflect (to) → plasmar; reflejar; reflexionar
reflection → reflejo; reflexión
reflex → reflejo
reflexive → reflexivo
reform → reforma
reform (to) → reformar
reformatory → reformatorio
refrain → estribillo
refreshed → fresco
refreshing → refrescante
refreshment → **refreshment stall** chiringuito **refreshment stand** chiringuito
refrigerate (to) → refrigerar
refrigerator → frigorífico; nevera; refrigerador
refugee → refugiado
refund (to) → reembolsar
refurbish (to) → rehabilitar
refuse (to) → denegar; negar; rehusar; renunciar; resistir
regal → regio
regard → **regards** recuerdo **with regard to** respecto a
regarding → respecto a
regatta → regata
regime → régimen
regiment → regimiento
region → comarca; latitud; región
regional → regional
register → registro
register (to) → certificar; inscribir; matricular; registrar
registered → certificado **registered letter** certificado **registered parcel** certificado **registered trademark** marca registrada
registration → matrícula **registration document** matrícula
regret (to) → lamentar; pesar
regrettable → lamentable
regroup (to) → reagrupar
regular → regular
regularize (to) → regularizar
regulate (to) → graduar; regular **to regulate the temperature and humidity of** acondicionar
regulation → reglamentario **regulations** reglamento
rehabilitate (to) → rehabilitar
rehabilitation → rehabilitación
rehearsal → ensayo
rehearse (to) → ensayar
reheat (to) → recalentar
reign → reinado
reign (to) → reinar
reimburse (to) → reembolsar
rein → rienda
reincarnated → **to be reincarnated** reencarnarse
reindeer → reno

reinforce (to) → reforzar
reinforced concrete → cemento armado
reinforcement → refuerzo **reinforcements** refuerzo
reinstate (to) → readmitir
reject (to) → descartar; desechar; rechazar
rejection → rechazo
rejuvenate (to) → rejuvenecer
relapse → **to have a relapse** recaer
relapse (to) → recaer
relate (to) → comunicar; referir; relacionar
relation → familiar
relationship → parentesco; relación
relative → familiar; pariente; relativo **relatives** parentela
relax (to) → relajar
relaxation → relax
relaxed → tranquilo
release → edición
release (to) → editar; estrenar; libertar; soltar
relevant → pertinente **to keep relevant** concretar
reliability → seriedad
reliable → cumplidor; fiable; seguro; solvente
relic → reliquia
relief → alivio; relieve
relieve (to) → aliviar; matar; mitigar; relevar **to relieve oneself** hacer sus necesidades
religion → religión
religious → religioso **religious seclusion** clausura
reluctantly → de mala gana
remainder → resto
remaining → restante
remains → resto
remedy → remedio
remedy (to) → remediar
remember (to) → acordar; recordar
remind (to) → recordar
remission → remisión
remit (to) → remitir
remnant → retal; retazo
remorse → remordimiento
remote → apartado; remoto; retirado
remote-controlled → teledirigido
removal → retirada; supresión
remove (to) → apartar; desplazar; despojar; extirpar; quitar **to remove the hair from** depilar **to remove the nails from** desclavar
Renaissance → renacimiento
renal → renal
renew (to) → renovar
renewal → renovación
renounce (to) → renegar; renunciar
renovate (to) → reformar; remodelar
renovation → renovación
renown → renombre
rent → alquiler **for rent** de alquiler
rent (to) → alquilar; arrendar
reoffender → reincidente
reorganize (to) → remodelar; reorganizar
repair → arreglo; reparación
repair (to) → arreglar; componer; recomponer; reparar
repatriate (to) → repatriar
repay (to) → amortizar; corresponder
repeat (to) → reiterar; repetir; reponer **to repeat oneself** repetir
repel (to) → rechazar
repellent → repelente
repent (to) → arrepentirse
repentance → arrepentimiento
repercussion → repercusión
repertoire → repertorio
repetition → repetición
replace (to) → reemplazar; reponer; suplantar
replacement → sustitución
replant (to) → repoblar
replanting → repoblación
replay → repetición
replica → réplica
reply → contestación; réplica; respuesta
reply (to) → responder
repopulate (to) → repoblar
report → crónica; denuncia; informe; memoria; parte; reportaje
report (to) → denunciar; hacerse eco
reporter → reportero
represent (to) → representar
representation → representación
representative → delegado; representante
repress (to) → reprimir
repression → represión
reprimand (to) → amonestar; reprender
reproach → reproche
reproach (to) → recriminar; reprochar
reproduce (to) → multiplicar; reproducir
reproduction → reproducción
reproductive → reproductor
reptile → reptil
republic → república
republican → republicano
repugnance → asco; repugnancia
repugnant → repelente; repugnante
reputation → crédito; fama; reputación
request → petición; ruego
require (to) → exigir
requirement → exigencia; requisito
requisite → requisito
requisition (to) → requisar
reread (to) → releer
reredos → retablo
rerelease → reestreno
rerelease (to) → reponer
rescue → rescate; salvamento
rescue (to) → rescatar; salvar
research → investigación **to do research on** investigar
researcher → investigador
resemblance → parecido
resentful → rencoroso
resentment → rencor; resentimiento
reservation → reparo; reserva
reserve → reserva
reserve (to) → reservar
reserved → cerrado; reservado
reservoir → embalse; pantano
resettle (to) → repoblar
resettlement → repoblación
residence → residencia
resident → habitante **residents** vecindario
residential development → colonia
resign (to) → cesar; dimitir **to resign oneself** resignarse
resignation → cese; dimisión; resignación
resin → resina
resistance → resistencia
resit → recuperación; repesca
resolute → decidido; resuelto
resolve (to) → determinar; solventar
resort → estación
resound (to) → retumbar
resounding → estrepitoso
resources → recurso
respect → distinción; estima; respeto **to command respect** imponer
respect (to) → respetar
respectable → respetable
respectful → respetuoso
respective → respectivo
respectively → respectivamente
respiratory → respiratorio **respiratory tract** vías respiratorias
respond (to) → responder
responsibility → cargo; compe-

tencia; cuenta; responsabilidad **to claim responsibility for** reivindicar **to take responsibility for** hacerse cargo de; responder
responsible → culpable; responsable
rest → descanso; reposo; resto; tregua **of rest** festivo
rest (to) → descansar; posar; recostar; reposar **to rest in peace** descansar en paz **to rest on one's laurels** dormirse en los laureles
restaurant → restaurante **the restaurant trade** restauración
restless → inquieto
restlessness → agitación; desasosiego; inquietud
restock (to) → repoblar
restocking → repoblación
restoration → restauración
restore (to) → restablecer; restaurar **to restore to normal** normalizar
restrain oneself (to) → aguantar
restrict (to) → restringir
restriction → restricción
result → resultado; secuela
resulting → consiguiente
resume (to) → reanudar
resurrection → resurrección
resuscitate (to) → resucitar
retail → al por menor; minorista
retailer → minorista
retain (to) → retener
retching → arcada
retina → retina
retinue → comitiva; cortejo; séquito
retire (to) → jubilar; retirar
retired → retirado **retired person** jubilado
retirement → jubilación; retiro
retouch (to) → retocar
retrace (to) → deshacer
retreat → retirada
retreat (to) → retirar
return → devolución; regreso; retorno; vuelta **return game** revancha
return (to) → devolver; regresar; retornar; volver
return to (to) → retomar
reunion → reencuentro
reuse (to) → reutilizar
reveal (to) → destapar; desvelar; revelar
reveille → diana
revelation → revelación
revenge → revancha; venganza **to take revenge** vengar
reverend → reverendo
reverse → reverso
review → crítica; reseña
review (to) → criticar
reviewer → crítico
revise (to) → repasar
revision → repaso
revival → reestreno; renacimiento
revive (to) → desenterrar; reanimar; reponer; revivir
revolt → rebelión; revuelta
revolt (to) → asquear
revolting → asqueroso
revolution → revolución
revolutionary → revolucionario
revolutionize (to) → revolucionar
revolver → revólver
revolving hatch → torno
revulsion → escrúpulo
reward → premio; recompensa
reward (to) → compensar; recompensar
rewind (to) → rebobinar
rhea → ñandú
rheumatism → reuma; reumatismo
rhinoceros → rinoceronte
rhombus → rombo
rhyme → rima **without rhyme or reason** sin orden ni concierto; sin ton ni son
rhyme (to) → rimar
rhythm → cadencia; compás; ritmo
rhythmic → rítmico
ria → ría
rib → costilla; varilla
ribbon → cinta
ribcage → caja
rice → arroz **rice field** arrozal
rich → adinerado; rico **rich kid** señorito **to make rich** enriquecer
richness → riqueza
rid → **to get rid of** deshacerse de; desprender; eliminar; jubilar; liberar; quitarse de encima; sacudir
riddle → acertijo; adivinanza
riddle (to) → acribillar; coser
ride → **to go for a ride** pasear
ride (to) → cabalgar; montar
rider → jinete; piloto
ridicule (to) → ridiculizar
ridiculous → disparatado; ridículo **ridiculous amount** disparate **ridiculous thing** disparate; exageración
riding school → picadero
riffraff → chusma; gentuza
rifle → fusil; rifle
right → cierto; correcto; derecha; derecho; recto **right answer** acierto **right now** ahora mismo **right of way** preferencia **sole right** exclusiva **the right** derecha **to be just right** estar en su punto **to be right** acertar; ajustar; atinar; convenir; tener razón **to say that someone is right** dar la razón
right-angled → rectángulo
right-hand → **right-hand man** brazo derecho; mano derecha **right-hand woman** mano derecha
right-handed → diestro
rigid → rígido; tieso
rigorous → riguroso
rind → corteza
ring → anilla; anillo; anular; argolla; aro; cerco; corro; cuadrilátero; llamada; redondel; ring; rosca; sortija; telefonazo **long ring** timbrazo **loud ring** timbrazo **ring finger** anular **rings** anilla
ring (to) → llamar; resonar; sonar; tocar **to ring out** repicar
ring road → cinturón
ring-a-ring o' roses → corro
ringlet → bucle; tirabuzón
ringroad → ronda
rinse (to) → aclarar; enjuagar **to rinse one's mouth out** enjuagar
riot → disturbio; motín
rip → desgarrón; siete
rip (to) → desgarrar **to rip apart** destripar **to rip off** clavar
ripe → maduro
ripen (to) → madurar
ripeness → madurez
rip-off → robo
ripple → onda
rise → alza; ascenso; elevación; prominencia; subida
rise (to) → ascender; escalar; nacer **to rise up** alzar
rising → ascendente; naciente; salida
risk → riesgo
risk (to) → arriesgar; aventurar; exponer; jugar **to risk one's neck** jugarse el pellejo; jugarse el tipo
risky → arriesgado
rite → rito
rival → contrincante; rival **rivals** competencia
rival each other (to) → competir
rivalry → competencia; rivalidad
river → fluvial; río **river bed** lecho
riverside → ribera
road → calzada; carretera; vía; vial **road surface** pavimento **road sweeper** barrendero
roadsign → señal de tráfico **road signs** señalización

roar → bramido; rugido
roar (to) → bramar; rugir
roast → asado
roast (to) → asar
roasting → **to be roasting** asar
rob (to) → asaltar; atracar; desvalijar; robar
robber → atracador
robbery → asalto; atraco; robo
robes → ropaje; toga
robin → petirrojo
robot → autómata; robot
rock → peña; peñón; roca; rock
rock (to) → acunar; balancear; mecer
rocker → **to be off one's rocker** estar como una cabra
rocket → cohete
rocking → balanceo; vaivén **rocking chair** balancín; mecedora
rockrose → jara
rocky → pedregoso; rocoso **rocky place** peñascal
rod → barra; vara
rodent → roedor
rodeo → rodeo
rogue → bellaco; bribón; granuja
roguish → bellaco
role → papel
roll → bollo; cartucho; rollo; toque **roll of film** carrete
roll (to) → liar; redoblar; rodar **to roll around** revolcarse **to roll up** arremangar; enrollar; remangar
roller → rulo
roller blind → estor
roller coaster → montaña rusa
rolling → **rolling pin** rodillo **to be rolling in money** nadar en la abundancia
Roman → romano
romance → romance
Romance → románico
Romanesque → románico
Romanian → rumano
Romanization → romanización
romantic → romántico
roof → techo; tejado **roof rack** baca; portaequipajes **roof terrace** terraza
rook → torre
room → aposento; cabida; cámara; cuarto; espacio; estancia; habitación; pieza; sala; salón; sitio
roomy → amplio
rooster → gallo
root → raíz **to take root** arraigar; enraizar; prender
rope → cabo; cuerda; maroma; soga
rope-soled sandal → alpargata
rosary → rosario
rose → alcachofa; rosa **rose garden** rosaleda **rose window** rosetón
rosé → rosado
rosebush → rosal
rosemary → romero
rostrum → tribuna
rosy → rosado; sonrosado
rot (to) → descomponer; podrir; pudrir
rotary → rotativo **rotary press** rotativo
rotate (to) → girar
rotating → giratorio
rotation → giro; rotación
rotonda → rotonda
rotten → de perros; perro **to go rotten** pudrir
rotter → canalla
rouge → colorete
rough → abrupto; accidentado; animal; áspero; basto; bravo; desigual; escabroso; peleón; rugoso; tosco **in rough** en sucio **rough version** borrador **to get rough** picar
rough-and-ready → de andar por casa
roughly → a bulto
roulette → ruleta
round → alrededor; asalto; redondo; ronda **round table** mesa redonda **to get round** engatusar **to make round** redondear
round (to) → redondear **to round down** redondear **to round off** redondear **to round up** redondear
roundabout → glorieta; rotonda
route → camino; recorrido; ruta
routine → rutina
row → bronca; bulla; cirio; hilera; jaleo; trifulca
row (to) → remar
rowdy → escandaloso
rowing → remo
royal → real; regio **royal capital** corte **royal jelly** jalea real
royalties → derecho
rub (to) → frotar **to rub hard** restregar **to rub one's hands** frotarse las manos **to rub out** borrar
rubber → caucho; goma **rubber band** goma **rubber ring** flotador
rubbing → roce
rubbish → basura; mierda; porquería **load of rubbish** birria; bodrio; caca; cagarruta; engendro; patata **rubbish dump** basurero; vertedero
rubble → cascotes; escombro
rubella → rubeola
ruby → rubí
rudder → timón
rude → bárbaro; descortés; grosero; malsonante; rudo **rude thing** grosería
rudimentary → rudimentario
rug → alfombra
rugby → rugby
rugged → accidentado
ruin → ruina
ruin (to) → arruinar; cargar; chafar; echar por tierra; estropear; fastidiar; hundir; machacar
ruined → **to be ruined** estar hecho un higo
ruinous → ruinoso
rule → metro; norma; regla **against the rules** antirreglamentario
rule (to) → regir
ruled paper → pauta
ruler → gobernante; regla
ruling → fallo
rum → ron **rum and coke** cubalibre; cubata
rumba → rumba
rumble (to) → calar
rumbling pot → zambomba
ruminant → rumiante
rummage (to) → hurgar
rumour → rumor
rumoured → **to be rumoured** rumorearse
rumpus → follón
run → carrera; carrerilla; racha **in the long run** a la larga **run over** pasada **to take a run** carrerilla
run (to) → correr; desteñir; gobernar **to run about** corretear **to run aground** encallar; varar **to run out of steam** deshinchar **to run over** arrollar; atropellar; pillar
rung → escalón
runner → corredor; tapete
runner-up → subcampeón
running → dirección; en cartel **running of the bulls** encierro **running water** agua corriente
running-in → rodaje
runway → pista
rural → rural
ruse → artimaña; treta
rush (to) → atropellar; correr **to rush at** abalanzarse
rush hour → hora punta
Russian → ruso **Russian salad** ensaladilla
rust → óxido

rust (to) → oxidar
rustic → tosco
rustproof → inoxidable
rut → celo; surco
ruthless → despiadado
rye → centeno

S

sabbatical → año sabático
sabotage → boicot; sabotaje
sabotage (to) → boicotear
sabre → sable
saccharin → sacarina
sack → saco
sack (to) → plantar
sacking → despido
sacrament → sacramento
sacred → sagrado; santo
sacrifice → sacrificio
sacrifice (to) → sacrificar
sacrilege → sacrilegio
sad → apagado; mustio; triste **to make sad** entristecer
sadden (to) → apenar; doler; entristecer
saddle → silla de montar; sillín **saddle and harness** montura
saddle (to) → ensillar
Sadducee → saduceo
sadist → sádico
sadistic → sádico
sadness → tristeza
safari → safari
safe → a salvo; caja de caudales; caja fuerte; salvo; seguro **safe to drink** potable
safety → seguridad **safety belt** cinturón de seguridad **safety catch** seguro **safety device** seguro **safety pin** imperdible
saffron → azafrán **saffron milk cap** níscalo
sag (to) → encorvarse
saga → saga
Sagittarian → sagitario
Sagittarius → sagitario
sail → vela **to set sail** hacerse a la mar; zarpar
sail (to) → navegar; pilotar; surcar
sail-fluke → gallo
sailing → vela **sailing boat** velero
sailor → marinero; marino
saint → san; santo **saint's day** onomástica; santo
saintliness → santidad
salad → ensalada
salamander → salamandra
salami → salami **salami-type sausage** salchichón
salary → nómina; salario **monthly salary** mensualidad
sale → saldo; traspaso; venta
salesclerk → dependiente
salesman → comercial; vendedor
saleswoman → comercial; vendedor
saline → salino **saline solution** suero
saliva → saliva
sallow → amarillo
salmon → salmón **salmon pink** salmón
salmonella → salmonela **salmonella food poisoning** salmonelosis
salon → salón
salsa → salsa
salt → sal **salt marsh** marisma
salt (to) → salar
saltcellar → salero
salted → salado
salting → salazón
saltworks → salina
salty → salado; salobre
Salvadoran → salvadoreño
salvation → salvación
salvo → salva
samba → samba
same → mismo **same as usual** de siempre
sample → cala; muestra
sanctify (to) → santificar
sanction (to) → sancionar
sanctuary → santuario
sand → arena **sands** arenal
sand (to) → lijar
sandal → sandalia
sandpaper → lija
sandwich → bocadillo; bocata; emparedado; sándwich **grilled meat sandwich** pepito
sandy → arenoso
sane → cuerdo
sang froid → sangre fría
sangria → sangría
sanitary towel → compresa
sanity → juicio
sap → savia
sapphire → zafiro
sarcasm → sarcasmo
sarcastic → mordaz; sarcástico **sarcastic tone** retintín
sarcophagus → sarcófago
sardana → sardana
sardine → sardina
sarnie → bocata
sarong → pareo
sash → banda; faja
satanic → satánico
satchel → cartera
satellite → satélite; satélite artificial **satellite dish** parabólica; parabólico
satiate (to) → saciar
satin → raso; satén
satirical → satírico
satirize (to) → satirizar
satisfaction → satisfacción
satisfactory → satisfactorio
satisfied → conforme **to be satisfied** conformar; contentar
satisfy (to) → colmar; llenar; satisfacer
saturate (to) → saturar
Saturday → sábado
sauce → salsa **sauce boat** salsera
saucepan → cazo
sauna → sauna
saunter (to) → deambular
sausage → embutido; salchicha
sauté (to) → saltear
savage → fiero; salvaje
savagery → **act of savagery** salvajada
savannah → sabana
save (to) → ahorrar; archivar; librar; salvar
saving → ahorro **savings bank** caja de ahorros
saviour → salvador
savour (to) → paladear; saborear
saw → sierra
saw (to) → serrar **to saw up** aserrar
sawdust → serrín
saxophone → saxofón
say (to) → decir; poner; pronunciar
saying → dicho; proverbio; refrán
scab → costra; pupa
scaffolding → andamio
scald (to) → escaldar
scale → dimensión; escala; escama **scale model** maqueta **scales** balanza; báscula; peso
scale (to) → escalar
scalene → escaleno
Scalextric → escaléxtric
scallion → cebolleta
scalp → cuero cabelludo
scalpel → bisturí
scan (to) → otear
scandal → escándalo

scandalous → escandaloso
Scandinavian → escandinavo
scanner → escáner
scapegoat → chivo expiatorio
scapular → escapulario
scar → cicatriz
scarce → escaso **to be scarce** escasear
scarcely → apenas; escaso
scarcity → escasez
scare → susto
scare (to) → acojonar; asustar; espantar **to scare off** espantar
scarecrow → espantapájaros
scared → asustado; cagado
scaredy-cat → cagado; miedica
scarf → bufanda; fular; pañuelo
scarlet → escarlata
scatter (to) → desperdigar; dispersar; esparcir; sembrar
scatterbrain → atolondrado; cabeza de chorlito
scatterbrained → atolondrado
scattered → disperso
scene → escena; escenario
scenery → decorado
scent → perfume; rastro
scent (to) → perfumar
sceptic → escéptico
sceptre → cetro
schedule (to) → programar
schematic → esquemático
scheme → manejo; maquinación
scheming → tejemaneje
schism → cisma
scholar → erudito
scholarship → beca **scholarship holder** becario
school → academia; colegio; escolar; escuela **school of music** conservatorio **school year** curso
schoolboy → colegial; escolar
schoolchild → colegial; escolar
schoolgirl → colegial; escolar
schooner → goleta
schottische → chotis
science → ciencia **science fiction** ciencia ficción
scientific → científico
scientist → científico
scissors → tijera
scold (to) → regañar; reñir; reprender
scolding → regañina
scoop → primicia
scooter → patinete
scorch (to) → chamuscar; quemar
scorching → **to be scorching** abrasar
score → partitura; puntuación; tanteo
score (to) → anotar; marcar; puntuar **to score a basket** encestar
scoreboard → marcador
scorer → **top goal scorer** pichichi
scorn → desdén; desprecio; menosprecio
scorn (to) → despreciar
scornful → desdeñoso; despreciativo
Scorpio → escorpio
scorpion → alacrán; escorpión
Scot → escocés
Scottish → escocés
scoundrel → rufián
scourer → estropajo
scourge → peste
scrambled eggs → revuelto
scrap → piltrafa **piece of scrap** chatarra **scrap dealer** chatarrero **scrap metal** chatarra **scraps** migajas
scrape (to) → rascar; raspar; restregar
scratch → arañazo; rasguño **to start from scratch** empezar de cero
scratch (to) → arañar; escarbar; rascar
scrawl → garabato
scrawny → escuchimizado; esmirriado; raquítico
scream → chillido
scream (to) → chillar
screech → chirrido
screech (to) → chirriar
screen → biombo; monitor; pantalla
screening → proyección
screw → espárrago; tornillo **to have a screw loose** estar mal de la azotea; faltar un tornillo
screw (to) → atornillar **to screw in** enroscar **to screw up** estrujar
screwdriver → destornillador
scribble on (to) → emborronar
scribe → escriba
script → guion
scripture → escritura
scriptwriter → guionista
scrotum → escroto
scrounger → chupón; gorrón
scrounging → gorrón
scrub (to) → restregar
scrubland → matorral; monte
scruple → escrúpulo
scrupulous → escrupuloso
scrutinize (to) → escudriñar
scub → **scub diver** submarinista **scuba diving** submarinismo
scuff mark → roce
sculpt (to) → esculpir
sculptor → escultor
sculptress → escultor
sculpture → escultura; talla
scythe → guadaña
sea → mar; marinero; marino; marítimo **high sea** alta mar **sea anemone** actinia **sea bream** besugo **sea horse** caballito de mar **sea lion** león marino **sea urchin** erizo de mar
seafarer → navegante
seafood → marisco
seal → foca; precinto
seal (to) → sellar
seam → costura; filón; veta
seamanship → náutica
seaplane → hidroavión
seaquake → maremoto
search → búsqueda; registro
search (to) → cachear; peinar; rebuscar; registrar
seaside → playa
season → estación **in season** de temporada; del tiempo **season ticket** abono
season (to) → sazonar
seasoning → aliño; condimento
seat → asiento; butaca; escaño; localidad **seat belt** cinturón de seguridad
seat (to) → acomodar
seating capacity → aforo
seaweed → alga
secant → secante
second → dos; segundo
secondary → secundario **secondary education** secundario **secondary school** instituto
second-hand → de segunda mano
second-rate → de pacotilla
secret → confidencia; recóndito; secreto
secretary → secretario **secretary's office** secretaría
secrete (to) → segregar
sect → secta
section → apartado; cuerpo; sección; tramo
sector → ramo; sector
secular → laico; profano; secular
secure → seguro
secure (to) → sujetar
security → seguridad **security guard** guardián
sedative → calmante; sedante
sedentary → sedentario
sediment → sedimento
sedimentary → sedimentario
seduce (to) → seducir
seducer → seductor

seductive → seductor
see (to) → frecuentar; leer; ver; vislumbrar **see you later** hasta luego **see you tomorrow** hasta mañana **to see off** despedir **to see one's patients** pasar visita **to see stars** ver las estrellas **to see through someone** verse el plumero
seed → semilla; simiente **seed drill** sembradora
seeing → con **seeing as** puesto que
seek (to) → perseguir
seem (to) → parecer
seesaw → balancín
see-through → **to be see-through** clarear
segment → gajo; segmento
seismic → sísmico
seize (to) → adueñarse; apoderarse; asir; confiscar; empuñar **to seize up** agarrotar; oxidar
seizure of property → embargo
select → selecto
select (to) → seleccionar
selection → selección; surtido
selector → selector
self-assurance → desparpajo
self-assured → desenvuelto
self-employed → autónomo **self-employed person** autónomo
selfish → abusón; interesado **selfish person** abusón
self-portrait → autorretrato
self-service → **self-service cafeteria** self-service **self-service restaurant** autoservicio
sell (to) → despachar; traspasar; vender **to sell off** liquidar **to sell oneself** vender **to sell somebody a pig in a poke** dar gato por liebre **to sell to** colocar
seller → vendedor
semantic → semántico
semantics → semántica
semen → semen
semester → semestre
semicircle → semicírculo
semicircular → semicircular
semicircumference → semicircunferencia
semicolon → punto y coma
semidarkness → penumbra
semidetached → adosado
semifinal → semifinal
seminar → seminario
seminary → seminario
semolina → sémola
senate → senado
senator → senador
send (to) → destinar; enviar; expedir; internar; mandar; remitir **to send off** expulsar **to send packing** mandar a la porra; mandar a paseo; mandar al cuerno
sender → emisor; remitente **sender's name and address** remite
sending → envío **sending off** expulsión
sensation → campanada; sensación
sensational → sensacional
sensationalist → sensacionalista
sense → acepción; conocimiento; entendimiento; sentido **common sense** sensatez **good sense** sensatez **to make sense** sacar en claro
sense (to) → oler; palpar
sensible → cuerdo; juicioso; prudente; sensato
sensitive → sensible **sensitive to the cold** friolero
sensitivity → sensibilidad
sensory → sensorial
sensual → sensual
sentence → condena; frase; oración; pena; sentencia
sentence (to) → condenar
sentimental → sentimental
sentimentality → sensiblería
sentry → centinela **sentry box** garita
sepal → sépalo
separate → aparte
separate (to) → desunir; separar
separately → aparte
separation → separación
sepia → sepia
September → septiembre; setiembre
sequence → secuencia
sequin → lentejuela
Serbian → serbio
serenade → serenata
serf → siervo
sergeant → sargento
serial → radionovela
series → ciclo; sarta; serie; sucesión; tanda
serious → formal; gordo; grave; serio
seriously → de veras
seriousness → formalidad; gravedad; seriedad
sermon → sermón
serrated → dentado
servant → criado **servants** servidumbre
serve → saque; servicio
serve (to) → atender; sacar; servir
server → servidor
service → prestación; servicio; servidumbre **service station** estación de servicio
serviette → servilleta **serviette ring** servilletero
serving → ración
servitude → servidumbre
session → sesión
set → decorado; fijo; juego; kit; lote; plató; tanda **set designer** decorador **set expression** frase hecha **set menu** menú **set of cookware** batería de cocina **set square** cartabón; escuadra **sets** escenografía **to be set** ambientar
set (to) → ambientar; caer; cuajar; engarzar; fijar; incrustar; marcar; poner; precisar; señalar **to set on** azuzar **to set up** montar
setback → contrariedad; contratiempo; revés; tropiezo
settee → sofá
setting → marco; puesta
settle (to) → asentar; colonizar; cuajar; depositar; enraizar; establecer; liquidar; poblar; posar; solventar; zanjar **to settle accounts** ajustar las cuentas **to settle in** acomodar
settlement → liquidación; poblado
settler → colono
setup → montaje
set-up → tinglado
seven → siete **seven hundred** setecientos **seven hundredth** setecientos
seventeen → diecisiete
seventeenth → decimoséptimo; diecisiete; diecisieteavo
seventh → séptimo; siete
seventieth → septuagésimo; setenta; setentavo
seventy → setenta
several → diverso; múltiple; vario
severe → fuerte; riguroso
sew (to) → coser
sewage treatment plant → depuradora
sewer → alcantarilla; cloaca
sewerage system → alcantarillado
sewing → costura **sewing basket** costurero
sex → sexo
sexagesimal → sexagesimal
sexist → sexista
sexual → sexual **sexual organs** sexo
sexuality → sexualidad
sexy → sexi; sexy
shack → barraca; chabola; choza
shackles → grillo

shade → matiz; sombra
shadow → sombra
shady → turbio
shaft → asta
shake → sacudida
shake (to) → agitar; estrechar; estremecer; menear; retumbar; sacudir; temblar; tiritar; zarandear **not to be able to shake off** arrastrar **to shake one's head** cabecear
shaking → agitación **to be shaking like a leaf** estar hecho un flan
sham → farsa
shame → bochorno; vergüenza
shame (to) → avergonzar
shameful → vergonzoso
shameless → cínico; descarado; desvergonzado; osado; sinvergüenza
shamelessness → cinismo
shampoo → champú
shape → bulto; forma **to take shape** tomar cuerpo
shape (to) → configurar; formar; tallar
share → acción; parte
share (to) → compartir; comulgar **to share out** repartir
shareholder → accionista
sharing → a medias **sharing out** reparto
shark → tiburón
sharp → ácido; afilado; agudo; avispado; cortante; despierto; fino; seco; vivo
sharpen (to) → afilar
shatter (to) → estrellar; hacer polvo
shattered → **to be shattered** estar hecho polvo
shave → afeitado
shave (to) → afeitar
shaved → al cero
shaver → maquinilla eléctrica
shaving → afeitado; viruta
shawl → chal; mantilla; mantón; toquilla
she → ella
sheaf → haz
shear (to) → esquilar
sheath → funda; vaina
sheathe (to) → enfundar; envainar
shed → cobertizo
shed (to) → mudar
sheen → viso
sheep → oveja; ovino **sheep dropping** boñiga
sheepskin jacket → zamarra
sheet → chapa; hoja; lámina; placa; sábana **sheet of paper** cuartilla; folio; pliego
sheikh → jeque
shelf → balda; estante; repisa **shelves** estantería
shell → caparazón; cáscara; concha; coraza; obús **to come out of one's shell** desatar; salir del cascarón
shell (to) → descascarillar
shelter → abrigo; albergue; cobijo; refugio
shelter (to) → amparar; refugiar
shepherd → pastor
shepherdess → pastor
shield → escudo
shift → turno
shinbone → espinilla; tibia
shindy → follón
shine → brillo
shine (to) → brillar; lucir; relucir; relumbrar; resplandecer **to shine a light on** enfocar
shining → radiante; resplandeciente
shiny → brillante
ship → barco; buque; nave; navío
shipment → remesa
shipwreck → naufragio
shipwrecked person → náufrago
shipyard → astillero
shirt → camisa; camiseta
shirtmaker's → camisería
shit → mierda
shit-scared → **to be shit-scared** cagar
shiver → escalofrío
shiver (to) → temblar; tiritar
shivering → temblor
shoal → banco
shock → choque; conmoción
shock (to) → sobrecoger; traumatizar
shoddy piece of work → chapuza; churro
shoe → zapatilla; zapato **shoe cabinet** zapatero **shoe polish** betún **shoe seller** zapatero **shoe shop** zapatería **to take off somebody's shoes** descalzar
shoe (to) → herrar
shoehorn → calzador
shoelace → cordón
shoemaker → zapatero
shoot → brote
shoot (to) → chutar; disparar; filmar; fusilar; rodar **to shoot at** tirotear **to shoot at goal** rematar **to shoot up** chutar; disparar; picar; pinchar
shooting → fugaz; rodaje; tiro; tiroteo **shooting star** exhalación
shop → boutique; casa; comercio; tienda **shop assistant** dependiente **shop window** aparador; escaparate
shopkeeper → comerciante; tendero
shoplift (to) → hurtar
shopping → compra **shopping centre** galería
shore → orilla; ribera
short → bajo; breve; brevedad; corto; falto; pequeño; rape **in short** en definitiva **short cut** atajo **to make shorter** acortar **to take a short cut** acortar; atajar
shortage → falta
shortbread → mantecado
shortcake → polvorón
shorten (to) → abreviar; acortar; cortar
shorthand → taquigrafía
shortlist → preselección
short-lived → pasajero
shortness of breath → ahogo
shorts → calzón; short
short-sighted → cegato; miope
short-sightedness → miopía
shorty → retaco; tapón
shot → cañonazo; disparo; tiro **like a shot** pitando **shot at goal** remate
shotgun → escopeta
shoulder → hombro **on one's shoulders** a cuestas **shoulder bag** zurrón **shoulder pad** hombrera
shout → ¡viva!; grito
shout (to) → chillar; gritar; vocear; vociferar **to shout at** gritar
shouting → griterío
shove → empellón; empujón
shovel → pala
show → alarde; demostración; espectáculo; exhibición; exposición; función; muestra; pase; salón; show **show of affection** fiesta **to make a show of** hacer gala de
show (to) → dar; demostrar; echar; enseñar; exhibir; manifestar; marcar; mostrar; poner; proyectar; reflejar; reproducir; sacar **to show off** exhibir; fardar; ostentar; pavonearse; presumir **to show (someone) up** aterrizar; poner en evidencia
shower → ducha; lluvia **heavy shower** aguacero; chaparrón; chubasco **shower head** alcachofa **to have a shower** ducharse
showing → pase; sesión
show-off → coqueto; estúpido; fanfarrón; fantasma; presumido; presuntuoso

showy → efectista; llamativo; vistoso
shrew → musaraña
shrewd → astuto; cuco; sagaz
shriek → alarido
shrill → agudo; estridente
shrillness → estridencia
shrimp → camarón; renacuajo
shrine → ermita; santuario
shrink (to) → empequeñecer; encoger
shroud → mortaja **to wrap in a shroud** amortajar
shrub → arbusto; matojo
shuffle (to) → barajar
shut → cerrado
shut (to) → cerrar; encerrar
shy → cortado; parado; tímido; vergonzoso
shyness → vergüenza
sick → enfermo; mal; malo **to make sick** marear
sickening → nauseabundo
sicking lamb → lechal
sickle → hoz
sickly → enclenque **sickly sweet** empalagoso
sick-making → vomitivo
sickness → mareo
side → cara; costado; flanco; lado; lateral; margen **on one side** aparte **side by side** codo con codo **side street** travesía **to be on the side of** estar del lado de **to put on one side** aparcar **to take sides** tomar partido
sideboard → aparador; patilla
sideline → **on the sidelines** al margen
sidereal → sideral
sidestep → regate
sidestep (to) → regatear
sideways → de refilón; de soslayo
siege → asedio; cerco **to lay siege to** sitiar
siesta → siesta
sieve → cedazo; chino
sigh → suspiro
sigh (to) → suspirar
sight → mamarracho; visión; vista **at first sight** a simple vista **real sight** loro
sign → indicación; indicio; letrero; muestra; rótulo; seña; señal; signo; síntoma **sign of the zodiac** signo del zodiaco
sign (to) → estampar; firmar **to sign up** fichar
signal → seña; señal
signal (to) → indicar
signature → firma **signature tune** sintonía
significant → significativo
signing up → fichaje
signpost (to) → señalizar
signposting → señalización
silence → silencio
silence (to) → enmudecer
silent → mudo; silencioso **to fall silent** callar; enmudecer
silhouette → silueta
silicon → silicio
silicone → silicona
silk → seda
silkworm → gusano de seda
silly → bobo **silly little thing** chorrada **to make silly** atontar
silver → plata **silver wedding** bodas de plata **silver work** orfebrería
silvery → plateado
similar → afín; parecido; por el estilo; semejante; similar
similarity → semejanza; similitud
simple → bobalicón; incomplejo; sencillo; simple
simple-mindedness → simpleza
simpleton → bobalicón
simplicity → sencillez
simplify (to) → simplificar
simulate (to) → imitar
simulation → simulacro
simulator → simulador
simultaneous → simultáneo
sin → culpa; pecado
sin (to) → pecar
since → desde; ya que
sincere → sincero
sincerity → sinceridad
sinew → nervio; tendón
sing (to) → cantar; entonar; interpretar **to sing in tune** afinar **to sing out** cantar **to sing out of tune** desafinar **to sing to sleep** arrullar
singe (to) → chamuscar
singer → cantante
singer-songwriter → cantautor
singing → cante; canto; cantor
single → individual; solo; soltero
single-cell → unicelular
singular → singular
sinister → siniestro; tenebroso
sink → pila
sink (to) → hundir; naufragar; sumir
sinking → hundimiento
sinner → pecador
sinusitis → sinusitis
sip → sorbo
sip (to) → sorber
sir → caballero; señor
siren → sirena
sirloin → solomillo
sister → hermano; sor
sister-in-law → cuñado
sit (to) → sentar **to sit up** incorporar **to sit up with** velar
site → yacimiento
sitting room → cuarto de estar; salón
situate (to) → ubicar
situated → **to be situated** ubicar
situation → posición; situación
sit-up → abdominal
six → seis **six hundred** seiscientos **six hundredth** seiscientos **six-month period** semestre
sixteen → dieciséis
sixteenth → decimosexto; dieciséis; dieciseisavo
sixth → seis; sexto
sixtieth → sesenta; sesentavo; sexagésimo
sixty → sesenta
size → dimensión; extensión; magnitud; número; talla; tamaño
size up (to) → tantear
skate → patín
skate (to) → patinar
skateboard → monopatín
skater → patinador
skating → patinaje
skein → madeja
skeleton → esqueleto
sketch → boceto; bosquejo; croquis; esquema; gag; sketch
skewer (to) → ensartar
ski → esquí **ski lift** remonte
ski (to) → esquiar
skid → patinazo
skid (to) → derrapar; patinar
skier → esquiador
skiing → esquí
skilful → diestro; fino; hábil; mañoso
skill → arte; destreza; gracia; habilidad; maña; mano; mano izquierda; pericia; primor; tino; traza
skilled → cualificado **skilled worker** oficial
skimmer → espumadera
skin → corteza; cutáneo; cutis; epidermis; monda; nata; pellejo; piel; tela
skin (to) → despellejar
skinflint → roña; roñica; roñoso
skinny → chupado; esquelético; flaco
skip → brinco
skip (to) → brincar
skipper → patrón

skipping → comba **skipping rope** comba; saltador
skirt → falda
skirt round (to) → bordear
skirting board → zócalo
skittle → bolo
skive off (to) → escaquearse
skull → calavera; cráneo
skunk → mofeta
sky → cielo
sky-blue → celeste
sky-high → **to be sky-high** estar por las nubes
skylark → alondra
skylight → tragaluz
skyscraper → rascacielos
slack → flojo
slacker → remolón
slag someone off (to) → poner verde
slam → portazo
slant → inclinación
slant (to) → torcer
slap → bofetada; galleta; guantazo; hostia; manotazo; palmada; revés; sopapo; torta; tortazo **hard slap** bofetón
slap (to) → abofetear
slapdash → chapucero
slap-up tea → merendola
slash → barra; tajo
slash (to) → rajar
slate → pizarra
slate (to) → poner a caldo
slaughter → carnicería; matanza
slaughter (to) → sacrificar
slaughterhouse → matadero
Slav → eslavo
slave → esclavo
slavery → esclavitud
Slavonic → eslavo
sledge → trineo
sledgehammer → maza
sleep → legaña; sueño **light sleep** duermevela **to send to sleep** aletargar **without sleep** en vela
sleep (to) → dormir **not to sleep a wink** no pegar ojo **to sleep on somethjing** consultar algo con la almohada
sleeper → traviesa **heavy sleeper** lirón
sleepiness → modorra; somnolencia; sueño
sleeping → **sleeping bag** saco de dormir **sleeping pill** somnífero
sleepless → **to have a sleepless night** pasar la noche en blanco
sleepwalker → sonámbulo
sleepy → soñoliento **to feel sleepy** amodorrarse **to make sleepy** adormecer
sleepyhead → marmota
sleet → aguanieve
sleeve → manga
sleigh → trineo
slender → esbelto
sleuth → sabueso
slice → corte; loncha; medallón; paleta; raja; rebanada; rodaja; tajada
slice (to) → rajar
slide → diapositiva; filmina; tobogán; transparencia
slide (to) → deslizar
slight → leve; ligero **the slightest** menor
slim → delgado; esbelto
slim (to) → adelgazar
slime → baba
slimness → delgadez
slimy → baboso
sling → cabestrillo; honda
sling one's hook (to) → pirarse
slip → combinación; despiste; gazapo; papeleta; patinazo; resbalón
slip (to) → deslizar; escurrir; patinar; resbalar **to slip away** escabullirse **to slip in** colar **to slip out** escapar **to slip through someone's hands** escabullirse **to slip up** colar
slipper → babucha; chancla; pantufla; zapatilla
slippery → escurridizo; resbaladizo **to be slippery** resbalar
slit → raja
slit the throat of (to) → degollar
slither (to) → reptar
slobber (to) → babear
slobberer → baboso
slobbering → baboso
slog (to) → **to slog one's guts out** tunda
slogan → eslogan; lema; slogan
slope → caída; cuesta; declive; ladera; pendiente; subida; vertiente
slot → ranura **slot machine** tragaperras
Slovak → eslovaco
Slovene → esloveno
slovenliness → descuido
slow → cansino; cerrado; lento; parado; pausado; tardón; torpe **slow motion** cámara lenta **to be slow** atrasar
slow down (to) → ralentizar
slowcoach → tardón; tortuga
slowly → despacio
slowness → lentitud; pachorra; pausa
slug → babosa
sluggishness → pesadez
sluicegate → compuerta
sly → zorro **sly old fox** zorro
slyboots → cuco
smack → azote; caballo; cachete; manotazo
small → chico; justo; menudo; pequeño; reducido **small letter** minúscula **smaller** menor **to feel small** empequeñecer **to make smaller** achicar **very small** ínfimo
smallness → pequeñez
smallpox → viruela
smart → aparente; cuco; despierto; guapo; listo; puesto **to look smart** vestir
smart (to) → escocer
smarting → escozor
smash (to) → estrellar **to smash up** hacer picadillo
smell → olor **sense of smell** olfato
smell (to) → oler; sentir **to smell a rat** estar mosca
smile → sonrisa
smile (to) → sonreír
smiling → risueño; sonriente
smith → herrero
smithy → herrería
smock → blusón
smoke → humo **smoke screen** cortina de humo **to fill with smoke** ahumar
smoke (to) → ahumar; fumar
smoked → ahumado
smoker → fumador
smoking → fumador
smooth → homogéneo; liso; suave; terso
smooth (to) → alisar; aplanar; igualar
smoothness → suavidad
smother (to) → ahogar
smuggler → contrabandista
smuggling → contrabando
snack → bocado; pincho; piscolabis; tentempié **snack bar** merendero **to have a mid-morning snack** almorzar **to have an afternoon snack** merendar
snag → enganchón; pega
snail → caracol
snake → culebra; serpiente
snap → chasquido; dentellada
snap (to) → chascar; tronchar
snare → lazo
snatch → tirón
snatch (to) → arrancar; arrebatar
sneeze → estornudo

sneeze (to) → estornudar
sniff (to) → husmear; olfatear; olisquear; sorber **to sniff out** husmear
snip → chollo
snog (to) → morrear
snoop (to) → fisgar; fisgonear; husmear
snore → ronquido
snore (to) → roncar
snort → bufido
snot → moco
snotty → mocoso
snout → hocico; morro; napias
snow → nieve
snow (to) → nevar
snowfall → nevada
snowflake → copo
snowplough → quitanieves
snowshoe → raqueta
snowstorm → ventisca
snub → chato; desprecio
snub-nosed → chato
so → así que; conque; de manera que; entonces; por tanto; tan; total; y **and so on and so forth** tal y tal **so many** tanto **so much** tanto **so that** de modo que **so there!** ¡toma castaña! **so what?** ¿y qué?
soak (to) → calar; empapar; en remojo; remojar **to soak up** chupar; empapar
soaked → calado
soaking → remojón
so-and-so → fulano; mengano; zutano
soap → jabón **soap dish** jabonera **soap opera** culebrón; telenovela
soap (to) → enjabonar; jabonar
soar (to) → remontar
sob → sollozo
sob (to) → sollozar
sober → sereno; sobrio
soccer → balompié; fútbol **soccer player** futbolista
sociable → sociable
social → social **social security** seguridad social **social worker** asistente social
socialism → socialismo
socialize (to) → alternar
society → sociedad
sociology → sociología
sock → calcetín; media
socket → cuenca; enchufe; hembra
soda → **soda siphon** sifón **soda water** sifón; soda
sofa → canapé; sofá **sofa bed** sofá cama
soft → blando; suave; tierno **soft drink** refresco **soft lump** plasta **soft soap** coba
soften (to) → difuminar; macerar; suavizar **to soften up** ablandar
softness → suavidad
software → software
soh → sol
solar → solar **solar panel** panel solar
solarium → solárium
solder (to) → soldar
soldier → militar; soldado
sole → lenguado; planta; suela
solemn → solemne
solid → macizo; sólido
solidarity → solidaridad
solidification → solidificación
solidify (to) → solidificar
solidity → solidez
solitaire → solitario
solitary → solitario
solitude → soledad
soloist → solista
soluble → soluble
solution → disolución; remedio; salida; solución
solve (to) → resolver; solucionar
solvent → disolvente; solvente
sombre → sombrío
some → algún; alguno; un poco de; uno
somebody → alguien
someone → alguien
somersault → voltereta
something → algo **to get something out of something** sacar tajada
sometimes → a veces
son → hijo **second son** segundón
song → canción; tema; tonada
songbook → cancionero
son-in-law → yerno
sonnet → soneto
sonorous → sonoro
soon → pronto **as soon as** en cuanto; tan pronto como
soot → hollín
soothe (to) → ablandar
soothing → sedante; tranquilizante
sophisticated → sofisticado
soporific → soporífero
soprano → soprano
sorbet → sorbete
sorcerer → hechicero
sorceress → hechicero
sorcery → brujería
sore → dolorido; llaga **sore throat** angina
sorrow → dolor; pesadumbre; pesar
sorry → **to be sorry** sentir **to feel sorry for** compadecer
sort → calaña; gente; tipo **a sort of** una especie de
so-so → así así; regular
souk → zoco
soul → alma
sound → son; sonido **sound box** caja
sound (to) → auscultar; sonar **to sound out** tantear
sounding out → tanteo
soup → sopa; sopero **soup tureen** sopera
sour → ácido; agrio **to turn sour** agriar
source → fuente; nacimiento
south → mediodía; sur **South American** sudamericano
southeast → sudeste
southern → meridional
southwest → sudoeste
souvenir → recuerdo; souvenir
sovereign → soberano
sow (to) → sembrar
sowing → siembra **sowing time** siembra
sown field → sembrado
soya → soja
spa → balneario; termas
space → cabida; espacial; espacio; hueco; separación; sitio; vacío; volumen
spacecraft → astronave; nave
spaceship → aeronave; astronave
spacious → amplio; espacioso
spade → pala
spaghetti → espagueti
span → palmo
Spaniard → español
Spanish → castellano; español **Spanish American** hispano; hispanoamericano **Spanish Parliament** corte **Spanish speaker** hispanohablante
Spanish-speaking → hispanohablante
spank (to) → azotar
spanking → azotaina
spanner → llave
spare → recambio; repuesto; sobrante **spare tyre** michelín
sparing → parco
spark → chispa; chispazo **spark plug** bujía **to throw out sparks** chispear
spark off (to) → desencadenar
sparkle → chispa; destello
sparkle (to) → centellear; chispear
sparkler → bengala
sparrow → gorrión

sparrowhawk → gavilán
spate → crecida; epidemia
spatula → espátula; pala
speak (to) → chistar; hablar **to speak a little** chapurrear **to speak one's mind** despachar
speaker → hablante; interlocutor; orador
speaking → hablante
spear → lanza
special → aparte; especial; extra; extraordinario; particular **special correspondent** enviado especial **special effects** efectos especiales **special issue** extraordinario
specialist → especialista
speciality → especialidad
specialize (to) → especializar
species → especie
specific → concreto; específico
specify (to) → concretar; especificar; precisar
specimen → ejemplar; pieza
speck → mota
speck (to) → motear
spectacle → espectáculo
spectacles → anteojos; gafas
spectacular → aparatoso; espectacular
spectator → espectador
spectre → espectro
speculate (to) → especular
speculation → cábala
speech → discurso; habla; lenguaje
speechless → cortado
speed → prisa; rapidez; velocidad **at top speed** a toda marcha; a toda mecha; a toda pastilla
speleology → espeleología
spell → conjuro; embrujo; encantamiento; hechizo; ola **to break a spell on** desencantar
spell (to) → deletrear
spelling → grafía; ortografía; ortográfico
spend (to) → gastar; ocupar; pasar
sperm → esperma; espermatozoide **sperm whale** cachalote
spermatozoon → espermatozoide
sphere → ámbito; esfera
spherical → esférico
sphincter → esfínter
sphinx → esfinge
spice → especia; salsa
spicy → picante
spider → araña **spider bungee** pulpo **spider crab** centollo **spider's web** tela de araña; telaraña
spike → escarpia
spikenard → nardo
spill (to) → derramar; desparramar; verter **to spill the beans** cantar
spin → efecto; trompo
spin (to) → hilar; tejer
spinach → espinaca
spinal → vertebral **spinal cord** médula espinal
spine → columna vertebral; lomo; pincho; púa
spinning → giro
spiny → espinoso **spiny lobster** langosta
spiral → espiral
spirit → espíritu; temperamento **spirit level** nivel **spirits** ánimo; moral
spiritual → espiritual
spiritualism → espiritismo
spit (to) → escupir; saltar
spite → **in spite of** a pesar de
spittle → baba
splash → salpicadura
splash (to) → salpicar
splash about (to) → **to splash about** chapotear **to splash down** amerizar
spleen → bazo
splendid → espléndido; magnífico
splendour → esplendor
spliff → porro
splinter → astilla
split → escisión
split (to) → partir **to split one's sides laughing** desternillarse; mondar; partir; tronchar **to split up** terminar **to split up with** romper con
spoil (to) → aguar; consentir; deteriorar; estropear; malacostumbrar; malcriar; mimar
spoiler → alerón
spoke → radio
spokesman → portavoz
spokesperson → portavoz
spokeswoman → portavoz
sponge → esponja **sponge cake** bizcocho
spongy → esponjoso
sponsor → sponsor
sponsor (to) → patrocinar
spontaneity → espontaneidad
spontaneous → espontáneo
spoon → cuchara
spoonful → cucharada
spore → espora
sport → deporte; deportivo **sports** deportivo **sports centre** polideportivo
sporting → deportivo
sportsman → deportista
sportsmanship → deportividad
sportswoman → deportista
spot → grano; lunar; mancha; mota; paraje; pinta
spotlight → foco
spouse → consorte; cónyuge; esposo
spout → caño; pitorro
sprain → esguince
spray → espray; spray; vaporizador **spray gun** pistola
spray (to) → pulverizar; rociar
spread (to) → cundir; difundir; divulgar; extender; pregonar; propagar; untar
spread out (to) → extender; repartir
spreading → difusión
sprig → mata
spring → ballesta; cuerda; fuente; manantial; muelle; primavera; resorte **spring onion** cebolleta
spring (to) → derivar
springboard → trampolín
sprinkle (to) → espolvorear
sprinkle with flour (to) → enharinar
sprinkling → aspersión
sprint → sprint
sprout (to) → brotar; despuntar; nacer
spruce up (to) → acicalar **to spruce oneself up** acicalar
spur → espuela
spy → espía
spy (to) → espiar **to spy on** acechar; espiar
spying → espionaje
squad → comando; pelotón; plantilla
squadron → escuadrón
squander (to) → disipar
square → casilla; cuadrado; cuadro; onza; plaza **small square** plazoleta **squares** cuadrícula
squared → cuadriculado
squash → squash
squash (to) → aplastar; apretujar; chafar; despachurrar; espachurrar
squatter → okupa
squeak → chillido; chirrido
squeak (to) → chillar; chirriar; rechinar
squeamish → asqueroso
squeeze → apretón
squeeze (to) → apretar; estrujar; exprimir **to squeeze together** apretujar; estrechar
squid → calamar **baby squid** chipirón

squire → escudero
squirrel → ardilla
squirt → **little squirt** monicaco
stab → navajazo; puñalada **stab in the back** puñalada **stab of pain** pinchazo **stab wound** navajazo; puñalada
stab (to) → apuñalar
stability → estabilidad
stabilize (to) → estabilizar; estacionar
stable → caballeriza; cuadra; estable; establo **to make stable** estabilizar
stack → montón
stadium → estadio
staff → asta; claustro; pentagrama; personal; plantilla
stage → escena; escenario; estadio; etapa; fase **stage design** escenografía **stage direction** acotación **stage machinery** tramoya
stage (to) → montar
stagecoach → diligencia
stagger (to) → escalonar; tambalearse
staggering → a trompicones
stagnate (to) → estancar
stain → chorretón; lamparón; mancha **stain remover** quitamanchas
stain (to) → manchar **to stain with blood** ensangrentar
stainless → inoxidable **stainless steel** acero inoxidable
staircase → escalera
stairs → escalera
stake → estaca
stalactite → estalactita
stalagmite → estalagmita
stalemate → tabla
stalk → pedúnculo; rabillo; rabo; tallo
stall → caseta; puesto; tenderete **stalls** patio de butacas; platea
stall (to) → calar
stamen → estambre
stamina → fuelle; resistencia
stammer (to) → tartamudear
stammerer → tartaja; tartamudo
stammering → tartaja; tartamudo
stamp → pisotón; sello; timbre **stamp collecting** filatelia
stamp (to) → estampar; sellar
stamp one's feet (to) → patalear; patear; zapatear
stand → grada
stand (to) → aguantar; reposar; resistir; tragar **not to be able to stand** atragantarse; atravesar; no poder ver ni en pintura **to stand on end** erizar **to stand on tiptoe** empinar **to stand out** contrastar; despuntar; destacar; figurar; resaltar; señalar; sobresalir **to stand to attention** cuadrar **to stand up** levantar; plantar; tener
standard → estándar; estandarte **standard of living** nivel de vida
standardize (to) → normalizar; regularizar; uniformar
stand-in → sustituto
standing → de pie
standstill → **to bring to a standstill** paralizar
stanza → estrofa
staple → grapa
staple (to) → coser; grapar
stapler → grapadora
star → crack; estelar; estrella; figura **star sign** horóscopo **to fill with stars** estrellar
star in (to) → protagonizar
starboard → estribor
starch → almidón
starfish → estrella de mar
start → arranque; comienzo; inicio; principio; respingo; salida; sobresalto **from start to finish** de pe a pa
start (to) → arrancar; comenzar; despuntar; empezar; emprender; entrar; enzarzar; iniciar; organizar; originar; ponerse a **to start to** echar a
starter → entrada **starting mechanism** arranque
startle (to) → sobresaltar
starving → famélico
state → estado; estatal
state (to) → afirmar; asegurar; declarar; exponer
stately → señorial
statement → afirmación; enunciado; manifestación
static → estático
station → cadena; canal; emisora; estación **station wagon** ranchera
station (to) → destacar
stationer's → papelería
statistical → estadístico
statistics → estadística
statue → estatua
stature → estatura; talla
status → estado
statute → estatuto
stave → pentagrama
stave off (to) → matar
stay → estancia
stay (to) → alojar; estar; guardar; hospedar; mantener; permanecer; quedar **to stay up all night** trasnochar **to stay up late** trasnochar **to stay young** conservar
steady → estable; firme **steady hand** pulso
steak → bistec
steal (to) → apropiarse; hurtar; rapiñar; robar; sustraer
stealth → sigilo
steam → humo; vaho; vapor
steam up (to) → empañar
steamroller → apisonadora
steed → corcel
steel → acero
steep → abrupto; empinado; escarpado
steer (to) → gobernar
steerable → dirigible
steering → dirección **steering wheel** volante
stellar → estelar
stem → pie; rabillo; tallo
stench → hedor; peste; pestilencia
stenographer → taquígrafo
step → escalón; gestión; paso; peldaño **steps** escalerilla; escalinata
step on (to) → pisar
stepbrother → hermanastro
stepchild → hijastro
stepdaughter → hijastro
stepfather → padrastro
stepladder → escala
stepmother → madrastra
steppe → estepa
stepsister → hermanastro
stepson → hijastro
stereo → estéreo
sterile → estéril
sterilize (to) → esterilizar
stern → popa
stethoscope → estetoscopio
stew → cocido; estofado; guiso; potaje
stick → bastón; estaca; palo; palote **thick stick** garrota; garrote
stick (to) → adherir; agarrar; clavar; enganchar; hincar; pegar; sacar **to stick one's head out** asomar **to stick out** asomar; cantar **to stick to one's guns** seguir en sus trece
sticker → adhesivo; pegatina
sticking plaster → esparadrapo; tirita
sticky → pegajoso; pringoso **to make sticky** pringar
stiff → fiambre; tieso **stiff neck** tortícolis **stiff with cold** aterido
stiffen (to) → agarrotar

stiffness → agujetas
stifling → sofocante **stifling heat** bochorno
still → aún; quieto; todavía **still life** bodegón **still not** todavía no
stillness → quietud
stilt → zanco
stimulate (to) → estimular; excitar
stimulating → excitante; sugestivo
stimulus → estímulo; revulsivo
sting → aguijón; picadura; picotazo
sting (to) → escocer; picar
stinging → escozor
stingy → mezquino; rácano; rata; roña; roñica; roñoso; ruin; tacaño
stink → hedor; peste; pestilencia; tufo
stink (to) → apestar; atufar; cantar
stinking → apestoso
stir → revuelo
stir (to) → remover **to stir up** alborotar
stirrer → liante; lioso
stirrup → estribo **stirrup bone** estribo
stitch → flato; puntada; punto
stitch (to) → suturar
stock → caldo; cepa; depósito; estirpe; existencia; ganadero; reserva; stock **stock exchange** bolsa
stock (to) → poblar **to stock up** aprovisionar
stockbreeder → ganadero
stocking → media
stomach → estómago **on an empty stomach** en ayunas **on one's stomach** boca abajo **stomach cramp** retortijón
stone → cálculo; guijarro; hueso; pedrusco; piedra **stone bench** poyo
stone (to) → lapidar
stony → pedregoso
stool → banqueta; taburete
stoop (to) → encorvarse
stop → alto; parada; tope **stop sign** stop
stop (to) → atajar; cesar; detener; frenar; parar; pararse a
stopover → escala
stopper → tapón
stopping → detención
stopwatch → cronómetro
store → depósito
store (to) → almacenar
store up (to) → almacenar
storey → planta
stork → cigüeña
storm → tempestad; temporal; tormenta
stormy → tempestuoso
story → cuento; historia; narración; patraña; relato **it would be another story** otro gallo cantaría **old story** canción; copla **story writer** cuentista
storybook → novelesco
storyteller → cuentista
stout → grueso
stove → estufa; fogón
stowaway → polizón
straight → de cabeza; derecho; directo; lacio; liso; llano; recta; recto
straight away → enseguida
straight line → recta
straight on → recto
straightaway → acto seguido; al momento
straighten (to) → enderezar
straightforward → llano
strain → sobrecarga
strain (to) → colar; esforzar
strainer → colador; escurridor
strait → estrecho
straitjacket → camisa de fuerza
strange → extraño; raro **to find strange** extrañar
stranger → extraño; forastero
strangle (to) → estrangular
strap → correa; pulsera; tirante **straps** correaje
stratagem → estratagema
strategic → estratégico
strategy → estrategia
stratosphere → estratosfera
stratum → estamento; estrato; manto
straw → paja **to draw the short straw** tocarle la china
strawberry → fresa; fresón **strawberry bed** fresal **strawberry field** fresal
stray → vagabundo
streak → veta
stream → arroyo; riachuelo
streamer → serpentina
street → calle; callejero; vía **street directory** callejero
streetlamp → farola
streetlight → farola
streetmarket → mercadillo
strength → consistencia; fuerza; resistencia **brute strength** fuerza bruta **to lose strength** desfallecer
strengthen (to) → afianzar; afirmar; estrechar; fortalecer
stress → acento; énfasis; estrés
stress (to) → acentuar; hacer hincapié; insistir; recalcar; remarcar; subrayar
stressed → tónico
stretch → tirada; tramo
stretch (to) → dar de sí; desperezarse; estirar **to stretch one's legs** estirar las piernas
stretcher → camilla
stretcher-bearer → camillero
stretching → extensión
strict → estricto; rígido; severo **strict person** hueso
strictness → rigor
stride → zancada
stridency → estridencia
strident → estridente
strike → huelga
strike (to) → dar; golpear; percutir **to strike dead** fulminar **to strike up** trabar
striking → impactante
string → cordel; cuerda; hebra; sarta **to pull strings for** enchufar
string (to) → engarzar
strip → faja; franja; lista; tira
strip (to) → despojar **to strip the leaves off** deshojar **to strip the petals off** deshojar
stripe → franja; galón; lista; raya
striped → rayado
striptease → striptease
strive (to) → esforzar
stroke → brazada; caricia; palote; rasgo; trazo
stroke (to) → acariciar
stroll → paseo
stroll (to) → deambular
strong → forzudo; fuerte; recio; sólido **strong point** fuerte **to be strong** picar **to be stronger** poder **to make stronger** reforzar
strongbox → arca
structure → estructura
struggle → lucha; pugna
struggle (to) → forcejear; pelear **to struggle against** lidiar
stubborn → obstinado; tenaz; terco; testarudo; tozudo
stubbornly → erre que erre
stuck → **to get stuck** atascar; atrancar
stud → taco
student → alumno; estudiante; estudioso **student body** alumnado
studio → estudio; taller **studio flat** estudio
studious → estudioso
study → estudio; gabinete
study (to) → cursar; estudiar
stuff → bártulos
stuff (to) → disecar; llenar; rellenar **to stuff oneself** atracar; hinchar; inflar; ponerse ciego; ponerse las botas; ponerse morado; ponerse tibio

stuffed → relleno
stuffing → relleno
stumble → traspié; tropezón
stump → cepa; muñón
stunned → atolondrado; de piedra
stunning → despampanante
stunt → **stunt man** especialista **stunt woman** especialista
stupid → burro; chorra; cretino; estúpido; gilipollas; imbécil; majadero; memo; tonto **stupid thing** bestialidad; burrada; chorrada; estupidez; idiotez; majadería; payasada; pijada; tontería **to be stupid** no tener dos dedos de frente
stupidity → estupidez; tontería
stutter (to) → tartamudear
stye → orzuelo
style → estilo; modalidad
subaquatic → subacuático
subdelegate → subdelegado
subdivision → subdivisión
subdue (to) → someter
subject → asignatura; materia; particular; súbdito; sujeto **difficult subject** hueso **on the subject** al respecto
subject (to) → someter
subjective → subjetivo
subjugate (to) → avasallar
subjunctive → subjuntivo
sublime → sublime
sub-machine gun → metralleta
submarine → submarino
submerge (to) → sumergir
submissiveness → sumisión
submit (to) → someter
submultiple → submúltiplo
subnormal → anormal
subordinate → subordinado **subordinate clause** subordinado
subscribe (to) → abonar
subscription → abono; cotización; suscripción **subscription form** boletín de suscripción
subsidiary → filial
subsidize (to) → subvencionar
subsidy → subvención
subsist (to) → subsistir
subsoil → subsuelo
substance → materia; miga; sustancia
substantial → cuantioso
substitute → suplente; sustituto
substitute (to) → sustituir
substitution → sustitución
substrate → sustrato
substratum → sustrato
subterfuge → subterfugio
subterranean → subterráneo
subtitle → subtítulo
subtle → sutil
subtract (to) → restar; sustraer
subtraction → resta; sustracción
subtrahend → sustraendo
suburb → **poor suburb** suburbio
suburban → de cercanías; suburbano
subversive → subversivo
subway → metro; metropolitano
succeed (to) → suceder; triunfar
success → aceptación; éxito; fortuna; logro; triunfo
successful → airoso **to be successful** situar
succession → sucesión
successive → sucesivo
successor → sucesor
succinct → escueto
succulent → suculento
succumb (to) → sucumbir
such → cada; semejante; tal; tamaño **such and such** tal **such as** como
suck → chupetón
suck (to) → **to suck** chupar **to suck in** aspirar **to suck up** absorber; hacer la rosca **to suck up to** hacer la pelota
sucker → primo; ventosa
sucking → chupón; lechal **sucking in** aspiración **sucking pig** cochinillo; lechón
suckle (to) → amamantar; mamar
suction cup → ventosa
sudden → brusco; repentino; súbito **all of a sudden** de buenas a primeras; de repente
suddenly → de golpe; de pronto; de repente
sudoriferous → sudoríparo
suede → ante
suffer (to) → experimentar; padecer; sufrir
suffering → sufrimiento
sufficient → **to be sufficient** alcanzar
suffix → sufijo
suffocate (to) → ahogar; sofocar
suffocated → ahogado
suffocating → sofocante
suffocation → ahogo
suffrage → sufragio
sugar → azúcar **sugar beet** remolacha **sugar bowl** azucarero
sugared almond → peladilla
sugary bun → suizo
suggest (to) → postular; sugerir
suggestion → sugerencia
suicidal → suicida
suicide → suicida; suicidio
suit → palo; traje
suit (to) → caer; favorecer; sentar **not to suit** caer
suitability → conveniencia
suitable → adecuado; apropiado; apto
suitcase → maleta
suite → suite
suitor → pretendiente
sulphur → azufre
sultan → sultán
sultana → sultán
sultry → bochornoso
sum → cantidad; cifra; cuenta; suma
sum up (to) → resumir
summarize (to) → concretar; resumir
summary → resumen; sumario
summer → abril; estival; veraniego; verano **summer camp** colonia **summer holiday** veraneo **summer vacation** veraneo **to spend the summer holiday** veranear **to spend the summer vacation** veranear
summit → cima; cumbre; cúspide
summon (to) → convocar
summon up (to) → armar
sumo → sumo
sun → sol
sunbed → tumbona
Sunday → domingo; dominguero; dominical **Sunday driver** dominguero **Sunday newspaper** dominical
sundial → reloj de sol
sunflower → girasol **sunflower seed** pipa
sunny → soleado
sunset → ocaso
sunshade → parasol; sombrilla
sunshine → sol
sunstroke → insolación
suntan cream → bronceador
superabundance → superabundancia
superficial → pijo; superficial
superficially → por encima
superfluous → superfluo
superhuman → sobrehumano
superimpose (to) → superponer
superintendent → comisario
superior → superior
superiority → superioridad
superlative → superlativo
supermarket → autoservicio; súper; supermercado
supermodel → top model

supernatural → sobrenatural
supersonic → supersónico
superstition → superstición
superstitious → supersticioso
supervise (to) → supervisar
supper → cena **to have supper** cenar
supplant (to) → suplantar
supplement → suplemento
supplementary → suplementario
supply → oferta; provisión; suministro
supply (to) → abastecer; aprovisionar; proporcionar; servir; suministrar; surtir
support → adhesión; apoyo; concurso; favor; respaldo; soporte; sostén; sujeción; sustento; telonero
support (to) → apoyar; respaldar; soportar; sostener
supporter → adepto; forofo; hincha; partidario; seguidor
supporting → telonero
supportive → solidario
suppose (to) → figurar; poner; suponer
supposition → suponer; suposición; supuesto
suppository → supositorio
suppress (to) → contener; reprimir; sofocar
supreme → sumo; supremo
sure → confiado **to make sure** asegurar; cerciorarse
surf → surf
surface → firme; superficial; superficie
surface (to) → pavimentar
surgeon → cirujano
surgery → cirugía; consulta; consultorio
surgical → quirúrgico
surly → áspero
surname → apellido
surpass (to) → aventajar; exceder; sobrepasar; superar
surprise → extrañeza; sorpresa
surprise (to) → chocar; extrañar; sorprender **to be surprised** sorprender
surprised → parado
surprising → chocante; sorprendente
surreal → surrealista
surrealist → surrealista
surrender → rendición
surrender (to) → rendir
surround (to) → bordear; cercar; rodear
surrounding area → alrededor; cercanía; inmediaciones
surveillance → acecho; vigilancia
survey → encuesta
survival → supervivencia
survive (to) → persistir; sobrevivir; subsistir
survivor → superviviente
suspect → sospechoso
suspect (to) → sospechar
suspected → sospechoso
suspend (to) → suspender
suspense → intriga; suspense
suspension points → puntos suspensivos
suspicion → desconfianza; mosqueo; sospecha
suspicious → desconfiado; sospechoso; suspicaz **to make suspicious** mosquear
suspicious-minded → malpensado
sustenance → sustento
swagger → chulada
swallow → golondrina; trago
swallow (to) → engullir; tragar **to swallow the bait** picar el anzuelo
swan → cisne
swarm → enjambre; prole **swarm of wasps** avispero
swaying → vaivén
swear (to) → jurar; renegar
swearword → palabrota; taco
sweat → sudor; sudoríparo
sweat (to) → sudar
sweater → suéter
sweatshirt → sudadera
Swede → sueco
Swedish → sueco
sweep (to) → barrer **to sweep the board** arrollar **to sweep to victory** arrasar **to sweep up** barrer
sweet → caramelo; chuchería; confite; dulce; golosina; postre **sweet and sour** agridulce **sweet bun** medianoche **sweet corn** maíz **sweet potato** batata **sweet shop** confitería
sweetbread → molleja
sweeten (to) → azucarar; endulzar
sweetness → dulzor; dulzura
sweet-toothed → goloso
swell → marejada; oleaje
swell up (to) → hinchar
swelling → hinchazón
swift → pronto; raudo
swim → baño
swim (to) → nadar
swimmer → nadador
swimming → natación **swimming costume** bañador; traje de baño **swimming pool** piscina **swimming trunks** bañador
swindle → estafa; timo
swindle (to) → estafar; timar
swine → canalla; cerdo; guarro; marrano; miserable; sabandija
swing → columpio **swing hammock** balancín
swing (to) → columpiar; oscilar **to swing one's hips** contonearse
swipe → zarpazo
swish of the tail → coletazo
Swiss → suizo
switch → interruptor; llave
switch (to) → **to switch off** desconectar **to switch on** encender
switchboard → centralita
sword → espada; estoque
swordfish → emperador
swordsman → espadachín
swot → empollón
swot (to) → empollar
swot up (to) → empapar
syllabic → silábico
syllable → sílaba **to pronounce syllable by sillable** silabear
syllabus → programa
symbiosis → simbiosis
symbol → símbolo
symbolic → simbólico
symbolize (to) → simbolizar
symmetry → simetría
sympathetic → compasivo; sensible
sympathy → condolencia
symphonic → sinfónico
symphony → sinfonía
symptom → síntoma
synagogue → sinagoga
synchronize (to) → acompasar; sincronizar
synchronous → sincrónico
syndrome → síndrome
synonym → sinónimo
synonymous → sinónimo
synopsis → sinopsis
syntactic → sintáctico
syntagma → sintagma
syntax → sintaxis
synthesis → síntesis
synthesizer → sintetizador
synthetic → sintético
syringe → jeringuilla
syrup → almíbar; jarabe
system → aparato; cadena; sistema
systematically → por sistema

T

tab → pestaña
tabernacle → sagrario
table → cuadro; mesa; tabla **table football** futbolín **table linen** mantelería **table mat** salvamanteles **table of contents** sumario **table tennis** tenis de mesa
tablecloth → falda; mantel
tablet → comprimido; gragea; pastilla; píldora; tableta
taboo → tabú
tacit → tácito
taciturn → taciturno
tack (to) → virar
tackle → entrada
tackle (to) → abordar; acometer
tacky → hortera
tact → diplomacia; mano izquierda; tacto
tactic → táctica
tactical → táctico
tactile → táctil
tadpole → renacuajo
tae kwon do → taekwondo
tag → etiqueta
tail → caudal; cola; faldón; rabo **tail door** portón **tail light** piloto **tails** cruz; frac
tailor → modisto; sastre **tailor's shop** sastrería
tailoring → confección
take → toma
take (to) → acercar; admitir; agarrar; aguantar; apoderarse; apropiarse; calzar; coger; comer; conducir; hacerse con; llevar; pasar; quitar; resistir; tardar; tomar **to take after** salir a **to take apart** desarmar; descomponer **to take back** devolver **to take down** bajar; descolgar **to take for** tomar por **to take in** abarcar; acoger **to take off** despegar; quitar **to take on** asumir **to take out** desenfundar; extraer; sacar **to take to** dar por **to take up** absorber; levantar; ocupar
takeoff → despegue
takeover → relevo **takeover fee** traspaso
takings → recaudación
talc → talco
talcum powder → talco
tale → cuento
talent → facilidad; talento
talisman → talismán
talk → charla; coloquio; conferencia **talk show** tertulia
talk (to) → charlar; conversar; dialogar; hablar **to talk about** comentar **to talk for the sake of it** hablar por hablar
talkative → charlatán; hablador; locuaz; parlanchín
talking → parlante
tall → alto
tally (to) → cuadrar; encajar
talon → garra
tambourine → **small tambourine** pandereta
tame → dócil; manso; sociable
tame (to) → amansar; domar
tameness → mansedumbre
tamer → domador
tampon → tampón
tan (to) → broncear; curtir
tandem → tándem
tanga → tanga
tangent → tangente **to go off at a tangent** salirse por la tangente
tangential → tangente
tangerine → mandarina
tangle → enredo; maraña **to get into a tangle** enredar
tangle (to) → enmarañar; enredar
tango → tango
tank → cisterna; depósito; tanque
tank up (to) → ponerse morado
tanked up → **to get tanked up** ponerse ciego
tanker → camión cisterna; cisterna; tanque
tanning → bronceador
tantrum → berrinche; pataleta; rabieta
tap → grifo; llave
tapa → tapa
tape → cinta **tape measure** cinta métrica; metro **tape recorder** magnetófono
tapestry → tapiz
tapeworm → solitaria; tenia
tar → alquitrán
tarantula → tarántula
tare → tara
target → blanco; diana
tariff → tarifa
tarmac (to) → pavimentar
tarnish (to) → empañar
tarot → tarot
tart → tarta
tartan → escocés
task → cometido; faena; tarea
taste → gustativo; gusto
taste (to) → catar; probar; saber **to taste heavenly** saber a gloria
tasteless → hortera; insípido; soso
tasty → sabroso
tatter → harapo **in tatters** desharrapado
tattoo → tatuaje
Taurus → tauro
taut → tenso; tirante
tautology → redundancia
tax → contribución; impuesto; tributo
taxi → taxi **taxi driver** taxista
taxidermy → taxidermia
taxpayer → contribuyente
tea → merienda; té **to have tea** merendar
teach (to) → enseñar; preparar **to teach a lesson** escarmentar **to teach manners** educar **to teach to read and write** alfabetizar
teacher → maestro; profesor; señorito **teacher training** magisterio
teaching → docencia; enseñanza; preparación **teaching profession** magisterio **teaching staff** profesorado
team → cuadrilla; cuadro; equipo; tiro; yunta
teapot → tetera
tear → desgarrón; lacrimal; lágrima; lagrimal; roto; rotura; siete **to fill with tears** empañar
tear (to) → desgarrar; rasgar **to tear to pieces** despedazar
teargas → lacrimógeno
tear-jerking → lacrimógeno
tearoom → salón
tease (to) → torear
teaspoon → cucharilla
teat → teta; tetina
technical → técnico
technique → técnica
technology → técnica; tecnología
tedium → tedio
teeth → dentadura
teetotal → abstemio
teetotaller → abstemio
telecommunication → telecomunicación
telegenic → televisivo
telegram → telegrama
telegraph → telégrafo
telegraph (to) → telegrafiar
telegraphic → telegráfico
telepathy → telepatía
telephone → telefónico; teléfono

telephone box cabina **telephone directory** listín **telephone number** teléfono
telephonist → telefonista
teleprinter → teletipo
telescope → catalejo; telescopio
teletext → teletexto
Teletype → teletipo
televise (to) → televisar
television → televisión; televisivo **television company** televisión **television news** telediario **television set** televisión; televisor
televisual → televisivo
tell (to) → chivarse; comentar; contar; meter; narrar; relatar **to tell off** llamar la atención; poner a caldo; regañar; reñir
telling-off → bronca; chaparrón; regañina
telltale → acusica; chivato; soplón
telly → tele
temper → genio; humor **bad temper** mala baba; malhumor **to fly into a temper** montar en **to lose one's temper** alterar; descomponer; saltar
tempera → témpera; temple
temperament → temperamento
temperature → calentura; fiebre; temperatura **at room temperature** del tiempo
temple → sien; templo
temporal → temporal
temporary → eventual; temporal **temporary solution** parche
tempt (to) → tentar
temptation → tentación
tempting → seductor
ten → diez **about ten** decena
tenacious → tenaz
tenacity → tesón
tenant → inquilino
tend (to) → tender
tendency → tendencia
tender → tierno
tenderize (to) → macerar
tenderness → ternura
tendon → tendón
tennis → tenis **tennis player** tenista
tenor → tenor
tense → tenso; tiempo; tirante
tension → tensión
tent → tienda
tentacle → tentáculo
tenth → décimo; diez; difamar
tepid → tibio
tequila → tequila
tercet → terceto
Tergal → tergal
term → término; trimestre; vocablo **term of office** legislatura; mandato
termination → terminación
termite → termita
terrace → grada; terraza **terraces** gradería; graderío
terrarium → terrario
terrible → atroz; de espanto; de mil demonios; de pena; del diablo; espantoso; fatal; horrible; horroroso; impresionante; monstruoso; mortal; nefasto; terrible; tremendo
terribly → fatal
terrier → terrier
terrific → bárbaro; brutal; chupi; de aúpa; de marca mayor; formidable
terrified → aterrado
terrify (to) → aterrorizar; horrorizar
terrifying → espeluznante; terrorífico
territory → territorio
terror → pavor; terror
terrorism → terrorismo
terrorist → terrorista **terrorist attack** atentado
tertiary → terciario
test → control; ensayo; experimento; prueba; tanteo; test **test tube** probeta; tubo de ensayo
test (to) → ensayar; experimentar; graduar; probar
testicle → testículo
testify (to) → atestiguar; declarar; testificar
testimony → testimonio
tetanus injection → antitetánica
tetrahedron → tetraedro
text → texto **text editor** editor
textbook → libro de texto
textile → textil
textual → textual
texture → textura
than → que
thank → **thank you** gracia **thanks to** gracias a **to say thank you** dar las gracias
thankful → agradecido **to be thankful for** agradecer
thankless → ingrato
that → aquel; aquello; ese; eso; que **and that's that** sanseacabó; y en paz **that is to say** es decir; o sea **that one** aquel; ese
thaw → deshielo
thaw (to) → descongelar
the → el; la; los
theatre → teatral; teatro
theatrical → teatral
theft → sustracción
their → su
theirs → suyo **of theirs** suyo
them → ellos; los **to them** se **with them** consigo
theme → tema
themselves → sí
then → después; entonces; luego; pues
theology → teología
theoretically → en teoría
theory → teoría
therapist → terapeuta
therapy → terapia
there → ahí; allá; allí
therefore → por consiguiente
thermal → térmico
thermometer → termómetro
thermos flask → termo
these → este; esto **these ones** este
they → ellos
thick → cerrado; corto; denso; espeso; gordo; grueso; tupido **as thick as thieves** ser uña y carne **to get thicker** espesar
thicken (to) → espesar
thickness → espesor; grosor; grueso
thief → caco; chorizo; ladrón
thigh → muslo
thimble → dedal
thin → claro; delgado; enjuto; fino; flaco **extremely thin** escuálido
thin down (to) → aclarar
thing → cosa **thing made of iron** hierro **things** bártulos **to do one's own thing** ir a lo suyo
thingamajig → chisme
thingummy → cachivache; chirimbolo
think (to) → creer; discurrir; opinar; pensar **to think about** meditar; mirar; pensar **to think highly of** estimar **to think of everything** estar en todo **to think oneself important** darse importancia
thinker → pensador
thinking → pensamiento
thinness → delgadez
third → tercer; tercero; tercio; tres **third floor** principal **Third World** Tercer Mundo
third-world → tercermundista
thirst → sed
thirsty → sediento
thirteen → trece
thirteenth → decimotercero; trece; treceavo
thirtieth → treinta; treintavo; trigésimo

thirty → treinta
this → así; este; esto **this one** este
thistle → cardo
thorax → tórax
thorn → espina
thorny → espinoso
thorough → minucioso
those → aquel; ese **those ones** aquel; ese
thought → pensamiento
thoughtful → reflexivo
thoughtless → inconsciente
thoughtlessness → alegría
thousand → mil; millar **thousands of** mil
thousandth → mil; milésimo
thrash (to) → apalear; aporrear; machacar; vapulear; zurrar
thrashing → paliza; tunda; zurra
thread → hebra; hilo; rosca **to lose one's thread** perder **to lose the thread** perder el hilo **to pick up the thread** coger el hilo
thread (to) → enhebrar; ensartar
threadbare → raído
threat → amenaza
threaten (to) → amenazar; atentar
threatening → amenazador
three → tres **three hundred** trescientos **three hundredth** trescientos
three-piece suite → tresillo
thresh (to) → trillar
thresher → trillo
threshing floor → era
threshold → umbral
thrifty → ahorrador **thrifty person** ahorrador
thrill (to) → entusiasmar
thriller → thriller
thrilling → emocionante
throat → garganta
throes → **to be in its death throes** dar los últimos coletazos
throne → trono
through → a base de; a través de **through and through** de pura cepa
throughout → a lo largo de
throw → tirada
throw (to) → arrojar; echar; lanzar; montar; precipitar; tirar **for throwing** arrojadizo **to throw away** tirar **to throw in the towel** tirar la toalla **to throw oneself** lanzar **to throw out** despachar; expulsar; tirar **to throw out of balance** desnivelar **to throw over a cliff** despeñar **to throw overboard** tirar por la borda **to throw something back in somebody's face** echar en cara **to throw stones at** apedrear
throwing → lanzamiento
thrush → tordo
thumb → pulgar
thumbtack → chincheta; tachuela
thump → mamporro
thump (to) → cascar; currar; sacudir; zumbar
thunder (to) → tronar
Thursday → jueves
thus → así
thwart (to) → frustrar
thyme → tomillo
ti → si
tiara → diadema
tibia → tibia
tick → garrapata
ticket → billete; boleto; bono; cupón; décimo; entrada; participación; pasaje; tique **multiple-journey bus ticket** bonobús **ticket clerk** taquillero **ticket inspector** revisor **ticket office** taquilla
ticking over → ralentí
ticking-off → sermón
tickle (to) → cosquillas
tickling → cosquilleo
ticklish → **to be ticklish** cosquillas
tick-tock → tictac
tide → marea **high tide** pleamar **low tide** bajamar **rising tide** flujo
tidiness → aseo
tidy → aseado; curioso; ordenado
tidy (to) → recoger **to tidy up** arreglar; asear; ordenar
tie → corbata; empate; lazo; vínculo **to break a tie** desempatar
tie (to) → atar; ligar **to tie down** atar **to tie up** amarrar; atar; atracar; enlazar; liar
tie-break → desempate
tier → piso
tiger → tigre **tiger nut** chufa
tight → estrecho; fuerte; justo **tight spot** apuro
tighten (to) → tensar
tight-knit group → piña
tightrope walker → equilibrista
tights → leotardo; malla
tile → azulejo; baldosa; loseta; teja **small tile** baldosín
tile (to) → alicatar; pavimentar
till → caja registradora; hasta
till (to) → labrar
tilt (to) → inclinar; ladear
timber → **piece of timber** madero
timbre → timbre
time → compás; época; hora; horario; rato; temporada; tiempo; vez **a long time** para rato **at the right time** a punto **at the same time** a la vez; al mismo tiempo **at the wrong time** a destiempo **at times** a ratos **for a long time** para largo **from time to time** de vez en cuando **half time** descanso **in olden times** antaño **in time** a tiempo **it was about time** ya era hora **rough time** trago **time of life** edad **time trial** contrarreloj **times** por **to be the time** tocar **to be the wrong time** no estar el horno para bollos **to have a bad time of it** pasarlas moradas **to have a hard time** pasarlas canutas **to have a whale of a time** pasarlo bomba; pasarlo en grande **to kill time** hacer tiempo **to waste time** perder el tiempo **with time to spare** con tiempo
time (to) → cronometrar
timely → oportuno
timetable → horario
timid → apocado; huraño; tímido
tin → bote; estaño; hojalata; lata **tin opener** abrelatas; abridor **tin plate** lata
tin (to) → envasar
tinkle (to) → tintinear
tinkling → tintineo
tinned food → conserva
tinsel → espumillón
tiny → diminuto; ínfimo; menudo; minúsculo **tiny bit** ápice; chispa
tip → ápice; basurero; boquilla; cúspide; leonera; pico; propina; punta; vertedero **tips** bote
tip (to) → volcar
tip-off → soplo
tipsy → alegre
tiptoe → **on tiptoe** de puntillas
tire (to) → cansar **to tire out** fatigar
tired → mustio
tiredness → cansancio
tireless → incansable; infatigable
tiresome → machacón
tiring → cansino
tissue → kleenex; tejido; tisú
tit → teta
titan → titán
titanic → titánico
title → denominación; título **title page** portada
titled → **to be titled** titular
to → a; hacia; para; ser lo de menos
toad → sapo
toadstool → seta

toast → brindis **slice of toast** tostada
toast (to) → brindar; tostar
toaster → tostadora
tobacco → tabaco **tobacco plant** tabaco
tobacconist → estanquero **tobacconist's** estanco
today → fecha; hoy; hoy en día
to-do → tinglado
toe → dedo; puntera
toga → toga
together → a dúo; junto **to get together** reunir
toilet → inodoro; retrete; servicio; taza; váter; wáter **toilet bag** neceser **toilet paper** papel higiénico
token → prueba
tolerable → tolerable
tolerance → tolerancia
tolerate (to) → tolerar
toil → peaje
toll (to) → doblar; tañer
tomato → tomate
tomb → sepulcro; tumba
tombola → tómbola
tombstone → lápida
tomorrow → mañana
tone → señal; tonalidad; tono
toner → tónico
tongue → lengua; lengüeta **tongue twister** trabalenguas
tongue-tied → **to get tongue-tied** trabar
tonic → tónico **tonic water** tónica
tonne → tonelada
tonsil → amígdala
tonsillitis → amigdalitis
too → además; excesivamente; también **to be too** pecar **to be too much** sobrar **too late** a buenas horas **too many** demasiado **too much** demasiado
tool → herramienta; útil
tooth → diente; muela; piño; púa **tooth decay** caries
toothed → dentado
toothless → desdentado
toothpaste → dentífrico
toothpick → mondadientes; palillo **toothpick holder** palillero
top → chapa; cima; copa; peonza; superior; top; trompo **from top to bottom** de arriba abajo **on top of** sobre **on top of that** encima **top block** tiro **top hat** chistera
topic → punto; tema
topicality → actualidad
topless → topless
topple (to) → destronar
top-quality → extra
topside → redondo
torch → antorcha; linterna
torment → martirio; tormento
tornado → tornado
torpedo → torpedo
torrential → torrencial
torso → torso; tronco
tortoise → tortuga
torture → martirio; suplicio; tortura
torture (to) → atormentar; torturar
toss (to) → **to toss a coin** echar a suertes **to toss about** revolver **to toss in a blanket** mantear
total → total **total number** total
totalitarian → totalitario
totem → tótem
toucan → tucán
touch → tacto; toque
touch (to) → enternecer; tocar **to touch up** retocar
touchy → quisquilloso
tough → duro; escabroso
toughness → dureza
tour → gira
tourism → turismo
tourist → turista; turístico **tourists** turismo
tournament → torneo
tow → estopa
tow (to) → remolcar
tow truck → grúa
towards → a; hacia
towel → toalla **towel rail** toallero
towelling → toalla
tower → torre
town → ciudad; ciudadano; localidad; municipal; municipio; población; villa **town council** ayuntamiento; municipio **town councillor** concejal **town crier** pregonero **town hall** ayuntamiento; casa consistorial
toxic → tóxico
toy → juguete **toy horse** caballito **toy shop** juguetería
trace → traza; vestigio
trace (to) → calcar
trachea → tráquea
tracheal → traqueal
tracing → calco
track → camino; circuito; pista; vía
tracksuit → chándal
traction → tracción
tractor → tractor
trade → comercio; oficio; tráfico **trade union** sindicato
tradition → tradición
traditional → tradicional
traffic → circulación; circulatorio; movimiento; tráfico **traffic circle** glorieta; rotonda **traffic department** jefatura **traffic jam** atasco; embotellamiento; tapón **traffic light** semáforo
traffic (to) → traficar
trafficker → traficante
tragedy → tragedia
tragic → trágico
trail → pista; rastro; reguero
trailer → remolque; tráiler
train → convoy; tren **suburban train** suburbano
train (to) → adiestrar; amaestrar; domesticar; educar; ejercitar; entrenar; formar; instruir; preparar
trainer → entrenador
training → entrenamiento; formación; preparación
traitor → traidor
trajectory → trayectoria
tram → tranvía
tramp → vagabundo
trample on (to) → pisotear
tranquillizer → tranquilizante
transcribe (to) → transcribir
transfer → calcomanía; transferencia
transfer (to) → girar; transbordar; trasladar
transform (to) → transformar
transformation → transformación
transfusion → transfusión
transgressor → transgresor
transistor → transistor
transition → transición; tránsito
transitive → transitivo
transitory → transitorio
translate (to) → traducir
translation → traducción
translator → traductor
transmission → retransmisión
transmit (to) → comunicar; contagiar; transmitir
transmitter → emisor; transmisor
transmitting → transmisor
transparency → filmina; transparencia
transparent → diáfano; transparente **to be transparent** transparentar
transplant → trasplante
transplant (to) → trasplantar
transport → transporte
transport (to) → acarrear; transportar
transverse flute → flauta travesera
transvestite → travesti

trap → cepo; encerrona; trampa **to shut one's trap** cerrar el pico
trap (to) → acorralar; pillar
trapeze → trapecio **trapeze artist** trapecista
trapezium → trapecio
trapezius → trapecio
trauma → trauma
traumatize (to) → traumatizar
travel (to) → circular; desplazar; viajar
travel sickness → mareo
traveller → viajero
travelling → ambulante
tray → bandeja; cubeta
treacherous → traicionero; traidor
tread on (to) → pisar
treason → traición
treasure → tesoro
treasurer → tesorero
Treasury → hacienda; tesoro público
treat (to) → depurar; tratar
treatise → tratado
treatment → tratamiento; trato
treaty → tratado
treble (to) → triplicar
tree → árbol
tremble (to) → temblar
trembling → temblor; tembloroso
tremendous → bestial; como la copa de un pino; impresionante; loco; mayúsculo; padre; que para qué; soberano; tremendo
trench → fosa; trinchera; zanja
trend → tendencia
trestle → caballete
trial → juicio; proceso; tanteo
triangle → triángulo
triangular → triangular
tribe → tribu
tributary → afluente
tribute → homenaje; tributo
triceps → tríceps
trick → ardid; artimaña; astucia; baza; engaño; estratagema; treta; triquiñuela; truco **to play a dirty trick on somebody** jugársela a alguien
trick (to) → estafar; timar
trickle → reguero
trickle down (to) → surcar
trickster → charlatán
tricky → espinoso; peliagudo
tricolour → tricolor
tricycle → triciclo
trident → tridente
triennium → trienio
trifle → bagatela; pijada; simpleza; tontería
trigger → gatillo
trilingual → trilingüe
trill → trino
trill (to) → trinar
trillion → billón
trilogy → trilogía; tríptico
trim (to) → recortar
trimming → ribete
trinket → baratija
trio → terceto; trío
trip → excursión; traspié; tropezón; viaje; zancadilla **quick trip** escapada
trip (to) → tropezar
tripe → callo
triphthong → triptongo
triple → triple
triple (to) → triplicar
triplet → trillizo
tripod → trípode
triptych → tríptico
trisyllabic → trisílabo
triumph → triunfo
triumph (to) → triunfar
triumphant → triunfal
trivial → banal; trivial
troglodytic → troglodita
trolley → carro
trombone → trombón
troops → tropa
trophy → trofeo
tropic → trópico **tropics** trópico
tropical → tropical
troposphere → troposfera
trot → trote
trot (to) → trotar
troubadour → trovador
trouble → camorra; molestia **to cause trouble** meter cizaña **to get somebody out of trouble** sacar las castañas del fuego **to tell one's troubles** desahogarse
trouble (to) → molestar
troublesome → molesto
trough → cuezo
trounce (to) → barrer
trousers → pantalón
trout → trucha
trowel → paleta
truant → **to play truant** hacer novillos
truce → tregua
truck → camión **truck farm** huerta
truckle bed → cama nido
true → cierto; verdadero; verídico **to come true** cumplir
truffle → trufa
trump → triunfo
trumpet → trompeta **trumpet player** trompeta; trompetista
trumpet (to) → barritar
truncheon → porra
trunk → baúl; cuerpo; maletero; portaequipajes; trompa; tronco
trust (to) → confiar; fiar **not to trust** dudar
trusting → confiado
trustworthy → de confianza
truth → verdad
try → intento; tentativa
try (to) → intentar; probar; procesar; procurar; tratar
tsar → zar
tsarina → zarina
T-shirt → camiseta; niqui
tub → tarrina
tuba → tuba
tubby → rechoncho
tube → caño; canuto; cartucho; conducto; tubo
tuber → tubérculo
Tuesday → martes
tug → estirón; tirón
tulip → tulipán
tumble dryer → secadora
tumour → tumor
tumult → tumulto
tuna → atún
tundra → tundra
tune → tonada **to be out of tune** desafinar; desentonar
tune (to) → afinar; templar **to tune in to** sintonizar
tunic → túnica
tuning knob → sintonizador
Tunisian → tunecino
tunnel → túnel
turban → turbante
turbinate bone → cornete
turbine → turbina
turbo → turbo
turbot → rodaballo
turbulence → turbulencia
turbulent → turbulento
turd → zurullo
Turk → turco
turkey → pavo
Turkish → turco
turn → giro; sesgo; tanda; turno; vez; vuelta **to be someone's turn** tocar **to take turns** turnarse **turn of phrase** giro
turn (to) → convertir; doblar; girar; recurrir; torcer; virar; volver **to turn around** revolver **to turn bad** corromper **to turn down** dar calaba-

zas **to turn off** apagar; cerrar; desviar **to turn on** abrir; dar; encender **to turn out** apagar; salir **to turn out to be** resultar **to turn round** dar la vuelta **to turn to** acudir **to turn up** aparecer; presentar

turncoat → chaquetero

turned-up → respingón

turning → bocacalle

turnip → nabo

turn-up → dobladillo

turpentine → aguarrás

turquoise → turquesa

turtle → galápago; tortuga

turtledove → tórtolo

tusk → colmillo

tutor → ayo; preceptor; tutor

tutorship → tutoría

tutu → tutú

TV → tele **TV film** telefilme **TV viewer** telespectador; televidente

tweet → pío

tweet (to) → piar

tweezers → pinza

twelfth → decimosegundo; doce; doceavo; duodécimo

twelve → doce

twentieth → veinteavo; vigésimo

twenty → veinte

twenty-eight → veintiocho

twenty-five → veinticinco

twenty-four → veinticuatro

twenty-nine → veintinueve

twenty-one → veintiún; veintiuno

twenty-seven → veintisiete

twenty-six → veintiséis

twenty-three → veintitrés

twenty-two → veintidós

twice-monthly → bimensual

twilight → crepúsculo

twin → gemelo; mellizo

twin-engined → bimotor **twin-engined plane** bimotor

twinkle (to) → centellear; titilar

twinset → conjunto

twist → tirabuzón

twist (to) → retorcer; tergiversar; torcer

twit → merluzo

twitch → tic

two → dos **to be two of a kind** ser tal para cual **two hundred** doscientos **two hundredth** doscientos

two-coloured → bicolor

two-seater → biplaza

two-syllabled → bisílabo

two-year period → bienio

type → clase; índole; modalidad; tipo

type (to) → mecanografiar; teclear

typhus → tifus

typical → propio; típico

typist → mecanógrafo

tyrannical → tirano

tyranny → tiranía

tyrant → sargento; tirano

tyre → cubierta; neumático

Tyrolean → tirolés

U

UFO → ovni

ugliness → fealdad

ugly → feo **to make ugly** afear **ugly devil** cardo; coco; engendro **ugly thing** floripondio

Ukrainian → ucraniano

ulcer → llaga; úlcera

ultimatum → ultimátum

ultraviolet → ultravioleta

umbilical → umbilical **umbilical cord** cordón umbilical

umbrella → paraguas **umbrella stand** paragüero

unable → imposibilitado

unabridged → íntegro

unacceptable → inaceptable; inadmisible

unaffected → sencillo

unanimity → unanimidad

unanimous → unánime

unattainable → inalcanzable; inasequible

unavoidable → impepinable; inevitable

unaware → ajeno

unbalance (to) → desequilibrar

unbalanced → desequilibrado

unbar (to) → desatrancar

unbearable → inaguantable; insoportable; insufrible

unbeatable → imbatible; insuperable

unbecoming → impropio

unbelievable → increíble **to be unbelievable** ser la monda

unblock (to) → desatascar; desatrancar

unbolt (to) → desatrancar

unbreakable → irrompible

unbreathable → irrespirable

uncertain → incierto

uncertainty → incertidumbre

unchain (to) → desencadenar

unchanging → inalterable

uncivilized → salvaje

uncle → tío

uncomfortable → a disgusto; incómodo; molesto **to make feel uncomfortable** incomodar

uncomfortableness → incomodidad

unconscious → inconsciente

unconstitutional → anticonstitucional

uncontrollable → incontenible; indomable

uncork (to) → descorchar

uncorrectable → incorregible

uncountable → incontable

uncouple (to) → desenganchar

uncouth → tosco; zafio

uncover (to) → descubrir; destapar

uncovered → descubierto

unction → unción

undecided → indeciso

undeniable → de cajón; innegable

under → bajo **to be under** depender

underdeveloped → subdesarrollado

underdone → crudo

undergo (to) → experimentar; sufrir

underground → clandestino; metro; metropolitano; subterráneo

undergrowth → maleza; maraña

underhand → marrullero; sucio

underline (to) → remarcar; subrayar

underlining → subrayado

underneath → debajo

underpants → calzoncillo; slip

underskirt → viso

understand (to) → comprender; entender; enterarse; explicar; sobrentender **to be understood** sobrentender **to understand each other** compenetrarse

understandable → comprensible

understanding → comprensión; comprensivo; entendimiento

undertake (to) → comprometer

undertaker's → funeraria

undertaking → empresa

undertow → resaca

underwater → subacuático; submarino

underwear → ropa interior **in one's underwear** en paños menores

undesirable → indeseable

undo (to) → desabrochar; deshacer

undress (to) → desnudar; desvestir

undulation → ondulación
unearth (to) → desenterrar
uneasiness → intranquilidad
uneasy → intranquilo
uneducated → inculto
unemployed → parado
unemployment → desempleo; paro
unequal → desigual
uneven → desigual
unexpected → inesperado
unexpectedly → de improviso
unfair → injusto
unfairness → injusticia
unfaithful → infiel
unfasten (to) → desabrochar
unfavourable → desfavorable
unfeasible → inviable; irrealizable
unfeeling → insensible
unfilled → desierto
unfinished → inacabado; incompleto
unfold (to) → desdoblar; desplegar
unfolding → despliegue
unforeseeable → imprevisible
unforeseen → imprevisto **unforeseen event** imprevisto
unforgettable → imborrable; inolvidable
unforgivable → imperdonable
unfortunate → desafortunado; desdichado; desgraciado; desventurado
unfriendly → antipático; arisco
ungainly → desgarbado
ungrammatical → agramatical
ungrateful → desagradecido; ingrato
unhappy → descontento; infeliz
unharmed → ileso; indemne
unhealthy → insano
unheard of → inédito
unhitch (to) → desenganchar
unhurried → pausado
unhurt → ileso
unicellular → unicelular
unicorn → unicornio
unidentified flying object → ovni
uniform → uniforme **to put into uniform** uniformar
unify (to) → unificar
unimaginable → inimaginable
unimportant → **to be totally unimportant** importar un comino
uninhabited → deshabitado
unintentional → involuntario
unintentionally → sin querer
union → sindicato; unión
unique → único
unirrigated land → secano
unisex → unisex
unison → **in unison** al unísono
unisonous → unísono
unit → módulo; unidad **unit of measurement** medida
unite (to) → cohesionar; unir
unity → unidad
universal → universal
universe → universo
university → universidad; universitario **university entrance examination** selectividad **university graduate** universitario **university student** universitario
unjust → injusto
unjustifiable → injustificable
unknown → inédito **unknown quantity** incógnita
unleash (to) → desatar
unless → ser lo de menos
unlikely → improbable; inverosímil
unlimited → ilimitado
unload (to) → descargar; desembarcar
unloading → descarga
unlucky → desafortunado; desgraciado
unmake (to) → deshacer
unmanageable → rebelde
unmarried → soltero
unmask (to) → desenmascarar
unmistakable → inconfundible
unnatural → antinatural
unnecessary → innecesario
unnoticed → desapercibido
unoccupied → deshabitado
unpack (to) → desempaquetar
unperturbed → fresco
unpick (to) → descoser
unpleasant → antipático; borde; desagradable; feo **unpleasant duty** muerto **unpleasant sensation** dentera
unplug (to) → desenchufar
unpopular → impopular
unprecedented → inaudito
unpredictable → impredecible
unprepared → desprevenido
unpresentable → impresentable
unprotected → desprotegido
unpublished → inédito
unpunctual → impuntual
unpunished → impune
unquestionable → incuestionable; indiscutible; indudable
unreachable → inalcanzable
unreadable → ilegible
unreal → irreal
unrecognizable → irreconocible
unreliable → informal
unrepeatable → irrepetible
unripe → verde
unrivalled → inigualable
unroll (to) → desenrollar
unsafe → inseguro
unscrew (to) → desatornillar; desenroscar
unscrupulous → desaprensivo
unselfishness → desinterés
unsettled → revuelto
unsheathe (to) → desenvainar
unsociable → huraño
unsportsmanlike → antideportivo
unstable → inestable
unsteady → inestable
unstick (to) → despegar
unstitched → **to come unstitched** descoser
unstoppable → imparable
unstressed → átono
unsurmountable → insuperable
untamable → indomable
untangle (to) → desenredar
unthinkable → impensable; inconcebible
untidiness → descuido; desorden
untidy → descuidado; desordenado
untidy (to) → desordenar
untie (to) → desatar
until → hasta
untouchable → intocable
untrue → incierto
unused → desacostumbrado
unusual → desacostumbrado; inusual **extremely unusual** insólito
unweaned → mamón
unwell → desmejorado **to feel unwell** descomponer
unwillingly → a regañadientes; por las malas
unwind (to) → desenrollar
unworthy → indigno
unwrap (to) → desenvolver
up → arriba **to up and** coger **y up in the air** en el aire **ups and downs** altibajos
update (to) → actualizar
upholster (to) → tapizar
upholsterer's → tapicería
upholstery → tapicería
upon → encima
upper → superior **upper lip** bigote
upright → boca arriba; derecho; íntegro; recto
uprising → alzamiento; insurrección
uproar → bulla; bullicio

ups-a-daisy! → ¡aúpa!
upset → molesto
upset (to) → disgustar; molestar; trastornar
upside down → **to turn upside down** revolver
uranium → uranio
urban → urbano **urban tribe** tribu urbana
ureter → uréter
urethra → uretra
urge → afán
urge (to) → empujar
urge on (to) → arrear
urgent → apremiante; imperioso; urgente **to be urgent** correr prisa; urgir
urinal → urinario
urinary → urinario
urinate (to) → orinar
urine → orina
urn → urna
Uruguayan → uruguayo
us → nos; nosotros
use → empleo; manejo; uso; utilidad; utilización **to make good use of** aprovechar **to make use of** utilizar
use (to) → consumir; emplear; gastar; manejar; servir; usar; utilizar; valer **to use for the first time** estrenar **to use up** terminar
used → **not to be used to** extrañar **to be used** servir **to get used** habituar
useful → conveniente; útil **to be useful** valer
usefulness → caducidad; conveniencia
useless → birria; inservible; inútil; negado; patoso
user → usuario
usher → acomodador
usherette → acomodador
usual → corriente; habitual; usual
usually → generalmente
usurer → usurero
usurp (to) → usurpar
utensil → utensilio
uterus → útero
utility → utilidad
utmost → **to do one's utmost** volcar
Utopia → utopía
utter (to) → exhalar
uvula → campanilla

V

vacate (to) → desocupar
vacation → vacaciones
vacationer → veraneante
vaccinate (to) → vacunar
vaccine → vacuna
vacuum → vacío **vacuum cleaner** aspiradora
vacuum-packed → al vacío
vagary → avatares
vagina → vagina
vague → difuso; impreciso; vago
vain → creído; engreído; estúpido; presumido; presuntuoso; vanidoso; vano **in vain** en balde; en vano; vano
Valencian → valenciano
valerian → valeriana
valid → válido **to be valid** valer
validate (to) → validar
validity → validez
valley → valle
valuable → valioso
valuation → tasa; valoración
value → valor
value (to) → estimar; tasar; valorar
valve → válvula
vampire → vampiro **vampire bat** vampiro
van → camioneta; furgón; furgoneta
vandal → vándalo
vandalism → vandalismo
vanguard → vanguardia
vanilla → vainilla
vanish (to) → volar
vanity → vanidad
vantage point → atalaya
vapour → vapor **vapour trail** estela
variable → variable; variante
variation → variación
varicose vein → variz
variety → diversidad; variedad
various → diverso
varnish → barniz
varnish (to) → barnizar
vary (to) → variar
vase → florero; jarrón
Vaseline → vaselina
vassal → vasallo
vast → extenso; inabarcable; inmenso; vasto
Vatican → vaticano
vault → bóveda; panteón
vegetable → hortaliza; legumbre; vegetal **vegetable stew** menestra **vegetables** verdura
vegetarian → vegetariano
vegetate (to) → vegetar
vegetation → vegetación
vehement → vehemente
vehicle → vehículo
veil → velo
vein → filón; vena; veta
velum → velo del paladar
velvet → terciopelo
venerable → venerable
venerate (to) → venerar
Venezuelan → venezolano
vengeful → vengativo
venial → venial
venom → veneno
vent → chimenea
vent (to) → descargar
ventilate (to) → oxigenar; ventilar
ventricle → ventrículo
ventriloquist → ventrílocuo
venture → empresa
venture (to) → aventurar
verandah → porche
verb → verbo
verbal → verbal
verbosity → verborrea
verdict → veredicto
verify (to) → contrastar; verificar
vermilion → bermellón
vermin → alimaña
versatile → comodín; polifacético; versátil
verse → estrofa; versículo; verso
versify (to) → versificar
version → versión
vertebra → vértebra
vertebral → vertebral
vertebrate → vertebrado
vertex → vértice
vertical → vertical
vertigo → vértigo
verve → brío
very → bien; muy
vesicle → vesícula
vessel → bajel; nao; nave; navío; vasija; vaso
vest → camiseta
vestibule → atrio
vestige → vestigio
vet → veterinario
veteran → veterano
veterinary surgeon → veterinario
veto (to) → vetar
via → por medio de; vía
viable → viable **to make financially viable** sanear

vibrant → vibrante
vibrate (to) → vibrar
vibrating → vibrante
vibration → vibración
vice → vicio **vice chancellor** rector **vice president** vicepresidente **vice versa** viceversa
victim → afectado; damnificado; víctima
victorious → victorioso
victory → triunfo; victoria **to claim victory** cantar victoria
video → clip; vídeo; videoclip **video camera** videocámara **video game** videojuego **video library** videoteca **video recorder** vídeo **video rental shop** videoclub
view → visión; vista
viewing point → mirador
vigil → velatorio
vigorous → enérgico
vigour → vigor
Viking → vikingo
vile → infame
villa → villa
village → población; poblado; pueblo; tribu **small village** aldea
villager → aldeano
villain → rufián; villano
villainous → villano
vinaigrette → vinagreta
vine → vid
vinegar → vinagre **vinegar bottle** vinagrera
vineyard → viña; viñedo
viola → viola
violate (to) → violar
violation → violación
violence → violencia
violent → impetuoso; violento
violet → violáceo; violeta
violin → violín
violinist → violinista
viper → víbora
viral → vírico
virgin → virgen
Virgo → virgo
Virgoan → virgo
virtual → virtual
virtue → virtud
virus → virus
viscous → viscoso
visibility → visibilidad
visible → visible **to be faintly visible** adivinar
Visigoth → visigodo
vision → visión
visit → visita
visit (to) → frecuentar; visitar
visitor → visita; visitante **visitors** visita
visor → visera
visual → visual
vital → vital
vitality → nervio; vitalidad
vitamin → vitamina
vitro → **in vitro fertilization** fecundación in vitro
vivacity → viveza
viviparous → vivíparo
vocabulary → léxico; vocabulario
vocal cords → cuerdas vocales
vocalic → vocálico
vocalize (to) → vocalizar
vocation → vocación
vodka → vodka
voice → pulmón; voz **at the top of one's voice** a grito pelado **loud voice** voz **powerful voice** vozarrón
void → vacío
volatile → volátil
volcano → volcán
volleyball → balonvolea; voleibol
volt → voltio
volume → caudal; tomo; volumen
voluntary → voluntario
volunteer → voluntario **volunteers** voluntariado
vomit → devuelto; vómito
vomit (to) → vomitar
vomiting → vómito
voodoo → vudú
voracious → voraz
vote → sufragio; votación; voto
vote (to) → votar
voter → elector; votante
voucher → bono; cupón; vale
vowel → vocal
voyage → travesía
vulgar → chabacano; ordinario; soez; vulgar
vulnerable → vulnerable
vulture → buitre
vulva → vulva

W

wad → fajo; mazo
wader → zancudo
wading → zancudo
wafer → barquillo
waffle → paja
wag (to) → menear
wage → sueldo
wage (to) → librar
wagon → furgón; vagón; vagoneta
wailing → lamento
waist → cintura
waistcoat → chaleco
wait → espera
wait (to) → esperar **to wait for** aguardar
waiter → camarero
waiting → pendiente **to be waiting** estar de plantón
waitress → camarero
wake → estela; velatorio
wake (to) → despertar **to wake up** despabilar; despejar; espabilar
walk → marcha; paseo; paso; vuelta **long walk** caminata **to go for a walk** dar; pasear **to take for a walk** pasear
walk (to) → andar; caminar; marchar **walk all over (to)** pisotear **walk around (to)** patear
walker → caminante
walkie-talkie → walkie-talkie
walking stick → bastón
Walkman → walkman
wall → barrera; cerca; muralla; muro; pared; tapia **to go up the wall** subirse por las paredes **wall light** aplique; plafón
wallet → billetero; cartera
wallflower → alhelí
walnut → nuez **walnut tree** nogal
walrus → morsa
waltz → vals
wand → varita
wander (to) → errar; rondar; vagar **wander the streets (to)** callejear
wandering → errante
waning → menguante **waning moon** Luna menguante
wank → paja
want → estrechez
want (to) → ambicionar; desear; querer **not to be wanted** sobrar **to want to** pretender
war → bélico; guerra
warble → trino
warble (to) → trinar
warden → guardabosque
wardrobe → armario; ropero; vestuario
warehouse → almacén
warlike → guerrero
warm → cálido; caluroso; cordial;

de abrigo; efusivo; entrañable; expresivo; templado
warm (to) → caldear **to warm up** caldear; calentar; templar
warming up → calentamiento; precalentamiento
warmth → calor; cordialidad; simpatía
warn (to) → advertir; amonestar; avisar; prevenir
warning → advertencia; alerta; toque **warning beeper** chivato **warning light** chivato
warrant officer → brigada
warren → madriguera
warrior → guerrero
wart → verruga
wary → cauteloso; cauto
wash → lavado
wash (to) → colar; fregar; lavar **wash one's hands (to)** lavarse las manos
washable → lavable
washbasin → lavabo
washer → arandela; junta
washing → colada **washing machine** lavadora **washing place** lavadero
washing-up liquid → lavavajillas
wasp → avispa **wasp's nest** avispero
waste → derroche; desecho; desperdicio; pérdida; residuo **to lay waste to** asolar
waste (to) → derrochar; desaprovechar; desperdiciar; despilfarrar; malgastar
wastepaper basket → papelera
watch → reloj
watch (to) → acechar; contemplar; vigilar **to watch over** velar
watchmaker → relojero **watchmaker's** relojería
watchman → vigilante
watchtower → atalaya
water → acuático; agua **low water** estiaje **low water level** estiaje **to be water under the bridge** ser agua pasada **water bottle** cantimplora **water lily** nenúfar **water polo** waterpolo **water tank** alberca **water wheel** noria
water (to) → regar **to water down** aguar
watercolour → acuarela
watercress → berro
watered down → aguado
waterfall → cascada; catarata; salto
watering → riego **watering can** regadera **watering place** abrevadero
watermelon → sandía
waterproof → impermeable
water-skiing → esquí acuático
watery → acuoso
wave → ola; oleada; onda; polvareda **big wave** oleada
wave (to) → ondular
wavy → ondulado
wax → cera
wax (to) → encerar
way → camino; forma; manera; modo; tirada; trecho; vía **by a long way** ni mucho menos **in a bad way** de capa caída **in this way** así **on one's way to** camino de **on the way** de camino **the other way round** a la inversa; al revés **the wrong way** a contrapelo **there are no two ways about it** no hay tu tía **to be in the way** estorbar **to find a way** ingeniárselas **to give way** ceder; vencer **to go a long way** cundir **to move out of the way** apartar; quitar de en medio **way in** acceso **way of speaking** habla **way of working** mecanismo **way out** salida
we → nosotros
weak → blando; canijo; débil; enclenque; flojo
weaken (to) → debilitar
weakening → desgaste
weakness → debilidad **to know someone's weaknesses** saber de qué pie cojea alguien
wealth → dinero; hacienda; lujo; riqueza
wealthy → adinerado
weapon → arma
wear → desgaste
wear (to) → calzar; llevar; lucir; traer; usar; vestir **to wear away** desgastar **to wear out** desgastar; fatigar; moler **to wear the trousers** cortar el bacalao
weariness → cansancio
weary → cansino
weasel → comadreja
weather → tiempo **to be under the weather** no estar muy católico
weathercock → veleta
weave (to) → tejer
webbed → palmeado
website → web
wedding → boda; casamiento **wedding ring** alianza
wedge → cuña; taco **to put a wedge under** calzar
Wednesday → miércoles
wee → pipí; pis **to go for a wee** hacer pipí
wee (to) → hacer pis
weed → mala hierba **weeds** maleza
week → semana
weekend → fin de semana
week-long → semanal
weekly → semanal; semanario **weekly magazine** semanario
weep (to) → llorar
weeping → lloro
weft → trama
weigh (to) → medir; pesar **to weigh up** medir; ponderar
weight → pesa; peso **to lose weight** adelgazar
weightless → ingrávido
weightlifting → halterofilia
weighty tome → tocho
weird → estrafalario
weirdo → bicho raro
welcome → bienvenida; bienvenido; recibimiento
welcome (to) → acoger
welcoming → acogedor
weld (to) → soldar
well → ¡vaya!; bien; bueno; desde luego; pozo; pues **very well** de perilla; requetebién **well off** acomodado
well up (to) → brotar
wellbeing → bienestar
well-built → cachas; cuadrado; robusto
well-connected → enchufado
well-known → célebre; conocido; famoso; notorio
well-lit → claro
well-to-do → acomodado
west → occidente; oeste; poniente **the West** occidente **west wind** poniente
western → occidental; western
wet → lluvioso; ñoño **to be soaking wet** chorrear **wet blanket** aguafiestas
wet (to) → humedecer; mojar
whale → ballena **whale calf** ballenato
whaling ship → ballenero
what → qué **what a lot of** cuánto **what people will say** el qué dirán **what!** cómo
whatsit → chirimbolo
wheat → trigo **wheat field** trigal
wheel → rueda; torno **big wheel** noria **wheel rim** llanta
wheelbarrow → carretilla
wheelchair → silla de ruedas
when → al; cuando; cuándo; en esto
whenever → siempre que

where → adonde; adónde; donde; dónde
whereabouts → paradero
wherever → dondequiera
which → cual; cuál; que; qué
which one → cuál
while → mientras; rato **while you wait** en el acto
whim → antojo; capricho
whimper (to) → gimotear; lloriquear
whinge (to) → llorar
whinger → quejica
whining → quejica
whip → látigo
whip (to) → azotar; fustigar; montar
whipped cream → nata
whippersnapper → mequetrefe
whirlwind → remolino; torbellino
whisk (to) → montar
whiskers → bigote
whisky → whisky
whisper → susurro
whisper (to) → bisbisear; cuchichear; susurrar
whispering → cuchicheo
whistle → pitido; pito; silbato; silbido
whistle (to) → chiflar; pitar; silbar
white → blanco; cano; clara **white coat** bata **white hair** cana **white lily** azucena
whiten (to) → blanquear
whiteness → blancura
whitewash (to) → encalar
whitish → blancuzco; blanquecino
who → cual; quien; quién
whoa → ¡so!
whoever → quienquiera
whole → entero; íntegro; todo; totalidad **on the whole** en conjunto
wholesale → mayorista
wholesaler → al por mayor; mayorista
whore → zorro
whose → cuyo
why → por qué; cómo
wick → mecha
wicked → malvado; perverso **wicked thing** maldad
wickedness → maldad; perversidad
wicker → mimbre
wickerwork → rejilla
wide → ancho **wide open** de par en par
widen (to) → ensanchar
widening → ensanchamiento
widespread → **to become widespread** generalizar; imponer
widow → viudo **to become a widow** enviudar
widowed → viudo
widower → viudo **to become a widower** enviudar
width → ancho; anchura
wife → esposo; mujer; señor
wig → peluca
wild → agreste; alocado; descabellado; hecho una fiera; montés; salvaje; silvestre **to drive wild** flipar **wild animal** fiera **wild boar** jabalí **wild cat** gato montés **young wild boar** jabato
wildly → a lo loco
will → testamento; voluntad **against someone's will** a la fuerza; por la fuerza
willing → dispuesto; gustoso
willingly → de buena gana
willingness → talante
willow → sauce
willpower → voluntad
willy → cola; pilila; pito
wilted → chuchurrío
win → triunfo; victoria
win (to) → adjudicar; alzarse con; caer; conquistar; ganar; hacerse con; tocar; triunfar; valer; vencer **to win over** congraciar
wind → aire; de viento; eólico; flatulencia; gas; viento **strong wind** vendaval; ventarrón **wind turbine** aerogenerador
wind up (to) → pinchar
winding → tortuoso
windmill → molinillo; molino
window → ventana; ventanilla **large window** ventanal **window cleaner** limpiacristales **window pane** luna
window-cleaning fluid → limpiacristales
window-dresser → escaparatista
windowsill → alféizar
windpipe → tráquea
windscreen → parabrisas **windscreen wiper** limpiaparabrisas
windscreen-wiper blade → escobilla
windshield → parabrisas **windshield wiper** limpiaparabrisas
windshield-wiper blade → escobilla
windsurfing → windsurf
windy → ventoso
wine → vino **wine cellar** cava **wine merchant** bodeguero **wine shop** bodega
wine-producing → vinícola
wineskin → bota
wing → ala; aleta; bastidor; oreja
winged → alado
winger → extremo
wingspan → envergadura
wink → guiño
wink (to) → guiñar
winner → agraciado; ganador; vencedor
winning → agraciado; conquista; ganador; vencedor **winning over** conquista
winnow (to) → aventar
winter → invierno **to spend the winter** invernar
winter (to) → invernar
wipe (to) → enjugar; pasar
wire → alambre; hilo **to get one's wires crossed** cruzarse los cables **wire fence** alambrada
wisdom → sabiduría
wise → sabio
wise up (to) → despertar; espabilar
wish → deseo **I wish** ¡ojalá!
wish (to) → desear
wit → agudeza; chispa; ingenio; sal; salero
witch → brujo; hechicero
witchcraft → brujería
with → con **to be with** estar con
withdraw (to) → retirar
withdrawal → retirada
wither (to) → marchitar
withered → marchito; mustio; seco
within reach → al alcance
without → sin
witness → testigo **to bear witness to** atestiguar
witness (to) → presenciar
witticism → agudeza
witty → ingenioso; ocurrente; salado; saleroso; sandunguero **witty remark** arranque; ocurrencia; salida
wizard → as; brujo; hechicero; mago
wobble (to) → bailar; cojear
wobbly → cojo
wolf → lobo **wolf cub** lobato; lobezno
woman → mujer; tío **single woman** soltero **woman of letters** literato **young woman** joven; mozo
womb → matriz; útero
wonder → maravilla; portento **to do wonders** hacer maravillas
wonder (to) → maravillar; preguntar
wonderful → fantástico; formidable; maravilloso

wonderfully → de maravilla
wood → arboleda; bosque; leña; madera; palo **piece of wood** listón **wood dust** carcoma
woodcutter → leñador
wooden platform → tablado
woodland → arbolado; monte
woodworm → carcoma
wool → lana
woops! → ¡epa!
word → palabra; vocablo; voz **not a word** ni jota **not to say a word** no decir ni pío; ser una tumba **the last word** el último grito **words** letra
work → composición; labor; laboral; obra; tajo; trabajo; trote **hard work** sudor **piece of work** trabajo
work (to) → andar; currar; explotar; funcionar; ir; labrar; servir; tirar; trabajar **to work hard** afanar; pringar **to work on** trabajar **to work oneself into the ground** matar **to work out** salir; trazar
worked up → **to get worked up** acalorar; exaltar; ofuscar
worker → obrero; operario; trabajador **hard worker** hormiga **workers** mano de obra
workforce → mano de obra
working → funcionamiento; laborable; obrero
working-class → popular
workshop → taller
world → mundial; mundo **all the world and his mother** ciento y la madre **world championship** mundial
worldly → mundano
worldwide → mundial
worm → gusano
worn → raído **worn out** muerto
worried → nervioso
worry → preocupación; temor
worry (to) → apurar; comerse el coco; comerse el tarro; inquietar; preocupar **don't worry!** descuida
worrying (to) → **to stop worrying** despreocuparse
worse → peor **to get worse** apretar; arreciar
worsen (to) → empeorar
worsening → empeoramiento
worship → adoración; culto
worship (to) → adorar; idolatrar; venerar
worst → peor
worth → valía **to be worth** valer **to be worth it** compensar **to be worth one's weight in gold** valer su peso en oro
worthy → digno
wound → herida
wound (to) → herir
wounded → herido
wow! → ¡hala!; ¡huy!; ¡jo!; ¡jobar!; ¡jolín!; ¡jope!
wrap (to) → embalar **to wrap up** abrigar; arropar; envolver
wrapped → envuelto
wrapper → envoltorio
wrapping → envoltura
wrath → ira
wreath → corona
wreck → piltrafa
wrecked → **to be wrecked** naufragar
wrestler → luchador
wrestling → lucha
wretch → desgraciado
wretched → desdichado; desgraciado; mísero
wriggle out of it (to) → escurrir el bulto
wring (to) → torcer **to wring out** escurrir
wrinkle → arruga
wrinkle (to) → arrugar
wrinkled → rugoso **to be wrinkled** estar hecho un higo
wrist → muñeca
wristband → muñequera
wristwatch → reloj de pulsera
write (to) → escribir; extender; redactar **to write off** perdonar
writer → escritor
write-up → reseña
writing → escritura **piece of writing** escrito
written → escrito; gráfico **written accent** tilde
wrong → erróneo; incorrecto; mal **to get wrong** errar; fallar **to go wrong** torcer
wrongdoer → malhechor

X

xenophobe → xenófobo
xenophobia → xenofobia
xenophobic → xenófobo
X-ray → radiografía
xylem → xilema
xylophone → xilófono

Y

yacht → yate
Yankee → yanqui
yawn (to) → bostezar
year → año; curso; primavera; promoción
yearbook → anuario
yearn for (to) → ansiar
yearning → ansia
yeast → levadura
yell → alarido
yellow → amarillo; gualdo
yellowish → amarillento
yelp → chillido
yelp (to) → chillar
yen → yen
yes → decir; sí **yes!** ya
yesterday → ayer **yesterday evening** anoche
yet → **not yet** aún no; todavía no
yeti → yeti
yoga → yoga
yoghurt → yogur
yoke → yugo
yokel → cateto
yolk → yema
you → os; te; ti; tú; usted; vosotros **to you** le; se **with you** consigo; contigo
young → joven; mozo; pequeño; tierno
youngster → chaval; chico; chiquillo; rapaz
your → su; tu; vuestro
yours → suyo; tuyo; vuestro **of yours** suyo; tuyo; vuestro **yours truly** servidor
yourself → **mismo**; sí; te **yourselves** sí
youth → infantil; joven; juvenil; juventud
yo-yo → yoyó
yucca → yuca
Yugoslavian → yugoslavo

Z

zeal → celo
zealous → celoso
zebra → cebra
zed → zeta
zee → zeta
zeppelin → zepelín
zero → cero
zigzag → zigzag
zigzag (to) → zigzaguear
zinc → cinc
zip → cremallera
zipper → cremallera
zither → cítara
zombie → zombi
zone → zona
zoo → zoo; zoológico
zoological → zoológico
zoology → zoología
zoom → zoom **zoom lens** zoom
zygote → cigoto